S0-BIK-590

Engelsk-svenska/Svensk-engelska ordboken

NORSTEDTS

Formgivning: Ingmar Rudman
Omslag: Lars E. Pettersson

Specialversion för Åhléns
ISBN 91-1-945552-6
***

Tryckt hos Norbok a.s, Gjøvik Norge 1996

Förord

Engelsk-svenska/Svensk-engelska ordboken är en modern och aktuell ordbok till och från engelska, baserad på Norstedts mellanstora engelska ordböcker. De båda delarna innehåller tillsammans ca 90.000 ord och fraser.

Det här är en bruksordbok för användare som på olika sätt kommer i kontakt med brittisk och amerikansk engelska i vardagslivet. Huvudprincipen bakom arbetet har varit att ge användaren största möjliga hjälp att snabbt hitta rätt översättning. Rikligt med exempel, både översatta och oöversatta, ger stöd vid valet av översättningar. Fullständigt uttal enligt senaste principer ges för samtliga uppslagsord i den engelska delen. Typografin är modern och tydlig med varje uppslagsord på ny rad.

Det är vår förhoppning att denna ordbok ska motsvara användarens krav på en modern och innehållsrik men ändå lätthanterlig ordbok.

Stockholm i augusti 1994

Norstedts Förlag

Ordboksredaktionen

Till användaren

Uppslagsorden står i strikt alfabetisk ordning. V och W behandlas i engelskan som skilda bokstäver.

När uppslagsformen består av två eller flera ord har dessa sorterats som om de vore sammanskrivna:

acidity
acid rain
acknowledge

Stavningen är i grunden den brittiska engelskans. Ibland anges även amerikanska varianter. Specifikt amerikanska ord visas med amerikansk stavning.

Ord som stavas lika men har olika ursprung och betydelse står som olika uppslagsord med arabisk siffra före:

1 bas grundval base
2 bas mus. bass
3 bas förman foreman

Artiklarna indelas när så behövs med romerska siffror (anger ordklass) och arabiska siffror (anger betydelse). För ytterligare indelning används vid behov stora och små bokstäver.

Nedan följer en förteckning över de tecken som används i ordboken. Vidare finns en lista över använda förkortningar och en uppställning av fonetiska tecken som används i uttalsangivelser.

Ordbokstecken

Krok ~

Kroken ersätter hela uppslagsordet i oförändrad form:

ask: *don't ~ me! (= don't ask me!)*
abonnera: *~d (= abonnerad)*

Om begynnelsebokstaven ändras från liten till stor bokstav eller tvärtom visas detta:

abominable: *the A~ snowman (= the Abominable snowman)*

Bindestreck -

Bindestreck ersätter den orddel som står före ett föregående lodstreck:

allmos|a: *-or (= allmosor)*
bas|is: (pl. *-es*) (= pl. *bases)*

Avstavning förekommer i ordboken endast i sammansatta ord som normalt skrivs med bindestreck.

Lodstreck I

Angående användning av lodstreck se ovan under ”Bindestreck”.

Rund parentes ( )

Rund parentes används runt böjnings- eller konstruktionsuppgifter och vid ord eller ordgrupper som kan ersätta det närmast föregående:

amusement: *~ park (ground) (= amusement park, amusement ground)*

Hakparentes [ ]

Hakparentes används runt uttalsbeteckning och vid orddelar eller ord som kan utelämnas:

almanack[a]: (= almanack, almanacka)
answer: *for* [*an*] *answer (= for answer, for an answer)*

Piggparentes ⸠ ⸡

Piggparentes används runt vissa konstruktionsuppgifter, samt i den engelsk-svenska delen

a) vid oöversatta språkexempel:

abide: ~ *by* stå fast vid ⸠ ~ *by a promise* ⸡

b) i språkexempel runt engelska ord som inte översätts till svenska, och som motsvaras av punkter i översättningen:

rock: ⸠*whisky*⸡ *on the ~s*… med is

Punkter …

Punkter används

a) vid avbrutna exempel:

about: *what ~… ?* hur blir det med … ?

b) som motsvarighet till engelska ord som inte översätts till svenska. (Jämför ovan under "Piggparentes")

Förkortningar

Här följer en förteckning över förkortningar som används i ordboken, t.ex. beteckningar för ämnesområde eller stilnivå. Beteckningar för grammatiska kategorier kan förekomma både i *kursiv stil* utan punkt och i liten stil med punkt. Vissa allmänt använda, lättförståeliga förkortningar har inte tagits med i listan.

absol.	absolut
abstr.	abstrakt
ack.	ackusativ
adj	adjektiv
adv	adverb; adverbiell
allm.	allmän betydelse
Amer.	i Amerika (USA)
amer.	amerikansk [engelska]
anat.	anatomi
anm.	anmärkning
antik.	i antiken
anv.	användning; används
a p.	*a person*
a p.'s	*a person's*
arkeol.	arkeologi
arkit.	arkitektur
art.	artikel
astrol.	astrologi
astron.	astronomi
a th.	*a thing*
a th.'s	*a thing's*
attr.	attribut; attributivt
attr adj	attributivt adjektiv
attr s	attributivt substantiv
austral.	australisk [engelska]
avs.	avseende; avser
bakteriol.	bakteriologi
bank.	bankväsen
barnspr.	barnspråk
befintl.	befintlighet
bem.	bemärkelse
benämn.	benämning
bergbest.	bergsbestigning
best.	bestämd; bestämning
best art	bestämd artikel
bet.	betydelse
beteckn.	betecknar; beteckning
beton.	betonad; betoning
betr.	beträffande
bibl.	i Bibeln
bibliot.	biblioteksväsen
bil.	biltrafik, bilteknik
bildl.	bildligt
bilj.	biljard
biol.	biologi
bokb.	bokbinderi
bokf.	bokföring
boktr.	boktryckeri
bot.	botanik
boxn.	boxning
brand.	brandväxen
britt.	brittisk [engelska]
brottn.	brottning
bryggeri.	bryggeriterm
byggn.	byggnadsterm
börs.	börsväsen
dans.	dansterm
dat.	dativ
data.	databehandling
demonstr pron	demonstrativt pronomen
dep.	deponens
determ pron	determinativt pronomen
dets.	detsamma
dial.	dialektalt
dipl.	diplomati
d.o.	detta ord, dessa ord
e.d.	eller dylikt
eg.	egentligen; i egentlig betydelse
egenn.	egennamn

ekon.	ekonomi
elektr.	elteknik
ellipt.	elliptiskt
eng.	engelsk[a]
Engl.	England
etnogr.	etnografi
eufem.	eufemism
ex.	exempel
f.	för
fackspr.	fackspråk
farmakol.	farmakologi
fem.	femininum
film.	filmkonst
filos.	filosofi
fiske.	fisketerm
flyg.	flygterm
fonet.	fonetik
fort.	fortifikation
fotb.	fotboll
foto.	fotografering
fr.	fransk[a]
fys.	fysik
fysiol.	fysiologi
fäktn.	fäktning
färg.	färgeriteknik
följ.	följande [ord]
förb.	förbindelse
fören.	förenad
förh.	förhållanden
förk.	förkortning
förstärk.	förstärkningsord
försäkr.	försäkringsväsen
garv.	garveriterm
gen.	genitiv
geogr.	geografi
geol.	geologi
geom.	geometri
gm	genom
golf.	golfterm
graf.	grafisk teknik
gram.	grammatik
grek.	grekisk[a]
gruv.	gruvdrift
gymn.	gymnastik
hand.	handel
herald.	heraldik
hist.	historia; företeelse som inte längre existerar

hjälpvb	hjälpverb
huvudvb	huvudverb
högtidl.	högtidlig stil
ibl.	ibland
imper.	imperativ
imperf.	imperfekt
ind.	indisk; i Indien
indef pron	indefinit pronomen
inf.	infinitiv
interj	interjektion
interr adv	interrogativt adverb
interr pron	interrogativt pronomen
irl.	irländsk; i Irland
iron.	ironiskt
isht	i synnerhet
it.	italiensk[a]
itr	intransitivt
jak.	jakande
jakt.	jaktterm
jap.	japansk[a]
jfr	jämför
jud.	judisk
jur.	juridik
järnv.	järnvägsterm
kapplöpn.	kapplöpning
katol.	katolsk
kelt.	keltisk[a]
kem.	kemi
kir.	kirurgi
kok.	kokkonst
koll.	kollektivt
komp.	komparativ
konj	konjunktion
konkr.	konkret
konst.	konstterm
konstr.	konstruktion; konstrueras
kortsp.	kortspel
kricket.	kricketterm
kyrkl.	kyrklig
kärnfys.	kärnfysik
lantbr.	lantbruk
lantmät.	lantmäteri
lat.	latin
likn.	liknande
litt.	litterär stil; litteratur
logik.	logikterm
m.	med

mask.	maskulinum
matem.	matematik
med.	medicin
mek.	mekanik
meteor.	meteorologi
metrik.	metrik, verslära
mil.	militärterm
miner.	mineralogi
mkt	mycket
motor.	motorteknik
mots.	motsats
motsv.	motsvaras av
mur.	mureriteknik
mus.	musik
myntv.	myntväsen
mytol.	mytologi
mål.	måleri
n.	neutrum
naturv.	naturvetenskap
ned.	nedan
neds.	nedsättande
nek.	nekande
neutr.	neutrum
ngn[s]	någon[s]
ngt	något
nordam.	nordamerikansk
nordeng.	nordengelsk
obest art	obestämd artikel
obeton.	obetonad
obj.	objekt
o.d.	och dylikt
oegentl.	i oegentlig betydelse
omskrivn.	omskrivning
opers.	opersonlig
optik.	optikterm
ordn.tal	ordningstal
ordspr.	ordspråk
ordst.	ordstäv
oreg.	oregelbunden
oövers.	oöversatt
parl.	parlamentariskt
part.	partikel
pass.	passiv
ped.	pedagogik
perf.	perfekt
perf p	perfekt particip
pers.	person
pers pron	personligt pronomen
pl.	plural
poet.	poetiskt
polis.	polisväsen
polit.	politik
poss pron	possessivt pronomen
post.	postväsen
pred.	predikativt
pred adj	predikativt adjektiv
predf.	predikatsfyllnad
prep	preposition
pres.	presens
pres p	presens particip
pron	pronomen
prot.	protestantisk
psykol.	psykologi
pyrotekn.	pyroteknik, fyrverkeri
®	inregistrerat varumärke
radar.	radarteknik
radio.	radioteknik
recipr.	reciprok
reg.	regelbunden
rel	relativ
rel adv	relativt adverb
rel pron	relativt pronomen
relig.	religion
resp.	respektive
retor.	retorik
rfl	reflexivt
rfl pron	reflexivt pronomen
ridn.	ridning
rodd.	roddsport
rom.	romersk
rugby.	rugbyterm
rymd.	rymdteknik
räkn.	räkneord
s	substantiv
samtl.	samtliga
sb.	substantiv
schack	schackterm
sg.	singular
simn.	simning
självst.	självständigt
sjö.	sjöterm
skeppsbygg.	skeppsbyggnad
skidsport.	i skidsport
skog.	skogsbruk
skol.	skolväsen

skom.	skomakeri
skotsk., Skottl.	skotsk, i Skottland
skämts.	skämtsamt
sl.	slang
slakt.	slakteriterm
smeks.	smeksamt, som smeknamn
smndr.	sammandragning
sms.	sammansättning[ar]
snick.	snickeri
sociol.	sociologi
sp.	spansk[a]
spec.	speciellt
spel.	i sällskapsspel
s pl	substantiv i plural
spirit.	spiritism
sport.	sportterm
språkv.	språkvetenskap
ss.	såsom
stark.	starkare
statist.	statistik
stavn.	stavning
subj.	subjekt
subst.	substantiv
subst adj	substantiverat adjektiv
superl.	superlativ
sv.	svensk[a]
svag.	svagare
sydafr.	sydafrikansk
sydeng.	sydengelsk
sälls.	sällsynt, sällan
särsk.	särskilt
sömnad.	sömnadsterm
tandläk.	tandläkarterm
teat.	teater
tekn.	teknik
tele.	teleteknik
tennis.	tennisterm
teol.	teologi
textil.	textilteknik
tidn.	tidningsspråk
tr	transitivt
trafik.	trafikväsen
trädg.	trädgårdsskötsel
TV.	television
ty.	tysk[a]
typogr.	typografi
ung.	ungefär
univ.	universitetsväsen
urspr.	ursprungligen
utt.	utal; uttalas
uttr.	uttryck; uttrycker
vanl.	vanligen
vard.	vardagligt
vb	verb
vb itr	intransitivt verb
vb rfl	reflexivt verb
vb tr	transitivt verb
vetensk.	vetenskapligt
vet. med.	veterinärmedicin
vid.	vidare
vulg.	vulgärt, tabuord
vävn.	vävnadsteknik
zool.	zoologi
åld.	ålderdomligt
äv.	även
övers.	översättning; översättes

Uttal

Vokaler

Långa		Korta	
[iː]	steel	[ɪ]	ring
		[e]	pen
		[æ]	back
[ɑː]	father	[ʌ]	run
[ɔː]	call	[ɒ]	top
[uː]	too	[ʊ]	put
[ɜː]	girl	[ə]	about

Diftonger

[eɪ] name
[aɪ] line
[ɔɪ] boy
[əʊ] phone
[aʊ] now
[ɪə] here
[eə] there
[ʊə] tour

Konsonanter

Tonande		Tonlösa	
[b]	back	[p]	people
[d]	drink	[t]	too
[g]	go	[k]	call
[v]	very	[f]	fish
[ð]	there	[θ]	think
[z]	freeze	[s]	strike
[ʒ]	usual	[ʃ]	shop
[dʒ]	job	[tʃ]	check
[j]	you		
		[h]	here
		[x]	loch
[m]	my		*ach*-ljud i
[n]	next		skotska ord
[ŋ]	ring		(som i tyska
[l]	long		*machen*)
[r]	red		
[w]	win		

Betoning

Accenttecken står före den betonade stavelsen.
Tecken i överkant anger *huvudtryck*: **about** [əˈbaʊt].
Tecken i nederkant anger *bitryck*: **academic** [ˌækəˈdemɪk]

Variantuttal som enbart innebär *ändrad accent* visas med accent-tecken och bindestreck. Varje bindestreck representerar då en stavelse: **benzene** [ˈbenziːn, -ˈ-]

Ljud som *kan utelämnas* i uttalet står inom rund parentes: **change** [tʃeɪn(d)ʒ]

A

A, a [eɪ] (pl. *A's* el. *a's* [eɪz]) **1** A, a; *A road* ung. riksväg, huvudväg **2** mus., *A major* A-dur; *A minor* A-moll

a el. **an** [ə resp. ən, n; beton. eɪ resp. æn] **1** en, ett; någon [*this is not a hotel*] **2** samma; *they are of a size* de är av [en och] samma storlek **3** per; *twice a day* äv. två gånger om dagen; *two at a time* två i taget (åt gången)

AA förk. för *Automobile Association*

AB amer. = *BA* förk. för *Bachelor of Arts*

aback [ə'bæk], *be taken ~* bildl. baxna, häpna

abandon [ə'bændən] **I** *vb tr* **1** ge upp [*~ an attempt*], avstå från [*~ one's right*] **2** överge, lämna [*he has ~ed his wife; the sailors ~ed the ship*] **II** *s* otvungenhet; frigjordhet

abandoned [ə'bændənd] **1** lössläppt; utsvävande **2** övergiven [*~ property*]

abase [ə'beɪs] förnedra

abate [ə'beɪt] **I** *vb tr* **1** minska **2** sänka, slå av på [*~ the price*] **II** *vb itr* avta; lägga sig

abbess ['æbes] abbedissa

abbey ['æbɪ] **1** abbotskloster **2** klosterkyrka

abbot ['æbət] abbot

abbreviate [ə'bri:vɪeɪt] förkorta

abbreviation [əˌbri:vɪ'eɪʃ(ə)n] förkortning; kortform

ABC [ˌeɪbi:'si:] abc; *the ~ of gardening* trädgårdsskötselns abc (grunder, elementa)

abdicate ['æbdɪkeɪt] **I** *vb itr* abdikera **II** *vb tr* avsäga sig [*the throne*]

abdication [ˌæbdɪ'keɪʃ(ə)n] abdikation

abdomen ['æbdəmən] anat. abdomen, buk; [*lower*] *~* underliv

abdominal [æb'dɒmɪnl] anat. abdominal, underlivs-

abduct [æb'dʌkt] röva (föra) bort

abduction [æb'dʌkʃ(ə)n] bortrövande, bortförande, enlevering

aberration [ˌæbə'reɪʃ(ə)n] **1** villfarelse; avvikelse **2** [*mental*] *~* sinnesförvirring

abet [ə'bet] medverka till isht ngt brottsligt; [*aid and*] *~ a p.* vara ngns medhjälpare i brott

abeyance [ə'beɪəns], *be in ~* vila, ligga nere, få anstå

abhor [əb'hɔ:, ə'bɔ:] avsky, hata

abhorrence [əb'hɒr(ə)ns, ə'bɒr-] avsky, fasa

abhorrent [əb'hɒr(ə)nt, ə'bɒr-] motbjudande

abide [ə'baɪd] (*abode abode* el. *~d ~d*) **I** *vb itr* **1** end. regelb., *~ by* stå fast vid [*~ by a promise*]; hålla sig till [*~ by the law*]; stå för [*~ by the consequences*]; foga sig efter [*~ by a p.'s decision*] **2** poet. dröja; förbli **II** *vb tr* **1** i nek. o. fråg. satser tåla [*I can't ~ him*] **2** foga sig efter [*~ a decision*]

abilit|y [ə'bɪlətɪ] **1** förmåga; skicklighet, duglighet; *to the best of my ~* efter bästa förmåga **2** begåvning; mest pl. *-ies* själsgåvor, anlag, talanger; *a man of ~* en begåvad man; *pool of ~* begåvningsreserv

abject ['æbdʒekt] **1** usel; *~ poverty* yttersta misär **2** ynklig [*~ surrender*]

ablaze [ə'bleɪz] **1** i brand, i lågor **2** starkt (klart) upplyst

able ['eɪbl] **1** skicklig, duktig, kunnig; *be ~ to do a th.* kunna (vara i stånd att, lyckas) göra ngt **2** hand. vederhäftig **3** *~ seaman* matros

able-bodied [ˌeɪbl'bɒdɪd, attr. '--ˌ--] **1** stark **2** *~ seaman* matros

ably ['eɪblɪ] skickligt etc., jfr *able*

ABM [ˌeɪbi:'em] förk. för *anti-ballistic missile*

abnormal [æb'nɔ:m(ə)l] abnorm

abnormality [ˌæbnɔ:'mælətɪ] abnormitet äv. konkr.; avvikelse [från det normala]; missbildning

aboard [ə'bɔ:d] ombord [på] båt, flygplan, tåg; *be ~* äv. ha kommit ombord

abode [ə'bəʊd] **I** *s* **1** litt. boning **2** vistelse; hemvist; *place of ~* jur. hemvist **II** imperf. o. perf. p. av *abide*

abolish [ə'bɒlɪʃ] avskaffa; utplåna

abolition [ˌæbə(ʊ)'lɪʃ(ə)n] avskaffande; utplånande

A-bomb ['eɪbɒm] atombomb

abominable [ə'bɒmɪnəbl] förhatlig, avskyvärd, vederstygglig; vard. urusel [*~ weather* (*food*)]; *the A~ Snowman* snömannen i Himalaya

abominate [ə'bɒmɪneɪt] avsky

aboriginal [ˌæbə'rɪdʒənl] **I** *adj* **1** ursprunglig; *~ tribes* urfolk **2** vanl. *A~* aboriginer-, som hör till aboriginerna **II** *s* urinvånare, isht aboriginer [äv. *A~*]

aborigin|e [ˌæbə'rɪdʒɪn|ɪ] (pl. *-es* [-i:z]) **1** urinvånare, inföding; *the ~s* äv. urbefolkningen **2** vanl. *A~* aboriginer

abort [ə'bɔ:t] **I** *vb itr* **1** få missfall, abortera **2** misslyckas **II** *vb tr* **1** nedkomma för tidigt med **2** a) framkalla missfall hos; göra abort på b) avlägsna genom abort [*~ a baby*] **3** avbryta äv. data.; hejda; komma att misslyckas

abortion [ə'bɔ:ʃ(ə)n] **1** abort; *criminal ~* illegal abort; *have an ~* göra abort **2** *spontaneous ~* med. missfall, spontan abort **3** misslyckande; misslyckat försök

abortive [ə'bɔ:tɪv] **1** förkrympt, hämmad i sin utveckling; steril **2** felslagen [*plans that proved ~*]; misslyckad [*an ~ rebellion*], fruktlös **3** med. abortiv

abound [ə'baʊnd] **1** finnas i överflöd, överflöda **2** ~ *in* ha i överflöd, överflöda av

about [ə'baʊt] **I** *prep* **1** i rumsbet. omkring (runt) i (på) [*walk ~ the town*]; [runt]omkring [*the fields ~ Oxford*], om [*tie a rope ~ him*]; *somewhere ~ here* här någonstans **2** på sig [*I have no money ~ me*]; hos [*there is something ~ him I don't like*], med, över; *what* (*how*) *~...?* hur är (blir, går) det med...?, ska vi...? [*what* (*how*) *~ going to the cinema?*] **3** om [*tell me all ~ it*], angående; i, i fråga om [*careless ~ his personal appearance* (sitt yttre)]; över; *he was very nice ~ it* han tog det mycket fint, han var mycket förstående **4** sysselsatt med; *while you are ~ it* medan du [ändå] håller på **5** i måtts- och tidsuttryck omkring [*for ~ five miles, ~ 6 o'clock*], jfr äv. *II 5*; *he is ~ your size* han är ungefär lika lång som du
II *adv* **1** omkring [*rush ~*], runt [*go ~ in circles*]; runtomkring; hit och dit [*order a p. ~*]; i omkrets [*a wheel two inches ~*]; *all ~* på alla sidor, runtomkring **2** om åt motsatt (annat) håll; *right ~!* höger om!; *it's* [*quite*] *the other way ~* det är precis tvärtom **3** ute, i rörelse; liggande framme; *be ~* äv. finnas [att få] **4** *take turns ~* tura[s] om **5** ungefär [*~ as high as that tree*]; [*Are you ready to go?*] *Just ~* ...Så gott som, ...Nästan **6** *be ~ to* + inf. stå i begrepp att, ska [just] [*he was ~ to leave*]

about-turn [əˌbaʊt'tɜ:n] **I** *s* helomvändning; bildl. äv. kovändning **II** *vb itr* göra helt om; bildl. göra en helomvändning (kovändning)

above [ə'bʌv] **I** *prep* över högre än; ovan[för]; mer än; jämte; *~ all* framför allt; *over and ~* utöver, förutom **II** *adv* **1** ovan [*the statement ~*]; ovanför; upptill; *as was mentioned ~* såsom [här] ovan nämndes; *from ~* uppifrån, ovanifrån; bildl. från högre ort **2** över; [*books of 100 pages*] *and ~* ...och mer **III** *adj* o. *s* ovanstående; *the ~* ovannämnda [person]; [det] ovanstående

above-board [əˌbʌv'bɔ:d] **I** *adv* öppet, ärligt **II** *pred adj* öppen, ärlig

above-mentioned [əˌbʌv'menʃ(ə)nd] ovannämnd

abracadabra [ˌæbrəkə'dæbrə] abrakadabra, ss. trolleriformel äv. hokuspokus

abrasion [ə'breɪʒ(ə)n] avskavning; slitning

abrasive [ə'breɪsɪv, -zɪv] **I** *s* slipmedel **II** *adj* **1** avskrapande, slip- [*~ paper*] **2** bildl. a) skrovlig, sträv [*an ~ voice*] b) påstridig, oresonlig, aggressiv [*an ~ personality*]

abreast [ə'brest] i bredd, sida vid sida; *~ of* (*with*) i jämnhöjd med, jämsides med, inte efter i utveckling etc.; *keep ~ with a p.* hålla jämna steg med ngn

abridge [ə'brɪdʒ] förkorta

abroad [ə'brɔ:d] **1** utomlands [*live* (*go*) *~*]; *from ~* från utlandet, utifrån **2** litt. i farten [*few people were ~*]; *get ~* komma ut, sprida sig [*a rumour has got ~*]

abrupt [ə'brʌpt] **1** abrupt **2** ryckig isht om stil; tvär **3** brant

ABS [ˌeɪbi:'es] (förk. för *antilock brake system* el. *antilock braking system*) ABS-bromsar

abscess ['æbses, -sɪs] böld, abscess

abscond [əb'skɒnd] avvika, rymma

absence ['æbs(ə)ns] **1** frånvaro, bortovaro **2** brist; avsaknad **3** *~ of mind* själsfrånvaro, se vid. *absent-mindedness*

absent [ss. adj. 'æbs(ə)nt, ss. vb æb'sent] **I** *adj* **1** frånvarande; *be ~ from* äv. utebli från **2** obefintlig **II** *vb rfl*, *~ oneself* hålla sig borta

absentee [ˌæbs(ə)n'ti:] frånvarande; skolkare

absenteeism [ˌæbs(ə)n'ti:ɪz(ə)m] [ogiltig] frånvaro från arbetet; skolk; frånvarofrekvens

absent-minded [ˌæbs(ə)nt'maɪndɪd] tankspridd, förströdd

absent-mindedness [ˌæbs(ə)nt'maɪndɪdnəs] tankspriddhet, förströddhet

absolute ['æbs(ə)lu:t, -lju:t] **1** absolut [*~ majority*], fullständig [*~ freedom*], full [*~ certainty*]; total; ren [*an ~ fool*], riktig [*an ~ genius*]; *it's the ~ truth* det är absolut sant **2** enväldig [*~ power*], absolut [*~ monarchy*] **3** fackspr. absolut [*~ alcohol* (*temperature*)] **4** gram. absolut [*~ comparative*]

absolutely ['æbs(ə)lu:tlɪ, -lju:-, i bet. *2* ˌ--'--] **1** absolut, fullständigt etc., jfr *absolute*; helt [och hållet] **2** vard., *~!* [ja] absolut!, så klart!, alla gånger!

absolve [əb'zɒlv] **1** frikänna; lösa **2** teol. ge absolution åt

absorb [əb'sɔ:b, əb'z-] **1** absorbera, fånga upp; *be ~ed by* (*into*) införlivas med, uppgå i **2** uppsluka, helt uppta; *be ~ed in* gå upp i, vara försjunken (helt engagerad) i

absorbent [əb'sɔ:bənt, əb'z-] **I** *adj* absorberande; *~ cotton* isht amer. bomull, vadd **II** *s* absorberande medel

absorbing [əb'sɔ:bɪŋ, əb'z-] absorberande; bildl. allt uppslukande

abstain [əb'steɪn, æb-] **1** avstå; avhålla sig; vara avhållsam **2** *~* [*from voting*] lägga ned sin röst

abstainer [əb'steɪnə, æb-] **1** avhållsman; *total ~* absolutist, helnykterist **2** valskolkare

abstemious [əb'stiːmjəs, æb-] återhållsam, måttlig isht i mat o. dryck
abstention [əb'stenʃ(ə)n, æb-] **1** ~ [*from voting*] röstnedläggelse; röstskolkning **2** återhållsamhet
abstinence ['æbstɪnəns] avhållelse; avhållsamhet; isht med. abstinens
abstinent ['æbstɪnənt] avhållsam
abstract [ss. adj. o. subst. 'æbstrækt, ss. vb i bet. III 1 -'-, III 2 '--] **I** *adj* abstrakt i olika bet.: teoretisk; svårfattlig; ~ *mathematics* ren matematik **II** *s* **1** abstrakt begrepp; gram. abstrakt ord; *the* ~ det abstrakta; *in the* ~ teoretiskt, i princip (teorin) **2** abstrakt konstverk **3** sammandrag **III** *vb tr* **1** abstrahera; ta bort **2** sammanfatta
abstruse [æb'struːs] svårfattlig
absurd [əb'sɜːd] orimlig; dum
absurdity [əb'sɜːdətɪ] o. **absurdness** [əb'sɜːdnəs] orimlighet; dumhet
abundance [ə'bʌndəns] **1** överflöd; [stor] mängd **2** rikedom [*an ~ of information*]
abundant [ə'bʌndənt] **1** överflödande **2** rik
abuse [ss. subst. ə'bjuːs, ss. vb ə'bjuːz] **I** *s* **1** missbruk; missförhållande; *it is open to ~* det kan lätt missbrukas **2** utan pl. ovett [*a stream of ~*], otidigheter; skäll **II** *vb tr* **1** missbruka **2** skymfa **3** misshandla
abusive [ə'bjuːsɪv] ovettig; smädlig
abysmal [ə'bɪzm(ə)l] avgrundsdjup isht bildl. [~ *ignorance*]; urusel [*the food was ~*]
abyss [ə'bɪs] avgrund; ofantligt djup
academic [ˌækə'demɪk] **I** *adj* akademisk; teoretisk; orealistisk; ~ *ability* studiebegåvning **II** *s* akademiker; teoretiker
academy [ə'kædəmɪ] **1** akademi; högre undervisningsanstalt med specialinriktning; [hög]skola; ~ *of music* musikhögskola **2** lärt (vittert, konstidkande) samfund [*The Royal A~* [*of Arts*]]; *A~ award* Oscar amerikanska filmakademins utmärkelse
accede [æk'siːd], ~ *to* a) instämma i; biträda åsikt; gå med på; villfara [~ *to a request*] b) tillträda [~ *to a post*]; komma på [~ *to the throne*]
accelerate [ək'seləreɪt] **I** *vb itr* accelerera **II** *vb tr* påskynda, accelerera
acceleration [əkˌselə'reɪʃ(ə)n] acceleration äv. astron.; påskyndande; tilltagande hastighet; ~ *lane* trafik. accelerationsfält, påfartssträcka
accelerator [ək'seləreɪtə] gaspedal; fys. el. kem. accelerator
accent [ss. subst. 'æks(ə)nt, ss. vb æk'sent] **I** *s* **1** accent; tonfall; uttal **2** vard. tonvikt; *with the ~ on* med tonvikt på **II** *vb tr* betona
accentuate [æk'sentjʊeɪt] betona [*the dress ~s her figure*], accentuera
accept [ək'sept, æk-] **1** anta, motta; ~ *an invitation* (*offer*) äv. tacka ja till en inbjudan (ett anbud) **2** godta [~ *an excuse*]; erkänna [~ *defeat*], godkänna, gå med på [~ *a p.'s terms*]; finna sig i [*I won't ~ such conditions*]; acceptera; *be widely ~ed* vinna stor anslutning **3** hand. acceptera växel; ~ [*delivery of*] *goods* erkänna mottagandet av varor
acceptable [ək'septəbl, æk-] antagbar, acceptabel; välkommen
acceptance [ək'sept(ə)ns, æk-] **1** antagande etc., jfr *accept 1* **2** godtagande; erkännande; bifall; *gain wide ~* accepteras i vida kretsar **3** hand. växelacceptering; accept **4** *without ~ of persons* utan anseende till person
access ['ækses] **1** tillträde; tillgång; tillgänglighet; umgängesrätt [~ *to* (med) *one's children*]; ~ *television* ung. lokal-TV; *right of common ~* allemansrätt **2** anfall; *in a new ~ of strength* med nyfunnen styrka (kraft) **3** data. åtkomst, access; ~ *time* accesstid
accessible [ək'sesəbl, æk-] tillgänglig
accession [æk'seʃ(ə)n, ək-] **1** tillträde; tillträdande av ämbete; inträdande; ~ [*to the throne*] tronbestigning **2** tillskott
accessor|y [ək'sesərɪ, æk-] **I** *adj* **1** åtföljande, som kommer till, bidragande; ~ *part* reservdel **2** (end. pred.) jur. medbrottslig, delaktig [*to* i] **II** *s* **1** mest pl. *-ies* tillbehör, bihang, bisaker, accessoarer **2** jur. medhjälpare, medbrottsling
accidence ['æksɪd(ə)ns] språkv. formlära
accident ['æksɪd(ə)nt] **1** tillfällighet; *by ~* av en händelse (slump), tillfälligtvis **2** olycksfall, olycka; ~ *insurance* olycksfallsförsäkring
accidental [ˌæksɪ'dentl] **I** *adj* **1** tillfällig; [*a verdict of*] ~ *death* ...död genom olyckshändelse **2** oväsentlig **II** *s* bisak
accidentally [ˌæksɪ'dent(ə)lɪ] av en händelse; oavsiktligt
accident-prone ['æksɪd(ə)ntprəʊn], *he is ~* han råkar lätt ut för olyckor, han är en olycksfågel
acclaim [ə'kleɪm] **I** *vb tr* hälsa med jubel [~ *the winner*]; hälsa såsom [*they ~ed him king*] **II** *s* bifallsrop; bifall
acclamation [ˌæklə'meɪʃ(ə)n] **1** vanl. pl. *~s* bifallsrop, hälsningsjubel **2** acklamation; *by ~* med acklamation, utan votering
acclimatize [ə'klaɪmətaɪz] **I** *vb tr* acklimatisera; anpassa; *become* (*get*) *~d* acklimatisera (anpassa) sig **II** *vb itr* acklimatisera (vänja) sig
accolade ['ækə(ʊ)leɪd, -lɑːd] **1** dubbning till riddare; riddarslag **2** hyllning [*the ~s of the literary critics*]
accommodate [ə'kɒmədeɪt] **1** inhysa,

logera, ge husrum; rymma **2** a) lämpa, passa in, jämka, rätta; ställa in b) optik. ackommodera **3** sammanjämka, förena [~ *the interests of different groups*] **4** tillgodose; hjälpa med (låna ngn) pengar [*he asked the bank to ~ him*]; *~ a p. with a loan* försträcka ngn ett lån

accommodating [əˈkɒmədeɪtɪŋ] tillmötesgående, tjänstvillig; foglig

accommodation [əˌkɒməˈdeɪʃ(ə)n] **1** a) (amer. vanl. pl. *~s*) bostad; logi, inkvartering b) utrymme [*~ for 30 people*] **2** a) anpassning b) ögats ackommodation[sförmåga] **3** visat tillmötesgående **4** uppgörelse **5** lån

accompaniment [əˈkʌmpənɪmənt] **1** ackompanjemang [*to the ~ of a march*] **2** tillbehör

accompan|y [əˈkʌmp(ə)nɪ] **1** beledsaga, låta åtföljas [*with* av; *he -ied his words with a bang on the table*] **2** åtfölja [*-ied by his son*], följa med, göra sällskap med; *-ied with* bildl. åtföljd av, förbunden (förenad) med **3** mus. ackompanjera [*~ a p. at the piano*]

accomplice [əˈkʌmplɪs, -ˈkɒm-] medbrottsling

accomplish [əˈkʌmplɪʃ, -ˈkɒm-] **1** utföra [*~ a task*], uträtta, åstadkomma **2** fullborda; tillryggalägga

accomplished [əˈkʌmplɪʃt, -ˈkɒm-] fulländad; fint bildad

accomplishment [əˈkʌmplɪʃmənt, -ˈkɒm-] **1** utförande; fullbordande **2** resultat **3** fulländning, utbildning; isht pl. *~s* talanger; färdigheter

accord [əˈkɔːd] **I** *vb tr* bevilja **II** *vb itr* mest om saker vara i överensstämmelse, stämma överens **III** *s* **1** samstämmighet; *in ~ with* i överensstämmelse (enlighet) med **2** a) överenskommelse b) förlikning **3** *of one's own ~* självmant, av sig själv

accordance [əˈkɔːd(ə)ns] överensstämmelse; *in ~ with* i överensstämmelse (enlighet) med, enligt

according [əˈkɔːdɪŋ] **1** ss. prep. *~ to* enligt, i enlighet med, efter; alltefter [*~ to circumstances*], med [*the heat varies ~ to the latitude*] **2** ss. konj. *~ as* i den mån som, alltefter som **3** ss. adv. *it's all ~* vard. det beror på

accordingly [əˈkɔːdɪŋlɪ] **1** i enlighet därmed **2** således

accordion [əˈkɔːdɪən] dragspel, handklaver

accost [əˈkɒst] **1** [gå fram till och] tilltala **2** antasta

account [əˈkaʊnt] **I** *vb tr* o. *vb itr* **1** *~ for* **a**) redovisa [för]; svara för; *everyone was ~ed for* ingen saknades **b**) tjäna som förklaring på; *that ~s for it* det förklarar saken; *there's no ~ing for tastes* om tycke och smak skall man inte diskutera **2** betrakta såsom **II** *s* **1** räknande, beräkning (jfr äv. *5* ex.); pl. *~s* handelsräkning **2** **a**) räkning; pl. *~s* räkenskaper; bokföringsavdelningen, bokföringen; *current ~* löpande räkning; med checkhäfte checkkonto; *keep ~s* föra räkenskaper (böcker); *put down to a p.'s ~* sätta upp på ngns konto **b**) bildl. *settle* (*square*) *~s with a p.* göra upp [räkningen] med ngn, ge ngn betalt för gammal ost; *on a p.'s ~* för ngns skull; *on that ~* för den [sakens] skull; *on no ~* el. *on ~ of* på grund av, med anledning av **3** fördel, nytta; *turn* (*put*) *to ~* dra nytta av, använda till sin fördel **4** redovisning; *call* (*bring*) *a p. to ~* ställa ngn till svars **5** vikt, anseende; *leave out of ~* lämna ur räkningen, bortse ifrån; *take into ~* ta med i beräkningen; ta hänsyn till **6** berättelse; *give an ~ of* redogöra för; *by* (*from*) *all ~s* efter vad man har hört, efter vad som sägs

accountable [əˈkaʊntəbl] ansvarig

accountancy [əˈkaʊntənsɪ] räkenskapsföring

accountant [əˈkaʊntənt] revisor; *chartered* (amer. *certified public*) *~* auktoriserad revisor

accredit [əˈkredɪt] ackreditera; befullmäktiga; *~ed* äv. allmänt erkänd, officiellt godkänd

accretion [əˈkriːʃ(ə)n, æˈk-] **1** tillväxt; tillskott, tillsats **2** anhopning, avlagring [*~s of dirt*]

accrue [əˈkruː] **1** tillkomma; tillfalla **2** växa till isht om kapital; *~d interest* upplupen ränta

accumulate [əˈkjuːmjʊleɪt] **I** *vb tr* hopa; lagra [upp] **II** *vb itr* hopa sig, samlas

accumulation [əˌkjuːmjʊˈleɪʃ(ə)n] anhopning; samlande; hop, samling

accumulator [əˈkjuːmjʊleɪtə] fys. el. data. ackumulator; *~ battery* ackumulatorbatteri

accuracy [ˈækjʊrəsɪ] exakthet; noggrannhet

accurate [ˈækjʊrət] exakt; noggrann

accusation [ˌækjuːˈzeɪʃ(ə)n] anklagelse; *bring an ~ against* framföra (rikta) en anklagelse mot

accusative [əˈkjuːzətɪv] gram. ackusativ[-]; *the ~* [*case*] ackusativ[en]

accuse [əˈkjuːz] **1** anklaga; beskylla; *the ~d* den anklagade; *be* (*stand*) *~d of* vara (stå) anklagad för **2** klandra [*he ~s the system*]

accustom [əˈkʌstəm] vänja [sig]

accustomed [əˈkʌstəmd] **1** van **2** [sed]vanlig

ace [eɪs] **I** *s* **1** ess, äss; etta på tärning etc.; *~ of hearts* hjärteress; *have an ~ up one's sleeve* bildl. ha trumf på hand **2** *within an ~*

of ytterst nära, en hårsmån från [*within an ~ of victory*] **3** pers. ess **4** i tennis serveess **II** *attr adj*, *~ reporter* stjärnreporter
acerbic [əˈsɜ:bɪk] **1** sur [*~ apples*], bitter **2** bildl. syrlig, bitter
acetate [ˈæsɪteɪt, -tət] acetat [*~ fibre*]; *~ silk* acetatsilke, acetatsiden
acetone [ˈæsɪtəʊn] aceton
acetylsalicylic [ˌæsɪtaɪlsæləˈsɪlɪk, ˌæsɪtɪl-] kem., *~ acid* acetylsalicylsyra
ache [eɪk] **I** *vb itr* värka; *I'm aching all over* det värker i hela kroppen; *~ for* (*to get*) längta [intensivt] efter (efter att få) **II** *s* värk; *have ~s and pains all over* ha ont i hela kroppen
achieve [əˈtʃi:v] **1** utföra; åstadkomma [*he will never ~ anything*], prestera **2** [upp]nå [*~ one's aims*]
achievement [əˈtʃi:vmənt] **1** utförande **2** insats; prestation; gärning, verk **3** ped. färdighet
Achilles [əˈkɪli:z] mytol. Akilles; *~' heel* akilleshäl
acid [ˈæsɪd] **I** *adj* sur; bitter äv. bildl. **II** *s* **1** syra **2** sl. LSD narkotika **3** vard., *come the ~* vara snorkig (sarkastisk)
acidification [əˌsɪdɪfɪˈkeɪʃ(ə)n] försurning; förvandling till syra
acidity [əˈsɪdətɪ] **1** aciditet; försurning; syrlighet **2** magsyra
acid rain [ˌæsɪdˈreɪn] surt regn
acknowledge [əkˈnɒlɪdʒ, æk-] **1** erkänna [*~ oneself beaten*; *~ a child*; *~ one's mistake*], tillstå **2** uttrycka sin erkänsla för [*~ a p.'s services*] **3** *~ a p.* kännas vid ngn; genom hälsning visa att man känner [igen] ngn
acknowledgement [əkˈnɒlɪdʒmənt, æk-] **1** erkännande; bekräftelse **2** erkänsla; *in ~ of* [*your help*] som tack för...
acme [ˈækmɪ] höjd[punkt]; högsta grad
acne [ˈæknɪ] med. akne
acorn [ˈeɪkɔ:n] ekollon
acoustic [əˈku:stɪk] o. **acoustical** [əˈku:stɪk(ə)l] akustisk; *acoustic feedback* akustisk återkoppling, rundgång
acoustics [əˈku:stɪks] **1** (konstr. ss. pl.) akustik i en lokal o.d. **2** (konstr. ss. sg.) akustik läran om ljudet
acquaint [əˈkweɪnt] **1** *~ oneself with* bekanta sig (göra sig bekant) med; sätta sig in i, lära känna; *be ~ed with* vara bekant med; känna [till] **2** *~ a p. with a th.* underrätta ngn om ngt
acquaintance [əˈkweɪnt(ə)ns] **1** bekantskap; kännedom; *make a p.'s ~* (*the ~ of a p.*) göra ngns bekantskap; *a nodding* (*bowing* [ˈbaʊɪŋ]) *~* en flyktig bekantskap **2** bekant, umgängesvän; *circle of ~s* bekantskapskrets
acquiesce [ˌækwɪˈes] samtycka; foga sig
acquire [əˈkwaɪə] förvärva, skaffa [sig]; vinna; perf. p. *~d* inlärd; som man har lagt sig till med [*an ~d habit*]; *~d characteristics* (*characters*) förvärvade egenskaper; *it's an ~d taste* det är något man måste vänja sig vid
acquirement [əˈkwaɪəmənt] **1** förvärvande **2** isht pl. *~s* färdigheter, talanger; kunskaper
acquisition [ˌækwɪˈzɪʃ(ə)n] **1** förvärvande, tillägnande **2** förvärv, ackvisition
acquisitive [əˈkwɪzɪtɪv] förvärvslysten; hagalen; *the ~ society* ung. prylsamhället, konsumtionssamhället
acquit [əˈkwɪt] **1** frikänna **2** *~ oneself well* (*ill* etc.) sköta sig (göra sin sak) bra (dåligt etc.)
acquittal [əˈkwɪtl] **1** frikännande; *sentence of ~* friande dom **2** fullgörande av plikt
acre [ˈeɪkə] ytmått 'acre' (4 047 m²); ung. tunnland
acreage [ˈeɪkərɪdʒ] antal 'acres'; areal
acrid [ˈækrɪd] bitter, skarp; kärv, frän äv. bildl.
acrimonious [ˌækrɪˈməʊnjəs] bitter [*~ dispute*]
acrobat [ˈækrəbæt] akrobat
acrobatics [ˌækrə(ʊ)ˈbætɪks] (konstr. ss. pl.) akrobatik, akrobatkonster
across [əˈkrɒs] **I** *adv* **1** över; på tvären; i korsord vågrätt; *~ from* amer. mittemot **2** över [*come ~ to my office tomorrow*], på (till) andra sidan [*swim ~*] **3** i kors **II** *prep* **1** över, tvärsöver; *come* (*run*) *~* komma över ngt; stöta (råka) på ngt (ngn) **2** över [*~ the river*]; *~ the board* bildl. allmänt, generellt, jfr *across-the-board* **3** *you can't put that ~ me* det kan du inte lura i mig
across-the-board [əˌkrɒsðəˈbɔ:d] allmän, över hela linjen [*an ~ wage increase*]
acrylic [əˈkrɪlɪk] **I** *adj*, *~ acid* akrylsyra **II** *s* akryl; akrylfiber
act [ækt] **I** *s* **1** handling; *the Acts* [*of the Apostles*] bibl. Apostlagärningarna; *~ of faith* troshandling, hjärtesak; *~ of God* jur. force majeure; *I was in the* [*very*] *~ of doing it, when...* jag var i full färd med att göra det när...; *get one's ~ together* vard. få det att funka; rycka upp sig **2** parl. beslut [*A~ of Parliament, A~ of Congress*]; lag, laga stadga **3** teat. akt; nummer [*a circus ~*]; *put on an ~* göra sig till, spela teater **II** *vb itr* **1** handla; agera [*he's ~ing strangely*]; ingripa [*they ~ed to prevent it*]; bete sig **2** fungera, tjänstgöra; verka; göra tjänst; *~ for a p.* representera (företräda) ngn [äv. *~ on behalf of a p.*] **3** [in]verka **4** teat. spela; bildl. spela [teater] [*she's not really crying, she's only ~ing*] **5** vard., *~ up* ställa till besvär (trassel); [*my bad leg*] *is ~ing up again* ...gör sig påmint (krånglar)

igen **III** *vb tr* uppföra pjäs; uppträda som; spela [~ [*the part of*] *Hamlet*], agera; ~ *the hero* spela hjälte

acting ['æktɪŋ] **I** *adj* [för tillfället] tjänstgörande [~ *consul*, ~ *headmaster*] **II** *s* **1** handlande, handling **2** teat. spel, spelsätt; *choose ~ as a career* välja teaterbanan, bli skådespelare

action ['ækʃ(ə)n] **1** handling; handlande; agerande; *~!* film. tystnad, tagning!; *take ~* ingripa, handla, vidta åtgärder; *take industrial ~* ta till stridsåtgärder **2** inverkan [*by the ~ of the air*]; verkan [*the ~ of the drug*] **3** funktion [*the ~ of the heart*], sätt att fungera; gång hos maskin o.d.; *call into ~* sätta i funktion; *put out of ~* sätta ur funktion; mil. försätta ur stridbart skick; friare [för]sätta ur spel **4** konkr. mekanism **5** a) handling i pjäs, roman etc. b) vard., *that's where the ~ is* det är där som saker och ting (stora saker) händer; *get a piece of the ~* vara med på ett hörn **6** jur. rättsliga åtgärder; rättegång; åtal; *bring* (*enter*) *an ~ against* väcka åtal mot, åtala, stämma **7** mil. strid [*killed in ~*], aktion [*go into ~*, *come out of ~*]; *~ station* anvisad stridsställning

activate ['æktɪveɪt] **1** göra aktiv (verksam); *~d carbon* aktivt kol **2** fys. göra radioaktiv

active ['æktɪv] **I** *adj* **1** aktiv äv. mil.; verksam; flitig, livlig; rörlig; *~ capital* rörligt kapital **2** gram., *the ~ voice* aktiv form, aktiv **II** *s* gram., *the ~* aktiv

activist ['æktɪvɪst] aktivist [~ *group*]

activity [æk'tɪvətɪ] **1** aktivitet; kraftutveckling **2** energi **3** pl. *activities* verksamhet, verksamhetsfält; verkande krafter; strävanden, aktiviteter [*leisure-time activities*] **4** [*trade*] ~ [affärs]omsättning

actor ['æktə] skådespelare, aktör

actress ['æktrəs] skådespelerska

actual ['æktʃʊəl, -tjʊəl] **1** faktisk; själv[a]; effektiv [~ *working-hours*]; *during the ~ ceremony* under själva ceremonin; *in ~ fact* i själva verket; *~ sin* verksynd **2** nuvarande [*the ~ position of the moon*], nu rådande, aktuell [*the ~ situation*]

actually ['æktʃʊəlɪ, -tjʊəlɪ] **1** egentligen, i själva verket **2** faktiskt [*I don't know ~*], verkligen; *we ~ did it!* tänk att vi klarade det! **3** för tillfället

actuary ['æktjʊərɪ] försäkringsstatistiker, aktuarie

actuate ['æktjʊeɪt] **1** sätta i rörelse **2** driva [*be ~d by love of one's country*], driva på, påverka

acuity [ə'kju:ətɪ] skärpa; skarpsinne

acumen ['ækjʊmən, -men, isht amer. ə'kju:men] skarpsinnighet, skarpsinne; *business ~* utpräglat sinne för affärer

acupuncture ['ækjʊpʌŋktʃə] med. **I** *s* akupunktur **II** *vb tr* behandla med akupunktur

acupuncturist [ˌækjʊ'pʌŋktʃərɪst] akupunktör

acute [ə'kju:t] **1** spetsig, skarp; *~ angle* spetsig vinkel **2** skarp **3** hög, gäll **4** skarpsinnig; [*dogs have*] *an ~ sense of smell* ...ett väl utvecklat luktsinne **5** akut [~ *disease*; ~ *accent*]

AD [ˌeɪ'di:, ænə(ʊ)'dɒmɪnaɪ] (förk. för *Anno Domini*) e. Kr.

ad [æd] vard. kortform för *advertisement*

adamant ['ædəmənt] orubblig

adapt [ə'dæpt] **1** lämpa, anpassa; adaptera; använda; *~ oneself to* anpassa (foga, ställa om) sig efter **2** bearbeta; [*the play*] *has been skilfully ~ed from the novel* ...är en skicklig omarbetning av romanen

adaptation [ˌædæp'teɪʃ(ə)n] **1** anpassning; fysiol. el. biol. adaptation **2** bearbetning

ADC [ˌeɪdi:'si:] förk. för *aide-de-camp*

add [æd] **I** *vb tr* **1** tillägga; tillfoga; tillsätta, blanda (hälla) i **2** addera, summera; *~ 2 and* (*to*) *2* äv. lägga ihop 2 och 2 **II** *vb itr* **1** addera **2** *~ to* öka, bidra till, förhöja; bygga till (på); *to ~ to it all* till råga på allt **3** *~ up* om siffror stämma; *it doesn't ~ up* vard. det stämmer inte, det går inte ihop

added ['ædɪd] ökad

adder ['ædə] zool. huggorm; giftorm

addict [ss. vb ə'dɪkt, ss. subst. 'ædɪkt] **I** *vb tr*, *~ oneself to* ägna (hänge) sig åt, hemfalla åt; *be ~ed to* a) vara begiven på (hemfallen åt) b) missbruka t.ex. narkotika **II** *s* slav under narkotika o.d.; missbrukare; *drug* (*dope*) *~* narkoman, knarkare, narkotikamissbrukare

addiction [ə'dɪkʃ(ə)n] begivenhet, hängivenhet; missbruk [~ *to* (av) *drugs* (*alcohol*)]

addition [ə'dɪʃ(ə)n] **1** tilläggande; tillsättning; tillägg, tillsats; *an ~ to the family* tillökning i familjen; *in ~ there will be...* härtill (därtill) kommer..., dessutom tillkommer... **2** matem. addition; *~ sign* additionstecken

additional [ə'dɪʃənl] ytterligare; ny; förhöjd; extra; återstående

additive ['ædɪtɪv] tillsats[ämne] [*new chemical ~s*]; *food ~* livsmedelstillsats

address [ə'dres, ss. subst. amer. äv. 'ædres] **I** *vb tr* **1** rikta [~ *words* (*a request*) *to* (till)] **2** vända sig till; tala (hålla tal) till **3** titulera; *~ a p. as* [*'Colonel'*] titulera ngn... **4** adressera; skriva adress på; [*the letter is*] *wrongly addressed* ...feladresserat **5** golf., *~ the ball* adressera bollen **II** *vb rfl*, *~ oneself to* a) vända (rikta) sig till i ord b) inrikta sig på, ta itu med uppgift **III** *s* **1** på brev o.d. adress; *notify change of ~*

meddela adressändring **2** data. adress **3** offentligt tal riktat till ngn; anförande **4** gott omdöme; skicklighet

addressee [ˌædre'si:] adressat, mottagare

adduce [ə'dju:s] anföra, åberopa [~ *reasons*]

adenoids ['ædənɔɪdz] polyper i näsa och svalg

adept ['ædept, isht ss. adj. äv. ə'dept] **I** *adj* skicklig, erfaren; invigd **II** *s* mästare, kännare

adequate ['ædɪkwət] **1** tillräcklig; tillräckligt (nog) med [~ *food*]; lagom; lämplig; ~ *to* avpassad efter, passande för **2** fullgod, giltig [*an ~ reason*]; täckande [*an ~ definition*]

adhere [əd'hɪə], ~ *to* a) sitta (klibba) fast vid, fastna på b) hålla fast vid c) ansluta sig till

adhesion [əd'hi:ʒ(ə)n] **1** vidhäftning[sförmåga]; fasthållande **2** anslutning

adhesive [əd'hi:sɪv] **I** *adj* som fastnar (fäster); självhäftande [~ *plaster*]; gummerad [~ *envelope*]; klibbig; ~ *tape* tejp, klisterremsa **II** *s* bindemedel; klister; lim; häftplåster

ad hoc [ˌæd'hɒk] lat. ad hoc, special-; ~ *committee* ad hoc-utskott, utskott för visst uppdrag

ad infinitum [ˌædɪnfɪ'naɪtəm] lat. i det oändliga

adjacent [ə'dʒeɪs(ə)nt] angränsande; grann- [~ *farm* (*country*)]; ~ *angle* matem. närliggande vinkel

adjective ['ædʒɪktɪv] adjektiv; *possessive* (*indefinite*) ~ förenat possessivt (indefinit) pronomen

adjoin [ə'dʒɔɪn] **I** *vb tr* stöta (gränsa) till **II** *vb itr* stöta (gränsa) till varandra

adjoining [ə'dʒɔɪnɪŋ] angränsande; vidstående

adjourn [ə'dʒɜ:n] **I** *vb tr* ajournera [~ *a meeting*] **II** *vb itr* **1** ajournera sig [*the court ~ed*]; om parlament ta ferier **2** flytta till annan [mötes]lokal; ngt skämts. förflytta sig [*shall we ~ to the sitting-room?*]

adjournment [ə'dʒɜ:nmənt] ajournering

adjudicate [ə'dʒu:dɪkeɪt] **I** *vb tr* **1** döma [~ *a competition*] **2** tilldöma [~ *a prize to a p.*] **II** *vb itr* sitta till doms, döma; ~ [*up*]*on a matter* avkunna dom i en sak

adjust [ə'dʒʌst] **I** *vb tr* **1** ordna, rätta till [~ *one's tie*]; sätta (lägga) till rätta; reglera; justera [~ *the brakes*]; rucka klocka; ställa in [~ *the TV* (*telescope*)] **2** avpassa, lämpa; bringa i samklang (överensstämmelse); ~ *oneself* anpassa (inrätta) sig **3** bilägga **4** försäkr. värdera skada **II** *vb itr* **1** anpassa sig äv. psykol. [*a child who cannot ~*] **2** vara justerbar (reglerbar, inställbar)

adjustable [ə'dʒʌstəbl] inställbar, flyttbar; ~ *spanner* skiftnyckel

adjustment [ə'dʒʌs(t)mənt] **1** ordnande; reglering; justering; ruckning **2** avpassning **3** biläggande, förlikning; uppgörelse **4** försäkr. skadevärdering **5** isht psykol. anpassning[sförmåga]

adjutant ['ædʒʊt(ə)nt] adjutant

ad-lib [ˌæd'lɪb] vard. **I** *vb itr* o. *vb tr* improvisera **II** *adj* improviserad [*an ~ speech*]

adman ['ædmæn] (pl. *admen* ['ædmen]) vard. reklamman; författare av annonstext[er], copywriter

administer [əd'mɪnɪstə] **I** *vb tr* **1** sköta **2** skipa rättvisa **3** kyrkl. förrätta; utdela [~ *the sacrament*] **4** ge [~ *a severe blow to the enemy*] **5** med. ge [~ *medicine to a p.*] **6** ~ *an oath to a p.* förestava en ed för ngn **II** *vb itr*, ~ *to* sörja för, bidra till, förhöja

administration [ədˌmɪnɪ'streɪʃ(ə)n] **1** skötsel, administrering; administrativa göromål **2** förvaltning; styrelse **3** regering [i USA *the A~*], ministär **4** skipande; ~ *of justice* rättskipning **5** givande, användning av läkemedel **6** förestavande av ed

administrative [əd'mɪnɪstrətɪv, -treɪt-] förvaltnings-; administrativ [*an ~ post*]

admirable ['ædm(ə)rəbl] beundransvärd

admiral ['ædm(ə)r(ə)l] amiral

admiration [ˌædmə'reɪʃ(ə)n] beundran

admire [əd'maɪə] beundra

admission [əd'mɪʃ(ə)n] **1** tillträde [*have ~ to*]; inträde [*apply for* (söka) *~ into*]; intagning, upptagning; ~ *fee* inträde[savgift], entré; ~ *free* fritt inträde **2** medgivande; *it would be an ~ of defeat* (*guilt*) det vore att erkänna sig besegrad (skyldig)

admit [əd'mɪt] **I** *vb tr* **1** släppa in [*he ~ted me into* (i) *the house*]; ta in [*only one hundred boys are ~ted to* (vid) *the school every year*]; uppta [~ *as a partner*]; *children not ~ted* barn äger ej tillträde; *this ticket ~s two persons* biljetten gäller [för inträde] för två personer **2** erkänna **II** *vb itr* **1** ~ *of* tillåta, medge, lämna rum för **2** ~ *to* a) om biljett gälla (berättiga) till b) erkänna [*he ~ted to murder*]

admittance [əd'mɪt(ə)ns] inträde; *no ~* tillträde förbjudet, obehöriga äger ej tillträde

admittedly [əd'mɪtɪdlɪ] erkänt; obestridligen; visserligen

admonish [əd'mɒnɪʃ] förmana; tillrättavisa

admonition [ˌædmə(ʊ)'nɪʃ(ə)n] förmaning; råd; tillrättavisning

ad nauseam [æd'nɔ:sɪæm] lat. [ända] till leda

ado [ə'du:] ståhej, väsen; *much ~ about*

nothing mycket väsen för ingenting; *without further* ~ utan vidare spisning
adolescence [ˌædə(ʊ)'lesns] uppväxttid ungefär mellan 13 och 19 år; tonår
adolescent [ˌædə(ʊ)'lesnt] **I** *s* ung människa ungefär mellan 13 och 19 år; ungdom **II** *adj* uppväxande
adopt [ə'dɒpt] **1** adoptera; *have a baby ~ed* adoptera bort ett barn **2** anta åsikt, vana; införa metod; uppta [*~ a new word into the language*] **3** ta i bruk [*~ new machinery (weapons)*] **4** anta [*Congress ~ed the new measure*]
adoption [ə'dɒpʃ(ə)n] (jfr *adopt*) **1** adoption; *the country of his ~* hans nya hemland **2** antagande; val; införande; upptagande
adoptive [ə'dɒptɪv] adoptiv- [*~ father, ~ child*]
adorable [ə'dɔ:rəbl] dyrkansvärd; vard. förtjusande
adoration [ˌædə'reɪʃ(ə)n] tillbedjan, dyrkan
adore [ə'dɔ:] dyrka; vard. avguda
adorn [ə'dɔ:n] pryda
adornment [ə'dɔ:nmənt] **1** prydande **2** prydnad, dekoration
ADP [ˌeɪdi:'pi:] (förk. för *automatic data processing*) ADB
adrenaline [ə'drenəlɪn] adrenalin; *~ secretion* adrenalinavsöndring
Adriatic [ˌeɪdrɪ'ætɪk, ˌæd-] geogr.; *the ~ [Sea]* Adriatiska havet
adrift [ə'drɪft] på (i) drift; bildl. på glid (drift) [*morally ~*]; *be ~* driva vind för våg
adroit [ə'drɔɪt] skicklig
adult ['ædʌlt, isht amer. ə'dʌlt] **I** *adj* [full]vuxen; [avsedd] för vuxna; *~ education* vuxenundervisning **II** *s* **1** [full]vuxen människa **2** *~s only* endast för vuxna, barnförbjuden
adulterate [ə'dʌltəreɪt] [försämra genom att] tillsätta tillsatser till livsmedel o.d.; spä[da] ut [*~ milk with water*]
adultery [ə'dʌltərɪ] äktenskapsbrott
adulthood ['ædʌlthʊd, ə'dʌlthʊd] mogen ålder
advance [əd'vɑ:ns] **I** *vb tr* **1** flytta (föra) fram[åt]; sträcka (skjuta, sätta) fram **2** befordra; upphöja **3** ställa upp [*~ a theory*], framställa **4** förskottera lån **5** tekn., *~ the ignition* höja tändningen **6** tidigarelägga **II** *vb itr* **1** gå framåt (vidare), tränga (rycka) fram; närma sig; *~ on the last bidder* bjuda över det sista budet **2** göra framsteg **3** stiga i pris **4** avancera, bli befordrad **III** *s* **1** framryckning; framflyttning **2** framsteg; ökning **3** närmande; *make ~s* göra närmanden [*to* till] **4** förskott; försträckning **5** höjning, stegring i pris **6** attr.: *~ booking* förhandsbeställning, förköp **7** *in ~* före, framför, förut; på förhand, i förväg; i förskott [*pay in ~*]
advanced [əd'vɑ:nst] **1** [långt] framskriden [*at an ~ age*], långt kommen; *~ in years* ålderstigen, till åren kommen **2** framskjuten isht mil. [*~ positions*] **3** avancerad [*~ ideas*], försigkommen; långtgående; *~ instruction* kvalificerad (högre) undervisning **4** tekn., *~ ignition* förtändning
advancement [əd'vɑ:nsmənt] **1** befordran **2** [be]främjande
advantage [əd'vɑ:ntɪdʒ] fördel äv. i tennis; företräde; övertag; nytta; *have the ~ of* ha övertaget över, ha en fördel framför; *take ~ of* utnyttja [*take ~ of a p.*], dra fördel av; *be to a p.'s ~* vara till fördel för ngn
advantageous [ˌædvən'teɪdʒəs, -vɑ:n-] fördelaktig, förmånlig, nyttig
adventure [əd'ventʃə] **I** *s* äventyr, vågstycke; *love of ~* äventyrslust[a] **II** *vb tr* o. *vb itr* våga; riskera; äventyra
adventurer [əd'ventʃ(ə)rə] äventyrare
adventurous [əd'ventʃ(ə)rəs] **1** äventyrslysten, dristig **2** äventyrlig [*an ~ voyage*], rik på äventyr; riskabel
adverb ['ædvɜ:b] adverb
adverbial [əd'vɜ:bjəl] **I** *adj* adverbiell; *~ modifier* adverbial **II** *s* adverbial
adversary ['ædvəs(ə)rɪ] motståndare; fiende; motspelare
adverse ['ædvɜ:s] **1** fientlig [*~ forces*], fientligt inställd; motståndar- [*~ party*], kritisk [*~ comments*], kritiskt inställd **2** mot- [*~ wind*]; ogynnsam [*~ weather conditions*], skadlig; *~ circumstances* olyckliga omständigheter
adversity [əd'vɜ:sətɪ] motgång, motighet; *be cheerful in ~* bära sina motgångar med jämnmod
advert ['ædvɜ:t] vard. kortform för *advertisement*
advertise ['ædvətaɪz] **I** *vb tr* annonsera; göra reklam för; tillkännage; *~ one's presence* dra uppmärksamheten till sig **II** *vb itr* annonsera; *~ for* annonsera efter
advertisement [əd'vɜ:tɪsmənt, -tɪzm-, amer. äv. ˌædvə'taɪzmənt] **1** annons i en tidning o.d. **2** reklam [*~ helps to sell goods*]; annonsering; attr. annons- [*~ department (page)*]
advertiser ['ædvətaɪzə] annonsör
advertising ['ædvətaɪzɪŋ] annonsering; reklambranschen [*a career in ~*]; *~ agency* annonsbyrå, reklambyrå
advice [əd'vaɪs] **1** utan pl. råd; yttrande[n]; *a piece (bit, word) of ~* ett [litet] råd **2** hand. meddelande
advisable [əd'vaɪzəbl] tillrådlig; välbetänkt
advise [əd'vaɪz] **1** råda, tillråda, förorda [*the doctor ~d a complete rest*]; *~ against*

varna för, avråda från **2** underrätta; hand. meddela; avisera [*as ~d*]

advisedly [əd'vaɪzɪdlɪ] överlagt, med full vetskap; avsiktligt

adviser [əd'vaɪzə] rådgivare; konsulent

advisory [əd'vaɪz(ə)rɪ] rådgivande

advocate [ss. subst. 'ædvəkət, -keɪt, ss. vb 'ædvəkeɪt] **I** *s* förespråkare, förkämpe **II** *vb tr* förespråka

aegis ['i:dʒɪs] [be]skydd [*under the ~ of*]; egid

aeon ['i:ən, 'i:ɒn] eon; evighet

aerial ['eərɪəl] **I** *adj* **1** luft-; gasformig **2** luft-; flyg-; *~ ladder* amer. maskinstege; *~ map* [flyg]fotokarta; *~ photograph* flygfoto, flygbild; *~ photography* flygfotografering; *~ view* flygbild **II** *s* tekn. antenn

aerobatics [ˌeərə(ʊ)'bætɪks] (konstr. ss. sg.) konstflygning; avancerad flygning

aerobics [eə'rəʊbɪks] (konstr. ss. sg.) aerobics

aerodrome ['eərədrəʊm] flygfält, flygplats

aerodynamic [ˌeərə(ʊ)daɪ'næmɪk] aerodynamisk

aeronautics [ˌeərə'nɔ:tɪks] (konstr. ss. sg.) flygkonst, flygteknik; luftfarts-; *Civil A~ Board* amer. motsv. till sv. Luftfartsverket

aeroplane ['eərəpleɪn] flygplan

aerospace ['eərə(ʊ)speɪs] rymd inom rymdtekniken; rymd- [*~ medicine*]

aesthetic [i:s'θetɪk] estetisk

afar [ə'fɑ:] litt. fjärran; *from ~* ur fjärran, fjärran ifrån; på långt håll; *~ off* långt borta, i fjärran

affable ['æfəbl] förbindlig, vänlig

affair [ə'feə] **1** angelägenhet; sak; åliggande; pl. *~s* affärer, angelägenheter; *current ~s* aktuella frågor (problem); *foreign ~s* utrikesärenden[a]; *mind your own ~s* sköt dina egna angelägenheter; *public ~s* offentliga angelägenheter **2** händelse, affär; tillställning; *have an ~ with a p.* ha ett förhållande (en kärleksaffär) med ngn **3** vard. sak [*her dress was a décolleté ~*]

1 affect [ə'fekt] **1** beröra, inverka på; drabba; ta på [*it ~s my health (nerves)*]; *some plants are ~ed by the cold* en del växter är känsliga för kyla **2** göra intryck på; *be ~ed by the sight* bli rörd vid (gripen av) åsynen **3** med. angripa [*his left lung is ~ed*]

2 affect [ə'fekt] **1** låtsas vara (ha, känna); förege [*~ illness*] **2** låtsa[s]; lägga sig till med

affectation [ˌæfek'teɪʃ(ə)n] **1** tillgjordhet **2** *~ of ignorance* låtsad okunnighet

1 affected [ə'fektɪd] **1** angripen **2** upprörd, gripen **3** påverkad, försämrad

2 affected [ə'fektɪd] tillgjord, konstlad [*~ manners*]; låtsad; *be ~* göra sig till

affection [ə'fekʃ(ə)n] **1** ömhet, kärlek, tillgivenhet [*have ~ for (feel ~ towards) one's children*; ofta pl. *~s: gain a p.'s ~[s]*; *the object of his ~s*] **2** affekt **3** sjukdom, åkomma

affectionate [ə'fekʃ(ə)nət] tillgiven

affectionately [ə'fekʃ(ə)nətlɪ] tillgivet; *Yours ~* i brev Din (Er) tillgivne

affidavit [ˌæfɪ'deɪvɪt] jur. edlig skriftlig försäkran, affidavit

affinity [ə'fɪnətɪ] **1** släktskap; frändskap mellan djur, språk etc.; släktdrag **2** samhörighet[skänsla]; *~ group* intressegrupp **3** kem. el. matem. affinitet [*the ~ of salt for water*]

affirm [ə'fɜ:m] **1** försäkra, bestämt påstå; intyga **2** bejaka

affirmative [ə'fɜ:mətɪv] bekräftande; *answer (reply) in the ~* svara jakande, svara ja

affix [ss. vb ə'fɪks, ss. subst. 'æfɪks] **I** *vb tr* **1** fästa [*~ a stamp to (on) an envelope*] **2** tillägga; *~ a seal (one's signature) to a document* sätta ett sigill (sin namnteckning) under ett dokument **II** *s* **1** bihang **2** språkv. affix; förstavelse; ändelse

afflict [ə'flɪkt] drabba, hemsöka

affliction [ə'flɪkʃ(ə)n] **1** bedrövelse; lidande; krämpa [*the ~s of old age*] **2** hemsökelse; olycka

affluence ['æfluəns] rikedom

affluent ['æfluənt] rik

afford [ə'fɔ:d] **1** *I can ~ it* a) det har jag råd med b) det kan jag tillåta (kosta på) mig **2** ge [*~ shade*], bereda [*~ great pleasure*]

affray [ə'freɪ] slagsmål på allmän plats; tumult

affront [ə'frʌnt] **I** *vb tr* **1** skymfa, förolämpa, förnärma **2** möta, trotsa **II** *s* skymf, förolämpning

Afghan ['æfgæn] **I** *s* **1** afghan invånare **2** afghanhund **II** *adj* afghansk

Afghanistan [æf'gænɪstæn, æfˌgænɪ'stɑ:n] geogr.

afield [ə'fi:ld], *far ~* långt bort[a] [*go (travel) far ~*]; bildl. långt från ämnet; *farther (further) ~* längre bort; bildl. vidare, längre från ämnet

afloat [ə'fləʊt] **1** flytande; flott [*get a boat ~*] **2** vattenfylld **3** fri från ekonomiska bekymmer [*to keep oneself ~*] **4** i [full] gång; i omlopp; *get a newspaper ~* starta en tidning

afoot [ə'fʊt] i rörelse; i (på) gång [*plans are ~*]; i görningen

afraid [ə'freɪd] rädd; *~ about (for)* orolig för; *I'm ~ I can't* äv. jag kan [nog] tyvärr inte; *I'm ~ not* tyvärr inte; *I'm ~ so!* jag är rädd för det!

afresh [ə'freʃ] ånyo

Africa ['æfrɪkə] geogr. Afrika
African ['æfrɪkən] **I** *s* afrikan; afrikanska **II** *adj* afrikansk; ~ *lily* bot. kärlekslilja; ~ *violet* bot. saintpaulia
Afro ['æfrəʊ] (pl. *~s*) afrofrisyr [äv. ~ *hairdo*]
Afro-American [ˌæfrəʊə'merɪkən] **I** *s* afroamerikan **II** *adj* afroamerikansk
Afro-Asian [ˌæfrəʊ'eɪʃ(ə)n] **I** *s* afroasiat **II** *adj* afroasiatisk
aft [ɑ:ft] sjö. **I** *adv* akter ut (över); *fore and* ~ från för till akter, långskepps **II** *adj* aktre
after ['ɑ:ftə] **I** *adv* **1** rum efter **2** tid efter[åt] [*long ~, soon ~, a day ~*]; *the day* ~ dagen efter (därpå) **II** *prep* **1** rum o. tid efter; bakom, näst; amer. över [*a quarter ~ two*]; ~ *all* när allt kommer omkring, ändå; egentligen; ~ *that* efter detta, därefter; sedan **2** uttr. syftemål efter; *be ~ a th.* sträva efter (söka) ngt; vara ute efter ngt **3** efter, i jämförelse med; enligt; i likhet med; ~ *a fashion* (*manner*) på sätt och vis; [*a painting*] ~ *Rubens* ...i Rubens stil, ...à la Rubens **III** *konj* sedan, efter det att; ~ *he went* (*had gone*) sedan han hade gått **IV** *adj* senare, [efteråt] följande; *in ~ years* senare [i livet], längre fram
aftercare ['ɑ:ftəkeə] med. eftervård
after-effect ['ɑ:ftərɪˌfekt] efterverkan; pl. *~s* äv. sviter [*suffer from the ~s of*]
afterlife ['ɑ:ftəlaɪf] **1** liv efter detta [*believe in an* ~] **2** *in* ~ senare i livet
aftermath ['ɑ:ftəmæθ, -mɑ:θ] efterdyningar, [efter]verkningar [*the ~ of war*], följder; *in the ~ of war* äv. i krigets spår, efter kriget
afternoon [ˌɑ:ftə'nu:n, attr. '---] **1** eftermiddag; *~!* vard. för *good ~!*; se äv. *morning* för ex. **2** eftermiddags- [*~ tea*]
afters ['ɑ:ftəz] vard. efterrätt
afterthought ['ɑ:ftəθɔ:t] **1** vidare (annan) tanke **2** tanke som man kommer på efteråt; *as an* ~ efteråt (i efterhand) **3** vard. sladdbarn
afterwards ['ɑ:ftəwədz] efteråt, sedermera
again [ə'gen, ə'geɪn] **1** igen, åter, ånyo, en gång till; *don't do that ~!* äv. gör inte om det!; *never* ~ aldrig mer; *over* ~ omigen, en gång till **2** vidare; åter[igen]; å andra sidan; *then ~, I am...* men å andra sidan (däremot) är jag...
against [ə'genst, ə'geɪnst] **1** mot, emot; uttr. läge äv. vid, mitt för [*put a cross ~ a p.'s name*]; *run up ~ a p.* stöta (råka) på ngn **2** för; uttr. tidsförh. i avvaktan på; *warn* ~ varna för; *as* ~ mot, i jämförelse med
agaric ['ægərɪk, ə'gærɪk] bot. skivling
age [eɪdʒ] **I** *s* **1** ålder; *old* ~ ålderdom[en]; *what is your ~?* hur gammal är du?; *he is my* ~ han är lika gammal som jag; *be* (*come*) *of* ~ vara (bli) myndig; *he is ten years of* ~ han är tio år gammal; *over* ~ överårig, för gammal; *under* ~ a) omyndig, minderårig b) underårig **2** tid [*the Ice A~*]; tidevarv, period; *the atomic* ~ atomåldern **3** lång tid; *for ~s* i (på) evigheter **II** *vb itr* åldras **III** *vb tr* göra gammal [*such work ~s people*]
aged [i bet. *1* eɪdʒd, i bet. *2* 'eɪdʒɪd] **1** i en ålder av; *a man ~ forty* fyrtioårig man **2** åldrig; *the* ~ de gamla
ageing ['eɪdʒɪŋ] åldrande
ageism ['eɪdʒɪz(ə)m] åldersdiskriminering
ageless ['eɪdʒləs] som aldrig åldras; tidlös
agency ['eɪdʒ(ə)nsɪ] **1** agentur; byrå **2** medverkan [*through* (*by*) *the ~ of friends*] **3** makt [*an invisible ~*] **4** verksamhet; förrättning; verkan **5** organ inom FN o.d.; instans
agenda [ə'dʒendə] föredragningslista, program
agent ['eɪdʒ(ə)nt] **1** agent; förvaltare **2** medel [*chemical ~*]; [verkande] kraft; orsak; kem. agens **3** handlande (verksam) person; *secret* ~ hemlig agent
aggrandize [ə'grændaɪz] förstora persons el. stats makt, rang, rikedom
aggravate ['ægrəveɪt] **1** försvåra **2** vard. reta, förarga
aggravating ['ægrəveɪtɪŋ] **1** försvårande [*~ circumstances*] **2** vard. retsam
aggravation [ˌægrə'veɪʃ(ə)n] **1** försvårande **2** vard. förtret, förargelse
aggregate [ss. adj. o. subst. 'ægrɪg|ət, ss. vb -eɪt] **I** *adj* förenad[e] till ett helt; sammanlagd, total [*~ amount*]; samfälld **II** *s* **1** summa; *in* [*the*] ~ totalt [sett], taget som ett helt; *on* ~ sammanlagt, taget tillsammans **2** massa **III** *vb tr* **1** hopa **2** vard. sammanlagt uppgå till **IV** *vb itr* hopas
aggression [ə'greʃ(ə)n] aggression äv. psykol.; *war of* ~ anfallskrig
aggressive [ə'gresɪv] **1** aggressiv **2** angripande; anfalls- [*~ weapons*] **3** energisk
aggressiveness [ə'gresɪvnəs] aggressivitet
aggressor [ə'gresə] angripare, angripande part
aggrieved [ə'gri:vd] **1** sårad, kränkt; bedrövad **2** jur. förfördelad [*the ~ party*]
aghast [ə'gɑ:st] förskräckt
agile ['ædʒaɪl, amer. 'ædʒəl] snabb; vig
agility [ə'dʒɪlətɪ] snabbhet; vighet
agitate ['ædʒɪteɪt] **I** *vb tr* **1** uppröra; uppvigla **2** röra **II** *vb itr* agitera
agitation [ˌædʒɪ'teɪʃ(ə)n] **1** [sinnes]rörelse; oro **2** rörelse **3** agitation
agitator ['ædʒɪteɪtə] agitator; uppviglare
AGM [ˌeɪdʒi:'em] förk. för *annual general meeting*
ago [ə'gəʊ] för...sedan [*long ~, two years*

~]; [*he did it*] *years* ~ ...för flera (många) år sedan
agog [ə'gɒg] ivrig; i spänd förväntan; *be* ~ *for news* ivrigt vänta på nyheter
agonize ['ægənaɪz] **I** *vb tr* pina **II** *vb itr* **1** lida svåra kval; våndas [~ *over a decision*] **2** kämpa förtvivlat
agonizing ['ægənaɪzɪŋ] hjärtslitande; ~ *reappraisal* plågsam omprövning
agon|y ['ægənɪ] vånda; svåra plågor; ~ *aunt* hjärtespaltsredaktör; *the* ~ *column* i tidning hjärtespalten; *suffer* (*be in*) ~ (*-ies*) *with toothache* ha en fruktansvärd tandvärk; *suffer -ies of doubt* plågas av tvivel; *pile on* (*up*) *the* ~ bre på, göra det värre än det är
agree [ə'gri:] **1** samtycka; säga 'ja'; ~ *to* äv. gå med på **2** komma överens; ~ [*up*]*on* äv. avtala; ~ [*on*] *a verdict* enas om en dom **3** vara överens (ense); instämma; *you must* ~ *that*... håll med om att... **4** passa, stämma; ~ *with* stämma [överens] med; gram. rätta sig efter, överensstämma med [*the verb ~s with the subject*]
agreeable [ə'grɪəbl] **1** angenäm; älskvärd; *if it's* ~ *to you* om det passar er **2** vard. villig, hågad; *be* ~ *to* gå med på
agreement [ə'gri:mənt] **1** överenskommelse, avtal; förlikning; *make* (*come to, reach*) *an* ~ *with a p.* komma överens (träffa avtal) med ngn **2** överensstämmelse; enighet i åsikter; *be in* ~ *with* vara ense (överens) med **3** gram. kongruens
agricultural [ˌægrɪ'kʌltʃ(ə)r(ə)l] jordbrukande, jordbruks-
agriculture ['ægrɪkʌltʃə] jordbruk
aground [ə'graʊnd] på grund
ahead [ə'hed] före; i förväg; framåt; bildl. framför en [*trouble* ~], förestående; *full speed* ~ sjö. full fart framåt; *straight* ~ rakt fram; *go* ~*!* sätt i gång!; fortsätt!; *plan* ~ planera för framtiden (i förväg)
aid [eɪd] **I** *vb tr* hjälpa; underlätta, befordra [~ *the digestion*] **II** *s* **1** hjälp, bistånd; hjälpmedel [*visual* ~]; *by the* ~ *of* med hjälp av, medelst **2** biträde, medhjälpare
aide [eɪd] **1** se *aide-de-camp* **2** medhjälpare, rådgivare
aide-de-camp [ˌeɪddə'kɒŋ] (pl. *aides-de-camp* [ˌeɪdzdə'kɒŋ]) mil. adjutant
Aids o. **AIDS** [eɪdz] med. (förk. för *acquired immune deficiency syndrome* förvärvat immunbristsyndrom) aids
ail [eɪl], *be ~ing* vara krasslig (sjuk)
ailment ['eɪlmənt] krämpa, sjukdom
aim [eɪm] **I** *vb tr* måtta, sikta med; ~ *a pistol at* rikta en pistol mot **II** *vb itr* sikta; syfta; sträva; ~ *high* sikta (sätta målet) högt **III** *s* **1** sikte; *miss one's* ~ skjuta miste, förfela målet; *accuracy of* ~ träffsäkerhet **2** mål [*his* ~ *in life*], målsättning; syfte[mål]; avsikt, ändamål
aimless ['eɪmləs] utan mål
ain't [eɪnt] ovårdat el. dial. för *am* (*are, is*) *not; have not, has not*
1 air [eə] **I** *s* **1** luft; atmosfär; ~ *cleaner* (med filter *filter*) luftrenare; ~ *pollution* luftförorening[ar]; *the open* ~ fria luften; *clear the* ~ rensa luften; *by* ~ per (med) flyg; *go by* ~ flyga; *it was in the* ~ det låg i luften; *on the* ~ i radio (TV), i sändning **2** fläkt, drag **3** ofta flyg-, luft- (jfr. äv. sms. m. *air* nedan); *the Royal A~ Force* (förk. *RAF*) brittiska flygvapnet; ~ *defence warning system* luftbevakningssystem **II** *vb tr* **1** vädra, lufta **2** bildl. briljera (lysa) med
2 air [eə] **1** utseende; prägel **2** min; *put on an* ~ *of innocence* ta på sig en oskyldig min, spela oskyldig **3** mest pl. *~s* förnäm (viktig) min; *give oneself* (*put on*) *~s* göra sig märkvärdig
3 air [eə] melodi
airbag ['eəbæg] krockkudde säkerhetsanordning i bil
air base ['eəbeɪs] flygbas
air bed ['eəbed] luftmadrass
airborne ['eəbɔ:n] flygburen, luftburen; *be* ~ äv. vara [uppe] i luften, ha lämnat marken
air-conditioned ['eəkənˌdɪʃ(ə)nd] luftkonditionerad
air-conditioning ['eəkənˌdɪʃ(ə)nɪŋ] luftkonditionering
aircraft ['eəkrɑ:ft] (pl. lika) flygplan; ~ *carrier* hangarfartyg
air-cushion ['eəˌkʊʃ(ə)n] **1** uppblåsbar kudde **2** tekn. luftkudde; ~ *vehicle* svävare, svävfarkost
airdrop ['eədrɒp] **I** *vb tr* släppa ned proviant o.d. [med fallskärm] från luften **II** *s* proviant (materiel o.d.) som släpps ned med fallskärm
airfield ['eəfi:ld] flygfält
airflow ['eəfləʊ] luftström[ning]
air force ['eəfɔ:s] flygvapen
airgun ['eəgʌn] **1** luftgevär **2** tandläk. bläster
air hostess ['eəˌhəʊstɪs] flygvärdinna
airily ['eərəlɪ] luftigt etc., jfr *airy*
airing ['eərɪŋ] **1** vädring; torkning; ~ *cupboard* torkskåp **2** promenad; åktur
air letter ['eəˌletə] aerogram
airlift ['eəlɪft] luftbro
airline ['eəlaɪn] **1** flyglinje **2** flygbolag [i flygbolags namn vanl. *~s*] **3** luftledning **4** isht amer., *by* ~ fågelvägen
airliner ['eəˌlaɪnə] trafik[flyg]plan
airlock ['eəlɒk] tekn. **1** luftblåsa i en ledning o.d.; luftlås **2** luftsluss
airmail ['eəmeɪl] flygpost

air|man ['eə|mən] (pl. *-men* [-mən]) flygare, menig (anställd) i flygvapnet
airplane ['eəpleɪn] isht amer. flygplan
air pocket ['eəˌpɒkɪt] luftgrop
airport ['eəpɔ:t] flygplats
airproof ['eəpru:f] lufttät
air-raid ['eəreɪd] flygräd; ~ *shelter* skyddsrum; ~ *warning* flyglarm
air route ['eəru:t] flygväg
airship ['eəʃɪp] luftskepp
air-sick ['eəsɪk] flygsjuk
airstrip ['eəstrɪp] start- och landningsbana isht tillfällig för t.ex. militära ändamål
air terminal ['eəˌtɜ:mɪnl] flygterminal
airtight ['eətaɪt] lufttät; *an* ~ *alibi* ett vattentätt alibi
airway ['eəweɪ] **1** flyg. luftled **2** flygbolag [i flygbolags namn vanl. ~*s*]
airy ['eərɪ] **1** luftig [*an* ~ *room*] **2** tunn [~ *gossamer*] **3** nonchalant [~ *manner*], lättvindig [~ *promises*], ytlig
airy-fairy [ˌeərɪ'feərɪ] **1** verklighetsfrämmande [~ *views*] **2** luftig, lätt
aisle [aɪl] **1** kyrkl. a) sidoskepp b) mittgång; *walk down the* ~ vard. gifta sig **2** i flygplan, buss etc. mittgång; gång mellan bänkrader på teater (mellan diskar, hyllor i affär) **3** isht amer. korridor på tåg
ajar [ə'dʒɑ:] på glänt
akimbo [ə'kɪmbəʊ], *with arms* ~ med händerna i sidan
akin [ə'kɪn] släkt
alacrity [ə'lækrətɪ] glad iver
alarm [ə'lɑ:m] **I** *s* **1** larm[signal] [äv. ~ *signal*], alarm; *state of* ~ larmberedskap **2** oro **3** väckarklocka; alarmapparat **II** *vb tr* **1** alarmera **2** oroa
alarm clock [ə'lɑ:mklɒk] väckarklocka
alarming [ə'lɑ:mɪŋ] oroande [~ *news*]; betänklig
alarmist [ə'lɑ:mɪst] **I** *s* panikmakare **II** *adj* som sprider panik (oro)
alas [ə'læs, ə'lɑ:s] **I** *interj,* ~*!* ack! **II** *adv* tyvärr; ~ *for us if...* stackars (så mycket värre för) oss om...
alatomist [ə'lætəmɪst] *s* alatomiker
Albania [æl'beɪnjə] geogr. Albanien
Albanian [æl'beɪnjən] **I** *s* **1** alban; albanska kvinna **2** albanska [språket] **II** *adj* albansk
albeit [ɔ:l'bi:ɪt] om än; låt vara
albino [æl'bi:nəʊ] (pl. ~*s*) albino
album ['ælbəm] **1** album [*photograph* (*stamp*) ~] **2** LP-skiva
albumen ['ælbjʊmɪn, isht amer. æl'bju:mən] **1** äggvita i ägg **2** enkelt äggviteämne **3** frövita
alchemy ['ælkəmɪ] alkemi
alcohol ['ælkəhɒl] alkohol
alcoholic [ˌælkə'hɒlɪk] **I** *adj* alkoholhaltig; alkohol- **II** *s* alkoholist
alcoholism ['ælkəhɒlɪz(ə)m] alkoholism
alcove ['ælkəʊv] **1** alkov; *dining* ~ matvrå **2** lövsal
alderman ['ɔ:ldəmən, 'ɒl-] 'ålderman' inom kommunfullmäktige ibl., isht i USA, med dömande funktion
ale [eɪl] öl; *pale* ~ ljust öl
alert [ə'lɜ:t] **I** *adj* **1** vaken, beredd, uppmärksam **2** pigg; snabb i vändningarna **II** *s* **1** larm[beredskap]; isht flyglarm **2** *on the* ~ på utkik; på vakt, på spänn, skärpt **III** *vb tr* försätta i beredskap [~ *the police*], varna [~ *the people to the dangers of smoking*]
alfresco [æl'freskəʊ] utomhus, i det fria [~ *lunch*]; frilufts-
algal ['ælgəl] alg-; ~ *bloom* algblomning
algebra ['ældʒɪbrə] algebra
Algeria [æl'dʒɪərɪə] geogr. Algeriet
Algerian [æl'dʒɪərɪən] **I** *s* algerier **II** *adj* algerisk
Algiers [æl'dʒɪəz] geogr. Alger
alias ['eɪlɪæs] **I** *adv* alias **II** *s* alias, [tillfälligt] antaget namn; *under an* ~ under falskt namn
alibi ['ælɪbaɪ] alibi; vard. ursäkt; *prove an* ~ bevisa sitt alibi
alien ['eɪljən] **I** *adj* **1** en annans, andras **2** utländsk **3** främmande; olik; oförenlig; motbjudande **II** *s* **1** främling; [inte naturaliserad] utlänning; *enemy* ~ främling som tillhör fientlig nation **2** rymdvarelse i science fiction [~ *from another planet*]
alienate ['eɪljəneɪt] göra främmande, fjärma [~ *a p. from his friends*]; stöta bort; sociol. el. psykol. alienera
alienation [ˌeɪljə'neɪʃ(ə)n] främlingskap, utanförskap, likgiltighet; sociol. el. psykol. alienation
1 alight [ə'laɪt] **1** stiga av (ned, ur); gå ner [*the bird ~ed on a branch*]; ~ *from* [*a bus*] stiga av (ur, ned från)... **2** falla ner ur luften; slå ner, hamna **3** bildl., ~ *on* komma 'på, finna
2 alight [ə'laɪt] [upp]tänd; i eld och lågor; *catch* ~ ta eld
align [ə'laɪn] göra rak, ställa upp (bringa) i rät linje; mil. rätta; *they ~ed themselves with us* bildl. de ställde sig på vår sida, de lierade sig med oss
alignment [ə'laɪnmənt] **1** placering i [rak] linje; utstakning; rätning; inriktning; trimning; *be in* (*out of*) ~ stå (inte stå) i rät linje **2** [dragande av] rät linje; rad av ordnade saker **3** mil. uppställning på linje; formationslinje i eskader; bildl. allians [*a new* ~ *of European powers*]
alike [ə'laɪk] **I** *pred adj* lik[a]; *be very much* ~ vara mycket lika varandra, likna varandra mycket **II** *adv* lika[ledes], på

samma sätt; [*she helps*] *enemies and friends* ~ ...fiender lika väl (såväl) som vänner

alimony ['ælɪmənɪ] isht. amer. underhåll

alive [ə'laɪv] **1** i livet, vid liv [*keep a claim* ~]; levande [*be buried* ~]; som finns; *come* ~ bildl. vakna till liv, få liv [*only then did the play come* ~] **2** livlig, rask; ~ *and kicking* vid full vigör; pigg och nyter; *be* ~ *with* myllra (vimla) av **3** *be* ~ *to* vara medveten om [*be* ~ *to the risks*], vara på det klara med

alkali ['ælkəlaɪ] (pl. ~[*e*]*s*) kem. alkali

alkaline ['ælkəlaɪn] kem. alkalisk

all [ɔ:l] **I** *adj* o. *pron* **1** all; ~ *at once* alla (allt) på en gång; *it's not* ~ *that good* vard. 'så bra är det då [verkligen] inte; *three* ~ tre lika; *at* ~ alls, ens, på något sätt, över huvud; ~ *in* ~ a) allt som allt, allt b) på det hela taget **2** hela [~ *the*, ~ *my* etc.] **3** hel- [~ *wool*] **II** *s* allt[ihop]; alla **III** *adv* alldeles; *she has gone* ~ *artistic* hon har blivit sådär konstnärlig av sig; *go* ~ *out* göra sitt yttersta, ta ut sig helt; ~ *over* a) prep. över hela b) adv. över (i) hela kroppen; ~ *right!* klart!, kör för det!, gärna för mig!; *he'll come* ~ *right* det är klart att han kommer; *he is* ~ *right* han mår bra (är oskadd); det är ingen fara med honom; han är OK; *it will be* ~ *right* det ordnar sig nog; ~ *the more* (*worse*) så mycket (desto) mera (värre)

allay [ə'leɪ] **1** undertrycka, stilla **2** mildra, dämpa, lindra, minska

all clear [ˌɔ:l'klɪə] faran över

allegation [ˌælɪ'geɪʃ(ə)n] **1** anklagelse; påstående isht utan bevis; *false* ~*s* falska beskyllningar **2** isht jur. utsaga att bevisa; bestämt påstående **3** jur. anklagelse[punkt]

allege [ə'ledʒ] **1** andraga, uppge som ursäkt m.m. **2** påstå; ~*d* påstådd, förment, utpekad

allegedly [ə'ledʒɪdlɪ] efter vad som påstås (uppgivits)

allegiance [ə'li:dʒ(ə)ns] undersåtlig tro och lydnad; lojalitet

allegory ['ælɪgərɪ] litt. allegori

allergenic [ˌælə'dʒənɪk] med. allergiframkallande

allergic [ə'lɜ:dʒɪk] allergisk äv. bildl.; ~ *person* äv. allergiker

allergy ['ælədʒɪ] allergi

alleviate [ə'li:vɪeɪt] lätta, lindra, mildra

alleviation [əˌli:vɪ'eɪʃ(ə)n] lättnad, lindring, minskning

1 alley ['ælɪ] **1** gränd; isht amer. bakgata; ~ *cat* isht amer. strykarkatt; *blind* ~ återvändsgränd äv. bildl. **2** allé isht i park el. trädgård **3** [*bowling*] ~ kägelbana, bowlingbana **4** vard., *that's* [*right*] *up my* ~ det passar mig precis, det är min specialitet

2 alley ['ælɪ] stor kula för kulspel

alliance [ə'laɪəns] **1** äkta förbund; förbindelse; släktskap **2** förbund [*enter into an* ~; *the Holy A*~]

allied [ə'laɪd, attr. 'ælaɪd] **1** släkt **2** förbunden [*the* ~ *armies*]

alligator ['ælɪgeɪtə] **1** zool. alligator **2** alligatorskinn **3** bot., ~ *pear* avocado

all-in [ˌɔ:l'ɪn] **1** allomfattande, hel-; ~ *insurance* 'försäkringspaket' **2** vard. slutkörd, dödstrött

all-mains [ˌɔ:l'meɪnz] [som drivs] med allström [~ *receiver* (*motor*)]

allocate ['ælə(ʊ)keɪt] tilldela [~ *duties to a p.*], fördela [~ *a sum of money among several persons*], anslå [~ *a sum of money to education*], allokera

allocation [ˌælə(ʊ)'keɪʃ(ə)n] tilldelning, fördelning; anslag

allot [ə'lɒt] **1** fördela [genom lottning] **2** tilldela; anvisa, anslå; beskära

allotment [ə'lɒtmənt] **1** fördelning **2** [jord]lott **3** tilldelning; andel

allow [ə'laʊ] **I** *vb tr* **1** tillåta; *be* ~*ed in* bli insläppt; *be* ~*ed to do a th.* äv. få göra ngt; *no dogs* ~*ed* hundar får ej medtagas **2** bevilja, anslå; *be* ~*ed* få, få ha [*be* ~*ed £80* (*one visitor*) *a week*] **3** godkänna [~ *a claim*]; erkänna [~ *that he is a genius*] **4** anslå [~ *an hour for* (till) *lunch*], beräkna [~ *150 grammes per person*], räkna in (från); *we* ~ *5 per cent for cash* vi lämnar 5% kassarabatt **II** *vb rfl*, ~ *oneself* **a**) låta sig [*I* ~*ed myself to be persuaded*] **b**) tillåta sig [~ *oneself luxuries*] **III** *vb itr* **1** ~ *for* a) ta i betraktande, räkna med [~ *for unexpected expenses*] b) hand. göra avdrag för; *it will take five hours,* ~*ing for train delays* det tar fem timmar med marginal för eventuella tågförseningar **2** ~ *of* medge, tillåta [*the situation* ~*s of no delay*]

allowance [ə'laʊəns] **1** underhåll; lön, traktamente [*daily* ~]; anslag [*entertainment* ~], understöd [*unemployment* ~]; *weekly* ~ veckopeng **2** ranson **3** hand. m.m. avdrag; ersättning; [skatte]avdrag **4** *make* ~[*s*] *for* ta hänsyn till som förmildrande omständighet [*make* ~[*s*] *for his youth*] **5** ung. spelrum, mån

alloy ['ælɔɪ, ə'lɔɪ] **1** legering; ~ *rims* (*wheels*) bil. lättmetallfälgar, aluminiumfälgar **2** tillsats av sämre metall el. ngt dåligt; *without* ~ oblandad **3** gulds o.d. halt

all-round [ˌɔ:l'raʊnd, attr. adj. '--] **I** *adv* runt omkring **II** *adj* mångsidig; allround; över hela linjen; *have an* ~ *education* äv. vara allmänbildad

allspice ['ɔ:lspaɪs] kryddpeppar

all-time ['ɔ:ltaɪm] vard. rekord-; *an* ~ *low* ett bottenrekord; *reach an* ~ *high* nå högre än någonsin [förr]

allude [ə'lu:d, ə'lju:d], ~ *to* hänsyfta (anspela, alludera) på; åsyfta; mena; nämna
allure [ə'lʊə, ə'ljʊə] **I** *vb tr* **1** locka, fresta **2** tjusa, fängsla; snärja **II** *s* se *allurement*
allurement [ə'lʊəmənt, ə'ljʊə-] **1** lockelse [*the ~s of a big city*], dragningskraft; tjusning, behag **2** bildl. lockbete
allusion [ə'lu:ʒ(ə)n, ə'lju:-] hänsyftning, anspelning; *in ~ to* med hänsyftning på
ally [ss. vb ə'laɪ, 'ælaɪ, ss. subst. 'ælaɪ] **I** *vb tr* förena **II** *s* bundsförvant, allierad; *the Allies* a) de allierade under andra världskriget b) de allierade, ententemakterna under första världskriget
almanac ['ɔ:lmənæk] almanacka
almighty [ɔ:l'maɪtɪ] **I** *adj* **1** allsmäktig [*A~ God; the A~*]; *God A~!* herregud!, du min skapare! **2** vard. allhärskande, dominerande [*the ~ dollar*] **3** vard. väldig [*an ~ crash; an ~ fool*] **II** *adv* vard. väldigt
almond ['ɑ:mənd] mandel; *~ paste* mandelmassa
almost ['ɔ:lməʊst, 'ɒl-] nästan, nära [nog]; närmare; *he ~ fell* han var nära (höll på) att falla
alms [ɑ:mz] (konstr. vanl. ss. pl.; pl. *alms*) allmosa
aloft [ə'lɒft] **1** högt upp **2** upp[åt], till väders
alone [ə'ləʊn] **I** *pred adj* ensam, för sig själv; på egen hand; *not be ~ in thinking that...* inte vara ensam om att tycka att... **II** *adv* endast [*he ~ knows*]; *that ~ was enough* bara det var nog
along [ə'lɒŋ] **I** *prep* längs, nedåt; *~ the street* äv. gatan fram **II** *adv* **1** framåt; *far ~* amer. långt borta **2** med [sig (mig etc.)] [*he had his guitar ~*]; *come ~!* kom nu!, kom så går vi!, raska på!; *are you coming ~?* följer du med? **3** *~ with* tillsammans med, jämte **4** *all ~* hela tiden [*he knew all ~*] **5** *I'll be ~ later* jag kommer [dit] senare
alongside [ss. adv. əˌlɒŋ'saɪd, ss. prep. ə'lɒŋsaɪd] **I** *adv* vid sidan; sjö. långsides; *~ of* längs, långsides med, bredvid, utefter; jämsides med, utmed **II** *prep* vid sidan av; sjö. långsides med; längs etc., jfr *~ of* under *I*
aloof [ə'lu:f] reserverad; *keep (hold) [oneself] ~* hålla sig på sin kant
aloofness [ə'lu:fnəs] reserverad hållning; högdragenhet
aloud [ə'laʊd] högt
alpaca [æl'pækə] alpacka zool. o. tyg
alphabet ['ælfəbet] alfabet; *~ book* abc-bok
alphabetical [ˌælfə'betɪk(ə)l] alfabetisk; *~ order* bokstavsordning, alfabetisk ordning
alpine ['ælpaɪn] alpin; alpinsk, fjäll-, berg-; *A~ race* alpin ras
already [ɔ:l'redɪ] redan
Alsatian [æl'seɪʃjən] **I** *adj* elsassisk **II** *s* **1** elsassare **2** schäfer[hund]
also ['ɔ:lsəʊ] också, även; dessutom [*~, he had never seen it before*]
altar ['ɔ:ltə] altare
alter ['ɔ:ltə] **I** *vb tr* ändra; *~ed circumstances* ändrade förhållanden **II** *vb itr* förändras; *~ for the worse* isht om personer förändras till det sämre; försämras
alteration [ˌɔ:ltə'reɪʃ(ə)n] ändring
alternat|e [ss. adj. ˌɔ:l'tɜ:nət, ss. vb 'ɔ:ltəneɪt] **I** *adj* omväxlande, alternerande **II** *vb tr* växelvis ordna (utföra); låta växla, växla om med; *~ crops* lantbr. tillämpa växelbruk **III** *vb itr* alternera; omväxla [*wet days ~d with fine days*], växla [*~ between study and writing*]; svänga; tura[s] om; *-ing current* växelström
alternately [ɔ:l'tɜ:nətlɪ] omväxlande
alternation [ˌɔ:ltə'neɪʃ(ə)n] växling; *~ of crops* lantbr. växelbruk
alternative [ɔ:l'tɜ:nətɪv] **I** *adj* alternativ [*the ~ society; ~ energy*]; som medger val mellan två möjligheter **II** *s* alternativ, [annan] möjlighet; *I had no [other] ~* äv. jag hade inget [annat] val (ingen annan utväg)
although [ɔ:l'ðəʊ] fastän
altitude ['æltɪtju:d] **1** höjd över havet el. horisonten [*at an ~ of 10,000 feet*]; altitud; *the plane lost ~ rapidly* planet förlorade snabbt höjd **2** isht pl. *~s* höjd[er] [*mountain ~s*] **3** höghet
alto ['æltəʊ] mus. **I** (pl. *~s*) *s* alt; altstämma **II** *adj* alt- [*~ clarinet (saxophone)*]
altogether [ˌɔ:ltə'geðə] **I** *adv* **1** helt [och hållet] **2** sammanlagt; på det hela taget **II** *s* vard., *in the ~* spritt naken, näck
altruistic [ˌæltrʊ'ɪstɪk] altruistisk äv. zool.; oegennyttig
alum ['æləm] kem. alun [äv. *potash ~*]
aluminium [ˌælə'mɪnjəm, -jʊ'm] aluminium; *~ foil* aluminiumfolie
aluminum [ə'lu:mənəm] amer., se *aluminium*
always ['ɔ:lweɪz, -wəz, -wɪz] alltid; *it's ~ a change* vard. det är alltid lite omväxling
AM [ˌeɪ'em] amer. förk. för *Master of Arts*
am [æm, obet. əm, m] 1 pers. sg. pres. av *be*
a.m. [ˌeɪ'em] **1** (förk. för *ante meridiem*) lat. [på] förmiddagen, fm. **2** (förk. för *anno mundi*) lat. år
amalgam [ə'mælgəm] **1** kem. amalgam **2** blandning, formbar massa av olikartade beståndsdelar
amalgamate [ə'mælgəmeɪt] **I** *vb tr* **1** kem. amalgamera **2** blanda; förena t.ex. två företag **II** *vb itr* blanda sig; slås (gå) samman
amaryllis [ˌæmə'rɪlɪs] bot. amaryllis

amass [ə'mæs] hopa, lägga på hög [~ *a fortune*]
amateur ['æmətə, -tjʊə, ˌæmə'tɜ:] **1** amatör; amatörspelare; ~ *athletics* amatöridrott **2** älskare, beundrare
amateurish ['æmət(ə)rɪʃ, ˌæmə'tɜ:rɪʃ, ˌæmə'tjʊərɪʃ] amatörmässig
amaze [ə'meɪz] förbluffa; *~d at (by)* förvånad (förbluffad etc.) över
amazement [ə'meɪzmənt] häpnad; *he looked at her in ~* han såg förvånad (förvånat) på henne; *much to my ~* till min stora förvåning
amazing [ə'meɪzɪŋ] häpnadsväckande
ambassador [æm'bæsədə] ambassadör [*the British A~ to* (i) *Sweden*], sändebud
amber ['æmbə] **I** *s* **1** bärnsten, bärnstensfärg **2** trafik. gult [ljus]; *at the ~* trafik. vid gult [ljus] **II** *adj* **1** av bärnsten; bärnstensfärgad **2** gul om trafikljus
ambidextrous [ˌæmbɪ'dekstrəs] **1** ambidexter **2** mycket skicklig **3** bildl. falsk
ambience ['æmbɪəns] miljö [*the country provides a colourful ~ for this novel*], atmosfär, stämning
ambiguity [ˌæmbɪ'gju:ətɪ] tvetydighet; otydlighet
ambiguous [æm'bɪgjʊəs] tvetydig, oklar, dunkel
ambition [æm'bɪʃ(ə)n] **1** ärelystnad **2** ambition[er]; framåtanda; strävan; *achieve one's ~[s]* nå målet för sin strävan, nå sitt mål
ambitious [æm'bɪʃəs] **1** ärelysten **2** ambitiös, framåt; ~ *plans* äv. högtflygande planer
ambivalent [æm'bɪvələnt] isht psykol. ambivalent
amble ['æmbl] **I** *vb itr* **1** gå i passgång **2** gå (rida) i sakta mak **II** *s* **1** passgång **2** maklig gång; *at an ~* i sakta mak
ambulance ['æmbjʊləns] ambulans
ambush ['æmbʊʃ] **I** *s* bakhåll, försåt **II** *vb tr* locka i ett bakhåll; överfalla från bakhåll
ameliorate [ə'mi:ljəreɪt] **I** *vb tr* förbättra **II** *vb itr* bli bättre, förbättras
amen [ˌɑ:'men, ˌeɪ'men] **I** *interj*, *~!* amen! **II** *s*, *say ~ to* säga ja och amen till
amenable [ə'mi:nəbl] mottaglig; foglig, medgörlig; *he is ~ to* [*new ideas*] han är öppen för..., han lyssnar gärna till...
amend [ə'mend] **I** *vb tr* **1** rätta **2** göra en ändring (ett tillägg) i lagförslag m.m.; ändra **3** förbättra **II** *vb itr* bättra sig, förbättras
amendment [ə'men(d)mənt] **1** rättelse **2** ändring i lagförslag m.m.; ändringsförslag; motförslag; *the first ~* i USA första tillägget i den amerikanska konstitutionen som stadgar yttrande-, religions- o. mötesfrihet **3** [för]bättring
amends [ə'mendz] (konstr. ss. sg. el. pl.) vederlag; *make ~ for a th.* gottgöra ngt, ersätta ngt
amenit|y [ə'mi:nətɪ, -'men-] **1** behag, behaglighet [*the ~ of the climate*]; *the -ies of town life* stadslivets lockelser (tjusning, behag); *a town with many -ies* en stad där det är väl sörjt för invånarnas trivsel; *cultural -ies* kulturutbud **2** bekvämlighet; *every ~* alla moderna bekvämligheter (faciliteter); *labour-saving -ies* arbetsbesparande inrättningar (anordningar) **3** tjänst, facilitet; *the -ies* [*offered by a bank*] äv. den service... **4** pl. *-ies* angenämt (trevligt) sätt; artigheter [*an exchange of -ies*]
America [ə'merɪkə] geogr. Amerika
American [ə'merɪkən] **I** *adj* amerikansk; ~ *cloth* vaxduk; ~ *English* amerikansk engelska, amerikanska [språket]; ~ *Indian* indian **II** *s* amerikan[are], amerikanska kvinna
amethyst ['æməθɪst] miner. ametist
amiable ['eɪmjəbl] vänlig
amicable ['æmɪkəbl] vänskaplig; ~ *settlement* uppgörelse i godo
amid [ə'mɪd] **1** mitt i (uti) **2** under [~ *general applause*]
amidst [ə'mɪdst] se *amid*
amino-acid [əˌmi:nəʊ'æsɪd] kem. aminosyra
amiss [ə'mɪs] på tok, galen; illa; förfelad, orätt; *take it ~* ta illa upp
amity ['æmətɪ] vänskap[lighet], vänskapligt förhållande, samförstånd; samhörighet
ammonia [ə'məʊnjə] ammoniak; [*liquid*] ~ flytande ammoniak
ammonium [ə'məʊnjəm] kem. ammonium
ammunition [ˌæmjʊ'nɪʃ(ə)n] ammunition äv. bildl.; ~ *belt* patronbälte
amnesia [æm'ni:zjə] psykol. amnesi minnesförlust
amnesty ['æmnəstɪ] amnesti
amok [ə'mɒk], *run ~* löpa amok
among [ə'mʌŋ] o. **amongst** [ə'mʌŋst] bland; mellan flera; ~ *themselves* (*yourselves* etc.) sinsemellan, inbördes
amoral [ə'mɒrəl] amoralisk
amorous ['æmərəs] amorös, kärleksfull [~ *looks*]; älskande
amorphous [ə'mɔ:fəs] amorf äv. kem.; formlös
amortization [əˌmɔ:taɪ'zeɪʃ(ə)n] amortering
amount [ə'maʊnt] **I** *vb itr*, ~ *to* **a**) belöpa sig till, uppgå till **b**) vara detsamma som [*it ~s to a refusal*], innebära, betyda [*it ~s to this that...*]; [*his arguments*] *do not ~ to much* ...är inte mycket värda; *you will never ~ to anything* det blir aldrig något av dig; *it ~s to the same thing* det går (kommer) på ett ut; *a probability ~ing almost to a certainty* en till visshet

gränsande sannolikhet **II** *s* **1** belopp, [slut]summa; storlek **2** mängd, massa; kvantitet; *any ~ of* en hel massa [med], massvis med, i massor [*he has any ~ of money*]; [*I can sleep*] *any ~* ...hur mycket (länge) som helst; *the ~ of trouble involved* det besvär detta medför (medförde osv.) **3** kontenta [*the ~ of his remarks was this*]; värde [*the information is of little ~*]
amp [æmp] förk. för *ampere[s]*, *amplifier*
ampere ['æmpeə] ampere
ampersand ['æmpəsænd] tecknet &
amphetamine [ˌæm'fetəmaɪn] med. amfetamin
amphibian [æm'fɪbɪən] **I** *adj* amfibisk **II** *s* **1** zool. amfibie **2** amfibiefordon
amphibious [æm'fɪbɪəs] amfibisk; *~ operation* mil. amfibieoperation, landstigningsoperation; *~ vehicle* amfibiefordon
amphitheatre ['æmfɪˌθɪətə] **1** amfiteater **2** teat., *the ~* andra raden **3** bildl. arena
ample ['æmpl] **1** stor, rymlig; vid, vidsträckt **2** fyllig, yppig **3** riklig; utförlig [*~ description*]; väl tilltagen; *we have ~ time* vi har gott om tid; *have ~ resources* ha mycket goda resurser (tillgångar) **4** [fullt] tillräcklig, lagom [*£500 will be ~*]
amplifier ['æmplɪfaɪə] elektr. förstärkare; *power ~* effektförstärkare
amplify ['æmplɪfaɪ] **1** utvidga **2** utveckla [*~ a story*]; ge en utförligare framställning av; precisera **3** elektr. förstärka
amply ['æmplɪ] rikligt, mer än nog; jfr äv. *ample*
ampoule ['æmpu:l] ampull
amputate ['æmpjʊteɪt] amputera
amputation [ˌæmpjʊ'teɪʃ(ə)n] amputering
amuck [ə'mʌk] se *amok*
amulet ['æmjʊlət] amulett
amuse [ə'mju:z] roa, underhålla; *~ oneself* roa sig [[*by*] *doing a th.* med att göra ngt]; *be ~d by* vara road av
amusement [ə'mju:zmənt] nöje; förströelse; munterhet; *~ arcade* spelhall med spelautomater o.d.; *~ park* (*ground*) nöjesfält, tivoli; *places of ~* nöjeslokaler, nöjen biografer, teatrar etc.
amusing [ə'mju:zɪŋ] rolig
an [ən, n, beton. æn] se *a*
anabolic [ˌænə'bɒlɪk] fysiol., *~ steroids* anabola steroider
anachronism [ə'nækrənɪz(ə)m] anakronism
anaemia [ə'ni:mjə] blodbrist, anemi
anaemic [ə'ni:mɪk] blodfattig, anemisk; bleksiktig
anaesthesia [ˌænəs'θi:zjə] **1** med. bedövning, anestesi **2** bildl. känsellöshet
anaesthetic [ˌænəs'θetɪk] **I** *s* bedövningsmedel; bedövning; pl. *~s* bedövningsmedel, anestetika; *local ~* lokalbedövning **II** *adj* anestetisk; bedövnings-
anaesthetist [æ'ni:sθɪtɪst] anestesiolog, narkosläkare
anal ['eɪn(ə)l] anal [*~ fin*; *~ eroticism*]; *~ orifice* (*opening*) analöppning
analgesic [ˌænæl'dʒi:sɪk, -'dʒe-] **I** *adj* smärtstillande **II** *s* smärtstillande medel; *~s* äv. analgetika
analogue ['ænəlɒg] **1** motsvarighet; parallell[fall] **2** analog [*~ data*]; *~ computer* analogdator **3** *meat ~* köttersättning vanligen framställd av sojabönor
analogy [ə'nælədʒɪ] analogi äv. matem.; [viss] likhet; jämförelse [*draw an ~ between*]
analyse ['ænəlaɪz] **1** analysera; noga undersöka **2** ta ut satsdelarna i **3** psykoanalysera
analys|is [ə'næləs|ɪs] (pl. *-es* [-i:z]) **1** analys; undersökning; *in the last* (*final*) *~* när allt kommer omkring, när det kommer till kritan **2** satslösning **3** psykoanalys
analyst ['ænəlɪst] **1** analytiker **2** kemist **3** psykoanalytiker
analytic [ˌænə'lɪtɪk] o. **analytical** [ˌænə'lɪtɪk(ə)l] analytisk
anarchist ['ænəkɪst] anarkist
anarchy ['ænəkɪ] anarki
anathema [ə'næθəmə] **1** bannlysning, anatema **2** *he was ~* han var avskydd (hatad)
anatomical [ˌænə'tɒmɪk(ə)l] anatomisk
anatomy [ə'nætəmɪ] anatomi
ancestor ['ænsəstə] stamfader; pl. *~s* förfäder
ancestral [æn'sestr(ə)l] som tillhört förfäderna; fäderneärvd; fäderne- [*~ home*]; familje- [*~ portraits*]; *~ estate* stamgods
ancestry ['ænsəstrɪ] **1** börd, anor **2** förfäder
anchor ['æŋkə] **I** *s* **1** ankare; *drop* (*cast*) *~* kasta ankar; *ride* (*lie*, *be*) *at ~* ligga för ankar; *come to ~* ankra **2** bildl. ankare, stöd **II** *vb tr* förankra; stadigt fästa **III** *vb itr* ankra
anchorage ['æŋkərɪdʒ] **1** ankring **2** ankarplats **3** bildl. [ankar]fäste **4** ankringsavgift
anchorman ['æŋkəmæn] **1** sport. a) ankare i dragkampslag b) slutman i stafettlag **2** radio. el. TV. programledare
anchovy ['æntʃəvɪ, æn'tʃəʊvɪ] sardell; zool. [äkta] ansjovis
ancient ['eɪnʃ(ə)nt] **I** *adj* **1** forntida, gammal **2** skämts. [ur]gammal **II** *s*, *the ~s* antikens folk, greker och romare
ancillary [æn'sɪlərɪ] underordnad; bi-,

sido- [~ *roads*]; extra- [~ *tent*]; hjälp- [~ *science*]; stöd- [~ *course*; ~ *troops*]
and [ənd, ən, beton. ænd] och; ~ *so on* [ən'səʊɒn] och så vidare (osv.); *for hours ~ hours* i timmar, i timtal
Andorra [æn'dɒrə] geogr.
anecdote ['ænɪkdəʊt] anekdot
anemia [ə'ni:mjə] se *anaemia*
anemone [ə'nemənɪ] **1** bot. anemon; [*wild*] ~ sippa **2** zool., *sea* ~ havsanemon
anew [ə'nju:] ånyo; om igen
angel ['eɪn(d)ʒ(ə)l] ängel
angelic [æn'dʒelɪk] änglalik; ängla-
anger ['æŋgə] **I** *s* vrede; *in* [*a moment of*] ~ i [plötsligt] vredesmod, i [ett anfall av] ilska **II** *vb tr* reta upp; hetsa upp
1 angle ['æŋgl] **I** *s* vinkel; hörn; synvinkel, synpunkt; tendens, inriktning [*give the story a special* ~]; *at right ~s to* i rät vinkel mot, vinkelrät mot; ~ *of elevation* höjdvinkel, elevationsvinkel; ~ *of reflection* reflexionsvinkel **II** *vb tr* vinkla [~ *the news*]
2 angle ['æŋgl] meta med krok; ~ *for* bildl. fiska (vara ute) efter
angler ['æŋglə] **1** metare **2** zool., ~ [*fish*] marulk
Anglican ['æŋglɪkən] **I** *adj* anglikansk, som tillhör anglikanska kyrkan **II** *s* medlem (anhängare) av anglikanska kyrkan
angling ['æŋglɪŋ] metning
Anglo- ['æŋgləʊ] i sms. engelsk-
Anglo-American [ˌæŋgləʊə'merɪkən] **I** *s* angloamerikan **II** *adj* **1** angloamerikansk **2** engelsk-amerikansk [~ *relations*]
Anglo-Saxon [ˌæŋgləʊ'sæksən] **I** *adj* **1** anglosaxisk **2** fornengelsk **II** *s* **1** anglosaxare **2** anglosaxiska [språket]
Anglo-Swedish [ˌæŋgləʊ'swi:dɪʃ] engelsk-svensk
Angola [æŋ'gəʊlə] geogr.
Angolan [æŋ'gəʊlən] **I** *s* angolan **II** *adj* angolansk
angrily ['æŋgrəlɪ] argt, vredgat
angry ['æŋgrɪ] ond, arg, vredgad
anguish ['æŋgwɪʃ] pina, kval, ångest; beklämning; *be in* ~ våndas, lida svåra kval
angular ['æŋgjʊlə] vinkel-; vinkelformad; kantig; bildl. stel, tafatt
aniline ['ænɪli:n] anilin; ~ *dye* anilinfärg
animal ['ænəm(ə)l, -nɪm-] **I** *s* djur äv. bildl.; levande varelse **II** *adj* **1** animal[isk]; fysisk; ~ *heat* kroppsvärme **2** animalisk, djurisk, sinnlig [~ *desires*]; ~ *spirits* livsglädje, livslust; livsandar
animate [ss. adj. 'ænɪmət, -meɪt, ss. vb 'ænɪmeɪt] **I** *adj* **1** levande **2** livlig **II** *vb tr* **1** ge liv åt **2** liva upp, animera; *a smile ~d* [*her face*] ett leende lyste upp... **3** påverka, sporra **4** *~d cartoon* tecknad (animerad) film
animation [ˌænɪ'meɪʃ(ə)n] **1** upplivande [verkan] **2** livlighet, liv **3** animation framställning av tecknad film
animosity [ˌænɪ'mɒsətɪ] [personlig] ovilja; hat
aniseed ['ænɪsi:d] anis
ankle ['æŋkl] vrist, fotled
annex [ss. vb ə'neks, ss. subst. 'æneks] **I** *vb tr* **1** tillägga; bifoga **2** förena **3** annektera, införliva **II** *s* **1** tillägg [~ *to a document*]; bilaga **2** isht amer., se *annexe*
annexation [ˌænek'seɪʃ(ə)n] **1** tillägg; förening **2** annektering, införlivande
annexe ['æneks] annex; tillbyggnad
annihilate [ə'naɪəleɪt] tillintetgöra, förinta
annihilation [əˌnaɪə'leɪʃ(ə)n, əˌnaɪ'l-] tillintetgörelse, förintelse
anniversary [ˌænɪ'vɜ:s(ə)rɪ] **I** *s* årsdag; årlig åminnelsedag; årsfest; [*wedding*] ~ bröllopsdag årsdag **II** *adj* års-
annotation [ˌænə(ʊ)'teɪʃ(ə)n] anteckning; [förklarande] not; kommentar
announce [ə'naʊns] **1** tillkännage **2** anmäla; annonsera, avisera [~ *one's arrival*]; bebåda **3** radio. el. TV. annonsera
announcement [ə'naʊnsmənt] tillkännagivande, kungörelse; meddelande; anmälan; annons om födelse etc.; *~s* i tidning, ung. familjesidan
announcer [ə'naʊnsə] radio. el. TV. hallåman, programannonsör
annoy [ə'nɔɪ] förarga; besvära; *~ed at a th.* (*with a p.*) förargad över ngt (på ngn)
annoyance [ə'nɔɪəns] **1** förargelse, irritation; *a look of* ~ en förargad (irriterad) blick **2** förarglighet, olägenhet
annoying [ə'nɔɪɪŋ] förarglig; besvärlig
annual ['ænjʊəl] **I** *adj* **1** årlig; ordinarie [~ *general meeting*]; ~ *report* årsberättelse, verksamhetsberättelse **2** som varar ett år; ettårig **II** *s* **1** årsbok; *boys'* (*girls'*) ~ ung. pojkarnas (flickornas) julbok **2** ettårig växt
annually ['ænjʊəlɪ] årligen; årsvis
annuity [ə'nju:ətɪ] **1** årligt underhåll (anslag) **2** livränta; tidsränta
annul [ə'nʌl] annullera [~ *a contract*], upplösa [~ *a marriage*]; återkalla
annulment [ə'nʌlmənt] **1** annullering etc., jfr *annul* **2** tillintetgörelse, utplåning
anode ['ænəʊd] elektr. anod
anoint [ə'nɔɪnt] **1** smörja; *the ~ing of the sick* rom. katol. de sjukas smörjelse **2** fukta
anomalous [ə'nɒmələs] oregelbunden; abnorm
anomaly [ə'nɒməlɪ] avvikelse från regeln; abnormitet; missförhållande
anonymity [ˌænə'nɪmətɪ] anonymitet
anonymous [ə'nɒnɪməs] anonym
anorak ['ænəræk] anorak

anorexia [ˌænəˈreksɪə] psykol., ~ [*nervosa*] anorexia nervosa, anorexi
another [əˈnʌðə] **1** en annan; [*one says one thing*] *and* ~ *says* ~ ..., den andre ett annat **2** en till, ännu en; ~ *Hitler* en ny Hitler; *you're* ~ vard. du är inte bättre själv, det kan du vara själv **3** *one* ~ reciprokt varandra **4** *A.N. Other* a) N.N. b) i kricket ännu inte utsedd spelare
answer [ˈɑ:nsə] **I** *s* **1** svar; *a plain* ~ klart besked; *in* ~ *to* som svar på **2** lösning, svar; pl. ~*s* äv. facit **II** *vb tr* **1** svara; besvara [~ *a question*]; bemöta; gengälda; ~ *the bell* (*door*) gå och öppna [dörren]; ~ *the telephone* svara i (passa) telefonen **2** lyda, följa; ~ *the helm* lyda roder **3** motsvara, svara mot, uppfylla förväntningar el. syfte; stämma med; *he* ~*s the description* beskrivningen passar in på (stämmer på) honom **III** *vb itr* **1** svara; ~ *back* svara (käfta, käbbla) emot **2** lystra; ~ *to* äv. lyda **3** ~ *for* [an]svara för [*to* inför]; stå till svars för **4** ~ *to* motsvara, svara mot, stämma med
answerable [ˈɑ:ns(ə)rəbl] ansvarig
ant [ænt] myra; *have* ~*s in one's pants* sl. ha myror i baken, vara rastlös
antagonism [ænˈtægənɪz(ə)m] motstånd; fiendskap; antagonism
antagonistic [ænˌtægəˈnɪstɪk] antagonistisk
antagonize [ænˈtægənaɪz] **1** reta (hetsa) [mot varandra]; stöta bort [~ *one's friends*] **2** amer. motarbeta
antarctic [æntˈɑ:ktɪk] **I** *adj* antarktisk; sydlig; *the A~ Circle* södra polcirkeln **II** geogr.; *the A~* Antarktis
ant-eater [ˈæntˌi:tə] myrslok
antecedent [ˌæntɪˈsi:d(ə)nt] **I** *adj* föregående; tidigare **II** *s* **1** föregångare **2** gram. korrelat **3** pl. ~*s* antecedentia **4** pl. ~*s* förfäder [*a person of unknown* ~*s*]
antechamber [ˈæntɪˌtʃeɪmbə] förrum
antelope [ˈæntɪləʊp] antilop
antenatal [ˌæntɪˈneɪtl] **I** *adj* före födelsen (födseln); ~ *clinic* mödravårdscentral; ~ *exercises* mödragymnastik före förlossningen **II** *s* vard. kontroll på mödravårdscentral
antenn|a [ænˈten|ə] **1** (pl. *-ae* [-i:]) zool. antenn, [känsel]spröt **2** (pl. *-as*) tekn. isht amer. antenn
anterior [ænˈtɪərɪə] **1** föregående; ~ *to* äldre än; före **2** främre
anthem [ˈænθəm] hymn; *national* ~ nationalsång
ant-hill [ˈænthɪl] myrstack
anthology [ænˈθɒlədʒɪ] antologi
anthropologist [ˌænθrəˈpɒlədʒɪst] antropolog, isht kulturantropolog
anthropology [ˌænθrəˈpɒlədʒɪ] antropologi, isht kulturantropologi
anti [ˈæntɪ] **I** *s* motståndare **II** *adj* oppositionell [*an* ~ *group*]; *be* ~ vara motståndare (fientligt stämd)
anti-abortionist [ˌantɪəˈbɔ:ʃənɪst] abortmotståndare
anti-aircraft [ˌæntɪˈeəkrɑ:ft] luftvärns-; ~ *gun* luftvärnskanon
antibiotic [ˌæntɪbaɪˈɒtɪk] med. **I** *s* antibiotikum **II** *adj* antibiotisk
antibody [ˈæntɪˌbɒdɪ] fysiol. antikropp
antic [ˈæntɪk]; vanl. pl. ~*s* upptåg; krumsprång
anticipate [ænˈtɪsɪpeɪt] förutse; vänta sig; se fram emot [~ *great pleasure*]; förekomma [*be* ~*d by a p.*], gå ngt i förväg [~ *events*]; antecipera
anticipation [ænˌtɪsɪˈpeɪʃ(ə)n] förväntan; aning, förkänsla; antecipation; *in* ~ a) i förväg, på förhand [*thanking you in* ~] b) i [spänd] förväntan
anticlimax [ˌæntɪˈklaɪmæks] **1** antiklimax **2** bakslag; rak motsats
anticlockwise [ˌæntɪˈklɒkwaɪz] moturs
anticyclone [ˌæntɪˈsaɪkləʊn] meteor. anticyklon
antidote [ˈæntɪdəʊt] motgift, bildl. äv. medel mot
antifreeze [ˈæntɪfri:z] kylarvätska, antifrysmedel
antihistamine [ˌæntɪˈhɪstəmɪn, -mi:n] med. antihistamin
antipathy [ænˈtɪpəθɪ] motvilja [~ *between two persons*]
antipollution [ˌæntɪpəˈlu:ʃ(ə)n], ~ *campaign* miljövårdskampanj, kampanj mot föroreningar
antiquarian [ˌæntɪˈkweərɪən] **I** *adj* antikvarisk, som rör forntiden, forn- **II** *s* antikvarie; samlare av antikviteter
antiquated [ˈæntɪkweɪtɪd] föråldrad
antique [ænˈti:k] **I** *adj* **1** antik; gammal **2** gammaldags **3** ålderdomlig **II** *s* antikvitet; ~ *dealer* antikvitetshandlare
antiquit|y [ænˈtɪkwətɪ] **1** uråldrighet, ålderdomlighet **2** antiken; forntiden **3** vanl. pl. *-ies* fornlämningar, fornminnen; antikviteter [*Roman -ies*]
antiracism [ˌæntɪˈreɪsɪzm] antirasism
antirust [ˌæntɪˈrʌst] rosthindrande
anti-Semite [ˌæntɪˈsi:maɪt] **I** *s* antisemit **II** *adj* antisemitisk
anti-Semitism [ˌæntɪˈsemɪtɪz(ə)m] antisemitism
antiseptic [ˌæntɪˈseptɪk] med. **I** *adj* antiseptisk **II** *s* antiseptiskt medel
antisocial [ˌæntɪˈsəʊʃ(ə)l] **1** asocial **2** osällskaplig
antler [ˈæntlə] horn på hjortdjur; tagg (gren) på dylikt horn
anus [ˈeɪnəs] anus
anvil [ˈænvɪl] städ
anxiety [æŋˈzaɪətɪ, -ŋgˈz-] **1** ängslan;

spänning **2** [ivrig] önskan [*to do a th.*]; iver [*~ to please*] **3** psykol. ångest [*~ neurosis*]

anxious ['æŋ(k)ʃəs] **1** ängslig [*an ~ glance*], orolig [*about* (för) *a p.'s health*; *~ for* (för) *a p.'s safety*], rädd **2** angelägen, ivrig; *~ to* angelägen (mån) om att, ivrig (otålig) att få [*I'm ~ to go there*] **3** bekymmersam

any ['enɪ] **I** *indef pron* **1** någon, några [*have you ~ money?*; *have you got ~ brothers?*]; *not ~* äv. ingen, inget, inga [*I haven't ~ money*]; *our losses, if ~* våra eventuella förluster **2** vilken (vilket, vilka) som helst [*you can have ~ of these books*], varje [*~ child knows that*], all [*he needs ~ help he can get*], alla [*~ who wish may go*]; *~ costs that may arise* eventuella kostnader **3** *~* [*considerable*] någon nämnvärd **4** *~ one* vilken som helst men endast en [*you can have ~ one of these books*]; en enda; **II** *adv* **1** något el. vanl. utan svensk motsvarighet: *do you want ~ more tea?* vill du ha mera te?; *I can't stay ~ longer* jag kan inte stanna längre **2** isht amer. vard. alls, ett dugg [*he can't help me ~*]

anybody ['enɪˌbɒdɪ, 'enɪbədɪ] **1** någon; *he will never be ~* det blir aldrig något av honom **2** vem som helst [*~ can understand that*]; *~ who* den (var och en) som

anyhow ['enɪhaʊ] **1** på något [som helst] sätt [*I couldn't get in ~*]; på vilket sätt som helst, hur som helst **2** i alla (varje) fall [*it's too late now, ~*]; alltnog; ändå [*I have got a lot to do ~*]; egentligen **3** lite hur som helst [*the books were placed ~*]; *I have felt a bit ~* det har varit lite si och så med hälsan

anyone ['enɪwʌn] se *anybody*

anyplace ['enɪpleɪs] amer. vard., se *anywhere*

anything ['enɪθɪŋ] **1** något, någonting [*I can't see ~*]; [*was it good?*] *- ~ but!* verkligen inte!, nej minsann! **2** vad som helst; allt; *~ but pleasant* allt annat än trevlig **3** *~ like* el. *like ~* se under *1 like II 3*

anyway ['enɪweɪ] se *anyhow*

anywhere ['enɪweə] **1** någonstans; *~ else* någon annanstans **2** var som helst

apart [ə'pɑ:t] **1** åt sidan, avsides; *joking* (*jesting*) *~* skämt åsido, allvarligt talat; *that ~* bortsett från detta **2** för sig [själv]; *~ from* bortsett från, frånsett, oavsett, utom **3** isär, med...mellanrum [*two metres ~*; *far ~*]; *they are poles* (*worlds*) *~* det är en enorm skillnad mellan dem

apartheid [ə'pɑ:theɪt, -haɪt] apartheid rasåtskillnad o. friare

apartment [ə'pɑ:tmənt] **1** enstaka rum; pl. *~s* möblerad våning **2** amer. våning, [bostads]lägenhet; *~ house* hyreshus; *~ hotel* familjehotell, kollektivhus

apathetic [ˌæpə'θetɪk] apatisk; likgiltig; slö

apathy ['æpəθɪ] apati; likgiltighet; slöhet

ape [eɪp] **I** *s* stor svanslös apa; *go ~* amer. vard. a) bli galen, löpa amok b) bli tänd entusiastisk **II** *vb tr* apa efter

Apennines ['æpənaɪnz] geogr.; *the ~* Apenninerna

aperitif [ə'perɪtɪf] o. **aperitive** [ə'perɪtɪv] aperitif

aperture ['æpətjʊə, -tʃʊə] **1** öppning; glugg; hål; slits **2** foto. bländare

apex ['eɪpeks] (pl. *~es* el. *apices* ['eɪpɪsi:z]) spets, topp

aphid ['eɪfɪd, 'æfɪd] o. **aphi|s** ['eɪfɪ|s, 'æfɪ|s] (pl. *-des* [-di:z]) bladlus

aphrodisiac [ˌæfrə(ʊ)'dɪzɪæk] **I** *s* afrodisiakum **II** *adj* sexuellt uppeggande

apiece [ə'pi:s] per styck, stycket [*a pound ~*]; per man; var för sig; i sänder

aplomb [ə'plɒm] [själv]säkerhet

apocalypse [ə'pɒkəlɪps] **1** [profetisk] uppenbarelse **2** bibl., *the A~* Uppenbarelseboken, Apokalypsen

apolitical [ˌeɪpə'lɪtɪk(ə)l] opolitisk

apologetic [əˌpɒlə'dʒetɪk] **1** ursäktande [*an ~ letter*]; urskuldande; *be ~* vara full av ursäkter **2** apologetisk, försvarande

apologize [ə'pɒlədʒaɪz] be om ursäkt [*for doing* (att ha gjort) *a th.*]; *~ to a p.* be ngn om ursäkt

apology [ə'pɒlədʒɪ] **1** ursäkt; *make an ~* (*apologies*) [*to a p.*] be [ngn] om ursäkt [*for* för] **2** apologi

apoplectic [ˌæpə(ʊ)'plektɪk] med. **1** apoplektisk; *~ fit* (*stroke*) slaganfall, stroke **2** hetlevrad; högröd i ansiktet

apoplexy ['æpə(ʊ)pleksɪ] med. apoplexi, slag; *fit of ~* slaganfall, stroke

apostle [ə'pɒsl] **1** apostel äv. bildl. **2** förkämpe, förespråkare

apostrophe [ə'pɒstrəfɪ] apostrof[tecken]

appal [ə'pɔ:l] förfära; perf. p. *~led* äv. bestört [*at, by* över]; *~ling* skrämmande, förfärlig

apparatus [ˌæpə'reɪtəs, amer. äv. -'rætəs] (pl. *~es* el. *pieces of ~*) apparat; apparatur; maskineri [*the political ~*]; anordning; *heating ~* värmeanläggning

apparel [ə'pær(ə)l] poet. el. amer. dräkt; amer. äv. kläder

apparent [ə'pær(ə)nt] **1** synbar, märkbar; uppenbar **2** skenbar [*more ~ than real*]

apparently [ə'pær(ə)ntlɪ] till synes, uppenbarligen

apparition [ˌæpə'rɪʃ(ə)n] syn, spökbild; spöke

appeal [ə'pi:l] **I** *vb itr* **1** vädja [*to a p. for* (om) *a th.* (*to do a th.*)]; *~ to* äv. appellera till, [hän]vända sig till **2 a**) jur. vädja; *~ against* (*from*) överklaga, anföra besvär mot **b**) parl., *~ to the country* utlysa nyval **3** *~ to* tilltala [*the idea ~s to the imagination*], falla i smaken [*the book* *doesn't ~ to me*], locka **4** ~ *to* åberopa [sig på], vädja (hänvisa) till **II** *s* **1** vädjan; upprop; *the book has a wide* ~ boken vänder sig till en bred läsekrets **2** jur. överklagande, besvär, vad; *enter (file, lodge) an* ~ överklaga, anföra besvär **3** lockelse, attraktion; dragningskraft; *sex* ~ sex appeal

appealing [ə'pi:lɪŋ] **1** lockande [*an* ~ *smile*], tilltalande [*an* ~ *dress*], sympatisk **2** vädjande [*an* ~ *look*]

appear [ə'pɪə] **1 a**) bli (vara) synlig, visa sig, uppträda; anlända **b**) framträda offentligt; uppträda, figurera [*he didn't want his name to* ~ *in the newspapers*] **c**) inställa sig [~ *before the (in) court*] **d**) om bok komma ut; om artikel publiceras, stå [att läsa] **2 a**) vara tydlig, kunna ses **b**) förefalla; framstå som, ge intryck av att vara [*I don't want to* ~ *a fool*]; *it ~s to me...* det förefaller mig..., jag tycker...

appearance [ə'pɪər(ə)ns] **1 a**) framträdande, ankomst [*the unannounced* ~ *of guests*]; anblick; *make one's* ~ uppträda, visa sig **b**) offentligt uppträdande, framträdande **c**) inställelse; *put in a personal* ~ inställa sig personligen **d**) utgivning, utkommande [*the* ~ *of the book*] **2 a**) utseende, persons äv. apparition; yttre; isht pl. *~s* [yttre] sken; *~s are against him* han har skenet emot sig; *give (have) the* ~ *of being...* se ut att (verka) vara...; *to (by, from) all* ~[*s*] efter utseendet (av allt) att döma, till synes **b**) tecken

appease [ə'pi:z] stilla [~ *a p.'s curiosity,* ~ *one's hunger*], lugna; isht polit. vara undfallande mot

appeasement [ə'pi:zmənt] stillande, lugnande; *policy of* ~ eftergiftspolitik

append [ə'pend] vidhänga, fästa; bifoga, foga [~ *a clause to a treaty*]

appendage [ə'pendɪdʒ] bihang

appendicitis [əˌpendɪ'saɪtɪs] med. blindtarmsinflammation, appendicit [*acute* ~]

append|ix [ə'pend|ɪks] (pl.: anat. o. mindre formellt *-ixes,* tekn. o. mera formellt *-ices* [-ɪsi:z]) **1** bihang, bilaga, tillägg, appendix **2** anat., *the* ~ maskformiga bihanget, appendix, blindtarmen

appetite ['æpətaɪt] **1** aptit [*that gave him a good* ~] **2** lust, håg; begär

appetizing ['æpətaɪzɪŋ] aptitretande; aptitlig

applaud [ə'plɔ:d] **I** *vb tr* applådera äv. friare [~ *a decision*] **II** *vb itr* applådera, klappa [i] händerna

applause [ə'plɔ:z] applåd[er]; *loud* ~ en kraftig applåd

apple ['æpl] **1** äpple; *the Big A~* se *big I 1* **2** äppelträd

appliance [ə'plaɪəns] **1** anordning; apparat, hjälpmedel; *fire-fighting ~s* brandredskap; *hearing* ~ hörapparat **2** användning, tillämpning

applicable [ə'plɪkəbl, 'æplɪk-] tillämplig, användbar

applicant ['æplɪkənt] sökande

application [ˌæplɪ'keɪʃ(ə)n] **1** ansökan, anmälan, hänvändelse; ~ *form* anmälningsblankett; *on* ~ på begäran **2** anbringande; *for external* ~ *only* endast för utvärtes bruk **3** tillämpning, applicering; tillämplighet **4** användning; *the ~s of plastics* plastens användningsområden **5** träget arbete; flit **6** omslag [*hot and cold ~s*], förband

applied [ə'plaɪd] praktisk[t använd], tillämpad [~ *linguistics (mathematics)*]

apply [ə'plaɪ] **I** *vb tr* **1** anbringa, applicera, lägga (sätta, stryka) [på] [~ *a bandage* [*to* (på) *a wound*]; ~ *paint to a wall*] **2 a**) använda **b**) tillgripa [~ *sanctions against*] **c**) [praktiskt] tillämpa [~ *a rule to* (på)] **d**) ägna; ~ *one's mind to* se ~ *oneself to* under *II 2* **II** *vb rfl* **1** ~ *oneself* göra sitt bästa, lägga manken till **2** ~ *oneself to* [ivrigt] ägna sig åt, inrikta (koncentrera) sig på [[*doing*] *a th.* [att göra] ngt] **III** *vb itr* **1** [kunna] tillämpas, gälla **2** ansöka, [hän]vända sig; ~ *for a post* söka en plats

appoint [ə'pɔɪnt] **1** bestämma, fastställa [~ *a day for the meeting*; *at the ~ed time*] **2** utnämna; tillsätta [~ *a committee*] **3** *~ed* utrustad [*well ~ed*], möblerad, inredd [*beautifully ~ed*]

appointee [əpɔɪn'ti:] utnämnd (tillsatt, förordnad) [person]

appointment [ə'pɔɪntmənt] **1** [avtalat] möte, träff; *have an* ~ *with (to see) the doctor* ha [beställt] tid hos doktorn **2** utnämning; *by* ~ *to HM the King (Queen)* om firma kunglig hovleverantör **3** tjänst, anställning, befattning; pl. *~s* äv. lediga tjänster

apportion [ə'pɔ:ʃ(ə)n] fördela [proportionellt], skifta; tilldela; utmäta

appraisal [ə'preɪz(ə)l] isht officiell värdering, uppskattning; bedömning, utvärdering

appraise [ə'preɪz] värdera; bedöma [värdet av]

appreciable [ə'pri:ʃəbl, -ʃjəbl] **1** uppskattbar **2** märkbar; avsevärd

appreciate [ə'pri:ʃɪeɪt] **I** *vb tr* **1** uppskatta, sätta värde på; *I would* ~ *it if you...* jag skulle vara tacksam om du... **2** [fullt] inse **3** höja [i värde], höja värdet av; appreciera, skriva upp valutas värde **II** *vb itr* stiga (gå upp) [i värde]

appreciation [əˌpri:ʃɪ'eɪʃ(ə)n] **1** uppskattning; *as a token of my* ~ som ett bevis på min uppskattning **2** uppfattning;

förståelse [*she showed no ~ of* (för) *my difficulties*] **3** värdering; omdöme **4** värdestegring; appreciering, uppskrivning av valutas värde
appreciative [ə'pri:ʃjətɪv] uppskattande
apprehend [ˌæprɪ'hend] **1** gripa, anhålla [~ *a thief*] **2** uppfatta, begripa **3** frukta
apprehension [ˌæprɪ'henʃ(ə)n] **1** gripande, anhållande **2** fattande, begripande; fattningsförmåga **3** uppfattning, mening **4** farhåga; oro; *be under some ~s about* hysa vissa farhågor beträffande
apprehensive [ˌæprɪ'hensɪv] rädd; misstänksam; *be ~ that* misstänka (frukta) att
apprentice [ə'prentɪs] **I** *s* **1** lärling, elev **2** nybörjare **II** *vb tr* sätta i lära; *be ~d to* gå i lära hos
approach [ə'prəʊtʃ] **I** *vb itr* närma sig, förestå; *~ing* äv. annalkande **II** *vb tr* **1** närma sig [*they ~ed the shore*] **2** gå upp mot, mäta sig med [*few writers can ~ Tolstoy*] **3** göra vissa trevare hos, söka [ta] kontakt med; få träffa; söka påverka; *he is rather difficult to ~* han är rätt svårtillgänglig **4** ta itu med [*~ a problem*] **III** *s* **1** närmande; flyg. inflygning; *~ ramp* uppfartsväg; *~ road* tillfartsväg **2** tillträde **3** [tillvägagångs]sätt; taktik; *~ to* [*a problem*] sätt att gripa sig an med..., sätt att behandla..., grepp på... **4** inställning, syn; *~ to* äv. sätt att se på; *his whole ~ to life* hela hans livsinställning **5** första steg (försök); *this is the nearest ~ to the truth* det kommer sanningen närmast **6** pl. *~es* närmanden [*make ~es to a p.*]
approbation [ˌæprə(ʊ)'beɪʃ(ə)n] gillande, godkännande; samtycke
appropriate [ss. adj. ə'prəʊprɪət, ss. vb ə'prəʊprɪeɪt] **I** *adj* lämplig [*an ~ remark*], välvald [*an ~ name*], riktig, tillbörlig; *the ~ authority* vederbörande myndighet **II** *vb tr* **1** anslå, bevilja [*~ money for* (*to*) *a th.*], anvisa; perf. p. *~d* bestämd för visst ändamål **2** tillägna sig; lägga beslag på
appropriation [əˌprəʊprɪ'eɪʃ(ə)n] **1** anslående etc., jfr *appropriate II 1*; bevillning; anslag[sbelopp] **2** beslag[tagande]
approval [ə'pru:v(ə)l] gillande; godkännande; *on ~* till påseende, på prov
approve [ə'pru:v] **I** *vb itr, ~ of* gilla, samtycka (ge sitt samtycke) till, uttrycka sympati för **II** *vb tr* **1** godkänna [*~ a decision*], stadfästa; tillstyrka; *~ the minutes* justera protokollet **2** gilla etc., jfr *I*
approximate [ss. adj. ə'prɒksɪmət, ss. vb ə'prɒksɪmeɪt] **I** *adj* **1** approximativ, ungefärlig; *what's the ~ time?* vad är klockan på ett ungefär? **2** *~ to* närmande sig **3** i stort sett riktig; likartad **II** *vb tr* ungefärligen beräkna **III** *vb itr, ~ to* närma sig, komma nära
approximately [ə'prɒksɪmətlɪ] approximativt, ungefärligen, cirka; tillnärmelsevis; i stort sett
apricot ['eɪprɪkɒt] aprikos
April ['eɪpr(ə)l, -rɪl] april; *~ fool!* april, april!
apron ['eɪpr(ə)n] **1** förklä[de] **2** teat. plattform framför ridån; avantscen **3** platta på flygplats
apt [æpt] **1** lämplig; träffande [*an ~ quotation* (*remark*)] **2** böjd; *be ~ to do a th.* ha en benägenhet att göra ngt, lätt (ofta) göra ngt; *~ to forget* glömsk **3** duktig [*an ~ pupil*], skicklig, begåvad **4** amer. sannolik; *he is ~ to be late* han kan komma (kommer troligen) för sent
aptitude ['æptɪtju:d] skicklighet; fallenhet [*~ for languages*]; *~ test* ped. anlagsprov, anlagsprövning
aquari|um [ə'kweərɪ|əm] (pl. *-ums* el. *-a* [-ə]) akvarium
Aquarius [ə'kweərɪəs] astrol. Vattumannen; *he is* [*an*] *~* han är vattuman; *the Age of ~* Vattumannens tidsålder som anses kännetecknas av fred o. harmoni
aquatic [ə'kwætɪk] **I** *adj* som växer (lever) i (nära) vatten **II** *s*, pl. *~s* vattensport
aquavit ['ækwəvɪt] akvavit, [kummin]brännvin
aqueduct ['ækwɪdʌkt] akvedukt; vattenledning
Arab ['ærəb] **I** *s* **1** arab äv. om häst; arabiska kvinna **2** [*street*] *~* gatpojke, gatunge; rännstensunge **II** *adj* arabisk [*an ~ child* (*woman*)], arab- [*the ~ world*]
Arabian [ə'reɪbjən] **I** *s* arab **II** *adj* arabisk [*~ architecture* (*philosophy*)]; *~ bird* [fågel] Fenix; *the ~ Nights* Tusen och en natt
Arabic ['ærəbɪk] **I** *adj* arabisk [*an ~ word*]; *~ numerals* arabiska siffror **II** *s* arabiska [språket]
arable ['ærəbl] **I** *adj* odlingsbar [*~ land*]; uppodlad **II** *s* odlingsbar mark
arbiter ['ɑ:bɪtə] **1** domare; *~ of taste* smakdomare **2** skiljedomare
arbitrary ['ɑ:bɪtrərɪ] **1** godtycklig; nyckfull **2** egenmäktig; despotisk
arbitrate ['ɑ:bɪtreɪt] **I** *vb tr* avdöma (avgöra) genom skiljedom **II** *vb itr* tjänstgöra som skiljedomare
arbitration [ˌɑ:bɪ'treɪʃ(ə)n] **1** skiljedom[sförfarande]; medling **2** ekon., *~ of exchange* [valuta]arbitrage
arbitrator ['ɑ:bɪtreɪtə] jur. skiljedomare, medlare, förlikningsman
arbour ['ɑ:bə] berså
arc [ɑ:k] **1** cirkelbåge **2** tekn. båge
arcade [ɑ:'keɪd] rad av valvbågar; arkad; passage täckt butiksgata

1 arch [ɑ:tʃ] **I** *s* **1** [valv]båge, valv **2** hålfot; ~ *support* hålfotsinlägg **II** *vb tr* **1** betäcka med valv **2** välva; kröka; ~ *one's back* om katt skjuta rygg **III** *vb itr* välva sig; bilda ett valv

2 arch [ɑ:tʃ] skälmaktig; tjuvpojks- [*an* ~ *glance* (*smile*)]

archaeologist [ˌɑ:kɪ'ɒlədʒɪst] arkeolog

archaeology [ˌɑ:kɪ'ɒlədʒɪ] arkeologi

archaic [ɑ:'keɪɪk] ålderdomlig; arkaisk; arkaiserande, arkaistisk

archangel ['ɑ:kˌeɪn(d)ʒ(ə)l] ärkeängel

archbishop [ˌɑ:tʃ'bɪʃəp] ärkebiskop

arched [ɑ:tʃt] välvd; bågformig

arch-enemy [ˌɑ:tʃ'enɪmɪ] ärkefiende

archer ['ɑ:tʃə] bågskytt

archery ['ɑ:tʃərɪ] bågskytte

archetype ['ɑ:kɪtaɪp] urtyp

archipelago [ˌɑ:kɪ'peləgəʊ] (pl. *~s* el. *~es*) skärgård; ögrupp; örikt hav

architect ['ɑ:kɪtekt] **1** arkitekt **2** skapare

architectural [ˌɑ:kɪ'tektʃ(ə)r(ə)l] arkitektonisk; byggnads-

architecture ['ɑ:kɪtektʃə] **1** arkitektur; byggnadskonst **2** [upp]byggnad

archives ['ɑ:kaɪvz] arkiv; arkivalier

archway ['ɑ:tʃweɪ] valvport

arctic ['ɑ:ktɪk] **I** *adj* arktisk; nordpols-; nordlig; *the A~ Circle* norra polcirkeln; *A~ fox* fjällräv, polarräv **II** *s*, *the A~* Arktis, Nordpolsområdet

ardent ['ɑ:d(ə)nt] **1** ivrig, varm [*an* ~ *admirer*], brinnande [*an* ~ *desire, an* ~ *patriot*], glödande **2** brännande

ardour ['ɑ:də] **1** glöd, iver **2** passion

arduous ['ɑ:djʊəs] mödosam, svår, ansträngande [*an* ~ *task*]

1 are [ɑ:] ar ytmått

2 are [beton. ɑ:, obeton. ə] pl. o. 2 pers. sg. pres. av *be*

area ['eərɪə] **1** yta, areal; ytinnehåll; area; *be 15 square metres in* ~ ha en yta av 15 kvadratmeter **2** a) område; kvarter [*shopping* ~], distrikt [*postal* ~], zon b) plats [*dining* ~], utrymme [*play* ~]; ~ *manager* distriktschef **3** gård utanför källarvåningen mellan hus och trottoar; ~ *steps* trappa [från trottoaren] ned till gården **4** bildl. område; *~s of agreement* avtalsområden

arena [ə'ri:nə] arena; ~ *stage* arenascen

aren't [ɑ:nt] = *are not*; ~ *I?* vard. = *am I not?*

Argentina [ˌɑ:dʒ(ə)n'ti:nə] geogr.

Argentine ['ɑ:dʒ(ə)ntaɪn, -ti:n] **I** *adj* argentinsk **II** *s* **1** argentinare **2** *the* ~ Argentina

Argentinian [ˌɑ:dʒ(ə)n'tɪnjən] **I** *adj* argentinsk **II** *s* argentinare; argentinska

arguable ['ɑ:gjʊəbl] **1** som kan hävdas; *it is* ~ *that...* man skulle kunna påstå (hävda) att... **2** omtvistlig

arguably ['ɑ:gjʊəblɪ] ung. enligt mitt (mångas) förmenande; *it is* ~ [*the best in its field*] jag vågar påstå (man kan nog hävda) att det är...

argue ['ɑ:gju:] **I** *vb itr* **1** anföra skäl, argumentera; resonera; ~ *for* äv. plädera för, förorda **2** tvista, bråka [*with a p. about* (*over*) *a th.*] **3** döma **II** *vb tr* **1** bevisa; visa **2** påstå **3** dryfta, diskutera; framlägga [skälen för]; [*several things*] ~ *against the proposal* ...talar emot förslaget

argument ['ɑ:gjʊmənt] **1** argument, anfört skäl; ~ *against* äv. invändning mot; *knock holes in an* ~ slå sönder ett argument **2** bevis[föring]; resonemang **3** dispyt; diskussion **4** huvudinnehåll i bok o.d.

argumentative [ˌɑ:gjʊ'mentətɪv] **1** diskussionslysten; trätgirig **2** argumenterande, bevisande

aria ['ɑ:rɪə] mus. aria

arid ['ærɪd] **1** torr; ofruktbar **2** bildl. andefattig [~ *textbook*] **3** geogr. arid [~ *climate*]

aridity [æ'rɪdətɪ] **1** torrhet, torka; ofruktbarhet **2** andefattigdom

Aries ['eəri:z] astrol. Väduren; *he is* [*an*] ~ han är vädur

arise [ə'raɪz] (*arose arisen*) **1** uppstå [*problems have arisen*], uppkomma; *a storm of protest arose* det blev en proteststorm; *arising out of...* i samband med..., med anledning av... **2** härröra [*from*] **3** litt. el. amer. stiga (stå) upp **4** poet. uppstå [från de döda]

arisen [ə'rɪzn] perf. p. av *arise*

aristocracy [ˌærɪ'stɒkrəsɪ] aristokrati

aristocrat ['ærɪstəkræt, æ'rɪs-] aristokrat

aristocratic [ˌærɪstə'krætɪk] o. **aristocratical** [ˌærɪstə'krætɪk(ə)l] aristokratisk

arithmetic [ə'rɪθmətɪk] räkning; aritmetik; *my* ~ *is poor* jag är dålig i räkning

ark [ɑ:k] ark [*Noah's* ~]

1 arm [ɑ:m] **1** arm; *at ~'s length* a) på rak (sträckt) arm b) på en arms avstånd c) bildl. på avstånd; *within ~'s reach* inom räckhåll; ~ *in* ~ arm i arm **2** ärm **3** karm **4** stor [träd]gren **5** bildl. arm [*the* ~ *of the law*], makt, myndighet

2 arm [ɑ:m] **I** *s* **1** vanl. pl. *~s* vapen; i kommando gevär; *~s race* kapprustning; *~s reduction* nedrustning; *~s limitation* vapenbegränsning; *be up in ~s against* (*about, over*) vara på krigsstigen mot; vara upprörd över; *take up ~s* gripa till vapen **2** försvarsgren; truppslag; *the air* ~ flygvapnet **3** herald. pl. *~s* vapen [*the ~s of a town*] **II** *vb tr* [be]väpna äv. bildl. [*~ed forces, ~ed with patience*]; [ut]rusta; förse [*~ed with tools* (*equipment*)]; *~ed robbery*

väpnat rån **III** *vb itr* väpna sig; gripa till vapen
armada [ɑ:'mɑ:də] stor flotta, armada
armadillo [ˌɑ:mə'dɪləʊ] (pl. *~s*) zool. bältdjur, bälta
armament ['ɑ:məmənt] **1** [krigs]rustning; pl. *~s* äv. krigsmateriel; *~[s] race* kapprustning; *reduction of ~s* nedrustning **2** abstr. beväpning äv. bildl.
armband ['ɑ:mbænd] armbindel; ärmhållare; *black ~* sorgband
armchair ['ɑ:mtʃeə, pred. äv. ˌ-'-] fåtölj; *~ critic* skrivbordskritiker utan erfarenhet av det han kritiserar
Armenia [ɑ:'mi:njə] geogr. Armenien
Armenian [ɑ:'mi:njən] **I** *adj* armenisk **II** *s* **1** armenier; armeniska kvinna **2** armeniska [språket]
armful ['ɑ:mfʊl] (pl. *~s* el. *armsful*) famn, fång
armistice ['ɑ:mɪstɪs] vapenstillestånd
armlet ['ɑ:mlət] armbindel; ärmhållare
armour ['ɑ:mə] **I** *s* **1** [vapen]rustning[ar]; pansar; armering äv. sjö. **2** dykardräkt **II** *vb tr* [be]pansra; armera; *~ed car* pansarbil; *~ed forces* pansartrupper
armour-plate ['ɑ:məpleɪt] **I** *s* pansarplåt **II** *vb tr* pansra
armoury ['ɑ:mərɪ] vapenförråd; arsenal äv. bildl.
armpit ['ɑ:mpɪt] armhåla
armrest ['ɑ:mrest] armstöd
army ['ɑ:mɪ] **1** armé; *~ boots* marschkängor; *~ chaplain* fältpräst **2** stor hop, härskara [*~ of officials*]
aroma [ə'rəʊmə] arom, doft
aromatic [ˌærə(ʊ)'mætɪk] aromatisk, väldoftande
arose [ə'rəʊz] imperf. av *arise*
around [ə'raʊnd] **I** *adv, [all] ~* runt [omkring], omkring; överallt; åt alla håll; *be ~* a) finnas, vara här (där) [*there weren't any girls ~*]; finnas i närheten [*he's somewhere ~*] b) vara med [i svängen] [*I know, I've been ~*], vara i ropet [*some pop stars are ~ for only a few years*] c) komma, infinna sig [*I'll be ~ by nine o'clock*]; *he has been ~ a lot* han har sett sig omkring [i världen] en hel del; *stand ~* stå och hänga **II** *prep* runtom; *~ the clock* dygnet runt
arousal [ə'raʊz(ə)l] uppväckande; bildl. uppryckning; upphetsning [*sexual ~*]
arouse [ə'raʊz] [upp]väcka mest bildl. [*~ suspicion*]; rycka upp; *be ~d* äv. bli upphetsad
arrack ['ærək] arrak
arrange [ə'reɪn(d)ʒ] **I** *vb tr* **1** ordna; arrangera; disponera [*the book is well ~d*] **2** mus. arrangera **3** göra upp [*~ disputes (differences)*] **4** ordna med; avtala, komma överens om [*what did you ~ with him?*] **II** *vb itr* göra upp [*~ with a p.*]; *~ for* [an]ordna, planera, ombesörja
arrangement [ə'reɪn(d)ʒmənt] **1** ordnande **2** ordning; anordning; uppställning; disposition; arrangemang **3** mus. arrangemang **4** åtgärd; förberedelse [*~s for a party (journey)*]; *make ~s for somebody to meet you* ordna så att någon möter dig **5** uppgörelse [*come to an ~*]
array [ə'reɪ] **I** *vb tr* **1** ställa upp i stridsordning; ordna; *they ~ed themselves against...* bildl. de gjorde front (reste sig) mot... **2** kläda, styra ut **II** *s* **1** stridsordning [äv. *battle ~*] **2** uppbåd **3** samling; skara; *a fine ~ of* äv. en imponerande samling (uppsättning)... **4** litt. dräkt
arrear [ə'rɪə]; pl. *~s* resterande skulder; rest; *~s of work* arbete som släpar efter
arrest [ə'rest] **I** *vb tr* **1** anhålla **2** hejda, hämma [*~ the growth*], hindra **3** bildl. fängsla, fånga [*~ a p.'s attention*] **II** *s* **1** anhållande; arrest; *be under ~* vara arresterad **2** hejdande; avbrott; hinder; *cardiac ~* med. hjärtstillestånd
arresting [ə'restɪŋ] fängslande [*an ~ painting (personality)*], spännande
arrival [ə'raɪv(ə)l] **1** ankomst; *on ~* vid ankomsten (framkomsten) **2** nyanländ (nykommen) person (sak); *a new ~* en nykomling; en ny familjemedlem **3** trafik. pl. *~s* ankommande passagerare (flyg, tåg etc.); *~ lounge* ankomsthall
arrive [ə'raɪv] anlända, ankomma, komma [fram]
arrogance ['ærəgəns] arrogans, övermod
arrogant ['ærəgənt] arrogant, övermodig
arrow ['ærəʊ] pil
arse [ɑ:s] vulg. **I** *s* arsle, arsel **II** *vb itr, ~ about (around)* larva omkring
arsehole ['ɑ:shəʊl] vulg. rövhål; ss. skällsord arsel
arsenal ['ɑ:sənl] arsenal
arsenic ['ɑ:snɪk] kem. arsenik
arson ['ɑ:sn] mordbrand
1 art [ɑ:t] åld., 2 pers. sg. pres. av *be* [*thou ~*]
2 art [ɑ:t] **1** konst, konst- [*~ critic (gallery, museum)*]; *~ student* konststuderande; *the fine ~s* de sköna konsterna; *work of ~* konstverk **2** *the ~s* vissa ämnen inom humanistiska fakulteten, humaniora [*history and literature are among the ~s*]; *Bachelor (Master) of Arts* ung. filosofie kandidat[examen] efter ungefär tre års studier (vid vissa universitet är Master of Arts en högre examen)
artefact ['ɑ:tɪfækt] **1** konstprodukt; arkeol. artefakt **2** tekn. el. med. artefakt
arterial [ɑ:'tɪərɪəl] hörande till pulsådrorna, pulsåders- [*~ blood*]; *~ road* huvudtrafikled

arteriosclerosis [ɑːˌtɪərɪəʊsklɪəˈrəʊsɪs] med. arterioskleros
artery [ˈɑːtərɪ] pulsåder
artful [ˈɑːtf(ʊ)l] slug, listig
arthritis [ɑːˈθraɪtɪs] med. ledinflammation, artrit; *rheumatoid* ~ ledgångsreumatism
artichoke [ˈɑːtɪtʃəʊk], [*globe*] ~ kronärtskocka; ~ *hearts* kronärtskockshjärtan
article [ˈɑːtɪkl] **I** *s* **1** sak; hand. artikel; persedel; ~ *of clothing* klädesplagg, klädespersedel **2** artikel; *leading* ~ ledare i tidning **3** gram. artikel [*the definite* ~] **4** pl. ~*s* kontrakt, villkor, bestämmelser, stadgar **II** *vb tr* anställa genom kontrakt
articulate [ss. adj. ɑːˈtɪkjʊlət, ss. vb -leɪt] **I** *adj* **1** tydlig [~ *speech*], klar **2** talför; vältalig **II** *vb tr* o. *vb itr* **1** artikulera, uttala, tala [tydligt] **2** ~*d bus* ledbuss
articulation [ɑːˌtɪkjʊˈleɪʃ(ə)n] artikulation, artikulering; tal
artifice [ˈɑːtɪfɪs] **1** påhitt, knep **2** konst[färdighet]
artificial [ˌɑːtɪˈfɪʃ(ə)l] **1** konstgjord [~ *flowers* (*respiration*)], konst- [~ *silk*], artificiell [~ *light*]; konstlad; ~ *insemination* [artificiell] insemination, konstgjord befruktning **2** jur., ~ *person* juridisk person
artificiality [ˌɑːtɪfɪʃɪˈælətɪ] o. **artificialness** [ˌɑːtɪˈfɪʃ(ə)lnəs] konstgjordhet; förkonstling
artillery [ɑːˈtɪlərɪ] artilleri; *light* ~ fältartilleri
artisan [ˌɑːtɪˈzæn, ˈɑːtɪz-] hantverkare
artist [ˈɑːtɪst] artist; isht målare
artiste [ɑːˈtiːst] **1** artist scenkonstnär, sångare, dansare o.d. **2** skicklig yrkesutövare kock, frisör m.m.
artistic [ɑːˈtɪstɪk] konstnärlig, artistisk; konstnärs- [~ *talent*]
artistry [ˈɑːtɪstrɪ] konstnärskap
artless [ˈɑːtləs] **1** konstlös **2** troskyldig
as [æz, obeton. əz] **I** *adv* så [*this bag is twice* ~ *heavy*], lika [*I'm* ~ *tall as you*] **II** *rel adv* o. *konj* **1 a**) som [*do* ~ *you like!*], liksom; *he is a hard worker,* ~ *you are* han arbetar hårt, [precis] som du **b**) som; [*hold the tennis racket*] ~ *I do* ...som jag **c**) som, i egenskap av [*she worked* ~ *a journalist*]; [*Mary is pretty,*] ~ *is her sister* ...och det är hennes syster också **2** såsom **3** hur...än [*absurd* ~ *it sounds, it is true*], hur mycket...än; *try* ~ *he might* (*would*) hur [mycket] han än försökte **4** tid just då, [just] när (som); medan; allteftersom; ~ *need arises* i mån av behov **5** orsak då, eftersom **III** *rel pron* som [*such* (*the same*) ~]; såsom **IV** särskilda uttryck: *according* ~ allteftersom; ~ *for* vad beträffar; ~ *if* [lik]som om; *I thought* ~ *much* jag kunde väl tro det; ~ *to* vad beträffar, med avseende på, angående, om; ~ *yet* ännu [så länge], hittills åtminstone
asbestos [æzˈbestɒs] asbest
ascend [əˈsend] **I** *vb tr* bestiga [~ *the throne*], fara (gå, klättra, stiga) uppför (upp i el. på) **II** *vb itr* stiga [uppåt]; höja sig; gå uppför
ascendancy [əˈsendənsɪ] överlägsenhet [*military* ~], herravälde [~ *in the air*]; övertag [*gain* ~ *over one's rivals*], inflytande, makt
ascendant [əˈsendənt] **I** *adj* **1** uppstigande **2** härskande **II** *s* **1** överlägsenhet, inflytande; övervälde; *be in the* ~ vara på väg uppåt (i stigande, i uppåtgående); ha (få) övertaget **2** astrol. ascendent
ascension [əˈsenʃ(ə)n] **1** uppstigande äv. flyg. **2** *the A*~ Kristi himmelsfärd; *A~ Day* Kristi Himmelsfärdsdag
ascent [əˈsent] **1** bestigning; uppstigning [~ *in a balloon*]; uppfärd **2** stigande; upphöjelse **3** sluttning; höjd **4** *in direct line of* ~ i rakt uppstigande [släkt]led
ascertain [ˌæsəˈteɪn] förvissa sig om [~ *that the news is true*]; utröna [~ *the facts*; ~ *whether it is true*]; fastställa
ascetic [əˈsetɪk] **I** *adj* asketisk **II** *s* asket
asceticism [əˈsetɪsɪz(ə)m] askes
ascribe [əˈskraɪb] tillskriva
1 ash [æʃ] ask[träd]; *mountain* ~ rönn
2 ash [æʃ] **1** vanl. pl. ~*es* aska **2** pl. ~*es* stoft
ashamed [əˈʃeɪmd] skamsen; *be* (*feel*) ~ äv. skämmas, blygas [*of* för, över]; *you ought to be* ~ *of yourself* du borde skämmas; vet skäms!; *make* ~ skämma ut; komma att skämmas
ash-blond [ˌæʃˈblɒnd] **I** *adj* ljusblond, askblond **II** *s, she is an* ~ hon är ljusblond (askblond)
ash can [ˈæʃkæn] amer. soptunna
ashen [ˈæʃn] askgrå, askblek; ask-
ashore [əˈʃɔː] i land; på land; *cast* ~ kasta upp på land, spola i land
ashtray [ˈæʃtreɪ] askkopp, askfat
Ash Wednesday [ˌæʃˈwenzdɪ] askonsdag
Asia [ˈeɪʃə, ˈeɪʒə] geogr. Asien; ~ *Minor* Mindre Asien
Asian [ˈeɪʃ(ə)n, ˈeɪʒən] **I** *adj* asiatisk; ~ *flu* vard. asiat[en] slags influensa **II** *s* asiat
Asiatic [ˌeɪʃɪˈætɪk, ˌeɪzi-, ˌeɪʒɪ-] se *Asian*
aside [əˈsaɪd] **I** *adv* **1** avsides; *joking* ~ skämt åsido **2** i enrum **II** *s* sidoreplik; teat. avsidesreplik
asinine [ˈæsɪnaɪn] åsnelik; enfaldig
ask [ɑːsk] **I** *vb tr* **1** fråga; höra efter; ~ *one's way* fråga sig fram; [*he is a bit nuts,*] *if you* ~ *me* ...om jag får säga min mening **2** begära; be, bedja; ~ *a p.'s advice* fråga ngn till råds; *that's* ~*ing a lot* det är mycket begärt; ~*ed price* (*quotation*) börs.

säljkurs **3** [in]bjuda; ~ *a p. in* bjuda ngn att (be ngn) stiga in; ~ *a p. to dance* bjuda upp ngn **II** *vb itr* **1** fråga; ställa frågor; ~ *after a p.* fråga hur det står till med ngn; ~ *for* fråga efter **2** be; *you ~ed for it* vard. du får skylla dig själv; *you're ~ing for it* vard. du kommer att få besvär; du tigger stryk va!

askance [ə'skæns, -'skɑ:ns], *look ~ at a p.* snegla misstänksamt på ngn

askew [ə'skju:] **I** *pred adj* sned **II** *adv* snett; *have one's hat [on] ~* ha hatten på sned

asleep [ə'sli:p] i sömn; [av]domnad; *be ~* sova; vara domnad; *fall ~* somna [in], falla i sömn

asocial [eɪ'səʊʃ(ə)l, ə's-] asocial

asparagus [ə'spærəgəs] sparris

aspect ['æspekt] **1** aspekt äv. språkv.; sida [*there are different ~s of the problem*]; synpunkt **2** läge; utsikt **3** utseende [*a man of* (med) *fierce ~*]

aspen ['æspən] asp[träd]; *tremble (shake, quiver) like an ~ leaf* darra (skälva) som ett asplöv

asphalt ['æsfælt] **I** *s* asfalt **II** *vb tr* asfaltera, belägga med asfalt

asphyxiate [æs'fɪksɪeɪt] kväva

aspiration [ˌæspə'reɪʃ(ə)n] **1** [ivrig] önskan, ambition [*social ~s*] **2** andning **3** fonet. aspiration

aspire [ə'spaɪə] längta

aspirin ['æsp(ə)rɪn] farmakol. aspirin

1 ass [æs, isht som skällsord äv. ɑ:s] **I** *s* åsna; *make an ~ of oneself* skämma ut sig, göra sig löjlig **II** *vb itr* vard., *~ about (around)* larva omkring

2 ass [æs] amer. vulg. **1** arsle, arsel, röv **2** *piece of ~* a) knull samlag b) sexig brud

assail [ə'seɪl] **1** angripa, anfalla, överfalla **2** ansätta [*be ~ed with* (av) *doubts*]

assailant [ə'seɪlənt] angripare; våldsman

assassin [ə'sæsɪn] [lönn]mördare

assassinate [ə'sæsɪneɪt] **1** lönnmörda **2** bildl. svärta ned, förtala

assassination [əˌsæsɪ'neɪʃ(ə)n] **1** lönnmord **2** bildl. nedsvärtning, förtal

assault [ə'sɔ:lt, ə'sɒlt] **I** *s* **1** anfall, angrepp **2** stormning **3** överfall; jur. [personligt] övervåld inbegripet hotelser; olaga hot; *~ and battery* övervåld och misshandel; *child ~* sedlighetsbrott mot minderårig **II** *vb tr* **1** anfalla **2** storma [*~ a stronghold*] **3** överfalla, öva våld mot; [försöka] våldta; [*he was arrested*] *for ~ing a policeman* ...för våld mot polisman

assemble [ə'sembl] **I** *vb tr* **1** församla; samla [*~ troops*] **2** montera, sätta ihop **II** *vb itr* komma tillsammans

assembly [ə'semblɪ] **1** sammanträde; sammankomst, möte; skol. morgonsamling; *freedom of ~* mötesfrihet **2** [för]samling; sällskap **3** representantförsamling lagstiftande isht i vissa stater i USA [äv. *General A~*]; *the UN General A~* FN:s generalförsamling **4** montering

assembly line [ə'semblɪlaɪn] löpande band

assembly room [ə'semblɪru:m] **1** festsal; pl. *~s* äv. festvåning **2** tekn. monteringsrum

assent [ə'sent] **I** *vb itr* samtycka **II** *s* **1** samtycke; *give a nod of ~* nicka bifall **2** gillande, instämmande

assert [ə'sɜ:t] **1** hävda, påstå; bedyra [*~ one's innocence*] **2** göra anspråk på; *~ oneself* hävda sig; hålla sig framme; stå på sig

assertion [ə'sɜ:ʃ(ə)n] **1** [bestämt] påstående, försäkran **2** hävdande

assertive [ə'sɜ:tɪv] bestämt försäkrande; bestämd [*an ~ tone (voice)*]

assess [ə'ses] **1** fastställa belopp **2** beskatta, taxera **3** uppskatta, bedöma; analysera

assessment [ə'sesmənt] **1** beskattning **2** uttaxerad summa **3** uppskattning, bedömning; utvärdering; analys

assessor [ə'sesə] taxeringsman

asset ['æset] **1** vanl. pl. *~s* jur. el. hand. tillgångar isht i dödsbo och konkursmassa; kvarlåtenskap **2** tillgång

asset-stripping ['æsetˌstrɪpɪŋ] försäljning av lätt realiserbara tillgångar i uppköpt företag

asshole ['æshəʊl] amer. vulg., se *arsehole*

assiduity [ˌæsɪ'dju:ətɪ] trägenhet, nit

assiduous [ə'sɪdjʊəs] trägen, nitisk; outtröttlig

assign [ə'saɪn] **1** tilldela; *~ a p. to do a th.* ge ngn i uppdrag (sätta ngn [till]) att göra ngt; *~ a room to a p.* tilldela (anvisa) ngn ett rum; *~ work to a p.* äv. förelägga ngn ett arbete **2** avträda egendom **3** jur. utse **4** bestämma tid, gräns **5** utpeka; anföra skäl **6** *~ to* hänföra till, tillskriva

assignment [ə'saɪnmənt] **1** tilldelning **2** uppgift; isht amer. skol. äv. beting

assimilate [ə'sɪmɪleɪt] **1** assimilera[s] äv. fonet.; införliva[s]; uppta[s] **2** *~ to (with) a th.* göra (bli) lik ngt

assist [ə'sɪst] **I** *vb tr* **1** hjälpa, assistera, bistå; *~ed area* stödområde **2** ishockey passa till **II** *vb itr* hjälpa till, medverka **III** *s* ishockey assist

assistance [ə'sɪstəns] hjälp, bistånd; *give (render) ~ to a p.* äv. hjälpa (assistera etc.) ngn

assistant [ə'sɪstənt] **I** *adj* assisterande, biträdande [*~ librarian*], extra[-]; *~ master* skol., ung. adjunkt **II** *s* medhjälpare; expedit [äv. *shop ~*]

associate [ss. adj. o. subst. ə'səʊʃɪət, ss. vb ə'səʊʃɪeɪt] **I** *adj* förbunden; associerad; åtföljande; *~ member* associerad medlem;

~ *professor* amer., ung. docent **II** *s* **1** delägare; kollega; kamrat; [*business*] ~ affärsbekant, affärsförbindelse **2** bundsförvant **III** *vb tr* **1** förena, förbinda; *be ~d with* äv. stå i samband med **2** associera **3** upptaga i sällskap, bolag etc.; *be ~d with* [*a company*] vara knuten till... **4** ~ *oneself with* associera sig med, ansluta sig till **IV** *vb itr* umgås

association [əˌsəʊsɪ'eɪʃ(ə)n, -əʊʃɪ-] **1** förenande; förening; associering; förbund, samfund; *A~ football* vanlig fotboll i motsats till rugby el. amerikansk fotboll **2** förbindelse; umgänge **3** association, tankeförbindelse; samband, anknytning

assorted [ə'sɔ:tɪd] klassificerad; sorterad; [ut]vald; passande; *ill* ~ omaka om par

assortment [ə'sɔ:tmənt] **1** sortering **2** sort **3** hand. sortiment [*an ~ of gloves* (*of goods*)]; blandning t.ex. av karameller; urval **4** samling [*an odd ~ of guests*]

assuage [ə'sweɪdʒ] lindra; stilla

assume [ə'sju:m, -'su:m] **1** anta, ponera; *assuming this to be true* förutsatt att detta är sant **2** anta [~ *a new name*]; inta [~ *a pose*]; anlägga [~ *an air of innocence*]; *~d* låtsad, spelad [*~d cheerfulness*] **3** tillträda [~ *an office* (tjänst)]; överta, åta sig [~ *the direction of a business*]; ta på sig [~ *a responsibility*]; ~ *command* [över]ta befälet **4** tillskansa sig [~ *power*]

assumption [ə'sʌm(p)ʃ(ə)n] **1** antagande; *on* (*under*) *the ~ that* under förutsättning att **2** antagande av gestalt; tillträdande av befattning etc.; övertagande **3** övermod **4** *the A~* Marie himmelsfärd

assurance [ə'ʃʊər(ə)ns] **1** försäkran; garanti **2** säkerhet, tillförsikt; *to make ~ doubly sure* för att vara på den säkra sidan **3** [själv]säkerhet **4** livförsäkring

assure [ə'ʃʊə] **1** försäkra **2** säkerställa, trygga **3** livförsäkra

assured [ə'ʃʊəd] **1** säker; tryggad **2** dristig; självsäker

aster ['æstə] aster

asterisk ['æst(ə)rɪsk] **I** *s* asterisk, stjärna **II** *vb tr* utmärka med en asterisk

astern [ə'stɜ:n] akter ut (över); bakåt; ~ *of* akter om

asteroid ['æstərɔɪd] astron. asteroid

asthma ['æsmə, 'æsθ-] astma

asthmatic [æs'mætɪk, æsθ-] **I** *adj* astmatisk; *be* ~ äv. lida av astma **II** *s* astmatiker

astigmatic [ˌæstɪg'mætɪk] *adj* **I** astigmatisk **II** *s* astigmatiker

astigmatism [æ'stɪgmətɪz(ə)m] astigmatism

astir [ə'stɜ:] i rörelse; på benen; *the whole village was* ~ [*when they heard the news*] det blev allmän uppståndelse i byn...

astonish [ə'stɒnɪʃ] förvåna; *be ~ed at* äv. förvåna sig över

astonishment [ə'stɒnɪʃmənt] förvåning; *he looked at her in* ~ han såg förvånad (förvånat) på henne

astound [ə'staʊnd] slå med häpnad

astounding [ə'staʊndɪŋ] häpnadsväckande

astray [ə'streɪ] vilse [*go* ~]; på avvägar; *be led* ~ bli vilseledd

astride [ə'straɪd] **I** *adv* med utspärrade ben; grensle **II** *prep* grensle över

astringent [ə'strɪn(d)ʒ(ə)nt] **I** *adj* **1** adstringerande; blodstillande **2** kärv, sträng **II** *s* adstringerande medel

astrologer [ə'strɒlədʒə] astrolog; stjärntydare

astrology [ə'strɒlədʒɪ] astrologi

astronaut ['æstrənɔ:t] astronaut

astronomer [ə'strɒnəmə] astronom

astronomic [ˌæstrə'nɒmɪk] se *astronomical*

astronomical [ˌæstrə'nɒmɪk(ə)l] astronomisk äv. bildl. [~ *figures*]

astronomy [ə'strɒnəmɪ] astronomi

astrophysics [ˌæstrə(ʊ)'fɪzɪks] (konstr. ss. sg.) astrofysik

astute [ə'stju:t] skarpsinnig; knipslug

asunder [ə'sʌndə] **1** isär **2** ifrån varandra; *they were driven* ~ äv. de blev åtskilda

asylum [ə'saɪləm] **1** asyl **2** *lunatic* ~ vard. dårhus

asymmetric [ˌæsɪ'metrɪk] o. **assymetrical** [ˌæsɪ'metrɪkəl] asymmetrisk; osymmetrisk

at [æt, obeton. ət] **1** uttr. befintlighet, plats på [~ *the hotel*]; vid [~ *my side*]; i [~ *Oxford*]; genom [*enter ~ the door*]; till [*arrive ~ Bath*]; ~ *my aunt's* hos min faster (moster); ~ *home* hemma; *live ~ No. 5 John Street* bo på John Street 5 **2** uttr. riktning, mål på [*look* ~]; åt [*shout* ~]; mot [*smile* ~] **3** uttr. tid, tillfälle vid [~ *midnight*]; på [~ *the same time*]; i [~ *the last moment*]; ~ [*the age of*] *sixty* vid sextio [års ålder] **4** uttr. sysselsättning, sätt, tillstånd i [~ *rest*, ~ *war*]; på [~ *one's own risk*]; med [~ *a speed of*]; ~ *full speed* med (i, för) full fart **5** för; à; *sell ~ a loss* sälja med förlust **6** uttr. anledning över [*astonished* ~]; åt [*laugh ~ a p.*]; vid [*bitter ~ the thought*] **7** ~ *that* dessutom, till på köpet

ate [et, isht amer. eɪt] imperf. av *eat*

atheism ['eɪθɪɪz(ə)m] ateism

atheist ['eɪθɪɪst] ateist

Athens ['æθɪnz] geogr. Aten

athlete ['æθli:t] [fri]idrottsman; *~'s foot* med. fotsvamp

athletic [æθ'letɪk] **1** idrotts- [~ *association*]; idrottslig **2** spänstig; atletisk

athletics [æθ'letɪks] **1** (konstr. ss. pl.) friidrott **2** (konstr. ss. sg.) idrott[ande]

at-home [ət'həʊm, ə'təʊm] mottagning [hemma], öppet hus

Atlantic [ət'læntɪk] **I** *adj* atlantisk; atlant- [*the ~ Pact*]; *the ~ Ocean* Atlanten, Atlantiska oceanen; *~ Standard Time* normaltid (tidszon) i östra Canada **II** geogr.; *the ~* Atlanten
atlas ['ætləs] atlas
ATM [ˌeɪtiː'em] (förk. för *automated* el. *automatic teller machine*) bankautomat
atmosphere ['ætməˌsfɪə] atmosfär, bildl. äv. stämning
atmospheric [ˌætmə'sferɪk] o. **atmospherical** [ˌætmə'sferɪk(ə)l] atmosfärisk; *atmospheric pressure* lufttryck
atmospherics [ˌætmə'sferɪks] [atmosfäriska] störningar
atoll ['ætɒl, ə'tɒl] atoll; ringformig korallö
atom ['ætəm] **1** atom; *~ bomb* atombomb **2** dugg, uns [*not an ~ of truth in the allegations*]
atomic [ə'tɒmɪk] atom- [*~ bomb* (*energy, weight*)]; atomisk; atomär; *A~ Energy Authority* i Storbritannien o. *A~ Energy Commission* i USA Atomenergikommissionen; *~ pile* atomreaktor
atomizer ['ætə(ʊ)maɪzə] sprej[flaska]; rafräschissör
atone [ə'təʊn], *~ for* sona, lida för; gottgöra
atonement [ə'təʊnmənt] gottgörelse; relig. försoning; *the Day of A~* försoningsdagen
atrocious [ə'trəʊʃəs] **1** ohygglig **2** vard. gräslig
atrocity [ə'trɒsətɪ] **1** ohygglighet; illdåd **2** vard., [*that painting*] *is an ~* ...är gräslig
atrophy ['ætrəfɪ] **I** *s* förtvining, atrofi **II** *vb tr* komma att förtvina; bildl. trubba av **III** *vb itr* förtvina; bildl. gå tillbaka; trubbas av
attach [ə'tætʃ] **I** *vb tr* **1** fästa; bifoga; *~ed* äv. vidhängande, tillhörande; byggn. hopbyggd; *~ed please find...* hand. (i brev) ...bifogas **2** fästa [*~ conditions to* (vid)], foga; *~ credit to* sätta tro till **3** *~ oneself to* ansluta sig till; åtfölja **4** bildl. binda; knyta; *be ~ed to* a) vara fäst vid, tycka om b) vara knuten (ansluten) till **5** mil. placera, kommendera **6** ta i beslag **II** *vb itr*, *~ to* a) vara förknippad med b) häfta vid; *the blame ~es to him* skulden vilar (faller) på honom
attaché [ə'tæʃeɪ] attaché; *military ~* militärattaché
attaché case [ə'tæʃɪkeɪs] attachéväska
attachment [ə'tætʃmənt] **1** fastsättning **2** fästanordning **3** tillsats **4** tillgivenhet, tycke **5** beslagtagning **6** mil. placering
attack [ə'tæk] **I** *s* **1** anfall; angrepp; attack [*a heart ~*]; *~ is the best method of defence* anfall är bästa försvar; *a personal ~* ett personangrepp, ett påhopp **2** mus. ansats **II** *vb tr* anfalla; ge sig i kast med [*~ a problem*]
attacker [ə'tækə] angripare; sport. anfallsspelare
attain [ə'teɪn], *~ [to]* [upp]nå [*~ one's object*]; vinna, förvärva; komma upp till
attainment [ə'teɪnmənt] **1** uppnående; *easy of ~* lätt att [upp]nå **2** vanl. pl. *~s* kunskaper, färdigheter, insikter; *standard of ~* kunskapsnivå
attempt [ə'tem(p)t] **I** *vb tr* försöka; försöka att göra; försöka (ge) sig på [*~ a difficult task*]; *~ed escape* flyktförsök **II** *s* **1** försök; bemödande **2** angrepp; attentat; *an ~ [up]on a p.'s life* ett attentat mot (mordförsök på) ngn
attend [ə'tend] **I** *vb tr* **1** bevista [*~ school*]; *well ~ed* talrikt besökt; *the lectures were well ~ed* äv. det var [rätt] mycket folk på föreläsningarna **2** vårda; om läkare behandla; betjäna kunder o.d. **3** ledsaga; *be ~ed by [risks]* medföra... **4** uppvakta [*~ed by bridesmaids*] **II** *vb itr* **1** vara med **2** vara uppmärksam [*Bill, you're not ~ing!*]; *~ to* ge akt på, lyssna till; se till; sköta om, ombesörja **3** expediera [*~ to a customer*]; *are you being ~ed to?* i affär är (var) det tillsagt? **4** *~ [up]on* passa upp på; uppvakta **5** *~ [up]on* åtfölja, vara en följd av
attendance [ə'tendəns] **1** närvaro, deltagande; *~ [at school]* skolgång, deltagande i undervisningen; *~ register* närvarolista **2** antal närvarande (deltagare); publik; *there was a good (large) ~ at the concert* det var mycket folk (stor publik) på konserten **3** betjäning; uppvaktning; skötsel; vård; *medical ~* läkarvård; *in ~* tjänstgörande, uppvaktande [*upon* hos]
attendant [ə'tendənt] **I** *s* **1** vaktmästare [*~ in* (på) *a theatre*]; uppsyningsman [*park ~*]; serviceman; skötare **2** följeslagare, tjänare **II** *adj* åtföljande; närvarande
attention [ə'tenʃ(ə)n] **I** *s* **1** uppmärksamhet äv. psykol.; kännedom [*bring a th. to a p.'s ~*]; omtanke, passning; *attract ~* tilldra sig uppmärksamhet, väcka uppseende; *pay ~ to* a) ägna uppmärksamhet åt, vara uppmärksam på b) lägga märke till, uppmärksamma c) ta hänsyn till **2** mil. givakt; *stand at ~* stå i givakt **II** *interj* **1** mil. givakt! **2** *~, please!* i högtalare o.d. hallå, hallå!
attentive [ə'tentɪv] uppmärksam; omsorgsfull; påpasslig
attenuate [ə'tenjʊeɪt] **1** göra smal **2** förtunna **3** [för]minska i kraft el. värde; försvaga; dämpa
attest [ə'test] **I** *vb tr* **1** vittna om; intyga;

bevittna [~ *a signature*]; attestera **2** gå ed (svära) på **II** *vb itr,* ~ *to* vittna om; bekräfta

attic ['ætɪk] vind, vindsrum

attire [ə'taɪə] **I** *vb tr* kläda, skruda **II** *s* klädsel, kläder, skrud

attitude ['ætɪtju:d] **1** ställning; *strike an* ~ inta en pose, posera **2** bildl. [in]ställning, attityd; *if that's your* ~ om du tar det på det viset, om det är så du vill ha det

attorney [ə'tɜ:nɪ] **1** [befullmäktigat] ombud **2** amer. advokat; *district* (*prosecuting*) ~ allmän åklagare **3** *power of* ~ fullmakt befogenhet

Attorney-General [əˌtɜ:nɪ'dʒen(ə)r(ə)l] (pl. *Attorneys-General* el. *Attorney-Generals*) **1** kronjurist engelska kronans förnämste rådgivare, motsv. ung. justitiekansler **2** amer. justitieminister; i delstat ung. statsåklagare

attract [ə'trækt] dra till sig, attrahera, locka; väcka [~ *attention*]; *light* ~ *moths* nattfjärilar dras till ljus; *feel ~ed to* känna sig dragen till

attraction [ə'trækʃ(ə)n] **1** dragning[skraft], bildl. äv. lockelse, charm **2** attraktion, dragplåster; pl. ~*s* äv. nöjen, sevärdheter

attractive [ə'træktɪv] attraktiv; lockande, tilltalande [*an* ~ *proposal*]; attraktions- [~ *force* (*power*)]

attribute [ss. subst. 'ætrɪbju:t, ss. vb ə'trɪbju:t] **I** *s* attribut; gram. äv. bestämning; utmärkande drag; kännetecken **II** *vb tr* tillskriva

attrition [ə'trɪʃ(ə)n] **1** nötning; skavning; *war of* ~ utnötningskrig **2** naturlig avgång av arbetskraft

aubergine ['əʊbəʒi:n] aubergine

auburn ['ɔ:bən] kastanjebrun [~ *hair*]

auction ['ɔ:kʃ(ə)n] **I** *s* **1** auktion; *sell by* ~ **2** kortsp., ~ [*bridge*] auktionsbridge **II** *vb tr,* ~ [*off*] auktionera bort

auctioneer [ˌɔ:kʃə'nɪə] auktionsförrättare

audacious [ɔ:'deɪʃəs] **1** djärv **2** fräck, oförskämd

audacity [ɔ:'dæsətɪ] **1** djärvhet **2** fräckhet, oförskämdhet

audibility [ˌɔ:də'bɪlətɪ] hörbarhet

audible ['ɔ:dəbl, 'ɔ:dɪbl] hörbar

audience ['ɔ:djəns] **1** publik; i radio äv. lyssnare; i TV äv. tittare, tittarskara; författares äv. läsare, läsekrets; ~ *measurement* (*rating*) radio. el. TV. publikmätning; *there was a large* ~ *at the theatre* det var mycket folk på teatern **2** audiens; *obtain an* ~ *with* [*the King*] få audiens hos...

audiovisual [ˌɔ:dɪəʊ'vɪzjʊəl, -ʒʊəl] audivisuell; ~ *aids* audivisuella hjälpmedel

audit ['ɔ:dɪt] **I** *s* revision, granskning av räkenskaper **II** *vb tr* **1** revidera, granska **2** amer. univ. följa undervisning som åhörare

audition [ɔ:'dɪʃ(ə)n] provsjungning, prov för engagemang o.d.

auditor ['ɔ:dɪtə] **1** revisor; ~*'s report* revisionsberättelse **2** amer. univ. åhörare

auditorium [ˌɔ:dɪ'tɔ:rɪəm] **1** hörsal; [teater]salong; åskådarplatser **2** teaterbyggnad, konserthus

aught [ɔ:t] **1** *for* ~ *I care* gärna för mig; *for* ~ *I know* såvitt jag vet **2** vard. noll, nolla

augment [ɔ:g'ment] **I** *vb tr* öka ['på] **II** *vb itr* öka[s]

augur ['ɔ:gə] **I** *s* augur **II** *vb tr* o. *vb itr* **1** varsla [om] **2** förespå; ~ *a th.* [*of a p.*] förespå [ngn] ngt, vänta sig ngt [av ngn]

August ['ɔ:gəst] augusti

august [ɔ:'gʌst] upphöjd, majestätisk; vördnadsvärd [~ *personage*]

aunt [ɑ:nt] faster, moster; barns tilltal till kvinnlig vän till familjen tant; *my* ~*!* ngt åld. vard. kors!, du store!

auntie o. **aunty** ['ɑ:ntɪ] smeks. för *aunt*; ~ *May* tant May

au pair [ˌəʊ'peə] **I** *adj* o. *s* au pair[flicka] **II** *adv* som au pair

aura ['ɔ:rə] aura

auspicious [ɔ:'spɪʃəs, ɒs-] **1** gynnsam [*an* ~ *beginning*] **2** lycklig, glädjande [*on this* ~ *occasion*], lyckosam

austere [ɒ'stɪə, ɔ:s-] **1** sträng **2** spartansk **3** sober

austerity [ɒ'sterətɪ, ɔ:s-] **1** stränghet **2** spar-, åtstramnings- [~ *policy* (*programme*)]; enkel

Australia [ɒ'streɪljə, ɔ:'st-] geogr. Australien

Australian [ɒ'streɪljən, ɔ:'st-] **I** *adj* australisk **II** *s* australier, australiensare

Austria ['ɒstrɪə, 'ɔ:s-] geogr. Österrike

Austrian ['ɒstrɪən, 'ɔ:s-] **I** *adj* österrikisk **II** *s* österrikare

authentic [ɔ:'θentɪk] **1** tillförlitlig **2** autentisk

authenticate [ɔ:'θentɪkeɪt] bevisa äktheten av; bestyrka, verifiera

authenticity [ˌɔ:θen'tɪsətɪ] tillförlitlighet; äkthet

author ['ɔ:θə] **1** författare; skriftställare **2** upphov; upphovsman

authoress ['ɔ:θərəs] författarinna, kvinnlig författare

authoritarian [ˌɔ:θɒrɪ'teərɪən] auktoritär

authoritative [ɔ:'θɒrɪtətɪv] **1** auktoritativ **2** officiell **3** befallande

authority [ɔ:'θɒrətɪ] **1** myndighet, [laga] makt, maktbefogenhet; *be in* ~ ha befälet (ledningen); *those in* ~ de makthavande; *on one's own* ~ på eget bevåg **2** bemyndigande [*have* ~ *to do a th.*]; fullmakt **3** myndighet; styrelse [*the port* ~]; *the authorities* vanl. myndigheterna, de styrande **4** auktoritet; pondus; *carry* ~ väga tungt, vara av stor betydelse **5** stöd [*what is your ~ for that statement?*]; källa [*you should quote your authorities*]; sagesman; [*I have it*] *on good ~* ...från säker källa **6** auktoritet, fackman, expert; *she's an ~ on...* hon är expert på (en auktoritet i fråga om)...

authorization [ˌɔ:θ(ə)raɪ'zeɪʃ(ə)n, -rɪ'z-] **1** bemyndigande **2** attest

authorize ['ɔ:θəraɪz] **1** auktorisera, ge fullmakt åt, bemyndiga **2** godkänna; *~d* stadfäst **3** rättfärdiga; berättiga [till]

authorship ['ɔ:θəʃɪp] författarskap

autistic [ɔ:'tɪstɪk] psykol. autistisk [*~ children*]

auto ['ɔ:təʊ] amer. vard. **I** *s* bil; *~ parts* bildelar **II** *vb itr* bila

autobiographical ['ɔ:tə(ʊ)ˌbaɪə(ʊ)'græfɪk(ə)l] självbiografisk

autobiography [ˌɔ:tə(ʊ)baɪ'ɒgrəfɪ] självbiografi

autocratic [ˌɔ:tə(ʊ)'krætɪk] o. **autocratical** [ˌɔ:tə(ʊ)'krætɪk(ə)l] enväldig

autograph ['ɔ:təgrɑ:f, -græf] **I** *s* autograf; *~ hunter* autografjägare **II** *vb tr* skriva sin autograf i (på), signera

automate ['ɔ:təmeɪt] automatisera

automatic [ˌɔ:tə'mætɪk] **I** *adj* **1** automatisk [*~ data processing; ~ reflex*]; automat- [*~ weapon*]; självgående, självreglerande; själv- [*~ steering*]; *~ [vending] machine* [varu]automat **2** automatisk **II** *s* automat; bil med automatlåda; automatvapen

automatically [ˌɔ:tə'mætɪk(ə)lɪ] automatiskt; av sig själv

automation [ˌɔ:tə'meɪʃ(ə)n] automation; automatisering; automatik

automatize [ɔ:'tɒmətaɪz] automatisera

automobile ['ɔ:təmə(ʊ)bi:l, ˌ---'-] **I** *s* isht amer. bil **II** *vb itr* amer. åka (köra) bil

autonomous [ɔ:'tɒnəməs] autonom, självstyrande

autonomy [ɔ:'tɒnəmɪ] **1** autonomi, självstyre; självbestämmanderätt **2** självstyrande samhälle

autopilot ['ɔ:tə(ʊ)ˌpaɪlət] tekn. autopilot, styrautomat

autopsy ['ɔ:təpsɪ, ɔ:'tɒp-] obduktion, autopsi

autumn ['ɔ:təm] höst, för ex. jfr *summer*

autumnal [ɔ:'tʌmnəl] höst-; höstlik

auxiliar|y [ɔ:g'zɪljərɪ, ɔ:k'sɪl-] **I** *adj* hjälp- [*~ verb (troops)*]; *~ branch* filial **II** *s* **1** hjälpare **2** pl. *-ies* hjälptrupper **3** hjälpverb

AV förk. för *audiovisual*

avail [ə'veɪl] **I** *vb tr* o. *vb itr* **1** *~ oneself of* begagna sig av, använda, utnyttja **2** gagna, hjälpa **II** *s* nytta; [*working*] *to no ~* ...förgäves

availability [əˌveɪlə'bɪlətɪ] **1** tillgång, tillgänglighet; anträffbarhet **2** biljetts giltighet

available [ə'veɪləbl] **1** tillgänglig, disponibel; anträffbar; till buds stående; användbar; *be ~* äv. stå till förfogande, finnas till hands; finnas [att få] **2** giltig; *the ticket is ~ for a month* äv. biljetten gäller en månad

avalanche ['ævəlɑ:nʃ] lavin, bildl. äv. störtskur

avant-garde [əˌvɑ:ŋ'gɑ:d] avantgarde

avarice ['ævərɪs] girighet; snikenhet

avaricious [ˌævə'rɪʃəs] girig; sniken

avenge [ə'ven(d)ʒ] hämnas; *~ oneself (be ~d) on* hämnas (ta hämnd) på

avenue ['ævənju:] **1** allé; trädkantad uppfartsväg; bred gata **2** bildl. väg [*~ to success*]

average ['æv(ə)rɪdʒ] **I** *s* **1** genomsnitt, snitt; *above [the] ~* över genomsnittet (det normala); *on [an (the)] ~* i [genom]snitt, i medeltal **2** hand. el. sjö. haveri; sjöskada **II** *adj* **1** genomsnittlig **2** ordinär, vanlig **III** *vb tr* **1** beräkna medeltalet av **2** i genomsnitt (medeltal) uppgå till (väga, kosta o.d.) **3** fördela **IV** *vb itr, ~ out* jämna ut sig, fördela sig jämnt

averse [ə'vɜ:s], *be ~ to* ogilla, tycka illa om [*be ~ to hard work*], vara avogt inställd till

aversion [ə'vɜ:ʃ(ə)n] motvilja, aversion

avert [ə'vɜ:t] **1** vända bort; avleda [*~ suspicion*] **2** avvärja, avstyra, förhindra [*~ a revolt*]

aviary ['eɪvjərɪ] voljär, aviarium

aviation [ˌeɪvɪ'eɪʃ(ə)n] **1** flygning; flygsport; flygväsen **2** flyg-

aviator ['eɪvɪeɪtə] flygare; pilot

avid ['ævɪd] **1** ivrig [*an ~ reader*] **2** glupsk; *~ for (of)* lysten efter

avocado [ˌævə(ʊ)'kɑ:dəʊ] (pl. *~s*); *~ [pear]* avocado

avoid [ə'vɔɪd] undvika; undgå

avoidable [ə'vɔɪdəbl] som kan undvikas; *it was ~* det hade kunnat undvikas

avoidance [ə'vɔɪd(ə)ns] undvikande; *tax ~* skattesmitning, skatteplanering

await [ə'weɪt] **1** invänta, vänta [på], avvakta, emotse; *~ing your reply* i avvaktan på Ert svar **2** vara i beredskap för, vänta [*death ~s us all*]

awake [ə'weɪk] **I** (*awoke awoke[n]*, ibl. *awaked awaked*) *vb itr* **1** vakna isht bildl. **2** *~ to* bli medveten om **II** (för tema se *I*) *vb tr* väcka äv. bildl. **III** *pred adj* vaken; *be ~ to* vara medveten om

awaken [ə'weɪk(ə)n] **I** *vb tr* väcka isht bildl.; *~ to* väcka till medvetande (insikt) om **II** *vb itr* vakna

awakening [ə'weɪknɪŋ] **I** *adj* väckande äv. bildl.; vaknande **II** *s* [upp]vaknande äv. bildl.

award [ə'wɔ:d] **I** *vb tr* tilldela, tillerkänna; belöna med [*the film was ~ed an Oscar*];

ge; bevilja **II** *s* **1** [tillerkänt] pris; belöning; stipendium **2** [skilje]dom **3** [tilldömt] skadestånd

aware [əˈweə] medveten; uppmärksam; *be ~ [that]* äv. känna till..., inse (märka)...

awareness [əˈweənəs] medvetenhet; uppmärksamhet

away [əˈweɪ] **I** *adv* **1** bort *[run ~]*; undan, åt sidan *[put a th. ~]*; ur vägen; *~ [with]!* bort [med]! **2** bort[a] *[far ~]*; *the sea is [two miles] ~* det är...till havet, havet ligger...bort (härifrån) **3** borta, sport. äv. på bortaplan; ute, frånvarande, inte här (där) **4** vidare *[work ~; scrub ~]* **5** *straight (right) ~* med detsamma, genast; *far and ~* långt, vida **II** *adj* sport. borta- *[~ match (ground)]* **III** *s* sport. bortamatch

awe [ɔː] **I** *s* vördnad; fruktan **II** *vb tr* inge vördnad (fruktan)

awe-inspiring [ˈɔːɪnˌspaɪərɪŋ] respektinjagande

awful [ˈɔːfʊl, ˈɔːfl] **1** ohygglig **2** vard. hemsk, förstärk. äv. väldig *[an ~ lot]*

awfully [ˈɔːfʊlɪ, förstärk. ˈɔːflɪ] ohyggligt etc., jfr *awful*; *thanks ~* vard. tack så hemskt mycket

awhile [əˈwaɪl] en stund; en tid [bortåt]

awkward [ˈɔːkwəd] **1** tafatt *[an ~ fellow; ~ efforts]*; fumlig, bakvänd; *the ~ age* slyngelåldern, slynåldern **2** generad; osäker, bortkommen *[feel ~]* **3** svårhanterlig; obekväm *[an ~ size]* **4** besvärlig *[an ~ problem]*, kinkig; obehaglig *[an ~ situation]*, pinsam *[an ~ pause]*; *he is an ~ customer* han är inte lätt att tas med

awl [ɔːl] syl, ål verktyg

awning [ˈɔːnɪŋ] solsegel; markis

awoke [əˈwəʊk] imperf. o. perf. p. av *awake*

awoken [əˈwəʊk(ə)n] perf. p. av *awake*

awry [əˈraɪ] **I** *pred adj* sned **II** *adv* **1** snett **2** galet; *our plans have gone ~* våra planer har slagit fel (slint)

ax [æks] isht amer., se *axe*

axe [æks] **I** *s* **1** yxa; *broad ~* bila **2** vard., *apply the ~ [to]* göra kraftiga nedskärningar [i]; *get the ~* få sparken **II** *vb tr* vard. skära ned *[~ expenditure]*; dra in *[200 posts were ~d]*; avskeda; *[200 employees] were ~d* äv. ...fick sparken, ...fick gå

axes [ˈæksɪz] pl. av *ax* o. *axe*

axiom [ˈæksɪəm] axiom

axiomatic [ˌæksɪə(ʊ)ˈmætɪk] axiomatisk

ax|is [ˈæks|ɪs] (pl. *-es* [-iːz]) matem., fys. el. polit. axel; *the A~ [Powers]* hist. axelmakterna

axle [ˈæksl] [hjul]axel

1 ay [aɪ] **I** *adv* o. *interj* dial. ja; *~ ~, Sir* sjö. ska ske, kapten (styrman o.d.) **II** *s* jaröst; jaröstare; *the ~es have it* jarösterna är i majoritet

2 ay [aɪ], *~ me!* poet. ack!, ve mig!

1 aye [aɪ], se *1 ay*

2 aye [eɪ] skotsk. el. nordeng., i övrigt end. poet., alltid; *for ~* för alltid

azalea [əˈzeɪljə] bot. azalea

azure [ˈæʒə, ˈeɪʒə] **I** *s* azur **II** *adj* azurblå [äv. *azure-blue*]

B

B, **b** [bi:] (pl. *B's* el. *b's* [bi:z]) **1** B, b; *B road* ung. länsväg **2** mus., *B* h; *B major* H-dur; *B minor* H-moll

BA [ˌbi:'eɪ] förk. för *Bachelor of Arts, British Airways*

babble ['bæbl] **I** *vb itr* **1** babbla, pladdra **2** om spädbarn jollra **3** sorla [*the stream ~d*] **II** *s* **1** babbel **2** spädbarns joller **3** sorlande

babe [beɪb] **1** litt. spenabarn, [späd]barn **2** ~ *in arms* (*in the wood*) bildl. aningslöst offer **3** isht amer. sl. tjej; i tilltal sötnos

baboon [bə'bu:n] zool. babian

baby ['beɪbɪ] **1** [litet] barn; familjens yngsta [medlem]; ~ *rabbit* kaninunge; ~ *sister* lillasyster; *throw the ~ out* (*away*) *with the bathwater* (*bath*) bildl. kasta ut barnet med badvattnet **2** liten sak; liten; ~ *car* minibil, småbil **3** sl. tjej; i tilltal sötnos **4** isht amer. vard. **a**) [hårdkokt] typ (kille); *listen ~!* hörru pysen! **b**) favoritgrej [*this car is my ~*]

baby boy [ˌbeɪbɪ'bɔɪ] gossebarn

baby buggy ['beɪbɪˌbʌgɪ] paraplyvagn; amer. barnvagn

baby girl [ˌbeɪbɪ'gɜ:l] flickebarn

babyhood ['beɪbɪhʊd] [späd] barndom

babyish ['beɪbɪɪʃ] barnslig

baby-minder ['beɪbɪˌmaɪndə] dagmamma

baby-sit ['beɪbɪsɪt] (*baby-sat baby-sat*) sitta barnvakt

baby-sitter ['beɪbɪˌsɪtə] barnvakt

baccy ['bækɪ] vard. tobak

bachelor ['bætʃ(ə)lə] **1** ungkarl; ~ *flat* (vard. *den, pad*) ungkarlsvåning, vard. ungkarlslya; ~ *girl* ungkarlsflicka **2** univ., ung. kandidat; *B~ of Arts* (*Science*) se *2 art 2* o. *science 1*

back [bæk] **I** *s* **1** rygg; *break a p.'s ~* bildl. ta knäcken på ngn; *put one's ~ into it* lägga manken till; *put* (*get*) *a p.'s ~ up* vard. reta upp ngn; *go* (*do things*) *behind a p.'s ~* gå bakom ryggen på ngn; *with one's ~ to the wall* bildl. ställd mot väggen, hårt ansatt **2** baksida; bakre del (ända); ryggstöd; ~ *of the head* nacke, bakhuvud; *know a th. like the ~ of one's hand* kunna ngt på sina fem fingrar **3** sport. back **II** *adj* **1** på baksidan [~ *street*]; ~ *page* sista sida av tidning; ~ *seat* baksäte **2** omvänd, gående bakåt [~ *current*] **3** resterande; ~ *pay* retroaktiv lön **III** *adv* **1** bakåt; tillbaka; ~ *and forth* fram och tillbaka **2** tillbaka; åter, igen; i gengäld; *go ~* [*up*]*on one's word* bryta sitt ord **3** avsides **4** ~ *of* amer. bakom **IV** *vb tr* **1** dra (skjuta o.d.) tillbaka; backa bil, båt etc. **2** ~ *up* a) underbygga, styrka [~ *up a statement*] b) backa upp, stödja, gynna c) backa fram [~ *up a car in front of the garage*] **V** *vb itr* **1** ~ [*away*] röra sig bakåt, gå (träda) tillbaka; backa; rygga **2** ~ *down* stiga ned baklänges; bildl. retirera, backa ur

backache ['bækeɪk] ryggsmärtor

backbencher [ˌbæk'bentʃə] parl. icke-minister

backbite ['bækbaɪt] (*backbit backbitten*) *vb itr* tala illa om folk

backbiting ['bækˌbaɪtɪŋ] förtal

backbone ['bækbəʊn] **1** ryggrad; *to the ~* helt igenom, ut i fingerspetsarna [*British to the ~*] **2** bildl. grundstomme [*the ~ of the nation*] **3** bildl. styrka [*he has no ~*]

backbreaking ['bækˌbreɪkɪŋ] hård, slitsam [*a ~ job*]

backchat ['bæk-tʃæt] vard. skämtsam replikväxling; näsvishet, uppkäftighet

backcloth ['bækklɒθ] teat. fond[kuliss]

backcomb ['bækkəʊm] tupera

backdate [ˌbæk'deɪt] **1** ge retroaktiv verkan; *~d* retroaktiv **2** antedatera

backdrop ['bækdrɒp] **1** teat. fond[kuliss] **2** bildl. bakgrund [*the hills form a ~ to the town*]

backer ['bækə] **1** hjälpare, stöd[jare]; gynnare [*financial ~*] **2** vadhållare isht på häst

backfire [ˌbæk'faɪə, '--] **I** *s* bil. baktändning **II** *vb itr* **1** bil. baktända **2** bildl. slå slint

backgammon ['bækˌgæmən, ˌbæk'g-] backgammon

background ['bækgraʊnd] **1** bakgrund; miljö i film o.d.; ~ *effects* ljudeffekter **2** bildl. bakgrund; erfarenhet[er] [*she has a ~ in computers*]

backhand ['bækhænd] **I** *s* backhand i tennis o.d. **II** *adj* se *backhanded*

backhanded [ˌbæk'hændɪd] **1** med handryggen; backhand- **2** bildl. oväntad; tvetydig, spydig [~ *compliment*]

backhander ['bækˌhændə] **1** slag med handryggen; sport. backhand[slag] **2** bildl. sidohugg; tillrättavisning **3** sl. muta

backing ['bækɪŋ] **1** bil. backning; ~ *light* backljus **2** [under]stödjande; stöd [*financial ~*] **3** mus. ackompanjemang **4** rygg, baksida; foder **5** hand. a) endossering b) täckning

backlash ['bæklæʃ] **1** bakslag; [häftig] motreaktion [*the white ~*] **2** tekn. spelrum

backlog ['bæklɒg] **1** hand.: inte effekturerade inneliggande order **2** eftersläpande arbete

back number [ˌbæk'nʌmbə] **1** gammalt nummer av tidning **2** vard. [hopplöst] gammalmodig person (metod); *he is a ~* äv. han har spelat ut sin roll

backpack ['bækpæk] ryggsäck

backside [ˌbæk'saɪd] **1** baksida **2** vard. ända, rumpa

backslide ['bækslaɪd] (*backslid backslid*) [gradvis] återfalla till (i) [*~ into dishonesty* (*sin*)]

backspace ['bækspeɪs] **I** *s, ~ key* backstegstangent **II** *vb itr* backa på skrivmaskin

backstage [ˌbæk'steɪdʒ] **I** *adv* bakom scenen; i kulisserna **II** *adj* [som sker] bakom kulisserna

backstroke ['bækstrəʊk] simn. ryggsim

backtrack ['bæktræk] gå tillbaka; bildl. äv. backa ur [*~ out of a deal*]

backup ['bækʌp] **1** backning; *~ light* isht amer. backljus **2** stöd; förstärkning **3** isht amer. reserv; ersättning; reserv- [*~ supplies*]

backward ['bækwəd] **I** *adj* **1** bakåtriktad, bak[åt]vänd, baklänges-; *a ~ glance* en blick tillbaka **2** underutvecklad [*a ~ child*] **II** *adv* se *backwards*

backwards ['bækwədz] bakåt; *~ and forwards* fram och tillbaka, hit och dit

backwash ['bækwɒʃ] **1** svallvåg[or] **2** bildl. följder, efterverkningar, efterdyningar [*the ~ of the crisis*]

backwater ['bækˌwɔːtə] **1** bakvatten **2** uppdämt flodvatten; stillastående vatten isht av bakström från flod **3** bildl. avkrok; dödvatten; intellektuell torka

backwoods ['bækwʊdz] **1** isht amer. avlägsna skogstrakter, obygd[er] **2** se *backwater 3*

backyard [ˌbæk'jɑːd] bakgård; amer. trädgård på baksidan av huset

bacon ['beɪk(ə)n] bacon; *bring home the ~* vard. tjäna till brödfödan; klara skivan; *save one's ~* vard. rädda sitt skin

bacteriological [bækˌtɪərɪə'lɒdʒɪk(ə)l] bakteriologisk [*~ warfare*]

bacteriology [bækˌtɪərɪ'ɒlədʒɪ] bakteriologi

bacteri|um [bæk'tɪərɪ|əm] (pl. *-a* [-ə]) bakterie

bad [bæd] **I** (*worse worst*) *adj* **1** dålig **2** a) onyttig, skadlig [*it's ~ for one's eyes*] b) rutten, skämd [*these eggs are ~*] **3** a) svag [*he's ~ at mathematics*], dålig [*a ~ painter*] b) sjuk [*feel ~*]; skadad [*my ~ hand*], svår [*a ~ cold* (*headache*)] **4** tråkig, sorglig [*~ news*]; *that's too ~!* vard. vad tråkigt!, så synd! **5** ångerfull, illa till mods [*feel ~ about a th.*] **6** **a**) omoralisk **b**) elak, stygg; busig [*a ~ boy*] **c**) *~ language* svordomar, grovt språk **7** felaktig [*a ~ pronunciation*] **8** a) oäkta [*a ~ coin*] b) ogiltig [*a ~ cheque*] c) oindrivbar [*a ~ debt* (fordran)] **9** isht amer. sl. jättebra, häftig **10** *~ luck* otur; *~ news* sl. olycka, pest om person **II** *s* **1** *take the ~ with the good* ta det onda med det goda **2** *I'm £90 to the ~* jag har förlorat (har en brist på) 90 pund

bade [bæd, beɪd] imperf. o. perf. p. av *bid*

badge [bædʒ] **1** märke; hederstecken, ordenstecken; *policeman's ~* polisbricka **2** bildl. [känne]tecken

badger ['bædʒə] **I** *s* **1** grävling **2** pensel av grävlingshår **II** *vb tr* plåga; tjata på; trakassera; *~ a p.* [*for a th.*] tjata på ngn [om att få ngt]

badly ['bædlɪ] (*worse worst*) **1** dåligt, illa [*behave* (*treat*) *~*]; svårt; *be ~ off* ha det dåligt ställt **2** *want* (*need*) *~* behöva i högsta grad

badminton ['bædmɪntən] sport. badminton

bad-tempered [ˌbæd'tempəd] [som är] på dåligt humör, vresig

baffle [bæfl] **I** *vb tr* **1** förvirra **2** trotsa [*it ~s description*] **II** *s* radio. baffel

baffling ['bæflɪŋ] förvirrande, förbryllande, oförklarlig [*a ~ noise*]; svårlöst [*a ~ problem*]

bag [bæg] **I** *s* **1** påse; säck; bag; väska; *~ of bones* vard. benget; *he's got ~s under his eyes* vard. han har påsar under ögonen; *in the ~* vard. klar, säker [*his promotion is in the ~*], som i en liten ask [*we've got it in the ~*] **2** a) jaktväska b) jaktbyte, fångst; *make a good ~* få bra jaktbyte, ha jaktlycka **3** pl. *~s* sl. massor [*~s of money* (*room*)] **4** sl. käring [*that old ~*] **II** *vb tr* **1** fånga; fälla, skjuta **2** vard. knycka; *~s I* (*~s*) [*that chair*]*!* pass (pax, tjing) för...!

bagatelle [ˌbægə'tel] **1** bagatell **2** fortuna[spel]

baggage ['bægɪdʒ] **1** bagage, resgods vid flyg- el. sjöresa **2** skämts. stycke, snärta [*saucy ~*]

baggy ['bægɪ] påsig, säckig

1 bail [beɪl] **I** *vb tr, ~* [*out*] ösa [ut] [*~ water* [*out*]]; ösa [läns], länsa [*~* [*out*] *a boat*] **II** *vb itr* **1** *~* [*out*] ösa **2** *~ out* flyg. isht amer., se *2 bale*

2 bail [beɪl] jur. **I** *s* borgen för anhållens inställelse inför rätta; *admit to ~* el. *let out on ~* försätta på fri fot mot borgen **II** *vb tr, ~* [*out*] utverka frihet åt anhållen genom att ställa borgen för honom

bailiff ['beɪlɪf] exekutionsbiträde; delgivningsman

bait [beɪt] **I** *vb tr* **1** hetsa djur **2** reta, plåga; mobba **3** agna krok; sätta [ut] bete på (i) **II** *s* agn; *rise to* (*swallow*) *the ~* nappa på kroken äv. bildl.

baize [beɪz] **1** boj tyg **2** klädd med boj, filtklädd [*~ door*]

bake [beɪk] **I** *vb tr* ugnssteka, ugnsbaka; baka; bränna tegel; *~d beans* vita bönor i tomatsås; *~d wind* amer. tomt skryt **II** *vb itr* stekas; torka, hårdna; *be baking in the sun*

[ligga och] steka sig i solen **III** *s* utomhusfest där ugnsstekt mat serveras
baker ['beɪkə] bagare; *~'s dozen* tretton [stycken]
bakery ['beɪkərɪ] bageri
baking powder ['beɪkɪŋˌpaʊdə] bakpulver
baking tin ['beɪkɪŋtɪn] bakform, kakform
balance ['bæləns] **I** *s* **1** våg; vågskål; *hang (be) in the ~* hänga på en tråd, stå och väga **2** motvikt **3** balans äv. bildl. [*lose one's ~*]; jämvikt; jämviktsläge; avvägning [*a delicate ~ between the two*]; *throw a p. off his ~* få ngn att tappa balansen, få ngn ur balans; *~ of power* maktbalans **4** *the ~* det mesta, den övervägande delen **5** hand. balans; saldo, behållning; tillgodohavande [*bank ~*]; återstod; *~ brought forward* ingående saldo; *~ carried forward* utgående saldo **6** vard., *the ~* resten **7** oro i ur **II** *vb tr* **1** [av]väga [mot varandra]; jämföra; överväga **2** balansera; bringa (hålla) i jämvikt; *~ oneself* balansera; gå balansgång **3** motväga; utjämna **4** hand. avsluta böcker; balansera; *~ the books* göra bokslut **III** *vb itr* balansera; vara i jämvikt; jämna ut sig
balance sheet ['bælənsʃi:t] **1** balans[räkning] **2** budgetsammandrag **3** bokslut
balcony ['bælkənɪ] **1** balkong; altan **2** *the ~* a) teat., vanl. andra raden; amer. första raden b) på biograf balkongen
bald [bɔ:ld] **I** *adj* **1** [flint]skallig [*go ~*]; kal; *~ as a coot* kal (slät) som en biljardboll **2** bildl. torr [*a ~ statement of the facts*]; torftig, slät **II** *vb itr* bli skallig
baldness ['bɔ:ldnəs] [flint]skallighet etc., jfr *bald*
1 bale [beɪl] **I** *s* bal **II** *vb tr* packa i balar
2 bale [beɪl], *~ out* hoppa med (rädda sig i) fallskärm
baleful ['beɪlf(ʊ)l] fördärvlig [*a ~ influence*]; ondskefull [*a ~ stare*]
balk [bɔ:k, bɔ:lk] **I** *s* **1** balk, bjälke **2** hinder **II** *vb tr* **1** blunda för; dra sig för, undvika [*~ a topic*]; försumma [*~ an opportunity*] **2** hejda, hindra ngns planer; gäcka, svika [*his hopes were ~ed*] **III** *vb itr* om häst tvärstanna; bildl. stegra sig
1 ball [bɔ:l] **1** bal, dans[tillställning] **2** sl., *have [oneself] a ~* ha kul (skoj)
2 ball [bɔ:l] **I** *s* **1** boll; klot; *~ control (sense)* bollkontroll, bollbehandling, bollsinne; *have the ~ at one's feet* bildl. ha chansen **2** kula; *~ joint* tekn. el. anat. kulled **3** nystan [*~ of wool*] **II** *vb tr* vulg. knulla
ballad ['bæləd] ballad
ballast ['bæləst] **I** *s* barlast **II** *vb tr* barlasta, ballasta
ball bearing [ˌbɔ:l'beərɪŋ] kullager
ball cock ['bɔ:lkɒk] flottörventil
ballerina [ˌbælə'ri:nə] ballerina
ballet ['bæleɪ, -'-] balett
ballet-dancer ['bæleɪˌdɑ:nsə, -lɪˌd-] balettdansör
ballistics [bə'lɪstɪks] (konstr. ss. sg.) ballistik
balloon [bə'lu:n] **I** *s* **1** ballong; *~ glass* konjakskupa; *now the ~ goes up!* vard. nu brakar det löst **2** pratbubbla **II** *vb itr* stiga i höjden [*costs ~ed*] **III** *vb tr* **1** trissa upp [*~ prices*] **2** *~ a ball [into the air]* sparka en boll högt upp i luften, sparka en boll högt upp i luften
ballot ['bælət] **I** *s* **1** röstsedel, valsedel **2** sluten omröstning; omröstningsresultat; *take a ~* företa en sluten omröstning **II** *vb itr* **1** företa en sluten omröstning **2** dra lott
ballot box ['bælətbɒks] valurna
ballot paper ['bælətˌpeɪpə] röstsedel
ball pen ['bɔ:lpen] kulpenna
ballpoint ['bɔ:lpɔɪnt], *~ [pen]* kul[spets]penna
ballroom ['bɔ:lru:m] balsal; danssalong; *~ dance (dancing)* sällskapsdans
ballyhoo [ˌbælɪ'hu:] **I** *s* vard. **1** braskande reklam; jippon; skryt, bluff, humbug **2** ståhej, uppståndelse **II** *vb tr* uppreklamera
balm [bɑ:m] **1** balsam **2** bildl. tröst, lindring
balmy ['bɑ:mɪ] **1** balsamisk; doftande **2** lindrande, vederkvickande; mild om väder
balsa ['bɔ:lsə, 'bælsə] balsaträd; balsaträ
balsam ['bɔ:lsəm] **1** balsam **2** balsamin; *garden ~* vanlig balsamin
Baltic ['bɔ:ltɪk] **I** *adj* baltisk; östersjö-; *~ herring* strömming; *the ~ Sea* Östersjön; *the ~ States* Baltikum **II** geogr.; *the ~* Östersjön
balustrade [ˌbælə'streɪd] balustrad
bamboo [ˌbæm'bu:] (pl. *~s*) bambu; bamburör; bambu-; *~ shoots* bot. el. kok. bambuskott
bamboozle [bæm'bu:zl] vard. lura, locka; *~ a p. out of a th.* lura av ngn ngt
ban [bæn] **I** *s* officiellt förbud [*travel ~*]; kyrkl. bann; *driving ~* körförbud; *lift the ~* [upp]häva förbudet **II** *vb tr* förbjuda; bannlysa
banal [bə'nɑ:l] banal
banana [bə'nɑ:nə] banan; bananplanta; *~ oil* sl. prat, strunt; *~ plug* tekn. banankontakt
1 band [bænd] **I** *s* **1** band, snöre; bindel; bildl.: förenande band **2** skärp; på cigarr maggördel **3** remsa; bård; linning **4** radio. band [*19-metre ~*] **5** mek. [drag]rem [äv. *endless ~*]; *~ conveyor* **6** platt ring **7** pl. *~s* prästkrage; advokats ämbetskrage **II** *vb tr* sätta band (etc., jfr *I 1-3*) på

2 band [bænd] **I** *s* **1** trupp; band [*~ of robbers*], gäng **2** mindre orkester, musikkår; *brass ~* mässingsorkester **II** *vb tr* o. *vb itr, ~ [oneself] together* förena sig, sluta sig samman, gadda ihop sig
bandage ['bændɪdʒ] **I** *s* bandage, bindel; *triangular ~* mitella **II** *vb tr* förbinda; binda för; *~d* för'bunden, i bandage; *~d eyes* 'förbundna ögon
bandit ['bændɪt] bandit, bov
bandmaster ['bæn(d)ˌmɑ:stə] kapellmästare
bandstand ['bæn(d)stænd] musikestrad
bandwagon ['bændˌwægən], *climb (jump, get) on to the ~* polit. ansluta sig till de framgångsrika (vinnarsidan)
bandy ['bændɪ] **I** *vb tr* **1** kasta fram och tillbaka [ofta *~ about*]; *his name was bandied about* det pratades om honom **2** dryfta **3** växla ord, hugg; *~ words* äv. gräla, munhuggas **II** *s* sport. **1** bandy **2** bandyklubba **III** *adj* om ben krokig; hjulbent; *have ~ legs* vara hjulbent
bane [beɪn] fördärv; förbannelse
bang [bæŋ] **I** *vb tr* o. *vb itr* **1** banka, slå; knalla; dunka; dänga **2** sl. slå **3** vard. göra av med **4** vulg. knulla **II** *s* **1** slag, knall, duns; brak; *sonic ~* bang, överljudsknall **2** amer. vard. fart, kläm [*there's no ~ in him*]; *with a ~* bums, tvärt [*he fell for her with a ~*] **3** amer. sl. spänning; *I get a ~ out of it* jag tycker det är jäkla spännande (kul) **4** vulg. knull, ligg **III** *interj* o. *adv* bom, pang; tvärt, bums; *~ in the middle* precis i mitten (mitt i); mitt i prick; *~ on time* vard. precis, punktligt
banger ['bæŋə] **1** vard. korv; *~s and mash* korv och mos **2** pyrotekn. rysk smällare
bangle ['bæŋgl] armring; ankelring
banish ['bænɪʃ] **1** landsförvisa, förvisa **2** slå ur tankarna, slå bort [*~ cares*]; avlägsna
banishment ['bænɪʃmənt] [lands]förvisning; *go into ~* gå i landsflykt
banister ['bænɪstə] **1** ledstångsstolpe, baluster, balustradpelare **2** vanl. *~s* (konstr. ss. sg. el. pl.; pl. *~s*) trappräcke, ledstång
banjo ['bændʒəʊ] (pl. *~s* el. *~es*) banjo
1 bank [bæŋk] **I** *s* **1** strand[sluttning] vid flod el. kanal **2** [sand]bank **3** bank [*~ of clouds*], vall; driva; [dikes]ren; sluttning **4** flyg. bankning **5** dosering av kurva **II** *vb tr* **1** *~ [up]* dämma för [*~ up a river*]; dämma upp **2** lägga upp i en vall [*~ earth*]; *~ [up]* packa ihop, torna upp i drivor (vallar) [*~ [up] snow*] **3** dosera en kurva **III** *vb itr* **1** flyg. banka, skeva; om bil luta i doserad kurva **2** *~ up* hopa sig, packa ihop sig [*the snow has ~ed up*]
2 bank [bæŋk] rad av t.ex. tangenter på tangentbord; *~ of cylinders* cylinderrad i motor
3 bank [bæŋk] **I** *s* **1** bank[inrättning]; *the B~ [of England]* Englands [riks]bank (centralbank); *~ statement* kontoutdrag **2** spel. [spel]bank **II** *vb itr* **1** *~ with* ha bankkonto hos **2** *~ [up]on* vard. lita (räkna) på **III** *vb tr* sätta in pengar [på banken]
banker ['bæŋkə] **1** bankir; bankdirektör; *~'s card* checklegitimation utfärdat av bank för täckning av check **2** spel. bankör **3** på tipskupong säker match
bank holiday [ˌbæŋk'hɒlədeɪ, -dɪ] bankfridag, allmän helgdag
banking ['bæŋkɪŋ] bankrörelse
banknote ['bæŋknəʊt] sedel
bankrupt ['bæŋkrʌpt] **I** *s* person som har gjort konkurs **II** *adj* **1** bankrutt; *go ~* göra konkurs **2** bildl. *~ of [ideas]* i total avsaknad av... **III** *vb tr* försätta i konkurs
bankruptcy ['bæŋkrəp(t)sɪ] konkurs; bankrutt; *be on the verge of ~* vara konkursmässig
banner ['bænə] baner isht bildl. [*the ~ of freedom*]
banns [bænz] lysning
banquet ['bæŋkwɪt] **I** *s* bankett; festmåltid, kalas **II** *vb tr* ge en bankett för **III** *vb itr* delta i en bankett; kalasa
bantamweight ['bæntəmweɪt] sport. **1** bantam[vikt] **2** bantamviktare
banter ['bæntə] **I** *s* skämt; godmodig drift **II** *vb itr* skämta
baptism ['bæptɪz(ə)m] dop; *~ of fire* elddop
baptize [bæp'taɪz] döpa
1 bar [bɑ:] **I** *s* **1 a)** stång, spak; ribba; tacka [*gold ~*]; bjälke; *~ of chocolate* chokladkaka **b)** bom, tvärslå; regel; pl. *~s* äv. galler; *behind [prison] ~s* bakom lås och bom **2** sandbank, sandrev **3** hinder, spärr **4 a)** bar [*I had a drink at the ~*], [bar]disk **b)** avdelning på en pub [*the saloon ~*] **5** mus. taktstreck; takt [*the opening* (inledande) *~s of the sonata*] **6** i juridiska sammanhang **a)** skrank i rättssal; domstol; *be tried (appear) at the ~* [för]höras (inställa sig) inför domstol **b)** *the B~* advokaterna, 'advokatsamfundet'; advokatyrket **II** *vb tr* **1 a)** bomma till (för, igen) **b)** stänga in[ne] (ute) **c)** spärra [av] [*~ the way*]; *~red to the public* avstängd (inte tillgänglig) för allmänheten **2** bildl. **a)** [för]hindra [*this ~red his chances of success*], utesluta **b)** avstänga [*~ a p. from a race*] **c)** förbjuda [*she ~s smoking in her house*] **3** förse med stänger etc., jfr *I* **III** *prep* vard. utom [*~ one*]; *~ one* äv. en undantagen
2 bar [bɑ:] meteor. bar
barbarian [bɑ:'beərɪən] **I** *s* barbar **II** *adj* barbarisk, barbar- [*~ peoples*]

barbaric [bɑ:'bærɪk] barbarisk [~ *customs*]
barbarism ['bɑ:bərɪz(ə)m] **1** barbari **2** barbarisk handling [äv. *act of* ~]
barbarous ['bɑ:b(ə)rəs] barbarisk [~ *customs* (seder)]
barbecue ['bɑ:bɪkju:] **I** *s* **1** utomhusgrill; stekspett **2** helstekt djur (isht oxe, gris) **3** grillfest, barbecue **II** *vb tr* grilla [på en utomhusgrill]; helsteka
barber ['bɑ:bə] **I** *s* barberare; ~*'s shop* frisersalong **II** *vb tr* raka; klippa
barbiturate [bɑ:'bɪtjʊrət] farmakol. barbiturat
bar chart ['bɑ:tʃɑ:t] stapeldiagram
bar-code ['bɑ:kəʊd] **I** *s* streckkod **II** *vb tr* streckkoda
bare [beə] **I** *adj* **1** bar [*fight with* ~ *hands*], naken; kal **2** fattig, tom; ~ *of* äv. utan **3** blott och bar, blott[a] [*the* ~ *idea*]; knapp [*a* ~ *majority*]; *the* ~*st chance* den minsta lilla chans **4** luggsliten **II** *vb tr* göra bar (kal); blotta; ~ *one's heart* öppna sitt hjärta
bareback ['beəbæk] **I** *adv* barbacka **II** *adj, a* ~ *rider* en barbackaryttare
barefaced ['beəfeɪst] skamlös [*a* ~ *lie*]
barefoot ['beəfʊt] o. **barefooted** [ˌbeə'fʊtɪd] barfota
bareheaded [ˌbeə'hedɪd] barhuvad
barely ['beəlɪ] **1** nätt och jämnt, knappt [*I had* ~ *time to have breakfast*] **2** sparsamt [*a* ~ *furnished room*]
bargain ['bɑ:gɪn] **I** *s* **1** köp; uppgörelse; *a* ~*'s a* ~ sagt är sagt; *into (in) the* ~ [till] på köpet **2** bra köp; kap **3** ~ *price* reapris, fyndpris, vrakpris **II 1** köpslå **2** förhandla, göra upp; ~*ing power* [stark] förhandlingsposition **3** vard., ~ *for* räkna med (på), vänta [sig]; *he got more than he* ~*ed for* äv. han fick så han teg **III** *vb tr* förhandla sig till; ~ *away* schackra bort, göra sig av med
barge [bɑ:dʒ] **I** *s* [kanal]pråm; skuta **II** *vb itr* vard. **1** stöta, törna **2** ~ *in* tränga sig på, avbryta
baritone ['bærɪtəʊn] mus. **I** *s* baryton **II** *adj* baryton-
1 bark [bɑ:k] **I** *s* bark **II** *vb tr* **1** barka [av] **2** skrapa [skinnet av]
2 bark [bɑ:k] **I** *vb itr* **1** om djur skälla, ge skall; *you're* ~*ing up the wrong tree* vard. du är inne på fel spår (villospår) **2** om person ryta, skälla **3** hosta [skrällande]; knalla [*the big guns* ~*ed*] **II** *vb tr*, ~ [*out*] ryta [~ [*out*] *one's orders*] **III** *s* **1** skall **2** rytande; *his* ~ *is worse than his bite* han är inte så farlig som han låter **3** knall[ande] [*the* ~ *of a gun*]
barley ['bɑ:lɪ] korn sädesslag; *pearl* ~ pärlgryn
barley sugar ['bɑ:lɪˌʃʊgə] bröstsocker
barmaid ['bɑ:meɪd] barflicka, kvinnlig bartender
bar|man ['bɑ:|mən] (pl. *-men* [-mən]) bartender
barmy ['bɑ:mɪ] sl. knasig; *be* ~ *about a p.* vara tokig i ngn
barn [bɑ:n] lada; amer. a) ladugård b) spårvagnsstall; sl. lokstall; ~ *dance* logdans
barnacle ['bɑ:nəkl] **1** zool., ~ *goose* vitkindad gås **2** zool. långhals fastsittande kräftdjur **3** bildl. (om pers.) igel
barometer [bə'rɒmɪtə] barometer; bildl. äv. mätare [~ *of opinion*]; *the* ~ *is falling (rising)* barometern faller (stiger)
baron ['bær(ə)n] **1** baron; friherre **2** vard. baron, magnat [*newspaper (film)* ~]
baroness ['bærənəs] baronessa; friherrinna
baroque [bə'rɒk, -'rəʊk] **I** *s* barock **II** *adj* barock-; bildl. barock
1 barrack ['bærək] **I** *s*, ofta ~*s* (konstr. vanl. ss. sg.; pl. ~*s*) kasern; barrack; hyreskasern; ~ *square* kaserngård **II** *vb tr* inkvartera (förlägga) i en kasern (barack), kasernera
2 barrack ['bærək] sport. bua (vissla) ut
barrage ['bærɑ:ʒ, bæ'rɑ:ʒ] mil. spärreld; ~ *balloon* spärrballong
barrel ['bær(ə)l] **1** fat, tunna; *scrape* [*the bottom of*] *the* ~ isht bildl. göra en bottenskrapning **2** tekn. a) trumma, cylinder b) [gevärs]pipa **3** vard., *a* ~ *of* en massa [*a* ~ *of fun*] **4** vard., *over a* ~ i knipa, i underläge
barrel organ ['bær(ə)lˌɔ:gən] mus. positiv
barren ['bær(ə)n] **1** ofruktbar [~ *soil (land)*; ~ *speculations*], karg; ofruktsam; steril **2** torftig; tom **3** andefattig **4** resultatlös [*a* ~ *effort*]
barricade [ˌbærɪ'keɪd] **I** *s* barrikad **II** *vb tr* barrikadera; ~ *oneself in* barrikadera sig
barrier ['bærɪə] **1** barriär; skrank, bom; avspärrning; spärr; tullbom **2** bildl. gräns, barriär, spärr; hinder [*a* ~ *to progress*]
barrier cream ['bærɪəkri:m] skyddande hudkräm
barring ['bɑ:rɪŋ] utom; bortsett från; ~ *accidents* [*we should arrive at 9 a.m.*] om inga olyckor inträffar...
barrister ['bærɪstə] **1** [överrätts]advokat medlem av engelska advokatsamfundet med rätt att föra parters talan vid överrätt **2** amer. vard. advokat
barrow ['bærəʊ] **1** skottkärra **2** handkärra, dragkärra
bartender ['bɑ:ˌtendə] bartender
barter ['bɑ:tə] **I** *vb itr* **1** idka (driva) byteshandel **2** [försöka] pruta **II** *vb tr* byta; ~ [*away*] schackra bort [~ *away one's freedom*] **III** *s* byteshandel; byte
1 base [beɪs] **1** moraliskt låg **2** usel [~

imitation]; tarvlig; ~ *metals* oädla metaller **3** med låg halt av ädla metaller [~ *coin*]

2 base [beɪs] **I** *s* **1** bas i olika bet.; äv. kem., matem. el. mil. [*naval* ~]; grundval; sockel; ~ [*lending*] *rate* bank. basränta **2** sport. startlinje; mål i vissa spel; i baseball bas, bo; ~ *hit* slag genom vilket en spelare når första basen; *get to first* ~ amer. a) nå (hinna till) första basen i baseball b) bildl. komma ett stycke på väg **II** *vb tr* **1** basera, stödja; bygga [~ *one's hopes on a th.*] **2** mil. basera

baseball ['beɪsbɔ:l] baseball

basement ['beɪsmənt] källarvåning bottenplan, nedre plan i t.ex. varuhus

1 bases ['beɪsɪz] pl. av *2 base I*

2 bases ['beɪsi:z] pl. av *basis*

bash [bæʃ] **I** *vb tr* vard. slå, drämma [till]; klå upp; ~ [*in*] slå in (sönder) **II** *s* **1** vard. våldsamt slag **2** sl. försök; *have a* ~ [*at a th.*] försöka [sig på ngt]

bashful ['bæʃf(ʊ)l] blyg; försagd

basic ['beɪsɪk] **I** *adj* grund-, bas-, grundläggande; ~ *capital* begynnelsekapital; ~ *industries* basindustrier, stapelindustrier **II** *s* vanl. pl. *get back to* ~*s* ta ngt från grunden

basically ['beɪsɪk(ə)lɪ] i grund och botten; i stort sett; vard. egentligen

basil ['bæzl, amer. 'beɪsl, 'bæzl] bot. el. kok. basilika[ört]

basin ['beɪsn] **1** fat; skål **2** hamnbassäng **3** flodområde

bas|is ['beɪs|ɪs] (pl. *-es* [-i:z]) bas, basis, grundval

bask [bɑ:sk] värma (gassa) sig; ~ *in the sun* (*sunshine*) sola [sig], gassa sig i solen, lapa sol

basket ['bɑ:skɪt] korg; i sms. korg-, flät-; bildl. paket[-] [~ *purchase*]; ~ *of currencies* valutakorg

basketball ['bɑ:skɪtbɔ:l] sport. basket[boll]

1 bass [bæs] zool. bass; havsabborre

2 bass [beɪs] mus. **I** *s* bas [*play* ~]; basröst, basstämma **II** *adj* bas-; låg, djup

bassoon [bə'su:n] mus. fagott

bastard ['bɑ:stəd, 'bæs-] **I** *s* **1** utomäktenskapligt (oäkta) barn **2** sl. knöl; jäkel äv. skämts. [*you lucky* ~] **3** sl. fanskap om sak, handling o.d.; [*this job's*] *a real* ~ ...ett jäkla slitgöra **II** *adj* **1** oäkta, falsk äv. t.ex. bot.; bastard-; ~ *file* grovfil **2** sl. förbannad

1 baste [beɪst] tråckla [ihop]; tråckla [fast]

2 baste [beɪst] kok. ösa stek

bastion ['bæstɪən] bastion

1 bat [bæt] **1** fladdermus; läderlapp; *as blind as a* ~ blind som en nyfödd kattunge **2** sl. käring [*old* ~]

2 bat [bæt] **I** *s* **1** slagträ; racket; [*right*] *off the* ~ amer. på stående fot, omedelbart **2** sl. fart; *at a fair* (*rare*) ~ med en himla fart **II** *vb itr* i kricket o.d. vara inne [som slagman], slå

3 bat [bæt] vard., *without* ~*ting an eyelid* utan att blinka (förändra en min)

batch [bætʃ] **1** bak av samma deg; sats [*baked in* ~*es of twenty*] **2** hop, omgång [*a* ~ *of letters*]; portion; *the whole* ~ hela bunten (högen); *in* ~*es* högvis, buntvis

bate [beɪt] **1** minska; *with* ~*d breath* med återhållen andedräkt; med dämpad röst **2** dra av; slå av på

bath [bɑ:θ; i pl. (ss. subst.) bɑ:ðz] **I** *s* **1** bad; *have* (*take*) *a* ~ ta sig ett bad, bada inomhus el. vid badanstalt **2** badkar **3** badrum **4** ~*s* a) badhus, badinrättning [*there is a* [*public*] ~*s over there*; *those* ~*s are...*]; bad [*Turkish* ~*s*] b) kuranstalt, kurort **II** *vb tr* bada **III** *vb itr* bada

bathe [beɪð] **I** *vb tr* o. *vb itr* **1** bada; placera (blöta) i vatten **2** badda [på] [~ *one's eyes*] **II** *s* bad i det fria; *go for a* ~ gå och bada

bather ['beɪðə] badare; badgäst

bathing ['beɪðɪŋ] badning, bad; ~ *accident* drunkningsolycka

bathing cap ['beɪðɪŋkæp] badmössa

bathing costume ['beɪðɪŋ,kɒstju:m] baddräkt

bathing hut ['beɪðɪŋhʌt] badhytt; badhus vid strand

bathing pool ['beɪðɪŋpu:l] badbassäng

bathing trunks ['beɪðɪŋtrʌŋks] badbyxor

bathrobe ['bɑ:θrəʊb] badkappa; amer. äv. morgonrock

bathroom ['bɑ:θru:m, -rʊm] badrum; amer. äv. toalett; ~ *cabinet* badrumsskåp; ~ *scale*[*s*] badrumsvåg

bath towel ['bɑ:θ,taʊəl] större badhandduk, badlakan

bathtub ['bɑ:θtʌb] badkar; badbalja

batik [bə'ti:k] batik metod o. tyg

Batman ['bætmæn] Läderlappen seriefigur

batman ['bætmən] mil. uppassare, kalfaktor

baton ['bætɒn] **1** [polis]batong **2** taktpinne **3** kommandostav [*marshal's* ~] **4** stafett[pinne]

batsman ['bætsmən] slagman i kricket o. baseball

battalion [bə'tæljən] bataljon; [artilleri]division

batten ['bætn] **I** *s* **1** smalare planka **2** sjö. latta **II** *vb tr* **1** beslå (förstärka) med plank **2** sjö., ~ *down* skalka [~ *down the hatches*]

1 batter ['bætə] **I** *vb tr* **1** slå [kraftigt]; slå [in (ned)] [äv. ~ *down* (*in*)]; gå lös (bulta, hamra) på; bildl. krossa, slå ned på **2** misshandla, illa tilltyga; knöla till, buckla; nöta ut **II** *vb itr* hamra [~ *at the door*]

2 batter ['bætə] kok., vispad smet; ~ *pudding* ung. ugnspannkaka
3 batter ['bætə] slagman i kricket o. baseball
battered ['bætəd] sönderslagen [*a ~ old hat*]; skamfilad; som har utsatts för misshandel [*a ~ baby (wife)*]; ~ *baby syndrome* barnmisshandelssyndrom
battering ram ['bæt(ə)rɪŋræm] mil. (hist.) murbräcka
battery ['bætərɪ] **1** mil. el. fys. batteri **2** uppsättning av kärl o.d.; servis; samling [*a ~ of press cameras*] **3** jur., [*assault and*] ~ övervåld och misshandel **4** mus. batteri, slagverk
battle ['bætl] **I** *s* strid, slag [*the ~ of Waterloo*]; *fight a losing ~* kämpa förgäves; ~ *fatigue* mil. psykol. stridströtthet; krigsneuros **II** *vb itr* kämpa **III** *vb tr*, ~ *one's way* kämpa sig fram
battle-axe ['bætl-æks] **1** hist. stridsyxa **2** vard. ragata
battle cry ['bætlkraɪ] stridsrop; bildl. äv. [kamp]paroll
battledress ['bætldres] fältuniform
battlefield ['bætlfi:ld] slagfält; litt. valplats
battleship ['bætlʃɪp] slagskepp
batty ['bætɪ] vard. knasig
bauble ['bɔ:bl] grannlåt; struntsak; leksak
bauxite ['bɔ:ksaɪt] miner. bauxit
Bavaria [bə'veərɪə] geogr. Bayern
Bavarian [bə'veərɪən] **I** *adj* bayersk **II** *s* bayrare
bawdy ['bɔ:dɪ] **I** *adj* oanständig [*~ song (story)*] **II** *s* obscenitet
bawl [bɔ:l] **I** *vb itr* **1** vråla, skråla **2** storgråta, böla **II** *vb tr* **1** ryta, vråla [*~ commands*] **2** ~ *a p. out* vard. skälla ut ngn **III** *s* vrål; bölande
1 bay [beɪ] lagerträd; pl. *~s* lager[krans]
2 bay [beɪ] [havs]vik [*the B~ of Biscay*]
3 bay [beɪ] **1** avdelning; avbalkning, bås **2** arkit. skepp; burspråk; ~ *window* burspråksfönster **3** flyg. stagfält; bombrum
4 bay [beɪ] **I** *s* **1** jakt. skall; ståndskall **2** nödställt läge; *keep (hold) at ~* hålla stånd mot, hålla stången **II** *vb itr* skälla, yla **III** *vb tr* skälla på
5 bay [beɪ] **I** *adj* brun om häst **II** *s* brun häst
bayonet ['beɪənət, 'beən-, -nɪt] **I** *s* bajonett; ~ *socket* bajonettsockel **II** *vb tr* sticka med bajonett
bazaar [bə'zɑ:] basar
bazooka [bə'zu:kə] mil. bazooka, raketgevär
BBC [ˌbi:bi:'si:] (förk. för *British Broadcasting Corporation*) BBC
BC [ˌbi:'si:] **1** (förk. för *before Christ*) f. Kr. **2** förk. för *British Columbia*
be [bi:, bɪ] (imperf. ind. *was,* 2 pers. sg. samt pl. *were*; imperf. konj. *were*; perf. p. *been*; pres. ind. *am, are, is,* pl. *are*) *vb itr* **I** *huvudvb* **1 a**) vara; bli [*the answer was...*] **b**) *there is, there are* ss. formellt subjekt det är, det finns **2 a**) vara (finnas) till **b**) äga rum, ske [*when is the wedding to ~?*] **c**) kosta [*the fare is £2*] **d**) må [*how is the patient today?*] **e**) ligga [*the book is on the table*], sitta [*he is in prison*] **f**) vara lika med [*three threes are nine*]; *he is dead, isn't he?* han är död, eller hur? **3** gå [*we were at school together*]; stå [*the verb is in the singular*]
4 med prep. o. adv. isht med spec. betydelse
~ **about** a) handla om b) hålla på med; *there are a lot of rumours about* det går en massa rykten; *he was about to...* han skulle just...
~ **at** a) ha för sig b) sätta åt ngn; vara på ngn
~ **for** förorda, vara för [*I am all for that method*]; *now you are [in] for it!* det kommer du att få för!, nu smäller det!
~ **in on** *a th.* vara med om ngt
~ **into** *a th.* vard. vara intresserad av ngt; gilla (digga) ngt
~ **off** ge sig i väg (av)
II *hjälpvb* **1** tillsammans med perf. p.: a) passivbildande: bli b) vara; *he was saved* han räddades, han blev räddad
2 tillsammans med pres. p.: *they are building a house* de håller på och bygger ett hus; *the house is being built* huset håller på att byggas **3** tillsammans med inf.: **a**) *am (are, is) to* ska, skall [*when am I to come back?*] **b**) *was (were) to* skulle [*he was never to come back again*; *if I (he) were to tell you...*]; kunde [*the book was not to ~ found*]
beach [bi:tʃ] **I** *s* strand; havsstrand, sandstrand; badstrand; ~ *ball* badboll **II** *vb tr* sätta (jaga) på land; dra upp [*~ a boat*]
beachcomber ['bi:tʃˌkəʊmə] strandgodssökare
beacon ['bi:k(ə)n] **1** mindre fyr; sjömärke; prick; flygfyr **2** signaleld, vårdkas **3** [globformigt] trafikmärke, trafikljus som markerar övergångsställe [*flashing ~*]
bead [bi:d] **1** pärla av glas, trä etc.; pl. *~s* äv. pärlhalsband **2** pl. *~s* radband **3** droppe; *~s of sweat* svettpärlor **4** korn på gevär
beady ['bi:dɪ] pärlformig; om ögon små [och] lysande
beagle ['bi:gl] beagle hundras
beak [bi:k] **1** näbb **2** sl. kran näsa **3** sl. polisdomare
beaker ['bi:kə] **1** mugg **2** glasbägare för laboratorieändamål
beam [bi:m] **I** *s* **1** bjälke **2** sjö. däcksbalk; *on the starboard (port) ~* tvärs om styrbord (babord) **3** stråle, strålknippe; riktad radiosignal; radiokurs; *low ~* bil. halvljus

II *vb tr* utstråla strålar, radiovågor o.d. **III** *vb itr* stråla [~ *with happiness*]
bean [bi:n] **1** böna; *in the* ~ omalet om kaffe **2** åld. vard. gosse [*old* ~*!*] **3** vard. rött öre [*I haven't a* ~; *not worth a* ~] **4** vard. skalle
1 bear [beə] **I** *s* **1** björn; ~ *hug* björnkram, väldig kram **2** bildl. brumbjörn [*a good-natured* ~ *of a man*]; *be like a* ~ *with a sore head* vara vresig (butter) **3** astron., *the Great* (*Lesser* el. *Little*) *B*~ Stora (Lilla) björn[en] **4** börs. baissespekulant; ~ *market* baisse **II** *vb itr* börs. spekulera i kursfall (baisse) **III** *vb tr* börs. försöka pressa ned kursen (priset) på
2 bear [beə] (*bore borne* äv. *born*; se d.o.) **I** *vb tr* (se äv. under *III*) **1 a**) högtidl. el. poet. bära **b**) bildl. i en del uttr.: ~ *testimony* (*witness*) vittna; ~ *in mind* komma ihåg **2** bildl. bära [~ *arms*; ~ *a name*]; äga, ha [~ *some resemblance to*]; inneha [~ *a title*] **3** ~ *oneself* [upp]föra sig, uppträda [~ *oneself with dignity*] **4** hysa [~ *a grudge against a p.*; *the love she bore him*] **5** bära [upp] [~ *the weight of the roof*; ~ *the responsibility*] **6** uthärda; tåla **7** bära [~ *fruit*]; frambringa; föda [~ *a child*]; ~ *5 per cent interest* ge 5% ränta **II** *vb itr* (se äv. under *III*) **1** bära, hålla [*the ice doesn't* ~ *yet*] **2** tynga **3** *bring to* ~ sätta i gång; göra gällande [*bring one's influence to* ~]; applicera, tillämpa, utöva [*bring pressure to* ~] **4** bana sig fram; föra, gå [~ *to the right*]; isht sjö. bära, segla [~ *west*] **5** bära [frukt] **6** ~ *with a p.* fördra (tåla, ha tålamod med) ngn **III** *vb tr* o. *vb itr* med adv. isht i specialbet.:
~ **down**: tynga (trycka) ned; slå ner [~ *down all resistance*], överväldiga
~ **out** [under]stödja; bekräfta; *you will* ~ *me out that...* du kan intyga att...; *be borne out by events* a) vara (bli) sannspådd b) besannas genom händelsernas utveckling
~ **up** hålla uppe; hålla modet uppe; ~ *up!* tappa inte modet!
bearable ['beərəbl] uthärdlig
beard [bɪəd] **I** *s* **1** skägg **2** bot. agn **3** sl. skägg, skäggprydd person **II** *vb tr* djärvt möta; ~ *the lion in his den* bildl. uppsöka lejonet i dess kula
bearded ['bɪədɪd] skäggig, med skägg
bearer ['beərə] **1** bärare **2** bud **3** innehavare; ~ *bonds* innehavarpapper
bearing ['beərɪŋ] **1** hållning **2** betydelse; förhållande; syftning; *have* ~ [*up*]*on* äv. stå i samband med **3** bärande; hysande; uthärdande etc., jfr *2 bear* **4** riktning i vilken plats ligger; läge; orientering; sjö. pejling, bäring; *have lost one's* ~*s* inte veta var man är, ha tappat orienteringen **5** tekn. lager
beast [bi:st] **1** djur; isht fyrfota djur; best **2** ~ [*of burden*] lastdjur, dragdjur **3** [nöt]kreatur, göddjur **4** bildl. a) odjur b) skämts. usling [*you* ~*!*]
beastly ['bi:s(t)lɪ] **I** *adj* djurisk; snuskig; vard. avskyvärd, gräslig; *what* ~ *weather!* vilket busväder! **II** *adv* vard. förfärligt
beat [bi:t] **I** (*beat beaten* el. ibl. *beat*) *vb tr* **1** slå; piska; bulta; driva; slå med; *the attack was* ~*en off* anfallet slogs tillbaka **2** vispa [~ *eggs*], vispa ihop **3** slå [~ *a record*], besegra; amer. sl. lura; *that* ~*s the band* sl. det slår alla rekord; *can you* ~ *it* (*that*)*?* vard. har du hört på maken?; *it* ~*s me how* vard. jag fattar inte hur **4** trampa, gå upp väg; ~ *a way* (*path*) bana [sig] väg **5** slå i buskar o.d. efter vilt; avdriva [~ *the woods* (*bush*)] **6** ~ *it* sl. kila, sticka **7** med adv. isht i specialbet.:
~ **down** *the price* pruta ned priset
~ **out** a) smida, hamra ut b) trampa upp [~ *out a path*]
~ **up** vispa [~ *up cream*], vispa upp, röra till; driva upp villebråd; ~ *a p. up* vard. klå upp (misshandla) ngn
II (*beat beaten* el. ibl. *beat*) *vb itr* **1** slå; om regn äv. trumma **2** slå [*his heart was still* ~*ing*] **3** ~ [*down*] gassa om solen
III *s* **1** [taktfast (regelbundet)] slag (ljud); takt; bultande etc., jfr *I* o. *II* **2** rond; pass; polismans patrulleringsområde; *that's off* (*out of*) *my* ~ bildl. det ligger utanför mitt område **3** fys. svävning; radio. svängning [~ *frequency*]
IV *adj* vard. utmattad, slagen
beaten ['bi:tn] (av *beat*) **1** slagen; piskad; hamrad; vispad **2** besegrad; vard. utmattad, uttröttad **3** tilltrampad, utnött; *the* ~ *track* de gamla hjulspåren
beater ['bi:tə] **1** slagverktyg ss. klubba, stöt; [matt]piskare **2** visp **3** drevkarl
beating ['bi:tɪŋ] **1** slående etc., jfr *beat I* o. *II*; slag **2** a) stryk; bildl. äv. nederlag b) misshandel; *get a* ~ få stryk
beautician [bju:'tɪʃ(ə)n] kosmetolog
beautiful ['bju:təf(ə)l, -tɪf-] skön, vacker
beautify ['bju:tɪfaɪ] försköna, pryda
beauty ['bju:tɪ] **1** skönhet; ~ *queen* skönhetsdrottning; ~ *treatment* skönhetsbehandling; *B*~ *and the Beast* ung. prinsessan och trollet, skönheten och odjuret **2** förträfflighet; *that's the* ~ *of it* det är just det som är bra (det fina) **3** pl. *beauties* attraktioner, sevärdheter [*the beauties of Rome*]
beauty spot ['bju:tɪspɒt] **1** musch **2** naturskön plats
beaver ['bi:və] **I** *s* bäver; bäverskinn; *as busy as* (*work like*) *a* ~ flitig (arbeta flitigt) som en myra **II** *vb itr,* ~ *away* arbeta (jobba) flitigt [*at* med]
became [bɪ'keɪm] imperf. av *become*

because [bɪ'kɒz, bə'kɒz, vard. äv. kɒz, kəz] **I** *konj* därför att, emedan **II** *adv*, ~ *of* för...skull, på grund av

beck [bek], *be at a p.'s* ~ *and call* lyda ngns minsta vink

beckon ['bek(ə)n] **I** *vb itr* göra tecken **II** *vb tr* göra tecken åt; vinka till sig

become [bɪ'kʌm] (*became become*) **I** *vb itr* **1** bli; ~ *a habit* bli [till] en vana **2** *what has* ~ *of it?* vart har det tagit vägen?; *what has* ~ *of him?* vad har det blivit av honom? **II** *vb tr* passa

becoming [bɪ'kʌmɪŋ] passande, tillbörlig; klädsam

bed [bed] **I** *s* **1** bädd; säng; bolster [*feather* ~]; strö; ~ *and board* kost och logi; ~ *and breakfast* rum inklusive frukost; *make the* ~[*s*] bädda; *you've made* (*as you make*) *your* ~ *so you must lie on it* som man bäddar får man ligga; *be in* ~ *with* [*the*] *flu* ligga [sjuk] i influensa; *get out of* ~ *on the wrong side* vard. vakna på fel sida; *get to* ~ komma i säng; *put to* ~ lägga, stoppa i säng **2** [trädgårds]säng **3** [flod]bädd **II** *vb tr* **1** plantera [~ *out*] **2** bädda in (ned) fixera **III** *vb itr*, ~ *down* gå till sängs

bedbug ['bedbʌg] vägglus

bedclothes ['bedkləʊðz] sängkläder

bedding ['bedɪŋ] **1** sängkläder **2** strö

bedevil [bɪ'devl] **1** komplicera [*problems that* ~ *racial relations*], försvåra **2** pina

bedfellow ['bed,feləʊ] **1** sängkamrat **2** kamrat, medhjälpare

bedlam ['bedləm] tumult, kaos, kalabalik

bedpan ['bedpæn] [stick]bäcken

bedridden ['bed,rɪdn] fjättrad vid sängen, sängliggande

bedrock ['bedrɒk] **1** berggrund **2** bildl. grundval, hörnsten; *get down to* ~ bildl. (ung.) gå till botten

bedroom ['bedru:m, -rʊm] sängkammare, sovrum; ~ *suburb* (*town*) amer. sovstad

bedside ['bedsaɪd], *at the* ~ vid sängkanten; ~ *book* sänglektyr; ~ *table* nattduksbord

bedsitter [,bed'sɪtə] [möblerad] enrummare

bedsore ['bedsɔ:] liggsår

bedspread ['bedspred] sängöverkast

bedstead ['bedsted] sängstomme, säng själva möbeln

bedtime ['bedtaɪm] sängdags [*it's* ~ *now!*]; ~ *story* godnattsaga

1 bee [bi:] bi; *have a* ~ *in one's bonnet* ha en fix idé

2 bee [bi:] **1** isht amer. träff [för gemensamt arbete (nöje)]; syförening; *sewing* ~ amer. syjunta, syförening **2** *spelling* ~ stavningstävling

beech [bi:tʃ] bot. bok; ~ *nut* bokollon

beef [bi:f] **I** *s* **1** oxkött; ~ *cube* buljongtärning **2** (pl. *beeves* el. isht amer. äv. ~*s*) oxe isht gödd; biffdjur; ~ *cattle* biffdjur **3** sl. styrka; muskler **4** (pl. ~*s*) sl. klagomål **II** *vb itr* sl. gnälla, knota **III** *vb tr* sl. förstärka

beefburger ['bi:f,bɜ:gə] se *hamburger*

beefeater ['bi:f,i:tə] populär benämning på a) livgardist b) vaktare i Towern

beefsteak ['bi:fsteɪk] biff[stek]; ~ *tomato* bifftomat

beefy ['bi:fɪ] **1** [som är] lik oxkött **2** fast, kraftig, stark **3** trög; fet

beehive ['bi:haɪv] bikupa

bee-keeper ['bi:,ki:pə] biodlare

beeline ['bi:laɪn], *make a* ~ *for* ta närmaste (raka) vägen till, gå raka spåret fram till

been [bi:n, bɪn] perf. p. av *be*

beep [bi:p] **I** *s* tut äv. signal **II** *vb itr* tuta

beer [bɪə] öl; maltdryck

beet [bi:t] bot. beta; amer. äv. rödbeta; *red* ~ rödbeta

beetle ['bi:tl] **I** *s* skalbagge; vard. kackerlacka **II** *vb itr* sl. rusa, kila [~ *out*]

beetroot ['bi:tru:t] rödbeta

befall [bɪ'fɔ:l] (*befell befallen*) litt. **I** *vb tr* hända, ske; *what has* ~*en him?* vad har hänt med (har det blivit av) honom? **II** *vb itr* hända

before [bɪ'fɔ:] **I** *prep* framför; före; ~ *long* inom kort; ~ *the wind* sjö. för vinden **II** *adv* framför; förut; förr **III** *konj* innan

beforehand [bɪ'fɔ:hænd] på förhand; i förväg

befriend [bɪ'frend] bli vän med; vara vänlig mot; gynna

beg [beg] **I** *vb tr* **1** tigga **2** be (tigga) om [~ *a cigarette*]; [tigga och] be [~ *a p. to do*]; ~ *to* be att få [~ *to do a th.*] **3** ~ *the question* svara undvikande, kringgå [sak]frågan **II** *vb itr* **1** tigga [~ *of a p.*; ~ *for* (om) *alms*]; om hund sitta vackert; *go* ~*ging* a) gå och tigga b) vara ledig [*there is a job going* ~*ging*] **2** [tigga och] be, anhålla

began [bɪ'gæn] imperf. av *begin*

beggar ['begə] **I** *s* **1** tiggare; fattig stackare; ~*s cannot* (*can't*) *be choosers* man får ta vad man kan få **2** vard. kanalje; gynnare; *the little* (*young*) ~ skämts. den lille rackaren **II** *vb tr* **1** göra till tiggare **2** ~ *description* trotsa all beskrivning

begin [bɪ'gɪn] (*began begun*) **I** *vb itr* börja; *to* ~ *with* a) för det första b) till att börja med, först **II** *vb tr* börja [med] [*when did you* ~ *English?*]; börja på [*he has begun a new book*]; ~ *to do a th.* el. ~ *doing a th.* börja [att] göra ngt

beginner [bɪ'gɪnə] nybörjare; person som börjar

beginning [bɪ'gɪnɪŋ] **1** början, begynnelse; ursprung; *now we can see the* ~ *of the end* nu kan vi äntligen skönja slutet **2** pl. ~*s*

första början, begynnelsestadium; upprinnelse
begonia [bɪ'gəʊnɪə] bot. begonia
begrudge [bɪ'grʌdʒ] se *grudge I 1*
beguile [bɪ'gaɪl] **1** lura, narra [~ *a p. into* (till) *doing a th.*], bedra[ga]; ~ *a p.* [*out*] *of a th.* lura av ngn ngt; lura (bedra) ngn på ngt **2** roa **3** fördriva, få tid o.d. att gå
begun [bɪ'gʌn] perf. p. av *begin*
behalf [bɪ'hɑ:f], *on* (amer. äv. *in*) *a p.'s* ~ i ngns ställe, för ngns skull (räkning); *act on* (amer. äv. *in*) ~ *of* vara ombud för
behave [bɪ'heɪv] **I** *vb itr* **1** uppföra sig [~ *well* (*badly*)]; bära sig åt; fungera; ~ *towards* (*to*) handla [gent]emot, behandla **2** uppföra sig ordentligt (väl), sköta sig **II** *vb rfl*, ~ *oneself* **a**) uppföra sig ordentligt (väl) isht om o. till barn [~ *yourself!*] **b**) uppföra (bete) sig
behaviour [bɪ'heɪvjə] **1** uppförande; beteende äv. psykol.; sätt, hållning; uppträdande; sätt att reagera; *be on one's best* ~ uppföra (sköta) sig så väl som möjligt; om barn vara riktigt snäll **2** sätt att arbeta (fungera)
behead [bɪ'hed] halshugga
beheld [bɪ'held] imperf. o. perf. p. av *behold*
behind [bɪ'haɪnd] **I** *prep* bakom; *his hands* ~ *his back* [med] händerna på ryggen; *try to put it* ~ *you!* försök att glömma det! **II** *adv* bakom; bakpå; bakåt; efter sig; efter; kvar [*stay* (*remain*) ~]; *be* ~ *with* (*in*) *one's payments* (*work*) ligga efter (ha kommit på efterkälken) med betalningarna (arbetet) **III** *s* vard. bak
behindhand [bɪ'haɪndhænd] efter [~ *with* (*in*) *one's work*]; efterbliven, efter sin tid; sen; för sen[t]
behold [bɪ'həʊld] (*beheld beheld*) litt. skåda
beholder [bɪ'həʊldə] åskådare
beige [beɪʒ] *s* o. *adj* beige [färg]
being ['bi:ɪŋ] **I** *adj*, *for the time* ~ för närvarande (tillfället); tillsvidare **II** *s* **1** tillvaro; liv; *come into* ~ bli till, skapas **2** [innersta] väsen **3** väsen[de]; varelse [*man is a rational* ~] **4** människa [äv. *human* ~]
belated [bɪ'leɪtɪd] försenad; uppehållen; senkommen; förlegad
belch [beltʃ] **I** *vb itr* rapa **II** *vb tr* spy ut eld o.d. **III** *s* rap[ning]
belfry ['belfrɪ] **1** klocktorn **2** vard., *have bats in the* ~ ha tomtar på loftet
Belgian ['beldʒ(ə)n] **I** *adj* belgisk **II** *s* belgare
Belgium ['beldʒəm] Belgien
Belgrade [bel'greɪd] Belgrad
belie [bɪ'laɪ] motsäga; handla i strid mot
belief [bɪ'li:f] tro; övertygelse; tilltro; *a man of strong* ~*s* en man med bestämda åsikter
believable [bɪ'li:vəbl] trolig
believe [bɪ'li:v] **I** *vb itr* tro; ~ *in* tro på [~ *in God* (*a doctrine*)], ha förtroende för, ha tilltro till; tro på [nyttan av] **II** *vb tr* tro; tro på; *would you* ~ *it!* kan man tänka sig!; *make a p.* ~ *that* inbilla ngn att; *make* ~ låtsas
believer [bɪ'li:və] **1** troende [person] **2** *a* ~ *in* en som tror på, en anhängare av
belittle [bɪ'lɪtl] minska; förringa
bell [bel] **1** [ring]klocka; bjällra; sjö. glas halvtimme; boxn. gonggong; *clear as a* ~ klockren; *does that ring a* ~*?* vard. säger det dig något? **2** [blom]klocka **3** klockstycke på blåsinstrument
belle [bel] skönhet; *the* ~ *of the ball* balens drottning
belligerent [bə'lɪdʒər(ə)nt] **I** *adj* **1** krigförande **2** stridslysten **II** *s* krigförande makt; *the* ~*s* äv. de stridande
bellow ['beləʊ] **I** *vb itr* **1** böla; skrika **2** ryta; dåna, dundra **II** *vb tr*, ~ [*out*] ryta
bellows ['beləʊz] (konstr. ss. sg. el. pl.; pl. *bellows*) [blås]bälg; *a pair of* ~ en [blås]bälg
belly ['belɪ] **I** *s* buk; mage [*with an empty* ~]; underliv **II** *vb itr*, ~ [*out*] bukta sig, svälla [ut] om t.ex. segel
belly-ache ['belɪeɪk] **I** *s* magknip; *have a* ~ äv. ha ont i magen **II** *vb itr* vard. gnälla, knota
belly button ['belɪbʌtn] vard. navel
belong [bɪ'lɒŋ] **1** ha sin plats; ~ *among* räknas bland (till); ~ *here* höra hit **2** ~ *to* tillhöra; höra till; höra hemma i; vara medlem av (i) **3** passa in [i miljön]; *he felt he didn't* ~ han kände sig utanför
belonging [bɪ'lɒŋɪŋ] **1** pl. ~*s* tillhörigheter; grejer **2** samhörighet
Belorussia [ˌbeləʊ'rʌʃə] Vitryssland
Belorussian [ˌbeləʊ'rʌʃ(ə)n] **I** *s* vitryss **II** *adj* vitrysk
beloved [bɪ'lʌvd, attr. o. ss. subst. äv. -vɪd] **I** *adj* älskad **II** *s* älskling; *my* ~ äv. min älskade
below [bɪ'ləʊ] nedanför; nedan; inunder [*in the rooms* ~]; sjö. under däck; *it is* ~ *me* bildl. det är under min värdighet
belt [belt] **I** *s* **1** bälte i olika bet.; zon [*wheat* ~]; skärp, livrem, svångrem; *green* ~ grönbälte; *hit below the* ~ ge ett slag under bältet äv. bildl. **2** mil. ammunitionsgördel; gehäng **3** [driv]rem; ~ *pulley* remskiva **II** *vb tr* **1** förse (fästa) med bälte etc.; omgjorda; ~*ed tyre* bältdäck **2** prygla med rem **3** ~ *out* vard. sjunga med hög hes röst, vråla **III** *vb itr* sl. **1** kuta; ~ *along* flänga (susa) i väg **2** ~ *up!* håll klaffen!
beltway ['beltweɪ] amer. kringfartsled
bemoan [bɪ'məʊn] begråta
bench [ben(t)ʃ] **1** bänk äv. sport.; säte **2** *the* ~ domarkåren, domarna **3** arbetsbord

bend [bend] **I** (*bent bent,* dock *~ed* i *on ~ed knees*) *vb tr* **1** böja; tekn. äv. bocka, vika; *on ~ed knees* på sina bara knän, bönfallande **2** luta [ner] **II** (*bent bent*) *vb itr* **1** böja (kröka) sig; svikta **2** luta (böja) sig [*down* (*forward*)]; stå (sitta) nedlutad **3** böja av **4** böja sig, [ge] vika **III** *s* **1** böjning; böjd del; krök; kurva; *Bends* [*for One Mile*] trafik. kurvig väg...; *he drives me round the ~* vard. han gör mig galen **2** *the ~s* (konstr. ss. sg. el. pl.) dykarsjuka **3** sl., *go* (*be*) *on the ~* vara ute och festa (slå runt)

beneath [bɪ'ni:θ] nedanför; nedan; *he is ~ contempt* han är under all kritik; *it is ~ him* det är under hans värdighet

benediction [ˌbenɪ'dɪkʃ(ə)n] välsignelse

benefactor ['benɪfæktə] välgörare

beneficial [ˌbenɪ'fɪʃ(ə)l] välgörande, hälsosam

beneficiary [ˌbenɪ'fɪʃərɪ] förmånstagare; testamentstagare; betalningsmottagare

benefit ['benɪfɪt] **I** *s* **1** förmån, fördel, nytta, utbyte; understöd; *for the ~ of a p.* till förmån (gagn) för ngn; för ngns skull; *give a p. the ~ of* låta ngn dra nytta av **2** *~ performance* välgörenhetsföreställning **II** *vb tr* göra ngn gott (nytta), vara till nytta för **III** *vb itr*, *~ by* (*from*) ha (dra) nytta av, ha behållning (utbyte) av, fara väl av, vinna på

benevolence [bɪ'nevələns] välvilja

benevolent [bɪ'nevələnt] **1** välvillig **2** välgörenhets- [*~ society*]; *~ fund* understödsfond

Bengal [beŋ'gɔ:l, attr. '--] **I** geogr. Bengalen **II** *attr adj* bengalisk [*~ tiger*]; *~ light* bengalisk eld

benign [bɪ'naɪn] **1** välvillig, godhjärtad **2** gynnsam [*~ climate*]; välgörande **3** med. godartad [*~ tumour*]; lindrig

bent [bent] **I** *s* **1** böjelse [*follow one's ~*]; anlag [*have a ~ for painting*], inriktning **2** *to the top of one's ~* så mycket man kan (förmår), till det yttersta **II** imperf. av *bend* **III** *perf p* o. *adj* **1** böjd etc., jfr *bend I*; rynkad [*~ brow*] **2** *be ~* [*up*]*on* ha föresatt sig [*doing a th.* att göra ngt] **3** vard. korrumperad

benzine ['benzi:n, -'-] tvättbensin

bequeath [bɪ'kwi:ð, -kwi:θ] testamentera lösegendom; efterlämna, lämna i arv

bequest [bɪ'kwest] **1** testamente **2** testamentarisk gåva, legat

bereave [bɪ'ri:v] (*bereft bereft* el. *~d ~d*) beröva; perf. p. *~d* lämnad ensam; ss. attr. äv. efterlämnad, sörjande [*the ~d husband*]

bereavement [bɪ'ri:vmənt] smärtsam förlust [genom dödsfall]; dödsfall [*a ~ in the family*]

bereft [bɪ'reft] imperf. o. perf. p. av *bereave*

beret ['bereɪ, 'berɪ] basker[mössa]

Berlin [stad i Tyskland o. tonsättare bɜ:'lɪn, attr. äv. '--] **I** Berlin **II** *attr adj* berlinsk, berliner-

Bermuda [bə'mju:də] geogr. Bermuda; *the ~s* Bermudaöarna

berry ['berɪ] **I** *s* **1** bär **2** [*coffee*] *~* kaffeböna; *brown as a ~* chokladbrun, brunbränd **II** *vb itr* **1** om buske o.d. få bär **2** plocka bär [*go ~ing*]

berserk [bə'sɜ:k] **I** *s* bärsärk **II** *adj*, *go* (*run*) *~* gå bärsärkagång

berth [bɜ:θ] **1** koj[plats]; hytt; *lower ~* underkoj, underbädd; *upper ~* överkoj, överbädd **2** kajplats; ankarplats **3** sjörum för båt; *give* [*a p.* (*a th.*)] *a wide ~* hålla sig på avstånd från..., undvika...

beseech [bɪ'si:tʃ] (*besought besought*) litt. bönfalla

beset [bɪ'set] (*beset beset*) **1** belägra **2** bildl. ansätta; *be ~ with* vara förenad med (full av) [*be ~ with difficulties*]

besetting [bɪ'setɪŋ] outrotlig, inrotad; *~ sin* skötesynd

beside [bɪ'saɪd] **1** bredvid; nära **2** *~ oneself* utom (ifrån) sig [*with* av]

besides [bɪ'saɪdz] **I** *adv* dessutom; för resten **II** *prep* [för]utom, jämte; *no one ~ you* ingen utom (mer än, annan än) du

besiege [bɪ'si:dʒ] **1** belägra **2** bildl. bestorma

besotted [bɪ'sɒtɪd] **1** bedårad; betagen **2** omtöcknad; berusad

besought [bɪ'sɔ:t] imperf. o. perf. p. av *beseech*

bespoke [bɪ'spəʊk] [mått]beställd [*a ~ suit*]; beställnings- [*~ tailoring*]

best [best] **I** *adj* o. *adv* (superl. av *good* o. *2 well*) bäst; ss. adv. äv. mest; helst; *~ boy* film. el. TV. passarassistent, elektrikerassistent; *the ~ part of* äv. största delen (det mesta) av; *~ room* finrum; *as ~ he could* så gott han kunde **II** *s* **1** det, den, de bästa; fördel; *all the ~* ha det så bra!, lycka till!; *look one's ~* vara [som mest] till sin fördel; *get* (*have*) *the ~ of it* avgå med segern, få (ha) övertaget; *at ~* i bästa fall, på sin höjd; *it is all for the ~* det är bäst som sker; *to the ~ of one's power* (*ability*) efter bästa förmåga, så gott man kan **2** bästa kläder; *dressed in one's Sunday ~* söndagsklädd **3** vard., *get six of the ~* få sex rapp, få stryk **4** vard., *he is one of the ~* han är en hygglig karl **III** *vb tr* vard.; få övertaget över

bestial ['bestjəl] djurisk

bestow [bɪ'stəʊ] **1** skänka, tilldela **2** använda

best-seller [ˌbes(t)'selə] bestseller

bet [bet] **I** *s* vad; *a heavy ~* ett högt vad; *he* (*it*) *is a safe ~* han (det) är ett säkert kort; *make a ~* slå vad **II** (*bet bet* ibl. *~ted ~ted*) *vb tr* o. *vb itr* **1** slå vad [om]; *I ~ you a* *fiver that...* jag slår vad om fem pund [med dig] att...; *~ on* [*a horse*] hålla (satsa, sätta) på... **2** vard., *you ~!* var så säker!, det kan du skriva upp!, bergis!

betray [bɪ'treɪ] **1** förråda [*~ one's country*], svika [*~ one's ideals*; *~ a p.'s confidence*]; bedra **2** röja [*~ a secret*], avslöja **3** förleda

betrayal [bɪ'treɪəl] **1** förrådande; förräderi, svek **2** avslöjande

1 better ['betə] **I** *adj* o. *adv* (komp. av *good* o. *2 well*) bättre; ss. adv. äv. mera; hellre; *his ~ half* hans äkta (bättre) hälft; *the ~ part of* äv. större delen (det mesta) av; *the ~ part of an hour* nära nog en timme; *be ~ off* ha det bättre ställt; ha det (klara sig) bättre; *think ~ of it* komma på bättre (andra) tankar; *you had ~ try* det är bäst att du försöker **II** *s, one's ~s* folk som är förmer [än man själv]; *the sooner the ~* ju förr dess hellre (bättre); *get the ~ of* få övertaget över; [lyckas] få sista ordet i [*she always gets the ~ of these quarrels*] **III** *vb tr* **1** förbättra; bättra på [*~ a record*]; överträffa **2** *~ oneself* få det bättre ställt, komma fram (sig upp)

2 better ['betə] vadhållare

betting ['betɪŋ] vadhållning; *~ office* (*shop*) vadhållningsbyrå

between [bɪ'twi:n] **I** *prep* **1** [e]mellan; *something ~* [*a sofa and a bed*] någonting mitt emellan..., ett mellanting mellan...; *~ you and me* el. *~ ourselves* oss emellan [sagt] **2 a**) *~ us* (*you, them*) tillsammans, gemensamt; med förenade krafter **b**) *~ writing and lecturing* [*my time is fully taken up*] eftersom jag både skriver och föreläser... **II** *adv* emellan; *in ~* dessemellan, däremellan

bevel ['bev(ə)l] **I** *s* **1** smygvinkel; kon **2** fas **II** *vb tr* snedhugga; snedda; fasa [av]

beverage ['bevərɪdʒ] dryck isht tillagad, ss. te, kaffe etc.

bevy ['bevɪ] flock; hop; *a ~ of beauties* en samling skönheter

bewail [bɪ'weɪl] **I** *vb tr* klaga (sörja) över [*~ one's lot*] **II** *vb itr* klaga, sörja

beware [bɪ'weə], *~ of* akta sig för, ta sig till vara för; *~ of pickpockets!* varning för ficktjuvar!

bewilder [bɪ'wɪldə] förvirra, förvilla, förbrylla

bewitch [bɪ'wɪtʃ] **1** förhäxa **2** förtrolla, tjusa

beyond [bɪ'jɒnd, bɪ'ɒnd] **I** *prep* **1** bortom, på andra sidan [om] [*~ the bridge*]; längre än till **2** senare än, efter **3** utom, utöver [*he has nothing ~ his pension*], med undantag av; över [*live ~ one's means*]; *it's ~ belief* det är otroligt (obegripligt); *it is ~ me* a) det går över mitt förstånd b) det är mer än jag förmår (kan, orkar) c) det är mer än jag vet; *I would not put it ~ him* vard. det skulle jag gott kunna tro om honom **II** *adv* **1** bortom [*what is ~?*]; längre [*not a step ~*] **2** därutöver, mera [*nothing ~*] **3** [*prepare for the changes of the next five years*] *and ~* ...och framöver **III** *s* **1** *the ~* det okända, livet efter detta **2** [*at*] *the back of ~* bortom all ära och redlighet

biannual [baɪ'ænjʊəl] **1** halvårs-; inträffande två gånger om året [*a ~ journal* (*review*)] **2** se *biennial I*

bias ['baɪəs] **I** *s* **1 a**) förutfattad mening; fördom[ar] [*he has a ~ against foreigners*]; partiskhet; *he is without ~* han är fördomsfri (objektiv) **b**) benägenhet **2** på tyg diagonal; *cut on the ~* klippt på snedden, snedskuren **3** ensidig belastning på bowlsklot **4** på t.ex. kassettdäck bias, förmagnetisering **II** (*biased biased* el. *biassed biassed*) *vb tr* **1** göra partisk (fördomsfull); inge fördomar; inge förkärlek **2** förse med sidotyngd

biased o. **biassed** ['baɪəst] partisk; fördomsfull; *be ~* äv. ha fördomar, ha en förutfattad mening

bib [bɪb] haklapp; bröstlapp på förkläde

bible ['baɪbl] bibel; *the* [*Holy*] *B~* Bibeln

biblical ['bɪblɪk(ə)l] biblisk; bibel- [*~ quotation*]; *~ style* bibliskt språkbruk

bibliography [ˌbɪblɪ'ɒgrəfɪ] bibliografi

bicarbonate [baɪ'kɑ:bənət], *~* [*of soda*] bikarbonat

bicentenary [ˌbaɪsen'ti:nərɪ, baɪ'sentɪn-] tvåhundraårsdag, tvåhundraårsjubileum

biceps ['baɪseps] (pl. lika el. ibl. *~es*) anat. biceps

bicker ['bɪkə] gnabbas

bicycle ['baɪsɪkl] **I** *s* cykel **II** *vb itr* cykla

bicyclist ['baɪsɪklɪst] cyklist

bid [bɪd] **I** (*bid bid*; i bet. *2-4*: imperf. *bade, bid*; perf. p. *bidden, bid, bade*) *vb tr* **1** bjuda på auktion o. i kortspel; [*two hundred*] *~!* ...bjudet! **2** i högre stil befalla; *do as you are ~* gör som du är tillsagd **3** *~ defiance to* litt. utmana, trotsa **4** säga [*~ farewell to a p.*], hälsa [*~ a p. good morning*]; *~ a p. welcome* hälsa ngn välkommen **II** (*bid bid*) *vb itr* **1** bjuda på auktion; *~ against a p.* bjuda över ngn; tävla med ngn [*for* om]; *~ for* [*popularity*] vara ute efter... **2** *~ fair to* ha goda utsikter att, se ut (arta sig till) att **III** *s* **1** bud på auktion o. i kortspel; försök, satsning; *no ~* kortsp. pass **2** isht amer. anbud **3** amer. vard. inbjudan

bidden ['bɪdn] perf. p. av *bid*

bidder ['bɪdə] person som bjuder på auktion o. i kortspel; anbudsgivare; *the highest* (*best*) *~* den högstbjudande

bidding ['bɪdɪŋ] **1** bud på auktion; anbud; budgivning i kortspel **2** befallning, påbud [*at his ~*]; *do* (*follow*) *a p.'s ~* lyda ngn

bide [baɪd], ~ *one's time* bida sin tid
bidet ['bi:deɪ, amer. bɪ'deɪ] bidé
biennial [baɪ'enɪəl] **I** *adj* **1** tvåårig; bot. bienn **2** inträffande [en gång] vartannat år **II** *s* tvåårig (bienn) växt
bier [bɪə] likbår; bildl. grav
big [bɪg] **I** *adj* **1** stor [*a ~ horse*; *the ~ issue* (frågan); *when I am ~*], storväxt; stor- [*~ toe*]; *great ~* vard. jättestor [*a great ~ bear*], stor stark [*a great ~ man*]; *the B~ Apple* vard., beteckn. för *New york*; *~ brother* storebror; *football has become ~ business* fotboll handlar numera om stora pengar; *B~ Dipper* berg-och-dal-bana; *the B~ Dipper* amer. vard. (astron.) Karlavagnen; [*great*] *~ headlines* [stora] feta rubriker; *~ noise* (*shot, cheese*) sl. a) storpamp, höjdare b) bas, boss; *the B~ Smoke* vard., beteckn. för *London* **2** litt., *~ with child* i grossess **II** *adv* vard. malligt [*act ~*]; *talk ~* vara stor i orden
bigamist ['bɪgəmɪst] bigamist
bigamy ['bɪgəmɪ] bigami
bighead ['bɪghed] vard. viktigpetter
bigheaded [ˌbɪg'hedɪd] vard. uppblåst
bighearted [ˌbɪg'hɑ:tɪd] generös
bigot ['bɪgət] bigott person; *he's a ~* han är bigott
bigoted ['bɪgətɪd] bigott; trångsynt
bigotry ['bɪgətrɪ] bigotteri; trångsynthet
bigwig ['bɪgwɪg] sl. högdjur, höjdare, pamp
bike [baɪk] vard. förk. för *bicycle* **I** *s* cykel; *on your ~!* sl. stick! **II** *vb itr* cykla
bikini [bɪ'ki:nɪ] bikini
bilateral [baɪ'læt(ə)r(ə)l] bilateral, ömsesidig [*a ~ agreement*]
bilberry ['bɪlb(ə)rɪ] blåbär
bile [baɪl] fysiol. galla; bildl. äv. ilska; *~ acid* gallsyra; *~ duct* gallgång
bilingual [baɪ'lɪŋgw(ə)l] tvåspråkig
bilious ['bɪlɪəs] med. a) gall- b) som lider av gallsten c) full av galla; *~ attack* gallstensanfall
1 bill [bɪl] **I** *s* näbb **II** *vb itr*, *~* [*and coo*] näbbas isht om duvor; *~ and coo* kyssas och smekas
2 bill [bɪl] **I** *s* **1** lagförslag; bill; proposition [eg. *Government B~*]; motion; *bring in* (*introduce*) *a ~* framlägga en proposition, väcka motion **2** räkning [*put it down in* (*on*) *the ~*; *the ~, please!*]; *foot the ~* vard. betala kalaset (räkningen) **3** anslag; *post a ~* sätta upp en affisch (ett anslag) **4** bank. växel [äv. *~ of exchange*]; *~ at sight* avistaväxel **5** amer. sedel [*a ten-dollar ~*] **6** i vissa uttryck: förteckning, intyg; *~ of fare* matsedel; teat. o.d. vard. program; *get a clean ~ of health* bli friskförklarad **II** *vb tr* **1** affischera **2** *~ a p. for a th.* debitera ngn för ngt
billboard ['bɪlbɔ:d] amer. affischtavla
billet ['bɪlɪt] isht mil. **I** *s* **1** [civil] inkvartering; *be* (*live*) *in ~s* vara civilt inkvarterad **2** vard. jobb **II** *vb tr* inkvartera [i det civila]
billiards ['bɪljədz] (konstr. ss. sg.) biljard [*play ~*]; biljardspel
billion ['bɪljən] miljard
billionaire [ˌbɪljə'neə] miljardär
billow ['bɪləʊ] **I** *s* litt. stor våg **II** *vb itr* bölja; *~ out* välla ut
billy ['bɪlɪ] amer. klubba; [polis]batong
billy goat ['bɪlɪgəʊt] getabock
bin [bɪn] lår; låda; [bröd]burk; fack
binary ['baɪnərɪ] binär [*~ system*]; dubbel- [*~ star*]; *~ digit* binär siffra
bind [baɪnd] **I** (*bound bound*; se äv. *1 bound*) *vb tr* **1** binda [fast], fästa; binda ihop; kok. reda; *~ together* binda ihop (bildl. förena) [med varandra] **2** binda om; *~* [*up*] förbinda sår **3** binda [in] [*~ books*] **4** förbinda; *~ oneself to* förbinda sig att; *~ a p. to secrecy* ta tysthetslöfte av ngn; *be bound over* jur. få villkorlig dom **5** [*some kinds of food*] *~ the bowels* ...förstoppar **6** sl. tråka ut **II** (*bound bound*) *vb itr* **1** hålla (sitta) ihop **2** fastna **3** vara bindande [*a contract ~s*] **4** sl. kvirra **III** *s* sl. tråkmåns; gnällspik; *it's a ~* det är dötrist
binder ['baɪndə] **1** band **2** [lösblads]pärm **3** tekn. förbindning; bindemedel **4** bokbindare
binding ['baɪndɪŋ] **I** *s* **1** bindning, bindande etc., jfr *bind I* o. *II* **2** förband; binda **3** boktr. [bok]band **II** *adj* bindande
binge [bɪndʒ] vard. **I** *s* supkalas, [sprit]fest; *be* (*go*) *on a ~* vara ute och svira (rumla) **II** *vb tr* festa
bingo ['bɪŋgəʊ] bingo
binocular [bɪ'nɒkjʊlə] *s*, pl. *~s* [teater]kikare, fältkikare; *a pair of ~s* en kikare
biochemistry [ˌbaɪə(ʊ)'kemɪstrɪ] biokemi
biodegradable [ˌbaɪə(ʊ)dɪ'greɪdəbl] biol. biologiskt nedbrytbar
biographer [baɪ'ɒgrəfə] levnadstecknare
biography [baɪ'ɒgrəfɪ] biografi
biological [ˌbaɪə(ʊ)'lɒdʒɪk(ə)l] biologisk; *~ clock* biologisk klocka; *~ warfare* biologisk krigföring
biologist [baɪ'ɒlədʒɪst] biolog
biology [baɪ'ɒlədʒɪ] biologi
biotechnology [ˌbaɪə(ʊ)tek'nɒlədʒɪ] bioteknik
birch [bɜ:tʃ] **1** björk **2** [björk]ris
bird [bɜ:d] **1** fågel; *~ of paradise* paradisfågel; *~ of prey* rovfågel; *a little ~ told me* en [liten] fågel viskade i mitt öra **2** vard. typ [*a queer ~*]; *an old ~* en gammal räv **3** sl. brud
birdcage ['bɜ:dkeɪdʒ] fågelbur
bird cherry ['bɜ:dˌtʃerɪ] bot. hägg

bird nest ['bɜ:dnest] se *bird's-nest*
bird's-eye view [ˌbɜ:dzaɪ'vju:] **1** fågelperspektiv **2** överblick, översikt
bird's-nest ['bɜ:dznest] **I** *s* fågelbo **II** *vb itr* leta [efter] (plundra) fågelbon
bird-watcher ['bɜ:dˌwɒtʃə] fågelskådare
Biro ['baɪərəʊ] (pl. *~s*) ® kul[spets]penna
birth [bɜ:θ] **1** födelse; bildl. äv. uppkomst; födsel; *~ pill* P-piller; *it was a difficult ~* det var en svår förlossning; *give ~ to* föda **2** ursprung; börd; *by ~* till börden; född [*Swedish by ~*]
birth certificate ['bɜ:θsəˌtɪfɪkət] födelseattest
birth control ['bɜ:θkənˌtrəʊl] födelsekontroll
birthday ['bɜ:θdeɪ] födelsedag; *happy ~ [to you]!* har den äran på födelsedagen!
birthmark ['bɜ:θmɑ:k] födelsemärke
birthplace ['bɜ:θpleɪs] födelseort
birthrate ['bɜ:θreɪt] nativitet, födelsetal
biscuit ['bɪskɪt] **1** kex; skorpa; amer. slät bulle; *fancy ~* [små]kaka **2** biskvi oglaserat porslin
bisect [baɪ'sekt] dela i två [lika] delar
bishop ['bɪʃəp] **1** biskop **2** schack. löpare
bison ['baɪsn] (pl. lika) **1** bison[oxe] **2** visent
1 bit [bɪt] **1** borrande el. skärande del av verktyg: egg; borr[järn]; hyveljärn e.d. **2** bett på betsel; *take the ~ between one's teeth* a) ta i, bita ihop tänderna b) sätta sig på bakhasorna
2 bit [bɪt] **1** bit; stycke; *a ~* vard. litet, något, en smula (aning) [*a ~ tired, a ~ too small*]; ett tag (slag) [*wait a ~*]; *not a ~* vard. inte ett dugg [*not care a ~ for; not a ~ afraid*]; *it's a ~ much!* det var väl magstarkt!; *not the least little ~* inte det allra ringaste; *for a ~* ett [litet] tag; *~ by ~* bit för bit; undan för undan; *do one's ~* vard. göra sitt (sin plikt), dra sitt strå till stacken; *go (come) to ~s* gå i [små]bitar; *~s and pieces* småsaker, [små]prylar **2** litet mynt; *two (four) ~s* amer. vard. 25 (50) cent
3 bit [bɪt] imperf. av *bite*
4 bit [bɪt] data. bit
bitch [bɪtʃ] **I** *s* **1** hynda, tik; rävhona [äv. *~ fox*], varghona **2** sl. satkäring; slyna **II** *vb itr* sl. **1** gnälla, tjata **2** vara spydig
bite [baɪt] **I** (*bit bitten*; se äv. *bitten*) *vb tr* **1** bita; bita i (på); bita sig i [*~ one's lip*]; *~ the dust* vard. bita i gräset, [få] stryka på foten; *what is biting you?* vad är det med dig? **2** svida (sticka, bränna, bita) i (på) **3** fräta på (in i) **4** om hjul o.d. få grepp i **II** (*bit bitten*) *vb itr* **1** bita; bitas; sticka[s]; *get something to ~ on* få någonting att bita i **2** nappa; nappa på kroken **3** fräta; bita sig in **III** *s* **1** bett; stick **2** napp **3** munsbit; bit [mat]
biting ['baɪtɪŋ] bitande, stickande; om vind äv. snål; om svar o.d. äv. svidande
bitten ['bɪtn] (av *bite*) **1** biten; *~ with* biten (besatt) av **2** *be ~* bli lurad
bitter ['bɪtə] **I** *adj* **1** bitter, besk äv. bildl.; *~ almond* bittermandel **2** skarp [*a ~ wind; ~ criticism*]; bitande kall **II** *s* **1** bitterhet **2** slags beskt öl [äv. *~ beer*] **3** pl. *~s* bitter alkoholhaltig dryck [*gin and ~s*]; besk; bitter medicin **III** *adv* bitande [*it was ~ cold*]
bitterness ['bɪtənəs] bitterhet; förbittring
bitter-sweet ['bɪtəswi:t] *adj* bitterljuv, bittersöt
bitty ['bɪtɪ] plockig; osammanhängande
bitumen ['bɪtjʊmɪn, bɪ'tjʊ-] miner. bitumen
bivouac ['bɪvʊæk] **I** *s* bivack **II** *vb itr* o. *vb tr* bivackera, gå (ligga) i bivack
bizarre [bɪ'zɑ:] bisarr
blab [blæb] **I** *vb itr* sladdra; babbla **II** *vb tr*, *~ [out]* sladdra om, babbla om
black [blæk] **I** *adj* svart; mörk båda äv. bildl.; *~ art* svartkonst, svart magi; *~ book* vard. anmärkningsbok; *~ box* tekn. svart låda förseglad registreringsapparat, isht flyg. äv. färdskrivare; *the B~ Death* svarta döden, digerdöden på 1300-talet; *~ grapes* blå druvor; *a ~ look* en mörk blick; *~ magic* svart magi, svartkonst; *[the] B~ Maria* vard. Svarta Maja polisens piketbil; *~ pudding* blodkorv; *~ velvet* beteckn. för drink av champagne och porter; *[beat] a p. ~ and blue* [slå] ngn gul och blå; *have a th. down in ~ and white* ha svart på vitt (ha papper, ha skriftligt) på ngt; *he is not as ~ as he is painted* han är bättre än sitt rykte; *everything went ~* det svartnade för ögonen på mig (honom etc.) **II** *s* **1** svart, svart färg **2** svart; *the B~s* de svarta den svarta befolkningen **3** vard., *in the ~* med överskott (vinst) **III** *vb tr* o. *vb itr* **1** svärta; blanka **2** *~ a p.'s eye* ge ngn ett blått öga **3** *~ out* **a**) stryka [ut] **b**) mörklägga
blackberry ['blækb(ə)rɪ] björnbär
blackbird ['blækbɜ:d] koltrast
blackboard ['blækbɔ:d] svart tavla; *~ jungle* skola med stora ordningsproblem
blackcurrant [ˌblæk'kʌr(ə)nt] svart vinbär; *~ jam* svartvinbärssylt, svartvinbärsmarmelad
blacken ['blæk(ə)n] **I** *vb tr* svärta [ned] **II** *vb itr* svartna
blackguard ['blægɑ:d] skurk
blackhead ['blækhed] pormask
blacking ['blækɪŋ] [sko]svärta
blackleg ['blækleg] **I** *s* svartfot, strejkbrytare **II** *vb itr* vara strejkbrytare
blacklist ['blæklɪst] svartlista
blackmail ['blækmeɪl] **I** *s* utpressning **II** *vb tr* utöva utpressning mot

blackmailer ['blæk,meɪlə] utpressare
black-marketeer ['blæk,mɑ:kɪ'tɪə] svartabörshaj
blackout ['blækaʊt] **1** mörkläggning äv. bildl. [*news* ~] **2** strömavbrott **3** med. blackout; *mental* ~ känslomässig kortslutning
blacksmith ['blæksmɪθ] [grov]smed; hovslagare
bladder ['blædə] blåsa; anat. [urin]blåsa
blade [bleɪd] **1** blad på kniv, åra, propeller, såg, till rakhyvel m.m.; klinga; [skridsko]skena **2** skulderblad **3** bot.: smalt blad, [gräs]strå
blame [bleɪm] **I** *vb tr* klandra; förebrå [~ *oneself* [*for*]]; lägga skulden på; *I have myself to* ~ jag får skylla mig själv; *I am not to* ~ det är inte mitt fel, jag rår inte för det **II** *s* skuld; *lay* (*put*) *the* ~ [*up*]*on a p.* lägga skulden på ngn, ge ngn skulden
blameless ['bleɪmləs] oskyldig
blameworthy ['bleɪm,wɜ:ðɪ] klandervärd
blanch [blɑ:n(t)ʃ] **I** *vb tr* göra vit (blek); bleka; kok. blanchera; ~ *almonds* skålla mandel **II** *vb itr* vitna, blekna
blancmange [blə'mɒn(d)ʒ, -'mɑ:n(d)ʒ] [majsena]pudding; blancmangé gjord på mjölk; ~ *powder* puddingpulver
bland [blænd] **1** förbindlig; blid; lugn och behärskad **2** mild [~ *air*], skonsam [*a* ~ *medicine*], len
blank [blæŋk] **I** *adj* **1 a**) ren, blank, oskriven; *a* ~ *cheque* (amer. *check*) en blankocheck; ~ *signature* underskrift in blanko **b**) ~ *cartridge* lös patron **2** tom; *look* ~ se oförstående (frågande) ut **3** pur [~ *despair*] **4** orimmad; ~ *verse* blankvers **II** *s* **1** tomrum äv. bildl.; tom yta, lucka; oskrivet ställe på papper; händelselös tid [*a* ~ *in our history*]; *his mind* (*memory*) *was a complete* ~ det stod alldeles stilla i huvudet på honom **2** rent (oskrivet) blad; amer. blankett **3** nit i lotteri; *draw a* ~ dra en nit, bildl. äv. kamma noll **4** lös patron; *fire* ~*s* skjuta med lös ammunition
blanket ['blæŋkɪt] **1** filt; hästtäcke; *toss a p. in a* ~ ung. hissa ngn **2** ~ *of clouds* molntäcke, molnbank **3** *wet* ~ vard. glädjedödare
blare [bleə] **I** *vb itr* smattra [som en trumpet] [äv. ~ *forth*]; *the band was blaring away* orkestern brassade (skrällde) på för fullt **II** *vb tr* **1** tuta våldsamt med [~ *the car horn*] **2** ~ [*out*] a) skrälla fram, brassa på med [*the band* ~*d out a march*] b) ropa, skrika [*he* ~*d out a warning*] **III** *s* [trumpet]stöt; smatter
blarney ['blɑ:nɪ] vard. fagert tal; skrävel
blasé ['blɑ:zeɪ] blasé, uttråkad
blaspheme [blæs'fi:m] häda
blasphemous ['blæsfəməs] hädisk
blasphemy ['blæsfəmɪ] hädelse
blast [blɑ:st] **I** *s* **1** [stark] vindstöt; [starkt] luftdrag; *a* ~ *of hot air* en het luftström **2** a) tryckvåg[or], lufttryck vid explosion b) explosion, sprängskott c) sprängsats; ~ *effect* sprängkraft, sprängverkan, verkan av tryckvågor[na] **3** [trumpet]stöt, signal från t.ex. fartygssiren, bilhorn; tjut; *the ref gave a* ~ *on his whistle* domaren blåste i pipan **II** *vb tr* **1** spränga **2** skövla, förinta; krossa [*my hopes were* ~*ed*] **3** vard. skälla ut [*be* ~*ed by one's boss*]
blasted ['blɑ:stɪd] vard. förbaskad
blatant ['bleɪt(ə)nt] **1** skränig **2** skriande [~ *poverty*]; flagrant [*a* ~ *mistake*]; uppenbar [*a* ~ *lie*]
blaze [bleɪz] **I** *s* **1** [stark] låga; flammande eld; *in a* ~ i ljusan låga; *burst into a* ~ slå ut i full låga **2** brand **3** vard., *go to* ~*s!* dra åt helskota (skogen)!; [*he ran*] *like* ~*s* ...som bara den; *what the* ~*s!* vad tusan! **4** starkt sken (ljus), skarp (full) belysning; *a* ~ *of light*[*s*] ett ljushav; *a* ~ *of colour* ett hav av glödande färger **II** *vb itr* **1** flamma, blossa, låga; ~ *up* slå ut i full låga [äv. bildl. *the old conflict* ~*d up again*] **2** vara klart upplyst; skina klart (starkt); lysa äv. bildl.; ~ *with colour* spraka av färg, vara färgsprakande **3** ~ *away* vard. brassa på [*at* mot]; gå på [*at* med]
blazer ['bleɪzə] [klubb]jacka; blazer
bleach [bli:tʃ] **I** *vb tr* bleka **II** *vb itr* blekas, blekna **III** *s* blekmedel
1 bleak [bli:k] **1** kal [*a* ~ *landscape*] **2** kylig, kulen; råkall **3** trist [~ *prospects*]
2 bleak [bli:k] löja
bleat [bli:t] **I** *vb itr* bräka **II** *vb tr*, ~ [*out*] bildl. klämma (få) fram; bräka **III** *s* bräkning
bled [bled] imperf. o. perf. p. av *bleed*
bleed [bli:d] **I** (*bled bled*) *vb itr* blöda; ~ *at the nose* blöda (ha) näsblod **II** (*bled bled*) *vb tr* **1** åderlåta **2** vard. pungslå, plocka **3** tekn. lufta [~ *brakes*] **III** *s* blödning; *nose* ~ näsblod
bleeding ['bli:dɪŋ] **I** *adj* **1** blödande; ~ *heart* bot. löjtnantshjärta[n] **2** sl. jäkla **II** *adv* jäkligt; *I don't* ~ *care!* det ger jag fan i! **III** *s* blödning; *nose* ~ näsblod
bleep [bli:p] **I** *s* pip signal **II** *vb itr* pipa
bleeper ['bli:pə] personsökare elektr. mottagaranordning
blemish ['blemɪʃ] **I** *vb tr* vanställa **II** *s* fläck, skönhetsfläck; *without* [*a*] ~ äv. felfri, fläckfri
blend [blend] **I** *vb tr* blanda [~ *tea*]; förena; blanda samman **II** *vb itr* blanda sig [med varandra]; *these two colours* ~ *perfectly* dessa två färger går (passar) utmärkt ihop **III** *s* blandning [~ *of tea* (*tobacco, whisky*)]

blender ['blendə] mixer hushållsapparat
bless [bles] (*blessed blessed*); (jfr *blessed*) **1** välsigna; [*God*] ~ *you!* a) Gud bevare (välsigne, vare med) dig! b) prosit!; ~ *me!* el. *well, I'm ~ed!* kors i alla mina dar! **2** ~ *oneself* korsa sig, göra korstecknet; *he hasn't a penny to ~ himself with* han har inte ett korvöre
blessed [ss. adj. 'blesɪd, ss. perf. p. blest] **I** *adj* **1** välsignad **2** lycklig; salig [~ *are the poor*] **3** helig [*the B~ Virgin* (*Sacrament*)] **4** vard. förbaskad; *every ~ day* vareviga dag **II** *perf p* se *bless*
blessing ['blesɪŋ] **1** välsignelse **2** nåd; välsignelse [*it was a ~ he didn't come*]; *a mixed ~* ett blandat nöje
blew [blu:] imperf. av *1 blow*
blight [blaɪt] **I** *s* **1** bot. mjöldagg, rost, brand **2** bildl. pest; *be a ~ on a p.'s hopes* gäcka ngns förhoppningar **II** *vb tr* skada, spoliera, härja
blighter ['blaɪtə] sl. rackare [*you ~!*], typ; [*you*] *lucky ~!* lyckans ost!
blimey ['blaɪmɪ] sl., *~!* jösses!
blimp [blɪmp] vard. stockkonservativ (reaktionär) typ
blind [blaɪnd] **I** *adj* **1** blind [~ *in* (ibl. *of*) *one eye* (på ena ögat)]; ~ *school* blindskola; ~ *spot* **a**) dödvinkel **b**) bildl. *he has a ~ spot there* han är som blind på den punkten **2** bildl. blind [~ *to* (för) *a p.'s faults*; ~ *faith*; ~ *forces*]; besinningslös [~ *haste*]; *turn a ~ eye to a th.* blunda för ngt, inte låtsas se ngt **3** dunkel **4** dold; osynlig [*a ~ ditch*]; undangömd; ~ *curve* kurva med skymd sikt **5** utan öppning[ar] (fönster, utgång) vägg; ~ *alley* återvändsgränd äv. bildl. **6** *he did not take a ~ bit of notice of it* han brydde sig inte ett dugg om det **7** vard., ~ [*to the world*] döfull, stupfull, plakat **II** *adv*, ~ *drunk* vard. döfull **III** *s* **1** rullgardin; markis; *Venetian ~* persienn, spjäljalusi **2** svepskäl; täckmantel **IV** *vb tr* **1** göra blind; blända; *be ~ed* äv. bli blind, förlora synen **2** bildl. förblinda; bedra
blindfold ['blaɪn(d)fəʊld] **I** *vb tr* binda för ögonen på **II** *adj* o. *adv* **1** med förbundna ögon; ~ *test* blindtest **2** besinningslös[t] **III** *s* ögonbindel
blindman's buff [ˌblaɪn(d)mænz'bʌf] blindbock [*play ~*]
blindness ['blaɪndnəs] blindhet; förblindelse
blink [blɪŋk] **I** *vb itr* **1** blinka; plira; blinka förvånat **2** blänka till, skimra **3** ~ *at* bildl. sluta ögonen (blunda) för **II** *vb tr* **1** blinka med [~ *the eyes*] **2** blunda för [~ *the fact*] **III** *s* **1** glimt **2** blink **3** *be on the ~* sl. vara trasig, ha pajat [*the fridge is on the ~*]
blinking ['blɪŋkɪŋ] sl. förbaskad
bliss [blɪs] lycksalighet [*heavenly ~*]; lycka [*married* (*matrimonial*) *~*]; [*the holiday*] *was sheer ~* ...var helt underbar
blissful ['blɪsf(ə)l] lycksalig; lycklig; *be in ~ ignorance of* sväva i lycklig okunnighet om
blister ['blɪstə] **I** *s* blåsa; blemma **II** *vb tr* åstadkomma (bilda, få) blåsor på (i, under) [~ *one's hands* (*feet*)] **III** *vb itr* få (bli täckt av) blåsor; *my hands ~ easily* jag får lätt blåsor i händerna
blithe [blaɪð] **1** mest poet. glad **2** bekymmerslös [~ *disregard*]
blithering ['blɪð(ə)rɪŋ] vard. jäkla, jädrans [*that ~ idiot* (*radio*)]
blitz [blɪts] vard. **I** *s* blixtanfall, blixtkrig; bombräd[er]; *the B~* blitzen flygoffensiven mot Storbritannien 1940-1941 **II** *vb tr* rikta blixtanfall mot; bomba
blizzard ['blɪzəd] [häftig] snöstorm
bloated ['bləʊtɪd] uppsvälld; uppblåst äv. bildl. [~ *with* (av) *pride*]; däst
bloater ['bləʊtə] lätt saltad rökt sill
blob [blɒb] droppe; klick [*a ~ of paint*]; liten klump; plump
bloc [blɒk] polit. block, sammanslutning
block [blɒk] **I** *s* **1** kloss, block av sten, trä; [slakt]bänk **2** stock, form för hatt; *barber's ~* perukstock **3** [lyft]block; *~ and tackle* talja **4** [skriv]block **5** [byggnads]komplex, [hus]block; kvarter; *tower ~* punkthus, höghus; *~ of flats* hyreshus; *it's just around the ~* det är bara runt hörnet (kvarteret) **6** [motor]block **7** hinder; stopp; blockering; [väg]spärr; *traffic ~* trafikstockning **8** vard. skalle; *knock a p.'s ~ off* klippa till ngn **9** ~ *calendar* blockalmanacka, väggalmanacka; *~ letter* tryckbokstav **II** *vb tr* **1** blockera äv. sport.; spärra [av], stänga av [äv. ~ *up*], hindra; stoppa; skymma [äv. ~ *out*] **2** ~ *out* (*in*) göra utkast till, skissera **3** stötta [under] **4** ekon. blockera; *~ed account* spärrat konto
blockade [blɒ'keɪd] **I** *s* blockad; *raise* (*run*) *a ~* häva (bryta) en blockad **II** *vb tr* **1** blockera **2** stänga för; stänga in[ne]; stoppa, hindra
blockage ['blɒkɪdʒ] stopp; blockering
blockbuster ['blɒkˌbʌstə] vard. **1** kraftig bomb **2** knallsuccé
blockhead ['blɒkhed] vard. dumhuvud
bloke [bləʊk] vard. karl
blond [blɒnd] **I** *adj* blond, ljuslagd **II** *s* blond (ljuslagd) person; *he's a ~* han är blond
blonde [blɒnd] **I** *adj* blond [*a ~ girl*] **II** *s* blondin
blood [blʌd] **I** *s* blod; *his ~ ran cold* [*when he heard it*] blodet isades i hans ådror...; *in cold ~* [helt] kallblodigt, med berått mod; *he has ~ on his hands* hans händer är besudlade med blod; *related by ~* [*to*] släkt

genom blodsband [med] **II** *vb tr* **1** ge hundar smak på blod; *he has been ~ed* ung. han har gjort sina första lärospån **2** åderlåta
blood count ['blʌdkaʊnt] **1** blodkroppsräkning **2** blodvärde
blood-curdling ['blʌdˌkɜ:dlɪŋ] bloddrypande; hårresande [*a ~ sight*]
blood-donor ['blʌdˌdəʊnə] blodgivare
blood group ['blʌdgru:p] blodgrupp
blood heat ['blʌdhi:t] normal kroppstemperatur
bloodhound ['blʌdhaʊnd] blodhund; bildl. äv. spårhund
bloodless ['blʌdləs] **1** blodlös; blodfattig **2** oblodig [*a ~ victory*] **3** bildl. a) blodlös b) känslolös, hjärtlös
blood-letting ['blʌdˌletɪŋ] **1** blodavtappning; åderlåtning äv. bildl. **2** blodsutgjutelse
blood-poisoning ['blʌdˌpɔɪznɪŋ] blodförgiftning
bloodshed ['blʌdʃed] o. **bloodshedding** ['blʌdˌʃedɪŋ] blodsutgjutelse
bloodshot ['blʌdʃɒt] blodsprängd
bloodstained ['blʌdsteɪnd] **1** blodfläckad **2** bildl. blodbesudlad [*~ hands*]
bloodstream ['blʌdstri:m] blodomlopp; *he has got it in his ~* bildl. han har det i blodet
blood test ['blʌdtest] blodprov
bloodthirsty ['blʌdˌθɜ:stɪ] blodtörstig
blood transfusion ['blʌdtrænsˌfju:ʒ(ə)n] blodtransfusion
blood vessel ['blʌdˌvesl] blodkärl
bloody ['blʌdɪ] **I** *adj* **1** blodig [*a ~ handkerchief*; *~ battles*]; *get oneself* [*all*] *~* bloda ner sig **2** om pers. mordisk **3** sl. förbannad [*~ fool*]; *it's a ~ miracle* [*we weren't killed*] det var ett jävla under... **II** *adv* sl. förbannat, jävligt [*he does it ~ fast*]; *~ good* jävla bra; *not ~ likely!* i helvete heller!, jag gör så fan heller!; *what do you ~ well think you're doing?* vad fan tror du att du gör? **III** *vb tr* blodbefläcka
bloody-minded [ˌblʌdɪ'maɪndɪd] vard. trilsk, motsträvig, tvär; *he did it just to be ~* han gjorde det bara för att jäklas
bloom [blu:m] **I** *s* **1 a**) blomma; blomning; koll. blom[mor]; *be in ~* stå i blom **b**) bildl. blomstring[stid]; *in the ~ of youth* i blomman av sin ungdom **2 a**) [fint] stoft på plommon, druvor o.d.; dagg, fjun **b**) bildl. friskhet, fägring; blomstrande (varm) färg **3** om vin bouquet **II** *vb itr* **1** blomma **2** bildl. blomstra; se strålande ut
bloomer ['blu:mə] vard. tabbe
blooming ['blu:mɪŋ] **I** *adj* **1** blommande **2** vard. sabla **II** *adv* vard. sabla, jäkla; *not ~ likely!* i helsicke heller!
blossom ['blɒsəm] **I** *s* blomma isht på fruktträd; koll. blom[mor]; blomning; *be in ~* stå i blom **II** *vb itr* **1** slå ut i blom **2** bildl. *~ forth* (*out*) blomma upp
blot [blɒt] **I** *s* **1** plump **2** fläck; skamfläck; skönhetsfläck; *be a ~ on* äv. vanpryda, skämma **3** fel **II** *vb tr* **1** bläcka (plumpa) ner [i]; *~ one's copybook* vard. få en prick på sig, fördärva sitt goda rykte, göra bort sig **2** läska, torka med läskpapper **3** *~ out* a) stryka ut (över), sudda över b) dölja, fördunkla, skymma c) utplåna, utrota fiender etc.; *~ out the memory of a th.* utplåna ngt ur minnet
blotch [blɒtʃ] större, oregelbunden fläck, plump
blotting-paper ['blɒtɪŋˌpeɪpə] läskpapper
blouse [blaʊz, amer. vanl. blaʊs] **1** blus; jacka **2** uniformsjacka, vapenrock
1 blow [bləʊ] (*blew blown*, i bet. *5 a: blowed*) **1** blåsa; blåsa i [*~ one's whistle*]; *~ kisses* kasta slängkyssar; *~ one's nose* snyta sig; *~ one's own trumpet* (amer. *horn*) bildl. slå på [stora] trumman för sig själv; *he ~s hot and cold* han velar hit och dit **2 a**) spränga [i luften] **b**) elektr., *the fuse has ~n* proppen har gått **3 a**) flåsa **b**) göra andfådd **4** ljuda [*the whistle ~s at noon*] **5** sl. **a**) *~ it* (*him*)! etc., se *damn I 1* **b**) slänga ut [*~ £100 on a dinner*] **c**) sumpa [*~ a chance*] **d**) sticka, kila, dunsta **6** med adv. isht i spec. bet.
~ **away** blåsa bort; om t.ex. moln äv. dra bort
~ **off**: **a**) *~ off steam* släppa ut ånga; bildl. ge luft åt sina känslor, avreagera sig **b**) *he had two fingers ~n off* han fick två fingrar avskjutna (bortsprängda)
~ **out**: **a**) rfl. slockna [*the fire blew itself out*], bedarra om vind **b**) släcka [*~ out a candle*] **c**) explodera om däck
~ **over**: **a**) blåsa omkull **b**) bildl. om t.ex. oväder dra förbi, gå över
~ **up**: **a**) blåsa upp [*~ up a tyre*] **b**) explodera äv. bildl., flyga i luften **c**) spränga i luften **d**) vard. brusa upp, tappa tålamodet **e**) foto. (vard.) förstora [upp] [*~ up a photograph*] **f**) vard. blåsa upp **g**) *a storm is ~ing up* det drar ihop sig till oväder
2 blow [bləʊ] **1** slag; *at a ~* i ett slag **2** bildl. [hårt] slag; *strike a ~ for* slå ett slag för
blow-dry ['bləʊdraɪ] föna håret
blowlamp ['bləʊlæmp] blåslampa
blown [bləʊn] perf. p. av *1 blow*
blowout ['bləʊaʊt] **1** explosion **2** punktering **3** elektr., propps smältning; *there's been a ~* en propp har gått **4** sl. skiva, partaj
blowtorch ['bləʊtɔ:tʃ] amer. blåslampa
blow-up ['bləʊʌp] **1** explosion; [vredes]utbrott **2** foto. (vard.) förstoring
blow-wave ['bləʊweɪv] föna håret

blowzy ['blaʊzɪ] vanl. om kvinna **1** sjaskig, rufsig **2** rödmosig, rödbrusig
blub [blʌb] vard. lipa
blubber ['blʌbə] **I** *s* **1** späck hos valdjur o.d. **2** vard. gråt, böl **II** *vb itr* vard. [stor]gråta, böla
bludgeon ['blʌdʒ(ə)n] **I** *s* [knöl]påk **II** *vb tr* **1** slå **2** bildl. [med våld] tvinga
blue [blu:] **I** *adj* **1** blå; ~ *baby* med. blue baby spädbarn med blåaktig hud p.g.a. hjärtfel; *once in a ~ moon* sällan eller aldrig, en gång på hundra år **2** vard. deppig; dyster **3** amer. sträng [~ *laws*] **4** vard. oanständig [*a ~ movie* (*story*)]; ~ *joke* äv. fräckis **II** *s* **1** blått **2** blåa kläder [*dressed in* ~] **3** *the* ~ poet. a) [den blå] himlen b) [det blå] havet; *a gift from the* ~ en skänk från ovan; *appear* (*come*) *out of the* ~ komma helt oväntat, komma nerdimpande som från himlen **4** konservativ [*a true* ~], blå **5** [*the*] ~*s* mus. blues; *the ~s* deppighet **III** *vb tr* **1** göra (färga) blå **2** sl. slösa [~ *one's money*]
bluebell ['blu:bel] **1** engelsk klockhyacint **2** skotsk. liten blåklocka
blueberry ['blu:b(ə)rɪ, isht amer. -ˌberɪ] amerikanskt blåbär
bluebottle ['blu:ˌbɒtl] **1** spyfluga **2** blåklint
blue-chip ['blu:-tʃɪp] ledande [~ *organizations*]
blue-collar ['blu:ˌkɒlə], ~ *worker* industriarbetare, ibl. kroppsarbetare
blueprint ['blu:prɪnt] **I** *s* **1** blåkopia **2** plan; planritning; *at the ~ stage* på skrivbordsstadiet **II** *vb tr* **1** göra en blåkopia av **2** göra upp en plan till, skissera
blue tit ['blu:tɪt] zool. blåmes
1 bluff [blʌf] **I** *vb tr* o. *vb itr* bluffa; ~ *one's way through* bluffa sig igenom; *make one's way by ~ing* bluffa sig fram **II** *s* **1** bluff; *call a p.'s* ~ få ngn att visa sina kort, testa (avslöja) om ngn bluffar **2** bluff[makare]
2 bluff [blʌf] **I** *adj* **1** tvärbrant **2** burdus, rättfram **II** *s* [bred och] brant udde (klippa)
blunder ['blʌndə] **I** *vb itr* **1** drumla; stövla; ~ [*up*]*on* råka stöta på **2** dabba sig, göra en tabbe **II** *vb tr* vansköta **III** *s* blunder, tabbe
blunt [blʌnt] **I** *adj* **1** slö **2** trög; okänslig; avtrubbad **3** rättfram, burdus **II** *vb tr* göra slö, trubba av äv. bildl.
bluntly ['blʌntlɪ] **1** trubbigt **2** rent ut; helt kort
blur [blɜ:] **I** *s* **1** sudd[ighet]; suddiga konturer; *a* ~ äv. något suddigt; *my mind was a* ~ mina tankar var dimmiga (höljda i ett töcken) **2** [bläck]fläck, plump; smutsfläck **II** *vb tr* **1** göra suddig (otydlig, dimmig) [~ *one's sight*]; sudda ut [~ [*out*] *distinctions*] **2** fläcka (smeta) ner **III** *vb itr* bli suddig (otydlig); gå i varandra, flyta ihop [*the colours* ~]
blurred [blɜ:d] o. **blurry** ['blɜ:rɪ] suddig, oskarp; *become blurred* äv. flyta ihop
blurt [blɜ:t], ~ *out* låta undfalla sig, slänga (vräka) ur sig
blush [blʌʃ] **I** *vb itr* rodna; blygas [*at the thought of*]; vara (bli) röd **II** *s* **1** rodnad; *without a* ~ utan att rodna, ogenerat **2** rosenskimmer; skär (rosig) färg **3** *at first* ~ vid första påseendet
bluster ['blʌstə] **I** *vb itr* **1** om vind o.d. brusa, storma **2** domdera; gorma och svära; skrävla **II** *s* **1** om vind o.d. raseri **2** gormande, skrän; skrävel
BMA [ˌbi:em'eɪ] förk. för *British Medical Association*
BO [ˌbi:'əʊ] vard. (förk. för *body odour*) kroppslukt
boa ['bəʊə] **1** boa[orm] **2** [dam]boa
boar [bɔ:] galt; *wild* ~ vildsvin
board [bɔ:d] **I** *s* **1** bräde; [golv]tilja **2** anslagstavla **3** kost [*free* ~]; [*full*] ~ *and lodging* kost och logi, mat och husrum, [hel]inackordering; *full* ~ helpension **4** råd, styrelse; nämnd; departement; ~ *of appeal* ung. besvärsnämnd; ~ *of directors* styrelse, direktion för t.ex. bolag; ~ *of governors* styrelse, direktion för t.ex. institution **5** sjö. o.d. bord[läggning]; *on* ~ ombord [på fartyg, flygplan; amer. äv. tåg] **6** pl.: *the ~s* tiljan, teatern **7** [pärm]papp; *in ~s* i styva pärmar, kartonnerad, i pappband **8** bildl., *across the* ~ över hela linjen **II** *vb tr* **1** brädfodra, [be]klä med bräder; ~ [*over*] täcka med bräder **2** ~ *a p.* ha ngn i maten, ha ngn [hel]inackorderad; ~ [*out*] *a p.* ackordera ut (bort) ngn **3** sjö. o.d. borda; gå ombord på; stiga på; lägga till långsides med; äntra fartyg **III** *vb itr*, ~ *with a p.* (*at a p.'s place*) vara inneboende (inackorderad) hos ngn
boarder ['bɔ:də] **1** inackordering; pensionatsgäst; matgäst **2** skol. o.d. intern **3** sjö. äntergast
boarding house ['bɔ:dɪŋhaʊs] pensionat
boarding school ['bɔ:dɪŋsku:l] internat
boardroom ['bɔ:drʊm] styrelserum
boast [bəʊst] **I** *s* skryt; stolthet [*the ~ of the town*]; *it was his ~ that* han skröt med att **II** *vb itr* skryta; ~ *of* äv. berömma sig av **III** *vb tr* kunna skryta med [att ha]
boaster ['bəʊstə] [stor]skrytare
boastful ['bəʊstf(ʊ)l] skrytsam
boat [bəʊt] **I** *s* **1** båt; *be* [*all*] *in the same* ~ bildl. sitta (vara) i samma båt **2** skål för sås **II** *vb itr* åka båt, segla; *go ~ing* fara ut och ro (segla), ta (göra) en båttur (isht roddtur)

boater ['bəʊtə] **1** roddare **2** styv platt halmhatt
boat race ['bəʊtreɪs] kapprodd
boatswain ['bəʊsn] båtsman; på örlogsfartyg däcksunderofficer; *~'s mate* vakthavande däcksunderofficer
boat train ['bəʊttreɪn] båttåg tåg med anslutning till fartyg[slinje]
1 bob [bɒb] isht sport. bob; amer. äv. [timmer]kälke
2 bob [bɒb] **I** *s* **1** knyck **2** knix **II** *vb itr* **1** guppa, hoppa, dingla **2** bocka; knixa; *~ and curtsy* niga och knixa **3** *~ up* dyka upp [äv. vard.: *that question often ~s up*], sticka upp **III** *vb tr* **1** smälla (stöta) [till] **2** knycka på [*~ the head*]; hastigt stoppa [*he ~bed his head into the room*] **3** *~ a curtsy* knixa
3 bob [bɒb] (pl. lika) åld. vard. = shilling
bobbin ['bɒbɪn] **1** spole; [tråd]rulle **2** [knyppel]pinne
bode [bəʊd] [före]båda; *~ ill for* äv. inte båda (lova) gott för, vara illavarslande för
bodice ['bɒdɪs] **1** [klännings]liv, blusliv till folkdräkt **2** slags midjekorsett
bodily ['bɒdəlɪ] **I** *adj* kroppslig; *grievous ~ harm* jur. grov misshandel **II** *adv* **1** kroppsligen **2** helt och hållet; *the audience rose ~* åhörarna reste sig som en man
body ['bɒdɪ] **I** *s* **1** kropp; lekamen; [*he earns scarcely*] *enough to keep ~ and soul together* ...tillräckligt för att klara livhanken **2** lik; *over my dead ~* vard. över min döda kropp **3** kroppens bål **4** [klännings]liv; body plagg **5** huvuddel; av bok inlaga; *the ~ of a concert hall* salongen i ett konserthus **6** koll. massa [*the ~ of the people*]; *the ~ of public opinion* den övervägande folkmeningen **7 a)** organ, organisation; *governing ~* styrande organ, direktion, styrelse; *the student ~* studenterna koll. **b)** huvudstyrka [*the main ~ of the troops*], avdelning; skara; *in a ~* i sluten (samlad) trupp, mangrant **8** [befintlig] samling; *a large ~ of evidence* ett stort bevismaterial **9** *~ of water* vattenmassa **10** kropp; ämne [*a compound ~*]; *foreign ~* med. främmande föremål **11** styrka; must [*wine of good ~*; *want of ~*]; kärna **12** a) ngt åld. vard. människa, person b) jur., *heir of the ~* bröstarvinge **II** *vb tr, ~ forth* förkroppsliga; gestalta, utforma
bodyguard ['bɒdɪgɑ:d] livvakt
body odour ['bɒdɪˌəʊdə] kroppslukt
bodysuit ['bɒdɪsu:t] body plagg
bodywork ['bɒdɪwɜ:k] kaross
boffin ['bɒfɪn] sl. vetenskapare, toppforskare isht inkopplad på militära projekt
bog [bɒg] **I** *s* **1** mosse, moras **2** kloakbrunn **3** sl. dass [*go to the ~*] **II** *vb tr* **1** sänka ned i ett kärr (i dy) **2** *be (get) ~ged down* vard. ha kört (köra) fast **III** *vb itr, ~ down* vard. köra fast, stranda
boggle ['bɒgl] **1** haja till; *the mind ~s* [*at it*] tanken svindlar **2** tveka; *he ~s at it* han drar sig för det
bogie ['bəʊgɪ] järnv. **1** boggi **2** tralla
bogus ['bəʊgəs] fingerad, falsk, sken- [*~ marriage*], bluff-
Bohemian [bə(ʊ)'hi:mjən] **I** *s* bohem **II** *adj* bohemisk
1 boil [bɔɪl] böld, varböld, spikböld
2 boil [bɔɪl] **I** *vb itr* o. *vb tr* koka, sjuda båda äv. bildl.; *~ed beef* kokt [ox]kött, 'pepparrotskött'; *~ down* **a)** koka ihop **b)** koka av **c)** bildl. dra ihop; [kunna] dras ihop; *it all ~s down to...* det hela inskränker sig till (går i korthet ut på)...; *~ over* koka över äv. bildl. **II** *s* kokning; kokpunkt; *be off the ~* ha slutat koka; *bring a th. to the ~* låta ngt koka upp
boiler ['bɔɪlə] **1** kokkärl, kokare **2** [ång]panna; *~ room* pannrum; *~ suit* overall **3** varmvattensberedare **4** bykkittel **5** kokhöns
boiling point ['bɔɪlɪŋpɔɪnt] kokpunkt äv. bildl.
boisterous ['bɔɪst(ə)rəs] **1** bullrande [*~ laughter*], bullersam **2** stormig, hård [*~ winds*]
bold [bəʊld] **1** djärv; vågad; *make ~ (so ~ as) to* tillåta sig att, dristа sig [till] att **2** framfusig; *as ~ as brass* fräck som bara den **3** typogr. halvfet; *extra ~ type* fetstil
Bolivia [bə'lɪvɪə]
Bolivian [bə'lɪvɪən] **I** *s* bolivian **II** *adj* boliviansk
bollard ['bɒlɑ:d] **1** sjö. pollare **2** trafik. låg stolpe
Bolshevik ['bɒlʃəvɪk] **I** *s* bolsjevik **II** *adj* bolsjevikisk, bolsjevistisk
bolster ['bəʊlstə] **I** *s* **1** lång underkudde; dyna **2** tekn. underlag, stöd, fäste **II** *vb tr, ~* [*up*] **1** stödja [*~* [*up*] *a theory*]; öka [*~ morale (confidence)*] **2** komplettera [*~ one's supplies*] **3** stötta (proppa) upp [med dynor etc.] [*~ed up in bed*] **4** stoppa [*~* [*up*] *a mattress*]
bolt [bəʊlt] **I** *s* **1** bult; nagel; stor spik; stor skruv **2** låskolv; slutstycke i skjutvapen **3** [armborst]pil med bred spets; *have shot one's* [*last*] *~* vard. ha uttömt sina [sista] krafter, ha förbrukat allt sitt krut **4** åskvigg; *a ~ from the blue* en blixt från klar himmel **5** rulle tyg **6** *make a ~ for* rusa mot, störta i väg till **II** *vb itr* **1** rusa [i väg]; skena; vard. kila i väg, sticka, sjappa **2** reglas [*the door ~s on the inside*] **III** *vb tr* **1** vard. svälja utan att tugga; kasta i sig **2** fästa med bult[ar] **3** regla; *~ in (out)*

stänga (låsa) in (ute) **IV** *adv, ~ upright* kapprak, käpprak

bomb [bɒm] **I** *s* bomb; [*my car*] *goes like a ~* vard. ...går fort som sjutton; *it cost a ~* vard. det kostade skjortan **II** *vb tr* bomba, bombardera; ~ *out* bomba ut [*they were ~ed out during the war*] **III** *vb itr* **1** bomba **2** sl., ~ [*out*] gå i stöpet, göra fiasko; paja **3** vard., ~ *along* (*down*) komma kutande; köra i hög fart

bombard [bɒm'bɑ:d] bombardera

bombardment [bɒm'bɑ:dmənt] bombardemang

bombastic [bɒm'bæstɪk] bombastisk, svulstig

bomb-disposal ['bɒmdɪsˌpəʊz(ə)l] desarmering (omhändertagande) av blindgångare; ~ *squad* desarmeringsgrupp

bomber ['bɒmə] **1** bombare **2** bombfällare

bombproof ['bɒmpru:f] bombsäker [~ *shelter*], bombskyddad

bombshell ['bɒmʃel] **1** granat **2** vard. **a**) knalleffekt; *it came like* (*as*) *a ~* det slog ner som en bomb **b**) *a blonde ~* ett blont bombnedslag

bomb site ['bɒmsaɪt] [sönder]bombat område (kvarter)

bona fide [ˌbəʊnə'faɪdɪ] (lat.) bona fide, [som handlar] i god tro, ärlig[t]; verklig

bonanza [bə'nænzə] **1** guldgruva; lyckträff **2** rikt givande; *a ~ year* ett mycket framgångsrikt (lyckosamt) år

bond [bɒnd] **I** *s* **1** band [*~*[*s*] *of friendship*]; pl. *~s* äv. bojor, förpliktelser **2** förbindelse; [bindande] överenskommelse; borgen; *his word is as good as his ~* ung. han står vid sitt ord **3** obligation [*~ loan*]; skuldsedel, revers **4** tullnederlag; *in ~* [liggande] i tullnederlag **5** mur. förband **6** litt., pl. *~s* bojor [*in ~s*] **II** *vb tr* **1** fästa (limma) ihop; binda; länka (foga) samman **2** lägga upp i tullnederlag **III** *vb itr, ~ together* sitta (hålla) ihop [*these two substances won't ~ together*]

bondage ['bɒndɪdʒ] träldom

bone [bəʊn] **I** *s* **1** ben; [ben]knota; *~ china* benporslin; *~ of contention* tvistefrö, stridsäpple; *be chilled* (*frozen*) *to the ~* frysa ända in i märgen; *have a ~ to pick with a p.* vard. ha en gås oplockad med ngn **2** pl.: *~s* a) kastanjetter b) vard. tärningar c) dominobrickor **II** *vb tr* **1** bena fisk; bena ur **2** sl. knycka **III** *vb itr* sl., ~ [*up*] plugga

bone-dry [ˌbəʊn'draɪ] vard. snustorr, uttorkad

bonfire ['bɒnˌfaɪə] bål, brasa

bonnet ['bɒnɪt] **1** hätta för barn; huva; förr bahytt; skotsk mössa **2** skyddshuv **3** motorhuv

bonny ['bɒnɪ] **1** söt [*a ~ lass*] **2** isht om barn blomstrande; knubbig, bamsig **3** god, fin [*a ~ fighter*] **4** ofta iron. *my ~ lad* min lilla vän

bonus ['bəʊnəs] bonus; gratifikation; [premie]återbäring

bony ['bəʊnɪ] **1** benig; ben- **2** bara skinn och ben

boo [bu:] **I** *interj, ~!* bu!, uh!, fy!, pytt! **II** *s* bu[rop] **III** *vb itr* o. *vb tr* bua, bua ut, skräna

1 boob [bu:b] sl. **I** *s* **1** åsna, idiot; drummel **2** tabbe, blunder **II** *vb itr* klanta (dabba, dumma) sig

2 boob [bu:b] sl., pl. *~s* tuttar bröst

1 booby ['bu:bɪ] **1** åsna; drummel, tölp **2** *the ~* den sämste i t.ex. klassen; jumbo **3** zool. havssula

2 booby ['bu:bɪ] sl., pl. *boobies* tuttar bröst

booby prize ['bu:bɪpraɪz] jumbopris

booby trap ['bu:bɪtræp] **1** fälla **2** mil. minförsåt

boohoo [ˌbʊ'hu:] **I** *vb itr* böla **II** *s* (pl. *~s*) böl[ande]

book [bʊk] **I** *s* **1** bok; häfte; *~ review* bokrecension, bokanmälan, litteraturanmälan; *throw the ~ at a p.* ge ngn en riktig utskällning; anklaga ngn för alla upptänkliga brott; sätta dit ngn; *by the ~* efter reglerna; *in my ~* bildl. enligt min mening; *be in a p.'s good* (*bad, black*) *~s* ligga bra (dåligt) till hos ngn **2** telefonkatalog [*he is* (står) *in the ~*] **3** libretto **4** [lista över] ingångna vad; *make a ~* vara (fungera som) bookmaker **II** *vb tr* **1 a**) notera **b**) föra in i register o.d.; skriva upp [*be ~ed for an offence*] **c**) sport., *be ~ed* få en varning **2** boka, beställa biljett, plats, rum; *the hotel is fully ~ed up* hotellet är fullbokat **3** vard. engagera; *he is ~ed* vard. han är upptagen [äv. *he is ~ed up*]

bookcase ['bʊkkeɪs] bokhylla

booking ['bʊkɪŋ] **1** [förhands]beställning; bokning [*hotel ~s*]; förköp; biljettförsäljning **2** sport. varning [*get a ~*]

booking-office ['bʊkɪŋˌɒfɪs] biljettkontor, biljettlucka

bookkeeper ['bʊkˌki:pə] bokhållare

bookkeeping ['bʊkˌki:pɪŋ] bokföring

booklet ['bʊklət] liten bok, broschyr

bookmaker ['bʊkˌmeɪkə] bookmaker vadförmedlare vid kapplöpningar

bookmark ['bʊkmɑ:k] o. **bookmarker** ['bʊkˌmɑ:kə] bokmärke

bookmobile ['bʊkməʊˌbi:l] amer. bokbuss, mobilbibliotek

bookseller ['bʊkˌselə] bokhandlare; *~'s* [*shop*] bokhandel

bookshelf ['bʊkʃelf] bokhylla enstaka hylla

bookshop ['bʊkʃɒp] bokhandel

bookstall ['bʊkstɔ:l] bokstånd; tidningskiosk

bookstore ['bʊkstɔ:] bokhandel
book token [bʊktəʊk(ə)n] presentkort på böcker
bookworm ['bʊkwɜ:m] bokmal; person äv. bokälskare
1 boom [bu:m] **1** sjö. bom; ~ *sail* bomsegel **2** [*derrick*] ~ kranarm
2 boom [bu:m] **I** *vb itr* dåna, dundra **II** *vb tr*, ~ [*out*] låta dåna etc. fram, uttala med dånande röst **III** *s* dån, dunder; [djup] klang av klocka o.d.; *sonic* ~ [ljud]bang överljudsknall
3 boom [bu:m] **I** *s* **1** [kraftig] hausse; högkonjunktur; uppsving; *a* ~ *town* en stad i snabb utveckling **2** [våldsam] reklam **II** *vb tr* göra reklam för, haussa upp **III** *vb itr* häftigt stiga; blomstra [*business is* ~*ing*], få ett uppsving
boomerang ['bu:məræŋ] **I** *s* bumerang äv. bildl. **II** *vb itr* bildl. slå tillbaka
1 boon [bu:n] **1** välsignelse [*this dictionary is a great* ~], förmån **2** litt. ynnest
2 boon [bu:n], ~ *companion* glad broder, stallbroder
boor [bʊə] **1** bonde **2** tölp, [bond]lurk
boorish ['bʊərɪʃ] bondsk, bufflig
boost [bu:st] **I** *vb tr* **1** hjälpa upp (fram), skjuta fram, knuffa upp [äv. ~ *up*] **2** höja, öka [äv. ~ *up*]; ~ *morale* stärka moralen **3** reklamera upp, haussa upp **II** *s* **1** höjning; uppsving **2** reklam; puff (knuff) uppåt
booster ['bu:stə] **1** reklamman; gynnare **2** tekn. **a**) hjälpmotor, servomotor, servoanordning **b**) startraket [äv. ~ *rocket*] **3** radio. booster, förstärkare **4** ~ [*injection* (*shot*)] omvaccinering för att stärka immunitetsskyddet
1 boot [bu:t], *to* ~ dessutom, [till] på köpet
2 boot [bu:t] **I** *s* **1** känga; pl. ~*s* äv. boots; *skiing* ~ pjäxa; *get* (*give a p.*) *the* ~ vard. få (ge ngn) sparken; *too big for one's* ~*s* vard. stöddig, mallig **2** bagagelucka i bil **II** *vb tr* **1** förse med kängor (stövlar) **2** sparka; ~ *out* a) eg. sparka ut b) vard. ge sparken, sparka
booth [bu:ð, bu:θ] **1** [salu]stånd; skjul **2** bås avskärmad plats; på t.ex. restaurang alkov; hytt [*telephone* ~]
bootleg ['bu:tleg] **I** *vb tr* o. *vb itr* **1** smuggla isht sprit; langa; bränna [hemma] **2** tillverka illegalt (svart) **II** *adj* **1** isht om sprit smuggel-; langar-; hembränd [~ *whisky*] **2** illegal, pirat-
bootlegger ['bu:tˌlegə] **1** [sprit]smugglare; langare; hembrännare **2** illegal tillverkare
booty ['bu:tɪ] byte
booze [bu:z] vard. **I** *vb itr* supa **II** *s* **1** sprit **2** fylla; fylleskiva; *have a* ~ få (ta) sig en fylla
boozer ['bu:zə] vard. **1** fyllbult, fylltratt **2** pub
booze-up ['bu:zʌp] vard. supkalas
bophanostic [ˌbəʊfæ'nɒstɪk] *adj* relig. bofanostisk
border ['bɔ:də] **I** *s* **1** kant; av t.ex. fält utkant; rand **2** gräns; ~ *state* randstat **3** bård, bräm; list, infattning; kantrabatt **II** *vb tr* **1** kanta, begränsa, infatta **2** gränsa till [*an airport* ~*s the town*] **III** *vb itr*, ~ *on* (*upon*) gränsa till äv. bildl.; stå på gränsen till, närma sig [*it* ~*s on the ridiculous*]
borderline ['bɔ:dəlaɪn] gränslinje; ~ *case* gränsfall äv. psykol.
1 bore [bɔ:] imperf. av *2 bear*
2 bore [bɔ:] **I** *s* **1** borrhål **2** rör; kaliber; cylinderdiameter **II** *vb tr* borra; holka ur; tränga igenom **III** *vb itr* **1** borra [~ *for* (efter) *oil*] **2** tränga (knuffa, armbåga) sig fram [*we* ~*d through the crowds*]
3 bore [bɔ:] **I** *s* **1** *he* (*the film*) *is a* ~ han (filmen) är urtråkig (urtrist); *what a* ~! vad tråkigt (trist)! **2** tråkmåns **II** *vb tr* tråka ut; *be* ~*d* ha [lång]tråkigt
boredom ['bɔ:dəm] **1** [lång]tråkighet **2** leda
boring ['bɔ:rɪŋ] [ur]tråkig
born [bɔ:n] (av *2 bear*) **1** född; boren [*a* ~ *poet*]; ss. efterled i sms. -född [*American-born*; *new-born*]; *be a* ~ *loser* vara född till förlorare; *he is a* ~ [*teacher*] han är som skapt till...; *he was* ~ *with it* det är medfött hos honom **2** *never in* [*all*] *my* ~ *days* aldrig i livet
borne [bɔ:n] (av *2 bear*) **1** buren etc.; burit etc. **2** född [endast före agent; ~ *by Eve*]; fött [*she has* ~ *him two sons*]
borough ['bʌrə] **1** stad (ibl. stadsdel) som administrativt begrepp; ~ *council* kommunfullmäktige, stadsfullmäktige **2** *parliamentary* ~ stadsvalkrets
borrow ['bɒrəʊ] låna
borrower ['bɒrəʊə] låntagare; *neither a* ~ *nor a lender be* ordst. man skall varken låna eller låna ut
bosh [bɒʃ] vard. **I** *s* strunt[prat] **II** *interj*, ~! [strunt]prat!, nonsens!, sånt prat!
Bosnia ['bɒznɪə] geogr. Bosnien
Bosnian ['bɒznɪən] **I** *adj* bosnisk **II** *s* bosnier
bosom ['bʊzəm] **1** barm; famn; sköte bildl. [*in the* ~ *of one's family*]; bildl. hjärta, själ; ~ *friend* (*pal*) hjärtevän, intim[aste] vän **2** amer. skjortbröst
1 boss [bɒs] vard. **I** *s* **1** boss, bas, förman; pamp **2** amer. partistrateg **II** *vb tr* leda [~ *a job*], dirigera, sköta, ordna; kommendera [~ *a p.*]; ~ *a p. about* köra med ngn **III** *vb itr*, ~ *about* domdera, köra med folk
2 boss [bɒs] **1** buckla utbuktning, äv. på sköld; knöl; knopp för prydnad **2** nav på propeller

bossy ['bɒsɪ] vard. dominerande; kaxig; *be ~* äv. domdera, köra med folk
botanist ['bɒtənɪst] botaniker
botany ['bɒtənɪ] **1** botanik **2** *~ wool* fin australisk ull från Botany Bay
botch [bɒtʃ] **I** *vb tr* **1** sabba, schabbla bort; *a ~ed piece of work* ett fuskverk **2** laga (reparera) dåligt; lappa ihop **II** *vb itr* fuska **III** *s* fuskverk; mischmasch
both [bəʊθ] **I** *pron* båda [två], bägge [två]; *~ [the] books* båda (bägge) böckerna; *~ of us* både du och jag (dig och mig), oss båda **II** *adv*, *~...and* både...och, såväl...som
bother ['bɒðə] **I** *vb tr* **1** plåga, störa; *don't ~ me!* låt mig [få] vara i fred!; *~ oneself (one's head) about* bry sin hjärna (sitt huvud) med; *I can't be ~ed [to do it]* a) jag orkar (gitter) inte [göra det] b) jag ska be att få slippa [göra det] **2** *~ [it]!* jäklar!, tusan också! **II** *vb itr* **1** göra sig besvär; oroa sig; *not ~ about* strunta i; *don't ~ to [lock the door]* bry dig inte om att... **2** vara besvärlig, bråka **III** *s* **1** besvär, omak; tjafs; bråk *[they were looking for ~]*; *a spot of ~* lite trassel (bråk) **2** plåga, irritationsmoment; *isn't it a ~?* är det inte förargligt?
bothersome ['bɒðəsəm] besvärlig
Bothnia ['bɒθnɪə] geogr.; *the Gulf of ~* Bottniska viken
bottle ['bɒtl] **I** *s* **1** butelj, flaska; bibl. o. bildl. lägel; *empty ~* tombutelj, tomflaska, tomglas; *lose one's ~* förlora självbehärskningen; *go on (hit) the ~* vard. ta till flaskan; *a slave to the ~* slav under flaskan (sitt spritbegär) **2** sl. kurage; fräckhet **II** *vb tr* **1** buteljera; *~d beer* flasköl **2** lägga (koka) in på glas; konservera **3** *~ up* a) spärra av, stänga av; stänga inne b) hålla tillbaka, undertrycka *[~ up one's anger]*
bottle bank ['bɒtlbæŋk] [glas]igloo för glasavfall
bottleneck ['bɒtlnek] flaskhals isht bildl.
bottle-opener ['bɒtl,əʊp(ə)nə] kapsylöppnare
bottom ['bɒtəm] **I** *s* **1** botten, fot *[~ of a glass (a hill)]*; underdel; [stol]sits; *at the ~ of* nederst (nedtill) på *[at the ~ of the page]*; *the tenth line from the ~* tionde raden nerifrån **2** botten av hav m.m.; djup **3** flodbassäng, sänka **4** nederända, slut; *the ~ of the table* nedre ändan av bordet **5** vard. ända, stjärt **6** sjö. skrov, botten, köl **7** grundval; *at ~* i grund och botten, i själ och hjärta **II** *attr adj* **1** lägsta, sista, understa; *the ~ boy of the class* den sämste pojken i klassen; *bet one's ~ dollar* satsa sitt sista öre **2** grund- **III** *vb tr* **1** förse med botten etc., jfr *I 1* **2** stödja **3** nå botten på; gå till botten med
bottomless ['bɒtəmləs] **1** utan botten; bottenlös; *the B~ Pit* avgrunden **2** outgrundlig *[a ~ mystery]* **3** outtömlig *[his wealth seemed ~]*
bough [baʊ] isht större trädgren; lövruska
bought [bɔ:t] imperf. o. perf. p. av *buy*
boulder ['bəʊldə] [sten]block, rullstensblock; *erratic ~* flyttblock; *~ clay* moränlera
bounce [baʊns] **I** *vb itr* **1** studsa; hoppa; *~ about* a) hoppa upp och ned b) hoppa (fara) omkring isht om barn **2** störta **3** vard. avvisas om check utan täckning **II** *vb tr* **1** knuffa, kasta; studsa *[~ a ball]* **2** vard. ej godkänna, nobba om check utan täckning **3** vard. kasta ut **III** *s* **1** duns, [tungt] slag **2** studs[ning], hopp **3** gåpåaranda; fart, kläm **4** vard. skryt, skrävel
bouncer ['baʊnsə] vard. **1** hejare **2** vard. utkastare **3** vard. ej godkänd (nobbad) check
1 bound [baʊnd] **I** imperf. av *bind* **II** *perf p* o. *adj* bunden etc., jfr *bind I*; [in]bunden *[~ books]*; *~ up in* upptagen av; *be ~ to* vara skyldig (tvungen) att; *he is ~ to* han måste [nödvändigt]; *you are ~ to notice it* du kan inte undgå att märka det
2 bound [baʊnd] destinerad, på väg; *homeward ~* på hemgående, på väg hem
3 bound [baʊnd] **I** *vb itr* studsa; skutta; hoppa [med långa skutt]; spritta; *his heart ~ed with joy* hjärtat hoppade av glädje **II** *s* skutt, språng; *at one (a) ~* a) i ett språng b) med ens
4 bound [baʊnd] **I** *s*, vanl. pl. *~s* gräns[er]; skrankor; *beyond the ~s of human knowledge* bortom gränsen för det mänskliga vetandet **II** *vb tr* **1** begränsa; *be ~ed by* äv. gränsa till **2** utgöra gräns för
boundary ['baʊnd(ə)rɪ] gräns[linje]
boundless ['baʊndləs] gränslös
bountiful ['baʊntɪf(ʊ)l] **1** givmild **2** riklig
bounty ['baʊntɪ] **1** välgörenhet **2** gåva; pl. *bounties* rika håvor **3** ekon. premie *[export ~]*
bouquet [bʊ'keɪ, 'bu:keɪ, bəʊ'keɪ] **1** bukett **2** om vin bouquet
bourbon ['bɜ:bən, 'bʊə-] bourbon amerikansk whisky
bourgeois ['bʊəʒwɑ:] **I** (pl. lika) *s* medelklassare; *[petty] ~* småborgare, kälkborgare **II** *adj* medelklass-; *[petty] ~* småborgerlig, kälkborgerlig
bourgeoisie [,bʊəʒwɑ:'zi:] bourgeoisie, medelklass; *the petty ~* småborgerligheten
bout [baʊt] **1** dust *[wrestling ~]* **2** ryck *[~ of activity]*, släng *[~ of influenza]*; *~ of coughing* hostattack
boutique [bu:'ti:k] boutique

1 bow [baʊ] **I** *vb tr* **1** böja [~ *one's head*]; kröka; *be ~ed down with* a) vara nertyngd av b) digna av **2** nicka [*he ~ed his assent*] **3** ~ *a p. in* (*out*) under bugningar visa ngn in (följa ngn ut) **II** *vb itr* **1** buga [sig]; hälsa med en böjning på huvudet **2** böja sig [~ *to* (för) *a p.'s opinion*]; underkasta sig; ~ *down before* böja knä för **III** *s* bugning; *take a* ~ ta emot applåderna; buga och tacka

2 bow [baʊ] sjö.; ofta pl. *~s* bog; för, stäv

3 bow [bəʊ] **I** *s* **1** rundning, krökning; båge **2** [pil]båge **3** stråke; stråkdrag **4** knut **5** sadelbom **6** amer. [glasögon]båge; [glasögon]skalm **II** *vb tr* spela med stråke på

bower ['baʊə] **1** berså; lusthus **2** poet. boning; gemak

1 bowl [bəʊl] **1** skål, spilkum **2** bål dryck och skål **3** [sked]blad **4** [pip]huvud **5** amer., skålformat stadion

2 bowl [bəʊl] **I** *s* **1** klot; boll **2** *~s* (konstr. ss. sg.) bowls spel **3** sport. kast **II** *vb itr* o. *vb tr* **1** spela bowls; spela bowling **2** kasta (rulla) längs marken; rulla; ~ *along* rulla fram; gå undan **3** ~ *out* vard. slå ut; ~ *over* vard. a) slå [ned], slå omkull b) göra häpen

bow-legged ['bəʊlegd, -ˌlegɪd] hjulbent

1 bowler ['bəʊlə] sport. bowlare; isht i kricket kastare

2 bowler ['bəʊlə], ~ [*hat*] kubb, plommonstop

bowling ['bəʊlɪŋ] **1** bowling **2** bowls isht attr. [*the English B~ Association*] **3** i kricket sätt att kasta [bollen]

bowling alley ['bəʊlɪŋˌælɪ] bowlingbana; bowlinghall

bow tie [ˌbəʊ'taɪ] rosett

bow window [ˌbəʊ'wɪndəʊ] utbyggt rundat fönster; rundat burspråksfönster

bow-wow [ss. interj. o. vb ˌbaʊ'waʊ, ss. subst. '--] barnspr. **I** *interj*, *~!* vov [vov]! **II** *s* vovve **III** *vb itr* skälla

1 box [bɒks] buxbom träslag och träd

2 box [bɒks] **I** *s* **1** låda, skrin; ask; bössa för pengar; kartong; koffert; gymn. plint [äv. ~ *horse*]; ~ *of bricks* bygglåda **2** avbalkning; fack; spilta; *loose* ~ lös spilta, box för obunden häst; kätte **3** post. fack **4** jur. vittnesbås; *be in the* ~ äv. höras som vittne **5** loge på teater **6** tekn. hylsa **7** ruta i bok, tidning o.d. **8** vard., *the* ~ burken tv:n **9** sport. vard., *the* ~ straffområdet **II** *vb tr* **1** lägga (stoppa, gömma) i (förse med) en låda etc.; ~ *in* klämma (stänga) in om bil; klä in om t.ex. badkar **2** ~ *the compass* a) sjö. repa (läsa) upp kompassens streck b) bildl. röra sig i en cirkel i diskussion etc.

3 box [bɒks] **I** *s* slag med handen; ~ *on the ear*[*s*] örfil **II** *vb tr* o. *vb itr* boxa[s]; ~ *a p.'s ears* ge ngn en örfil

1 boxer ['bɒksə] boxare

2 boxer ['bɒksə] boxer hundras

boxing ['bɒksɪŋ] boxning

Boxing Day ['bɒksɪŋdeɪ] annandag jul; om annandag jul infaller på en söndag följande dag, d.v.s. tredjedag jul

box office ['bɒksˌɒfɪs] biljettkontor för teater o.d.; *be a ~ success* (*draw*)

boxwood ['bɒkswʊd] buxbom träslag

boy [bɔɪ] pojke, grabb; pojkvän, kille; *~!* jösses!, å (för) sjutton!; ~, *isn't it hot!* himmel vad det är varmt!; *jobs for the ~s* ung. rena svågerpolitiken (myglet)

boycott ['bɔɪkɒt, -kət] **I** *vb tr* bojkotta **II** *s* bojkott; *put a p.* (*a th.*) *under a* ~ förklara ngn (ngt) i bojkott

boyfriend ['bɔɪfrend] pojkvän

boyhood ['bɔɪhʊd] **1** pojkår; *in his* ~ [redan] som pojke **2** pojkar [*the nation's* ~]

boyish ['bɔɪɪʃ] **1** pojkaktig; pojk- **2** barnslig

BR förk. för *British Rail*

bra [brɑː] vard. (kortform för *brassiere*) bh

brace [breɪs] **I** *s* **1 a**) spänne; krampa; band **b**) pl. *~s* hängslen [*a pair of ~s*] **c**) hängrem, fjäderrem **d**) sträva, snedstötta; stag; stöd **e**) tandläk. tandställning **2** borrsväng; ~ *and bit* borrsväng med tillhörande borr **3** sjö. brass **4** (pl. lika) par isht av djur som jagas [*a ~ of ducks*] **II** *vb tr* **1** binda om (ihop); dra till (åt); [för]stärka; stötta **2** bildl. **a**) ~ *oneself* [*up*] samla krafter, ta sig samman, stärka (bereda) sig **b**) ~ [*up*] stärka, pigga upp **c**) ~ [*up*] moraliskt stödja **3** sjö. brassa **III** *vb itr* **1** sjö. brassa; ~ *up* brassa bidevind **2** ~ *up* vard. rycka upp sig

bracelet ['breɪslət] **1** armband; klockarmband **2** sl. handboja

bracken ['bræk(ə)n] bot. bräken; ormbunke

bracket ['brækɪt] **I** *s* **1** konsol, vinkeljärn; konsolhylla; ~ *lamp* lampett **2 a**) parentes[tecken] [äv. *round ~s*]; *square* ~ hakparentes **b**) klammer, sammanfattningstecken **3** grupp, klass [*income* ~]; *the 20 to 30 age* ~ gruppen mellan 20 och 30 år **II** *vb tr* **1 a**) sätta inom parentes; *~ed* som står (är satt) inom parentes **b**) förena med klammer **2** ~ [*together*] jämställa

brackish ['brækɪʃ] bräckt om vatten

brag [bræg] **I** *vb itr* skryta, bravera **II** *s* skryt

braggart ['brægət, -gɑːt] **I** *s* skrävlare **II** *adj* skrävlande

braid [breɪd] **I** *s* **1** [hår]fläta **2** hårband **3** garneringsband, kantband **II** *vb tr* **1** fläta isht hår; sno **2** sätta upp hår med hårband **3** [band]kanta

braille [breɪl] brailleskrift
brain [breɪn] **I** *s* **1** anat. hjärna; pl. *~s* hjärnmassa, hjärnsubstans; *blow one's ~s out* skjuta sig [en kula] för pannan **2** mest pl. *~s* hjärna, förstånd, vett, huvud, begåvning; *have a good ~* ha gott huvud; *pick (suck) a p.'s ~s* utnyttja ngns vetande; stjäla (hugga) ngns idéer; *~ power* intelligens **II** *vb tr* slå in skallen på
brain|child ['breɪn|tʃaɪld] (pl. *-children* [-ˌtʃɪldrən]) idé; *that's his ~* det är han som har kläckt idén [till det]
brain drain ['breɪndreɪn] vard. forskarflykt, begåvningsflykt
brainless ['breɪnləs] obegåvad
brainstorm ['breɪnstɔ:m] **1** vard. våldsamt [känslo]utbrott; plötslig sinnesförvirring **2** idékläckning
brainstorming ['breɪnˌstɔ:mɪŋ] idékläckning
brainwash ['breɪnwɒʃ] **I** *s* hjärntvätt **II** *vb tr* hjärntvätta
brainwashing ['breɪnˌwɒʃɪŋ] hjärntvätt
brainwave ['breɪnweɪv] snilleblixt
brainy ['breɪnɪ] vard. begåvad, klyftig
braise [breɪz] kok. bräsera
1 brake [breɪk] **I** *s* broms [*~ pedal*]; *apply (put on) the ~* bromsa **II** *vb tr* o. *vb itr* bromsa [in]; *braking distance* bromssträcka; *~ system* bromssystem
2 brake [breɪk] busksnår
brake disc ['breɪkdɪsk] bromsskiva
brake fluid ['breɪkflu:ɪd] bromsvätska
brake light ['breɪklaɪt] bromsljus
brake lining ['breɪkˌlaɪnɪŋ] bromsbelägg
bramble ['bræmbl] **1** taggig buske; isht björnbärsbuske **2** björnbär
bran [bræn] kli
branch [brɑ:n(t)ʃ] **I** *s* **1** gren, kvist **2 a**) förgrening; gren [*~ of industry*]; arm [*~ of a river*] **b**) bildl. avdelning; område **3** filial; avdelningskontor; *~ bank* bankfilial; *~ line* järnv. bibana, sidolinje **II** *vb itr* skjuta grenar; *~ [off]* el. *~ out* [för]grena (grena ut, dela) sig
brand [brænd] **I** *s* **1** sort [*~ of coffee*; *a new ~ of politics*], märke [*~ of cigarettes*]; *~ image* visst märkes image; bildl. egen profil **2** bildl. stämpel; skamfläck; *the ~ of Cain* kainsmärket **3** brännjärn; brännmärke **II** *vb tr* **1** bränna in [ett märke på] med brännjärn [*~ cattle*] **2** bildl. **a**) brännmärka, stämpla [*~ as an aggressor*] **b**) *~ed upon a p.'s memory* outplånligt inristad i ngns minne
brandish ['brændɪʃ] svänga vapen o.d.
brand-new [ˌbræn(d)'nju:] splitt[er] ny
brandy ['brændɪ] konjak
brash [bræʃ] **1** framfusig **2** prålig, skrikig [*a ~ suit*] **3** förhastad
brass [brɑ:s] **1** mässing; litt. brons; *sounding ~* bibl. ljudande malm **2** minnesplåt av mässing i kyrka **3** *the ~* mus. a) mässingsinstrumenten, bleckblåsinstrumenten i en orkester b) om orkestermedlemmarna blecket, bleckblåsarna; *~ band* mässingsorkester **4** vard. kosing, stålar **5** vard. fräckhet
brassiere o. **brassière** ['bræsɪə, -sɪeə, 'bræzɪə, amer. brə'zɪə] bysthållare
brat [bræt] barnunge
bravado [brə'vɑ:dəʊ] skryt
brave [breɪv] **I** *adj* **1** modig **2** litt. fin; *it made a ~ show* det var en grann syn **II** *s* krigare i nordamerikanska indianstammar **III** *vb tr* trotsa; *~ it out* inte låta sig bekomma
bravery ['breɪv(ə)rɪ] mod, tapperhet
bravo [ˌbrɑ:'vəʊ, i bet. *II 2* '--] **I** *interj*, *~!* bravo! **II** (pl. *~s*, i bet. *2* äv. *~es*) *s* **1** bravo[rop] **2** lejd mördare; bandit
brawl [brɔ:l] **I** *vb itr* bråka, gräla högljutt **II** *s* bråk, gruff
brawn [brɔ:n] **1** [välutvecklade] muskler; muskelstyrka **2** kok. sylta
brawny ['brɔ:nɪ] muskulös
bray [breɪ] **I** *vb itr* om åsna skria **II** *vb tr*, *~ [out]* skalla, skrika ut **III** *s* skri[ande], skall
brazen ['breɪzn] **I** *adj* **1** av mässing (brons, malm) **2** skränig [*a ~ voice*]; fräck, skamlös [*a ~ lie*] **II** *vb tr*, *~ it out* skamlöst (fräckt) sätta sig över, klara sig med fräckhet
1 brazier ['breɪzjə, -ʒjə] mässingsslagare
2 brazier ['breɪzjə, -ʒjə] **1** fyrfat **2** amer. [liten] utomhusgrill
Brazil [brə'zɪl] Brasilien
Brazilian [brə'zɪljən] **I** *adj* brasiliansk; *~ rosewood* palisander **II** *s* brasilian[are]
brazil nut [brə'zɪlnʌt] paranöt
breach [bri:tʃ] **I** *s* **1** brytning; brytande; brott; överträdelse; *~ of contract* kontraktsbrott; *~ of discipline* disciplinbrott, brott mot ordningen; *~ of duty* tjänstefel; *~ of the peace* jur. brott mot (störande av) den allmänna ordningen; *~ of promise [of marriage]* jur. (hist.) brutet äktenskapslöfte **2** bräsch; hål; rämna; bildl. klyfta; *step into (fill) the ~* bildl. rycka in [och hjälpa till] **3** brottsjö **II** *vb tr* göra (slå) en bräsch i; bryta [sig] igenom
bread [bred] **I** *s* **1** bröd; matbröd; *~ and butter* a) smör och bröd b) smörgås[ar] c) brödföda **2** bröd [*one's daily ~*], levebröd, uppehälle; *make (earn) one's ~* förtjäna sitt [leve]bröd (uppehälle) **3** sl. stålar **II** *vb tr* bröa
breadbin ['bredbɪn] brödburk, brödskrin
breadboard ['bredbɔ:d] skärbräda; bakbord
breadcrumb ['bredkrʌm] **I** *s* **1** [bröd]inkråm **2** isht pl. *~s* rivebröd, brödsmulor, ströbröd **II** *vb tr* bröa

breadline ['bredlaɪn] **1** utspisningskö **2** existensminimum, svältgräns [*live below (on) the ~*]

breadth [bredθ] **1** bredd; utrymme **2** ~ *of mind* vidsynthet, tolerans

breadwinner ['bred,wɪnə] familjeförsörjare

break [breɪk] (*broke broken*) **I** *vb tr* **1** bryta [av], knäcka; ha (slå) sönder [~ *a vase*]; spränga [~ *a blood vessel*]; ~ *open* bryta upp, spränga [~ *open a door*] **2** krossa [~ *a p.'s heart*], bryta [~ *a p.'s will*]; knäcka, ruinera; bryta ner **3** bryta mot [~ *the law*] **4** avbryta; bryta [~ *the silence*], göra slut på; dämpa [~ *the force of a blow*]; ~ *a journey* göra uppehåll i en resa **5** dressera; ~ *a horse* rida in en häst **6** ~ *a p. of* vänja ngn av med, få ngn att lägga bort **7** i spec. förb.: ~ *the back of the work* göra undan det värsta av arbetet; ~ *the ice* bildl. bryta isen; ~ *the news to a p.* meddela ngn nyheten; ~ *and enter* [*a house*] bryta sig in i...

II *vb itr* **1** gå sönder [*the glass broke*], brytas (slås) sönder; brista; gå av [*the rope broke*], bräckas, knäckas; sprängas [*a blood vessel broke*]; *her waters have broken* vattnet har gått vid födsel **2** om röst **a**) brytas; *her voice broke* hennes röst bröts **b**) *his voice is beginning to ~* han börjar komma i målbrottet **3** bryta sig lös (fri); *~!* boxn. bryt! **4** *the storm broke* ovädret bröt lös[t] **5** gry; *dawn is ~ing* det gryr **6** om knoppar o.d. spricka ut **7** om våg o.d. bryta [sig] **8** ljuda [*a cry broke from her lips*]; bryta fram **9** ~ *even* vard. få det att gå ihop **10** ~ *into* **a**) bryta ut i [~ *into laughter*] **b**) börja begagna [~ *into one's capital*] **c**) gå över till [~ *into a gallop*] **d**) ~ *into a house* bryta sig in i ett hus

III *vb tr* o. *vb itr* med adv. isht med spec. övers.:

~ **away** slita sig lös (loss); göra sig fri; ~ *away from* äv. bryta med

~ **back** i tennis o.d. bryta tillbaka

~ **down**: **a**) bryta ner; knäcka ngns hälsa **b**) bryta ihop (samman); få ett sammanbrott **c**) dela (lösa) upp; analysera **d**) slå in t.ex. dörr; störta samman **e**) gå sönder [och stanna] **f**) komma av sig; stranda, bryta samman [*the negotiations broke down*] **g**) svikta [*his health broke down*]; bli nedbruten (förkrossad)

~ **in**: **a**) träna upp; tämja, rida in [~ *in a horse*] **b**) röka in [~ *in a pipe*] **c**) bryta [sig] in **d**) avbryta; ~ *in* [*up*]*on* plötsligt störa (avbryta)

~ **off**: **a**) [plötsligt] avbryta; ~ *off an engagement* slå upp (bryta) en förlovning **b**) brytas av; lösgöra sig **c**) avbryta sig

~ **out**: **a**) utbryta [*war (a fire) has broken out*] **b**) rymma [~ *out of jail*], frigöra sig från **c**) brista ut; ~ *out laughing* brista ut i skratt **d**) ~ *out in spots* få utslag på huden

~ **up**: **a**) bryta upp [~ *up a lock*]; bryta (hugga, slå) sönder **b**) upplösa [*the police broke up the crowd*] **c**) dela upp [~ *up a word into syllables*], lösa upp; stycka **d**) sluta [*school ~s up today*] **e**) gå skilda vägar [*she and her boyfriend broke up after a year*]

IV *s* **1** brytande, brytning; brott **2** spricka; avbrott; paus; omslag i t.ex. vädret; *it makes a ~* det är ett [välkommet] avbrott; *without a ~* utan avbrott, i ett kör **3** *at ~ of day* vid dagens inbrott, i gryningen **4** sport., *on the ~* i fotb. o.d. på en kontring **5** vard., *a bad ~* otur; *a lucky ~* tur **6** vard. chans; *give me a ~!* ge mig en chans!, lägg av! **7** utbrytning ur t.ex. fängelse; rymning; *make a ~ for it* vard. försöka fly (rymma)

breakable ['breɪkəbl] **I** *adj* brytbar, bräcklig **II** *s,* pl. *~s* sköra saker

breakage ['breɪkɪdʒ] **1** sönderbrytning **2** pl. *~s* [ersättning för] sönderslaget gods

breakaway ['breɪkəweɪ] brytande, brytning; utbrytning äv. sport.; sport. kontring; ~ *group* utbrytargrupp

breakdown ['breɪkdaʊn] **1** sammanbrott [*the ~ of the negotiations*]; sammanstörtande; fall; nedbrytning av hälsa; ~ *of a (the) marriage* ung. djup och varaktig söndring **2** stopp [på grund av maskinskada]; motorstopp; ~ *car (lorry, van)* bärgningsbil **3** sönderdelning, analys [*a ~ of the figures (report)*]; klassificering; uppdelning i mindre enheter

breaker ['breɪkə] **1** bränning; *~s ahead* bildl. fara å färde **2** elektr. strömbrytare; ~ *point* i strömfördelare [av]brytarspets **3** bilskrotare; *~'s yard* bilskrotningfirma

breakfast ['brekfəst] **I** *s* frukost; ~ *food (cereals)* flingor o.d.; ~ *things* frukostservis **II** *vb itr* äta frukost, frukostera

break-in ['breɪkɪn] inbrott

breakneck ['breɪknek] halsbrytande [~ *speed*]

breakthrough ['breɪkθru:] genombrott äv. bildl.

break-up ['breɪkʌp] **1** upplösning [*the ~ of a marriage*]; brytning [*a ~ between Charles and Diana*]; splittring [*the ~ of a political party*]; förfall [*the ~ of an empire*]; slut; sammanbrott **2** avslutning t.ex. i skolan; uppbrott **3** uppdelning [*the ~ of large estates*]

breakwater ['breɪk,wɔ:tə] vågbrytare

bream [bri:m] zool. braxen

breast [brest] **I** *s* bröst äv. bildl.; barm; bringa; *make a clean ~ of it* lätta sitt samvete, bekänna alltsammans **II** *vb tr,* ~ *the tape* sport. spränga målsnöret

breast-fed ['brestfed] uppfödd på bröstmjölk; ~ *baby* bröstbarn
breast-feed ['brestfi:d] (*breast-fed breast-fed*) amma
breaststroke ['bres(t)strəʊk] bröstsim
breath [breθ] **1** andedräkt; anda; andning; *catch one's* ~ kippa efter andan; hämta andan; *hold one's* ~ hålla andan; *save your* ~*!* var (håll) tyst!; *waste one's* ~ tala förgäves, tala för döva öron; *out of* ~ el. *short of* ~ andfådd **2** andetag; pust; *a* ~ *of fresh air* a) en nypa frisk luft b) en frisk fläkt; *take a deep* ~ ta ett djupt andetag, andas djupt
breathalyser o. **breathalyzer** ['breθəlaɪzə] alkotestapparat; ~ *test* alkotest
breathe [bri:ð] **I** *vb itr* **1** andas; leva; ~ *down a p.'s neck* bildl. hänga över ngns axel, vara på ngn **2** andas ut; ~ *again* (*freely*) andas (pusta) ut **II** *vb tr* **1** andas; ~ *fire* om drake spruta eld **2** bildl. andas [~ *joy*; ~ *simplicity*]; ~ *a word of* knysta om **3** låta andas (pusta) ut **4** *he was* ~*d* han hade tappat andan
breather ['bri:ðə] **1** vilopaus, andhämtningspaus; avkoppling; *take a* ~ äv. pusta ut ett slag **2** *a* ~ en stunds motion
breathing ['bri:ðɪŋ] andning, andhämtning
breathing-space ['bri:ðɪŋspeɪs] andningspaus, andrum båda äv. bildl.
breathless ['breθləs] andfådd; andlös äv. bildl.
breathtaking ['breθˌteɪkɪŋ] nervkittlande, nervpirrande; hisnande
bred [bred] imperf. o. perf. p. av *breed*
breeches ['brɪtʃɪz] knäbyxor; ibl. byxor; *she wears the* ~ det är hon som bestämmer var skåpet ska stå
breed [bri:d] **I** (*bred bred*) *vb tr* **1** föda upp djur; förädla; odla; avla **2** bildl. frambringa, alstra; väcka [~ *bad blood*], leda till [*war* ~*s misery*] **3** [upp]fostra, utbilda **II** (*bred bred*) *vb itr* **1** få (föda) ungar; föröka sig; fortplanta sig; häcka **2** uppstå, uppkomma, sprida sig **III** *s* **1** ras; ~ *of cattle* kreatursstam **2** sort, slag [*men of the same* ~], släkte; [*artists*] *are an odd* ~ ...är ett släkte för sig **3** amer. neds. halvblodsindian
breeder ['bri:də] **1** djur (växt) som förökar sig; *rabbits are rapid* ~*s* kaniner förökar sig snabbt **2** uppfödare [*horse* ~]; förädlare [*plant* ~] **3** avelsdjur **4** tekn., ~ [*reactor*] bridreaktor
breeding ['bri:dɪŋ] **1** alstring; uppfödning; förädling av djur o. växter **2** [upp]fostran; fostrande **3** fortplantning; häckning
breeze [bri:z] **I** *s* **1** a) bris, fläkt, [lätt] vind b) sjö. bris 2-6 grader Beaufort; *light* (*slight*) ~ lätt bris; *gentle* (*moderate*) ~ god (frisk) bris; *fresh* (*strong*) ~ styv (hård) bris **2** vard. bråk; gräl **3** vard. lätt match [*the test was a* ~] **4** sl., *get* (*have*) *the* ~ *up* bli (vara) skraj (byxis); *put the* ~ *up a p.* göra ngn skraj (byxis) **5** isht amer. sl., *take* (*hit, split*) *the* ~ sticka, dra, smita **6** isht amer. sl., *shoot the* ~ snacka **II** *vb itr* vard., ~ *along* susa (rusa) iväg
breeze block ['bri:zblɒk] byggn. slaggbetongblock
breezy ['bri:zɪ] **1** blåsig, luftig; sval, frisk **2** glad[lynt]
brethren ['breðrən] se *brother*
Breton ['bret(ə)n] **I** *adj* bretonsk **II** *s* breton
brevity ['brevətɪ] korthet; koncishet; ~ *is the soul of wit* ung. det korta är det mest träffande; i begränsningen visar sig mästaren
brew [bru:] **I** *vb tr* **1** brygga [~ *beer*]; ~ [*up*] *tea* koka te **2** bildl. koka ihop [*the boys are* ~*ing mischief*] **II** *vb itr* **1** bryggas; stå och dra [*let the tea* ~] **2** vard., ~ *up* koka te **3** bildl. vara i görningen (faggorna) [*there is something* ~*ing*]; *a storm is* ~*ing* det drar ihop sig till oväder **III** *s* brygd; *a strong* ~ [*of tea*] starkt te
brewer ['bru:ə] bryggare; ~*'s yeast* öljäst
brewery ['bru:ərɪ] bryggeri
1 briar ['braɪə] **1** bot. briar, ljungträ vars rot används till pipor **2** briarpipa
2 briar ['braɪə] se *2 brier*
bribe [braɪb] **I** *s, a* ~ el. pl. ~*s* mutor, en muta **II** *vb tr* muta **III** *vb itr* ge (använda sig av) mutor
bribery ['braɪbərɪ] bestickning; tagande av mutor (muta); *be open to* ~ vara mutbar
brick [brɪk] **I** *s* **1** tegel[sten]; ~ *wall* tegelmur, tegelvägg; *like a ton of* ~*s* vard. med förkrossande tyngd **2** tegelstensformat stycke, bit [~ *of soap*], block [~ *of frozen fish*]; brikett **3** byggkloss; *box of* ~*s* bygglåda **4** vard. hedersprick; *be a* ~ äv. vara bussig **II** *vb tr* **1** mura (beklädа) med tegel **2** ~ *up* (*in*) mura igen (till); ~ *in* äv. mura in
bricklayer ['brɪkˌleɪə] murare
bridal ['braɪdl] brud- [~ *gown*], bröllops- [~ *preparations*]; ~ *train* brudfölje
bride [braɪd] brud; nygift (ung) fru
bridegroom ['braɪdgru:m, -grʊm] brudgum
bridesmaid ['braɪdzmeɪd] brudtärna
1 bridge [brɪdʒ] kortsp. bridge [*auction* ~; *contract* ~]
2 bridge [brɪdʒ] **I** *s* **1** bro; brygga; övergång över järnväg etc.; *we'll cross the* ~ *when we come to it* ung. den dagen den sorgen **2** ~ *of the nose* näsrygg **3** stall på stråkinstrument **II** *vb tr* slå en bro över; bildl. överbrygga [~ *the gap*]; ~ *over difficulties* övervinna (bemästra) svårigheter

bridgehead ['brɪdʒhed] mil. brohuvud

bridle ['braɪdl] **I** *s* **1** betsel; *give a horse the ~* ge en häst fria tyglar **2** bildl. tygel **II** *vb tr* **1** betsla **2** bildl. tygla; lägga band på [*~ one's temper*]

bridle path ['braɪdlpɑ:θ] ridväg, ridstig

brief [bri:f] **I** *s* **1** sammandrag; *I hold no ~ for him* jag har ingenting till övers för honom, jag försvarar honom inte **2** jur. resumé (föredragning) av fakta etc. i ett mål **3** pl. *~s* [dam]trosor; [herr]kalsonger **II** *adj* kort, kortvarig; *be ~* fatta sig kort; *in ~* kort sagt; *the news in ~* nyheterna i sammandrag **III** *vb tr* **1** sammanfatta, ge en resumé (sammanfattning) av **2** orientera, briefa, ge direktiv [*the pilots were ~ed about the operation*]; informera; preparera; *~ a p. about the work* sätta ngn in i arbetet

briefcase ['bri:fkeɪs] portfölj

briefing ['bri:fɪŋ] orientering

1 brier ['braɪə] se *1 briar*

2 brier ['braɪə] törnbuske; isht nyponbuske

brigade [brɪ'geɪd] **1** mil. brigad **2** kår

brigadier [ˌbrɪgə'dɪə] brigadgeneral; motsv. överste av 1. graden inom armén; brigadör inom frälsningarmén

bright [braɪt] **I** *adj* **1** klar, ljus; blank, glänsande, skinande; *~ intervals* meteor. tidvis uppklarnande [väder] **2** glad [*a ~ face*], lycklig [*feel ~*], ljus [*~ prospects*]; *look on the ~ side* [*of things*] se det från den ljusa sidan; *things are looking ~er* det börjar se ljusare (hoppfullare) ut **3** vaken [*a ~ child*]; *a ~ idea* en ljus idé, ett kvickt infall; iron. [just] ett fint påhitt; *a ~ spark* a) ett ljushuvud b) en lustigkurre; en glad lax **II** *adv* klart [*shine ~*]

brighten ['braɪtn] **I** *vb tr* **1** göra ljus[are], göra klar[are]; lysa upp [*~ a p.'s life*] **2** muntra upp [äv. *~ up*] **II** *vb itr*, *~* [*up*] bli ljus[are]; klarna [upp], skina upp, ljusna; lysa upp [*his face ~ed up*], livas upp

brilliance ['brɪljəns] o. **brilliancy** ['brɪljənsɪ] **1** glans; lysande sken **2** briljans, begåvning

brilliant ['brɪljənt] **I** *adj* **1** strålande [*~ sunshine*], glänsande [*~ jewels*] **2** briljant; strålande [*a ~ idea*]; lysande [*a ~ career*]; genialisk; mästerlig **II** *s* briljant

brim [brɪm] **I** *s* **1** brädd, rand [*the ~ of a cup*] **2** brätte **II** *vb tr* fylla till brädden **III** *vb itr* vara bräddad (bräddfull, fylld till brädden); *~ over* rinna över, flöda över äv. bildl. [*with* av]

brimfull [ˌbrɪm'fʊl, 'brɪmfʊl] bräddfull, rågad; bildl. sprängfylld [*~ of ideas*]

brine [braɪn] **I** *s* saltvatten; saltlösning; salt- **II** *vb tr* lägga i (behandla med) saltlake; salta [in]

bring [brɪŋ] (*brought brought*) **I** *vb tr* **1** komma med; ha (ta) med sig; hämta; inbringa [*his writings ~ him £30,000 a year*]; [för]skaffa; *~ me...* ta hit (hämta)... **2 a**) framkalla; medföra; orsaka **b**) förmå, bringa, få **3** lägga fram; *~ an action against a p.* väcka åtal mot ngn **4** med adv. isht med spec. övers.:

~ **about** få till stånd, förorsaka [*~ about a crisis*]

~ **along** ha med sig

~ **back** ta (ha) med sig tillbaka; väcka [*~ back many memories*]; återinföra; *~ a p. back to health* återge ngn hälsan; *~ a p. back to life* återuppliva ngn

~ **down** skjuta ner [*~ down a plane*]; störta [*~ down a tyrant*]; få ner [*~ down prices*]; föra fram [*~ down a history to modern times*]; *~ one's fist down on the table* slå näven i bordet; *~ down upon* dra [ner] över

~ **forth** frambringa; lägga fram [*~ forth a proposal*]; *~ forth young* få ungar

~ **forward**: **a**) föra fram; flytta fram [*~ forward a meeting*]; anföra [*~ forward proof*] **b**) bokf. transportera; *amount brought forward* transport från ngt; *balance brought forward* ingående saldo

~ **in** föra in; inbringa [*~ in money*]; väcka [*~ in a bill*]; införa; kalla in [*~ in experts*]; *the jury brought in a verdict of guilty* juryns utslag löd på 'skyldig'

~ **off** klara av [*it was difficult, but they brought it off*]

~ **on** förorsaka [*an illness brought on by...*], medföra

~ **out** framhäva [*~ out a contrast*], bringa i dagen; uppföra [*~ out a play*], ge ut [*~ out a new book*]; *~ out the best in a p.* få fram det bästa hos ngn

~ **round** få att kvickna till, återställa; ta med [sig]; *~ a p. round to one's point of view* omvända ngn till sin åsikt

~ **to** väcka till medvetande [igen]

~ **up** a) uppfostra, utbilda b) kasta upp [*~ up one's dinner*] c) ta (dra) upp [*~ up a question*], föra (bringa) på tal; föra (lyfta, hämta) upp; föra fram till en viss tidpunkt

II *vb itr*, *~ to* sjö. dreja (lägga) bi

brink [brɪŋk] rand; *be on the ~ of doing a th.* vara nära (på vippen) att göra ngt; *on the ~ of ruin* på ruinens brant

brisk [brɪsk] **I** *adj* **1** livlig [*a ~ demand for cotton goods*], rask [*at a ~ pace*] **2** uppiggande [*~ air, a ~ wind*]; munter [*a ~ fire*] **II** *vb tr*, *~* [*up*] liva upp, pigga upp; påskynda

bristle ['brɪsl] **I** *s* borst[hår]; skäggstrå [*his face was covered with ~s*], styvt hår[strå]; vanl. pl.: *~s* koll. borst [*a toothbrush with stiff ~s*] **II** *vb itr* **1** *~* [*up*] resa sig, stå på ända [*his hair ~d* [*up*]] **2** ~ [*up*] resa borst (ragg, kam); ~ [*with anger*] bli tvärarg **3** ~ *with* bildl. vimla av [~ *with difficulties*] **III** *vb tr* **1** resa [*the cock ~d its crest*] **2** sätta borst i

bristly ['brɪslɪ] borstig [*a ~ moustache*], borstlik; sträv [*a ~ chin*]

Brit [brɪt] vard. britt, engelsman

Britain ['brɪtn] **1** [*Great*] ~ Storbritannien; ibl. England **2** hist. Britannien

British ['brɪtɪʃ] **I** *adj* brittisk; engelsk **II** *s, the ~* britterna, engelsmännen

Briton ['brɪtn] britt äv. hist.

Brittany ['brɪtənɪ] geogr. Bretagne

brittle ['brɪtl] spröd

broach [brəʊtʃ] **I** *s* **1** [stek]spett **2** tekn. syl; skärborr **II** *vb tr* **1** slå upp vinfat, ölfat **2** komma fram med [~ *a subject*] **3** tekn. borra med skärborr; brotscha

broad [brɔ:d] **I** *adj* **1** bred; vid[sträckt]; ~ *beans* bondbönor; *it's as ~ as it's long* det kommer på ett ut **2** full; *in ~ daylight* mitt på ljusa dagen **3** öppen, tydlig [*a ~ hint*] **4** grov, huvudsaklig [*the ~ features of a th.*, *~ outline*[*s*]]; allmän, generell [*a ~ rule*, *~ principles*]; *in a ~ sense* i stort sett, i stora (grova) drag **II** *s* isht amer. sl. fruntimmer, brud; fnask

broadcast ['brɔ:dkɑ:st] **I** (*broadcast broadcast* ibl. *~ed ~ed*) *vb tr* **1** sända [i radio (TV)] [~ *a concert*] **2** lantbr. så för hand, bredså **3** basunera ut **II** (för tema se *I*) *vb itr* uppträda (tala) i radio, uppträda i TV **III** *s* **1** [radio]utsändning **2** lantbr., ~ [*sowing*] bredsåning, bredsådd **IV** *adj* radio-; radio- och TV- [~ *news*]

broadcasting ['brɔ:dˌkɑ:stɪŋ] radio[utsändning]; *the British B~ Corporation* brittiska icke-kommersiella radion och televisionsbolaget, BBC

broaden ['brɔ:dn] **I** *vb tr* göra bred[are] (vid[are]); vidga [ut] [äv. ~ *out*]; *~ one's mind* vidga sin horisont (synkrets) **II** *vb itr* bli bred[are], vidga [ut] sig

broadly ['brɔ:dlɪ] brett etc., jfr *broad I*; i största allmänhet; [i] friare [betydelse]; *~ speaking* i stort sett

broad-minded [ˌbrɔ:d'maɪndɪd] vidsynt, tolerant

broad-shouldered [ˌbrɔ:d'ʃəʊldəd] bredaxlad

broccoli ['brɒkəlɪ] broccoli

brochure ['brəʊʃə, -ʃʊe] broschyr; prospekt över resor o.d.

1 brogue [brəʊg] broguesko; sportsko

2 brogue [brəʊg] dialekt[uttal]; isht irländskt uttal

broil [brɔɪl] **I** *vb tr* steka **II** *vb itr* stekas; steka sig [*sit ~ing in the sun*]

broiler ['brɔɪlə] **1** halster, rost **2** broiler gödkyckling **3** vard. stekhet dag

broiling ['brɔɪlɪŋ] brännhet, glödhet; *it's ~* [*hot*] äv. det gassar (steker)

broke [brəʊk] **I** imperf. o. perf. p. av *break* **II** *adj* vard. pank; *go for ~* satsa allt man har

broken ['brəʊk(ə)n] **1** bruten, knäckt etc., jfr *break*; sönder, trasig [*a ~ marriage*], splittrad [*a ~ home*], förfallen **2** [ned]bruten [*a ~ man*]; förkrossad; ruinerad **3** tämjd [ofta ~ *in*]; amer. inkörd; disciplinerad **4** [ofta] avbruten [~ *sleep*] **5** *in ~ tones* med osäker stämma, stammande

broken-down [ˌbrəʊkən'daʊn] **1** utnött, förfallen **2** trasig, som har gått sönder **3** nedbruten; avtynad

broken-hearted [ˌbrəʊk(ə)n'hɑ:tɪd] nedbruten av sorg

broker ['brəʊkə] **1** mäklare; agent, mellanhand **2** utmätningsman; *put in the ~s* göra utmätning

brokerage ['brəʊkərɪdʒ] **1** mäkleri **2** mäklararvode, courtage

brolly ['brɒlɪ] vard. paraply

bronchitis [brɒŋ'kaɪtɪs] bronkit, luftrörskatarr

bronze [brɒnz] **I** *s* **1** brons; *the B~ Age* bronsåldern **2** bronsfärg **3** brons[föremål] **II** *vb tr* **1** bronsera **2** göra brun (solbränd); *~d* solbränd **III** *vb itr* bli brun (solbränd)

brooch [brəʊtʃ] brosch; bröstnål

brood [bru:d] **I** *s* **1** kull **2** yngel, avkomma **II** *vb itr* **1** ligga på ägg **2** vila, ruva [*the night ~ed over the town*] **3** bildl. grubbla **III** *vb tr* **1** ruva [fram] **2** bildl. ruva (grubbla) på (över)

broody ['bru:dɪ] **1** liggsjuk om höna **2** grubblande; missmodig

1 brook [brʊk] bäck

2 brook [brʊk] tåla; medge; *they will ~ no interference* de tål inte någon inblandning

broom [bru:m, brʊm] **1** kvast; [långskaftad] sopborste; *a new ~ sweeps clean* nya kvastar sopar bäst **2** bot. ginst

broomstick ['bru:mstɪk] kvastskaft

broth [brɒθ] [kött]spad, buljong; köttsoppa; *too many cooks spoil the ~* ju flera kockar, dess sämre soppa

brothel ['brɒθl] bordell

brother ['brʌðə] (pl. *~s*, i bet. *3* ofta *brethren*) **1** bror; *Smith Brothers* Bröderna Smith firmanamn; *they are ~*[*s*] *and sister*[*s*] de är syskon **2** medbroder; ämbetsbroder, yrkesbroder; *~s in arms* vapenbröder **3** relig. [tros]broder **4** isht amer. sl. polare; kompis; *~, can you spare a dime?* ung. hörru, har du en krona [till en kopp kaffe]?

brotherhood ['brʌðəhʊd] broderskap; brödraskap; *the ~ of man* den mänskliga gemenskapen

brother-in-law ['brʌð(ə)rɪnlɔ:] (pl. *brothers-in-law* ['brʌðəzɪnlɔ:]) svåger
brotherly ['brʌðəlɪ] broderlig
brought [brɔ:t] imperf. o. perf. p. av *bring*
brow [braʊ] **1** ögonbryn; *knit one's ~s* rynka pannan (ögonbrynen) **2** panna; bildl. min **3** utsprång, kant av bråddjup; krön; ~ *of a hill* backkrön
browbeat ['braʊbi:t] (*browbeat browbeaten*) spela översittare mot, hunsa [med]
brown [braʊn] **I** *adj* **1** brun; ~ *bread* ung. mörkt bröd, fullkornsbröd; ~ *rice* råris; ~ *sugar* rårörsocker, farinsocker **2** mörkhyad; brun, solbränd **II** *s* **1** brunt; brun färg **2** flygande svärm (flock) av fågelvilt **III** *vb tr* **1** brunsteka, bryna **2** *be ~ed off* sl. vara utled på allting, vara uttråkad (deppig) **IV** *vb itr* bli brun
browse [braʊz] **I** *s* **1** löv o.d. som foder; magert bete **2** betande; *have a ~ among* (*through*) [*a p.'s books*] botanisera bland... **II** *vb tr* beta av **III** *vb itr* **1** beta; ~ *on* [*leaves*] leva på (av)... **2** bildl. gå (strosa) runt och titta; ~ *among* (*through*) [*a p.'s books*] botanisera bland...
bruise [bru:z] **I** *s* blåmärke; stöt, fläck på frukt o.d. **II** *vb tr* **1** ge blåmärken (krossår); stöta frukt; *he fell and ~d his leg* han ramlade och fick blåmärken på benet **2** mala (stöta) sönder, krossa **III** *vb itr*, ~ *easily* lätt få blåmärken
brunch [brʌn(t)ʃ] (bildat av *breakfast* o. *lunch*) brunch, frukost-lunch
brunette [bru:'net] brunett
brunt [brʌnt] [våldsamt] angrepp; *bear the ~* bildl. stå i skottgluggen, få ta emot stötarna; *bear the ~ of the blame* bära (ha) största skulden
brush [brʌʃ] **I** *s* **1** borste; kvast; pensel **2** [av]borstning; *give a p. a ~* borsta av ngn **3** [räv]svans **4** elektr. [kol]borste; strålknippe **5** sammandrabbning; nappatag **6** småskog, snårskog; ris **II** *vb tr* **1** borsta [~ *one's hair* (*teeth*)], borsta av [~ *one's coat*]; sopa; skrubba; stryka [~ *back one's hair*]; *~ed nylon* borstad nylon; ~ *away* stryka bort [~ *away a tear*]; ~ *off* vard. nobba, avspisa; ~ *up* piffa upp, friska (fräscha) upp [sina kunskaper i] **2** snudda vid; stryka förbi **III** *vb itr* **1** ~ *against* (*by, past*) snudda vid; stryka förbi **2** ~ *off* gå att borsta bort [*the mud will ~ off when it dries*] **3** ~ *up on* amer. friska upp [sina kunskaper i]
brushwood ['brʌʃwʊd] småskog, snårskog; ris ss. bränsle
brusque [brʊsk, bru:sk, brʌsk] tvär
Brussels ['brʌslz] geogr. Bryssel, bryssel- [~ *lace*]
Brussels sprouts [ˌbrʌslz'spraʊts] brysselkål
brutal ['bru:tl] brutal; djurisk; grov
brutality [bru:'tælətɪ] brutalitet
brute [bru:t] **I** *adj* **1** om djur oskälig **2** djurisk; rå; brutal; ~ *force* rå styrka **II** *s* **1** oskäligt djur **2** brutal (rå) människa; vard. odjur, kräk
brutish ['bru:tɪʃ] djurisk, rå
B.Sc. [ˌbi:es'si:] förk. för *Bachelor of Science*
BSI förk. för *British Standards Institution*
BST förk. för *British Standard Time, British Summer Time*
bubble ['bʌbl] **I** *s* **1** bubbla; bubblande; *blow ~s* blåsa såpbubblor **2** bildl. [luft]bubbla [*the ~ burst at last*]; humbug; humbugs- **3** pratbubbla **II** *vb itr* bubbla; sprudla; ~ *over* bildl. sprudla [*with* av]
bubble bath ['bʌblbɑ:θ] skumbad
buccaneer [ˌbʌkə'nɪə] sjörövare; äventyrare
1 buck [bʌk] **I** *s* **1** bock av dovhjort, ren, hare, kanin m. fl.; ~ *teeth* utstående framtänder i överkäken; 'hästtänder' **2** åld. sprätt **3** amer. sl. (neds.) ung neger (indian) **4** isht amer. [såg]bock; gymn. bock **II** *vb itr* o. *vb tr* **1** om häst hoppa med krökt rygg [och slå (sparka) bakut] för att kasta av ryttare; stånga **2** ~ *up* vard. raska på; pigga (gaska) upp [sig]
2 buck [bʌk] amer. sl. dollar; *a fast ~* snabba pengar (stålar)
bucket ['bʌkɪt] **I** *s* **1** pyts, ämbar; *a drop in the ~* en droppe i havet; *kick the ~* sl. kola av **2** mudderskopa **II** *vb itr*, ~ [*down*] a) ösregna, hällregna [*it is ~ing* [*down*]] b) ösa ner [*the rain is ~ing down*]
bucketful ['bʌkɪtfʊl] (pl. *~s* el. *bucketsful*) ss. mått spann
buckle ['bʌkl] **I** *s* spänne; buckla **II** *vb tr* **1** fästa med spänne; ~ *on* äv. spänna på (om) sig **2** ~ [*up*] buckla [till], böja **III** *vb itr* **1** ~ *to* (*down*) hugga i, lägga manken till **2** ~ [*up*] böja (kröka, vika) sig, bågna, ge vika
1 bud [bʌd] **I** *s* knopp; öga på växt; *nip* [*a plot*] *in the ~* kväva...i sin linda **II** *vb itr* knoppas, slå ut **III** *vb tr* trädg. okulera
2 bud [bʌd] isht amer. sl., se *buddy*
Buddhism ['bʊdɪz(ə)m, amer. 'bu:-] buddism
budding ['bʌdɪŋ] knoppande; bildl. spirande
buddy ['bʌdɪ] isht amer. sl. kompis, kamrat; i tilltal hörru [kompis (polarn)] [*listen, ~!*]
budge [bʌdʒ] vanl. med negation **I** *vb itr* röra sig ur fläcken äv. bildl. [*he wouldn't ~ an inch*]; *he won't ~ on that point* han är orubblig på den punkten **II** *vb tr* röra ur fläcken
budgerigar ['bʌdʒərɪgɑ:] undulat
budget ['bʌdʒɪt] **I** *s* budget; statsbudget; lågpris- [~ *travel*; ~ *meal*]; ~ *deficit* budgetunderskott **II** *vb itr* göra upp en

budget [~ *for the coming year*] **III** *vb tr* budgetera [*~ed cost*]; planera [~ *one's time*]
budgie ['bʌdʒɪ] vard., se *budgerigar*
buff [bʌf] **I** *s* **1** buffelläder; sämskskinn **2** mattgul färg **3** vard. entusiast [*film* (*theatre, history*) ~] **4** vard., *in the* ~ spritt naken **II** *adj* mattgul **III** *vb tr* polera med sämskskinn
buffalo ['bʌfələʊ] (pl. *~es* el. koll. lika) buffel, buffel- [~ *calf* (*hide*)]; bisonoxe
1 buffer ['bʌfə] buffert; ~ *state* buffertstat
2 buffer ['bʌfə] sl. (neds.) karl; *old* ~ gammal stofil
3 buffer ['bʌfə] polerverktyg; nagelpolerare
1 buffet ['bʌfɪt] **I** *s* knuff, knytnävsslag; bildl. slag **II** *vb tr* **1** slå [till] isht med handen; knuffa [omkring] **2** brottas med
2 buffet ['bʊfeɪ, amer. bə'feɪ, ˌbʊ'feɪ] **1** möbel buffé **2** [serverings]disk; buffé restaurang; ~ *car* järnv. buffévagn, cafévagn **3** mål buffé [*cold* ~]; ~ *supper* gående supé
buffoon [bə'fu:n] **I** *s* pajas; *play the* ~ spela pajas **II** *vb itr* spela pajas
bug [bʌg] **I** *s* **1** vägglus **2** isht amer. [liten] insekt, skalbagge **3** vard. bacill **4** sl., *big* ~ pamp, högdjur **5** isht amer. sl. fix idé **6** amer. vard. entusiast, dåre [*a hi-fi* ~] **7** vard. dold mikrofon **8** vard. [fabrikations]fel, defekt; data. lus programfel **II** *vb tr* **1** vard. bugga **2** isht amer. sl. reta
bugbear ['bʌgbeə] **1** orosmoment **2** [hjärn]spöke; buse
bugger ['bʌgə] **I** *s* **1** jur. sodomit **2** sl. jävel, knöl, sate **3** sl. jäkel [äv. smeksamt: *that sweet little* ~] **4** sl., *it's a* ~ det är för jävligt; *I don't give* (*care*) *a* ~ *if*... jag ger fan i om... **II** *vb tr* sl. **1** begå sodomi med; ~ *about* se *muck about* under *muck II* **2** ~ *it!* fan [också]!; ge fan i det! **3** *I'm ~ed if I know* ta mig fan om jag vet!, det vete fan! **III** *vb itr* sl., ~ *about* se *muck about* under *muck III*
buggy ['bʌgɪ] **1** lätt enspännare **2 a**) [*baby*] ~ paraplyvagn **b**) amer. barnvagn
bugle ['bju:gl] **I** *s* [jakt]horn; mil. signalhorn **II** *vb itr* blåsa i horn **III** *vb tr* blåsa
build [bɪld] **I** (*built built*) *vb tr* bygga; förfärdiga; uppföra; anlägga väg; friare forma; bildl. bygga; ~ *a fire* göra upp en brasa; ~ *up a business* bygga (arbeta) upp ett företag **II** (för tema se *I*) *vb itr* **1** bygga **2** ~ *up* ökas, hopa sig; stegras; byggas upp **3** bildl. lita [*don't* ~ *upon his promises*] **III** *s* [kropps]byggnad; konstruktion; struktur; snitt på kläder
builder ['bɪldə] byggare; byggmästare; *~'s estimate* byggnadskalkyl
building ['bɪldɪŋ] **1** byggande, byggnation, byggnadsverksamhet **2** byggnad **3** ~ *and loan association* amer. hypotekskassa; ~ *licence* byggnadstillstånd
building society ['bɪldɪŋsəˌsaɪətɪ] hypotekskassa
build-up ['bɪldʌp] **1** utbyggnad [*the* ~ *of the nation's heavy industry*] **2** uppbyggande, förarbete; omsorgsfull bearbetning; gradvis intensifiering [*the* ~ *of suspense in the film*] **3** uppmuntran **4** förhandsreklam; *give a p. a* ~ ung. lansera ngn **5** mil. gradvis koncentration [*a* ~ *of forces*]
built [bɪlt] imperf. o. perf. p. av *build*
built-up ['bɪltʌp] [tät]bebyggd [~ *area*]
bulb [bʌlb] **1** [blom]lök; knopplök; ~ *plants* lökväxter **2** elektrisk [glöd]lampa; kula på termometer o.d.
bulbous ['bʌlbəs] lök-; lökformig[t uppsvälld]; tjock
Bulgaria [bʌl'geərɪə, bʊl-] Bulgarien
Bulgarian [bʌl'geərɪən, bʊl-] **I** *s* **1** bulgar **2** bulgariska [språket] **II** *adj* bulgarisk
bulg|e [bʌldʒ] **I** *s* **1** bula, buckla; utbuktning; rundning; ansvällning **2** [temporär] ökning, uppgång i priser o.d.; puckel i t.ex. åldersfördelning; *the* [*birthrate*] ~ vard., ung. de stora årskullarna **II** *vb itr* bukta (svälla) ut, vara bukig, stå (puta) ut; digna; *-ing* äv. bukig, kupig; *-ing eyes* utstående ögon; *-ing pockets* putande fickor
bulimia [bju'lɪmɪə, bʊ-] med. bulimi
bulk [bʌlk] **1** volym; omfång; fyllnad; om papper m.m. grovlek i förhållande till vikt **2** skeppslast; helt parti; ~ *buying* (*orders*) uppköp av (order på) stora (hela) partier **3** *the* ~ det mesta, huvuddelen; de flesta, huvudstyrkan [*of* av] **4** kostfibrer
bulkhead ['bʌlkhed] **1** sjö. skott [*watertight* ~]; ~ *deck* skottdäck **2** skiljevägg
bulky ['bʌlkɪ] skrymmande
1 bull [bʊl] [påve]bulla
2 bull [bʊl] **I** *s* **1** tjur [*take the* ~ *by the horns*]; *like a* ~ *at a* [*five-barred*] *gate* burdust, hetsigt; buffligt; *like a* ~ *in a china shop* som en elefant i en porslinsbutik, klumpig[t] **2** hanne av elefant, val m. fl. stora djur; han-; ~ *elephant* elefanthanne **3** börs. haussespekulant; ~ *market* hausse **4** amer. sl. snut **5** sl. mil. överdriven nit **6** sl. skitsnack; *shoot the* ~ a) prata skit b) skrävla, överdriva **II** *vb tr* börs. försöka pressa upp kursen (priset) på; ~ *the market* spekulera i hausse (kurshöjningar) **III** *vb itr* börs. spekulera i hausse
bulldog ['bʊldɒg] **1** bulldogg; *with* ~ *tenacity* med en bulldoggs envishet **2** britt. univ. sl. 'bulldogg' ordningsvakt som åtföljer *the proctor*
bulldoze ['bʊldəʊz] **1** schakta **2** vard.

tyrannisera, tvinga [~ *a p. into doing* (att göra) *a th.*]
bulldozer ['bʊlˌdəʊzə] **1** bulldozer **2** vard. översittare
bullet ['bʊlɪt] kula till gevär o.d.; *get the* ~ sl. få sparken
bulletin ['bʊlətɪn] bulletin; rapport [*weather* ~]; ~ *board* amer. anslagstavla
bulletproof ['bʊlɪtpru:f] skottsäker
bullfight ['bʊlfaɪt] tjurfäktning
bullfighting ['bʊlˌfaɪtɪŋ] tjurfäktning
bullfinch ['bʊlfɪn(t)ʃ] zool. domherre
bullion ['bʊljən] omyntat (oförarbetat) guld (silver); guldtacka
bullock ['bʊlək] stut, oxe
bullring ['bʊlrɪŋ] tjurfäktningsarena
bull's-eye ['bʊlzaɪ] **1** skottavlas prick; centrum; fullträff äv. bildl.; ~*!* mitt i prick! **2** runt glas, rund lins i lykta o.d.; blindlykta
bullshit ['bʊlʃɪt] vard. **I** *s* **1** skitsnack, nonsens **2** mil. överdriven nit **II** *vb tr* o. *vb itr* **1** prata skit (svamla) [om] **2** mil. hålla strikt ordning [på]
bully ['bʊlɪ] **I** *s* översittare, tyrann **II** *vb tr* spela översittare mot, mobba; med hot tvinga **III** *vb itr* domdera, spela översittare **IV** *adj* o. *interj* isht amer. vard. finfin, utmärkt; jättekul; ~ *for you!* bravo!, det var fint!; din lyckans ost!
bulrush ['bʊlrʌʃ] bot. **1** säv **2** kaveldun
bulwark ['bʊlwək, -wɜ:k] **1** bålverk äv. bildl.; [skyddande] vall (mur) **2** vågbrytare **3** sjö., ~[*s*] brädgång, reling
bum [bʌm] **I** *s* **1** vulg. rumpa, häck, bak **2** amer. vard. luffare; nolla [*he called the umpire a* ~]; *be on the* ~ a) vard. gå på luffen b) sl. vara på dekis; gå på bommen, snylta sig fram c) sl., om sak vara kaputt, ha gått åt fanders **II** *adj* vard. [ur]dålig; trasig [*a* ~ *fuse* (*screw*)]; falsk; ~*'s rush* amer. sl. a) handgripligt utkastande (bortkörande) b) snabbt avfärdande, nobben **III** *vb itr* amer. vard. **1** ~ [*around*] stryka (luffa) omkring **2** snylta **IV** *vb tr* amer. vard. bomma, tigga [~ *a cigarette*]
bumble-bee ['bʌmblbi:] humla
bumf [bʌmf] sl. toapapper
bump [bʌmp] **I** *s* **1** törn **2** bula; svulst, knöl ofta i frenologi **3** ojämnhet på väg; [litet] gupp **4** flyg. luftgrop; vindstöt; studs **5** amer. sl. a) befordran; [löne]förhöjning b) degradering **6** sl. juckande med höfterna, se äv. *III 2* nedan **II** *vb tr* **1** stöta, törna, köra [~ *one's head on the ceiling*]; ~ *a p. off* sl. fixa mörda ngn **2** amer., ~ *up* höja (driva upp) pris o.d. **III** *vb itr* **1** stöta; *I* ~*ed into him* äv. jag stötte ihop med (råkade) honom **2** sl. jucka, knycka med höfterna; ~ *and grind* jucka och rotera med höfterna
bumper ['bʌmpə] **1** stötfångare på bil; fender; amer. buffert **2** attr. riklig, rekord- [~ *crop,* ~ *year*]; *a* ~ *week of films* en bra (fin) filmvecka **3** bräddfullt glas, bräddad bägare
bumptious ['bʌm(p)ʃəs] viktig, dryg
bumpy ['bʌmpɪ] om väg o.d. ojämn, guppig; om luft gropig
bun [bʌn] **1** bulle; *hot cross* ~ bulle med kors på som äts varm på långfredagen **2** [hår]knut
bunch [bʌn(t)ʃ] **I** *s* **1** klase [~ *of grapes*]; bukett [~ *of flowers*], knippa [~ *of keys*], bunt [~ *of papers*]; tofs [~ *of hair* (*grass*)] **2** vard. samling, hop, klunga; massa; *the best of the* ~ den bästa av hela bunten **II** *vb tr,* ~ [*up*] göra en knippa av; samla (bunta) ihop; vecka, drapera **III** *vb itr,* ~ [*up*] fastna (sitta) ihop; dra ihop sig; skocka sig
bundle ['bʌndl] **I** *s* **1** bunt, knippe; *a* ~ *of energy* ett energiknippe **2** sl. jättesumma [pengar]; *do* (*go*) *a* ~ *on* vara (bli) tokig i **II** *vb tr* **1** stuva; ~ *up* a) bunta ihop b) bylta på **2** fösa [~ *a p. away* (*off, out*)] **III** *vb itr,* ~ *away* (*off, out*) packa sig i väg
bun fight ['bʌnfaɪt] vard. tebjudning; barnkalas
bung [bʌŋ] **I** *s* propp; tapp **II** *vb tr* **1** sätta tappen i [ofta ~ *up*]; ~ *up a p.'s eyes* sl. mura igen ögonen på ngn **2** sl. slänga [~ *stones*]; slå
bungalow ['bʌŋgələʊ] bungalow; enplansvilla, enplanshus; småstuga till uthyrning
bungle ['bʌŋgl] **I** *vb tr* förfuska, göra pannkaka av **II** *vb itr* fumla **III** *s* fuskverk; schabbel; röra
bunion ['bʌnjən] öm inflammerad knöl på stortån
1 bunk [bʌŋk] **I** *s* koj; sovhytt; ~ *bed* våningssäng **II** *vb itr* gå till kojs; sova
2 bunk [bʌŋk] sl. **I** *vb itr* smita, sjappa; skolka **II** *s, do a* ~ smita, sjappa
bunker ['bʌŋkə] **I** *s* **1** fartygs kolbox **2** mil. bunker **3** golf. bunker; bildl. hinder **II** *vb itr* bunkra; ~*ing station* bunkringsstation
bunny ['bʌnɪ] **1** barnspr. kanin **2** sl. pangbrud; ~ [*girl*] bunny nattklubbsvärdinna med kanindräkt
1 bunting ['bʌntɪŋ] sparv
2 bunting ['bʌntɪŋ] koll. flaggor
buoy [bɔɪ] **I** *s* sjö. **1** boj; prick **2** se *lifebuoy* **II** *vb tr* **1** sjö. pricka ut med boj[ar] [~ *a channel* (*wreck*)] **2** ~ *up* hålla flott (uppe) **3** bildl. ~ [*up*] hålla uppe, bära upp; inge mod
buoyancy ['bɔɪənsɪ] **1** flytförmåga; bärkraft; flyt- [~ *garments*] **2** viktförlust genom nedsänkning i vätska **3** om pers. glatt lynne; spänst **4** om pris o.d. tendens att stiga [igen]
buoyant ['bɔɪənt] **1** som lätt flyter (stiger, håller sig uppe), flytande **2** om vätska

bärande, i stånd att hålla saker flytande **3** elastisk, spänstig [*with a ~ step*]; om pers. livlig **4** börs. stigande

burbot ['bɜ:bət] zool. lake

burden ['bɜ:dn] **I** *s* börda, last; ansvar [*the main ~*]; *be a ~ to* [*the State*] ligga...till last; *~ of taxation* skattetryck **II** *vb tr* belasta, belamra; tynga [ner]

bureau ['bjʊərəʊ, bjʊə'rəʊ] (pl. *~x* [-z] el. *~s* [-z]) **1** sekretär; skrivbord **2** ämbetsverk; byrå [*information (tourist) ~*] **3** amer. byrå möbel

bureaucracy [bjʊ(ə)'rɒkrəsɪ] byråkrati

bureaucrat ['bjʊərə(ʊ)kræt] byråkrat

bureaucratic [ˌbjʊərə(ʊ)'krætɪk] byråkratisk

burgeon ['bɜ:dʒ(ə)n] poet. **I** *s* knopp **II** *vb itr* knoppas

burglar ['bɜ:glə] inbrottstjuv; *~ alarm* tjuvlarm

burglary ['bɜ:glərɪ] inbrott

burgle ['bɜ:gl] föröva (göra) inbrott [i]; *~ a p.'s house* äv. bryta sig in hos ngn

Burgundy ['bɜ:g(ə)ndɪ] **I** geogr. Bourgogne; hist. Burgund **II** *s*, *b~* bourgogne[vin]

burial ['berɪəl] begravning

burlesque [bɜ:'lesk] **I** *adj* burlesk, parodisk; amer. äv. varieté- **II** *s* burlesk pjäs, fars **III** *vb tr* parodiera, travestera

burly ['bɜ:lɪ] **1** stor och kraftig [*a ~ man*] **2** rakt på sak, burdus [*~ manner*]

Burma ['bɜ:mə] geogr. (hist.)

Burmese [ˌbɜ:'mi:z] **I** (pl. lika) *s* **1** burman, burmes; burmanska kvinna; burmanska [språket] **2** burma[katt] **II** *adj* burmansk

burn [bɜ:n] **I** (*burnt burnt*, äv. isht bildl. *burned burned*) *vb tr* bränna; sveda; bränna (elda) upp; elda med [*~ oil*]; *~ one's boats* (*bridges*) bränna sina skepp; *~ the candle at both ends* bildl. bränna sitt ljus i båda ändarna; *~ out* bränna upp allt i; bränna ner huset för; smälta ner med elektrisk ström **II** (för tema se *I*) *vb itr* **1** brinna; lysa, glöda äv. bildl.; hetta, svida; bli bränd; *her skin ~s easily* hon blir lätt bränd av solen; *~ away* a) brinna [*the fire was ~ing away cheerfully*] b) brinna ner (upp) [*half the candle had ~t away*]; *~ up* a) brinna upp b) flamma upp, ta sig c) amer. sl. brusa upp, bli förbannad **2** *~ for* bildl. längta efter **3** brännas vid [äv. *~ to*] **4** brännas **III** *s* **1** brännskada [*first-degree (second-degree, third-degree) ~*], brännsår **2** vard., *do a slow ~* långsamt ilskna till

burner ['bɜ:nə] brännare; låga på gasspis

burning ['bɜ:nɪŋ] **I** *adj* brännande; brinnande, glödande; *a ~ question* en brännande (aktuell) fråga; *a ~ shame* en evig (stor) skam **II** *s* [för]bränning; *there is a smell of ~* det luktar bränt

burnish ['bɜ:nɪʃ] **I** *vb tr* göra blank **II** *vb itr* bli blank **III** *s* glans; polering

burnt [bɜ:nt] **I** imperf. o. perf. p. av *burn* **II** *adj* bränd [*~ almonds*]; *~ lime* bränd (osläckt) kalk

burp [bɜ:p] vard. **I** *s* rapning; *~ gun* amer. kulsprutepistol **II** *vb tr* o. *vb itr* [få att] rapa

burrow ['bʌrəʊ] **I** *s* kanins m. fl. djurs håla **II** *vb itr* **1** göra (bo i) en håla (hålor) **2** gräva sig fram (ner); gräva ner sig **III** *vb tr* gräva; *~ one's way* gräva sig fram (ner)

bursar ['bɜ:sə] skattmästare isht univ.

burst [bɜ:st] **I** (*burst burst*) *vb itr* **1** brista, rämna; springa sönder; explodera; om knopp slå ut; om moln upplösa sig i regn; *he was ~ing* [*to tell us the news*] han höll på att spricka av iver...; *~ with laughing* skratta sig fördärvad **2** *~ open* flyga upp [*the door ~ open*] **3** störta, komma störtande [*he ~ into the room*]; bryta fram [*the sun ~ through the clouds*]; välla [*the oil ~ out of* (fram ur) *the ground*]; *~ in* a) störta [sig] in b) avbryta; *~ in* [*up*]*on a conversation* avbryta (blanda sig i) ett samtal; *~ out* a) störta [sig] ut, bryta sig ut b) bryta ut (fram) c) brista [ut]; *~ out laughing* brista i skratt; *~ into flames* flamma upp, ta eld; *the horse ~ into a gallop* hästen föll [in] i galopp; *~ into laughter (tears)* brista i skratt (gråt); *~ upon* kasta sig över

II (*burst burst*) *vb tr* spränga [*~ a balloon*], spräcka, slita sönder; *~ a tyre* få en ringexplosion

III *s* **1** bristning **2** explosion; krevad; salva; *~ of gunfire* skottsalva, eldskur **3** plötsligt utbrott [*a ~ of energy*]; storm [*a ~ of applause*]; ström [*a ~ of tears*]; *a ~ of laughter* en skrattsalva; *a ~ of speed* [en] spurt

bur|y ['berɪ] **1** begrava [*~ alive*], jorda; *she has -ied three husbands* hon har blivit änka tre gånger **2** begrava, gräva ner [*~ oneself in the country (in one's books)*]; gömma, dölja; perf. p. *-ied* äv. försjunken, försänkt [*~ in thoughts*]

bus [bʌs] **I** (pl. *~es* el. *~ses*) *s* **1** buss britt. endast stadsbuss, amer. äv. långfärdsbuss **2** åld. sl., om bil o. flygplan kärra **3** data. buss **II** *vb itr* **1** åka buss **2** amer. arbeta som diskplockare **III** *vb tr* vard. **1** transportera i buss; amer. skol. bussa **2** *~ it* åka buss

1 bush [bʊʃ] **1** buske; busksnår; *the ~ telegraph* djungeltelegrafen; *beat about (around) the ~* gå som katten kring het gröt **2** *~* [*of hair*] [hår]buske, kalufs **3** murgrönskvist gammal vinhandlarskylt; *good wine needs no ~* god sak talar för sig själv **4** [räv]svans **5** skogsland; urskog;

vildmark; *the* ~ äv. bushen, vischan; *take to the* ~ dra till skogs, bli stråtrövare
2 bush [bʊʃ] tekn. **I** *s* hylsa; [hjul]bössa; lagerpanna; bussning **II** *vb tr* bussa; förse med lagerpanna
bushel ['bʊʃl] bushel rymdmått för spannmål o.d. = 8 *gallons* a) britt. = 36,368 l. b) amer. = 35,238 l., ung. skäppa; *hide one's light under a* ~ sätta sitt ljus under en skäppa
bushy ['bʊʃɪ] buskrik; buskig [~ *eyebrows*]; yvig [~ *tail*]
business ['bɪznəs] **1** (utan pl.) affär[er], affärsliv[et]; *a piece of* ~ en affär; ~ *hours* affärstid, kontorstid; ~ *management* (*administration*) a) [företags]administration b) företagsledning; *he is in* ~ *for himself* han är egen företagare; *on* ~ i affärer **2** (med pl. ~*es*) affär; butik; *open a* ~ *of one's own* öppna egen affär **3** (med pl. ~*es*) bransch [*he is in the oil* ~ (*in show* ~)] **4** (utan pl.) uppgift, sak; syssla; ärende [*I asked him his* ~]; [verkligt] arbete [~ *before pleasure*]; [*any*] *other* ~ (förk. *AOB*) övriga ärenden på dagordningen; *I made it my* ~ *to* jag gjorde det till min uppgift (åtog mig) att; *get down to* ~ ta itu med uppgiften o.d.; komma till saken **5** (utan pl.) angelägenhet[er], sak; vard. svår sak [*he did not know what a* ~ *it was*]; *a bad* (*queer*) ~ en sorglig (underlig) historia; *have no* ~ *to* inte ha någon rätt (anledning) att; *mind your own* ~*!* vard. sköt du ditt!, lägg dig inte i det här!; *send a p. about his* ~ köra bort (avfärda) ngn; *sick of the whole* ~ led på alltsammans (hela historien); *attend to* (*go about*) *one's* ~ sköta sina [egna] angelägenheter
businesslike ['bɪznɪslaɪk] affärsmässig; systematisk; rutinerad
business|man ['bɪznɪs|mæn] (pl. *-men* [-mən]) affärsman; näringsidkare
busker ['bʌskə] gatumusikant isht en som underhåller kö utanför teater
bus stop ['bʌsstɒp] busshållplats
1 bust [bʌst] **1** byst skulptur **2** byst, barm **3** bystmått
2 bust [bʌst] vard. **I** (*bust bust* el. ~*ed* ~*ed*) *vb tr* **1** spränga [~ *a safe*; ~ *a gang*], spräcka, bryta [~ *an arm*]; bryta upp [~ [*open*] *a door* (*lock*)]; slå sönder [~ *one's watch*]; *I nearly* ~ *myself laughing* jag höll på att spricka av skratt **2** ~ *up* slå sönder, spränga; upplösa [~ *up a meeting*] **3** klippa till; ~ *a p. on the nose* äv. ge ngn en smocka **4** göra en razzia i [*the police* ~*ed the place*], haffa [*he was* ~*ed for possession of drugs*] **5** göra bankrutt **II** (*bust bust* el. ~*ed* ~*ed*) *vb itr* **1** sprängas, krevera; gå sönder [*my watch bust*]; *I laughed fit to* ~ jag höll på att spricka av skratt **2** ~ *up* falla ihop, spricka **III** *s* **1** slag [*a* ~ *on the nose*] **2** razzia **3** bankrutt, krasch **4** röjarskiva; *go on the* (*have a*) ~ festa, dricka (supa) till **IV** *adj* bankrutt; *go* ~ a) gå sönder, spricka b) göra bankrutt (fiasko)
1 bustle ['bʌsl] hist. turnyr
2 bustle ['bʌsl] **I** *vb itr* gno [~ *about*]; skynda sig, få (ha) bråttom **II** *vb tr* sätta fart i, jäkta **III** *s* brådska, larm; *be in a* ~ ha bråttom, flänga omkring
bust-up ['bʌstʌp] vard. **1** stormgräl; sammanbrott; separation; krasch **2** röjarskiva
busy ['bɪzɪ] **I** *adj* **1** sysselsatt; *be* ~ äv. ha fullt upp att göra; *be* ~ *packing* hålla på att packa; *the line is* ~ tele. upptaget **2** flitig; ~ *as a bee* (*beaver*) flitig som en myra **3** ivrig **4** bråd [~ *season*], livlig; ~ *street* livligt trafikerad gata **II** *vb tr* sysselsätta; ~ *oneself with* (*in, about*) sysselsätta sig med **III** *s* sl. snok[are]
busybody ['bɪzɪˌbɒdɪ] beskäftig människa; *he is such a* ~ han lägger sig i allting
but [bʌt, obeton. bət] **I** *konj* **1** men; dock; vard., ofta efter utrop: *God!* ~ *I am tired!* Gud, vad jag är trött!; ~ *of course!* ja naturligtvis!; *not only...*~ [*also*] inte bara...utan också; ~ *then* men så...också **2** (äv. *prep*) **a**) utom [*all* (*no one*) ~ *he*]; mer än [*I cannot* ~ *regret*]; om inte [*whom should he meet* ~ *me?*]; *all* ~ [*unknown*] nästan... **b**) ~ *for* [*that*] bortsett från... **c**) ~ [*that* (*what* vard.)] utan att [*never a week passes* ~ [*that* (*what*)] *she comes to see me*]; som inte [*not a man* ~ *what likes her*]; *not* ~ *that* (*what* vard.) *he...* inte för att han inte...; *no man is so old* ~ *that he may learn* ingen är för gammal för att lära; *I don't doubt* (*deny*) ~ *that* jag tvivlar inte på (förnekar inte) att **d**) *first* ~ *one* (*two*) [som] tvåa (resp. trea), [som] den andra (resp. tredje) i ordningen; *the last* ~ *one* (*two*) den näst sista (resp. den näst näst sista, den tredje från slutet); *the next* ~ *one* (*two*) den andra (resp. tredje) härifrån (i ordningen, uppifrån osv.) **3** än [*nothing else* ~ *laziness*] **II** *adv* bara [*he is* ~ *a child*; *if I had* ~ *known*], blott; först; ~ *now* alldeles nyss **III** *s* men; aber
butane ['bju:teɪn, -'-] kem. butan[gas]
butcher ['bʊtʃə] **I** *s* **1** slaktare; bildl. äv. bödel; ~*'s meat* färskt slaktkött utom vilt, fågel o.d. **2** amer. försäljare av gott, tidningar m.m. bland publik, på tåg o.d. [*candy* ~] **II** *vb tr* **1** slakta; mörda urskillningslöst **2** bildl. förstöra, misshandla [*the pianist* ~*ed the piece*]
butler ['bʌtlə] hovmästare, förste betjänt i privatfamilj
1 butt [bʌt] tunna för regnvatten o.d.

2 butt [bʌt] **I** *s* **1** tjockända; rotända på trädstam; handtag; bas; [gevärs]kolv **2** rest, stump; cigarrstump; fimp; isht amer. sl. cigarett **3** isht amer. sl. häck, ända **II** *vb tr* isht amer. fimpa [*~ a cigarette*]

3 butt [bʌt] bildl. skottavla

4 butt [bʌt] **I** *vb tr* o. *vb itr* **1** stöta [till] med huvud el. horn; knuffa; boxn. skalla[s]; *~ one's head into a stone wall* bildl. köra huvudet i väggen **2** skjuta ut (fram) **3** *~ in* vard. tränga sig på **II** *s* puff

butter ['bʌtə] **I** *s* smör; *melted (drawn) ~* skirat smör **II** *vb tr* **1** bre[da] smör på; steka i (laga med) smör; smöra **2** *~ up* vard. smickra, smöra för

butter bean ['bʌtəbi:n] stor [torkad] limaböna

buttercup ['bʌtəkʌp] bot. smörblomma; ranunkel

butterfingers ['bʌtəˌfɪŋgəz] (konstr. ss. sg.; pl. *butterfingers*) fumlig (klumpig) person; *~!* vad du är klumpig!, din klumpeduns!

butterfly ['bʌtəflaɪ] **1** fjäril; *~ [bow]* butterfly, fluga rosett; *I have butterflies [in my stomach]* vard. det pirrar i magen på mig, jag har fjärilar i magen **2** nöjeslysten person; rastlös person

buttermilk ['bʌtəmɪlk] kärnmjölk

buttock ['bʌtək] anat. skinka; pl. *~s* äv. bak[del], ända

button ['bʌtn] **I** *s* knapp **II** *vb tr* **1** förse med knappar **2** knäppa; *~ up* knäppa ihop (igen, till om sig) **III** *vb itr* knäppas [med knappar]; *it ~s at the side (down the back)* den knäpps i sidan (i ryggen)

buttonhole ['bʌtnhəʊl] **I** *s* **1** knapphål **2** vard. knapphålsblomma **II** *vb tr* bildl. [hejda och] uppehålla med prat

buttress ['bʌtrəs] **I** *s* arkit. strävpelare **II** *vb tr* förse med strävpelare

buxom ['bʌksəm] mest om kvinna frodig, mullig

buy [baɪ] **I** (*bought bought*) *vb tr* o. *vb itr* köpa äv. bildl. = gå med på; *~ a p. a drink* bjuda ngn på en drink; *he won't ~ it* vard. a) han tror inte på det b) han går inte med på det; *~ off* friköpa, lösa ut; mot betalning bli kvitt, köpa sig fri från; *~ up* köpa upp **II** *s* vard. köp; *it's a good ~* äv. det är billigt

buyer ['baɪə] köpare; firmas inköpare; *~'s (~s') market* köparens marknad

buzz [bʌz] **I** *s* **1** surr[ande] av insekt el. maskin **2** sorl, ivrigt pratande; tissel och tassel, prat **3** vard. [telefon]påringning; *give a p. a ~* slå en signal till ngn **II** *vb itr* **1** surra; *~ about (around)* flyga (snurra) omkring **2** sl., *~ [off]* kila [iväg], sticka, dunsta, ge sig iväg; *~ off!* stick!

buzzard ['bʌzəd] **1** zool. vråk; isht ormvråk **2** [*old*] *~* vard. gubbstrutt

buzzer ['bʌzə] **1** ångvissla **2** elektr. o.d. summer; vard. a) ringklocka b) telefon **3** signal **4** vard. signalist

buzz word ['bʌzwɜ:d] vard. slagord, modeord

by [baɪ] **I** *prep* **1** befintlighet: vid [*come and sit ~ me*]; *~ land and sea* till lands och sjöss; *~ itself* ensamt, jfr *3* nedan; *~ oneself* ensam, för sig själv, jfr *3* nedan **2** riktning el. rörelse: **a**) till [*come here ~ me*] **b**) längs, utmed, utefter; förbi [*he went ~ me*]; genom [*enter ~ a side door*]; över [*~ Paris*]; *travel ~ land* resa till lands; *~ the way* apropå; förresten **3** medel el. orsak: med [*send ~ post*; *he had two sons ~ her*], genom; vid, i [*lead ~ the hand*]; på [*live ~ one's pen*]; *~ itself* av sig själv; *~ oneself* själv, på egen hand, utan hjälp **4** i tidsuttryck: **a**) till, senast [om], strax före [*I must be home ~ six*]; vid [*~ the end of the day*]; *~ this time tomorrow* i morgon så här dags **b**) om; *~ night* om natten, nattetid **c**) per; *~ the hour* i timmen, per timme **d**) *day ~ day* dag för dag **e**) *miss the train ~ two minutes* komma två minuter för sent till tåget **5** av [*a portrait ~ Zorn*] **6** i måttsuttryck: **a**) *longer ~ two metres* två meter längre **b**) i, efter; *sell ~ retail* sälja i minut **c**) *three metres long ~ four metres broad* tre meter lång och fyra meter bred **d**) efter; *bit ~ bit* bit för bit; *one ~ one* en och (efter) en **7** enligt [*~ his accent*; *~ my watch*]; *it's OK ~ me* gärna för mig **8 a**) mot [*he did his duty ~ his parents*] **b**) till [*a lawyer ~ profession*], genom; *Brown ~ name* vid namn Brown **II** *adv* **1** i närheten [*close (hard, near) ~*] **2** förbi [*pass ~*]; *the years went ~* åren gick **3** undan, i reserv [*put (lay) money ~*]; åt sidan [*he put his tools ~*] **4** *~ and ~* så småningom, längre fram, [litet] senare **5** *~ and large* i stort sett, på det hela taget **III** *s, by the ~* i förbigående [sagt], apropå

1 bye [baɪ] bi- [*~ effects*]; underordnad; som går vid sidan om saken [*a ~ consideration*]

2 bye [baɪ] vard., *~!* ajö!, hej!

1 bye-bye [ˌbaɪ'baɪ] vard., *~!* hejdå!, ajö, ajö!

2 bye-bye ['baɪbaɪ] barnkammarord för sömn, sängdags, säng; *now you are going to ~[s]* nu ska du sussa (nanna)

by-election ['baɪɪˌlekʃ(ə)n] fyllnadsval

Byelorussia [bɪˌeləʊ'rʌʃə] geogr. Vitryssland

Byelorussian [bɪˌeləʊ'rʌʃ(ə)n] **I** *s* vitryss **II** *adj* vitrysk

bygone ['baɪgɒn] **I** *adj* [för]gången, svunnen **II** *s*, isht pl. *~s* det förflutna; isht gamla oförrätter; *let ~s be ~s* låta det skedda vara glömt; glömma och förlåta

by-law ['baɪlɔ:] lokal myndighets, bolags o.d. reglemente

bypass ['baɪpɑ:s] **I** *s* **1** ~ [*road*] förbifartsled **2** elektr. o.d. shuntledning; ~ *valve* shuntventil **3** kir. bypass **II** *vb tr* gå (leda) förbi; avleda; undvika
by-product ['baɪˌprɒdʌkt] biprodukt; sidoeffekt
bystander ['baɪˌstændə] person som står vid sidan om; åskådare; *the ~s* äv. de kringstående
byte [baɪt] data. bitgrupp, byte
by-way ['baɪweɪ] **1** biväg; stig; genväg **2** bildl. outforskat område [*~s of history*]
byword ['baɪwɜ:d] **1** visa; *the place was a ~ for iniquity* platsen var ökänd för sin syndfullhet **2** ordstäv; favorituttryck

C

C, c [si:] (pl. *C's* el. *c's* [si:z]) **1** C, c **2** mus., *C major* C-dur; *C minor* C-moll
C förk. för *Celsius, Centigrade, Centum* (romersk siffra = 100), *century, Conservative, coulomb*
cab [kæb] **1** taxi[bil] **2** förarhytt i lok, buss o.d.
cabaret ['kæbəreɪ], ~ [*show*] kabaré
cabbage ['kæbɪdʒ] **1** kål, isht vitkål; kålhuvud **2** vard. a) hösäck slö o. hållningslös person b) kolli genom sjukdom o.d. helt hjälplös person
cab-driver ['kæbˌdraɪvə] [taxi]chaufför
cabin ['kæbɪn] **1** stuga **2** sjö. hytt; kajuta; [akter]salong; ~ *luggage* (*baggage*) handbagage **3** flyg. kabin, kabin- [~ *crew*] **4** bil. kupéutrymme
cabinet ['kæbɪnət] **1** skåp med lådor el. hyllor; skrin med fack för värdesaker; låda, hölje till TV el. radio; *filing* ~ dokumentskåp **2** polit. kabinett; ~ *crisis* regeringskris; ~ *meeting* kabinettssammanträde
cabinet-maker ['kæbɪnətˌmeɪkə] möbelsnickare
cable ['keɪbl] **I** *s* **1** kabel, vajer; ~ *suspension bridge* kabelbro **2** ankartåg, ankarkätting; *slip one's* ~ sl. kola [av] dö **3** längdmått kabellängd **4** kabel, ledning; ~ *breakdown* (*fault*) kabelbrott, kabelfel **5** [kabel]telegram [~ *address*] **II** *vb tr* **1** fästa (förse) med kabel **2** telegrafera [till] **III** *vb itr* telegrafera, stå i kabelförbindelse (telegramförbindelse)
cable car ['keɪblkɑ:] **1** linbanevagn **2** linbana
cablegram ['keɪblgræm] kabeltelegram
cache [kæʃ] **1** gömställe för proviant, vapen m.m.; *arms* ~ vapengömma **2** gömd proviant, hemligt lager (förråd) av vapen m.m.
cackle ['kækl] **I** *vb itr* **1** kackla **2** pladdra **3** skrocka **II** *s* **1** kackel **2** pladder; *cut the ~!* vard. håll babblan! **3** flatskratt
cact|us ['kækt|əs] (pl. *-uses* el. *-i* [-aɪ]) kaktus
cad [kæd] ngt åld. vard. bracka; knöl
caddie ['kædɪ] golf. caddie; ~ *car* (*cart*) golfvagn
1 caddy ['kædɪ] teburk
2 caddy ['kædɪ] se *caddie*
cadet [kə'det] kadett; officersaspirant
cadge [kædʒ] **I** *vb itr* **1** snylta; ~ *on* snylta på, vara snyltgäst hos **2** [gå och] tigga **II** *vb tr* snylta till sig
cadger ['kædʒə] snyltare, snyltgäst; tiggare

cadmium ['kædmɪəm] kem. kadmium [~ *red* (*yellow*)]; ~ *cell* elektr. kadmiumelement
cadre ['kɑ:də, 'keɪdə; amer. vanl. 'kædri:] **1** mil. el. polit. kader **2** kadermedlem
café ['kæfeɪ, 'kæfɪ] kafé; [liten] restaurang; ~ *proprietor* kaféidkare, kaféinnehavare
cafeteria [ˌkæfə'tɪərɪə] cafeteria
caffeine ['kæfi:n, amer. äv. -'-] koffein
cage [keɪdʒ] **I** *s* **1** bur **2** huv, hylsa, foder; förtimring **3** hisskorg; gruv. uppfordringskorg **4** sport. korg; [mål]bur **II** *vb tr* sätta i bur; spärra in; *a ~d bird* en fågel i bur
cagey ['keɪdʒɪ] vard. **1** förtegen **2** på sin vakt; slug
cajole [kə'dʒəʊl] lirka med; ~ *a p. into* (*out of*) *doing a th.* lirka med ngn för att få honom att (att inte) göra ngt
cake [keɪk] **I** *s* **1** tårta; mjuk kaka t.ex. sockerkaka; finare, ofta mjuk småkaka; *~s and ale* gammaldags festande; sötebrödsdagar; *sell like hot ~s* gå åt som smör [i solsken]; *a piece of ~* vard. en enkel match; *you cannot have your ~ and eat it* (*eat your ~ and have it*) ordspr. man kan inte både äta kakan och ha den kvar **2** kok. plätt; krokett [*fish ~, potato ~*] **3** kaka kakformig sak; *a ~ of soap* en tvål[bit] **II** *vb itr* baka ihop sig **III** *vb tr* forma till en kaka (kakor); bilda skorpa på; perf. p.: *~d* hopbakad, hårdnad, tät
calamitous [kə'læmətəs] olycklig, olycksbringande; olycks- [~ *prophecy*]
calamity [kə'læmətɪ] katastrof, stor olycka, elände; ~ *howler* (~ *Jane* om kvinna) isht amer. vard. olyckskorp, olycksprofet
calcium ['kælsɪəm] kalcium; ~ *chloride* kalciumklorid, klorkalcium; ~ *phosphate* kalciumfosfat
calculate ['kælkjʊleɪt] **I** *vb tr* beräkna, kalkylera **II** *vb itr* **1** räkna äv. på maskin; göra beräkningar **2** ~ [*up*]*on* räkna med, lita på **3** amer. dial. tro; tänka
calculating ['kælkjʊleɪtɪŋ] beräknande; ~ *machine* räknemaskin
calculation [ˌkælkjʊ'leɪʃ(ə)n] beräkning, uträkning, kalkyl; *I'm out in my ~s* jag har räknat fel
calculator ['kælkjʊleɪtə] **1** räknare; *pocket ~* miniräknare **2** räknetabell
calcul|us ['kælkjʊl|əs] (pl. *-uses* el. *-i* [-aɪ]) **1** med. sten, grus; *biliary ~* gallsten; *renal ~* njursten **2** matem. kalkyl [*differential* (*integral*) ~]
calendar ['kæləndə] **1** kalender **2** almanack[a] **3** datumvisare på klocka **4** univ. katalog
1 calf [kɑ:f] (pl. *calves*) **1** kalv **2** unge av elefant, säl, val m.fl. **3** kalvskinn; *bound in ~* [bunden] i kalvskinn (franskt band)
2 calf [kɑ:f] (pl. *calves*) vad kroppsdel
calibrate ['kælɪbreɪt] kalibrera
calibre ['kælɪbə] **1** kaliber **2** bildl. värde; förmåga; format; kvalitet
calico ['kælɪkəʊ] (pl. *~es* el. *~s*) kalikå; kattun
California [ˌkælɪ'fɔ:njə] geogr. egenn. Kalifornien; ~ *poppy* bot. sömntuta
Californian [ˌkælɪ'fɔ:njən] **I** *adj* kalifornisk **II** *s* kalifornier
call [kɔ:l] **I** *vb tr* (med adv. se *III*) **1** kalla [för]; uppkalla [*after*]; ~ *a p. names* kasta glåpord efter ngn; *be ~ed* heta **2** kalla [på]; ringa efter [~ *the police* (*a taxi*)]; larma [~ *the police*]; anropa; isht amer. telefonera; *don't ~ us, we'll ~ you* Vi hör av oss vanl. iron. (vid provfilmning o.d.); ~ *attention to* fästa uppmärksamheten på **3** utropa; ~ *a general election* utlysa nyval **4** väcka **5** om Gud, plikt o.d. bjuda **6** kortsp. a) bjuda b) syna
II *vb itr* (med adv. se *III*) **1** ropa; ~ *for* a) ropa på (efter), ropa in teat. b) be om; efterlysa c) mana till; påkalla, kräva, [er]fordra; *feel ~ed upon to* känna sig manad (uppfordrad) att **2** göra visit, komma på besök, hälsa 'på; ~ *at* besöka, titta in på (till); om tåg o.d. stanna vid; ~ *on* (*upon*) hälsa 'på, besöka **3** ringa, telefonera **4** kortsp. a) bjuda b) syna
III *vb tr* o. *vb itr* med adv.:
~ **back**: a) ropa tillbaka b) återkalla c) tele. ringa upp igen (senare)
~ **forth**: a) framkalla, locka (mana) fram b) uppbjuda, samla [~ *forth all your energy*]
~ **in**: a) kalla (ropa) in b) inkalla, tillkalla c) dra in [~ *in banknotes*] d) titta in till ngn
~ **off**: **a**) dra bort, avleda [~ *off a p.'s attention*] **b**) inställa, avlysa [~ *off a meeting*], avblåsa [~ *off a strike*] **c**) bryta [*the engagement has been ~ed off*] **d**) ropa tillbaka [~ *your dog off!*]
~ **out**: a) kalla ut b) kalla in [~ *out a large force of police*], larma c) framkalla [~ *out the best in* (hos) *a p.*] d) ropa ut [~ *out the winners*] e) ta ut i strejk [~ *out the metalworkers*] f) [ut]ropa
~ **over** ropa upp
~ **up**: a) kalla fram (upp) b) frammana; återkalla [i minnet] [~ *up scenes of childhood*] c) tele. ringa upp [*my brother ~ed me up*] d) mil. inkalla
IV *s* **1** rop; ~ *for help* rop på hjälp **2** läte **3** anrop äv. radio.; signal; påringning; telefonsamtal; [*can you*] *give me a ~ at 6?* på hotell o.d. ...väcka mig klockan 6? **4** upprop; mil. appell **5** kallelse äv. inre; maning, uppfordran; inkallelse; teat. inropning; bildl. röst; *he feels the ~ of the sea* han känner sig dragen till sjön **6** krav,

fordran, rätt; *have the first ~ on* ha företrädesrätt till **7** skäl [*there is no ~ for you to worry*] **8** hand. efterfrågan **9** besök; *port (place) of ~* anlöpningshamn **10** kortsp. a) bud b) syn

callbox ['kɔ:lbɒks] **1** [*telephone*] ~ telefonhytt, telefonkiosk **2** [polis]larmskåp; brandskåp

call girl ['kɔ:lgɜ:l] callgirl prostituerad som kontaktas per telefon

calling ['kɔ:lɪŋ] **1** [levnads]kall, yrke **2** skrå, klass

calling card ['kɔ:lɪŋkɑ:d] amer. visitkort

callous ['kæləs] **I** *adj* **1** valkig, hård om hud **2** känslolös; [känslo]kall **II** *s* se *callus* **III** *vb tr* göra valkig (hård); *~ed hands* valkiga händer

call-over ['kɔ:lˌəʊvə] **1** [namn]upprop **2** kapplöpn. upprop [av startnummer och odds] vid vadhållning

callow ['kæləʊ] **1** fjäderlös **2** bildl. omogen, grön [*a ~ youth*]

call-up ['kɔ:lʌp] mil. inkallelse; *notice of ~* inkallelseorder

callus ['kæləs] **I** *s* med. kallus **II** *vb tr* göra valkig (hård)

calm [kɑ:m] **I** *adj* **1** lugn, stilla **2** vard. ogenerad **II** *s* lugn; vindstilla **III** *vb tr* lugna, stilla; *~ a p. down* lugna [ner] ngn **IV** *vb itr, ~ down* lugna sig, bli lugn; bedarra, stilla [av]

calmness ['kɑ:mnəs] stillhet; ro

Calor gas ['kæləgæs] ® gasol

calorie ['kælərɪ] kalori

calve [kɑ:v] kalva äv. om isberg

1 calves [kɑ:vz] pl. av *1 calf*

2 calves [kɑ:vz] pl. av *2 calf*

camber ['kæmbə] **I** *s* lätt välvning, dosering av väg o.d.; krökning, böjning **II** *vb tr* göra krum; lätt svänga uppåt; dosera

Cambodia [kæm'bəʊdjə] geogr. Cambodja

Cambodian [kæm'bəʊdjən] **I** *adj* cambodjansk **II** *s* cambodjan

camcorder ['kæmˌkɔ:də] videokamera med inbyggd bandspelare

1 came [keɪm] imperf. av *come*

2 came [keɪm] blyspröjs för infattning av fönsterglas

camel ['kæm(ə)l] kamel

camellia [kə'mi:ljə, -'mel-] bot. kamelia

cameo ['kæmɪəʊ] (pl. *~s*) **1** kamé **2** litterär el. dramatisk karaktärsstudie, porträtt

camera ['kæm(ə)rə] kamera

cameraman ['kæm(ə)rəmæn] kameraman

camomile ['kæmə(ʊ)maɪl] bot. kamomill [*~ tea*]

camouflage ['kæməflɑ:ʒ] **I** *s* kamouflage, maskering **II** *vb tr* kamouflera

1 camp [kæmp] **I** *s* läger äv. bildl.; förläggning; koloni [*summer ~*]; *pitch a (make) ~* slå läger; *break [up] ~* bryta upp från ett läger; bildl. rycka upp sina bopålar **II** *vb itr* **1** slå läger; ligga i läger; tälta; *~ out* bo i tält (i det fria), campa **2** vard. kampera; slå sig ned

2 camp [kæmp] **I** *s* 'camp' ngt föråldrat och komiskt överdrivet som ändå uppfattas som moderiktigt och tilltalande **II** *adj* 'camp', jfr *I*

campaign [kæm'peɪn] **I** *s* kampanj [*an advertising ~; the ~ against smoking*], kamp; fälttåg [*plan of ~*] **II** *vb itr* delta i (organisera) en kampanj

campaigner [kæm'peɪnə] **1** förkämpe **2** *old ~* veteran

camp bed [ˌkæmp'bed] fältsäng

camper ['kæmpə] **1** campare **2** campingbuss av enklare typ

camping ['kæmpɪŋ] camping; *go on a ~ trip* åka ut och campa (tälta)

camping ground ['kæmpɪŋgraʊnd] o. **camping site** ['kæmpɪŋsaɪt] campingplats, tältplats

camp site ['kæmpsaɪt] se *camping ground*

campus ['kæmpəs] **1** univ. universitetsområde, collegeområde, campus **2** college; *live on ~* amer. bo på studenthem på universitetsområdet **3** universitetsvärld

camshaft ['kæmʃɑ:ft] mek. kamaxel

1 can [kæn, kən] (nek. *cannot, can't*; imperf. *could*, jfr d.o.) pres. **1** kan; orkar **2** kan [få] [*you ~ take my key*]

2 can [kæn] **I** *s* **1** kanna; burk [*a ~ of beer (peaches)*]; dunk [*petrol (gasolene) ~*]; *carry the ~* el. *take the ~ back* vard. bära hundhuvudet, få (ta på sig) skulden, rädda situationen åt ngn; *be in the ~* om film o.d. vara inspelad och klar **2** amer. [sop]tunna **3** isht amer. sl., *the ~* buren, finkan fängelse **4** amer. sl., *the ~* mugg, toa toalett **5** amer. sl. ända, rumpa **6** *~s* sl. hörlurar **II** *vb tr* (se äv. *canned*) **1** lägga in **2** amer. sl. sparka avskeda **3** amer. sl. lägga av med; *~ it!* lägg av!, håll käften! **4** amer. sl. slänga (hyva) ut

Canada ['kænədə] geogr. egenn.; *~ Day* Kanadensiska Nationaldagen 1 juli

Canadian [kə'neɪdjən] **I** *adj* kanadensisk **II** *s* kanadensare; kanadensiska

canal [kə'næl] anlagd kanal [*the Suez C~*]; *the alimentary ~* matsmältningskanalen

canalize ['kænəlaɪz] kanalisera

canapé ['kænəpeɪ] **1** stekt el. rostat bröd med pålägg kanapé **2** amer. kanapé slags soffa

canary [kə'neərɪ] **I** *adj* kanarie-; kanariegul [äv. *~ yellow*] **II** *s* **1** *the Canary Islands* el. *the Canaries* Kanarieöarna **2** kanariefågel **3** amer. sl. tjallare

cancel ['kæns(ə)l] **I** *vb tr* **1** stryka ut (över), korsa över; stämpla [över] [*~ stamps*] **2** annullera; upphäva; inställa [*the meeting was ~led*]; avbeställa [*~ an order; ~ a* *reservation*], säga upp ett abonnemang; lämna återbud till [~ *an engagement*]; makulera tryck **3** matem. eliminera **4** neutralisera, motverka; *they ~ each other out* de tar ut varandra **II** *vb itr, ~ out* upphäva (ta ut) varandra

cancellation [ˌkænsəˈleɪʃ(ə)n] **1** överstrykning etc., jfr *cancel I 1* **2** annullering etc., jfr *cancel I 2* **3** försäkr. ristorno

cancer [ˈkænsə] **1** med. cancer; bildl. kräftsvulst; *~ stick* sl. giftpinne cigarett **2** astrol. kräftan

cancerous [ˈkæns(ə)rəs] cancer- [*~ ulcer*], cancerartad; bildl. kräft- [*a ~ growth* (svulst)]

candelabra [ˌkændɪˈlɑːbrə, -ˈlæb-] kandelaber

candid [ˈkændɪd] öppen, uppriktig; frispråkig; *~ camera* dold kamera; *to be quite ~* om jag ska vara riktigt ärlig, sanningen att säga

candidate [ˈkændɪdət] kandidat, sökande; *~ for confirmation* konfirmand

candied [ˈkændɪd] kanderad [*~ fruit*]; *~ peel* kok. suckat

candle [ˈkændl] ljus av stearin, talg, vax o.d.; levande ljus; *burn the ~ at both ends* bränna sitt ljus i båda ändar; *he can't (is not fit to) hold a ~ to* han kan inte på långt när mäta sig med

candlegrease [ˈkændlgriːs] stearin

candlelight [ˈkændllaɪt] levande ljus; eldsljus [*by* (vid) ~]; *~ dinner* middag med levande ljus

candlestick [ˈkændlstɪk] ljusstake vanl. för ett ljus

candour [ˈkændə] uppriktighet, frispråkighet

candy [ˈkændɪ] **I** *s* kandisocker; kanderad frukt; amer. äv. karamell[er], godis; *~ store* amer. godisaffär **II** *vb tr* koka in med socker; kandera **III** *vb itr* kristallisera[s]; sockra sig

candy floss [ˈkændɪflɒs] sockervadd

cane [keɪn] **I** *s* **1** rör; sockerrör **2** [spatser]käpp, spanskrör **3** rotting [*~ furniture*] **II** *vb tr* **1** prygla, ge stryk **2** sätta rör (rotting) i

canine [ˈkeɪnaɪn, ˈkænaɪn] **I** *adj* **1** hund- **2** *~ teeth* hörntänder, ögontänder **II** *s* **1** hörntand, ögontand **2** hunddjur; skämts. hund

caning [ˈkeɪnɪŋ] prygel; *get a sound ~* få smaka rottingen, få ett ordentligt kok stryk

canister [ˈkænɪstə] kanister; bleckdosa

cannabis [ˈkænəbɪs] bot. o. narkotika cannabis

canned [kænd] **1** konserverad [*~ beef, ~ fruit*], på burk [*~ peas*]; *~ food* burkmat; *~ meat* konserverat kött, köttkonserv[er]; *~ music* vard. burkad inspelad musik **2** sl. packad berusad

cannibal [ˈkænɪb(ə)l] **I** *s* kannibal **II** *adj* kannibalisk

cannon [ˈkænən] **I** *s* **1** (pl. *~s* el. lika) kanon; koll. artilleri[pjäser] **2** (pl. vanl. lika) automatkanon i flygplan **3** bilj. karambolage **II** *vb itr* **1** bilj. karambolera **2** *~ into* törna (köra) emot (rakt på, in i) **3** skjuta med kanon[er]

cannonball [ˈkænənbɔːl] **1** kanonkula **2** i tennis o.d. *~ [service]* kanon[serve]

cannon fodder [ˈkænənˌfɒdə] vard. kanonmat

cannot [ˈkænɒt] kan etc. inte, jfr *1 can*

canny [ˈkænɪ] försiktig [i affärer], förståndig, som vet vad han gör; slug; illmarig

canoe [kəˈnuː] **I** *s* kanot **II** *vb itr* kanota

1 canon [ˈkænən] **1** kyrkligt påbud; *~ law* kanonisk lag **2** ˈkanon, rättesnöre **3** mus. kanon

2 canon [ˈkænən] kanik, kanonikus; domkyrkopräst och ledamot av domkapitlet

canonize [ˈkænənaɪz] kanonisera

can-opener [ˈkænˌəʊp(ə)nə] konservöppnare, burköppnare

canopy [ˈkænəpɪ] **I** *s* baldakin; *~ bed* himmelssäng **II** *vb tr* förse med baldakin

1 cant [kænt] **I** *s* **1** förbrytarspråk, tjuvspråk [äv. *thieves' ~*]; slang, rotvälska **2** gruppjargong; *a ~ phrase* en kliché **II** *vb itr* **1** hyckla **2** använda jargong (floskler)

2 cant [kænt] **I** *s* **1** snedslipad kant **2** sluttning **II** *vb tr* **1** snedslipa [ofta *~ off*] **2** ställa på kant (sned) [*~ a boat for repairs*]; *~ over* vända upp och ned på, stjälpa omkull **III** *vb itr* **1** stjälpa, kantra [äv. *~ over*]; luta [*a ~ing deck*], hälla **2** sjö. vända

can't [kɑːnt] se *cannot*

cantankerous [kænˈtæŋk(ə)rəs] grälsjuk

canteen [kænˈtiːn] **1** marketenteri; kantin; lunchrum **2** fältkök **3** fältflaska **4** schatull [med bordssilver] **5** kantin mat- o. servislåda i fält; soldats matkärl

canter [ˈkæntə] **I** *s* samlad (kort) galopp; [*he was running*] *at a ~* ...i galopp **II** *vb itr* rida i kort galopp

cantilever [ˈkæntɪliːvə] byggn. kantilever, utskjutande stöd, konsol; *~ bridge* konsolbro

canvas [ˈkænvəs] **1** a) [segel-, pack]duk b) kanvas; [grovt] linne; brandsegel; *~ [for needlework]* stramalj **2** koll. segel; *under [full] ~* för [fulla] segel **3** tält; *under ~* i tält **4** målning; [målar]duk **5** boxn. ringgolv; *be on the ~* vara golvad

canvass [ˈkænvəs] **I** *vb tr* **a)** [gå runt och] bearbeta [*~ a district (people) for* (för att få) *votes*], värva röster i (av) **b**) ~ *support* [*for*] värva (skaffa) röster [för] **II** *vb itr* **1** agitera; ~ [*for votes*] värva röster **2** ~ *for* [*a firm*] vara försäljare för... **III** *s* röstvärvning

canvasser ['kænvəsə] **1** röstvärvare, valarbetare **2** försäljare

canyon ['kænjən] kanjon djup trång floddal

1 cap [kæp] **I** *s* **1** mössa; keps; barett; ~ *and gown* akademisk dräkt; ~ *in hand* med mössan i hand[en]; bildl. äv. underdånigt; *set one's* ~ *at* (*for* amer.) vard., om kvinna lägga sina krokar för **2** kapsyl, lock; hylsa äv. på svamp **3** [*percussion*] ~ tändhatt; knallhatt; pl. ~ *pistol* knallpulverpistol **4** hatt på svamp **5** [*Dutch*] ~ med. pessar **6** sport. lagmössa ss. utmärkelse; *obtain* (*win*) *a* ~ bli uttagen till landslaget **II** *vb tr* **1** a) sätta mössa (kapsyl, lock etc.) på b) sport. ge ngn lagets mössa ss. utmärkelse; *be ~ped* [*for England*] bli uttagen till [engelska] landslaget **2** sätta tak för skatt **3** [be]täcka **4** kröna **5** slå, överglänsa [~ *a story*]; ~ *it all* gå utanpå allt, slå alla rekord; *to* ~ *it all* till råga på allt **6** tandläk., ~ *a tooth* sätta en jacketkrona på en tand

2 cap [kæp] stor bokstav [*this should be written in ~s*]; *small ~s* kapitäler

capabilit|y [ˌkeɪpə'bɪlətɪ] **1** förmåga; duglighet, skicklighet; möjlighet **2** isht pl. *-ies* [utvecklings]möjligheter, anlag

capable ['keɪpəbl] **1** duglig; duktig **2** ~ *of* i stånd (kapabel) till; mäktig t.ex. en känsla

capacious [kə'peɪʃəs] **1** rymlig [*a* ~ *bag*]; omfattande **2** vidsynt, öppen [*a* ~ *mind*]

capacit|y [kə'pæsətɪ] **1** [möjlighet att bereda] plats (utrymme) [*of* för], kapacitet; *the hotel has a large* ~ (*a* ~ *of 200 people*) hotellet kan ta emot mycket folk (har plats för 200 personer); [*the hall*] *has a seating* ~ *of 500* ...har (rymmer) 500 sittplatser; *filled to* ~ fylld till sista plats, fullsatt; fylld till brädden **2** kapacitet: **a**) fys. rymd, volym; *measure of* ~ rymdmått **b**) förmåga, möjlighet [*to do, of doing*]; kraft, prestationsförmåga; effekt; effektivitet; *carrying* ~ last[nings]förmåga, bärkraft; ~ *for work* arbetskapacitet, arbetsförmåga; *work to* ~ arbeta med fullt pådrag (för fullt) **c**) förmåga, duglighet [ofta pl. *-ies*]; *he is a man of great* ~ han är en stor kapacitet **3** jur. bemyndigande, kompetens, befogenhet **4** egenskap, ställning; *in the* ~ *of* i egenskap av, såsom varande; *in my* ~ *as* i min egenskap av (ställning som) **5** ss. attr., ~ *house* (*audience*) fullsatt (fullt) hus; ~ *production* topproduktion, högsta produktion; *there was a* ~ *crowd* det var fullt till sista plats

1 cape [keɪp] **1** udde **2** *the C~* a) Godahoppsudden b) Kapprovinsen

2 cape [keɪp] cape

1 caper ['keɪpə] kaprisbuske; pl. *~s* kapris krydda

2 caper ['keɪpə] **I** *s* glädjesprång; påhitt **II** *vb itr* göra glädjesprång, hoppa och skutta

1 capital ['kæpɪtl] **I** *adj* **1** jur. belagd med dödsstraff [~ *crime* (*offence*)]; döds- [~ *sentence*]; ~ *punishment* dödsstraff; *on a* ~ *charge* anklagad för brott som medför dödsstraff **2** ödesdiger [*a* ~ *error*] **3** huvudsaklig; förnämst; störst [*of* ~ *importance*]; ~ *city* huvudstad **4** utmärkt **5** stor [~ *letter*, ~ *S*] **II** *s* **1** huvudstad **2** stor bokstav; *small ~s* kapitäler **3** kapital; förmögenhet; kapital- [~ *investments*]; *C~ and Labour* storfinansen och arbetarna; ~ *account* kapitalräkning; ~ *assets* fast egendom

2 capital ['kæpɪtl] byggn. kapitäl

capitalism ['kæpɪtəlɪz(ə)m] kapitalism

capitalize ['kæpɪtəlaɪz] **I** *vb tr* **1** kapitalisera **2** använda [som kapital]; förvandla till kapital **3** finansiera **4** bildl. utnyttja **5** skriva med stor [begynnelse]bokstav **II** *vb itr*, ~ *on* utnyttja, dra fördel av

capitulate [kə'pɪtjʊleɪt] kapitulera

capitulation [kəˌpɪtjʊ'leɪʃ(ə)n] kapitulation

caprice [kə'pri:s] nyck; nyckfullhet

capricious [kə'prɪʃəs] nyckfull

Capricorn ['kæprɪkɔ:n] **1** astrol. Stenbocken **2** *he is* [*a*] ~ han är Stenbock; *the Tropic of* ~ Stenbockens vändkrets

capsize [kæp'saɪz] **I** *vb itr* kapsejsa **II** *vb tr* komma att kantra

capstan ['kæpstən] **1** sjö. ankarspel **2** drivrulle på bandspelare **3** ~ *lathe* supportsvarv

capsule ['kæpsju:l] **1** kapsel i olika bet.: t.ex. rymd., med. el. bot.; hölje **2** kapsyl, hylsa

captain ['kæptɪn] **I** *s* **1 a**) kapten inom armén (amer. äv. inom flyget) **b**) inom flottan kommendör; *C~ of the Fleet* flaggadjutant, flaggkapten **2 a**) [sjö]kapten, befälhavare **b**) [flyg]kapten **3** anförare; sport. [lag]kapten **4** amer. a) poliskommissarie b) [brand]kapten **5** amer. hovmästare; [*bell*] ~ portier, övervaktmästare på hotell **II** *vb tr* leda

caption ['kæpʃ(ə)n] **I** *s* rubrik; [film]titel; bildtext **II** *vb tr* rubricera

captivate ['kæptɪveɪt] fängsla

captive ['kæptɪv] **I** *adj* fången, fängslad [*hold a p.* ~]; ~ *market* marknad där kunden inte har någon valmöjlighet **II** *s* **1** fånge **2** slav

captivity [kæp'tɪvətɪ] fångenskap

captor ['kæptə] tillfångatagare, erövrare

capture ['kæptʃə] **I** *s* **1** tillfångatagande;

gripande; erövring [*the ~ of the town*]; kapning av fartyg **2** fångst **3** *data* ~ data. datafångst **II** *vb tr* **1** ta till fånga; gripa; ta, erövra pjäs i schack; ta som byte; kapa **2** bildl. fånga [*it ~d my imagination*]

car [kɑ:] **1** bil; poet. vagn **2** spårvagn [äv. *tramcar*]; *front* ~ motorvagn **3** isht amer. järnvägsvagn; godsfinka **4** [last]kärra **5** flyg. gondol **6** amer. hisskorg

carafe [kəˈræf, -ˈrɑ:f] karaff[in]

caramel [ˈkærəmel] **1** bränt socker; ~ *custard* brylépudding **2** kola **3** ljusbrun färg

carat [ˈkærət] karat [*18 ~ gold*]

caravan [ˈkærəvæn, ˌkærəˈv-] **I** *s* **1** husvagn; ~ *site* campingplats [för husvagnar] **2** karavan **II** *vb itr* bo i (resa omkring med) husvagn

caraway [ˈkærəweɪ] kummin[ört]

carbohydrate [ˌkɑ:bə(ʊ)ˈhaɪdreɪt] kolhydrat

carbon [ˈkɑ:bən] **1** kem. kol; ~ *dioxide* koldioxid, kolsyra; ~ *monoxide* koloxid **2** se *carbon paper*; ~ [*copy*] [genomslags]kopia **3** elektr. kolspets **4** tekn. sot; ~ *black* kimrök

carbon paper [ˈkɑ:bənˌpeɪpə] karbonpapper

carburettor [ˌkɑ:bjʊˈretə] förgasare

carcass [ˈkɑ:kəs] **1** kadaver **2** djurkropp utan huvud, ben o. inälvor; ~ *meat* färskt (inte konserverat) kött **3** vard. lekamen; liv[hank] [*save one's ~*] **4** bildl. [tomt] skal

carcinogenic [ˌkɑ:sɪnəˈdʒenɪk] med. karcinogen, cancerframkallande

1 card [kɑ:d] **I** *s* karda **II** *vb tr* karda

2 card [kɑ:d] **1** kort; ~*s* äv. kortspel [*win at* (i) *~s*]; ~ *vote* fullmaktsröstning i fackförening; *get one's ~s* vard. få sparken; *have a ~ up one's sleeve* ha något i bakfickan (i reserv); *it's on* (amer. *in*) *the ~s* det är mycket möjligt; *it's off the ~s* det är inte troligt **2** vard. företag [*a dubious ~*]; *it's a safe* (*sure*) ~ det är verkligen någonting att satsa på, det är ett säkert kort **3** program; lista **4** amer. skylt, affisch **5** karta med knappar, spännen o.d. **6** vard. original; *queer* ~ konstig prick

cardamom o. **cardamum** [ˈkɑ:dəməm] bot. el. kok. kardemumma

cardboard [ˈkɑ:dbɔ:d] papp; ~ *box* [papp]kartong

cardiac [ˈkɑ:dɪæk] med. **I** *adj* hjärt- [~ *patient*]; ~ *arrest* hjärtstillestånd; ~ *insufficiency* hjärtinsufficiens **II** *s* **1** hjärtpatient **2** hjärtstärkande medicin

cardigan [ˈkɑ:dɪgən] cardigan

cardinal [ˈkɑ:dɪnl] **I** *adj* **1** huvud-; avgörande [*of ~ importance*]; ~ *number* grundtal, kardinaltal; ~ *vowel* kardinalvokal **2** högröd, purpurröd; ~ *red* högröd (purpurröd) färg, högrött, purpurrött **II** *s* kardinal

cardsharp [ˈkɑ:dʃɑ:p] o. **cardsharper** [ˈkɑ:dˌʃɑ:pə] falskspelare; bondfångare

care [keə] **I** *s* **1** bekymmer **2** omsorg; noggrannhet; ~ *instructions* på plagg skötselanvisningar, skötselråd **3** vård, omvårdnad [*have the ~ of; be under* (*in*) *the ~ of*]; ~ *attendant* hemvårdare; *take ~ of* ta hand om; vara rädd om **II** *vb itr* **1** bry sig om [det] [*he doesn't seem to ~*]; ~ *about* bry sig om, intressera sig för, bekymra sig om; *for all I ~* vad mig beträffar; *I couldn't ~ less* vard. det struntar jag i; *would you ~ for an ice cream?* vill du ha en glass? **2** ~ *to* ha lust att, [gärna] vilja [*would you ~ to go for a walk?*]

careen [kəˈri:n] sjö. **I** *vb tr* kölhala; [komma att] kränga **II** *vb itr* kränga, ligga över

career [kəˈrɪə] **I** *s* **1** [levnads]bana [*choose a ~*]; karriär; utveckling; *choose a commercial* (*military*) ~ välja ett yrke inom handel (välja den militära banan) **2** [full] fart **II** *vb itr* ila, rusa [*about, along, past*]

careerist [kəˈrɪərɪst] karriärmänniska, karriärist

carefree [ˈkeəfri:] **1** bekymmerslös **2** lättsinnig

careful [ˈkeəf(ʊ)l] **1** försiktig; aktsam; omtänksam; sparsam; *be ~* äv. akta sig [*not to do a th.* för att göra ngt]; *be ~ with* äv. akta, vara aktsam (rädd) om **2** omsorgsfull; om arbete o.d. äv. noggrant utförd, grundlig; noga; *he was ~ to explain* han var noga med att förklara

careless [ˈkeələs] **1** slarvig, vårdslös; obetänksam, oförsiktig **2** obekymrad, likgiltig **3** sorglös

caress [kəˈres] **I** *vb tr* smeka **II** *s* smekning

caretaker [ˈkeəˌteɪkə] **1** vaktmästare, uppsyningsman; fastighetsskötare **2** ~ *government* expeditionsministär, övergångsregering **3** tillsynsman, förvaltare

cargo [ˈkɑ:gəʊ] (pl. *~es*) [skepps]last; ~ *steamer* lastångare

Caribbean [ˌkærɪˈbi:ən] **I** *adj* karibisk [*the ~ Sea*] **II** *s* **1** *the* ~ Karibiska havet **2** *the* ~ Västindien [*the arts of the ~*]

caricature [ˈkærɪkəˌtʃʊə] **I** *s* karikatyr; parodi **II** *vb tr* karikera

caring [ˈkeərɪŋ] som visar omtanke [*a ~ society*]

carnage [ˈkɑ:nɪdʒ] blodbad

carnal [ˈkɑ:nl] köttslig [*~ desires* (*pleasures*)]; *have ~ knowledge of* ha sexuellt umgänge med

carnation [kɑ:ˈneɪʃ(ə)n] **I** *s* **1** [trädgårds]nejlika **2** ljusröd (skär) färg **II** *adj* ljusröd, skär

carnival ['kɑ:nɪv(ə)l] **1** karneval[stid] **2** amer. [kringresande] tivoli, nöjesfält

carnivorous [kɑ:'nɪv(ə)rəs] köttätande; ~ *animal* äv. karnivor, köttätare

carol ['kær(ə)l] **I** *s* lovsång, jubelsång; [*Christmas*] ~ julsång **II** *vb itr* **1** jubla; drilla **2** gå från hus till hus och sjunga julsånger

carouse [kə'raʊz] **I** *vb itr* rumla, festa, pokulera **II** *s* rumlande, festande; dryckeslag

carousel [ˌkærə'sel, -zel] **1** foto. karusellmagasin **2** bagageband på flygplats **3** isht amer. karusell

1 carp [kɑ:p] (pl. lika) zool. karp

2 carp [kɑ:p] gnata; ~ *at* hacka (klanka) på, häckla

car park ['kɑ:pɑ:k] bilparkering

Carpathians [kɑ:'peɪθjənz] geogr.; *the* ~ pl. Karpaterna

carpenter ['kɑ:pəntə] **I** *s* [byggnads-, grov]snickare; ~*'s bench* hyvelbänk **II** *vb itr* o. *vb tr* snickra

carpentry ['kɑ:pəntrɪ] **1** snickaryrke, timmermansyrke; träslöjd **2** snickeri[arbete]

carpet ['kɑ:pɪt] **I** *s* större mjuk matta äv. bildl.; *be on the* ~ a) vara på tapeten b) bli åthutad; *have a p. on the* ~ ge ngn en skrapa; *pull the* ~ *from under a p.* bildl. rycka undan marken under ngns fötter **II** *vb tr* mattbelägga, täcka [liksom] med en matta

carpet-sweeper ['kɑ:pɪtˌswi:pə] mattsopare redskap

car phone ['kɑ:fəʊn] biltelefon

carriage ['kærɪdʒ] **1** transport, fraktande, fraktning; fraktfart; *water* ~ sjötransport **2** frakt[kostnad] isht på järnväg; ~ *forward* frakten ej betald (betalas vid framkomsten); ~ *free* fraktfritt; ~ *paid* fraktfritt **3** hållning, sätt att föra sig **4** antagande av motion o.d. **5** järnv. [person]vagn **6** ekipage **7** på skrivmaskin m.m. vagn; ~ *release* vagnfrigörare

carriageway ['kærɪdʒweɪ] körbana; *dual* ~ tvåfilig väg med skilda körbanor

carrier ['kærɪə] **1** a) bärare; [stads]bud; åkare b) transportföretag; *road ~s* åkeri **2** amer., [*mail*] ~ brevbärare, postiljon **3** transportfordon; ~ *cycle* paketcykel, transportcykel **4** [*aircraft*] ~ hangarfartyg **5** pakethållare **6** se *carrier pigeon* **7** smittbärare, bacillbärare **8** fackspr. bärare; ~ [*wave*] radio. bärvåg

carrier bag ['kærɪəbæg] [bär]kasse

carrier pigeon ['kærɪəˌpɪdʒɪn] brevduva

carrion ['kærɪən] kadaver

carrion-crow [ˌkærɪən'krəʊ] zool. svartkråka

carrot ['kærət] morot

carry ['kærɪ] **I** *vb tr* (se äv. *III*) **1** bära; bära på; ha med (på) sig; gå [omkring] med; ~ *the sense of* ha betydelsen [av] **2** frambära brev, nyhet o.d.; om tidning innehålla, publicera **3** forsla **4** föra äv. bildl. [*that would* ~ *us too far*]; driva [~ *the joke too far*]; om vind driva [fram]; leda t.ex. vatten, ljud **5** ha plats för, rymma, [kunna] ta; *~ing capacity* lastförmåga, lastkapacitet **6** erövra; hemföra pris o.d.; driva (få) igenom åtgärd, kandidat o.d.; segra i val; ~ *everything* (*all*) *before one* genomdriva allt; ha en oerhörd framgång **7** hålla kropp, huvud; *she carries her clothes well* hon bär upp sina kläder väl **8** medföra [~ *responsibility*] **9** föra (flytta) över; bokf. transportera

II *vb itr* (se äv. *III*) **1** utföra transporter **2** om ljud äv. [kunna] höras

III *vb tr* o. *vb itr* i spec. förb. med adv.

~ **along** [lyckas] övertyga; *he carried* [*the audience*] *along with him* han fick...med sig (på sin sida)

~ **away**: **a**) bära (föra) bort **b**) bildl. hänföra; *be carried away by* ryckas med av; bli upptänd av **c**) sjö., om vind, vågor bryta, rycka bort

~ **back** föra tillbaka [i tiden] [*the music carried him back to his childhood*]

~ **forward** bokf. transportera; [*amount*] *carried forward* transport till ngt; *balance* [*to be*] *carried forward* utgående saldo

~ **off**: **a**) bära (föra) bort **b**) hemföra [~ *off a prize*] **c**) bära upp **d**) uppväga; släta över **e**) klara av [~ *off a situation*]; ~ *it off* [*well*] sköta (klara) sig bra

~ **on**: **a**) föra [~ *on a conversation*], [be]driva **b**) fortsätta; ~ *on* [*with*] fortsätta [med], fullfölja **c**) vard. bära sig [illa] åt

~ **out** utföra; genomföra; tillämpa; uppfylla [~ *out a promise*]

~ **over**: **a**) bära (föra, ta) över **b**) hand. överföra; bokf. transportera; [*amount*] *carried over* transport **c**) föra vidare; *that will* ~ *you over* på det kan du klara dig

~ **through**: **a**) genomföra; driva igenom **b**) klara (föra) igenom

carryall ['kærɪɔ:l] amer. **1** slags enspänd landå **2** bil (buss) med två mot varandra vända sidosäten **3** rymlig bag (väska)

carrycot ['kærɪkɒt] babylift bärkasse för spädbarn

carry-on ['kærɪɒn] **I** *adj* flyg., ~ *baggage* handbagage; ~ *case* (*bag*) kabinväska **II** *s* vard. ståhej; bråk

cart [kɑ:t] **I** *s* **1** tvåhjulig kärra; [arbets]vagn; skrinda; *be in the* ~ vard. vara i knipa, sitta i klistret; *put the* ~ *before the horse* bära sig bakvänt åt, börja i galen ända **2** lätt tvåhjulig enspännare **II** *vb tr* **1** köra **2** släpa [på], kånka på

carte blanche [ˌkɑ:t'blɑ:nʃ] fr. blankofullmakt, carte blanche
cartel [kɑ:'tel] ekon. el. polit. kartell
carter ['kɑ:tə] åkare
cartilage ['kɑ:təlɪdʒ] anat. brosk
cartographer [kɑ:'tɒgrəfə] kartograf
cartography [kɑ:'tɒgrəfɪ] kartografi
carton ['kɑ:t(ə)n] kartong, pappask; *a ~ of* [*cornflakes*] ett paket...; *a ~ of* [*cigarettes*] en limpa...
cartoon [kɑ:'tu:n] **1** [skämt]teckning; [politisk] karikatyr **2** [tecknad] serie **3** [*animated*] ~ tecknad (animerad) film **4** konst. kartong utkast på styvt papper till målning o.d.
cartoonist [kɑ:'tu:nɪst] skämttecknare; karikatyrtecknare
cartridge ['kɑ:trɪdʒ] **1** patron i olika bet. [*film ~; ink ~*] **2** pickup **3** kassett
carve [kɑ:v] (imperf. *~d*; perf. p. *~d*, poet. *~n*) **I** *vb tr* **1** skära; skära (rista) in; skära ut; hugga [in (ut)]; skulptera; sticka, gravera **2** skära för (upp) kött **3** *~ out* a) hugga (skära) ut b) tillkämpa sig; vinna, förvärva, skapa sig [*~ out a fortune*] **4** *~ up* a) vard. dela [upp] [*~ up the booty*] b) sl. knivskära **II** *vb itr* **1** skära i trä; skulptera; hugga i marmor **2** skära för [steken]
carver ['kɑ:və] **1** [trä]snidare; bildhuggare; gravör **2** förskärare, förskärarkniv; [*pair of*] *~s* trancherbestick
carving ['kɑ:vɪŋ] **1** [ut]skärande etc., jfr *carve I 1* **2** tranchering, förskärande; *~ set* trancherbestick **3** [trä]snideri
carving-knife ['kɑ:vɪŋnaɪf] förskärare, förskärarkniv, trancherkniv
cascade [kæ'skeɪd] **I** *s* **1** kaskad; *~ of applause* applådåska, storm av applåder **2** lös drapering, svall [*a ~ of lace*] **II** *vb itr* falla som en kaskad
1 case [keɪs] **1** fall; förhållande; händelse; sak, fråga; läge; *this* (*such*) *being the ~* eftersom det förhåller sig så; *as the ~ may be* alltefter omständigheterna; [*take it*] *just in ~* ...för säkerhets skull, ...för alla eventualiteter; *in ~ of* i händelse av, vid [*in ~ of fire*]; *in the ~ of* i fråga om, när det gäller (rör sig om), för; *in that ~* i så fall **2 a**) jur. [rätts]fall; mål; process [*lose a ~*], ärende; affär **b**) jur. o. friare bevis[material]; argument; *the ~ for the defendant* (*prosecution*) försvarets (åklagarsidans) sakframställning; *put a p.'s ~* föra ngns talan **3** [sjukdoms]fall **4** gram. kasus **5** vard. original
2 case [keɪs] **I** *s* **1** låda; ask; skrin; fodral; [pack]lår **2** väska **3** hölje; [kudd]var; boett **4** [glas]monter **5** fack **6** boktr. [stil]kast **II** *vb tr* lägga (packa) in [i en låda (ask etc., jfr *I*)]
case history [ˌkeɪs'hɪst(ə)rɪ] med. sjukdomshistoria, anamnes
casement ['keɪsmənt] [sidohängt] fönster
cash [kæʃ] **I** *s* kontanter, reda pengar [äv. *hard ~, ready ~*]; pengar [*be rolling in ~*]; kassa; *~ purchase* kontantköp; *~ down* mot kontant betalning; *pay* [*in*] *~* betala kontant **II** *vb tr* lösa in [*~ a cheque*], lösa (kvittera, ta) ut [*~ a money order*], få pengar på, förvandla (omsätta) i kontanter; *~ in* amer. kassera in **III** *vb itr*, *~ in on* dra växlar på, slå mynt av
cash-and-carry [ˌkæʃən(d)'kærɪ] **I** *adj* hämtköps- [*~ depots*]; *~ prices* hämtpriser **II** *s*, *~* [*store*] hämtköp; [storköps]cash **III** *adv* på hämtköp
cashbox ['kæʃbɒks] kassaskrin
cashdesk ['kæʃdesk] kassa där man betalar
cash discount [ˌkæʃ'dɪskaʊnt] kassarabatt
cash dispenser ['kæʃdɪsˌpensə] bankautomat
cash flow ['kæʃfləʊ] ekon., ung. kassaflöde, betalningsflöde
1 cashier [kæ'ʃɪə] kassör
2 cashier [kə'ʃɪə] **1** mil. avskeda **2** kassera
cash machine ['kæʃməʃi:n] se *cash dispenser*
cashmere [kæʃ'mɪə] cashmere
cashpoint ['kæʃpɔɪnt] **1** kassa i snabbköp, varuhus **2** se *cash dispenser*
cash price [ˌkæʃ'praɪs] kontantpris
cash register ['kæʃˌredʒɪstə] kassaapparat
casing ['keɪsɪŋ] **1** beklädnad; hylsa **2** ram på dörr, fönster
casino [kə'si:nəʊ, -'zi:-] (pl. *~s*) kasino
cask [kɑ:sk] fat, tunna
casket ['kɑ:skɪt] **1** skrin; [ask]urna **2** amer. [lik]kista
Caspian ['kæspɪən], *the ~ Sea* Kaspiska havet
casserole ['kæsərəʊl] **1** eldfast form (gryta) som maten tillagas och serveras i **2** gryta maträtt [*chicken ~*]
cassette [kə'set] **I** *s* kassett för bandspelare, video, film; *~ deck* kassettdäck **II** *vb tr* spela in på kassett [*~ a film*]
cast [kɑ:st] **I** (*cast cast*) *vb tr* **1** kasta isht bildl. [*~ a glance* (*a shadow*); *~ new light on* (över) *a problem*]; *~ lots* kasta (dra) lott; *~ into the shade* bildl. ställa i skuggan **2** kasta omkull (ner); brottn. kasta **3** kasta av; fälla fjädrar, löv o.d.; ömsa skinn om orm **4** gjuta, stöpa, forma äv. bildl. **5** räkna [ner (ut)], addera [ihop]; *~ figures* addera **6** teat. tilldela; utse; fördela [*~ the parts*]; besätta (fördela) rollerna i [*~ a play*] **7** astrol. beräkna, ställa [*~ a p.'s horoscope*] **8** med adv.:
~ **aside** kasta bort; lägga av (bort)
~ **away** kasta (slänga) bort, slösa bort, förspilla; *be ~ away* sjö. lida skeppsbrott

~ **in** *one's lot with* göra gemensam sak med
~ **off**: kasta bort (av), kassera; lägga av kläder o.d.; lämna
~ **out** fördriva; köra bort
II (*cast cast*) *vb itr* **1** räkna; addera **2** kasta **3** med adv.:
~ **about** söka, se sig om; fundera på; ~ *about for* äv. försöka hitta (komma) på [~ *about for an answer* (*an excuse*)]
~ **off**: sjö. göra (kasta) loss
III *s* **1** kast[ande]; *a ~ of the dice* ett tärningskast **2** a) avgjutning b) gjutform; [*plaster*] ~ med. gipsförband **3** teat. a) rollfördelning b) ensemble; *the* ~ äv. personerna, de medverkande **4** anstrykning **5** *have a ~ in one's eye* skela [på ena ögat]
castanets [ˌkæstəˈnets] mus. kastanjetter
castaway [ˈkɑːstəweɪ] *s* **1** skeppsbruten [person] **2** utstött varelse
caste [kɑːst] **1** kast; bildl. äv. ståndsklass; *lose* (*renounce*) ~ sjunka socialt; förlora sin position **2** kastväsen
casting vote [ˌkɑːstɪŋˈvəʊt] utslagsröst
cast-iron [ˌkɑːstˈaɪən, attr. ˈ-ˌ--] **1** gjutjärn **2** gjutjärns-; bildl. järn- [~ *will*], järnhård; säker [~ *alibi*]
castle [ˈkɑːsl] **I** *s* **1** slott; *~s in the air* (*in Spain*) luftslott **2** schack. torn **3** ~ *nut* tekn. kronmutter **II** *vb tr* o. *vb itr* schack. rockera
cast-off [ˈkɑːstɒf] **I** *adj* kasserad **II** *s* **1** kasserad sak; pl. *~s* avlagda kläder (skor etc.) **2** ratad (försmådd) person
castor [ˈkɑːstə] **1** [svängbart] hjul på rullbord o.d. **2** ströare [*sugar ~*]; ~ *sugar* [fint] strösocker
castor oil [ˌkɑːstərˈɔɪl] ricinolja
castrate [kæˈstreɪt, ˈ--] kastrera
casual [ˈkæʒjʊəl, -zjʊəl] **I** *adj* **1** tillfällig; flyktig; ~ *customer* strökund; ~ *sex* tillfälliga sexuella förbindelser **2** planlös **3** nonchalant, ogenerad; otvungen, ledig; ~ *dress* ledig klädsel; fritidskläder **II** *s* **1** tillfällighetsarbetare, tillfälligt anställd **2** strökund **3** lätt bekväm sko **4** pl. *~s* fritidskläder
casually [ˈkæʒjʊəlɪ, -zjʊəl-] tillfälligt osv., jfr *casual I*; tillfälligtvis
casualt|y [ˈkæʒjʊəltɪ, -zjʊəl-] **1** olycksfall; ~ *insurance* olycksfalls- och skadeförsäkring; ~ *ward* (*department*) olycksfallsavdelning, akutmottagning på sjukhus **2** offer i krig, olyckshändelse o.d.; pl. *-ies* äv. [förluster i] döda och sårade, förolyckade; ~ *list* förlustlista
1 cat [kæt] **1** katt; katta; *it's raining* (*coming down*) *~s and dogs* regnet står som spön i backen, det regnar småspik; *the ~ is out of the bag* det (hemligheten) har sipprat (kommit) ut; *look like something the ~ brought in* vard. se urvissen ut; *be like a ~ on hot bricks* (amer. *on a hot tin roof*) vard. inte ha någon ro i kroppen, sitta som på nålar; *it's the ~'s pyjamas* (*whiskers*) vard. det är toppen (kalas, alla tiders) **2** kattdjur **3** neds. om kvinna apa, markatta **4** isht amer. kille
2 cat [kæt] (vard. kortform för *catalytic converter*) kat [~ *car*]
catalogue [ˈkætəlɒg] **I** *s* katalog; lista **II** *vb tr* katalogisera; göra upp en förteckning över
catalyst [ˈkætəlɪst] kem. katalysator äv. bildl.
catalytic [ˌkætəˈlɪtɪk] kem. katalytisk; ~ *converter* katalytisk avgasrenare, katalysator
catapult [ˈkætəpʌlt] **I** *s* **1** katapult; ~ *take-off* katapultstart **2** slangbåge **II** *vb tr* **1** flyg. starta (skjuta ut) med katapult **2** skjuta (slunga) iväg som med en katapult **3** skjuta [iväg] med slangbåge
cataract [ˈkætərækt] **1** katarakt, vattenfall; fors äv. bildl. **2** med. grå starr
catarrh [kəˈtɑː] katarr
catastrophe [kəˈtæstrəfɪ] katastrof
catcall [ˈkætkɔːl] **I** *s* **1** protestvissling **2** slags visselpipa **II** *vb itr* vissla [till protest]
catch [kætʃ] **I** (*caught caught*) *vb tr* **1** fånga; fånga in (upp), få tag i; ta (få) fast; om eld antända, fatta [tag] i; ~ *hold of* ta (fatta, gripa) tag i, ta fast i **2** hinna [i tid] till [~ *the train*]; ~ *the post* hinna lägga posten på lådan **3** ertappa; ~ *a p. out* avslöja (ertappa) ngn **4** träffa [*I caught him on the nose*]; slå **5** få, ådra sig; smittas av; ~ [*a*] *cold* bli förkyld, förkyla sig; *you'll ~ it from me* a) du kommer att bli smittad av mig b) vard. du ska få med mig att göra **6** uppfånga; fatta; ~ *sight of* få syn på, få se **7** fånga [~ *a p.'s attention*]; fängsla; hejda; ~ *one's breath* flämta till, kippa efter andan; *it caught my eye* det fångade min blick **8** fastna med [*she caught her dress in the door*]; haka i [*the nail caught her dress*]; *get caught* fastna, komma i kläm **9** lura; snärja **10** ~ *up* hinna ifatt, hinna upp [*he caught me up*]; *caught up in* a) inblandad i b) fångad (gripen, medryckt) av **II** (*caught caught*) *vb itr* **1** fastna, haka (häkta, hänga) upp sig **2** fatta (ta) eld; ta sig [*the fire took a long time to ~*] **3** smitta, vara smittsam **4** ~ *at* gripa [efter] **5** ~ *on* vard. a) slå [an (igenom)], göra lycka [*the play never caught on*] b) fatta galoppen, vara med på noterna **6** ~ *up* ta igen vad man försummat **III** *s* **1** [fångad] lyra; *that was a good ~* det var snyggt taget (fångat) **2** fångst; notvarp **3** kap, fynd **4** ~ *question* kuggfråga **5** *there was a ~ in her voice* hennes röst stockade sig **6** spärr[anordning]; klinka; knäppe, lås

catching ['kætʃɪŋ] **1** smittande äv. bildl. **2** anslående; tilldragande, lockande
catchphrase ['kætʃfreɪz] slagord, inneuttryck
catchword ['kætʃwɜ:d] **1** slagord **2** rubrikord
catchy ['kætʃɪ] klatschig, effektfull [*a ~ title*]
catechism ['kætəkɪz(ə)m] **1** relig. katekes äv. bildl. **2** [katekes]förhör; *put a p. through his ~* korsförhöra ngn
categorical [ˌkætə'gɒrɪk(ə)l] **1** kategorisk; bestämd **2** [indelad] i kategorier
categorize ['kætəgəraɪz] kategorisera, indela i kategorier (klasser)
category ['kætəg(ə)rɪ] kategori; klass
cater ['keɪtə] **I** *vb itr* **1** leverera mat (måltider); *~ for* [*parties*] äv. arrangera (ordna)... **2 a)** *~ for* servera [mat till], hålla med mat **b)** *~ for* (*to*) sörja för [underhållning åt], underhålla; sköta om, ordna för; leverera till **II** *vb tr* amer. leverera mat (måltider) till, arrangera [*~ parties*]
catering ['keɪt(ə)rɪŋ] **1** servering (tillhandahållande) av måltider (mat); förplägnad **2** *~ business* restaurangrörelse; *~ company* a) firma som arrangerar måltider, cateringföretag b) uthyrningsfirma för möbler, dukar, glas och porslin m.m.
caterpillar ['kætəpɪlə] **1** bot. [fjärils]larv; kålmask, lövmask **2** tekn. [driv]band, larvband **3** *~* [*tank*] stridsvagn, tank; *~ treads* larvfötter
cathedral [kə'θi:dr(ə)l] katedral
cathode ['kæθəʊd] fys. katod; *~ ray* katodstråle
catholic ['kæθəlɪk] **I** *adj* **1** universell **2** [all]omfattande; vidsynt **3** kyrkl., *C~* katolsk [*the Roman C~ Church*] **II** *s*, *C~* katolik [*a Roman C~*]
Catholicism [kə'θɒlɪsɪz(ə)m] katolicism[en]
cattle ['kætl] **1** nötkreatur [*twenty head of ~*], boskap **2** vard. fähundar
catty ['kætɪ] vard. spydig
Caucasian [kɔ:'keɪzjən, -keɪʒ-] **I** *adj* kaukasisk; *the ~ race* den europida (kaukasiska, vita) rasen **II** *s* kaukasier, vit
Caucasus ['kɔ:kəsəs] geogr.; *the ~* Kaukasus
caucus ['kɔ:kəs] **1** i USA förberedande valmöte; nomineringsmöte **2** i Storbritannien inflytelserik lokal politisk valorganisation; *the ~* ofta neds. [den politiska] organisationen ss. makt; partiapparaten
caught [kɔ:t] imperf. o. perf. p. av *catch*
cauldron ['kɔ:ldr(ə)n] stor kittel
cauliflower ['kɒlɪflaʊə] blomkål; *~ cheese* kok. [kokt] blomkål med ostsås
cause [kɔ:z] **I** *s* **1** orsak, grund, anledning [*there is no ~ for complaint*]; *~ and effect* orsak och verkan **2** jur. o. friare sak [*make common ~ with a p.*], jur. äv. rättsfråga; ideal att kämpa för [*pacifism as a political ~*; *the ~ of freedom*; *work for* (*in*) *a good ~*] **II** *vb tr* [för]orsaka, föranleda [*~ trouble to a p.*; *this has ~d us a lot of trouble*]; få [*~ a p.'s resolution to waver*]; förmå, låta
causeway ['kɔ:zweɪ] **1** [väg på] vägbank över sankmark **2** upphöjd gångbana bredvid väg
caustic ['kɔ:stɪk, 'kɒs-] **I** *adj* **1** brännande; kaustik [*~ soda*]; *~ lime* bränd kalk **2** skarp; bitande, sarkastisk [*~ remarks*] **II** *s* frätmedel; med. kaustikum
caution ['kɔ:ʃ(ə)n] **I** *s* **1** försiktighet; *use ~* iaktta försiktighet **2** varning; tillrättavisning [*dismissed with a ~*] **3** skotsk. el. amer. kaution, säkerhet; *~ money* borgen pengar som deponeras som säkerhet för uppfyllande av ett åtagande **4** sl., *you're a ~!* du är en rolig en du! **II** *vb tr* varna, råda, förmana
cautious ['kɔ:ʃəs] försiktig, varsam
cavalcade [ˌkæv(ə)l'keɪd] kavalkad äv. bildl.; procession
cavalier [ˌkævə'lɪə] **I** *s* hist. **1** ryttare **2** riddare **3** kavaljer i olika bet.; *the C~ poets* diktargrupp på 1600-talet vid Karl I:s hov i England **II** *adj* **1** kavaljers-; fri; flott **2** stolt, övermodig, överlägsen [*~ attitude*]; självrådig [*~ treatment*]
cavalry ['kæv(ə)lrɪ] (konstr. vanl. ss. pl.) kavalleri
cavalryman ['kævəlrɪmən] kavallerist
cave [keɪv] **I** *s* håla; källare **II** *vb itr*, *~ in* a) störta in, rasa, falla ihop b) ge efter, ge vika; ge sig c) vard. säcka ihop
caveman ['keɪvmən] **1** grottmänniska **2** grobian; driftmänniska
cavern ['kævən] håla, jordkula; grotta
caviare ['kævɪɑ:, ˌkævɪ'ɑ:] kaviar; *~ to the general* pärlor för svin
cavity ['kævətɪ] hålighet; tandläk. kavitet; *oral ~* munhåla
cavort [kə'vɔ:t] vard. hoppa (flyga) omkring, göra krumsprång
caw [kɔ:] **I** *vb itr* o. *vb tr* kraxa; *~ out* kraxa fram **II** *s* kraxande **III** *interj*, *~!* kra kra!
cayenne [keɪ'en, attr. 'keɪen] kajennpeppar [äv. *C~ pepper*]
CB [ˌsi:'bi:] förk. för *Citizens' Band*
CBE [ˌsi:bi:'i:] förk. för *Commander of* [*the Order of*] *the British Empire*
CBI (förk. för *Confederation of British Industry*) Brittiska arbetsgivarföreningen
c.c. [ˌsi:'si:] förk. för *cubic centimetre*[*s*], *cubic contents*

1 CD [ˌsiːˈdiː] (förk. för *compact disc*) CD-skiva; ~ *player* CD-spelare
2 CD förk. för *Civil Defence, Corps Diplomatique*
cease [siːs] **I** *vb itr* upphöra, sluta upp **II** *vb tr* sluta; ~ *fire!* mil. eld upphör!; ~ *work* lägga ned arbetet **III** *s, without* ~ oupphörligt, oavbrutet
cease-fire [ˌsiːsˈfaɪə] eldupphör[order]; kort vapenvila
ceaseless [ˈsiːsləs] oupphörlig
cedar [ˈsiːdə] ceder; cederträ
cede [siːd] avträda [~ *territory*], överlåta[s]
cedilla [səˈdɪlə] språkv. cedilj
ceiling [ˈsiːlɪŋ] **1** innertak, tak i rum **2** flygv. maximihöjd **3** bildl. högsta gräns (nivå) [*price* ~], topp; *the glass* ~ glastaket den osynliga övre gränsen för en kvinnas karriärmöjligheter
celebrate [ˈseləbreɪt] **I** *vb tr* **1** fira **2** lovsjunga **II** *vb itr* **1** fira en [minnes]högtid **2** vard. festa
celebrated [ˈseləbreɪtɪd] berömd; ryktbar
celebration [ˌseləˈbreɪʃ(ə)n] **1** firande, högtidlighållande **2** fest
celebrity [səˈlebrətɪ] berömdhet, ryktbarhet, celebritet äv. konkr.; kändis
celeriac [səˈlerɪæk, ˈselərɪæk] rotselleri
celery [ˈselərɪ] bot. selleri; [*blanched*] ~ blekselleri
celestial [səˈlestjəl] himmelsk
celibacy [ˈselɪbəsɪ] celibat
celibate [ˈselɪbət] **I** *adj* ogift; *he leads* (*lives*) *a* ~ *life* se *II* **II** *s, he is a* ~ han lever i celibat
cell [sel] **1** biol. o.d. cell; ~ *biology* cellbiologi; ~ *division* celldelning **2** cell i t.ex. kloster, fängelse **3** elektr. element **4** polit. [propaganda]cell **5** ~ *radio* se *cellular 3*
cellar [ˈselə] **I** *s* källare; vinkällare **II** *vb tr* förvara (lagra) i källare
cellist [ˈtʃelɪst] [violon]cellist
cello [ˈtʃeləʊ] (pl. ~*s*) cello
Cellophane [ˈselə(ʊ)feɪn] ® cellofan
cellular [ˈseljʊlə] **1** cell- [~ *tissue*]; cellformig; cellulär **2** porös [~ *material*], [som är] gles i strukturen, glesvävd [~ *shirt*] **3** tele., ~ *radio* mobil radio; ~ *telephone* mobiltelefon
cellulose [ˈseljʊləʊs] cellulosa; ~ *acetate* cellulosaacetat; textil. acetat
Celsius [ˈselsjəs] egenn.; ~ *thermometer* celsiustermometer
Celt [kelt] kelt
Celtic [ˈkeltɪk, fotbollslag ˈseltɪk] **I** *adj* keltisk; ~ *cross* latinskt kors med bred ring kring skärningspunkten; *the* ~ *fringe* neds. befolkningen i Skottland, Wales, Cornwall och Irland **II** *s* **1** keltiska språket **2** namn på skotskt fotbollslag
cement [sɪˈment] **I** *s* **1** cement; kitt; ~ *mixer* cementblandare **2** bildl. föreningsband **II** *vb tr* **1** cementera; kitta **2** bildl. fast förena [~ *a friendship*] **III** *vb itr* sammanfogas; hänga samman
cemetery [ˈsemətrɪ] kyrkogård som ej ligger vid kyrka; begravningsplats
censor [ˈsensə] **I** *s* **1** censor [*film* ~]; granskare **2** kritiker; häcklare **3** psykol. censur **II** *vb tr* censurera äv. psykol., stryka; förbjuda pjäs o.d.
censorship [ˈsensəʃɪp] censur
censure [ˈsenʃə] **I** *s* **1** omild kritik, ogillande; *pass* ~ *on* rikta kritik mot, kritisera **2** censur **II** *vb tr* kritisera
census [ˈsensəs] folkräkning, ung. mantalsskrivning; *traffic* ~ trafikräkning
cent [sent] **1** *per* ~ procent **2** cent mynt
centenary [senˈtiːnərɪ, -ˈten-] **I** *s* **1** hundraårsperiod **2** hundraårsdag, hundraårsjubileum **II** *adj* hundraårs-
centennial [senˈtenjəl] hundraårsdag, hundraårsjubileum
center [ˈsentə] isht amer., se *centre* o. sms.
centigrade [ˈsentɪgreɪd] hundragradig; celsius- [~ *thermometer*]; *20 degrees* ~ 20 grader Celsius
centigramme [ˈsentɪgræm] centigram
centilitre [ˈsentɪˌliːtə] centiliter
centimetre [ˈsentɪˌmiːtə] centimeter
centipede [ˈsentɪpiːd] mångfoting, tusenfoting insekt
central [ˈsentr(ə)l] **I** *adj* central i olika bet.; central- [~ *station*; *the* ~ *government*], huvud- [*the* ~ *figures in a novel*]; center-; mellerst; *C*~ *Africa* Centralafrika; *C*~ *Intelligence Agency* federala underrättelsetjänsten i USA, CIA; ~ *processing unit* data. centralenhet **II** *s* amer. telefonstation
centre [ˈsentə] **I** *s* **1** centrum äv. mil., sport. el. polit.; mitt[punkt]; central för verksamhet; sport. äv. inlägg; om pers. organisatör; *arts* ~ konstmuseum; [*business and shopping*] ~ [affärs]centrum, city; ~ *of gravity* tyngdpunkt; *the* ~ *of the stage* a) scenens centrum b) bildl. centrum för uppmärksamheten **2** i choklad o.d. fyllning; *chocolates with hard* (*soft*) ~*s* choklad med hård (mjuk) fyllning, fylld choklad **II** *vb tr* **1** ställa (samla) i mittpunkten **2** centrera **3** koncentrera; *our thoughts are* ~*d* [*up*]*on one idea* våra tankar kretsar kring en [enda] idé **4** fotb. spela (lägga) in mot mitten **III** *vb itr* **1** ha sin medelpunkt (tyngdpunkt, styrka); koncentreras **2** fotb. göra inlägg mot mitten
centrefold [ˈsentəfəʊld] mittuppslag
centrepiece [ˈsentəpiːs] **1** bordsuppsats **2** mittpunkt; huvudattraktion
centrifugal [ˌsentrɪˈfjuːg(ə)l] tekn.

centrifugal[-] [~ *force*]; ~ *machine* centrifug
centrifuge ['sentrɪfju:dʒ] tekn. centrifug
century ['sen(t)ʃ(ə)rɪ] **1** århundrade, sekel; *in the 20th* ~ på 1900-talet, i tjugonde århundradet (seklet) **2** hundra[tal]; i kricket hundra 'runs' poäng [*make* (*score*) *a* ~]
cep [sep] bot. stensopp
ceramic [sə'ræmɪk, kə'r-] keramisk; ~ *hob* keramikhäll på spis
ceramics [sə'ræmɪks, kə'r-] **1** (konstr. ss. sg.) keramik hantverk **2** (konstr. ss. pl.) keramik
cereal ['sɪərɪəl] **I** *adj* säd[es]- **II** *s* sädesslag; pl. ~*s* äv. a) spannmål; isht brödsäd b) flingor, rostat ris o.d. isht som morgonmål [*breakfast* ~*s*]; amer. äv. gröt
cerebral ['serəbr(ə)l] fysiol. hjärn-; ~ *haemorrhage* hjärnblödning
ceremonial [ˌserə'məʊnjəl] **I** *adj* ceremoniell, högtidlig, högtids- [~ *dress*] **II** *s* ceremoniel
ceremonious [ˌserə'məʊnjəs] **1** se *ceremonial I* **2** ceremoniös; kruserlig, avmätt; omständlig
ceremony ['serəmənɪ] **1** ceremoni; högtidlighet; akt [~ *of baptism*]; *Master of Ceremonies* ceremonimästare, klubbmästare; isht amer. programledare, programvärd **2** utan pl. ceremonier, ceremoniel; formalitet[er]; krusande
cerise [sə'ri:z, -'ri:s] **I** *adj* körsbärsröd, cerise[röd] **II** *s* körsbärsrött, cerise[rött]
ceritium [se'rɪtɪəm, -zɪəm] *s* geol. cerit
1 cert [sɜ:t] vard. **1** *a* [*dead*] ~ [något] absolut säkert, en given sak; *his victory is a* ~ hans seger är given; *we knew it for a* ~ vi var bergsäkra på det **2** kapplöpn. säker vinnare [*bet on a* ~]
2 cert [sɜ:t] vard. betyg [*get one's school* ~]; jfr *certificate I 2*
certain ['sɜ:t(ə)n] **1** säker [*this much* (så mycket) *is* ~ *that...*]; *face a* ~ *death* gå en säker död till mötes **2** viss ej närmare bestämd [*feel a* ~ *reluctance*; *on* ~ *conditions*]; *a* ~ *Mr. Jones* en viss herr (en herre vid namn) Jones
certainly ['sɜ:t(ə)nlɪ] **1** säkert, med visshet (säkerhet) **2** säkerligen; nog **3** visserligen **4** som svar ja visst, ja då, [jo] gärna [det]; ~ *not!* absolut inte!, nej visst inte!, nej för all del!
certainty ['sɜ:t(ə)ntɪ] säkerhet, visshet; *a* ~ någonting säkert, en given sak; [*prices have gone up* -] *that's a* ~ ...det är säkert; *we can have no* ~ *of success* vi kan inte vara säkra på framgång (att lyckas); *I can't say with any* ~ [*where...*] jag kan inte med säkerhet säga...
certificate [ss. subst. sə'tɪfɪkət, ss. vb -keɪt] **I** *s* **1** skriftligt intyg; kvitto; certifikat; *health* ~ friskintyg; *share* ~ aktiebrev **2** betyg; diplom; *General C~ of Education* (*GCE*) *Advanced Supplementary Level* (*A*/*S level*) avgångsexamen från *Secondary School* införd 1989 i syfte att bredda elevernas ämnesval; *General C~ of Secondary Education* (*GCSE*) avgångsexamen (med sjugradig skala A-G) från *Secondary School* efter fem års utbildning **II** *vb tr* förse med (tilldela) intyg etc., jfr *I*, utfärda intyg etc. åt; perf. p.: ~*d* äv. examinerad; formellt behörig [~*d nurse*, ~*d teacher*]
certif|y ['sɜ:tɪfaɪ] **1** attestera handling; intyga, betyga, bestyrka; auktorisera [-*ied translator*]; garantera; bekräfta, konstatera dödsfall o.d.; *this is to* ~ *that* härmed intygas att; -*ied cheque* bekräftad check; -*ied mail* amer., ung. rekommenderade försändelser **2** ~ [*as insane*] sinnessjukförklara; *he ought to be -ied* vard. han är ju färdig för dårhuset
cervical ['sɜ:vɪk(ə)l] anat. el. fysiol. cervikal, hals-; livmoderhals-; ~ *smear* cytologprov (cellprov) från livmoderhalsen
cessation [se'seɪʃ(ə)n] upphörande
cesspit ['sespɪt] **1** latringrop **2** bildl. dypöl
cf. [kəm'peə; kən'fɜ; ˌsi:'ef] (förk. för *confer* lat. imper. = *compare*) jfr
CFC (förk. för *chlorofluorocarbon*) klorfluorkolförening, freon
chafe [tʃeɪf] **I** *vb tr* **1** gnida (gnugga) [varm] **2** gnida sönder (på); skrapa, skrubba **3** bildl. reta **II** *vb itr* **1** gnida sig **2** bildl. bli irriterad, reta upp sig, rasa [~ *under insults*] **III** *s* **1** skavsår **2** irritation
1 chaff [tʃɑ:f] **I** *s* **1** agnar **2** hackelse djurföda **3** skräp **II** *vb tr* skära hackelse av
2 chaff [tʃɑ:f] vard. **I** *s* drift; skoj **II** *vb itr* skoja, retas **III** *vb tr* skoja (retas) med
chaffinch ['tʃæfɪn(t)ʃ] zool. bofink
chagrin ['ʃægrɪn, ss. vb äv. ʃə'gri:n] **I** *s* förtret, harm **II** *vb tr* förtreta
chain [tʃeɪn] **I** *s* **1** kedja; kätting **2** pl. ~*s* bojor **3** bildl. kedja; följd [~ *of events*]; ~ *of mountains* bergskedja **4** lantmätarkedja; ss. mått = 22 *yards* 20,1 m (motsv. i Sverige av mätarband) **II** *vb tr* **1** kedja fast; fjättra; lägga bojor (kedjor) på; ~ *up* kedja fast, binda **2** mäta med [lantmätar]kedja (i Sverige mätarband)
chain reaction [ˌtʃeɪnrɪ'ækʃ(ə)n] kedjereaktion
chain saw ['tʃeɪnsɔ:] kedjesåg, motorsåg
chain-smoker ['tʃeɪnˌsməʊkə] kedjerökare
chain store ['tʃeɪnstɔ:] filial[affär]; pl. ~*s* butikskedja
chair [tʃeə] **I** *s* **1** stol; *take a* ~*!* var så god och sitt ner!, tag plats! **2** lärostol, kateder; professur; *C~ of Philosophy* professur i filosofi **3** ordförandestol, talmansstol; ordförandeskap, ordförande; presidium

vid festmiddag o.d.; *~! ~!* till ordningen! protest mot oordning under debatt o.d.; *be in (hold) the ~* sitta [som] (vara) ordförande, föra ordet; *take the ~* inta ordförandeplatsen **4** *the ~* amer. elektriska stolen **II** *vb tr* **1** vara ordförande i [*~ a committee*], vara (sitta som) ordförande (presidera) vid [*~ a meeting*] **2** bära i [gull]stol (triumf)

chair lift ['tʃeəlɪft] sittlift

chair|man ['tʃeə|mən] (pl. *-men* [-mən]) ordförande; styrelseordförande; *~'s report* verksamhetsberättelse

chairperson ['tʃeəˌpɜ:sn] ordförande; styrelseordförande

chalet ['ʃæleɪ, -lɪ] **1** chalet äv. om chaletliknande villa **2** stuga i stugby o.d.

chalice ['tʃælɪs] **1** bägare **2** [nattvards]kalk **3** [blom]kalk

chalk [tʃɔ:k] **I** *s* **1** krita; *a piece of ~* en krita (kritbit, bit krita) **2** kritstreck; spel. äv. poäng; *not by a long ~* vard. inte på långa vägar **II** *vb tr* **1** krita, bestryka med krita **2** skriva (rita, märka) med krita **3** *~ out* staka ut, göra (skissera) upp **4** *~ up* skriva upp [*against a p.* på ngns räkning]

challenge ['tʃælən(d)ʒ] **I** *s* **1** utmaning; sporrande (stimulerande) uppgift **2** anrop av vaktpost o.d.; anropssignal **II** *vb tr* **1** utmana [*~ a p. to a duel*]; trotsa [*~ a p.'s power*]; *I ~ you to do it* försök att göra (med) det om du kan **2** uppfordra, uppmana [*~ a p. to fight (to try)*] **3** om vaktpost o.d. anropa **4** jur. jäva [*~ a witness*] **5** bestrida [*~ a p.'s right to a th.*]

challenging ['tʃælən(d)ʒɪŋ] utmanande, sporrande, stimulerande; manande; tankeväckande, fängslande

chamber ['tʃeɪmbə] **1** poet. kammare **2** pl. *~s* juristkontor, juristbyrå i *Inn of Court* **3** pl. *~s* ungkarlslägenhet **4** parl. kammare; *the Lower C~* a) andra kammaren b) i USA representanthuset; *the Upper C~* a) första kammaren b) i USA senaten

chambermaid ['tʃeɪmbəmeɪd] städerska på hotell; husa

chamber pot ['tʃeɪmbəpɒt] nattkärl

chameleon [kə'mi:ljən] zool. kameleont; äv. bildl.

chamois ['ʃæmwɑ:] (pl. *chamois* [utt. -z el. som sg.]) **1** stenget **2** ['ʃæmɪ, pl. -z] se *chamois leather*

chamois leather ['ʃæmɪleðə] sämskskinn

champagne [ʃæm'peɪn] champagne

champers ['ʃæmpəz] vard. skumpa champagne

champion ['tʃæmpjən] **I** *s* **1** mästare [*tennis (world) ~*] **2** förkämpe; försvarare **II** *adj* **1** rekord-; premierad; *the ~ team* mästarlaget, segrarlaget **2** vard. el. skämts. första klassens, jubel- [*~ idiot*]; *~ liar* storljugare **III** *vb tr* kämpa för

championship ['tʃæmpjənʃɪp] **1** mästerskap, titel i idrott o.d.; mästerskapstävling; *win a world swimming ~* vinna ett världsmästerskap (VM) i simning **2** försvar, strid som förkämpe

chance [tʃɑ:ns] **I** *s* **1** tillfällighet; slump; *by ~* händelsevis, av en slump **2** chans; gynnsamt tillfälle; möjlighet; *run the ~ of getting lost* löpa risk att komma bort; *take ~s* ta chanser (risker) **3** isht pl. *~s*: *the ~s are that* allting talar för att; *the ~s are against it* allting talar mot det **II** *adj* tillfällig [*~ likeness*], oförutsedd; förlupen [*~ bullet*]; *~ customer* strökund, tillfällig kund **III** *vb itr* hända (slumpa) sig; råka [*I ~d to be out when...*]; *~ [up]on* råka (träffa) på, ramla över, råka finna [*~ upon a solution*] **IV** *vb tr* vard. riskera; *~ it* chansa, ta chansen (risken)

chancel ['tʃɑ:ns(ə)l] kyrkl. [hög]kor

chancellor ['tʃɑ:ns(ə)lə] kansler äv. vid universitet; i Tyskland förbundskansler; *Lord [High] C~* el. *C~ of England* lordkansler; *C~ of the Exchequer* i Storbritannien finansminister

chancy ['tʃɑ:nsɪ] vard. chansartad

chandelier [ʃændə'lɪə] ljuskrona

change [tʃeɪn(d)ʒ] **I** *vb tr* **1** ändra; ändra på [*~ the rules*]; lägga om [*~ the system*]; förvandla; *~ front (face)* bildl. göra en helomvändning; *~ one's mind* ändra sig **2** byta; byta ut; skifta [*~ colour*]; *~ one's clothes* byta [kläder], byta om; *~ places* byta plats **3** växla pengar **II** *vb itr* **1** byta [kläder] **2** byta [tåg (båt, plan)] **3** ändras, förvandlas **4** bil. växla [*~ down (up)*] **III** *s* **1** [för]ändring [*~ for* (till) *the better*]; omkastning; svängning [*a sudden ~*]; växling; skifte; *~ of life* klimakterium **2** ombyte; omväxling; *~ of address* adress[för]ändring; *~ of air* luftombyte; *for a ~* för omväxlings skull; iron. för en gångs skull **3** ombyte [*a ~ of clothes*] **4** pl. *~s* växlingar vid växelringning; *ring the ~s* a) ringa alla växlingar b) bildl. vrida och vända **5** *C~* börsen [*on C~*] **6** växel [äv. *small ~*]; pengar tillbaka [*I didn't get any ~*]; *exact ~* jämna pengar

changeable ['tʃeɪn(d)ʒəbl] **1** föränderlig **2** som kan ändras (bytas)

change-over ['tʃeɪn(d)ʒˌəʊvə] **1** omkoppling; *~ switch* omkopplare **2** bildl. övergång; omställning; omslag **3** sport. sidbyte vid halvtid

changing-room ['tʃeɪn(d)ʒɪŋru:m, -rʊm] omklädningsrum

channel ['tʃænl] **I** *s* **1** kanal, brett sund; *the [English] C~* Engelska kanalen; *the C~ Islands* Kanalöarna **2** flodbädd

3 strömfåra; segelränna [*navigable ~*]
4 ränna för vätskor, gaser o.d.; rännsten
5 radio. el. TV. kanal; *C~ four* TV 4 namn på engelsk tv-kanal med seriöst innehåll **6** fåra; medium; väg; instans; *secret ~s of information* hemliga informationskanaler; *through* [*the*] *official ~s* tjänstevägen **II** *vb tr* **1** göra kanaler i **2** leda genom kanal o.d.; kanalisera
chant [tʃɑ:nt] *vb tr* o. *vb itr* **1** poet. sjunga; besjunga; *~ a p.'s praises* sjunga ngns lov **2** kyrkl. sjunga liturgiskt; mässa **3** skandera [*they kept ~ing 'We want Bobby'*]; rabbla [upp]; mässa
chanterelle [ʃɑ:ntə'rel] bot. kantarell
chaos ['keɪɒs] kaos
chaotic [keɪ'ɒtɪk] kaotisk
1 chap [tʃæp] **I** *vb tr* göra narig **II** *vb itr* bli narig **III** *s* spricka isht i huden
2 chap [tʃæp] vard. karl; kille [*a nice little ~*]; kurre; *old ~!* gamle gosse (vän)!
3 chap [tʃæp]; pl. *~s* käft; käkar
chapel ['tʃæp(ə)l] **1** kapell; kyrka; gudstjänstlokal, bönhus; *are you church or ~?* tillhör ni statskyrkan eller någon frikyrka?; *~ of ease* annexkyrka
2 gudstjänst [i kapellet etc.] [*attend ~*]
chaperon ['ʃæpərəʊn] **I** *s* bildl. förkläde **II** *vb tr* vara förkläde åt
chaplain ['tʃæplɪn] [hus]kaplan; präst, pastor ofta regements-, sjömans- o.d.
chapter ['tʃæptə] **1** kapitel; *a ~ of accidents* en rad olyckor (olyckliga omständigheter)
2 domkapitel; ordenskapitel
1 char [tʃɑ:] **I** *vb itr* städa **II** *s* **1** vard. städhjälp **2** se *chore 1*
2 char [tʃɑ:] **I** *vb tr* bränna till kol; komma att förkolna **II** *vb itr* förkolna
3 char [tʃɑ:] vard. te [*a cup of ~*]
4 char [tʃɑ:] röding; bäckröding
character ['kærəktə] **1** karaktär; natur; egenart; beskaffenhet; *distinctive ~* särprägel **2** [god (fast)] karaktär [*a man of* (med) *~*], karaktärsfasthet; *strength of ~* karaktärsstyrka **3** person[lighet] [*public ~*]; vard. individ; underlig (lustig) kurre; *quite a ~* något av ett original
4 a) [diktad] person, figur; roll; typ
b) karaktärsskildring; *in ~* rollenligt, i stil; karakteristiskt; naturligt; *act out of ~* falla ur rollen **5** [skrift]tecken [*Chinese ~s*], bokstav [*Greek ~s*]; data. tecken
characteristic [ˌkærəktə'rɪstɪk] **I** *adj* karakteristisk, betecknande **II** *s* kännemärke, kännetecken, karaktärsdrag; pl. *~s* äv. karakteristika
characterize ['kærəktəraɪz] karakterisera, beteckna; känneteckna
charade [ʃə'rɑ:d] **1** charad; *~s* (konstr. ss. sg.) [levande] charad lek **2** bildl. parodi
charcoal ['tʃɑ:kəʊl] **1** träkol; benkol; *~ drawing* kolteckning **2** grillkol
charge [tʃɑ:dʒ] **I** *vb tr* **1** anklaga; *~ a p. with a th.* beskylla (anklaga) ngn för ngt
2 ta [betalt] [*how much do you ~ for it?*]; notera; *they ~ high* (*stiff*) *prices* [*at that hotel*] de tar bra betalt (håller höga priser)...; *he ~d me two pounds for it* han tog två pund för den **3** hand. debitera; *~ a th. to a p.'s account* (*against a p., up to a p.*) debitera (belasta) ngns konto med ngt
4 ladda [*~ a gun* (*an accumulator*)]; fylla [i (på)]; mätta; gruv. uppsätta; *the atmosphere was ~d* atmosfären var laddad **5** *~ a p. with doing a th.* ge ngn i uppdrag att göra ngt **6** mil. o.d. anfalla; rusa (gå) 'på; fotb. tackla
II *vb itr* **1** storma (rusa) fram, rusa [in] [äv. *~ in*]; *he ~d in* han kom inrusande (instörtande) **2** ta betalt [*~ extra for a seat*]; vard. ta bra betalt
III *s* **1** anklagelse, beskyllning; *on a ~ of* [såsom] anklagad för; *ha faces serious ~s* han står åtalad för grova brott **2** pris; skatt; debitering; konto; *what is your ~ for...?* vad tar ni för...?; *~ account* amer. kundkonto i t.ex. varuhus; *free of ~* gratis
3 fast utgift; bekostnad [*at his own ~*]; ersättning; pl. *~s* ofta omkostnader **4** elektr. laddning **5** uppdrag; befattning **6** vård; uppsikt [*put* (ställa) *under a p.'s ~*]; [*man*] *in ~* vakthavande, jourhavande, t.f. [chef]; *be in ~* ha hand om (stå för) det hela, ha ansvaret (vakten); *take ~ of a th.* ta hand om ngt, ta ngt i sin vård, ta sig an ngt
7 anförtrodd sak; skyddsling; prästs hjord, församling **8** [fängsligt] förvar; *give a p. in ~* låta arrestera ngn **9** mil. o.d. anfall [*The C~ of the Light Brigade*], chock; anfallssignal [*a trumpet ~*]; fotb. tackling
charger ['tʃɑ:dʒə] **1** stridshäst; isht officershäst **2** laddningsapparat
3 patronram på gevär; löst magasin till maskingevär
charisma [kə'rɪzmə] karisma
charitable ['tʃærɪtəbl] **1** medmänsklig; välgörande, välgörenhets- [*~ institution*]
2 mild [*a ~ interpretation of...*]
charity ['tʃærətɪ] **1** människokärlek, [kristlig] kärlek [*faith, hope and ~*], kärlek till nästan, medmänsklighet; tillgivenhet, vänlighet; pl. *-ies* bevis på kärlek o.d.; *~ begins at home* ung. man bör först hjälpa sina närmaste **2** mildhet [i omdömet]
3 barmhärtighet; välgörenhet [*~ bazaar* (*concert*)]; allmosor; *sister of ~* barmhärtighetssyster; *live on a p.'s ~* leva på nåder hos ngn
4 välgörenhetsinrättning
charlady ['tʃɑ:ˌleɪdɪ] städhjälp
charlatan ['ʃɑ:lət(ə)n] charlatan

charm [tʃɑːm] **I** *s* **1** charm, tjuskraft; förtrollning; tjusning; pl. *~s* behag, skönhet [*her ~s*]; *her ~ of manner* hennes charmerande sätt (väsen) **2** trollformel; trollmedel; trolldom; *it worked like a ~* det hade en mirakulös verkan; det gick som smort **3** amulett **4** berlock **II** *vb tr* **1** charmera, förtrolla; fängsla **2** trolla [*~ away*], förtrolla; *~ed circle* trollkrets **3** *~ a th. out of a p.* locka av ngn ngt

charming [ˈtʃɑːmɪŋ] förtjusande; charmfull

charred [tʃɑːd] förkolnad

chart [tʃɑːt] **I** *s* **1** tabell; grafisk framställning; diagram, kurva; karta [*weather ~*] **2** väggplansch [äv. *wall ~*] **3** sjökort **4** popmusik o.d. *the ~s* topplistorna; *top of the ~* etta på topplistan **II** *vb tr* **1** kartlägga; bildl. äv. dra upp linjerna för **2** visa med en tabell o.d. **3** lägga (sätta) ut en kurs o.d. på ett [sjö]kort

charter [ˈtʃɑːtə] **I** *s* **1 a**) kungligt brev; urkund, kontrakt; *the Great C~* Magna Charta **b**) stiftelseurkund, koncession **c**) privilegium, rättighet[er] **2** *the Atlantic C~* Atlantdeklarationen **3 a**) charter; *a ~ flight* en charterresa, en chartrad flygning **b**) certeparti; befraktning, chartring [*~s of oil tankers*] **II** *vb tr* **1** bevilja (ge) ngn rättigheter (privilegier, koncession) **2** chartra

chartered [ˈtʃɑːtəd] **1** upprättad genom ett kungligt brev etc., jfr *charter I 1*; auktoriserad [*~ accountant*]; med särskilda privilegier **2** chartrad [*~ aircraft*]

char|woman [ˈtʃɑːˌwʊmən] (pl. *-women* [-ˌwɪmɪn]) städerska, städhjälp

chary [ˈtʃeərɪ] **1** varsam; skygg; *be ~ of* a) akta sig för [*be ~ of catching cold*] b) vara rädd (mån) om [*be ~ of one's reputation*] **2** sparsam, snål [*~ of praise*] **3** kräsen

1 chase [tʃeɪs] **I** *vb tr* jaga; förfölja; springa efter [*~ girls*] **II** *vb itr* vard. springa [*a girl who ~s after boys*], rusa [*~ about*]; *~ off* rusa iväg **III** *s* **1** jakt; förföljande; *the ~* jakt[en] ss. sport el. yrke **2** jagat djur; villebråd

2 chase [tʃeɪs] **1** ciselera **2** gänga **3** infatta i guld o.d.

chasm [ˈkæz(ə)m] [bred] klyfta, avgrund; lucka

chassis [ˈʃæsɪ] (pl. *chassis* [ˈʃæsɪz]) bil., flyg., radio. m.m. chassi; underrede

chaste [tʃeɪst] kysk

chastise [tʃæˈstaɪz] **1** skälla ut **2** litt. tukta

chastity [ˈtʃæstətɪ] kyskhet, renhet äv. bildl.; *~ belt* kyskhetsbälte

chat [tʃæt] **I** *vb itr* prata **II** *vb tr* sl., *~ up* snacka med, snacka in sig hos; flirta med **III** *s* **1** prat, kallprat; pratstund [*have a nice (cosy) ~*]; *~ show* radio. el. TV. pratshow intervju med kändisar **2** zool. stenskvätta

chattel [ˈtʃætl]; vanl. pl. *~s* lösöre, lösegendom, tillhörigheter [äv. *goods and ~s*]

chatter [ˈtʃætə] **I** *vb itr* **1** pladdra **2** skallra [*the typewriter keys ~*]; *his teeth ~ed with cold* hans tänder skallrade av köld **3** om apor o. fåglar snattra; om skator skratta **II** *s* pladder, snattrande etc.

chatterbox [ˈtʃætəbɒks] o. **chatterer** [ˈtʃætərə] pratkvarn

chatty [ˈtʃætɪ] **1** pratsam, pratig **2** kåserande

chauffeur [ˈʃəʊfə, ʃə(ʊ)ˈfɜː] [privat]chaufför

chauvinism [ˈʃəʊvɪnɪz(ə)m] chauvinism; *male ~* manschauvinism

chauvinist [ˈʃəʊvɪnɪst] chauvinist; *male ~* manschauvinist

cheap [tʃiːp] **I** *adj* **1** billig; billighets- [*~ edition*]; gottköps- [*~ articles*]; *it's ~ at the price* det är billigt för vad man får **2** lättköpt; värdelös; tarvlig; billig [*~ jokes*]; amer. äv. snål; *feel ~* vard. känna sig billig; *make oneself ~* skämma ut sig, bära sig tarvligt åt **II** *adv* billigt [*get (sell) ~*] **III** *s, on the ~* vard. [för] billigt [pris]

cheapen [ˈtʃiːp(ə)n] **I** *vb tr* **1** göra billig[are] **2** bildl. klassa ner; göra tarvlig; *you mustn't ~ yourself* du får inte skämma ut dig (bära dig tarvligt åt) **II** *vb itr* bli billig[are]

cheapskate [ˈtʃiːpskeɪt] sl. **1** snåljåp **2** ynkligt kräk

cheat [tʃiːt] **I** *vb tr* lura äv. friare [*~ death*]; narra, bedra; *~ a p. out of a th.* lura av ngn ngt, bedra ngn på ngt **II** *vb itr* **1** fuska [*~ in an examination*]; fiffla; *~ at cards* fuska i kortspel **2** *~ on a p.* vard. vara otrogen mot, bedra [*he was ~ing on his wife*] **III** *s* svindlare, skojare; fuskare

check [tʃek] **I** *s* **1** stopp; spärr; broms; bakslag [*meet with a ~*], motgång; *act as a ~ on* verka som broms på **2** tygel bildl.; *keep (hold) in ~* hålla i schack (styr), tygla; *keep (put) a ~ on* lägga band på; hålla i schack (styr) **3** kontroll [*make a ~*], prov; *keep a ~ on* kontrollera, ha koll på **4** a) kontramärke, pollett b) amer. polletteringsmärke **5** [restaurang]nota **6** amer. check, jfr *cheque* **7** spelmark; *cash [in] (hand in, pass in) one's ~s* sl. lämna in, kola av dö **8** rutigt mönster; rutigt tyg; rutig; *~ pattern* rutmönster, rutigt mönster **9** schack. schack
II *interj, ~!* schack!
III *vb tr* **1** hejda, hämma; sport. hindra **2** tygla [*he ~ed himself*] **3** kontrollera, kolla; undersöka, gå igenom; *~ out* amer. a) kvittera ut b) kontrollera **4** amer.

a) pollettera b) lämna i garderoben t.ex. på teatern [*have you ~ed your coat?*] **5** amer. a) ställa ut en check på b) lyfta (ta ut) på check [äv. *~ out*] **6** ruta, göra rutig **7** schack. schacka
IV *vb itr* **1** om hund, häst hejda sig, stanna **2** amer., *~* [*up*] stämma [*with*] **3** amer. lyfta (ta ut) pengar på check **4** *~ in* isht amer. a) boka in sig [*~ in at a hotel*], checka in b) anmäla (infinna) sig, stämpla [in] på arbetsplats; *~ into a hotel* isht amer. ta in på ett hotell **5** kontrollera [äv. *~ up*]; *~ up on a p.* (*a th.*) kontrollera (göra en undersökning om) ngn (ngt)
checkbook ['tʃekbʊk] amer. checkhäfte
checked [tʃekt] rutig [*~ material*]
checklist ['tʃeklɪst] kontrollista; minneslista
checkmate ['tʃekmeɪt, tʃek'm-] **I** *s* **1** schack och matt **2** avgörande nederlag **II** *interj*, *~!* schack och matt!, schackmatt! **III** *vb tr* **1** göra [schack och] matt (schackmatt) **2** bildl. schacka, omintetgöra
check-out ['tʃekaʊt] **1** slutkontroll **2** [utgångs]kassa [äv. *~ counter* (*point*)]; *express ~* snabbkassa **3** instämpling av varor i utgångskassa **4** utcheckning från hotell; *~ is at 12 noon* motsv. gästen ombeds lämna rummet senast kl. 12 avresedagen
checkpoint ['tʃekpɔɪnt] kontroll[ställe]; vägspärr
check-up ['tʃekʌp] kontroll, undersökning
cheek [tʃi:k] **I** *s* **1** kind; *dance ~ to ~* dansa kind mot kind **2** bildl., vard. fräckhet; *what ~!* vad fräckt!, vilken fräckhet!; *I like your ~* iron. du är inte lite fräck du! **II** *vb tr* vard. vara fräck mot
cheekbone ['tʃi:kbəʊn] kindben
cheeky ['tʃi:kɪ] vard. fräck, uppnosig
cheep [tʃi:p] **I** *vb itr* o. *vb tr* om små fåglar pipa **II** *s* pip
cheer [tʃɪə] **I** *s* **1** bifallsrop, hurra[rop]; hejaramsa; *give a p. a ~* utbringa ett leve för ngn, hurra för ngn; *three ~s for* ett [trefaldigt (sv. motsv. fyrfaldigt)] leve för **2** *~s!* vard. a) skål! b) hej då! **3** *words of ~* litt. uppmuntrande ord **4** *be of good ~* litt. vara vid gott mod (hoppfull) **5** litt. undfägnad; mat **II** *vb tr* **1** muntra upp, trösta [*I felt a bit ~ed*], glädja; *~ up* pigga (liva) upp **2** *~* [*on*] heja på, uppmuntra med tillrop **3** hurra för, jubla bifall åt **III** *vb itr* **1** *~ up* bli gladare (lättare) till sinnes, lysa upp, gaska upp sig **2** hurra
cheerful ['tʃɪəf(ʊ)l] **1** glad [av sig], glättig [*a ~ smile*]; villig [*~ workers*]; *a ~ giver* en glad givare **2** glädjande; ljus och glad [*a ~ room*]
cheerio [ˌtʃɪərɪ'əʊ] **1** vard., *~!* hej [då]!, ajö! **2** ngt åld., *~!* skål!
cheerleader ['tʃɪəˌli:də] isht amer. sport. o.d. klackanförare
cheerless ['tʃɪələs] glädjelös
cheery ['tʃɪərɪ] **1** glad, munter [*a ~ smile*], glättig, gemytlig **2** upplivande
1 cheese [tʃi:z] **1** ost; ostlik massa; *~ spread* smältost, bredbar ost **2** sl., *big ~* se *big I 1*
2 cheese [tʃi:z], *be ~d off* sl. vara utled på allting, vara deppig
cheeseboard ['tʃi:zbɔ:d] ostbricka
cheesecake ['tʃi:zkeɪk] **1 a**) ung. ostkaka **b**) ostpaj mördegsform med fyllning av ostmassa, ägg m.m. **2** sl. [sexiga bilder av] pinuppor
cheetah ['tʃi:tə] zool. gepard
chef [ʃef] köksmästare på restaurang; kock i privathus
chemical ['kemɪk(ə)l] **I** *adj* kemisk; *~ engineering* kemiteknik; *~ warfare* kemisk krigföring **II** *s* kemikalie
chemist ['kemɪst] **1** kemist **2** apotekare; *~'s* [*shop*] ung. apotek som äv. säljer kosmetika, film m.m.
chemistry ['keməstrɪ] kemi
cheque [tʃek] check [*a ~ for* (på) *£90*]; *~ account* checkkonto; *~ forgery* checkbedrägeri
cheque book ['tʃekbʊk] checkhäfte
cherish ['tʃerɪʃ] **1** hysa [*~ a hope*; *~ illusions*], nära en känsla; omhulda **2** vårda
cheroot [ʃə'ru:t] cigarill
cherry ['tʃerɪ] **I** *s* **1** a) körsbär; bigarrå b) körsbärsträd; bigarråträd c) körsbärsträ; *take two bites at the ~* göra ett nytt försök; lyckas först efter andra försöket **2** körsbärsrött **3** sl. mödis mödom **II** *adj* [körsbärs]röd
cherub ['tʃerəb] **1** (pl. *~im* [-ɪm]) relig. kerub **2** konst. o. bildl. kerub
cherubic [tʃə'ru:bɪk] kerubisk; änglalik
cherubim ['tʃerəbɪm, 'ker-] pl. av *cherub 1*
chervil ['tʃɜ:vɪl] bot. körvel; *wild ~* hundkäx, hundloka
chess [tʃes] schack[spel]
chessboard ['tʃesbɔ:d] schackbräde
chest [tʃest] **I** *s* **1** kista, låda; *~ of drawers* byrå **2** bröst[korg]; bringa; *a weak ~* klent bröst, känsliga luftrör (lungor) **II** *vb tr*, *~ a ball* [*down*] sport. brösta [ned] en boll
chestnut ['tʃesnʌt] **I** *s* **1 a**) kastanj **b**) kastanj[eträd] **2** kastanjebrunt **3** fux häst; *liver ~* svettfux **4** vard. [gammal] anekdot (historia) **II** *adj* kastanjebrun; om häst fuxfärgad
chew [tʃu:] **I** *vb tr* **1** tugga; *~ the fat* (*rag*) vard. snacka (babbla) [i det oändliga]; gnata, knorra **2** bildl. grubbla (fundera) på **II** *vb itr* **1** tugga **2** tugga tobak (tuggummi) **III** *s* **1** tuggning **2** buss; tugga
chewing-gum ['tʃu:ɪŋɡʌm] tuggummi

chic [ʃi:k, ʃɪk] **I** *s* stil, elegans; schvung **II** *adj* chic, elegant; korrekt
Chicago [ʃɪ'kɑ:gəʊ] geogr.
chick [tʃɪk] **1** [nykläckt] kyckling **2** fågelunge **3** sl. tjej, brud
chicken ['tʃɪkɪn] **I** *s* **1** kyckling; isht amer. äv. höna; höns; *count one's ~s before they are hatched* ung. sälja skinnet innan björnen är skjuten **2** sl. feg stackare, fegis **II** *adj* **1** kyckling- **2** vard. feg **III** *vb itr* vard. bli rädd; ~ *out* backa (dra sig) ur
chickenfeed ['tʃɪkɪnfi:d] **1** vard. struntsummor, småpotatis [*it's just ~*] **2** kycklingfoder
chicken pox ['tʃɪkɪnpɒks] med. vatt[en]koppor
chicken run ['tʃɪkɪnrʌn] hönsgård
chickpea ['tʃɪkpi:] kikärt
chicory ['tʃɪkərɪ] **1** endiv; amer. chicorée frisée, frisésallat **2** cikoria; cikoriarot
chide [tʃaɪd] (imperf.: *chided* el. *chid*; perf. p.: *chided, chid* el. *chidden*) mest litt. banna; klandra
chief [tʃi:f] **I** *s* **1** chef; huvudman [*the ~ of a clan*], hövding; styresman; ~ *of staff* stabschef; i USA äv. försvarsgrenschef; ~ *of state* statsöverhuvud **2** *in* ~ ss. efterled i sms. [*-in-chief*; t.ex. *commander-in-chief*], över-, chef[s]-, huvud-, förste, överste **II** *adj* **1** i titlar chef[s]- [*~ editor*], över-; ~ *executive* se *executive II 2* **2** huvud-, förnämst, viktigast; [mest] framstående; ~ *friends* närmaste vänner; *C~ Justice of the United States* president (ordförande) i USA:s högsta domstol; *Lord C~ Justice* president i Högsta domstolen
chiefly ['tʃi:flɪ] framför allt, först och främst; huvudsakligen, i synnerhet
chieftain ['tʃi:ftən] **1** ledare **2** hövding
chiffon ['ʃɪfɒn] chiffong
chilblain ['tʃɪlbleɪn] frostknöl, kylskada
child [tʃaɪld] (pl. *children* ['tʃɪldr(ə)n]) **1** barn äv. bildl.; *it's ~'s play* det är en barnlek (en enkel match); *children's party* barnkalas; *children's [swimming] pool* barnbassäng; *when [quite] a ~* [redan] som barn, i barndomen **2** idé; skapelse [*the ~ of his imagination*]
childbearing ['tʃaɪldˌbeərɪŋ] **1** barnafödande **2** amer. havandeskap
child benefit ['tʃaɪldˌbenɪfɪt] barnbidrag
childbirth ['tʃaɪldbɜ:θ] förlossning; barnsäng [*die in ~*]
childhood ['tʃaɪldhʊd] barndom; *be in one's second ~* vara barn på nytt, gå i barndom
childish ['tʃaɪldɪʃ] barnslig, enfaldig
childless ['tʃaɪldləs] barnlös
childlike ['tʃaɪldlaɪk] barnslig [*~ innocence*], lik ett barn, barnasinnad; ~ *mind* barnasinne
childminder ['tʃaɪldˌmaɪndə] dagmamma
childproof ['tʃaɪldpru:f] barnsäker [*~ locks*]
children ['tʃɪldr(ə)n] pl. av *child*
child-welfare ['tʃaɪldˌwelfeə] barnavård; ~ *centre* barnavårdscentral; ~ *officer* ung. socialsekreterare, barnavårdsman
Chile ['tʃɪlɪ] geogr.
Chilean ['tʃɪlɪən] **I** *s* chilen **II** *adj* chilensk
chill [tʃɪl] **I** *s* kyla äv. bildl.; köld; köldrysning; *there is a ~ in the air* det är kyligt i luften **II** *vb tr* kyla [av]; bildl. kyla av, dämpa; *be ~ed to the bone (marrow)* vara genomfrusen
chilli ['tʃɪlɪ] chili spansk peppar; ~ *con carne* [kɒn'kɑ:nɪ] kok. chile con carne
chilly ['tʃɪlɪ] **1** kylig äv. bildl.; kall **2** frusen [av sig]
1 chime [tʃaɪm] snick. kant på laggkärl; ibl. kim
2 chime [tʃaɪm] **I** *s* **1** klockspel [äv. *~ of bells*]; klockor slaginstrument **2** [klockspels]ringning [ofta pl. *~s*] **II** *vb itr* **1** a) ringa [*the bells are chiming*]; klinga harmoniskt b) ringa [klockspel] **2** ~ *in* infalla [*'of course,' he ~d in*], inflicka; instämma, samtycka **3** ~ [*in*] *with* harmoniera med, stå i samklang med; stämma [överens] med **III** *vb tr* **1** ringa i [*~ the bells*]; kalla med ringning; *the clock ~d midnight* klockan slog tolv på natten **2** [fram]sjunga entonigt; läsa rytmiskt (i talkör)
chimney ['tʃɪmnɪ] skorsten; rökfång
chimney pot ['tʃɪmnɪpɒt] **1** skorsten ovanpå taket **2** vard. cylinderhatt
chimney-sweep ['tʃɪmnɪswi:p] o. **chimney-sweeper** ['tʃɪmnɪˌswi:pə] skorstensfejare
chimpanzee [ˌtʃɪmpæn'zi:, -pən-] schimpans
chin [tʃɪn] **I** *s* **1** haka; *double ~* dubbelhaka, isterhaka; *keep one's ~ up* vard. hålla humöret uppe **2** sl. snack **II** *vb itr* sl. prata **III** *vb tr* sl. klippa till
China ['tʃaɪnə] Kina; ~ *tea* kinesiskt te
china ['tʃaɪnə] porslin
China|man ['tʃaɪnə|mən] (pl. *-men* [-mən]) **1** neds. kinaman, kines **2** sjö. kinafarare
Chinatown ['tʃaɪnətaʊn] kineskvarter[et]
Chinese [ˌtʃaɪ'ni:z] **I** *s* **1** (pl. lika) kines **2** kinesiska [språket] **II** *adj* kinesisk; ~ *chequers* (*checkers* amer.) kinaschack; ~ *lantern* kulört lykta
1 chink [tʃɪŋk] **1** spricka; *a ~ in one's armour* bildl. en svag (sårbar) punkt **2** springa; titthål; *a ~ of light* ljusstrimma
2 chink [tʃɪŋk] **I** *s* klirrande av mynt o.d. **II** *vb itr* om mynt o.d. klirra, klinga **III** *vb tr* klirra (klinga) med
chip [tʃɪp] **I** *s* **1 a**) flisa; skärva; bit; pl. *~s* äv. avfall, spånor, träflis **b**) se *chip basket*; *he is a ~ off (of) the old block* vard. han är sin far

upp i dagen, han brås på släkten **2** tunn skiva frukt, potatis o.d.; pl. *~s* a) pommes frites [*fish and ~s*] b) amer. [potatis]chips **3** hack i t.ex. porslinsyta **4** sl. **a**) spelmark; *hand* (*pass, cash*) *in one's ~s* lämna in, kola av dö; *he's had his ~s* det är slut (ute) med honom; han har missat chansen; *when the ~s are down* när det kommer till kritan **b**) pl. *~s* flis, stålar pengar [*buy* (placera) *~s*] **5** data. chip **II** *vb tr* **1** spänta, hugga [sönder]; *~ped potatoes* pommes frites **2** slå sönder (en flisa ur, ett hack i); slå (hugga, bryta) av (ur) en bit (flisa, skärva); skava av (sönder); *~ped* äv. kantstött **3** vard. reta **III** *vb itr* **1** gå [sönder] i flisor (små stycken); om porslin o.d. [lätt] bli kantstött; *~ away at a th.* nagga ngt i kanten **2** *~ in* vard. a) sticka emellan med en anmärkning o.d.; göra ett inpass (inlägg) b) satsa i spel c) ge ett bidrag till en fond o.d.

chip basket ['tʃɪpˌbɑ:skɪt] **1** spånkorg **2** korg för fritering av pommes frites

chipboard ['tʃɪpbɔ:d] slags träflismaterial; *a sheet of ~* en spånskiva

chipmunk ['tʃɪpmʌŋk] nordamerikansk jordekorre

chiropodist [kɪ'rɒpədɪst] fotvårdsspecialist

chiropractor [ˌkaɪərə(ʊ)'præktə] med. kiropraktor; vard. kotknackare

chirp [tʃɜ:p] **I** *vb itr* o. *vb tr* kvittra; knarra **II** *s* kvitter; knarr

chirpy ['tʃɜ:pɪ] glad; livlig

chisel ['tʃɪzl] **I** *s* mejsel; stämjärn, huggjärn **II** *vb tr* **1** mejsla **2** sl. skörta upp; *he ~led me out of* [*£50*] han lurade mig på...

1 chit [tʃɪt] barnunge; jänta; *~ of a girl* flicksnärta, jäntunge

2 chit [tʃɪt] **1** skuldsedel; påskriven [restaurang]nota (räkning) **2** kvitto; intyg **3** lapp

chit-chat ['tʃɪttʃæt] **I** *s* [små]prat; småskvaller **II** *vb itr* småprata; småskvallra

chivalrous ['ʃɪv(ə)lrəs] hövisk, chevaleresk

chivalry ['ʃɪv(ə)lrɪ] **1** höviskhet, chevalereskhet **2** ridderskap; riddarväsen[de]; *the age of ~* riddartiden

chlamydia [klə'mɪdɪə] med. klamydia

chloride ['klɔ:raɪd] kem. klorid; *~ of lime* klorkalk

chlorinate ['klɔ:rɪneɪt] klorera

chlorine ['klɔ:ri:n] kem. klor

chlorofluorocarbon ['klɔ:rəʊˌflɔ:rə(ʊ)'kɑ:b(ə)n] kem. klorfluorkolförening

chloroform ['klɒrəfɔ:m] kem. **I** *s* kloroform **II** *vb tr* kloroformera

chlorophyll ['klɒrəfɪl, 'klɔ:r-] kem. klorofyll

chock [tʃɒk] **I** *s* kil att stötta med; sjö. [båt]klamp **II** *vb tr* stötta [med klossar]; sjö. ställa en båt på klamparna; *~ up* a) kila fast b) vard. belamra [*a room ~ed up with furniture*]

chock-a-block [ˌtʃɒkə'blɒk] **1** fullpackad, proppfull **2** sjö. block mot block

chock-full [ˌtʃɒk'fʊl] fullpackad, proppfull

chocolate ['tʃɒk(ə)lət] **1** choklad; *a ~* en fylld chokladbit, en chokladpralin **2** chokladbrunt

choice [tʃɔɪs] **I** *s* **1** val; *take* (*make*) *one's ~* göra (träffa) sitt val, välja; *of ~* som man först (helst) väljer, som är att föredra **2** [fritt] val; *he is a possible ~* han är ett möjligt alternativ, han kan komma i fråga; *at ~* efter behag **3** urval **II** *adj* utsökt; prima [*~ apples*]

choir ['kwaɪə] **1** [sång]kör **2** kor i kyrka

choirboy ['kwaɪəbɔɪ] korgosse

chok|e [tʃəʊk] **I** *vb tr* **1** kväva; hålla på att kväva; strypa; *~ the life out of a p.* strypa (kväva) ngn; *the garden is ~d with weeds* trädgården är igenvuxen med ogräs **2** bildl. kväva, förkväva, undertrycka, hålla tillbaka [äv. *~ back* (*down*); *~ back one's tears*] **3** täppa (stoppa) till; spärra [av] [äv. *~ up*]; bil. choka **4** stoppa (proppa) full [äv. *~ up*] **5** *~ off* vard. få att avstå, avskräcka; täppa till munnen på, få att tiga **II** *vb itr* [hålla på att] kvävas [*~ with* (av) *rage*]; storkna; *~ on a th.* sätta ngt i halsen, få ngt i vrångstrupen; *-ing voice* kvävd röst **III** *s* **1** kvävning, kvävningsanfall **2** bil. choke; tekn. [luft]spjäll

cholera ['kɒlərə] kolera

cholesterol [kə'lestərɒl] kem. el. fysiol. kolesterol

choose [tʃu:z] (*chose chosen*) **I** *vb tr* **1** välja; välja ut; *they chose him as* (*to be*) *their leader* de valde honom till [sin] ledare **2** föredra **3** vilja, behaga; gitta [*I don't ~ to work*] **II** *vb itr* **1** välja; *we cannot ~ but* vi kan inte [göra] annat än **2** ha lust, vilja [*do just as you ~*], behaga

choosey ['tʃu:zɪ] vard. kinkig

1 chop [tʃɒp] **I** *vb tr* hugga [*~ off* (*away, down*)]; hugga (hacka) [sönder] [äv. *~ small*]; *~ a ball* sport. skära en boll; *~ wood* hugga ved **II** *s* **1** hugg; sport. skärande slag **2** avhugget stycke **3** kotlett med ben **4** sjö. krabb sjö **5** vard., *get the ~* få sparken; *give a th. the ~* spola ngt

2 chop [tʃɒp]; pl. *~s* käft; käkar

3 chop [tʃɒp] **I** *vb tr* o. *vb itr* **1** *~ logic* använda spetsfundigheter, ägna sig åt ordklyverier **2** *~ and change* a) tr. ideligen ändra (byta) b) itr. vara fram och tillbaka, ideligen ändra sig **II** *s, ~s and changes* tvära kast, ständiga ändringar

chopper ['tʃɒpə] **1** huggare [*wood ~*] **2** köttyxa; *get the ~* sl. a) kola vippen dö b) bli inställd, läggas ned **3** elektr. hackare

4 vard. helikopter **5** chopper motorcykel med högt styre o. lång framgaffel **6** cykel med högt styre **7** amer. sl. maskingevär **8** sl. kuk penis

choppy ['tʃɒpɪ] **1** sjö. krabb [*a ~ sea*] **2** om vind växlande

choral ['kɔ:r(ə)l] sjungen i kör; sång-; med körsång; kor-; ~ *speaking* (*speech*) deklamation i kör, talkör

1 chord [kɔ:d] **1** poet. sträng; *strike a ~* väcka ett minne, jfr *2 chord*; *touch the right ~* slå an den rätta strängen **2** geom. korda

2 chord [kɔ:d] mus. ackord; *common ~* treklang; *strike a ~* slå [an] ett ackord, jfr *1 chord 1*

chore [tʃɔ:] **1** tillfälligt arbete, syssla; pl. *~s* [husliga] småsysslor, hushållsbestyr, daglig rutin **2** svårt (obehagligt) jobb; grovgöra

chorister ['kɒrɪstə] **1** korgosse **2** amer. körledare

chortle ['tʃɔ:tl] **I** *s* [kluckande] skratt **II** *vb itr* skratta kluckande

chorus ['kɔ:rəs] **I** *s* **1** korus; körsång; *a ~ of protest* en kör av protester **2** teat. o.d. kör **3** refräng; litt. omkväde **II** *vb tr* o. *vb itr* sjunga (ropa, säga) i kör

chorus girl ['kɔ:rəsgɜ:l] balettflicka; flicka i kören i revy o.d.

chose [tʃəʊz] imperf. av *choose*

chosen ['tʃəʊzn] perf. p. av *choose*

chowder ['tʃaʊdə] chowder tjock soppa av musslor, fisk, skinka, grönsaker

Christ [kraɪst] Kristus; *~!* Herre Gud!, jösses!

christen ['krɪsn] **1** döpa **2** döpa (kristna) till [*they ~ed her Mary*]; kalla

Christendom ['krɪsndəm] kristenhet[en]

christening ['krɪsnɪŋ] dop; ~ *robe* dopklänning

Christian ['krɪstʃ(ə)n, -tjən] **I** *adj* kristen, kristlig; ~ *burial* kyrklig begravning **II** *s* kristen

Christianity [ˌkrɪstɪ'ænətɪ] **1** kristendom[en] **2** kristenhet[en] **3** kristlighet

Christmas ['krɪs(t)məs] **I** *s* jul[en]; juldagen; ~ *box* julpengar, julklapp till brevbärare m.fl.; ~ *Day* juldag[en]; ~ *Eve* julafton[en]; ~ *carol* julsång; ~ *tree* julgran **II** *vb itr* vard. jula

chrome [krəʊm] krom; kromgult [äv. ~ *yellow*]; ~ *steel* kromstål

chromium ['krəʊmjəm] kem. krom metall

chromium-plated [ˌkrəʊmjəm'pleɪtɪd] förkromad

chromosome ['krəʊməsəʊm] kromosom

chronic ['krɒnɪk] **1** kronisk; inrotad; ständig **2** vard. hemsk; *he swore something ~* han svor [något] alldeles förskräckligt

chronicle ['krɒnɪkl] **I** *s* krönika; [*the*] *Chronicles* bibl. Krönikeböckerna **II** *vb tr* uppteckna

chronological [ˌkrɒnə'lɒdʒɪk(ə)l, ˌkrəʊnə-] kronologisk [*in ~ order*]

chrysanthemum [krɪ'sænθ(ə)məm] krysantemum

chubby ['tʃʌbɪ] **I** *adj* knubbig [*a ~ child*]; trind [*~ cheeks*] **II** *s* vard. kortskaftat paraply

1 chuck [tʃʌk] **I** *vb tr* **1** klappa [*~ under the chin*] **2** vard. slänga, kasta; kassera [*~ an old suit*]; strunta i; ~ *one's money about* strö pengar omkring sig; ~ *away* kasta bort [*~ away rubbish*] **II** *s* **1** klapp under hakan **2** vard. kast; knyck

2 chuck [tʃʌk] **1** tekn. chuck **2** kok., ~ [*steak*] halsrev; grytkött

chucker-out [ˌtʃʌkər'aʊt] (pl. *chuckers-out* [ˌtʃʌkəz'aʊt]) vard. utkastare

chuckle ['tʃʌkl] **I** *vb itr* skrocka; [små]skratta **II** *s* skrockande [skratt]; kluckande skratt

chug [tʃʌg] **I** *vb itr* puttra; tuffa **II** *s* puttrande; tuffande

chum [tʃʌm] vard. **I** *vb itr* hålla ihop; ~ *up with* bli god vän med **II** *s* kamrat [*they are great ~s*]

chump [tʃʌmp] **1** vard., *off one's ~* alldeles knäpp (vrickad) **2** vard. knäppskalle

chunk [tʃʌŋk] [tjockt (stort)] stycke [*~ of bread* (*cheese*); *a ~ of the profit*]

chunky ['tʃʌnkɪ] **1** om person satt och kraftig **2** bylsig [*a ~ sweater*] **3** i (med) stora bitar [*~ dog food*]

church [tʃɜ:tʃ] **I** *s* kyrka; kyrk[o]-; *the C~ of England* el. *the English* (*Anglican*) *C~* engelska statskyrkan, anglikanska kyrkan; *go into* (*enter*) *the C~* bli präst **II** *vb tr* kyrktaga

churchgoer ['tʃɜ:tʃˌgəʊə] kyrkobesökare; kyrksam person; pl. *~s* äv. kyrkfolk

churchgoing ['tʃɜ:tʃˌgəʊɪŋ] **I** *s* kyrkobesök **II** *adj* kyrksam

churchyard ['tʃɜ:tʃjɑ:d] kyrkogård kring kyrka

churlish ['tʃɜ:lɪʃ] ohyfsad, drumlig, rå

churn [tʃɜ:n] **I** *s* **1** [smör]kärna **2** mjölkkanna för transport av mjölk **II** *vb tr* **1** kärna **2** ~ [*up*] piska (röra, skvalpa) upp **3** ~ *out* spotta fram (ur sig) [*he ~s out a dozen articles a week*] **III** *vb itr* **1** kärna [smör] **2** kärna sig **3** snurra [*the propeller ~ed round*]; *his stomach was ~ing* hans mage var i uppror **4** skumma

chute [ʃu:t] **1** tekn. rutschbana; störtränna, glidbana **2** rutschkana på lekplats o.d. **3** [*refuse* (*rubbish*, amer. *garbage*)] ~ sopnedkast **4** rutschduk för snabb utrymning **5** kälkbacke **6** vattenfall **7** vard. (kortform för *parachute*) fallskärm

chutney ['tʃʌtnɪ] chutney slags indisk pickles

CIA [ˌsi:aɪ'eɪ] (förk. för *Central Intelligence Agency*) CIA den federala underrättelsetjänsten i USA
CID [ˌsi:aɪ'di:] förk. för *Criminal Investigation Department*
cider ['saɪdə] **1** [amer. *hard*] ~ cider **2** amer., ojäst äppeljuice [äv. *sweet* ~]
cig [sɪg] vard. cig[g] cigarett; cigarr
cigar [sɪ'gɑ:] cigarr
cigarette [ˌsɪgə'ret, '---] cigarett
cigarette end [ˌsɪgə'retend] cigarettstump, fimp
cigarette holder [ˌsɪgə'retˌhəʊldə] cigarettmunstycke
cigarette lighter [ˌsɪgə'retˌlaɪtə] cigarettändare
ciggy ['sɪgɪ] vard. cig[g] cigarett
cinch [sɪntʃ] **1** sadelgjord **2** amer. vard. fast grepp (tag) **3** sl., *it's a* ~ a) det är en enkel match b) det är bergsäkert; *he is a* ~ *to win* han vinner bergis
cinder ['sɪndə] **1** slagg; sinder; *the ~s* sport. kolstybben **2** pl. *~s* isht aska; *be burnt to a* ~ förbrännas till aska; bli alldeles uppbränd
Cinderella [ˌsɪndə'relə] Askungen
cinecamera ['sɪnɪˌkæm(ə)rə] filmkamera, smalfilmskamera
cinema ['sɪnəmə, -mɑ:] bio; *go to the* ~ gå på bio; *the* ~ äv. a) filmkonsten b) filmindustrin c) filmen
cinnamon ['sɪnəmən] *s* **1** kanel **2** kanelträd
cipher ['saɪfə] **I** *s* **1** siffra **2** chiffer[skrift] [*in* ~]; ~ [*key*] chiffernyckel **3** monogram; firmamärke **4** nolla äv. neds. om pers. **II** *vb tr* chiffrera
circa ['sɜ:kə] lat. cirka
circle ['sɜ:kl] **I** *s* **1** cirkel i olika bet.; ring; krets; [*traffic*] ~ amer. cirkulationsplats, rondell **2** [full] serie (omgång); period; *come full* ~ gå varvet runt, sluta där man började; *reason in a* ~ göra ett cirkelbevis felslut **3** krets [*family* ~]; *in business ~s* i affärskretsar; ~ *of friends* vänkrets **4** teat. rad **II** *vb tr* **1** omge **2** gå (fara, svänga) omkring (runt); kretsa (cirkla) runt (över) [*the aircraft ~d the landing-field*] **3** ringa [in], göra en ring runt **III** *vb itr* kretsa [*the aircraft ~d over the landing-field*], cirkla; cirkulera
circuit ['sɜ:kɪt] **I** *s* **1** kretsgång, varv, rond; rutt; *make a* ~ *of* gå runt, göra en rond kring **2** omkrets **3** jur., ung. a) domsaga, domstolsdistrikt b) tingsresa domares resa i domsaga **4** elektr. [ström]krets; *short* ~ kortslutning; *printed* ~ *card* (*board*) kretskort **5** a) kedja av teatrar, biografer o.d. under samma regim b) turnéväg, turnérutt **6** sport. a) racerbana b) mästerskap, turnering [*golf* ~]; ~ *training* sport. cirkelträning **II** *vb tr* gå runt [omkring]
circuitous [sə'kju:ɪtəs] **1** kringgående; ~ *road* (*route*) omväg **2** omständlig
circular ['sɜ:kjʊlə] **I** *adj* cirkelrund; cirkel-; kretsformig; roterande; kringgående; ~ *letter* cirkulär; ~ *saw* cirkelsåg; ~ *ticket* rundresebiljett **II** *s* cirkulär [skrivelse]
circularize ['sɜ:kjʊləraɪz] skicka cirkulär till
circulate ['sɜ:kjʊleɪt] **I** *vb tr* låta cirkulera, sätta i omlopp; skicka omkring; låta gå runt; dela ut **II** *vb itr* cirkulera, gå runt; vara utbredd (gångbar, gängse)
circulation [ˌsɜ:kjʊ'leɪʃ(ə)n] **1** cirkulation; omlopp; *the* ~ *of the blood* blodomloppet; *be back in* ~ vard. vara i farten igen **2** avsättning; omsättning [~ *of books*]; upplaga av tidning
circumcise ['sɜ:kəmsaɪz] omskära
circumcision [ˌsɜ:kəm'sɪʒ(ə)n] omskärelse
circumference [sə'kʌmf(ə)r(ə)ns] omkrets äv. geom.; periferi
circumflex ['sɜ:k(ə)mfleks] språkv., ~ [*accent*] cirkumflex [accent]
circumscribe ['sɜ:kəmskraɪb, ˌsɜ:kəm'skraɪb] **1** begränsa; kringskära **2** rita en ring (cirkel) kring; geom. omskriva
circumspect ['sɜ:kəmspekt] försiktig; förtänksam; varsam
circumstance ['sɜ:kəmstəns, -stæns] **1** omständighet; [faktiskt] förhållande; *in* (*under*) *the ~s* under sådana (dessa) omständigheter (förhållanden) **2** pl. *~s* [ekonomiska] förhållanden, omständigheter, villkor; *in reduced* (*straitened*) *~s* i knappa omständigheter **3** krus [*without* ~], ståt [*pomp and* ~] **4** amer., *not a* ~ *to* vard. ingenting jämfört med
circumstantial [ˌsɜ:kəm'stænʃ(ə)l] **1** beroende på omständigheterna; ~ *evidence* jur. indicier **2** utförlig, detaljerad [*a* ~ *account*]; omständlig
circumvent [ˌsɜ:kəm'vent, '---] **1** omringa [*~ed by the enemy*] **2** kringgå [~ *the rules* (*law*)], undvika [~ *a difficulty*]; omintetgöra
circus ['sɜ:kəs] **1** cirkus; ~ *performer* cirkusartist; *bread and ~es* bröd och skådespel **2** [runt] torg, [rund] plan [isht i namn: *Piccadilly C~*]; rundel **3** bråkig tillställning, cirkus [*a proper* ~]
CIS (förk. för *Commonwealth of Independent States*), *the* ~ OSS
cissy ['sɪsɪ] vard., se *sissy*
cistern ['sɪstən] cistern; behållare; reservoar
citadel ['sɪtədl, -del] citadell
citation [saɪ'teɪʃ(ə)n, sɪ't-] **1** åberopande; citat **2** jur. stämning, kallelse **3** hedersomnämnande
cite [saɪt] **1** åberopa; anföra; *in the place ~d*

på anfört ställe **2** jur. [in]stämma; kalla; *be ~d to appear in court* instämmas till domstol **3** isht mil. ge hedersomnämnande; *~d in dispatches* omnämnd i dagordern
citizen ['sɪtɪzn] **1** medborgare; invånare; *~ of the world* världsmedborgare **2** borgare i stad; stadsbo **3** amer. civilperson **4** *C~s' band* privatradio
citizenship ['sɪtɪznʃɪp] [med]borgarrätt; medborgaranda [*good ~*]
city ['sɪtɪ] stor stad, eg. stad med vissa privilegier, isht stiftsstad; *the C~* City Londons finans- och bankcentrum; *in the C~* a) i Londons City b) i affärsvärlden
civic ['sɪvɪk] medborgerlig; kommunal; *~ centre* kommunalhus, kommunalt centrum; kulturhus
civics ['sɪvɪks] (konstr. ss. sg.) samhällslära, medborgarkunskap
civil ['sɪvl] **1** medborgerlig, medborgar- [*~ spirit*]; *~ rights* medborgerliga rättigheter, medborgarrätt; *~ unrest* inre (inrikespolitiska) oroligheter; *~ war* inbördeskrig **2** hövlig, artig **3** civil; *~ aviation* civilflyg; *~ disturbances* oroligheter, upplopp, kravaller; *~ engineer* väg- och vattenbyggare, väg- och vattenbyggnadsingenjör; *~ engineering* väg- och vattenbyggnad; *~ servant* statstjänsteman, tjänsteman inom civilförvaltningen **4** civiliserad **5** jur. **a**) civil[rättslig]; *~ action* (*case*) civilmål; *~ law* a) civilrätt, privaträtt b) romersk rätt; *~ suit* civilprocess **b**) juridisk mots. naturlig **6** parl., *~ list* civillista, hovstat[en]
civilian [sɪ'vɪljən] **I** *s* civil[ist] **II** *adj* civil [*~ life*]; *in ~ life* i det civila
civilization [ˌsɪvəlaɪ'zeɪʃ(ə)n, -vəlɪ'z-] **1** civiliserande **2** civilisation, kultur [*the Egyptian ~*] **3** den civiliserade världen
civilize ['sɪvəlaɪz] civilisera; bilda, hyfsa
clad [klæd] **I** poet. imperf. o. perf. p. av *clothe* **II** *adj* klädd; *poorly ~* fattigt klädd
claim [kleɪm] **I** *vb tr* **1** fordra [*the accident ~ed many victims*], påkalla [*this matter ~s our attention*]; kräva **2** göra anspråk på [att få (ha)]; *~ to* göra anspråk på att, påstå sig [*~ to be the owner*] **3** [vilja] göra gällande; hävda, påstå; försäkra **4** avhämta **5** *~ing race* amer. försäljningslöpning där hästarna säljs till avtalade priser efter löpningen **II** *s* **1** fordran; begäran; yrkande; [rätts]anspråk [*to* (*on, for*)]; påstående; *substantial ~* grundat anspråk; *lay ~ to* göra anspråk på; *make good a ~* bevisa giltigheten av ett anspråk; bevisa ett påstående **2** försäkr. skadeståndskrav; *~s adjuster* (*agent*) skadereglerare; *~s department* avdelning för skaderegleringar **3** rätt; *there are many ~s on my time* jag är mycket upptagen **4** *baggage ~* flyg. o.d. bagageutlämning **5** jur. tillgodohavande **6** jordlott, gruvlott
claimant ['kleɪmənt] person som gör anspråk, pretendent; fordringsägare; *~ to the throne* tronpretendent
clairvoyant [kleə'vɔɪənt] **I** *adj* klärvoajant, synsk **II** *s* klärvoajant (synsk) person
clam [klæm] **1** ätlig mussla; vard. mussla tillknäppt person **2** amer. sl. dollar
clamber ['klæmbə] klättra, kravla, klänga
clammy ['klæmɪ] fuktig (kall) och klibbig
clamour ['klæmə] **I** *s* rop; larm; *~ for* rop på [*~ for revenge*], högljudda krav på **II** *vb itr* larma, ropa; protestera; högljutt klaga; *~ for* ropa på [*~ for revenge*], kräva [högljutt]
1 clamp [klæmp] **I** *s* **1** krampa; klämma; kloss till förstärkning **2** skruvtving **II** *vb tr* **1** spänna (klämma) fast; förstärka **2** *~ controls on* införa kontroll över (på) **III** *vb itr* vard., *~ down on* slå ner på, klämma åt
2 clamp [klæmp] **I** *s* klamp **II** *vb itr* klampa
clan [klæn] **1** skotsk. klan; stam **2** bildl. klan **3** kotteri
clandestine [klæn'destɪn] hemlig[hållen] [*~ marriage*], som sker i smyg
clang [klæŋ] **I** *s* skarp metallisk klang, klämtande, skrällande [*the ~ of an alarm-bell*], skrammel **II** *vb itr* o. *vb tr* klinga, skalla; *the door ~ed* dörren slog igen med en skräll
clanger ['klæŋə] sl. klavertramp; fadäs; *drop* (*make*) *a ~* trampa i klaveret; göra en dundertabbe
clank [klæŋk] **I** *s* rassel med kedjor, pytsar o.d. **II** *vb itr* o. *vb tr* rassla (skramla) [med]
clans|man ['klænz|mən] (pl. *-men* [-mən]) klanmedlem
1 clap [klæp] **I** *vb tr* **1** slå ihop, klappa [i] [*~ one's hands*]; slå med [*~ one's wings*]; smälla [med]; *~ one's hands* äv. klappa händer, applådera **2** applådera **3** klappa [*~ a p. on the shoulder*], dunka [*~ a p. on* (i) *the back*] **4** vard., hastigt el. kraftigt sätta, sticka, köra [*~ a piece of chocolate in*[*to*] *one's mouth*]; *~ a p. in*[*to*] *prison* sätta ngn i finkan, bura in ngn; *~ eyes on* få syn på, se **II** *vb itr* **1** klappa [i händerna] **2** braka; *the door ~ped shut* (*to*) dörren smällde igen **3** *~ out* paja, gå sönder **III** *s* **1** skräll [*~ of thunder*], smäll **2** handklappning **3** klapp [*a ~ on the shoulder*], dunk [*a ~ on* (i) *the back*]
2 clap [klæp] sl., *the ~* dröppel, gonorré
claptrap ['klæptræp] [publikfriande] klyschor
claret ['klærət] **1** rödvin av bordeauxtyp **2** vinrött
clarification [ˌklærɪfɪ'keɪʃ(ə)n]

1 klargörande **2** klarning, renande; skirning
clarify ['klærɪfaɪ] **I** *vb tr* **1** klargöra **2** göra klar, klara; rena, skira **II** *vb itr* klarna
clarinet [ˌklærɪ'net] mus. klarinett
clarinettist [ˌklærɪ'netɪst] mus. klarinettist
clarity ['klærətɪ] klarhet; skärpa [*the ~ of the picture*]
clash [klæʃ] **I** *vb itr* **1** slå ihop med en skräll; skrälla **2** kollidera; inte stämma; *the colours ~* färgerna skär sig [mot varandra]; [*the two concerts*] *~* ...krockar, ...kolliderar **3** drabba (braka) samman [äv. *~ together*], komma ihop sig **4** rusa, störta [*against, into, upon*] **II** *vb tr* skramla med; ställa (sätta, slå) med en skräll **III** *s* **1** skräll **2** sammanstötning; sammandrabbning, strid; disharmoni; *cultural ~* kulturkrock; *~ of interests* intressekonflikt
clasp [klɑ:sp] **I** *s* **1** knäppe, spänne; lås [*~ of a handbag*] **2** omfamning; handslag; grepp **II** *vb tr* **1** knäppa [fast] **2** omfamna, omsluta; trycka, sluta; hålla [i ett fast (hårt) grepp]
clasp knife ['klɑ:spnaɪf] fällkniv
class [klɑ:s] **I** *s* **1** klass i samhället; klassväsende; kastväsende; *~ struggle (warfare)* klasskamp **2** klass äv. biol.; grupp **3** skol. klass; lektion; [läro]kurs; *evening ~es* kvällskurs[er]; *take a ~* om lärare ha (undervisa i) en klass **4** klass, kvalitet; första rangens (klassens) [*he is a ~ tennis player*], kvalitets-; *it has no ~* vard. den har ingen stil; *they are not in the same ~* de håller inte samma klass, de går inte att jämföra [på samma dag] **5** amer. årgång; *the ~ of 1993* skol. årgång (avgångsklassen) 1993 **II** *vb tr* klassa; inordna; klassificera; *~ among* räkna bland (till), hänföra till
class-conscious [ˌklɑ:s'kɒnʃəs] klassmedveten
class distinction [ˌklɑ:sdɪ'stɪŋ(k)ʃ(ə)n] klasskillnad
classic ['klæsɪk] **I** *adj* klassisk [*~ style, ~ taste*], ren, tidlös **II** *s* **1** klassiker i olika bet.; pl. *~s* klassiska språk (studier, författare) **2** klassiskt evenemang, isht klassisk hästkapplöpning
classical ['klæsɪk(ə)l] klassisk [*~ art (literature, style)*]; traditionell [*~ scientific ideas*]; *~ education* klassisk bildning
classification [ˌklæsɪfɪ'keɪʃ(ə)n] klassifikation
classified ['klæsɪfaɪd] **1** klassificerad; systematisk; *~ advertisement (ad* vard.) rubrikannons; *~ results* sport. fullständiga [match]resultat **2** hemligstämplad [*~ information*]
classify ['klæsɪfaɪ] (jfr äv. *classified*) **1** klassificera; rubricera; systematisera **2** hemligstämpla
classmate ['klɑ:smeɪt] klasskamrat
classroom ['klɑ:sru:m, -rʊm] klassrum
classy ['klɑ:sɪ] vard. flott; högklassig
clatter ['klætə] **I** *vb itr* slamra, skramla **II** *vb tr* slamra (skramla) med **III** *s* **1** slammer [*~ of cutlery*], klapprande [*~ of hoofs*] **2** oväsen; larm
clause [klɔ:z] **1** gram. sats; [*subordinate (dependent)*] *~* bisats; *main ~* huvudsats **2** klausul, bestämmelse; moment i paragraf; artikel
claustrophobia [ˌklɔ:strə'fəʊbjə, ˌklɒs-] psykol. klaustrofobi
claw [klɔ:] **I** *s* klo i olika bet.; tass, ram; *show one's ~s* bildl. visa klorna **II** *vb tr* **1** klösa **2** riva (rycka) till sig **III** *vb itr* klösa, riva
clay [kleɪ] **1** lera [äv. *~ soil*]; *~ court* tennis. grusbana **2** om människan stoft [och aska]
clean [kli:n] **I** *adj* **1** ren [*~ hands, ~ air;* ej radioaktiv *~ bomb*]; renlig [*~ animal*] **2 a**) ren, fläckfri; anständig; *keep the party ~* vard. hålla det hela på ett anständigt plan **b**) grön, godkänd **3** ren, tom; klar; *show a ~ pair of heels* lägga benen på ryggen; *come ~!* vard. ut med sanningen! **4** slät; jämn [*a ~ edge*] **5** ren [*a ship with ~ lines*], nätt **6** skicklig; ren; *a ~ stroke* i tennis o.d. ett rent slag **7** fullständig [*a ~ break with the past*]; *make a ~ sweep* göra rent hus [*of* med] **8** amer. sl. pank **II** *adv* alldeles [*I ~ forgot*], rent, rakt **III** *vb tr* **1** rengöra; snygga upp; putsa; borsta [*~ shoes*]; [kem]tvätta; städa [i]; rensa; rensa upp **2** tömma [*~ one's plate*]
3 med adv.:
~ **away** (**off**) rensa (putsa) bort
~ **down** borsta (torka, tvätta) av [grundligt]
~ **out**: a) rensa [upp]; städa [i] b) vard. pungslå c) länsa [*the tourists ~ed out the shops*]
~ **up**: **a**) rensa upp [i]; göra rent [i] **b**) länsa [*~ up one's plate*] **IV** *vb itr* **1** rengöras; bli ren **2** *~ up* a) städa, göra rent [efter sig] b) snygga till sig **V** *s* vard. rengöring, städning
clean-cut [ˌkli:n'kʌt, attr. '--] skarpt skuren (tecknad); bildl. klar; *~ features* rena drag
cleaner ['kli:nə] **1** städare, rengörare **2** rensare [*pipe-cleaner*], renare **3** *send one's clothes to the* [*dry*] *~s* skicka kläderna på kemtvätt **4** rengöringsmedel **5** *take (send) a p. to the ~s* sl. a) barskrapa ngn b) ge ngn en bakläxa
cleanliness ['klenlɪnəs] renlighet, snygghet; renhet; *~ is next to godliness* ung. renlighet är en dygd
cleanly [adv. 'kli:nlɪ, ss. adj. 'klenlɪ] **I** *adv* rent etc., jfr *clean I* **II** *adj* ren [av sig]
cleanse [klenz] **1** rengöra; befria; rensa;

cleansing lotion ansiktsvatten **2** mest bildl. rena
cleanser ['klenzə] rengöringsmedel, putsmedel; rengörare; *skin* ~ ansiktsvatten, ansiktstvätt
clean-shaven [ˌkli:n'ʃeɪvn, attr. '-ˌ--] slätrakad
clean-up ['kli:nʌp] **1** [grundlig] rengöring, uppröjning; sanering; *give a th. a good* ~ göra ren ngt ordentligt **2** bildl. [upp]rensning
clear [klɪə] **I** *adj* **1** klar, ljus; ren, frisk [~ *complexion*] **2** klar, tydlig; *make* ~ klargöra **3** redig [*a* ~ *head*] **4** säker; *I want to be quite* ~ *on this point* äv. jag vill inte att det ska bli något missförstånd på den punkten **5** fläckfri; oskyldig; *with a* ~ *conscience* med rent samvete **6** fri; klar, öppen [~ *for traffic*]; tom; frigjord; *all* ~*!* faran över! **7** hand. ren, netto- [~ *loss (profit)*] **8** hel, full [*six* ~ *days*] **II** *s, in the* ~ a) frikänd, rentvådd b) utom fara c) skuldfri **III** *adv* **1** klart [*shine* ~], ljust; tydligt **2** alldeles, fullständigt **3** *get* ~ *of* komma lös från, bli fri från **IV** *vb tr* **1** göra klar; klara; ~ *the air* rensa luften **2** frita [från skuld]; ~ *oneself of suspicion* rentvå sig från misstankar **3** befria; göra (ta) loss; reda ut; röja, tömma [~ *your pockets*]; röja av [~ *a desk*]; utrymma, lämna; ~ *the decks* [*for action*] sjö. göra klart till drabbning (klart skepp); bildl. göra sig klar (redo); ~ *the table* duka av; ~ *the way* bana väg **4** klara komma förbi (över) [*can your horse* ~ *that hedge?*] **5** sjö. klarera fartyg, varor i tullen; ~ *through the customs* förtulla, [låta] tullbehandla **6** hand. o.d.: a) betala, göra sig kvitt [~ *one's debts*]; klara [~ *expenses*] b) förtjäna netto c) utförsälja d) cleara **7** förelägga för godkännande; godkänna [*the article was* ~*ed for publication*]; ~ *a p.* säkerhetskontrollera ngn **8** klargöra, förklara **9** med adv.:
~ **away** röja undan; duka av (ut) [~ *away the tea things*]
~ **off** göra sig kvitt (av med); klara av [~ *off a debt*]
~ **out**: rensa ut (bort); tömma, rensa [*the police* ~*ed out the streets*]; slutförsälja
~ **up**: a) ordna [~ *up the mess*], städa, göra rent i (på) b) klargöra [~ *up a mystery*], reda upp (ut)
V *vb itr* **1** klarna **2** skingra sig [*the clouds (the crowd)* ~*ed*], lätta **3** med adv.:
~ **away**: a) duka av b) dra bort [*the clouds have* ~*ed away*], lätta [*the fog has* ~*ed away*], försvinna
~ **off** (**out**) vard. sticka; ~ *off (out)!* stick!
~ **up** klarna
clearance ['klɪər(ə)ns] **1** undanröjande; sanering, rensning; tömning av t.ex. brevlåda; *slum* ~ slumsanering **2** [tull]klarering; tullklareringssedel **3** ~ [*sale*] utförsäljning, lagerrensning; utskottsförsäljning **4** starttillstånd **5** tillstånd; [*security*] ~ intyg om verkställd säkerhetskontroll **6** spelrum, frigående; säkerhetsmarginal [*a* ~ *of two feet*]
clear-cut [ˌklɪə'kʌt, attr. '--] skarpt skuren, ren [~ *features*]; klar, entydig [~ *decision*]
clearing ['klɪərɪŋ] **1** klarnande; klargörande; fritagande etc., jfr *clear IV* o. *V* **2** undanröjande; röjning; röjt land **3** glänta **4** clearing
clearing-bank ['klɪərɪŋbæŋk] clearingbank
clearly ['klɪəlɪ] **1** klart **2** tydligen; säkert
clear-sighted [ˌklɪə'saɪtɪd, attr. '-ˌ--] klarsynt
clearway ['klɪəweɪ] **1** trafik. väg med stoppförbud **2** flyg. clearway hinderfritt område i anslutning till en startbana
cleavage ['kli:vɪdʒ] **1** klyvning; spaltning; splittring; klyfta [*a growing* ~ *between the two groups*] **2** springa mellan brösten, djup urringning
1 cleave [kli:v], ~ *to* a) klibba fast (låda) vid b) hålla (hänga) fast vid
2 cleave [kli:v] (imperf. *cleft, cleaved* el. *clove*; perf. p. *cleft,* ss. adj. äv. *cloven*) **1** klyva [sönder] [ofta ~ *asunder (in two)*]; bildl. splittra [sönder]; *cleft chin* kluven haka **2** bilda en klyfta mellan (i) **3** ta sig fram genom [äv. ~ *one's way through*]; hugga [~ *a path through the jungle*]
cleaver ['kli:və] hackkniv
clef [klef] mus. klav; *C* ~ c-klav
cleft [kleft] **I** imperf. o. perf. p. av *2 cleave* **II** *s* klyfta
clemency ['klemənsɪ] mildhet; förbarmande, nåd
clementine ['kleməntaɪn, -ti:n] clementin frukt
clench [klen(t)ʃ] **I** *vb tr* bita ihop (om), pressa hårt samman; gripa hårt om; spänna [~ *the body*]; ~ *one's fist* knyta näven **II** *s* tag
clergy ['klɜ:dʒɪ] (konstr. ss. pl.) prästerskap, präster
clergy|man ['klɜ:dʒɪ|mən] (pl. *-men* [-mən]) präst isht inom engelska statskyrkan
clerical ['klerɪk(ə)l] **1** klerikal; prästerlig [~ *duties*]; ~ *collar* prästs rundkrage **2** kontors-; skriv-; ~ *error* skrivfel
clerk [klɑ:k, amer. klɜ:k] **1** kontorist; tjänsteman; bokhållare [äv. *commercial* ~], sekreterare, kanslist; [post]expeditör; *bank* ~ banktjänsteman **2** jur. o.d. sekreterare, notarie [äv. *recording* ~]; *town* ~ ung. stadsjurist **3** amer. a) expedit b) portier
clever ['klevə] **1** begåvad **2** slipad, smart **3** skicklig, duktig **4** behändig [*a* ~ *device*]
cliché ['kli:ʃeɪ] **1** typogr. kliché **2** klyscha

click [klɪk] **I** *vb itr* **1** knäppa [till], klicka [till] **2** vard. a) lyckas b) gå hem [*that film really ~s with* (hos) *young people*], bli (vara) en succé **3** vard. klaffa; *~ with* klaffa (stämma) med **4** vard. a) passa (funka) ihop b) tända [på varandra] [*they ~ed at their first meeting*] **5** vard. säga klick [*something ~s*] **II** *vb tr* knäppa med, klappra med; *~ one's heels* slå ihop klackarna **III** *s* **1** knäppning etc., jfr *I* **2** smackande; fonet. smackljud, klickljud

client ['klaɪənt] klient; kund

clientele [ˌkli:ɒn'tel] klientel; kundkrets

cliff [klɪf] [brant] klippa; stup isht vid havsstrand

cliffhanger ['klɪfˌhæŋə] vard. rysare; nervpirrande historia

climacteric [klaɪ'mæktərɪk, ˌklaɪmæk'terɪk] **I** *adj* **1** klimakterisk, övergångs- **2** kritisk **II** *s* klimakterium

climate ['klaɪmət] **1** klimat; *change of ~* klimatombyte **2** bildl. klimat [*intellectual* (*political*) *~*], atmosfär; *the ~ of opinion* opinionsklimatet

climax ['klaɪmæks] **I** *s* klimax **II** *vb tr* **1** stegra **2** bringa till en höjdpunkt **III** *vb itr* **1** stegras **2** nå en (sin) höjdpunkt

climb [klaɪm] **I** *vb itr* **1** klättra; bildl. äv. arbeta sig upp; klänga; kliva; *~ down* kliva (stiga) ner [från]; bildl. stämma ner tonen, slå till reträtt; *~ up* klättra (etc.) upp **2** höja sig, stiga [*the aircraft ~ed suddenly; prices have ~ed a little*] **3** slutta uppåt **II** *vb tr* klättra (klänga, kliva, komma, gå) uppför (upp på, upp i) [*~ a ladder* (*hill, tree*)], bestiga **III** *s* klättring; stigning; *rate of ~* flyg. stighastighet

climber ['klaɪmə] **1** klättrare [*mountain ~*] **2** zool. klätterfågel **3** bot. klängväxt, klätterväxt **4** vard. streber [äv. *social ~*]

clinch [klɪn(t)ʃ] **I** *s* **1** nitning; krampa **2** boxn. clinch; vard. våldsam omfamning; *go* (*fall*) *into a ~* gå i clinch boxn. o. vard. **3** sjö. ankarstek **II** *vb itr* **1** a) boxn. gå i clinch b) vard. kramas och kyssas våldsamt, 'gå i clinch' **2** om stukad nit o.d. fästa **III** *vb tr* **1** nita; stuka [*~ a nail*] **2** avgöra [slutgiltigt] [*~ an argument*], göra definitiv, fastslå; klara upp tvist o.d.; bekräfta [*that ~ed his suspicions*]; göra upp [*~ a sale*]; vinna slutgiltigt [*~ a basketball title*]; *that ~ed the matter* (*thing*) det avgjorde saken **3** boxn. blockera låsa genom clinch **4** sjö. fästa [med ankarstek]

cling [klɪŋ] (*clung clung*) klänga sig [fast] [*~* [*on*] *to one's possessions*]; hålla sig [tätt]; fastna; om kläder o.d. smita åt; *~ to a doctrine* hålla fast vid en lära; *~ together* hålla ihop, inte gå isär

clingfilm ['klɪŋfɪlm] plastfolie

clinic ['klɪnɪk] klinik

clinical ['klɪnɪk(ə)l] **1** klinisk; *~ thermometer* febertermometer **2** [strängt] objektiv [*~ analysis* (*examination*) *of a problem*]

1 clink [klɪŋk] **I** *vb itr* o. *vb tr* klirra (klinga, skramla, pingla) [med]; *~ glasses* skåla, klinga med glasen **II** *s* klirr, klingande

2 clink [klɪŋk] sl. finka fängelse; *be put in ~* bli satt i finkan

1 clip [klɪp] **I** *vb tr*, *~* [*together*] fästa (klämma, hålla) ihop [med gem etc., jfr *II 1*] **II** *s* **1** gem, hållare, klämma; clip[s]; *trouser ~* cykelklämma för byxben **2** mil. patronknippe

2 clip [klɪp] **I** *vb tr* **1** klippa [*~ tickets*]; *~ a bird's* (*a p.'s*) *wings* vingklippa en fågel (ngn) **2** stympa **3** *~ed form* språkv. ellips, elliptisk ordform **4** sl. slå till **II** *s* **1** klippning **2** klatsch **3** amer. fart [*going at quite a ~*]

clique [kli:k] klick, kotteri

clit [klɪt] sl. klitta klitoris

clitoris ['klɪtərɪs] anat. klitoris

cloak [kləʊk] **I** *s* **1** [släng]kappa **2** bildl. täckmantel; täcke; *under the ~ of darkness* i skydd av mörkret **II** *vb tr* **1** svepa in, hölja **2** bildl. dölja

cloakroom ['kləʊkru:m, -rʊm] **1** a) kapprum b) effektförvaring; *~ attendant* rockvaktmästare, garderobiär **2** toalett

clock [klɒk] **I** *s* **1** klocka, [vägg]ur; *beat the ~* bildl. bli färdig före [utsatt tid]; *work against the ~* arbeta i kapp med klockan (tiden); *round* (*around*) *the ~* dygnet runt; utan uppehåll; 12 (24) timmar i sträck **2** vard. mätare, hastighetsmätare; taxameter **3** sl. nylle ansikte **II** *vb tr* **1** sport. ta tid på, klocka **2** vard., *~* [*up*] a) klockas för, få noterat en tid på b) uppnå, komma upp i [*we ~ed 100 m.p.h.*], registrera **3** sl. klippa till **III** *vb itr*, *~ in* (*on*) stämpla in på stämpelur; *~ out* (*off*) stämpla ut

clocking-in [ˌklɒkɪŋ'ɪn], *~ card* stämpelkort

clockwise ['klɒkwaɪz] medurs

clockwork ['klɒkwɜ:k] **I** *s* urverk; *like ~* bildl. som ett urverk, som smort **II** *adj* som ett urverk

clod [klɒd] **1** jordklump **2** jord **3** vard. bondlurk; tjockskalle

clog [klɒg] **I** *s* **1** träsko **2** klamp på djur **3** bildl. hämsko **II** *vb tr* **1** fjättra; hindra, hämma; klibba fast vid, fastna på [*snow ~ged my ski boots*] **2** täppa till; spärra; *my nose is ~ged* jag är täppt i näsan **III** *vb itr* **1** klibba fast; täppas till; klumpas ihop; *my fountain pen ~s* min reservoarpenna har torkat ihop **2** *~ along* klampa i väg

cloister ['klɔɪstə] **I** *s* **1** kloster **2** arkit. klostergång, korsgång **II** *vb tr* sätta (stänga in) i kloster; bildl. spärra in

clone [kləʊn] **I** *s* **1** biol. klon **2** vard. dubbelgångare **3** vard. robot om person **II** *vb tr* **1** biol. klona **2** vard. göra en exakt kopia av

1 close [kləʊz] **I** *vb tr* **1** stänga [*~ the door*]; slå igen [*~ a book*]; sluta [till (ihop)]; stänga av; lägga ner [*~ a factory*]; *~ one's eyes to* bildl. blunda för; *~ the ranks (files)* mil. sluta leden; *~ up* sluta till; fylla; bomma igen **2** sluta, avsluta [*~ a deal* (en affär)] **3** sjö. komma nära (inpå) **4** minska [*~ the distance*] **II** *vb itr* **1** stängas, slutas [till]; sluta sig [*certain flowers ~ at night*]; gå att stänga [*this box doesn't ~ properly*]; minskas [*the distance between us ~d*]; *~ [up]on* gripa om, sluta sig om, omsluta **2** sluta [*he ~d with this remark*]; avslutas; läggas ned [*the play ~d after two weeks*]; stänga **3** förenas; närma sig; *~ about (round)* omringa; sluta sig kring **4** drabba samman **5** med adv.: *~ down* om affär o.d. stänga[s], upphöra, läggas ner; radio. o.d. sluta sända (sändningen); *~ in* komma närmare, falla [på]; om dagarna bli kortare; *~ in [up]on* sluta sig omkring; omringa; kasta sig över **III** *s* (jfr *2 close III*) **1** slut [*the ~ of day*], avslutning; *draw (bring) a th. to a ~* föra ngt till ett slut **2** mus. kadens

2 close [kləʊs] **I** *adj* **1** nära [*a ~ relative*]; intim, förtrolig; omedelbar; *~ combat* närstrid, handgemäng; *run a p. a ~ second* ligga hack i häl på ngn **2** kort [*a ~ haircut*], slät [*a ~ shave*] **3** tät [*~ thicket*]; fast [*~ texture*]; hopträngd [*~ handwriting*] **4** ingående [*~ investigation*]; noggrann [*~ analysis*]; nära [*a ~ resemblance*], trogen [*a ~ translation*]; följdriktig [*~ reasoning*]; uppmärksam [*a ~ observer*]; *~ attention* stor (spänd) uppmärksamhet **5** strängt bevakad [*a ~ prisoner*]; strängt bevarad [*a ~ secret*]; *~ arrest* rumsarrest; mil. vaktarrest **6** inte öppen för alla [*~ scholarship*] **7 a**) gömd; *keep (lie) ~* hålla sig (ligga) gömd **b**) hemlig; hemlighetsfull **8** kvav [*~ air*] **9** snål **10** mycket jämn [*~ contest (finish)*] **11** fonet. sluten [*a ~ vowel*] **II** *adv* tätt, nära; tätt ihop [ofta *~ together*]; *~ at hand* strax i närheten (intill); nära förestående; *~ [up]on* prep. inemot, uppemot [*~ on 100*] **III** *s* (jfr *1 close III*) **1** [återvänds]gränd **2** domkyrkoplats

closed [kləʊzd] (jfr äv. *1 close I*), stängd; spärrad, avstängd [*~ to* (för) *traffic*]; sluten [*a ~ circle, a ~ society*]; *a ~ car* en täckt bil; *~ shop* **a**) företag (yrke) öppet endast för fackligt organiserad arbetskraft **b**) fackföreningstvång; *he is a ~ book* han är svår att lära känna (att förstå)

close-fitting [ˌkləʊsˈfɪtɪŋ, attr. ˈ-ˌ--] tätt åtsittande, snäv [*~ skirt*]

close-knit [ˌkləʊsˈnɪt, attr. ˈ--] bildl. fast sammanhållen (sammansvetsad) [*~ family*]

closely [ˈkləʊslɪ] **1** nära [*~ related*], intimt **2** tätt [*~ packed*] **3** ingående [*question a p. ~*], noggrant etc., jfr *2 close I 4*

close-shaven [ˌkləʊsˈʃeɪvn, attr. ˈ-ˌ--] slätrakad

closet [ˈklɒzɪt] **I** *s* **1 a**) åld. [litet] enskilt rum **b**) *~ play (drama)* läsdrama **c**) *come out of the ~* vard. komma ut, börja uppträda öppet som homosexuell **2** amer. garderob **3** isht amer. skåp **4** klosett **II** *adj* hemlig [*~ homosexual (racist)*] **III** *vb tr* **1** *be ~ed together [with]* vara (tala) i enrum [med] **2** stänga in

close-up [ˈkləʊsʌp] film. o. bildl. närbild

closing [ˈkləʊzɪŋ] **I** *pres p* o. *adj* stängande etc., se *1 close I 1*; avslutnings-; *the ~ date for applications is April 1* 1 april är sista ansökningsdagen; *~ prices* börs. slutkurser **II** *s* **1** stängning [*Sunday ~*]; *~ time* isht stängningsdags för pubar **2** slut

closure [ˈkləʊʒə] **1** tillslutning; nedläggning [*the ~ of a factory*] **2** avslutning

clot [klɒt] **I** *s* **1** klimp, kluns; klunga av personer **2** *~ [of blood]* klump levrat blod, blodkoagel, [blod]propp **3** sl. idiot **II** *vb itr* bilda klimpar; klumpa [ihop], (klimpa) sig; tova ihop sig; löpna; skära sig; om sås m.m. stelna **III** *vb tr* [låta] koagulera; få att klumpa sig (tova sig); klibba ned (ihop); sitta i klumpar på

cloth [klɒθ] **1** tyg; kläde **2** trasa för putsning, skurning o.d. **3** duk; *lay the ~* lägga på duken; duka **4** bokb. klot [*~ binding*]; *in ~* i klotband

clothe [kləʊð] (*clothed clothed,* poet. *clad clad*) klä; täcka, hölja

clothes [kləʊðz, kləʊz] kläder

clothes hanger [ˈkləʊðzˌhæŋə] klädgalge

clothes line [ˈkləʊðzlaɪn] klädstreck, klädlina

clothes peg [ˈkləʊðzpeg] **1** klädnypa **2** klädhängare

clothespin [ˈkləʊðzpɪn] amer. klädnypa

clothing [ˈkləʊðɪŋ] beklädnad; kläder; *men's ~* herrkonfektion

cloud [klaʊd] **I** *s* **1** moln båda äv. bildl.; *be [up] (have one's head) in the ~s* vara helt i det blå, sväva bland molnen; *on ~ nine (seven)* vard. i sjunde himlen **2** bildl. svärm [*a ~ of insects (arrows)*], moln [*a ~ of dust*]; skugga [*a ~ on a p.'s reputation*]; *under a ~* i onåd **II** *vb tr* **1** hölja i (täcka med) moln **2** bildl. fördunkla; skymma; ställa i skuggan; grumla; göra oklar **III** *vb itr* höljas i moln, mulna [ofta *~ up (over)*];

fördunklas; bli oklar (ogenomskinlig); *the sky ~ed over* det mulnade [på]
cloudberry ['klaʊdb(ə)rɪ, -ˌberɪ] hjortron
cloudburst ['klaʊdbɜ:st] skyfall
cloud-cuckoo-land [ˌklaʊd'kʊku:lænd] sagolandet; drömvärlden
cloudy ['klaʊdɪ] **1** molnig; mulen **2** grumlig [*~ liquid*] **3** bildl. oklar [*~ ideas*]
clout [klaʊt] **I** *s* **1** vard. [kraftigt] slag **2** trasa, [tyg]bit **3** vard. inflytande [*carry* (ha) *a lot of ~*], slagkraft **II** *vb tr* vard. slå till, klå
1 clove [kləʊv] klyfta av vitlök o.d.
2 clove [kləʊv] kryddnejlika; *~ pink* nejlika
3 clove [kləʊv] imperf. av *2 cleave*
cloven ['kləʊvn] (eg. perf. p. av *2 cleave*) kluven; *~ foot* (*hoof*) klöv; *show the ~ foot* visa bockfoten
clover ['kləʊvə] klöver; *be in ~* leva i överflöd, vara på grön kvist, ha goda dagar
clown [klaʊn] **I** *s* clown **II** *vb itr, ~ [about* (*around*)] spela pajas, spexa
club [klʌb] **I** *s* **1** klubba; grov påk **2** kortsp. klöverkort; pl. *~s* klöver **3 a**) klubb; klubbhus **b**) *be in the [pudding] ~* sl. vara på smällen gravid **c**) *join the ~* vard. det är du inte ensam om!; kom med i gänget! **II** *vb tr* **1** klubba [till (ned)] **2** använda som klubba (tillhygge) [*~ a rifle*] **3** samla [ihop] till en klump; slå samman [ofta *~ together*] **4** skjuta samman [äv. *~ up* (*together*)] **III** *vb itr, ~ together* slå sig ihop; dela kostnaderna lika; lägga ihop, sala [*for till*]
clubhouse ['klʌbhaʊs] klubblokal[er]
cluck [klʌk] **I** *vb itr* skrocka **II** *s* **1** skrockande **2** vard. dumskalle [äv. *dumb ~*]
clue [klu:] **I** *s* ledtråd, nyckel; [röd] tråd i berättelse; *~s across* (*down*) i korsord vågräta (lodräta) [nyckel]ord; *I haven't a ~* vard. det har jag ingen aning om **II** *vb tr* sl., *~ a p. in* (*up*) ge ngn en ledtråd; informera ngn
clump [klʌmp] **I** *s* **1** klunga; tät [träd]grupp **2** klump **3** klamp, tramp **II** *vb tr* klumpa ihop **III** *vb itr* **1** klampa; *~ about* klampa omkring **2** klumpa ihop sig
clumsy ['klʌmzɪ] klumpig, otymplig; tafatt
clung [klʌŋ] imperf. o. perf. p. av *cling*
cluster ['klʌstə] **I** *s* klunga; klase, knippa; skock, anhopning; svärm; *a ~ of curls* ung. tjocka hårslingor **II** *vb tr* samla i en klunga **III** *vb itr* växa i (samlas i, bilda) en klunga (klungor etc.)
1 clutch [klʌtʃ] **I** *vb tr* gripa tag i (om); hålla fast [omsluten]; trycka [*she ~ed her doll to her breast*] **II** *vb itr* gripa **III** *s* **1** [hårt] grepp; *make a ~ at* [ivrigt] gripa efter **2** tekn. **a**) koppling [*the ~ is in* (*out*)]; kopplingspedal; *~ plate* kopplingslamell **b**) kona **c**) klo **3** pl. *~es* bildl. klor [*get into a p.'s ~es*]
2 clutch [klʌtʃ] **1** äggrede **2** [kyckling]kull
clutter ['klʌtə] **I** *vb tr, ~ [up]* belamra, skräpa ned i (på) **II** *vb itr* slamra, väsnas **III** *s* **1** virrvarr, röra **2** slammer
cm. förk. för *centimetre[s]*
CO förk. för *Commanding Officer, conscientious objector*
Co. 1 [kəʊ, 'kʌmp(ə)nɪ] förk. för *Company* [*Smith & Co.*] **2** förk. för *County*
c/o 1 (förk. för *care of*) på brev c/o, adress [*c/o Smith*] **2** förk. för *carried over*
coach [kəʊtʃ] **I** *s* **1 a**) turistbuss, [långfärds]buss **b**) järnv. personvagn; amer., ung. andraklassvagn; *travel ~* amer., ung. åka andraklass; flyg. åka turistklass **c**) [gala]vagn, kaross [*the Lord Mayor's ~*]; *~ and four* vagn [förspänd] med fyra hästar, fyrspann **2 a**) [privat]lärare **b**) sport. tränare, instruktör; ibl. lagledare **II** *vb itr* **a**) arbeta som privatlärare (handledare); ge [privat]lektioner **b**) arbeta som tränare (instruktör, coach) **III** *vb tr* **1** plugga i ngn en examenskurs **2** träna, vara tränare (instruktör, coach) för
coagulate [kəʊ'ægjʊleɪt] **I** *vb tr* få att koagulera (levra sig) **II** *vb itr* koagulera, levra sig
coal [kəʊl] kol; isht stenkol
coalbin ['kəʊlbɪn] o. **coalbox** ['kəʊlbɒks] kolbox
coalface ['kəʊlfeɪs] kolfront; *the ~* friare kolgruvorna
coalfield ['kəʊlfi:ld] kolfält
coalfish ['kəʊlfɪʃ] zool. gråsej
coalition [ˌkəʊə'lɪʃ(ə)n] koalition, samling; *~ government* koalitionsregering, samlingsregering
coalmine ['kəʊlmaɪn] kolgruva
coalmining ['kəʊlˌmaɪnɪŋ] kolbrytning
coalpit ['kəʊlpɪt] **1** kolgruva **2** amer. kolmila
coal tit ['kəʊltɪt] zool. svartmes
coarse [kɔ:s] **1** grov [*~ cloth* (*sand*)] **2** grovkornig [*~ jokes*], grov [*~ language*], rå, ohyfsad, opolerad; plump
coast [kəʊst] **I** *s* **1** kust; *the ~ is clear* bildl. kusten är klar **2** amer. kälkbacke; kälkbacksåkning **II** *vb tr* segla längs (utmed) **III** *vb itr* **1** segla längs (utmed) kusten **2** gå i kustfart, idka kusthandel **3 a**) på cykel: åka (rulla) nedför utan att trampa; åka (rulla) på frihjul **b**) i bil: rulla (åka) [nedför] med kopplingen ur **c**) *~ [along]* bildl. driva (låta allt gå) vind för våg **d**) sport. leda överlägset **e**) amer. åka i kälkbacke

coastal ['kəʊstl] kust-; ~ *waters* kustfarvatten
coaster ['kəʊstə] **1** kustfarare; isht kustfartyg **2** [silver]bricka ibl. på hjul; underlägg för vinglas o.d. **3** amer., slags kälke
coastguard ['kəʊs(t)gɑ:d] **1** medlem av sjöräddningen (kustbevakningen) **2** *the* ~ sjöräddningen, kustbevakningen
coastline ['kəʊs(t)laɪn] kustlinje
coat [kəʊt] **I** *s* **1** a) rock; kappa b) kavaj; [dräkt]jacka; ~ *of arms* vapensköld, vapen **2** på djur päls **3** [yttre] lager; beläggning t.ex. på tungan; *apply a* ~ *of paint to* ge en strykning [med färg] **II** *vb tr* **a**) täcka med [skyddande] lager; belägga, dra över; dragera [~ *pills with sugar*]; [be]kläda; ~ *the pill* bildl. sockra det beska pillret **b**) täcka som [skyddande] lager
coated ['kəʊtɪd] täckt, belagd [~ *tongue*] etc., jfr *coat II*; antireflexbehandlad, reflexfri [~ *lens*]
coat hanger ['kəʊtˌhæŋə] rockhängare
coating ['kəʊtɪŋ] **1** beläggning, beslag; hinna; bestrykning; lager; överdrag **2** rocktyg
coax [kəʊks] **I** *vb tr* lirka med; narra, lura; truga; ~ *a p. into a th.* använda [list och] lämpor för att få (locka) ngn till ngt **II** *vb itr* använda lämpor, lirka
cob [kɒb] **1** svanhane [äv. ~ *swan*] **2** [lågbent kraftig] häst **3** majskolv
cobbler ['kɒblə] **1** skomakare **2** amer. kobbel drink
cobblestone ['kɒblstəʊn] kullersten
cobra ['kəʊbrə, 'kɒ-] kobra; *Indian* ~ glasögonorm; *King* ~ kungskobra
cobweb ['kɒbweb] spindelnät; *blow away the* ~*s* bildl. få lite (sig en nypa) frisk luft
Coca-Cola [ˌkəʊkə'kəʊlə] ® coca-cola
cocaine [kəʊ'keɪn] kokain
cock [kɒk] **I** *s* **1** tupp **2** isht i sms. han[n]e av fåglar **3** morkulla **4** överkucku; *the* ~ *of the school* skolans stjärna i idrott o.d.; *the* ~ *of the walk* (*roost*) högsta hönset [i korgen], herre på täppan **5** kran; *turn the* ~ öppna (vrida på) kranen **6** hane på gevär; *at full* ~ [med hanen] på helspänn **7** sl. skitsnack; *a load of old* ~ [en] massa skitsnack **8** vulg. kuk **9** *it's all to* ~*!* sl. det är åt helsicke! **II** *vb tr* **1** sätta (ställa, sticka) rätt upp, resa; sätta (sticka) t.ex. näsan i vädret; ~ [*up*] *one's ears* spetsa öronen; ~ *one's leg* lyfta på benet **2** spänna hanen på [~ *the gun*]; ~ *the trigger* spänna hanen, osäkra vapnet (geväret m.m.) **3** sl., ~ *up* soppa (trassla) till
cock-a-doodle-doo ['kɒkəˌdu:dl'du:] (pl. ~*s*) **I** *s* o. *interj* kuckeliku **II** *vb itr* säga kuckeliku, gala
cock-a-hoop [ˌkɒkə'hu:p] mallig; överlycklig
cockerel ['kɒk(ə)r(ə)l] tuppkyckling
cock-eyed ['kɒkaɪd] **1** skelögd **2** sl. sned, vind; på sniskan [*the picture is* (hänger) ~] **3** sl. knäpp; *it's all* ~ det är uppåt väggarna [galet] **4** sl. dragen berusad
cockle ['kɒkl] **1** a) hjärtmussla b) musselskal **2** nötskal liten bräcklig båt **3** *it warmed the* ~*s of my heart* det gjorde mig varm ända in i själen
cockney ['kɒknɪ] **I** *s* **1** cockney infödd londonbo som talar den speciella londondialekten **2** cockney londondialekten **II** *adj* cockney-; ~ *accent* cockneyuttal
cockpit ['kɒkpɪt] flyg. cockpit
cockroach ['kɒkrəʊtʃ] zool. kackerlacka
cock sparrow [ˌkɒk'spærəʊ] sparvhane
cocksure [ˌkɒk'ʃʊə] tvärsäker; självsäker
cocktail ['kɒkteɪl] cocktail; ~ *cabinet* barskåp
cocky ['kɒkɪ] vard. mallig
cocoa ['kəʊkəʊ] kakao; choklad som dryck
coconut ['kəʊkənʌt] **1** kokosnöt **2** kokospalm
cocoon [kə'ku:n] **I** *s* zool. kokong **II** *vb tr* täcka med en plasthinna
COD [ˌsi:əʊ'di:] **1** (förk. för *cash* (amer. *collect*) *on delivery*) [mot] efterkrav **2** förk. för *Concise Oxford Dictionary*
cod [kɒd] torsk; *dried* ~ kabeljo
coddle ['kɒdl] klema bort; klema med
code [kəʊd] **I** *s* **1** kodex; lagsamling; allmänna regler; ~ *of honour* hederskodex **2** kod [~ *name*]; chiffer; data. programmeringskod; *the Morse* ~ morsekoden **3** *dialling* (amer. *area*) ~ riktnummer **II** *vb tr* **1** koda **2** kodifiera
codeine ['kəʊdi:n] kem. el. med. kodein
codfish ['kɒdfɪʃ] se *cod*
codicil ['kəʊdɪsɪl, 'kɒd-] jur. kodicill tillägg till testamente m.m.
codify ['kəʊdɪfaɪ, 'kɒd-] kodifiera
cod-liver oil [ˌkɒdlɪvər'ɔɪl] fiskleverolja
co-ed ['kəʊed, -'-] isht amer. vard. **I** *s* **1** kvinnlig samskoleelev **2** samskola **II** *adj* samskole-; ~ *school* samskola
coeducation ['kəʊˌedjʊ'keɪʃ(ə)n] samundervisning
coeducational ['kəʊˌedjʊ'keɪʃənl] samskole-; ~ *school* samskola
coerce [kəʊ'ɜ:s] **1** [med våld] betvinga **2** tvinga
coercion [kəʊ'ɜ:ʃ(ə)n] tvång, betvingande
coexistence [ˌkəʊɪg'zɪst(ə)ns] samtidig förekomst; samlevnad [*peaceful* ~]
coffee ['kɒfɪ] kaffe; ~ *substitute* kaffesurrogat; *black* ~ kaffe utan grädde (mjölk); *two* ~*s please!* två kaffe, tack!
coffee bar ['kɒfɪbɑ:] cafeteria
coffee break ['kɒfɪbreɪk] kafferast
coffee-grinder ['kɒfɪˌgraɪndə] kaffekvarn

coffee pot ['kɒfɪpɒt] kaffekanna; kaffepanna
coffee-table ['kɒfɪˌteɪbl] soffbord
coffin ['kɒfɪn] likkista; *a nail in a p.'s ~* bildl. en spik i ngns likkista
cog [kɒg] **I** *s* kugge; *a [small] ~ in a big wheel* bildl. en [liten] kugge i det hela **II** *vb tr* förse med kuggar
cogent ['kəʊdʒ(ə)nt] bindande, övertygande, stark [*a ~ reason*]
cogitate ['kɒdʒɪteɪt] **I** *vb itr* tänka **II** *vb tr* **1** tänka ut **2** filos. tänka sig [till]
cognac ['kɒnjæk, 'kəʊn-] cognac
cogwheel ['kɒgwi:l] kugghjul
cohabit [kəʊ'hæbɪt] sammanbo, bo ihop
coherence [kə(ʊ)'hɪər(ə)ns] o. **coherency** [kə(ʊ)'hɪər(ə)nsɪ] sammanhang
coherent [kə(ʊ)'hɪər(ə)nt] sammanhängande; med sammanhang i; följdriktig
cohesion [kə(ʊ)'hi:ʒ(ə)n] kohesion[skraft]; sammanhang
cohesive [kə(ʊ)'hi:sɪv] kohesions-; sammanhängande
coiffure [kwɑ:'fjʊə] frisyr, koaffyr, håruppsättning
coil [kɔɪl] **I** *vb tr* lägga i ringlar; rulla (ringla) ihop [ofta *~ up*] **II** *vb itr* ringla (slingra) sig; *~ up* rulla (ringla) ihop sig **III** *s* **1** rulle **2** rörspiral; elektr. induktionsrulle; *~ spring* spiralfjäder **3** spiral livmoderinlägg **4** slinga
coin [kɔɪn] **I** *s* slant; koll. pengar; *pay a p. back in his own (the same) ~* betala ngn med samma mynt **II** *vb tr* **1** mynta; *~ money (it)* vard. tjäna pengar som gräs **2** prägla, hitta på, mynta, [ny]bilda, skapa [*~ a word*]; [*it takes all sorts to make a world,*] *to ~ a phrase* ...för att använda en klyscha (uttrycka sig banalt)
coinage ['kɔɪnɪdʒ] **1** myntning, [mynt]prägling **2** koll. mynt **3** myntsystem; *decimal ~* decimalmyntsystem **4** prägling isht av ord; nybildat ord, nybildning
coincide [ˌkəʊɪn'saɪd] **1** sammanfalla; bildl. äv. kollidera [*programmes which ~*] **2** stämma överens
coincidence [kəʊ'ɪnsɪd(ə)ns] **1** sammanträffande, slump [*what a ~!*] **2** sammanfallande **3** överensstämmelse
coitus ['kəʊɪtəs] lat. med. coitus, samlag; *~ interruptus* [ɪntə'rʌptəs] lat. avbrutet samlag preventivmetod
1 Coke [kəʊk] ® vard. förk. för *Coca-Cola*
2 coke [kəʊk] sl. kokain
3 coke [kəʊk] koks; *go and eat ~!* vard. dra åt skogen!
colander ['kʌləndə, 'kɒl-] durkslag grov sil
cold [kəʊld] **I** *adj* kall, frusen; bildl. kallsinnig, likgiltig, känslolös; *~ buffet* kallskänk, kallskuret; *get ~ feet* a) bli kall om fötterna b) vard. få kalla fötter, dra öronen åt sig; *throw (pour) ~ water on [a proposal]* behandla...kallsinnigt, ställa sig avvisande till...; *it leaves me ~* det lämnar mig kall (helt oberörd) **II** *s* **1** köld äv. bildl.; *come in from the ~* bildl. komma in från kylan, bryta sin isolering; komma till heders igen **2** förkylning; *~ in the head* snuva; *catch [a] ~* el. *get a ~* bli förkyld **III** *adv* amer. vard. helt
cold-blooded [ˌkəʊld'blʌdɪd, attr. 'ˌ--] kallblodig; bildl. äv. grym
cold storage [ˌkəʊld'stɔ:rɪdʒ] **1** [förvaring i] kylrum (kylskåp, kylhus); kyl- **2** bildl. *put a th. into ~* lägga ngt på is
coleslaw ['kəʊlslɔ:] vitkålssallad med majonnäsdressing
colic ['kɒlɪk] kolik
collaborate [kə'læbəreɪt] **1** samarbeta; *~ on a book with a p.* arbeta på en bok tillsammans med ngn **2** isht polit. neds. samarbeta, kollaborera; *~ with* äv. ha samröre med
collaborator [kə'læbəreɪtə] **1** medarbetare **2** polit. (neds.) samarbetsman
collage [kɒ'lɑ:ʒ, '--] konst. collage
collapse [kə'læps] **I** *s* **1** med. kollaps **2** hopfallande, instörtning, ras **3** bildl. sammanbrott, krasch, fall; ruin; fiasko; *the ~ of the plans* det totala misslyckandet med planerna **II** *vb itr* **1** kollapsa; *~ with laughter* förgås av skratt **2** falla (ramla) ihop [*the table ~d*], störta in; rasa [*the price of steel ~d*] **3** 'spricka' [*our plans ~d*] **4** vara hopfällbar
collapsible [kə'læpsəbl] hopfällbar [*~ boat*]; *~ chair* äv. fällstol
collar ['kɒlə] **I** *s* **1** krage **2** halsband t.ex. på hund; halsring **3** tekn. stoppring, ring; förenande hylsa; fläns **II** *vb tr* **1** ta (fatta) i kragen; gripa [*~ a thief*] **2** vard. knycka
collar bone ['kɒləbəʊn] nyckelben
collateral [kə'læt(ə)r(ə)l, kɒ'l-] **I** *adj* **1** belägen (löpande) sida vid sida; kollateral **2** indirekt, bi- [*~ circumstance*], sido-; *~ security* realsäkerhet, kompletterande säkerhet, säkerhet för belåning **3** på sidolinjen; *~ branch* sidolinje **II** *s* **1** släkting på sidolinjen **2** se *~ security* ovan
colleague ['kɒli:g] kollega
1 collect ['kɒlekt] kyrkl. kollekta, kollektbön
2 collect [kə'lekt] **I** *vb tr* **1** samla, plocka ihop; samla på **2** kassera in, uppbära, indriva; ta upp **3** *~ oneself* hämta sig från t.ex. överraskning; samla sig, ta sig samman **4** hämta [*~ a child from school*] **II** *vb itr* **1** samlas; hopas, hopa sig **2** samla [böcker, frimärken, mynt m.m.] **III** *adj* isht

amer. som betalas av mottagaren [*a ~ telegram*]; *a ~ call* ett ba-samtal telefonsamtal som betalas av mottagaren **IV** *adv* isht amer. mot efterkrav, mot postförskott [*send a parcel ~*]; [*a telegram*] *sent ~* ...som betalas av mottagaren

collection [kə'lekʃ(ə)n] **1** samlande **2** a) insamling [*~ box*]; avhämtning [*ready for ~*] b) post. [brevlåds]tömning, tur [*2nd ~*] **3** kyrkl. kollekt; *make a ~* ta upp kollekt **4** inkassering, uppbörd; *~ order* inkassouppdrag **5** samling [*~ of books* (*coins*)], kollektion; anhopning; hop

collective [kə'lektɪv] **I** *adj* **1** samlad **2** kollektiv äv. gram. [*~ noun*]; sammanfattande; gemensam; *~ agreement* kollektivavtal **II** *s* **1** kollektiv[t substantiv] **2** kollektiv[jordbruk] **3** kollektiv, grupp

collector [kə'lektə] samlare; *~'s item* samlarobjekt

college ['kɒlɪdʒ] **1** college: a) läroanstalt som är knuten till ett universitet b) internatskola [*Eton C~, Winchester C~*] c) amer. slags [internat]högskola d) collegebyggnad **2** [fack]högskola; *~ of education* lärarhögskola **3** skola, institut; *~ of further education* skola för vidareutbildning, yrkesskola, fackskola på alla nivåer; *the Royal Naval C~* sjökrigsskolan **4** kollegium

collide [kə'laɪd] kollidera; vara oförenlig; *~ with* äv. a) stöta emot b) stå i strid med, strida mot

collie ['kɒlɪ] collie hundras

collier ['kɒlɪə] **1** kolgruv[e]arbetare **2** sjö. kolfartyg

colliery ['kɒljərɪ] kolgruva

collision [kə'lɪʒ(ə)n] kollision äv. bildl.; sammanstötning, krock; *come into ~ with* kollidera (krocka) med

colloquial [kə'ləʊkwɪəl] vardags- [*~ expression*]; talspråklig

collusion [kə'lu:ʒ(ə)n, -'lju:-] jur. maskopi; bedrägligt hemligt samförstånd [*act in ~ with*]; hemlig överenskommelse

Cologne [kə'ləʊn] **I** Köln **II** *s, c~* [eau-de-]cologne

Colombia [kə'lɒmbɪə]

Colombian [kə'lɒmbɪən] **I** *s* colombian **II** *adj* colombiansk

1 colon ['kəʊlən] grovtarm

2 colon ['kəʊlən] kolon skiljetecken

colonel ['kɜ:nl] överste

colonial [kə'ləʊnjəl] **I** *adj* **1** kolonial; kolonialvaru-; *~ empire* kolonialvälde **2** amer. från [den brittiska] kolonialtiden [*a ~ house*] **II** *s* **1** koloniinvånare, kolonisoldat **2** kolonialvara

colonize ['kɒlənaɪz] **I** *vb tr* **1** kolonisera **2** placera i kolonierna (i en koloni) **3** amer. polit. plantera ut väljare i **II** *vb itr* anlägga nybyggen; slå sig ned i en koloni

colonizer ['kɒlənaɪzə] kolonisatör

colony ['kɒlənɪ] **1** koloni; nybygge **2** zool. samhälle

color amer., se *colour*; *~ line* se *colour bar*

colossal [kə'lɒsl] kolossal, jättelik

coloss|us [kə'lɒs|əs] (pl. *-i* [-aɪ] el. *-uses*) **1** koloss[alstaty] **2** koloss

colour ['kʌlə] **I** *s* **1 a**) färg, kulör; kolorit **b**) färg- [*~ film, ~ filter, ~ television*]; *the ~ magazines* ung. den kolorerade [vecko]pressen **2** [ansikts]färg, hy; frisk färg; *change ~* skifta (ändra) färg, bli blek (röd); *lose ~* bli blek **3** pl. *~s* i spec. betydelser: **a**) sport.: band, dräkt o.d. i t.ex. ett lags färger; klubbdräkt; *get* (*win*) *one's ~s* komma med i [idrotts]laget **b**) flagg[a]; *desert one's ~s* rymma från sitt regemente, desertera; *join the ~s* ta värvning, bli soldat; *serve the ~s* tjäna sitt land **c**) *show one's ~s* visa (bekänna) färg; *paint a th. in bright* (*dark*) *~s* skildra (framställa, utmåla) ngt i ljusa (mörka) färger; *see a th. in its true ~s* se ngt i dess rätta ljus **4** utseende; viss dager; sken av rätt o.d.; svepskäl; *give* (*lend*) *~ to a th.* ge ngt ett visst sken av sannolikhet; *give a false ~ to* framställa i falsk dager **5** mus. klangfärg **6** ton, karaktär **II** *vb tr* **1** färga, färglägga; ge färg åt **2** bildl. färga; framställa i falsk dager; prägla **III** *vb itr* få färg; skifta färg; rodna [äv. *~ up*]

colour bar ['kʌləbɑ:] rasdiskriminering på grund av hudfärg; rasbarriär

colour-blind ['kʌləblaɪnd] färgblind

coloured ['kʌləd] **I** *adj* **1** färgad, kulört **2** färgad av inte vit härkomst **3** bildl. färgad [*~ account* (*description*)] **4** ss. efterled i sms. -färgad [*cream-coloured*]; med...färg (hy) [*fresh-coloured*] **II** *s* **1** pl. *~s* färgade [människor] **2** *the ~s* kulörtvätten

colourful ['kʌləf(ʊ)l] färgrik, färgstark [*~ style*], brokig [*~ life*]

colouring ['kʌlərɪŋ] **1** färg[lägg]ning **2** om ansikte o.d. färg[er] **3** falskt sken **4** färgbehandling; kolorit **5** ton, karaktär **6** färgmedel; *~ matter* färgämne

colour scheme ['kʌləski:m] färg[samman]sättning

1 colt [kəʊlt] **1** föl **2** novis isht sport.; reservlagsspelare

2 colt [kəʊlt] (äv. *C~*) Colt[-revolver]

coltsfoot ['kəʊltsfʊt] (pl. *~s*) bot. hästhov

columbine ['kɒləmbaɪn] **I** *adj* duvlik **II** *s* bot. akleja

column ['kɒləm] **1** kolonn byggn. el. mil.; pelare äv. bildl.; *spinal ~* anat. ryggrad **2** kolumn; spalt; *~ of figures* lodrät sifferrad **3 a**) rattstång; *~ shift* rattväxel **b**) *control ~* [flyg]spak

columnist ['kɒləmnɪst] [ofta politisk] kåsör, kolumnist
coma ['kəʊmə] med. koma medvetslöshet
comb [kəʊm] **I** *s* **1** kam **2** karda **II** *vb tr* **1** kamma; rykta; ~ [*out*] bildl. finkamma [*for* för att få tag i] **2** karda
combat ['kɒmbæt, 'kʌm-] **I** *s* kamp, drabbning; *single* ~ tvekamp, envig; ~ *fatigue* mil. psykol. stridströtthet; krigsneuros **II** *vb tr* bekämpa **III** *vb itr* kämpa
combatant ['kɒmbət(ə)nt, 'kʌm-] **I** *adj* stridande **II** *s* stridande, [front]soldat, kombattant
combination [ˌkɒmbɪ'neɪʃ(ə)n] **1** kombination; serie, rad **2** sammanslutning; förening äv. kem. **3** förbindelse, association; kombinationsförmåga **4** [*motorcycle*] ~ motorcykel med sidvagn **5** kombination i ett kombinationslås
combination lock [ˌkɒmbɪ'neɪʃ(ə)nlɒk] kombinationslås
combine [ss. vb kəm'baɪn, ss. subst. 'kɒmbaɪn] **I** *vb tr* ställa samman; förena [~ *business with pleasure*]; slå ihop; kombinera, sätta ihop; sammanfatta; ~*d operations* mil. kombinerade operationer **II** *vb itr* **1** förena sig; sluta sig samman; samverka; *everything ~d against him* allting sammangaddade sig mot honom **2** ingå kemisk förening **III** *s* **1** sammanslutning i polit. el. ekon. syfte, syndikat **2** ~ [*harvester*] skördetröska
combustible [kəm'bʌstəbl] **I** *adj* brännbar **II** *s* brännbart ämne; bränsle
combustion [kəm'bʌstʃ(ə)n] förbränning; ~ *chamber* brännkammare; *spontaneous* ~ självantändning, självförbränning
come [kʌm] (*came come*) *vb* **I** *itr* **1** komma; komma hit (dit); resa; ~ *apart* (*to pieces*) gå sönder **2** sträcka sig, räcka **3** ske; ~ *what may* hända vad som hända vill, vad som än händer **4** kunna fås [*it ~s in packets*] **5** sl., *he* (*she*) *came* det gick för honom (henne), han (hon) kom fick orgasm **6** spec. användningar av vissa former av 'come': **a**) imper. ~ *again?* vard. va [sa]?, vadå? **b**) inf. *to* ~ kommande, blivande, framtida **c**) pres. konj.: ~ vard. nästkommande; om **7** ~ *to* + inf. a) komma för att [*he has ~ here to work*] b) [småningom] komma att [*I've ~ to hate this*], ha hunnit; ~ (*when one ~s*) *to think of it* när man tänker efter (på saken) **8** *how ~?* hur kommer det sig? **9 a**) med adj. bli; ~ *easy to a p.* gå (falla sig) lätt för ngn; ~ *expensive* bli (ställa sig) dyr **b**) med perf. p. el. adj. med förstavelsen 'un-' ~ *undone* (*untied* etc.) gå upp, lossna
II med adv. o. prep. isht i spec. betydelser:
~ **about** inträffa, hända [sig]
~ **across**: **a**) komma över äv. bildl; hitta [*I came across it in Rome*]; råka på **b**) ~ *across as* ge intryck av [att vara] [*it ~s across as a good film, but mustn't be taken too seriously*]
~ **along**: **a**) komma (följa, gå) med; ~ *along!* kom nu!, skynda på!; försök igen! **b**) visa sig **c**) klara sig [*you are coming along fine*]; ta sig [*the garden is coming along nicely*], arta sig
~ **at**: **a**) komma åt **b**) gå lös på
~ **by**: **a**) komma förbi **b**) få tag i [*he did not ~ by it honestly*]
~ **down**: **a**) komma (gå) ner **b**) sträcka sig (gå) [ner] **c**) störta samman (ner) **d**) *they have ~ down in the world* det har gått utför med dem **e**) lämnas i arv **f**) ~ *down handsome*[*ly*] vard. vara verkligt flott **g**) ~ *down on* slå ner på, fara ut mot **h**) ~ *down to* kunna reduceras till [*it all ~s down to this*]; se äv. ex. under ~ *to g*) o. *h*) nedan **i**) ~ *down in favour of* gå in för, ta ställning för
~ **forward** träda fram; anmäla sig, erbjuda sig; ~ *forward with a proposal* lägga fram ett förslag
~ **from**: **a**) komma (vara) från; *coming from you* [*that's a compliment*] för att komma från dig... **b**) komma [sig] av [*that ~s from your being so impatient*]
~ **in**: **a**) komma in; komma i mål **b**) komma till makten **c**) komma på modet (i bruk) **d**) infalla, börja **e**) ~ *in handy* (*useful*) komma väl (bra) till pass **f**) *where do I ~ in?* var kommer jag in [i bilden]? **g**) ~ *in for* få del av, få [sig]
~ **into**: **a**) få ärva [~ *into a fortune*], tillträda **b**) ~ *into blossom* gå i blom; ~ *into play* träda i funktion; spela in; ~ *into the world* komma till världen
~ **of**: **a**) komma sig av [*this ~s of carelessness*]; *no good will ~ of it* det kommer inte att leda till något gott; *that's what ~s of your lying!* där har du för att du ljuger! **b**) härstamma från; *he ~s of a good family* han är av god familj
~ **off**: **a**) gå ur; gå bort (ur) om fläck; [*this lipstick*] *doesn't ~ off* ...smetar inte **b**) ramla av (ner) [från] **c**) ~ *off it!* försök inte!; lägg av! **d**) äga rum [*the party won't ~ off*] **e**) lyckas [*if my plan ~s off*]; avlöpa [*did everything ~ off all right?*] **f**) klara sig [*he came off best*] **g**) sl. få orgasm
~ **on**: **a**) komma [efter] **b**) träda fram [på scenen] **c**) bryta in [*night came on*]; *autumn is coming on* det börjar bli höst **d**) ta sig; repa sig; *how are you coming on?*

hur går det för dig?; *I feel a cold coming on* jag känner att jag börjar bli förkyld **e**) ~ *on!* kom nu!, skynda på!; kom om du törs!
~ **out**: **a**) komma ut äv. om bok o.d. **b**) ~ *out* [*on strike*] gå i strejk **c**) gå ur [*these stains won't ~ out*] **d**) *he came out third* han kom trea; ~ *out the winner* sluta som segrare **e**) komma fram; bli synlig; om blomma slå ut; *he always ~s out well in photographs* han blir (gör sig) alltid bra på kort **f**) komma i dagen, komma ut [*when the news came out*] **g**) visa sig [vara] [*~ out all right*] **h**) debutera **i**) rycka ut [*~ out in defence of a p.*] **j**) ~ *out at* bli, uppgå till [*the total ~s out at 200*] **k**) ~ *out in spots* få utslag
~ **over**: **a**) komma över **b**) vard. känna sig [*she came over queer*] **c**) *what had ~ over her?* vad gick (kom) det åt henne?
~ **round**: **a**) komma över; ~ *round and see a p.* komma och hälsa på ngn **b**) *Christmas will soon ~ round* snart är det jul igen **c**) kvickna till; hämta sig **d**) komma på andra tankar; ~ *round to a p.* bli vänligare stämd mot ngn
~ **through**: **a**) klara sig; klara sig igenom **b**) komma [in] [*a report has just ~ through*]
~ **to**: **a**) komma till; *whatever are we coming to?* vad ska det bli av oss?, var ska det sluta?; *I hope he gets what's coming to him* jag hoppas han får vad han förtjänar; *you've got it coming to you* du får skylla dig själv **b**) kvickna till **c**) drabba; *no harm will ~ to you* det ska inte hända dig något ont **d**) få ärva; tillfalla genom arv o.d.; ~ *to the throne* komma på tronen **e**) belöpa sig till, komma (gå) på; *how much does it ~ to?* äv. hur mycket blir det? **f**) leda till; ~ *to nothing* gå om intet **g**) gälla; *when it ~s* [*down*] *to it* när det kommer till kritan, när allt kommer omkring **h**) betyda; *it ~s* [*down*] *to this - if we are to...* saken är helt enkelt den - om vi ska... **i**) ~ *to that* för den delen, för resten **j**) sjö. stanna **k**) sjö. lova
~ **under** komma (höra) under
~ **up**: **a**) komma upp; komma fram; dyka upp; [*two meat pies*] *coming up!* t.ex. på restaurang ...klara! **b**) komma på tapeten **c**) *my lottery ticket came up* jag vann (har vunnit) på lotteri **d**) *the shirt ~s up white with...* skjortan blir vit [när den tvättas] med... **e**) ~ *up against* kollidera med; råka ut för [*~ up against a difficulty*] **f**) ~ *up to* nå (räcka) upp till; uppgå till; motsvara, uppfylla **g**) ~ *up with* komma med [*~ up with a new suggestion*]
III *tr* **1** vard. spela; ~ *the the great lady* spela fin dam **2** ~ *a cropper* se *cropper* **3** ~ *it strong* se *strong II*

comeback ['kʌmbæk] **1** [lyckad] comeback; återkomst **2** vard. svar [på tal] **3** amer. anledning att klaga (till klagomål)

comedian [kə'mi:djən] **1** komiker; komediskådespelare **2** komediförfattare

comedienne [kəˌmi:dɪ'en] komedienn

come-down ['kʌmdaʊn] steg nedåt isht socialt

comedy ['kɒmədɪ] **1** komedi; *low ~* fars, slapstick **2** komik

comer ['kʌmə] **1** *all ~s* alla som ställer upp, alla som kommer, vem som helst **2** isht amer. kommande (lovande) man (politiker m.m.)

comet ['kɒmɪt] komet

come-uppance [ˌkʌm'ʌpəns] vard., *get one's ~* få vad man förtjänar, få sitt straff

comfort ['kʌmfət] **I** *s* **1** tröst [*a few words of ~; he was a great ~ to me*]; lättnad; *it's a ~ to know that...* det känns skönt att veta att... **2 a**) ~ el. pl. *~s* komfort, bekvämligheter **b**) komfort; trevnad; välstånd; *live in ~* äv. leva ett bekymmerslöst liv **II** *vb tr* trösta; *be ~ed* låta trösta sig

comfortable ['kʌmf(ə)təbl] **1** bekväm, komfortabel, behaglig; *be ~* ha det [lugnt och] skönt, sitta etc. bekvämt (bra), trivas **2** som har det bra; *be in ~ circumstances* ha det bra ställt, vara i goda omständigheter **3** tillräcklig [*a ~ income*]; *with a ~ margin* med god marginal **4** väl till mods

comfortably ['kʌmf(ə)təblɪ] bekvämt etc., jfr *comfortable*; *be ~ off* ha det bra ställt

comforter ['kʌmfətə] **1** tröstare **2** yllehalsduk **3** napp, tröst[napp]

comic ['kɒmɪk] **I** *adj* komisk, rolig, lustig; komedi-; ~ *author* [klassisk] komediförfattare; *it provided ~ relief* det kom som ett befriande inslag [i det hela] **II** *s* **1** vard. skämttidning; *the ~s* serierna, seriesidan, seriesidorna i tidning **2** komiker på varieté

comical ['kɒmɪk(ə)l] komisk, festlig

coming ['kʌmɪŋ] **I** *adj* **1** kommande, stundande; annalkande **2** kommande; ~ *man* framtidsman, påläggskalv **II** *s* **1** ankomst; annalkande; bibl. tillkommelse; *at the ~ of night* vid nattens inbrott **2** pl. *~s and goings* a) spring ut och in, folk som kommer och går b) saker som händer

comma ['kɒmə] komma[tecken]; *inverted ~s* anföringstecken, citationstecken

command [kə'mɑ:nd] **I** *vb tr* **1** befalla [*a p. to do; that...*]; bjuda, anbefalla [*~ silence*] **2** föra befälet (ha befäl) över (på, i), kommendera; ~ *a vessel* äv. föra ett fartyg **3** vara herre över **4** förfoga över, disponera [över] [*~ vast sums of money*], uppbringa **5** inge [*he ~s our respect* (*our sympathy*)]; ~ *respect* ha respekt med sig

6 isht mil. behärska [*the castle ~s the town*], erbjuda (ha) utsikt över **7** inbringa; betinga ett pris **II** *vb itr* befalla; härska; föra befäl[et], kommendera **III** *s* **1** befallning; bud; mil. order [*at his ~*]; *word of ~* kommando[ord] **2 a**) mil. befäl [*under the ~ of*], kommendering; *take ~ of* ta befälet över **b**) herravälde; *he has complete ~ of the situation* han behärskar fullständigt situationen **c**) behärskande av språk etc.; *have a good ~ of a language* behärska ett språk bra **3** förfogande; *all the money at his ~* alla pengar som står till hans förfogande (disposition) **4** mil. kommando, truppavdelning; befälsområde; *Bomber C~* bombflyget; *Coastal C~* kustflyget **5** data. kommando [*~ file (language)*]

commandant ['kɒməndænt, -dɑ:nt, ˌ--'-] kommendant; befälhavare

commandeer [ˌkɒmən'dɪə] ta ut ([tvångs]utskriva, kommendera) till militärtjänst; rekvirera, beslagta för militärt bruk eller för statliga ändamål

commander [kə'mɑ:ndə] **1** befälhavare; härförare **2** inom flottan kommendörkapten **3** polis., ung. polisintendent **4** i orden ung. kommendör av andra klassen; *knight ~* ung. kommendör av första klassen

commander-in-chief [kəˌmɑ:nd(ə)rɪn'tʃi:f] (pl. *commanders-in-chief* [-dəzɪn-]) överbefälhavare

commanding [kə'mɑ:ndɪŋ] **1** befälhavande **2** vördnadsbjudande [*~ appearance*]; befallande; överlägsen; *~ presence* ung. pondus **3** med dominerande läge, dominerande; omfattande; *~ position* dominerande läge

commandment [kə'mɑ:n(d)mənt] bud[ord]; *the ten ~s* tio Guds bud

command module [kə'mɑ:ndˌmɒdju:l] mil. kommandomodul

commando [kə'mɑ:ndəʊ] (pl. *~s*) a) kommandotrupp [äv. *~ unit*] b) kommandosoldat

commemorate [kə'meməreɪt] fira (hedra) minnet av, fira

commemoration [kəˌmemə'reɪʃ(ə)n] åminnelse [*in* (till) *~ of*]; minnesfest; årshögtid

commemorative [kə'memərətɪv] *adj* minnes- [*~ exhibition*], åminnelse-; jubileums- [*~ stamp*]; *~ of* till minnet av

commence [kə'mens] **I** *vb itr* börja, inledas **II** *vb tr* [på]börja, inleda

commencement [kə'mensmənt] **1** början, begynnelse **2** a) univ. (isht Cambridge, Dublin o. i USA) ung. promotion[sfest] b) skol. amer. avslutning

commend [kə'mend] **1** lovorda, prisa, berömma, rosa **2** anbefalla, rekommendera; *it ~ed itself to him* det tilltalade honom **3** anförtro, överantvarda; *~ one's soul to God* relig. anbefalla sin själ åt Gud

commendable [kə'mendəbl] lovvärd

commendation [ˌkɒmen'deɪʃ(ə)n] rekommendation

commensurate [kə'menʃ(ə)rət] sammanfallande; proportionell; *be ~ with* a) stå i [rimlig] proportion till, motsvara b) vara samma som

comment ['kɒment] **I** *s* kommentar[er], [förklarande (kritiserande)] anmärkning; kritik; utläggning; förklaring, belysning; *no ~!* inga kommentarer! **II** *vb itr, ~ on (upon, about)* kommentera; uttala sig om, yttra sig i en fråga; kritisera

commentary ['kɒmənt(ə)rɪ] **1** kommentar; redogörelse; uttalande; anmärkningar **2** referat

commentate ['kɒmenteɪt], *~ on* kommentera; referera

commentator ['kɒmenteɪtə] kommentator

commerce ['kɒmɜs] **1** handel[n]; *Secretary of C~* amer. handelsminister **2** umgänge

commercial [kə'mɜ:ʃ(ə)l] **I** *adj* kommersiell, handels-; affärsmässig; lönande; *~ artist* reklamtecknare; *~ television* reklam-TV, kommersiell (reklamfinansierad) TV; *~ traffic* nyttotrafik, yrkestrafik; *~ vehicles* fordon som går i yrkestrafik **II** *s* i radio o. TV reklaminslag

commercialize [kə'mɜ:ʃəlaɪz] kommersialisera; *everything has become ~d* äv. det har gått business (pengar) i allting

commiserate [kə'mɪzəreɪt] **I** *vb tr* hysa (ha) medlidande med, ömka **II** *vb itr, ~ with a p.* kondolera ngn, visa ngn sitt deltagande

commission [kə'mɪʃ(ə)n] **I** *s* **1** a) uppdrag; ärende; beställning [*written on ~*] b) bemyndigande; anförtroende av befogenhet etc.; befogenhet; *in ~* a) sjö., om fartyg i beredskap, i [aktiv] tjänst b) vard. i tjänst, i gång [*be in ~*] **2** kommission; [offentlig] kommitté; nämnd; *~ of inquiry* undersökningskommission, haverikommission **3** fullmakt; isht mil. officersfullmakt; befälsbefattning; *get one's ~* få officersfullmakt, bli officer **4** hand. a) kommission b) provision **II** *vb tr* **1** bemyndiga; förordna; ge fullmakt (isht officersfullmakt); *~ed officer* officer **2** sjö. **a**) tilldela fartygsbefäl **b**) överta befälet på; försätta fartyg i beredskap **3 a**) uppdra åt [*~ an artist to paint a portrait*]; *be ~ed to* få i uppdrag att **b**) ge beställning på [*~ a portrait*]; *~ed work* beställningsarbete

commissionaire [kəˌmɪʃə'neə] vaktmästare, dörrvakt på t.ex. biograf, varuhus

commissioner [kə'mɪʃ(ə)nə] **1** kommitterad **2** kommissionsmedlem;

medlem av en statlig o.d. styrelse (nämnd); pl. *~s* äv. styrelse **3** chef för viss förvaltningsgren; [general]kommissarie; *~ of police* el. *police ~* polismästare, polischef **4** *High C~* överkommissarie ung. ambassadör inom Brittiska samväldet **5** guvernör i brittiskt protektorat o.d. **6** kommendör i Frälsningsarmén

commit [kə'mɪt] **1** förövа [*~ a crime*], begå, göra [*~ an error*]; *~ arson* anstifta mordbrand; *~ murder* mörda, begå mord **2** anförtro, överlämna; *~ to memory* lägga på minnet, lära sig utantill **3** jur., *~ to prison* skicka i fängelse **4** binda, förpliktiga [*~ a p. to do a th.*]; *be ~ed to* vara uppbunden av **5** *~ oneself* a) kompromettera sig, blottställa sig b) ta ställning, fatta ståndpunkt; binda sig [*to* för, vid], engagera sig [*to* i, för]; förbinda sig [*to do a th.*]

commitment [kə'mɪtmənt] **1** åtagande, förpliktelse **2** polit. o.d. engagemang **3** överlämnande **4** förövande [*the ~ of a crime*]

committee [kə'mɪtɪ] **1** utskott; kommitté; *joint ~* sammansatt utskott; *select ~* särskilt (tillfälligt) utskott **2** styrelse i en förening o.d.

commodit|y [kə'mɒdətɪ] [handels]vara, artikel; *household -ies* hushållsartiklar, husgeråd

commodore ['kɒmədɔ:] **1** sjö. kommendör av 1. graden **2** kommendör

common ['kɒmən] **I** *adj* **1** gemensam; *make ~ cause* göra gemensam sak; *the C~ Market* gemensamma marknaden, EG **2** allmän; *it is ~ knowledge that* det är en [allmänt] känd sak att, det är allmänt känt att; *~ law* jur., den del av anglosaxisk rätt som skapas och utvecklas genom rättspraxis **3** a) vanlig, gängse b) vanlig [enkel]; *the ~ man* den enkle medborgaren; *the ~ people* gemene (menige) man, den stora massan; *~ stock* amer. stamaktier; *~ or garden* vard. vanlig enkel, helt vanlig [*a ~ or garden business man*], banal **4** sämre [*a ~ make of goods*]; vulgär [*~ manners; the girl looks ~*], billig **II** *s* **1** allmänning **2** *in ~* gemensamt, tillsammans

commoner ['kɒmənə] icke adlig (ofrälse) person

common-law ['kɒmənlɔ:], *~ husband (wife)* sambo; *~ marriage* samvetsäktenskap

commonly ['kɒmənlɪ] **1** vanligen; *very ~* mycket ofta **2** enkelt **3** vanligt

commonplace ['kɒmənpleɪs] **I** *s* **1** banalitet; pl. *~s* äv. trivialiteter **2** vardaglig företeelse; [*air travel is now*] *a ~* ...vardagsmat **II** *adj* alldaglig [*a ~ man*], vardaglig, trivial

common room ['kɒmənrʊm] kollegierum; samlingsrum t.ex. för lärare o. studenter vid college

commons ['kɒmənz] **1** *the C~* (konstr. ss. pl.) el. *the House of C~* underhuset **2** *short ~* klen kost, ransonering

commonsense [ˌkɒmən'sens] förnuftig

commonwealth ['kɒmənwelθ], *the British C~ [of Nations]* el. *the C~* Brittiska samväldet; *the C~ of Independent States* (förk. *CIS*) Oberoende Staters Samvälde (förk. OSS)

commotion [kə'məʊʃ(ə)n] tumult, rabalder [*a great ~ about nothing*], uppståndelse; oordning

communal ['kɒmjʊnl, kə'mju:nl] **1** gemensam; *~ aerial* (amer. *antenna*) centralantenn; *~ family* storfamilj; *~ kitchen* soppkök, kollektiv utspisning **2** som rör en folkgrupp (folkgrupper); *~ disturbances* inre oroligheter mellan olika folkgrupper **3** kommunal, jfr *commune I 1*

commune [ss. subst. 'kɒmju:n, ss. vb kə'mju:n, 'kɒmju:n] **I** *s* **1** kommun i vissa länder utanför den engelsktalande världen **2** kollektiv, storfamilj **II** *vb itr* litt. umgås förtroligt

communicable [kə'mju:nɪkəbl] **1** som lätt kan meddelas **2** smittsam [*~ disease*]

communicate [kə'mju:nɪkeɪt] **I** *vb tr* **1** meddela, vidarebefordra [*~ the news to a p.*]; tillställa [*~ a document to a p.*] **2** överföra [*~ a disease to a p.*] **3** utdela nattvarden till **II** *vb itr* **1** meddela sig [med varandra]; *~ with* sätta sig i förbindelse med, kommunicera med **2** stå i förbindelse med varandra, hänga samman (ihop); *~ with* stå i förbindelse med

communication [kəˌmju:nɪ'keɪʃ(ə)n] **1** meddelande [*this ~ is confidential*] **2** överförande [*the ~ of a disease*] **3** kommunikation[er] i olika bet.; förbindelse[r] [*telegraphic ~[s]; be in ~ with*], förbindelseled; umgänge [*~ with neighbours*]; pl. *~s* äv. samfärdsel; *~ cord* nödbromslina; *~s satellite* kommunikationssatellit, telesatellit

communicative [kə'mju:nɪkətɪv] **1** meddelsam **2** kommunikativ

communion [kə'mju:njən] **1** gemenskap; inbördes samband **2** [*Holy*] *C~* nattvard, nattvardsgång; *go to C~* gå till (begå) nattvarden

communiqué [kə'mju:nɪkeɪ] kommuniké

Communism ['kɒmjʊnɪz(ə)m] kommunism[en]

Communist ['kɒmjʊnɪst] **I** *s* kommunist **II** *adj* kommunistisk [*the ~ Party*]

community [kə'mju:nətɪ] **1** *the ~* det allmänna, staten, samhället [*the interests of the ~*] **2** samhälle [*a civilized ~*]; samfund [*a religious ~*]; koloni [*the Jewish ~ in*

London]; gemenskap; brödraskap [*a ~ of monks*]; [folk]grupp; *the C~* se under *European I* **3** gemenskap [*~ of property*]; gemensam besittning [*~ of goods*]; *~ of interests* intressegemenskap; *sense of ~* gemensamhetskänsla **4** umgänge **5** *~ aerial* (*antenna*) centralantenn för ett område; *~ radio* närradio; *~ singing* ung. allsång; *~ spirit* samhällsanda

commute [kəˈmju:t] **I** *vb tr* byta ut; förvandla [*~ the death sentence to imprisonment for life*] **II** *vb itr* trafik. pendla

commuter [kəˈmju:tə] trafik. pendlare; *~ belt* bälte av förorter [som betjänas av pendeltrafik]

1 compact [ss. subst. ˈkɒmpækt, ss. adj. o. vb kəmˈpækt] **I** *s* **1** [liten] puderdosa **2** kompaktbil **II** *adj* **1** kompakt; fast **2** *~ disc* kompaktskiva, CD-skiva **III** *vb tr* fast foga (pressa) samman

2 compact [ˈkɒmpækt] pakt, fördrag

1 companion [kəmˈpænjən] sjö. **1** [kajut]kapp **2** [kajut]trappa

2 companion [kəmˈpænjən] **1** följeslagare; kamrat; sällskap [*he is a pleasant ~*]; *~s in arms* vapenbröder **2** motstycke, make **3** sällskapsdam **4** handbok [*The Gardener's C~*] **5** riddare i orden; *knight ~* riddare i orden med endast en klass

companionship [kəmˈpænjənʃɪp] kamratskap; sällskap

companion way [kəmˈpænjənweɪ] sjö. [kajut]trappa

company [ˈkʌmp(ə)nɪ] **1** sällskap, teat. o.d. äv. ensemble; umgänge; lag; *he is such good ~* han är sådant trevligt sällskap; *in ~* i sällskap, tillsammans **2** främmande, gäster [*expect ~*]; *see a great deal of ~* ha mycket främmande **3** hand. bolag; företag, firma; *~ law* jur. bolagsrätt **4** mil. kompani; *A ~* 1. kompaniet **5** *the ship's ~* sjö. [fartygets] befäl och besättning

comparable [ˈkɒmp(ə)rəbl] jämförlig, jämförbar

comparative [kəmˈpærətɪv] **I** *adj* **1** komparativ äv. gram.; jämförande [*~ philology*]; *the ~ degree* gram. komparativ **2** relativ [*they are living in ~ comfort*]; *he is a ~ stranger* han är på sätt och vis en främling **II** *s* gram. komparativ

comparatively [kəmˈpærətɪvlɪ] jämförelsevis, förhållandevis, relativt, proportionsvis

compare [kəmˈpeə] **I** *vb tr* **1** jämföra; *~...with* jämföra...med; *~ to* jämföra med, likna vid [*the heart may be ~d to a pump*], likställa med, jämställa med; *~ notes* jämföra sina intryck, utbyta erfarenheter [*on* om] **2** gram. komparera **II** *vb itr* [kunna] jämföras; *it ~s favourably with* det tål en jämförelse med, det kan mäta sig med **III** *s, beyond* (*past, without*) *~* a) utan jämförelse, makalös [*her beauty is beyond ~*] b) makalöst [*she is lovely beyond ~*]

comparison [kəmˈpærɪsn] **1** jämförelse; *bear* (*stand*) *~ with* tåla [en] jämförelse med, tävla med **2** gram. komparation

compartment [kəmˈpɑ:tmənt] **1** avdelning äv. sjö. [*watertight ~*] **2** järnv. kupé; *driver's ~* förarhytt

compass [ˈkʌmpəs] **I** *s* **1** kompass; *mariner's ~* skeppskompass, sjökompass; *point of the ~* kompasstreck, väderstreck; *take a ~ bearing* ta bäring[en] **2** pl. *~es* passare; *a pair of ~es* en passare **3** omkrets; område, yta; gräns; omfång äv. mus. **II** *vb tr* **1** omge, omringa, innesluta [äv. *~ about* (*round, in*)] **2** gå (segla etc.) runt **3** uppnå

compassion [kəmˈpæʃ(ə)n] medlidande; *have ~ on* (*for*) ha medlidande med

compassionate [kəmˈpæʃ(ə)nət] medlidsam; *~ leave* tjänstledighet för personlig angelägenhet; mil. permission av särskilda skäl (i trängande fall)

compatibility [kəmˌpætəˈbɪlətɪ] **1** förenlighet **2** tekn. el. data. kompatibilitet

compatible [kəmˈpætəbl] **1** förenlig; *they aren't ~* de passar inte ihop **2** tekn. el. data. kompatibel

compatriot [kəmˈpætrɪət] landsman

compel [kəmˈpel] **1** tvinga, förmå **2** framtvinga; tvinga till sig

compendi|um [kəmˈpendɪ|əm] (pl. *-ums* el. *-a* [-ə]) kompendium, sammandrag; handbok

compensate [ˈkɒmpenseɪt] **I** *vb tr* **1** *~ a p.* [*for*] kompensera (ersätta, gottgöra) ngn [för] **2** kompensera äv. fys. el. psykol.; uppväga **II** *vb itr*, *~ for* kompensera, uppväga, ersätta [*nothing can ~ for the loss of one's health*]

compensation [ˌkɒmpenˈseɪʃ(ə)n] **1** kompensation, ersättning, gottgörelse; skadestånd **2** kompensation äv. fys. el. psykol.; utjämning

compete [kəmˈpi:t] **1** tävla [*~ against* (*with*) *other countries in trade*], rivalisera **2** delta, ställa upp [*~ in a race*]

competence [ˈkɒmpət(ə)ns] **1** kompetens, skicklighet [*his ~ in handling money*], duglighet, förmåga **2** jur. kompetens

competent [ˈkɒmpət(ə)nt] **1** kompetent [*she is very ~ in her work*], skicklig **2** tillräcklig [*a ~ knowledge of French*] **3** behörig

competition [ˌkɒmpəˈtɪʃ(ə)n] **1** konkurrens; *be in ~ with* konkurrera (tävla) med **2** tävling, match

competitive [kəmˈpetətɪv] **1** konkurrenskraftig [*~ prices*] **2** konkurrens-, konkurrensbetonad,

tävlingsbetonad; tävlingslysten; *he is very ~* äv. han är en tävlingsmänniska
competitor [kəm'petɪtə] [tävlings]deltagare; medtävlare, medsökande, rival; konkurrent
compile [kəm'paɪl] ställa samman [*~ an anthology*], utarbeta [*~ a dictionary*], kompilera
complacent [kəm'pleɪsnt] självbelåten [*a ~ smile*], egenkär; nöjd (tillfreds) [med sig själv]
complain [kəm'pleɪn] beklaga sig
complaint [kəm'pleɪnt] **1** klagan; hand. reklamation; *lodge a ~ against* klaga på; jur. inge (anföra) klagomål mot **2** åkomma; pl. *~s* äv. krämpor
complement [ss. subst. 'kɒmplɪmənt, ss. vb 'kɒmplɪment, ˌkɒmplɪ'ment] **I** *s* **1** komplement **2** fullt antal [äv. *full ~*]; *the ship's ~* [fartygets] befäl och besättning **3** gram. bestämning [till verbet]; isht predikatsfyllnad **II** *vb tr* komplettera [*~ each other*]; göra fulltalig, fullständiga
complementary [ˌkɒmplɪ'ment(ə)rɪ] komplement- [*~ colour, ~ angles*], fyllnads-; fullständigande
complete [kəm'pli:t] **I** *adj* komplett [*~ control*], absolut, fullkomlig [*a ~ stranger*], full [*to my ~ satisfaction*], hel; avslutad, färdig [*when will the work be ~?*]; *as a ~ surprise* som en fullständig (total) överraskning **II** *vb tr* **1** avsluta, fullfölja; fullgöra; perf. p.: *~d* färdig **2** komplettera [*this ~s my happiness*], göra fulltalig **3** fylla i [*~ a form*]
completion [kəm'pli:ʃ(ə)n] **1** avslutning etc., jfr *complete II 1* **2** komplettering **3** ifyllande [*~ of a form*]
complex ['kɒmpleks] **I** *adj* **1** sammansatt; *~ sentence* sammansatt sats (mening) **2** komplicerad [*a ~ situation*] **II** *s* **1** komplex äv. psykol.; *have a ~ about* ha komplex för **2** anläggning, komplex [*a sports ~*]
complexion [kəm'plekʃ(ə)n] **1** hy **2** bildl. utseende; prägel [*it changed the ~ of the war*]; *political ~* politisk färg; *put a false ~ on* ställa i [en] falsk dager
complexity [kəm'pleksətɪ] komplexitet
compliance [kəm'plaɪəns] **1** tillmötesgående; *in ~ with* i enlighet (överensstämmelse) med **2** eftergivenhet
compliant [kəm'plaɪənt] eftergiven, medgörlig, undfallande, foglig
complicate ['kɒmplɪkeɪt] komplicera, trassla till
complicated ['kɒmplɪkeɪtɪd] komplicerad, krånglig
complication [ˌkɒmplɪ'keɪʃ(ə)n] komplikation äv. med.; förveckling; pl. *~s* äv. krångel
complicity [kəm'plɪsətɪ] delaktighet; *~ in crime* medbrottslighet; jur. medverkan till brott
compliment [ss. subst. 'kɒmplɪmənt, ss. vb 'kɒmplɪment, ˌkɒmplɪ'ment] **I** *s* **1** komplimang; *pay a p. a ~ [on]* ge ngn en komplimang [för] **2** pl. *~s* hälsning[ar]; *my ~s to your wife* hälsa din hustru; *with the ~s of the season* med önskan om en god jul och ett gott nytt år; *with the author's ~s* [med hälsning] från författaren **II** *vb tr* komplimentera; gratulera
complimentary [ˌkɒmplɪ'ment(ə)rɪ] **1** berömmande [*a ~ review*], smickrande [*~ remarks*], hyllnings- [*a ~ poem*], artighets-; artig; *~ close* avslutningsfras i brev **2** fri-, gratis- [*~ ticket*]; *~ copy* friexemplar, gratisexemplar
comply [kəm'plaɪ] ge efter, lyda; *~ with* lyda, rätta sig efter, iaktta [*~ with [the] regulations*]; gå med på, samtycka till
component [kəm'pəʊnənt] **I** *adj* del- [*two ~ republics of the union*]; *~ part* [bestånds]del **II** *s* **1** komponent, [bestånds]del; ingrediens **2** matem. el. fys. komposant
compose [kəm'pəʊz] **I** *vb tr* **1** [tillsammans] bilda; *be ~d of* bestå (utgöras) av **2** utarbeta [*~ a speech*], författa; komponera, tonsätta; [artistiskt] ordna (arrangera) [*~ the figures in a picture*]; ställa samman **3** boktr. sätta **4** bilägga [*~ a quarrel*] **5** lugna; *~ one's thoughts* samla tankarna; *~ oneself* lugna (samla) sig, ta sig samman **II** *vb itr* komponera; skriva
composed [kəm'pəʊzd] lugn, samlad
composer [kəm'pəʊzə] kompositör
composite ['kɒmpəzɪt, -zaɪt] **I** *adj* sammansatt **II** *s* sammansättning
composition [ˌkɒmpə'zɪʃ(ə)n] **1** komposition; komponerande; utarbetande; [*he played a piano piece*] *of his own ~* ...som han själv komponerat **2** skol. uppsatsskrivning; uppsats **3** boktr. sättning **4** bildning; blandning, förening **5** hand. **a**) *~ [with one's creditors]* ackord[suppgörelse] **b**) ackordsumma; kompensation
compost ['kɒmpɒst] **I** *s* kompost; *~ heap* komposthög **II** *vb tr* **1** kompostera **2** gödsla med kompost
composure [kəm'pəʊʒə] fattning; *lose one's ~* tappa fattningen
1 compound [ss. vb kəm'paʊnd, ss. adj. o. subst. 'kɒmpaʊnd] **I** *vb tr* **1** blanda [tillsammans] [*~ a medicine*] **2** bilägga, göra upp [i godo]; *~ a quarrel* bilägga en tvist **3** göra upp om skuld **4** ordna (gottgöra) genom skadestånd (skadeersättning) **II** *vb itr* **1** träffa

överenskommelse (avtal) **2** hand., ~ *with one's creditors* göra (ingå) ackord [med sina fordringsägare] **III** *adj* **1** sammansatt; ~ *interest* ränta på ränta **2** med. komplicerad [~ *fracture*] **IV** *s* **1** sammansättning; sammansatt ämne; [*chemical*] ~ [kemisk] förening **2** gram. sammansatt ord, sammansättning

2 compound ['kɒmpaʊnd] inhägnat (avspärrat) område

comprehend [ˌkɒmprɪ'hend] **1** fatta, begripa, förstå **2** inbegripa

comprehensible [ˌkɒmprɪ'hensəbl] begriplig, förståelig, fattbar

comprehension [ˌkɒmprɪ'henʃ(ə)n] **1** fattningsförmåga; förstånd; *be slow of* ~ ha svårt [för] att fatta **2** [riktig] uppfattning; *reading* ~ läsförståelse **3** inbegripande; omfattning

comprehensive [ˌkɒmprɪ'hensɪv] **I** *adj* **1** [vitt]omfattande; uttömmande [*a* ~ *description*]; rikhaltig; allsidig; ~ *insurance* (*policy*) ung. allriskförsäkring **2** ~ *school* ung. grund- och gymnasieskola för elever över 11 år **II** *s* se *I 2*

compress [ss. vb kəm'pres, ss. subst. 'kɒmpres] **I** *vb tr* **1** pressa ihop (samman); komprimera; ~*ed air* tryckluft, komprimerad luft **2** bildl. tränga ihop [*he* ~*ed it into one sentence*] **II** *s* kompress; [vått] omslag [*cold* (*hot*) ~]

compression [kəm'preʃ(ə)n] **1** sammantryckning; press, tryck; hoptrycкthet; tekn. kompression **2** koncentration i uttryck m.m.

comprise [kəm'praɪz] omfatta, innefatta; inbegripa

compromise ['kɒmprəmaɪz] **I** *s* kompromiss **II** *vb itr* kompromissa, dagtinga [~ *with one's conscience*] **III** *vb tr* **1** kompromettera **2** bilägga (avgöra) genom [en] kompromiss (genom förlikning) **3** äventyra [~ *national security*]

compromising ['kɒmprəmaɪzɪŋ] komprometterande; som utgör en kompromiss

compulsion [kəm'pʌlʃ(ə)n] tvång; *under* ~ under (av) tvång

compulsive [kəm'pʌlsɪv] **1** tvångsmässig [~ *action*]; tvingande; *be a* ~ *eater* ung. hetsäta; tröstäta; *he is a* ~ *gambler* ung. han är gripen av speldjävulen **2** fängslande [*a* ~ *book*]

compulsory [kəm'pʌls(ə)rɪ] obligatorisk; tvångs-; tvingande; ~ *military service* allmän värnplikt; ~ *subject* obligatoriskt [skol]ämne

compunction [kəm'pʌŋ(k)ʃ(ə)n] samvetsbetänkligheter; ånger

compute [kəm'pju:t] **I** *vb tr* beräkna, bestämma [~ *one's losses at* (till) *£5000*] **II** *vb itr* räkna

computer [kəm'pju:tə], [*electronic*] ~ dator; *digital* ~ digitaldator; ~ *run* datakörning; ~ *science* datavetenskap, datalogi; *be* (*put*) *on* ~ ligga (lägga) på data

computerization [kəmˌpju:təraɪ'zeɪʃ(ə)n] **1** datorisering; databehandling **2** utrustande med datorer

computerize [kəm'pju:təraɪz] **1** datorisera; databehandla; perf. p.: ~*d* dator-, data-, datorstyrd **2** utrusta med datorer, datautrusta

comrade ['kɒmreɪd, 'kʌm-] kamrat äv. polit. o.d.; ~*s in arms* vapenbröder

concave [ˌkɒn'keɪv, 'kɒnkeɪv] konkav; ~ *lens* konkav lins, spridningslins

conceal [kən'si:l] dölja, förtiga; skymma; ~*ed lighting* indirekt belysning; ~*ed turning* avtagsväg med skymd sikt

concealment [kən'si:lmənt] döljande, hemlighållande

concede [kən'si:d] **1** medge, gå med på [~ *an increase in wages*]; erkänna [riktigheten av]; ~ *defeat* erkänna sig besegrad; ~ *a point* [*in an argument*] göra ett medgivande på en punkt... **2** erkänna förlusten av; avträda [~ *part of one's territory*]; ~ *the election* erkänna sig besegrad i valet; ~ *a game* förlora (släppa) ett game i t.ex. tennis; *Arsenal* ~*d a goal* [*in the first minute*] Arsenal släppte in ett mål...

conceit [kən'si:t] inbilskhet

conceited [kən'si:tɪd] inbilsk, fåfäng

conceivable [kən'si:vəbl] **1** begriplig, fattbar **2** tänkbar, möjlig

conceive [kən'si:v] **I** *vb tr* **1** tänka ut [~ *a plan*], komma på [~ *an idea*]; bilda sig en föreställning o.d. **2** tänka (föreställa) sig **3** fatta [~ *a friendship* (*dislike*) *for* (för)] **4** avfatta [~*d in plain terms*] **5** bli gravid (dräktig) med; avla **II** *vb itr* **1** bli gravid; bli dräktig **2** ~ *of* föreställa (tänka) sig, fatta

concentrate ['kɒns(ə)ntreɪt] **I** *vb tr* **1** koncentrera; samla; mil. dra samman; tränga samman; inrikta [~ *all one's attention* (*power*) [*up*]*on*] **2** tekn. anrika **II** *vb itr* koncentreras; koncentrera sig **III** *s* koncentrat [*orange juice* ~]

concentration [ˌkɒns(ə)n'treɪʃ(ə)n] **1** koncentration; ~ *camp* koncentrationsläger; uppsamlingsläger **2** tekn. anrikning; ~ *plant* anrikningsverk

concentric [kɒn'sentrɪk] koncentrisk

concept ['kɒnsept] begrepp [*a new* ~ *in technology*]; koncept; idé; princip [*the* ~ *of the balance of power*]

conception [kən'sepʃ(ə)n] **1** föreställning; begrepp [*he had little* ~ *of the problems* *involved*] **2** tanke [*a bold ~*]; vard. aning [*I had no ~ that...*] **3** konception, befruktning; bildl. skapelse

concern [kən'sɜ:n] **I** *vb tr* (se äv. *concerned*) **1** angå, röra, gälla; *to whom it may ~* till den (dem) det vederbör, till vederbörande **2** bekymra, oroa; *~ oneself with* (*about*) bekymra (bry) sig om, befatta sig med **II** *s* **1 a**) angelägenhet, affär [*mind your own ~s*], sak; intresse; *it is no ~ of mine* det angår (rör) inte mig, det är inte min sak; *what ~ is it of yours?* vad har du med det att göra? **b**) *of ~* av vikt (betydelse) **2** hand. företag; koncern; pl. *~s* äv. affärsförbindelser **3** bekymmer, oro; omsorg; *with growing ~* med växande oro **4** vard. inrättning; tillställning [*the whole ~*] **5** delaktighet, andel [*have a ~ in the business*]

concerned [kən'sɜ:nd] **1** bekymrad [*about*] **2** intresserad, engagerad; inblandad; berörd; *be ~ with* a) ha att göra med b) handla om [*the story is ~ with conditions in the slum ghettos*]; *as far as I am ~* vad mig beträffar (anbelangar), för min del; gärna för mig

concerning [kən'sɜ:nɪŋ] angående, beträffande

concert ['kɒnsət, i bet. *2* o. *3* äv. 'kɒnsɜ:t] **1** konsert; *~ tour* konsertturné **2** samklang, korus **3** överenskommelse

concerted [kən'sɜ:tɪd] **1** gemensam [*~ action*], samlad **2** flerstämmig

concertgoer ['kɒnsət,gəʊə] konsertbesökare

concert grand [,kɒnsət'grænd] konsertflygel

concertina [,kɒnsə'ti:nə] concertina litet dragspel

concert|o [kən'tʃeət|əʊ] (pl. äv. *-i* [-ɪ]) konsert musikstycke för soloinstrument och orkester [*piano ~*]

concession [kən'seʃ(ə)n] **1** medgivande, eftergift; beviljande **2** förmån; rabatt **3** upplåtelse av jord o.d. **4** koncession [*oil ~s*; *~ for a railway*]

concessionaire [kən,seʃə'neə] o. **concessionary** [kən'seʃ(ə)n(ə)rɪ] koncessionsinnehavare; generalagent

conciliate [kən'sɪlɪeɪt] **1** blidka **2** medla mellan; förena, få att stämma [överens] [*~ discrepant theories*]

conciliation [kən,sɪlɪ'eɪʃ(ə)n] **1** förlikning [*court of ~*], medling; förenande **2** försonlighet

conciliatory [kən'sɪlɪət(ə)rɪ] försonande, försonlig, konciliant; *~ spirit* försonlig anda

concise [kən'saɪs] koncis

conclave ['kɒnkleɪv, 'kɒŋk-] **1** kyrkl. konklav; kardinalsförsamling **2** bildl. [enskild] överläggning; *sit in ~* hålla rådplägning

conclude [kən'klu:d, kəŋ'k-] **I** *vb tr* **1** avsluta, slutföra [*~ a speech, ~ a meeting*] **2** sluta [*~ a pact, ~ a treaty*]; göra upp **3** komma fram till; konkludera **II** *vb itr* **1** sluta; avsluta; *he ~d by saying* han slutade med att säga **2** dra en slutsats (slutsatser)

conclusion [kən'klu:ʒ(ə)n, kəŋ'k-] **1** slut, avslutning; *in ~* slutligen, till sist **2** slutande [*the ~ of a peace treaty*] **3** *try ~s with* mäta sig (sin styrka) med **4** slutledning; slutresultat; *come to the ~ that...* komma till den slutsatsen (det resultatet) att...; *jump to ~s* dra förhastade slutsatser

conclusive [kən'klu:sɪv, kəŋ'k-] **1** slutlig **2** avgörande, fullt bindande [*~ evidence*]

concoct [kən'kɒkt, kəŋ'k-] **1** koka ihop; blanda till [*~ a cocktail*] **2** hitta på [*~ an excuse*], koka (dikta, sätta) ihop [*~ a story*]

concoction [kən'kɒkʃ(ə)n, kəŋ'k-] **1** tillagning; tillblandning; hopkok, brygd **2** påhitt

concord ['kɒŋkɔ:d, 'kɒnk-] **1** endräkt **2** samljud **3** överenskommelse, avtal **4** gram. kongruens, överensstämmelse [i böjning]

concourse ['kɒŋkɔ:s, 'kɒnk-] **1** tillströmning **2** folkmassa **3** isht [mötes]plats där gator el. människor strålar samman

concrete ['kɒnkri:t, 'kɒŋk-] **I** *adj* **1** konkret; verklig; påtaglig; saklig **2** fast; stelnad; sammanvuxen **3** av betong, betong- **II** *s* betong [*~ mixer*]

concur [kən'kɜ:, kəŋ'k-] **1** sammanfalla, inträffa samtidigt **2** samverka, medverka [*everything ~red to* (till att) *produce good results*] **3** instämma [*I ~ with the speaker*], vara ense

concussion [kən'kʌʃ(ə)n, kəŋ'k-] **1** häftig skakning; stöt **2** med., *~* [*of the brain*] hjärnskakning

condemn [kən'dem] **1** döma [*~ed to death*]; fördöma [*we ~ cruelty to* (mot) *children*], brännmärka; fälla; *the ~ed cell* dödscellen, de dödsdömdas cell **2** kassera, utdöma [*the meat was ~ed as unfit for human consumption*]; *~ed houses* utdömda hus, rivningshus

condemnation [,kɒndem'neɪʃ(ə)n] **1** [fällande] dom; fördömelse; förkastelsedom **2** kasserande, utdömning

condensation [,kɒnden'seɪʃ(ə)n] **1** kondensering; förtätning äv. psykol.; imma **2** hopgyttring; sammanträngning isht om stil; nedskärning, förkortning

condense [kən'dens] **I** *vb tr* **1** kondensera

isht gas till flytande form; förtäta; *~d milk* kondenserad mjölk **2** tränga samman, hopa (samla) tätt; koncentrera; skära ned, förkorta **II** *vb itr* kondenseras; förtätas

condescend [ˌkɒndɪˈsend] nedlåta sig; *she did not ~ to give him a look* hon bevärdigade honom inte med en blick

condition [kənˈdɪʃ(ə)n] **I** *s* **1** villkor, betingelse; pl. *~s* äv. förhållanden, omständigheter [*under* (*in*) [*the*] *present ~s*]; *on ~ that* på (med) villkor att, under förutsättning att **2** tillstånd [*in good ~*]; isht sport. kondition; *have a heart ~* lida av hjärtbesvär (en hjärtåkomma) **3** samhällsställning [*people of every ~*] **II** *vb tr* (se äv. *conditioned*) **1** [upp]ställa som villkor (krav) **2** göra beroende (avhängig); *be ~ed by* bero på, bestämmas av **3** betinga äv. psykol.

conditional [kənˈdɪʃ(ə)nl] **I** *adj* **1** villkorlig; beroende, gällande under vissa förutsättningar **2** gram. konditional [*~ clause*] **II** *s* gram. **1** konditionalis **2** villkorsbisats **3** konditional konjunktion

conditioned [kənˈdɪʃ(ə)nd] betingad; *~ reflex* (*response*) psykol. betingad reflex (respons)

condolence [kənˈdəʊləns] beklagande, deltagande

condom [ˈkɒndɒm, -dəm] kondom

condominium [ˌkɒndəˈmɪnɪəm] **1** kondominat, gemensam överhöghet **2** amer. ung. a) andelsfastighet b) andelslägenhet

condone [kənˈdəʊn] överse med

conducive [kənˈdju:sɪv], *~ to* som bidrar till; *be ~ to* bidra till, [be]främja, befordra

conduct [ss. subst. ˈkɒndʌkt, ss. vb kənˈdʌkt] **I** *s* **1** uppförande; hållning; vandel **2** skötsel **II** *vb tr* **1** föra, leda [äv. fys.: *~ heat, ~ electricity*], ledsaga; *~ed party* turistgrupp, guidad grupp **2** anföra, leda [*~ a business enterprise*]; handha **3** mus. dirigera **4** förrätta **5** *~ oneself* uppföra (sköta) sig **III** *vb itr* mus. dirigera

conductor [kənˈdʌktə] **1** ledare, ledsagare **2** mus. dirigent **3** konduktör på buss el. spårvagn; amer. äv. konduktör på tåg; tågmästare **4** fys. **a**) ledare; konduktor; *~ rail* kontaktskena, strömskena **b**) åskledare [äv. *lightning-conductor*] **5** amer. stuprör

conduit [ˈkɒndɪt, ˈkɒndjʊɪt, amer. -d(j)ʊət] [vatten]ledning; kanal; elektr. [lednings]rör, skyddsrör

cone [kəʊn] *s* **1** kon; *~ of rays* ljuskägla **2** kotte **3** strut [*ice-cream ~*]

confectioner [kənˈfekʃ(ə)nə], *~'s* [*shop*] godsaksaffär, konfektaffär; *~s' sugar* amer. florsocker

confectionery [kənˈfekʃnərɪ] **1** sötsaker, konfekt **2** konfektaffär, konditori **3** godsakstillverkning, konfekttillverkning

confederacy [kənˈfed(ə)rəsɪ] **1** allians **2** sammansvärjning, maskopi **3** konfederation

confederate [ss. subst. o. adj. kənˈfed(ə)rət, ss. vb kənˈfedəreɪt] **I** *s* **1** förbundsmedlem **2** medbrottsling **II** *adj* förbunden, förenad **III** *vb tr* förena, uppta i ett förbund **IV** *vb itr* sluta sig samman

confederation [kənˌfedəˈreɪʃ(ə)n] statsförbund; förbund

confer [kənˈfɜ:] **I** *vb tr* **1** förläna [*~ a degree* (*a title*) *on a p.*], skänka [*~ power on a p.*], dela ut; *~ a doctorate on a p.* promovera ngn [till doktor] **2** lat. imper. jämför, se *cf.* **II** *vb itr* konferera, rådslå

conference [ˈkɒnf(ə)r(ə)ns] konferens; *be in ~* sitta i sammanträde

confess [kənˈfes] **I** *vb tr* **1** bekänna, erkänna [*she ~ed herself* [*to be*] *guilty*] **2** bikta [*~ one's sins*], skrifta [*~ oneself*] **II** *vb itr* **1** erkänna; *~ to* vidgå, medge, erkänna [*~ to a crime*] **2** bikta sig

confession [kənˈfeʃ(ə)n] **1** bekännelse **2** bikt

confessional [kənˈfeʃ(ə)nl] **I** *adj* **1** *~ box* biktstol **2** konfessionell **II** *s* biktstol; bikt

confetti [kənˈfetɪ] (it. pl.; konstr. ss. sg.) konfetti

confidant [ˌkɒnfɪˈdænt] (om kvinna äv. *confidante* samma utt.) förtrogen vän[inna], rådgivare

confide [kənˈfaɪd] **I** *vb itr*, *~ in* lita (förlita sig, tro) på **II** *vb tr* anförtro

confidence [ˈkɒnfɪd(ə)ns] **1** förtroende; tillit; *have ~ in* ha förtroende för, tro på; *take a p. into one's ~* göra ngn till sin förtrogne; *vote of no ~* misstroendevotum; *~ man* (*trickster*) bondfångare; solochvårare; *~ trick* (*game* amer.) bondfångarknep **2** tillförsikt

confident [ˈkɒnfɪd(ə)nt] **1** tillitsfull; säker, viss; *be ~ that* vara säker på att, lita [helt] på att **2** säker; säker av sig, självsäker

confidential [ˌkɒnfɪˈdenʃ(ə)l] förtrolig; i förtroende given (sagd, berättad)

configuration [kənˌfɪgjʊˈreɪʃ(ə)n] **1** gestalt; gestaltning, form, kontur[er] **2** astron., data. el. fys. konfiguration

confine [ss. subst. ˈkɒnfaɪn, ss. vb kənˈfaɪn] **I** *s*, pl. *~s* gräns[er], gränsområde; begränsningar **II** *vb tr* **1** hålla fängslad, sätta in; *be ~d to barracks* mil. ha (få) kasernförbud (permissionsförbud) **2** begränsa [*I must ~ myself to a few remarks*]; *be ~d for space* vara trångbodd

confinement [kənˈfaɪnmənt] **1** fångenskap, fängsligt förvar; inspärrning; *~ to barracks* mil. kasernförbud, permissionsförbud

2 barnsäng, förlossning **3** inskränkning, begränsning
confirm [kən'fɜ:m] (jfr *confirmed*) **1** bekräfta [~ *a rumour* (*a p.'s suspicions*)], ge stöd åt; stadfästa [~ *a treaty*], ratificera; konfirmera; godkänna; ~ *the minutes of the last meeting* justera protokollet från föregående möte **2** befästa, styrka **3** kyrkl. konfirmera
confirmation [ˌkɒnfə'meɪʃ(ə)n] **1** bekräftelse; stadfästelse **2** befästande, styrkande **3** kyrkl. konfirmation
confirmed [kən'fɜ:md] **1** bekräftad etc., jfr *confirm*; konstaterad [*25 ~ cases of polio*] **2** inbiten [~ *bachelor*]; inrotad; obotlig [~ *invalid*]; ohjälplig, oförbätterlig [~ *drunkard*]
confiscate ['kɒnfɪskeɪt] konfiskera, beslagta
confiscation [ˌkɒnfɪ'skeɪʃ(ə)n] konfiskering, konfiskation; indragning [av egendom]
conflagration [ˌkɒnflə'greɪʃ(ə)n] storbrand; *world* ~ världsbrand
conflict [ss. subst. 'kɒnflɪkt, ss. vb kən'flɪkt] **I** *s* konflikt; sammanstötning, kamp; motsats; motsättning; motsägelse; pl. *~s* äv. stridigheter **II** *vb itr* **1** drabba samman, strida, kämpa **2** bildl. gå isär [*the two versions of the story* ~]; råka i strid (konflikt); ~ *with* äv. strida mot
conflicting [kən'flɪktɪŋ] motstridande [~ *evidence*]; motsatt [~ *views*]; stridande
conform [kən'fɔ:m] **I** *vb tr* anpassa, forma; få att överensstämma **II** *vb itr* **1** rätta sig, anpassa sig **2** vara förenlig, överensstämma
conformity [kən'fɔ:mətɪ] **1** överensstämmelse, likhet; konformitet; likriktning; *in ~ with* i överensstämmelse (enlighet) med **2** anpassning
confound [kən'faʊnd] **1** förvirra; förbrylla **2** röra ihop **3** vard., ~ *it!* jäklar!, tusan också!
confounded [kən'faʊndɪd] **1** förvirrad etc., jfr *confound* **2** vard. förbaskad [~ *nuisance*]
confront [kən'frʌnt] **1** konfrontera; ~ *with* äv. ställa inför [*they ~ed him with evidence of his crime*] **2** möta [*the difficulties that ~ us seem insuperable*]; *be ~ed by* (*with*) *a new problem* ställas (bli ställd, stå) inför ett nytt problem **3** [modigt] möta [~ *danger*]; stå ansikte mot ansikte med [*the two men ~ed each other angrily*]
confrontation [ˌkɒnfrʌn'teɪʃ(ə)n] konfrontation
confuse [kən'fju:z] **1** förvirra, förbrylla **2** röra ihop (till); förväxla, blanda ihop
confused [kən'fju:zd] (adv. *confusedly* [kən'fju:zɪdlɪ]) **1** förvirrad, förbryllad; konfunderad, konfys; *the ~ elderly* förvirrade åldringar i behov av vård **2** oordnad, rörig
confusion [kən'fju:ʒ(ə)n] **1** förvirring, oordning; *it made ~ worse confounded* det trasslade till (förvirrade) begreppen ännu mer **2** förväxling **3** förvirring; förlägenhet
congeal [kən'dʒi:l] stelna; isa[s]
congenial [kən'dʒi:njəl] **1** sympatisk [~ *surroundings*], behaglig; ~ *task* arbete som passar en **2** [natur]besläktad; kongenial; samstämd **3** lämplig
congenital [kən'dʒenɪtl] medfödd, kongenital [~ *defect*]; *be a ~ liar* vara en obotlig lögnare
conger ['kɒŋgə] o. **conger eel** [ˌkɒŋgər'i:l] zool. havsål
congestion [kən'dʒestʃ(ə)n] **1** med. blodstockning; *nasal* ~ nästäppa **2** stockning i trafik o.d.; överbelastning; överbefolkning
conglomerate [ss. adj. o. subst. kən'glɒmərət, ss. vb kən'glɒməreɪt] **I** *adj* hopgyttrad **II** *s* **1** hopgyttring, massa; konglomerat **2** ekon. el. geol. konglomerat **III** *vb itr* gyttra ihop sig, samlas
conglomeration [kənˌglɒmə'reɪʃ(ə)n] gytter, samling, anhopning
Congo ['kɒŋgəʊ] geogr.; *the* ~ Kongo
Congolese [ˌkɒŋgə(ʊ)'li:z] **I** (pl. lika) *s* kongoles **II** *adj* kongolesisk
congratulate [kən'grætjʊleɪt] gratulera [~ *a p.* [*up*]*on* (till) *his success*]; ~ *oneself on* lyckönska sig till, skatta sig lycklig över
congratulation [kənˌgrætjʊ'leɪʃ(ə)n] gratulation, lyckönskning, lyckönskan; *Congratulations!* [jag (vi)] gratulerar!, har den äran [att gratulera]!
congregate ['kɒŋgrɪgeɪt] samlas, [för]samla sig
congregation [ˌkɒŋgrɪ'geɪʃ(ə)n] **1** samling **2** församling äv. kyrkl.; menighet
congress ['kɒŋgres] **1** kongress **2** [ibl. *the*] *C~* kongressen lagstiftande församlingen i USA
Congress|man ['kɒŋgres|mən] (pl. *-men* [-mən]) amer. medlem av kongressens representanthus
conifer ['kɒnɪfə, 'kəʊn-] barrträd
coniferous [kə(ʊ)'nɪfərəs, kɒ-] kottbärande, barrträds- [~ *tree*]
conjecture [kən'dʒektʃə] **I** *s* gissning[ar], förmodan; hypotes **II** *vb itr* gissa
conjugal ['kɒn(d)ʒʊg(ə)l] äktenskaplig [~ *happiness*]
conjugate ['kɒn(d)ʒʊgeɪt] **I** *vb tr* gram. konjugera **II** *vb itr* para sig
conjugation [ˌkɒn(d)ʒʊ'geɪʃ(ə)n] gram. konjugation; böjning, böjningsklass
conjunction [kən'dʒʌŋ(k)ʃ(ə)n] **1** förening; kombination;

sammanträffande [~ *of events*]; *in* ~ tillsammans **2** astron. el. gram. konjunktion

conjunctivitis [kənˌdʒʌŋ(k)tɪ'vaɪtɪs] med. konjunktivit

conjure ['kʌn(d)ʒə, i bet. *I 2* kən'dʒʊə] **I** *vb tr* **1** trolla fram [~ *a rabbit out of* (ur) *a hat*]; ~ *up* a) trolla fram [~ *up a meal*] b) frambesvärja [~ *up the spirits of the dead*], frammana [~ *up visions of the past*] **2** besvärja **II** *vb itr* **1** trolla; *a name to ~ with* ett namn med fin klang **2** frambesvärja andar

conjurer ['kʌn(d)ʒ(ə)rə] trollkarl, taskspelare

conjuring ['kʌn(d)ʒ(ə)rɪŋ] trolldom, trolleri, taskspeleri; ~ *tricks* trollkonster

conker ['kɒŋkə] vard. **1** [häst]kastanj frukten **2** ~*s* (konstr. ss. sg.) slags lek med kastanjer

connect [kə'nekt] **I** *vb tr* förbinda, anknyta; foga (länka, koppla) samman; förknippa; tekn. koppla [ihop (in, om, till)]; ~ *up* isht tekn. ansluta, sammanbinda, förena; *be ~ed with* äv. stå i samband med; vara lierad med **II** *vb itr* hänga ihop; stå i samband (förbindelse); ha anknytning [*the train ~s with another at B.*]

connected [kə'nektɪd] **1** sammanhängande [~ *rooms*] **2** besläktad; lierad; *be well* (*influentially*) ~ ha försänkningar

connection [kə'nekʃ(ə)n] **1** förbindelse; sammanhang; förknippning; anslutning; *miss one's* ~ inte hinna med anslutande båt (flyg m.m.) **2** personlig förbindelse; umgänge med ngn; befattning med ngt; *have good ~s* ha försänkningar **3** [släkt]förbindelse; släktskap; släkt; släkting **4** krets; klientel; praktik **5** tekn. koppling; kontakt; ledning; skarv

conning-tower ['kɒnɪŋˌtaʊə] sjö. stridstorn på ubåt

connive [kə'naɪv], ~ *at* se genom fingrarna med, blunda för, överse med; ~ *with* spela under täcket med, vara i maskopi med

connoisseur [ˌkɒnə'sɜ:, -'sjʊə] kännare, konnässör

connotation [ˌkɒnə(ʊ)'teɪʃ(ə)n] bibetydelse; konnotation

connubial [kə'nju:bjəl] äktenskaplig

conquer ['kɒŋkə] **I** *vb tr* erövra; vinna; besegra **II** *vb itr* segra; ~*ing* äv. segerrik

conqueror ['kɒŋk(ə)rə] erövrare; segrare; [*William*] *the C~* Vilhelm Erövraren

conquest ['kɒŋkwest] erövring; seger; *make a ~ of* bildl. erövra; vinna

conscience ['kɒnʃ(ə)ns] samvete [*a good* (*clear, bad, guilty*) ~]; ~ *money* samvetspengar t.ex. i efterhand inbetalade av skattebedragare

conscientious [ˌkɒnʃɪ'enʃəs] samvetsgrann; plikttrogen; hederlig; ~ *objector* vapenvägrare

conscious ['kɒnʃəs] **1** medveten; *be ~ of* äv. veta [med sig], märka, känna **2** vid medvetande (sans) [*he was ~ to the last*]

consciousness ['kɒnʃəsnəs] medvetande; medvetenhet

conscript [ss. adj. o. subst. 'kɒnskrɪpt, ss. vb kən'skrɪpt] **I** *adj* värnpliktig **II** *s* värnpliktig (inskriven) [soldat] **III** *vb tr* ta ut till militärtjänst (värnplikt)

conscription [kən'skrɪpʃ(ə)n] värnplikt, uttagning (rekrytering) till militärtjänst

consecrate ['kɒnsɪkreɪt] inviga; helga; ägna, viga; ~*d earth* vigd jord

consecutive [kən'sekjʊtɪv] på varandra följande [*several ~ days*]; fortlöpande

consensus [kən'sensəs] samstämmighet

consent [kən'sent] **I** *s* samtycke; *by common* (*general*) ~ enhälligt, enstämmigt **II** *vb itr* samtycka; gå med på det; ~ *to* [*the proposal*] gå med på...; ~*ing adult* jur. person som är i stånd att ta ansvar för egna handlingar isht sexuella; vard. homosexuell

consequence ['kɒnsɪkwəns] **1** följd; slutsats; *in* ~ som en följd av detta, följaktligen; *play ~s* lek skriva långkatekes **2** vikt [*a th. of* ~]; *it is of no* ~ det har ingen betydelse, det spelar ingen roll

consequent ['kɒnsɪkwənt] följande, som följer; *be* ~ [*up*]*on* vara en följd av

consequently ['kɒnsɪkwəntlɪ] följaktligen

conservation [ˌkɒnsə'veɪʃ(ə)n] **1** bibehållande; bevarande; konservering **2** skydd; vård av naturtillgångar; naturvård; miljövård; ~ *area* naturvårdsområde

conservationist [ˌkɒnsə'veɪʃənɪst] naturvårdare

conservatism [kən'sɜ:vətɪz(ə)m] konservatism

conservative [kən'sɜ:vətɪv] **I** *adj* **1** konservativ [~ *tendencies*; *the C~ Party*] **2** vard. försiktig; *at a ~ estimate* enligt (vid) en försiktig beräkning, lågt räknat **3** bevarande, skyddande **II** *s* konservativ person; *C~* konservativ, högerman

conservatory [kən'sɜ:vətrɪ] **1** drivhus; orangeri; vinterträdgård **2** [musik]konservatorium

conserve [kən'sɜ:v] **I** *vb tr* **1** bevara; vidmakthålla; förvara; spara på **2** koka in frukt **II** *s,* vanl. pl. ~*s* inlagd frukt, sylt; fruktkonserv[er]

consider [kən'sɪdə] **I** *vb tr* (jfr *considering*) **1** tänka (fundera, reflektera) på, överväga, betrakta; betänka; ~*ing that he is...* med tanke på (med hänsyn till) att han är... **2** ta hänsyn till [~ *the feelings of other people*] **3** [hög]akta; uppskatta [*not highly*

~ed] **4** anse [*I ~ it* [*to be*] *best*], anse som (för) **II** *vb itr* tänka; betänka sig

considerable [kən'sɪd(ə)rəbl] betydande; betydlig, avsevärd [*a ~ sum of money*]; *~ trouble* åtskilligt besvär

considerably [kən'sɪd(ə)rəblɪ] betydligt [*~ worse*], avsevärt

considerate [kən'sɪd(ə)rət] hänsynsfull, omtänksam

consideration [kən,sɪdə'reɪʃ(ə)n] **1** övervägande; hänsynstagande, avseende; *take a th. into ~* ta hänsyn till ngt; *on* [*further*] *~* vid närmare eftertanke **2** hänsyn; faktor [*time is an important ~ in this case*]; *a ~* äv. något som man får ta hänsyn till **3** ersättning, betalning; *for a ~* mot ersättning, mot kontant vederlag **4** hänsyn

considering [kən'sɪd(ə)rɪŋ] **I** *prep* med tanke på, med hänsyn till [*~ the circumstances*] **II** *konj* med tanke på **III** *adv* vard. efter omständigheterna [*that's not so bad, ~*]

consign [kən'saɪn] **1** överlämna [*~ to the flames*], överantvarda [*~ one's soul to God*] **2** hand. avsända, översända varor med båt, tåg o.d.; konsignera

consignee [,kɒnsaɪ'ni:, -sɪ'ni:] [varu]mottagare

consignment [kən'saɪnmənt] **1** utlämnande, överlämnande **2** hand. avsändning av varor, isht till agent **3** varusändning

consignor [kən'saɪnə] [varu]avsändare, leverantör

consist [kən'sɪst] bestå

consistency [kən'sɪst(ə)nsɪ] **1** konsistens **2** fasthet; stadga **3** konsekvens; följdriktighet; överensstämmelse

consistent [kən'sɪst(ə)nt] **1** överensstämmande, förenlig; *be ~ with* äv. stämma [överens] med **2** konsekvent; följdriktig **3** fast; jämn [*the team has been very ~*]

consolation [,kɒnsə'leɪʃ(ə)n] tröst; *~ prize* tröstpris

1 console [kən'səʊl] trösta

2 console ['kɒnsəʊl] **1** konsol **2** manöverbord äv. data. **3** spelbord till orgel **4** *~* [*model*] golvmodell av radio, TV o.d.

consolidate [kən'sɒlɪdeɪt] **I** *vb tr* **1** konsolidera **2** slå samman, sammanföra bolag, områden etc. **3** konsolidera en skuld; fondera; *~d annuities* consols slags statsobligationer **II** *vb itr* **1** konsolideras; om betong sätta sig **2** gå samman [*the two companies have ~d*]

consols ['kɒnsəlz] se *consolidated annuities* under *consolidate I 3*

consommé [kən'sɒmeɪ, 'kɒnsəmeɪ] kok. (fr.), klar [kött]buljong, consommé

consonant ['kɒnsənənt] **I** *adj* harmonisk, överensstämmande **II** *s* konsonant

consort [ss. subst. 'kɒnsɔ:t, ss. vb kən'sɔ:t] **I** *s* **1** make, gemål; *prince ~* prinsgemål **2** sjö. konvojfartyg **II** *vb itr* **1** förena sig; *~ with* äv. hålla till hos (bland) **2** stämma överens; passa

consortium [kən'sɔ:tjəm] konsortium av företag

conspicuous [kən'spɪkjʊəs] **1** iögonfallande; lätt att se, synlig [vida omkring] **2** framstående; *make oneself ~* ådra sig uppmärksamhet, göra sig bemärkt; *be ~ by one's absence* lysa med sin frånvaro

conspiracy [kən'spɪrəsɪ] konspiration, komplott

conspirator [kən'spɪrətə] konspiratör

conspiratorial [kən,spɪrə'tɔ:rɪəl] konspiratorisk

conspire [kən'spaɪə] **1** konspirera **2** om händelse samverka; bidra

constable ['kʌnstəbl, 'kɒn-] polis; *Chief C~* polismästare för stad el. grevskap

constabulary [kən'stæbjʊlərɪ] **I** *s* poliskår; gendarmeri **II** *adj* polis- [*~ force*]

Constance ['kɒnst(ə)ns] **1** kvinnonamn **2** staden Konstanz; *the Lake of ~* el. *Lake ~* Bodensjön

constant ['kɒnst(ə)nt] **I** *adj* **1** ständig; beständig, konstant **2** stadig; fast, ståndaktig; trofast **II** *s* matem. el. fys. konstant

constantly ['kɒnst(ə)ntlɪ] [jämt och] ständigt, konstant

constellation [,kɒnstə'leɪʃ(ə)n] konstellation äv. bildl.; stjärnbild

consternation [,kɒnstə'neɪʃ(ə)n] bestörtning; *flee in ~* fly i panik (förfäran)

constipat|e ['kɒnstɪpeɪt] vålla förstoppning [hos]; *be -ed* ha förstoppning, vara hård i magen; *milk is -ing* mjölk verkar förstoppande

constipation [,kɒnstɪ'peɪʃ(ə)n] förstoppning, trög mage; med. konstipation, obstipation

constituency [kən'stɪtjʊənsɪ] valkrets; valmanskår

constituent [kən'stɪtjʊənt] **I** *adj* **1** bestånds-, integrerande [*~ part*] **2** konstituerande [*~ assembly*] **3** väljande, val-; *~ body* valkorporation **II** *s* **1** beståndsdel **2** valman, väljare

constitute ['kɒnstɪtju:t] **1** utgöra [*it ~s the only method that…*], bilda; *what ~s the difference?* vad består skillnaden i? **2** konstituera, grunda; upprätta [*~ a provisional government*]; tillsätta [*~ a* *committee*] **3** utse ngn till [*the meeting ~d him chairman*]

constitution [ˌkɒnstɪ'tju:ʃ(ə)n] **1** [stats]författning; grundlag; *written ~* skriven författning; *Great Britain has an unwritten ~* Storbritannien saknar författning (har en oskriven författning) **2** a) [kropps]konstitution, fysik b) sinnesförfattning; temperament **3** sammansättning [*the ~ of the council*]; struktur [*the ~ of the solar spectrum*], beskaffenhet **4** konstituerande etc., jfr *constitute 2* **5** utseende, jfr *constitute 3*

constitutional [ˌkɒnstɪ'tju:ʃənl] **I** *adj* konstitutionell; medfödd; grundlagsenlig **II** *s* vard., stärkande promenad [*take a ~*]

constrain [kən'streɪn] **1** tvinga; *be ~ed to* vara (bli) tvungen att, nödgas **2** fängsla, lägga band på **3** begränsa; inskränka, hindra rörelse

constraint [kən'streɪnt] **1** tvång; tvångsmedel; bundenhet, ofrihet; *under ~* a) under tvång b) internerad, inspärrad **2** känsla av tvång; tvunget sätt **3** restriktion

constrict [kən'strɪkt] dra samman; få att dra ihop sig

constriction [kən'strɪkʃ(ə)n] sammandragning, hopsnörning; insnörning; förträngning

construct [ss. vb kən'strʌkt, ss. subst 'kɒnstrʌkt] **I** *vb tr* konstruera [fram (upp)]; uppföra; bygga upp **II** *s* **1** tankeskapelse isht som del av teori **2** språkv. konstruktion

construction [kən'strʌkʃ(ə)n] **1** konstruktion; uppförande [*the new railway is under ~*]; tillverkning; *~ kit* byggsats **2** byggnad; uppbyggnad **3** gram. el. matem. konstruktion **4** tolkning, utläggning; [*the sentence*] *does not bear such a ~* ...kan inte tolkas så

constructive [kən'strʌktɪv] konstruktiv

constructor [kən'strʌktə] konstruktör

construe [kən'stru:, 'kɒnst-] **I** *vb tr* **1** tolka [*his remarks were wrongly ~d*], tyda **2** gram. konstruera **3** analysera en sats o.d.; översätta ordagrant [*~ a passage from Homer*] **II** *vb itr* **1** gå att översätta; *this sentence doesn't ~* äv. meningen är felkonstruerad **2** göra en [sats]analys

consul ['kɒns(ə)l] konsul

consulate ['kɒnsjʊlət] konsulat

consult [kən'sʌlt] **I** *vb tr* rådfråga, konsultera; se efter i (på) [*~ a map*], slå upp i [*~ a dictionary*]; *~ a p.* äv. rådgöra med ngn; *~ one's watch* se på klockan **II** *vb itr* överlägga

consultant [kən'sʌltənt] **1** konsulterande läkare **2** konsulent; *special ~* ämnesspecialist

consultation [ˌkɒns(ə)l'teɪʃ(ə)n] **1** överläggning; samråd [*in ~ with*]; *be in ~ over* konferera om **2** konsultation

consume [kən'sju:m, -'su:m] **1 a**) om eld m.m. förtära **b**) bildl. *~d with* förtärd av, brinnande av [*~d with desire*], uppfylld av **2** a) förbruka; isht hand. konsumera b) förtära; *the time ~d in reading the proofs* den tid som gått åt för att läsa korrektur

consumer [kən'sju:mə, -'su:-] konsument; *~ guidance* konsumentupplysning; *~ price index* amer. konsumentprisindex

consumerism [kən'sju:mərɪz(ə)m, -'su:-] **1** konsumentpolitik **2** hög konsumtion i samhället som grund för en sund ekonomi **3** köpgalenskap [*mindless ~*]

consummate [ss. adj. kən'sʌmət, ss. vb 'kɒnsəmeɪt] **I** *adj* fulländad **II** *vb tr* **1** fullkomna **2** fullborda [*the marriage was never ~d*]

consumption [kən'sʌm(p)ʃ(ə)n] **1** förtäring; *unfit for human ~* otjänlig som människoföda **2** konsumtion; *petrol (gasoline) ~* bensinförbrukning **3** åld. lungsot [äv. *~ of the lungs*]

contact ['kɒntækt, ss. vb äv. kən'tækt] **I** *s* **1** kontakt, beröring [*come in (into) ~ with*]; känning; bekantskap; *~ [man]* kontakt[man]; *make ~ with* få kontakt med **2** med. eventuell smittbärare **II** *vb tr* komma (stå) i kontakt med, kontakta

contagious [kən'teɪdʒəs] smittsam; smittoförande; [*her laughter (enthusiasm)*] *is ~* äv. ...smittar av sig

contain [kən'teɪn] **1** innehålla **2** behärska; *~ oneself* behärska sig, tiga **3** mil. hålla, hindra en fientlig styrka

container [kən'teɪnə] **1** behållare **2** container

contaminate [kən'tæmɪneɪt] [för]orena; smitta ner; kontaminera belägga med radioaktivt stoft; bildl. besmitta; *~d clothing* kontaminerade kläder, kläder med radioaktiv beläggning

contamination [kənˌtæmɪ'neɪʃ(ə)n] **1** förorening äv. konkr.; nedsmutsning; nedsmittning; radioaktiv kontamination **2** språkv. kontamination

contemplate ['kɒntəmpleɪt] **I** *vb tr* **1** betrakta **2** fundera över (på) [*~ a problem*], begrunda **3** räkna med [såsom möjlig] [*I do not ~ any opposition from him*] **4** ha för avsikt [*~ buying a new car*], överväga; perf. p.: *~d* äv. tilltänkt, eventuell **II** *vb itr* fundera, meditera

contemplation [ˌkɒntəm'pleɪʃ(ə)n] **1** betraktande; begrundande; kontemplation **2** avsikt; avvaktan [*in ~ of*]; *be in ~* vara under övervägande

contemporar|y [kən'temp(ə)rərɪ] **I** *adj* samtidig [*with* med]; jämnårig; samtida;

nutida; modern [~ *art* (*style*)]; aktuell [~ *events*] **II** *s* samtida [*of* till]; *we were -ies at college* vi gick på college ungefär samtidigt

contempt [kən'tem(p)t] förakt, ringaktning; *hold in* ~ hysa förakt för, förakta

contemptible [kən'tem(p)təbl] föraktlig; usel

contemptuous [kən'tem(p)tjʊəs] föraktfull

contend [kən'tend] **I** *vb itr* **1** strida [~ *with difficulties*]; *the ~ing parties* de stridande parterna **2** sträva; tävla [~ *for* (om) *a prize*] **3** tvista, disputera **II** *vb tr* [vilja] hävda

contender [kən'tendə] **1** sport. tävlande; utmanare [~ *for the heavyweight title*] **2** sökande, kandidat [~ *for the post* (*job*)]

1 content ['kɒntent] **1** innehåll ofta i motsats mot form [*the ~ of the essay*]; innebörd; halt; jfr *contents* **2** rymlighet; *cubic* ~ kubikinnehåll

2 content [kən'tent] **I** *s* belåtenhet; *to one's heart's* ~ av hjärtans lust; så mycket man vill **II** *adj* nöjd, belåten **III** *vb tr* tillfredsställa; ~ *oneself* nöja sig [*with* med]

contented [kən'tentɪd] nöjd, belåten; förnöjsam

contention [kən'tenʃ(ə)n] **1** strid; tvist; tävlan **2** påstående; åsikt [*his ~ was that...*]

contentious [kən'tenʃəs] **1** stridslysten **2** tvistig; omtvistad [*a ~ clause in a treaty*]; tviste-; ~ *issue* stridsfråga, tvistefråga

contentment [kən'tentmənt] belåtenhet

contents ['kɒntents] innehåll [*the ~ of a glass* (*book*)]; *table of* ~ innehållsförteckning

contest [ss. subst. 'kɒntest, ss. vb kən'test] **I** *s* **1** strid **2** tävling [*a speed ~*], tävlan **II** *vb itr* strida, tävla **III** *vb tr* **1** bekämpa; bestrida [~ *a point* (*will*)] **2** kämpa om, försvara [~ *every inch of ground*]; tävla om [~ *a prize*]; ~ *the election* parl. ställa upp som motkandidat

contestant [kən'testənt] stridande [part]; tävlande; konkurrent

context ['kɒntekst] **1** sammanhang; kontext; *quotations out of* ~ lösryckta citat **2** omgivning[ar]; ram

continent ['kɒntɪnənt] **I** *adj* återhållsam; måttlig; avhållsam **II** *s* **1** kontinent; *the C~* kontinenten Europas fastland **2** världsdel

continental [ˌkɒntɪ'nentl] **I** *adj* **1** kontinental, kontinental-; fastlands-; ~ *breakfast* kontinental frukost (kaffefrukost) med bröd, smör och marmelad **2** amer. på (tillhörande) det nordamerikanska fastlandet [*the ~ United States does not include Hawaii*] **II** *s* fastlandseuropé i motsats mot britt

contingenc|y [kən'tɪn(d)ʒ(ə)nsɪ] **1 a)** eventualitet [*be prepared for all -ies*] **b)** oförutsedd händelse [*supplies for every ~*]; *should a ~ arise* om något oförutsett inträffar **2** tillfällighet [*a result that depends upon -ies*] **3 a)** pl. *-ies* oförutsedda utgifter; extra omkostnader **b)** ~ *fund* fond för oförutsedda utgifter **4** ~ *plan* beredskapsplan

contingent [kən'tɪn(d)ʒ(ə)nt] **I** *adj* **1** eventuell **2** villkorlig inte nödvändig i och för sig; betingad; oväsentlig **3** tillfällig **4** ~ *to* medföljande, som hör till (är en följd av) **II** *s* kontingent isht av trupper; grupp

continual [kən'tɪnjʊəl] ständig; ihållande [~ *rain*]; idelig

continuation [kənˌtɪnjʊ'eɪʃ(ə)n] fortsättning, återupptagande; förlängning; ~ *classes* fortsättningskurser; ~ *school* fortsättningsskola; fackskola

continue [kən'tɪnjʊ] **I** *vb tr* **1** fortsätta [~ *doing* (*to do*) *a th.*]; [*to be*] *~d* fortsättning [följer] **2** förlänga; låta bestå **3** [bi]behålla, låta kvarstå **II** *vb itr* **1** fortsätta **2** förbli [~ *in office*]; fortfarande vara [~ *ill*] **3** fortleva

continuity [ˌkɒntɪ'nju:ətɪ] **1** kontinuitet **2** film.: a) ung. scenario; scenföljd, kontinuitet b) i för- el. eftertexter scripta; ~ *girl* (isht amer. *clerk*) scripta **3** radio. el. TV. programmanuskript; sammanbindande kommentar

continuous [kən'tɪnjʊəs] kontinuerlig, fortlöpande; ständig; ~ *performance* nonstopföreställning[ar]

continuously [kən'tɪnjʊəslɪ] kontinuerligt etc.; oavbrutet; fortlöpande

contort [kən'tɔ:t] förvrida; förvränga

contortion [kən'tɔ:ʃ(ə)n] förvridning av ansikte el. kropp; grimas; förvrängning

contortionist [kən'tɔ:ʃənɪst] ormmänniska

contour ['kɒntʊə] **I** *s* kontur; ytterlinje isht mellan olikfärgade delar av bild o.d.; omkrets; grunddrag; ~ *line* nivåkurva på karta; ~ *map* höjdkarta **II** *vb tr* visa (dra upp) konturerna av, konturera

contraband ['kɒntrəbænd] **I** *s* kontraband [~ *of war*]; smuggelgods; kontrabandstrafik **II** *adj* kontrabands-

contraception [ˌkɒntrə'sepʃ(ə)n] [användning av] preventivmedel

contraceptive [ˌkɒntrə'septɪv] **I** *adj* preventiv[-] **II** *s* preventivmedel

contract [ss. subst. 'kɒntrækt, ss. vb kən'trækt] **I** *s* **1** avtal, överenskommelse; kontrakt äv. kortsp. **2** hand. kontrakt [*that is not in the ~*]; entreprenad, ackord [*by* (på) ~]; *place a ~ for* lämna på entreprenad **II** *vb tr* **1** avtala, avsluta genom kontrakt; teckna avtal (kontrakt) om [*to do*]; ~ *oneself out of* [genom överenskommelse] göra sig fri från **2** ingå [~ *a marriage*], sluta [~ *an alliance with another country*], knyta [~ *a friendship* (vänskapsband) *with*], ådra sig [~ *a disease*], åsamka sig [~ *debts*] **3** dra samman (ihop); rynka [~ *the brows*] **III** *vb itr* **1** dra ihop sig, krympa **2** ~ *out* dra sig ur spelet; hoppa av [*of a th.* från ngt]; anmäla sitt utträde [*of a th.* ur ngt]; ~ *out of a th.* äv. dra sig ur ngt

contraction [kən'trækʃ(ə)n] **1** sammandragning; hopdragning; kontraktion; förkortning; minskning; krympning **2** *the* ~ *of debts* (*an infection*) att ådra sig skulder (en infektion)

contractor [kən'træktə] leverantör; entreprenör; *builder and* ~ byggnadsentreprenör

contractual [kən'træktʃʊəl, -tj-] kontrakts-, av kontraktsnatur

contradict [ˌkɒntrə'dɪkt] **I** *vb tr* säga emot; bestrida **II** *vb itr* säga emot

contradiction [ˌkɒntrə'dɪkʃ(ə)n] motsägelse; bestridande; ~ *in terms* självmotsägelse; *be in* ~ *with* stå i strid med

contradictory [ˌkɒntrə'dɪkt(ə)rɪ] motsägande; rakt motsatt; motsägelsefull, kontradiktorisk

contralto [kən'træltəʊ] (pl. ~*s*) mus. **1** alt; altstämma **2** kontraalt; kontraaltstämma

contraption [kən'træpʃ(ə)n] vard. apparat, manick

contrar|y ['kɒntrərɪ, i bet. *I 3* kən'treərɪ] **I** *adj* **1** motsatt; stridande [*to* mot]; ~ *to* äv. [tvärt]emot, i strid mot (med) **2** motig; ogynnsam [~ *weather*], mot- [~ *winds*] **3** vard. motsträvig, motspänstig, enveten **II** *adv*, ~ *to* [tvärt]emot, i strid mot (med) [*act* ~ *to the rules*] **III** *s* motsats [*the direct* ~ *of* (till) *a th.*]; *rather the* ~ snarare tvärtom; *on the* ~ tvärtom; däremot; [*unless I hear*] *anything to the* ~ ...någonting i motsatt riktning, ...något annat; *proof to the* ~ bevis på motsatsen; motbevis; *all reports to the* ~ trots alla rykten

contrast [ss. subst. 'kɒntrɑ:st, ss. vb kən'trɑ:st] **I** *s* kontrast, motsättning; *in* ~ däremot, å andra sidan **II** *vb tr* ställa [upp] som motsats, jämföra; *as ~ed with* i motsats mot, i jämförelse med **III** *vb itr* kontrastera, sticka av; *~ing colours* kontrastfärger, kontrasterande färger

contravene [ˌkɒntrə'vi:n] **1** kränka; handla mot **2** strida mot

contravention [ˌkɒntrə'venʃ(ə)n] överträdelse; *in* ~ *of* i strid (motsats) mot

contribute [kən'trɪbju:t, 'kɒntrɪbju:t] **I** *vb tr* **1** bidra med, ge (lämna) [som bidrag] [~ *money*] **2** ~ *articles to* [*a paper*] medarbeta (medverka) i..., bidra med artiklar i... **II** *vb itr* **1** ge (lämna) bidrag **2** ~ *to a paper* medverka (vara medarbetare) i en tidning **3** bidra

contribution [ˌkɒntrɪ'bju:ʃ(ə)n] bidrag [*the smallest ~s will be thankfully received*]; inlägg i diskussion o.d.; insats; tillskott

contributor [kən'trɪbjʊtə] bidragsgivare; medarbetare i tidskrift o.d.

contributory [kən'trɪbjʊt(ə)rɪ] bidragande [~ *factors*]; som finansieras genom ömsesidiga bidrag [*a* ~ *pension scheme*]

contrite ['kɒntraɪt] ångerfull

contrivance [kən'traɪv(ə)ns] anordning; inrättning, apparat

contrive [kən'traɪv] **1** tänka ut, uppfinna; planera **2** finna medel (utvägar) till [äv. ~ *a means of*], finna på ett sätt, ordna till med

control [kən'trəʊl] **I** *s* **1** kontroll [*he lost* ~ *of* (över) *his car*], makt, myndighet; övervakning; uppsikt [*parental* ~]; reglering [*import* ~]; behärskning; *arms* ~ vapenkontroll; *circumstances beyond one's* ~ omständigheter som man inte råder över; *the situation was getting out of* ~ man började tappa kontrollen över situationen; *keep within one's* ~ behålla herraväldet (kontrollen) över **2** ~ [*group*] kontroll[grupp] **3** kontrollanordning, styranordning; pl. ~*s* kontrollinstrument, reglage; flyg. roder, styrorgan, kontroller **II** *vb tr* kontrollera, bestämma över; övervaka [~ *the accounts*]; dirigera; sköta; reglera; bemästra; hålla ordning (styr) på [~ *a class*]; ~ *oneself* behärska sig

controller [kən'trəʊlə] kontrollant; *air-traffic* ~ flygledare

control tower [kən'trəʊlˌtaʊə] flyg. trafiktorn

controversial [ˌkɒntrə'vɜ:ʃ(ə)l] **1** omtvistad, kontroversiell [*a* ~ *issue* (fråga)] **2** polemisk [~ *pamphlet*] **3** stridslysten

controversy [kən'trɒvəsɪ, 'kɒntrəvɜ:sɪ] **1** kontrovers, polemik; [tidnings]debatt; *beyond* (*without*) ~ obestridlig[t] **2** amer. jur. tvistemål

conurbation [ˌkɒnɜ:'beɪʃ(ə)n] storstadsregion

convalesce [ˌkɒnvə'les] tillfriskna

convalescence [ˌkɒnvə'lesns] tillfrisknande

convalescent [ˌkɒnvə'lesnt] **I** *adj* **1** som håller på att tillfriskna **2** konvalescent-; ~ *home* konvalescenthem **II** *s* konvalescent

convene [kən'vi:n] **I** *vb itr* komma samman, sammanträda, samlas **II** *vb tr* **1** sammankalla **2** instämma [~ *a p. before a tribunal*]

convener [kən'vi:nə] sammankallande [ledamot]

convenience [kən'vi:njəns] **1** lämplighet; bekvämlighet; *flag of ~* bekvämlighetsflagg; [*I can come*] *when it suits your ~* ...när det passar dig; *do it at your* [*own*] *~* gör det när det passar dig **2** förmån; *a great ~* en stor fördel, mycket förmånligt (bekvämt) **3** [*public*] *~* bekvämlighetsinrättning, offentlig toalett; *modern ~s* moderna bekvämligheter **4** *make a ~ of a p.* utnyttja ngn

convenient [kən'vi:njənt] lämplig; bekväm; praktisk [*a ~ tool*]; välbelägen; *if it is ~ to (for) you* om det passar (lämpar sig för) dig

conveniently [kən'vi:njəntlı] bekvämt; lämpligen; *be ~ near* [*the bus-stop*] ligga nära till (på bekvämt avstånd från)...

convent ['kɒnv(ə)nt] [nunne]kloster; *~ school* klosterskola

convention [kən'venʃ(ə)n] **1 a**) konvent [*national ~*]; sammankomst **b**) amer. polit. [parti]konvent **2** överenskommelse, konvention [*the Geneva C~*]; uppgörelse; fördrag **3** konvention[en]; konvenans[en]

conventional [kən'venʃ(ə)nl] konventionell [*~ clothing*; *~ weapons*]; sedvanlig

converge [kən'vɜ:dʒ] löpa (stråla) samman; sträva mot (mötas i) samma punkt

conversant [kən'vɜ:s(ə)nt], *~ with* insatt (hemmastadd) i, förtrogen med

conversation [ˌkɒnvə'seıʃ(ə)n] konversation; *make ~* kallprata, konversera

conversational [ˌkɒnvə'seıʃ(ə)nl] samtals- [*in a ~ tone*]; kåserande [*~ style*]

conversationalist [ˌkɒnvə'seıʃ(ə)nəlıst] [riktig] konversatör; *he is a good ~* han är bra på att konversera

1 converse [kən'vɜ:s] konversera

2 converse ['kɒnvɜ:s] **I** *adj* omvänd, motsatt **II** *s* omvänt förhållande; motsats

conversely [ˌkɒn'vɜ:slı] omvänt

conversion [kən'vɜ:ʃ(ə)n] **1** omvandling, ombyggnad; omställning [*~ to war production*]; *~ of flats into offices* kontorisering av lägenheter **2** teol. el. psykol. m.m. omvändelse, konvertering; övergång **3** ekon. el. data. m.m. konvertering; omräkning; omsättning till andra värden; *~ table* förvandlingstabell, omräkningstabell **4** jur. förskingring [äv. *fraudulent ~*] **5** rugby. el. amer. fotb. mål efter 'försök'

convert [ss. subst. 'kɒnvɜ:t, ss. vb kən'vɜ:t] **I** *s* omvänd; proselyt; konvertit; *be a ~ to* [*Catholicism*] ha gått över (konverterat) till... **II** *vb tr* **1** omvandla, förvandla; ställa (lägga) om; omsätta [*~ ideas into* (i) *deeds*]; *the building was ~ed into a hotel* huset gjordes (byggdes) om till hotell **2** relig. m.m. omvända **3** ekon. el. data. m.m. konvertera; omsätta [*~ into cash*]; räkna om **4** jur., *~ to one's own use* använda (tillägna sig) för eget bruk **5** rugby. el. amer. fotb., *~ a try* göra mål efter ett 'försök' **III** *vb itr* **1** [kunna] förvandlas [*a sofa that ~s into a bed*] **2** ställa (lägga) om [*the factory is ~ing to car production*] **3** relig. m.m. omvändas **4** rugby. el. amer. fotb. göra mål [efter ett 'försök']

convertible [kən'vɜ:təbl] **I** *adj* **1** som kan omvandlas (förvandlas etc., jfr *convert II*); omsättlig **2** bil. med fällbart tak **3** utbytbar; isht ekon. konvertibel **II** *s* **1** cabriolet bil **2** båt med kapell

convex [kən'veks, isht attr. 'kɒnv-] konvex utåt; *~ lens* konvex lins, samlingslins

convey [kən'veı] **1** befordra, transportera, forsla; medföra [*this train ~s both passengers and goods*]; överbringa [*~ a message to a p.*]; framföra hälsning o.d. **2** leda vatten o.d.; överföra **3** meddela; uttrycka [*I can't ~ my feelings in words*]; *it ~s nothing (no meaning) to me* det säger mig ingenting **4** jur. överlåta

conveyance [kən'veıəns] **1** befordran, transport; överförande **2** fortskaffningsmedel **3** jur. överlåtelse[handling]

conveyer o. **conveyor** [kən'veıə] **1** överbringare **2** tekn. [band]transportör, transportband [äv. *~ band (belt)*]; *~ belt* äv. löpande band; *on the ~ principle* enligt löpandebandsprincipen

convict [ss. vb kən'vıkt, ss. subst. 'kɒnvıkt] **I** *vb tr* fälla, förklara (döma) skyldig; överbevisa; *the evidence ~ed him* bevismaterialet fällde honom **II** *s* straffånge; förbrytare; *~ colony* straffkoloni

conviction [kən'vıkʃ(ə)n] **1** brottslings fällande; [fällande] dom; överbevisande; *he had three (no) previous ~s* han var straffad tre gånger (var inte straffad) tidigare; *~ for drunkenness* [dom för] fylleriförseelse **2** övertygande; övertygelse; *carry ~* verka övertygande; övertyga [*to a p.* ngn]; *act up to one's ~s* handla efter sin övertygelse; *a man of (with) strong ~s* en man med mycket bestämda åsikter

convince [kən'vıns] övertyga, överbevisa; isht amer. äv. övertala

convivial [kən'vıvıəl] **1** festlig [*~ evening*] **2** sällskaplig

convoluted ['kɒnvəlu:tıd, -lju:t-] **1** full av vindlingar; spiralformig **2** bildl. invecklad [*~ reasoning*], snirklad

convoy ['kɒnvɔı] **I** *vb tr* konvojera; eskortera **II** *s* konvoj; eskort [*the ships*

sailed under ~]; eskortfartyg; kolonn av fordon
convulse [kən'vʌls] **1** [våldsamt] skaka (uppröra), sätta i skakning **2** framkalla kramprycking[ar] (paroxysmer) hos; få att vrida sig
convulsion [kən'vʌlʃ(ə)n] **1** mest pl. *~s* konvulsion[er], kramp, krampanfall, kramprycking[ar]; paroxysm[er] [*~s of laughter*]; [*the story was so funny that we*] *were all in ~s* ...vred oss av skratt allihop **2** isht polit. el. sociol. omvälvning [*social* (*political*) *~s*]
1 coo [ku:] **I** *vb itr* o. *vb tr* kuttra äv. bildl. **II** *s* kuttrande
2 coo [ku:] vard. el. dial., *~!* oh!, åh!, oj! [*~, isn't it lovely!*; *~, what an evening!*]
cook [kʊk] **I** *s* kock; kokerska; *she is a good ~* hon lagar god mat, hon är duktig i matlagning **II** *vb tr* **1** laga till, laga mat; koka **2** vard., *~ up* koka ihop, hitta på [*~ up a story*] **3** vard. förfalska [*~ed accounts* (*figures*)], fiffla med, stuva om; *~ the books* fiffla med (förfalska) böckerna (bokföringen) **4** sl. spoliera; *~ed* utmattad, slut **5** sl. koka upp narkotika **III** *vb itr* **1** laga mat **2** koka[s] [*the potatoes must ~ longer*], steka[s]; tillagas; [*these apples*] *~ well* ...är lämpliga som matfrukt **3** vard. stå på, vara i görningen; *what's ~ing?* vad står på?
cookbook ['kʊkbʊk] kokbok
cooker ['kʊkə] **1** spis; kokkärl; kokare **2** matäpple; pl. *~s* äv. matfrukt
cookery ['kʊkərɪ] kokkonst
cookery book ['kʊkərɪbʊk] kokbok
cookie ['kʊkɪ] **1** amer. [små]kaka; kex; pl. *~s* äv. småbröd; *that's the way the ~ crumbles* vard. så är det, så kan det gå **2** amer. vard. sötnos; pangbrud **3** amer. sl. kille [*a smart* (*tough*) *~*] **4** amer. sl., *toss one's ~s* kasta upp, spy
cooking ['kʊkɪŋ] **1** tillagning; kokning, stekning; *do the ~* laga maten, sköta matlagningen **2** vard. fiffel [*the ~ of* (med) *the books*]
cool [ku:l] **I** *adj* **1** sval; *~ cupboard* (*larder*) sval i t.ex. kök **2** kylig; kallsinnig **3** kallblodig, lugn, kall; *keep ~!* ta det lugnt!; *~, calm and collected* lugn och sansad **4** oberörd; *a ~ customer* en fräck en (typ) **5** vard., *a ~ thousand* hela (sina modiga) tusen pund e.d. **6** isht amer. sl. jättebra; jättesnygg; *it's not ~* det är inget vidare; *it's ~ with me* det går bra för min del, inte mig emot **7** isht amer. sl., *~ jazz* cool jazz avspänd o. intellektualiserad, ej utpräglat rytmisk jazz **II** *adv* vard., *play it ~* ta det lugnt, ha is i magen **III** *s* **1** svalka [*in the ~ of the evening*]; sval luft **2** sval plats **3** vard., *lose one's ~* tappa huvudet; *keep one's ~* hålla huvudet kallt, behålla fattningen **IV** *vb tr* **1** göra sval[are] [*the rain has ~ed the air*]; svala av, kyla äv. bildl.; lugna ner [äv. *~ down*; *I tried to ~ her down*]; svalka; *~ing system* kylsystem **2** sl., *~ it!* ta det lugnt! **V** *vb itr* svalna äv. bildl.; *~ down* (*off*) a) svalna [*her friendship for me has ~ed down* (*off*)]; kylas av b) vard. lugna ner sig
coolness ['ku:lnəs] **1** svalka **2** lugn **3** kallsinnighet
coop [ku:p] **I** *s* **1** bur för ligghöns, gödhöns o.d. el. för transport av smådjur **2** amer. sl. finka, kurra **II** *vb tr* sätta i bur; stänga in, bura in [äv. *~ up* (*in*)]
co-op ['kəʊɒp] vard. **1** (kortform för *co-operative society* el. *shop* el. *store*) konsum **2** amer., se *co-operative apartment* under *co-operative I 2*
co-operate [kəʊ'ɒpəreɪt] samarbeta; samverka, bidra
co-operation [kəʊˌɒpə'reɪʃ(ə)n] **1** samarbete; samverkan **2** kooperation
co-operative [kəʊ'ɒp(ə)rətɪv] **I** *adj* **1** samverkande; samarbetsvillig **2** kooperativ [*~ society*]; *~ apartment* amer. ung. bostadsrätt[slägenhet], insatslägenhet; *the C~ Wholesale Society* ung. Kooperativa förbundet **II** *s* kooperativ förening
co-opt [kəʊ'ɒpt] **1** välja in **2** absorbera **3** utnämna **4** amer. ta över verksamhet o.d.
co-ordinate [ss. adj. o. subst. kəʊ'ɔ:dənət, ss. vb kəʊ'ɔ:dɪneɪt] **I** *adj* likställd; samordnad äv. gram. [*~ clause*]; koordinerad; matem. koordinat- **II** *s* **1** likställd person (myndighet e. d.) **2** matem. m.m. koordinat[a] **III** *vb tr* koordinera, samordna
co-ordination [kəʊˌɔ:dɪ'neɪʃ(ə)n] **1** samordning, koordination **2** fysiol. samverkan
coot [ku:t] zool. sothöna [äv. *bald ~*]; *bald as a ~* vard. kal (slät) som en biljardboll
cop [kɒp] **I** *s* **1** vard. snut; *~s and robbers* lek tjuv och polis **2** sl. kap; byte; *it's a fair ~* a) jag ger mig! b) han etc. har tagits på bar gärning; *no* [*great*] (*not much*) *~* inte mycket att hurra för **II** *vb tr* sl. haffa brottsling; *be ~ped* äv. åka dit, åka fast
1 cope [kəʊp] **1** kyrkl. korkåpa **2** valv
2 cope [kəʊp] klara det; vard. stå pall; *~ with* klara [*~ with difficulties*], gå i land med, orka med; vard. palla för
Copenhagen [ˌkəʊpn'heɪg(ə)n] Köpenhamn
copier ['kɒpɪə] **1** kopieringsapparat **2** efterapare
co-pilot [ˌkəʊ'paɪlət] flyg. andrepilot
copious ['kəʊpjəs] riklig [*~ amounts*]
1 copper ['kɒpə] sl. snut polis
2 copper ['kɒpə] **I** *s* **1** koppar

2 [koppar]slant **3** stor kopparkittel, bykkittel **4** koppar[rött] **5** sl., *hot ~s* dageneftertörst **II** *vb tr* förkoppra
coppice ['kɒpɪs] småskog som periodiskt hugges till bränsle m.m.; slyskog; skogsdunge
copulate ['kɒpjʊleɪt] kopulera; ha samlag
cop|y ['kɒpɪ] **I** *s* **1** kopia, avbild **2** kopia, reproduktion, avskrift, genomslagskopia; *fair* (*clean*) ~ renskrift, renskrivet exemplar; *make a fair ~ of a th.* skriva rent ngt; *rough* (*foul*) ~ koncept, kladd; *top ~* original maskinskrivet huvudexemplar; *true ~* [*certified*] kopians överensstämmelse med originalet intygas, rätt avskrivet intygas **3** exemplar, nummer av bok, tidning o.d.; *single ~* lösnummer **4 a)** manuskript till sättning [*supply the press with ~*] **b)** copy, annonstext, [reklam]text **c)** stoff, material för journalister o.d.; *make good ~* vara bra nyhetsmaterial (tidningsstoff) **II** *vb tr* kopiera, efterbilda; ta [en] kopia av; ~ [*down*] skriva av; ~ *out* skriva ut (ren), efterlikna, ta efter, imitera; apa efter, härma **III** *vb itr* skol. skriva av [*from a p.* efter ngn], fuska
copycat ['kɒpɪkæt] **I** *s* vard. härmapa, efterapare; attr. liknande **II** *vb tr* efterapa
copyright ['kɒpɪraɪt] **I** *s* copyright; ~ *reserved* eftertryck förbjudes **II** *vb tr* förvärva (få) copyright på
copywriter ['kɒpɪˌraɪtə] copywriter
coquettish [kɒ'ketɪʃ, kə(ʊ)'k-] kokett
coral ['kɒr(ə)l] **I** *s* **1** korall; ~ *island* korallö **2** korallrött **II** *adj* korallröd
cord [kɔ:d] **I** *s* **1** rep, snöre, lina, streck, snodd, stropp; amer. elektr. sladd **2** anat. sträng; *spinal ~* ryggmärg **3** tyg med upphöjda ränder; isht cord, manchester; pl. *~s* manchesterbyxor **II** *vb tr* binda [om] med rep (snöre); binda fast
cordial ['kɔ:djəl] **I** *adj* **1** hjärtlig [*a ~ smile*] **2** hjärtstärkande, stimulerande **II** *s* **1** hjärtstärkande (stimulerande) preparat; styrkedryck **2** fruktvin; [frukt]saft
cordiality [ˌkɔ:dɪ'ælətɪ] hjärtlighet; älskvärdhet
cordon ['kɔ:dn] **I** *s* **1** kordong; *police ~* poliskedja, polisspärr; *form a ~* äv. bilda häck **2** a) ordensband b) kordong, snodd med tofs **3** byggn. murkrans **4** kordong spaljéträd **II** *vb tr*, ~ [*off*] spärra av
corduroy ['kɔ:dərɔɪ] **1** manchester[sammet]; manchester- [*~ jacket*]; pl. *~s* manchesterbyxor **2** ~ *road* kavelbro väg över träsk o.d.
core [kɔ:] **I** *s* **1** kärnhus **2** bildl. kärna [*a ~ of resistance*], kärnpunkt; ~ *storage* data. kärnminne; *to the ~* helt och hållet, alltigenom **3** tekn. kärna, innersta del; *the ~* äv. det inre, stommen **4** fys. härd **II** *vb tr* ta ut kärnhuset ur
coriander [ˌkɒrɪ'ændə] bot. koriander
cork [kɔ:k] **I** *s* kork; ~ *jacket* a) korkbälte b) flytväst [av kork] **II** *vb tr* korka; ~ *up* a) sätta en kork (korken) i, korka igen b) bildl. undertrycka, hålla tillbaka [*~ up one's feelings*]
corkage ['kɔ:kɪdʒ] **1** a) tillkorkning b) uppkorkning **2** korkpengar avgift för förtäring av medhavt vin på restaurang
corked [kɔ:kt] **1** om vin med korksmak **2** vard. packad berusad
corkscrew ['kɔ:kskru:] **I** *s* korkskruv; ~ *staircase* spiraltrappa **II** *vb tr* vard. vrida (sno) i spiral; lirka **III** *vb itr* vard. slingra (skruva) sig
corm [kɔ:m] rotknöl; [blomster]lök
cormorant ['kɔ:m(ə)r(ə)nt] zool. a) skarv b) storskarv
1 corn [kɔ:n] **I** *s* **1** säd äv. växande; spannmål **2** a) i större delen av Storbritannien isht vete b) skotsk. el. irl. havre c) amer. el. austral., [*Indian*] ~ majs; ~ *on the cob* [kokta] majskolvar ss. maträtt **3** [sädes]korn; pepparkorn **4** sl. banal (sentimental) smörja **II** *vb tr* salta, konservera [*~ed beef*]
2 corn [kɔ:n] liktorn
corncob ['kɔ:nkɒb] majskolv; ~ [*pipe*] majskolvspipa
cornea ['kɔ:nɪə, kɔ:'ni:ə] anat. hornhinna
corner ['kɔ:nə] **I** *s* **1 a)** hörn [*in a ~ of the room*], hörna; ~ *seat* hörnplats **b)** [gat]hörn [*there is a shop on* (*at*) *the ~*] **c)** flik, snibb; *cut* [*off*] *a ~* ta en genväg; inte ta ut svängen kring ett hörn (i en kurva) **2** vinkel; *the ~s of her mouth* hennes mungipor **3** friare: **a)** hörn [*the four ~s of the earth*] **b)** vrå **c)** skamvrå [*put a boy in the ~*] **d)** kantighet [*knock* (*rub*) *off a p.'s ~s*] **4** sport.: **a)** fotb. hörna; *take a ~* lägga en hörna **b)** boxn. hörna; *be in a p.'s ~* vara ngns sekond **5** börs. corner; *make a ~ in* köpa upp i spekulationssyfte **II** *vb tr* **1** perf. p.: *~ed* i sms. -vinklig, -kantig [*three-cornered*] **2** tränga in i ett hörn; bildl. sätta i knipa, sätta fast; göra ställd (förlägen) [*the question ~ed me*] **3** börs. [genom en corner] behärska [*~ the market*] **III** *vb itr* **1** ta kurvor[na] [*the car can ~ very fast*] **2** börs. bilda en corner
corner kick ['kɔ:nəkɪk] fotb. hörnspark, hörna
cornerstone ['kɔ:nəstəʊn] hörnsten, bildl. äv. grundval
cornet ['kɔ:nɪt] **1** mus. kornett **2** a) [pappers]strut b) glasstrut
cornflakes ['kɔ:nfleɪks] cornflakes, majsflingor

cornflour ['kɔ:nflaʊə] **1** majsmjöl, majsena **2** finsiktat mjöl
cornflower ['kɔ:nflaʊə] bot. **1** blåklint **2** [åker]klätt
cornice ['kɔ:nɪs] kornisch; taklist
Cornish ['kɔ:nɪʃ] **I** *adj* från (i) Cornwall; cornisk **II** *s* corniska [språket] nu utdött
cornucopia [ˌkɔ:njʊ'kəʊpjə] **1** ymnighetshorn **2** överflöd
corny ['kɔ:nɪ] vard. **1** banal och sentimental, tårdrypande [~ *music*] **2** fånig, töntig [~ *jokes*]
corollary [kə'rɒlərɪ, amer. 'kɒrəˌlerɪ] **1** filos. följdsats, korollarium **2** naturlig följd
coronary ['kɒrən(ə)rɪ] **I** *adj*, ~ *artery* kransartär **II** *s* vard. hjärtinfarkt
coronation [ˌkɒrə'neɪʃ(ə)n] kröning
coroner ['kɒrənə] jur. coroner ämbetsman som utreder orsaken till dödsfall vid misstanke om mord o.d.; ~*'s inquest* [av coroner och jury anställt] förhör om dödsorsaken
coronet ['kɒrənət] [furstlig el. adlig] krona
1 corporal ['kɔ:p(ə)r(ə)l] mil. **1** britt. furir gruppbefäl inom armén o. flyget; yngre: korpral gruppbefäl inom flyget **2** amer. korpral gruppbefäl inom armén
2 corporal ['kɔ:p(ə)r(ə)l] kroppslig; lekamlig; personlig [~ *possession*]; ~ *punishment* kroppsaga, kroppsstraff
corporate ['kɔ:p(ə)rət] **1** gemensam [~ *responsibility*]; kår- [~ *spirit*] **2** korporativ [~ *state*]; tillhörande en korporation; ~ *body* korporation; jur. äv. juridisk person
corporation [ˌkɔ:pə'reɪʃ(ə)n] **1** korporation; samfund **2** a) [statligt] bolag [*British Broadcasting C~*] b) amer. [aktie]bolag c) bolags- [~ *taxes*] **3 a**) styrelse; [*municipal*] ~ kommunstyrelse **b**) kommunal [~ *tramways*]; ~ *houses* kommunala bostadshus **4** vard. kalaskula
corps [kɔ:] (pl. *corps* [kɔ:z]) kår; *army* ~ armékår
corpse [kɔ:ps] lik
corpulent ['kɔ:pjʊlənt] korpulent
corpuscle ['kɔ:pʌsl, kɔ:'pʌsl] **1** anat. kropp; [*blood*] ~ blodkropp **2** korpuskel, partikel; fys. elektron
corral [kə'rɑ:l] isht amer. **I** *s* fålla, inhägnad för djur **II** *vb tr* **1** stänga (driva) in i en fålla **2** vard. få tag i
correct [kə'rekt] **I** *vb tr* **1** rätta; rätta till, korrigera; ändra; ~ *proofs* läsa korrektur **2** tillrättavisa; tukta **3** avhjälpa; hjälpa upp **II** *adj* **1** rätt, korrekt; exakt; sann; *be* ~ a) vara rätt (riktig), stämma b) ha rätt; *the* ~ *amount* [*of money*] rätt summa, jämna pengar **2** korrekt [till sättet]; regelrätt; passande, riktig; *be* ~ *for* passa (lämpa sig) för
correction [kə'rekʃ(ə)n] **1** rättning, rättelse; korrigering; ändring; ~*!* Fel [av mig]!, Mittåt! **2** tillrättavisning; bestraffning
correlate ['kɒrəleɪt] **I** *s* korrelat [*height and depth are* ~*s*] **II** *vb tr* o. *vb itr* sätta (stå) i [växel]förhållande (relation), korrelera
correlation [ˌkɒrə'leɪʃ(ə)n] korrelation
correspond [ˌkɒrɪ'spɒnd] **1** motsvara varandra; stämma överens; ~ *to* (*with*) motsvara, svara mot, utgöra motsvarighet till [*the American Congress* ~*s to the British Parliament*], vara likvärdig med **2** brevväxla, korrespondera
correspondence [ˌkɒrɪ'spɒndəns] **1** motsvarighet [*to*]; överensstämmelse [*with*] **2** brevväxling [*do* (sköta) *the* ~; *carry on* (*keep up*) *a* ~ *with*]; ~ *clerk* hand. korrespondent; ~ *school* korrespondensinstitut, brevskola
correspondent [ˌkɒrɪ'spɒndənt] **I** *s* **1** brevskrivare **2** tidn. a) korrespondent b) insändare; *our special* ~ vår utsände medarbetare **3** hand. **a**) korrespondent **b**) affärsförbindelse **II** *adj* motsvarande; *be* ~ *with* (*to*) motsvara
corresponding [ˌkɒrɪ'spɒndɪŋ] **1** motsvarande **2** korresponderande [~ *member*]
corridor ['kɒrɪdɔ:] korridor
corroborate [kə'rɒbəreɪt] bestyrka, bekräfta
corroboration [kəˌrɒbə'reɪʃ(ə)n], *in* ~ *of* till bestyrkande av, som bekräftelse på
corrode [kə'rəʊd] **I** *vb tr* fräta [på]; fräta bort (sönder) **II** *vb itr* **1** fräta [sig] [*into, through*] **2** frätas sönder (bort)
corrosion [kə'rəʊʒ(ə)n] korrosion; frätning; sönderfrätande
corrosive [kə'rəʊsɪv] **I** *adj* korrosions-; frätande; etsnings- **II** *s* frätande ämne
corrugate ['kɒrəgeɪt] **I** *vb tr* räffla; korrugera [~*d iron* (järnplåt)]; ~*d cardboard* (*paper*) wellpapp **II** *vb itr* rynka (vecka) sig
corrupt [kə'rʌpt] **I** *adj* **1** korrumperad; korrupt [~ *system*]; ~ *practices* bedrägligt förfarande; valfusk **2** [moraliskt] fördärvad **3** förvrängd **II** *vb tr* **1** [moraliskt] fördärva **2** korrumpera **3** förvränga; förvanska text **III** *vb itr* **1** [moraliskt] fördärvas **2** ruttna, bli skämd **3** verka korrumperande, korrumpera
corruption [kə'rʌpʃ(ə)n] **1** korruption; mutsystem **2** fördärvande; sedefördärv **3** förvrängning
corset ['kɔ:sɪt] **I** *s* **1** korsett äv. med.; snörliv **2** bildl. tvångströja [*a bureaucratic* ~] **II** *vb tr* **1** korsettera **2** bildl. strängt kontrollera; sätta tvångströja på
Corsica ['kɔ:sɪkə] geogr. Korsika

Corsican ['kɔ:sɪkən] **I** *adj* korsikansk **II** *s* korsikan
cortisone ['kɔ:tɪzəʊn] farmakol. cortison
cosh [kɒʃ] sl. **I** *s* [gummi]batong med inlagd blyklump **II** *vb tr* slå [till] med en batong
cosiness ['kəʊzɪnəs] [hem]trevlighet etc., jfr *cosy*
cosmetic [kɒz'metɪk] **I** *adj* **1** kosmetisk **2** bildl. a) utan praktisk betydelse b) förskönande; ~ *surgery* kosmetisk kirurgi skönhetsoperation **II** *s* **1** skönhetsmedel; pl. ~*s* äv. kosmetika **2** bildl. [förskönande] utanverk
cosmic ['kɒzmɪk] kosmisk [~ *rays*]
cosmonaut ['kɒzmənɔ:t] kosmonaut
cosmopolitan [ˌkɒzmə'pɒlɪt(ə)n] **I** *adj* kosmopolitisk **II** *s* kosmopolit
cosmos ['kɒzmɒs], *the* ~ kosmos, världsalltet
Cossack ['kɒsæk] kosack
cosset ['kɒsɪt] klema med
cost [kɒst] **I** (*cost cost,* i bet. *2 ~ed ~ed*) *vb itr* o. *vb tr* **1** kosta; ~ *a p. dear*[*ly*] stå ngn dyrt **2** hand. göra kostnadsberäkningar [för] [*the job was ~ed at £850*], bestämma pris [på] **II** *s* **1** kostnad[er]; bekostnad; pl. ~*s* omkostnad[er], kostnad[er]; ~, *insurance,* [*and*] *freight* som transportklausul fraktfritt och assuransfritt, cif; *the* ~ *of living* levnadskostnaderna; *count the* ~ beräkna kostnaderna; bildl. tänka på följderna; *at* ~ [*price*] till inköpspris (självkostnadspris); *at all ~s* till varje pris **2** jur., pl. ~*s* rättegångskostnader [*he had to pay £150 fine* (i böter) *and £50 ~s*]
co-star ['kəʊstɑ:] **I** *s* person som spelar ena huvudrollen; motspelare **II** *vb tr* o. *vb itr*, *he ~red* (*was ~red*) *with her* han spelade mot henne
cost-effective [ˌkɒstɪ'fektɪv] lönande, kostnadseffektiv
costermonger ['kɒstəˌmʌŋgə] ngt åld. frukt- och grönsaksmånglare på gatan
costly ['kɒstlɪ] dyrbar; dyr
cost price [ˌkɒst'praɪs] inköpspris
costume ['kɒstju:m] **I** *s* **1** dräkt, nationaldräkt; klädedräkt; [*tailored*] ~ [promenad]dräkt **2** teat. kostym; ~ *piece* (*play*) kostympjäs **II** *vb tr* kostymera; leverera kostymer till
cosy ['kəʊzɪ] **I** *adj* **1** [hem]trevlig, mysig; bekväm; gemytlig **2** självbelåten; trångsynt **II** *s* huv, huva
cot [kɒt] barnsäng, babysäng; säng på barnsjukhus; ~ *death* med. plötslig spädbarnsdöd
coterie ['kəʊtərɪ] kotteri
cottage ['kɒtɪdʒ] **1** [litet] hus; stuga; *country* ~ [litet] landställe **2** ~ *cheese* keso®, kvark, kvarg; ~ *industry* hemindustri
cotton ['kɒtn] **I** *s* **1** bot. bomull **2** a) bomull tyg b) [bomulls]tråd **3** bomulls-; av bomull **II** *vb itr* **1** ~ [*on*] *to* bli god vän med, fatta tycke för; vara (gå) med på, gilla, fastna för **2** vard., ~ *on* [*to it*] haja, fatta [galoppen]
cotton wool [ˌkɒtn'wʊl] råbomull; bomull
1 couch [kaʊtʃ] bot. kvickrot
2 couch [kaʊtʃ] **I** *s* dyscha, schäslong; bänk för massage o.d.; ~ *potato* vard. TV-freak, slötittare **II** *vb tr* uttrycka, avfatta [*~ed in insolent terms*]; dölja, innefatta mening, tanke o.d. **III** *vb itr* böja (huka) sig [ned] äv. bildl.
couchette [ku:'ʃet] fr. järnv. liggvagnsplats; ~ [*car*] liggvagn
cough [kɒf] **I** *vb itr* o. *vb tr* hosta; ~ *up* hosta upp äv. bildl. **II** *s* hosta; hostning
cough drop ['kɒfdrɒp] **1** halstablett **2** sl. kuf
cough mixture ['kɒfˌmɪkstʃə] hostmedicin
could [kʊd, obeton. kəd] (imperf. av *1 can*) **1** kunde; skulle kunna; orkade [*how ~ he carry that heavy case?*]; ~ *be!* kanske det!, det är mycket möjligt; *he is as nice as ~ be* han är det snällaste som finns (man kan tänka sig) **2** kunde (skulle kunna) få [*~ I speak to Mr. Smith?*]
couldn't ['kʊdnt] = *could not*; *you ~ help me, could you?* skulle du kunna (vilja vara snäll och) hjälpa mig?
council ['kaʊnsl, -sɪl] **1** råd; rådsförsamling; *town* (*city*) ~ kommunfullmäktige, stadsfullmäktige **2** styrelse
councillor ['kaʊnsələ] rådsmedlem; [*town* (*city*)] ~ kommunfullmäktig, stadsfullmäktig
counsel ['kaʊns(ə)l] **I** *s* **1** rådplägning; *take* ~ rådgöra [*together* med varandra] **2** a) råd b) rådslut c) plan; *a piece of* ~ ett råd; *keep one's own* ~ behålla sina tankar (planer) för sig själv **3** (pl. lika) advokat som biträder part vid rättegång; rättegångsbiträde; ~ *for the defence* el. *defence* ~ försvarsadvokat[en], svarandesidans advokat **II** *vb tr* **1** råda ngn **2** tillråda, förorda; mana till [~ *patience*]
counsellor ['kaʊnsələ] **1** rådgivare; [*student*] ~ studierådgivare, studievägledare **2** ~ [*of embassy*] ambassadråd **3** irl. el. amer. advokat (ofta i tilltal)
1 count [kaʊnt] icke-brittisk greve
2 count [kaʊnt] **I** *vb tr* **1** a) räkna b) räkna till [~ *three*] c) räkna in (ihop, samman) d) räkna upp e) beräkna [~ *one's profits*]; *stand up and be ~ed* bildl. göra sin röst hörd, ta ställning **2** inberäkna; *six, ~ing the driver* sex, föraren medräknad (med föraren) **3** anse (räkna) som (för) [äv. ~

as]; ~ *oneself fortunate* (*lucky*) skatta sig lycklig **4** gälla [för] [*the ace ~s 10*] **5** med adv. ~ *in* inberäkna, räkna med; ~ *up* räkna (summera) ihop **II** *vb itr* **1** räkna [~ *up to* ([ända] till) *ten*] **2** ~ [*up*]*on* räkna (lita) på, räkna med **3** a) räknas, spela en roll b) räknas med, tas med i beräkningen; ~ *against a p.* vara en nackdel (ett minus) för ngn, ligga ngn i fatet; ~ *among* räknas bland, höra till **4** ~ *down* räkna ner t.ex. inför start **III** *s* **1** [samman]räkning; slutsumma; ~ [*of votes*] rösträkning **2** boxn. räkning; *take the ~* gå ner för räkning äv. bildl.; *be out for the ~* boxn. vara uträknad; bildl. vara väck (borta) **3** a) jur. anklagelsepunkt b) fall [*on* (i) *two ~s*], punkt **4** med. värde [*blood ~*] **5** ~ *noun* se *countable II*

countable ['kaʊntəbl] **I** *adj* som kan räknas; gram. äv. pluralbildande [~ *noun*] **II** *s* gram. räknebart (pluralbildande) substantiv

countdown ['kaʊntdaʊn] nedräkning vid t.ex. start

countenance ['kaʊntənəns] **I** *s* **1** ansikte **2** ansiktsuttryck, uppsyn; min [*change ~*] **3** uppmuntran, [moraliskt] stöd **II** *vb tr* uppmuntra; tillåta, tolerera

1 counter ['kaʊntə] **1** räknare; räkneverk **2** [spel]mark; pjäs, jetong **3** pollett **4** i butik o.d. disk [*sell under the ~*]; bardisk; kassa; *lunch ~* lunchbar **5** amer. arbetsbänk

2 counter ['kaʊntə] **I** *adj* mot-; kontra-; motsatt; stridig; *be ~ to* strida mot, vara oförenlig med **II** *adv* i motsatt riktning; ~ *to* tvärt emot, stick i stäv mot [*act ~ to a p.'s wishes*] **III** *vb tr* **1** motsätta sig **2** bemöta [*they ~ed our proposal with one of their own*] **3** a) schack. besvara [med motdrag] b) boxn., ~ *a p.* ge ngn ett kontraslag **IV** *vb itr* boxn. kontra **V** *s* **1** motsats **2** boxn. kontraslag

counteract [ˌkaʊntər'ækt] motverka, hindra; neutralisera; ~ [*the effects of*] *a th.* förta verkningarna av ngt

counterattack ['kaʊnt(ə)rəˌtæk] **I** *s* motanfall **II** *vb tr* göra motanfall mot **III** *vb itr* göra motanfall

counterbalance ['kaʊntəˌbæləns, ss. vb ˌ--'--] **I** *s* motvikt **II** *vb tr* motväga

counterclockwise [ˌkaʊntə'klɒkwaɪz] amer. moturs

counterespionage [ˌkaʊntər'espɪənɑ:ʒ] kontraspionage

counterfeit ['kaʊntəfɪt, -fi:t] **I** *adj* **1** förfalskad; falsk **2** hycklad, spelad **II** *s* efterapning, förfalskning **III** *vb tr* förfalska

counterfoil ['kaʊntəfɔɪl] talong på biljetthäfte o.d.; kupong

counterintelligence [ˌkaʊntərɪn'telɪdʒ(ə)ns] **1** kontraspionage **2** ung. säkerhetstjänst

countermand [ˌkaʊntə'mɑ:nd, '---] **I** *vb tr* **1** annullera, upphäva **2** ge kontraorder om **II** *s* **1** annullering, upphävande **2** kontraorder

countermeasure ['kaʊntəˌmeʒə] motåtgärd

counteroffensive [ˌkaʊntərə'fensɪv] motoffensiv

counterpane ['kaʊntəpeɪn] ngt åld. sängöverkast

counterpart ['kaʊntəpɑ:t] **1** motstycke, motbild **2** motsvarighet; om pers. äv. kollega **3** dubblett[exemplar]; **4** motspelare

counterproductive [ˌkaʊntəprə'dʌktɪv] kontraproduktiv; *be ~* äv. motverka sitt eget syfte

counter-revolution ['kaʊntərevəˌlu:ʃ(ə)n, -vəˌlju:-] kontrarevolution

countersign ['kaʊntəsaɪn] kontrasignera; ~ *for payment* attestera

countess ['kaʊntəs, -tes] **1** icke-brittisk grevinna **2** countess earls maka el. änka

countless ['kaʊntləs] otalig

countrified ['kʌntrɪfaɪd] lantlig; bondsk

country ['kʌntrɪ] **1** land; fosterland; *all the ~* hela landet (folket); *in this ~* här i landet, i vårt land; *appeal* (*go*) *to the ~* utlysa [ny]val, vädja till folket i val **2** landsbygd; landsort; *in the ~* a) på landet b) i landsorten; *go into the ~* fara ut på landet **3** område äv. bildl. [*this is new ~ to me*]; land, nejd; terräng; *flat ~* slättland, slättbygd **4** lantlig [~ *food*]; lant- [~ *shop*]; ~ *gentleman* lantjunkare, godsägare; ~ *place* sommarställe, hus på landet

country-and-western [ˌkʌntrɪən(d)'westən], ~ [*music*] country and western[musik]

country house [ˌkʌntrɪ'haʊs] **1** herrgård, [lant]gods **2** hus (villa) på landet

country|man ['kʌntrɪ|mən] (pl. *-men* [-mən]) **1** landsman **2** lantman; lantbo

countryside ['kʌntrɪsaɪd] landsbygd; trakt, landskap; natur; *the ~* äv. landet

county ['kaʊntɪ] **I** *s* **1** grevskap; grevskaps-; motsv. läns-; *administrative ~* grevskap som förvaltningsområde; motsv. län; *the Home Counties* grevskapen närmast London **2** amer., ung. [stor]kommun i vissa delstater; ~ *seat* centralort i storkommun **II** *adj* ung. av godsägarfamilj [*they are ~*], [herrgårds]förnäm, ståndsmässig [*it was all very ~*]

county town [ˌkaʊntɪ'taʊn] grevskapshuvudstad; motsv. residensstad

coup [ku:] kupp; *bring* (*pull*) *off a ~* göra en [lyckad] kupp

coupe [ku:p] [glass]coupe

coupé ['ku:peɪ] **1** kupé bil och vagn **2** järnv. halvkupé med en bänkrad i slutet av vagn
couple ['kʌpl] **I** *s* **1** par; *a ~ of* ett par [stycken] **2** par man och kvinna; *a married ~* ett gift (äkta) par, två äkta makar **3** jakt. koppel två hundar **II** *vb tr* **1** koppla; koppla ihop; bildl. äv. förena; *~d with* äv. i förening med, tillsammans med **2** para **3** gifta ihop
couplet ['kʌplət] rimmat verspar
coupling ['kʌplɪŋ] **1** [hop]koppling **2** kopplingsanordning
coupon ['ku:pɒn] kupong; på t.ex. postanvisning äv. mottagardel; börs. [ränte]kupong; rabattkupong; *[football] pools ~* tipskupong
courage ['kʌrɪdʒ] mod, tapperhet; *have the ~ of one's convictions* [våga] stå för sin övertygelse
courageous [kə'reɪdʒəs] modig, tapper
courgette [kʊə'ʒet] bot. el. kok. courgette, zucchini slags mindre pumpa
courier ['kʊrɪə] **1** kurir äv. i tidningsnamn; ilbud **2** reseledare
course [kɔ:s] **1** lopp; bana [*the planets in their ~s*]; *the ~ of the river* a) flodens lopp b) flodfåran **2** riktning; sjö. el. flyg. kurs [*hold (keep, change) one's ~*] **3** [för]lopp [*the ~ of events*]; vederbörlig ordning; *take a normal ~* få (ta) ett normalt förlopp, förlöpa normalt; *in the ~ of* under (inom) [loppet av]; *in the natural ~ of events* under normala förhållanden, i normala fall; *in due ~* i sinom tid **4** *of ~* naturligtvis, givetvis, ju [förstås], självklart **5** bildl. väg [*what are the ~s open to us?*]; *~ of action* handlingssätt, tillvägagångssätt; förehavande[n] **6** serie; räcka [*for a ~ of years*]; *~ of lectures* föreläsningsserie; *~ of study* studieplan **7** [läro]kurs, studiegång [*complete a certain ~ in order to graduate*] **8** med. kur; *~ of treatment* [behandlings]kur **9** rätt vid en måltid [*three ~es*]; *first ~* äv. förrätt, entrérätt **10** [golf]bana, [kapplöpnings]bana; *stay the ~* om häst löpa loppet till slut; bildl. vara uthållig, hålla ut **11** hand. kurs [*~ of exchange*]
court [kɔ:t] **I** *s* **1** kringbyggd gård, gårdsplan [*in* (på) *the ~*]; borggård; bildl. förgård; *across the ~* över gården **2** ljusgård på museum o.d. **3** liten tvärgata **4** sport. plan [*tennis ~*]; *service ~* serveruta i tennis **5** hov; hovstat; mottagning vid hovet, cour [*hold a ~*]; *at ~* vid (på) hovet [*be presented at ~*] **6** uppvaktning **7** jur. **a**) *~ [of law (justice)]* domstol, rätt **b**) rättegångsförhandlingar [*hold a ~*; *open the ~*] **c**) rättssal; *the ~* äv. domstolens (rättens) ledamöter; *inferior ~* underrätt; *superior ~* överrätt; *people's ~* folkdomstol; *in ~* inför rätta; i rätten; *in open ~* inför sittande rätt; *bring (take) a th. to ~* dra ngt inför rätta (domstol) **II** *vb tr* **1** försöka ställa sig in hos, fjäska för **2** uppvakta, fria till **3** söka vinna [*~ a p.'s approval*]; fria till [*~ the voters*]; tigga [*~ applause*] **4** *~ disaster* utmana ödet, dra olycka över sig **III** *vb itr* **1** vara på friarfärd **2** ha (gå i) sällskap
courteous ['kɜ:tjəs, 'kɔ:t-] artig, hövlig; hövisk
courtesan [ˌkɔ:tɪ'zæn] kurtisan
courtesy ['kɜ:təsɪ, 'kɔ:t-] artighet; tillmötesgående; höviskhet; *by ~* av artighet, som en artighet, för artighets skull; *[by] ~ of* a) med benäget tillstånd av b) på grund av, tack vare; *~ call (visit)* artighetsvisit, hövlighetsvisit
courtier ['kɔ:tjə] hovman; pl. *~s* äv. hovfolk
court-martial [ˌkɔ:t'mɑ:ʃ(ə)l] **I** (pl. *courts-martial* el. *court-martials*) *s* krigsrätt **II** *vb tr* ställa inför krigsrätt
courtroom ['kɔ:tru:m, -rʊm] rättssal, domsal
courtship ['kɔ:t-ʃɪp] **1** uppvaktning; *a brief ~* en kort tids uppvaktning **2** parningslek **3** bildl. frieri
courtyard ['kɔ:tjɑ:d] gård
cousin ['kʌzn] kusin; *second ~* syssling
1 cove [kəʊv] **1** liten vik **2** skyddad plats, vrå, håla **3** byggn. välvning, konkav fris
2 cove [kəʊv] ngt åld. sl. jeppe [*a queer ~*]
covenant ['kʌvənənt] avtal, kontrakt; fördrag; jur. klausul
Coventry ['kɒv(ə)ntrɪ] geogr. egenn.; *send a p. to ~* bildl. frysa ut (bojkotta) ngn
cover ['kʌvə] **I** *vb tr* **1** täcka [över]; översålla; klä [över]; belägga; *~ a book* sätta papper (omslag) om en bok **2** dölja, skyla; skyla över **3** skydda; sport. täcka; mil., om fästning o.d. behärska; *~ oneself with...* vid tippning gardera med... **4** utgöra betäckning (skydd, reserv) för **5** *~ [with a rifle]* ha under kontroll (hålla i schack) [med ett gevär] **6** sträcka sig (spänna) över [*~ a wide field* äv. bildl.]; täcka [*that ~s the meaning*]; innefatta; avse; isht hand. (om brev) innehålla; *~ thoroughly* utförligt behandla **7** tidn., radio. o.d. bevaka; täcka; referera **8** hand. täcka behov, kostnad, förlust o.d.; ersätta, betala; försäkra; *be ~ed* a) ha täckning för belopp o.d. b) försäkr. ha försäkringsskydd c) om lån vara fulltecknad **9** tillryggalägga [*~ a distance*]; klara av, hinna med [*that's all I could ~ today*] **10** betäcka sto **11** kortsp. ta (sticka) över **12** *~ in* täcka (fylla) igen; täcka till; bygga tak på (till); *~ up* dölja, skyla över; tysta ner; *~ up one's tracks* sopa igen spåren efter sig **II** *vb itr*, *~ up* [försöka] släta (skyla) över, sopa igen spåren **III** *s* **1** täcke, överdrag; omslag; fodral; huv;

hylsa; däck; sjö. kapell; *under ~* under tak **2** lock **3** pärm[ar]; *from ~ to ~* från pärm till pärm **4** kuvert; *under plain ~* [med] diskret (privat) avsändare; *under registered ~* i rekommenderat kuvert **5** skydd; betäckning äv. mil.; gömställe; bildl. täckmantel, förevändning; *take ~* ta skydd (betäckning); *under [the] ~ of* a) i skydd av b) under täckmantel av **6 a**) hand. täckning; likvid **b**) försäkring; *~ note* försäkringsintyg **7** [bords]kuvert; *~s were laid for six* det var dukat för sex **8** se *coverage 3*

coverage ['kʌvərɪdʒ] **1** hand. täckning **2** utförlig (uttömmande) behandling **3** tidn., radio. o.d. bevakning; täckning; reportage **4** spridning [*an advertisement with wide ~*]

cover charge ['kʌvətʃɑ:dʒ] kuvertavgift på restaurang

cover girl ['kʌvəgɜ:l] omslagsflicka

coverlet ['kʌvələt] [säng]överkast, [säng]täcke

covert ['kʌvət] **I** *adj* förstulen; förtäckt, maskerad [*~ threat*] **II** *s* **1** skydd, gömställe **2** snår ss. skydd för vilt; lya, remis **3** täckfjäder

covet ['kʌvɪt, -vət] trakta efter, åtrå, åstunda; bibl. begära, ha begärelse (lust) till

covetous ['kʌvɪtəs, -vət-] lysten; begärlig

1 cow [kaʊ] **1** a) ko b) hona av vissa större djur; *~ elephant* elefanthona; *till the ~s come home* vard. i det oändliga **2** vard. (neds.), om kvinna kossa; apa, markatta

2 cow [kaʊ] skrämma, kujonera; kuva

coward ['kaʊəd] **I** *s* feg stackare, kruka **II** *adj* feg

cowardice ['kaʊədɪs] feghet

cowardly ['kaʊədlɪ] **I** *adj* **1** feg **2** gemen [*a ~ lie*] **II** *adv* **1** fegt **2** gement

cowboy ['kaʊbɔɪ] **1** cowboy; *play [at] ~s and Indians* leka indianer och vita **2** amer. sl. våghals, tuffing, i tilltal [hörru] du

cower ['kaʊə] krypa ihop

cowhouse ['kaʊhaʊs] ladugård

cowl [kaʊl] **1** munkkåpa **2** huva på kåpa; *~ neck[line]* vid polokrage **3** rökhuv **4** torped i bil

co-worker [ˌkəʊ'wɜ:kə] medarbetare

cowshed ['kaʊʃed] ladugård

cowslip ['kaʊslɪp] bot. gullviva

coxswain ['kɒksweɪn, sjömansuttal 'kɒksn] **1** styrman i kapproddbåt; cox **2** rorsman; kapten på mindre båt

coy [kɔɪ] **1** vanl. om kvinna blyg; tillgjord **2** *be ~ about* svara undvikande

coyote [kɔɪ'əʊtɪ, amer. vanl. kaɪ'əʊtɪ] zool. koyot, prärievarg

1 crab [kræb] **1** a) krabba b) kräftdjur **2** vard. flatlus **3** sjö., *catch a ~* vid rodd ta ett för djupt årtag, 'fånga [en] krabba'

2 crab [kræb] vildapel; vildäpple

3 crab [kræb] vard. **I** *vb itr* kvirra, gnälla **II** *s* surkart

crack [kræk] (se äv. *cracked*) **I** *vb itr* (jfr *III*) **1** knaka; braka; knalla, smälla **2** spricka **3** kollapsa [*~ under the strain*] **4** om röst brytas

II *vb tr* (jfr *III*) **1** klatscha (knäppa, smälla) med; få att knaka [*~ the joints of one's fingers*] **2** spräcka; knäcka [*~ nuts*] **3** knäcka [*~ a problem*], forcera [*~ a code*] **4** slå (klappa) till [*~ a p. over* (i) *the head*] **5** spränga [*~ a safe*] **6** spräcka röst **7** *~ a bottle of wine* knäcka en flaska vin; *~ jokes* vitsa, skämta

III *vb tr* o. *vb itr* med adv. o. adj.:

~ **down on** vard. slå ner på

~ **open** [*a safe*] bryta upp (spränga)...

~ **up** vard. **a**) klappa ihop **b**) krascha [med], kvadda **c**) *he's not all* (*not what*) *he's ~ed up to be* så värst bra är han inte, han är överreklamerad

IV *s* **1** knakande, knall; *till the ~ of doom* bildl. till domedag **2** spricka **3** skavank; spricka [*a ~ in the façade*] **4** vard. smäll, klatsch; hårt slag [*give a p. a ~ on* (i) *the head*] **5** *at the ~ of dawn* vard. i gryningen **6** vard. spydighet; *make a ~ at a p.* ge ngn en känga **7** vard., *have a ~ at a th.* försöka [sig på] ngt **8** vard. toppman **9** sl. crack narkotika

V *adj* vard. förstklassig, finfin; mäster- [*a ~ shot*]; elit- [*a ~ player*], topp- [*a ~ team*]

cracked [krækt] **1** knäckt, spräckt **2** om röst sprucken; *his voice is ~* äv. han har kommit (är) i målbrottet **3** vard. vrickad **4** kem. krackad [*~ petrol*]

cracker ['krækə] **1** pl. *~s* knäckare, knäppare [*nut-crackers*] **2** pyrotekn. smällare; [*Christmas*] *~* smällkaramell **3** tunt [smörgås]kex; amer. kex i allm. **4** sl. baddare, panggrej; pangtjej **5** kem. tekn. kracker, krackningsanläggning

crackers ['krækəz] vard. knäpp, galen

crackle ['krækl] **I** *vb itr* knastra, knattra **II** *s* knaster, knatter

crackling ['kræklɪŋ] **1** knastrande, knattrande **2** knaprig svål på ugnstekt skinka **3** sl. pangbrud

crackpot ['krækpɒt] vard. **I** *adj* tokig [*~ ideas*] **II** *s* knäppskalle, knasboll

cradle ['kreɪdl] **I** *s* **1** vagga äv. bildl.; *rob the ~* begå barnarov gifta sig med någon som är mycket yngre än man själv **2** tele. klyka **3** med. **a**) sängbåge **b**) benspjäla **4** ställning; rörlig plattform vid byggnadsarbete **II** *vb tr* **1** a) lägga i vagga[n] b) vagga **2** *~ the telephone receiver* lägga på luren

craft [krɑ:ft] **I** *s* **1** skicklighet **2** hantverk,

konst; slöjd [*metal ~*]; *arts and ~s* pl. konsthantverk **3** list **4** (pl. lika) fartyg, skuta, båt **II** *vb tr* snitsa (snickra) till
craftsman ['krɑ:ftsmən] hantverkare; [skicklig] yrkesman; konstnär
craftsmanship ['krɑ:ftsmənʃɪp] hantverk; hantverksskicklighet, yrkesskicklighet; *a piece of fine ~* ett exempel på utsökt konsthantverk (hantverksskicklighet)
crafty ['krɑ:ftɪ] listig, slug
crag [kræg] brant (skrovlig) klippa; klippspets
cram [kræm] **I** *vb tr* **1** proppa (packa) [full]; pressa ned; [*a room*] *~ed with people* ...fullproppad med folk **2** proppa mat i; *~ oneself with food* proppa sig full med mat **3** plugga med [*~ pupils*]; drilla [*~ a p. in a subject*]; *~ a p. with* [*facts*] plugga (slå) i ngn...; *~* [*up*] plugga (slå) i sig, plugga in **II** *vb itr* **1** proppa i sig mat **2** plugga **III** *s* plugg[ande]
cramp [kræmp] **I** *s* **1** med. kramp; *writer's ~* skrivkramp **2** tekn. krampa; klammer; skruvtving **II** *vb tr* (se äv. *cramped*) **1** förorsaka kramp i; knipa ihop **2** bildl. inskränka, förlama; kringskära; *~ a p.'s style* vard. hämma ngn, platta till ngn **III** *adj* **1** krånglig, svårläst, gnetig stil o.d. **2** hopdragen, trång; stel
cramped [kræmpt] **1** alltför trång; instängd; bildl. begränsad; *be ~ for room* (*space*) ha trångt [om plats], vara trångbodd **2** hopträngd, gnetig handstil
crampon ['kræmpən] **1** lyftsax **2** isbrodd
cranberry ['krænb(ə)rɪ] bot. tranbär
crane [kreɪn] **I** *s* **1** trana **2** [lyft]kran; *overhead ~* travers **II** *vb tr* **1** flytta med [lyft]kran **2** sträcka på [*~ one's neck*]
crane fly ['kreɪnflaɪ] zool. harkrank
crank [kræŋk] **1** vev; startvev; *turn the ~* dra veven, veva **2** vard. excentrisk individ; fantast [*a food ~*] **3** amer. vard. surkart
crankshaft ['kræŋkʃɑ:ft] vevaxel
cranky ['kræŋkɪ] **1** excentrisk, vriden **2** amer. sur
cranny ['krænɪ] springa; trångt hål; vrå; *every nook and ~* alla vinklar och vrår
crap [kræp] **I** *vb itr* vulg. skita **II** *s* sl. **1** skit; *have a ~* vulg. skita **2** smörja; skitsnack
crash [kræʃ] **I** *vb itr* **1** braka, skrälla; gå i kras **2** braka iväg (fram); *~ into* [*a car*] smälla ihop (krocka) med... **3** flyg. störta **4** bildl. falla **II** *vb tr* **1** slå i kras; kvadda, krascha [med]; flyg. äv. störta med **2** vard. tränga sig på, våldgästa [*~ a party*] **III** *s* **1** brak [*a ~ of thunder*], dunder **2** olycka [*killed in a car ~*]; flyg. äv. störtning; kollision, smäll; finansiell krasch **IV** *adj* forcerad, intensiv [*~ job*], snabb- [*~ course*]; *~ programme* katastrofplan **V** *interj* o. *adv* krasch!; *go* (*fall*) *~* fara (falla) med [ett] brak
crash barrier ['kræʃ,bærɪə] motor. vägräcke
crash helmet ['kræʃ,helmɪt] störthjälm
crash-land ['kræʃlænd] kraschlanda [med]
crash-landing ['kræʃ,lændɪŋ] kraschlandning
crass [kræs] grov [*~ ignorance*]; enorm, kolossal [*~ stupidity*]; dum
crate [kreɪt] spjällåda; stor packkorg; [tom]back; *~ of beer* back [med] öl
crater ['kreɪtə] krater
cravat [krə'væt] kravatt
crave [kreɪv] **1** be om **2** *~* [*for*] längta (törsta) efter, åtrå; ha behov av **3** kräva, erfordra; *craving appetite* glupande aptit
craving ['kreɪvɪŋ] åtrå, längtan
crawl [krɔ:l] **I** *vb itr* **1** a) krypa äv. om barn; kräla, åla [sig]; smyga b) släpa (hasa) sig [fram] c) krypköra d) bildl. fjäska **2** myllra; *the ground is ~ing with ants* det kryllar av myror på marken **3** simn. crawla **II** *s* **1** krypande etc.; *~ lane* trafik. amer. krypfil; *go at a ~* bildl. krypa [fram] **2** crawl[sim] [äv. *~ stroke*]; *do the ~* crawla
crayfish ['kreɪfɪʃ] zool. el. kok. **1** kräfta **2** langust
crayon ['kreɪən, 'kreɪɒn] **I** *s* **1** [färg]krita **2** kritteckning **II** *vb tr* rita med färgkrita; bildl. skissera
craze [kreɪz] **I** *vb tr* göra [sinnes]rubbad (tokig); *~d about* tokig i **II** *s* mani; modefluga; *the latest ~* sista skriket (modet), det allra senaste
crazy ['kreɪzɪ] **1** tokig, galen äv. bildl.; vansinnig [*~ ideas*], förryckt; *it drives me ~* det gör mig galen **2** *~ pavement* (*paving*) [beläggning med] oregelbundet lagda plattor **3** *~ bone* amer., se *funny-bone*
creak [kri:k] **I** *vb itr* **1** knarra, knaka, gnissla **2** bildl. knaka i fogarna **II** *s* knarr[ande], knakande, gnissel
creaky ['kri:kɪ] **1** knarrande etc., jfr *creak I* **2** amer. förfallen [*a ~ old house*]
cream [kri:m] **I** *s* **1** grädde; *double ~* vispgrädde; *single ~* kaffegrädde **2 a**) kräm som efterrätt o. tårtfyllning; *butter ~* smörkräm **b**) crème redd soppa; *~ of tomato soup* redd tomatsoppa **c**) chokladpralin fylld med kräm **3** kräm för hud, skor m.m.; *furniture ~* möbelpolityr i krämform **4** bildl. grädda [*the ~ of society*], elit; *the ~ of* äv. det bästa av (i) **5** *~ of tartar* kem. renad vinsten, cremor tartari **6** kräm[färg] **7** cream kvalitetsbeteckning för whisky o. sherry [*C~ Sherry, Bristol C~*] **II** *adj* krämfärgad, gräddfärgad **III** *vb itr* **1** gräddsättas **2** fradga sig **IV** *vb tr* **1** skumma [grädden av]; *~* [*off*] bildl. ta ut det bästa av **2** kok. tillaga med grädde [*~ed spinach*]; *~ed potatoes* potatispuré,

finare potatismos **3** röra, vispa t.ex. smör o. socker; *~ed butter* rört smör **4** smörja in med [hud]kräm
cream cheese [ˌkri:m'tʃi:z] mjuk gräddost; *[fresh]* ~ keso ®; kvark, kvarg
creamery ['kri:m(ə)rɪ] mejeri; mjölkbutik
creamy ['kri:mɪ] a) gräddaktig; krämig b) gräddrik c) gräddfärgad
crease [kri:s] **I** *s* **1** veck, pressveck; skrynkla, rynka **2** sport. a) i kricket gränslinje; gränsområde b) i ishockey målområde **II** *vb tr* a) pressa [veck på] b) skrynkla [ned] **III** *vb itr* bli skrynklig
creaseproof ['kri:spru:f] o.
crease-resistant ['kri:srɪˌzɪst(ə)nt] skrynkelfri
create [krɪ'eɪt] **I** *vb tr* **1** skapa äv. data.; frambringa; inrätta, upprätta [*~ a new post*]; göra [*~ a sensation*]; ställa till [med] [*~ a scene*]; kreera en roll **2** utnämna **II** *vb itr* sl. bråka [*don't ~ about it*]
creation [krɪ'eɪʃ(ə)n] **1** skapande etc., jfr *create I 1*; skapelse; *the story of the C~* skapelseberättelsen **2** skapelse; verk; skapad varelse; värld **3** utnämning **4** kreation
creative [krɪ'eɪtɪv] skapande [*a ~ artist*], kreativ; skapar- [*~ power*]; meningsfylld, konstruktiv
creativity [ˌkri:eɪ'tɪvətɪ, ˌkri:ə-] kreativitet
creator [krɪ'eɪtə] skapare; upphov; *the C~* skaparen
creature ['kri:tʃə] **1** [levande] varelse; människa [*a good (lovely) ~*]; neds. individ, stycke, typ [*that horrid ~*], kräk; *poor ~* stackars krake, feg stackare; *that ~* neds. den där typen **2** om pers. kreatur, redskap [*the ~ of his boss*] **3** djur [*dumb ~s*]; amer. isht [nöt]kreatur **4** skapelse **5** *~ comforts* detta livets goda
credence ['kri:d(ə)ns] [till]tro; *give (attach) ~ to* sätta [till]tro till; *lend ~ to* göra trovärdig
credibility [ˌkredə'bɪlətɪ] trovärdighet; *~ gap* trovärdighetsklyfta, förtroendeklyfta
credible ['kredəbl] trovärdig; trolig
credit ['kredɪt] **I** *s* **1** tilltro; *give ~ to* tro [på], sätta tro till; *lend ~ to* bestyrka, stöda riktigheten av **2** ära [*get (give a p.) the ~ for a th.*], förtjänst, erkännande; heder, beröm [*I may say to his ~*]; *be a ~ to* vara en heder för **3** film. el. TV., *~s* tekniska och konstnärliga medverkande **4** hand. a) kre'dit; *on ~* på kredit (räkning) b) tillgodohavande [äv. *~ balance*]; 'kredit; *letter of ~* kreditiv, remburs; *on the ~ side* på plussidan; *to our ~* oss tillgodo **5** amer. skol. el. univ. poäng **II** *vb tr* **1** tro [på] **2** hand. kreditera [*~ an account with*]
creditable ['kredɪtəbl] hedrande [*a ~ attempt*], förtjänstfull
credit card ['kredɪtkɑ:d] kreditkort, kontokort
creditor ['kredɪtə] **1** kreditor, borgenär, fordringsägare **2** *C~* bokföringsrubrik kredit
credulity [krə'dju:lətɪ] lättrogenhet
credulous ['kredjʊləs] lättrogen
creed [kri:d] trosbekännelse; troslära, tro äv. icke-religiös [*political ~*]
creek [kri:k] **1** liten vik (bukt); flodarm **2** amer. å; [bi]flod **3** *up the ~* sl. a) i knipa b) galen, tokig; [alldeles] uppåt väggarna
creel [kri:l] **1** flätkorg; fiskkorg **2** mjärde; hummertina
creep [kri:p] **I** (*crept crept*) *vb itr* a) krypa amer. äv. om barn; kräla b) smyga [sig] c) krypköra, köra långsamt d) om växter klänga; *it crept out* det kröp (kom) fram; *it makes my flesh ~* det får det att krypa i mig, det får mig att rysa **II** *s* **1** krypande; *move at a ~* bildl. krypa [fram] **2** kryphål; låg öppning **3** *it gives me the ~s* vard. det får det att krypa i mig, det får mig att rysa **4** sl. kryp
creeper ['kri:pə] **1** krypväxt **2** zool. trädkrypare **3** *~ lane* trafik. (amer.) krypfil **4** liten plattform på hjul **5** pl. *~s* a) slags skor med mjuk sula b) amer. krypbyxor
creepy ['kri:pɪ] **1** krypande **2** vard. läskig; skräck- [*a ~ film*]
creepy-crawly [ˌkri:pɪ'krɔ:lɪ] **I** *s* vard. kryp insekt, mask o.d. **II** *adj* krypande
cremate [krɪ'meɪt] kremera, bränna isht lik
cremation [krɪ'meɪʃ(ə)n] kremering
crematori|um [ˌkremə'tɔ:rɪ|əm] (pl. *-a* [-ə])
crematory ['kremət(ə)rɪ] krematorium
creosote ['krɪəsəʊt] **I** *s* kem. kreosot ur boktjära; *[coal-tar] ~* kreosot [ur stenkolstjära] **II** *vb tr* stryka (behandla) med kreosot
crepe o. **crêpe** [kreɪp] **1** kräpp[tyg] **2** *~ paper* kräppapper; hushållspapper; *~ shoes* rågummiskor **3** kok. crêpe
crept [krept] imperf. o. perf. p. av *creep*
crescent ['kreznt, 'kresnt] **I** *s* **1** månskära **2** månens tilltagande **3** svängd husrad (gata) **4** giffel **II** *adj* **1** halvmånformig **2** astron., *~ moon* månskära
cress [kres] bot. krasse; *[garden] ~* [krydd]krasse
crest [krest] **I** *s* **1** kam på tupp; tofs på djurs huvud; mankam på häst **2** hjälmbuske; hjälmkam **3** ätts vapen [*family ~*] **4** krön, topp; bergskam; vågkam; övre kant; bildl. höjdpunkt; *be [riding] on the ~ of the wave* stå på sitt livs höjdpunkt, ha fått vind i seglen **II** *vb tr* förse med kam etc., se *I*
crestfallen ['krestˌfɔ:l(ə)n] nedslagen, slokörad, snopen, stukad
cretonne [kre'tɒn, 'kretɒn] kretong
crevasse [krə'væs] spricka isht i glaciär
crevice ['krevɪs] skreva

1 crew [kru:] imperf. av *1 crow I 1*

2 crew [kru:] **1** sjö. el. flyg. besättning; sjö. äv. manskap; *ground* ~ markpersonal **2** [arbets]lag; roddarlag; *the stage* ~ scenarbetarna **3** vard. (vanl. neds.) gäng; *a motley* ~ en brokig skara

crew cut ['kru:kʌt] snagg[ning]; *have a* ~ vara snaggad

crewneck [ˌkru:'nek, '--] rund hals[ringning]; ~ *sweater* tröja med rund hals

crib [krɪb] **I** *s* **1** a) krubba; bås; kätte b) julkrubba **2** [baby]korg; vagga; amer. babysäng; ~ *death* med. (amer.) plötslig spädbarnsdöd **3** amer. binge **4** vard. plagiat [*from*]; skol. sl. lathund; fusklapp **II** *vb tr* **1** stänga in liksom i bås **2** vard. knycka; planka, skriva av **III** *vb itr* vard. fuska, skriva av

cribbage ['krɪbɪdʒ] cribbage slags kortspel

crick [krɪk] **I** *s* sendrag [*a* ~ *in the neck*] **II** *vb tr,* ~ *one's neck* få sendrag i nacken (ibl. nackspärr)

1 cricket ['krɪkɪt] zool. syrsa

2 cricket ['krɪkɪt] sport. **I** *s* **1** kricket **2** *not* ~ ngt åld. vard. inte juste, inte rent spel **II** *vb itr* spela kricket

cricketer ['krɪkɪtə] sport. kricketspelare

crime [kraɪm] brott äv. friare; förbrytelse; brottslighet, kriminalitet [*prevent* ~]; *it's a* ~ äv. det är brottsligt (oförsvarligt), det är synd och skam

Crimea [kraɪ'mɪə] geogr.; *the* ~ Krim

crime passionel [ˌkri:mpæsjə'nel, -ʃə'nel] fr. svartsjukedrama

criminal ['krɪmɪnl] **I** *adj* **1** brottslig; straffbar; förbrytar- [~ *quarter*] **2** kriminal-; brottmåls-; brott-; *take* ~ *action against* vidtaga rättsliga åtgärder mot; ~ *court* brottmålsdomstol; ~ *law* straffrätt; *the C~ Investigation Department* kriminalpolisen i Storbr. **II** *s* brottsling, förbrytare, gärningsman

crimson ['krɪmzn] **I** *s* karmosin[rött] **II** *adj* karmosinröd [*she went* ~], karmosin- [~ *red*] **III** *vb tr* o. *vb itr* färga (bli) högröd

cringe [krɪn(d)ʒ] **1** krypa ihop liksom av rädsla; huka sig [ned] **2** krypa, svansa

crinkle ['krɪŋkl] **I** *vb itr* vecka (rynka, krusa, skrynkla) sig **II** *vb tr* rynka; kräppa; *~d paper* kräppapper **III** *s* veck; bukt; våg i hår

crinkly ['krɪŋklɪ] skrynklig; krusig

crinoline ['krɪnəlɪn, ˌkrɪnə'li:n] krinolin

cripple ['krɪpl] **I** *s* krympling; invalid **II** *vb tr* **1** göra till krympling **2** bildl. lamslå, förlama

crippled ['krɪpld] [svårt] handikappad; invalidiserad; bildl. lamslagen; obrukbar

cris|is ['kraɪs|ɪs] (pl. *-es* [-i:z]) kris, krisläge; vändpunkt; *bring things to a* ~ bringa saken till [ett] avgörande

crisp [krɪsp] **I** *adj* **1** knaprig, mör [~ *biscuits*], frasig [~ *lettuce*] **2** frisk och kylig om luft o.d.; fräsch **3** bildl. fast; kort och koncis [*a* ~ *manner of speaking*]; skarp [~ *features*] **4** vard., om sedel prasslande; ny **5** krusig **II** *s,* [*potato*] *~s* [potatis]chips **III** *vb tr* o. *vb itr* **1** göra (bli) knaprig etc., jfr *I 1* **2** krusa (krulla) [sig]

crispy ['krɪspɪ] **1** krusig **2** frasig [~ *biscuits* (*wafers*)], spröd

criss-cross ['krɪskrɒs] **I** *adj* [löpande] i kors; korsmönstrad [~ *design*]; ~ *pattern* korsmönster **II** *adv* i kors, kors och tvärs; korsvis **III** *s* kors[mönster] **IV** *vb tr* korsa med linjer; genomkorsa **V** *vb itr* korsa varandra

criteri|on [kraɪ'tɪərɪ|ən] (pl. vanl. *-a* [-ə]) kriterium, kännetecken; måttstock, rättesnöre, norm

critic ['krɪtɪk] kritiker; *music* ~ äv. musikrecensent

critical ['krɪtɪk(ə)l] **1** kritisk; kritiklysten **2** kritisk avgörande; krisartad; riskfylld; ~ *state* äv. krisläge **3** livsviktig

criticism ['krɪtɪsɪz(ə)m] a) kritik, bedömning b) kritik, [kritisk] anmärkning; *pass* ~ *on a p.* (*a th.*) kritisera (anmärka på) ngn (ngt)

criticize ['krɪtɪsaɪz] a) bedöma b) kritisera

croak [krəʊk] **I** *vb itr* **1** kraxa i olika bet.; bildl. äv. spå olycka; knorra; om groda kväka **2** sl. kola [av] dö **II** *vb tr* **1** kraxa fram **2** sl. ta kål på döda **III** *s* kraxande; kväkande

Croat ['krəʊæt] kroat

Croatia [krəʊ'eɪʃə] Kroatien

Croatian [krəʊ'eɪʃ(ə)n] kroatisk

crochet ['krəʊʃeɪ, -ʃɪ] **I** *s* **1** virkning; virkgarn **2** arkit. krabba ornament **II** *vb tr* o. *vb itr* virka

1 crock [krɒk] **1** vard. skrälle; vrak; *old* ~ bil. bilskrälle **2** gammal hästkrake

2 crock [krɒk] **1** lerkärl **2** lerskärva

crockery ['krɒkərɪ] porslin; lerkärl [äv. *crockery ware*]

crocodile ['krɒkədaɪl] **1** krokodil; krokodilskinn **2** elektr., ~ *clip* krokodilklämma

crocus ['krəʊkəs] bot. krokus

croft [krɒft] **1** jordlapp, täppa **2** isht skotsk. torp[ställe]

crofter ['krɒftə] isht skotsk. torpare

croissant ['krwɑ:sɑ̃:(ŋ), 'krwæs-] kok. (fr.) giffel

crone [krəʊn] gammal käring (häxa)

crony ['krəʊnɪ] [gammal] god vän

crook [krʊk] **I** *s* **1** krok, hake; krycka på käpp **2** herdestav; kräkla **3** böjning, krok **4** vard. bedragare, svindlare **II** *vb tr* kröka; *the* ~ *of the* (*one's*) *arm* armvecket

crooked ['krʊkɪd, i bet. 5 krʊkt] **1** krokig; slingrande **2** sned [*a ~ smile*]; *the picture is* [*hung*] *~* tavlan hänger snett (på sned) **3** vanskapt **4** ohederlig [*~ ways*]; fördärvad; förvänd, skev; *~ dealings* äv. fiffel, mygel **5** a) med krycka (krok) [på] [*a ~ stick*] b) böjd i en krok

croon [kru:n] *vb tr* o. *vb itr* **1** nynna, gnola **2** sjunga nynnande

crop [krɒp] **I** *s* **1** a) skörd [*the potato ~*]; friare äv. årsproduktion i allm. b) gröda [*the main ~s of the country*]; *standing ~s* växande gröda, gröda på rot **2** samling [*a ~ of questions* (*lies*)]; *a new ~ of students* en ny studentkull **3** zool. kräva **4** a) piskskaft b) kort [rid]piska med ögla **5** a) stubbning av hår; snagg[ning]; *wear one's hair in a ~* ha håret kortklippt (stubbat, snaggat) b) *a luxuriant ~ of hair* yppig hårväxt, ett ymnigt hårsvall **II** *vb tr* skära (hugga) av [topparna (kanterna) på]; beskära; snagga, stubba **III** *vb itr* **1** bära (ge) skörd **2** *~ out* a) gruv. gå [upp] i dagen b) visa sig, uppträda, röjas; *~ up* a) dyka upp, komma på tal b) gruv. gå [upp] i dagen

cropper ['krɒpə] vard. fall; fiasko; *come* [*down*] *a ~* a) stå på näsan, trilla [av hästen] b) köra, spricka i examen; misslyckas, göra fiasko

croquet ['krəʊkeɪ, -kɪ, amer. krəʊ'keɪ] **I** *s* krocket[spel]; *~ set* krocketspel konkr. **II** *vb tr* krockera

croquette [krɒ'ket, krə(ʊ)-] kok. krokett

cross [krɒs] **I** *s* **1** kors; kryss; bildl. äv. plåga; [*sign of the*] *~* korstecken **2** bomärke i form av ett kors; *make one's ~* sätta sitt bomärke **3** korsning äv. biol.; mellanting [*the taste is a ~ between strawberry and raspberry*] **4** *on the ~* diagonalt, snett, på snedden **5** fotb. inlägg **II** *adj* **1** kors-; kryss- äv. sjö.; *~ reference* [kors]hänvisning i bok o.d. **2** vard. ond; vresig **III** *vb tr* **1** lägga i kors [*~ one's arms* (*legs*)]; korsa över; *keep one's fingers ~ed* hålla tummen (tummarna) **2** göra korstecknet över (på); *~ oneself* korsa sig, göra korstecknet **3** sätta tvärstreck på [*~ one's t's*]; *~ a cheque* korsa en check; *~ one's* (*the*) *t's* [*and dot one's* (*the*) *i's*] vara ytterst noggrann **4** stryka; *~ out* korsa över, stryka över (ut) **5** fara (gå) [tvärs] över (genom) [*~ the sea* (*the desert*)]; gå [tvärs] över [*~ the street*]; passera, ta sig över [*~ the frontier*]; skära, korsa [*the streets ~ each other*]; komma över, överbrygga [*social barriers*]; *it ~ed my mind* det slog mig; *~ a p.'s path* komma i (korsa) ngns väg; komma (gå) i vägen för ngn **6** gå om [*your letter ~ed mine*] **7** bildl. korsa, förhindra; göra (gå) emot [*he ~es me in everything*] **8** biol. korsa **IV** *vb itr* **1** ligga i kors; korsa (skära) varandra **2** gå om (korsa) varandra [*the letters ~ed*] **3** *~* [*over*] fara (gå) över; *do not ~!* övergång förbjuden!; vänta! **4** biol. korsa sig **5** fotb. göra ett inlägg

crossbar ['krɒsbɑ:] tvärbom, tvärstycke; rigel; stång på herrcykel; sport. [mål]ribba

crossbreed ['krɒsbri:d] **I** *s* korsning, korsningsprodukt; blandras; hybrid **II** (*crossbred crossbred*) *vb tr* korsa

cross-check [ˌkrɒs'tʃek] **I** *vb tr* **1** dubbelkontrollera **2** i ishockey crosschecka **II** *s* dubbelkontroll

cross-country [ˌkrɒs'kʌntrɪ] **I** *adj* **1** [som går] genom terrängen; terräng- [*~ race* (*runner*)]; *~ skiing* längdåkning (längdlöpning) [på skidor] **2** [som går] över hela landet [*a ~ tour*] **II** *adv* genom terrängen **III** *s* terränglöpning

cross-examination ['krɒsɪgˌzæmɪ'neɪʃ(ə)n] korsförhör

cross-examine [ˌkrɒsɪg'zæmɪn] [kors]förhöra

cross-eyed ['krɒsaɪd] vindögd

crossfire ['krɒsfaɪə] korseld äv. bildl.

crossing ['krɒsɪŋ] **1** överresa **2** a) korsning; gatukorsning b) övergång vid järnväg o.d.; [*pedestrian*] *~* övergångsställe [för fotgängare]; *level* (*grade* amer.) *~* järnvägskorsning [i plan] **3** korsning äv. biol. o.d.; korsande etc., jfr *cross III* o. *IV*; *~ out* [över]strykning, överkorsning

cross-question [ˌkrɒs'kwestʃ(ə)n] **I** *vb tr* korsförhöra **II** *s* fråga i korsförhör

cross-reference [ˌkrɒs'refr(ə)ns] [kors]hänvisning i bok o.d.

crossroad ['krɒsrəʊd] **1** korsväg; tvärväg; biväg **2** *~s* (konstr. ss. sg.; pl. *~s*) vägkorsning, korsväg [*we came to a ~s*]; *be at the ~s* bildl. stå vid skiljevägen

cross-section [ˌkrɒs'sekʃ(ə)n] i genomskärning, tvärsnitt äv. bildl.

crosstalk ['krɒstɔ:k] **1** tele. el. radio. överhörning **2** vard. snabb replikväxling, bollande med repliker

crosswalk ['krɒswɔ:k] amer. övergångsställe

crosswind ['krɒswɪnd] sidvind

crosswise ['krɒswaɪz] **1** i kors **2** på tvären, tvärs [över]

crossword ['krɒswɜ:d] korsord; *~ puzzle* korsord[sgåta]

crotch [krɒtʃ] **1** klyka [*~ of a tree*]; klykformig stötta **2** skrev

crotchet ['krɒtʃɪt] **1** mus. fjärdedelsnot **2** typogr. klammer, hake **3** [konstig] idé; nyck

crotchety ['krɒtʃətɪ] vard. knarrig, vresig

crouch [kraʊtʃ] **I** *vb itr* **1** *~* [*down*] huka sig [ned], krypa ihop, ligga (sitta, stå) hopkrupen **2** bildl. krypa **II** *s* hopkrupen ställning

1 croup [kru:p] med. krupp; *true* ~ äkta krupp

2 croup [kru:p] anat. kruppa isht på häst

1 crow [krəʊ] **I** *vb itr* **1** (imperf. äv. *crew*) gala [*the cock crew*] **2** om småbarn jollra **3** a) jubla högt [*over*] b) stoltsera; *don't ~ too soon* man ska inte ropa hej förrän man är över bäcken **II** *s* tupps galande

2 crow [krəʊ] kråka; *carrion* ~ svart kråka; *as the ~ flies* fågelvägen

crowbar ['krəʊbɑ:] kofot

crowd [kraʊd] **I** *s* **1** folkmassa, folksamling; [folk]trängsel [*push one's way through the* ~]; *a large ~* [*of people*] *collected* en massa människor (folk) samlades, det blev stor folksamling **2** *the* ~ [den stora] massan **3** vard. gäng; *the usual* ~ de gamla vanliga, samma personer som vanligt **II** *vb itr* trängas; tränga sig; strömma i skaror; [*memories*] *~ed in upon me* ...trängde sig på (strömmade emot) mig; *people ~ed round* folk strömmade till **III** *vb tr* (se äv. *crowded*) a) packa (proppa) [full] [*~ a bus with children*]; fylla till trängsel; överlasta, överhopa [*~ the memory*] b) packa (pressa, köra) ihop [*~ children into a bus*] c) trängas i (på, kring) [*they ~ed the hall* (*the floor, the players*)]; trängas med [*they ~ed each other*]; *~ out* tränga ut (undan)

crowded ['kraʊdɪd] a) [full]packad etc., jfr *crowd III*; full [av folk] [*a ~ bus*], myllrande [*~ streets*] b) överbefolkad [*a ~ valley*] c) späckad [*a ~ programme*]; [innehålls]rik [*a ~ life*]; *the streets were ~* [*with people*] äv. folk trängdes (det myllrade av folk) på gatorna

crown [kraʊn] **I** *s* **1** krona isht kunglig, äv. ss. emblem; *the C~* kronan, staten **2** krans [*laurel ~*]; *martyr's ~* martyrgloria **3** krona [*a Swedish ~*] **4** a) topp, krön; hjässa äv. av berg o. valv b) [träd]krona c) [tand]krona; *drive on the ~ of the road* köra mitt i körbanan **5** [hatt]kulle **6** bildl. höjdpunkt [*the ~ of the day*] **II** *vb tr* **1** a) kröna b) bekransa; *~ a p. king* kröna ngn till konung **2** bildl. kröna [*be ~ed with success*]; prisbelöna verk; *~ed with victory* segerkrönt **3** a) bilda krönet på b) värdigt avsluta; *to ~* [*it*] *all* som kronan på verket **4** tandläk. sätta en krona på [*~ a tooth*] **5** i damspel förvandla en bricka till dam **6** sl. slå ngn i skallen

crow's-nest ['krəʊznest] sjö. mastkorg; utkik

crucial ['kru:ʃ(ə)l] avgörande [*a ~ case*; *a ~ test*], central; kritisk; mycket svår; prövande

crucifix ['kru:sɪfɪks] krucifix

crucifixion [ˌkru:sɪ'fɪkʃ(ə)n] korsfästelse; bildl. lidande, hemsökelse

crucify ['kru:sɪfaɪ] **1** korsfästa; bildl. trakassera, förfölja, pina; *~ oneself* plåga sig **2** undertrycka lidelse, begär o.d.

crude [kru:d] **I** *adj* **1** rå; obearbetad, rå-; *~ material* råämne, råmaterial; *~ oil* råolja **2** grovt tillyxad [*a ~ log cabin*]; primitiv [*~ methods* (*ideas*)], grov, enkel [*a ~ mechanism*]; outvecklad, omogen **3** grov [*~ jokes*] **4** gräll [*~ colours*]; *the ~ facts* kalla fakta, den nakna (osminkade) sanningen **II** *s* råolja

cruel [krʊəl, kru:l] grym; blodtörstig; blodig; elak; vard. gräslig

cruelty ['krʊəltɪ, 'kru:ltɪ] grymhet; äktenskaplig misshandel; *~ to animals* djurplågeri

cruet ['kru:ɪt] flaska till bordställ

cruise [kru:z] **I** *vb itr* **1** kryssa [omkring]; ligga till sjöss; vara på (delta i) kryssning **2** köra i lagom fart; om taxi köra långsamt (runt) [på jakt efter körning]; *~ at* [*70 miles an hour*] ha (köra med) en marschfart av (på)...; *cruising level* flyg. marschhöjd **3** sl. vara ute och ragga isht homosexuellt **II** *s* **1** kryssning **2** mil., *~ missile* kryssningsrobot **3** bil., *~ control* automatisk farthållare

cruiser ['kru:zə] **1** kryssare **2** ~ [*weight*] boxn. a) lätt tungvikt b) lätt tungviktare **3** amer. polisbil, radiobil; *~ light* blinkande varningsljus på utryckningsfordon

crumb [krʌm] **I** *s* **1** smula av bröd m.m. **2** bildl. [små]smula, gnutta; *a few ~s of comfort* en liten smula tröst **3** inkråm i bröd **II** *vb tr* **1** smula sönder **2** kok. beströ (blanda) med skorpmjöl **3** vard. borsta bort smulor från

crumble ['krʌmbl] **I** *vb tr* smula sönder **II** *vb itr* falla sönder; förfalla [*a crumbling edifice*] **III** *s* smulpaj [äv. *fruit ~*]

crummy ['krʌmɪ] sl. **1** [ur]kass värdelös **2** sjabbig

crumpet ['krʌmpɪt] **1** slags mjuk tekaka som rostas och ätes varm **2** sl., *a bit of ~* en pangbrud

crumple ['krʌmpl] **I** *vb tr, ~* [*up*] krama (knöla) ihop, skrynkla, knyckla [till (ihop)]; tufsa till **II** *vb itr, ~* [*up*] a) skrynkla sig, bli skrynklig; krossas [*the wings of the aircraft ~d up*] b) bildl. falla, duka under, svikta

crunch [krʌn(t)ʃ] **I** *vb tr* **1** knapra i sig **2** trampa på; knastra mot **II** *vb itr* **1** knapra **2** knastra; om snö knarra **III** *s* **1** knaprande; knastrande **2** vard., *that's the ~!* det är det som är kruxet; *when it comes to the ~* när det kommer till kritan, när det verkligen gäller

crunchy ['krʌn(t)ʃɪ] knaprig; knastrande

crusade [kru:'seɪd] **I** *s* korståg; bildl. äv. kampanj **II** *vb itr* börja (delta i) ett korståg (en kampanj)
crusader [kru:'seɪdə] korsfarare; bildl. [för]kämpe
crush [krʌʃ] **I** *vb tr* **1** krossa; mala (stampa, klämma) sönder illa **2** pressa; *he ~ed his hat over his eyes* han tryckte ned hatten över ögonen **3** skrynkla till **4** bildl. krossa, kuva; *our hopes have been ~ed* våra förhoppningar har grusats (krossats) **II** *vb itr* **1** krossas **2** skrynkla sig **III** *s* **1** krossande; kläm, pressning **2** trängsel; massa folk **3** vard., *have a ~ on* svärma för **4** fruktdryck, fruktdrink
crush barrier ['krʌʃˌbærɪə] [järn]barriär avspärrning vid folksamling o.d.; kravallstaket
crust [krʌst] **I** *s* **1** skorpa, kant på bröd o.d. **2** skorpa på sår **II** *vb itr* täckas av (få, bilda) [en] skorpa
crustacean [krʌ'steɪʃjən] **I** *s* kräftdjur **II** *adj* kräftdjurs-, skaldjurs-
crusty ['krʌstɪ] vard. sur; vresig
crutch [krʌtʃ] **1** krycka; bildl. stöd **2** sjö. stävband akterut; klyka **3** skrev
crux [krʌks] krux; *the ~ of the matter* den springande punkten; sakens kärna
cry [kraɪ] **I** *vb itr* **1** ropa; utropa **2** gråta **3** med adv. o. prep.: *~ for* ropa på (efter), kräva; gråta efter (för att få); skrika (gråta) av [*~ for joy*]; *~ out* ropa högt, skrika till **II** *vb tr* **1** ropa, skrika; *~ out* utropa **2** gråta [*~ oneself to sleep*] **3** med adv.: *~ down* fördöma, göra ner **III** *s* **1** rop, skrik; ropande; *a far (long) ~* lång väg, långt äv. bildl. [*from* ifrån] **2** gråtstund; *have a good ~* gråta ut **3** ramaskri; [opinions]storm [*raise a ~ against*]; allmän opinion **4** stridsrop; lösen[ord]; slagord **5** djurs skri; skall
cry-baby ['kraɪˌbeɪbɪ] lipsill; gnällmåns
crying ['kraɪɪŋ] [himmels]skriande [*~ evil*]; uppenbar; trängande [*~ need*]; *it's a ~ shame* det är en evig skam (synd och skam)
crypt [krɪpt] krypta; gravvalv
cryptic ['krɪptɪk] kryptisk; dunkel
crystal ['krɪstl] **I** *s* **1** kristall [*salt ~s*] **2** *~ [glass]* kristall, kristallglas **3** klockglas **II** *adj* kristall-, kristallklar; *~ ball* kristallkula
crystal-clear [ˌkrɪst(ə)l'klɪə] kristallklar
crystallize ['krɪstəlaɪz] **I** *vb tr* **1** kristallisera **2** bildl. utkristallisera, ge form åt **3** kok. kandera [*~ fruit[s]*] **II** *vb itr* kristallisera[s]; bildl. utkristallisera sig
cub [kʌb] **I** *s* **1** zool. unge isht av räv, varg, björn, lejon, tiger, val **2** vard. [pojk]valp, spoling **3** gröngöling, nybörjare [äv. *~ reporter*] **4** *~ [scout]* miniorscout; tidigare benämning vargunge **II** *vb tr* föda **III** *vb itr* yngla
Cuba ['kju:bə] Kuba
Cuban ['kju:bən] **I** *s* kuban **II** *adj* kubansk; *~ heel* halvhög klack, militärklack
cube [kju:b] **I** *s* **1** kub; tärning; *~ sugar* kubformat bitsocker **2** matem. kub; *~ root* kubikrot **II** *vb tr* **1** upphöja till tre (till tredje potensen, i kub); dra kubikroten ur **2** skära i tärningar
cubic ['kju:bɪk] kubisk; kubik-; tredimensionell; *~ capacity* volym; bil. o.d. cylindervolym, slagvolym; *~ measure* rymdmått, kubikmått; *~ metre* kubikmeter, m^3
cubicle ['kju:bɪkl] **1** hytt, bås, avbalkning **2** sovcell i skola o.d.
cuckoo ['kʊku:, interj. vanl. ˌkʊ'ku:] **I** *s* **1** zool. gök **2** galande; kuku **3** vard. dumskalle **II** *vb itr* gala **III** *interj* barnspr., *~!* kuku!; tittut! **IV** *adj* sl. tokig, tossig
cuckoo clock ['kʊku:klɒk] gökur
cucumber ['kju:kʌmbə] gurka; *cool as a ~* vard. lugn som en filbunke
cud [kʌd] boll av idisslad föda; *chew the ~* idissla; bildl. fundera länge, [gå (sitta) och] grunna
cuddle ['kʌdl] **I** *vb tr* omfamna **II** *vb itr, ~ [up]* krypa tätt tillsammans (ihop); ligga hopkrupen, kura ihop sig **III** *s* omfamning, kram
cuddly ['kʌdlɪ] kelig, smeksam; kramgo[d]; *~ doll* kramdocka
cudgel ['kʌdʒ(ə)l] **I** *s* [knöl]påk; *take up the ~s* kraftigt ingripa [*for* till försvar för], bryta en lans [*for* för] **II** *vb tr* klå
1 cue [kju:] **I** *s* **1** teat. stickreplik, slutord i replik; signal; infallstecken äv. mus.; vink, antydning; *miss a ~* a) missa en stickreplik (entré) b) vard. missa (inte förstå) poängen; *take one's ~ from a p.* rätta sig efter ngn, följa ngns exempel **2** roll **3** *~ button* på bandspelare o.d. framspolningsknapp **II** *vb tr* tekn., *~ in* sätta (lägga) in [*~ in a sound effect*]
2 cue [kju:] **1** [biljard]kö **2** åld. stångpiska
1 cuff [kʌf] **I** *vb tr* slå till med knytnäven el. flata handen; örfila upp **II** *s* örfil
2 cuff [kʌf] **1** ärmuppslag; amer. äv. byxuppslag **2** manschett **3** *off the ~* vard. på stående fot, på rak arm, improviserat
cuff link ['kʌflɪŋk] manschettknapp
cuisine [kwɪ'zi:n] kök
cul-de-sac [ˌkʊldə'sæk, 'kʌldəsæk] (pl. *culs-de-sac* [utt. som sg.] el. *cul-de-sacs* [-s]) återvändsgränd
culinary ['kʌlɪnərɪ, 'kju:l-] kulinarisk; köks-, mat-
culminate ['kʌlmɪneɪt] kulminera
culmination [ˌkʌlmɪ'neɪʃ(ə)n] kulmen, höjdpunkt; kulmination äv. astron.

culottes [kjʊ'lɒts] byxkjol
culpable ['kʌlpəbl] straffvärd; skyldig; klandervärd
culprit ['kʌlprɪt] missdådare; *the* ~ äv. den skyldige, boven i dramat
cult [kʌlt] **1** kult; dyrkan **2** sekt **3** modefluga; ~ *word* modeord
cultivable ['kʌltɪvəbl] odlingsbar
cultivate ['kʌltɪveɪt] **1** bruka, bearbeta jord; odla **2** odla [~ *one's mind* (själ)], förfina; öva
cultivated ['kʌltɪveɪtɪd] **1** kultiverad **2** [upp]odlad; ~ *mushroom* odlad champinjon
cultivation [ˌkʌltɪ'veɪʃ(ə)n] **1** brukning av jord; kultur; odling; *bring land into* ~ odla upp mark **2** bildl. odling, utveckling **3** bildning, själskultur
cultural ['kʌltʃ(ə)r(ə)l] kulturell; ~ *clash* kulturkrock, kulturkollision
culture ['kʌltʃə] **I** *s* **1** kultur [*Greek* ~]; bildning [*universities should be centres of* ~]; [andlig] odling; *a man of* ~ en kultiverad (bildad) människa **2** biol. o.d. odling; kultur [~ *of bacteria*] **II** *vb tr* **1** odla, förfina [~*d taste*]; ~*d people* kultiverade (bildade) människor **2** odla [~ *bacteria*; ~*d pearls*]
cumbersome ['kʌmbəsəm] hindersam; ohanterlig; tung; klumpig
cumulative ['kju:mjʊlətɪv, -leɪt-] som hopar sig, [ac]kumulativ, växande; hopad, ackumulerad [*the* ~ *wealth of generations*], ökad; bekräftande [~ *evidence*]; upprepad [~ *offences*]
cunning ['kʌnɪŋ] **I** *adj* **1** slug **2** amer. vard. söt, lustig **II** *s* slughet
cunt [kʌnt] vulg. fitta
cup [kʌp] **I** *s* **1** kopp äv. ss. mått ung. $^1/_4$ liter [*two* ~*s of sugar*]; bägare äv. bildl.; kalk äv. bildl. [*the* ~ *of a flower*; *the* ~ *of humiliation*]; [liten] skål äv. bot.; *the* ~ *was full* måttet var rågat; *in one's* ~*s* [på väg att bli] berusad (glad); *drain the* ~ *of bitterness* tömma den bittra kalken **2** [pris]pokal; *challenge* ~ vandringspokal, vandringspris **3** anat. ledskål **4** kupa på behå **5** bål dryck [*claret-cup*] **II** *vb tr* kupa [~ *one's hand*]; *he* ~*ped his ear with his hand* han höll (kupade) handen bakom örat
cupboard ['kʌbəd] skåp; skänk
cupful ['kʌpfʊl] (pl. ~*s* el. *cupsful*) kopp ss. mått
Cupid ['kju:pɪd] **I** Cupido, Kupido; ~*'s bow* amorbåge **II** *s* amorin
cupidity [kjʊ'pɪdətɪ] **1** snikenhet **2** åld. lystnad
cupola ['kju:pələ] kupol; lanternin
cup tie ['kʌptaɪ] fotb. cupmatch
cur [kɜ:] **1** bondhund, byracka **2** ynkrygg; usling
curable ['kjʊərəbl] botlig, botbar
curate ['kjʊərət] [kyrko]adjunkt; *it's like the* ~*'s egg* det är varken bra eller dåligt (varken det ena eller det andra)
curator [ˌkjʊə'reɪtə] **1** intendent vid museum o.d.; [avdelnings]chef **2** tillsyningsman; vaktmästare
curb [kɜ:b] **I** *s* **1** kindkedja på stångbetsel **2** bildl. band, tygel; bromsande effekt; kontroll [~ *on* (över) *rising prices*]; *put (keep) a* ~ *on* lägga band på, hålla i schack **3** amer., se *kerb* **II** *vb tr* hindra, hålla i styr [~ *one's impatience*], tygla
curbstone ['kɜ:bstəʊn] amer., se *kerbstone*
curd [kɜ:d] **1** vanl. pl. ~*s* ostmassa **2** slags smörkräm med smaktillsats, jfr *lemon curd*
curdle ['kɜ:dl] **I** *vb tr* ysta; ~*d milk* filbunke, filmjölk **II** *vb itr* löpna, ysta sig, koagulera; stelna; *it made my blood* ~ det kom blodet att isas i ådrorna på mig
cure [kjʊə] **I** *s* **1** botemedel äv. bildl. **2** kur; bot; botande; tillfrisknande **3** själavård [äv. ~ *of souls*] **II** *vb tr* **1** bota, läka **2** konservera genom saltning, rökning, torkning o.d.; göra hållbar
curettage [kjʊə'retɪdʒ, kjʊərə'tɑ:ʒ] med. kyrettage, skrapning
curfew ['kɜ:fju:] **1** [signal för] utegångsförbud; *lift a* ~ häva ett utegångsförbud **2** hist. aftonringning
curio ['kjʊərɪəʊ] (pl. ~*s*) kuriositet konstsak
curiosity [ˌkjʊərɪ'ɒsətɪ] **1** vetgirighet; nyfikenhet; ~ *killed the cat* ordst. nyfiken i en strut **2** märkvärdighet; kuriositet, antikvitet
curious ['kjʊərɪəs] **1** vetgirig; nyfiken [~ *to* ([på] att) *know*] **2** egendomlig, underlig
curl [kɜ:l] **I** *vb tr* krulla, locka; krusa äv. vattenyta, läppar; kröka [*he* ~*ed his lips in a sneer*]; sno [~ *one's moustache*; ~ *one leg around the other*]; slå knorr på svansen; ~ *up one's legs* dra upp benen under sig **II** *vb itr* **1** locka (krusa, kröka, ringla, slingra) sig; *her hair* ~*s naturally* hon har självlockigt hår **2** *it made my hair* ~ det fick håret att resa sig [på huvudet] på mig **III** *s* **1** [hår]lock; *in* ~ lockig, krusig **2** ring, bukt; pl. ~*s* äv. ringlar **3** krusning; lockighet
curler ['kɜ:lə] **1** [hår]spole **2** curlingspelare
curlew ['kɜ:lju:] zool. spov; isht storspov; ~ *sandpiper* spovsnäppa, spovvipa
curling ['kɜ:lɪŋ] **1** lockande (krusande) etc., jfr *curl II* **2** sport. curling
curly ['kɜ:lɪ] lockig, krusig
currant ['kʌr(ə)nt] **1** korint **2** vinbär [*black (red)* ~*s*]
currency ['kʌr(ə)nsɪ] **1 a**) utbredning, spridning [*give* ~ *to* (åt) *a report*]; allmänt gehör; *words in common* ~ allmänt gängse (brukade) ord **b**) livstid [*many slang words*

have short ~], gångbarhet; giltighetstid [*during the entire* ~ *of the lease*] **2** valuta; pengar i omlopp; sedlar [*coin and* ~], betalningsmedel; *paper* ~ papperspengar
current ['kʌr(ə)nt] **I** *adj* **1** gångbar; bildl. gängse, allmän [~ *opinions*]; aktuell [~ *fashions*], rådande [*the* ~ *crisis*]; *words that are no longer* ~ ord som inte används längre; *be* ~ a) gälla b) vara allmänt godtagen (erkänd) **2** innevarande, löpande; dagens, denna veckas (månads osv.) [*the* ~ *issue of the magazine*]; aktuell; [nu] gällande; *at the* ~ *rate of exchange* till gällande kurs, till dagskurs; ~ *account* **II** *s* **1** ström; strömdrag **2** [elektrisk] ström; strömstyrka **3** strömning, tendens
currently ['kʌr(ə)ntlɪ] **1** just nu **2** obehindrat, flytande
curricul|um [kə'rɪkjʊl|əm] (pl. *-a* [-ə] el. *-ums*) läroplan, kursplan, undervisningsplan
curriculum vitae [kəˌrɪkjʊləm'vi:taɪ, -'vaɪti:] (pl. *curricula vitae* [-lə'v-]) lat., ung. kort levnadsbeskrivning, meritförteckning vid platsansökan o.d.
1 curry ['kʌrɪ] **I** *s* **1** curry[pulver] **2** curryrätt; *chicken* ~ höns i curry[sås], currystuvat höns **II** *vb tr* tillaga (krydda) med curry[pulver]
2 curry ['kʌrɪ] **1** rykta **2** bereda läder **3** ~ *favour* ställa sig in [*with* hos], fjäska [*with* för] **4** vard. klå, prygla
curse [kɜ:s] **I** *s* **1** förbannelse; svordom; *not worth a* ~ vard. inte värd ett jäkla dugg **2** gissel, förbannelse **3** kyrkans bann **II** *vb tr* **1** förbanna, fördöma; ~ *you!* sl. tusan också! **2** hemsöka; *be ~d with* ha fått för sina synders skull, ha blivit drabbad av **III** *vb itr* svära; ~ *and swear* svära och domdera (gorma)
cursed ['kɜ:sɪd] förbannad
cursor ['kɜ:sə] data. markör
cursory ['kɜ:s(ə)rɪ] hastig [~ *glance*], ytlig
curt [kɜ:t] **1** kort [till sättet], brysk [~ *answer*], tvär **2** kort[fattad]
curtail [kɜ:'teɪl] korta av, förkorta, knappa av (in) på; inskränka; minska
curtain ['kɜ:tn] **I** *s* **1** gardin; draperi, förhänge; [säng]omhänge; skynke; bildl. slöja; *draw the ~s* dra för gardinerna **2** ridå [*the* ~ *rises* (*falls*)]; ~ *speech* teat. tal till publiken från scenen; ~*!* tablå! **3** sl., pl. *~s* slutet **II** *vb tr* sätta upp gardiner i [~ *a window*]; förse (skyla) med ett draperi (förhänge); ~ *off* dela (skärma) av med ett draperi (förhänge)
curtain call ['kɜ:tnkɔ:l] teat. inropning
curtain rod ['kɜ:tnrɒd] gardinstång
curtsey ['kɜ:tsɪ] **I** *s* nigning, knix; *make* (*drop*) *a* ~ göra en nigning, niga **II** *vb itr* niga
curvaceous [kɜ:'veɪʃəs] vard., om kvinna kurvig
curvature ['kɜ:vətʃə] krökning, buktning; bågform
curve [kɜ:v] **I** *s* kurva äv. matem.; krok[linje]; pl. *~s* äv. kvinnas runda former, kurvor **II** *vb tr* böja **III** *vb itr* böja (kröka) sig
curved [kɜ:vd] böjd
cushion ['kʊʃ(ə)n] **I** *s* **1** kudde; underlägg under matta o.d.; ~ [*sole*] mjuk inläggssula **2** valk under hår el. kjol **3** bilj. vall **4** a) tekn. luftkudde [äv. ~ *of air*]; stötdämpande [ång]tryck b) bildl. buffert **II** *vb tr* **1** förse (skydda) med kuddar; madrassera, stoppa [*~ed seats*] **2** i tysthet undertrycka **3** dämpa [~ *the effects of the crisis*]; utjämna; underlätta; *be ~ed against...* skyddas mot... **4** bilj. dubblera
cushy ['kʊʃɪ] vard. lätt och välbetald, bekväm, latmans- [~ *job*]
cuss [kʌs] vard. **I** *s* **1** förbannelse; *I don't give* (*care*) *a* ~ det skiter jag i, det bryr jag mig inte ett dugg om **2** individ [*a mean* ~] **II** *vb tr* o. *vb itr* förbanna; svära; ~ *out* amer. svära över
cussed ['kʌsɪd] vard. **1** fördömd **2** envis, omöjlig; *be in a* ~ *mood* vara på trotshumör
custard ['kʌstəd] slags [ägg]kräm; vaniljsås; *baked* ~ slags äggkaka
custodian [kʌ'stəʊdjən] **1** förmyndare; vårdare **2** väktare; tillsyningsman; intendent
custody ['kʌstədɪ] **1** förmynderskap; vård **2** [fängsligt] förvar; *take into* ~ arrestera, anhålla
custom ['kʌstəm] **I** *s* **1** sed[vänja], bruk, vana [*do not be a slave to* (under) ~]; skick och bruk; kutym; *it has become the* ~ *for people to...* det har blivit vanligt [bland folk] att... **2** jur. gammal hävd **3** pl. *~s* tull[ar], tullavgift[er]; *the Customs* tullen **4** hand.: **a**) *give one's* ~ *to* bli kund hos **b**) kundkrets, kunder **II** *adj* isht amer. gjord på beställning; beställnings- [~ *tailors*]; ~ *clothes* skräddarsydda (måttbeställda) kläder
customary ['kʌstəm(ə)rɪ] vanlig, sedvanlig; jur. hävdvunnen
custom-built ['kʌstəmbɪlt] specialbyggd [~ *limousine*]
customer ['kʌstəmə] **1** kund; gäst på restaurang **2** vard. individ; *he is an awkward* ~ han är inte god att tas med
custom-made ['kʌstəmmeɪd] gjord på beställning (efter mått); måttbeställd [~ *clothes*]
cut [kʌt] **A** (*cut cut*) *vb* **I** *tr* **1** skära [i] äv. bildl. [*it* ~ *me to* (i) *the heart*] **2** skära (hugga, klippa) [av (sönder)]; klippa; fälla

[~ *timber*]; *have one's hair* ~ [låta] klippa håret; ~ *to pieces* skära (klippa) sönder (i stycken); bildl. slå i spillror; nedgöra **3** skära [för] kött o.d.; ~ *it fine* vard. komma i sista sekunden, nätt och jämnt klara det **4** skära (bryta) igenom; gå genom **5** ~ *one's teeth* få tänder **6** skära ner, knappa in på, minska; korta av **7** bryta filmning, del av radioprogram o.d.; stryka [~ *a scene*]; stoppa [ofta ~ *off*]; sluta med [~ [*out*] *that noise!*]; ~ *a p. short* avbryta ngn [tvärt] **8** tillverka genom skärning o.d.; göra [~ *a key*], skära (hugga) [till (ut, in)]; snida; gravera; slipa sten, glas; gräva (hugga) [ut] **9** kortsp. a) kupera [~ *the cards*] b) dra [~ *a card*] **10** vard., ~ *a p.* [*dead*] behandla ngn som luft **11** vard. ge upp, skolka från [~ *a lecture*], skippa; ~ *one's losses* avveckla en förlustbringande affär, dra sig ur spelet

II *itr* **1** skära, hugga; bita [*the knife ~s well*]; bryta; *it ~s both ways* bildl. det är på både gott och ont; det verkar i bägge riktningarna **2** kortsp. kupera **3** vard. kila; smita; ~ *and run* sticka **4** ~ *loose* a) slita sig loss b) slå sig lös c) sjö. kapa förtöjningarna

III *tr* o. *itr* med prep. o. adv. isht med spec. övers.:

~ **across**: **a**) skära igenom **b**) bildl. skära [tvärs]över ([tvärs]igenom) [~ *across all party lines*] **c**) ta en genväg

~ **at**: **a**) slå (hugga) på **b**) bildl. drabba hårt

~ **away** skära (hugga) bort (av)

~ **back** skära ner; bildl. skära ner [på], göra inskränkningar [i]

~ **down**: **a**) hugga ner, meja ner **b**) knappa in på, minska [~ *down expenses*]

~ **in**: **a**) skära (hugga) in; gravera **b**) blanda sig i (avbryta) samtalet **c**) ~ *in* [*on a p.*] i dans ta ngns partner **d**) trafik. tränga sig in i [bil]kön, göra en snäv omkörning **e**) ~ *a p. in on the profit* låta ngn få vara med och dela vinsten

~ **into**: **a**) göra ett ingrepp i **b**) skära in i **c**) inkräkta på

~ **off**: **a**) hugga (skära, kapa) av (bort) **b**) skära av äv. bildl.; isolera, avstänga **c**) göra slut på, dra in [~ *off an allowance*] **d**) [av]bryta [~ *off an engine*; ~ *off the gas supply*] **e**) avspisa; ~ *a p. off with a shilling* skämts. göra ngn arvlös

~ **out**: **a**) skära (hugga) ut; ~ *out a path* hugga sig en stig, hugga (bana) sig väg **b**) klippa (skära) till; *be ~ out for* vara som klippt och skuren för (till) **c**) vard. skära bort [~ *out unimportant details*]; sluta upp med [~ *out tobacco*]; slopa [~ *out afternoon tea*]; ~ *it out!* lägg av! **d**) tränga ut [~ *out all rivals*], peta **e**) elektr. koppla (slå) ifrån **f**) om motor koppla ur [*one of the engines ~ out*] **g**) ~ *out of* beröva [~ *a p. out of his share*] **h**) skymma [~ *out the view*]

~ **over** ta en genväg [över]

~ **through** ta en genväg [över (genom)]

~ **under** hand. vard. bjuda under

~ **up**: **a**) skära [sönder (upp)], stycka; hugga sönder, dela [~ *up timber*] **b**) klippa (skära) till [~ *up cloth*] **c**) vard. såra djupt, stöta [*she was ~ up by his remark*] **d**) bedröva [*she was very ~ up after the funeral*] **e**) ~ *up rough* (*nasty*) börja bråka, ilskna till **f**) ~ *up well* (*fat*) vard. lämna efter sig en vacker slant

B *adj*, ~ *flowers* lösa blommor, snittblommor; *at ~ price* till underpris

C *s* **1** skärning; genomskärning; klippning **2** hugg; rapp [*a ~ with a whip*], slag; snitt [*a ~ of the knife*], klipp [*a ~ of the scissors*]; ~ *and thrust* a) hugg och stöt, närkamp b) bildl. ordväxling, hugg och mothugg **3** skåra, rispa; *a ~ above me* vard. a) ett pinnhål högre än jag b) lite för svårt (för fint) för mig **4** nedsättning [~ *in prices*], nedskärning [~ *in salaries*], minskning **5** gliring [*that remark was a ~ at me*] **6** stycke; skiva [*a ~ off the joint*] **7** strykning [*~s in the play*], klipp **8** snitt [*the ~ of a suit*] **9** [*short*] ~ genväg **10** kupering av kort **11** sl. andel i vinsten

cutaway ['kʌtəweɪ] **I** *s* **1** jackett **2** genomskuren bild (modell); sprängteckning **II** *adj* **1** avskuren; ~ *coat* jackett **2** genomskuren så att man kan se det inre; i genomskärning [~ *model*]

cute [kju:t] vard. **1** fyndig; smart [*a ~ businessman*] **2** söt, rar, näpen; trevlig **3** amer. konstlad

cuticle ['kju:tɪkl] **1** ytterhud; hinna **2** nagelband

cutlery ['kʌtlərɪ] **1** knivsmide **2** koll. matbestick; knivar, eggverktyg

cutlet ['kʌtlət] **1** kotlett; [kött]skiva **2** [pann]biff

cut-price ['kʌtpraɪs, ˌ-'-], ~ *shop* ung. lågprisaffär

cutthroat ['kʌtθrəʊt] **I** *s* **1** mördare **2** = *II 2* **II** *adj* **1** mordisk; bildl. mördande [~ *competition*] **2** ~ *razor* vard. rakkniv **3** ~ *bridge* trehandsbridge

cutting ['kʌtɪŋ] **I** *adj* **1** skärande; ~ *angle* skärvinkel **2** bitande, sårande [~ *remark*], skarp **3** bitande, snål [~ *wind*] **II** *s* **1** a) skärande, huggning, klippning etc., jfr *cut A I* o. *II* b) vard. ignorerande av bekanta c) hand. vard. undersäljning, försäljning till underpris **2** avskuret stycke; urklipp [*press ~*] **3** trädg. stickling **4** ~ *flowers* snittblommor

cuttlefish ['kʌtlfɪʃ] bläckfisk

cyanide ['saɪənaɪd] kem. cyanid; *potassium ~* cyankalium
cybernetics [ˌsaɪbə'netɪks] (konstr. ss. sg.) cybernetik
cyclamen ['sɪkləmən, saɪk-] bot. cyklamen; alpviol
cycle ['saɪkl] **I** *s* **1** cykel; krets[lopp], omloppstid; period; takt i förbränningsmotor; *~s per second* svängningar per sekund **2** serie; *the Arthurian ~* Artursagan **3** cykel; ibl. motorcykel; *~ path* cykelväg **II** *vb itr* **1** cykla **2** kretsa
cyclist ['saɪklɪst] cyklist; *Cyclists' Touring Club* ung. Cykelförbundet
cyclone ['saɪkləʊn] cyklon, virvelvind
cygnet ['sɪgnət] ung svan
cylinder ['sɪlɪndə] **1** cylinder, rulle; *~ block* bil. cylinderblock, motorblock; *~ head gasket* bil. topplockspackning **2** lopp i eldvapen
cynic ['sɪnɪk] cyniker
cynical ['sɪnɪk(ə)l] cynisk
cynicism ['sɪnɪsɪz(ə)m] **1** cynism; människoförakt **2** filos. (hist.), *C~* kynism
cypress ['saɪprəs] bot. cypress
Cypriot ['sɪprɪət] **I** *adj* cypriotisk **II** *s* cypriot, invånare på Cypern
Cyprus ['saɪprəs] Cypern
cyst [sɪst] med. **1** cysta **2** [urin]blåsa
cystitis [sɪ'staɪtɪs] med. blåskatarr, cystit
czar [zɑ:, tsɑ:-] **1** hist. tsar **2** amer. magnat
Czech [tʃek] **I** *s* tjeck **II** *adj* tjeckisk; *the ~ Republic* Tjeckiska republiken, Tjeckien
Czechoslovakia [ˌtʃekə(ʊ)slə(ʊ)'vækɪə, -'vɑ:kɪə] geogr. (hist.) Tjeckoslovakien
Czechoslovakian [ˌtʃekə(ʊ)slə(ʊ)'vækɪən, -'vɑ:kɪən] **I** *adj* tjeckoslovakisk **II** *s* tjeckoslovak

D

D, d [di:] (pl. *D's* el. *d's* [di:z]) **1** D, d **2** mus., *D major* D-dur; *D minor* D-moll
'd [d] = *had; would, should* [*he'd = he had* el. *he would; I'd* äv. = *I should*]; *did* [*where'd he go?*]
d- [di:] = *damn* o. *damned* ss. svordom
DA [ˌdi:'eɪ] amer. förk. för *District Attorney*
1 dab [dæb] zool. sandskädda; plattfisk i allm.
2 dab [dæb] **I** *vb tr* slå (klappa) till lätt; torka; badda [*~ a sore with disinfectant*] **II** *s* lätt slag; lätt tryckning, beröring
dabble ['dæbl] **1** plaska **2** amatörmässigt syssla litet, fuska; *~ with the idea of doing a th.* leka med tanken på att göra ngt
dabbler ['dæblə] klåpare; amatör
dachshund ['dæksənd] zool. tax
dad [dæd] vard. pappa
daddy ['dædɪ] vard. pappa
daddy-longlegs [ˌdædɪ'lɒŋlegz] (konstr. ss. sg. el. pl.; pl. lika) zool. pappa långben harkrank
daffodil ['dæfədɪl] påsklilja
daft [dɑ:ft] vard. tokig, fånig
dagger ['dægə] dolk; *they are at ~s drawn* de tål inte varandra
dahlia ['deɪljə, amer. vanl. 'dæljə] bot. dahlia
daily ['deɪlɪ] **I** *adj* daglig; *~ dozen* ung. morgongymnastik **II** *adv* dagligen **III** *s* **1** daglig tidning, dagstidning **2** daglig städhjälp (hemhjälp)
dainty ['deɪntɪ] **I** *s* läckerbit **II** *adj* **1** läcker **2** utsökt, täck; skör, bräcklig [*~ china*] **3** kräsen
dairy ['deərɪ] **1** mejeri **2** mjölkaffär
dairy cattle ['deərɪˌkætl] mjölkboskap
dairy farm ['deərɪfɑ:m] gård med mjölkdjur (mejeri[rörelse])
dairymaid ['deərɪmeɪd] [kvinnlig] mejerist
dais ['deɪɪs, deɪs] podium; estrad
daisy ['deɪzɪ] **1** bot. tusensköna; *pushing up* [*the*] *daisies* sl. död och begraven **2** sl. fin grej
daisy-wheel ['deɪzɪwi:l] skrivhjul på skrivmaskin; *~ printer* data. skönskrivare, typhjulsskrivare
dale [deɪl] isht nordeng. [liten] dal äv. poet.; *the* [*Yorkshire*] *D~s* dalarna i Yorkshire
dally ['dælɪ] **1** *~ with* leka med, inte ta på allvar [*~ with a p.'s feelings*] **2** flörta, kurtisera; smekas **3** förspilla tiden; söla
1 dam [dæm] om djur moder
2 dam [dæm] **I** *s* damm **II** *vb tr*, *~* [*up*] dämma av (för, till, upp) [*~* [*up*] *a river*]; bildl. hålla inne med, hålla tillbaka [*~ up one's feelings* (*tears*)]

damage ['dæmɪdʒ] **I** *s* **1** (utan pl.) skada [*the storm did great ~ to* (på) *the crops*]; förlust **2** pl. *~s* jur. skadeersättning, skadestånd; [*he claimed £1,000*] *~s* ...i (som) skadestånd **3** vard. kostnad; *what's the ~?* vad kostar kalaset? **II** *vb tr* o. *vb itr* skada [*~ one's cause*], tillfoga skada; vara skadlig [för]; skadas [*soft wood ~s easily*]

dame [deɪm] **1** poet., *D~ Fortune* fru Fortuna **2** Dame titel på [kvinnlig] riddare av vissa ordnar (motsv. *Knight* med titeln *Sir*) [*D~ Edith* [*Evans*]] **3** isht amer. sl. fruntimmer

damn [dæm] **I** *vb tr* **1** vard. förbanna; *~ it!* tusan (jäklar, sablar) också!; *~ you* (*him*), *you've* (*he's*) *lost it again!* fan ta dig (honom), nu har du (han) tappat den igen! **2** förkasta, döma ut [*~ a play*]; *~ a p. with faint praise* klandra ngn genom halvhjärtat beröm **II** *vb itr* svära **III** *s* vard., *I don't care* (*give*) *a ~ if...* jag ger sjutton i om...; *I don't care* (*give*) *a ~* det ger jag sjutton (tusan) i **IV** *adv* vard. förbaskat [*~ good*] **V** *adj* vard. förbaskad [*~ fool!*] **VI** *interj* vard., *~!* tusan (jäklar, sablar) också!

damnation [dæm'neɪʃ(ə)n] **I** *s* fördömelse [*eternal ~*] **II** *interj* vard., *~!* tusan också!

damned [dæmd] **I** *adj* **1** fördömd **2** vard. förbaskad, jäkla [*~ fool*]; *I'll see you ~ first!* tusan heller! **II** *adv* vard. förbaskat [*~ hot*]; *I should ~ well think so!* tacka fan för det!

damp [dæmp] **I** *s* fukt **II** *adj* fuktig **III** *vb tr* **1** fukta **2** dämpa ljud, vibrationer o.d. **3** bildl., *~* [*down*] dämpa, lägga sordin på, kyla av [*~ a p.'s enthusiasm*]

dampen ['dæmp(ə)n] **I** *vb tr* se *damp III 1* o. *3* **II** *vb itr* **1** bli fuktig **2** bildl. dämpas

damper ['dæmpə] **1** dämpare äv. bildl. **2** mus. dämmare; sordin [*~ pedal*]; *put a* (*the*) *~ on* bildl. dämpa, lägga sordin på

damson ['dæmz(ə)n] krikon plommonsort

dance [dɑ:ns] **I** *vb itr* o. *vb tr* dansa [*~ to* (efter, till) *music*]; *he ~d her round the floor* han dansade runt med henne på dansgolvet; *~ to a p.'s tune* (*pipe*) dansa efter ngns pipa **II** *s* **1** dans; dansstycke; *D~ of Death* dödsdans **2** dans[tillställning], bal

dance hall ['dɑ:nshɔ:l] dansställe

dancer ['dɑ:nsə] **1** dansande [*the ~s*] **2** dansare; dansör; dansös; *be a good ~* dansa bra

D and C [ˌdi:ənd'si:] (förk. för *dilatation and curettage*) med. skrapning

dandelion ['dændɪlaɪən] maskros

dandruff ['dændrʌf] mjäll

dandy ['dændɪ] dandy, [kläd]snobb

Dane [deɪn] **1** dansk; danska kvinna **2** grand danois [äv. *Great ~*]

danger ['deɪn(d)ʒə] fara; *~ area* (*zone*) farligt område; *~ money* risktillägg; *~ spot* trafikfälla; *out of ~* utom fara

dangerous ['deɪn(d)ʒ(ə)rəs] farlig, riskfull; *~ driving* vårdslös (ovarsam) körning; *play a ~ game* spela ett högt spel

dangl|e ['dæŋgl] dingla [med]; *~ a th. before a p.* fresta ngn med ngt; *keep a p. -ing* hålla ngn på sträckbänken

Danish ['deɪnɪʃ] **I** *adj* dansk; *~ blue* danablu ostsort **II** *s* danska [språket]

Danish pastry [ˌdeɪnɪʃ'peɪstrɪ] wienerbröd

dank [dæŋk] fuktig, rå

Danube ['dænju:b] geogr. egenn.; *the ~* Donau

dapper ['dæpə] **1** [liten och] prydlig; pimpinett **2** [liten och] rask (flink)

dare [deə] **I** (imperf. *dared*, ibl. *dare*; perf. p. *dared* jfr ex.) *vb itr* o. *hjälpvb* **1** våga [*he ~ not* (*he does not ~* [*to*]) *come*; *he did not ~* [*to*] (*he ~*[*d*] *not*) *come*; *he has not ~d* [*to*] *come*]; understå sig; [*just*] *you ~!* du skulle bara våga! **2** *I ~ say you know* du vet nog (troligtvis, förmodligen); *I ~ say he is right, but...* det kan väl hända han har rätt, men... **II** (*~d ~d*) *vb tr* utmana; *I ~ you to strike me!* slå mig om du törs! **III** *s* utmaning

daredevil ['deəˌdevl] **I** *s* våghals, friskus, dumdristig person **II** *adj* våghalsig, dumdristig

daren't [deənt] = *dare not*

daresay [ˌdeə'seɪ] se *dare say* under *dare I 2*

daring ['deərɪŋ] **I** *adj* **1** djärv **2** vågad [*a ~ book*] **II** *s* djärvhet

dark [dɑ:k] **I** *adj* **1** mörk; *~ blue* a) mörkblått b) (attr. *dark-blue*) mörkblå; *~ glasses* mörka glasögon, solglasögon; *~ weather* mulet väder **2** bildl. dunkel, svårbegriplig [*a ~ passage in the text*]; förtäckt [*~ threats*]; skum [*~ designs* (planer)] **3** hemlig [*keep a th. ~*]; tyst[låten]; *a ~ secret* en väl bevarad hemlighet **4** *~ horse* om pers. dark horse, oskrivet blad, okänd förmåga; otippad segrare **II** *s* **1** mörker; *at ~* i skymningen; *before* (*after*) *~* före (efter) mörkrets inbrott **2** bildl. dunkel; okunnighet

darken ['dɑ:k(ə)n] **I** *vb itr* bli mörk[are]; bildl. förmörkas **II** *vb tr* **1** förmörka; göra mörk[are] t.ex trä; mörklägga; skymma, göra skum; *~ a p.'s door* sätta foten innanför ngns dörr [*don't ever ~ my door*[*s*] *again!*] **2** bildl. fördystra; fördunkla

darkness ['dɑ:knəs] mörker

darkroom ['dɑ:kru:m] foto. mörkrum

darling ['dɑ:lɪŋ] **I** *s* älskling [*my ~!*], raring; *do be a ~ and...* vill du vara så rar och... **II** *adj* älsklings-; gullig [*a ~ hat*]

1 darn [dɑ:n] (eufem. för *damn*), *~ it!* förbaskat (katten) också!

2 darn [dɑ:n] **I** *vb tr* stoppa [*~ socks*] **II** *s* stopp[ning]
darned [dɑ:nd] vard. eufem. för *damned* **I** *adj* förbaskad **II** *adv* förbaskat
darning-needle ['dɑ:nɪŋˌni:dl] stoppnål
dart [dɑ:t] **I** *s* **1** pil; ibl. kastspjut **2** *~s* (konstr. ss. sg.) lek dart, pilkastning; *play ~s* spela dart, kasta pil **3** plötslig snabb rörelse; *make a sudden ~* äv. plötsligt rusa **II** *vb tr* kasta [*~ a spear*; *~ a glance*]; slunga; skjuta [*~ flashes*] **III** *vb itr* pila
dash [dæʃ] **I** *vb tr* **1** kraftigt slå; stöta ngt mot ngt; *~ out a p.'s brains* slå in skallen på ngn **2** *~ a th. to pieces* slå sönder ngt, slå ngt i kras, krossa ngt **3** *~ down (off)* kasta ned, rafsa ihop [*~ down (off) a few letters*] **4** krossa; *~ a p.'s hopes* grusa ngns förhoppningar **5** (eufem. för *damn*), *~ it!* förbaskat (katten) också! **II** *vb itr* **1** stöta, törna **2** störta [sig]; *I've got to ~!* jag måste kila! **III** *s* **1** rusning, anlopp; blixtvisit; *make a ~* äv. rusa, springa **2** sport. sprinterlopp **3** *a ~ of* en anstrykning (släng) av; en tillsats (spets) av [*a ~ of lemon juice*], en skvätt, några droppar [*a ~ of brandy*] **4** tankstreck [*within ~es*] **5** hurtighet, bravur; *cut a ~* briljera, slå på stort, uppträda vräkigt (flott)
dashboard ['dæʃbɔ:d] instrumentbräda på bil, flygplan
dashing ['dæʃɪŋ] **1** hurtig; livlig; *at a ~ rate* i flygande fart (fläng) **2** elegant; stilig
DAT (förk. för *digital audio tape*) DAT
data ['deɪtə, ibl. 'dɑ:tə] (konstr. vanl. ss. sg.) data; *~ processing centre* datacentral
data base ['deɪtəbeɪs] databas
1 date [deɪt] **1** dadel **2** dadelpalm
2 date [deɪt] **I** *s* **1** datum; årtal; tid; *at a later ~* vid senare tidpunkt; *to ~* hittills, [fram] till i dag; till dags dato; *be (keep) up to ~* hålla sig à jour, följa med sin tid **2** vard. träff; avtalat möte; om pers. sällskap **II** *vb tr* **1** datera, dagteckna; *the letter is ~d from London, 24th May* brevet är daterat [i] London den 24 maj **2** datera, tidsbestämma [*~ old coins*] **3** vard. stämma träff med; uppvakta [*~ a girl*] **III** *vb itr* **1** *~ from (back to)* datera sig från (till) **2** bli (vara) gammalmodig [*his books ~*] **3** vara daterad (skriven) [*the letter ~s from (i) London*]
dated ['deɪtɪd] gammalmodig
dateline ['deɪtlaɪn] **1** datumgräns **2** tidsgräns; *when is the ~?* när löper fristen ut?
dative ['deɪtɪv] gram. dativ[-]; *the ~ [case]* dativ[en]
daub [dɔ:b] **I** *vb tr* **1** bestryka; stryka, smeta **2** smörja (smeta, kludda) ner **3** mål. kludda ihop **II** *vb itr* mål. kludda **III** *s* **1** smet, smörja; [färg]klick **2** mål. kludd[eri]
daughter ['dɔ:tə] dotter
daughter-in-law ['dɔ:t(ə)rɪnlɔ:] (pl. *daughters-in-law* ['dɔ:təzɪnlɔ:]) svärdotter, sonhustru
daunt [dɔ:nt] skrämma; *nothing ~ed* lika oförfärad, utan att låta sig bekomma
dauntless ['dɔ:ntləs] oförfärad
dawdle ['dɔ:dl] söla
dawn [dɔ:n] **I** *vb itr* dagas äv. bildl.; bryta fram; *~ [up]on* a) gry (dagas) över b) bildl. gå upp för **II** *s* gryning, dagning, bildl. äv. början [*the ~ of a new era*]; *at ~* i gryningen
day [deɪ] **1** dag; *the ~ after tomorrow* i övermorgon; *one of these [fine] ~s* endera dagen, en vacker dag; *this ~ week (fortnight)* i dag [om] åtta (fjorton) dagar; *let's call it a ~* vard. nu räcker det för i dag, nu lägger vi av; *name the ~* bestämma dag [vanl. för bröllopet]; *~ off* ledig dag, fridag; *pay by the ~* betala per dag; *by ~* om (på) dagen **2** dygn [äv. *~ and night*] **3** ofta pl. *~s* tid; tidsålder; [glans]period; *it has had its ~* den har spelat ut sin roll; *in the old ~s* förr i världen (tiden)
daybreak ['deɪbreɪk] gryning, dagning [*at ~*]
daycare ['deɪkeə] dagsjukvård; daglig barntillsyn; *~ centre* daghem
daydream ['deɪdri:m] **I** *s* dagdröm **II** *vb itr* dagdrömma
daylight ['deɪlaɪt] **1** dagsljus; gryning; *in broad ~* mitt på ljusa dagen; *see ~* bildl. a) se en ljusning (resultat) b) komma ut, se dagens ljus **2** vard., *beat (knock) the [living] ~s out of a p.* göra mos av ngn
day nursery ['deɪˌnɜ:s(ə)rɪ] **1** daghem **2** barnkammare
day release [ˌdeɪrɪ'li:s] utbildning (fortbildning) på betald arbetstid
day return [ˌdeɪrɪ'tɜ:n] tur och returbiljett för återresa samma dag
daytime ['deɪtaɪm] dag i mots. till natt; *in (during) the ~* på dagtid, om (på) dagen, om (på) dagarna
daze [deɪz] **I** *vb tr* bedöva; förvirra **II** *s*, *in a ~* omtumlad
dazzl|e ['dæzl] **I** *vb tr* blända [*the driver was ~d by the approaching headlights*]; förblinda; förvirra; *a -ing display* en bländande uppvisning **II** *vb itr* blända[s] **III** *s* bländande ljus, skimmer, glitter
DC [ˌdi:'si:] förk. för *direct current, District of Columbia* [*Washington ~*]
DD (förk. för *Doctor of Divinity*) teol. dr
deacon ['di:k(ə)n] diakon
dead [ded] **I** *adj* **1** död äv. bildl., livlös; torr [*~ leaves*]; *~ and gone* vard. död och begraven; *~ letter* a) död bokstav om lag

som ej längre efterlevs b) post. obeställbart brev **2** dödsliknande; *in a ~ faint* helt avsvimmad **3** stel, utan känsel; okänslig **4** sport. m.m., *~ heat* dött (oavgjort) lopp **5** jämn; *on a ~ level* precis på samma plan (nivå); precis jämsides **6** vard. tvär; absolut [*~ certainty*], ren [*~ loss*]; *he's (it's) a ~ loss* vard. han (den) är värdelös, han (den) är inget att ha; *~ silence* dödstystnad **II** *s* **1** *the ~* de döda **2** *in the (at) ~ of night* mitt i natten **III** *adv* **1** vard. död- [*~ certain*], döds- [*~ tired*]; *~ drunk* vard. döfull; *~ hungry* jättehungrig; *~ lousy* skitdålig **2** rakt; *~ against* rakt emot

deaden ['dedn] **1** bedöva; döva, lindra t.ex. smärta; dämpa, försvaga; minska t.ex. fart **2** göra okänslig

deadline ['dedlaɪn] tidsgräns, deadline; *when is the ~?* när löper fristen ut?, när är sista dagen (tidpunkten)?

deadlock ['dedlɒk] dödläge, baklås, återvändsgränd, stopp

deadly ['dedlɪ] **I** *adj* **1** dödlig; giftig; *~ nightshade* bot. belladonna **2** dödligt förbittrad, döds- [*~ enemies*] **3** dödslik **4** vard. dödtråkig, dödtrist; urdålig **II** *adv* dödligt, döds- [*~ tired*]

deadpan ['dedpæn] vard. **I** *s* uttryckslöst ansikte, pokeransikte **II** *adj* **1** gravallvarlig **2** uttryckslös, stel; *~ face* pokeransikte

deaf [def] döv äv. bildl.; *~ and dumb* dövstum; *my words fell on ~ ears* jag talade för döva öron

deaf aid ['defeɪd] hörapparat

deafen ['defn] **1** göra döv; bedöva; överrösta; *~ing* öronbedövande **2** ljudisolera t.ex. vägg

deaf-mute [ˌdef'mju:t] dövstum [person]

1 deal [di:l] **1** bredare granplanka, furuplanka; pl. *~s* koll. plank **2** virke gran, furu

2 deal [di:l] **I** *s* **1** *a great (good) ~* [ganska] mycket, en hel del (massa, mängd, hop), åtskilligt, betydligt; *a great (good) ~ of money* [ganska] mycket etc. (åtskilligt med) pengar **2** affär; spekulationsaffär; uppgörelse; köpslående; politisk kohandel; *make (do) a ~* göra [upp] en affär; göra upp, komma fram till en uppgörelse; *that's a ~!* då säger vi det!, kör till!, saken är klar! **3** vard., *get a raw ~* bli orättvist (hårt) behandlad **4** kortsp. giv; *whose ~ is it?* vem skall ge? **II** (*dealt dealt*) *vb tr* utdela, fördela [äv. *~ out*]; tilldela [*~ a p. a blow*]; kortsp. dela ut, ge **III** (*dealt dealt*) *vb itr* **1** handla, göra affärer [*~ with* (hos, med) *a p.*; *~ in an article*] **2** *~ with* a) ha att göra med [*he is easy to ~ with*]; umgås med b) behandla; förfara med; handla mot, uppträda mot c) ta itu med, gripa sig an [*~ with a problem*]; handlägga, bereda ärende d) handla om, behandla [*the book ~s with new problems*] **3** kortsp. ge **4** sl. langa (sälja) narkotika (knark)

dealer ['di:lə] **1** handlande; ofta ss. efterled i sms. -handlare [*car-dealer*] **2** kortsp. givare, giv

dealing ['di:lɪŋ] **1** vanl. pl. *~s* affärer; förbindelse[r]; *underhand ~[s]* fiffel, mygel **2** vanl. pl. *~s* uppförande, uppträdande; handlande

dealt [delt] imperf. o. perf. p. av *2 deal II* o. *III*

dean [di:n] **1** domprost; *rural ~* kontraktsprost **2** univ. dekan[us] **3** doyen [*~ of the diplomatic corps*]

dear [dɪə] **I** *adj* **1** kär; rar, gullig; hälsningsfras i brev äv. bäste [*D~ Mr. Brown*]; *D~ Sir (Madam)* i formella brev: utan motsvarighet i sv. **2** dyr, kostsam i förhållande till värdet; *~ money* dyra pengar med hög ränta **II** *s* **1** isht i tilltal [*my*] *~* kära du; [*carry this for me,*] *there's (that's) a ~* vard. ...så är du snäll **2** raring [*they are such ~s!*]; *old ~* neds. gammal tant **III** *adv* dyrt; *it cost him ~* det stod honom dyrt **IV** *interj*, *~ me!* uttr. förvåning o.d. kors!, nej men!; *oh ~!* uttr. missnöje, förvåning det var katten!; aj, aj!; oj då!

dearly ['dɪəlɪ] **1** innerligt [*love ~*]; ivrigt; högeligen **2** mest bildl. dyrt [*sell one's life ~*]; *he will pay ~ for this* detta kommer att stå honom dyrt

dearth [dɜ:θ] **1** brist, knapphet **2** hungersnöd

death [deθ] död; frånfälle; dödsfall; pl. *~s* äv. döda [*births and ~s*]; *D~* döden, liemannen; *~ certificate* dödsattest, dödsbevis; *it will be the ~ of me* det blir min död, det kommer att ta livet av mig; *be at ~'s door* ligga för döden; vara nära döden; *be in at the ~* a) jakt. vara med vid villebrådets dödande b) bildl. vara med i slutskedet; *be frightened (scared) to ~ of a th. (a p.)* vara dödsrädd för ngt (ngn); *be sick (bored, tired) to ~ of a th. (a p.)* vara utled på ngt (ngn); *the song has been done to ~* vard. sången är uttjatad [till förbannelse]; *look like ~ warmed up* vard. se ut som sju svåra år; *put to ~* ta livet av, avliva, avrätta; *till ~ do us part* till döden skiljer oss åt

deathbed ['deθbed] dödsbädd; *be on one's ~* äv. ligga för döden

deathblow ['deθbləʊ] dödande slag; bildl. dödsstöt

death duties ['deθˌdju:tɪz] olika slags arvsskatt

deathly ['deθlɪ] **I** *adj* dödlig; dödslik, döds- **II** *adv* dödligt, döds-

death rate ['deθreɪt] dödstal, dödlighet, mortalitet; dödlighetsprocent

death trap ['deθtræp] dödsfälla
death warrant ['deθˌwɒr(ə)nt] underskriven dödsdom äv. bildl.
debacle o. **débâcle** [deɪ'bɑ:kl, de'b-, dɪ'b-] **1** vild flykt; katastrof; stort nederlag **2** islossning **3** geol. störtflod
debar [dɪ'bɑ:] **1** utesluta [*from*] **2** förhindra; förbjuda
debase [dɪ'beɪs] **1** försämra **2** degradera; förnedra
debatable [dɪ'beɪtəbl] diskutabel, omtvistlig
debat|e [dɪ'beɪt] **I** *vb itr* o. *vb tr* **1** diskutera, debattera, dryfta, avhandla [~ [*on* (*upon*)] *a question*]; *-ing point* debattinlägg; diskussionsämne; *-ing society* diskussionsklubb **2** fundera [på], överväga [med sig själv] [äv. ~ *with oneself*] **II** *s* debatt, diskussion
debater [dɪ'beɪtə] debattör
debauchery [dɪ'bɔ:tʃ(ə)rɪ] omåttlighet
debenture [dɪ'ben(t)ʃə] debenture; ~ *stock* obligationsfond
debilitate [dɪ'bɪlɪteɪt] försvaga
debility [dɪ'bɪlətɪ] svaghet äv. bildl.
debit ['debɪt] **I** *s* debet **II** *vb tr* debitera; ~ *a p.'s account* debitera ngns konto
debonair [ˌdebə'neə] vanl. om man charmig; glad[lynt]
debrief [ˌdi:'bri:f] utfråga; *be ~ed* äv. rapportera, avlägga rapport
debris ['deɪbri:, 'deb-, amer. äv. də'bri:] **1** spillror; skräp **2** geol. sönderfallna klippstycken
debt [det] skuld; *bad ~s* osäkra fordringar; *National D~* statsskuld; ~ *collector* inkasserare; *I owe you a ~ of gratitude* jag står i tacksamhetsskuld till er; *be in a p.'s* ~ stå i skuld hos (till) ngn; bildl. stå i tacksamhetsskuld till ngn
debtor ['detə] gäldenär, debitor
debug [di:'bʌg] sl. **1** data. m.m. korrigera **2** avlägsna [dolda] mikrofoner i [~ *a room*]
debunk [di:'bʌŋk] vard. avslöja
decade ['dekeɪd, -kəd, dɪ'keɪd] decennium
decadence ['dekəd(ə)ns] dekadans
decadent ['dekəd(ə)nt] dekadent
decamp [dɪ'kæmp] **1** bryta upp [från lägret] **2** plötsligt (i hemlighet) ge sig i väg
decant [dɪ'kænt] dekantera
decanter [dɪ'kæntə] karaff vanl. med propp
decarbonize [di:'kɑ:bənaɪz] sota motor; tekn. befria från kol
decathlete [dɪ'kæθli:t] sport. tiokampare
decathlon [dɪ'kæθlɒn, -ən] sport. tiokamp
decay [dɪ'keɪ] **I** *vb itr* **1** förfalla; förstöras; försvagas **2** multna, murkna **3** vara angripen av karies (röta) **II** *vb tr* **1** fördärva, tära på **2** röta; orsaka karies (röta) i tänder **III** *s* **1** förfall, upplösning; avtynande; *fall into* ~ råka i förfall **2** förmultning **3** karies[angrepp]; angripen vävnad; ~ *in a tooth* karies, tandröta
decayed [dɪ'keɪd] **1** förfallen; förstörd; avsigkommen; fallfärdig **2** skämd, murken; [karies]angripen [~ *tooth*]
decease [dɪ'si:s] **I** *s* frånfälle **II** *vb itr* avlida
deceased [dɪ'si:st] **I** *adj* avliden **II** *s, the* ~ den avlidne (avlidna); de avlidna
deceit [dɪ'si:t] **1** bedrägeri; svek, list **2** bedräglighet
deceive [dɪ'si:v] bedra; lura; *be ~d* äv. missräkna (missta) sig [*in* på]
deceiver [dɪ'si:və] bedragare
decelerate [di:'seləreɪt] minska hastigheten (farten) [på]
December [dɪ'sembə] december
decenc|y ['di:snsɪ] **1** anständighet; ärbarhet; det passande (tillbörliga); *observe the -ies* hålla på konvenansen; *in* [*common*] ~ el. *in all* ~ anständigtvis, för anständighetens (skams) skull **2** vard. hygglighet
decent ['di:snt] **1** passande, tillbörlig; anständig; städad; ordentlig; ärbar **2** vard. hygglig [*a ~ fellow*; *he was very ~ to me*] **3** vard. hygglig [*write ~ English*]
decently ['di:sntlɪ] passande etc., jfr *decent*; anständigtvis, gärna
decentralization [di:ˌsentrəlaɪ'zeɪʃ(ə)n] decentralisering
decentralize [di:'sentrəlaɪz] decentralisera
deception [dɪ'sepʃ(ə)n] bedrägeri; list, knep
deceptive [dɪ'septɪv] bedräglig; *appearances are* ~ skenet bedrar
decibel ['desɪbel] fys. decibel
decide [dɪ'saɪd] **I** *vb tr* **1** avgöra; bestämma [sig för]; *that ~d me* det fick mig att bestämma mig **2** inse **II** *vb itr* **1** bestämma sig [*she ~d on* (för) *the yellow hat*]; ~ *on* äv. fastna för, välja **2** välja **3** avgöra
decided [dɪ'saɪdɪd] **1** bestämd [~ *opinion* (uppfattning)], avgjord, utpräglad [*a ~ difference*] **2** bestämd, resolut [*in a ~ voice*]
decidedly [dɪ'saɪdɪdlɪ] bestämt; resolut; *most ~!* absolut!
deciduous [dɪ'sɪdjʊəs] **1** periodvis avfallande om blad, horn o.d. **2** årligen lövfällande [~ *trees*]; ~ *forest* lövskog
decimal ['desɪm(ə)l] **I** *adj* decimal- [~ *system*]; ~ *fraction* decimalbråk; ~ *point* mots. på sv. decimalkomma [*0.261* läses vanl. *point two six one*] **II** *s* decimal; decimalbråk; pl. *~s* äv. decimalräkning
decimate ['desɪmeɪt] decimera
decipher [dɪ'saɪfə] dechiffrera; tyda [ut]
decision [dɪ'sɪʒ(ə)n] avgörande; beslut;

utslag äv. sport.; *make* (*come to, arrive at*) *a* ~ fatta ett beslut
decisive [dɪ'saɪsɪv] **1** avgörande; avgjord **2** fast; beslutsam
deck [dek] **I** *s* **1** sjö. däck [*on* ~]; *officer of the* ~ vakthavande officer **2** våning i buss o.d. **3** isht amer. kortlek; talong **4** kassettdäck [äv. *cassette* ~] **II** *vb tr* **1** mest poet. smycka [äv. ~ *out*]; ~ *oneself out* klä upp sig; styra ut sig **2** sjö. däcka **3** vard. däcka, golva
deckchair ['dektʃeə] däcksstol; fällstol
deckhand ['dekhænd] sjö. jungman; däckskarl
declaration [ˌdeklə'reɪʃ(ə)n] **1** förklaring [~ *of love*, ~ *of war*], tillkännagivande [~ *of the poll* (valresultatet)]; *the D~ of Independence* amer. hist. oavhängighetsförklaringen av 1776 **2** deklaration, uppgift; *customs* ~ tulldeklaration; ~ *of income* inkomstdeklaration
declare [dɪ'kleə] **I** *vb tr* **1** förklara; ~ *a dividend* fastställa en utdelning; ~ *a p.* [*to be*]... förklara ngn vara...; *they ~d him the winner* de förklarade honom för (som) vinnare; ~ *war on* (*against*) förklara krig mot **2** deklarera; [*have you*] *anything to* ~? i tullen ...något att förtulla? **3** kortsp. bjuda **II** *vb rfl*, ~ *oneself* förklara (uttala) sig [~ *oneself for* (*against*) *a th.*] **III** *vb itr* förklara (uttala) sig [~ *for* (*against*) *a th.*]
declassify [ˌdi:'klæsɪfaɪ] offentliggöra [~ *information*]
declension [dɪ'klenʃ(ə)n] gram. deklination; [kasus]böjning
declin|e [dɪ'klaɪn] **I** *vb itr* **1** slutta nedåt, luta; böja sig ned **2** om sol o.d. dala, sjunka **3** bildl. gå utför (tillbaka), avta, minska; *-ing birth-rate* sjunkande födelsetal; *-ing health* avtagande hälsa **4** avböja, tacka nej **II** *vb tr* **1** böja ned, luta **2** avböja, tacka nej till **3** gram. böja, deklinera **III** *s* **1** avtagande, tillbakagång, nedgång, dalande; förfall; fallande, sjunkande **2** nedgång, minskning, [pris]fall; *a* ~ *in* (*of*) *prices* [ett] prisfall **3** sluttning
declutch [ˌdi:'klʌtʃ] bil. koppla (trampa) ur
decode [ˌdi:'kəʊd] dechiffrera; tolka; data. avkoda; radio. el. TV. dekoda
decoder [ˌdi:'kəʊdə] data. avkodare; radio. el. TV. dekoder
décolletage [ˌdeɪkɒl'tɑ:ʒ] fr. dekolletage, urringning
decompose [ˌdi:kəm'pəʊz] **I** *vb tr* lösa upp, sönderdela **II** *vb itr* lösas upp; vittra; ruttna
decomposition [ˌdi:kɒmpə'zɪʃ(ə)n] upplösning; förruttnelse
decompression [ˌdi:kəm'preʃ(ə)n] tekn. dekompression
decontaminate [ˌdi:kən'tæmɪneɪt] sanera
décor o. **decor** ['deɪkɔ:, 'dekɔ:] teat. o.d. dekor; inredning; utsmyckning
decorate ['dekəreɪt] **1** dekorera; pryda, smycka [~ *the Christmas tree*] **2** måla och tapetsera; inreda **3** dekorera tilldela en orden o.d.
decoration [ˌdekə'reɪʃ(ə)n] **1** dekorering; *interior* ~ heminredning **2** dekoration, prydnad [*Christmas ~s*]; pl. *~s* äv. pynt **3** dekoration, orden
decorator ['dekəreɪtə] **1** dekoratör; dekorationsmålare **2** [*painter and*] ~ målare hantverkare; *interior* ~ inredningsarkitekt
decorous ['dekərəs] anständig
decorum [dɪ'kɔ:rəm] anständighet
decoy [ss. subst. 'di:kɔɪ, ss. vb dɪ'kɔɪ] **I** *s* **1** lockfågel äv. bildl.; lockbete, lockmedel, lockelse; bulvan **2** jakt. a) vette b) andkoja **II** *vb tr* **1** fånga med lockfågel **2** bildl. locka [i fällan]; lura, narra
decrease [ss. vb vanl. dɪ'kri:s, ss. subst. 'di:kri:s, dɪ'kri:s] **I** *vb itr* o. *vb tr* [för]minska[s] **II** *s* [för]minskning, nedgång; *on the* ~ i avtagande
decree [dɪ'kri:] **I** *s* **1** dekret; förordning, [kunglig] kungörelse **2** jur., ~ *absolute* slutgiltig äktenskapsskillnad **II** *vb tr* påbjuda
decrepit [dɪ'krepɪt] orkeslös; fallfärdig [*a* ~ *house*]; utsliten
decry [dɪ'kraɪ] nedvärdera, fördöma
dedicate ['dedɪkeɪt] **1** tillägna, dedicera **2** ägna [~ *one's time to a th.*]; ~ *oneself to* ägna (hänge) sig åt, djupt engagera sig i **3** sätta undan [~ *money*] **4** inviga, öppna
dedicated ['dedɪkeɪtɪd] hängiven [*a* ~ *lexicographer*], målmedveten; trofast, troende; *be* ~ *to a th.* vara ngt hängiven
dedication [ˌdedɪ'keɪʃ(ə)n] **1** hängivenhet; engagemang **2** tillägnan **3** invigning; helgande
deduce [dɪ'dju:s] sluta sig till, dra [den] slutsatsen; härleda
deduct [dɪ'dʌkt] dra av, dra (räkna, ta) ifrån; *be ~ed from* avgå från summa
deductible [dɪ'dʌktəbl] som kan dras av (ifrån); avdragsgill isht vid självdeklaration
deduction [dɪ'dʌkʃ(ə)n] **1** avdrag **2** härledning; slutledning; deduktion; slutsats
deed [di:d] **1** handling; gärning; *by* (*in*) *word and* ~ med (i) råd och dåd, i ord och gärning **2** bragd **3** jur. a) överlåtelsehandling [äv. ~ *of conveyance*] b) dokument, urkund
deejay [di:'dʒeɪ] vard. diskjockey, skivpratare
deem [di:m] litt. anse, [för]mena; tro
deep [di:p] **I** *adj* **1** djup nedåt el. inåt; bred;

go off the ~ end vard. bli rasande, brusa upp; *~ fat* flottyr; *the D~ South* den djupa Södern i USA; *be in* (*get into*) *~ water*[*s*] bildl. vara ute (komma ut) på djupt vatten, befinna sig (råka) i svårigheter **2** *~ in* djupt invecklad i [*~ in trouble*], djupt inne (försjunken) i [*~ in a book*] **3** djupsinnig; *a ~ one* en djuping; en listig rackare **II** *adv* djupt äv. bildl. [*go* (*sink*) *~*]; långt [*~ into* (in på) *the night*]; *~ down* [*in his* (*her*) *heart*] innerst inne, i grund och botten **III** *s* djup [plats] i hav; havsdjup; *the ~* poet. havet, djupet

deepen ['di:p(ə)n] fördjupa[s]; göra (bli) djupare; skärpa[s]; stämma ton lägre; sänka sig; *the crisis ~ed* krisen förvärrades

deep-freeze [ˌdi:p'fri:z] **I** (*deep-froze deep-frozen* el. *~d ~d*) *vb tr* djupfrysa; *deep-frozen meat* djupfryst kött **II** *s* frys[box]

deep-fry [ˌdi:p'fraɪ] fritera

deep-sea ['di:psi:] djuphavs- [*~ fishing*], djup- [*~ diving*]; *~ sounding* djuplodning

deep-seated [ˌdi:p'si:tɪd, attr. '-ˌ--] djupt liggande [*~ causes*]; djupt [in]rotad [*~ traditions*]

deer [dɪə] (pl. lika) hjort; rådjur; *fallow ~* dovhjort; *red ~* kronhjort

deer-stalker ['dɪəˌstɔ:kə] **1** gångskytt **2** vard. jägarmössa av Sherlock Holmes-typ

deface [dɪ'feɪs] **1** vanställa, vanpryda **2** göra oläslig

defamation [ˌdefə'meɪʃ(ə)n] ärekränkning

defamatory [dɪ'fæmət(ə)rɪ] ärekränkande

default [dɪ'fɔ:lt, -'fɒlt] **I** *s* **1** försummelse; försummad inställelse inför rätta; uraktlåtenhet att betala; *~ of payment* utebliven betalning **2** sport., *win* (*lose*) *a game by ~* vinna (förlora) en match på walkover genom att motspelarna (man själv) uteblir **II** *vb itr* tredskas; inte fullgöra sin[a] skyldighet[er]; brista i betalning; bryta kontrakt

defaulter [dɪ'fɔ:ltə, -'fɒltə] försumlig person; inför rätta utebliven (tredskande) part; försumlig betalare; bankruttör

defeat [dɪ'fi:t] **I** *s* **1** nederlag [*suffer* [*a*] *~*], sport. äv. förlust; besegrande **2** omintetgörande [*the ~ of the plan*]; förkastande [*the ~ of the bill* (lagförslaget)] **II** *vb tr* **1** besegra; göra ned; slå tillbaka [*~ an attack*]; *be ~ed* äv. lida nederlag, förlora **2** kullkasta; *~ a bill* förkasta ett lagförslag

defeatist [dɪ'fi:tɪst] defaitist

defect [ss. subst. 'di:fekt, dɪ'fekt, ss. vb dɪ'fekt] **I** *s* brist [*~s in the system*]; defekt; fel, felaktighet; *speech ~* talfel **II** *vb itr* avfalla från parti o.d.; polit. äv. hoppa av

defection [dɪ'fekʃ(ə)n] avfall från parti, religion o.d.; polit. äv. avhopp

defective [dɪ'fektɪv] bristfällig; defekt; ofullständig; felaktig; *the brakes are ~* det är fel på bromsarna

defector [dɪ'fektə] polit. avfälling, avhoppare

defence [dɪ'fens] **1** försvar; skydd [*~ against the cold*]; *~ mechanism* psykol. försvarsmekanism **2** jur., *the ~* svarandesidan **3** pl. *~s* a) mil. försvarsverk b) kroppens försvarsmekanism

defenceless [dɪ'fensləs] försvarslös

defend [dɪ'fend] **I** *vb tr* **1** försvara; värja **2** jur. **a**) *~ the suit* bestrida käromålet **b**) *~ oneself* föra sin egen talan **c**) *~ a p.* föra ngns talan **II** *vb itr* jur. försvara sig

defendant [dɪ'fendənt] jur. svarande [person]

defender [dɪ'fendə] försvarare; sport. försvarsspelare

defense [dɪ'fens] amer., se *defence*

defensive [dɪ'fensɪv] **I** *adj* defensiv [*a ~ war, ~ warfare*]; skyddande **II** *s, be* (*stand, act*) *on the ~* hålla sig på defensiven

1 defer [dɪ'fɜ:] skjuta upp; *~red payment* uppskjuten betalning

2 defer [dɪ'fɜ:], *~ to* böja sig (falla undan) för, foga sig efter

deference ['def(ə)r(ə)ns] hänsyn; aktning

defiance [dɪ'faɪəns] utmaning; trots; *an act of ~* en utmanande handling

defiant [dɪ'faɪənt] utmanande; trotsig

deficiency [dɪ'fɪʃ(ə)nsɪ] **1** bristfällighet, ofullständighet; brist [*vitamin ~*]; *~ disease* bristsjukdom **2** hand. deficit, brist; *make up* (*good*) *a ~* ersätta felande belopp

deficient [dɪ'fɪʃ(ə)nt] bristande; bristfällig, ofullständig; underhaltig; *~ in vitamins* vitaminfattig; *be ~ in* sakna

deficit ['defɪsɪt] hand. underskott

defile [dɪ'faɪl] förorena; orena; besudla

definable [dɪ'faɪnəbl] definierbar

define [dɪ'faɪn] **1** bestämma [gränserna för], begränsa, avgränsa; [klart] ange, precisera [*~ a p.'s duties*]; fastställa **2** definiera, bestämma

definite ['defɪnət] avgränsad; fastställd; avgjord; klar, uttrycklig [*a ~ answer*]; exakt, bestämd äv. gram. [*the ~ article*]; definitiv

definitely ['defɪnətlɪ] absolut

definition [ˌdefɪ'nɪʃ(ə)n] **1** bestämmande etc., jfr *define*; bestämning **2** definition [*~ of a word*]; skärpa på TV-bild, foto m.m.

definitive [dɪ'fɪnətɪv] **1** definitiv [*a ~ answer*] **2** föredömlig [och auktoritativ], vederhäftig [*a ~ edition*]

deflate [dɪ'fleɪt] **I** *vb tr* **1** släppa luften ur [*~ a tyre*], tömma på luft **2** ekon. sänka [*~ prices*]; åstadkomma en deflation av **3** bildl. stuka [till]; gäcka **II** *vb itr* **1** tömmas på luft **2** ekon. åstadkomma (undergå) en deflation

deflation [dɪ'fleɪʃ(ə)n] ekon. deflation
deflationary [dɪ'fleɪʃn(ə)rɪ] ekon. deflationistisk
deflect [dɪ'flekt] **I** *vb tr* få ngt att böja (vika) av **II** *vb itr* böja sig [åt sidan]
deform [dɪ'fɔ:m] deformera, vanställa; vanpryda
deformed [dɪ'fɔ:md] vanställd; vanskapt
deformity [dɪ'fɔ:mətɪ] vanskapthet; deformitet, missbildning
defraud [dɪ'frɔ:d] bedra, svekligt beröva
defray [dɪ'freɪ] bestrida, bära [~ *the costs*]
defrost [ˌdi:'frɒst] **I** *vb tr* tina upp fruset kött o.d.; frosta av t.ex. kylskåp, vindruta **II** *vb itr* tina om fruset kött o.d.
defroster [ˌdi:'frɒstə] defroster
deft [deft] flink, skicklig
defunct [dɪ'fʌŋ(k)t] **1** avliden **2** inte längre förekommande (gällande)
defuse [ˌdi:'fju:z] desarmera
defy [dɪ'faɪ] **1** trotsa [~ *the law,* ~ *description*]; gäcka; *the problem defied solution* problemet gick inte att lösa **2** utmana; *I ~ you to do it* gör det om du törs
degenerate [ss. adj. o. subst. dɪ'dʒen(ə)rət, ss. vb dɪ'dʒenəreɪt] **I** *adj* degenererad, urartad **II** *s* degenererad individ **III** *vb itr* degenerera[s]
degradation [ˌdegrə'deɪʃ(ə)n] **1** degradering; avsättande **2** förnedring; försämring
degrade [dɪ'greɪd] **1** degradera; avsätta **2** förnedra; försämra; fördärva
degree [dɪ'gri:] **1** grad; *by ~s* gradvis, stegvis, efter hand, så småningom **2** [släkt]led **3** rang [*a man of high ~*] **4** matem., gram., univ. m.fl. grad; univ. äv. examen [*study for a ~, take the ~ of BA*]; *~ of comparison* komparationsgrad; *honours ~* se *honour I 5*; *the third ~* jur. tredje graden hänsynslös förhörsmetod; *murder in the first ~* isht amer. mord av första graden
dehydrate [di:'haɪdreɪt, ˌ--'-] **1** torka; *~d eggs* äggpulver; *~d soup* pulversoppa **2** kem. dehydratisera; med. dehydrera, torka ut
dehydration [ˌdi:haɪ'dreɪʃ(ə)n] uttorkning; med. dehydrering; kem. dehydratisering, avvattning
de-ice [ˌdi:'aɪs] förhindra isbildning på; isa av
deign [deɪn] **I** *vb itr, ~ to* nedlåta sig [till] att, värdigas, täckas, behaga **II** *vb tr* litt. värdigas ge [~ *an answer*]
deity ['deɪətɪ, 'di:-] gudom; gudomlighet; gud, gudinna
dejection [dɪ'dʒekʃ(ə)n] nedslagenhet, förstämning
delay [dɪ'leɪ] **I** *vb tr* **1** skjuta upp, dröja med [~ *doing* (att göra) *a th.*] **2** fördröja; *~ing tactics* förhalningstaktik **II** *vb itr* dröja **III** *s* fördröjning; dröjsmål; försening
delayed-action [dɪˌleɪd'ækʃ(ə)n] tidsinställd [~ *bomb* (*fuse*)]
delectable [dɪ'lektəbl] nöjsam
delegate [ss. subst. 'delɪgət, -geɪt, ss. vb 'delɪgeɪt] **I** *s* delegat, ombud **II** *vb tr* delegera
delegation [ˌdelɪ'geɪʃ(ə)n] **1** delegering; befullmäktigande **2** delegation, deputation
delete [dɪ'li:t] stryka [ut]
deliberate [ss. adj. dɪ'lɪb(ə)rət, ss. vb dɪ'lɪbəreɪt] **I** *adj* **1** överlagd, avsiktlig **2** försiktig **II** *vb tr* överväga **III** *vb itr* **1** överväga **2** rådslå, överlägga
deliberately [dɪ'lɪb(ə)rətlɪ] **1** avsiktligt, medvetet **2** betänksamt, försiktigt; sävligt
deliberation [dɪˌlɪbə'reɪʃ(ə)n] **1** moget övervägande **2** överläggning; debatt
delicacy ['delɪkəsɪ] **1** finhet i t.ex. vävnad, utförande, utseende **2** spädhet **3** känslighet **4** finess **5** finkänslighet; takt **6** delikatess
delicate ['delɪkət] **1** fin [~ *features,* ~ *lace*]; mild, skir [*a ~ colour*] **2** späd, klen [*a ~ child,* ~ *health*], skör **3** delikat [*a ~ situation*]; vansklig [*a ~ operation*] **4** känslig [~ *instruments*] **5** finkänslig; taktfull **6** läcker [~ *food*]
delicatessen [ˌdelɪkə'tesn] **1** delikatessaffär **2** (konstr. ss. pl.) färdiglagad mat, charkuterivaror; delikatesser
delicious [dɪ'lɪʃəs] **1** härlig **2** läcker [~ *fruit*]
delight [dɪ'laɪt] **I** *s* nöje, glädje, [väl]behag [*the ~s of country life*], fröjd; njutning; förtjusning; pl. *~s* äv. härligheter **II** *vb tr* glädja **III** *vb itr, ~ in* finna nöje (behag) i, njuta av [*he ~s in teasing me*]
delighted [dɪ'laɪtɪd] glad, förtjust
delightful [dɪ'laɪtf(ʊ)l] förtjusande [trevlig], ljuvlig [*a ~ place*]
delineate [dɪ'lɪnɪeɪt] **1** teckna [konturerna av]; göra utkast till, skissera **2** beskriva
delinquency [dɪ'lɪŋkwənsɪ], *juvenile ~* ungdomsbrottslighet
delinquent [dɪ'lɪŋkwənt], *juvenile ~* ungdomsbrottsling
delirious [dɪ'lɪrɪəs, -'lɪər-] yrande; [tillfälligt] sinnesförvirrad; rasande; yr
delirium [dɪ'lɪrɪəm, -'lɪər-] delirium; yra äv. bildl.
deliver [dɪ'lɪvə] **1** lämna av, lämna ut; hand. leverera; dela ut, bära ut [~ *letters*]; framföra [~ *a message to a p.*]; *have a th. ~ed to one's home* få ngt hemburet **2** befria [*from*]; frälsa [~ *us from evil*] **3** framföra [~ *a speech*]; *~ judgement* avkunna dom **4** förlösa; *be ~ed of a child* nedkomma med (föda) ett barn **5** överlämna, ge upp;

utlämna; *stand and ~!* pengarna eller livet! **6** rikta, dela ut [*~ a blow*]; avlossa [*~ a shot*]; kasta [*~ a ball*]

deliverance [dɪ'lɪv(ə)r(ə)ns] befrielse, räddning

delivery [dɪˌlɪv(ə)rɪ] **1** avlämnande, utlämnande [*~ of goods*]; utdelning [*~ of letters*]; utsändning [*parcels' ~*]; [post]tur [*by the first ~*]; *~ date* leveransdatum; *~ man* varubud; *~ note* följesedel; *on ~* vid leverans; *cash* (amer. *collect*) *on ~* [mot] efterkrav **2** framförande [*~ of a speech*]; framställningssätt [*he has an excellent ~*] **3** med. förlossning

delphinium [del'fɪnɪəm] bot. riddarsporre

delta ['deltə] **1** grekiska bokstaven delta; *~ rays* deltastrålar **2** delta[land] [*the Nile D~*]

delude [dɪ'lu:d, -'lju:d] lura, narra, vilseleda; *~ oneself* bedra (lura) sig själv

deluge ['delju:dʒ] **I** *s* **1** översvämning; häftigt regn **2** bildl. störtflod **II** *vb tr* översvämma äv. bildl.; dränka

delusion [dɪ'lu:ʒ(ə)n, -'lju:-] [själv]bedrägeri, villa, illusion, inbillning; vanföreställning; *~s of grandeur* storhetsvansinne

de luxe [də'lʌks, -'lʊks] luxuös, lyx- [*a ~ edition*]

delve [delv], *~ into* forska (gräva) i [*~ into old books* (*a p.'s past*)]

demagogue ['deməgɒg] demagog, folkuppviglare

demand [dɪ'mɑ:nd] **I** *vb tr* **1** begära, kräva [*~ an apology from* (av) *a p.*] **2** begära (yrka på) att få veta; myndigt fråga efter [*the policeman ~ed my name and address*] **II** *s* **1** begäran, krav; anspråk; *make ~s on a p.* ställa fordringar (anspråk) på ngn **2** efterfrågan; *~ and supply* tillgång och efterfrågan; *in ~* efterfrågad, eftersökt

demanding [dɪ'mɑ:ndɪŋ] krävande

demarcation [ˌdi:mɑ:'keɪʃ(ə)n] avgränsning; *line of ~* demarkationslinje, gränslinje

demean [dɪ'mi:n], *~ oneself* nedlåta sig

demeanour [dɪ'mi:nə] uppträdande, uppförande; *a friendly ~* ett vänligt sätt

demented [dɪ'mentɪd] sinnessjuk, mentalsjuk; vard. heltokig

demilitarize [ˌdi:'mɪlɪtəraɪz] demilitarisera

demise [dɪ'maɪz] **1** frånfälle **2** upphörande; fall

demist [di:'mɪst] ta bort imman från

demister [di:'mɪstə] isht bil. defroster

demo ['deməʊ] (pl. *~s*) vard. **1** kortform för *demonstration 2* **2** demoskiva

demob [ˌdi:'mɒb] mil. vard. **I** *vb tr, be* (*get*) *~bed* mucka **II** *s* muck; *get one's ~* mucka

demobilization [di:ˌməʊbɪlaɪ'zeɪʃ(ə)n] demobilisering; hemförlovning

demobilize [di:'məʊbɪlaɪz] demobilisera; hemförlova

democracy [dɪ'mɒkrəsɪ] demokrati

democrat ['deməkræt] demokrat; *D~* polit. (i USA) demokrat

democratic [ˌdemə'krætɪk] demokratisk; *the D~ Party* polit. (i USA) demokratiska partiet; *~ republic* äv. folkrepublik

demolish [dɪ'mɒlɪʃ] **1** demolera, riva [ned] **2** bildl. förstöra; kullkasta [*~ arguments*]

demolition [ˌdemə'lɪʃ(ə)n] **1** demolering **2** bildl. förstörelse; kullkastning **3** mil., *~ squad* sprängpatrull

demon ['di:mən] **1** demon äv. bildl.; ond ande; djävul [*the D~*] **2** vard. överdängare

demonstrate ['demənstreɪt] **I** *vb tr* **1** bevisa; visa, uppvisa **2** demonstrera, visa [*~ one's gratitude*] **3** demonstrera, förevisa **II** *vb itr* demonstrera

demonstration [ˌdemən'streɪʃ(ə)n] **1** bevisande; uppvisande; *a ~ of affection* en ömhetsbetygelse **2** demonstration

demonstrative [dɪ'mɒnstrətɪv] **I** *adj* **1** demonstrativ, öppen **2** gram. demonstrativ, utpekande **II** *s* gram. demonstrativt pronomen

demonstrator ['demənstreɪtə] demonstrant

demoralize [dɪ'mɒrəlaɪz] demoralisera

demote [dɪ'məʊt] degradera; flytta ned

demotion [dɪ'məʊʃ(ə)n] degradering; nedflyttning

demur [dɪ'mɜ:] göra invändningar

demure [dɪ'mjʊə] vanl. om kvinna **1** blyg[sam] **2** tillgjort allvarlig

den [den] **1** djurs håla **2** tillhåll [*thieves' ~*], håla [*an opium ~*]; kyffe; vard. lya

denial [dɪ'naɪ(ə)l] **1** [för]nekande **2** dementi **3** avslag [*~ of* (på) *a request*]; tillbakavisande **4** självförnekelse

denier ['denɪə, 'denɪeɪ] textil. denier

denigrate ['denɪgreɪt] tala nedsättande om

denim ['denɪm] **1** denim jeanstyg **2** vard., pl. *~s* jeans; snickarbyxor

denizen ['denɪzn] mest poet. invånare

Denmark ['denmɑ:k] Danmark

denomination [dɪˌnɒmɪ'neɪʃ(ə)n] **1** benämning **2** valör; myntenhet **3** denomination, kyrkosamfund

denominator [dɪ'nɒmɪneɪtə] matem., *lowest* (*least*) *common ~* minsta gemensamma nämnare

denote [dɪ'nəʊt] beteckna; ange

denounce [dɪ'naʊns] **1** peka ut [*~ a p. as a spy*]; brännmärka, fördöma, [skarpt] kritisera **2** ange brottsling

dense [dens] **1** tät [*a ~ crowd, a ~ forest*], tjock, ogenomtränglig; kompakt **2** bildl. dum [*he's quite ~*]

densely ['denslɪ] tätt [*~ populated*]

density ['densətı] **1** täthet etc., jfr *dense 1* **2** fys. densitet
dent [dent] **I** *s* **1** buckla **2** bildl. hål [*a ~ in the budget*] **II** *vb tr* göra märken i; perf. p. *~ed* tillbucklad, bucklig
dental ['dentl] **I** *adj* **1** *~ care* tandvård **2** fonet. dental [*~ sound*] **II** *s* fonet. dental
dentifrice ['dentıfrıs] tandpulver, tandkräm
dentist ['dentıst] tandläkare
dentistry ['dentıstrı] tandläkekonst[en]; tandläkararbete; tandläkaryrket
denture ['den(t)ʃə] tandprotes, tandgarnityr; *~s* löständer
denunciation [dıˌnʌnsı'eıʃ(ə)n] **1** fördömande **2** angivelse av brottsling
deny [dı'naı] **1** neka till; förneka; dementera; *there is no ~ing the fact that...* det kan inte förnekas att..., man kan inte komma ifrån att... **2** neka; avvisa; avslå; *he is not to be denied* han låter inte avvisa sig **3** *~ oneself* neka sig, försaka
deodorant [dı'əʊdər(ə)nt] deodorant
depart [dı'pɑ:t] **1** avresa; avlägsna sig; om tåg o.d. avgå **2** *~ from* avvika (skilja sig) från; frångå [*~ from routine*]
departed [dı'pɑ:tıd] högtidl., *the ~* den avlidne (avlidna), de avlidna
department [dı'pɑ:tmənt] **1** avdelning; bildl. område; fack, gren; *the D~ of English* el. *the English D~* vid univ. o.d. engelska institutionen **2** [regerings]departement, ministerium isht amer.; britt. äv. avdelning inom departement; *the State D~* i USA utrikesdepartementet
departmental [ˌdi:pɑ:t'mentl] avdelnings-; departements-; *~ minister* departementschef, fackminister
department store [dı'pɑ:tməntstɔ:] varuhus
departure [dı'pɑ:tʃə] **1** avresa; *point of ~* utgångspunkt; *~ hall (lounge)* t.ex. på flygplats avgångshall; *~ platform* avgångsplattform **2** avgående tåg (båt, flyg) [*arrivals and ~s; next ~*] **3** bildl. avvikelse; avsteg; vändning i samtal; *a new ~* en ny idé, ett nytt initiativ **4** litt. bortgång, död
depend [dı'pend] **1** bero [*on, upon* på]; vara beroende [*on, upon* av]; *that (it [all]) ~s* vard. det beror 'på **2** lita; *~ on it* vard. det kan du lita på, var lugn för det
dependable [dı'pendəbl] pålitlig; driftsäker
dependant [dı'pendənt] beroende person; *he has many ~s* det är många som är beroende av honom, han har många att försörja
dependence [dı'pendəns] **1** beroende **2** tillit, förtröstan
dependent [dı'pendənt] **I** *adj* beroende; underordnad; *~ clause* gram. bisats **II** *s* se *dependant*
depict [dı'pıkt] **1** avbilda; teckna av **2** skildra
depilatory [dı'pılət(ə)rı] **I** *adj* hårborttagande **II** *s* hårborttagningsmedel
deplorable [dı'plɔ:rəbl] beklagansvärd; sorglig, bedrövlig; eländig
deplore [dı'plɔ:] djupt beklaga; begråta
deploy [dı'plɔı] **I** *vb tr* **1** mil. sprida [på bred front]; gruppera; utplacera [*~ missiles*] **2** utveckla, utnyttja **II** *vb itr* mil. sprida sig; gruppera sig
depopulate [di:'pɒpjʊleıt] avfolka
depopulation [di:ˌpɒpjʊ'leıʃ(ə)n] avfolkning
deport [dı'pɔ:t] **I** *vb tr* deportera, förvisa **II** *vb rfl, ~ oneself* uppföra (skicka) sig
deportation [ˌdi:pɔ:'teıʃ(ə)n] deportation, förvisning
deportment [dı'pɔ:tmənt] uppförande; hållning
depose [dı'pəʊz] **I** *vb tr* **1** avsätta t.ex. kung **2** jur., isht skriftligt vittna [under ed] om **II** *vb itr* jur., isht skriftligt vittna [under ed]
deposit [dı'pɒzıt] **I** *vb tr* **1** lägga (sätta) ned; lägga ägg **2** deponera, lämna i förvar, [låta] förvara [*with* (hos) *a p., in a p.'s hands, in a museum*], anförtro; sätta in [*~ money in a bank*] **3** lämna som (i) säkerhet; lämna (betala) i handpenning **4** avsätta; utfälla bottensats **II** *s* **1** deposition; insättning [*savings-bank's ~s*], insatta pengar; tillgodohavande; förvar; *~ account* inlåningskonto; kapitalkonto; kapitalsamlingskonto **2** pant; handpenning, förskott; depositionsavgift; *no ~* på engångsflaska ingen retur **3** fällning; avlagring; lager; fyndighet [*ore ~*]
depositor [dı'pɒzıtə] deponent; *~'s book* sparbanksbok, bankbok
depository [dı'pɒzıt(ə)rı] förvaringsställe; nederlag; *night ~* amer. servicebox, nattfack
depot ['depəʊ, amer. äv. 'di:pəʊ] **1** depå, förråd; nederlag **2** spårvagnshall; bussgarage **3** bangård **4** amer. busstation; järnvägsstation; flygterminal
depravity [dı'prævətı] depravation; lastbarhet
deprecat|e ['deprəkeıt] ogilla, beklaga; *a -ing gesture* en avvärjande gest
depreciate [dı'pri:ʃıeıt] **I** *vb tr* **1** skriva ned valuta **2** bildl. nedvärdera **3** hand. skriva av **II** *vb itr* falla (sjunka, minska) i värde
depreciation [dıˌpri:ʃı'eıʃ(ə)n] **1** värdeminskning, nedvärdering; depreciering av valuta **2** bildl. nedvärdering, förringande **3** hand. avskrivning för slitage o.d.

depress [dɪ'pres] **1** trycka ned; slå an tangent **2** deprimera, göra nedslagen
depressant [dɪ'pres(ə)nt] farmakol. lugnande [medel]; *cardiac ~ [drug]* hjärtlugnande medel
depressed [dɪ'prest] **1** nedstämd, deprimerad [*he looked rather ~*] **2** *~ area* krisdrabbat område där arbetslöshet råder
depressing [dɪ'presɪŋ] deprimerande; dyster
depression [dɪ'preʃ(ə)n] **1** depression; nedstämdhet **2** nedtryckning **3** sänka **4** depression, lågkonjunktur **5** meteor. lågtryck; lågtryckscentrum [äv. *centre of ~*]
deprive [dɪ'praɪv] beröva; undandra
depth [depθ] djup äv. bildl.; djuphet; bredd; djupsinnighet [äv. *~ of thought*]; *the ~s* isht poet. djupet [*be lost in the ~s*; *from the ~s of my heart*]; *in the ~ of winter* mitt i [den kallaste] vintern
deputation [ˌdepjʊ'teɪʃ(ə)n] deputation
deputy ['depjʊtɪ] **1** deputerad; fullmäktig, ombud; *the Chamber of Deputies* deputeradekammaren i vissa länder **2** ställföreträdare; *by ~* genom ombud **3** i titlar vice-, sous-; *~ landlord* vicevärd
derail [dɪ'reɪl] [få att] spåra ur; *the train was ~ed* tåget spårade ur
derange [dɪ'reɪn(d)ʒ] bringa i oordning; *mentally ~d* mentalsjuk
Derby ['dɑ:bɪ, amer. 'dɜ:bɪ] **I** geogr. egenn. **II** *s* **1** Derby årlig hästkapplöpning i Epsom **2** sport. derby **3** amer., *d~* plommonstop, kubb
deregulate [di:'regjʊleɪt] avreglera
derelict ['derɪlɪkt] [övergiven och] förfallen; öde- [*a ~ house*]
deride [dɪ'raɪd] skratta åt, håna
derision [dɪ'rɪʒ(ə)n] hån
derisive [dɪ'raɪsɪv, -'raɪzɪv, -'rɪzɪv] o.
derisory [dɪ'raɪsərɪ, -'raɪzərɪ] **1** hånfull **2** löjlig
derivative [dɪ'rɪvətɪv] **I** *adj* **1** härledd **2** föga originell **II** *s* kem. derivat; gram. avledning
derive [dɪ'raɪv] **I** *vb tr* **1** dra; *be ~d from* äv. härleda sig från **2** derivera, avleda **II** *vb itr* härleda sig
dermatitis [ˌdɜ:mə'taɪtɪs] med. dermatit
derogatory [dɪ'rɒgət(ə)rɪ] **1** förklenande [*~ remarks*] **2** skadlig; inkräktande
derrick ['derɪk] **1** slags lyftkran; sjö. hissbock, hissbom, lastbom **2** borrtorn över oljebrunn
derv [dɜ:v] (eg. förk. för *Diesel Engined Road Vehicle*) dieselolja
desalination [ˌdi:sælɪ'neɪʃ(ə)n] avsaltning
descend [dɪ'send] **I** *vb itr* **1** gå (komma, fara o.d.) ned; stiga ned; sjunka **2** slutta [nedåt] **3** gå i arv [*~ from father to son*] **4** *~ [up]on* överrumpla; slå ned på; [oväntat] titta in hos; hemsöka **5** *~ to* a) gå in (inlåta sig) på [*~ to particulars* (detaljer)] b) sänka (förnedra, nedlåta) sig till c) genom arv tillfalla; nedärvas till, övergå på **6** härstamma **II** *vb tr* **1** stiga (gå) nedför [*~ a hill, ~ the stairs*], fara utför [*~ a river*] **2** *be ~ed from* härstamma från
descendant [dɪ'sendənt] ättling
descent [dɪ'sent] **1** nedstigande, nedstigning; nedgående; nedgång äv. konkr.; nedfärd, färd utför **2** sluttning **3** plötsligt överfall **4** bildl. sjunkande **5** härstamning, härkomst; *by ~* äv. till börden
describe [dɪ'skraɪb] **1** beskriva; framställa **2** beteckna [*he ~s himself as a scientist*], benämna
description [dɪ'skrɪpʃ(ə)n] **1** beskrivning; skildring; signalement; beteckning **2** slag, sort
descriptive [dɪ'skrɪptɪv] beskrivande [*a ~ catalogue*]; skildrande; deskriptiv; berättar- [*~ power*]
desecrate ['desɪkreɪt] vanhelga
1 desert [dɪ'zɜ:t], vanl. pl. *~s* förtjänst; förtjänt lön, vedergällning; *get one's ~s* få vad man förtjänar
2 desert [ss. adj. o. subst. 'dezət, ss. vb dɪ'zɜ:t] **I** *adj* öde, ödslig; öken-; kal **II** *s* öken äv. bildl.; ödemark **III** *vb tr* överge; svika; avfalla från; desertera (rymma) från; perf. p. *~ed* äv. folktom, öde **IV** *vb itr* desertera, rymma
deserter [dɪ'zɜ:tə] desertör; överlöpare
desertion [dɪ'zɜ:ʃ(ə)n] **1** övergivande **2** desertering
deserve [dɪ'zɜ:v] förtjäna, vara (göra sig) förtjänt av
deservedly [dɪ'zɜ:vɪdlɪ] välförtjänt; med rätta
deserving [dɪ'zɜ:vɪŋ] förtjänstfull, förtjänt; *a ~ case* om pers. ett ömmande fall; *a ~ cause* ett behjärtansvärt ändamål
design [dɪ'zaɪn] **I** *vb tr* **1** formge; teckna [konturerna av]; göra en ritning till [*~ a building*]; skapa, konstruera **2** planera **3** avse [*the room was ~ed for* (för) *the children*], bestämma **II** *vb itr* formge; teckna; rita [mönster] **III** *s* **1** form[givning], design; planläggning; skiss; ritning [*a ~ for* (till) *a building*]; konstruktion; typ **2** mönster **3** plan; avsikt; *have ~s against a p.* hysa onda avsikter (planer) mot ngn
designate [ss. vb 'dezɪgneɪt, ss. adj. 'dezɪgnət, -neɪt] **I** *vb tr* **1** beteckna, benämna **2** designera, utse; avse **II** *adj* designerad, utnämnd [*minister ~*]
designation [ˌdezɪg'neɪʃ(ə)n] **1** betecknande **2** beteckning, benämning **3** utnämning

designer [dɪ'zaɪnə] **1** formgivare; modetecknare [äv. *fashion ~*], märkes- [*~ jeans*]; gravör; *stage ~* scenograf, dekoratör; *~ drug* syntetiskt narkotikapreparat **2** planerare, planläggare
desirable [dɪ'zaɪərəbl] **1** önskvärd **2** åtråvärd **3** *~ residence* i bostadsannons attraktivt objekt
desire [dɪ'zaɪə] **I** *vb tr* **1** önska [sig]; *leave much* (*a great deal*) *to be ~d* lämna mycket övrigt att önska **2** begära, be **II** *s* **1** önskan; längtan **2** anmodan [*at* el. *by* (på) *your ~*] **3** önskning, önskemål
desirous [dɪ'zaɪərəs], *be ~ of a th.* (*to do a th.*) önska ngt (att [få] göra ngt)
desist [dɪ'zɪst, dɪ'sɪst] avstå; upphöra; *~ from doing a th.* äv. låta bli att göra ngt
desk [desk] **1** [skriv]bord; [skol]bänk; pulpet; *teacher's ~* kateder **2** kassa i butik [*pay at the ~*]; reception på hotell; *~ clerk* amer. portier, receptionist **3** *the city ~* handelsredaktionen på tidning
desktop ['desktɒp] skrivbords-; *~ computer* skrivbordsdator; *~ publishing* data. desktoppublishing, [datoriserat] sidredigeringssystem
desolate [ss. adj. 'desələt, ss. vb 'desəleɪt] **I** *adj* **1** ödslig; kal; övergiven; enslig **2** tröstlös; bedrövad **II** *vb tr* **1** avfolka; ödelägga **2** göra bedrövad (förtvivlad, tröstlös)
desolation [ˌdesə'leɪʃ(ə)n] **1** ödeläggelse **2** enslighet; ödslighet **3** övergivenhet; förtvivlan; tröstlöshet
despair [dɪ'speə] **I** *s* förtvivlan, misströstan; hopplöshet; *be in ~* vara förtvivlad; misströsta [*of* om] **II** *vb itr* förtvivla
despatch [dɪ'spætʃ] se *dispatch*
desperado [ˌdespə'rɑːdəʊ] (pl. *~es* el. *~s*) desperado
desperate ['desp(ə)rət] **1** desperat; hopplös; *~ remedies* drastiska botemedel **2** vard. desperat, fruktansvärd [*a ~ hurry* (*need*)]
desperation [ˌdespə'reɪʃ(ə)n] förtvivlan; desperation; *it drives me to ~* vard. det gör mig vansinnig
despicable [dɪ'spɪkəbl] föraktlig, ömklig
despise [dɪ'spaɪz] förakta
despite [dɪ'spaɪt] trots
despondent [dɪ'spɒndənt] missmodig
despot ['despɒt, -pət] despot
despotic [de'spɒtɪk, dɪs-] despotisk
dessert [dɪ'zɜːt] dessert, efterrätt
dessertspoon [dɪ'zɜːtspuːn] dessertsked
destination [ˌdestɪ'neɪʃ(ə)n] destination; bestämmelseort
destine ['destɪn] bestämma, ämna; destinera [*the ship was ~d for* (till) *Hull*]; *he was ~d never to see her again* han skulle aldrig träffa henne igen
destiny ['destɪnɪ] **1** [livs]öde; bestämmelse **2** ödesgudinna
destitute ['destɪtjuːt] [ut]blottad; utfattig; *be ~ of* äv. sakna, vara helt utan, vara tom på
destroy [dɪ'strɔɪ] förstöra; tillintetgöra, förinta; ödelägga [*the town was completely ~ed*]; krossa; avliva [*have a cat ~ed*]
destroyer [dɪ'strɔɪə] **1** förstörare **2** sjö. jagare
destruction [dɪ'strʌkʃ(ə)n] **1** förstörande; tillintetgörelse, förintelse; ödeläggelse; destruktion **2** fördärv
destructive [dɪ'strʌktɪv] destruktiv; förstörande; *~ criticism* nedgörande kritik
desultory ['desəlt(ə)rɪ] ostadig; osammanhängande; planlös [*~ reading*]; flyktig [*~ remarks*]
detach [dɪ'tætʃ] **1** lösgöra **2** mil. detachera, avdela
detachable [dɪ'tætʃəbl] löstagbar
detached [dɪ'tætʃt] **1** avskild, fristående; spridd [*~ clouds*]; *~ house* villa **2** opartisk, objektiv [*a ~ view* (*outlook*)]; oengagerad
detachment [dɪ'tætʃmənt] **1** lösgörande, lossnande **2** avskildhet; opartiskhet; objektivitet **3** mil. detachering; detachement
detail ['diːteɪl, isht amer. dɪ'teɪl] **I** *vb tr* **1** i detalj redogöra för **2** mil. ta ut **II** *s* detalj[er]; enskildhet; oväsentlighet; *give the ~s* förklara närmare
detain [dɪ'teɪn] **1** uppehålla, hindra **2** hålla [kvar] i häkte; internera
detainee [ˌdiːteɪ'niː] häktad (internerad) [person]
detect [dɪ'tekt] upptäcka; uppdaga; spåra
detection [dɪ'tekʃ(ə)n] upptäckt; uppdagande, uppklarande [*the ~ of crime*]; uppspårning
detective [dɪ'tektɪv] **I** *adj* detektiv- [*a ~ story*]; *~ constable* kriminalare **II** *s* detektiv
detector [dɪ'tektə] tekn., radio. m.m. detektor; *sound ~* ljuddetektor
détente o. **detente** [deɪ'tɑːnt, deɪ'tɒnt] polit. (fr.) avspänning; *policy of ~* avspänningspolitik
detention [dɪ'tenʃ(ə)n] **1** uppehållande **2** kvarhållande [i häkte]; internering; arrest; *~ camp* mil. fångläger, interneringsläger **3** kvarsittning efter skolans slut; *be kept in ~* få sitta kvar
deter [dɪ'tɜː] avskräcka, hindra [*from*]
detergent [dɪ'tɜːdʒ(ə)nt] **I** *adj* renande **II** *s* tvättmedel, diskmedel, rengöringsmedel
deteriorate [dɪ'tɪərɪəreɪt] försämras; urarta; falla (sjunka) i värde; förfalla
deterioration [dɪˌtɪərɪə'reɪʃ(ə)n] försämring; urartning; förfall

determination [dɪˌtɜ:mɪ'neɪʃ(ə)n] **1** beslutsamhet **2** bestämmande; fastställande **3** beslut

determine [dɪ'tɜ:mɪn] **I** *vb tr* **1** bestämma; fastställa; beräkna; avgöra **2** besluta (bestämma) [sig för]; föresätta sig **3** få (komma) ngn att bestämma sig **II** *vb itr* besluta [sig]; ~ *on a th.* bestämma (besluta) sig för ngt

determined [dɪ'tɜ:mɪnd] **1** bestämd; fastställd **2** bestämd, [fast] besluten; beslutsam; *be ~ to do a th.* vara [fast] besluten att göra ngt

deterrent [dɪ'ter(ə)nt, isht amer. -'tɜ:r-] **I** *adj* avskräckande **II** *s* avskräckningsmedel; *act as a ~* verka avskräckande

detest [dɪ'test] avsky

detestable [dɪ'testəbl] avskyvärd

dethrone [dɪ'θrəʊn] störta från tronen; detronisera

detonat|e ['detə(ʊ)neɪt] **I** *vb tr* få att detonera (explodera); spränga **II** *vb itr* detonera, explodera; *-ing cap* knallhatt

detonation [ˌdetə(ʊ)'neɪʃ(ə)n] detonation; knall

detonator ['detə(ʊ)neɪtə] detonator; sprängkapsel; tändhatt; tändrör

detract [dɪ'trækt], ~ *from* [vilja] förringa

detractor [dɪ'træktə] förtalare, belackare

detriment ['detrɪmənt] skada, men [*without ~ to* (för), *to the ~ of* (för)]; nackdel

detrimental [ˌdetrɪ'mentl] skadlig

1 deuce [dju:s] **1** spel. tvåa **2** i tennis fyrtio lika **3** amer. sl. tvådollarsedel

2 deuce [dju:s] vard. tusan; *what* (*who*) *the ~...?* vad (vem) tusan...?

devaluation [ˌdi:væljʊ'eɪʃ(ə)n] devalvering av valuta

devalue [ˌdi:'vælju:] devalvera valuta

devastating ['devəsteɪtɪŋ] ödeläggande; förödande

devastation [ˌdevə'steɪʃ(ə)n] ödeläggelse, förödelse

develop [dɪ'veləp] **I** *vb tr* **1** utveckla; utbilda, öva upp; utarbeta [*~ a theory*]; arbeta upp; bygga ut; exploatera [*~ an area*] **2** få [*~ a fever, ~ engine trouble* (motorkrångel)] **3** foto. framkalla **II** *vb itr* utveckla sig; framträda; göra framsteg; *~ing country* utvecklingsland, u-land

developer [dɪ'veləpə] **1** *property ~* ung. byggherre; neds. tomtjobbare **2** foto. framkallare; framkallningsvätska **3** *be a late ~* vara sent utvecklad

development [dɪ'veləpmənt] **1** utveckling; uppövning; utarbetning; [till]växt; utbyggnad; exploatering; *~ area* lokaliseringsområde, stödområde **2** [*housing*] ~ bostadsområde, bebyggelse **3** foto. framkallning

deviate ['di:vɪeɪt] avvika, göra en avvikelse

deviation [ˌdi:vɪ'eɪʃ(ə)n] **1** avvikelse; avsteg; projektils avdrift; *standard ~* statistik. standardavvikelse **2** sjö. deviation; missvisning

device [dɪ'vaɪs] **1** plan; påhitt; knep [*a man full of ~s*]; konstgrepp [*a stylistic ~*] **2** anordning, apparat, uppfinning, påhitt [*an ingenious ~*] **3** mönster **4** devis **5** pl., *leave a p. to his own ~s* låta ngn sköta (klara) sig själv

devil ['devl] **I** *s* **1** djävul, satan ofta bildl. [*poor ~*]; *the D~* djävulen; *a* (*the*) *~ of a...* en tusan till..., en (ett) jäkla (satans)...; *go to the ~* deka ner sig; *go to the ~!* dra åt helsike!; *play the ~ with* ta kål på, gå illa (hårt) åt; *talk of the ~* [*and he will appear*] när man talar om trollen[, så står de i farstun] **2** vard. sathumör, fart, ruter **II** *vb tr* **1** starkt krydda och grilla (steka) [*~led eggs*] **2** amer. plåga, oroa

devilish ['dev(ə)lɪʃ] **I** *adj* **1** djävulsk, satanisk **2** vard. förbaskad **II** *adv* vard. djävulskt

devious ['di:vjəs] **1** slingrande; irrande; villsam; *~ ways* (*paths*) omvägar, avvägar, smygvägar **2** bedräglig, försåtlig

devise [dɪ'vaɪz] hitta på; planera

devoid [dɪ'vɔɪd], *~ of* blottad (tom) på, saknande, utan

devolution [ˌdi:və'lu:ʃ(ə)n, -və'lju:-] överlåtande [*the ~ of property*]; delegering

devolve [dɪ'vɒlv] **I** *vb tr* överlåta **II** *vb itr* överlåtas; ~ [*up*]*on* tillfalla, åligga, falla på ngn (ngns lott)

devote [dɪ'vəʊt] ägna; inviga; [upp]offra; *~ oneself to* ägna (hänge) sig åt

devoted [dɪ'vəʊtɪd] **1** hängiven; tillgiven, trogen [*a ~ friend*]; *be ~ to a p.* vara [varmt] fäst vid (förtjust i) ngn, vara ngn hängiven (tillgiven) **2** helgad, bestämd

devotee [ˌdevə(ʊ)'ti:] **1** dyrkare; *~ of sport* äv. sportfantast, sportentusiast **2** varmt (fanatiskt) troende

devotion [dɪ'vəʊʃ(ə)n] **1** tillgivenhet; kärlek; hängivenhet **2** pl. *~s* andaktsövning, [förrättande av] bön

devour [dɪ'vaʊə] sluka äv. bildl. [*~ a p. with one's eyes*]; uppsluka

devout [dɪ'vaʊt] from; innerlig

dew [dju:] dagg

dexterity [dek'sterətɪ] fingerfärdighet, händighet

dexterous ['dekst(ə)rəs] **1** fingerfärdig, händig **2** högerhänt

dextrose ['dekstrəʊz] druvsocker

diabetes [ˌdaɪə'bi:ti:z] med. diabetes

diabetic [ˌdaɪə'betɪk, -'bi:t-] **I** *s* diabetiker, sockersjuk [patient] **II** *adj* diabetisk; diabetiker- [*~ food*]

diabolical [ˌdaɪə'bɒlɪk(ə)l] vard. förfärlig [~

weather], avskyvärd [*his ~ treatment of his wife*]; starkare jäkla [*what a ~ nerve he's got!*]
diagnose ['daɪəgnəʊz] med. diagnostisera
diagnos|is [ˌdaɪəg'nəʊs|ɪs] (pl. *-es* [-i:z]) diagnos
diagonal [daɪ'ægənl] diagonal
diagram ['daɪəgræm] diagram; schematisk teckning; geom. figur
dial ['daɪ(ə)l] **I** *s* **1** urtavla **2** visartavla **3** radio. [inställnings]skala **4** tele. fingerskiva, nummerskiva; radio. el. tekn. [manöver]knapp; ~ [*tele*]*phone* automattelefon; ~ *tone* isht amer. kopplingston, svarston **5** solur, solvisare **6** sl. nylle **II** *vb tr* **1** ringa [upp]; slå telefonnummer **2** radio. ta in station **III** *vb itr* slå på fingerskivan; slå ett nummer (numret)
dialect ['daɪəlekt] dialekt
dialectal [ˌdaɪə'lektl] dialektal
dialogue ['daɪəlɒg] dialog; dialogform
dialys|is [daɪ'æləs|ɪs] (pl. *-es* [-i:z]) kem. el. med. dialys
diameter [daɪ'æmɪtə] diameter; tvärsnitt
diamond ['daɪəmənd] **1 a)** diamant i olika bet., ibl. briljant; *cut* (*uncut*) ~ slipad (oslipad) diamant; *rough* ~ a) oslipad (rå) diamant b) bildl. ohyfsad (barsk) men godhjärtad människa [amer. vanl. ~ *in the rough*] **b)** diamant- [~ *ring* (*wedding*)] **2** kortsp. ruterkort; pl. *~s* ruter; *the ten of ~s* ruter tio **3** i baseball diamond
diaper ['daɪəpə] **I** *s* **1** dräll **2** isht amer. blöja **II** *vb tr* isht amer. sätta (byta) blöja på baby
diaphragm ['daɪəfræm] **1** anat. mellangärde, diafragma äv. bot. el. fys.; membran **2** skiljevägg av olika slag **3** foto. bländare **4** pessar
diarrhoea [ˌdaɪə'rɪə] diarré
diary ['daɪərɪ] dagbok [*keep a ~*]; almanacka
diatribe ['daɪətraɪb] diatrib; häftig och bitter kritik
dice [daɪs] **I** *s pl* (av *1 die 1*) tärningar; tärning[sspel]; *play* ~ spela tärning **II** *vb itr* spela tärning **III** *vb tr* kok. skära i tärningar
dicey ['daɪsɪ] vard. knepig [*a ~ question*]; riskabel
dichotomy [daɪ'kɒtəmɪ] delning; klyfta; filos. dikotomi
dictate [ss. subst. 'dɪkteɪt, ss. vb dɪk'teɪt] **I** *s* diktat, befallning, föreskrift [*follow the ~s of fashion*]; maktspråk; rättesnöre; ofta [inre] röst **II** *vb tr* o. *vb itr* diktera; föreskriva; förestava; *I won't be ~d to* jag låter mig inte kommenderas
dictation [dɪk'teɪʃ(ə)n] **1** diktamen [*write from* (*at*) *a p.'s ~*] **2** föreskrift, order [*at his ~*]
dictator [dɪk'teɪtə] diktator
dictatorial [ˌdɪktə'tɔ:rɪəl] diktatorisk; befallande, härskar- [~ *nature*]
dictatorship [dɪk'teɪtəʃɪp] diktatur
diction ['dɪkʃ(ə)n] sätt att uttrycka sig, språk; diktion
dictionary ['dɪkʃ(ə)nrɪ] ordbok; *a walking* (*living*) ~ ett levande lexikon
did [dɪd] imperf. av *2 do*
didactic [daɪ'dæktɪk, dɪ'd-] didaktisk; docerande
didn't ['dɪdnt] = *did not*
1 die [daɪ] **1** (pl. *dice,* se d.o.) tärning; *as straight as a ~* a) rak som en pinne (spik) b) bildl. genomhederlig **2** (pl. *~s*) präglingsstämpel; matris, stans
2 die [daɪ] **1** dö äv. bildl., avlida [~ *from* (av) *overwork* (*a wound*); ~ *of* (*with*) (av) *anxiety* (*curiosity, laughter* etc.)]; *I'm dying for a cup of coffee* jag är [hemskt] sugen på en kopp kaffe (kaffesugen) **2** dö ut **3** ~ *down* (*away*) dö bort, slockna; ~ *off* dö en efter en, dö bort
die-hard ['daɪhɑ:d] **I** *adj* seglivad [~ *optimism*]; orubblig **II** *s* mörkman, reaktionär
1 diet ['daɪət] församling; icke-engelsk riksdag
2 diet ['daɪət] **I** *s* diet [*put a p. on a ~*]; föda; *be on a ~* hålla diet; banta; *go on a ~* [börja] banta **II** *vb tr* sätta på diet; ~ *oneself* hålla diet; banta **III** *vb itr* hålla diet; banta
dietary ['daɪət(ə)rɪ] **I** *adj* diet- [~ *foods,* ~ *habits*], dietetisk **II** *s* **1** diet[föreskrift] **2** mathållning, matordning isht på sjukhus o.d.
dietician o. **dietitian** [ˌdaɪə'tɪʃ(ə)n] dietist
differ ['dɪfə] **1** vara olik[a]; skilja sig, avvika **2** vara av olika mening [*about* (*on*) *a th.*]; ~ *from* (*with*) *a p.* inte dela ngns uppfattning, vara oense med ngn
difference ['dɪfr(ə)ns] **1** olikhet; [åt]skillnad; mellanskillnad; avvikelse; differens; *all the ~ in the world* en oerhörd (himmelsvid) skillnad; *it makes no ~ to me* det gör mig detsamma; *with a ~* på annat sätt [*they do it with a ~*] **2** meningsskiljaktighet [äv. ~ *of opinion*]; tvist; tvistepunkt; gräl [*they have had a ~*]
different ['dɪfr(ə)nt] olik[a], skild [*everything would have been quite ~*], annorlunda beskaffad, [helt] annan, ny [*I feel a ~ man now*]; speciell; vard. ovanlig; ~ *from* (*to,* amer. äv. *than*)... olik..., annorlunda (annan) än...
differential [ˌdɪfə'renʃ(ə)l] **I** *adj* **1** differentiell, differential- [~ *calculus*] **2** tekn., ~ *gear* differentialväxel **3** åtskiljande, särskiljande, utmärkande

II *s* **1** matem. el. tekn. differential **2** se *I 2* **3** skillnad [*wage* ~]
differentiate [ˌdɪfə'renʃɪeɪt] **1** skilja [sig]; differentiera[s] **2** [sär]skilja; hålla i sär; skilja mellan (på)
differently ['dɪfr(ə)ntlɪ] annorlunda
difficult ['dɪfɪk(ə)lt, -fək-] **1** svår; ~ *of access* svårtillgänglig **2** besvärlig
difficult|y ['dɪfɪk(ə)ltɪ, -fək-] **1** svårighet[er]; *have* [*some*] ~ *in understanding* ha svårt att förstå; ~ *in breathing* andnöd **2** trassel, missförstånd **3** vanl. pl. *-ies* [penning]förlägenhet, [penning]knipa **4** betänklighet, invändning [*raise* (*make*) *-ies*]
diffidence ['dɪfɪd(ə)ns] **1** brist på självförtroende, osäkerhet **2** [överdriven] blygsamhet, blyghet
diffident ['dɪfɪd(ə)nt] **1** utan självförtroende, osäker **2** försagd; *be* ~ *about doing a th.* tveka (dra sig för) att göra ngt
diffuse [ss. adj. dɪ'fju:s, ss. vb dɪ'fju:z] **I** *adj* utspridd; diffus äv. bildl. **II** *vb tr* o. *vb itr* sprida[s] [ut (omkring)]; sprida sig; *~d lighting* indirekt belysning
dig [dɪg] **I** (*dug dug*) *vb tr* **1** gräva; gräva i; böka i; gräva upp (ut, fram); leta (få) fram [~ *facts from books*]; ~ *potatoes* ta upp potatis; ~ *in* gräva ned; ~ *up* gräva upp äv. bildl.; gräva fram **2** stöta [~ *one's fork into the pie*], hugga [~ *one's spurs into one's horse*]; borra [~ *one's nails into*]; ~ *a p. in the ribs* se *rib I 1* **3** sl. a) digga lyssna på [~ *modern jazz*] b) digga, gilla c) haja [*do you* ~ *what I'm saying?*] d) kolla [in] titta på [~ *those shoes*] **II** (*dug dug*) *vb itr* **1** gräva; böka; gräva sig **2** ~ *away at* [*one's work*] jobba [på] med..., slita med...; ~ *into* [*one's work* (*a meal*)] hugga in på..., kasta sig över... **3** vard. bo **4** mil., ~ *in* gräva ned sig **III** *s* vard. stöt, puff; bildl. pik [*that remark was a* ~ *at* (åt) *me*]
digest [ss. subst. 'daɪdʒest, ss. vb daɪ'dʒest, dɪ'dʒ-] **I** *s* sammandrag **II** *vb tr* **1** smälta mat, kunskaper o.d.; befordra smältningen av; bildl. äv. tillägna sig **2** tänka över (igenom) plan **3** ordna; sammanfatta **4** tåla; smälta **5** tekn. koka **III** *vb itr* smälta; smälta maten
digestible [daɪ'dʒestəbl, dɪ'dʒ-] smältbar
digestion [daɪ'dʒestʃ(ə)n, dɪ'dʒ-] [mat]smältning; matspjälkning; digestion
digestive [daɪ'dʒestɪv, dɪ'dʒ-] **I** *adj* **1** matsmältningsbefordrande **2** matsmältnings- [~ *complaint* (*organs*)]; ~ *system* matsmältningsapparat **II** *s* matsmältningsbefordrande medel
digit ['dɪdʒɪt] **1** ensiffrigt tal; *a number of three ~s* ett tresiffrigt tal **2** anat. finger; tå
digital ['dɪdʒɪtl] **1** finger- **2** digital [~ *computer*; ~ *audio tape*], siffer-; ~ *clock* digitalur
dignified ['dɪgnɪfaɪd] värdig; förnäm; högtidlig
dignify ['dɪgnɪfaɪ] **1** göra värdig **2** hedra med ett finare namn
dignitary ['dɪgnɪt(ə)rɪ] dignitär; hög [isht kyrklig] ämbetsman
dignity ['dɪgnətɪ] värdighet; [sant] värde, höghet; ädelhet; *stand on one's* ~ hålla på sin värdighet
digress [daɪ'gres, dɪ'g-] avvika [~ *from the subject*], göra en utvikning; komma från ämnet
digression [daɪ'greʃ(ə)n, dɪ'g-] avvikelse (utvikning, digression) [från ämnet]
digs [dɪgz] vard. [hyres]rum
dilapidated [dɪ'læpɪdeɪtɪd] förfallen
dilatation [ˌdaɪleɪ'teɪʃ(ə)n, -lə't-, ˌdɪl-] uttänjning; fys., bot. el. med. dilatation
dilate [daɪ'leɪt, dɪ'l-] **I** *vb tr* [ut]vidga [~ *the nostrils* (*pupils*)], tänja ut; *~d eyes* uppspärrade ögon **II** *vb itr* **1** [ut]vidga sig **2** bildl. breda ut sig
dilatory ['dɪlət(ə)rɪ] **1** långsam **2** förhalnings- [~ *policy*], avsedd att förhala tiden
dilemma [dɪ'lemə, daɪ'l-] dilemma; *on the horns of a* ~ i ett dilemma, i valet och kvalet
diligent ['dɪlɪdʒ(ə)nt] flitig; omsorgsfull [*a* ~ *search*]
dill [dɪl] bot. dill; ~ *pickle* gurka i dillag
dilly-dally ['dɪlɪˌdælɪ] vard. vackla; [gå och] söla
dilute [daɪ'lu:t, -'lju:t] spä [ut], blanda [ut], förtunna; bildl. försvaga; perf. p. *~d* äv. urvattnad äv. bildl.
dim [dɪm] **I** *adj* **1** dunkel [~ *memories*], matt; skum; svag [*his eyesight is getting* ~]; oklar, vag; omtöcknad; mörk [*a* ~ *future*]; *her eyes grew* ~ det svartnade för hennes ögon **2** vard. korkad **II** *vb tr* **1** fördunkla äv. bildl.; skymma [bort]; dämpa [~ *the light*]; omtöckna; ställa i skuggan **2** amer. bil., ~ *the* [*head*]*lights* blända av **III** *vb itr* fördunklas; blekna; dämpas
dime [daɪm] amer. tiocentare; *not worth a* ~ vard. inte värd ett nickel (ett ruttet lingon)
dimension [daɪ'menʃ(ə)n, dɪ'm-] **I** *s* **1** dimension; pl. *~s* äv. storlek, omfång, vidd, mått **2** aspekt [*the ecological ~s of this policy*] **II** *vb tr* dimensionera
dimensional [daɪ'menʃənl, dɪ'm-] dimensionell
diminish [dɪ'mɪnɪʃ] **I** *vb tr* [för]minska; försvaga; *~ed responsibility* jur. förminskad tillräknelighet **II** *vb itr* [för]minskas; försvagas; avta
diminutive [dɪ'mɪnjʊtɪv] **I** *adj* diminutiv äv.

gram. [~ *ending*]; mycket liten **II** *s* gram. diminutiv[form]
dimmer ['dɪmə] **1** dimmer; isht teat. avbländningsanordning **2** isht amer. bil. avbländare; pl. *~s* parkeringsljus
dimple ['dɪmpl] **I** *s* smilgrop **II** *vb tr* o. *vb itr* bilda gropar (små fördjupningar) [i]
dimwit ['dɪmwɪt] vard. pundhuvud
din [dɪn] **I** *s* dån, buller **II** *vb tr* **1** bedöva med larm, dåna i ngns öron **2** *~ a th. into a p.'s head* hamra (banka) in ngt i huvudet på ngn
dine [daɪn] **I** *vb itr* äta middag, dinera; *~ out* äta middag ute (borta); vara bortbjuden på middag **II** *vb tr* bjuda på middag, ge middag för
diner ['daɪnə] **1** middagsgäst; uteätare **2** järnv. restaurangvagn **3** isht. amer. bar[servering], matställe
dinghy ['dɪŋgɪ] jolle; [uppblåsbar] räddningsbåt; [uppblåsbar] gummibåt
dingy ['dɪn(d)ʒɪ] **1** smutsig; grådaskig; sjaskig, sjabbig **2** mörk
dining-car ['daɪnɪŋkɑ:] järnv. restaurangvagn
dining-hall ['daɪnɪŋhɔ:l] matsal
dining-room ['daɪnɪŋru:m, -rʊm] matsal
dinner ['dɪnə] middag[småltid]; officiell middag, bankett [äv. *public ~*]; *be at ~* äta middag, hålla på att äta; *sit down to ~* sätta sig till bords
dinner jacket ['dɪnəˌdʒækɪt] smoking
dinner party ['dɪnəˌpɑ:tɪ] **1** middag[sbjudning] **2** middagssällskap
dinner plate ['dɪnəpleɪt] stor flat tallrik
dinosaur ['daɪnə(ʊ)sɔ:] dinosaurie
dint [dɪnt], *by ~ of* i kraft av; med hjälp av, genom
diocese ['daɪəsɪs, -si:s] stift, biskopsdöme
dioxide [daɪ'ɒksaɪd] kem. dioxid
dip [dɪp] **I** *vb tr* **1** doppa **2** bil., *~ the [head]lights* blända av **II** *vb itr* **1** dyka [ned]; *~ in!* ta för dig (er)! **2** om solen m.m. sänka sig **3** *~ into* bläddra (titta) i, 'lukta på' [*~ into a book (subject)*] **4** om t.ex. terräng luta (sträcka sig, slutta) nedåt; om magnetnål o.d. peka nedåt **III** *s* **1** doppning, [ned]sänkning **2** vard. dopp, bad [*have you had (taken) a ~?*] **3** kok. dip **4** titt i bok o.d. **5** lutning [*a ~ in the road*]; sänka; svacka, nedgång [äv. bildl. *a ~ in the polls*]; dalning [*the ~ of the horizon*]; magnetnåls inklination
diphtheria [dɪf'θɪərɪə, dɪp'θ-] difteri
diphthong ['dɪfθɒŋ, 'dɪpθ-] fonet. diftong
diploma [dɪ'pləʊmə] diplom
diplomacy [dɪ'pləʊməsɪ] diplomati
diplomat ['dɪpləmæt] diplomat äv. bildl.
diplomatic [ˌdɪplə'mætɪk] diplomatisk äv. bildl. [*the ~ corps*; *a ~ answer*]; *~ service* diplomatisk tjänst, utrikestjänst
dipper ['dɪpə] **1** doppare **2** skopa **3** bil. avbländare **4** zool. strömstare **5** *Big D~* el. *big ~* [-'--] berg-och-dal-bana **6** astron., amer. vard., *the Big D~* el. *the D~* Karlavagnen; *the Little D~* Lilla Karlavagnen
dipstick ['dɪpstɪk] bil. olje[mät]sticka
dipswitch ['dɪpswɪtʃ] bil. avbländare
dire ['daɪə] **1** förfärlig, ödesdiger [*~ consequences*] **2** *~ necessity* tvingande nödvändighet
direct [dɪ'rekt, də'r-, daɪ'r-, ss. attr. adj. äv. 'daɪr-] **I** *vb tr* **1** rikta; vända blick; ställa, styra [*~ one's steps towards home*] **2** styra; leda, dirigera [*~ an orchestra*]; [väg]leda [*the foreman ~s the workmen*]; instruera; regissera [*~ a film*] **3** [an]visa, visa vägen [*can you ~ me to the station?*] **4** befalla, säga till [*~ a th. to be done* (att ngt skall göras)]; föreskriva; anordna; *as ~ed* enligt föreskrift (order) **II** *vb itr* **1** dirigera; regissera **2** befalla **III** *adj* **1** direkt i olika bet. [*~ tax*]; rak [*the ~ opposite*], rät; omedelbar; *~ broadcasting [by] satellite* direktsändande [med] satellit; *~ current* likström; *~ distance dialing* amer. tele. automatkoppling; *~ object* gram. direkt objekt, ackusativobjekt; *~ question* gram. direkt fråga; *~ speech* (amer. *discourse*) gram. direkt tal (anföring) **2** rakt på sak, rättfram; tydlig **3** i rakt nedstigande led [*a ~ descendant*] **IV** *adv* direkt; rakt
direction [dɪ'rekʃ(ə)n, də'r-, daɪ'r-] **1** riktning; håll [*in* (åt) *which ~ did he go?*], led; bildl. område, sfär; inriktning; *~ finder* [radio]pejlanläggning, [radio]pejlare **2** [väg]ledning; överinseende **3** ofta pl. *~s* anvisning[ar]; föreskrift[er], direktiv; regi; *~s [for use]* bruksanvisning; *by ~* enligt uppdrag
directive [dɪ'rektɪv, də'r-, daɪ'r-] direktiv, föreskrift
directly [dɪ'rektlɪ, də'r-, daɪ'r-] **I** *adv* **1** direkt; rakt; omedelbart; precis **2** rakt på sak **3** genast **II** *konj* så snart som
directness [dɪ'rektnəs, də'r-, daɪ'r-] riktning rakt fram; omedelbarhet; rättframhet
director [dɪ'rektə, də'r-, daɪ'r-] **1** direktör; chef; ledare; styresman **2** film. el. teat. regissör **3** mus. dirigent **4** handledare; [andlig] rådgivare för vissa fackskolor o. institut **5** styrelsemedlem; *board of ~s* [bolags]styrelse
directory [dɪ'rekt(ə)rɪ, də'r-, daɪ'r-] **I** *s* adressförteckning; *telephone ~* telefonkatalog; *~ inquiries* (amer. *assistance*) tele. nummerupplysningen, nummerbyrå[n] **II** *adj* [väg]ledande
dirt [dɜ:t] **1** smuts; snusk; vard. skit äv. bildl.; *~ bike* liten motorcykel; *treat a p.*

like ~ behandla ngn som lort **2** vard. [lös] jord; ~ *farmer* amer. vard. bonde som sköter arbetet själv **3** oanständigt tal (språk) **4** sl. skitsnack skvaller

dirt-cheap [ˌdɜːt'tʃiːp, attr. adj. '--] jättebillig[t]

dirty ['dɜːtɪ] **I** *adj* **1** smutsig; *your hands are* ~ du är smutsig (inte ren) om händerna **2** bildl. snuskig [*a ~ story*]; lumpen; ful, ojuste [*a ~ foul*]; ruskig; ~ *dog* vard. fähund; ~ *old man* vard. snuskhummer; ~ *word* fult ord; ord med dålig klang **II** *vb tr* smutsa ner; vard. skita ner; fläcka

disabilit|y [ˌdɪsə'bɪlətɪ, ˌdɪzə-] **1** handikapp, invaliditet; ~ *benefit* invaliditetsersättning; ~ *pension* invaliditetspension; förtidspension **2** oduglighet, oförmåga; svaghet

disable [dɪs'eɪbl, dɪ'zeɪ-] **1** handikappa, invalidisera **2** göra oduglig (oförmögen), sätta ur stånd

disabled [dɪs'eɪbld, dɪ'zeɪ-] **1** handikappad, invalidiserad; ~ *soldier* (*ex-serviceman*) krigsinvalid **2** oduglig, obrukbar; mil. stridsoduglig; sjö., om fartyg redlös, sjöoduglig

disadvantage [ˌdɪsəd'vɑːntɪdʒ] nackdel [*I know nothing to his ~*], olägenhet; avigsida

disadvantageous [ˌdɪsædvən'teɪdʒəs, -vɑːn-] ofördelaktig, ogynnsam

disaffected [ˌdɪsə'fektɪd] missnöjd; avogt sinnad

disaffection [ˌdɪsə'fekʃ(ə)n] missnöje; avog stämning; avoghet

disagree [ˌdɪsə'griː] **1** inte samtycka; *I* ~ äv. det håller jag inte med om, det tycker inte jag **2** inte vara (komma) överens [*with a p.*; *about* (*on*) *a th.*], vara av olika mening; ha en annan mening (åsikt) **3** inte stämma överens **4** ~ *to* inte samtycka till, inte gå med på, ogilla **5** *garlic ~s with me* jag tål inte vitlök

disagreeable [ˌdɪsə'griːəbl, -'grɪəbl] **I** *adj* obehaglig; vresig **II** *s*, isht pl. *~s* obehag[ligheter]

disagreement [ˌdɪsə'griːmənt] **1** meningsskiljaktighet, tvist **2** oenighet, misshällighet **3** bristande överensstämmelse

disallow [ˌdɪsə'laʊ] vägra att erkänna; döma bort [*~ a goal*]; tillbakavisa [*~ a claim*]

disappear [ˌdɪsə'pɪə] försvinna

disappearance [ˌdɪsə'pɪər(ə)ns] försvinnande

disappoint [ˌdɪsə'pɔɪnt] **1** göra besviken; *be ~ed* vara (bli) besviken [*in* (*with*) *a p.* på ngn; *with a th.* på ngt] **2** svika [*~ a p.'s expectations*]

disappointing [ˌdɪsə'pɔɪntɪŋ] misslyckad; [*the film*] *was* ~ ...var en besvikelse

disappointment [ˌdɪsə'pɔɪntmənt] besvikelse, missräkning; sviken (grusad) förhoppning; motgång; förtret

disapproval [ˌdɪsə'pruːv(ə)l] ogillande

disapprove [ˌdɪsə'pruːv], ~ [*of*] ogilla, förkasta, avslå, inte gå med på, inte bifalla

disarm [dɪs'ɑːm, dɪ'zɑːm] **1** nedrusta **2** oskadliggöra [*~ a mine*] **3** mil. avväpna äv. bildl. [*a ~ing smile*]

disarmament [dɪs'ɑːməmənt, dɪ'zɑːm-] nedrustning; ~ *policy* nedrustningspolitik

disarrange [ˌdɪsə'reɪn(d)ʒ] ställa till oreda (förvirring) i; rubba [*~ a p.'s plans*]; ställa (rufsa) till

disarray [ˌdɪsə'reɪ] oreda

disaster [dɪ'zɑːstə] [svår] olycka; katastrof äv. friare; ~ *film* (*movie*) katastroffilm

disastrous [dɪ'zɑːstrəs] olycksbringande, olycksalig äv. friare

disband [dɪs'bænd] **I** *vb tr* upplösa [*~ a theatrical company*]; mil. hemförlova **II** *vb itr* upplösa sig, skingras

disbelief [ˌdɪsbɪ'liːf] betvivlande; misstro, tvivel; [*he looked at me*] *in* ~ ...misstroget (med misstro)

disbelieve [ˌdɪsbɪ'liːv], ~ [*in*] inte tro [på], tvivla [på]

disc [dɪsk] **1** [rund] skiva; lamell; bricka; trissa; anat. broskskiva; *parking* ~ trafik. P-skiva, parkeringsskiva; ~ *brake* skivbroms **2** grammofonskiva **3** data., se *disk 2*

discard [ss. vb dɪs'kɑːd, ss. subst. '--, -'-] **I** *vb tr* **1** kasta [bort]; förkasta; lägga av (bort); överge [*~ a theory*]; kassera, mönstra ut **2** kortsp. kasta [bort], saka **3** avskeda **II** *s* **1** kortsp. kastkort **2** skräp

discern [dɪ'sɜːn] **1** urskilja; skönja **2** särskilja

discernible [dɪ'sɜːnəbl] urskiljbar, märkbar

discerning [dɪ'sɜːnɪŋ] omdömesgill, insiktsfull; *a ~ person* äv. en person med urskillningsförmåga

discharge [dɪs'tʃɑːdʒ, ss. subst. äv. '--] **I** *vb tr* **1** lasta av; lossa [*~ a ship, ~ cargo*]; sätta av [*~ passengers*]; lyfta av [*~ a burden*] **2** [av]lossa, fyra av [*~ a shot*]; *be ~d* om gevär gå (brinna) av **3** elektr. ladda ur **4** tömma [ut] [*~ polluted matter into the sea*]; med. avsöndra; *the river ~s itself into* [*the North Sea*] floden mynnar (rinner ut) i... **5** släppa [lös (ut)], frige [*~ a prisoner*]; skriva ut [*~ a patient*]; avskeda; mil. avföra (stryka) ur rullorna **6** avbörda sig [*~ a debt*]; fullgöra [*~ one's duties*] **7** befria, lösa **II** *vb itr* **1** lossa[s] **2** elektr. ladda ur sig **3** om böld vara sig **4** mynna (rinna) ut **III** *s* **1** avlastning; lossning [*port of ~*] **2** avlossande; skott **3** elektr. el. fys. urladdning **4** a) uttömning; utsläpp; mynning; avlopp b) med. flytning; avgång;

avsöndring, utsöndring **5** befrielse; ansvarsfrihet; frikännande; frigivning [~ *of a prisoner*]; utskrivning [~ *of a patient*]; avsked[ande]; isht mil. hemförlovning; *conditional* ~ villkorlig frigivning **6** betalning, klarering [*the ~ of a debt*] **7** fullgörande, uppfyllande [*the ~ of one's duties*] **8** kvitto; intyg om ansvarsbefrielse
disciple [dɪ'saɪpl] lärjunge; anhängare
discipline ['dɪsɪplɪn] **I** *s* **1** disciplin, [god] ordning [*enforce* (*keep, maintain*) ~]; *breach of* ~ disciplinbrott **2** skolning; övning; fostran **3** disciplin, vetenskapsgren **II** *vb tr* disciplinera
disc jockey ['dɪsk,dʒɒkɪ] vard. diskjockey, skivpratare
disclaim [dɪs'kleɪm] frånsäga sig [~ *responsibility for a th.*]; förneka, dementera; förkasta
disclaimer [dɪs'kleɪmə] **1** dementi **2** jur. avstående [från anspråk]; friskrivningsklausul
disclose [dɪs'kləʊz] **1** blotta, visa **2** uppenbara [~ *a secret to* (för) *a p.*]
disclosure [dɪs'kləʊʒə] avslöjande
disco ['dɪskəʊ] (pl. ~*s*) vard. disco
discolour [dɪs'kʌlə] **I** *vb tr* bleka ur; missfärga **II** *vb itr* bli urblekt (missfärgad)
discomfort [dɪs'kʌmfət] **I** *s* obehag **II** *vb tr* förorsaka obehag; oroa
disconcert [,dɪskən'sɜ:t] **1** bringa (få) ur fattningen; perf. p. ~*ed* isht förlägen **2** bringa oordning i
disconnect [,dɪskə'nekt] avbryta förbindelsen mellan; skilja; ta (rycka) loss; koppla av (ur, loss); koppla ifrån [~ *a railway carriage*]; *I must have been ~ed* jag måste ha blivit bortkopplad på telefonen
disconnected [,dɪskə'nektɪd] **1** osammanhängande, virrig [~ *speech*] **2** skild, utan samband (sammanhang, förbindelse); lösryckt; fristående
disconsolate [dɪs'kɒns(ə)lət] otröstlig
discontent [,dɪskən'tent] **I** *s* missnöje, missbelåtenhet **II** *adj* missnöjd, missbelåten
discontented [,dɪskən'tentɪd] missnöjd, missbelåten
discontinue [,dɪskən'tɪnjʊ] **I** *vb tr* avbryta; sluta med; inställa [~ *the work*]; dra in [~ *a bus line*] **II** *vb itr* sluta
discord ['dɪskɔ:d] **1** missämja, split, tvedräkt **2** mus. dissonans; mus. el. bildl. missljud
discordant [dɪs'kɔ:d(ə)nt] **1** oenig **2** disharmonisk; skärande; *strike a ~ note* bildl. skorra (rimma) illa
discotheque ['dɪskə(ʊ)tek] diskotek
discount ['dɪskaʊnt, ss. vb äv. -'-] **I** *s* **1** rabatt; ~ *house* (*store*) isht amer. lågprisaffär, lågprisvaruhus; ~ *for cash* kassarabatt **2** ekon. diskontering **3** [vederbörlig] reservation [*make a* ~]; *you must take it at a* ~ du skall inte tro [blint] på det **4** *at a* ~ under pari, till underkurs; stående lågt i värde (kurs äv. bildl.) **II** *vb tr* **1** dra av; [något] minska värde, fördel; bortse ifrån **2** ekon. diskontera
discourage [dɪs'kʌrɪdʒ] **1** göra modfälld **2** inte uppmuntra [till]; avskräcka [~ *a p. from doing a th.*]; motarbeta
discouragement [dɪs'kʌrɪdʒmənt] **1** modfälldhet **2** åtgärd för att hindra; motarbetande
discouraging [dɪs'kʌrɪdʒɪŋ] **1** nedslående [*a ~ result*]; avskräckande **2** motverkande
discourteous [dɪs'kɜ:tjəs] ohövlig
discover [dɪ'skʌvə] upptäcka; finna
discovery [dɪ'skʌv(ə)rɪ] upptäckt
discredit [dɪs'kredɪt] **I** *s* **1** vanrykte; *be a ~ to* vara en skam för; *bring* (*throw*) ~ [*up*]*on* bringa i vanrykte, misskreditera **2** misstro, tvivel **II** *vb tr* **1** misskreditera **2** misstro
discreditable [dɪs'kredɪtəbl] vanhedrande
discreet [dɪ'skri:t] diskret
discrepancy [dɪs'krep(ə)nsɪ] avvikelse; diskrepans; *if there is a* ~ om något inte stämmer
discretion [dɪ'skreʃ(ə)n] **1** urskillning[sförmåga], klokhet; diskretion; *reach the age of* ~ nå mogen (stadgad) ålder, bli vuxen **2** handlingsfrihet; *I leave it to your* ~ det överlåter jag åt dig [att avgöra]; *at one's* [*own*] ~ efter behag, efter [eget] godtycke
discretionary [dɪ'skreʃən(ə)rɪ] godtycklig; ~ *powers* diskretionär myndighet
discriminate [dɪ'skrɪmɪneɪt] **1** skilja, åtskilja; urskilja **2** göra skillnad, diskriminera; ~ *against* diskriminera
discriminating [dɪ'skrɪmɪneɪtɪŋ] **1** särskiljande **2** omdömesgill [~ *critic*]; nogräknad, kräsen [*a ~ taste*]
discrimination [dɪ,skrɪmɪ'neɪʃ(ə)n] **1** diskriminering [*radical* ~], skiljande; åtskillnad [*without* ~] **2** urskillning, omdöme; skarpsinne
discus ['dɪskəs] sport. diskus
discuss [dɪ'skʌs] diskutera, dryfta
discussion [dɪ'skʌʃ(ə)n] diskussion, dryftande; *bring a th. up for* ~ ta upp ngt till diskussion
disdain [dɪs'deɪn] **I** *s* förakt **II** *vb tr* förakta, ringakta
disease [dɪ'zi:z] sjukdom; koll. sjukdomar; bildl. ont; ~ *carrier* smittobärare
diseased [dɪ'zi:zd] **1** sjuk **2** fördärvad
disembark [,dɪsɪm'bɑ:k] **I** *vb tr* landsätta **II** *vb itr* landstiga, gå i land, debarkera
disembarkation [,dɪsembɑ:'keɪʃ(ə)n] **1** landstigning **2** urstigning
disembowel [,dɪsɪm'baʊəl] ta inälvorna ur

disengage [ˌdɪsɪn'geɪdʒ] **I** *vb tr* **1** lösgöra, lossa, befria **2** tekn. koppla ifrån (ur); utlösa **3** mil. dra ur striden **II** *vb itr* frigöra sig
disengagement [ˌdɪsɪn'geɪdʒmənt] lösgörande
disentangle [ˌdɪsɪn'tæŋgl] **I** *vb tr* **1** göra loss (fri), lösgöra ur trassel, förvecklingar o.d. **2** reda ut härva o.d. **II** *vb itr* **1** bli fri **2** reda ut sig
disfavour [ˌdɪs'feɪvə] misshag [*incur* (ådra sig) *a p.'s* ~], motvilja; ogillande [*regard a th. with* ~]; onåd [*fall into* ~]
disfigure [dɪs'fɪgə] vanställa, vanpryda
disgorge [dɪs'gɔ:dʒ] **1** spy ut ofta bildl. [*the train ~d its passengers*] **2** *the river ~s itself into* [*the sea*] floden mynnar (flyter) ut i...
disgrace [dɪs'greɪs] **I** *s* **1** ogunst, onåd [*be in* (*fall into*) ~] **2** vanära; skam[fläck] [*the slums are a ~ to* (för) *the city*]; skandal; *bring ~ on one's family* dra vanära över familjen (släkten) **II** *vb tr* vanhedra; skämma ut; *be ~d* vara i onåd, ha fallit (råkat) i onåd
disgraceful [dɪs'greɪsf(ʊ)l] vanhedrande; skamlig [~ *behaviour*]; skandalös; *you are ~!* du borde skämmas!
disgruntled [dɪs'grʌntld] missnöjd; sur
disguise [dɪs'gaɪz] **I** *vb tr* **1** förkläda; *~d as a beggar* förklädd till tiggare **2** förställa, förvränga [~ *one's voice* (*writing*)] **II** *s* **1** förklädnad; mask; kamouflage; *in* ~ förklädd; *in the ~ of* förklädd till; *throw off one's* ~ kasta masken **2** förställning; maskering
disgust [dɪs'gʌst] **I** *s* avsky, avsmak, motvilja; äckel; *much to my* ~ till min stora harm (förtret) **II** *vb tr* väcka avsky (avsmak etc.) hos; *be ~ed* vara (bli) upprörd (äcklad), äcklas [*at* (över) *a p.'s behaviour*; *by* (av, över) *a sight*; *with* (över) *a p.*]
disgusting [dɪs'gʌstɪŋ] äcklig, vämjelig; otäck, vidrig; motbjudande, osmaklig
dish [dɪʃ] **I** *s* **1** fat; karott; flat skål; assiett [*butter* ~]; [*dirty*] *~es* odiskad disk; *wash up* (isht amer. *do* el. *wash*) *the ~es* diska **2** [mat]rätt; *hot* ~ varmrätt **3** [*satellite*] ~ parabolantenn **II** *vb tr* **1** ~ *out* (*up*) lägga upp [~ *out* (*up*) *the food*]; sätta fram, servera [~ *out* (*up*) *the dinner*] **2** vard. lura överlista; knäcka besegra [~ *one's opponents*]
dishabille [ˌdɪsə'bi:l], *in* ~ i negligé
dishcloth ['dɪʃklɒθ] disktrasa; kökshandduk
dishearten [dɪs'hɑ:tn] göra modfälld (modlös, nedslagen); *~ing* nedslående, beklämmande [*a ~ing sight*]
dishevelled [dɪ'ʃev(ə)ld] ovårdad [~ *hair* (*clothes*)], oordnad; rufsig [i håret]
dishonest [dɪs'ɒnɪst, dɪ'zɒ-] ohederlig, oärlig
dishonesty [dɪs'ɒnɪstɪ, dɪ'zɒ-] ohederlighet, oärlighet
dishonour [dɪs'ɒnə, dɪ'zɒ-] **I** *s* vanära **II** *vb tr* **1** a) vanära b) behandla skymfligt **2** hand. inte honorera (godkänna)
dishonourable [dɪs'ɒn(ə)rəbl, dɪ'zɒ-] vanhedrande; skymflig
dishwasher ['dɪʃˌwɒʃə] diskmaskin
dishwater ['dɪʃˌwɔ:tə] diskvatten; vard. blask; *as dull as* ~ vard. urtråkig, dödtråkig
disillusion [ˌdɪsɪ'lu:ʒ(ə)n, -'lju:-] **I** *s* desillusion[ering] **II** *vb tr* desillusionera
disinfect [ˌdɪsɪn'fekt] desinficera
disinfectant [ˌdɪsɪn'fektənt] **I** *adj* desinficerande **II** *s* desinfektionsmedel
disinherit [ˌdɪsɪn'herɪt] göra arvlös
disintegrate [dɪs'ɪntɪgreɪt] lösa[s] upp i beståndsdelar; sönderdela[s]
disinterested [dɪs'ɪntrəstɪd] **1** oegennyttig, osjälvisk; opartisk [*a ~ decision*] **2** vard. ointresserad
disk [dɪsk] **1** isht amer., se *disc 1* o. *2* **2** data. [minnes]skiva, disk; ~ *storage* skivminne
diskette [dɪ'sket] data. diskett
dislike [dɪs'laɪk, i bet. *II 2* '--] **I** *vb tr* tycka illa om; inte vilja [*I ~ showing it*] **II** *s* **1** motvilja, antipati; misshag; *take a ~ to* få (fatta) motvilja mot (för) **2** *likes and ~s* sympatier och antipatier
dislocate ['dɪslə(ʊ)keɪt] **1** med. vrida ur led **2** bildl. förrycka, rubba [~ *a p.'s plans*]; *the traffic was badly ~d* det var svåra störningar i trafiken
dislodge [dɪs'lɒdʒ] driva bort (ut); [för]flytta; rycka (sparka) loss
disloyal [dɪs'lɔɪ(ə)l] illojal; otrogen
disloyalty [dɪs'lɔɪ(ə)ltɪ] illojalitet; otrohet
dismal ['dɪzm(ə)l] dyster; hemsk; olycklig; vard. usel [*a ~ effort*]
dismantle [dɪs'mæntl] demontera, ta isär [~ *an engine*]; bildl. nedrusta; sjö. avrusta
dismay [dɪs'meɪ, dɪz'm-] **I** *s* bestörtning [*fill with* ~]; *much to my* ~ till min bestörtning **II** *vb tr* göra bestört (förfärad); avskräcka
dismiss [dɪs'mɪs] **I** *vb tr* **1** avskeda **2** skicka (sända) bort (iväg); låta gå [*the teacher ~ed his class*]; upplösa församling etc.; avtacka, hemförlova [~ *troops*]; släppa [ut] [~ *a patient from hospital*] **3** slå bort [~ *thoughts of revenge*], slå ur tankarna (hågen); avfärda; avföra; avslå [~ *a petition*]; lämna [~ *a subject*]; jur. avslå [~ *a complaint*]; ~ *the case* avskriva målet **4** i kricket slå ut [~ *a batsman*] **II** *vb itr* mil., *~!* höger och vänster om marsch!
dismissal [dɪs'mɪs(ə)l] **1** avsked[ande] **2** bortskickande; upplösning; frigivande; hemförlovning **3** bildl. avvisande; avslag; jur. ogillande

dismount [ˌdɪsˈmaʊnt] **I** *vb itr* stiga av (ned, ur) **II** *vb tr* **1** kasta av (ur sadeln) **2** demontera [*~ a gun*] **3** *~ one's horse* stiga av hästen, sitta av

disobedience [ˌdɪsəˈbi:djəns] olydnad, ohörsamhet

disobedient [ˌdɪsəˈbi:djənt] olydig, ohörsam

disobey [ˌdɪsəˈbeɪ] inte lyda, vara olydig [mot]; överträda [*~ the law*]

disorder [dɪsˈɔ:də] **1** oordning; förvirring; *throw into ~* ställa till oreda (förvirring) i **2** orolighet [*political ~s*] **3** med. rubbning, störning

disorderly [dɪsˈɔ:dəlɪ] **1** oordentlig; oordnad; oredig **2** bråkig; störande [*~ behaviour*]; *~ conduct* jur. förargelseväckande beteende

disorganize [dɪsˈɔ:gənaɪz, dɪˈz-] desorganisera; ställa till oreda (förvirring) i [*~ the traffic*]

disown [dɪsˈəʊn] inte kännas vid; ta avstånd från, förneka [*~ a statement*]; förkasta

disparage [dɪˈspærɪdʒ] nedvärdera; förklena; ringakta; *in disparaging terms* i förklenande ordalag

disparate [ˈdɪspərət] olikartad

disparity [dɪsˈpærətɪ] olikhet, skillnad

dispassionate [dɪsˈpæʃ(ə)nət] lidelsefri; lugn; opartisk, objektiv, saklig

dispatch [dɪˈspætʃ] **I** *vb tr* **1** [av]sända [*~ a letter*] **2** klara av, expediera [*~ a task*]; avsluta **3** göra av med, likvidera **II** *s* **1** avsändning; expediering; spedition; *by ~* med ilbud **2** undanstökande [*the prompt ~ of a matter*] **3** dödande, likviderande **4** skyndsamhet [*with all ~*] **5** rapport; *be mentioned in ~es* mil. få hedersomnämnande i krigsrapporterna

dispatch box [dɪˈspætʃbɒks] dokumentskrin

dispatch rider [dɪˈspætʃˌraɪdə] mil. [motorcykel]ordonnans

dispel [dɪˈspel] förjaga, skingra [*the wind ~led the fog*; *~ a p.'s doubts and fears*]

dispensary [dɪˈspens(ə)rɪ] apotek på sjukhus, fartyg o.d.; officin i apotek

dispens|e [dɪˈspens] **I** *vb tr* **1** dela ut, fördela, ge [*~ alms*] **2** tillreda och lämna ut, dispensera [*~ medicines*]; *-ing chemist* apotekare; *-ing chemists* äv. apotek **3** skipa [*~ justice*] **II** *vb itr*, *~ with* **a**) avvara, undvara, [kunna] vara utan, reda (klara) sig utan [*~ with a p.'s services*] **b**) göra onödig (obehövlig, överflödig) [*the new machinery ~s with manual labour*] **c**) bortse från; underlåta att tillämpa

dispersal [dɪˈspɜ:s(ə)l] [ut]spridning; skingring

disperse [dɪˈspɜ:s] **I** *vb tr* skingra [*the police ~d the meeting; the sun ~d the clouds*]; sprida; kem. el. tekn. dispergera **II** *vb itr* skingra sig [*the crowd ~d*]; sprida sig, spridas

displace [dɪsˈpleɪs] **1** flytta [på] sak ur dess läge; förskjuta äv. psykol.; undanröja **2** ersätta [*automation will ~ many workers*] **3** tränga undan (ut) **4** *~d person* polit. tvångsförflyttad, flykting

displacement [dɪsˈpleɪsmənt] **1** omflyttning; förskjutning äv. psykol. **2** ersättande; undanträngande **3** sjö. deplacement **4** bil., [*piston*] *~* cylindervolym, slagvolym

display [dɪˈspleɪ] **I** *vb tr* **1** förevisa; skylta med [*~ goods in the window*] **2** visa [prov på] [*~ courage*], röja [*~ one's ignorance*] **3** veckla (bre) ut **4** stoltsera (ståta) med [*~ one's knowledge*]; demonstrera [*~ one's affection*] **II** *s* **1** förevisning, uppvisning [*a fashion ~*]; utställning; skyltning [*a ~ of goods*]; *window ~* [fönster]skyltning; *~ window* skyltfönster **2** uttryck, prov [*a fine ~ of* (på) *courage*] **3** stoltserande; *be fond of ~* vara svag för ståt [och prakt]; *make a ~ of one's affection* demonstrera sina känslor **4** tekn. a) radar. bildskärm b) data. display; *~ panel* avläsningstavla

displease [dɪsˈpli:z] misshaga; stöta; *be ~d* vara missnöjd (missbelåten)

displeasure [dɪsˈpleʒə] missnöje, misshag, ogillande; onåd; *incur a p.'s ~* ådra sig (väcka) ngns missnöje

disposable [dɪˈspəʊzəbl] **1** disponibel **2** slit-och-släng; engångs- [*~ paper plates*]; *~ napkin* (*nappy*) [engångs]blöja

disposal [dɪˈspəʊz(ə)l] **1** bortskaffande; undangörande; *bomb ~ squad* bombröjningsgrupp, desarmeringsgrupp **2** avyttrande, försäljning; överlämnande, överlåtelse; placering **3** [fritt] förfogande, användning; *be at* (*be left to*) *a p.'s ~* stå till ngns förfogande (disposition), stå ngn till buds **4** ordnande

dispose [dɪˈspəʊz] **I** *vb itr* **1** *~ of* **a**) skaffa undan, kasta (slänga) bort [*~ of rubbish*]; kassera [*~ of old clothes*]; bringa ur världen [*~ of a problem*]; klara av; skämts. sätta i sig [*~ of a meal*] **b**) avyttra, göra sig av med; finna avsättning för [*~ of one's goods*] **c**) [fritt] förfoga över, disponera [över], förordna om [*be free to ~ of one's property*]; [*they didn't know*] *how to ~ of them* ...vad de skulle göra med dem **2** bestämma; *Man proposes, God ~s* människan spår, [men] Gud rår **II** *vb tr* [an]ordna, ställa upp [*~ troops in a long line*]; placera

disposed [dɪˈspəʊzd] **1** böjd, benägen [*to do*] **2** *~ of* såld; upptagen

disposition [ˌdɪspəˈzɪʃ(ə)n] **1** anordning

[*the ~ of furniture in a room*]; uppställning **2** förberedelse; ordnande **3** läggning [*have a domineering ~*], sinnelag; lynne [*be of a cheerful ~*]; böjelse; [*hereditary*] ~ [ärftliga] anlag **4** benägenhet **5** förfogande[rätt] [*the ~ of* (över) *the property*]; *at a p.'s ~* till ngns förfogande (disposition)

dispossess [ˌdɪspəˈzes] **1** *~ a p. of a th.* frånta (beröva, avhända) ngn ngt **2** driva bort ägare; fördriva

disproportion [ˌdɪsprəˈpɔːʃ(ə)n] **I** *s* disproportion, brist på proportion **II** *vb tr* göra oproportionerlig

disproportionate [ˌdɪsprəˈpɔːʃ(ə)nət] oproportionerlig, illa avvägd (avpassad)

disprove [ˌdɪsˈpruːv] vederlägga; motbevisa

dispute [dɪˈspjuːt] **I** *vb itr* disputera, diskutera, tvista **II** *vb tr* **1** dryfta **2** bestrida [*~ a claim*]; ifrågasätta, dra (sätta) i tvivelsmål [*~ a statement*] **3** kämpa (strida, tävla) om [*~ a territory*] **III** *s* dispyt, [ord]strid, meningsbyte; tvist, kontrovers; konflikt [*labour ~*]

disqualification [dɪsˌkwɒlɪfɪˈkeɪʃ(ə)n] diskvalifikation, diskvalificering; jur. jäv

disqualif|y [dɪsˈkwɒlɪfaɪ] diskvalificera, diska [*for* för, till; *from* från, för]; perf. p. *-ied* jur. jävig, obehörig

disquiet [dɪsˈkwaɪət] **I** *vb tr* oroa **II** *s* oro

disquieting [dɪsˈkwaɪətɪŋ] oroande

disregard [ˌdɪsrɪˈgɑːd] **I** *vb tr* inte fästa avseende vid, nonchalera [*~ a warning*], förbise [*~ a p.'s wishes*], förbigå, lämna ur räkningen [*~ unimportant details*]; ringakta **II** *s* nonchalerande [*~ of a rule*]; *in ~ of a th.* utan att beakta (ta hänsyn till) ngt; *with a ~ of truth* på sanningens bekostnad

disrepair [ˌdɪsrɪˈpeə] dåligt skick [*the house was in bad* (mycket) *~*], förfall

disreputable [dɪsˈrepjʊtəbl] **1** illa beryktad **2** vanhedrande

disrepute [ˌdɪsrɪˈpjuːt] vanrykte [*fall into ~*]; vanheder

disrespect [ˌdɪsrɪˈspekt] **I** *s* respektlöshet, brist på (bristande) aktning (respekt), ringaktning **II** *vb tr* inte respektera, ringakta

disrespectful [ˌdɪsrɪˈspektf(ʊ)l] respektlös

disrupt [dɪsˈrʌpt] splittra [*the party was ~ed*]; avbryta [*~ a meeting*]; *traffic was ~ed* det blev avbrott i trafiken

disruption [dɪsˈrʌpʃ(ə)n] **1** splittring; avbrott; rubbning[ar] **2** upplösning [*the state was in ~*]; sönderfall [*the ~ of an empire*]

disruptive [dɪsˈrʌptɪv] splittrande, upplösande; nedbrytande, omstörtande [*~ forces*]; *~ elements* oroselement

dissatisfaction [ˌdɪ(s)sætɪsˈfækʃ(ə)n] missnöje, otillfredsställelse

dissatisfied [ˌdɪ(s)ˈsætɪsfaɪd] missnöjd

dissect [dɪˈsekt] anat. o. bildl. dissekera; *~ing table* dissektionsbord

disseminate [dɪˈsemɪneɪt] sprida [*~ information* (*knowledge*)], utbreda

dissension [dɪˈsenʃ(ə)n] meningsskiljaktighet; missämja

dissent [dɪˈsent] **I** *vb itr* **1** ha en annan mening; avvika; reservera sig **2** isht gå ur statskyrkan **II** *s* **1** avvikelse i åsikter, meningsskiljaktighet **2** frikyrklighet

dissenter [dɪˈsentə] **1** oliktänkande [person] **2** dissenter, frikyrklig [äv. *D~*]

dissertation [ˌdɪsəˈteɪʃ(ə)n] [doktors]avhandling

disservice [ˌdɪ(s)ˈsɜːvɪs] otjänst [*do a p. a ~*]; skada; *of ~ to* till skada för

dissident [ˈdɪsɪd(ə)nt] **I** *adj* oliktänkande; avvikande [*~ opinions*] **II** *s* dissident

dissimilar [ˌdɪˈsɪmɪlə] olik[a]; *~ to* (*from*) *a th.* olik ngt

dissimilarity [ˌdɪsɪmɪˈlærətɪ] olikhet, skillnad

dissipate [ˈdɪsɪpeɪt] **1** skingra [*~ a p.'s fears*]; upplösa **2** förslösa [*~ one's fortune*]; splittra [*~ one's forces*]

dissipated [ˈdɪsɪpeɪtɪd] **1** utsvävande [*~ life*], lättsinnig **2** härjad [*look ~*]

dissipation [ˌdɪsɪˈpeɪʃ(ə)n] **1** skingrande; upplösning **2** förslösande; *~ of one's energy* slöseri med krafterna **3** utsvävningar

dissociate [dɪˈsəʊʃɪeɪt, -sɪeɪt] skilja; hålla isär [*~ two ideas*]; dissociera äv. kem.; söndra; upplösa; *~ oneself from* ta avstånd från

dissolute [ˈdɪsəluːt, -ljuːt] utsvävande, liderlig

dissolution [ˌdɪsəˈluːʃ(ə)n, -ˈljuː-] upplösning [*the ~* [*of Parliament*]]

dissolve [dɪˈzɒlv] **I** *vb tr* **1** smälta, lösa upp [*water ~s sugar*]; sönderdela; *~d in tears* upplöst i tårar **2** upplösa [*~ a partnership, ~ Parliament*] **II** *vb itr* upplösa sig; lösa sig; försvinna; förtona; *Parliament ~d* parlamentet upplöstes

dissuade [dɪˈsweɪd] avråda

distaff [ˈdɪstɑːf] **1** slända; spinnrockshuvud **2** *on the ~ side* på kvinnolinjen (spinnsidan)

distance [ˈdɪst(ə)ns] **I** *s* **1** avstånd; distans; sträcka; stycke väg; *go the ~* **a**) boxn. gå alla ronder **b**) hålla ut, hålla stånd; *at a ~* på avstånd (håll); ett stycke (en bit) bort; *in the ~* i fjärran, på [långt] avstånd; *it is within walking ~* det är på promenadavstånd; [*he lives*] *a short ~ away* ...ett litet stycke härifrån, ...en liten bit bort **2** bildl. kyla [*there was a certain ~ in his manner*]; *keep a p. at a ~* bildl. hålla ngn på distans, vara reserverad mot ngn **II** *vb tr* **1** lämna [långt] bakom sig **2** hålla på [visst] avstånd [~ *oneself from a th.*]

distant ['dɪst(ə)nt] **1** avlägsen, fjärran i rum o. tid **2** avlägsen i fråga om släktskap [*a ~ cousin*] **3** avlägsen, obetydlig [*a ~ resemblance*] **4** reserverad [*be ~ with* el. *to* (mot) *a p.*], oåtkomlig

distaste [ˌdɪs'teɪst] avsmak; motvilja, olust

distasteful [dɪs'teɪstf(ʊ)l] osmaklig, motbjudande, oangenäm

1 distemper [dɪs'tempə] **I** *s* limfärg; tempera[färg] **II** *vb tr* limfärga; måla med (i) temperafärg

2 distemper [dɪ'stempə] valpsjuka

distend [dɪ'stend] **I** *vb tr* [ut]vidga, spänna (tänja, spärra) ut; blåsa upp **II** *vb itr* svälla [ut], spännas (spärras) ut

distil [dɪ'stɪl] **I** *vb tr* **1** destillera; bränna; rena äv. bildl. **2** [låta] droppa **3** bildl. renodla **II** *vb itr* **1** destillera[s] **2** sippra; droppa

distillation [ˌdɪstɪ'leɪʃ(ə)n] **1** destillering **2** destillat

distillery [dɪ'stɪlərɪ] bränneri; spritfabrik

distinct [dɪ'stɪŋ(k)t] **1** tydlig, distinkt [*a ~ voice*] **2** olik[a]; skild [*two ~ groups*]; särskild; *be ~ from...* vara olik..., skilja sig från...

distinction [dɪ'stɪŋ(k)ʃ(ə)n] **1** [åt]skillnad; [sär]skiljande; distinktion; *draw a ~* göra skillnad [*between* på, mellan]; dra en gräns; *without ~* utan åtskillnad **2** särmärke, särdrag **3** utmärkelse; *he passed with ~* han fick spets [på betyget]

distinctive [dɪ'stɪŋ(k)tɪv] särskiljande, distinktiv äv. fonet.; utmärkande

distinctly [dɪ'stɪŋ(k)tlɪ] tydligt [*speak ~*]; klart och tydligt, uttryckligen [*he ~ told you what to do*]

distinguish [dɪ'stɪŋgwɪʃ] **I** *vb tr* **1** tydligt skilja [åt]; *be ~ed from* skilja sig från **2** urskilja [*~ objects at a distance*] **3** känneteckna, karakterisera; *be ~ed by* utmärka sig genom, kännas igen på **4** utmärka; *~ oneself* äv. göra sig bemärkt **II** *vb itr* göra skillnad

distinguished [dɪ'stɪŋgwɪʃt] **1** framstående; berömd; utmärkt; förnämlig, lysande [*a ~ career*] **2** distingerad, förnäm

distort [dɪ'stɔ:t] **1** förvrida [*a face ~ed by pain*], förvränga; *~ing mirror* skrattspegel **2** snedvrida, förvanska [*~ facts*; *~ the truth*]

distortion [dɪ'stɔ:ʃ(ə)n] **1** förvridning; förvrängning; tekn. el. med. distorsion **2** vrångbild

distract [dɪ'strækt] **1** dra bort [*~ a p.'s attention (mind) from a th.*]; distrahera **2** vara en avkoppling för **3** söndra **4** förvirra

distracted [dɪ'stræktɪd] **1** förvirrad **2** vansinnig, tokig [*it's enough to drive* (göra) *one ~*]

distraction [dɪ'strækʃ(ə)n] **1** förvirring **2** avkoppling, distraktion **3** vanvett; *to ~* vanvettigt, vansinnigt

distraught [dɪ'strɔ:t] förvirrad; ifrån sig [*~ with* (av) *grief*]

distress [dɪ'stres] **I** *s* **1** trångmål; nödställdhet; nöd [*relieve* (lindra) *the ~ among the poor*]; hemsökelse; sjö. [sjö]nöd [*a ship in ~*]; *~ call* (*signal*) nödrop; sjö. nödsignal **2** smärta **3** utmattning **4** jur. utmätning **II** *vb tr* **1** ansätta; utmatta, uttrötta **2** plåga; oroa, bekymra [*don't ~ yourself about* (för, över, om) *this*]

distressed [dɪ'strest] **1** nödställd, svårt betryckt (ansatt); *~ area* krisdrabbat område, krisområde där arbetslöshet råder **2** olycklig; bedrövad

distressing [dɪ'stresɪŋ] plågsam; beklämmande, bedrövlig, sorglig [*a ~ case*]; oroande [*~ news*]

distribute [dɪ'strɪbju:t, 'dɪstrɪbju:t] **1** dela ut; fördela; distribuera **2** sprida [ut]; utbreda **3** dela in, fördela [*~ into* (i) *classes*]

distribution [ˌdɪstrɪ'bju:ʃ(ə)n] **1** utdelning [*prize ~*]; fördelning äv. statist.; distribution **2** utbredning; spridning

distributor [dɪ'strɪbjʊtə] **1** distributör; spridare; [ström]fördelare i t.ex. bil; *~ cap* fördelarlock **2** hand. distributör; återförsäljare

district ['dɪstrɪkt] **1** område, distrikt i allm.; bygd **2** distrikt, del av grevskap el. socken; stadsdel; *~ attorney* amer., se *attorney*; *~ heating power plant* fjärrvärmeverk **3** *The D~ of Columbia* Columbia Förenta staternas förbundsdistrikt med huvudstaden Washington

distrust [dɪs'trʌst] **I** *s* misstro; tvivel **II** *vb tr* misstro, tvivla på

distrustful [dɪs'trʌstf(ʊ)l] misstrogen, klentrogen

disturb [dɪ'stɜ:b] **1** störa [*~ a p. in his work*; *~ the peace*]; *don't let me ~ you* låt inte mig störa [dig] **2** oroa, ofreda; uppröra; ställa till oreda i; rubba; perf. p. *~ed* äv. orolig

disturbance [dɪ'stɜ:b(ə)ns] **1** störande **2** upprört tillstånd; störning **3** oordning; tumult, orolighet [*student ~s*], bråk [*a political ~*]; *create a ~* uppträda störande

disuse [ˌdɪs'ju:s] obruklighet; *fall into ~* komma ur bruk, falla i glömska

disused [ˌdɪs'ju:zd] avlagd, bortlagd; outnyttjad; obruklig; nedlagd [*a ~ gravel pit*]

ditch [dɪtʃ] **I** *s* dike; grav; vattendrag; *the last ~* sista utvägen (chansen) **II** *vb tr* **1** dika [ut] **2** omge med dike[n] (grav[ar]) **3** vard. köra i diket med [*~ a car*]; isht

amer. få att spåra ur [~ *a train*] **4** vard. kasta av (ut); skaka av sig **5** sl. krascha (nödlanda) [på havet] med [~ *a plane*]
ditchwater ['dɪtʃˌwɔ:tə] dikesvatten; [*as*] *dull as* ~ vard. urtråkig, dödtråkig
dither ['dɪðə] **I** *vb itr* **1** vackla **2** isht amer. vara nervös (darrig) **3** isht amer. darra **II** *s* vard. förvirring; *be in* (*all of*) *a* ~ darra som ett asplöv av nervositet
ditto ['dɪtəʊ] hand. el. vard. dito; *~!* jag med!
ditty ['dɪtɪ] [liten] visa (sång); enkel dikt
diva ['di:və] diva
divan [dɪ'væn, daɪ'v-] divan soffa
dive [daɪv] **I** (imperf. *dived,* amer. äv. *dove*; perf. p. *dived*) *vb itr* **1** dyka; ~ *in* hoppa i **2** flyg. dyka, göra brant glidflykt **3** sticka ned (dyka ned med) handen [*into* i], gräva **4** försvinna **II** (för tema se *I*) *vb tr* sticka (köra) ned [~ *a hand into* (i) *one's pocket*] **III** *s* **1** dykning; huvudhopp; sport. [sim]hopp; flyg. äv. brant glidflykt; *make a ~ for* dyka ned efter, försöka kasta sig (komma) över **2** vard. spelhåla; sylta
diver ['daɪvə] **1** dykare **2** zool. dykarfågel i allm.; isht lom; *black-throated* ~ storlom; *red-throated* ~ smålom **3** sl. ficktjuv
diverge [daɪ'vɜ:dʒ] gå åt olika håll, skilja sig åt; avvika, komma på avvägar
divergence [daɪ'vɜ:dʒ(ə)ns] o. **divergency** [daɪ'vɜ:dʒ(ə)nsɪ, dɪ'v-] avvikelse, motsättning [~ *of opinion*]; divergens
divergent [daɪ'vɜ:dʒ(ə)nt] **1** avvikande [~ *views*]; isärgående **2** fys. el. matem. divergent
diverse [daɪ'vɜ:s, '--] olik[a], olikartad; skild; mångfaldig
diversification [daɪˌvɜ:sɪfɪ'keɪʃ(ə)n] **1** differentiering **2** omväxling av former
diversify [daɪ'vɜ:sɪfaɪ] göra olik; ge omväxling åt
diversion [daɪ'vɜ:ʃ(ə)n] **1** avledande [*the ~ of a river*; *the ~ of a p.'s attention*]; omläggning [*traffic* ~], förbifart; avstickare [*a ~ from the main road*] **2** tidsfördriv, förströelse, avkoppling
diversity [daɪ'vɜ:sətɪ] mångfald; olikhet; olika slag, skild form; ~ *of opinion* meningsskiljaktighet
divert [daɪ'vɜ:t] **1** avleda [~ *the course of a river*; ~ *a p.'s thoughts from a th.*]; dra [~ *water from a river into the fields*]; dirigera (lägga) om [~ *the traffic*] **2** roa
divest [daɪ'vest] avhända; ~ *oneself of* avstå från, avhända sig; frigöra sig från
divide [dɪ'vaɪd] **I** *vb tr* **1** dela [upp] [~ *into* (i) *different parts*]; avstava [~ *words*] **2** matem. dividera, dela [~ *8 by* (med) *4*] **3** dela in **4** [åt]skilja [*the river ~s my land from his*] **5** dela [i partier], göra oense [~ *friends*], söndra; *a country ~d against itself* ett splittrat land; *opinions are ~d on* [*this question*] det råder delade meningar om (i)... **6** fördela [äv. ~ *up*]; skifta; utdela [~ *profits*] **II** *vb itr* **1** dela upp sig **2** skilja sig **3** vara (bli) oense **4** matem. gå att dividera (dela); gå jämnt upp [*3 ~s into* (i) *9*] **III** *s* **1** geol. vattendelare; *the Great D~* Klippiga bergens vattendelare; bildl. döden **2** bildl. skiljelinje; klyfta
dividend ['dɪvɪdend] **1** matem. dividend **2** utdelning på aktier o.d., äv. bildl.; dividend; återbäring
divine [dɪ'vaɪn] **I** *adj* **1** gudomlig; guds-; teologisk; ~ *right* gudomlig rätt **2** vard. gudomlig, underbar, härlig [~ *weather*]; förtjusande [*a ~ hat*] **II** *s* vard. teolog; präst[man] **III** *vb tr* **1** förutsäga, sia om **2** ana (gissa) sig till [~ *a p.'s intentions*] **IV** *vb itr* **1** sia **2** gå (leta) med slagruta
diving-board ['daɪvɪŋbɔ:d] trampolin
divinity [dɪ'vɪnətɪ] **1** gudom[lighet] **2** gud; *the D~* Gud, Den Högste **3** teologi; *Bachelor of D~* ung. teologie kandidat
division [dɪ'vɪʒ(ə)n] **1** delning; uppdelning, indelning; fördelning; ~ *of labour* arbetsfördelning **2** matem. division; ~ *sign* divisionstecken **3** a) avdelning b) krets, område; distrikt **4** a) inom armén division, motsv. sv. fördelning b) amer. (inom flottan) division c) amer. (inom flyget) eskader d) sport. division e) inom polisen rotel **5** skiljelinje; gräns [*the ~s between various classes of society*] **6** bildl. skiljaktighet; isht pl. *~s* splittring, oenighet, söndring [*bring ~ into* (i) *a family*; *stir up ~s in a nation*] **7** parl. [om]röstning, votering [*demand a ~*]
divisive [dɪ'vaɪsɪv] skiljande, splittrande [~ *policy*]
divorce [dɪ'vɔ:s] **I** *s* **1** jur. skilsmässa; [dom på] äktenskapsskillnad; *a ~ suit* en skilsmässoprocess; *start* (*institute*) ~ *proceedings* söka (begära) skilsmässa **2** bildl. skiljande, skilsmässa **II** *vb tr* **1** [låta] skilja sig från [~ *one's wife*]; skilja makar **2** skilja [åt] [~ *church and state*; *be ~d from reality*], skingra, avlägsna; söndra **III** *vb itr* skilja sig
divorcée [dɪˌvɔ:'si:, dɪˌvɔ:'seɪ] fr. frånskild kvinna
divulge [daɪ'vʌldʒ, dɪ'v-] avslöja, förråda [~ *a secret*]
dizziness ['dɪzɪnəs] yrsel, svindel
dizzy ['dɪzɪ] **1** yr i huvudet; yr **2** svindlande [~ *heights*; *a ~ speed*] **3** förvirrad; virrig, snurrig
DJ förk. för *dinner jacket, disc jockey*
dl förk. för *decilitre*[*s*]
DNA [ˌdi:en'eɪ] (förk. för *deoxyribonucleic acid*) kem. DNA [~ *technology*]
1 do [dəʊ] mus. do
2 do [du:] **A** (*did done*; 3 pers. sg. pres. *does*)

vb **I** *tr* (se äv. *III*) **1** göra [~ *one's duty* (*best*)]; utföra [~ *repairs*]; framställa; ta; *what can I ~ for you?* vad kan jag stå till tjänst med?; till kund i butik vad får det lov att vara?; *that did it* bildl. det gjorde susen; då var det klippt **2** sköta [om] [~ *the correspondence*] **3** syssla med [~ *painting*]; arbeta på (med) [*we are ~ing a dictionary*] **4 a**) ordna; ~ *a room* städa ett rum; ~ *the windows* tvätta fönstren **b**) utföra; ~ *sums* (*arithmetic*) räkna **c**) ta [hand om] [*I'll ~ you next*] **5** läsa, studera [~ *science at the university*]; ~ *one's homework* läsa (göra) sina läxor **6** avverka, göra; köra [*we did 80 miles today*]; vard. se [*we did Spain in* (på) *a week*] **7** spela [*he did Hamlet*] **8** lösa [~ *a crossword*]; *we can't ~ the size* vi har inte storleken **9** vard. avtjäna [~ *five years in prison*] **10** anrätta, laga till **11** vard. lura **12** vard., *they ~ you very well at the hotel* man bor och äter mycket bra på hotellet **13** vard. vara lagom för [*three pieces will ~ me*]; passa [*this room will ~ me*] **14** vard. ta kål på [*that game did me*]; sl. råna; överfalla **15** vulg. dra över [~ *a woman*]

II *itr* (se äv. *III*) **1** göra [~ *as you are told*]; handla [*you did right*]; bära sig åt; *oh, ~!* gör det [du]! **2** *there is nothing ~ing* det händer ingenting, hand. det görs inga affärer; *nothing ~ing!* vard. aldrig i livet! **3** klara (sköta) sig [*how is he ~ing at school?*]; må [*she is ~ing better now*]; ~ *or die* segra eller dö, vinna eller försvinna; *how do you ~?* hälsningsformel god dag **4** passa; gå an [*it doesn't ~ to offend him*], räcka [till], vara nog (lagom); *that'll ~* det är bra; *we'll have to make it ~* det får lov att duga (räcka)

III *tr* o. *itr* med adv. el. prep. isht med spec. övers.:

~ **away with**: a) avskaffa b) ta livet av

~ **by** behandla [~ *well by a p.*]; *hard done by* illa behandlad

~ **for**: **a**) duga till (som) [*the room will ~ for a kitchen*] **b**) vard. hushålla för; *he does for himself* han klarar sig (hushållet) själv **c**) klara sig med [*how will you ~ for water?*] **d**) ta kål på; *he is done for* han är slut; det är slut (ute) med honom

~ **in** sl.: **a**) fixa mörda **b**) ta kål på; *be done in* äv. vara utmattad (slut) **c**) lura

~ **out**: **a**) städa [upp i]; måla [och tapetsera] **b**) ~ *a p. out of a th.* lura av ngn ngt; ~ *a p. out of his job* ta jobbet ifrån ngn

~ **over** a) snygga upp, bättra på b) vard. klå upp

~ **up**: **a**) reparera **b**) slå (packa) in [~ *up a parcel*] **c**) knäppa [~ *up one's coat*]; knyta **d**) *be done up* vara slut (tröttkörd)

~ **with**: **a**) göra (ta sig till) med [*what am I to ~ with him?*] **b**) *have to ~ with* ha att göra med, hänga ihop med **c**) *I can ~ with two* jag klarar mig med två; jag behöver två; *I could ~ with a drink* det skulle smaka bra med en drink **d**) *be done with* vara över (slut); *let's have done with it* låt oss få slut (komma ifrån) det; [*buy the car*] *and have done with it* ...först som sist, ...så är det gjort

~ **without** klara (reda) sig utan

IV *hjälpvb* **1** ss. ersättningsverb göra; [*do you know him?*] *yes, I ~* ...ja, det gör jag **2** förstärkande (alltid beton.) i jak. sats, t.ex.: *I ~ wish I could help you* jag önskar verkligen att jag kunde hjälpa dig; ~ *come!* kom för all del! **3** omskrivande: **a**) i frågesats t.ex.: ~ *you like it?* tycker du om det? **b**) i nekande sats med *not* t.ex.: *I don't dance* jag dansar inte **c**) i satser inledda med nekande adv. el dyl., t.ex.: *only* (*not until*) *then did he come* först (inte förrän) då kom han

B *s* vard. **1** fest **2** ~*'s and don'ts* regler och förbud

1 doc [dɒk] vard. doktor

2 doc [dɒk] vard. kortform för *document*

docile ['dəʊsaɪl, amer. 'dɒsl] **1** foglig, lätthanterlig **2** läraktig

1 dock [dɒk] **1** kupera **2** korta av; [för]minska; dra av på [~ *a p.'s wages*], dra av; *get one's salary ~ed* få avdrag på lönen

2 dock [dɒk] förhörsbås i rättssal; *be in the ~* sitta på de anklagades bänk

3 dock [dɒk] **I** *s* **1** [skepps]docka; hamnbassäng; *floating ~* flytdocka; *be in ~* vard. a) vara på reparation b) ligga på sjukhus **2** ofta pl. ~*s* hamn, hamnanläggning; varv; kaj **3** amer. lastkaj, lastningsplats **4** dock- [~ *gate*], hamn- [~ *area* (*district*)] **II** *vb tr* o. *vb itr* docka äv. om rymdskepp; ta[s] in (gå) i docka

docker ['dɒkə] hamnarbetare

docket ['dɒkɪt] **I** *s* **1** adresslapp på paket o.d. **2** tullbevis på erlagd tull **II** *vb tr* **1** förse dokument o.d. med innehållsförteckning (påskrift); rubricera **2** etikettera

dockyard ['dɒkjɑːd] [skepps]varv; *naval ~* örlogsvarv

doctor ['dɒktə] **I** *s* **1** univ. doktor; *D~ of Philosophy* filosofie doktor **2** läkare; *family ~* husläkare **II** *vb tr* vard. **1** sköta (plåstra) om [~ *a child*], kurera [~ *a cold*] **2** kastrera [~ *a cat*] **3** lappa ihop **4** blanda upp (i); blanda i gift (narkotika) i [~ *a drink*] **5** bättra på (upp), fiffla (manipulera) med

doctorate ['dɒkt(ə)rət] doktorsgrad, doktorat

doctrine ['dɒktrɪn] doktrin [*the Monroe D~*], lära; trossats; dogm

document [ss. subst. 'dɒkjʊmənt, ss. vb 'dɒkjʊment] **I** *s* dokument, handling **II** *vb* *tr* **1** dokumentera **2** förse med dokument (bevis)

documentary [ˌdɒkjʊ'ment(ə)rɪ] **I** *adj* dokumentarisk; urkunds-; dokumentär- [*a ~ film*]; *~ evidence* skriftligt bevis **II** *s* reportage i TV o. radio; dokumentärfilm, reportagefilm

documentation [ˌdɒkjʊmen'teɪʃ(ə)n, -mən-] dokumentering, dokumentation

dodge [dɒdʒ] **I** *vb itr* **1** vika undan, hoppa åt sidan; smita [*~ behind a tree*]; kila (sno) fram och tillbaka [*~ about*] **2** göra undanflykter **II** *vb tr* vika (väja) undan för [*~ a blow*]; undvika [*~ a question*]; kringgå [*~ the issue*]; smita från [*~ taxes*]; *~ the traffic* klara sig (hålla undan) i trafiken; undvika (slippa undan) trafiken **III 1** språng (hopp) åt sidan **2** vard. knep

dodger ['dɒdʒə] a) filur, skojare b) person som slingrar sig; *tax ~* skattesmitare

doe [dəʊ] **1** hind isht av dovhjort **2** harhona, kaninhona

does [dʌz, obeton. dəz, dz] 3 pers. sg. pres. av *2 do*

doesn't ['dʌznt] = *does not*

dog [dɒg] **I** *s* **1** hund; hanhund; i sms. -hane [*dog-fox*]; *the ~s* vard. hundkapplöpning[en], hundkapplöpningar[na]; *let sleeping ~s lie* väck inte den björn som sover; *lead a ~'s life* vard. leva ett hundliv, ha ett helvete; *take a hair of the ~* [*that bit you*] vard. ta [sig] en återställare; *the country is going to the ~s* vard. det går åt pipan med landet; *a ~ in the manger* en missunnsam person som inte ens unnar andra vad han inte själv kan ha nytta av **2** vard. karl, gynnare; *dirty ~* fähund; *sly ~* filur, lurifax **II** *vb tr* förfölja äv. bildl. [*~ged by misfortune*]; följa efter; *~ a p.* (*a p.'s steps*) följa ngn i hälarna (hack i häl)

dog collar ['dɒgˌkɒlə] **1** hundhalsband **2** sl. rundkrage prästkrage **3** vard. flerradigt tättsittande halsband

dogged ['dɒgɪd] envis, seg; hårdnackad [*~ opposition*]

doggy ['dɒgɪ] **I** *s* vard. vovve **II** *adj* **1** hund- [*~ smell*]; *~ bag* påse för (med) överbliven mat som en restauranggäst får med sig hem **2** hundälskande [*~ people*] **3** sl., *in the ~* [*position*] bakifrån samlagsställning

dog kennel ['dɒgˌkenl] hundkoja

dogma ['dɒgmə] (pl. *~s* el. *~ta* [-tə]) **1** dogm; trossats **2** dogmatik, dogmsystem

dogmatic [dɒg'mætɪk] dogmatisk

do-gooder [ˌdu:'gʊdə] vard. välgörenhetsfantast

dogsbody ['dɒgzˌbɒdɪ] sl. passopp

dog-tired [ˌdɒg'taɪəd] dödstrött

doing ['du:ɪŋ] **1** handling, gärning; utförande; *it is all his ~* det är helt och hållet hans verk; det är hans fel alltsammans **2** pl. *~s* förehavanden; uppförande; tilltag, påhitt [*some of his ~s*]; *tell me about your ~s* berätta vad du har (hade) för dig

do-it-yourself [ˌdu:ɪtjə'self] gör-det-själv-; *~ book* praktisk handbok; *~ kit* byggsats; *~ store* byggmarknad

doldrums ['dɒldrəmz] **1** stiltje; *in the ~* om skepp som hamnat i stiltje; bildl. nedstämd, dyster; utan liv, flau **2** geogr. stiltjeområden; *the ~* ofta stiltjebältet

dole [dəʊl] **I** *s* **1** utdelning av mat el. pengar **2** vard., *be* (*go*) *on the ~* leva på arbetslöshetsunderstöd, gå och stämpla **II** *vb tr, ~ out* dela ut [i småportioner]

doleful ['dəʊlf(ʊ)l] **1** sorglig **2** sorgsen

doll [dɒl] **I** *s* **1** docka leksak; *~'s house* dockskåp **2** pers. a) docka b) sl. brud, snygging **II** *vb tr* o. *vb itr* vard., *all ~ed up* uppsnofsad, snofsigt klädd

dollar ['dɒlə] dollar [*five ~s*]

dolphin ['dɒlfɪn] **1** zool. delfin **2** sjö. dykdalb

domain [də(ʊ)'meɪn] **1** domän **2** bildl. område, sfär

dome [dəʊm] **1** kupol **2** poet. ståtlig byggnad **3** sl. skalle

domestic [də'mestɪk] **I** *adj* **1** hus-, hem-; enskild; *~ appliances* hushållsapparater; husgeråd; *~ quarrel* familjegräl **2** huslig **3** inrikes [*~ policy* (*trade*)]; inhemsk [*~ goods*]; hemgjord **4** tam; *~ animal* husdjur; tamdjur **II** *s* hembiträde; tjänare

domesticate [də'mestɪkeɪt] **1 a**) *she is not ~d* hon är inte huslig av sig **b**) naturalisera **2** civilisera; tämja [*~d animals*]

domesticity [ˌdəʊme'stɪsətɪ, ˌdɒm-] **1** hemliv; hematmosfär **2** huslighet **3** tamt tillstånd [äv. *state of ~*]

domicile ['dɒmɪsaɪl, 'dəʊm-, -əsɪl] **I** *s* isht jur., [*place of*] *~* hemort, hemvist, [fast] bostad **II** *vb tr* **1** göra bofast; *~d* bosatt, hemmahörande, med fast bostad **2** hand. domiciliera växel

dominance ['dɒmɪnəns] herravälde, härskarställning; dominans äv. biol.

dominant ['dɒmɪnənt] **I** *adj* härskande; förhärskande; dominerande [*~ position*]; dominant; *~ character* biol. dominerande egenskap **II** *s* mus. dominant

dominate ['dɒmɪneɪt] **I** *vb tr* behärska; dominera; härska (dominera) över **II** *vb itr* härska, dominera; vara förhärskande

domination [ˌdɒmɪ'neɪʃ(ə)n] herravälde

domineer [ˌdɒmɪ'nɪə] dominera

dominion [də'mɪnjən] **1** herravälde; makt **2** välde, rike, besittning, område

domino ['dɒmɪnəʊ] (pl. *~es* el. *~s*) **1 a**) dominobricka **b**) *~es* (konstr. ss. sg.)

domino[spel] [*play ~es*] **2** bildl., *~ effect* kedjereaktion

1 don [dɒn] litt. ikläda sig; bildl. anlägga

2 don [dɒn] **1** don spansk titel före förnamn [*D~ Juan*]; spansk herre; spanjor **2** univ. universitetslärare; äldre collegemedlem; akademiker

donate [də(ʊ)'neɪt] ge; donera

donation [də(ʊ)'neɪʃ(ə)n] **1** [bidrags]givande **2** gåva, bidrag [*make* (ge) *a ~ to the Red Cross*]; donation

done [dʌn] **1** gjort etc., jfr *2 do A*; *be ~* äv. a) vara avslutad (färdig, fullbordad) [*the work is ~*] b) ske, gå till [*how was it ~?*]; *well ~!* bravo!, det gjorde du bra!; *it can't be ~* det går inte, det låter sig inte göra[s]; *that's ~ it!* nu är det klippt (färdigt, förkylt)!; *I wish they would come and have ~* om de bara ville komma nån gång!; *get a th. ~* få ngt gjort, klara av ngt, hinna med ngt **2** vard. lurad **3** kok. [färdig]kokt; *lightly ~* lättstekt **4** *it isn't ~* det är inte passande (god ton, comme-il-faut)

donkey ['dɒŋkɪ] åsna äv. bildl.; *~ work* slavgöra

donor ['dəʊnə, -nɔ:] donator; givare [*blood ~*]

don't [dəʊnt, ss. vb obeton. äv. dən, dn] **I** *vb = do not*; *~!* låt bli! **II** *s* skämts. förbud [*a long list of ~s*]

doodle ['du:dl] **I** *vb itr* [förstrött] klottra **II** *s* klotter

doom [du:m] **I** *s* **1** ont öde; undergång; högre makters dom **2** *the day of ~* domens dag **II** *vb tr* om högre makter, ödet o.d. döma, [förut]bestämma

doomed [du:md] dömd [*~ to die* (*to inactivity*)]; dödsdömd äv. bildl., dömd att misslyckas; *he's ~ to disappointment* han kommer säkert att bli besviken; *~ to failure* dömd att misslyckas

doomsday ['du:mzdeɪ] domedag [*till ~*]

door [dɔ:] dörr; port; ingång; lucka till ugn o.d.; dörröppning; *next ~* se *next I 1*; *close the ~ against* (*on*) bildl. stänga dörren (möjligheten) för; *the car is at the ~* bilen är framkörd; *be at death's ~* ligga för döden; vara nära döden; *lay a th. at a p.'s ~* ge ngn skulden för ngt, anklaga ngn för ngt; *from ~ to ~* från dörr till dörr; från hus till hus; *the taxi came to the ~* taxin körde fram [till porten]; *within ~s* inne, inomhus

doorbell ['dɔ:bel] ringklocka på dörr

doorknob ['dɔ:nɒb] runt dörrhandtag

doorknocker ['dɔ:ˌnɒkə] portklapp

door|man ['dɔ:|mən, -mæn] (pl. *-men* [-mən]) dörrvakt, vaktmästare, portier på hotell, institutioner o.d.

doormat ['dɔ:mæt] dörrmatta, bildl. äv. strykpojke

doorstep ['dɔ:step] **1** [dörr]tröskel; [*we have them*] *on* (*at*) *our ~* ...inpå knutarna **2** ofta pl. *~s* yttertrappa, farstutrappa **3** vard. jättetjock [bröd]skiva

door-to-door [ˌdɔ:tə'dɔ:], *~ salesman* dörrknackare

doorway ['dɔ:weɪ] dörr[öppning]; port[gång]; *a ~ to* [*success*] en väg (möjlighet, nyckel) till...

dope [dəʊp] **I** *s* **1** vard. knark, narkotika vanl. hasch el. marijuana; dopingmedel; *take ~* vanl. röka hasch **2** sl. [förhands]tips; *have all the ~ on* sitta inne med alla uppgifter om **3** vard. dummer **II** *vb tr* **1** vard. ge knark (narkotika); dopa; bedöva; *~d* äv. knarkpåverkad, narkotikapåverkad **2** [försämra genom att] tillsätta tillsatsämne i livsmedel, späda [ut]; blanda i gift (narkotika) i [*~d wine*] **III** *vb itr* vard. knarka

dopey ['dəʊpɪ] vard. **1** omtöcknad, påverkad **2** fånig

dormant ['dɔ:mənt] **1** sovande **2** bildl. slumrande [*~ faculties*]; inaktiv [*a ~ volcano*]; vilande

dormer ['dɔ:mə], *~* [*window*] vindskupefönster, mansardfönster

dormitory ['dɔ:mətrɪ] **1** sovsal **2** amer. studenthem **3** *~* [*suburb*] sovstad

dor|mouse ['dɔ:|maʊs] (pl. *-mice* [-maɪs]) zool. sjusovare, sovmus; hasselmus

dorsal ['dɔ:s(ə)l] a) anat. dorsal, rygg- [*~ fin*] b) fonet. dorsal

dosage ['dəʊsɪdʒ] med. dosering; dos; stråldos

dose [dəʊs] **I** *s* dos, bildl. äv. dosis, portion, mått; släng [*a ~ of flu*]; *have one's ~* äv. få sin beskärda del **II** *vb tr* **1** ge medicin; *~ oneself* medicinera; *~ a p.* (*oneself*) *with* [*quinine*] ge ngn (ta) [en dos]... **2** dosera [*~ a medicine*] **3** blanda upp; förskära

doss-house ['dɒshaʊs] sl. ungkarlshotell, slafis

dossier ['dɒsɪeɪ] dossier

dot [dɒt] **I** *s* punkt äv. mus.; prick [*the ~ over an i*]; bildl. äv. liten fläck; *~s and dashes* punkter och streck t.ex. i morsealfabetet; *on the ~* vard. punktligt, prick, på slaget **II** *vb tr* (se äv. *dotted*) **1** pricka [*~ a line*]; markera (märka) med prick[ar]; sätta prick över [*~ one's i's*]; *~ the* (*one's*) *i's* [*and cross the* (*one's*) *t's*] vara ytterst noggrann **2** ligga [ut]spridd (utströdd) på (över); strö omkring (ut) **3** sl., *~ a p. one* klippa (smocka) till ngn

dote [dəʊt] **1** *~* [*up*]*on* avguda, dyrka, vara mycket svag för (kär i) **2** vara barn på nytt

dotted ['dɒtɪd] (se äv. *dot II*) **1** prickad [*~ line*]; prickig; *sign on the ~ line* a) signera, skriva under b) bildl. tiga och samtycka **2** översållad; [*a landscape*] *~ with small*

houses ...med små hus [ut]spridda (utströdda) överallt
1 dotty ['dɒtɪ] vard. fnoskig, vrickad; tokig
2 dotty ['dɒtɪ] prickig
double ['dʌbl] **I** *adj* dubbel, dubbel- [~ *bed*]; tvåfaldig; ~ *chin* dubbelhaka; ~ *entry* dubbel bokföring; ~ *figures* tvåsiffriga tal; ~ *room* dubbelrum, rum med dubbelsäng **II** *adv* dubbelt [~ *as dear*; *see* ~]; två gånger **III** *s* **1** *the* ~ det dubbla; dubbelt så mycket (många) **2** exakt kopia; avbild; dubbelgångare **3** mil. språngmarsch; *at* (*on*) *the* ~ i språngmarsch; friare i fyrsprång; fortare än kvickt **4** i tennis o.d., ~*s* (konstr. ss. sg.) dubbel, dubbelmatch **IV** *vb tr* **1** fördubbla **2** vika (lägga, böja) dubbel; ~ *up* böja (vika) ihop **3** sjö. runda [~ *a cape*] **4** teat., ~ *parts in a play* spela dubbla roller i en pjäs **V** *vb itr* **1** fördubblas **2** ~ *up* vika sig [dubbel], vrida sig [~ *up with laughter*] **3** mil. gå i hastig marsch; ~ *up!* kommando språngmarsch!, vard. raska på!
double-barrelled [ˌdʌbl'bær(ə)ld, attr. '--ˌ--] **1** tvåpipig **2** bildl. dubbel-; ~ *name* dubbelnamn
double bass [ˌdʌbl'beɪs] mus. kontrabas
double-breasted [ˌdʌbl'brestɪd, attr. '--ˌ--] om plagg dubbelknäppt
double-check [ˌdʌbl'tʃek] **I** *vb tr* **1** dubbelkontrollera **2** schack. dubbelschacka **II** *s* dubbelkontroll, extra kontroll
double cream [ˌdʌbl'kri:m] tjock grädde, vispgrädde
double-cross [ˌdʌbl'krɒs] vard. **I** *vb tr* spela dubbelspel med, lura **II** *s* dubbelspel
double-decker [ˌdʌbl'dekə] **1** dubbeldäckare [om buss äv. ~ *bus*]; flyg. äv. biplan **2** ~ [*sandwich*] dubbeldäckare, tredubbel smörgås
double Dutch [ˌdʌbl'dʌtʃ] vard. rotvälska
double-glazed [ˌdʌbl'gleɪzd, attr. '---], ~ *window* tvåglasfönster, dubbelfönster
double-glazing [ˌdʌbl'gleɪzɪŋ] koll. tvåglasfönster
double-quick [ˌdʌbl'kwɪk] **I** *adj* snabb; ~ *time* (*pace*) hastig marsch, snabb takt **II** *adv* hastigt; vard. kvickt som tanken, på direkten
double standard [ˌdʌbl'stændəd] **1** dubbelmoral **2** dubbel myntfot
doubly ['dʌblɪ] dubbelt [*be* ~ *careful*]
doubt [daʊt] **I** *s* tvivel; ovisshet; tvekan; *no* ~ utan tvivel, otvivelaktigt, nog, väl [*you won, no* ~]; *there is no* ~ *about it* det råder ingen tvekan om det; *give a p. the benefit of the* ~ [i tveksamt fall] hellre fria än fälla ngn; *throw* ~ [*up*]*on* dra i tvivelsmål, betvivla, ifrågasätta; *without* [*a*] ~ utan tvivel (tvekan), tveklöst; otvivelaktigt **II** *vb itr* tvivla; tveka; ~*ing Thomas* tvivlande Tomas, skeptiker **III** *vb tr* betvivla [~ *the truth of a th.*]; inte tro [~ *one's senses*], misstro; *I* ~ *whether* (*if*) jag tvivlar på att
doubtful ['daʊtf(ʊ)l] **1** tvivelaktig [*a* ~ *case* (*pleasure*)]; oviss [*a* ~ *fight*], osäker [*a* ~ *claim*]; problematisk **2** om pers. tveksam, villrådig; *be* ~ *about* (*of*) tvivla på
doubtless ['daʊtləs] utan tvivel (tvekan)
dough [dəʊ] **1** deg **2** sl. kulor pengar
doughnut ['dəʊnʌt] kok., slags munk
doughy ['dəʊɪ] degig; kladdig, mjuk
dour [dʊə] sträng [~ *looks*]; envis, ihärdig [~ *silence*]; trumpen; kärv
douse [daʊs] **1** doppa [i vatten] **2** släcka [~ *a candle*]
1 dove [dʌv] duva ofta bildl., äv. polit. [~*s and hawks*]; ~ *of peace* fredsduva
2 dove [dəʊv] amer., imperf. av *dive*
dovetail ['dʌvteɪl] **I** *s* snick. laxstjärt, sinka **II** *vb tr* **1** laxa (sinka) [ihop] **2** bildl. passa in [i varandra] **III** *vb itr* [noga] passa ihop, sammanfalla [*my plans* ~ *with his*]
dowager ['daʊədʒə] änkefru som ärvt titel el. egendom efter sin man; änkenåd; vard. äldre nåd (högreståndsdam); *queen* ~ änkedrottning
dowdy ['daʊdɪ] sjaskig [*a* ~ *dress*]; sjaskigt (gammalmodigt) klädd
1 down [daʊn] höglänt kuperat hedland
2 down [daʊn] dun äv. bot.; fjun; ~ *quilt* duntäcke
3 down [daʊn] **I** *adv* o. *pred adj* **1** ned, ner; nedåt, utför; i korsord lodrätt; *go* ~ *south* resa söderut **2** nere [~ *in the cellar*; *he looks* ~ *today*]; *live* ~ *south* bo söderut **3** kontant [*pay £10* ~]; *cash* ~ kontant **4** back, minus; *be one* ~ sport. ligga under med ett mål **5** *note* (*write*) ~ anteckna, skriva upp **6** specialbet. i förb. med vb, *be* ~ **a**) vara nere äv. bildl.; ha kommit ner från sovrummet; ha gått ner [*the moon is* ~; *prices are* ~] **b**) vara neddragen [*the blinds were* ~] **c**) vara urladdad [*the battery is* ~] **d**) *hit a man who is* ~ slå en redan slagen **7** specialbet. i förb. med prep.: **a**) *be* ~ *for* ha tecknat sig för; *he is* ~ *for that job* [det är meningen att] han skall göra det jobbet **b**) ~ *from* [*the Middle Ages*] ända från... **c**) ~ *in the mouth* vard. nedslagen, moloken **d**) *be* ~ *on a p.* ogilla (vilja åt) ngn; hacka på ngn [*he is always* ~ *on me*] **e**) ~ *to* [*our time*] ända (fram) till... **f**) ~ *with* [*the tyrant*]! ned (bort) med...!; *be* ~ *with* [*the flue*] ligga [sjuk] i... **8** ~ *under* vard. på andra sidan jordklotet isht i Australien el. Nya Zeeland **II** *attr adj* **1** sjunkande [*a* ~ *tendency*] **2** nedåtgående [*the* ~ *traffic*]; ~ *platform* plattform för södergående (avgående) tåg **3** kontant [~ *payment*]; ~ *payment* äv. handpenning **III** *prep* nedför;

[ner] i [*throw a th.* ~ *the sink*]; nedåt; nedigenom [~ *the ages*]; [där] borta i [~ *the hall*], nere i; längs med, utefter [~ *the street*]; [*there's a pub*] ~ *the street* ...längre ner på gatan **IV** *vb tr* vard. lägga ifrån sig; tömma [~ *a glass of beer*]; ~ *tools* lägga ned arbetet, strejka

down-and-out [ˌdaʊnən'aʊt] **1** ensam och utblottad **2** sport. [ut]slagen

downbeat ['daʊnbi:t] **I** *s* mus. nedslag **II** *adj* **1** vard. dämpad; ~ *mood* deppighet **2** avspänd

downcast ['daʊnkɑ:st] nedslagen; ~ *eyes* nedslagna ögon

downer ['daʊnə] vard. **1** lugnande (dämpande) medel; nedåttjack **2** deprimerande upplevelse (situation); *be on a* ~ vara nere, deppa

downfall ['daʊnfɔ:l] **1** häftigt regn (snöfall) **2** fall [*the* ~ *of an empire*], fördärv [*drink was his* ~]

downgrade ['daʊngreɪd] **I** *s* **1** vägs o.d. lutning **2** *be on the* ~ vara på tillbakagång **II** *vb tr* **1** degradera **2** förringa, underskatta

downhearted [ˌdaʊn'hɑ:tɪd] nedstämd; *are we* ~? ingen rädder här!

downhill [ˌdaʊn'hɪl, attr. '--] **I** *s* **1** nedförsbacke, utförsbacke äv. bildl. **2** sport. störtlopp **II** *adj* sluttande; ~ *race* sport. störtlopp; ~ *run* (*skiing*) utförsåkning **III** *adv* nedför [backen]; *go* ~ bildl. förfalla, gå tillbaka

Downing Street ['daʊnɪŋstri:t] **I** gata i London med bl.a. premiärministerns ämbetsbostad på 10 Downing Street **II** *s* [brittiska] regeringen

downmarket ['daʊnˌmɑ:kɪt] massproducerad [~ *goods*]

downpour ['daʊnpɔ:] störtregn

downright ['daʊnraɪt] **I** *adj* **1** ren [*a* ~ *lie*, ~ *nonsense*], fullständig **2** rättfram, uppriktig **II** *adv* riktigt; fullkomligt

downstairs [ˌdaʊn'steəz] nedför trappan (trapporna), ner [*go* ~]; i nedre våningen [*wait* ~]; i våningen under [*our neighbours* ~]

downstream [ˌdaʊn'stri:m, attr. '--] [som går] med strömmen; nedåt floden

down-to-earth [ˌdaʊntʊ'ɜ:θ] realistisk, verklighetsbetonad; jordnära

downtown [ˌdaʊn'taʊn, ss. adj. '--] isht amer. **I** *adv* o. *adj* in till (ner mot) stan (centrum); i centrum (city) [*the* ~ *streets*]; ~ *Los Angeles* Los Angeles centrum **II** *s* [affärs]centrum

downtrodden ['daʊnˌtrɒdn] kuvad, förtryckt

downward ['daʊnwəd] **I** *adj* sluttande; nedåtgående, sjunkande [*a* ~ *tendency*]; ~ *slope* nedförsbacke **II** *adv* se *downwards*

downwards ['daʊnwədz] **1** nedåt, utför; nedför strömmen; *from the waist* ~ från midjan och nedåt **2** framåt [*from the Middle Ages and* ~]

dowry ['daʊ(ə)rɪ] **1** hemgift **2** gåva [av naturen]

doyen ['dɔɪən] dipl. doyen

doze [dəʊz] **I** *vb itr* dåsa; ~ *off* slumra (dåsa) till **II** *s* lätt slummer; tupplur

dozen ['dʌzn] (pl. lika efter adjektiviska ord som betecknar antal, se ex.) dussin [*two* (*a few*) ~ *knives*; *some* ~*s of knives*], dussintal [*in* ~*s*]; ~*s* [*and* ~*s*] *of* [*cars*] dussintals..., dussinvis med...; *baker's* ~ tretton [stycken]; [*I've been there*] ~*s of times* ...hundra gånger

dozenth ['dʌznθ] tolfte; *for the* ~ *time* för femtielfte gången

Dr o. **Dr.** ['dɒktə] förk. för *Doctor*

drab [dræb] **1** gråbrun, smutsgul **2** trist

draft [drɑ:ft] (äv. amer. stavn. för *draught*, se d.o.) **I** *s* **1** isht mil. uttagning [av manskap], kommendering; för specialuppdrag uttaget manskap; amer. äv. a) inkallelse [till militärtjänst] b) inkallad grupp; ~ *dodger* (*evader*) amer. a) värnpliktsvägrare b) desertör **2** plan, utkast, koncept **3** hand. tratta [*for* (på) *a sum*]; bildl. krav; *banker's* (*bank*) ~ post[remiss]växel **II** *vb tr* **1** ta ut för särskilt uppdrag el. ändamål; detachera [äv. ~ *off*]; amer. äv. kalla in [till militärtjänst] **2** göra (skriva) utkast till, avfatta; skissera

drag [dræg] **I** *vb tr* **1** släpa; ~ *a th. through the mud* dra (släpa) ngt i smutsen, bildl. äv. smutskasta ngt; ~ [*her* (*its*)] *anchor* sjö. driva för ankare[t], dragga **2** ~ [*out* (*on*)] dra ut på, förlänga [~ *out a parting* (*speech*)], förhala **3** ~ *oneself away* slita sig [*from*] **4** dragga på (i) [~ *the lake for* (efter) *the body*]; muddra [upp] **5** sl. tråka ut

II *vb itr* **1** släpa; röra sig (gå) långsamt [ofta ~ *on* (*along*); *the time seemed to* ~]; bli (sacka) efter; vara långdragen [*the performance* ~*ged* [*on*]] **2** dragga

III *s* **1** släpande, släpning; *he had a* ~ *in his walk* han hade en släpande gång **2** hämsko äv. bildl.; motstånd; hinder **3** vard. bloss på cigarett o.d.; amer. äv. klunk **4** sl. tagg cigarett; joint marijuanacigarett **5** sl. [manlig] transvestit [äv. ~ *queen*]; transvestitkläder [*in* ~]; ~ *show* dragshow **6** amer. sl. strög huvudgata **7** sl. torrboll; *it's a* ~ det är dötrist **8** sl. kärra bil

dragnet ['drægnet] **1** dragnät, släpnot **2** stort polispådrag

dragon ['dræg(ə)n] **1** drake **2** vard., vanl. om kvinna drake, ragata [äv. ~ *lady*] **3** zool. draködla

dragonfly ['dræg(ə)nflaɪ] zool. trollslända

dragoon [drə'gu:n] **I** *s* **1** mil. dragon **2** vildsint sälle **II** *vb tr,* ~ *into* [genom övervåld] tvinga till

drain [dreɪn] **I** *vb tr* **1** ~ [*off* (*away*)] låta rinna av, avleda [~ *liquid*]; tappa ut **2** dränera; avvattna [*the river ~s a large territory*]; dika av (ut), torrlägga [~ *land*]; sjö. länsa **3** tömma [i botten]; dricka ur; ~ *the cup of bitterness* tömma den bittra kalken **4** filtrera **5** bildl. utblotta, [ut]tömma **II** *vb itr* avvattnas; ha avlopp; torka; ~ *off* (*away*) rinna av (bort) **III** *s* **1** dräneringsrör, avlopp; kloak[ledning]; *it has gone down the* ~ vard. det har gått åt pipan; *throw* (*pour, chuck*) *money down the* ~ vard. kasta pengarna i sjön **2** avrinning; sipprande; bildl. åderlåtning; *it is a great* ~ *on his purse* (*strength, resources*) det tar (tär) på hans kassa (krafter, resurser) **3** med. kanyl

drainage ['dreɪnɪdʒ] **1** dränering, avvattning; torrläggning; avdikning **2** avrinnande, avrinning **3** en trakts vattenavlopp; avloppsledningar; avloppssystem; täckdiken **4** avloppsvatten

draining-board ['dreɪnɪŋbɔ:d] lutande torkbräda på diskbänk; plats att stjälpa disk [på]

drainpipe ['dreɪnpaɪp] **I** *s* **1** avloppsrör; täckdikesrör **2** pl. ~*s* vard. stuprörsbyxor **II** *adj* stuprörs- [~ *trousers*]

drake [dreɪk] ankbonde

dram [dræm] **1** medicinalvikt: 60 grains (1/8 ounce, 3,888 g); handelsvikt: 27,344 grains (1/16 ounce, 1,772 g) **2** hutt, sup; *take a* ~ äv. ta sig ett glas **3** smula, uns

drama ['drɑ:mə] drama, skådespel; ~ *critic* teaterkritiker

dramatic [drə'mætɪk] dramatisk; teatralisk; ~ *critic* teaterkritiker

dramatist ['dræmətɪst] dramatiker

dramatization [ˌdræmətaɪ'zeɪʃ(ə)n] dramatisering

dramatize ['dræmətaɪz] dramatisera

drank [dræŋk] imperf. av *drink*

drape [dreɪp] **I** *vb tr* **1** drapera; skruda [~ *in black*]; smycka **2** vard. slänga, vräka [*he ~d his legs* (*himself*) *over the arm of his chair*]; ~ *oneself round a th.* klamra sig runt ngt **II** *s* amer. **1** draperi; förhänge **2** drapering; fall

draper ['dreɪpə] klädeshandlare

drapery ['dreɪpərɪ] **1** klädesvaror [äv. ~ *goods*] **2** klädeshandel **3** a) drapering b) draperi; tjock gardin

drastic ['dræstɪk, 'drɑ:-] drastisk [~ *remedy*]; ~ *cure* äv. hästkur

draught [drɑ:ft] **I** *s* **1** dragande, dragning; ~ *animal* dragdjur **2** notvarp; drag; fångst [*a ~ of fish*] **3** klunk; [ande]drag; dos **4** fartygs djupgående **5** [luft]drag; *feel the* ~ känna draget; vard. få känning av det, få känna 'på **6** tappning av våtvaror ur kärl; *beer on* ~ el. ~ [*beer*] öl från fat, fatöl **II** *vb tr* se *draft II 2*

draught beer [ˌdrɑ:ft'bɪə] fatöl

draughts|man ['drɑ:fts|mən] (pl. *-men* [-mən]) **1** ritare, tecknare [*he is a good ~*] **2** damspelsbricka

draughty ['drɑ:ftɪ] dragig [*a ~ room*]

draw [drɔ:] **I** (*drew drawn*) *vb tr* (se äv. *III*) **1** dra i olika bet.; dra till (åt, med) sig; föra **2** förvrida [*a face ~n with pain*] **3** dra åt (till); ~ *a curtain* a) dra för en gardin b) dra undan (upp) en gardin; ~ *a tooth* dra ut en tand **4** rita **5** spänna [~ *a bow*] **6** andas in **7** dra [till sig], attrahera [~ *large crowds*; *feel ~n to a p.*]; *he drew my attention to...* han fäste min uppmärksamhet på... **8** ~ *a chicken* ta ur en kyckling **9** pumpa (dra) upp [~ *water from a well*], hämta upp; ~ *it mild* vard. ta det försiktigt, inte slå på [för] stort **10** ~ *the winner* få en vinst; vinna på kapplöpning **11** spela oavgjord; *the game* (*match*) *was ~n* matchen slutade oavgjort **12** hämta [~ *an example from an author*]; dra upp [~ *distinctions*] **13** locka fram [~ *tears*; ~ *applause*], framkalla; *he would not be ~n* vard. a) han ville inte yttra sig b) han lät sig inte provoceras **14** förtjäna, ha [~ [*a salary of*] *£10,000 a month*]; lyfta [~ *one's salary* (*pay*)] **15** hand. dra, trassera [~ *a bill* (*cheque, draft*) *on a p.*]

II (*drew drawn*) *vb itr* (se äv. *III*) **1** dra; om te o.d. [stå och] dra **2** rita **3** ha dragningskraft, dra [*the play is still ~ing well*] **4** ~ *near* närma sig, nalkas **5** samlas [~ *round the fire*] **6** dra lott **7** sport. spela oavgjort [*the teams drew*]

III (*drew drawn*) *vb tr* o. *vb itr* med prep o. adv., isht med spec. övers.:

~ *a p.* **aside** ta ngn avsides

~ **away** dra [sig] tillbaka (undan); dra ifrån i lopp

~ **back** dra [sig] tillbaka (undan)

~ **forth** dra (släpa) fram; framkalla, väcka

~ **in** dra (ta) in (ihop); om dagar bli kortare

~ **on**: **a**) dra på sig [~ *the enemy on*] **b**) driva på **c**) locka [med] **d**) hand. trassera (dra) på; bildl. dra växlar på [~ *on a p.'s credulity*] **e**) nalkas [*winter is ~ing on*] **f**) ~ *on one's imagination* låta fantasin spela

~ **out**: a) dra (ta) ut b) dra ut [på] [~ *out a meeting*], förlänga c) locka fram [~ *out latent talents*] d) om dagar bli längre

~ **to**: **a**) dra för [~ *the curtain to*] **b**) ~ *to a close* (*an end*) närma sig slutet

~ **together**: a) dra ihop (samman) b) förena [sig]
~ **up**: **a**) dra upp (närmare) **b**) mil. o.d. ställa upp [sig] **c**) avfatta [~ *up a document* (*a programme*)] **d**) stanna **e**) ~ *oneself up* räta (sträcka) på sig
IV *s* **1** drag[ning]; *be quick on the* ~ vara färdig att ta till vapen, dra snabbt **2** vard. attraktion, dragplåster, teat. äv. kassapjäs **3** [resultat av] lottdragning **4** oavgjord match; schack. remi; *it ended in a* ~ det slutade (blev) oavgjort

drawback ['drɔ:bæk] nackdel, olägenhet, avigsida

drawbridge ['drɔ:brɪdʒ] klaffbro; vindbrygga

drawer ['drɔ:ə, i bet. 5 drɔ:] **1** person som drar etc., jfr *draw*; dragare **2** ritare, tecknare **3** författare till dokument **4** hand. trassent, utställare **5** [byrå]låda; *chest of ~s* byrå

drawers [drɔ:z] [under]byxor

drawing ['drɔ:ɪŋ] **I** *adj* dragande, drag- **II** *s* ritning, teckning; utkast; ritkonst

drawing-board ['drɔ:ɪŋbɔ:d] ritbräde; *back to the* ~ bildl. tillbaka till där vi började

drawing-pin ['drɔ:ɪŋpɪn] häftstift; arkitektstift

drawing-room ['drɔ:ɪŋru:m, -rʊm] salong, förmak; ~ [*car*] amer., ung. salongsvagn

drawl [drɔ:l] **I** *vb itr* dra (släpa) på orden, tala släpigt **II** *vb tr* dra (släpa) på [äv. ~ *out*] **III** *s* släpigt [ut]tal

drawn [drɔ:n] **1** dragen; uppdragen etc., jfr *draw*; ~ *butter* smält smör; ~ *chicken* urtagen kyckling **2** oavgjord [~ *battle* (*game*)]; ~ *game* schack. äv. remiparti

dread [dred] **I** *vb tr* frukta [~ *dying* (*to die*)]; gruva sig för; *I* ~ *to think* [*what may happen*] jag fasar för... **II** *s* [stark] fruktan; skräck [*live in* ~ *of* (för) *a th.*], bävan; fasa äv. konkr. **III** *adj* litt. el. skämts. fruktad

dreadful ['dredf(ʊ)l] förskräcklig [*a* ~ *disaster*]

dream [dri:m] **I** *s* dröm; *bad* ~ mardröm, otäck dröm; *sweet* (*pleasant*) *~s!* sov gott!; *the* ~ *girl* idealflickan; *the girl of my ~s* min drömflicka **II** (*dreamt dreamt* [dremt] el. *dreamed dreamed* [dremt el. mera valt dri:md]) *vb tr* o. *vb itr* drömma; *I never ~t of it* jag hade inte en tanke på det, jag hade aldrig drömt om det

dreamt [dremt] imperf. o. perf. p. av *dream*

dreamy ['dri:mɪ] **1** drömmande **2** drömlik

dreary ['drɪərɪ] dyster; tråkig; hemsk

1 dredge [dredʒ] **I** *s* släpnät; mudderverk; grävmaskin **II** *vb tr* o. *vb itr* **1** fiska (skrapa) upp [äv. ~ *up* (*out*)] **2** bottenskrapa; muddra [upp], gräva

2 dredge [dredʒ] beströ, pudra över; strö socker m.m.

1 dredger ['dredʒə] **1** grävmaskinist **2** mudderverk

2 dredger ['dredʒə] ströburk för mjöl o.d.

drench [dren(t)ʃ] genomdränka; perf. p. *~ed* genomdränkt, genomvåt, dyblöt

dress [dres] **I** *vb tr* **1** klä; ~ *oneself* klä sig, klä om [sig] [~ *oneself for dinner*] **2** smycka, pryda (förgylla) [upp]; ~ *the shopwindow* skylta, ordna (arrangera) skyltfönstret **3** bearbeta [~ *furs* (*leather*)]; appretera tyg; anat. preparera; häckla lin **4** tillreda [~ *a salad*]; rensa, göra i ordning [~ *a chicken*] **5** förbinda, lägga om [~ *a wound*] **6** vard., ~ *down* skälla ut, ge på huden (en omgång) **II** *vb itr* klä sig [~ *well*]; klä på sig; klä om [sig] [~ *for dinner*]; ~ *up* a) klä sig fin b) klä ut sig, maskera sig [*he ~ed up as a pirate*] **III** *s* dräkt; klänning; toalett; dress; *full* ~ gala, paraduniform, högtidsdräkt

dress circle [ˌdres'sɜ:kl] teat., *the* ~ första raden; amer. äv. balkongen, läktaren på bio

dresser ['dresə] **1** köksskåp av buffétyp med öppna överhyllor; amer. byrå ofta med spegel; toalettbord **2** person (verktyg) som bearbetar etc., jfr *dress I 3* **3** teat. påklädare **4** *he is a careful* ~ han klär sig med stor omsorg

dressing ['dresɪŋ] **1** påklädning; omklädning [~ *for dinner*] **2** smyckande etc., jfr *dress I 2-3* **3** kok. [sallads]sås, dressing [*salad* ~]; fyllning **4** gödsel; *top* ~ övergödslingsmedel **5** omslag, förband

dressing-gown ['dresɪŋgaʊn] morgonrock; nattrock

dressing-room ['dresɪŋru:m] omklädningsrum; påklädningsrum, toalettrum; teat. o.d. klädloge

dressing-table ['dresɪŋˌteɪbl] toalettbord

dressmaker ['dresˌmeɪkə] sömmerska

dress rehearsal [ˌdresrɪ'hɜ:s(ə)l, 'ˌ--ˌ--] teat. generalrepetition

dress shirt [ˌdres'ʃɜ:t] frackskjorta, smokingskjorta

dressy ['dresɪ] vard. **1** om sak stilig, fin **2** road av kläder; stiligt klädd

drew [dru:] imperf. av *draw*

dribble ['drɪbl] **I** *vb itr* **1** droppa, drypa; sippra **2** dregla **3** sport. dribbla **II** *vb tr* **1** droppa, drypa; låta sippra (rinna) **2** sport. dribbla **III** *s* **1** droppe **2** sport. dribbling

drier ['draɪə] **1** torkare; torkmaskin; torkställning; hårtork **2** torkmedel

drift [drɪft] **I** *s* **1** drivande; strömning [*the* ~ *of population from country to city*]; glidning [*wage* ~] ofta driv- [~ *net*] **2** driva [*a* ~ *of snow*], hög [*a* ~ *of dead leaves*]; drivgods **3** tendens [*the general* ~]; mening; *I caught the* ~ *of what he said* jag fattade i huvudsak vad han menade **II** *vb itr* **1** driva

[fram] liksom med strömmen; glida; släntra; *let things* ~ a) låta det ha sin gång b) låta det gå på lösa boliner (vind för våg); ~ *apart* komma längre och längre (glida) ifrån varandra **2** flotta [timmer]

drifter ['drɪftə] kringdrivande person; dagdrivare; hoppjerka

driftwood ['drɪftwʊd] drivved

1 drill [drɪl] **I** *vb tr* **1** drilla, borra; genomborra; ~ *a tooth* borra i (upp) en tand **2** exercera, drilla äv. bildl. [~ *a p. in grammar*]; öva [upp] **II** *vb itr* **1** drilla, borra; borra sig **2** exercera; öva **III** *s* **1** [drill]borr; borrmaskin **2** exercis; gymnastik; träning; *know the* ~ vard. vara inne i (kunna) rutinen, behärska metoderna

2 drill [drɪl] zool. drill babianart

3 drill [drɪl] kyprat bomullstyg, twills

drily ['draɪlɪ] torrt etc., jfr *dry*

drink [drɪŋk] **I** (*drank drunk*) *vb tr* o. *vb itr* **1** dricka; supa [upp]; tömma [~ *the cup of sorrow*]; ~ *oneself to death* supa ihjäl sig; ~ *deep* ta en djup klunk; ~ *out of* (~ *from*) *a bottle* dricka ur (halsa) en flaska; ~ [*to*] *a p.'s health* dricka ngns skål, skåla med ngn; ~ *to a p.'s success* dricka (skåla) för ngns framgång; ~ [*to*] *the ladies* dricka damernas skål; *what are you ~ing?* vad vill du ha att dricka? **2 a**) ~ [*in* (*up*)] suga upp [*a plant ~s in* (*up*) *moisture*] **b**) bildl., ~ *in* insupa; sluka, njuta [av] i fulla drag [~ *in the music*] **II** *s* **1** dryck [*food and* ~; *refreshing* ~] **2** dryckesvaror; [*strong*] ~ starka drycker, spritdryck[er] **3** drickande; *be the worse for* ~ vara full; *have a* ~ *problem* ha alkoholproblem; *take to* ~ börja dricka **4** klunk; glas, drink [*have a* ~*!*]; *a* ~ *of water* ett glas (en klunk) vatten, lite vatten **5** sl., *the* ~ drickat, spat havet, vattnet

drinkable ['drɪŋkəbl] drickbar

drink-driver [ˌdrɪŋk'draɪvə] rattfyllerist

drink-driving [ˌdrɪŋk'draɪvɪŋ] rattfylleri

drinker ['drɪŋkə] person som dricker (super); *heavy* (*hard*) ~ storsupare

drip [drɪp] **I** *vb itr* o. *vb tr* drypa [~ *with* (av) *perspiration*]; droppa **II** *s* **1** drypande; dropp; takdropp **2** med. dropp **3** sl. tråkmåns **4** sl. smörja; svammel

drip-dry [ˌdrɪp'draɪ] **I** *vb itr* o. *vb tr* dropptorka[s] **II** *adj* som kan dropptorka[s]

dripping ['drɪpɪŋ] **I** *adj* drypande våt **II** *adv*, ~ *wet* drypande våt **III** *s* **1** dropp[ande]; pl. ~*s* dropp **2** fett som dryper från stek; steksky; [stek]flott

drive [draɪv] **I** (*drove driven*) *vb tr* **1** driva [*the machine is ~n by steam*]; driva på (fram) [äv. ~ *on*]; ~ *logs* isht amer. flotta timmer **2** fösa, driva [~ *cattle*]; tränga [~ *a p. into a corner*]; söka igenom [~ *the woods for* (efter) *game*] **3** köra; skjutsa; ~ *one's own car* ha (hålla sig med) egen bil **4** driva (mana) på; pressa [*be hard ~n*], tröttköra **5** förmå; ~ *a p. out of his senses* göra ngn galen **6** sport. slå [~ *a ball*] **7** slå (driva, köra) in [~ *a nail into* (i) *the wall*]; driva ner [~ *a pile*] **8** [be]driva; genomföra; ~ *a good bargain* göra en god affär **II** (*drove driven*) *vb itr* **1** driva[s] [fram]; trycka (pressa) 'på; ~ *ashore* driva i land **2** köra; ~ *up* ([*up*] *to the door*) köra fram om bil, chaufför m.m. **3** sport. slå [*he drove long*], golf. äv. slå en drive **4** ~ *at* sikta efter (på, till); syfta på, mena; *what are you driving at?* vart vill du komma?; ~ *away at* vard. knoga på med, fortsätta [med] **III** *s* **1** åktur; bilresa; körning; *go for* (*take*) *a* ~ ta (ge sig ut på) en åktur **2** körväg; privat uppfartsväg; ofta i gatunamn [*Crescent D~*] **3** tekn. drift [*electric* ~]; bil. styrning; *four-wheel* ~ fyrhjulsdrift **4** sport. drive slag **5** energi [*plenty of* ~], kraft, kläm **6** kampanj, satsning, drive; kraftig attack, offensiv **7** psykol. drift **8** jakt. drev

drive-in ['draɪvɪn] **I** *s* drive-in-bank m.m. **II** *adj* drive-in- [~ *bank*]

drivel ['drɪvl] **I** *vb itr* **1** dilla **2** dregla **II** *vb tr* **1** prata; pladdra **2** ~ *away* plottra bort **III** *s* **1** dravel **2** dregel

driven ['drɪvn] (av *drive*) driftig

driver ['draɪvə] **1** förare; ~*'s licence* körkort **2** pådrivare; oxdrivare **3** tekn. drivhjul; drev **4** radio. drivsteg **5** driver slags golfklubba

driving ['draɪvɪŋ] **I** *perf p* o. *adj* drivande etc., jfr *drive*; driv-; bildl. drivande; tvingande; medryckande; ~ *force* drivande kraft, drivkraft; ~ *rain* slagregn, piskande regn **II** *s* körning, åkning; borrning [*tunnel* ~]; drivande etc., jfr *drive*; ~ *offence* trafikförseelse med motorfordon; brott mot vägtrafikförordningen

drizzle ['drɪzl] **I** *vb itr* dugga **II** *s* duggregn

droll [drəʊl] **I** *adj* lustig; underlig **II** *s* narr

dromedary ['drɒməd(ə)rɪ, 'drʌm-] dromedar

drone [drəʊn] **I** *s* **1** zool. drönare **2** bildl. drönare **3** surr; entonigt tal **4** a) bordun entonig basstämma i säckpipa b) säckpipa **II** *vb itr* surra; mumla; tala (sjunga) entonigt; ~ *on* mala på [*about a th.*] **III** *vb tr* **1** mumla [fram]; sjunga entonigt [äv. ~ *out*] **2** ~ *away* dröna (slöa) bort

drool [dru:l] **1** se *drivel I* **2** bildl. dregla av lystnad

droop [dru:p] **I** *vb itr* **1** sloka; börja vissna; sänka sig [*her heavy eyelids ~ed*]; slutta **2** tyna av, falla ihop; bli modlös; sjunka [*his spirits ~ed*] **II** *vb tr* hänga (sloka) med, sänka **III** *s* slokande (hängande) ställning

drop [drɒp] **I** *s* **1** droppe; *a ~ in the bucket* (*ocean*) en droppe i havet **2** vard. tår [*take a ~*], droppe **3** slags karamell [*acid ~s*] **4** a) örhänge [äv. *ear ~*] b) prisma i ljuskrona **5** fall[ande], nedgång; sjunkande; *at the ~ of a hat* [som] på en given signal **6** amer. [brevlåds]öppning **II** *vb itr* **1** droppa [ned]; drypa **2** falla, sjunka; sjunka ned [*~ into a chair*] **3** falla [ned]; stupa [*~ with fatigue*]; *~ dead!* sl. dra åt helsike! **4** lägga sig, mojna [*the wind ~ped*] **5** sluta; *let the matter ~* låta saken falla **III** *vb tr* **1 a**) tappa [*~ the teapot*; *~ a stitch*], släppa; spilla **b**) fälla [*~ anchor*; *~ bombs*]; släppa ner [*supplies were ~ped by parachute*] **c**) låta undfalla sig, fälla; *~ a p. a hint* ge ngn en vink **2** drypa **3** låta falla bort; tappa [bort] [*the printer has ~ped a line*] **4** överge [*~ a bad habit*]; avstå ifrån; avbryta; sluta umgås med; isht sport. peta [*~ a player*]; *~ it!* låt bli! **5** släppa (sätta, lämna) av [*shall I ~ you* (*the luggage*) *at the station?*]
IV *vb itr* o. *vb tr* med adv. o. prep. med spec. bet.:
~ **away** falla ifrån, gå bort
~ **back** falla tillbaka
~ **behind** sacka (komma) efter
~ **by** titta in [*I'll ~ by tomorrow*]
~ **down** *on* vard. slå ned på
~ **in** titta 'in [*~ in at a pub*]; *~ in on a p.* titta in till (hälsa 'på) ngn apropå, komma förbi
~ **into**: a) titta 'in i (på) b) falla in i [*~ into a habit*], övergå till [*~ into verse*]
~ **off**: a) falla av b) avta, minska [*business has ~ped off*], falla bort c) somna in (till) [äv. *~ off to sleep*]
~ **out**: a) falla ur (bort) b) dra sig ur, gå ur tävling, hoppa av
~ **over** titta 'över, hälsa 'på
~ **round** komma förbi
~ **through** falla igenom

droplet ['drɒplət] liten droppe; *~ infection* droppinfektion

dropout ['drɒpaʊt] **1** avhoppare från studier o.d.; *~ rate* bortfallsprocent, bortfall **2** socialt utslagen [person]; *the* [*social*] *~s* äv. A-laget **3** rugby. utspark

droppings ['drɒpɪŋz] spillning av djur

dropsy ['drɒpsɪ] **1** med. vattusot **2** sl. mutor

dross [drɒs] **1** [slagg]skum på smält metall **2** orenlighet; slagg; skräp äv. bildl.

drought [draʊt] torka, regnbrist

drove [drəʊv] **I** imperf. av *drive* **II** *s* **1** hjord på vandring; kreatursdrift, kreatursskock; stim **2** massa människor; mängd

drown [draʊn] **I** *vb itr* drunkna [*save a p. from ~ing*] **II** *vb tr* **1** dränka; *be ~ed* drunkna [*he fell overboard and was ~ed*] **2** översvämma **3** bildl. överväldiga [*the noise ~ed his voice*; *~ one's sorrows*], överrösta

drowse [draʊz] dåsa

drowsy ['draʊzɪ] sömnig; dåsig

drudge [drʌdʒ] **I** *s* arbetsträl, arbetsslav **II** *vb itr* slava

drudgery ['drʌdʒ(ə)rɪ] slit [och släp]; pressande (hårt) rutinarbete; *it's pure ~* det är rena slavgörat

drug [drʌg] **I** *s* **1** drog; sömnmedel; pl. *~s* äv. narkotika **2** *a ~ on* (*in*) *the market* en svårsåld (osäljbar) vara, en lagersuccé **II** *vb tr* **1** blanda sömnmedel (narkotika) i [*~ the wine*], förgifta **2** droga; ge sömnmedel (narkotika); bedöva, söva

drug abuse ['drʌgəˌbju:s] drogmissbruk

drug addict ['drʌgˌædɪkt] narkotikamissbrukare, narkoman

drug dealer ['drʌgˌdi:lə] narkotikalangare

druggist ['drʌgɪst] **1** försäljare av medicinalvaror; kemikaliehandlare **2** isht amer. apotekare; apoteksbiträde; drugstoreinnehavare

drugstore ['drʌgstɔ:] amer. drugstore ofta med enklare servering, tidningsförsäljning m.m.

drum [drʌm] **I** *s* **1** trumma [*beat* (slå på) *the ~*]; *big* (*bass*) *~* stortrumma, bastrumma **2** mil. trumslagare **3** trumljud **4** a) tekn. trumma; vals b) cylinderkärl, fat **5** i örat: a) trumhinna b) trumhåla **II** *vb itr* **1** trumma; bildl. dunka **2** isht amer. värva kunder (anhängare) **III** *vb tr* **1** trumma [*~ a rhythm*]; trumma med [*he began to ~ his heels against the wall*]; banka på [*~ the door*] **2** värva, kalla; *~ up* trumma ihop, samla, värva; slå på trumman för **3** *~ a th. into a p.* (*into a p.'s head*) slå (trumfa) i ngn ngt

drummer ['drʌmə] **1** trumslagare **2** isht amer. vard. handelsresande

drumstick ['drʌmstɪk] **1** trumpinne **2** stekt kycklingben (fågelben) nedanför låret; kycklingklubba

drunk [drʌŋk] **I** perf. p. av *drink* **II** vanl. *pred adj* drucken, berusad äv. bildl. [*~ with joy* (*success*)]; full [*~ and disorderly*]; *get ~* bli berusad (full), berusa sig **III** *s* sl. fyllo, berusad [person]

drunkard ['drʌŋkəd] fyllo

drunken ['drʌŋk(ə)n] vanl. **1** full; *~ driver* rattfyllerist **2** supig **3** fylleri-, fylle- [*~ quarrel*]

drunkenness ['drʌŋk(ə)nnəs] **1** rus, fylla; berusat tillstånd **2** dryckenskap

dry [draɪ] **I** (adv. *drily* el. *dryly*) *adj* **1** torr; uttorkad; *run* (*go*) *~* om källa, djur m.m. torka ut, sina, bli utsinad; *mainly ~* i prognos huvudsakligen uppehållsväder **2** torr[lagd] utan rusdrycksförsäljning [*the* *country went* ~] **3** tråkig, torr **4** ironisk; spetsig [*a ~ smile*] **II** *vb tr* **1** torka; *dried milk* torrmjölk, mjölkpulver **2** torka ut **3** ~ *up* torka upp (bort); göra slut på; torka ut **III** *vb itr* torka; förtorka[s]; *hang* [*up*] *to* ~ hänga på tork; ~ *out* sluta dricka, sitta på torken

dry-clean [ˌdraɪˈkli:n] kemtvätta

dry-dock [ˌdraɪˈdɒk, ˈ--] **I** *s* torrdocka **II** *vb tr* lägga i torrdocka

dryer [ˈdraɪə] se *drier*

dry ice [ˌdraɪˈaɪs] kolsyreis

dryness [ˈdraɪnəs] **1** torka; torrhet **2** bildl. tråkighet; torrhet; torr humor; strävhet, stelhet

dry rot [ˌdraɪˈrɒt, ˈ--] **1** torröta; ~ [*fungus*] svamp som angriper trä m.m. **2** moraliskt, socialt förfall

dual [ˈdju:əl] **1** som gäller två; gram. dual; ~ *number* gram. dualis **2** bestående av två delar, tvåfaldig, dubbel; ~ *carriageway* tvåfilig väg med skilda körbanor

1 dub [dʌb] **1** dubba **2** ofta skämts. döpa till; göra till **3** smörja läder

2 dub [dʌb] film. o.d. **I** *vb tr* dubba [*a ~bed version*]; eftersynkronisera **II** *s* dubbning; dubbat tal

dubious [ˈdju:bjəs] **1** tvivelaktig [~ *compliment*]; tvetydig **2** tveksam, tvivlande [~ *reply*]; *feel ~ about* tveka om; tvivla på, ha sina dubier (tvivel) om

duchess [ˈdʌtʃəs] hertiginna

1 duck [dʌk] **I** *s* **1** anka; and [*wild* ~]; *like water off a ~'s back* ordst. som vatten på en gås **2** vard. raring; *she's a sweet old* ~ hon är en rar gammal dam (tant) **3** i kricket ~ el. *~'s egg* noll inget lopp för slagmannen under hans inneomgång **4** *play ~s and drakes* kasta smörgås **5** a) hastig dykning b) duckning; bock, bockning, nick **II** *vb itr* **1** dyka ned och snabbt komma upp igen **2** böja sig hastigt; väja undan, ducka; bocka sig; bildl. böja sig [äv. ~ *under to* (för)] **3** vard. dra sig undan, smita [äv. ~ *out on* (från)] **III** *vb tr* **1** doppa **2** hastigt böja [ned] [~ *one's head*]; ducka för **3** vard. smita ifrån (undan) [~ *a responsibility*]

2 duck [dʌk] segelduk

duckling [ˈdʌklɪŋ] ankunge

duct [dʌkt] **1** rörledning; tekn. äv. trumma **2** anat. gång [*biliary* ~], kanal

dud [dʌd] vard. **I** *s* **1** blindgångare **2** fiasko **3** falskt mynt **II** *adj* skräp-; falsk; *a ~ cheque* en check utan täckning; en falsk check

dude [dju:d, du:d] isht amer. vard. **1** snobb **2** stadsbo isht från östra staterna **3** person, typ

due [dju:] **I** *adj* **1** som skall betalas; förfallen [till betalning]; *debts ~ to us* våra fordringar; *be* (*become, fall*) ~ förfalla [till betalning] **2** vederbörlig, behörig [*in ~ form*; *with ~ care*; *with ~ respect*]; *after ~ consideration* efter moget övervägande **3** ~ *to* beroende på; vard. på grund av **4** som skall (som skulle) vara (komma) enl. avtal, tidtabell o.d.; väntad; *the train is ~ at 6* tåget skall komma (kommer, beräknas ankomma) kl. 6; [*the last train*] *was ~ to leave at 10* ...skulle gå kl 10 **5** *he is ~ for promotion* han står i tur för befordran **II** *adv* rakt, precis; ~ *north* rätt (rakt) i norr (norrut), rakt nordligt **III** *s* **1** *a p.'s* ~ ngns rätt (del, andel), vad som tillkommer ngn [*give a p. his* ~]; *to give him his* ~ [*he is very clever*] i rättvisans namn måste man medge att... **2** vad man är skyldig, skuld [*pay one's ~s*] **3** pl. *~s* tull; avgift[er] [*harbour ~s*]

duel [ˈdju:əl] **I** *s* duell **II** *vb itr* duellera

duet [djʊˈet] duett, duo; *play ~s* spela duetter; spela fyrhändigt (à quatre mains)

1 duff [dʌf] sl. **1** piffa upp dåliga varor, mat m.m.; fiffla (fuska) med, förfalska, förfuska **2** lura **3** sl., ~ *up* klå upp, ge stryk

2 duff [dʌf] slags ångkokt pudding med russin

3 duff [dʌf] usel; vard. skruttig, kass

duffer [ˈdʌfə] vard. oduglig stackare; dumbom; *he is a ~ at maths* han är urdålig i matte

1 dug [dʌg] juver; spene

2 dug [dʌg] imperf. o. perf. p. av *dig*

dug-out [ˈdʌgaʊt] **1** underjordiskt skyddsrum **2** avbytarbänk (reservbänk) med vindskydd **3** kanot urholkad trädstam

duke [dju:k] **1** hertig **2** sl., vanl. pl. *~s* nävar, händer

dull [dʌl] **I** *adj* **1** matt [~ *light*, ~ *gold*], glanslös; matt belyst [~ *landscape*]; grå, mulen; ~ *weather* gråväder **2** [lång]tråkig [~ *life*, ~ *book*]; tyst [~ *town*] **3** långsam i uppfattning; trög [~ *brain* (*mind*), ~ *pupil*]; dum **4** skum, svag [~ *eyes*]; obestämd [~ *ache*; ~ *crash*], molande [~ *pain*]; ~ *of hearing* lomhörd **5** slö [~ *razor*], trubbig **6** hand. a) trög, matt; död [~ *season*] b) om vara o.d. svårsåld **II** *vb tr* förslöa, göra slö [~ *the edge of the razor*], trubba av [~ *one's senses*]; matta, dämpa; fördunkla

duly [ˈdju:lɪ] vederbörligen, tillbörligt; som sig bör; i rätt tid

dumb [dʌm] **I** *adj* **1** stum äv. bildl.; mållös [~ *with* (av) *astonishment*]; ~ *animals* oskäliga djur **2** vard. dum [*a ~ blonde*]; ~ *cluck* dumskalle **3** vard. fånig **II** *vb tr* förstumma

dumbbell [ˈdʌmbel] **1** hantel **2** sl. idiot

dumbfound [dʌmˈfaʊnd] göra mållös [av häpnad]; perf. p. *~ed* äv. häpen

dummy [ˈdʌmɪ] **I** *s* **1** attrapp; dummy;

skyltfigur; modell; utkast; [mål]gubbe att skjuta på o.d.; buktalares docka; [*tailor's*] ~ a) provdocka b) [kläd]snobb **2** bildl. bulvan **3** statist utan repliker; nolla **4** [tröst]napp **5** kortsp. träkarl **6** sl. stum [person] **7** sl. dumhuvud, fårskalle **II** *adj* falsk; ~ *cartridge* blindpatron

dump [dʌmp] **I** *vb tr* **1** stjälpa av [~ *the coal outside the house*], dumpa; tömma; slänga **2** hand. dumpa **II** *s* **1** avfallshög; slagghög; [sop]tipp **2** vard. håla, ställe **3** mil. m.m.: tillfällig förrådsplats, förråd, upplag [*ammunition* ~]

dumpling ['dʌmplɪŋ] **1** kok., slags klimp som vanl. kokas i soppa o.d.; äppelknyte; *pork* ~ ung. kroppkaka med fläsk **2** vard. [liten] tjockis

dumpy ['dʌmpɪ] **I** *adj* kort och tjock, undersätsig **II** *s* vard. kortskaftat paraply

dunce [dʌns] dumhuvud, dummerjöns

dune [dju:n] [sand]dyn

dung [dʌŋ] **I** *s* dynga, gödsel; lort **II** *vb tr* gödsla

dungeon ['dʌn(d)ʒ(ə)n] underjordisk fängelsehåla

dunghill ['dʌŋhɪl] gödselhög, gödselstack; bildl. sophög; smuts; attr. äv. feg, mesig; *cock on his own* ~ [hus]tyrann, kaxe

dunk [dʌŋk] doppa [~ *doughnuts in coffee*]

duo ['dju:əʊ] (pl. ~*s*) **1** mus. duo **2** duo, par

duodenal [ˌdju:ə(ʊ)'di:nl] med. duodenal-; ~ *ulcer* sår på tolvfingertarmen, magsår

dupe [dju:p] **I** *s* lättlurad (godtrogen) person; [lättlurat] offer **II** *vb tr* lura, dupera

duplex ['dju:pleks] **I** *adj* tvåfaldig; tekn. duplex-; ~ *apartment* (*house*) se *II* **II** *s* amer. etagevåning [äv. ~ *apartment*]; tvåfamiljshus, parvilla [äv. ~ *house*]

duplicate [ss. adj. o. subst. 'dju:plɪkət, ss. vb 'dju:plɪkeɪt] **I** *adj* dubbel; dubblett- [~ *copy*; ~ *key*]; om avskrift i två [likalydande] exemplar; likadan **II** *s* dubblett; kopia; *in* ~ i två [likalydande] exemplar **III** *vb tr* **1** fördubbla **2** duplicera; utfärda i två [likalydande] exemplar; mångfaldiga, ta kopia (kopior) av

duplicator ['dju:plɪkeɪtə] dupliceringsapparat

duplicity [djʊ'plɪsətɪ] dubbelhet; dubbelspel

durability [ˌdjʊərə'bɪlətɪ] varaktighet; hållbarhet

durable ['djʊərəbl] **I** *adj* varaktig; hållbar **II** *s*, pl. ~*s* varaktiga konsumtionsvaror

duration [djʊ(ə)'reɪʃ(ə)n] varaktighet [*be of long* ~], fortvaro; hand. löptid; *the average* ~ *of life* medellivslängden; *for the* ~ *of* så länge den (det) varar (pågår) [*for the* ~ *of the war*]

duress [djʊ(ə)'res] **1** [olaga] tvång **2** fängsligt förvar, fångenskap

during ['djʊərɪŋ, 'djɔ:r-, 'dʒ-] under [~ *the war*, ~ *my absence*], under loppet av, medan ngt pågår (varar resp. pågick, varade) [~ *the negotiations*]; på; [*he usually comes*] ~ *the summer* ...på (om) sommaren (somrarna)

dusk [dʌsk] skymning; dunkel; *at* ~ i skymningen

dusky ['dʌskɪ] **1** dunkel **2** svartaktig, mörkhyad **3** bildl. mörk, dyster

dust [dʌst] **I** *s* **1** damm; *a* ~ ett dammoln; *raise* (*make, kick up*) *a* ~ vard. ställa till bråk **2** sopor **3** fint (finstött) pulver av olika slag; puder; spån; frömjöl; borrmjöl **4** bildl. **a**) stoft, jord **b**) *bite the* ~ vard. bita i gräset, stupa **II** *vb tr* **1** damma ner; göra dammig **2** beströ **3** damma [av] [äv. ~ *off*]; borsta dammet ur kläder; ~ *a p.'s jacket* vard. damma 'på ngn, ge ngn på pälsen

dustbin ['dʌs(t)bɪn] soptunna, soplår

dustcart ['dʌstkɑ:t] sopbil

dust cover ['dʌstˌkʌvə] skyddsomslag på bok

duster ['dʌstə] dammtrasa, dammvippa

dust jacket ['dʌstˌdʒækɪt] skyddsomslag på bok

dust|man ['dʌs(t)|mən] (pl. *-men* [-mən]) vard. sophämtare, sopgubbe

dustpan ['dʌs(t)pæn] sopskyffel

dusty ['dʌstɪ] dammig; lik damm (pulver); *it's* ~ det dammar

Dutch [dʌtʃ] **I** *adj* **1** holländsk, nederländsk; ~ *courage* konstlat mod; brännvinskurage; *talk to a p. like a* ~ *uncle* läsa lagen (hålla förmaningstal) för ngn, mästra ngn; *go* ~ vard. betala var och en sin andel (för sig) **2** amer. sl. tysk **II** *s* **1** nederländska (holländska) [språket]; [*Cape*] ~ kapholländska, afrikaans **2** *the* ~ holländarna, nederländarna; amer. sl. äv. tyskarna

Dutch|man ['dʌtʃ|mən] (pl. *-men* [-mən]) holländare, nederländare; amer. sl. äv. tysk; *he's guilty or I'm a* ~ om inte han är skyldig så vill jag vara skapt som en nors

dutiable ['dju:tjəbl] tullpliktig; avgiftsbelagd

dutiful ['dju:tɪf(ʊ)l] **1** plikttrogen, lydig **2** pliktskyldig [~ *attention*]

duty ['dju:tɪ] **1** plikt **2** tjänst; åliggande; uppdrag; göromål; mil. äv. vakt; pl. *duties* äv. plikter; tjänst, tjänstgöring; ~ *officer* dagofficer; *the officer on* ~ dagofficeren, jourhavande officeren **3** hand. pålaga, avgift [*customs* ~], skatt på vara; accis, tull [*pay* ~ *on an article*; *export* ~, *import* ~], tullsats

duty-free [ˌdju:tɪˈfri:, attr. ˈ---] tullfri; ~ *shop* affär med tullfria varor
duvet [ˈdju:veɪ, -ˈ-] ejderdunstäcke, duntäcke
dwarf [dwɔ:f] **I** (pl. *~s* el. *dwarves*) *s* dvärg äv. djur el. växt; dvärgträd, dvärgväxt **II** *adj* dvärg- [*~ birch*; *~ star*], dvärglik **III** *vb tr* **1** hämma i växten (utvecklingen), förkrympa **2** komma (få) att verka mindre (liten); ställa i skuggan; *be ~ed by* verka liten (obetydlig) vid sidan av
dwell [dwel] (*dwelt dwelt*, ibl. *dwelled dwelled*) litt. **1** a) vistas; dväljas b) ligga [*the poem's main interest ~s in...*] **2** *~ on* (*upon*) uppehålla sig vid, bre[da] ut sig över, älta [*~ on a subject*]; hålla ut [*~ upon a note* (ton)]
dweller [ˈdwelə] inbyggare, invånare [*town-dweller*]
dwelling [ˈdwelɪŋ] **1** litt. boning **2** bostadsenhet
dwelt [dwelt] imperf. o. perf. p. av *dwell*
dwindle [ˈdwɪndl] **I** *vb itr* smälta (krympa) ihop, försvinna; reduceras, förminskas [äv. *~ away* (*down*)] **II** *vb tr* komma (få) att krympa ihop, reducera
dye [daɪ] **I** *s* färg; färgämne; färgmedel; bildl. slag, sort **II** *vb tr* färga **III** *vb itr* gå att färga
dying [ˈdaɪɪŋ] **I** *s* döende (död) [person]; döds- [*~ bed*, *~ day*]; *~ wish* sista önskan **II** *adj* döende; *in the ~ seconds of* [*the match*] i de skälvande slutsekunderna av...
dyke [daɪk] sl. flata lesbisk kvinna
dynamic [daɪˈnæmɪk, dɪˈn-] dynamisk
dynamics [daɪˈnæmɪks, dɪˈn-] **1** (konstr. ss. sg.) fys. dynamik **2** (konstr. vanl. ss. pl.) bildl. dynamik
dynamite [ˈdaɪnəmaɪt] **I** *s* dynamit äv. bildl. **II** *vb tr* spränga med dynamit
dynamo [ˈdaɪnəməʊ] (pl. *~s*) generator
dynasty [ˈdɪnəstɪ, ˈdaɪn-] dynasti
dysentery [ˈdɪsntrɪ] med. dysenteri
dyslexia [dɪsˈleksɪə] med. dyslexi
dyspepsia [dɪsˈpepsɪə] med. dyspepsi, dålig mage
dystrophy [ˈdɪstrəfɪ] med. dystrofi

E

E, e [i:] (pl. *E's* el. *e's* [i:z]) **1** E, e **2** mus., *E major* E-dur; *E minor* E-moll
E förk. för *east*; *Eastern* postdistrikt i London
each [i:tʃ] **1 a**) var [för sig]; självst. var och en [för sig] [äv. *~ one*]; *we ~* [*took a big risk*] var och en av oss... **b**) adverbiellt var[dera]; [*he gave them*] *one pound ~* ...ett pund var[dera] (per man), ...var sitt pund; [*they cost*] *one pound ~* ...ett pund [per] styck **2** *~ other* varandra
eager [ˈi:gə] ivrig; otålig; häftig [*~ passion*]; *~ beaver* arbetsmyra; streber; *~ to* angelägen om att
eagle [ˈi:gl] zool. örn; *golden ~* kungsörn
1 ear [ɪə] [sädes]ax; *be in the ~* stå i ax
2 ear [ɪə] **1** öra; mus. äv. gehör; *my ~s are* (*I feel my ~s*) *burning* det hettar i öronen på mig; bildl. jag känner på mig att man (någon) talar om mig; *give a p. a thick ~* klappa till ngn, ge ngn en rejäl örfil; *have an ~ for music* ha musiköra; *turn a deaf ~ to* slå dövörat till för; *play* (*sing*) *by ~* spela (sjunga) efter gehör; *play* [*it*] *by ~* **a**) spela efter gehör **b**) vard. känna sig för, handla på känn; *a word in your ~* ett ord i all förtrolighet **2** öra, grepe; ögla
earache [ˈɪəreɪk] öronvärk, örsprång; *have* [*an*] *~* äv. ha ont i öronen
eardrum [ˈɪədrʌm] trumhinna
earl [ɜ:l] brittisk greve
early [ˈɜ:lɪ] **I** *adv* tidigt, i god tid; för tidigt [*the train arrived an hour ~*]; *~ on* vard. tidigt, i ett tidigt skede **II** *adj* **1** tidig; för tidig [*you are an hour ~*]; snar [*reach an ~ agreement*]; första [*the ~ days of June*]; *he's an ~ bird* han är morgonpigg (morgontidig) av sig, han är uppe med tuppen; *it's ~ days yet* **a**) det är lite för tidigt [ännu] att uttala sig (säga) etc. **b**) det är fortfarande gott om tid; *in the ~ days of the cinema* i filmens barndom; *in the ~ forties* i början av (på) fyrtiotalet; *at an ~ opportunity* vid första bästa tillfälle; *~ tomorrow morning* i morgon bitti **2** forn, äldst [*the ~ Church*]
earmark [ˈɪəmɑ:k] **I** *s* märke i örat på djur; ägarmärke; bildl. kännetecken **II** *vb tr* **1** märka djur i örat; märka för identifiering **2** anslå, sätta av, öronmärka [*~ a sum of money for research*]; *~ed for* äv. avsedd för
earn [ɜ:n] tjäna [*~£30,000 a year*]; göra sig förtjänt av; vinna; förvärva; förskaffa
1 earnest [ˈɜ:nɪst] **1** handpenning **2** bevis [*an ~ of* (på) *my good intentions*]
2 earnest [ˈɜ:nɪst] **I** *adj* allvarlig [*an ~*

attempt; an ~ man]; ivrig; enträgen **II** *s, in* [*real* (*dead*)] *~* på [fullt] allvar
earnings ['ɜ:nɪŋz] förtjänst, inkomst[er]; *all his ~* allt han förtjänar
earphone ['ɪəfəʊn] hörlur; hörtelefon; hörpropp
earplug ['ɪəplʌg] öronpropp ss. skydd; antifon
earring ['ɪərɪŋ] örhänge; örring
earshot ['ɪəʃɒt] hörhåll [*within ~, out of ~*]
ear-splitting ['ɪəˌsplɪtɪŋ] öronbedövande
earth [ɜ:θ] **I** *s* **1** jord [*the ~ is a planet; a lump of ~*], jordklot; mull; jordart [äv. *sort of ~*]; mark [*fall to* [*the*] *~*]; *~ to ~,* [*ashes to ashes,*] *dust to dust* av jord är du kommen, jord skall du åter varda; *promise the ~* lova guld och gröna skogar; *how* (*what, why*) *on ~...?* hur (vad, varför) i all världen (i Herrans namn)...? **2** jakt. lya, gryt **3** elektr. jord; *~ connection* jordning, jordanslutning, jordkontakt; *~ satellite* rymd. jordsatellit **II** *vb tr* elektr. jorda
earthen ['ɜ:θ(ə)n, 'ɜ:ð-] **1** jord- [*~ floor*]; ler- [*an ~ jar*] **2** jordisk
earthenware ['ɜ:θ(ə)nweə, 'ɜ:ð-] lergods; lerkärl
earthly ['ɜ:θlɪ] **1** jordisk [*~ existence*], världslig; timlig [*~ possessions*] **2** vard., *not an ~* [*chance*] inte skuggan av en chans; *it's no ~* [*use*] det tjänar inte det ringaste (ett dugg) till
earthquake ['ɜ:θkweɪk] jordskalv, jordbävning
earthworm ['ɜ:θwɜ:m] daggmask
earthy ['ɜ:θɪ] **1** [som består] av jord, jord-; jordaktig **2** jordnära; jordbunden
earwig ['ɪəwɪg] zool. tvestjärt
ease [i:z] **I** *s* **1** a) välbefinnande b) lugn; sysslolöshet c) ledighet, naturlighet; *at ~* el. *at one's ~* a) bekvämt, i lugn och ro b) väl till mods, lugn c) obesvärad, ogenerad d) makligt, i sakta mak, sakta och lugnt **2** lätthet; *with ~* med lätthet, lätt [och ledigt]; ledigt, otvunget **II** *vb tr* **1** lindra [*~ the pain*]; *~ one's mind* lugna sig **2** lätta [på] [*~ the pressure*]; underlätta; minska, sakta [ner] [*~* [*down*] *the speed*]; moderera; *~ down* sakta ner maskinen **3** lossa litet på [*~ the lid*], lätta på; få att inte kärva (att gå lättare) [*~ the drawer*]; *~ the helm* lätta på rodret; *~ nature* el. *~ oneself* förrätta sina behov **4** *~ a p. of* befria ngn från äv. skämts. [*~ a p. of his money*] **III** *vb itr* **1** *~* [*off*] lätta, minska [*the tension is easing off*] **2** *~* [*up*] sakta farten
easel ['i:zl] staffli
easily ['i:zəlɪ] lätt; ledigt; mycket väl [*it may ~ happen*], gott och väl; *it comes ~ to him* han har lätt för det; *~ the best* (*most difficult*) den avgjort (absolut) bästa (svåraste)
easiness ['i:zɪnəs] **1** lätthet **2** lugn; ledighet; maklighet
east [i:st] **I** *s* **1** öster [*the sun rises in the ~*], öst; *the ~ of England* östra [delen av] England; *the wind is in* (*comes from*) *the ~* vinden är ostlig, det är (blåser) östlig vind; *on the ~ of* på östsidan (östra sidan) av, öster om; *to* (*towards*) *the ~* mot (åt) öster, österut, i östlig riktning; sjö. ostvart; *to the ~ of* öster om, på östsidan av (om) **2** *the E~* a) Östern, Österlandet, Orienten b) i USA Östern, öststaterna mellan Alleghenybergen och Atlanten; *the Middle E~* Mellersta Östern, Mellanöstern **II** *adj* östlig, ostlig, öst-, ost- [*on the ~ coast*], öster-; *E~ Anglia* Östangeln motsv. ung. Norfolk o. Suffolk; *the E~ Side* östra delen av Manhattan i New York; **III** *adv* mot (åt) öster [*go* (*travel*) *~*]; *north by ~* nord till ost; *due ~* rakt österut
eastbound ['i:stbaʊnd] östgående
Easter ['i:stə] påsk[en]; *last ~* i påskas; *~ Day* (*Sunday*) påskdag[en]; *~ Eve* (*Saturday*) påskafton[en]
easterly ['i:stəlɪ] **I** *adj* östlig, ostlig [*an ~ wind*], från öster; mot (åt) öster **II** *adv* östligt, ostligt; mot (åt) öster; från öster **III** *s* ostlig vind
eastern ['i:stən] **1** östlig, östra, öst-; *~ Europe* Östeuropa **2** *E~* österländsk, orientalisk; *the E~ Church* den grekisk-katolska kyrkan
eastward ['i:stwəd] **I** *adj* östlig, ostlig [*in an ~ direction*], östra **II** *adv* mot (åt) öster [*travel ~*]; sjö. ostvart [*sail ~*]; *~ of* öster om
eastwards ['i:stwədz] se *eastward II*
easy ['i:zɪ] **I** *adj* **1** lätt; *I'm ~!* det gör mig detsamma!, det gör mig inte något!; *it comes ~ to him* han har lätt för det **2** bekymmerslös [*lead an ~ life*], lugn [*feel ~ about* (inför) *the future*], obekymrad, sorglös; *be in* (*on*) *E~ Street* vard. vara på grön kvist **3** bekväm; *at an ~ pace* i sakta mak **4** ledig [*an ~ style; ~ manners*], otvungen **5** mild; *on ~ terms* på förmånliga villkor, på avbetalning **6** *he is ~ game* (*~ meat* el. *an ~ mark*) han är ett lätt byte (en lättlurad stackare); *she is a woman of ~ virtue* hon är lätt på foten **7** *come in* (*be*) *an ~ first* komma in som god etta; *that's an ~ two hours' work* det är minst två timmars arbete **8** *she is ~ on the eye* vard. hon är en fröjd för ögat, hon är något att vila ögonen på **II** *adv* vard. **1** lätt [*easier said than done*]; *~ come, ~ go* lätt fånget, lätt förgånget **2** bekvämt; *~ does it!* sakta i backarna!, ta det lugnt!; [*go*] *~!* sakta!, försiktigt!; *stand ~!* mil. lediga!; *take it ~!* ta det lugnt!
easy chair ['i:zɪtʃeə, ˌi:zɪ'tʃeə] länstol

easy-going [ˈi:zɪˌgəʊɪŋ] bekväm [av sig], maklig äv. om fart [*at an ~ pace*]; sorglös; hygglig; *he is ~* äv. han tar lätt på saker och ting
eat [i:t] (imperf. : *ate* [et isht amer. eɪt], perf. p.: *eaten* [ˈi:tn]) **I** *vb tr* **1** äta; förtära; *~ one's heart out* gräma sig, vara otröstlig, längta ihjäl sig; *~ your heart out!* känn dig blåst!, där fick du så du teg! **2** bildl. tära (nöta) på; *what's ~ing you?* vard. vad är det med dig?, vad går du och deppar för? **3** *~ up* äta upp, förtära; sluka [*the car was ~ing up the miles*]; fullständigt göra slut på; *be ~en up with curiosity* vara nära (hålla på) att förgås av nyfikenhet **II** *vb itr* **1** äta; *he ~s out of my hand* bildl. han äter ur handen på mig **2** bildl. fräta; *~ into* fräta sig in i; *~ into one's fortune* [börja] tära på sin förmögenhet
eatable [ˈi:təbl] **I** *adj* ätbar njutbar **II** *s*, pl. *~s* mat[varor], livsmedel
eaten [ˈi:tn] perf. p. av *eat*
eau-de-Cologne [ˌəʊdəkəˈləʊn] eau-de-cologne
eaves [i:vz] takfot, takskägg
eavesdrop [ˈi:vzdrɒp] **I** *s* takdropp **II** *vb itr* tjuvlyssna **III** *vb tr* tjuvlyssna på
eavesdropper [ˈi:vzˌdrɒpə] tjuvlyssnare
ebb [eb] **I** *s* ebb; bildl. nedgång; *~ and flow* ebb och flod; bildl. uppgång och nedgång; *be at a low ~* stå lågt; om pers. vara nere **II** *vb itr* **1** om tidvatten o.d. dra sig tillbaka, sjunka tillbaka **2** bildl. ebba ut
ebony [ˈebənɪ] ebenholts; ebenholtssvart
ebullient [ɪˈbʌljənt, -ˈbʊl-] översvallande, sprudlande
EC [ˌi:ˈsi:] **1** (förk. för *East Central*) postdistrikt i London **2** (förk. för *the European Communities* Europeiska gemenskaperna) EG
eccentric [ɪkˈsentrɪk] **I** *adj* excentrisk; originell, [sär]egen **II** *s* excentrisk människa; original, kuf
ecclesiastic [ɪˌkli:zɪˈæstɪk, -ˈɑ:s-] *s* präst
ECG [ˌi:si:ˈdʒi:] (förk. för *electrocardiogram*) EKG
echo [ˈekəʊ] **I** (pl. *~es*) *s* eko; *there is an ~ here* det ekar här **II** *vb itr* eka, återskalla, återkastas **III** *vb tr* **1** återkasta [äv. *~ back*] **2** mekaniskt upprepa [*they ~ed every word of their leader*]; vara ett eko av
éclair [ɪˈkleə, eɪˈk-, ˈeɪkleə] eclair bakelse; *~ bun* petit-chou
eclipse [ɪˈklɪps] **I** *s* **1** förmörkelse; *lunar ~* el. *~ of the moon* månförmörkelse **2** bildl. tillbakagång, nedgångsperiod; *suffer an ~* falla i glömska, vara bortglömd **II** *vb tr* **1** förmörka **2** bildl. fördunkla, överglänsa, undanskymma
ecofreak [ˈi:kəʊfri:k, ˈek-] vard. miljöaktivist
ecofriendly [ˈi:kəʊˌfrendlɪ, ˈek-] miljövänlig
ecological [ˌi:kəʊˈlɒdʒɪk(ə)l, ˌek-] ekologisk [*~ balance* (jämvikt)]
ecologist [i:ˈkɒlədʒɪst, eˈk-] ekolog
ecology [i:ˈkɒlədʒɪ, eˈk-] ekologi
economic [ˌi:kəˈnɒmɪk, ˌek-] ekonomisk [*~ policy*], nationalekonomisk; *~ crime* ekobrott; *minister of ~ affairs* ekonomiminister
economical [ˌi:kəˈnɒmɪk(ə)l, ˌek-] **1** a) ekonomisk [*an ~ woman*] b) ekonomisk, dryg [*this coffee is very ~*], billig i drift [*our car is ~*]; *be ~ with (of)* vara sparsam med, hushålla med, vara rädd om **2** se *economic*
economics [ˌi:kəˈnɒmɪks, ˌek-] **1** (konstr. ss. sg.) nationalekonomi; ekonomi; *school of ~* ung. handelshögskola **2** (konstr. ss. pl.) ekonomiska aspekter [*what are the ~ of this project?*]
economist [ɪˈkɒnəmɪst] ekonom; nationalekonom [äv. *political ~*]
economize [ɪˈkɒnəmaɪz] **I** *vb itr* spara, hushålla, vara sparsam (ekonomisk), ekonomisera, snåla; inskränka sig **II** *vb tr* spara på, hushålla med
econom|y [ɪˈkɒnəmɪ] **1** sparsamhet, ekonomi; hushållning, hushållande [*~ of* (med) *time*]; klokt utnyttjande [*of* av]; besparing, besparingsåtgärd [*various -ies*]; *~ class* isht på flygplan ekonomiklass, turistklass; *~ drive* sparkampanj; *~ size* ekonomiförpackning; *practise [strict] ~* iaktta [den största] sparsamhet; *with a view to ~* i besparingssyfte **2** ekonomi, hushållning; näringsliv [*the whole ~ will suffer if there are strikes*]; ekonomiskt system; *planned ~* planhushållning, planekonomi; *the public (national) ~* statshushållningen
ecstas|y [ˈekstəsɪ] **1** extas, hänryckning; *be in -ies* vara i extas; *go into -ies over* råka i extas över **2** sl. ecstasy narkotika
ecstatic [ekˈstætɪk, ɪk-] extatisk; hänryckt, hänförd; hänryckande; *in an ~ fit* i extas
ecu [ˈekju:, ˈeɪk-, ˈi:k-] (förk. för *European currency unit*) ecu
Ecuador [ˈekwədɔ:, ˌekwəˈdɔ:]
Ecuadorian [ˌekwəˈdɔ:rɪən] **I** *s* ecuadorian **II** *adj* ecuadoriansk
ecumenical [ˌi:kjʊˈmenɪk(ə)l] kyrkl. ekumenisk [*the ~ movement*]
eczema [ˈeksəmə] med. eksem
eddy [ˈedɪ] **I** *s* liten strömvirvel; virvel av luft, rök o.d. **II** *vb itr* virvla, kretsa
edge [edʒ] **I** *s* **1** egg [*the ~ of a knife*], skarp kant, tekn. skär; bildl. skärpa, udd; *give an ~ to* slipa egg på, skärpa; *the knife has no ~* kniven är slö; *take the ~ off* a) göra en kniv o.d. slö b) döva aptiten; ta udden av argument; förslöa, försvaga; *it set my nerves*

on ~ det gick mig på nerverna **2** kant [*the* ~ *of a table*], rand [*the* ~ *of a precipice*], bryn [*the water's* ~; *the* ~ *of a forest*]; *he needs his ~s rubbing off* han behöver slipas av **3** ås, kam **4** fördel; *have an* (*the*) ~ *on a p.* ha övertag[et] över ngn **II** *vb tr* **1** kanta [*houses ~d the road*]; infatta **2** vässa, slipa **3** maka [~ *one's chair nearer the fire*]; tränga [~ *a p. into the background*]; lirka; ~ *oneself* (~ *one's way*) *through the crowd* tränga sig fram genom folkmassan **III** *vb itr* röra sig i sidled [*he ~d towards the door*]; maka (lirka) sig

edgeways ['edʒweɪz] o. isht amer. **edgewise** ['edʒwaɪz] med kanten (sidan) först (överst); om två saker kant i kant; *I couldn't get a word in edgeways* jag fick inte en syl i vädret

edging ['edʒɪŋ] kant [*an* ~ *of lace*]

edgy ['edʒɪ] [lätt]retlig [~ *temper*], stingslig

edible ['edəbl] **I** *adj* ätlig, ätbar ej giftig; ~ *snail* vinbergssnäcka **II** *s*, vanl. pl. *~s* mat[varor], livsmedel

edict ['i:dɪkt] edikt

edifice ['edɪfɪs] större el. ståtlig byggnad; bildl. uppbyggnad

edifying ['edɪfaɪɪŋ] uppbygglig

Edinburgh ['edɪnb(ə)rə, -bʌrə] geogr.

edit ['edɪt] redigera, vara redaktör för, ge ut tidskrift, uppslagsverk o.d.; klippa [ihop] film

edition [ɪ'dɪʃ(ə)n] upplaga

editor ['edɪtə] **1** redaktör; utgivare; [*chief*] ~ chefredaktör, huvudredaktör **2** film. klippbord

editorial [ˌedɪ'tɔ:rɪəl] **I** *adj* redaktörs-, redaktionell [~ *work*]; utgivar-; *he is on the* ~ *staff* han hör till redaktionen (redaktionspersonalen) **II** *s* [tidnings]ledare; ~ *writer* ledarskribent

EDP (förk. för *electronic data processing* elektronisk databehandling) EDB

educate ['edjʊkeɪt, -dʒʊ-] utbilda; undervisa; *~d guess* kvalificerad gissning

education [ˌedjʊ'keɪʃ(ə)n, -dʒʊ-] **1** undervisning, utbildning [*commercial* ~, *technical* ~]; uppfostran; bildning [*classical* ~]; fostran [*intellectual* ~]; utbildningsväsen[det], skolväsen[det]; ~ *act* skollag **2** pedagogik [*history of* ~]

educational [ˌedjʊ'keɪʃənl, -dʒʊ-] undervisnings-, utbildnings-; bildande, fostrande; pedagogisk [*an* ~ *magazine*]; ~ *aids* hjälpmedel i undervisningen; ~ *books* läroböcker

EEA (förk. för *European Economic Area* Europeiska ekonomiska samarbetsområdet) EES

EEC [ˌi:i:'si:] hist. (förk. för *European Economic Community* Europeiska ekonomiska gemenskapen) EEC, se *EC 2*

EEG [ˌi:i:'dʒi:] (förk. för *electroencephalogram*) EEG

eel [i:l] ål [*as slippery as an* ~]

eerie o. **eery** ['ɪərɪ] kuslig [*an* ~ *feeling*], hemsk [*an* ~ *shriek*]; trolsk, sällsam

efface [ɪ'feɪs] **1** utplåna **2** ställa i skuggan; ~ *oneself* hålla sig i bakgrunden

effect [ɪ'fekt] **I** *s* **1** effekt äv. mek., verkan [*cause and* ~], verkning [*the ~s of the hurricane*], inverkan [*the* ~ *of heat upon metals*], påverkan, inflytande [*have a bad* ~ *on*]; följd [*one* ~ *of the war was that...*]; *take* ~ a) träda i kraft b) göra verkan; *in* ~ a) i själva verket b) praktiskt taget; *with* ~ *from today* med verkan (räknat) från [och med] i dag **2** effekt, intryck; *the general* ~ helhetsintrycket; *sound ~s* ljudeffekter, ljudkuliss **3** innebörd, innehåll; *a statement to the* ~ *that...* ett påstående som går ut på att... **4** pl. *~s* effekter, tillhörigheter, lösöre[n] **II** *vb tr* åstadkomma [~ *changes*], genomföra [~ *a reform*]; ~ *an order* verkställa (expediera, effektuera) en order

effective [ɪ'fektɪv] **1** effektiv [~ *measures*], verksam [~ *assistance*], kraftig [*an* ~ *blow*] **2** effektfull [*an* ~ *photograph*], verkningsfull **3** faktisk [*the* ~ *membership of a society*], faktiskt förefintlig; verklig [*the* ~ *strength of an army*] **4** i kraft [*this rule has been* ~ *since...*]; *be* ~ äv. gälla

effectively [ɪ'fektɪvlɪ] **1** effektivt; eftertryckligt; i grund **2** i sak, i själva verket

effeminate [ss. adj. ɪ'femɪnət, ss. vb ɪ'femɪneɪt] **I** *adj* feminin; klemig **II** *vb tr* förvekliga

effervescent [ˌefə'vesnt] brusande; bildl. upprymd

efficacious [ˌefɪ'keɪʃəs] effektiv, verksam isht om läkemedel o.d. [*an* ~ *cure*]; *be* ~ äv. göra avsedd verkan

efficiency [ɪ'fɪʃ(ə)nsɪ] **1** a) effektivitet, duglighet b) effektivitet **2** ~ [*apartment*] amer. enrummare med kokvrå och badrum

efficient [ɪ'fɪʃ(ə)nt] **1** effektiv [~ *work, an* ~ *organization*]; verksam **2** effektiv, kompetent, duktig [*an* ~ *secretary*]

effigy ['efɪdʒɪ] bild isht på mynt el. minnesvård; avbildning

effort ['efət] **1** ansträngning, kraftansträngning, insats[er] [*the military* ~ *of the country*]; kraft[resurser] [*the country had now spent* (uttömt) *her* ~]; bemödande, strävan, försök [*his ~s at clearing up the mystery failed*], ansats; *the war* ~ krigsinsatsen; *make an* ~ *to* anstränga sig [för] att, göra en [kraft]ansträngning [för] att; *by our united* (*combined*) *~s* med förenade krafter, med

gemensamma ansträngningar **2** isht konstnärlig el. litterär prestation ibl. iron.
effortless ['efətləs] lätt [och ledig]; obesvärad; *an ~ smile* ett otvunget leende
effrontery [ɪ'frʌntərɪ] fräckhet
effusive [ɪ'fju:sɪv] översvallande [*~ thanks*], flödande; demonstrativ i sina känsloyttringar
EFL förk. för *English as a Foreign Language*
e.g. [ˌi:'dʒi:, f(ə)rɪg'zɑ:mpl] t.ex.
egalitarian [ɪˌgælɪ'teərɪən] **I** *adj* jämlikhets-, egalitär **II** *s* jämlikhetsförkämpe
1 egg [eg], *~ a p. on* egga [upp] ngn [*to* till; *to* ([till] att) *do a th.*], driva (mana) på ngn
2 egg [eg] ägg [*fresh ~s; boil the ~s soft or hard*]; *bad ~* a) skämt (dåligt) ägg b) bildl. rötägg; *as sure as ~s* [*is ~s*] vard. så säkert som amen i kyrkan, så säkert som aldrig det; *have (get) ~ on one's face* vard. få stå där som ett fån; få på nöten, få bära hundhuvudet [*over a th.* för ngt]
egg cup ['egkʌp] äggkopp
egghead ['eghed] vard. intelligenssnobb
egg plant ['egplɑ:nt] äggplanta, aubergine
eggshell ['egʃel] äggskal
ego ['i:gəʊ, 'eg-] **1** filos. el. psykol. jag; *the ~* jaget **2** fåfänga [*it hurt my ~*]; egoism
egocentric [ˌi:gə(ʊ)'sentrɪk, ˌeg-] **I** *adj* egocentrisk **II** *s* egocentriker
egoism ['i:gəʊɪz(ə)m, 'eg-] **1** egoism **2** självupptagenhet
egoist ['i:gəʊɪst, 'eg-] egoist
egotism ['i:gə(ʊ)tɪz(ə)m, 'eg-] **1** egotism **2** egenkärlek, inbilskhet **3** egoism, själviskhet
egotist ['i:gə(ʊ)tɪst, 'eg-] **1** självupptagen (inbilsk) person; egocentriker **2** egoist
Egypt ['i:dʒɪpt] geogr. Egypten
Egyptian [ɪ'dʒɪpʃ(ə)n] **I** *adj* egyptisk **II** *s* **1** egyptier **2** egyptiska [språket]
eh [eɪ], *~?* a) va?, vadå? b) eller hur? [*nice, ~?*] c) uttryckande överraskning va nu då?
eider ['aɪdə] **1** zool. ejder **2** ejderdun
eiderdown ['aɪdədaʊn] **1** ejderdun **2** ejderdunstäcke
eight [eɪt] (jfr *five* med ex. o. sms.) **I** *räkn* åtta; *have had one over the ~* sl. ha tagit sig ett glas (järn) för mycket **II** *s* **1** åtta **2** [*figure of*] *~* åtta skridskofigur
eighteen [ˌeɪ'ti:n, attr. '--] arton; jfr *fifteen* med sms.; med siffror: *18* film. åldersgräns arton år
eighteenth [ˌeɪ'ti:nθ, attr. '--] artonde; arton[de]del, aderton[de]del; jfr *fifth*
eighth [eɪtθ] åttonde; åtton[de]del; jfr *fifth*; *~ note* amer. åtton[de]delsnot
eightieth ['eɪtɪɪθ, -tɪəθ] **1** åttionde **2** åttion[de]del
eighty ['eɪtɪ] (jfr *fifty* med sms.) **I** *räkn* åtti[o] **II** *s* åtti[o]; åtti[o]tal
Eire ['eərə] geogr.
either ['aɪðə, isht amer. 'i:ðə] **I** *indef pron* **1 a**) endera, vilken[dera] (vilket[dera]) som helst; *~ of them* (*~ one*) *will do* det går bra med vilken som helst **b**) någon[dera]; *I don't know ~ of them* jag känner inte någon[dera] (känner ingen[dera]) av dem **2** vardera; båda; *in ~ case* i båda fallen, i vilket fall som helst **II** *adv* heller [*if you do not come, he will not come ~*] **III** *konj*, *~...or* a) antingen (endera) ...eller [*he must be ~ mad or drunk*] b) både...och [*he is taller than ~ you or me*] c) i nek. sats vare sig...eller, varken...eller [*he did not come ~ yesterday or today*]
ejaculate [ɪ'dʒækjʊleɪt] **I** *vb tr* **1** utropa [*'No!', he ~d*], utstöta **2** ejakulera sädesvätska **II** *vb itr* **1** ropa **2** fysiol. ejakulera
ejaculation [ɪˌdʒækjʊ'leɪʃ(ə)n] **1** ivrigt utrop **2** ejakulation; ejakulat
eject [ɪ'dʒekt] **1** kasta ut, köra bort [*the police ~ed the agitator from the meeting*], driva ut, fördriva **2** vräka [*they were ~ed because they had not paid their rent*]; avsätta
ejection [ɪ'dʒekʃ(ə)n] utkastande, bortkörande; vräkning; avsättning
eke [i:k] **1** *~ out* fylla ut, fullständiga, komplettera [*~ out one's knowledge*]; dryga ut [*~ out one's wages*]; få att räcka till **2** *~ out a livelihood (subsistence)* nödtorftigt (med nöd och näppe) dra sig fram (förtjäna sitt [livs]uppehälle)
elaborate [ss. adj. ɪ'læb(ə)rət, ss. vb ɪ'læbəreɪt] **I** *adj* **1** i detalj genomförd (utarbetad) [*an ~ design*], [väl] genomtänkt; [ytterst] noggrann **2** utsirad; utstuderad, raffinerad; komplicerad **II** *vb tr* [noga och i detalj] utarbeta [*~ a plan*], i detalj utforma [*~ a theory*] **III** *vb itr* uttala sig närmare, gå in på detaljer [*he refused to ~*]
elapse [ɪ'læps] förflyta, gå [*two years had ~d*]
elastic [ɪ'læstɪk] **I** *adj* **1** elastisk äv. bildl. [*~ rules*]; spänstig [*~ gait*], fjädrande; tänjbar [*~ principles*], töjbar; smidig; *an ~ conscience* ett rymligt samvete **2** resår-, gummi- [*~ bands*] **II** *s* resår[band], gummisnodd; *a piece of ~* ett resårband (gummiband)
elasticity [ɪlæ'stɪsətɪ, ˌi:l-] elasticitet; spänst[ighet]; tänjbarhet
elated [ɪ'leɪtɪd] upprymd [*~ at* (över) *the news*]
elation [ɪ'leɪʃ(ə)n] upprymdhet
elbow ['elbəʊ] **I** *s* **1** armbåge; *at one's ~* alldeles vid sidan, strax bredvid sig, tätt intill; till hands **2** knä på t.ex. ett rör, skarp böjning, krök[ning] [*~ of a road, ~ of a river*] **II** *vb tr* **1** *~ one's way into the room*

armbåga (tränga) sig in i rummet **2** knuffa (skuffa) [med armbågen] [~ *a p. out of the way*]

elbow room ['elbəʊru:m, -rʊm] svängrum

1 elder ['eldə] **I** *adj* (komp. av *old*) **1** äldre isht om släktingar [*his ~ brother*]; *which is the ~?* vilken är äldst? **2** ~ *statesman* äldre statsman erfaren (vanl. pensionerad) politiker o.d. som fungerar som rådgivare åt yngre kolleger **II** *s* **1** vanl. pl., *my ~s* de som är äldre än jag **2** ung. [församlings]äldste

2 elder ['eldə] bot. fläder

elderberry ['eldəˌberɪ] bot. fläderbär

elderly ['eldəlɪ] äldre [*an ~ gentleman*], rätt gammal

eldest ['eldɪst] (superl. av *old*) äldst isht om släktingar

elect [ɪ'lekt] **I** *adj* efterställt [ny]vald men ännu inte installerad [*the bishop ~*]; utsedd; *the president ~* den tillträdande presidenten **II** *vb tr* **1** välja genom röstning; utse [~ *a p. to an office*]; *they ~ed him to* (*~ed him* [*a*] *member of*) *the club* de valde in honom i klubben **2** välja, föredra [*he ~ed to stay at home*; ~ *a th.*]

election [ɪ'lekʃ(ə)n] val isht genom röstning; inval; *a general ~* allmänna val; ~ *canvasser* (*worker*) valarbetare; ~ *forecast* valprognos

elective [ɪ'lektɪv] **I** *adj* **1** som tillsätts genom val, vald [*senators are ~ officials*] **2** som besätts genom val [*an ~ office* (ämbete)] **3** med rätt att välja [*an ~ assembly*], väljande **4** valfri, frivillig, tillvals- [~ *subjects*] **II** *s* amer. tillvalsämne

elector [ɪ'lektə] väljare, valman; elektor i USA isht medlem av elektorskollegiet som förrättar presidentvalet

electoral [ɪ'lekt(ə)r(ə)l] val- [~ *law*, ~ *success*], valmans-; *the E~ College* elektorskollegiet i USA (som förrättar presidentvalet); ~ *committee* valnämnd; ~ *franchise* rösträtt, valrätt

electorate [ɪ'lekt(ə)rət] väljarkår; *the ~* äv. väljarna, de valberättigade

electric [ɪ'lektrɪk] **I** *adj* **1** elektrisk [~ *current*, ~ *light*, ~ *wire*]; ~ *blanket* [elektrisk] värmefilt; ~ *bulb* glödlampa; ~ *motor* elmotor; ~ *plant* elanläggning, [mindre] elverk; ~ *shock* [elektrisk] stöt, elstöt; ~ *shock treatment* med. elchockbehandling; ~ *sign* ljusskylt **2** bildl. laddad [*the atmosphere was ~*] **II** *s* elkraft

electrical [ɪ'lektrɪk(ə)l] elektrisk; ~ *energy* elenergi

electrician [ɪlek'trɪʃ(ə)n] elektriker, elmontör; elektrotekniker; [*firm of*] *~s* elfirma

electricity [ɪlek'trɪsətɪ] **1** elektricitet, ström; ~ *bill* elräkning **2** elektricitetslära

electrify [ɪ'lektrɪfaɪ] **1** elektrifiera **2** elektrisera, göra elektrisk **3** bildl. elektrisera, elda

electrocardiogram [ɪˌlektrə(ʊ)'kɑ:djəʊgræm] med. elektrokardiogram

electrocute [ɪ'lektrəkju:t] **1** avrätta i elektriska stolen **2** döda med elektrisk ström

electrode [ɪ'lektrəʊd] elektrod

electroencephalogram [ɪˌlektrə(ʊ)ɪn'sefələ(ʊ)græm] med. elektroencefalogram

electrolysis [ɪˌlek'trɒləsɪs] elektrolys

electron [ɪ'lektrɒn] elektron

electronic [ɪlek'trɒnɪk] elektronisk [~ *data processing*; ~ *keyboard*; ~ *music*; ~ *publishing*]; elektron-; ~ *computer* dator; ~ *game* dataspel

electronics [ɪlek'trɒnɪks] (konstr. ss. sg.) elektronik

electrostatic [ɪˌlektrə(ʊ)'stætɪk] elektrostatisk [~ *loudspeaker*, ~ *microphone*]

elegance ['elɪgəns] elegans; smakfullhet; förfining

elegant ['elɪgənt] **1** elegant [~ *clothes*], smakfull **2** [fin och] förnäm [~ *society*]

element ['elɪmənt] **1** kem. grundämne **2** element [*the four ~s*], urämne; rätt element; *be in one's ~* vara i sitt rätta element, vara i sitt esse **3** [viktig] beståndsdel, ingrediens; element; moment [*an important ~ of military training*]; inslag [*an ~ of irony*]; faktor; [grund]drag [*an ~ in his style*]; *criminal ~*[*s*] kriminella element **4** grundvillkor; *the book has all the ~s of success* boken har alla förutsättningar att bli en succé **5** *the ~s* a) elementen, elementerna [*the fury of the ~s*]; väder och vind b) [de] första grunderna [*the ~s of economics*]

elementary [ˌelɪ'ment(ə)rɪ] **1** elementär [~ *arithmetic*], enkel; grund- [~ *knowledge*]; elementar-, nybörjar- [~ *books*]; ~ *mathematics* lägre matematik; ~ *school* a) britt. (hist.) folkskola b) amer., ung. grundskola omfattande årskurserna 1-6 eller 1-8 **2** kem. enkel [~ *substance*]; ~ *particle* fys. elementarpartikel

elephant ['eləfənt] elefant; *calf ~* elefantunge

elevate ['elɪveɪt] **1** lyfta upp **2** upphöja [*an archbishop ~d to cardinal*], befordra **3** höja, lyfta moraliskt, kulturellt o.d.; *an elevating book* en upplyftande bok

elevation [ˌelɪ'veɪʃ(ə)n] **1** [upp]höjande; [för]höjning **2** konkr. upphöjning [*an ~ in the ground*], kulle **3** upphöjelse [~ *to the throne*] **4** höjd över havsytan (marken), äv. astron.

elevator ['elɪveɪtə] elevator, paternosterverk; isht amer. hiss
eleven [ɪ'levn] (jfr *fifteen* med sms.) **I** *räkn* elva **II** *s* **1** elva **2** sport. elva[mannalag]
elevenses [ɪ'levnzɪz] vard. elvarast; förmiddagskaffe
eleventh [ɪ'levnθ] elfte; elftedel; jfr *fifth*; *at the ~ hour* i elfte timmen
elf [elf] (pl. *elves*) mytol. alf; troll
elicit [ɪ'lɪsɪt, e'l-] locka fram [*~ a reply*], få fram [*~ the truth*]; framkalla [*~ a protest*]
eligibility [ˌelɪdʒə'bɪlətɪ] valbarhet; kvalifikation[er], lämplighet [*his ~ for* (för) *the post*]; berättigande
eligible ['elɪdʒəbl] **1** valbar [*~ for* (*to*) *an office*]; berättigad [*~ for* (till) *a pension*], kvalificerad [*~ for membership in a society*], lämplig; antagbar; tänkbar **2** passande [*an ~ spot*] **3** *an ~ young man* en eftertraktad ungkarl
eliminate [ɪ'lɪmɪneɪt, e'l-] eliminera; få (ta) bort, rensa bort [*~ slang words from an essay*]; avskilja; utelämna, gå förbi [*~ a possibility*]; avskaffa, likvidera [*he ~d his opponents with ruthless cruelty*; *~ a debt*]; *~d* sport. utslagen
elimination [ɪˌlɪmɪ'neɪʃ(ə)n, eˌl-] **1** eliminering etc., jfr *eliminate* **2** sport. utslagning; *~ competition* utslagningstävling
élite [ɪ'li:t, eɪ-] elit; *the ~ of society* gräddan av societeten
elixir [ɪ'lɪksə] elixir; universalmedel
Elizabethan [ɪˌlɪzə'bi:θ(ə)n] **I** *adj* elisabetansk från (under) Elisabet I:s tid **II** *s* elisabetan
elk [elk] **1** [europeisk] älg **2** nordam. kanadahjort, nordamerikansk vapiti
ellipse [ɪ'lɪps] geom. ellips
elliptical [ɪ'lɪptɪk(ə)l] **1** språkv. elliptisk, ellips- **2** geom. elliptisk
elm [elm] alm
elocution [ˌelə(ʊ)'kju:ʃ(ə)n] talarkonst; diktion; recitation
elongate ['i:lɒŋgeɪt] **I** *vb tr* förlänga; *~d* äv. långsträckt **II** *vb itr* förlängas; bli långsträckt
elope [ɪ'ləʊp] rymma för att gifta sig
elopement [ɪ'ləʊpmənt] rymning, jfr *elope*
eloquence ['elə(ʊ)kw(ə)ns] vältalighet
eloquent ['elə(ʊ)kw(ə)nt] vältalig; bildl. äv. uttrycksfull [*an ~ gesture*]
else [els] **1** annars [*I shouldn't have done it ~*]; [*or*] *~* annars (eljest) [så], för annars (eljest) [*run* [*or*] *~ you'll be late*], eller också [*he must be joking, or ~ he is mad*], i annat (motsatt) fall **2** (i gen.-förb. *~'s* ['elsɪz]) efter isht vissa pron. annan [t.ex. *anybody ~* (*~'s*)], annat [t.ex. *anything ~*; *much* (*a good deal*) *~*], andra [*everybody* (alla) *~*; *who* (vilka) *~?*], annars [*who* (vem) *~?*]; *everywhere ~* på alla andra ställen, överallt annars; *nowhere* (*somewhere, anywhere*) *~* ingen (någon) annanstans; *who ~ was there?* vem mer var där?
elsewhere [ˌels'weə] någon annanstans
elucidate [ɪ'lu:sɪdeɪt, -'lju:-] klargöra, illustrera
elude [ɪ'lu:d, -'lju:d] undkomma, undslippa [*~ one's pursuers*], undfly [*~ a danger*], [lyckas] väja undan för [*~ a blow*]
elusive [ɪ'lu:sɪv, -'lju:-] svårfångad [*an ~ criminal*]; oåtkomlig, gäckande [*~ shadow*]; ogripbar; obestämbar [*~ rhythm*]; flyktig [*an ~ pleasure*]
elves [elvz] pl. av *elf*
emaciate [ɪ'meɪʃɪeɪt, -'meɪsɪ-] utmärgla; suga ut [*~ the soil*]
emanate ['eməneɪt], *~ from* emanera från, komma från, utgå från [*letters emanating from headquarters*], härröra från, ha sitt ursprung i
emancipate [ɪ'mænsɪpeɪt, e'm-] frige [*~ the slaves*], frigöra, emancipera; *an ~d woman* en emanciperad (frigjord) kvinna
emancipation [ɪˌmænsɪ'peɪʃ(ə)n, eˌm-] frigivning, emancipation, frigörelse [*the ~ of women*]
emasculate [ɪ'mæskjʊleɪt] **1** förvekliga; stympa; urvattna **2** kastrera
embalm [ɪm'bɑ:m, em-] balsamera
embankment [ɪm'bæŋkmənt, em-] **1** invallning, indämning **2** fördämning; [järnvägs]bank; kaj[anläggning] **3** i namn på gator längs Temsen i London [*the Victoria E~*]
embargo [ɪm'bɑ:gəʊ, em-] **I** (pl. *~es*) *s* **1** a) embargo; på fartyg äv. kvarstad, handelsbojkott b) handelsförbud c) förbud, stopp, spärr; *~ on exports* exportförbud; *lift* (*raise, take off*) *an ~* häva ett embargo **2** blockad **II** *vb tr* **1** a) lägga embargo på b) införa förbud mot **2** beslagta, konfiskera
embark [ɪm'bɑ:k, em-] **I** *vb tr* inskeppa, ta ombord [*the ship* (*the airliner*) *~ed passengers and cargo*] **II** *vb itr* **1** embarkera **2** *~ on* inlåta sig i (på) [*~ on speculations*], inveckla sig i; ge sig in på [*~ on a difficult undertaking*], ge sig ut på [*~ on new adventures*]
embarkation [ˌembɑ:'keɪʃ(ə)n] inskeppning, ilastning
embarrass [ɪm'bærəs, em-] göra förlägen (generad) [*the question ~ed him*]; förvirra
embarrassed [ɪm'bærəst, em-] **1** förlägen, generad [*feel ~*] **2** *~* [*by lack of money*] i penningknipa
embarrassing [ɪm'bærəsɪŋ, em-] pinsam [*an ~ situation*], genant
embarrassment [ɪm'bærəsmənt, em-]

1 förlägenhet **2** *financial ~s* ekonomiska problem (svårigheter) **3** besvär, svårighet; *a political ~* en politisk belastning

embassy ['embəsɪ] ambassad

embed [ɪm'bed, em-] **1** bädda in; mura in; bildl. lagra [*facts ~ded in one's memory*], inpränta **2** omge, omsluta

embellish [ɪm'belɪʃ] **1** försköna, [ut]smycka **2** bildl. brodera ut

ember ['embə] glödande kol[stycke]; pl. *~s* äv. glöd, glödande aska

embezzle [ɪm'bezl, em-] försnilla, förskingra

embezzlement [ɪm'bezlmənt, em-] försnillning, förskingring

embitter [ɪm'bɪtə, em-] göra bitter [*the loss of all his money ~ed the old man*], göra bittrare; förvärra; *~ a p.'s life* förbittra livet för ngn

emblem ['embləm, -lem] emblem, sinnebild, symbol [*an ~ of peace*], tecken

embodiment [ɪm'bɒdɪmənt, em-] **1** förkroppsligande; konkr. inkarnation; *an ~ of evil* det onda personifierat **2** utformning **3** införlivande; inbegripande

embody [ɪm'bɒdɪ, em-] **1** ge konkret form (uttryck) åt [*~ one's views in a speech*]; vara ett uttryck för; *be embodied in* ta form i, få uttryck i, vara uttryckt (sammanfattad) i **2** a) införliva b) inbegripa [*~ many new features*]

embolden [ɪm'bəʊld(ə)n, em-] göra djärv (djärvare); [in]ge mod

embolism ['embəlɪz(ə)m] med. emboli, blodpropp

embrace [ɪm'breɪs, em-] **I** *vb tr* **1** omfamna, krama **2** anta [*~ an offer*]; gripa [*~ an opportunity*]; gå över till [*~ Christianity*], anamma; hylla [*~ a principle*] **3** omfatta, innehålla; *it ~s every possibility* det täcker (innefattar) alla möjligheter **II** *vb itr* omfamna varandra, kramas **III** *s* omfamning, kram; *locked in an ~* tätt omslingrade

embroider [ɪm'brɔɪdə, em-] **1** brodera **2** bildl. brodera ut [*~ a story*]

embroidery [ɪm'brɔɪd(ə)rɪ, em-] **1** broderi; brodering; *~ frame* broderbåge **2** bildl. utbrodering

embroil [ɪm'brɔɪl, em-] dra in [*~ a nation in a war*]; *~ oneself in* bli invecklad (inblandad) i

embryo ['embrɪəʊ] (pl. *~s*) **1** embryo; bot. äv. växtämne; ofullgånget foster **2** bildl. frö; *in ~* outvecklad, i vardande, i sin linda, blivande [*a poet in ~*], in spe [*a diplomat in ~*]

emend [ɪ'mend] o. **emendate** ['i:mendeɪt, -mən-] emendera, korrigera text

emerald ['emər(ə)ld] smaragd; smaragd- [*~ green*], smaragdfärgad; *the E~ Isle* den gröna ön Irland

emerge [ɪ'mɜ:dʒ] **1** dyka upp [*~ from* (ur) *the sea*]; komma fram (ut); utveckla sig **2** uppstå [*a new situation has ~d*], komma upp, inställa sig [*a new problem has ~d*]; visa sig, komma fram [*it ~d that...*]; *emerging nations* nationer under utveckling

emergence [ɪ'mɜ:dʒ(ə)ns] uppdykande [*the ~ of new states*]

emergency [ɪ'mɜ:dʒ(ə)nsɪ] **1** nödläge, tvångsläge, kris, kritiskt (svårt) läge, kritisk (svår) situation; oförutsedd händelse; *against (for) an ~* för alla eventualiteter; *proclaim a state of ~* proklamera undantagstillstånd **2** reserv-; nöd- [*~ landing*]; tvångs- [*~ situation*]; provisorisk; *~ brake* nödbroms; *~ ward* akutmottagning, olycksfallsavdelning på sjukhus

emergent [ɪ'mɜ:dʒ(ə)nt] uppdykande; frambrytande [*~ rays*], framträngande; som är under utveckling [*the ~ countries of Africa*]

emery board ['emərɪbɔ:d] sandpappersfil

emery paper ['emərɪˌpeɪpə] smärgelpapper

emetic [ɪ'metɪk] med. **I** *adj* som framkallar kräkning **II** *s* kräkmedel

emigrant ['emɪgr(ə)nt] **I** *s* utvandrare **II** *adj* utvandrar-; utvandrande

emigrate ['emɪgreɪt] utvandra

emigration [ˌemɪ'greɪʃ(ə)n] utvandring

émigré ['emɪgreɪ] [politisk] emigrant, flykting

eminence ['emɪnəns] **1** högt anseende, berömmelse [*win ~ as a scientist*]; framstående skicklighet **2** *His (Your) E~* Hans (Ers) Eminens om (till) en kardinal

eminent ['emɪnənt] **1** framstående [*an ~ lawyer*]; hög, högtstående; utomordentligt skicklig **2** om egenskaper, tjänster o.d. utomordentlig [*~ sagacity*; *~ services*], enastående [*~ success*], utmärkt

eminently ['emɪnəntlɪ] i högsta grad [*~ qualified*]; särdeles, synnerligen

emirate ['em(ə)rət] emirvärdighet; emirat

emissary ['emɪs(ə)rɪ] emissarie

emission [ɪ'mɪʃ(ə)n, i:'m-] **1** utsändande; utstrålning [*~ of light*], avgivande [*~ of heat*] **2** emission [*~ of shares*], utgivning [*~ of bank notes*]

emit [ɪ'mɪt, i:'m-] **1** sända ut, avge [*~ heat*], sprida [*~ light*], ge ifrån sig [*~ an odour*], spy ut [*a volcano ~s smoke and ashes*]; avsöndra **2** utstöta [*~ a cry*] **3** emittera, ge ut [*~ shares*], släppa ut [*~ bank notes*]

emolument [ɪ'mɒljʊmənt, e'm-] [extra] löneförmån [*salary £20,000 with no ~s*], [bi]inkomst

emotion [ɪ'məʊʃ(ə)n] **1** [sinnes]rörelse

2 [stark] känsla [~ *of joy* (*hatred, fear*)]; psykol. emotion; [känslo]stämning
emotional [ɪ'məʊʃənl] **1** känslo- [~ *life*; ~ *thinking*], känslomässig, emotionell **2** lättrörd [*an* ~ *woman*]; känslosam
emotive [ɪ'məʊtɪv] känslobetonad
empathy ['empəθɪ] psykol. empati
emperor ['emp(ə)rə] **1** kejsare **2** ~ [*moth*] zool. påfågelspinnare
emphas|is ['emfəs|ɪs] (pl. *-es* [-i:z]) eftertryck [*with* ~], emfas; tonvikt, betoning [*on* på]; betonande [*on* av], insisterande [*on* på]; *put* (*lay*) ~ *on* el. *give* ~ *to* lägga tonvikt[en] (huvudvikten) på
emphasize ['emfəsaɪz] med eftertryck (starkt, särskilt) betona, framhäva, poängtera
emphatic [ɪm'fætɪk, em-] **1** eftertrycklig, bestämd [*an* ~ *no*; *an* ~ *protest*], emfatisk; uttrycklig [*an* ~ *guarantee*]; kraftfull [*an* ~ *speech*]; definitiv [*an* ~ *success*] **2** starkt (kraftigt) betonad [*an* ~ *word*]; *be* ~ *about* trycka på, betona
emphatically [ɪm'fætɪk(ə)lɪ, em-] eftertryckligt etc., jfr *emphatic*; eftertryckligen, med eftertryck; alldeles särskilt [*in this case it was* ~ *so*]
empire ['empaɪə] a) kejsardöme, kejsarrike [*the Roman* ~] b) imperium [äv. friare: *an oil* ~], världsvälde, världsrike; *the* [*British*] *E*~ hist. Brittiska imperiet; *the E~ State Building* känd skyskrapa i New York
empirical [em'pɪrɪk(ə)l] empirisk
employ [ɪm'plɔɪ, em-] **I** *vb tr* **1** sysselsätta; anställa, anlita [~ *a lawyer*]; *be ~ed by* vara anställd (ha arbete) hos; *the ~ed* de anställda, löntagarna **2** använda [sig av]; *his time is fully ~ed in...* han ägnar all sin tid åt [att]... **II** *s*, *in a p.'s* ~ el. *be in the* ~ *of* äv. ha arbete hos; *take a p. into one's* ~ anställa ngn
employee [ˌemplɔɪ'i:, em'plɔɪi:] arbetstagare, löntagare; *~s* äv. personal
employer [ɪm'plɔɪə, em-] arbetsgivare; chef; företagare
employment [ɪm'plɔɪmənt, em-] **1** sysselsättning äv. ekon. [*full* ~]; arbete [*when I could get* ~]; anställning [*seek* (*look* [*out*] *for*) ~]; anställande; ~ *office* (privat *agency*) arbetsförmedling[sbyrå]; *Secretary of State for E*~ britt., ung. arbetsmarknadsminister **2** användning, användande
empower [ɪm'paʊə, em-] **1** bemyndiga **2** göra det möjligt för
empress ['emprəs] kejsarinna
emptiness ['em(p)tɪnəs] **1** tomhet; brist [~ *of* (på) *content*] **2** bildl. innehållslöshet; fåfänglighet, intighet [*the* ~ *of earthly things*]
empty ['em(p)tɪ] **I** *adj* **1** tom i div. bet.; folktom [~ *streets*]; *on an* ~ *stomach* på fastande mage; ~ *vessels make the greatest noise* (*sound*) tomma tunnor skramlar mest **2** bildl. a) tom [~ *words*], ihålig [~ *phrases*, ~ *compliments*], innehållslös b) om pers. enfaldig **II** *s* tomglas, tomflaska; tomkärl; tomlåda **III** *vb tr* **1** a) tömma [~ *a bucket*]; länsa; lasta av [~ *a lorry*]; evakuera [~ *a city*] b) hälla [~ *the water into* (i) *the bucket*]; ~ [*out*] a) tömma [ur] [~ [*out*] *a drawer*], hälla ur b) tömma (hälla, slå) ut [~ [*out*] *the contents*] **2** ~ *oneself* om flod falla ut [*into* i] **IV** *vb itr* **1** om flod falla ut **2** a) tömmas [*the cistern empties slowly*; *the room emptied quickly*], bli tom b) rinna ut [*the water empties slowly*]
empty-handed [ˌem(p)tɪ'hændɪd] tomhänt
empty-headed [ˌem(p)tɪ'hedɪd] dum, enfaldig
emulate ['emjʊleɪt] tävla med, ta efter
emulsion [ɪ'mʌlʃ(ə)n] kem. emulsion
enable [ɪ'neɪbl, e'n-], ~ *a p. to* göra det möjligt (möjliggöra) för ngn att, ge ngn möjlighet (rätt) att, tillåta ngn att [*this legacy ~d him to retire*], befullmäktiga (bemyndiga) ngn att
enact [ɪ'nækt, e'n-] **1** anta [~ *a new tax law*]; stadga [*as by law ~ed*], föreskriva **2** teat. spela; uppföra ett stycke **3** utspela [*the murder was ~ed in...*]; utföra en ceremoni
enamel [ɪ'næm(ə)l] **I** *s* **1** emalj; glasyr; [*dental*] ~ [tand]emalj **2** konst. emaljarbete **3** lackfärg [äv. ~ *paint*]; [färgat] nagellack **II** *vb tr* **1** emaljera; glasera lerkärl; ge ngt en glansig yta genom överdragning med emaljliknande ämne **2** måla med lackfärg; lackera
enamoured [ɪ'næməd, e'n-] förälskad, betagen
encampment [ɪn'kæmpmənt, en-] **1** lägerplats; läger **2** förläggande i läger [*the* ~ *of the troops*]; kamperande
encase [ɪn'keɪs, en-] **1** innesluta **2** omge
enchant [ɪn'tʃɑ:nt, en-] **1** förhäxa; förtrolla [*the ~ed palace*] **2** tjusa; *be ~ed with* (*by*) vara förtjust i (över), vara hänförd över
enchanting [ɪn'tʃɑ:ntɪŋ, en-] bedårande, förtrollande
enchantment [ɪn'tʃɑ:ntmənt, en-] **1** förtrollning, förhäxning **2** trollkraft **3** tjusning **4** förtjusning
encircle [ɪn'sɜ:kl, en-] **1** omge [*a lake ~d by trees*], innesluta, omsluta; omringa [*~d by enemy forces*] **2** kretsa kring
enclose [ɪn'kləʊz, en-] **1** inhägna; *~d with walls* kringbyggd med murar **2** i brev o.d. bifoga, innesluta [*I'll* ~ *your letter with* (i samma kuvert som) *mine*]; *we* ~ (*beg to* ~ el. *are sending you ~d*) [*a price list*] härmed

översändes...; *~d please find (~d is)* [*a price list*] härmed bifogas; *the ~d* [*letter*] bifogade (bilagda, medföljande) brev, inneliggande [brev] **3** stänga in [*~ an army*] **4** omge [*the house was ~d on all sides by tall blocks of flats*]

enclosure [ɪn'kləʊʒə, en-] **1** bilaga till brev **2** inhägnad; gård; på kapplöpningsbana ung. sadelplats

encompass [ɪn'kʌmpəs, en-] **1** omge [*~ed by his faithful guard*], omringa; omsluta **2** omfatta, omspänna; *~ing* äv. övergripande

encore [ɒŋ'kɔ:, ss. subst. o. vb äv. '--] **I** *interj, ~!* dakapo!, om igen!, en gång till!, mera! **II** *vb tr* **1** begära dakapo av [*the audience ~d the song*] **2** ropa dakapo åt [*the audience ~d the singer*] **III** *s* **1** extranummer [*give (sing) an ~*], dakapo[nummer]; upprepning **2** inropning; *he got an ~* han blev inropad för att ge (han fick ge) ett extranummer

encounter [ɪn'kaʊntə, en-] **I** *vb tr* **1** råka [*I ~ed an old friend on the train*] **2** möta [*~ resistance*], stöta på [*~ problems*], råka ut för [*~ difficulties*] **3** träffa på [och angripa] [*enemy patrols were ~ed and driven back*], drabba samman med **II** *s* **1** [kort] möte **2** sport. o.d. möte; mil. sammanstötning, drabbning **3** *~ group* psykol. encountergrupp, sensi[tivitets]träningsgrupp

encourage [ɪn'kʌrɪdʒ, en-] uppmuntra; egga, animera; gynna [*~ commerce*], [under]stödja, främja

encouragement [ɪn'kʌrɪdʒmənt, en-] uppmuntran; eggelse; främjande; *I gave him no ~* jag uppmuntrade honom inte

encroach [ɪn'krəʊtʃ, en-] inkräkta [*~ on a p.'s time (rights)*]; *the sea is ~ing [up]on the land* havet erövrar mer och mer land

encumber [ɪn'kʌmbə, en-] **1** tynga [ner], belasta; besvära, hindra [*be ~ed with* (av) *a long cloak*]; [*she was*] *~ed with parcels* ...överlastad med paket **2** *~ed with debts* tyngd av skulder, skuldsatt **3** belamra [*a room ~ed with furniture*]; överhopa, överfylla

encyclopaedia [en,saɪklə(ʊ)'pi:djə, ɪn,saɪk-] encyklopedi; *a walking ~* ett levande lexikon

end [end] **I** *s* **1** slut; avslutning; ände; *go off the deep ~* vard. bli rasande, brusa upp; *no ~ of trouble* vard. en förfärlig massa besvär; *make [both] ~s meet* få det att gå ihop

be **at** *an ~* vara slut; vara förbi (ute) [*all hope is at an ~*]; *at the ~* vid (i, på) slutet; till sist, till slut; *I am at the ~ of* [*my patience*] det är slut med...

in *the ~* till slut; i längden; när allt kom[mer] omkring

on *~* a) på ända b) i sträck [*two hours on ~*], i ett kör; [*it rained*] *for days on ~* ...flera dagar i rad; *his hair stood on ~* håret reste sig på hans huvud

to *the bitter ~* till det bittra slutet, in i det sista; *to the very ~* ända till slutet; *bring to an ~* avsluta, sluta, få (göra) slut på

2 [sista] bit, stump; ända av garn o.d. **3** mål [*with this ~ in view*], ändamål, syfte; *an ~ in itself* ett självändamål; *the ~ justifies the means* ändamålet helgar medlen

II *vb tr* sluta; göra slut på [*~ the dispute*]

III *vb itr* sluta [*the road ~s here*], avslutas; avlöpa [*the affair ~ed [up] happily*]; *all's well that ~s well* slutet gott, allting gott

endanger [ɪn'deɪn(d)ʒə, en-] utsätta för fara, äventyra [*~ one's chances of success*], blottställa; *~ one's life* utsätta sig för livsfara, riskera livet

endear [ɪn'dɪə, en-] göra omtyckt; *he ~ed himself to them* han vann deras tillgivenhet

endearing [ɪn'dɪərɪŋ, en-] vinnande [*an ~ smile; ~ qualities; ~ ways* (väsen)], älskvärd

endearment [ɪn'dɪəmənt, en-] ömhetsbetygelse; *term of ~* smeksamt uttryck, smekord

endeavour [ɪn'devə, en-] **I** *vb itr* sträva, bemöda sig, försöka **II** *s* strävan [*to do*]; *make every ~ to* anstränga sig på alla sätt för att

endemic [en'demɪk] **I** *adj* med., bot. o. zool. endemisk **II** *s* med. endemi

ending ['endɪŋ] **1** slut, avslutning; avslutningsfras; *happy ~* lyckligt slut, happy end **2** gram. ändelse

endive ['endɪv, isht amer. -daɪv] **1** frisésallat, chicorée frisée **2** amer. endiv **3** cikoria[rot]

endless ['endləs] ändlös, gränslös [*~ patience*], utan slut; oupphörlig

endorse [ɪn'dɔ:s, en-] **1** skriva sitt namn på baksidan av, skriva på, endossera [*~ a cheque*], göra en anteckning på baksidan av; teckna på [*~ a bill*]; skriva [*he ~d his name on the cheque*] **2** *his driving licence was ~d* han fick en anteckning om trafikförseelse (han fick en prickning) i körkortet **3** bildl. skriva under på [*I ~ everything you said*], stödja [*~ a plan, ~ a statement*], bekräfta **4** uttala sig gillande om

endorsement [ɪn'dɔ:smənt, en-] **1** hand. endossering; anteckning på baksidan av en handling o.d.; påskrift; endossement **2** anteckning i körkort om trafikförseelse; prickning **3** bildl. stöd, bekräftelse **4** godkännande; reklam

endow [ɪn'daʊ, en-] **1** förse med inkomster genom donationer, donera driftskapital till [~ *a school*], donera pengar till **2** bildl. begåva [*be ~ed by nature with great talents*]

endowment [ɪn'daʊmənt, en-] **1** donerande **2** donation **3** kapitalbelopp vid försäkring; ~ *insurance* kapitalförsäkring **4** begåvning; pl. *~s* anlag [*natural ~s*], [natur]gåvor

end product ['endˌprɒdʌkt] slutprodukt; bildl. äv. resultat

endurable [ɪn'djʊərəbl, en-] uthärdlig, dräglig

endurance [ɪn'djʊər(ə)ns, en-] **1** uthållighet [äv. *power[s] of ~*]; *show ~* äv. vara uthållig; ~ *test* uthållighetsprov **2** uthärdande; *it is beyond* (*past*) ~ det är mer än man kan stå ut med, det är outhärdligt **3** hållbarhet; varaktighet

endure [ɪn'djʊə, en-] **I** *vb tr* uthärda [~ *pain*], [få] utstå [~ *hardships*], lida [~ *a loss*], få tåla; stå emot slitningar o.d.; *I can't ~ him* jag tål honom inte **II** *vb itr* **1** räcka; stå sig, bestå [*his work will ~*] **2** hålla ut [*we must ~ to the end*]; *I can't ~ much longer* jag står inte ut länge till **3** vara hållbar

enduring [ɪn'djʊərɪŋ, en-] **1** varaktig [*an ~ peace*], bestående [~ *value*] **2** tålmodig

enema ['enəmə] med. **1** lavemang **2** ~ [*syringe*] lavemangsspruta

enemy ['enəmɪ] **I** *s* fiende; *make an ~ of* bli ovän med, få en ovän (fiende) i **II** *attr adj* fientlig [~ *aircraft*]

energetic [ˌenə'dʒetɪk] energisk [*an ~ leader*]; eftertrycklig; ~ *measures* kraftåtgärder

energy ['enədʒɪ] energi äv. fys.; kraft; handlingskraft; ork; eftertryck; pl. *energies* energi, kraft[er] [*devote all one's energies to a task*]; ~ *forest* energiskog

energy-saving ['enədʒɪˌseɪvɪŋ] energisparande

enervate [ss. vb 'enəveɪt, ss. adj. ɪ'nɜ:vət] försvaga [*heat ~s people*]

enforce [ɪn'fɔ:s, en-] **1** upprätthålla (vidmakthålla) respekten för [~ *law and order*], [med maktmedel] upprätthålla [~ *discipline*], göra gällande; driva igenom [~ *one's principles*]; ~ *the rules* se till (övervaka) att reglerna efterlevs **2** tvinga fram [*the situation has ~d restrictions*]; tilltvinga sig; ~ *a th.* [*up*]*on a p.* påtvinga ngn ngt

enforcement [ɪn'fɔ:smənt, en-] **1** upprätthållande [*the ~ of law and order*], genomdrivande [*the ~ of one's principles*], tillämpning [~ *of a law*] **2** framtvingande [~ *of an action*]

engage [ɪn'geɪdʒ, en-] **I** *vb tr* (jfr *engaged*) **1 a**) anställa [~ *a servant*, ~ *a clerk*], anta [i sin tjänst] **b**) beställa [~ *a room at a hotel*], reservera [~ *seats*], tinga **2** i pass. *be ~d* förlova sig [*they were ~d last week*]; jfr *engaged 2* **3** sysselsätta [*the repair job ~d him all day*] **4** uppta [*work ~s much of his time*], ta i anspråk **5** mil.: **a**) sätta in [i strid] **b**) ta upp kampen med, anfalla [*our army ~d the enemy*] **6** tekn. koppla ihop (in) kugghjul; ~ *the clutch* släppa upp koppling[spedal]en; ~ [*the*] *first gear* lägga i ettan[s växel] **II** *vb itr* **1** åta (förbinda, utfästa, förplikta) sig [*he ~d to provide the capital*] **2** ~ *in* engagera sig i [*he ~s in politics*], ägna sig åt [*he ~s in business*], inlåta sig i (på), ge (kasta) sig in i; delta i **3** ~ *with* inlåta sig i (börja) strid med (mot) **4** tekn., om kugghjul o.d. gripa in i varandra; gripa (passa) in [*the teeth* (kuggarna) *of one wheel ~ with those of the other*]

engaged [ɪn'geɪdʒd, en-] **1 a**) upptagen [*he is ~ at the moment*; *the rooms are all ~*; tele.: *the number* (*line*) *is ~*]; ~ på t.ex. toalettdörr upptaget **b**) *be ~ in* delta i **2** förlovad; [*two ~ couples*]; *be ~* a) vara förlovad b) förlova sig, ingå förlovning [äv. *become ~*]

engagement [ɪn'geɪdʒmənt, en-] **1** förbindelse, förpliktelse; engagemang; avtal; [avtalat] möte; ~ *diary* noteringskalender; planeringskalender **2** förlovning; ~ *ring* förlovningsring ofta med diamant **3** anställning [~ *as secretary*], engagemang [*a lucrative ~*]

engaging [ɪn'geɪdʒɪŋ, en-] vinnande [*an ~ smile*; ~ *manners*], sympatisk

engender [ɪn'dʒendə, en-] föda [*hatred ~s violence*], framkalla [~ *fear*], avla

engine ['en(d)ʒɪn] **1** motor [*motor-car ~*, *petrol ~*], maskin; *aircraft ~* flygmotor **2** lok[omotiv]; ~ *shed* lokstall

engine-driver ['en(d)ʒɪnˌdraɪvə] lokförare

engineer [ˌen(d)ʒɪ'nɪə] **I** *s* **1** ingenjör; tekniker; mekaniker; maskiningenjör [äv. *mechanical ~*]; *hydraulic ~* vattenbyggnadsingenjör **2 a**) sjö. maskinist; *chief ~* maskinchef **b**) amer. lokförare **3** anstiftare, upphovsman **II** *vb tr* **1** som ingenjör vara med om att bygga (anlägga) **2** vard. genomföra, göra upp [~ *a scheme*], anstifta [~ *a plot*], skickligt leda [~ *an election campaign*], manövrera

engineering [ˌen(d)ʒɪ'nɪərɪŋ] **1** ingenjörsvetenskap [äv. *science of ~*], ingenjörskonst [*a triumph of* (för) *~*], teknik; maskinindustri, verkstadsindustri [äv. ~ *industry*]; maskinteknik, maskinbygge [äv. *mechanical ~*]; ~ *workshop* mekanisk verkstad; *Master of E~* ung. civilingenjör **2** vard. manövrerande

engine room ['en(d)ʒɪnru:m] maskinrum; maskin- [~ *telegraph*]

England [ˈɪŋɡlənd, -ŋl-] England Skottland, Nordirland och Wales ingår inte
English [ˈɪŋɡlɪʃ, -ŋl-] **I** *adj* engelsk; ~ *breakfast* engelsk frukost ofta med bacon och ägg m.m. **II** *s* **1** engelska [språket]; *the King's* (*Queen's*) ~ ung. riktig (korrekt) engelska **2** *the* ~ engelsmännen
English|man [ˈɪŋɡlɪʃmən, -ŋl-] (pl. *-men* [-mən]) engelsman
English|woman [ˈɪŋɡlɪʃˌwʊmən, -ŋl-] (pl. *-women* [-ˌwɪmɪn]) engelska
engrave [ɪnˈɡreɪv, en-] **1** [in]gravera **2** bildl. inprägla; *his words are ~d on my mind* (*memory*) hans ord står outplånligt inristade i mitt minne
engraving [ɪnˈɡreɪvɪŋ, en-] **1** [in]gravering äv. konkr. **2** gravyr, stick
engross [ɪnˈɡrəʊs, en-] **1** uppta [*this work ~ed him completely*], ta i anspråk, lägga beslag på; *be ~ed in* vara försjunken i, vara helt upptagen av, gå helt upp i; *~ing* adj. fängslande, spännande [*an ~ing novel*] **2** pränta
engulf [ɪnˈɡʌlf, en-] **1** [upp]sluka [*a boat ~ed in* (av) *the sea* (*waves*)] **2** ~ *oneself in* begrava sig i [*he ~ed himself in his studies*]
enhance [ɪnˈhɑːns, en-, -ˈhæns] höja, öka [~ *the value of a th.*], förhöja [*the light ~d her beauty*]
enigma [ɪˈnɪɡmə, eˈn-] gåta; mysterium
enigmatic [ˌenɪɡˈmætɪk] o. **enigmatical** [ˌenɪɡˈmætɪk(ə)l] gåtfull, dunkel
enjoy [ɪnˈdʒɔɪ, en-] **1** njuta av [~ *a good dinner*; ~ *the fine weather*], tycka om [*he ~s good food*]; finna nöje i; ha roligt (trevligt) på [*did you ~ the party?*]; *I am ~ing it here* jag trivs här, jag tycker det är trevligt (roligt) här; *I ~ed my food* jag tyckte maten var god, jag tyckte om maten **2** åtnjuta [~ *good health*], ha [~ *a good income*], äga, vara i besittning av **3** ~ *oneself* ha trevligt (roligt) [*did you ~ yourself at the party?*], roa sig; ha det skönt (härligt); ~ *yourself!* ha det så trevligt!, mycket nöje!
enjoyable [ɪnˈdʒɔɪəbl, en-] njutbar [*a very ~ film*], behaglig
enjoyment [ɪnˈdʒɔɪmənt, en-] **1** njutning; nöje [*hunting is his greatest ~*], glädje **2** åtnjutande
enlarge [ɪnˈlɑːdʒ, en-] **I** *vb tr* förstora [upp] [~ *a photo*], [ut]vidga [~ *a hole*], utöka; bygga ut, bygga till (ut) [~ *one's house*]; vidga [~ *one's mind* (sina vyer)] **II** *vb itr* **1** förstoras; växa sig större; *will this print ~ well?* blir det bra om man förstorar den här bilden? **2** ~ [*up*]*on* orda vitt och brett om, breda ut sig över [~ [*up*]*on a subject*]
enlargement [ɪnˈlɑːdʒmənt, en-] förstorande äv. konkr. [*make an ~ from a negative*]; utvidgning
enlighten [ɪnˈlaɪtn, en-] upplysa, ge [närmare] upplysningar [~ *a p. on a subject*]; ge information [*television should ~ people*], göra upplyst
enlightenment [ɪnˈlaɪtnmənt, en-] upplysning, insikt; *the* [*Age of*] *E~* upplysningstiden
enlist [ɪnˈlɪst, en-] **I** *vb tr* **1** mil. värva [~ *recruits*], enrollera; *~ed man* amer. menig **2** bildl. söka få [~ *a p.'s help*], ta i anspråk **II** *vb itr* mil. ta värvning
enlistment [ɪnˈlɪstmənt, en-] mil. värvning; inskrivning
enliven [ɪnˈlaɪvn, en-] liva [upp]
enmity [ˈenmətɪ] fiendskap; fientlig inställning, illvilja
ennoble [ɪˈnəʊbl, eˈn-] adla; bildl. äv. förädla
enormity [ɪˈnɔːmətɪ], *the ~ of* det oerhörda (avskyvärda, ohyggliga) i [*the ~ of the crime*]
enormous [ɪˈnɔːməs] enorm [~ *length*], jättelik [~ *profits*]
enough [ɪˈnʌf, əˈnʌf] (ss. adv. endast efter det ord det bestämmer) **1** nog, tillräckligt; ~ *money* el. *money ~* nog (tillräckligt) med pengar, pengar nog, pengar så det räcker; *just ~* alldeles lagom [med]; *that's ~!* nu får det [verkligen] vara nog; *~ of* nog (tillräckligt) av [*have ~ of everything*], nog (tillräckligt) med; *will you be kind ~ to...* vill du vara vänlig och... **2** ganska, riktigt [*a good ~ man in his way*]; *he is clever ~* han är inte dum, det är huvud på honom **3** *oddly ~* egendomligt nog; *sure ~* alldeles säkert; mycket riktigt [*it was Mr. A., sure ~*], minsann
enquire [ɪnˈkwaɪə, en-] se *inquire*
enquiry [ɪnˈkwaɪərɪ, en-, amer. äv. ˈɪŋkwərɪ] se *inquiry*
enrage [ɪnˈreɪdʒ, en-] göra rasande (ursinnig)
enraged [ɪnˈreɪdʒd, en-] rasande, ursinnig
enrich [ɪnˈrɪtʃ, en-] **1** göra rik[are]; berika [*many foreign words have ~ed the English language*] **2** göra fruktbar[are] [*compost ~es the soil*], göda **3** berika livsmedel; *~ed with vitamins* vitaminberikad **4** anrika [*~ed uranium*]
enrichment [ɪnˈrɪtʃmənt, en-] **1** berikande **2** anrikning
enroll [ɪnˈrəʊl, en-] **I** *vb tr* **1** isht mil. enrollera; sjö. mönstra på; värva; föra in (upp), skriva upp [*the secretary ~ed our names*], skriva in [*he was ~ed for military service*]; ta emot (in) [*the university has ~ed 20,000 students*] **2** ta in, uppta t.ex. i ett sällskap [~ *a p. in* (~ *a p. as a member of*) *a society*]; ~ *oneself* skriva in sig, gå in [*in* i] **II** *vb itr* [låta] enrollera sig; skriva in sig

enrolment [ɪn'rəʊlmənt, en-] **1** enrollering; påmönstring; inskrivning **2** register; urkund
ensemble [ɑ:n'sɑ:mbl] **1** helhet; helhetsintryck **2** om kläder ensemble **3** mus. o. teat. ensemble
enshrine [ɪn'ʃraɪn, en-] lägga [ned] en relik o.d. i ett skrin; förvara; innesluta, omsluta
ensign ['ensaɪn; i bet. *1* inom brittiska flottan o. i bet. *3* 'ensn] **1** [national]flagga; fana; baner, standar; vimpel **2** märke; symbol [*an ~ of authority*] **3** amer. (sjö.) fänrik
enslave [ɪn'sleɪv, en-] förslava ofta bildl.; göra till [en] slav (till slavar); underkuva; *be ~d by one's passions* vara slav under sina passioner
ensue [ɪn'sju:, en-] **1** följa [därpå (därefter)]; inträda; *ensuing* [på]följande [*the ensuing week*]; *the ensuing ages* eftervärlden **2** bli följden, följa; uppstå
ensure [ɪn'ʃʊə, en-] **1** tillförsäkra; säkerställa, trygga [*~ victory, ~ peace*]; *~ that...* se till att... **2** garantera, [an]svara för **3** skydda [*~ oneself against loss*]
entail [ɪn'teɪl, en-, ss. subst. äv. 'enteɪl] *vb tr* **1** medföra, vara förenad med [*your plans ~ great expense*], nödvändiggöra [*this will ~ an early start*] **2** *~ a th. on a p.* pålägga ngn ngt
entangle [ɪn'tæŋgl, en-] **1** trassla (snärja) in [*the cow ~d its horns in the branches*]; *be* (*get* [*oneself*]) *~d* äv. trassla (snärja, sno) in sig **2** trassla ihop; *be* (*get*) *~d* äv. trassla [ihop] sig, sno sig [*threads are easily ~d*] **3** trassla till [*the kitten ~d the ball of wool*] **4** snärja; *get ~d in* bli invecklad (indragen) i [*he got ~d in a lawsuit* (process)]
enter ['entə] **I** *vb itr* **1** gå in, komma in **2** anmäla sig; ställa upp [*two days before the race he decided not to ~*] **3** *~ into*: **a**) gå (tränga) in i [*we ~ed into the forest*] **b**) ge sig in i (på) [*~ into a discussion*], ta upp [*~ into business relations*], påbörja [*~ into negotiations*], öppna [*~ into a correspondence with a p.*] **c**) gå in på (i) [*~ into details*] **d**) ingå i [*this did not ~ into our plans*] **4** *~* [*up*]*on*: **a**) slå in på [*~* [*up*]*on a new career* (bana)]; *~* [*up*]*on one's duties* tillträda tjänsten **b**) inlåta sig i (på) [*~* [*up*]*on an undertaking*], gå (komma) in på [*~* [*up*]*on a discussion*]; påbörja, börja [*~* [*up*]*on negotiations*] **c**) ingå, träffa [*~* [*up*]*on an agreement*] **II** *vb tr* **1** gå in i, träda in i [*~ a house*], stiga in i [*~ a room*]; mil. tåga (rycka) in i [*~ a town*]; fara (resa) in i; köra in i [*the train ~ed a tunnel*]; tränga in i [*the bullet ~ed the flesh*]; stiga upp i (på), stiga på [*~ a bus; ~ a train*]; gå in vid [*~ the army*], skriva in sig i [*~ a club*]; *it never ~ed my head* (*mind*) det föll mig aldrig in **2** anteckna, skriva upp (in) [*~ a name on a list*]; bokföra **3** inge [*~ a protest*]; anmäla [*~ a horse for* (till) *a race*]; *~ oneself* (*one's name*) *for* anmäla sig till
enteritis [ˌentə'raɪtɪs] med. enterit
enterprise ['entəpraɪz] **1** [svårt (djärvt)] företag **2** [affärs]företag **3** företagsamhet [*private ~*]; företagaranda, driftighet; *he is a man of great ~* han är mycket företagsam (initiativrik, driftig)
enterprising ['entəpraɪzɪŋ] företagsam
entertain [ˌentə'teɪn] **I** *vb tr* **1** ha ngn [hemma] som gäst; bjuda, förpläga; *~ some friends to* (*at* amer.) *dinner* ha några vänner [hemma] på middag **2** underhålla [*~ the company with card tricks*] **3** ta under övervägande [*~ a proposal*]; *~ favourably* uppta gynnsamt (positivt) **4** hysa [*~ hopes, ~ designs* (planer)], nära, umgås med **II** *vb itr* ha gäster [*she loved to talk, dance and ~*], ha bjudningar; *they ~ a good deal* de har ofta (mycket) gäster (bjudningar)
entertainer [ˌentə'teɪnə] entertainer, underhållare; *he is a great ~ at parties* ung. han är en stor sällskapstalang
entertaining [ˌentə'teɪnɪŋ] underhållande
entertainment [ˌentə'teɪnmənt] **1** a) förplägnad, traktering; härbärgerande b) representation; *~ allowance* representationskonto **2** underhållning; offentlig [nöjes]tillställning; *~ tax* nöjesskatt **3** övervägande [*the ~ of the proposal*]; dryftande av en fråga; hysande av planer
enthrall [ɪn'θrɔ:l, en-] hålla trollbunden [*~ one's audience*], trollbinda, fängsla [*enthralled by the story*]
enthralling [ɪn'θrɔ:lɪŋ, en-] fängslande
enthuse [ɪn'θju:z, en-] **I** *vb itr* bli entusiastisk (begeistrad), bli eld och lågor **II** *vb tr* entusiasmera
enthusiasm [ɪn'θju:ziæz(ə)m, en-] entusiasm, hänförelse, iver; passion [*hunting is his latest ~*]
enthusiast [ɪn'θju:ziæst, en-] entusiast [*a sports ~*]
enthusiastic [ɪnˌθju:zɪ'æstɪk, en-] entusiastisk, begeistrad
entice [ɪn'taɪs, en-] locka, lura
enticement [ɪn'taɪsmənt, en-] lockelse, frestelse; lockmedel
entire [ɪn'taɪə, en-] **1** hel [*the ~ day; the ~ responsibility*], fullständig [*have the ~ control of a th.*], total, odelad [*he enjoys our ~ confidence*], oavkortad; hel och hållen, i sin helhet [*reprint the article ~*]; [*I have read*] *the ~ works of Shakespeare* ...Shakespeares samtliga verk **2** hel
entirely [ɪn'taɪəlɪ, en-] helt [och hållet]

entirety [ɪn'taɪrətɪ, ɪn'taɪətɪ, en-] helhet [*in its ~*]; fullständighet
entitle [ɪn'taɪtl, en-] **1** betitla; rubricera; titulera; *a book ~d...* en bok med titeln... **2** berättiga [*~ a p. to* [*do*] *a th.*]; *~ a p. to* äv. ge ngn rätt till (att); *be ~d to* vara berättigad till (att), ha rätt till (att)
entity ['entətɪ] **1** enhet [*political ~*] **2** [enhetligt] begrepp **3** väsen
entrails ['entreɪlz] **1** inälvor **2** inre [delar] [*the ~ of a machine*]
1 entrance ['entr(ə)ns] **1** ingång [*the ~ to the house*], entré [*the main ~*]; uppgång; infart[sväg]; sjö. inlopp [*the ~ to* (*of*) *the harbour*]; [flod]mynning; början; *separate* (*private*) *~* egen ingång **2** inträde [*her ~ into the room*], inträdande; entré; intåg [*the ~ of the army into the city*]; sjö. inlöpande; *an impressive ~* en imponerande entré; *make one's ~* a) träda in, göra sin entré b) hålla sitt intåg **3** inträde [*~ into a club*]; *~ free* fritt inträde
2 entrance [ɪn'trɑ:ns, en-] hänföra, överväldiga [*~d with* (av) *joy*]
entrance fee ['entr(ə)nsfi:] **1** inträdesavgift **2** anmälningsavgift; inskrivningsavgift
entrance hall ['entr(ə)nshɔ:l] hall, entré
entrant ['entr(ə)nt] **1** inkommande (inkommen) person [*every ~ was handed a card*]; nytillträdande **2** [anmäld] deltagare; aspirant
entreat [ɪn'tri:t, en-] bönfalla [*~ a p. to do a th.*]
entreaty [ɪn'tri:tɪ, en-] enträgen bön (begäran, anhållan) [*at my ~*], ivrig bön
entrecôte ['ɑ:ntrəkəʊt, ɒn-] kok. (fr.) entrecote
entrée ['ɑ:ntreɪ, ɒn-] kok. (fr.) a) entréerätt, förrätt b) rätt vid finare middag som serveras mellan fisk- och kötträtten c) isht amer. huvudrätt
entrepreneur [ˌɑ:ntrəprə'nɜ:, ɒn-] **1** företagare; entreprenör **2** mellanhand
entrust [ɪn'trʌst, en-], *~ a th. to a p.* el. *~ a p. with a th.* anförtro ngn ngt (ngt åt ngn)
entry ['entrɪ] **1** inträde [*the ~ of China into* (i) *world politics*], inträdande; intåg [*the ~ of the troops into* (i) *the town*], inresa [*~ into* (till) *a country*]; inträngande; tillträde [*gain* (få) *~ to the club*]; *No E~* tillträde förbjudet!; trafik. förbud mot infart **2** isht amer. a) ingång [*the ~ to* (*of*) *a house*]; infart[sväg] [*the entries to* (*of*) *the city*] b) farstu **3** anteckning, notering [*an ~ in one's diary*], införande; [införd] post; notis; *double* (*single*) *~* dubbel (enkel) bokföring **4** [insänt] tävlingsbidrag [äv. *competition ~*] **5** uppslagsord; artikel i lexikon el. uppslagsverk; *main ~* huvudartikel **6** tulldeklaration; *port of ~* tullhamn **7 a**) lista över [anmälda] deltagare (ekipage), deltagarlista [*the ~ for the race*], antal anmälda, deltagande [*there was a large ~ for the race*] **b**) anmäld deltagare; tävlande; *entries close* [*19th May*] anmälningstiden utgår...
entwine [ɪn'twaɪn, en-] **1** fläta (tvinna) ihop (samman) **2** vira om [*~ a th. round* (*about*) *another*]
enumerate [ɪ'nju:məreɪt] **1** räkna upp [*he ~d all the counties of England*]; nämna **2** räkna
enunciate [ɪ'nʌnsɪeɪt, -nʃɪeɪt] **I** *vb tr* **1** uttala [*he ~s his words distinctly*] **2** formulera [*~ a new theory*], uppställa [*~ principles*]; uttrycka **II** *vb itr* artikulera; *~ clearly* ha ett tydligt uttal
envelop [ɪn'veləp, en-] svepa in [*a baby ~ed in a shawl*]; hölja [*hills ~ed in mist*]
envelope ['envələʊp, 'ɒn-] kuvert
enviable ['envɪəbl] avundsvärd
envious ['envɪəs] avundsjuk; avundsam; missunnsam
environment [ɪn'vaɪər(ə)nmənt, en-] **1** miljö, levnadsförhållanden, livsvillkor; förhållanden [*social, moral and religious ~*]; *~ conference* miljövårdskonferens **2** omgivning[ar]
environmental [ɪnˌvaɪər(ə)n'mentl, en-] miljöbetingad; miljö- [*~ changes*; *~ problems*]; *~ control* (*protection*) miljövård (miljöskydd); *~ pollution* miljöförstöring
environmentalist [ɪnˌvaɪər(ə)n'mentəlɪst, en-] miljövårdare
environs [ɪn'vaɪər(ə)nz, en-] omgivningar
envisage [ɪn'vɪzɪdʒ, en-] **1** betrakta [*I had not ~d the matter in that light*]; tänka sig **2** förutse
envoy ['envɔɪ] sändebud; *~* [*extraordinary and plenipotentiary*] [extraordinär och befullmäktigad] envoyé, minister
envy ['envɪ] **I** *s* avund, avundsjuka; missunnsamhet; *his new car is the ~ of all his friends* alla hans vänner avundas honom hans nya bil **II** *vb tr* avundas
enzyme ['enzaɪm] kem. enzym
ephemeral [ɪ'femər(ə)l, -'fi:m-] efemär, kortlivad
epic ['epɪk] **I** *adj* **1** litt. episk **2** enorm; storslagen **II** *s* litt. epos, episk dikt; *national ~* nationalepos
epicentre ['epɪsentə] o. **epicentr|um** ['epɪsentr|əm, ˌ--'--] (pl. *-ums* el. *-a* [-ə]) geol. epicentrum
epidemic [ˌepɪ'demɪk] **I** *adj* epidemisk; *become ~* bildl. sprida sig som en epidemi **II** *s* epidemi [*an influenza ~*], farsot
epigram ['epɪgræm] epigram
epilepsy ['epɪlepsɪ] med. epilepsi

epileptic [ˌepɪ'leptɪk] **I** *adj* epileptisk **II** *s* epileptiker
epilogue ['epɪlɒg] epilog
Epiphany [ɪ'pɪfənɪ, e'p-], [*the*] ~ trettondagen, trettondag jul
episcopal [ɪ'pɪskəp(ə)l, e'p-] biskops-; episkopal
episode ['epɪsəʊd] **1** episod **2** episod, avsnitt av film, TV- el. radiopjäs [*a TV series of 10 ~s*]
epistle [ɪ'pɪsl] epistel äv. skämts. om brev; brev [*the E~ of Paul to the Romans*]
epitaph ['epɪtɑ:f, -tæf] gravskrift, epitaf[ium]
epithet ['epɪθet, -θɪt] **1** epitet [*in 'Alfred the Great' the ~ is 'the Great'*] **2** skymford, skällsord
epitome [ɪ'pɪtəmɪ, e'p-] **1** sammandrag; kortfattad redogörelse (skildring), resumé **2** *be the ~ of* vara typisk (ett typiskt uttryck) för, personifiera
epitomize [ɪ'pɪtəmaɪz, e'p-] utgöra en sammanfattning av; vara typisk (urtypen) för, personifiera, representera
epoch ['i:pɒk] epok; *mark an ~* (*a new ~*) bilda epok
epoch-making ['i:pɒkˌmeɪkɪŋ] epokgörande
equable ['ekwəbl, 'i:k-] jämn [*an ~ climate* (*temper*)]; lugn [*an ~ temperament*]; enhetlig om stil; likformig
equal ['i:kw(ə)l] **I** *adj* **1** lika [*two and two are* (*is*) *~ to* (med) *four*; *all men are ~ before the law*]; lika stor [*in ~ parts*]; samma [*of ~ size* (*value*)]; jämlik; jämställd, jäm[n]god [*to* (*with*) med]; jämn [*an ~ match*]; likvärdig; lika fördelad; *be on an ~ footing with* stå på jämlik fot med, vara jämställd (likställd) med; *the principle of ~ pay for ~ work* likalönsprincipen **2** *be ~ to* bildl. a) motsvara [*the supply is ~ to the demand*] b) [kunna] gå i land med, klara av, bemästra, vara duktig nog för [*he is ~ to the job*], vara vuxen [*he is ~ to the task*] **II** *s* like, make; jämlike; pl. *~s* äv. lika [stora] saker **III** *vb tr* vara (bli) lik, komma upp till, tangera [*~ the world record*]; matem. vara lika med [*two times two ~s four*]
equality [ɪ'kwɒlətɪ] **1** likhet; *sign of ~* likhetstecken **2** jämlikhet; likställighet; likformighet; *~* [*of rights*] likaberättigande
equalize ['i:kwəlaɪz] **I** *vb tr* utjämna; göra likformig (enhetlig); göra (ställa) lika; likställa **II** *vb itr* sport. utjämna, kvittera
equally ['i:kwəlɪ] lika [*they did it ~ well*; *divide it ~ between them*]; jämnt [*spread ~ over the country*]; likaså [*~, we may see that there are real differences*]; *~* [*as*] *important* lika viktig
equal sign ['i:kwəlsaɪn] o. **equals sign** ['i:kwəlzsaɪn] likhetstecken
equanimity [ˌekwə'nɪmətɪ, ˌi:k-] jämnmod, jämvikt
equate [ɪ'kweɪt, i:'k-] **1** jämställa; *~ with* äv. sätta likhetstecken mellan...och, anse...vara liktydig med [*~ freedom with happiness*] **2** göra lika, få att överensstämma
equation [ɪ'kweɪʒ(ə)n, -eɪʃ(ə)n] **1** vanl. matem. ekvation **2** jämvikt[stillstånd]; *the human ~* den mänskliga faktorn
equator [ɪ'kweɪtə] ekvator
equatorial [ˌekwə'tɔ:rɪəl, ˌi:k-] ekvatorial [*~ belt*], ekvators- [*~ region*]
equestrian [ɪ'kwestrɪən, e'k-] **I** *adj* rid- [*~ skill*]; ryttar- [*an ~ statue*]; *~ sports* hästsport **II** *s* ryttare, ryttarinna; konstberidare
equilateral [ˌi:kwɪ'læt(ə)r(ə)l] liksidig
equilibri|um [ˌi:kwɪ'lɪbrɪ|əm] (pl. *-a* [-ə] el. *-ums*) jämvikt, jämviktsläge äv. bildl.
equinox ['i:kwɪnɒks, 'ek-], *autumnal ~* höstdagjämning; *vernal* (*spring*) *~* vårdagjämning
equip [ɪ'kwɪp] **1** utrusta [*with*]; *~ with* äv. förse med; *be ~ped with* äv. ha, äga [*he is ~ped with common sense*] **2** styra ut; *~ oneself in* äv. klä sig i **3** göra rustad [*~ a p.* (*oneself*) *for a task*]
equipment [ɪ'kwɪpmənt] **1** utrustande **2** utrustning äv. bildl. [*intellectual ~*]; nödiga tillbehör (persedlar), förnödenheter; mil. mundering; materiel; artiklar [*sports ~*]; anläggning [*hi-fi ~*]
equitable ['ekwɪtəbl] om handling o.d. rättvis; skälig
equity ['ekwətɪ] **1** [rätt och] billighet **2** jur. sedvanerätt som kompletterar *common law*; *court of ~* domstol som tillämpar sedvanerätt **3** pl. *equities* hand. stamaktier **4** *E~* (*Actors' E~ Association*) ung. Skådespelarförbundet
equivalent [ɪ'kwɪvələnt] **I** *adj* **1** likvärdig, överensstämmande; av samma värde; fys. el. kem. ekvivalent **2** likbetydande, synonym **II** *s* **1** motsvarande värde **2** motsvarighet, ekvivalent; *be the ~ of* äv. motsvara **3** kem., fys. el. elektr. ekvivalent
equivocal [ɪ'kwɪvək(ə)l] dubbeltydig
equivocate [ɪ'kwɪvəkeɪt] avsiktligt uttrycka sig tvetydigt; slingra sig; sväva på målet
equivocation [ɪˌkwɪvə'keɪʃ(ə)n] **1** tvetydigt uttryckssätt för att vilseleda; undanflykt **2** dubbeltydighet
ER (förk. för *Eduardus Rex* lat.) konung Edvard VII o. VIII; (förk. för *Elizabeth Regina* lat.) drottning Elisabet II
era ['ɪərə, amer. äv. 'erə] **1** era, epok; tidevarv, tidsålder; tid [*the Victorian ~*] **2** tideräkning

eradicate [ɪ'rædɪkeɪt] utrota, lyckas bekämpa (få bukt med) [*~ crime*]
eradication [ɪˌrædɪ'keɪʃ(ə)n] utrotning
erase [ɪ'reɪz] radera äv. ljudband; radera (sudda, stryka) ut (bort); utplåna äv. bildl. [*~ a th. from one's* (*the*) *memory*]
eraser [ɪ'reɪzə] radergummi; raderkniv
erect [ɪ'rekt] **I** *adj* upprätt [*walk ~*], [upprätt]stående [*~ position*]; [upp]rest; upplyft om hand; högburen [*with one's head ~*]; fysiol. erigerad **II** *vb tr* **1** resa [*~ a statue*], uppföra [*~ a building*]; bygga [upp]; ställa upp; montera **2** resa [upp] **3** upprätta, inrätta, grunda
erection [ɪ'rekʃ(ə)n] **1** uppförande, byggande; uppställande; montering **2** [upp]resande **3** upprättande **4** fysiol. erektion **5** konkr. byggnad [*a wooden ~*]
ergonomics [ˌɜ:gə(ʊ)'nɒmɪks] (konstr. vanl. ss. sg.) ergonomi
ermine ['ɜ:mɪn] **1** zool. hermelin **2** hermelin[sskinn]
erode [ɪ'rəʊd, e'r-] **I** *vb tr* **1** fräta (nöta) bort; nöta på; geol. erodera [*water ~s the rocks*]; holka ur **2** bildl. fräta (tära, nöta) på; undergräva **II** *vb itr* **1** frätas [bort (sönder)], eroderas **2** bildl. undergrävas
erosion [ɪ'rəʊʒ(ə)n, e'r-] frätning äv. bildl.; bortfrätande; nötning; geol. erosion; urholkande äv. bildl.; *soil ~* jorderosion
erotic [ɪ'rɒtɪk, e'r-] **I** *adj* erotisk **II** *s* erotiker
eroticism [ɪ'rɒtɪsɪz(ə)m, e'r-] o. **erotism** ['erətɪz(ə)m] **1** erotisk natur (läggning) **2** erotiskt inslag [*the ~ in his poetry*] **3** erotisk drift; *anal ~* analerotik
err [ɜ:] **1** missta sig, ta fel (miste) **2** fela [*to ~ is human*]; *~ on the side of caution* vara alltför (överdrivet) försiktig; vara försiktig i överkant
errand ['er(ə)nd] ärende, uppdrag; *run* (*go*) [*on*] *~s* springa (gå) ärenden; *go* (*be sent*) *on a fool's ~* gå (skickas) förgäves (i onödan) i ett ärende
errand boy ['er(ə)n(d)bɔɪ] springpojke äv. bildl.
erratic [ɪ'rætɪk, e'r-] **1** oregelbunden; planlös; ryckig [*~ driving*] **2** oberäknelig
erroneous [ɪ'rəʊnjəs, e'r-] felaktig, oriktig
error ['erə] fel; misstag; villfarelse; jur. formfel; [*do a th.*] *in ~* ...av misstag; *be in ~* a) ta fel, missta sig b) vara fel, inte stämma [*the map is in ~*]; *~ of* (*in*) *judgement* a) felbedömning b) missgrepp, omdömesfel
erudite ['erʊdaɪt, -rjʊ-] lärd; bildl. äv. akademisk; boklärd
erupt [ɪ'rʌpt, e'r-] **1** ha (få) utbrott [*the volcano ~ed*; *~ with* (av) *anger*] **2** med. slå ut [*pimples ~ed all over his skin*]
eruption [ɪ'rʌpʃ(ə)n, e'r-] **1** utbrott; geol. äv. eruption; *the volcano is in* [*a state of*] *~* vulkanen har utbrott **2** med., [*skin*] *~* [hud]utslag
escalate ['eskəleɪt] trappa[s] upp, eskalera; öka[s], växa
escalation [ˌeskə'leɪʃ(ə)n] upptrappning
escalator ['eskəleɪtə] rulltrappa
escapade [ˌeskə'peɪd, '---] snedsprång, eskapad; upptåg
escape [ɪ'skeɪp, e-] **I** *vb itr* **1** [lyckas] fly, rymma; undkomma [*~ with one's life*]; *an ~d convict* en förrymd straffånge **2** om vätskor, gas o.d. rinna (strömma, läcka) ut **II** *vb tr* **1** undgå [*~ punishment*]; undkomma [*~ the police*]; *~ observation* (*being seen*) undgå att bli sedd **2** undgå [ngns uppmärksamhet]; *it ~d me* (*my notice*) det undgick mig (min uppmärksamhet), jag märkte (hörde, såg) det inte; *his name ~s me* jag kan inte komma på vad han heter **III** *s* **1** rymning; räddning [*~ from the shipwreck*]; tillflykt; *have a narrow ~* [*from a th.*] slippa (komma) undan [ngt] med knapp nöd; *that was a narrow ~!* det var nära ögat! **2** utströmning av vatten, gas o.d.; läcka [*there is an ~ of gas*]
escape clause [ɪ'skeɪpklɔ:z] undantagsklausul; kryphål i kontrakt o.d.
escapism [ɪ'skeɪpɪz(ə)m] eskapism, verklighetsflykt
escapist [ɪ'skeɪpɪst] eskapist
escapologist [ˌeskə'pɒlədʒɪst] utbrytarkung
escarpment [ɪ'skɑ:pmənt] brant sluttning
eschew [ɪs'tʃu:] undvika, avhålla sig från [*~ wine* (*evil*)], undfly
escort [ss. subst. 'eskɔ:t, ss. vb ɪ'skɔ:t, e-] **I** *s* **1** eskort [*police ~*; *travel under ~* (*under the ~ of*)]; [väpnat] följe; hedersvakt; vaktare [*he eluded his ~*], skyddsvakt **2** kavaljer [*her ~ for* (på) *the dance tonight*] **3** ss. attr. eskort-; *~ carrier* eskorthangarfartyg **II** *vb tr* **1** eskortera **2** vara kavaljer åt
Eskimo ['eskɪməʊ] (pl. *~s* el. lika) **1** eskimå; *~ dog* grönlandshund, eskimåhund **2** eskimåiska språk
esoteric [ˌesə(ʊ)'terɪk, ˌi:s-] o. **esoterical** [ˌesə(ʊ)'terɪk(ə)l, ˌi:s-] esoterisk om lära o.d.; om möte, motiv o.d. hemlig; svårbegriplig
espalier [ɪ'spæljə, ˌ-'spælɪeɪ] **1** spaljé **2** spaljéträd
especial [ɪ'speʃ(ə)l, e-] särskild, speciell [*of ~ value*]; synnerlig; *in ~* i synnerhet, framför allt
especially [ɪ'speʃ(ə)lɪ, e-] särskilt, speciellt; i synnerhet; synnerligen; *~ as* äv. allra helst som
espionage [ˌespɪə'nɑ:ʒ, '----] spioneri
esplanade [ˌesplə'neɪd, -'nɑ:d] [strand]promenad

espouse [ɪ'spaʊz, e-] omfatta [~ *a principle*], ansluta sig till [~ *a p.'s opinion*]; ~ *a p.'s cause* ta sig an (stödja) ngns sak
espresso [e'spresəʊ] (pl. *-s*) **1** espresso[kaffe]; *two ~s* två espresso **2** ~ [*bar*] espressobar
Esq. [ɪ'skwaɪə, e-] (förk. för *Esquire*) herr [i brevadress; *John Miller ~*]; *John Miller, ~, Ph.D.* Fil. dr John Miller
esquire [ɪ'skwaɪə, e-] herr, se *Esq.*
essay [ss. subst. 'eseɪ, ss. vb e'seɪ, 'eseɪ] **I** *s* essä; kort avhandling **II** *vb tr* försöka sig på [~ *a task*]
essence ['esns] **1** [innersta] väsen [*the ~ of Socialism*]; väsentlig egenskap, grunddrag; *the ~* äv. det väsentliga (centrala) [*of* i], kontentan, andemeningen [*the ~ of a lecture*] **2** essens; extrakt
essential [ɪ'senʃ(ə)l, e's-] **I** *adj* **1** väsentlig, nödvändig **2** verklig, egentlig; inre [*the ~ man*]; inneboende [*his ~ selfishness*]; ~ *difference* väsensskillnad **II** *s* väsentlighet [*concentrate on ~s*]; grunddrag; *the ~s of* äv. det väsentliga i; *in all ~s* på alla väsentliga punkter, i allt väsentligt
essentially [ɪ'senʃ(ə)lɪ, e's-] **1** väsentligen; i huvudsak; i själva verket **2** väsentligt [*contribute ~ to...*]
establish [ɪ'stæblɪʃ, e-] **1** upprätta, grundlägga, bilda [~ *a new state*] **2** engagera; installera; etablera; ~ *oneself* a) skapa sig en ställning (ett namn) [*as* som] b) etablera sig [*as* som] **3** skapa [~ *a custom*], införa [~ *a rule*], upprätta, knyta [~ *relations*], åstadkomma; stadfästa [~ *a law*]; ~ *law and order* upprätthålla lag och ordning **4** fastställa
establishment [ɪ'stæblɪʃmənt, e-] **1** (jfr *establish*) a) upprättande etc.; tillkomst b) etablerande c) skapande etc. d) fastställande e) erkännande som statskyrka **2** mil. el. sjö. styrka [*be on* (ha) *full ~*]; *naval ~* flotta; *on a war ~* på krigsfot **3** [offentlig] institution, anstalt [*an educational ~*] **4** företag; fabrik, verk **5** hushåll; *keep* [*up*] *a large ~* föra stort hus **6** *the E~* det etablerade (bestående) samhället, etablissemanget; *the* [*Church*] *E~* statskyrkan
estate [ɪ'steɪt, e-] **1** gods; ~ *agent* a) fastighetsmäklare b) godsförvaltare; ~ *car* herrgårdsvagn, kombi[bil] **2** [*housing*] ~ bostadsområde, bebyggelse **3** jur. egendom; tillgångar; *personal ~* [personlig] lösegendom, lösöre **4** jur. **a**) dödsbo, kvarlåtenskap; förmögenhet; *wind up an ~* göra boutredning; ~ *duty* förr arvsskatt **b**) konkursbo **5** [riks]stånd; pl. *~s* äv. ständer; *the three ~s* [*of the realm*] britt. de tre stånden [dvs. *the Lords Spiritual, the Lords Temporal, the Commons*]
esteem [ɪ'sti:m, es-] **I** *vb tr* **1** [hög]akta, värdera **2** anse (betrakta) som **II** *s* [hög]aktning; *hold a p. in* [*high*] ~ högakta (sätta stort värde på) ngn
estimable ['estɪməbl] aktningsvärd; förtjänstfull
estimate [ss. vb 'estɪmeɪt, ss. subst. 'estɪmət, -meɪt] **I** *vb tr* **1** [upp]skatta, värdera, taxera, beräkna [*the amount was ~d at £1000*]; *an ~d £2 million* uppskattningsvis 2 miljoner pund **2** bedöma **II** *s* **1** [upp]skattning, värdering; kalkyl; beräknad summa; ~ [*of cost* (*costs*)] kostnadsberäkning, kostnadsförslag **2** bedömning; omdöme
estimation [ˌestɪ'meɪʃ(ə)n] **1** uppskattning, aktning **2** uppskattning, värdering **3** omdöme, uppfattning; *in popular ~* enligt den allmänna meningen
Estonia [e'stəʊnjə] geogr. Estland
Estonian [e'stəʊnjən] **I** *adj* estländsk **II** *s* **1** est[ländare] **2** estniska språk
estrange [ɪ'streɪn(d)ʒ, e-] göra främmande, fjärma; stöta bort [~ *one's friends*]; *become ~d* komma ifrån varandra, glida isär
estrangement [ɪ'streɪn(d)ʒmənt, e-] avlägsnande, fjärmande; brytning; kyligt förhållande; främlingskap
estuary ['estjʊərɪ, -tʃʊərɪ] **1** bred [flod]mynning påverkad av tidvattnet **2** havsfjord
ET [ˌi:'ti:] förk. för *extraterrestrial II*
etc. [et'setrə, ɪt-, ət-] ibl. skrivet *&c*, förk. för *et cetera*
et cetera [et'setrə, ɪt-, ət-] etcetera (etc.)
etch [etʃ] etsa
etching ['etʃɪŋ] **1** etsning **2** ss. ets- [~ *needle*]
eternal [ɪ'tɜ:nl] **1** evig [~ *life*]; oföränderlig; oändlig [*the ~ wastes of the desert*]; *the E~* den Evige **2** vard. evig [*these ~ strikes*]; *the ~ triangle* [det klassiska] triangelförhållandet (triangeldramat)
eternity [ɪ'tɜ:nətɪ] evighet; ~ *ring* alliansring
ether ['i:θə] kem. el. radio. m.m. eter
ethereal [ɪ'θɪərɪəl] **1** eterisk; lätt; skir; översinnlig **2** kem. eter-; eterartad, eterhaltig
ethic ['eθɪk] etik [*the Christian ~*]; moral[inställning] [*personal ~*]
ethical ['eθɪk(ə)l] **1** etisk, sedlig **2** receptbelagd [~ *drugs*]
ethics ['eθɪks] (konstr. ss. sg. el. pl.) etik, etiska principer
Ethiopia [ˌi:θɪ'əʊpjə] geogr. Etiopien
Ethiopian [ˌi:θɪ'əʊpjən] **I** *s* etiopier **II** *adj* etiopisk

ethnic ['eθnɪk] etnisk; ras-, folk- [~ *minorities*; ~ *groups*]; ~ *Germans* personer tillhörande den tyska (tysktalande) folkgruppen, tyska invandrare; ~ *joke* ung. norgehistoria skämt som bygger på fördomar om viss nationalitet etc.
ethnology [eθ'nɒlədʒɪ] etnologi
etiquette ['etɪket, ˌetɪ'ket] etikett, konvenans
etymology [ˌetɪ'mɒlədʒɪ] etymologi
eucalyptus [ˌju:kə'lɪptəs, jʊk-] bot. eukalyptus; ~ *oil* eukalyptusolja
eulogy ['ju:lədʒɪ] **1** lovtal **2** beröm
euphemism ['ju:fəmɪz(ə)m] eufemism
euphemistic [ˌju:fə'mɪstɪk] eufemistisk
euphoria [jʊ'fɔ:rɪə] eufori
Eurasian [jʊ(ə)'reɪʒən, -reɪʃ(ə)n] **I** *adj* eurasisk **II** *s* eurasier
Eurocrat ['jʊərə(ʊ)kræt] EG-byråkrat
Europe ['jʊərəp] Europa; ibl. kontinenten
European [ˌjʊərə'pi:ən] **I** *adj* europeisk; *the ~ Communities* (el. ibl. *Community*) (förk. *EC*) Europeiska gemenskaperna (förk. EG); *the ~ Defence Community* Europeiska försvarsgemenskapen; ~ *Union* (förk. *EU*) Europeiska unionen **II** *s* europé
Eurovision ['jʊərə(ʊ)ˌvɪʒ(ə)n, ˌ--'--] TV. Eurovision
euthanasia [ˌju:θə'neɪzjə, -eɪʒjə] eutanasi
evacuate [ɪ'vækjʊeɪt, i:'v-] **1** evakuera [~ *children*; ~ *an area*]; utrymma [~ *a fort*] **2** tömma [~ *the bowels*]
evacuation [ɪˌvækjʊ'eɪʃ(ə)n, i:ˌv-] **1** evakuering; utrymning **2** tömning; uttömning; ~ [*of the bowels*] avföring
evacuee [ɪˌvækjʊ'i:, i:ˌv-] evakuerad person
evade [ɪ'veɪd] **1** undvika [~ *difficulties*], undgå; försöka slippa (komma) undan (ifrån) [~ *a duty*]; kringgå [~ *the law*], slingra sig ifrån [~ *a question*]; smita från [~ *taxes*] **2** gäcka, trotsa
evaluate [ɪ'væljʊeɪt] utvärdera, bedöma
evaluation [ɪˌvæljʊ'eɪʃ(ə)n] utvärdering
evangelist [ɪ'væn(d)ʒəlɪst] evangelist
evanistic [ɪvæ'nɪstɪk] *adj* filos. evanistisk
evaporate [ɪ'væpəreɪt] **I** *vb itr* **1** dunsta [av (bort)] **2** bildl. försvinna **II** *vb tr* **1** komma att (få att, låta) dunsta bort [*heat ~s water*]; förvandla till ånga (gas) **2** torka genom avdunstning [~ *fruit*]; avdunsta; *~d milk* evaporerad mjölk, kondenserad osötad konserverad mjölk
evaporation [ɪˌvæpə'reɪʃ(ə)n] avdunstning; bortdunstning
evasion [ɪ'veɪʒ(ə)n] **1** undvikande; försök att slingra sig undan (slippa ifrån); kringgående **2** undanflykt[er]
evasive [ɪ'veɪsɪv] undvikande, svävande [*an ~ answer*]; *be ~* äv. komma med undanflykter
eve [i:v] **1** mest poet. afton **2** [helgdags]afton; *Christmas E~* julafton **3** *on the ~ of* kvällen (dagen) före [*on the ~ of the wedding*]; strax (kort, omedelbart) före
even ['i:v(ə)n] **I** *adj* **1** jämn i olika bet.: a) slät, plan [*an ~ surface*]; tekn. grad; vågrät b) enhetlig [~ *in colour* (*quality*)] c) lugn [*an ~ mind* (*temper*)] d) lika [*in ~ shares*] e) jämn [~ *and odd* (udda) *numbers* (*pages*)]; rund [*an ~ sum*]; ~ *money* jämna pengar; vid vadhållning dubbla summan mot insatsen; *be ~* bildl. stå (väga) lika [*the chances are ~*]; vara jämspelt [*they are ~*]; *keep ~ with* hålla jämna steg med **2** *get ~ with a p.* a) bli kvitt med ngn b) göra upp (ha en uppgörelse) med ngn **II** *adv* **1** även, redan; i nek. o. fråg. sats ens; *not ~* inte ens (en gång); ~ *as* a) i samma stund som, just som b) medan ännu **2** förstärkande ja [till och med] [*all the competitors, ~ our own, are very fit*]; rent av [*perhaps you have ~ lost it*]; själva [~ *the king*] **3** vid komp. ännu [~ *better*], till och med [~ *more stupid than usual*] **III** *vb tr* **1** ~ *out* jämna ut (till) [~ *out the soil*]; utjämna [~ *out the differences*]; fördela jämnt [~ *out the supply*] **2** ~ *up* utjämna
even-handed ['i:v(ə)nˌhændɪd] opartisk
evening ['i:vnɪŋ] **1** kväll, afton äv. bildl. [*the ~ of life*]; *~!* vard. för *good ~!* (se *good I 10*) **2** kvälls-, afton- [*the ~ star*]; ~ *classes* (*school*) kvällskurser
evenly ['i:v(ə)nlɪ] **1** jämnt; lika [*divide the money ~*]; likformigt; ~ *matched* jämspelt **2** lugnt
evensong ['i:v(ə)nsɒŋ] aftonsång, aftonbön, kvällsandakt [*at* (*after*) ~]
event [ɪ'vent] **1** händelse; evenemang, begivenhet; företeelse; *in the natural course* (*run*) *of ~s* under normala förhållanden, i normala fall **2** fall, händelse; *at all ~s* i alla händelser, i varje fall, åtminstone **3** sport. tävling; [tävlings]gren; *three-day ~* ridn. fälttävlan **4** *wise after the ~* efterklok
eventful [ɪ'ventfʊl, -f(ə)l] **1** händelserik **2** betydelsefull
eventual [ɪ'ventʃʊəl, -tjʊəl] **1** slutlig, slutgiltig [*he predicted the ~ decay of the system*]; som kom (kommer) till slut [*his ~ success*] **2** möjlig, möjligen inträffande **3** därav följande [*the drought and ~ famine*]
eventuality [ɪˌventʃʊ'ælətɪ, -tjʊ-] möjlighet
eventually [ɪ'ventʃʊəlɪ, -tjʊəlɪ] slutligen; omsider
ever ['evə] **1** någonsin [*better than ~*]; *did you ~?* vard. har man nånsin sett (hört) på maken?; *hardly* (*scarcely*) ~ nästan aldrig, knappast någonsin; *seldom, if ~* sällan eller aldrig **2 a**) spec. förb.: *as ~* som alltid, som vanligt [*he came late - as ~*]; *England for ~!*

leve England!; ~ *and again* då och då, tid efter annan **b**) i brevslut: *Yours* ~ Din (Er) tillgivne **3** vard., *who (why, how, where)* ~ vem (varför, hur, var) i all världen (i all sin dar) **4** vard., förstärkande **a**) *as quickly as* ~ *I can* så fort jag någonsin kan; ~ *so* hemskt, jätte- [*I like it* ~ *so much*] **b**) efter superl. som någonsin funnits; *the greatest film* ~ äv. alla tiders största film **5 a**) framför komp. allt; *an* ~ *greater amount* en allt (ständigt) större mängd **b**) se sms. med *ever-*

evergreen ['evəgri:n] **I** *adj* vintergrön **II** *s* **1** vintergrön (ständigt grön) växt (buske) **2** evergreen, örhänge

everlasting [ˌevə'lɑ:stɪŋ, attr. '--ˌ--] **I** *adj* evig [~ *fame (snow)*]; [be]ständig; varaktig; evinnerlig [~ *complaints*]; ~ *flower* eternell **II** *s* bot. eternell

evermore [ˌevə'mɔ:] **1** evigt, städse; *for* ~ för evigt, i evighet **2** i nek. sats någonsin igen, vidare

every ['evrɪ] varje, varenda; all; i nek. sats äv. vilken som helst [*not* ~ *child can do that*]; all [tänkbar] [*I wish you* ~ *success*]; *I have* ~ *reason to...* jag har all anledning (alla skäl) att...; ~ *other (second) day* varannan dag; ~ *three days* var tredje dag; ~ *bit as [good]* fullt ut (precis) lika...; ~ *now and then* då och då, allt emellanåt; ~ *which way* amer. vard. åt alla [möjliga] håll; huller om buller

everybody ['evrɪˌbɒdɪ, 'evrɪbədɪ] var och en [*there is a chair for* ~], en var, varje människa [~ *has a right to...*], alla [*has* ~ *seen it?*], alla människor [~ *knows that*]; i nek. sats äv. vem som helst; ~ *else* alla andra

everyday ['evrɪdeɪ] daglig [*in* ~ *speech*]; vardags- [~ *clothes*]; vardaglig

everyone ['evrɪwʌn] se *everybody*

everything ['evrɪθɪŋ] allt, allting; var (varenda) sak; alltsammans; i nek. sats äv. vad som helst; ~ *but* allt möjligt utom

everywhere ['evrɪweə] överallt; allmänt [*it is accepted* ~]; i nek. sats äv. var som helst

evict [ɪ'vɪkt] vräka, avhysa; fördriva

eviction [ɪ'vɪkʃ(ə)n] vräkning, avhysning

evidence ['evɪd(ə)ns] **I** *s* **1** bevis, belägg, stöd [*have you any* ~ *for this statement?*]; tecken, vittnesbörd; spår, märke; *bear (give)* ~ *of* vittna om, bevisa **2** jur. bevis, vittnesbörd; inför rätta giltigt vittnesmål; *the* ~ de protokollförda vittnesmålen i ett mål; *turn King's (Queen's,* amer. *State's)* ~ uppträda som kronvittne mot medbrottslingar **3** *be in* ~ synas, märkas, visa sig, vara synlig; [före]finnas **II** *vb tr* bevisa; bestyrka; visa

evident ['evɪd(ə)nt] tydlig, uppenbar

evidently ['evɪd(ə)ntlɪ] tydligen, uppenbarligen

evil ['i:vl, 'i:vɪl] **I** *adj* **1** ond [~ *deeds (dreams)*], elak, ondskefull [*an* ~ *countenance* (uppsyn)]; otäck [*an* ~ *smell*]; syndig [*live an* ~ *life*] **2** skadlig [*an* ~ *influence*] **II** *s* ont [*a necessary* ~], det onda [*the origin of* ~]; [svårt] missförhållande [*social* ~*s*]; *social* ~ samhällsont

evince [ɪ'vɪns] **1** visa [~ *a tendency to*], visa prov på, röja **2** utgöra bevis för, bevisa

evocative [ɪ'vɒkətɪv] stämningsmättad, associationsrik [~ *words*], minnesväckande; *be* ~ *of* kunna framkalla (frammana, väcka); påminna om

evoke [ɪ'vəʊk, i:'v-] väcka [~ *protest*], framkalla [~ *a smile*]; frammana; ~ *memories* väcka minnen [till liv]

evolution [ˌi:və'lu:ʃ(ə)n, ˌev-, -'lju:-] utveckling; framväxande; *theory of* ~ utvecklingslära, evolutionsteori

evolve [ɪ'vɒlv, i:'v-] **I** *vb tr* **1** utveckla [~ *a theory*]; framlägga [~ *a plan*] **2** utveckla, frambringa [~ *a new and improved variety of a plant*], framställa; ge upphov till; arbeta (tänka) ut [~ *a solution*] **II** *vb itr* utveckla sig

ewe [ju:] zool. tacka; ~ *lamb* tacklamm

ewer ['ju:ə] vattenkanna till tvättställ

ex [eks] **I** *prep* **1** från, ur; hand. [såld] från [~ *store*], [lossad] från [~ *ship*] **2** exklusive; ~ *dividend* (förk. *ex div.* el. *x.d.*) börs. ex kupong, exklusive utdelning **II** *s* vard., *my (her)* ~ min (hennes) före detta man, fru

ex- [eks] förutvarande [*ex-husband*; *ex-president*]

exacerbate [ek'sæsəbeɪt, ɪg'zæs-] **1** reta upp; förbittra **2** förvärra [~ *the pain*]

exact [ɪg'zækt, eg-] **I** *adj* exakt; noggrann; riktig, precis **II** *vb tr* **1** kräva, fordra [~ *obedience from (of)* (av) *a p.*] **2** indriva [~ *payment from (of)*]

exacting [ɪg'zæktɪŋ, eg-] fordrande, krävande; sträng

exactitude [ɪg'zæktɪtju:d, eg-] noggrannhet; exakthet

exactly [ɪg'zæk(t)lɪ, eg-] **1** exakt; noga räknat; just [*you are* ~ *the man I want*]; alldeles; egentligen [*what is your plan* ~*?*]; ~*!* ja, just det!, just precis! **2** noggrant, noga

exaggerate [ɪg'zædʒəreɪt, eg-] överdriva; förstora [upp]

exaggeration [ɪgˌzædʒə'reɪʃ(ə)n, eg-] överdrift; förstoring

exalt [ɪg'zɔ:lt, eg-, -'zɒlt] (jfr *exalted*) upphöja [*he was* ~*ed to the position of President*]; förädla; höja, stärka [~*ed by that thought*]

exaltation [ˌegzɔ:l'teɪʃ(ə)n, ˌeks-, -ɒl-]

1 upphöjelse; lyftning **2** hänförelse; exaltation

exalted [ɪgˈzɔ:ltɪd, eg-, -ˈzɒlt-] **1** högt uppsatt [*an ~ personage*] **2** upphöjd, hög [*an ~ literary style*] **3** överdrivet hög [*an ~ opinion of his own worth*] **4** hänförd

exam [ɪgˈzæm, eg-] vard. (kortform för *examination*) examen

examination [ɪgˌzæmɪˈneɪʃ(ə)n, eg-] **1** undersökning, prövning; besiktning; *customs' ~* tullvisitering **2** tentamen; examen; jur. förhör; *fail in an ~* bli underkänd (kuggad) i ett prov (en tentamen)

examine [ɪgˈzæmɪn, eg-] **1** undersöka [*~ the question*; *the doctor ~d him*], pröva [*~ an object*]; besiktiga, inspektera; *you need to have your head ~d* vard. du är inte [riktigt] klok **2** examinera, pröva, förhöra äv. jur. [*~ a witness* (*criminal*); *~ a candidate in* (*on*) *a subject*]

examiner [ɪgˈzæmɪnə, eg-] **1** undersökare; besiktningsman **2** examinator; *board of ~s* examenskommission; examensnämnd

example [ɪgˈzɑ:mpl, eg-] **1** exempel; varning [*let this be an ~ to you*]; *make an ~ of a p.* straffa ngn för att statuera ett exempel; *set* (*give*) *a p. a good ~* vara ett [gott] föredöme för ngn **2** [övnings]exempel, uppgift **3** mönster, prov, provbit; exemplar [*~ of a rare book* (*butterfly*)]

exasperate [ɪgˈzæsp(ə)reɪt, eg-, -ˈzɑ:s-] göra förbittrad (förtvivlad); reta [upp]; *~d by* (*at*) förbittrad (uppretad, förtvivlad) över

exasperation [ɪgˌzæspəˈreɪʃ(ə)n, eg-, -ˌzɑ:s-] förbittring, stark irritation; ursinne

excavate [ˈekskəveɪt] gräva [*~ a trench* (*tunnel*)]; gräva ut [*~ an ancient city*; *~ a tomb*]; schakta [bort]

excavation [ˌekskəˈveɪʃ(ə)n] grävning; utgrävning; schaktning

excavator [ˈekskəveɪtə] **1** grävare; utgrävare; urholkare **2** tekn. grävmaskin

exceed [ɪkˈsi:d, ek-] **1** överskrida [*~ a certain age*; *~ the speed limit*]; överstiga [*the cost must not ~ £500*]; *not ~ing* inte överstigande, under **2** överträffa [*it ~ed our* (*all*) *expectations*]

exceedingly [ɪkˈsi:dɪŋlɪ, ek-] ytterst

excel [ɪkˈsel, ek-] **I** *vb itr* vara främst (bäst) **II** *vb tr* överträffa [*he ~s all of us at tennis*]; *~ oneself* överträffa sig själv

excellence [ˈeks(ə)ləns] **1** förträfflighet, ypperlighet **2** framstående (utmärkt) egenskap; överlägsenhet **3** se *excellency*

excellency [ˈeks(ə)lənsɪ] titel excellens [*Your* (*His, Her*) *E~*]

excellent [ˈeks(ə)lənt] utmärkt

except [ɪkˈsept, ek-] **I** *vb tr* undanta, göra undantag för; [*the*] *present company ~ed* de närvarande givetvis undantagna **II** *prep* utom, undantagandes; *~ for* bortsett från, så när som på; om inte...hade varit, utan [*~ for your presence I would...*]; frånsett **III** *konj* **1** utom att [*I can do everything ~ cook*]; *~ to* annat än för att [*he never opened his mouth ~ to shout*] **2** vard. men [*I'd have come earlier, ~ I lost my way*]

excepting [ɪkˈseptɪŋ, ek-] undantagen

exception [ɪkˈsepʃ(ə)n, ek-] **1** undantag [*an ~ to the rule*]; *with the ~ of* med undantag av (för) **2** *take ~ to* ta avstånd ifrån; ta illa upp

exceptional [ɪkˈsepʃənl, ek-] [ytterst] ovanlig, exceptionell [*the warm weather was ~ for January*]

excerpt [ss. subst. ˈekss3:pt, ɪkˈs3:pt, ˈegz3:pt; ss. vb ekˈs3:pt, ɪk-] **I** *s* utdrag [*~ from* (ur) *a book*] **II** *vb tr* excerpera

excess [ɪkˈses, ek-, **1** ˈekses] överskridande; ofta pl. *~es* övergrepp, våldsamheter **2** omåttlighet [i mat och dryck]; *~es* utsvävningar, excesser **3** överdrift; övermått; ytterlighet; *an ~ of enthusiasm* överdriven (alltför stor) entusiasm **4** överskott; merbelopp; självrisk; *~ fare* pris på tilläggsbiljett, tilläggsavgift; *~ luggage* (*weight*) övervikt bagage

excessive [ɪkˈsesɪv, ek-] överdriven [*~ demands*]; omåttlig [*~ drinker*]; häftig [*~ rainfall*]; *~ price* överpris

exchange [ɪksˈtʃeɪn(d)ʒ, eks-] **I** *s* **1** byte [*lose by* (på, vid) *the ~*], utbyte; [ut]växling; varuutbyte [äv. *~ of commodities*]; ombyte; bytesföremål; *~ student* utbytesstudent; *in ~* i stället, i (som) ersättning **2** hand. **a**) växling av pengar; växelkontor; [växel]kurs; *~ control* valutakontroll **b**) växel [äv. *bill of ~*] **c**) börs [*the Stock E~*]; *the Royal E~* fondbörsen [i London] **3** [telefon]växel [äv. *telephone ~*]; *~ area* riktnummerområde; *private manual branch ~* (förk. *PMBX*) manuell företagsväxel **II** *vb tr* byta [ut] [*he ~d his old car for a motorbike*]; växla [*~ words*], utbyta [*~ glances*], skifta; utväxla [*~ prisoners*; *~ blows*]

exchangeable [ɪksˈtʃeɪn(d)ʒəbl, eks-] som kan bytas; som kan utväxlas

exchequer [ɪksˈtʃekə, eks-], *Chancellor of the E~* i Storbritannien finansminister

1 excise [ˈeksaɪz, ɪkˈsaɪz] accis

2 excise [ekˈsaɪz, ɪk-] skära bort (ut); stryka [*~ a passage from* (i) *a book*]

excitable [ɪkˈsaɪtəbl, ek-] lättretlig [*~ temperament*], nervös; lättrörd

excite [ɪkˈsaɪt, ek-] **1** egga [upp], elda, hetsa upp; uppröra **2** väcka [*~ interest in*

(hos) *a p.*], upptända; framkalla **3** fysiol. reta
excited [ɪk'saɪtɪd, ek-] uppeggad, upphetsad; uppjagad
excitement [ɪk'saɪtmənt, ek-] **1** sinnesrörelse, rörelse [*feverish* ~]; uppståndelse; upprördhet **2** *the ~s of the journey* det (allt) spännande under resan
exciting [ɪk'saɪtɪŋ, ek-] spännande [~ *events* (*news, story*)]; eggande, upphetsande
exclaim [ɪk'skleɪm, ek-] **I** *vb itr* **1** skrika ['till] **2** ~ *against* fara ut (protestera) mot **II** *vb tr* utropa
exclamation [ˌekskləˈmeɪʃ(ə)n] **1** utrop; ~ *mark* (*sign*) utropstecken **2** skrik; högljudd protest
exclud|e [ɪk'sklu:d, ek-] utesluta [~ *all possibility of doubt*], utestänga; undanta; *-ing packing* el. *packing -ed* exklusive emballage
exclusion [ɪk'sklu:ʒ(ə)n, ek-] uteslutande
exclusive [ɪk'sklu:sɪv, ek-] **1** exklusiv, sluten [~ *club*, ~ *social circles*]; förnäm, avvisande [~ *attitude*] **2** uteslutande; odelad [*giving the question his ~ attention*]; särskild, speciell [~ *privileges of the citizens of a country*]; ensam-; exklusiv [*an ~ piece of news*]; *mutually* ~ som utesluter varandra
exclusively [ɪk'sklu:sɪvlɪ, ek-] uteslutande, endast
excommunicate [ˌekskəˈmju:nɪkeɪt] kyrkl. bannlysa; utesluta
excrement ['ekskrəmənt] exkrement
excursion [ek'skɜ:ʃ(ə)n, ɪk-] **1** utflykt [*make* (*go on*) *an* ~] **2** ~ *ticket* billigare utflyktsbiljett, rundtursbiljett; ~ [*train*] utflyktståg, extratåg, billighetståg **3** resegrupp
excusable [ek'skju:zəbl, ɪk-] förlåtlig; försvarlig
excuse [ss. vb ɪk'skju:z, ek-, ss. subst. ɪk'skju:s, ek-] **I** *vb tr* **1** förlåta; urskulda [*he ~d himself by saying...*], rättfärdiga [*nothing can ~ such rudeness*]; ~ *me* förlåt, ursäkta, jag ber om ursäkt; *please ~ my coming late* förlåt att jag kommer [för] sent **2** befria, frita; låta slippa; efterskänka [~ *a debt*]; ~ *oneself* be att få slippa, skicka återbud, tacka nej **II** *s* **1** ursäkt; försvar; bortförklaring; svepskäl; förevändning [*on some ~ or other*], föregivande; [giltig] anledning; *make ~s* komma med undanflykter (bortförklaringar) **2** befrielse, fritagande från förpliktelse; [anmälan om] förhinder; intyg [äv. *written* ~]; *absent without* [*good*] ~ frånvarande utan giltigt förfall **3** vard. surrogat; *an ~ for a breakfast* något som ska (skulle etc.) föreställa en frukost
ex-directory [ˌeksdɪˈrekt(ə)rɪ], ~ *number* hemligt telefonnummer
execute ['eksɪkju:t] **1** avrätta **2** utföra [~ *a plan*, ~ *orders*], verkställa [~ *a p.'s commands*]; effektuera [~ *an order*]; ~ *a will* a) verkställa ett testamente, övervaka ett testamentes efterlevnad b) upprätta ett testamente **3** spela [~ *a violin concerto*], utföra [~ *a dance step*; ~ *a painting*]
execution [ˌeksɪˈkju:ʃ(ə)n] **1** avrättning **2** utförande; verkställighet; uppfyllande [~ *of one's duties*]; *carry into* (*put in*) ~ verkställa, utföra, sätta i verket, bringa i verkställighet **3** utförande; mus. äv. föredrag; skicklighet
executioner [ˌeksɪˈkju:ʃ(ə)nə] **1** bödel; skarprättare **2** lönnmördare
executive [ɪg'zekjʊtɪv, eg-] **I** *adj* **1** utövande, verkställande [*the ~ power*]; administrativ; ~ *ability* (*power, talent*) ung. praktisk organisationsförmåga; ~ *committee* a) styrelse i fackförening o.d. b) förvaltningsutskott; exekutivkommitté; arbetsutskott **2** aktiv **II** *s* **1** *the* ~ den verkställande myndigheten **2** företagsledare; chef; chefstjänsteman; *chief* ~ a) verkställande direktör b) statsöverhuvud c) amer., delstats guvernör **3** a) styrelse; förvaltningsutskott; exekutivkommitté b) verkställande medlem[mar] av styrelse etc.
executor [i bet. *1* 'eksɪkju:tə, i bet. *2* ɪg'zekjʊtə, eg-] **1** verkställare; utövare **2** testamentsexekutor
exemplary [ɪg'zemplərɪ, eg-] exemplarisk, föredömlig [~ *behaviour*]
exemplify [ɪg'zemplɪfaɪ, eg-] exemplifiera; vara [ett] exempel på
exempt [ɪg'zem(p)t, eg-] **I** *adj* fritagen, undantagen [*goods ~ from execution* (utmätning)], fri, frikallad [~ *from military service*]; ~ *from* äv. förskonad från **II** *vb tr* frita, undanta [~ *from taxes* (*military service*)], ge dispens
exemption [ɪg'zem(p)ʃ(ə)n, eg-] befrielse, frikallelse [~ *from military service*]; förskoning; frihet; undantag; dispens; amer. [skatte]avdrag på grund av försörjningsplikt; *be granted an* ~ få dispens
exercise ['eksəsaɪz] **I** *s* **1** utövande [*the ~ of authority*], bruk; utövning [*the ~ of one's duties*]; utvecklande [*the ~ of all one's patience*] **2** övning [*the ~ of mental faculties*]; kroppsövning; motion [*physical* (*bodily*) ~], kroppsrörelse; idrott; pl. *~s* äv. övning[ar], manöver [*military ~s*], exercis **3** övningsuppgift [äv. *written* ~], stil; mus. övning; *five-finger ~s* mus. övningar för en hand (fem fingrar) **II** *vb tr* **1** utöva [~ *a function*, ~ *an influence*, ~ *power*];

begagna, använda [~ *one's authority (influence, intelligence)*]; förvalta; visa [~ *caution (patience)*] **2** träna [~ *the muscles*]; öva in; exercera, drilla [~ *soldiers*], öva soldater[na] i bruket av vapen; motionera [~ *a horse*] **III** *vb itr* **1** öva sig; exercera **2** motionera, skaffa sig motion

exercise book ['eksəsaɪzbʊk] skrivbok

exert [ɪg'zɜ:t, eg-] **1** utöva [~ *influence*; ~ *pressure on a p.*]; göra gällande, använda, bruka [~ *all one's influence*]; uppbjuda, utveckla [~ *all one's strength*; ~ *one's willpower*] **2** ~ *oneself* bemöda (anstränga) sig, sträva

exertion [ɪg'zɜ:ʃ(ə)n, eg-] **1** utövande [~ *of authority*], användning; uppbjudande [*with the* ~ *of all his strength*]; ~ *of power* maktutövning **2** ansträngning [*it requires your utmost* ~*s*]

exhale [eks'heɪl, eg'zeɪl] **I** *vb tr* andas ut [~ *air from the lungs*] **II** *vb itr* **1** andas ut **2** avdunsta

exhaust [ɪg'zɔ:st, eg-] **I** *vb tr* (jfr *exhausted*) **1** uttömma [~ *one's patience (strength)*], förbruka; suga ut [~ *the soil*]; utblotta **2** utmatta [*the war* ~*ed the country*]; ~ *oneself* bli utmattad; slita ut sig **3** uttömma [~ *a subject*] **II** *s* **1** utblåsning, utströmning [av förbränningsprodukter el. avloppsånga], avlopp **2** avgas[er]; avloppsånga **3** avgasrör

exhausted [ɪg'zɔ:stɪd, eg-] **1** utmattad [*feel* ~] **2** uttömd; förbrukad; utsugen [~ *soil*]; slutsåld om bok; tom

exhaustion [ɪg'zɔ:stʃ(ə)n, eg-] **1** utmattning **2** uttömning, förbrukning; utsugning [~ *of the soil*]

exhaustive [ɪg'zɔ:stɪv, eg-] uttömmande, ingående [~ *inquiries (studies)*]

exhibit [ɪg'zɪbɪt, eg-] **I** *vb tr* **1** förevisa [~ *a film*]; ställa ut [~ *paintings*], skylta [med] [~ *goods in a shop*] **2** visa [~ *prudence*] **II** *vb itr* ställa ut, ha utställning **III** *s* **1** jur. [bevis]föremål; företett dokument som åberopas i vittnesinlaga **2** utställningsföremål [*do not touch the* ~*s*]

exhibition [ˌeksɪ'bɪʃ(ə)n] **1** utställning; förevisande; demonstration; uppvisning [*an* ~ *of* (i) *bad manners*]; *make an* ~ *of oneself* skämma ut sig, göra sig till ett åtlöje **2** ådagaläggande, [fram]visande **3** stipendium vid universitet el. skola

exhibitionist [ˌeksɪ'bɪʃ(ə)nɪst] exhibitionist

exhibitor [ɪg'zɪbɪtə, eg-] utställare

exhilarate [ɪg'zɪləreɪt, eg-] liva (pigga, muntra) upp; göra upprymd (glad)

exhilaration [ɪgˌzɪlə'reɪʃ(ə)n, eg-] **1** upplivande **2** munterhet

exhort [ɪg'zɔ:t, eg-] uppmana; uppmuntra [~ *a p. to* [*do*] *a th.*]

exile ['eksaɪl, 'egz-] **I** *s* **1** landsförvisning; exil äv. bildl. [*go into* ~] **2** landsförvisad **II** *vb tr* [lands]förvisa

exist [ɪg'zɪst, eg-] (jfr *existing*) existera; vara till; förekomma, förefinnas

existence [ɪg'zɪst(ə)ns, eg-] tillvaro; förekomst; liv; bestånd; *come (spring) into* ~ uppkomma, uppstå, bli till

existentialism [ˌegzɪ'stenʃəlɪz(ə)m] filos. existentialism

existing [ɪg'zɪstɪŋ, eg-] **1** existerande, nu levande **2** nuvarande, dåvarande, nu (då) gällande

exit ['eksɪt, 'egzɪt] **I** *vb itr* **1** teat. [han el. hon] går [ut] [*E~ Falstaff*] **2** gå ut; göra [sin] sorti **II** *s* **1** sorti äv. teat. [*make one's* ~] **2** utgående; frihet (möjlighet) att gå [ut]; utresa; ~ *permit* utresetillstånd; ~ *visa* utresevisum **3** utgång [*no* ~, *the main* ~]; avfart; ~ *road (way)* avfart[sväg] från motorväg

exodus ['eksədəs] **1** [mass]utvandring [*general* ~], folkvandring [*the summer* ~ *to the country and the sea*]; uttåg[ande] **2** *E~* Andra mosebok

ex officio [ˌeksə'fɪʃɪəʊ, -'fɪs-] lat. **I** *adv* ex officio **II** *adj* officiell; självskriven i kraft av sitt ämbete

exonerate [ɪg'zɒnəreɪt, eg-] frita [~ *from blame (from a charge)*]

exorbitant [ɪg'zɔ:bɪt(ə)nt, eg-] omåttlig, oerhörd, orimlig [~ *prices (taxes)*]

exorcize ['eksɔ:saɪz, 'egz-] besvärja; genom besvärjelse driva ut [~ *an evil spirit from (out of) a p.*]

exotic [ɪg'zɒtɪk, ek's-, eg'z-] exotisk

expand [ɪk'spænd, ek-] **I** *vb tr* **1** vidga, utvidga [*heat* ~*s metals*; ~ *one's business*] **2** utbreda, breda ut [*a bird* ~*s its wings*] **3** utveckla [~ *an idea*], behandla mera utförligt; vidga **II** *vb itr* **1** [ut]vidga sig, [ut]vidgas, expandera [*our foreign trade has* ~*ed*], växa ut **2** breda ut (utveckla, öppna) sig; bildl. öppna sitt hjärta

expanse [ɪk'spæns, ek-] vidd

expansion [ɪk'spænʃ(ə)n, ek-] **1** utbredande **2** expansion äv. fys.; *territorial* ~ landvinning, territoriell expansion

expatriate [i bet. *I* eks'pætrɪeɪt, -'peɪtr-, i bet. *II* o. *III* eks'pætrɪət, -'peɪtr-, -eɪt] **I** *vb tr* landsförvisa **II** *s* **1** utvandrare; landsflykting **2** person som bor (är stationerad) utomlands **III** *adj* **1** utvandrad; landsflyktig **2** som bor (är stationerad) utomlands [~ *Americans*]

expect [ɪk'spekt, ek-] **I** *vb tr* **1** vänta, förvänta, emotse, räkna med [*England* ~*s every man to do his duty*]; *they* ~*ed him* (*he was* ~*ed*) *to...* man väntade [sig] att han skulle... **2** vard. anta [*I* ~ *so* (det)]; [*he'll come,*] *I* ~ ...förmodligen, ...skulle jag tro

II *vb itr* **1** vard., *be ~ing* vänta barn **2** vänta [och hoppas]

expectancy [ɪk'spekt(ə)nsɪ, ek-] förväntan; förväntning; *life ~* sannolik livslängd; medellivslängd; *a look of ~* en förväntansfull blick

expectant [ɪk'spekt(ə)nt, ek-] **1** väntande, förväntansfull **2** gravid; *~ mothers* blivande mödrar, havande kvinnor

expectation [ˌekspek'teɪʃ(ə)n] **1** väntan, förväntan, förväntning; pl. *~s* förväntningar [*great ~s*], framtidsutsikter; utsikter att få ärva **2** sannolikhet för ngt; väntevärde [äv. *mathematical ~*]; *~ of life* försäkr. sannolik livslängd; medellivslängd

expectorant [ek'spektər(ə)nt, ɪk-] med. **I** *adj* slemlösande **II** *s* slemlösande medel

expedience [ɪk'spi:djəns, ek-] o. **expediency** [ɪks'pi:djənsɪ, eks-] **1** lämplighet **2** egoistiska hänsyn, egennytta; opportunism

expedient [ɪk'spi:djənt, ek-] **I** *adj* ändamålsenlig; fördelaktig **II** *s* medel, hjälpmedel, utväg

expedite ['ekspɪdaɪt] **1** expediera, uträtta [*~ a piece of business*]; avsända **2** påskynda

expedition [ˌekspɪ'dɪʃ(ə)n] **1 a**) expedition **b**) *shopping ~* shoppingtur, shoppingrond **2** mil. expedition, fälttåg **3** litt. skyndsamhet, snabbhet [*with great ~*]

expeditious [ˌekspɪ'dɪʃəs] litt. snabb; hastig

expel [ɪk'spel, ek-] **1** driva (köra, kasta) ut, fördriva [*~ the enemy from a town*] **2** förvisa; utestänga; univ. relegera **3** om organ o.d. stöta ut

expend [ɪk'spend, ek-] lägga ner, använda, offra [*~ money, time and care*]; förbruka; [*after the wind had*] *~ed itself* ...dött ut

expendable [ɪk'spendəbl, ek-] som kan förbrukas; som kan offras

expenditure [ɪk'spendɪtʃə, ek-] **1** åtgång [*~ of ammunition*] **2** utgift; *~*[*s*] utgifter

expense [ɪk'spens, ek-] utgift [*household ~s*]; utlägg; [om]kostnad [*heavy ~s*]; bekostnad äv. bildl. [*be funny at a p.'s ~*]; *travelling ~s* resekostnader; *put a p. to ~* (*to the ~ of a th.*) förorsaka ngn kostnader (kostnader för ngt)

expensive [ɪk'spensɪv, ek-] dyr [*an ~ restaurant*], dyrbar

experience [ɪk'spɪərɪəns, ek-] **I** *s* **1** erfarenhet; egen erfarenhet; praktik; vana; *office ~* kontorspraktik **2** upplevelse, händelse, erfarenhet [*an unpleasant ~*] **II** *vb tr* **1** uppleva, erfara; röna; få pröva på [*~ great hardship*]; finna [*~ pleasure*]; *~ a loss* lida en förlust **2** *~ religion* amer. bli omvänd

experienced [ɪk'spɪərɪənst, ek-] **1** erfaren, rutinerad; beprövad **2** upplevd, känd; som vunnits genom erfarenhet

experiment [ɪk'sperɪmənt, ek-, ss. vb -ment] **I** *s* försök; rön [*~s made by a p.*]; *by way of ~* försöksvis, på försök **II** *vb itr* experimentera

experimental [ekˌsperɪ'mentl, ɪk-] **1** försöks- [*~ animals*; *~ station*], experiment- [*~ theatre*], experimentell [*~ method*], experimental- [*~ physics*] **2** trevande [*~ attempt*]

expert ['ekspɜ:t] **I** *adj* **1** sakkunnig [*~ advice*], fackmanna-, specialist- [*~ work*] **2** kunnig, tränad, övad **II** *s* expert, sakkunnig [*at* (*in, on*) på, i]; *~s* äv. expertis

expertise [ˌekspɜ:'ti:z] **1** expertutlåtande, expertis **2** sakkunskap, expertis

expire [ɪk'spaɪə, ek-] **1** gå ut [*his licence* (*passport*) *has ~d*], löpa ut [*the period has ~d*], upphöra att gälla [*his patents have ~d*] **2** andas ut **3** uppge andan; litt. slockna [*our hopes ~d*]

expiry [ɪk'spaɪərɪ, ek-] utlöpande [*~ of a contract* (*lease*)], upphörande; *~ date* utgångsdatum, förfallodatum; sista förbrukningsdag

explain [ɪk'spleɪn, ek-] förklara [*he ~ed why he was late*]; reda ut [*~ a problem*], ge en förklaring till; *~ away* bortförklara; *that will take some ~ing* det blir inte så lätt att förklara

explanation [ˌeksplə'neɪʃ(ə)n] förklaring; *by way of ~* till (som) förklaring

explanatory [ɪk'splænət(ə)rɪ, ek-] förklarande [*~ notes, ~ additions*], upplysande

explicable [ek'splɪkəbl, ɪk-, 'eksplɪkəbl] förklarlig

explicit [ɪk'splɪsɪt, ek-] **1** tydlig [*~ statement, ~ instruction*], bestämd [*~ knowledge, ~ belief*]; i detalj uppfattad; uttrycklig [*~ promise*], explicit **2** om person, tal m.m. öppen; *be ~* uttrycka sig tydligt

explode [ɪk'spləʊd, ek-] **I** *vb tr* **1** få att (låta) explodera **2** misskreditera; *~d theories* vederlagda (förlegade) teorier **II** *vb itr* explodera; brinna av; *~ with laughter* explodera av skratt

1 exploit ['eksplɔɪt] bedrift

2 exploit [ɪk'splɔɪt, ek-] **1** exploatera, bearbeta [*~ a mine*], utnyttja [*~ the natural resources*; *~ one's talents*] **2** exploatera, egennyttigt utnyttja [*~ one's friends*]

exploitation [ˌeksplɔɪ'teɪʃ(ə)n] exploatering

exploration [ˌeksplɔ:'reɪʃ(ə)n, -plə'r-] utforskning, utforskande; med. exploration

explor|e [ɪk'splɔ:, ek-] **I** *vb tr* utforska; genomforska [*~ archives*]; undersöka [*~ the possibilities*]; pejla; med. explorera; *-ing* *expedition* forskningsresa, forskningsexpedition **II** *vb itr,* ~ *for* forska (leta) efter

explorer [ɪk'splɔ:rə, ek-] forskningsresande; utforskare

explosion [ɪk'spləʊʒ(ə)n, ek-] **1** explosion; knall; *the population* ~ befolkningsexplosionen **2** bildl. [våldsamt] utbrott [~ *of laughter* (*anger, passion*)]

explosive [ɪk'spləʊsɪv, ek-] **I** *adj* **1** explosiv; explosions-; ~ *charge* sprängladdning **2** bildl. a) explosionsartad; häftig [~ *temper*] b) explosiv [*an* ~ *issue*] **II** *s* **1** sprängämne **2** fonet. klusil, explosiva

expo ['ekspəʊ] (pl. ~*s*) (kortform för *exposition 3*) expo

exponent [ek'spəʊnənt, ɪk-] **1** exponent, bärare av idé o.d.; tolk; mus. exekutör **2** matem. exponent

export [ss. subst. 'ekspɔ:t, ss. vb ek'spɔ:t, ɪk-, 'ekspɔ:t] **I** *vb tr* exportera, föra ut [ur landet]; skeppa ut; ~*ing country* äv. exportland **II** *s* **1** exportvara; pl. ~*s* äv. export[en] [*the* ~*s exceed the imports*] **2** export, utförsel [*the* ~ *of goods*]; export- [~ *control,* ~ *restrictions,* ~ *surplus*]; ~ *permit* (*licence*) exportlicens, exporttillstånd, utförseltillstånd

exportation [ˌekspɔ:'teɪʃ(ə)n] export, utförsel [*products for* ~]

exporter [ek'spɔ:tə, ɪk-] exportör

expose [ɪk'spəʊz, ek-] **1** utsätta [~ *to* (för) *danger* (*criticism, the winds, the weather*)], lämna oskyddad [~ *one's head to* (mot) *the rain*], exponera; blottställa; utsätta för fara [~ *the troops*], sätta i fara **2** exponera, ställa ut [~ *goods in a shop window*]; visa; ~ *oneself* [*indecently*] blotta sig sedlighetssårande **3** yppa, röja [~ *a secret* (*one's intentions*)] **4** avslöja [~ *a swindler* (*fraud, villain*)], uppdaga [~ *a plot*], demaskera, blotta **5** foto. exponera [~ *a film*]

exposition [ˌekspə(ʊ)'zɪʃ(ə)n] **1** framställning i ord [*a clear* ~]; redogörelse [*an* ~ *of* (för) *his views*], utredning, översikt **2** utläggning, förklaring; kommentar; skildring **3** utställning, exposition **4** mus. exposition

exposure [ɪk'spəʊʒə, ek-] **1** utsättande; blottställande **2** utsatthet; [*one must avoid*] ~ *to infection* ...att utsätta sig för smitta, ...att bli (vara) utsatt för smitta; *on* ~ *to the air* då det (den osv.) utsätts för luftens inverkan, vid kontakt med luften **3 a**) exponering; *indecent* ~ jur., sedlighetssårande blottande **b**) foto. exponering; tagning; exponeringstid [*different* ~*s*]; bild, kort [*I've 3* ~*s left on this film*]; ~ *meter* exponeringsmätare **4** utställande [~ *of goods in a shop-window*] **5** avslöjande [*the* ~ *of a fraud* (*their plans*)] **6** läge med avseende på vindar, sol, väderstreck; *with a southern* ~ med söderläge

expound [ɪk'spaʊnd, ek-] **I** *vb tr* **1** förklara, lägga ut [~ *a text*] **2** utveckla, framställa [~ *a theory*] **II** *vb itr* förklara [sig] närmare; ~ *on* utbreda sig över

express [ɪk'spres, eks-] **I** *adj* **1** uttrycklig, tydlig, bestämd, direkt [~ *command*] **2** särskild; *for the* ~ *purpose of...* enkom för [det syftet] att... **3** express-; ~ *company* amer. expressbyrå; transportfirma; ~ *letter* expressbrev **II** *adv* med ilbud (snälltåg), express [*send a th.* ~] **III** *s* **1** expressbefordran; *send a th. by* (*per*) ~ skicka ngt express (som express) **2** expresståg; snälltåg **3** amer. expressbyrå, budcentral; transportfirma **4** ilbud pers. o. budskap **IV** *vb tr* **1** uttrycka [~ *one's surprise*; *he cannot* ~ *himself*], ge uttryck åt, säga [~ *one's meaning*]; framställa; ~ *oneself strongly on* yttra (uttala) sig skarpt om **2** skicka express (som expressbrev o.d.); skicka med expressbud (ilbud) **3** pressa ut [*juice* ~*ed from grapes*]

expression [ɪk'spreʃ(ə)n, ek-] **1** yttrande, uttalande; ~ *of sympathy* sympatiyttring, sympatiuttalande **2** språkligt, algebraiskt o.d. uttryck; uttryckssätt **3** uttryck [*an* ~ *of sadness on her face*], ansiktsuttryck; känsla [*play* (*read, sing*) *with* ~]

expressionism [ɪk'spreʃənɪz(ə)m, ek-] konst. expressionism

expressive [ɪk'spresɪv, ek-] **1** ~ *of* som uttrycker (ger uttryck åt) **2** uttrycksfull [*an* ~ *face* (*gesture*)], talande [*an* ~ *look* (*silence*)]

expressly [ɪk'spreslɪ, ek-] **1** uttryckligen; tydligt, bestämt **2** enkom, särskilt, speciellt

expressway [ɪk'spresweɪ, ek-] amer. motorväg

expropriate [ek'sprəʊprɪeɪt] expropriera [~ *land*]; bildl. lägga beslag på

expulsion [ɪk'spʌlʃ(ə)n, ek-] utdrivande [~ *of air*]; uteslutning [~ *from a political party*]; utvisning; univ. relegering

exquisite [ek'skwɪzɪt, ɪk-, 'ekskwɪzɪt] **1** utsökt, fin [~ *taste* (*workmanship*)] **2** utomordentlig [~ *pleasure*] **3** fin, skarp [~ *sensibility*], känslig

extemporize [ɪk'stempəraɪz, ek-] improvisera

extend [ɪk'stend, ek-] **I** *vb tr* **1** sträcka ut [~ *one's body*; ~ *one's arm horizontally*], sträcka (räcka) fram, räcka ut **2** utsträcka [~ *one's domains*], förlänga [~ *one's visit*], dra ut [~ *a line*; ~ *a railway*]; [ut]vidga [~ *the city boundaries*; ~ *one's knowledge*]; flytta fram; mil. sprida i skyttelinje; hand.

förlänga, prolongera [*~ a loan*] **3** bygga till (ut) [*~ a house*] **4** bildl. ge [*~ financial aid*], visa [*~ mercy*], bjuda [*~ a cordial welcome*] **5** *~ oneself* ta ut sig (alla sina krafter), anstränga sig till det yttersta **II** *vb itr* **1** sträcka sig [*a road that ~s for miles and miles; the hills ~ to the sea*]; breda ut sig [*a vast plain ~ed before us*]; räcka, vara [*the occupation ~ed from 1940 to 1945*] **2** utsträckas; utvidgas, öka[s] [*his influence is ~ing*]

extension [ɪk'stenʃ(ə)n, ek-] **1** utsträckande, utvidgning [*~ of one's knowledge*]; sträckning; förlängning [*an ~ of my holiday*], prolongation [*~ of a bill*], utsträckt tid [*an ~ till 11 o'clock*] **2** utbredning [*the ~ of Islam*]; utsträckning **3 a**) tillbyggnad [*build an ~ to a house*]; utbyggnad [*~ of a railway*], förlängning; skarvstycke; utdragsskiva [*drop-leaf ~*] **b**) attr.: *~* [*flex* (amer. *cord*)] förlängningssladd; *~ ladder* utskjutningsstege; slags brandstege **4** tele. anknytning; *~ number* anknytning[snummer] **5** *University E~* utanför universitetet anordnade universitetskurser [för icke-studenter], kurser på universitetsnivå; folkuniversitet

extensive [ɪk'stensɪv, ek-] vidsträckt [*~ farm, ~ lands, ~ view*], omfångsrik; omfattande [*~ preparations*], rikhaltig, betydande; extensiv [*~ farming* (*reading*)]; utförlig; *make ~ use of a th.* använda ngt i stor utsträckning

extensively [ɪk'stensɪvlɪ, ek-] i stor utsträckning (omfattning, skala); vitt och brett

extent [ɪk'stent, ek-] **1** utsträckning, omfattning [*of considerable ~; the ~ of the danger*]; [*we were able to see*] *the full ~ of the park* ...parken i hela dess utsträckning; *to a great ~* i stor utsträckning (skala), i hög grad, till stor del; *to what ~...?* i vilken utsträckning (skala)...? **2** sträcka

exterior [ek'stɪərɪə, ɪk-] **I** *adj* yttre [*~ diameter*], ytter- [*~ angle; ~ wall; the ~ world*], utvändig [*the ~ surface of a ball*], utvärtes; utomhus- [*~ aerial; ~ paint*]; utanför liggande [*the ~ territories of a country*] **II** *s* **1** yttre [*a good man with a rough ~*]; utsida, exteriör [*the ~ of a building*]; *the house has an old ~* huset ser gammalt ut utanpå (utifrån) **2** utomhusscen i film o. TV

exterminate [ɪk'stɜ:mɪneɪt, ek-] utrota

extermination [ɪkˌstɜ:mɪ'neɪʃ(ə)n, ek-] utrotande, förintande; *war of ~* utrotningskrig

external [ɪk'stɜ:nl, ek-] **I** *adj* yttre [*~ signs; ~ circumstances; ~ factors*]; ytter- [*~ angle; ~ ear*]; extern; utvärtes [*for ~ use only!*], för utvärtes bruk [*an ~ lotion*]; utvändig [*an ~ surface*]; ytlig [*her gaiety was of an ~ kind*]; synbar, gripbar [*the ~ qualities of his style*]; utrikes- [*~ commerce, ~ policy*]; *~ degree* akademisk grad avlagd utanför universitetet vid av detta erkänd institution **II** *s* **1** yttre, utsida **2** pl. *~s* yttre, yttre former (drag, förhållanden)

extinct [ɪk'stɪŋ(k)t, eks-] **1** slocknad [*~ volcano; all hope was ~*], utslocknad **2** utdöd [*~ race, ~ species*], död; utslocknad [*~ family*]

extinction [ɪk'stɪŋ(k)ʃ(ə)n, ek-] **1** [ut]släckande [*the ~ of a fire; the ~ of a p.'s hopes*] **2** utdöende [*the ~ of a species*], [ut]slocknande, upphörande **3** utplånande [*the ~ of all life*], förintelse

extinguish [ɪk'stɪŋgwɪʃ, ek-] **1** släcka [ut] [*~ a fire; ~ a light*]; [för]kväva [*~ the flames*] **2** tillintetgöra, undertrycka; utrota [*~ a species*]

extinguisher [ɪk'stɪŋgwɪʃə, ek-] eldsläckare

extol [ɪk'stəʊl, ek-, -'stɒl] höja till skyarna [äv. *~ to the skies*], lovprisa

extort [ɪk'stɔ:t, ek-] pressa ut [*~ money from* (av) *a p.*], avtvinga [*~ a confession from a p.*], framtvinga

extortion [ɪk'stɔ:ʃ(ə)n, ek-] utpressning; framtvingande

extortionate [ɪk'stɔ:ʃ(ə)nət, ek-] **1** rövar-, ocker- [*~ prices; ~ interest*] **2** utpressar- [*~ methods*]

extra ['ekstrə] **I** *adv* extra **II** *adj* extra [*~ pay, ~ work*], ytterligare; *~ postage* portotillägg, straffporto; *~ time* fotb. förlängning **III** *s* **1** extra ting (sak); *the little ~s* [*that make life pleasant*] det lilla extra..., den lilla lyx... **2** extraavgift [*no ~s*]; extrakostnad **3** extrahjälp, extrabiträde o.d.; film. o.d. statist **4** extrablad

extract [ss. vb ɪk'strækt, ek-, ss. subst. 'ekstrækt] **I** *vb tr* **1** dra (ta) ut [*~ teeth ;* matem. *~ the root of* (ur) *a number*], dra upp (ur) [*~ a cork from* (ur) *a bottle*] **2** extrahera [*~ an essence*], pressa [ut] [*~ the juice of* (ur) *apples; ~ oil from* (ur) *olives*], utvinna; kem. lösa ut; slunga [*~ honey*] **3** tvinga (pressa) fram [*~ information* (*money, the truth*) *from a p.*], avlocka **4** hämta, finna [*~ pleasure* (*happiness*) *from* (ur, i) *a th.*] **5** skriva av **II** *s* **1** extrakt [*meat ~*] **2** utdrag [*~ from* (ur) *a book* (*long poem*)]

extraction [ɪk'strækʃ(ə)n, ek-] **1** utdragning; extraherande **2** börd, härkomst

extracurricular [ˌekstrəkə'rɪkjʊlə] utanför schemat; *~ activities* fritidsaktiviteter

extradite ['ekstrədaɪt] **1** utlämna brottsling till annan stat **2** få utlämnad

extradition [ˌekstrəˈdɪʃ(ə)n] utlämning; ~ *treaty* utlämningstraktat
extramarital [ˌekstrəˈmærɪtl], ~ *relations* utomäktenskapliga förbindelser
extramural [ˌekstrəˈmjʊər(ə)l] extramural, som sker (ligger) utanför stadens (universitetets m.m.) område (murar); ~ *department* univ. avdelning för kursverksamhet utanför universitetet
extraneous [ekˈstreɪnjəs] **1** yttre [~ *circumstances*]; [som kommer] utifrån [~ *light*; ~ *influence*]; [av] främmande [ursprung] **2** ovidkommande
extraordinary [ɪkˈstrɔ:d(ə)nərɪ] **I** *adj* **1** särskild, tillfällig; ~ *meeting* [*of shareholders*] extra [bolags]stämma **2** extraordinär [~ *powers* (befogenheter)], utomordentlig; märkvärdig, förvånande; *how ~!* det var [då] besynnerligt (märkvärdigt)! **II** *s*, pl. *extraordinaries* ting utöver det vanliga; mil. tillfälliga (extra) utgifter
extrapolation [ˌekstrəpə(ʊ)ˈleɪʃ(ə)n] matem. el. statistik. extrapolering
extraterrestrial [ˌekstrətəˈrestrɪəl] **I** *adj* utomjordisk; ~ *being* rymdvarelse, utomjording i science fiction **II** *s* se ~ *being* under *I*
extravagance [ɪkˈstrævəgəns, ek-] **1** extravagans, onödig lyx **2** [våldsam] överdrift; omåttlighet
extravagant [ɪkˈstrævəgənt, ek-] **1** extravagant, slösaktig, överdådig [*an ~ new musical*] **2** [våldsamt] överdriven [~ *opinion*; ~ *praise*]; omåttlig [~ *demand*]
extreme [ɪkˈstri:m, ek-] **I** *adj* **1** ytterst [*the ~ Left*]; längst bort (fram, ut) [*the ~ edge of the field*]; *at the ~ right* längst [ut] till höger **2** ytterst (utomordentligt) stor [~ *peril*], ytterlig, utomordentlig, intensiv [~ *joy*]; avsevärd; extrem; ytterst sträng (drastisk) [~ *measures*] **3** ytterlighets-, extrem [*an ~ case*; *an ~ socialist*] **II** *s* ytterlighet; *carry matters* (*push it*) *to an ~* (*to ~s*) driva saken (det) till sin spets; *go from one ~ to the other* gå från den ena ytterligheten till den andra; *go to ~s* gå till ytterligheter (överdrift), tillgripa en sista utväg
extremely [ɪkˈstri:mlɪ, ek-] ytterst, oerhört [~ *irritating*; ~ *dangerous*], högst [~ *satisfactory*], i högsta grad; extremt
extremism [ɪkˈstri:mɪzm, ek-] extremism
extremist [ɪkˈstri:mɪst, ek-] **I** *s* extremist **II** *adj* extremistisk, extrem [~ *views*]
extremit|y [ɪkˈstremətɪ, ek-] **1** yttersta del (punkt, ände, gräns) **2** anat., pl. *-ies* extremiteter **3** högsta grad, höjdpunkt **4** ytterlighet; pl. *-ies* äv. ytterlighetsåtgärder, förtvivlade åtgärder; *go to -ies* gå till ytterligheter **5** nödläge, tvångsläge
extricate [ˈekstrɪkeɪt] lösgöra, lösa [~ *a p.* (*oneself*) *from* (ur) *a difficult situation*], dra (plocka) fram
extrovert [ˈekstrə(ʊ)vɜ:t] psykol. **I** *s* utåtvänd (extrovert) person **II** *adj* utåtvänd, extrovert
exuberance [ɪgˈzju:b(ə)rəns, eg-, -ˈzu:-] **1** översvallande; strålande (sprudlande) vitalitet **2** överflöd, ymnighet
exuberant [ɪgˈzju:b(ə)rənt, eg-, -ˈzu:-] **1** sprudlande [~ *joy*], översvallande [~ *praise*, ~ *zeal*]; strålande [~ *health*]; levnadsglad **2** överflödande; ymnig
exude [ɪgˈzju:d, egˈz-, ekˈs-] **I** *vb itr* sippra (svettas) ut, avsöndras [*gum ~s in thick drops*]; utgå **II** *vb tr* ge ifrån sig [~ *an odour*], avsöndra, utsöndra; bildl. utstråla [~ *confidence*]
exult [ɪgˈzʌlt, eg-] jubla, fröjdas [*at* el. *in* (över) *a success*; ~ *over a defeated rival*]
exultant [ɪgˈzʌlt(ə)nt, eg-] jublande; skadeglad
exultation [ˌegzʌlˈteɪʃ(ə)n, ˌeks-] jubel, triumf; skadeglädje
eye [aɪ] **I** *s* **1** öga; syn[förmåga]; blick [*he has an artist's ~*]; uppsikt [*be under the ~ of a p.*] **a)** i vissa uttryck: *the naked ~* blotta ögat; *an ~ for colours* färgsinne; *that's all my ~* [*and Betty Martin*]*!* vard. i helsicke heller!, det är bara skitsnack! **b)** ss. obj. till verb: *close* (*shut*) *one's ~s to* blunda för, se genom fingrarna med; *have one's ~s about one* ha ögonen med sig; *have an ~ for* ha blick (sinne, öga) för; *make ~s at* flörta med; *run one's ~*[*s*] *over* titta över, ögna igenom **c)** med prep.: *before* (*under*) *the very ~s of a p.* a) inför ngns ögon b) mitt för näsan (ögonen) på ngn; *an ~ for an ~* öga för öga; *in the ~*[*s*] *of the law* i lagens mening, enligt lagen; *see ~ to ~ with a p.* komma överens med ngn, kunna samsas med ngn, se på saken på samma sätt som ngn **2** [nåls]öga [*the ~ of a needle*]; ögla; bot. öga [*the ~s of a potato*] **II** *vb tr* betrakta, mönstra [*they ~d her with suspicion*], syna
eyeball [ˈaɪbɔ:l] ögonglob
eyebrow [ˈaɪbraʊ] ögonbryn; ~ *pencil* ögonbrynspenna
eye-catching [ˈaɪˌkætʃɪŋ] som fångar ögat (verkar som blickfång), slående
eyeful [ˈaɪfʊl] vard. **1** *they got* (*had*) *a real ~* de fick verkligen se mycket (åtskilligt, en hel del) **2** *she is an ~* hon är något att vila ögonen på (en fröjd för ögat) **3** *get an ~ of dust* få damm (sand) i ögat
eyeglass [ˈaɪglɑ:s] **1** monokel **2** pl. *~es* isht amer. glasögon, pincené[er]
eyelash [ˈaɪlæʃ] ögonfrans

eyelid ['aɪlɪd] ögonlock; *hang on by the ~s* hänga på en tråd, sitta löst
eye-opener ['aɪˌəʊpnə] tank[e]ställare [*it was a real ~*]; verklig överraskning; 'väckarklocka'
eyeshadow ['aɪʃædəʊ] ögonskugga
eyesight ['aɪsaɪt] syn [*have a good ~*], synförmåga; *his ~ is failing* hans syn börjar bli dålig; *spoil one's ~* förstöra ögonen (synen)
eyesore ['aɪsɔː] anskrämlig sak, skamfläck, skönhetsfläck; *it is an ~ in the landscape* det skämmer hela landskapet
eyewash ['aɪwɒʃ] **1** farmakol. ögonvatten **2** vard. humbug; bluff
eyewitness ['aɪˌwɪtnəs, -'--] **I** *s* ögonvittne **II** *vb tr* vara ögonvittne till
eyrie o. **eyry** ['ɪərɪ, 'eər-, 'aɪ(ə)r-] **1** högt beläget [rovfågels]näste; bildl. 'örnnäste' **2** rovfågels kull

F

F, f [ef] (pl. *F's* el. *f's* [efs]) **1** F, f **2** mus., *F major* F-dur; *F minor* F-moll
F 1 förk. för *Fahrenheit, farad, Fellow, France, French* **2** (förk. för *fine*) mediumhård om blyertspenna
FA [ˌef'eɪ] förk. för *Football Association*
fable ['feɪbl] **1** fabel **2** saga; sagovärld [*the heroes of Greek ~*]
fabric ['fæbrɪk] **1** tyg [*silk ~s*], väv, vävnad [äv. *textile ~*]; fabrikat; stoff; *~ gloves* tygvantar **2** [upp]byggnad; stomme, konstruktion [*the ~ of the roof*]; *the social ~* samhällsstrukturen **3** struktur, textur [*cloth of a beautiful ~*]
fabricate ['fæbrɪkeɪt] **I** *vb tr* **1** bildl. sätta (dikta, smida, ljuga) ihop, hitta på [*~ a story*]; förfalska [*~ a document*] **2** a) sätta ihop [*~ a house*] b) tillverka isht delar el. halvfabrikat; perf. p. *~d* i (av) halvfabrikat; i (av) färdiga element; [byggd] av färdiga sektioner [*~d ship*] **II** *vb itr* ljuga ihop något [*I had to ~*]
fabrication [ˌfæbrɪ'keɪʃ(ə)n] **1** a) bildl. hopdiktande; lögn, påhitt [*rumours founded on mere ~*] b) förfalskning **2** hopsättning
fabulous ['fæbjʊləs] **1** fabelns, fabel- [*~ animal*] **2** fabulös; vard. fantastisk
face [feɪs] **I** *s* **1** a) ansikte b) uppsyn [*a sad ~*]; *full ~* en face, rakt framifrån; *have the ~ to* ha fräckheten (mage) att; *lose ~* förlora ansiktet (anseendet); *pull a long ~* bli lång i ansiktet, se snopen ut; *shut (slam) the door in a p.'s ~* slå igen dörren mitt framför näsan på ngn; *to a p.'s ~* mitt (rakt) [upp] i ansiktet på ngn, rent ut [*I'll tell him so to his ~*] **2 a**) yta [*disappear from (off) the ~ of the earth*]; *on the ~ of it (things)* bildl. vid första påseendet, ytligt sett **b**) framsida, på byggnad äv. fasad, på mynt o.d. bildsida; rätsida; utsida; [klipp]vägg **c**) [ur]tavla **d**) tekn. slagyta **II** *vb tr* **1** a) [modigt] möta [*~ dangers (the enemy)*]; se i ögonen (vitögat) [*~ death*] b) vara beredd på, räkna med [*we will have to ~ that*]; ha ögonen öppna för, inte blunda för [*~ reality; ~ the facts*]; *let's ~ it - he is...* man (vi) måste erkänna att han är..., man kan inte komma ifrån att han är... **2** a) stå inför [*~ ruin*] b) möta [*the problem that ~s us*]; *a crisis ~d us* vi stod inför en kris; *be ~d with* stå (vara ställd) inför **3** vända ansiktet mot, stå (vara) vänd mot; stå ansikte mot ansikte med; befinna sig (ligga) mitt emot; ligga (vetta) mot (åt); *the picture ~s page 10* bilden står

mot sidan 10 **4** lägga med framsidan upp spelkort, brev o.d. **5** förse med [upp]slag **6** beklä[da], klä [~ *a building with brick*] **III** *vb itr* **1** vara (stå) vänd; vetta **2** ~ *up to* a) [modigt] möta b) ta itu med [~ *up to the problem*]; böja sig för [~ *up to the fact that...*] **3** mil. göra vändning; *about ~!* helt om! **4** ~ *off* ishockey göra nedsläpp

face cloth ['feɪsklɒθ] tvättlapp

face-lift ['feɪslɪft] ansiktslyftning äv. bildl.

facet ['fæsɪt] **1** fasett **2** bildl. sida [*a ~ of a problem*], aspekt; moment

facetious [fə'si:ʃəs] skämtsam, lustig [*a ~ remark (young man)*]; dumkvick; *he tried to be ~* han försökte göra sig lustig

face towel ['feɪsˌtaʊ(ə)l] toaletthandduk, ansiktshandduk

face value ['feɪsˌvælju:] nominellt värde; *take a th. at its ~* bildl. ta ngt för vad det är (är värt)

facia ['feɪʃə] se *fascia*

facial ['feɪʃ(ə)l] **I** *adj* ansikts- [~ *angle (expression, nerve, treatment)*]; ~ *tissue* ansiktsservett **II** *s* ansiktsbehandling

facile ['fæsaɪl, -sɪl, amer. 'fæsl] **1** lätt[vunnen] [~ *victory*], enkel [~ *method*] **2** flyhänt; flink [~ *fingers*], rapp [~ *tongue*], habil, ledig

facilitate [fə'sɪlɪteɪt] underlätta

facilit|y [fə'sɪlətɪ] **1** lätthet, ledighet; färdighet; flinkhet, rapphet; [*he can do both*] *with equal ~* ...lika lätt (ledigt) **2** pl. *-ies* möjligheter, resurser; inrättningar, faciliteter, hjälpmedel; lättnader [*-ies for (i) payment*]; toalett [*the -ies are on the left*]; *bathing -ies* badmöjligheter, möjligheter (tillgång) till bad; *modern -ies* moderna bekvämligheter (hjälpmedel)

facing ['feɪsɪŋ] **I** *s* **1** byggn. fasadbeklädnad; ~ *bricks* fasadtegel **2** a) kantgarnering; infodring b) pl. *~s* mil. krage och uppslag av annan färg på uniformsjacka [*a brown jacket with green ~s*]; revärer **II** *pres p* [som vetter] mot (åt) [*a window ~ north*]; *the man ~ me* mannen mitt emot mig

facsimile [fæk'sɪməlɪ] **I** *s* **1** faksimil **2** ~ [*transmission*] telefax **II** *vb tr* **1** faksimilera **2** överföra genom telefax

fact [fækt] **1** a) faktum [*it's a ~ that...*], realitet [*poverty and crime are ~s*]; [sak]förhållande b) [sak]uppgift [*he doubted the author's ~s*] c) verklighet, sanning; ~ *and fiction* fantasi (dikt) och verklighet, saga och sanning; *it's a ~ (an actual ~)* det är ett faktum, det är faktiskt sant; *the ~* [*of the matter*] *is that...* saken är den att..., det är (förhåller sig) [nämligen] så att..., faktum är att...; *in spite of the ~ that* trots [det] att, trots det faktum att; *a matter of ~* ett faktum; *as a matter of ~* i själva verket, i verkligheten (realiteten); faktiskt, uppriktigt talat; egentligen **2** jur. a) sakförhållande, omständighet b) *after the ~* efter brottet (brottets begående) [*accessory* (medverkande) *after the ~*], i efterhand

faction ['fækʃ(ə)n] **1** isht polit. fraktion, falang **2** partikäbbel; splittring **3** (sammandraget ord av *fact* o. *fiction*) TV., film. el. litt. dramadokumentär

factor ['fæktə] **1** faktor, omständighet; *the human ~* den mänskliga faktorn **2** matem. faktor

factory ['fækt(ə)rɪ] fabrik, fabriksanläggning, verk; *run a ~* driva en fabrik; ~ *inspector* yrkesinspektör

factual ['fæktʃʊəl, -tjʊəl] **1** saklig, objektiv [*a ~ account (statement)*]; baserad på fakta; ~ *material* faktamaterial **2** verklig; ~ *error* sakfel

facult|y ['fæk(ə)ltɪ] **1** förmåga [*administrative (critical) ~*]; ~ *for* förmåga till, fallenhet (talang) för, sinne för; *he has a great ~ for learning languages* han har mycket lätt för språk, han är mycket språkbegåvad; ~ *of hearing* hörsel[förmåga]; *mental -ies* själsförmögenheter; *be in possession of all one's -ies* vara vid sina sinnens fulla bruk **2** isht amer. skicklighet, duglighet **3** univ. a) fakultet; *the ~ of Law (Medicine)* juridiska (medicinska) fakulteten b) fakultetsmedlemmar, fakultet; ~ *meeting* fakultetssammanträde **4** vard., *the F~* läkarkåren; advokatkåren; teologerna **5** amer. lärarkollegium, lärarstab, lärarkår

fad [fæd] **1** [mode]fluga **2** nyck

fade [feɪd] **I** *vb itr* **1** vissna **2** blekna, bildl. äv. förblekna; blekas, bli urblekt; mattas; avta [*the light was fading*]; bli suddig (otydlig) [*the outlines ~d*]; ~ [*away (out)*] så småningom försvinna, dö bort; tona bort, förtona; tyna av (bort), vissna bort; ~ *away (out)* vard. dunsta, smita **3** film. m.m., ~ *in* bli tydligare (klarare, starkare); ~ *out* tona bort **4** bil. tappa bromsförmågan **II** *vb tr* **1** bleka **2** film. m.m., ~ *in* tona in (upp)

faeces ['fi:si:z] **1** exkrementer; med. feces **2** bottensats

Faeroe ['feərəʊ] geogr.; *the ~s* pl. Färöarna

1 fag [fæg] **I** *vb itr* slita **II** *vb tr* trötta ut [äv. ~ *out*]; *~ged out* utsjasad, utmattad, utpumpad **III** *s* **1** slit[göra]; *it's too much* [*of a*] ~ det är för jobbigt (slitigt) **2** eng. skol. passopp [åt äldre elev] **3** vard. cigg cigarett

2 fag [fæg] isht amer. sl. bög homofil

fag-end ['fægend] **1** tamp, ända; sluttamp **2** [värdelös] rest, stump **3** vard. fimp

1 faggot ['fægət] **1** risknippe; bunt [av] stickor **2** knippa **3** sl. kärring

2 faggot ['fægət] isht amer. sl. bög homofil
Fahrenheit ['fær(ə)nhaɪt, 'fɑ:r-] Fahrenheit med fryspunkten vid 32°och kokpunkten vid 212°
fail [feɪl] **I** *vb itr* **1** a) misslyckas b) stranda [*the conference ~ed*] c) om skörd o.d. slå fel d) kuggas [*~ in mathematics*] e) falla igenom [*~ in an election*] **2** strejka [*the engine ~ed; his heart ~ed*] **3** hand. göra bankrutt, gå omkull **4** tryta [*our supplies ~ed*]; inte räcka till [*if his strength ~s*] **5** avta, försämras [*his health (eyesight) is ~ing*]; om ljus o. ljud försvinna; *he has been ~ing in health lately* han har varit sjuklig sista tiden **6** *~ in* a) sakna, brista i [*~ in respect*] b) svika, inte fullgöra [*~ in one's duty*] **II** *vb tr* **1** svika, lämna i sticket [*I will not ~ you*]; *his courage ~ed him* modet svek honom; *words ~ me* jag saknar ord **2** *~ to* a) försumma (underlåta) att [*he ~ed to inform us*] b) undgå att [*he could not ~ to notice it*] c) misslyckas med (i) att, inte lyckas att **3** vard. a) kugga [*the teacher ~ed me*] b) bli kuggad (underkänd) i [*~ an exam*]
failing ['feɪlɪŋ] **I** *s* fel, svaghet [*we all have our little ~s*]; pl. *~s* äv. fel och brister, skavanker **II** *adj* strejkande; trytande; sviktande; avtagande [*~ eyesight*], vacklande [*~ health*] **III** *prep* i brist på; om det inte finns (blir); *~ an answer* då (om) inget svar inkommit; *~ good weather* om det inte blir bra väder
fail-safe ['feɪlseɪf] **I** *adj* idiotsäker **II** *s* automatisk säkerhetsanordning
failure ['feɪljə] **1** a) misslyckande; strandning [*the ~ of the peace conference*] b) misslyckad person; misslyckat försök (företag), misslyckande; *be (prove) a ~* vara misslyckad [*he is (has proved) a ~ as a teacher*], bli (göra) fiasko, slå fel; *his ~ to answer the questions* [*made him suspicious*] att han inte kunde (lyckades) svara på frågorna...; *court ~* utmana olyckan (ödet); *end in ~* misslyckas **2** underlåtenhet [*~ to obey orders*], försummelse; brist; *his ~ to appear* hans uteblivande **3** strejkande; sinande [*the ~ of supplies*], brist [*~ of* (på) *rain*]; avtagande, försämring [*~ of eyesight*]; fel; *crop ~* felslagen skörd **4** bankrutt; krasch [*bank ~s*]
faint [feɪnt] **I** *adj* **1** svag, matt [*a ~ attempt (voice)*] **2** svag [*a ~ hope, ~ breathing, a ~ taste*]; otydlig [*~ traces*], dunkel [*a ~ recollection*]; *~ colours* svaga (bleka) färger; *I haven't the ~est idea* (vard. *I haven't the ~est*) jag har inte den ringaste (blekaste) aning [om det] **3** svimfärdig [*I feel ~ with* (av) *hunger*] **4** kväljande; kvalmig [*a ~ atmosphere*] **II** *s* svimning; *in a dead ~* avsvimmad **III** *vb itr* a) svimma [*from* (av) *hunger*] b) bli svimfärdig (matt) [*be ~ing with* (av) *hunger*]; *~ away* svimma av
faint-hearted [ˌfeɪnt'hɑ:tɪd, attr. '-ˌ--] klenmodig, försagd, rädd
1 fair [feə] **1** marknad; *a (the) day after the ~* för sent, post festum **2** hand. mässa **3** nöjesfält **4** [välgörenhets]basar **5** marknads- [*~ booth* (stånd)]; mäss- [*~ stall* (stånd)]
2 fair [feə] **I** *adj* **1** a) rättvis, just b) sport. just, regelmässig c) skälig, rimlig [*a ~ reward*]; *~'s ~* rätt ska vara rätt; *all's ~ in love and war* i krig och kärlek är allt tillåtet; *it is only ~* det är inte mer än rätt; *~ enough* kör till, för all del; *by ~ means or foul* med ärliga eller oärliga medel, med rätt eller orätt; *~ play* fair play, rent (ärligt) spel; *give a p. a ~ trial* a) ge ngn en chans b) låta ngn få en rättvis rättegång **2 a**) ganska (rätt) stor (bra); ansenlig; *have one's ~ share of a th.* få sin beskärda del av ngt **b**) hygglig [*~ prices (terms)*]; *~* ss. betyg godkänd **3** meteor. klar [*a ~ day (sky)*]; *~* [*weather*] uppehållsväder, ganska vackert väder **4** lovande [*~ prospects*], gynnsam; *have a ~ chance* [*of success*] ha goda utsikter (stora chanser) [att lyckas] **5** ljus[lagd], blond [*a ~ girl; ~ hair*] **6** vacker, som låter bra [*~ words (promises)*]; *~ speeches* fagert tal **7** ren[skriven]; tydlig; *~ copy* renskrift, renskrivet exemplar **8** oförvitlig **9** poet., litt. fager [*a ~ maiden*]; *the ~ sex* det täcka könet **II** *adv* **1** rättvist, just **2** *write (copy) a th. out ~* skriva rent ngt **3** *bid ~ to* ha goda utsikter att **4** *~* [*and square*] vard. a) rätt, rakt [*the ball hit him ~* [*and square*] *on the chin*] b) öppet [och ärligt]
fairground ['feəgraʊnd] nöjesplats, marknadsplats; mässområde
fairly ['feəlɪ] **1** a) rättvist [*treat a p. ~*] b) ärligt, hederligt; på ärligt sätt, med ärliga medel [*win a th. ~*]; *answer ~ and squarely* svara öppet och ärligt **2** tämligen, relativt [*~ good*], någorlunda **3** alldeles [*he was ~ beside himself*] **4** lämpligen **5** klart
fair-minded [ˌfeə'maɪndɪd, attr. '-ˌ--] rättvis; rättsinnig, rättänkande, ärlig
fairness ['feənəs] **1** a) rättvisa b) ärlighet c) rimlighet; *in* [*all*] *~* i rättvisans (ärlighetens) namn, för att vara rättvis (ärlig), rimligen **2** ljuslagdhet; blondhet; *the ~ of her skin* hennes ljusa hy **3** fagert utseende, skönhet
fair-sized ['feəsaɪzd, pred. ˌ-'-] ganska stor
fairway ['feəweɪ] **1** sjö. farled **2** golf. fairway klippt del av spelfält
fairy ['feərɪ] **I** *s* **1** fe; älva; vätte **2** sl. (neds.)

fikus homofil **II** *adj* felik; fe- [~ *queen*]; sago- [~ *prince*]; trolsk

fairy godmother [ˌfeərɪ'gɒdˌmʌðə] god fé äv. bildl.

fairyland ['feərɪlænd] **1** älvornas rike **2** sagoland; sagolik

fairy story ['feərɪˌstɔːrɪ] o. **fairy tale** ['feərɪteɪl] **1** [fe]saga **2** saga, amsaga

faith [feɪθ] **1** a) tro äv. relig. b) förtroende, tillit c) förtröstan; *have ~ in* tro (lita) på, ha förtroende för; *pin one's ~ [up]on (to)* sätta sin lit till, lita (tro) blint på **2** tro, troslära [*the Christian ~*] **3** hedersord; *break ~ [with]* bryta sitt löfte [till], vara trolös (illojal) [mot]; *keep ~ [with]* hålla sitt löfte (ord) [till], vara trogen (lojal) [mot] **4** trohet; *in good ~* i god tro; på heder och ära

faithful ['feɪθf(ʊ)l] **1** trogen [*long and ~ service*; *~ to one's wife (husband)*], trofast; plikttrogen **2** trovärdig; verklighetstrogen; *it is a ~ likeness* det är porträttlikt **3** exakt, noggrann [*a ~ account (copy)*] **4** *the ~* relig. de rättrogna äv. friare

faithfully ['feɪθfʊlɪ, -f(ə)lɪ] **1** troget etc., jfr *faithful 1* o. *2*; uppriktigt; *deal ~ with a p. (a th.)* vara fullt uppriktig mot ngn (i fråga om ngt); *promise ~* vard. lova säkert; *Yours ~* i brevslut Högaktningsfullt, Med utmärkt högaktning **2** exakt [*represent ~*]

faithless ['feɪθləs] **1** trolös; pliktförgäten; opålitlig **2** vantrogen, utan tro

fake [feɪk] **I** *vb tr* **1** a) bättra på [*~ a report*], fiffla (fuska) med, fejka [äv. *~ up*] b) förfalska [*~ an oil painting*]; *~d cards* märkta kort för falskspel **2** hitta på, dikta ihop (upp) [*~ the news (a story)*; äv. *~ up*] **3** simulera [*~ illness*] **II** *vb itr* **1** fiffla; göra en förfalskning (förfalskningar) **2** hitta på, dikta **3** simulera **III** *s* **1** a) förfalskning [*the picture was a ~*] b) påhittad (uppdiktad) historia, hopkok c) bluff d) attrapp; *be a ~* äv. vara påhittad (uppdiktad, gjord) **2** bluff[makare] **3** förfalskad [*a ~ picture*]; påhittad; falsk, sken- [*a ~ marriage*]

falcon ['fɔːlkən, 'fɒlk-, 'fɔːk-] [jakt]falk

fall [fɔːl] **I** (*fell fallen*) *vb itr* **1** falla; falla omkull [*he fell and broke his leg*]; gå ned, sjunka [*the price has ~en*]; stupa [*he fell in the war*]; störtas [*the government fell*]; infalla [*Easter Day ~s on the first Sunday in April this year*]; *his face fell* han blev lång i ansiktet **2** slutta [nedåt] **3** avta [*the wind fell*] **4 a**) bli [*~ lame*]; *~ ill* bli sjuk, insjukna **b**) *~ asleep* somna [in], falla i sömn

5 med prep. o. adv.:

~ **across** stöta (råka) på, träffa på

~ **among** råka in i (in bland)

~ **apart** a) falla sönder (isär) b) rasa samman (ihop)

~ **astern** sjö. sacka akterut

~ **away a**) falla ifrån **b**) falla bort; vika undan **c**) falla (tackla) av

~ **back a**) dra sig (vika) tillbaka **b**) *~ back [up]on* bildl. falla tillbaka på, ta till

~ **behind** bli efter; *have ~en behind with* vara efter med, vara på efterkälken med

~ **below** understiga, inte gå upp till beräkning o.d.

~ **down** falla (ramla) ned; falla [omkull]; falla ihop; *~ down on* vard. misslyckas med, stupa på

~ **for a**) falla för [*~ for a p.'s charm*] **b**) gå på

~ **from a**) falla [ned] från [*he fell from a tree*] **b**) störtas från [*~ from power*]; *~ from favour (grace)* falla (råka) i onåd

~ **in a**) falla (ramla, störta) in **b**) mil. falla in i ledet; *~ in!* uppställning! **c**) *~ in with* råka träffa, bli bekant med; gå (vara) med på, gilla; foga sig efter [*~ in with a p.'s wishes*]

~ **into a**) falla [ned] i; bildl. försjunka i [*~ into a reverie* (drömmar)], falla i [*~ into a deep sleep*]; råka i [*~ into disgrace*] **b**) förfalla till [*~ into bad habits*] **c**) kunna indelas i [*it ~s into three parts*]

~ **off a**) falla (ramla) av **b**) avta [*sales have ~en off*], försämras [*the novel ~s off towards the end*] **c**) falla ifrån; svika

~ **on** (**upon**) **a**) falla på [*this duty ~s [up]on me*] **b**) anfalla, överfalla; kasta sig över [*they fell [up]on the food*] **c**) komma (råka) på [*~ upon a theme*]

~ **out a**) falla (ramla) ut, om hår falla av **b**) utfalla; falla sig [så] **c**) mil. gå ur (lämna) ledet **d**) bli osams

~ **over** falla (ramla) omkull, falla över ända; *~ over oneself* bildl. anstränga sig till det yttersta

~ **through** gå om intet

~ **to a**) falla på [*the cost ~s to me*], åligga, tillkomma [*this duty ~s to me*] **b**) tillfalla **c**) sätta i gång; börja [på]; *~ to blows* råka i slagsmål

~ **under a**) falla (komma, höra) under; höra (räknas) till, sortera under **b**) råka ut för, bli föremål för; *~ under suspicion* bli misstänkt

II *s* **1** fall; sjunkande; nedgång; *~ in prices* prisfall **2** amer. höst **3** isht pl. *~s* [vatten]fall [*the Niagara Falls*] **4** brottn. fall; *try a ~ with a p.* försöka få fall på ngn; bildl. ta ett [nappa]tag med ngn

fallacy ['fæləsɪ] **1** vanföreställning; villfarelse **2** falsk slutledning **3** bedräglighet; *the ~ of* det bedrägliga (falska, vilseledande) i

fallen ['fɔːl(ə)n] (av *fall*) fallen äv. bildl. [*a ~*

woman]; nedfallen, kullfallen [~ *trees*]; störtad [~ *kings*]; *the* ~ pl. de fallna, de stupade; *have* ~ *arches* vara plattfot[ad]

fallible ['fæləbl] **1** felbar, ofullkomlig [*human and* ~] **2** felaktig, bedräglig

falling-off [ˌfɔːlɪŋ'ɒf] avtagande; försämring, tillbakagång

Fallopian [fə'ləʊpɪən] anat., ~ *tube* äggledare

fallout ['fɔːlaʊt] **1** [*radio-active*] ~ [radioaktivt] nedfall **2** bildl. biverkningar

1 fallow ['fæləʊ] **I** *s* träda **II** *adj* [som ligger] i träda [~ *land*]; obrukad; *lie* ~ ligga i träda äv. bildl. **III** *vb tr* plöja och harva; lägga i träda

2 fallow ['fæləʊ] [blekt] brunaktig

false [fɔːls, fɒls] **1** falsk [*a* ~ *alarm*; *a* ~ *analogy*; ~ *hopes*; *a* ~ *note* (ton)]; osann; felaktig [*a* ~ *conclusion* (*idea, statement, quantity*)]; ogrundad; ~ *scent* villospår **2** falsk [*a* ~ *friend*], bedräglig [*a* ~ *medium* (*mirror*)]; *under* ~ *colours* under falsk flagg **3** falsk, förfalskad [*a* ~ *coin*]; oäkta [~ *diamonds*]; lös- [~ *hair* (*teeth*)]; sken- [*a* ~ *attack*]; låtsad, hycklad; ~ *bottom* dubbelbotten, lösbotten

falsehood ['fɔːlshʊd, 'fɒls-] **1** lögn [*tell a gross* ~] **2** ljugande, lögnaktighet

falsely ['fɔːlslɪ, 'fɒls-] falskt etc., jfr *false*; falskeligen, med orätt [~ *accused*]

falsetto [fɔː'setəʊ, fɒl-] **I** (pl. ~*s*) *s* falsett **II** *adj* falsett- [~ *note*] **III** *adv* i falsett [*sing* ~]

falsify ['fɔːlsɪfaɪ, 'fɒls-] förfalska; förvränga

falsity ['fɔːlsətɪ, 'fɒls-] **1** oriktighet; *the* ~ *of a th.* det falska (oriktiga) i ngt **2** falskhet, lögnaktighet

falter ['fɔːltə, 'fɒl-] **1** stappla [*with* ~*ing steps*], gå ostadigt **2** sväva på målet; staka sig; *her voice* ~*ed* hennes röst stockade sig

fame [feɪm] ryktbarhet, berömmelse [*acquire* ~]; rykte

famed [feɪmd] **1** ryktbar [~ *for their courage*] **2** *he is* ~ *to be...* han påstås vara...

familiar [fə'mɪljə] **I** *adj* **1** förtrolig [*on a* ~ *footing*], förtrogen [~ *friends*]; bekant; *be* ~ *with* äv. känna till, vara insatt i, vara bevandrad i **2** [väl]bekant [*the* ~ *voices of one's friends*], vanlig [*a* ~ *sight*]; inte främmande; *that seems* ~ [*to me*] det förefaller [mig] bekant **3** ledig, otvungen [~ *style*]; *in* ~ *conversation* i dagligt tal **4** familjär, påflugen; *get* (*become*) *too* ~ *with a p.* ta sig friheter mot ngn **II** *s* **1** förtrogen (nära) vän **2** tjänande ande

familiarity [fəˌmɪlɪ'ærətɪ] **1** nära (förtrogen) bekantskap, förtrogenhet **2** förtrolighet; *on terms of* ~ på förtrolig fot; ~ *breeds contempt* ung. man förlorar respekten för den man känner för väl **3** närgångenhet

familiarize [fə'mɪljəraɪz] **1** göra bekant (förtrogen); ~ *oneself with a th.* äv. sätta sig in i ngt, orientera sig i ngt **2** ge allmän spridning åt [*the newspapers have* ~*d the word*]

famil|y ['fæm(ə)lɪ] **1** a) familj äv. zool., bot. el. kem.; hushåll, hus b) familjs barn, barnskara; *a wife and* ~ hustru och barn; *the cat* ~ familjen kattdjur; *be* (*put*) *in the* ~ *way* vard. vara (göra) med barn; ~ *butcher* ung. kvartersslaktare; ~ *circle* familjekrets; ~ *counsellor* äktenskapsrådgivare; ~ *doctor* husläkare; ~ *guidance* familjerådgivning; ~ *hotel* hotell lämpligt för (som tar emot) barnfamiljer; ~ *hour* TV. (i USA) sändningstid med program som är lämpliga för hela familjen; ~ *man* a) familjefar b) hemmatyp, hemkär man; ~ *name* efternamn, tillnamn, familjenamn; ~ *planning* familjeplanering, barnbegränsning **2 a**) släkt, ätt; släktlinje; *it runs in the* ~ det ligger i släkten, det är ett arv i släkten; ~ *estate* familjegods, släktgods, fädernegods, stamgods; ~ *likeness* släkttycke; ~ *tree* stamträd **b**) börd, extraktion; *a man of* [*good*] ~ en man av god (fin) familj

famine ['fæmɪn] **1** hungersnöd **2** [stor] brist **3** svält, hunger

famished ['fæmɪʃt] utsvulten; *I'm* [*simply*] ~ vard. jag håller på att dö av hunger

famous ['feɪməs] **1** berömd, [mycket] omtalad **2** vard. utmärkt, jättefin; strålande

famously ['feɪməslɪ] vard. utmärkt [*we get on* ~]

1 fan [fæn] **I** *s* **1** solfjäder **2** tekn. fläkt [*electric* ~] **II** *vb tr* fläkta på [~ *the fire to make it burn*]; bildl. få att flamma upp, underblåsa [~ *the flames* (glöden); ~ *the passions*]; ~ *oneself* fläkta sig [med en solfjäder]

2 fan [fæn] vard. fan, supporter [*baseball* ~], entusiast [*Bach* ~]; ~ *club* fanklubb; ~ *mail* beundrarpost, beundrarbrev

fanatic [fə'nætɪk] **I** *adj* fanatisk **II** *s* fanatiker

fanatical [fə'nætɪk(ə)l] fanatisk

fanaticism [fə'nætɪsɪz(ə)m] fanatism

fan belt ['fænbelt] fläktrem

fanciful ['fænsɪf(ʊ)l] **1** fantasifull; svärmisk **2** fantastisk [*a* ~ *scheme*], underlig [~ *drawings*]; nyckfull **3** inbillad, fantasi-

fanc|y ['fænsɪ] **I** *s* **1** fantasi, inbillningsförmåga; uppfinningsrikedom **2** fantasi[bild], föreställning; inbillning [*did I hear someone or was it only a* ~*?*] **3** infall, [förflugen] idé; nyck [*a passing* (övergående) ~] **4** lust; tycke, förkärlek; böjelse, smak; svärmeri [*passing* (flyktiga) *-ies*]; *it caught* (*struck, took*) *my* ~ det föll mig i smaken **II** *attr adj* **1** konstnärligt framställd (prydd), prydligt utsirad, ornerad; om tyger mönstrad, fasonerad; ~ *dress* maskeraddräkt, fantasikostym; ~ *goods* a) ung. prydnadssaker, galanterivaror, fantasiartiklar, lyxartiklar; finare modeartiklar b) fasonerade tyger (mönster); ~ *waistcoat* fantasiväst, fin uddaväst; ~ *work* finare handarbeten, broderi **2** fantastisk, nyckfull, godtycklig; ~ *price* fantasipris **3** av högsta kvalitet, speciellt utvald [~ *crabs*] **4** fantasi-, gjord efter fantasin [*a* ~ *picture* (*piece, portrait, sketch*)] **5** favorit- **6** ~ *man* sl. a) älskare b) hallick; ~ *woman* sl. a) älskarinna b) glädjeflicka **III** *vb tr* **1** föreställa sig, tänka sig, göra sig en bild av [*can you* ~ *me as an actor?*]; tycka sig finna; *just* ~*!* el. ~ *that!* kan man tänka sig!, tänk bara!, tänk dig!; ~ *his believing it!* tänk att han trodde det! **2** inbilla sig, tycka [*I -ied I heard footsteps*]; vara benägen att tro [*I rather* ~ [*that*] *he won't come*]; förmoda **3** vard., ~ *oneself* ha höga tankar om sig själv, tro att man är något [*he -ies himself as an actor*] **4** tycka om, vara förtjust i, gilla [*I don't* ~ *this place*]; ha lust att, vara pigg på [*I don't* ~ *doing* (att göra) *it*]; fatta tycke för; önska sig, vilja ha [*what do you* ~ *for* (till) *your dinner?*]

fancy-dress [ˌfænsɪ'dres, attr. '---], ~ *ball* maskerad[bal], kostymbal

fanfare ['fænfeə] **1** fanfar **2** ståt; stora gester

fang [fæŋ] **1** bete **2** orms gifttand **3** pl. ~*s* vard. gaddar tänder

fanlight ['fænlaɪt] solfjädersformat fönster över dörr

fantasize ['fæntəsaɪz] **I** *vb itr* fantisera; ~ *about* äv. föreställa sig, tänka sig in i **II** *vb tr* föreställa sig, utmåla för sig

fantastic [fæn'tæstɪk] fantastisk, underlig [~ *dreams*], befängd [~ *ideas*], orimlig [*a* ~ *scheme*], otrolig [~ *proportions*], vidunderlig; nyckfull [*a* ~ *creature*]; *trip* (*do*) *the light* ~ [*toe*] svänga sig i dansen

fantasy ['fæntəsɪ, -əzɪ] **1** fantasi; fantasibild; illusion **2** fantastiskt påhitt (infall) **3** mus. fantasi

far [fɑ:] (*farther farthest* el. *further furthest*) **I** *adj* **1** fjärran; *the F~ East* Fjärran Östern **2** bortre [*the* ~ *end* (del) *of the room*]; *at the* ~ *end of* vid bortersta ändan av **II** *adv* **1** långt [*how* ~ *is it from here to...?*]; långt bort[a]; ~ *and wide* vida omkring, vitt och brett; ~ *be it from me to...* det vore mig fjärran att..., jag vill ingalunda...; *as* (*so*) ~ *as* a) prep. [ända (så långt som)] till [*as* ~ *as the station*] b) konj. så vitt [*as* (*so*) ~ *as I know*]; *so* ~ *so good* så långt är (var) allt gott och väl; *in so* ~ *as* i den mån [som] **2** vida, mycket [~ *better* (*more*)]; ~ *too much* alldeles för mycket; ~ *and away the best* den ojämförligt bästa

far-away ['fɑ:rəweɪ] **1** avlägsen [~ *countries* (*times*)] **2** bildl. frånvarande [*a* ~ *look* (*expression*)]

farce [fɑ:s] fars, bildl. äv. gyckelspel

farcical ['fɑ:sɪk(ə)l] farsartad; komisk

fare [feə] **I** *s* **1** [passagerar]avgift, biljett[pris] [*pay one's* ~], taxa [*the* ~ *from London to Oxford*]; [biljett]pengar; *half* ~ halv biljett; ~ *meter* taxameter **2** en el. flera passagerare [*he drove his* ~ *home*]; körning [*the taxi-driver got a* ~] **3** kost; kosthåll, mat [*the* ~ *at a hotel*]; *good* (*simple*) ~ god (enkel) kost **II** *vb itr* ha det [~ *well*]; gå [~ *badly*]; *how did you* ~*?* hur hade du det?, hur blev du behandlad?; hur gick det för dig?

farewell [ˌfeə'wel, ss. attr. subst. '--] **I** *interj*, ~*!* farväl! [~ *all hope!*], adjö! **II** *s* **1** farväl; *bid* ~ säga (ta) farväl (adjö), ta avsked **2** pl. ~*s* avskedsföreställningar, avskedskonserter [*give* ~*s*] **3** avskeds- [*a* ~ *gift* (*performance*)]

far-fetched [ˌfɑ:'fetʃt, attr. '--] [lång]sökt

farm [fɑ:m] **I** *s* **1** lantbruk, bondgård; större farm isht i USA; ~ *worker* lantarbetare **2** farm för djuruppfödning; [fiske]odling **II** *vb tr* **1** bruka [~ *land* (jorden)]; odla [*he* ~*s 200 acres*]; ~ *one's own land* bruka sin jord själv; sitta på egen gård **2** arrendera syssla, inkasseringsuppdrag o.d. **3** arrendera ut [äv. ~ *out*]; hyra ut arbetskraft

farmer ['fɑ:mə] a) lantbrukare; isht i USA farmare b) djuruppfödare farmare [*fox-farmer*], uppfödare [*pig-farmer*], odlare [*fish-farmer*] c) arrendator

farmhand ['fɑ:mhænd] lantarbetare

farmhouse ['fɑ:mhaʊs] man[gårds]byggnad på gård; bondgård

farming ['fɑ:mɪŋ] **1** jordbruk **2** uppfödning [*pig-farming*], odling [*fish-farming*]

farmstead ['fɑ:msted] bondgård

farmyard ['fɑ:mjɑ:d] [kringbyggd] gård vid bondgård; ~ *animals* djur på bondgård

far-off [ˌfɑ:r'ɒf, attr. '--] **1** avlägsen [~ *places*] **2** bildl. frånvarande [*a* ~ *look*], förströdd [~ *thoughts*]; reserverad

far-reaching [ˌfɑ:'ri:tʃɪŋ, attr. '-ˌ--] långtgående [~ *consequences*], omfattande [~ *reforms*]

far-sighted [ˌfɑ:'saɪtɪd, attr. '-ˌ--] **1** framsynt, förutseende **2** långsynt

fart [fɑ:t] vulg. **I** *s* **1** prutt **2** *old* ~ gammal gubbstrutt (stöt) **II** *vb itr* prutta, fjärta

farther ['fɑ:ðə] (komp. av *far*, för ex. se äv. *further*) **I** *adj* **1** bortre [*the* ~ *bank of the river*] **2** sälls. ytterligare **II** *adv* längre [*we can't go any* ~ *without a rest*], längre bort; mera avlägset; ~ *on* längre bort (fram)

farthest ['fɑ:ðɪst] (superl. av *far*) **I** *adj* borterst **II** *adv* längst; längst bort
fascia ['feɪʃɪə] **1** band **2** motor., ~ [*panel* (*board*)] instrumentbräda
fascinate ['fæsɪneɪt] **I** *vb tr* **1** fascinera **2** hypnotisera **II** *vb itr* fascinera
fascination [ˌfæsɪ'neɪʃ(ə)n] tjusning; lockelse; *in* (*with*) ~ hänfört, fascinerat
Fascism ['fæʃɪz(ə)m, -æsɪ-] fascism[en]
Fascist ['fæʃɪst, -æsɪ-] **I** *s* fascist **II** *adj* fascistisk
fashion ['fæʃ(ə)n] **I** *s* **1** sätt, vis [*in* (på) *this* ~]; *after the* ~ *of a p.* i ngns stil, på samma sätt som (à la) ngn; *in a strange* ~ på ett egendomligt sätt, egendomligt **2 a**) [kläd]mode; *it is all* (*quite*) *the* ~ det är toppmodernt (sista skriket) **b**) mode- [~ *drawing*]; ~ *designer* modetecknare; ~ *house* modehus; ~ *parade* (*show*) modevisning, mannekänguppvisning **II** *vb tr* **1** a) forma, fasonera; formge, rita [~ *a dress*] b) göra, gestalta; *fully ~ed* formstickad, fasonstickad **2** avpassa
fashionable ['fæʃ(ə)nəbl] **1** modern [~ *clothes*], mode- [*a* ~ *word*]; nymodig **2** fashionabel, mondän; [som är] på modet [*a* ~ *designer*]; fin; elegant
1 fast [fɑ:st] **I** *s* **1** fasta [*break one's* ~] **2** fastetid **II** *vb itr* fasta
2 fast [fɑ:st] **I** *adj* **1** fast[sittande]; [stadigt] fästad; hårt knuten; stark; [tvätt]äkta [~ *colours*], färgäkta; djup [~ *sleep*]; bildl. trofast [*a* ~ *friend*]; *make* ~ göra (binda, surra) fast; regla, säkra **2** snabb [*a* ~ *horse* (*runner, game, film*)], hastig [*a* ~ *trip*]; snabbgående; ~ *food* snabbmat; ~ *lane* trafik. omkörningsfil; *my watch is* ~ min klocka går före (för fort) **3** sport. snabb [*a* ~ *cricket pitch* (*tennis court*)] **4** vidlyftig, nöjeslysten; *lead a* ~ *life* leva om (rullan), föra ett utsvävande liv **II** *adv* **1** fast [*stand* ~]; stadigt, starkt; *play* ~ *and loose with a th.* handskas lättsinnigt (godtyckligt, vårdslöst) med ngt; *shut* ~ ordentligt stängd; *be* ~ *asleep* sova djupt (tungt) **2** fort [*run* (*speak*) ~]; snabbt, raskt, i snabb följd
fasten ['fɑ:sn] **I** *vb tr* **1** fästa; göra fast; regla [~ *a door*], knyta [till]; knäppa; spänna fast [~ *your seat belts!*], sätta på; sjö. surra; ~ *a th. on to* sätta fast (fästa) ngt på (vid); ~ *together* sätta (fästa) ihop; ~ *up* fästa (knyta, binda) ihop (igen, till); slå in [~ *up a parcel*]; sluta igen (till), spika igen [~ *up a box*]; stänga in **2** bildl. fästa; ~ *one's eyes* (*a steady eye*) [*up*]*on* hålla ögonen stadigt fästade på; fastna med ögonen på **II** *vb itr* **1** fastna; gå igen [*the door will not* ~], gå att stänga; fästas [*it ~s round the neck with...*]; *the dress ~s down the back* klänningen knäpps i ryggen (har knäppning[en] bak) **2** ~ [*up*]*on* bemäktiga sig; störta sig på (över); ta fasta på [*he ~ed* [*up*]*on the idea*], hänga upp sig på, fästa sig vid [~ *on a small error*]
fastener ['fɑ:snə] fäste; knäppe; hållare; hake [*door* (*window*) ~]; spänne, lås; *paper* ~ [prov]påsklämma
fast-food ['fɑ:stfu:d] snabbmats- [~ *restaurant*]
fastidious [fə'stɪdɪəs, fæs-] kräsen, granntyckt
fat [fæt] **I** *adj* **1** tjock [*a* ~ *child* (*book*)], fet, korpulent; späckad [*a* ~ *wallet*]; [väl]gödd; slakt-; *grow* ~ bli fet (tjock), fetma, lägga på hullet **2** fet [~ *food*] **3** bördig, fruktbar **4** givande [*a* ~ *job*], fet; ~ *cat* isht amer. sl. rik kändis; *a* ~ *chance* vard. (iron.) inte stor chans **5** plussig [*a* ~ *face*] **II** *s* **1** fett; fettämne; *cooking* ~ matfett; *deep* ~ flottyr **2** *the* ~ det fetaste av ngt; det bästa **III** *vb tr* göda [*kill the ~ted calf*]
fatal ['feɪtl] **1** dödlig, dödande [*a* ~ *blow* (*dose, wound*)]; med dödlig utgång; livsfarlig, livshotande; *be* (*prove*) ~ äv. få dödlig utgång **2** olycksbringande, ödesdiger [~ *consequences*]; fördärvlig; olycklig, fatal [*a* ~ *mistake*]; *be* (*prove*) ~ *to* äv. omintetgöra, kullkasta [*his illness was* ~ *to our plans*]
fatalism ['feɪtəlɪz(ə)m] fatalism
fatalit|y [fə'tælətɪ] **1** a) svår (förödande) olycka [*floods, earthquakes and other -ies*] b) dödsolycka, olyckshändelse med dödlig utgång c) [döds]offer; *many drowning -ies* många drunkningsolyckor **2** dödlighet [*the* ~ *of* (i) *certain diseases*]
fatally ['feɪtəlɪ] dödligt [~ *wounded*], livsfarligt [~ *injured*]; [högst] olyckligt; *end* ~ få dödlig utgång, sluta med döden
fate [feɪt] **1** ödet [*F~ had decided otherwise*]; *as sure as* ~ vard. så säkert som amen i kyrkan **2** öde; bestämmelse, lott, fördärv, död, undergång
fateful ['feɪtf(ʊ)l] **1** ödesdiger, avgörande [*a* ~ *decision*] **2** ödesbestämd
father ['fɑ:ðə] **I** *s* **1** fader äv. ss. personifikation [*F~ Thames*]; far; *F~'s Day* farsdag den tredje söndagen i juni i Storbritannien o. USA; *Our F~* [*, which art in heaven*] Fader vår...; *like* ~*, like son* äpplet faller inte långt från trädet **2** fader, upphovsman **3** katol., *F~* titel Fader, pater [*F~ Doyle*]; ~ *confessor* biktfader **4** doyen, äldste medlem i kår o.d.; *the F~ of the House* [*of Commons*] ålderspresidenten i underhuset **5** pl. *~s* **a**) [för]fäder **b**) fäder, ledande män; *the Fathers of the Church* kyrkofäderna **II** *vb tr* **1** avla; vara far till [*he ~ed five sons*]; vara upphovsman till **2** erkänna faderskapet till äv. bildl.;

erkänna sig vara far (upphovsman) till **3** ~ *a child [up]on a p.* ange (utpeka) ngn som far till ett barn

fatherhood ['fɑ:ðəhʊd] faderskap

father-in-law ['fɑ:ð(ə)rɪnlɔ:] (pl. *fathers-in-law* ['fɑ:ðəzɪnlɔ:]) **1** svärfar **2** vard. styvfar

fatherland ['fɑ:ðəlænd] fäderneslandet

fatherly ['fɑ:ðəlɪ] faderlig [~ *love*]; öm

fathom ['fæðəm] **I** *s* famn mått (= 6 *feet* ung. = 1,83 m) **II** *vb tr* **1** utforska [~ *a mystery*], förstå [*I cannot* ~ *what he means*] **2** loda [djupet av]

fatigu|e [fə'ti:g] **I** *s* **1** trötthet, utmattning; *school* ~ skolleda, skoltrötthet; *drop with* ~ stupa av trötthet **2** tekn. utmattning av metaller **3** mil. handräckning **II** *vb tr* trötta ut, utmatta; *-ing* tröttande, tröttsam, ansträngande

fatness ['fætnəs] fetma

fatten ['fætn] **I** *vb tr* göda **II** *vb itr* bli fet

fattening ['fæt(ə)nɪŋ] **1** göd- [~ *calf*] **2** fettbildande; ~ *food* äv. mat som man blir fet av

fatty ['fætɪ] **I** *adj* **1** fetthaltig, fet [~ *bacon*]; fett- [~ *content*]; ~ *tissue* anat. fettvävnad **2** oljig **3** [sjukligt] fet; ~ [*degeneration of the*] *heart* fetthjärta **II** *s* vard. tjockis

fatuous ['fætjʊəs] dum

faucet ['fɔ:sɪt] isht amer. [vatten]kran, tappkran

fault [fɔ:lt, fɒlt] **I** *s* **1** fel; brist, skavank; felsteg; misstag; *find* ~ anmärka, klaga, klandra, kritisera **2** skuld, fel [*it is his* ~ *that we are late*]; *it is not his* ~ äv. han rår inte för det **3** tennis. o.d. fel[serve]; [*serve a*] *double* ~ [göra ett] dubbelfel **4** geol. förkastning **II** *vb tr* anmärka på

faultless ['fɔ:ltləs, 'fɒlt-] felfri; oklanderlig

faulty ['fɔ:ltɪ, 'fɒltɪ] felaktig; bristfällig; oriktig; dålig [~ *workmanship*]

faun|a ['fɔ:n|ə] (pl. äv. *-ae* [-i:]) fauna, djurvärld

faux pas [ˌfəʊ'pɑ:] (pl. *faux pas* [ˌfəʊ'pɑ:z]) fr. fadäs, blamage; taktlöshet; felsteg

favour ['feɪvə] **I** *s* **1** gunst [*win a p.'s* ~]; gillande; *find (gain)* ~ bli populär, vinna insteg (gehör); *be out of* ~ a) vara i onåd [*with a p.* hos ngn] b) inte vara populär längre **2 a**) gunst, ynnest [*I regard it as a* ~], ynnestbevis **b**) tjänst [*can you do me a* ~*?*]; *do me a* ~*!* lägg av! **c**) förmån; *in* ~ *of* till förmån för; *all in* ~ [*of the plan*] *will raise their hands* alla som röstar 'för [planen] räcker upp händerna; *in our* ~ till vår förmån (favör), oss till godo **3** *treat with* ~ favorisera, ge företräde [åt] **4** [band]rosett; [kotiljongs]märke **II** *vb tr* **1** gilla [~ *a scheme*] **2** gynna [~ *tourism*], förorda [~ *strong measures*]; vara gynnsam för; perf. p. *~ed* gynnad, understödd **3** favorisera [~ *one's own pupils*], ta parti för **4** ~ *with* hedra med, förära

favourable ['feɪv(ə)rəbl] **1** välvillig; *be* ~ *to a p.* äv. vara ngn bevågen **2** gynnsam [~ *circumstances (reports, weather)*], fördelaktig

favourably ['feɪv(ə)rəblɪ] välvilligt; med välvilja; *he impressed me* ~ jag fick ett gott (fördelaktigt) intryck av honom

favourite ['feɪv(ə)rɪt] **I** *s* favorit äv. sport.; gunstling; neds. kelgris; *this book is a great* ~ *of mine* jag är mycket förtjust i den här boken **II** *adj* favorit-, älsklings- [*a* ~ *child (dish)*]

favouritism ['feɪv(ə)rɪtɪz(ə)m] favoritsystem, favorisering

1 fawn [fɔ:n] **I** *s* **1** hjortkalv; [rådjurs]kid **2** ljust gulbrun färg **II** *vb itr* o. *vb tr* om hjortdjur kalva

2 fawn [fɔ:n] **1** bildl. svansa **2** om hund visa tillgivenhet, vifta på svansen

fax [fæks] **I** *s* [tele]fax **II** *vb tr* faxa

FBI [ˌefbi:'aɪ] förk. för *Federal Bureau of Investigation* i USA

FD (förk. för *Fidei Defensor* lat. = *Defender of the Faith*) trons försvarare

fear [fɪə] **I** *s* **1** fruktan; *the* ~ *of God* gudsfruktan; *put the* ~ *of God into a p.* sätta skräck i ngn; *for* ~ [*that*] a) av fruktan (rädsla) [för] att b) så (för) att inte **2** farhåga [*my worst ~s were confirmed* (besannades)], ängslan; *be in* ~ *of one's life* frukta för sitt liv **3** anledning till fruktan [*cancer is a common* ~], fara; *no* ~ det är ingen fara, det är inte troligt; *there is no* ~ *of that* det är ingen fara (risk) för det **II** *vb tr* frukta [~ *God (the worst)*]; vara rädd för; befara **III** *vb itr* vara rädd; ~ *for a p.* vara orolig för ngn[s skull]

fearful ['fɪəf(ʊ)l] **1** rädd [*of* för]; rädd av sig **2** fruktansvärd [*a* ~ *accident*]; vard. förskräcklig [*have a* ~ *time*]

fearless ['fɪələs] oförfärad, utan fruktan

fearsome ['fɪəsəm] förskräcklig, ryslig; överväldigande [*a* ~ *task*]

feasibility [ˌfi:zə'bɪlətɪ] utförbarhet, genomförbarhet

feasible ['fi:zəbl] **1** utförbar, genomförbar [*a* ~ *plan*], görlig **2** a) användbar, som duger [~ *for travel*] b) sannolik, trolig, plausibel [*a* ~ *theory (story)*]

feast [fi:st] **I** *s* **1** isht kyrklig fest, högtid, helg, helgdag [*movable and immovable ~s*] **2** festmåltid **3** a) kalas; undfägnad b) bildl. njutning [*a* ~ *for the eyes*] **II** *vb tr* hålla kalas för; förnöja; ~ *one's eyes on (upon)* låta ögat njuta av, njuta av anblicken av **III** *vb itr* festa, kalasa

feat [fi:t] **1** bragd **2** kraftprov [*mountaineering ~s*], konststycke; *a* ~ *of strength* en kraftprestation

feather ['feðə] **I** *s* fjäder; *fine ~s make fine birds* kläderna gör mannen; *they are birds of a ~* de är av samma skrot och korn **II** *vb tr* **1** [be]fjädra, förse med fjäder (fjädrar) [*~ an arrow*]; klä (pryda med) fjädrar; sätta [en] fjäder i; *~ one's* [*own*] *nest* sko sig **2** rodd. skeva [med] [*~ one's oar*]
featherweight ['feðəweɪt] **1** sport. fjäder[vikt] **2** sport. a) boxn. el. brottn. fjäderviktare b) ridn. jockey i lägsta viktklassen
feature ['fi:tʃə] **I** *s* **1 a**) ansiktsparti; *her eyes are her best ~* ögonen är det vackraste hos henne **b**) pl. *~s* [anlets]drag [*a man of* (med) *handsome ~s*]; ansiktsbildning **c**) min [*without changing a ~*] **2** drag; kännetecken, kännemärke [*geographical ~s*]; inslag [*unusual ~s in the programme*]; del i ngt; *the most noticeable ~ of the week* det märkligaste under veckan **3** a) långfilm, huvudfilm; spelfilm [äv. *~ film* (*picture*)] b) specialartikel [äv. *~ article* (*story*)] c) radio. el. TV. feature, dramadokumentär d) huvudnummer [*the ~ of tonight's programme*], stort nummer; *a regular ~* ett stående inslag (nummer) **II** *vb tr* demonstrera, visa [upp], presentera ss. huvudsak, nyhet el. särskild attraktion
featureless ['fi:tʃələs] **1** formlös; utan bestämda (markerade) drag **2** enformig
February ['februərɪ, -rər-, 'febjuərɪ] februari
feckless ['fekləs] hjälplös, försagd; fåfäng [*~ attempts*], gagnlös
fed [fed] imperf. o. perf. p. av *feed*
federal ['fed(ə)rəl] förbunds- [*~ republic*], federal [*the F~ Government of the U.S.*], förbundsstats-; förbundsvänlig; i USA (1861-1865) nordstats-; *the F~ Bureau of Investigation* [den] federala polisen i USA, FBI
federation [ˌfedə'reɪʃ(ə)n] **1** sammanslutning, federation; *national ~* riksförbund **2** statsförbund
fee [fi:] **I** *s* **1** honorar [*lawyer's* (*doctor's*) *~*] **2** avgift [*application ~*; *entrance ~*; *school ~s*] **II** *vb tr* betala [arvode till], honorera [*~ a barrister*]
feeble ['fi:bl] **1** svag, klen; matt [*a ~ attempt*] **2** om intryck, färger o.d. matt
feeble-minded [ˌfi:bl'maɪndɪd] **1** svagsint; psykol. debil **2** klenmodig, svag
feed [fi:d] **I** (*fed fed*) *vb tr* **1 a**) [ut]fodra [*~ the pigs*], ge mat (att äta) [*~ the dog*] **b**) bespisa **c**) föda [*he has a big family to ~*] **d**) [kunna] föda [*~ 100 head of cattle*] **e**) mata [*~ the baby*] **f**) ge näring åt [*~ a plant*] **g**) bildl., *~ a p.'s vanity* smickra någons fåfänga **2** förse, mata äv. sport. [*~ a furnace with coal*; *~ a forward with passes*]; *~ a fire* lägga [mer] bränsle på en eld, hålla en eld vid liv; *the lake is fed by two rivers* sjön får sitt vatten från två floder **3** tillföra [*~ coal to* (*into*) *a furnace*]; *~ information into a computer* mata in information i en dator **II** (*fed fed*) *vb itr* **1** a) om djur äta; beta [*the cows were ~ing in the meadow*] b) skämts., om pers. äta, käka **2** *~ on* livnära sig (leva) på (av), äta [*cattle ~ chiefly on grass*] **III** *s* **1** utfodring; matande; *out at ~* ute på bete **2** foder; [foder]ranson; [grön]bete; *~ bag* fodertornister **3** vard. mål [mat]; *have a good ~* få (ta sig) ett riktigt skrovmål **4** amer. vard. mat, käk [*I love good ~*] **5** tekn. a) matning b) laddning, påfyllning[smaterial] c) matar- [*~ pump, ~ tank*]; *~ mechanism* foto. frammatningsmekanism, matarverk
feedback ['fi:dbæk] tekn., data. el. psykol. återkoppling, feedback; friare äv. gensvar; *acoustic*[*al*] *~* akustisk återkoppling, rundgång
feeder ['fi:də] **1** matare **2** ätare; *be a large* (*gross*) *~* vara storätare, vara stor i maten **3** boskapsuppfödare **4** tekn. a) [in]matare b) elektr. matare; *~ horn* matarhorn **5** trafik. matarväg; *~ bus* matarbuss
feel [fi:l] **I** (*felt felt*) *vb tr* **1** känna [*~ pain*], märka; ha en känsla av; känna på; känna av, lida av [*~ the cold*], ha känning av; *~ in one's bones that* känna på sig att, ha på känn att **2** sondera; *~ one's ground* känna sig för, sondera terrängen **3** tycka, anse; inse; *I ~ it my duty to go* jag känner det som min plikt att gå **II** (*felt felt*) *vb itr* **1** känna [efter] [*~ in one's purse*]; *~ for* treva (leta) efter **2** känna; känna sig [*how do you ~?*]; *how do you ~ about that?* vad tycker du om det?; *~ for* känna (ömma) för; *~ sorry for* tycka synd om; *~ ashamed* skämmas **3** kännas [*your hands ~ cold*]; *make oneself felt* göra sig kännbar (gällande); sätta sin prägel [*on* på] **III** (*felt felt*) *vb rfl* **1** *~ oneself* känna sig, tycka att man är [*she felt herself slighted*] **2** *~ oneself* känna sig i form, vara sig själv [*she doesn't ~ herself today*] **IV** *s* **1** känsel **2** *let me have a ~* låt mig känna [på det] **3** känselförnimmelse; *have a soft ~* kännas mjuk
feeler ['fi:lə] **1** zool. känselspröt **2** bildl. trevare
feeling ['fi:lɪŋ] **I** *adj* kännande; känslig; sympatisk **II** *s* **1** känsel [*the arm has lost all ~*]; [känsel]förnimmelse **2** känsla [*a ~ of joy*]; medkänsla; *bad* (*ill*) *~* missämja, osämja; misstämning; *no hard ~s, I hope!* jag hoppas du inte tar illa upp!; *have strong ~s against* ha (känna) stark motvilja mot; *I have a ~ that* jag har en känsla av att, jag känner på mig (har på känn) att

3 uppfattning; inställning; *the general ~ was against it* stämningen (den allmänna meningen) var emot det **4** *~ for* känsla (sinne) för [*he has a ~ for music*] **5** uppståndelse, förtrytelse, förbittring [*his speech aroused strong ~[s]*]; *~[s] ran high* känslorna råkade i svallning, stridens vågor gick höga **6** atmosfär, stämning [*the ~ of the place*]

feet [fi:t] pl. av *foot*

feign [feɪn] **I** *vb tr* **1** hitta på [*~ an excuse*], dikta upp **2** låtsa[s]; förege [*~ illness*], hyckla **II** *vb itr* förställa sig; låtsas

1 feint [feɪnt] **I** *s* **1** skenmanöver, krigslist; isht sport. fint **2** list **II** *vb itr* isht sport. finta

2 feint [feɪnt] **I** *adj, ~ lines* svaga linjer att följa på skrivpapper **II** *adv, ruled ~* svagt linjerad, jfr *I*

felicitous [fə'lɪsɪtəs] välfunnen [*~ words and images*], väl (lyckligt) vald, träffande

1 fell [fel] imperf. av *fall*

2 fell [fel] **I** *vb tr* fälla [*he ~ed the deer with a single shot*], slå till marken [*~ a tree*] **II** *s* avverkning antal träd som avverkats under en säsong

3 fell [fel] fäll isht med håret på

fellow ['feləʊ, i bet. *1* (vard. utt.) äv. 'felə] **1** vard. karl, prick [*he's a pleasant ~*], kille, människa; *the ~* neds. karl'n, han [*the ~ must be mad*]; *my dear ~!* kära (snälla) du!; *poor ~!* stackars karl (han)!, stackare!; *what a ~!* en sån en!; *well, ~ me lad!* nå, min gosse! **2** vanl. pl. *~s* kamrater [*his ~s at school*], kolleger [*the doctor conferred with his ~s*]; följeslagare **3** medlem, ledamot av ett lärt sällskap [*F~ of the British Academy*] **4** univ. o.d. **a)** ledamot av styrelsen för ett college (ett universitet) **b)** ung. docent[stipendiat] **5** motstycke, pendang [*this vase is the exact ~ to the one on the shelf*] **6** med- [*~ prisoner, ~ passenger*]; *~ actor* a) medspelare b) skådespelarkollega; *~ being* (*creature*) medmänniska; *~ citizen* (*countryman*) landsman; *~ student* studiekamrat; *~ traveller* a) reskamrat, medresenär b) polit. medlöpare

fellow-feeling [ˌfeləʊ'fi:lɪŋ] medkänsla

fellowship ['felə(ʊ)ʃɪp] **1** kamratskap; gemenskap; likställdhet; samhörighet; *good ~* gott kamratskap, kamratlighet; kamratanda, god sammanhållning **2** brödraskap **3** univ., ung. docentur; universitetsstipendium, docentstipendium

felon ['felən] jur. (hist. el. amer.) brottsling som har begått ett grövre (urbota) brott; [grov] förbrytare

felony ['felənɪ] jur. (hist. el. amer.), ung. grövre (urbota) brott; svårare förbrytelse

1 felt [felt] imperf. o. perf. p. av *feel*

2 felt [felt] **1** filt tyg; *roofing ~* takpapp; *~ pen* filtpenna, tuschpenna **2** filthatt [äv. *~ hat*]

female ['fi:meɪl] **I** *adj* kvinno-, kvinnlig [*a ~ pilot*]; biol. el. bot. honlig; hon- [*~ flower*], av honkön [*~ animal*]; *~ elephant* elefanthona; *~ elk* älgko **II** *s* **1** neds. fruntimmer, kvinnsperson **2** statistik. o.d. kvinna [*males and ~s*] **3** zool. hona; bot. honblomma

feminine ['femɪnɪn] **I** *adj* **1** kvinnlig [*the eternal ~*], kvinno- [*~ logic*], feminin [*~ features*], om man äv. feminiserad **2** gram. feminin [*a ~ noun, the ~ gender*] **II** *s* gram. **1** *the ~* [genus] femininum **2** feminint ord

femininity [ˌfemɪ'nɪnətɪ] kvinnlighet

feminism ['femɪnɪz(ə)m] **1** kvinnosaken **2** feminism[en], kvinnorörelse[n]

feminist ['femɪnɪst] feminist; *the ~ movement* kvinnorörelsen

fen [fen] kärr

fence [fens] **I** *s* **1** stängsel, staket, gärdsgård; hinder; *come down on one side or the other of the ~* bildl. välja sida, ta ställning; *come down on the right side of the ~* bildl. hålla på rätt häst **2** fäktning **3** sl. a) hälare b) tjuv[gods]gömma **II** *vb tr* **1** inhägna [äv. *~ in* (*round, up*)]; *~ off* avskilja med ett stängsel (staket) **2** sl. handla med (köpa, sälja) tjuvgods **III** *vb itr* **1** fäkta; parera; bildl. slingra sig **2** sätta upp (laga) inhägnader **3** sl. vara hälare

fencer ['fensə] fäktare

fencing ['fensɪŋ] **1** fäktning; parerande **2** inhägnande [äv. *~ in*] **3** koll. a) stängsel b) stängselmaterial **4** sl. häleri

fend [fend] **I** *vb tr, ~ [off]* avvärja, parera [*~ off a blow*]; hålla undan (tillbaka) [*from* från] **II** *vb itr* vard., *~ for* sörja för

fender ['fendə] **1** avvärjare; skydd; buffert; på lok o.d. kofångare **2** eldgaller framför eldstad **3** amer. flygel, stänkskärm på bil; stänkskärm på cykel

fennel ['fenl] bot. fänkål

ferment [ss. subst. 'fɜ:ment, ss. vb fə'ment] **I** *s* **1** jäsningsämne, jäsämne **2** jäsning, bildl. äv. [jäsande] oro; *in a* [*state of*] *~* el. *in ~* bildl. i jäsning, i uppror **II** *vb itr* jäsa äv. bildl.; fermentera **III** *vb tr* **1** bringa i jäsning, få att jäsa; *be ~ed* jäsa **2** hetsa [upp]; underblåsa

fermentation [ˌfɜ:men'teɪʃ(ə)n] jäsning äv. bildl.

fern [fɜ:n] bot. ormbunke; koll. ormbunkar

ferocious [fə'rəʊʃəs] vildsint [*a ~ attack*]; våldsam [*a ~ thirst* (*headache*)], glupande [*a ~ appetite*]

ferocity [fə'rɒsətɪ] **1** vild[sint]het; våldsamhet **2** [utbrott av] grymhet

ferret ['ferət] **I** *s* jaktiller, frett tam form av illern; *~ eyes* vessleögon, skarpa ögon **II** *vb itr* **1** jaga med jaktiller (frett) [*go ~ing*]

2 snoka [äv. ~ *about*]; ~ *about for* snoka efter **III** *vb tr* **1** jaga (driva ut) kaniner o.d. med jaktiller (frett) **2** bildl. jaga [äv. ~ *about*]; ~ *out* snoka (spåra) upp, snoka (luska) reda (rätt) på, gräva fram [~ *out the facts*]

ferry ['ferɪ] **I** *s* **1** färja båt o. flygplan; ~ *service* färjtrafik, färjförbindelse **2** färjställe, färjplats, färjläge **3** färjförbindelse **II** *vb tr* **1** färja [~ *a p. across* (*over*) *the river*; ~ *supplies out to the island*], transportera **2** flyga [*aircraft ~ing cars between England and France*], transportera [med flyg]

fertile ['fɜ:taɪl, amer. 'fɜ:tl] **1** bördig [~ *fields*], fruktbar, fet [~ *soil*] **2** fruktsam, fertil [*women of ~ age*]; fortplantningsduglig **3** bildl. givande [*a ~ subject*]; rik; *a ~ imagination* en rik (frodig) fantasi

fertility [fɜ:'tɪlətɪ] bördighet [~ *cult* (*rite*)]; fruktsamhet, fertilitet; ~ *pill* fruktsamhetspiller

fertilize ['fɜ:tɪlaɪz] **1** gödsla, göda; göra fruktbar (produktiv) **2** biol. befrukta

fertilizer ['fɜ:tɪlaɪzə] gödningsmedel, gödningsämne; isht konstgödsel

fervent ['fɜ:v(ə)nt] bildl. glödande [~ *hatred*, ~ *love*, ~ *zeal*], eldig [*a ~ lover*], het, brinnande [~ *prayers*], varm [*a ~ admirer*], innerlig [*a ~ advocate* (förespråkare) *of*]

fervour ['fɜ:və] glöd

fester ['festə] **I** *vb itr* **1** vara [sig]; *a ~ing sore* a) ett varigt sår b) bildl. en kräftsvulst, en kräfthärd **2** bildl. gnaga **II** *vb tr* orsaka varbildning i, fräta på

festival ['festəv(ə)l, -tɪv-] **1** fest [*harvest ~*], helg; relig. högtid [*Christmas and Easter are Church ~s*] **2** festival [*the Salzburg F~*] **3** årsfest; fest[lig tillställning] **4** fest- [~ *march*], högtids- [~ *day*]

festive ['festɪv] festlig [*on ~ occasions*], fest- [~ *mood*, ~ *atmosphere* (stämning)]; *the ~ season* julen

festivit|y [fe'stɪvətɪ] **1** feststämning [äv. *air of ~*], festglädje, festivitas; glädje **2** ofta pl. *-ies* festligheter [*the -ies end with a fireworks display*], högtidligheter [*wedding -ies*]

festoon [fe'stu:n] **I** *s* girland **II** *vb tr* smycka med girlander

1 fetch [fetʃ] gengångare; varsel

2 fetch [fetʃ] **I** *vb tr* **1** hämta [äv. *go* (*run*) *and ~*], skaffa [*a p. a th.*; *a th. for a p.*]; ha (ta) med sig [*the souvenirs he ~ed back from Japan*]; om hund apportera; ~ *it!* till hund apport! **2** framkalla; ~ *tears from the eyes* locka fram tårar i ögonen **3** inbringa [*it ~ed £600*]; betinga [*the pictures ~ed a high price*] **4** vard. göra intryck på [*that dress will ~ him*], imponera på, knipa **5** vard. ge [~ *a p. a blow*] **II** *vb itr*, ~ *and carry* a) om hund apportera b) vara passopp (springpojke), springa ärenden [*for*]

fetching ['fetʃɪŋ] vard. tilltalande, tilldragande, vinnande [*a ~ smile*]; förtjusande, näpen [*a ~ girl*]

fetid ['fetɪd, 'fi:tɪd] stinkande

fetish ['fi:tɪʃ, 'fetɪʃ] fetisch äv. friare

fetter ['fetə] **I** *s* **1** boja; tjuder **2** bildl., vanl. pl. *~s* bojor, fjättrar, band, tvång; fångenskap **II** *vb tr* **1** fjättra **2** bildl. binda [*~ed by convention*], lägga band på

fettle ['fetl] kondition; *in fine* (*good*) ~ a) i fin (god) form b) på gott humör

fetus ['fi:təs] isht amer., se *foetus*

feud [fju:d] fejd

feudal ['fju:dl] läns-; ~ *system* feodalväsen

feudalism ['fju:dəlɪz(ə)m] feodalism, feodalväsen

fever ['fi:və] feber; febersjukdom; bildl. feberaktigt tillstånd; *a high ~* hög feber

feverish ['fi:v(ə)rɪʃ] **1** feber- [*a ~ condition* (*dream*)]; febrig; *he is ~* äv. han har feber **2** bildl. het [~ *desire*], feberaktig [~ *excitement*], febril [~ *activity*]

few [fju:] [bara] få [~ *people* (människor) *live to be 100*], inte [så] många [*I have ~ cigarettes left*], lite[t] [*there are very ~ people* (folk) *here*; *we are one too ~*]; *a ~* några få, några [stycken], lite[t] [*would you like a ~ strawberries?*], ett par [tre] [*in a ~ days*]; *a chosen ~* några få utvalda; *not a ~* el. *a good ~* inte så få, ganska (rätt) många, inte så lite[t], en hel del, ganska (rätt) mycket [*not a* (*a good*) *~ faults*]; *the* (*what*) *~ people I have met* de få människor jag har träffat; ~ *in number*[*s*] fåtaliga

fewer ['fju:ə] (komp. av *few*) färre; mindre [*one month ~*]; *no ~ than* inte mindre än

fewest ['fju:ɪst] (superl. av *few*) fåtaligast; *the ~* ytterst få; *at the ~* minst

fiancé [fɪ'ɒnseɪ, -'ɑ:ns-] fästman

fiancée [fɪ'ɒnseɪ, -'ɑ:ns-] fästmö

fiasc|o [fɪ'æskəʊ] (pl. *-os*) fiasko, misslyckande

fib [fɪb] vard. **I** *s* liten (oskyldig) lögn; *that's a ~* det var lögn **II** *vb itr* småljuga

fibre ['faɪbə] **1** fiber äv. i kost; tråd i t.ex. kött, nerv; tåga av t.ex. lin; ~ *optics* fiberoptik **2** koll. fiber[massa] isht ss. textilt råmaterial **3** bildl. halt, virke [*of solid* (gott) *~*; *a man of tough* (segt) *~*], väsen, natur

fibreboard ['faɪbəbɔ:d] [trä]fiberplatta; koll. [trä]fiberplattor

fibreglass ['faɪbəglɑ:s] glasfiber

fickle ['fɪkl] ombytlig, flyktig och obeständig [*a ~ woman*]

fiction ['fɪkʃ(ə)n] **1** [ren] dikt; saga; osann historia; fiktion ofta jur.; [ren]

konstruktion; *fact and* ~ fantasi (dikt) och verklighet, saga och sanning **2** skönlitteratur på prosa; romaner och noveller [*prefer history to* ~]; *school of* ~ skönlitterär skola; *work of* ~ skönlitterärt verk, isht roman **3** uppdiktande

fictional ['fɪkʃ(ə)nl] uppdiktad, dikt-; skönlitterär

fictitious [fɪk'tɪʃəs] påhittad, uppdiktad [*the characters in the book are entirely* ~]; sken- [*a* ~ *agreement; a* ~ *firm*]; falsk, fingerad, antagen [*the criminal used a* ~ *name*]; simulerad

fiddle ['fɪdl] **I** *s* **1** vard. fiol; [*as*] *fit as a* ~ frisk som en nötkärna, pigg som en mört **2** sl. fuffens, fiffel [*a little* ~]; *he's always on the* ~ han har alltid något fuffens (fiffel) för sig **II** *vb itr* vard. **1** spela fiol **2 a**) ~ [*about*] *with* fingra (pilla) på, leka (plocka) med [*he was fiddling* [*about*] *with a piece of string*], smussla (fiffla) med **b**) knåpa, pyssla [~ *with painting*]; mixtra [*don't* ~ *with the lock*] **c**) fjanta [~ *about doing nothing*] **III** *vb tr* **1** vard. spela på fiol [~ *a tune*] **2** vard., ~ *away* plottra (slösa) bort, förspilla [~ *away one's time*] **3** sl. fiffla (fuska) med [~ *one's income-tax return* (självdeklaration)]; fiffla till sig

fiddler ['fɪdlə] **1** fiolspelare **2** sl. fifflare, skojare

fidelity [fɪ'delətɪ, faɪ'd-] **1** trohet [~ *to one's country* (*principles*)], trofasthet **2** trohet, texttrohet; naturtrogen återgivning av ljud m.m.; fidelitet; jfr *high-fidelity*

fidget ['fɪdʒɪt] **I** *s* **1** *it gives me* (*I get*) *the* ~*s* det gör mig nervös, jag blir otålig **2** nervös (rastlös) människa; *he's a* ~ han kan aldrig sitta (vara) stilla, han har ingen ro i kroppen **II** *vb itr* inte kunna sitta (vara) stilla [äv. ~ *about;* ~ *in one's chair*]; vara (bli) nervös (orolig, otålig), oroa sig [~ *about* (för) *one's health*]; ~ *with* nervöst fingra på (leka med, pilla med)

fidgety ['fɪdʒətɪ] nervös; som inte kan sitta stilla [*a* ~ *child*]

field [fi:ld] **I** *s* **1** fält [*a* ~ *of wheat*]; åker[fält]; mark; hage; land [*potato* ~] **2** ss. efterled i sms. ofta -fält [*airfield*] **3** område [*he is eminent in* (på) *his* ~], gebit [*a new* ~ *of research*], fack; *in the* ~ *of politics* på det politiska området; *that is outside my* ~ det ligger utanför mitt område, det är inte mitt fack **4** fys. o.d. fält; *magnetic* ~ magnetfält; ~ [*of vision*] synfält, synkrets **5** mil. [slag]fält; [fält]slag **6** sport. **a**) plats, plan [*football* ~]; *sports* ~ idrottsplats **b**) koll. fält deltagare i tävling, jakt o.d.; *a good* ~ kapplöpn. ett fint fält **7** herald., konst. o.d. fält; botten [*a gold star on a* ~ *of blue*]; [bak]grund **II** *vb tr* **1** i kricket o. baseboll stoppa och skicka tillbaka bollen **2** sport. ställa upp ett lag, spelare **III** *vb itr* i kricket o. baseboll ta bollen

field glasses ['fi:ld,glɑ:sɪs] fältkikare; *a pair of* ~ en fältkikare

field marshal [,fi:ld'mɑ:ʃ(ə)l] mil. fältmarskalk

fieldwork ['fi:ldwɜ:k] **1** fältarbete till skillnad från skrivbordsarbete **2** arbete ute på fälten (ägorna, åkern)

fiend [fi:nd] **1** djävul; ond ande **2** odjur [*he is a* ~ *in human shape* (gestalt)]; plågoande [*these children are little* ~*s*]; om barn äv. satunge **3** vard. fantast, entusiast; *football* ~ fotbollsdåre; *be a golf* ~ vara golfbiten

fiendish ['fi:ndɪʃ] djävulsk

fierce [fɪəs] **1** vild, [folk]ilsken [~ *dogs*] **2** våldsam, häftig [~ *anger,* ~ *storms* (*winds*)]

fiery ['faɪərɪ] **1** brännande [~ *heat*], glödande; eldröd; [bränn]het, glödhet [~ *desert sands*]; flammande [*a* ~ *sky,* ~ *eyes*] **2** eldig [*a* ~ *horse*], livlig; hetsig [*a* ~ *temper*], hetlevrad

fifteen [,fɪf'ti:n, attr. '--] (jfr *five* o. sms.) **I** *räkn* femton **II** *s* **1** femton [*a total of* ~]; femtontal [*for each* (*every*) ~] **2** rugby. femtonmannalag **3** med siffror: *15* film. åldersgräns femton år

fifteenth [,fɪf'ti:nθ, attr. '--] femtonde; femton[de]del; jfr *fifth*

fifth [fɪfθ] **I** *räkn* femte; *the* ~ *century* 400-talet, femte århundradet; *the* ~ *commandment* motsv. fjärde budet; *the* ~ *floor* [våningen] fem (amer. fyra) trappor upp **II** *adv, the* ~ *largest town* den femte staden i storlek **III** *s* **1** femtedel; *one* ~ *of a litre* en femtedels liter **2** *the* ~ *of April* (*on the* ~ *of April* ss. adverbial) den femte april **3** mus. kvint **4** motor. femmans växel; *put the car in* ~ lägga in femman

fiftieth ['fɪftɪɪθ, -tɪəθ] **1** femtionde **2** femtion[de]del

fifty ['fɪftɪ] **I** *räkn* femti[o] **II** *s* femti[o] [*a total of* ~]; femti[o]tal [*for each* (*every*) ~]; *in the fifties* (*'fifties*) på femtiotalet av ett århundrade; *in the fifties* om temperatur mellan femtio och sextio grader (någonting på femtio grader) Fahrenheit ung. 10-15 grader Celsius

fifty-fifty [,fɪftɪ'fɪftɪ] fifty-fifty [*the chances are* ~]; ~ *allegiance* delad lojalitet; *on a* ~ *basis* på lika basis; *go* ~ [*with a p.*] dela lika (jämnt, fifty-fifty) [med ngn]

fig [fɪg] **1** fikon; *green* ~*s* färska fikon **2** fikonträd **3** dugg; *I don't care a* ~ *for* jag struntar blankt i, jag bryr mig inte ett dugg (ett dyft) om

fight [faɪt] **I** (*fought fought*) *vb itr* slåss, kämpa, strida, gräla [~ *about* (om) *money*]; fäkta; duellera; boxas; *he fought* *back* han bet ifrån sig, han slog tillbaka **II** (*fought fought*) *vb tr* **1** bekämpa [*~ the enemy; ~ disease*], kämpa mot; *~ back one's tears* kämpa mot (med) gråten **2** utkämpa [äv. *~ out; ~ a battle, ~ a war*] **3** kämpa för vid rättegång o.d.; kämpa (konkurrera) om [*~ a seat in Parliament against a p.*]; *~ a case* processa om en sak, dra en sak inför domstol; föra en process **4** *~ one's way* kämpa sig fram, slå sig igenom; slå sig fram **III** *s* **1** slagsmål [*the ~ against disease*], strid; fäktning; duell; boxningsmatch; *make a ~ for it* slåss; *put up a good ~* kämpa tappert, klara sig bra **2** stridslust, stridshumör; mod

fighter ['faɪtə] **1** slagskämpe; kämpe, fighter **2** boxare **3** mil. jakt[flyg]plan, strids[flyg]plan

fighting ['faɪtɪŋ] **I** *adj* stridande; stridsberedd; strids- [*~ patrol*] **II** *s* strid [*street ~*], kamp; slagsmål; *we have a ~ chance* vi har en liten chans [om vi verkligen bjuder till]

figment ['fɪgmənt] påfund; *~ [of the imagination]* fantasifoster, hjärnspöke

figurative ['fɪgjʊrətɪv, -gər-] **1** bildlig [*a ~ expression*], figurlig, överförd [*in a ~ sense*] **2** bildrik stil o.d. **3** symbolisk [*baptism is a ~ ceremony*] **4** figurativ [*~ art*]

figure ['figə] **I** *s* **1** **a**) siffra; pl. *~s* äv. uppgifter, statistik [*according to the latest ~s*] **b**) vard. belopp; *name your ~!* säg vad du ska ha för det (den, dem)! **2** figur [*she has a good* (snygg) *~*]; skepnad [*a ~ moving slowly in the dusk*]; bildl. gestalt [*one of the greatest ~s in history*], person [*a public* (offentlig) *~*]; *she is a fine ~ of a woman* hon är en stilig (parant) kvinna **3** figur [*geometrical ~s; see ~* (förk. *fig.*) *31*], illustration **4** figur [*rhetorical ~s*], bild; *~ of speech* bildligt uttryck, bild **5** i dans figur, tur **II** *vb tr* **1** **a**) beräkna, kalkylera **b**) *~ out* räkna ut; fundera ut; förstå **2** amer. anta, förmoda **III** *vb itr* **1** *~ on* isht amer. vard. räkna med [*they ~d on your arriving early*]; lita på; räkna (spekulera) på **2** *it ~s out at £45* det blir 45 pund **3** framträda, förekomma; spela en [viss] roll **4** amer. anta [*he's going to lose, I ~*] **5** amer. vard., *that* (*it*) *~s* det stämmer

figure-skating ['fɪgəˌskeɪtɪŋ] konståkning på skridsko

filament ['fɪləmənt] **1** fin tråd (tåga, fiber) **2** tråd i glödlampa; glödtråd

filch [fɪltʃ] knycka, sno

1 file [faɪl] **I** *s* fil verktyg **II** *vb tr* fila

2 file [faɪl] **I** *s* **1** [samlings]pärm; brevpärm; kartotek; dokumentskåp **2** [dokument]samling, kortsystem; dossier; [tidnings]lägg; *on our ~s* i vårt register **3** pappersspjut slags hållare för räkningar, brev o.d. **4** data. fil **II** *vb tr* **1** sätta in [i pärm] [*please ~ [away] these letters*], arkivera i en samling; sätta upp [på hållare]; [in]registrera **2** jur. o.d. lämna in skrivelse

3 file [faɪl] **I** *s* **a**) rad av personer el. saker efter varandra; led **b**) mil. rote; *in ~* **a**) i följd, i rad **b**) mil. i rotar, på två led **II** *vb itr* gå (komma, marschera) i en lång rad (en efter en)

filial ['fɪljəl] sonlig [*~ affection*]

filibuster ['fɪlɪbʌstə] **I** *s* amer. polit. filibuster, maratontalare som med obstruktionstaktik söker hindra votering **II** *vb itr* amer. polit. filibustra, maratontala för att förhindra votering; göra obstruktion

filings ['faɪlɪŋz] filspån

fill [fɪl] **I** *vb tr* **1** fylla; plombera en tand; komplettera; *~ the bill* vard. **a**) hålla måttet, duga **b**) motsvara behovet; *~ a pipe* stoppa en pipa **2** tillfredsställa; mätta **3** beklä[da], inneha en tjänst; besätta en tjänst; *~ a p.'s place* inta ngns plats, efterträda ngn **II** *vb itr* fyllas **III** *vb tr* o. *vb itr* med adv.:

~ **in**: **a**) fylla i [*~ in a form* (blankett)]; fylla ut; fylla igen; stoppa (sätta, skriva) i (in) **b**) *~ a p. in on a th.* vard. sätta ngn in i ngt [*~ me in on the latest news*]

~ **out**: **a**) tr. fylla ut [*it will ~ out your cheeks*]; fylla i; *~ out the details* fylla på med detaljerna **b**) itr. bli fylligare (rundare) [*her cheeks had ~ed out*], lägga på hullet

~ **up**: **a**) tr. fylla [upp]; fylla till brädden [*~ up the glass*]; fylla i [*~ up a form* (blankett)]; fylla igen [*~ up a pond* (damm)]; komplettera; *~ up the tank [with petrol]* fylla tanken, tanka **b**) itr. fyllas [igen], bli full; fylla på bensin, tanka

IV *s* **1** lystmäte; *eat one's ~* äta sig mätt **2** fyllning; *a ~ of tobacco* en stopp, en pipa tobak

fillet ['fɪlɪt] **I** *s* **1** hårband; bindel **2** kok. filé **II** *vb tr* filea

filling ['fɪlɪŋ] **I** *adj* **1** mättande; fyllande **2** fyllnads- [*~ material*], fyllnings- **II** *s* **1** fyllande etc., jfr *fill I*; ifyllning, ilastning; igensättning **2** konkr. fyllnad, fyllning [*a custard ~ for a pie*], plomb [*a gold ~*]

filling station ['fɪlɪŋˌsteɪʃ(ə)n] bensinstation

fillip ['fɪlɪp] **I** *s* **1** knäpp [med fingrarna] [*give a p. a ~ on the nose*] **2** bildl. stimulans **II** *vb tr* knäppa ngn (ngt) med fingret, knäppa till

filly ['fɪlɪ] stoföl; ungsto

film [fɪlm] **I** *s* **1** hinna, tunt skikt (lager) [*a ~ of dust*], film [*a ~ of oil*], tunt överdrag; beläggning på tänder **2** film äv. foto.;

filmrulle [äv. *roll* (amer. *spool*) *of* ~]; pl. ~*s* äv. filmföreställning, bioföreställning; ~ *director* filmregissör; ~ *library* filmarkiv; ~ *studio* filmateljé, studio **II** *vb tr* **1** filma [~ *a play*]; filmatisera [~ *a novel*]; spela in [~ *a scene*]; *a ~ed version* äv. en filmatisering **2** täcka med en hinna etc., jfr *I 1*

filter ['fɪltə] **I** *s* **1** filter, filtrum; sil **2** trafik., ~ [*signal*] grön pil för svängande trafik **II** *vb tr* filtrera; sila; brygga kaffe [genom filter] **III** *vb itr* **1** filtreras; silas **2** trafik. svänga [av] från stillastående fil **3** ~ *into* söka sig [väg] (tränga sig, ta sig) in i, långsamt vinna insteg i [*new ideas ~ing into people's minds*]; ~ *out* (*through*) söka sig [väg] (etc.) ut (igenom)

filter tip ['fɪltətɪp] filter[munstycke]; filtercigarett

filth [fɪlθ] **1** smuts, lort; snusk **2** snusk; porr **3** vard. smörja

filthy ['fɪlθɪ] **I** *adj* **1** smutsig, lortig; oren, snuskig; oanständig [~ *talk*]; ~ *lucre* snöd vinning; skämts. pengar **2** vard. urusel, jäkla [*he is in a ~ temper this morning*] **3** vard., ~ *with money* nerlusad med pengar **II** *adv* vard., ~ *rich* stenrik

fin [fɪn] **1** fena äv. på flygplan m.m. **2** sl. tass; labb

final ['faɪnl] **I** *adj* **1** slutlig, slut- [*the ~ goal is world peace*], sista [*the ~ date for payment*]; avgörande [*the ~ result*], definitiv; sport. final- [~ *match*]; ~ *settlement* slutuppgörelse, slutlikvid; *and that's ~!* och därmed basta! **2** fonet. final, slut- [*the ~ 't' in 'bit' and 'bite'*] **3** gram. avsikts- [~ *clause*] **II** *s* **1** sport., ~[*s* pl.] final [*the Cup F~*; *enter* (gå till) *the ~s*], sluttävlan **2** ~[*s* pl.] isht univ. slutexamen [*take one's ~s*]

finale [fɪ'nɑːlɪ] **1** mus. final **2** bildl. final, slut, slutnummer

finalist ['faɪnəlɪst] finalist

finalize ['faɪnəlaɪz] fatta det avgörande beslutet om; fullborda [~ *one's plans*], slutföra; slutgiltigt godkänna [~ *a list*]; *before the decision is ~d* innan det avgörande beslutet fattas

finally ['faɪnəlɪ] slutligen, till slut; slutgiltigt [*settle a matter ~*]

finance ['faɪnæns, fɪ'n-, faɪ'næns] **I** *s* **1** finans; finansväsen; finans-; *Minister of F~* finansminister **2** pl. ~*s* a) stats finanser [*are the country's ~s sound?*] b) enskilds ekonomi **II** *vb tr* finansiera

financial [faɪ'nænʃ(ə)l, fɪ'n-] finansiell [*a ~ centre*], ekonomisk [~ *aid*; ~ *loss*]; ~ *difficulties* ekonomiska svårigheter

financier [faɪ'nænsɪə, fɪ'n-] finansman, financiär

finch [fɪn(t)ʃ] zool. fink

find [faɪnd] **I** (*found found*) *vb tr* **1** finna i div. bet. ss.: **a**) hitta, påträffa; se, upptäcka [*no trace could be found*]; finna ngt vara [*I ~ it useless*]; *be found* finnas, påträffas, förekomma **b**) söka (leta, ta) reda (rätt) på [*help Mary to ~ her hat*], hitta; få isht tid, tillfälle o.d.; söka ut [åt]; skaffa [~ *a p. work*], hitta på [*I can ~ nothing new to say*]; *I can't ~ time to read* jag hinner aldrig läsa **c**) nå, träffa [*the bullet found its mark*] **d**) anse [*I ~ it absurd*], tycka ngn (ngt) vara; inse [*I found that I was mistaken*]; *be found* befinnas [*he was found guilty*] **2** jur. döma, besluta; ~ *a p. guilty* förklara ngn skyldig; ~ *a p. not guilty* frikänna ngn **3** skaffa; bekosta; underhålla; ~ *the expenses* bestrida kostnaderna **4** ~ *out* leta reda (rätt) på, ta reda på; söka upp; upptäcka; finna ut, tänka ut, hitta (komma) på **II** (*found found*) *vb rfl*, ~ *oneself* [be]finna sig; finna sig vara, känna sig [*how do you ~ yourself?*]; sörja för sig själv **III** (*found found*) *vb itr* **1** jur. avkunna utslag **2** ~ *out* [*about it*] ta reda på det **IV** *s* fynd, upptäckt

finder ['faɪndə] **1** upphittare [*the ~ will be rewarded*]; upptäckare; ~*s keepers* vard., ung. den som hittar en sak får behålla den **2** astron. sökare i stjärnkikare; foto. sökare

finding ['faɪndɪŋ] **1** finnande, upphittande; ~*s* [*are*] *keepings* vard., ung. den som hittar en sak får behålla den **2** jur. utslag, beslut **3** slutsats; *the ~s of the committee* resultatet av kommitténs undersökningar **4** fynd; rön

1 fine [faɪn] **I** *s* böter [*sentence a p. to a ~*], bötesbelopp, bot; *impose a ~ of £100 on a p.* döma ngn till 100 punds böter; *he was let off with a ~* han slapp undan med böter **II** *vb tr* bötfälla; *they ~d him £100* han fick böta 100 pund

2 fine [faɪn] **I** *adj* fin i div. bet. ss.: **a**) utmärkt [*that was a ~ performance*]; skicklig [*he is a ~ musician*]; ~*!* ofta bra!, utmärkt! **b**) vacker [*a ~ garden* (*poem*)]; stilig [*a ~ woman*]; *it makes a ~ show* det ser prydligt ut **c**) om väder vacker; *one ~ day* en vacker dag, en gång avseende förfluten tid eller framtid; *one of these ~ days* en vacker dag, endera dagen avseende framtid **d**) elegant [~ *clothes*]; ~ *manners* fint (bildat) sätt, belevenhet **e**) utsökt [*a ~ taste*], förfinad; *the ~ arts* de sköna konsterna **f**) iron. skön, snygg; *you're a ~ one to talk!* ska du säga! **g**) ej grov o.d. [~ *dust*; ~ *sand*], finkornig; tunn [~ *thread*], spetsig **h**) om metaller o.d. ren [~ *gold*] **i**) om skillnad o.d. [*a ~ distinction*; ~ *nuances*], subtil **II** *adv* fint etc.; ~ *cut* finskuren [~ *cut tobacco*]; *I'm doing ~* vard.

jag klarar mig fint; jag mår bra; *that will suit me ~* vard. det passar mig utmärkt

finery ['faɪnərɪ] finkläder, stass [*young ladies in their Sunday ~*]; skrud, prakt [*the garden in its summer ~*]; grannlåt, prål, bjäfs

finesse [fɪ'nes] fin urskillning, takt [*show ~ in dealing with people*], finess; förfining

fine-tooth-comb [ˌfaɪntu:θ'kəʊm] finkamma

finger ['fɪŋgə] **I** *s* **1** finger; *first ~* pekfinger; *middle ~* långfinger; *second ~* långfinger; *third ~* ringfinger; *he has it at his ~s'* (*~*) *ends* han har (kan) det på sina fem fingrar; *his ~s are all thumbs* han har tummen mitt i handen; *work one's ~s to the bone* arbeta som en slav, slita ihjäl sig; *twist* (*turn, wind*) *a p. round* (amer. *around*) *one's* [*little*] *~* kunna linda ngn kring (runt) sitt [lill]finger, kunna få ngn vart man vill; *let a chance slip through one's ~s* låta en chans gå sig ur händerna; *look through one's ~s at* se genom fingrarna med, blunda för **2** visare på klocka **3** fingersbredd; liten skvätt [*a ~ of whisky*] **II** *vb tr* fingra (tumma) på, plocka med (på), [ideligen] ta i; känna på [*~ a piece of cloth*]; sysselsätta (befatta) sig med

fingermark ['fɪŋgəmɑ:k] märke efter ett [smutsigt] finger

fingernail ['fɪŋgəneɪl] fingernagel; *to one's ~s* [ända] ut i fingerspetsarna

fingerprint ['fɪŋgəprɪnt] fingeravtryck

fingerstall ['fɪŋgəstɔ:l] fingertuta

fingertip ['fɪŋgətɪp] fingerspets; *have a th. at one's ~s* a) ha (kunna) ngt på sina fem fingrar b) ha ngt lätt åtkomligt (till hands)

finish ['fɪnɪʃ] **I** *vb tr* **1** sluta [*have you ~ed reading* ([att] läsa) *now?*], avsluta [*when he had ~ed his speech*], fullfölja [*~ the race* (loppet)]; göra färdig [*~ the letter*], läsa färdig, läsa ut [*~ the book*]; göra slut på [*we have ~ed* [*off* (*up*)] *the pie*], dricka upp, dricka ur; *~ eating* äta färdigt **2** i div. tekn. bet. ytbehandla, polera; ge en finish; finputsa äv. bildl.; förädla; bearbeta **3** vard., *~* [*off*] ta död på [*that long climb almost ~ed me*], expediera [*I ~ed him with a single blow*], ta kål på [*this fever nearly ~ed him off*], göra slut på

II *vb itr* **1** sluta [äv. *~ off, ~ up*]; *they ~ed by singing* [*a few songs*] de slutade med att sjunga..., som avslutning (till sist) sjöng de... **2** sport. fullfölja tävlingen [*three boats did not ~*], fullfölja loppet; komma i mål i viss kondition etc.; sluta; *he ~ed third* han kom [i mål som] trea, han slutade som trea

III *s* **1** slut; slutspurt, finish; mål [*from start to ~*]; slutscen; *be in at the ~* vara med om slutet (slutkampen); vara med i slutskedet; sport. vara med på upploppet äv. bildl.; *bring to a ~* avsluta, få (göra) färdig, utagera **2** sista (slutlig) behandling äv. bildl., finish, polering **3** fulländning [in i detalj]

finished ['fɪnɪʃt] **1** färdig; fulländad [*a ~ performance*]; [*the car*] *is perfectly ~* ...har en perfekt finish; äv. ...är fulländad in i minsta detalj; *~ product* helfabrikat **2** vard. slut [*I'm ~, I can't go on*], färdig äv. berusad; förlorad; *we're ~* äv. det är ute med oss

finishing ['fɪnɪʃɪŋ] **I** *adj* fulländande, slut-; *~ line* sport. mållinje; *~ post* sport. (ung.) mål; *the ~ stroke* nådestöten; *supply the ~ touch* sätta kronan på verket, sätta pricken över i **II** *s* **1** avslutning; fulländande, färdigställande; slutbehandling **2** sport. avslutning; *his ~ is deadly* han är giftig i avslutningarna, han är riktigt målfarlig

finite ['faɪnaɪt] **1** begränsad; ändlig äv. matem. [*a ~ quantity* (storhet)]; inskränkt **2** gram. finit

Finland ['fɪnlənd] geogr. egenn.; *the Gulf of ~* Finska viken

Finn [fɪn] **1** finne; finska kvinna **2** sjö. finnjolle

Finnish ['fɪnɪʃ] **I** *adj* finsk **II** *s* finska [språket]

fiord [fjɔ:d] fjord

fir [fɜ:] **1** bot. gran; isht ädelgran; oegentl. äv. tall, fur[uträd]; barrträd; *Scotch ~* tall **2** granvirke; oegentl. furuvirke

fire ['faɪə] **I** *s* **1** eld[en] i allm.; *catch* (*take*) *~* fatta (ta) eld, råka i brand, börja brinna, antändas; flamma upp **2 a**) eld i eldstad [*put the kettle on the ~*]; brasa [*sit by the ~*; *stir* (*poke*) (röra om i) *the ~*]; bål; låga; *light the ~* tända brasan **b**) *electric ~* elkamin **3** eldsvåda, brand [*the Great F~ of London in 1666*]; *~!* elden är lös! **4** mil. eld; *~!* ge fyr!, eld! **5** bildl. flamma, hetta, glöd [*a speech that lacks ~*], entusiasm [*hearts filled with ~*], eld; inspiration; *eyes full of ~* flammande ögon

II *vb tr* **1** avskjuta, fyra av, avlossa, bränna av [ofta *~ off*; *~* [*off*] *a shot at* (mot) *the enemy*]; spränga [*~ a charge of dynamite*]; bildl. fyra av [*he ~d off questions*]; *~ questions at a p.* bombardera ngn med frågor **2** antända [*~ a haystack*] **3** vard. sparka avskeda **4** steka; bränna tegel; torka [*~ tea*] **5** elda en ångpanna o.d. **6** bildl. elda [upp], stimulera [*~ a p.'s imagination*]; sätta i brand [*that ~d his passions*]; fylla [*~ a p. with enthusiasm*]

III *vb itr* ge eld, skjuta; om skjutvapen brinna av; börja skjuta äv. bildl.; *~ away* (*ahead*) bildl. sätta i gång

fire alarm ['faɪərəˌlɑ:m] **1** brandalarm

2 brandalarm[anläggning]; ~ *[box]* brandskåp; ~ *post* brandpost
firearm ['faɪərɑ:m], mest pl. *~s* skjutvapen, eldvapen
fire brigade ['faɪəbrɪˌgeɪd] brandkår
fire engine ['faɪərˌen(d)ʒɪn] brandbil
fire escape ['faɪərɪˌskeɪp] **1** brandstege **2** reservutgång
fire-extinguisher ['faɪərɪkˌstɪŋgwɪʃə] [hand]brandsläckare
fireguard ['faɪəgɑ:d] **1** brasskärm **2** amer. brandvakt; brandman
fire|man ['faɪə|mən] (pl. *-men* [-mən]) **1** brandman, brandsoldat **2** gruv. eldvakt **3** eldare
fireplace ['faɪəpleɪs] eldstad, [öppen] spis; eldrum, härd i eldstad
fireproof ['faɪəpru:f] brandsäker; eldfast; ~ *curtain* teat. järnridå
fireside ['faɪəsaɪd] **1** *the* ~ platsen kring [den öppna] spisen, härden; spiselvrån; bildl. hemlivet, hemmet **2** hem-; *a* ~ *chat (talk)* ett informellt tal i radio eller TV
fire station ['faɪəˌsteɪʃ(ə)n] brandstation
firewood ['faɪəwʊd] ved; hand. splitved
firework ['faɪəwɜ:k] fyrverkeripjäs; *~s* a) pl. eg. fyrverkeripjäser; fyrverkeri b) (konstr. ss. pl. el. sg.) bildl. ett utbrott av vrede o.d.; *[don't irritate him] or there'll be ~s* ...annars så smäller det
firing-squad ['faɪərɪŋskwɒd] exekutionspluton
1 firm [fɜ:m] [handels]firma; *a* ~ *of solicitors* en advokatfirma
2 firm [fɜ:m] **I** *adj* **1** fast [~ *flesh,* ~ *muscles*], hård, tät; *be on* ~ *ground* bildl. ha (känna) fast mark under fötterna **2** fast, säker; bildl. fast, ståndaktig, bestämd [~ *decision,* ~ *man,* ~ *opinion*]; trofast; *prices were* ~ kurserna var fasta **II** *adv* fast; *stand* ~ stå fast, inta en fast hållning
firmly ['fɜ:mlɪ] fast etc., jfr *2 firm*; ~ *believe* tro fullt och fast
first [fɜ:st] **I** *adj* o. *räkn* första; förnämsta; hand. bäst, prima; *the* ~ *two* de två första; ~ *cousin* [första] kusin; *he got a* ~ *class* univ., se *he got a* ~ under *III 4* nedan; *the* ~ *floor* [våningen] en trappa upp; amer. bottenvåningen; *F~ Lady* amer. presidentens el. en delstatsguvernörs hustru; ~ *name* förnamn; ~ *principles* grundprinciper; *at* ~ *sight (view, blush)* vid första anblicken (påseendet, ögonkastet [*love at* ~ *sight*]); ~ *string* a) förstahandsalternativ b) sport. ordinarie spelare; *[the]* ~ *thing* vard. det första [*the* ~ *thing you should do*], så fort som möjligt [*I'll do it* ~ *thing*]; *I don't know the* ~ *thing about him* vard. jag vet inte det minsta om honom
II *adv* **1** först; ibl. hellre; ~ *of all* allra först; först och främst **2** [i] första klass [*travel* ~] **3** *when* ~ *he saw me* genast då (så fort) han såg mig; *when we were* ~ *married I earned [£280 a week]* när vi var nygifta tjänade jag...
III *s* **1** *at* ~ först, i början **2** första; *the* ~ den första i en månad **3** sport.: a) förstaplats, vinnarplats b) etta; *come [in] (finish)* ~ komma på första plats **4** univ., *he got (is) a* ~ ung. han fick (har) högsta betyget i examen för *honours degree* (jfr *honour I 5*) **5** motor. ettans växel; *put the car in* ~ lägga in ettan
first-aid [ˌfɜ:st'eɪd, '--], ~ *classes* pl. samaritkurs; ~ *kit* förbandslåda; ~ *post (station)* hjälpstation
first-class [ˌfɜ:s(t)'klɑ:s, attr. '--] **I** *adj* **1** förstaklass- [~ *passengers*]; förstklassig, första klassens [*a* ~ *hotel*], prima; *a* ~ *row* vard. ett ordentligt uppträde (gräl) **2** ~ *mail* a) britt. förstaklasspost snabbefordrad post b) amer. brevpost **II** *adv* [i] första klass [*travel* ~]
first-hand [ˌfɜ:st'hænd, attr. '--] **I** *adj* förstahands-, direkt- [~ *information*] **II** *adv* i första hand [*learn* (få veta) *a th.* ~], direkt
firstly ['fɜ:stlɪ] för det första
first-night [ˌfɜ:st'naɪt], ~ *nerves* premiärnerver, rampfeber
first-rate [ˌfɜ:st'reɪt, attr. '--] första (högsta) klassens, förstklassig, utmärkt [*Oh, thank you I'm* (jag mår) ~]; *it's* ~*!* vard. äv. det är toppen!
firth [fɜ:θ] fjord; smal havsarm; smal flodmynning
fiscal ['fɪsk(ə)l] fiskal, skatte- [~ *system*], finans-
fish [fɪʃ] **I** (pl. *~es* el. lika isht koll.) *s* **1** fisk; vard. vattendjur i allm.; ~ *and chips* friterad fisk och pommes frites köps ofta för omedelbar förtäring; *I have [got] other* ~ *to fry* jag har annat (viktigare saker) att göra (stå i, tänka på) **2** vard., *be a big* ~ *in a little pond* ung. vara en stor stjärna i en liten värld; *odd (queer)* ~ underlig typ (prick), kuf **II** *vb itr* fiska; ~ *for* a) eg. fiska [~ *for trout*] b) bildl. fiska (fika, leta) efter **III** *vb tr* a) fiska [~ *trout*] b) fiska i [~ *a river*]; ~ *out* a) fiska upp, dra upp [ur vattnet] [äv. ~ *up*] b) bildl. fiska upp [~ *out a coin from* (ur) *one's pocket*], leta (vaska) fram [äv. ~ *up*]; locka fram
fisher|man ['fɪʃə|mən] (pl. *-men* [-mən]) [isht yrkes]fiskare
fishery ['fɪʃərɪ] **1** fiskeri; fiske **2** fiskevatten
fish finger [ˌfɪʃ'fɪŋgə] kok. fiskpinne
fish hook ['fɪʃhʊk] metkrok
fishing ['fɪʃɪŋ] **I** *adj* använd vid fiske, fiske- **II** *s* fiskande, fiske; fiskevatten
fishing-line ['fɪʃɪŋlaɪn] metrev

fishing-rod ['fɪʃɪŋrɒd] metspö
fishknife ['fɪʃnaɪf] fiskkniv
fishmonger ['fɪʃˌmʌŋgə] fiskhandlare; *~'s* fiskaffär
fishslice ['fɪʃslaɪs] fiskspade
fishy ['fɪʃɪ] **1** fisklik [*a ~ smell* (*taste*)]; *~ eyes* fiskögon **2** skum, tvivelaktig; *there's something ~ about it* det är något lurt med det
fission ['fɪʃ(ə)n] klyvning äv. fys.; biol. delning; *nuclear ~* fys. fission, kärnklyvning
fissure ['fɪʃə] klyfta, spricka
fist [fɪst] **I** *s* **1** knytnäve, knuten näve; vard. näve, labb; *he shook his ~ at me* (*in my face*) han hötte åt mig [med näven] **2** vard. handstil [*I know his ~*] **II** *vb tr* slå med knytnävarna, boxa [*the goalkeeper ~ed the ball away* (*out*)], hugga tag i
1 fit [fɪt] **1** anfall av sjukdom o.d.; krampanfall, konvulsioner; *~ of coughing* hostanfall, hostattack **2** ryck [*a ~ of activity* (verksamhetslusta)]; utbrott [*~ of anger*]; *~ of laughter* skrattanfall, skrattparoxysm; *in a ~ of generosity* i ett anfall av ädelmod (frikostighet); *by ~s* [*and starts*] ryckvis, stötvis, oregelbundet
2 fit [fɪt] **I** *adj* **1** lämplig, duglig; passande, värdig [*you are not ~ to...*]; *be ~ for* äv. lämpa sig för, duga till, passa för [*he is not ~ for the position*]; *think* (*see*) *~ to* anse lämpligt att, finna för gott att **2** färdig, redo; vard. färdig, nära [*so angry that he was ~ to burst*] **3** spänstig; kry; *keep ~* hålla sig i form **II** *vb tr* **1 a**) om kläder passa; *how does it ~ me?* hur sitter den [på mig]? **b**) allm. passa i (till) [*the description ~s him*], svara mot; *~ the bill* vara lämplig **2** a) göra lämplig (passande) b) anpassa, avpassa [*~ a shoe to the foot*] **3** a) passa in, sätta in, montera [in], sätta på [*~ a new tyre on to* (på) *a car*], sätta upp b) prova; *he was ~ted* [*for a new suit*] man tog mått på honom... **4** utrusta [*~ a p. with clothes*]; *~ out* utrusta, ekipera; sjörusta och bemanna fartyg **III** *vb itr* passa, om kläder äv. sitta; *~ in with* passa ihop (stämma) med **IV** *s* passform; [*these shoes*] *are just your ~* ...passar dig precis
fitful ['fɪtf(ʊ)l] ryckig, ryckvis [påkommande]; ojämn, ostadig; nyckfull [*a ~ breeze*]
fitness ['fɪtnəs] **1** kondition [*the physical ~ of people*]; *~ test* konditionstest, konditionsprov **2** lämplighet, duglighet, riktighet
fitted ['fɪtɪd] **1** lämpad, lämplig, rustad [*to be*]; avpassad, anpassad; *~ by nature for* enkom skapad för **2** inpassad etc., jfr *2 fit II 3*; *~ carpet* heltäckande matta, heltäckningsmatta
fitter ['fɪtə] **1** montör, installatör **2** [av]provare; tillskärare
fitting ['fɪtɪŋ] **I** *adj* **1** passande **2** ss. efterled i sms. -sittande [*badly-fitting*] **II** *s* **1 a**) avpassning; utrustning; tekn. [in]montering **b**) provning [*go to the tailor's for a ~*]; *~ room* provrum **c**) om kläder storlek; om skor läst [*you need a broader ~*] **2** pl. *~s* tillbehör, inredning [*~s for an office*], innanrede; beslag på dörrar, fönster o.d.; maskindelar; armatur [*electric* [*light*] *~s*; *boiler ~s*]
five [faɪv] **I** *räkn* fem [*~ and ~ make*[*s*] *ten*]; *an income of ~ figures* en femsiffrig inkomst; *~ to one* fem mot ett om chanser **II** *s* femma; femtal [*for each* (*every*) *~*]; *the ~ of diamonds* ruter fem, ruterfemman
fiver ['faɪvə] vard. fempundssedel; amer. femdollarssedel; *a ~* äv. fem pund (dollar)
five-year-old ['faɪvjərəʊld, -jɪər-] **I** *adj* femårig, fem års **II** *s* femåring
fix [fɪks] **I** *vb tr* **1** fästa, sätta fast; sätta upp [*~ a shelf to* (på) *the wall*] **2** fästa, rikta [*he ~ed his eyes* (blicken) *on me*; *~ one's attention on a th.*] **3** fastställa, bestämma [*~ a limit*; *~ a time*], fastslå; *~ed by law* i lag bestämd **4** ge fasthet (stadga) åt; befästa [*a custom is ~ed by tradition*]; foto. o.d. fixera **5** sätta [in] [äv. *~ up*]; leda in; etablera; *~ up* äv. skaffa rum åt, ta emot; *~ a p. up with a th.* ordna (fixa) ngt åt ngn **6** vard. (äv. *~ up*) **a**) isht amer. fixa [till] [*I'll ~ it for you*], göra i ordning [*~ one's clothes*]; sätta ihop, laga [*~ a broken lock*], laga till [*~ lunch*]; *how are you ~ed?* hur har du det?; *~ed up* äv. upptagen [*I'm already ~ed up for* (på) *Saturday*] **b**) ordna (klara) upp **c**) fixa [*the match was ~ed*]; muta [*~ the jury*]; fiffla med [*~ a race-horse*] **d**) *I'll ~ him!* han ska få! **II** *vb itr* **1** fastna **2** *~* [*up*]*on* bestämma sig (fastna) för **III** *s* knipa [*be in an awful ~*]
fixation [fɪk'seɪʃ(ə)n] **1** fästande etc., jfr *fix I 1* **2** fastställande **3** psykol. fixering [*father* (*mother*) *~*]
fixed [fɪkst] **1** fix, fästad, bildl. äv. rotfast; inrotad; stadig[varande]; *~ capital* realkapital, fast kapital maskiner m.m. **2** orörlig; *~ look* (*stare*) stel (stirrande) blick **3** fast[ställd] [*~ day* (*price, charge*)]; fast, som infaller på bestämt datum [*~ holiday*] **4** amer., *be well ~* vara välsituerad
fixer ['fɪksə] **1** foto. fixeringsmedel **2** vard. fixare **3** amer. försäkr. värderingsman
fixture ['fɪkstʃə] **1** fast tillbehör (inventarium, föremål); iron. el. vard. [gammalt] inventarium, stamgäst [*he is a ~*]; pl. *~s* väggfasta inventarier, [väggfast] inredning **2** sport. [fastställd (fastställande av) dag för en] tävling (match, jakt); *the autumn ~s* tävlingarna (matcherna,

evenemangen, programmen) bestämda (fastställda) för hösten

fizz [fɪz] **I** *vb itr* väsa, fräsa; om kolsyrad dryck brusa, skumma, moussera **II** *s* **1** väsning; surr; brus, mousserande **2** vard. skumpa champagne; läsk kolsyrad dryck; fizz drink [*gin* ~]

fizzle ['fɪzl] **1** väsa svagt **2** ~ [*out*] a) spraka till och slockna b) vard. rinna ut i sanden, gå i stöpet

fizzy ['fɪzɪ] fräsande; brusande; ~ *water* kolsyrat vatten

fjord [fjɔ:d] fjord

flabby ['flæbɪ] **1** slapp [~ *muscles*], fet och slapp [~ *cheeks*], lös [i köttet], sladdrig; blekfet **2** bildl. slapp [*a* ~ *will* (*character*)]

1 flag [flæg] **1** stenplatta till golv o.d.; trottoarsten **2** pl. ~*s* stenläggning; trottoar

2 flag [flæg] **I** *s* flagga; fana; ~ *of convenience* sjö. bekvämlighetsflagg **II** *vb tr* **1** hissa flagg på **2** signalera med flaggor [till] **3** ~ [*down*] stoppa genom att vinka med en flagga (med handen), hejda [~ *a taxi*]

3 flag [flæg] **1** om segel, vingar o.d. hänga slappt ner, sloka **2** om växter vissna, hänga **3** slappna, sjunka [*their morale* ~*ged*], [börja] mattas [av] [*his enthusiasm* ~*ged*], bli matt [*the conversation* ~*ged*]; *his strength was* ~*ging* hans krafter började sina (ta slut)

flagon ['flægən] vinkrus

flagpole ['flægpəʊl] flaggstång

flagrant ['fleɪgr(ə)nt] flagrant, uppenbar [~ *violation of a treaty*]; skriande, skändlig [*a* ~ *crime*]

flagstaff ['flægstɑ:f] flaggstång

flagstone ['flægstəʊn] se *1 flag*

flair [fleə] väderkorn, bildl. äv. [fin] näsa, sinne; stil [*their window display has no* ~ *at all*]

flak [flæk] **1** luftvärn; luftvärnseld; luftvärns- **2** vard. hård kritik [*get a lot of* ~]

flake [fleɪk] **I** *s* flaga [~*s of old paint* (*of soot*)]; flinga [~*s of snow*; *soapflakes*]; flak [~*s of ice*]; flisa, skiva; fjäll; lager; ~ [*tobacco*] flake **II** *vb tr* flisa, flaga; ta (skära) av i flagor (flisor) [äv. ~ *away* (*off*)]; dela sönder i skivor [~ *fish*] **III** *vb itr* flaga (skiva) sig; ~ [*away* (*off*)] flagna, lossna i flagor [*the paint* ~*d off*]

flaky ['fleɪkɪ] flagig, skivig, fjällig; flingliknande; ~ *pastry* [bladig] smördeg

flamboyant [flæm'bɔɪənt] **1** praktfull, grann [~ *colours*] **2** bombastisk; överdriven, översvallande [~ *manner*]

flame [fleɪm] **I** *s* **1** flamma; *be in* ~*s* stå i lågor **2** vard. flamma **II** *vb itr* flamma; lysa; ~ *up* a) flamma upp, bildl. äv. brusa upp b) bli blossande röd

flamingo [flə'mɪŋgəʊ] (pl. ~*s* el. ~*es*) zool. flamingo

flammable ['flæməbl] brännbar

flan [flæn] mördegsbotten; pajdegsbotten; *fruit* ~ frukttårta

Flanders ['flɑ:ndəz] geogr. Flandern

flange [flæn(d)ʒ] tekn. fläns, [utstående] list

flank [flæŋk] **I** *s* **1** flank; slakt. slaksida **2** flank; flygel; sida **II** *vb tr* **1** flankera **2** mil. anfalla (bestryka, hota, ta) i flanken

flannel ['flænl] **I** *s* **1** ylleflanell, flanell **2** flanelltrasa; tvättlapp **3** pl. ~*s* flanellbyxor; flanellkläder **4** sl. a) båg b) fjäsk c) flum **II** *vb itr* sl. a) båga b) fjäska

flap [flæp] **I** *vb tr* **1** klappa, smälla [till]; *the wind* ~*ped the sails* vinden fick seglen att slå **2** slå med [*the bird* ~*ped its wings*; *the fish* ~*ped its tail*], flaxa (klippa) med; vifta med [~ *a towel*] **II** *vb itr* **1** flaxa **2** om dörr m.m. stå och slå (smälla); hänga och slänga (slå), dingla; fladdra; sjö., om segel slå **3** sl., *don't* ~*!* ingen panik! **III** *s* **1** dask, smäll **2** vingslag **3** flugsmälla **4** flik [*the* ~ *of an envelope*]; lock [*the* ~ *of a desk* (*pocket*)]; klaff [*the* ~ *of a table* (*valve*)]; läm **5** sl., *get into a* ~ få stora skälvan

flapjack ['flæpdʒæk] **1** kok. a) slags [havre]snittkaka b) amer., slags [liten] pannkaka **2** vard. puderdosa

flare [fleə] **I** *vb itr* **1** om låga fladdra; blossa; skimra; flamma upp; ~ *up* flamma upp, blossa upp, bildl. äv. brusa upp **2** bukta ut, vidga sig; vara utsvängd [*the skirt* ~*s from the waist*], pösa; om fartygssida falla ut **II** *s* fladdrande låga, ostadigt sken; sjö. bloss; signalljus, mil. äv. lysgranat, flyg. äv. fallskärmsljus

flash [flæʃ] **I** *vb itr* **1** lysa till [*a ray of light* ~*ed through the room*], blinka; blixtra [*lightning* ~*ed in the sky*; *her eyes* ~*ed*]; ~*ing light* sjö. blinkfyr **2** fara som en blixt; forsa (strömma) fram; *a car* ~*ed by* en bil susade förbi **3** sl. blotta sig visa könsorganen **II** *vb tr* **1** låta lysa (blixtra) [~ *a light*]; skjuta (kasta) [ut] blixtar, eld o.d.; lysa med [~ *a torch*]; blinka med [*the driver* ~*ed his headlights*]; ~ *a lantern in a p.'s face* plötsligt lysa ngn i ansiktet med en lykta **2** bildl. blixtsnabbt sprida (sända), telegrafera [ut] [*the message was* ~*ed across the Atlantic*] **3** vard. lysa (briljera) med, vifta med [~ *a few banknotes*] **III** *s* **1** plötsligt sken, stråle [~ *of light*]; blixt äv. foto.; blink från fyr, signallampa o.d.; bildl. anfall, utbrott [*a* ~ *of anger* (*joy*)]; ~ *of lightning* blixt; ~ *in the pan* a) kortlivad succé, engångssuccé b) person som gör en kortlivad succé (som luften snabbt går ur); *in a* ~ i en blink, på ett ögonblick

(kick); som en blixt **2** ytlig glans **3** se *newsflash* **4** film. glimt
IV *adj* vard. **1** [tras]grann, prålig [~ *jewellery, ~ people*]; vräkig [*a ~ hotel, a ~ guy*] **2** efterapad, falsk [~ *money*] **3** slang-; tjuv-, förbrytar- [~ *language*]

flashback ['flæʃbæk] tillbakablick i berättelse el. film

flashbulb ['flæʃbʌlb] foto. blixtljuslampa

flashcube ['flæʃkju:b] foto. blixtkub

flasher ['flæʃə] **1** blinker på bil; blinkljus på trafikfyr o.d.; rotationsljus på utryckningsfordon; *headlamp ~* ljustuta **2** sl. blottare

flashlamp ['flæʃlæmp] **1** ficklampa; signallampa **2** foto. blixtljuslampa

flashlight ['flæʃlaɪt] **1** blinkfyr, blänkfyr; blinkljus **2** foto. blixtljus **3** isht amer. ficklampa

flashpoint ['flæʃpɔɪnt] **1** fys. flampunkt, antändningstemperatur för eldfarliga oljor **2** bildl. krutdurk [*one of the ~s of the Middle East*]

flashy ['flæʃɪ] **1** lysande men tom, ytlig [~ *rhetoric*] **2** prålig, skrikig; vräkig

flask [flɑ:sk] **1** [långhalsad] flaska ofta bastomspunnen; fickflaska; fältflaska **2** [laboratorie]kolv

1 flat [flæt] lägenhet; *block of ~s* hyreshus

2 flat [flæt] **I** *adj* **1** plan, platt [~ *roof*]; horisontell **2** liggande raklång [~ *on the ground*]; *fall ~* falla raklång; bildl. falla platt till marken, misslyckas **3** flack, platt [~ *as a pancake*]; slät; ~ *plates* flata tallrikar; ~ *tyre* (amer. *tire*) punktering **4** enhetlig [~ *price*]; ~ *rate* enhetlig taxa (lönesättning), enhetstaxa **5** platt [*a ~ joke*] **6** slapp **7** hand. matt, flau [~ *market*] **8** fadd, avslagen [~ *beer*] **9** mus. a) sänkt en halv ton; med b-förtecken b) en halv ton för låg; [lite] falsk; *A ~* m.fl., se under resp. bokstav **10** direkt; ~ *refusal* blankt (rent) avslag; *and that's ~!* och därmed punkt (basta)! **II** *adv* **1** precis [*in* (på) *ten seconds ~*]; rent ut [*he told me ~ that...*]; ~ *out* a) rent ut, rakt i ansiktet b) för fullt, i full fart **2** plant etc., jfr *I*; *lie ~ out* ligga utsträckt **III** *s* **1** flackt land, låg slätt; *salt ~s* saltmarker **2** platta; flata av hand, svärd m.m. **3** teat. kuliss, dekoration **4** mus. b-förtecken, b; *sharps and ~s* svarta tangenter på t.ex. piano **5** vard. punktering, punka [*I had a ~*]

flatfooted [ˌflæt'fʊtɪd, attr. '---] **1** plattfotad **2** vard. bestämd [*a ~ refusal*] **3** klumpig **4** vard., *catch a p. ~* ta ngn på sängen

flatly ['flætlɪ] **1** uttryckligen, absolut; ~ *refuse* säga bestämt (blankt) nej, vägra blankt (uttryckligen) **2** plant etc., jfr *2 flat I*

flatten ['flætn] **I** *vb tr* **1** göra plan (platt, flack, jämn); platta till; platta ut; hamra ut [äv. ~ *out*]; trycka platt [~ *one's nose against the window*]; slå ned [*a field of wheat ~ed by storms*]; sl. golva **2** mus. sänka [ett halvt tonsteg]; sätta b för **II** *vb itr*, ~ [*out*] bli plan (platt), plattas till, jämnas ut; stabiliseras

flatter ['flætə] **1** smickra; ~ *oneself that one is* (*on being*)... inbilla sig (våga påstå) att man är... **2** smickra [*the portrait ~s her*]; vara smickrande (fördelaktig) för [*the black dress ~ed her figure*]

flatterer ['flætərə] smickrare

flattery ['flætərɪ] smicker

flatulence ['flætjʊləns] väderspänning[ar]; med. flatulens

flaunt [flɔ:nt] **1** briljera (stoltsera) med [~ *one's riches*] **2** nonchalera

flavour ['fleɪvə] **I** *s* smak [*ice creams with different ~s* (*a strawberry ~*)]; arom; krydda, bildl. äv. aning; [*the soup*] *has a ~ of onion* ...smakar lök **II** *vb tr* sätta smak (piff) på, krydda; *~ed with* smaksatt (kryddad) med

flavouring ['fleɪvərɪŋ] **1** smaksättning **2** krydda, smakämne; ~ *essence* smaktillsats

flaw [flɔ:] **I** *s* **1** spricka **2** fel; fläck [*~s in a jewel*]; blåsa [*~s in a metal*]; brist [*~s in a p.'s character*]; [form]fel [*a ~ in a will*], svag punkt [*a ~ in his reasoning*] **II** *vb tr* spräcka; skämma, fördärva **III** *vb itr* spricka

flawless ['flɔ:ləs] utan sprickor; felfri [*in ~ condition*]; fläckfri [*a ~ reputation*]; fulländad [*a ~ technique*]

flax [flæks] lin; *dress ~* bereda lin

flaxen ['flæks(ə)n] **1** lin- [*the ~ trade*] **2** linartad; lingul [~ *hair*]

flay [fleɪ] **1** flå; skala; barka av; avhåra och rena [~ *hides*]; dra av hud **2** bildl. skinna **3** bildl. hudflänga

flea [fli:] loppa; ~ *market* loppmarknad

fleck [flek] **I** *s* **1** fläck [*~s of colour* (*light*)]; prick **2** korn [*~s of dust*] **II** *vb tr* göra fläckig (prickig); *~ed with clouds* lätt molnig

fled [fled] imperf. o. perf. p. av *flee*

flee [fli:] (*fled fled*) **I** *vb itr* **1** fly [~ *before* (för) *an enemy*] **2** fly sin kos **II** *vb tr* **1** fly från (ur) [~ *the country*; *he fled his antagonists*] **2** fly, undfly, undvika [~ *temptation*]

fleece [fli:s] **I** *s* fårs ull[beklädnad], päls; [får]skinn; klippull **II** *vb tr* **1** klippa får **2** vard. plundra; skörta upp; ~ *a p.* äv. skinna ngn in på bara kroppen **3** beströ liksom med ull[tappar] [*a sky ~d with clouds*]

fleecy ['fli:sɪ] ullig; ullrik; ulliknande; mjuk [och ullig] [*a ~ snowfall*]; ~ *clouds* ulliga moln

1 fleet [fli:t] flotta; flottstyrka; eskader,

flottilj [~ *of aeroplanes*]; *Admiral of the F~* (amer. *F~ Admiral*) storamiral; *the F~ Air Arm* brittiska marinflyget

2 fleet [fli:t] **1** hastig, snabb; ~ *of foot* snabbfotad **2** flyktig

fleeting ['fli:tɪŋ] snabb [*a ~ visit*]; flyktande, kort [~ *happiness*]

Flemish ['flemɪʃ] **I** *adj* flamländsk **II** *s* **1** flamländska [språket] **2** *the ~* flamländarna

flesh [fleʃ] kött äv. bildl. [*his own ~ and blood, the ~ is weak*]; hull; hud [*suntanned ~*]; [frukt]kött; *it makes my ~ creep* det gör att det kryper i mig, det får mig att rysa; *more than ~ and blood can stand* mera än en människa (vanlig dödlig) kan stå ut med; *proud ~* svallkött, dödkött

flesh-coloured ['fleʃ,kʌləd] hudfärgad

flesh wound ['fleʃwu:nd] köttsår

flew [flu:] imperf. av *1 fly*

flex [fleks] **I** *s* elektr. sladd **II** *vb tr* böja, leda [på] [~ *one's arms*]; spänna muskel **III** *vb itr* böja sig

flexibility [,fleksə'bɪlətɪ] böjlighet etc., jfr *flexible*; elasticitet; flexibilitet

flexible ['fleksəbl] **1** böjlig, smidig [*a ~ material*], elastisk **2** bildl. **a**) flexibel [*a ~ system*], anpassbar [*a ~ language*], följsam [*a ~ voice*]; ~ *working hours* flexibel arbetstid, flextid **b**) lättledd

flexitime ['fleksɪtaɪm] o. **flextime** ['flekstaɪm] flextid

1 flick [flɪk] **I** *vb tr* **1** snärta till, ge ett lätt slag; ~ *away* (*off*) slå (knäppa) bort **2** slänga (svänga) med [*the horse ~ed its tail*], flaxa med **3** ~ *through* snabbt bläddra igenom [~ *through the pages of a book*] **II** *s* lätt slag; klatsch; knäpp

2 flick [flɪk] film; *go to the ~s* gå på bio

flicker ['flɪkə] **I** *vb itr* flämta, fladdra [*the candle ~ed*], flimra; skälva [*a faint hope ~ed in her breast*]; dansa [*~ing shadows*]; ~ *out* blåsas ut, slockna **II** *s* flämtande etc., jfr *I*; glimt [*a ~ of hope*]

flick knife ['flɪknaɪf] (pl. *-knives* [-naɪvz]) stilett

1 flight [flaɪt] **I** *s* **1** a) flykt [~ *of a bird*] b) flygning [*a solo ~*], flygtur, flyg [*which ~ did you come on?*], flyg- [~ *instruments, ~ safety*] c) bana väg [*the ~ of an arrow*] d) bildl. flykt [*the ~ of time*]; ~ *attendant* flygvärdinna **2** mil. [flyg]grupp; ~ *deck* a) flygdäck på hangarfartyg b) förarkabin i flygplan **3** flock [*a ~ of swallows*], svärm; [fågel]sträck; skur [*a ~ of arrows*] **4** trappa [äv. ~ *of stairs*]; *two ~s up* två trappor upp **II** *vb tr* **1** skjuta sjöfågel i flykten (uppflog) **2** sätta styrfjäder på pil

2 flight [flaɪt] flykt, flyende; ~ *of capital* kapitalflykt

flighty ['flaɪtɪ] **1** kokett [*a ~ young woman*] **2** flaxig

flimsy ['flɪmzɪ] tunn [*a ~ wall*], sladdrig [*soft ~ silk*]; bräcklig [*a ~ cardboard box*], skröplig; ohållbar [*a ~ argument*]

flinch [flɪn(t)ʃ] **1** rygga tillbaka; svikta; ~ *from one's duty* undandra sig (svika) sin plikt **2** rycka till av smärta; *without ~ing* utan att blinka (knysta)

fling [flɪŋ] **I** (*flung flung*) *vb tr* **1** kasta, slunga, slänga [~ *a stone at a bird*; ~ *one's head back*]; slå [~ *one's arms about a p.*], slänga ut i förbifarten [*he flung a greeting in passing*]; utslunga; kasta (sätta) in [~ *all one's resources into...*]; brottn. kasta; slå omkull; om häst kasta av; ~ *open* slå (slänga, rycka) upp [~ *a door open*] **2** med adv.:

~ **about** slänga omkring [~ *things about*]; ~ *one's arms about* slå ut (fäkta) med armarna

~ **away** slänga (kasta) bort (ifrån sig) [~ *a th. away*]; köra iväg

~ **off** a) om häst kasta av [~ *a rider off*] b) jakt., bildl. skaka av sig [~ *off one's pursuers*], leda på villospår, göra sig kvitt

~ **on** slänga på sig [~ *one's clothes on*]

~ **to** slänga igen [~ *a door to*]

II (*flung flung*) *vb itr* rusa [~ *off without saying goodbye*]

III *s* **1** kast **2** försök; attack; hugg, gliring; *have* (*take*) *a ~ at* a) ge sig i kast med b) ge ngn en släng (gliring) **3** släng; hästs kast[ning] **4** *have a* (*one's*) ~ slå runt, festa om

flint [flɪnt] flinta äv. bildl.; stift i tändare

flip [flɪp] **I** *vb tr* **1** knäppa iväg [~ *a coin*; ~ *a ball of paper*]; slänga; ~ *a coin* singla slant **2** snärta (slå, knäppa) till [~ *a p. on the ear*] **3** vifta (slå, smälla, snärta) med [~ *a whip*]; kasta [med] [~ *a fishing-fly*]; ~ *through* bläddra igenom **4** amer. sl., ~ *one's lid* (*top, wig*) a) bli urförbannad, smälla av, flippa över b) bli alldeles salig; flippa ut **II** *vb itr* **1** ~ [*up*] singla slant **2** sl., ~ [*out*] se ~ *one's lid* under *I 4* **III** *s* **1** knäpp, snärt; ryck **2** vard., kort flygtur; kort flygning **3** volt, kullerbytta

flippant ['flɪpənt] nonchalant [*a ~ remark*], lättsinnig; näsvis

flipper ['flɪpə] **1** grodmans, säls m.m. simfot; fenlik vinge hos pingvin **2** sl. labb

flirt [flɜ:t] **I** *vb itr* flörta; bildl. äv. leka [~ *with an idea*]; kokettera; ~ *with* äv. kurtisera **II** *s* flört äv. pers.; flörtis [*she is a real ~*]

flirtation [flɜ:'teɪʃ(ə)n] flört, kurtis

flirtatious [flɜ:'teɪʃəs] o. **flirty** ['flɜ:tɪ] flörtig

flit [flɪt] **I** *vb itr* **1** fladdra, flyga **2** flacka **II** *s*, *do a moonlight ~* vard. dunsta under natten och smita från hyran

flitter ['flɪtə] fladdra omkring, flaxa

float [fləʊt] **I** *vb itr* **1** flyta [*wood ~s on water*], simma; driva på vattnet **2** sväva [*dust ~ing in the air*; *~ on* (bland); *she ~ed down the stairs*]; vaja **3** flacka; driva; *a rumour is ~ing around the town* det är ett rykte i omlopp (går ett rykte) i stan **II** *vb tr* **1** hålla flytande; vara segelbar (trafikabel) för båtar [*the canal will ~ big ocean steamers*]; göra (hålla) flott [*the tide ~ed the ship*], låta flyta **2** flotta [*~ logs*]; driva [*the stream ~ed the logs on to a sandbar*] **3** sätta i gång [*~ a company*, *~ a scheme*]; bjuda (släppa) ut [*~ a loan*]; sätta i omlopp [*~ a rumour*] **4** ekon. låta flyta [*~ the dollar (pound)*] **III** *s* **1** flotte **2** flöte; flottör; simdyna; flyg. ponton **3** slags låg kärra; öppen kortegevagn i festtåg

floating ['fləʊtɪŋ] **1** flytande; svävande; rörlig; *~ anchor* drivankare; *~ bridge* flottbro, flottbrygga; pontonbro; linfärja, dragfärja **2** fluktuerande, obestämd; rörlig [*~ population*]; *~ decimal* flytande [decimal]komma; *the ~ vote* marginalväljarna, de osäkra väljarna (rösterna) **3** ekon. flytande, rörlig [*~ capital*]; svävande [*~ debt*]; *~ assets* likvida medel

1 flock [flɒk] **I** *s* **1** flock [*~ of geese*]; hjord av mindre djur [*~ of sheep (goats)*] **2** om pers. skara; hjord **II** *vb itr* flockas, skocka sig

2 flock [flɒk] **1** tapp av ull, bomull o.d. **2** *~*[*s* pl.] flockull, avfallsull

floe [fləʊ] isflak

flog [flɒg] **1** prygla, piska [*~ with a birch (cane)*] **2** driva på med piskrapp; pressa [*~ an engine*]; kricket. slå hårt **3** sl. sälja under hand, ofta olovligt **4** sl. klå, stuka

flogging ['flɒgɪŋ] prygel, smörj; *a ~* ett kok stryk

flood [flʌd] **I** *s* **1** högvatten **2** översvämning; flöde äv. bildl. [*a ~ of tears (visitors)*]; *the F~* bibl. syndafloden **II** *vb tr* översvämma äv. bildl. [*~ the market*]; sätta under vatten med vatten[massor]; bevattna; fylla över bräddarna; få att (låta) svämma över; flöda [*~ the carburettor*]; *be ~ed* översvämmas, vara översvämmad äv. bildl.; stå under vatten; om flod ha svämmat över; *~ed with light* badande i (dränkt av) ljus; *thousands of people were ~ed out* översvämningen gjorde tusentals människor hemlösa **III** *vb itr* flöda över sina bräddar; bli översvämmad

floodlight ['flʌdlaɪt] **I** *s* **1** strålkastare **2** pl. *~s* strålkastarbelysning, strålkastarljus, flodljus; fasadbelysning **II** (*floodlighted floodlighted* el. *floodlit floodlit*) *vb tr* **1** belysa med strålkastare; fasadbelysa **2** bildl. sätta strålkastarljus på

floor [flɔː] **I** *s* **1** golv; golvbeläggning; botten [*the ~ of the ocean*]; sjö. durk; *double ~* trossbotten **2** slät mark (yta) **3** våning våningsplan; *the first ~* [våningen] en trappa upp; amer. bottenvåningen **4** *the ~ of the House* sessionssalen med undantag för åhörarläktarna; *cross the ~* gå över till motståndarsidan i debatt; *take the ~* få ordet, ta till orda **II** *vb tr* **1** lägga golv i; golvbelägga **2** kasta (slå) omkull boxare; vard. göra ställd; *be ~ed* äv. bli kuggad

floorboard ['flɔːbɔːd] golvbräde, golvplanka

flooring ['flɔːrɪŋ] **1** [golv]beläggning **2** golv[yta]; *double ~* trossbotten **3** golvbräder

floorshow ['flɔːʃəʊ] kabaré; krogshow

flop [flɒp] **I** *vb itr* **1** [hänga och] slänga, flaxa; *~ about* a) om sko kippa, glappa b) om pers. gå (stå, sitta) och hänga, slappa **2** sprattla [*the fish ~ped helplessly in the bottom of the boat*] **3** röra sig ovigt; plumsa; slänga (vältra) sig [*he ~ped over on his other side*]; *~ [down]* dimpa (dunsa) ner [*~ [down] into a chair*] **4** vard. göra fiasko, spricka, falla med dunder och brak **5** amer. sl. lägga sig **II** *s* **1** flaxande; small[ande]; plums; klatsch **2** vard. misslyckande, fiasko, flopp [*the new plan was a ~ from the very beginning*]; fall; *he was a ~ as a reporter* han var helt misslyckad som reporter **3** amer. sl. slaf på ungkarlshotell **III** *adv* o. *interj* pladask

floppy ['flɒpɪ] som hänger och slänger, flaxig; svajig; hållningslös; *~ disk* data. diskett, flexskiva

flora ['flɔːrə] flora

floral ['flɔːr(ə)l] blom- [*~ design*], blomster- [*~ decoration*]; *~ clock* blomsterur

florid ['flɒrɪd] **1** bildl. blomstrande [*~ style*], yppig; utsirad, snirklad [*~ carving*] **2** rödlätt, rödblommig [*~ complexion*]

florist ['flɒrɪst] blomsterhandlare, blomsterodlare; blomsterkännare; *~'s [shop]* blomsteraffär

floss [flɒs] **1** avfallssilke **2** flocksilke **3** *[dental] ~* tandtråd för rengöring av tänder

1 flounce [flaʊns] **I** *s* volang, kappa på kjol; garnering **II** *vb tr* garnera med volanger

2 flounce [flaʊns] **1** rusa, störta [*~ away (off, out)*; *she ~d out of the room in a rage*] **2** sprattla

1 flounder ['flaʊndə] zool. flundra; skrubba; amer. äv. rödspätta

2 flounder ['flaʊndə] **1** kava sig fram; sprattla, tumla omkring liksom i dy; *~ about* fara hit och dit, irra (famla) omkring **2** krångla (trassla) in sig; stå och hacka; *~ about* prata hit och dit, prata strunt

flour ['flaʊə] **I** *s* [sikt]mjöl; isht vetemjöl **II** *vb tr* beströ (pudra) med mjöl, mjöla
flourish ['flʌrɪʃ] **I** *vb itr* blomstra; florera [*the system ~ed for centuries*]; leva och verka [*he ~ed about 400 BC*] **II** *vb tr* **1** svänga, svinga [*~ a sword*] **2** pryda med snirklar (slängar) **3** demonstrera [*~ one's wealth*] **III** *s* **1** snirkel, släng på bokstäver; krumelur **2** blomsterspråk, floskler **3** elegant sväng (svängning) [*he took off his hat with a ~*], flott gest [*do a th. with a ~*]; svingande av vapen o.d.; salut med värja **4** ståtande, prål **5** mus. fanfar [*sound* (blåsa) *a ~*], touche; improviserat preludium; *~ of trumpets* trumpetfanfar
flout [flaʊt] **I** *vb tr* visa förakt för, trotsa [*~ the law*]; nonchalera [*~ a p.'s wishes*]; håna **II** *vb itr* håna; *~ at* håna, förlöjliga
flow [fləʊ] **I** *vb itr* **1** flyta; flöda [*his speech ~ed*]; om vers o.d. flyta [lätt]; *~ freely* rinna i strömmar, flöda [fritt]; *the river ~s into...* floden rinner ut (mynnar) i... **2** bildl. härröra [*wealth ~s from industry and economy*] **3** om hår o.d. bölja; falla [*her dress ~ed in artistic lines*] **4** stiga [*the river ~ed over its banks*]; *ebb and ~* om tidvattnet falla och stiga **5** *~ with* överflöda (flyta) av [*~ with milk and honey*] **II** *s* **1** rinnande; flöde; tillströmning [*the ~ of people into industry*]; genomströmning **2** överflöd; [rikt] tillflöde **3** hårs svall; dräkts o.d. fall, sätt att falla; våglinjer **4** tidvattnets stigande; *ebb and ~* ebb och flod **5** [*menstrual*] ~ menstruation, menstruationsblödning
flowchart ['fləʊtʃɑ:t] flödesschema
flower ['flaʊə] **I** *s* **1** blomma växtdel o. växt [*pick ~s*]; *no ~s* [*by request*] vid begravning blommor undanbedes **2** blom; *be in ~* stå i blom (sitt flor), blomma **3** bildl., *the ~ of the nation's manhood* blomman (kärnan) av nationens män **4** retorisk blomma; *~s of speech* ofta iron. granna fraser, stilblommor **5** kem., *~s of sulphur* svavelblomma **II** *vb itr* blomma; bildl. blomstra, utvecklas
flowerbed ['flaʊəbed] [blom]rabatt
flowerpot ['flaʊəpɒt] blomkruka; *hanging ~* [blomster]ampel
flower show ['flaʊəʃəʊ] blomsterutställning
flowery ['flaʊərɪ] **1** blomrik **2** blomsterprydd; blommig [*a ~ carpet*] **3** bildl. blomsterrik [*~ language*], blomstrande [*~ style*]
flown [fləʊn] perf. p. av *1 fly*
flu [flu:] vard., [*the*] ~ influensa, flunsan
fluctuate ['flʌktjʊeɪt] **1** fluktuera, gå upp och ned, växla [*fluctuating prices*] **2** vackla [*~ between hope and despair*], skifta
fluctuation [ˌflʌktjʊ'eɪʃ(ə)n] **1** växling, stigande och sjunkande, ostadighet; *~ of the market* konjunkturväxling **2** vacklan
flue [flu:] **1** rökfång **2** varmluftsrör i vägg; ångpannetub
fluency ['flu:ənsɪ] ledighet i uttryckssätt, uttal m.m.; ledigt uttryckssätt; *his ~ in German* [*was astonishing*] hans förmåga att tala tyska flytande...
fluent ['flu:ənt] ledig [*~ verse*]; flytande [*speak ~ French*]; som har lätt att uttrycka sig; talför; graciös [*~ motion*; *~ curves*]; *be ~ in three languages* tala tre språk flytande
fluently ['flu:əntlɪ] flytande [*speak English ~*]
fluff [flʌf] **I** *s* **1** löst ludd; dun **2** vard. felsägning, felspelning o.d.; miss **II** *vb tr* **1** ludda upp, förvandla till en dunig (luddig, luftig) massa **2** *~ up* (*out*) burra (fluffa, skaka) upp **3** vard. staka sig på; fördärva t.ex. slag i spel; *~ one's lines* teat. staka sig på sina repliker; säga fel
fluffy ['flʌfɪ] **1** a) luddig; dunig; om hår lent och burrigt b) luftig **2** luddig [*~ policies*]
fluid ['flu:ɪd] **I** *adj* **1** flytande; i flytande form; *~ clutch* (*drive*) vätskekoppling **2** flytande [*the limits are ~*]; ledig [*~ style*]; instabil [*~ market conditions*] **3** likvid; disponibel [*~ capital*] **II** *s* **1** fys. icke fast kropp [*liquids and gases are ~s*] **2** vätska; *drink plenty of ~s* dricka mycket, tillföra kroppen mycket vätska; *~ balance* vätskebalans
1 fluke [flu:k] **1** zool. levermask isht hos får **2** zool. flundra fisk
2 fluke [flu:k] **1** sjö. [ankar]fly **2** hulling på harpun
3 fluke [flu:k] vard. **1** lyckträff, flax **2** bilj. lyckträff
flummox ['flʌməks] vard. bringa ur fattningen
flung [flʌŋ] imperf. o. perf. p. av *fling*
flunk [flʌŋk] skol. el. univ. isht amer. vard. **I** *vb itr* **1** spricka **2** dra sig ur spelet **II** *vb tr* **1** spricka (köra) i (på) [*~ an examination*] **2** kugga [*~ a student*]; *~ out* isht kugga, köra **III** *s* kuggning
fluorescent [flɔ:'resnt] fluorescerande [*~ light*]; *~ lighting* lysrörsbelysning
fluoride ['flʊəraɪd] kem. **1** fluorid; *~ toothpaste* fluortandkräm **2** fluorförening
fluorine ['flʊəri:n, 'flɔ:r-] kem. fluor
flurry ['flʌrɪ] **I** *s* **1** [kast]by; snöby **2** nervös oro, nervositet, uppståndelse; spring; hets; *a ~ of activity* [en] febril aktivitet; *be in a ~* vara nervös (jäktad); *in a ~ of excitement* i nervös upphetsning **II** *vb tr* uppröra, förvirra
1 flush [flʌʃ] **I** *vb itr* flyga upp [och bort] **II** *vb tr* skrämma upp fåglar; jaga bort
2 flush [flʌʃ] **I** *vb itr* **1** forsa [fram]; rusa [*the blood ~ed into* (till) *her cheeks*] **2** blossa upp [äv. *~ up*] **II** *vb tr* **1** spola [ren] [*~ the* [*lavatory*] *pan*]; sätta under

vatten; ~ *the pan* äv. spola [på WC] **2** göra [blossande] röd, komma att glöda; *~ed with wine* het (blossande röd) av vin **3** egga (hetsa, liva) upp; *~ed with joy* rusig av glädje **III** *s* **1** häftig ström, fors **2** tillströmning **3** [ren]spolning **4** [känslo]svall; uppblossande [*a ~ of passion*]; rus [*in the first ~ of victory*] **5** [häftig] rodnad [*a ~ of shame*]; glöd; feberhetta; *hot ~* med. blodvallning

3 flush [flʌʃ] **I** *adj* **1** full, stigande om flod **2** vid kassa; rik [*he was feeling ~ on pay day*] **3** jämn, slät [*a ~ door*], grad; *~ against* tätt intill (mot) [*the table was ~ against the wall*] **4** om slag rak [*a ~ blow on the chin*] **II** *adv* **1** rakt **2** jämnt

4 flush [flʌʃ] kortsp. flush antal kort (vanl. 5) i samma färg; *straight ~* straight flush 5 kort i svit i samma färg

fluster ['flʌstə] **I** *vb tr* förvirra, göra nervös; *become (get) ~ed* bli förvirrad (nervös) **II** *s* nervositet; *all in a ~* nervös och orolig

flute [flu:t] **I** *s* **1** flöjt; flöjtstämma **2** räffla; på kolonn äv. kannelyr; hålkäl **3** pipa i goffrering **II** *vb itr* blåsa flöjt

flutter ['flʌtə] **I** *vb itr* **1** fladdra [*~ing butterflies; curtains ~ing in the breeze*], flaxa; vaja [*the flag ~ed in the wind*] **2** flaxa (flänga) omkring [äv. *~ about*] **3** om hjärta o. puls fladdra **II** *vb tr* **1** fladdra (flaxa) med; komma (få) att fladdra; röra upp vatten **2** bildl. jaga upp, oroa **III** *s* **1** fladdrande etc., jfr *I*; fladder; med. [hjärt]fladder **2** uppståndelse, förvirring, nervositet, ängslig brådska; virrvarr; *be [all] in a ~* vara alldeles uppjagad (förvirrad), vara nervös (orolig, yr i mössan), ha [riktig] hjärtklappning **3** vard. spekulation [*a ~ in mining shares*]; [hasard]spel; *have a little ~* [*at the races*] spela lite..., satsa lite pengar...

flux [flʌks] **1** [ständig] förändring; *in a state of ~* stadd i omvandling **2** omlopp [*~ of money*] **3** flod; flöde äv. bildl. [*a ~ of words*] **4** med. flytning **5** fys. strömhastighet

1 fly [flaɪ] **I** (*flew flown,* i bet. *I 4* o. *II 4* vanl. *fled fled,* eg. av 'flee') *vb itr* **1** flyga; *~ high* bildl. sikta högt, ha högtflygande planer **2** ila; rusa, störta; *~ open* om dörr flyga (springa) upp; *send a p. ~ing* a) slå omkull ngn b) slå ngn på flykten; *send things ~ing* slänga saker omkring sig (åt alla håll) **3** fladdra [*the flags were ~ing*] **4** fly [*they fled before* (för) *the enemy*] **5** med adv.: *~ about* flyga omkring; om vind kasta; *the hat flew away* hatten blåste bort; *~ off* flyga bort, rusa i väg; om sak flyga av (ur), gå av **II** (för tema se *I*) *vb tr* **1** låta flyga **2** flyga [*~ an aeroplane*]; flyga [med] [*~ passengers*]; flyga över [*~ the Atlantic in an aeroplane*] **3** föra, hissa flagg; *~ the colours* flagga **4** fly [från (ur)] [*~ the country*]; undvika **III** *s* **1** gylf **2** [*tent*] *~* a) tältdörr b) yttertält **3** pl. *flies* scenvind; utrymme över scenen

2 fly [flaɪ] fluga; [fiske]fluga [*artificial ~*]; *~ agaric* [röd] flugsvamp; *a ~ in the ointment* bildl. smolk i mjölken, ett streck i räkningen, ett aber

3 fly [flaɪ] sl. vaken, smart, skarp

flying ['flaɪɪŋ] **I** *s* flygning **II** *adj* o. *attr s* **1** flygande; flyg-, flygar- [*~ suit*]; *~ field* flygfält; *~ fox* zool. flygande hund **2** fladdrande, vajande **3** flygande, snabb; flyktig, snabb [*~ trip*]; provisorisk; *~ jump* sport. hopp med ansats (anlopp); väldigt hopp; *~ start* flygande start, rivstart **4** rörlig, lätt [*~ artillery*]; *~ squad* rörlig polisstyrka **5** *~ buttress* arkit. strävbåge [med strävpelare]

flyleaf ['flaɪli:f] bokb. försättsblad

flyover ['flaɪˌəʊvə] **1** a) planskild korsning b) vägbro **2** amer., se *flypast*

flypast ['flaɪpɑ:st] förbiflygning

flysheet ['flaɪʃi:t] **1** reklambroschyr; flygblad; löpsedel **2** yttertält

fly-swatter ['flaɪˌswɒtə] flugsmälla

flyweight ['flaɪweɪt] sport. **1** flugvikt **2** flugviktare

flywheel ['flaɪwi:l] mek. svänghjul

FM 1 förk. för *Field Marshal* **2** (förk. för *frequency modulation*) radio. FM

FO förk. för *Foreign Office*

foal [fəʊl] **I** *s* föl; *in (with) ~* dräktig **II** *vb itr* föla **III** *vb tr* föda föl

foam [fəʊm] **I** *s* skum; *~ bath* skumbad **II** *vb itr* skumma; *he ~ed at the mouth* han tuggade fradga, bildl. äv. han skummade av raseri

1 fob [fɒb] **1** urficka nedanför byxlinningen; liten ficka **2** nyckelring [med emblem]

2 fob [fɒb] lura; *~ off a th. on a p.* pracka på ngn ngt

focal ['fəʊk(ə)l] foto. fokal-, brännpunkts-; *~ distance (length)* brännvidd

fo|cus ['fəʊ|kəs] **I** *s* (pl. *-ci* [-saɪ el. -ki:] el. *-cuses*) **1** fokus, brännpunkt; *the object is in (out of) ~* skärpan är inställd (inte inställd) på föremålet; *bring into ~* a) ställa in skärpan på b) bildl. ställa i brännpunkten; *the picture is out of ~* bilden är oskarp **2** bildl. medelpunkt, blickfång; *the ~ of attention* centrum för uppmärksamheten **II** *vb tr* o. *vb itr* **1** fokusera[s], samla [sig] i en brännpunkt, samla[s]; bildl. koncentrera[s]; *~ on* rikta (sikta) in sig på; *~ one's attention on* koncentrera sin uppmärksamhet på **2** ställa in [*~ the eye; ~ the lens of a microscope*]; ställa in skärpan (avståndet)

fodder ['fɒdə] [torr]foder

foe [fəʊ] poet. fiende, motståndare
foetus ['fi:təs] anat. foster
fog [fɒg] **I** *s* dimma, tjocka, mist [*a London ~; dense (black, yellow) ~*]; töcken; *in a ~* bildl. a) omtöcknad b) villrådig **II** *vb tr* hölja [in] i dimma; göra dimmig (immig); *~ the issue* bildl. virra till (skymma) problemet
fogbound ['fɒgbaʊnd] **1** lamslagen av dimma, uppehållen på grund av dimma **2** höljd i dimma
fogey ['fəʊgɪ], *old ~* vard. gammal stofil, träbock
foggy ['fɒgɪ] **1** dimmig; töcknig **2** bildl. dunkel [*~ idea*]; suddig, vag; virrig; *I haven't the foggiest* [*idea*] jag har inte den blekaste [aning]
fog lamp ['fɒglæmp] bil. dimstrålkastare
foible ['fɔɪbl] [mänsklig] svaghet [*his ~*]; pl. *~s* äv. småfel
1 foil [fɔɪl] folie; foliepapper; *be (serve as) a ~ to* [tjäna till att] framhäva, ge relief åt
2 foil [fɔɪl] omintetgöra
3 foil [fɔɪl] fäktn. florett; *fencing at ~* florettfäktning
foist [fɔɪst] **1** smussla (smuggla) in [äv. *~ in*] **2** *~ a th.* [*off*] *on a p.* lura (pracka) på ngn ngt
1 fold [fəʊld] **1** [får]fålla, inhägnad **2** [fåra]hjord **3** bildl. fålla, fadershus [*return to the ~*], församling
2 fold [fəʊld] **I** *vb tr* **1** vika [ihop]; vecka; *~ back* vika tillbaka (undan); *~ up* lägga (vika, veckla) ihop [*~ up a map*] **2** fälla ihop [äv. *~ up*; *~ up a chair; the bird ~ed its wings*]; *~ one's arms* lägga armarna i kors; *with ~ed arms* med korslagda armar **3** *~ one's arm about (round)* slå (lägga) armen om **4** svepa [in], slå in [äv. *~ up*; *~* [*up*] *in paper*], hölja [in] **5** kok., *~ in* vända ner (blanda i) försiktigt [*~ in the egg-whites*] **II** *vb itr* **1** vikas; vecka sig; kunna vikas; *~ up* [kunna] fällas (vikas) ihop **2** *~* [*up*] vard. a) om företag etc. slå igen, sluta b) gå omkull (åt pipan) [*the business ~ed*] c) klappa ihop, falla ihop **III** *s* **1** veck; lager **2** vindning; hoprullad [orm]ring; krök av dal; sänka i berg **3** vikning; veckning äv. geol.
folder ['fəʊldə] **1** samlingspärm; mapp **2** folder; broschyr; hopvikbar tidtabell (karta m.m.)
folding ['fəʊldɪŋ] **I** *s* vikning; veckning äv. geol.; tekn. falsning **II** *adj* [hop]vikbar, [hop]fällbar; *~ bed* fällsäng, tältsäng; *~ chair* fällstol; *~ table* fällbord, klaffbord
foliage ['fəʊlɪɪdʒ] löv
folk [fəʊk], *~*[*s*] (konstr. ss. pl.) folk, människor; *hello ~s!* hej gott folk!
folklore ['fəʊklɔ:] folklore; folkloristik
follow ['fɒləʊ] **I** *vb tr* **1** följa [bakom, på, efter i rum el. tid], komma efter; efterträda; följa [*~ a road*]; *~ my* (amer. *the*) *leader* ung. 'följa John' lek; *~ one's nose* gå dit näsan pekar **2** förfölja, skugga [*we are being ~ed*] **3** följa med [*disease often ~s malnutrition*] **4** följa [*~ his advice, ~ the fashion, ~ a plan*]; *~ suit* kortsp. bekänna (följa) färg; bildl. följa exemplet, göra likadant **5** ägna sig åt yrke; *~ the sea* vara (bli) sjöman, vara (gå) till sjöss **6** följa [med ögonen (i tankarna)] [*they ~ed her movements*] **7** följa [med] [*he spoke so fast that I couldn't ~ him*], förstå; *do you ~ me?* är (hänger) du med?, förstår du vad jag menar? **8** *~ out* fullfölja, genomföra **II** *vb itr* **1** följa; komma efter [*go on ahead and I'll ~*]; *as ~s* på följande sätt; som följer, följande; *letter to ~* brev följer; *~ on* (adv.) a) följa (fortsätta) efter b) kricket., om lag gå in på nytt omedelbart efter en 'innings', fortsätta utan avbrott; *~ through* (adv.) sport. ta ut (fullfölja) slaget helt, gå igenom **2** [*because he is good*] *it does not ~ that he is wise* ...behöver han för den skull inte vara klok
follower ['fɒləʊə] **1** följeslagare **2** anhängare
following ['fɒləʊɪŋ] **I** *adj* följande [*the ~ story*]; *the ~ morning* följande morgon, morgonen därpå **II** *s* följe, anhang; anhängarskara [*his ~ was very small*] **III** *prep* **1** till följd av **2** [omedelbart] efter [*~ the lecture the meeting was open to discussion*]
follow-up ['fɒləʊʌp] uppföljning; efterbehandling; efterkontakt vid yrkesvägledning; med. [efter]kontroll
folly ['fɒlɪ] dåraktighet, tokeri
foment [fə(ʊ)'ment] **1** underblåsa [*~ rebellion*] **2** badda
fond [fɒnd] **1** *be ~ of* tycka om, vara förtjust i, vara fäst vid, vara kär i, hålla av, älska; vara begiven på; *be ~ of dancing* tycka om att dansa, gärna dansa **2** öm [*~ looks*] **3** fåfäng [*~ hope, ~ wish*]; *it exceeded our ~est hopes* det överträffade våra djärvaste förväntningar
fondle ['fɒndl] kela med
fondly ['fɒndlɪ] **1** ömt **2** *I ~ believe (hope)* jag vill [så] gärna tro (hoppas)
fondness ['fɒndnəs, 'fɒnnəs] tillgivenhet, ömhet; svaghet; förkärlek
fondue ['fɒndju:] kok. fondue
font [fɒnt] dopfunt; vigvattenskål
food [fu:d] mat [*~ and drink*]; föda, näring äv. bildl. [*mental ~*]; livsmedel; födoämne [*animal ~, vegetable ~*]; *articles of ~* matvaror
food processor ['fu:dˌprəʊsesə] matberedare
foodstuff ['fu:dstʌf] födoämne

fool [fu:l] **I** *s* **1** dåre; narr, tok[a], fåne; *a ~ and his money are soon parted* ung. det är lätt att plocka en dumbom på pengar **2** narr, fjant; förr hovnarr; *~'s cap* narrhuva, narrmössa av papper; *make a ~ of oneself* göra sig löjlig, göra bort sig **II** *vb tr* skoja (driva) med; lura [*~ a p. out of* (lura av ngn) *his money, ~ a p. into doing* ([till] att göra) *a th.*]; spela ngn ett spratt; *you can't ~ me* mig lurar du inte **III** *vb itr* bära sig åt som en stolle; *~ [about (around)]* a) gå och driva (dra), slå dank b) [vänster]prassla [*with a p.* med ngn]
foolery ['fu:lərɪ] **1** dårskap **2** gyckel, skämt
foolhardy ['fu:lˌhɑ:dɪ] dumdristig
foolish ['fu:lɪʃ] dåraktig; narraktig; löjlig [*cut* (göra) *a ~ figure*]
foolproof ['fu:lpru:f] idiotsäker
foolscap [i bet. *1* 'fu:lzkæp, i bet. *2* äv. 'fu:lskæp] **1** se *fool's cap* under *fool I 2* **2** folio pappersformat, ung. 4 x 3 dm; skrivpapper
foot [fʊt] **I** (pl. *feet* [fi:t]) *s* **1** fot; *my ~!* vard. sällan!, struntprat!; *carry a p. off his feet* a) kasta omkull ngn b) bildl. lägga ngn för sin fötter c) bildl. överväldiga ngn; *put one's ~ down* säga bestämt ifrån, protestera, slå näven i bordet; *be run off one's feet* vard. ha fullt upp att göra; *stand on one's own two feet* stå på egna ben; *by ~* till fots; *on ~* a) till fots b) på fötter, i rörelse c) i gång, i verket **2** fot [*at the ~ of the mountain*]; fotända [*~ of the bed*], nederdel [*~ of a sail*] **3** fot, sockel **4** fot mått (= 12 *inches* ung. = 30,48 cm); *five ~* (ibl. *feet*) *six* 5 fot 6 [tum] **II** *vb tr* **1** *~ it* a) gå till fots, traska b) tråda dansen **2** *~ the bill* vard. betala kalaset (räkningen)
footage ['fʊtɪdʒ] **1** längd i fot räknat, antal fot **2** film. [ett] antal fot (meter) film, filmmetrar
foot-and-mouth disease [ˌfʊt(ə)n'maʊθdɪˌzi:z] vetensk. mul- och klövsjuka
football ['fʊtbɔ:l] fotboll; *the F~ Association* engelska fotbollsförbundet; *the F~ Association Cup* (förk. *FA Cup*) engelska cupen; *~ jersey* fotbollströja; *~ shirt* fotbollströja; *~ shorts (knickers)* fotbollsbyxor; *American ~* amerikansk fotboll i motsats till vanlig fotboll
footballer ['fʊtbɔ:lə] fotbollsspelare
footbridge ['fʊtbrɪdʒ] gångbro, spång
footfall ['fʊtfɔ:l] steg
foothold ['fʊthəʊld] fotfäste; *secure (gain, get) a ~* få fotfäste, bildl. äv. få in en fot, komma in
footing ['fʊtɪŋ] **1** fotfäste, bildl. äv. säker ställning; *gain (get) a ~* få fotfäste, bildl. äv. få fast fot, vinna (få) insteg **2** bildl. grund; *put a business on a sound ~* konsolidera ett företag **3** bildl. fot, förhållande; läge; *be on an equal ~ with* vara jämställd (likställd) med; *place on the same ~ as* jämställa med
footlights ['fʊtlaɪts] teat. **1** [golv]ramp; rampljus **2** *the ~* scenen, skådespelaryrket
foot|man ['fʊt|mən] (pl. *-men* [-mən]) [livréklädd] betjänt, lakej
footnote ['fʊtnəʊt] [fot]not nederst på sida
footpath ['fʊtpɑ:θ] gångstig
footprint ['fʊtprɪnt] fotspår; fotavtryck
footstep ['fʊtstep] **1** steg **2** fotspår
footstool ['fʊtstu:l] pall, fotpall
footwear ['fʊtweə] fotbeklädnad
fop [fɒp] snobb
foppish ['fɒpɪʃ] sprättig
for [fɔ:, obeton. fə] **I** *prep* **1** a) för [*work ~ money*] b) [i utbyte] mot [*new lamps ~ old*]; *E ~ elephant* E som i elefant **2** a) till [*here's a letter ~ you*] b) åt [*I can hold it ~ you*] c) för, för ngns räkning [*he acted ~ me*]; *there's friendship ~ you!* vard. det kan man kalla vänskap!, iron. och det ska kallas vänskap! **3** för att få [*go to a p. ~ help*], efter [*ask ~ a p.*], om [*ask ~ help*], på [*hope ~*]; till [*dress ~ dinner*]; *now you're ~ it!* vard. det kommer du att få för!, nu åker du fast!; *what's this ~?* vard. a) vad är det här till? b) vad är det här bra för? **4** till [*the train ~ London*] **5** för [*bad ~ the health*]; *it's good ~ colds* det är bra mot förkylningar **6** lydande på; till ett belopp av; *a bill ~ £100* en räkning på 100 pund **7** med anledning av; av [*cry ~ joy*]; *~ this reason* av den anledningen **8** trots; *he is a good man ~ all that* han är en bra människa trots allt **9** vad beträffar, i fråga om [*the worst year ever ~ accidents*], angående; *~ all I care* vad mig beträffar, gärna för mig; [*he is dead*] *~ all I know* ...vad jag vet; *as ~* vad beträffar; *be hard up ~ money* ha ont om pengar **10** såsom; som [*they chose him ~ their leader*]; *~ instance (example)* till exempel; *I ~ one* jag för min del; *~ one thing* för det första **11** för [att vara] [*not bad ~ a beginner*] **12 a)** i tidsuttr. på [*I haven't seen him ~ a long time*]; [*be away*] *~ a month* ...[i] en månad **b)** i rumsuttr., *~ kilometres* på (under) flera kilometer **13** *it is ~ you to decide* det är du som skall bestämma; *here is a book ~ him to read* här har han en bok att läsa **II** *konj* för; [*I asked her to stay,*] *~ I had something to tell her* äv. ...jag hade nämligen något att säga henne
forage ['fɒrɪdʒ] **I** *s* **1** foder åt hästar o. boskap; furage **2** furagering **II** *vb itr* **1** furagera; söka efter (skaffa) föda **2** leta, rota [äv. *~ about (round)*]
foray ['fɒreɪ] **I** *s* **1** plundringståg; *make (go on) a ~* ge sig ut på plundringståg **2** bildl. strövtåg **II** *vb itr* ge sig ut på plundringståg

forbade [fə'bæd, fɔ:'b-, -'beɪd] imperf. av *forbid*

1 forbear ['fɔ:beə], vanl. pl. *~s* förfäder

2 forbear [fɔ:'beə] (*forbore forborne*) avhålla sig från, låta bli, underlåta; upphöra med

forbearance [fɔ:'beər(ə)ns] fördrag[samhet] [*show* (ha)]

forbid [fə'bɪd, fɔ:'b-] (imperf. *forbade*, ibl. *forbad*, perf. p. *forbidden*) **1** förbjuda [*a p. a th.*; *a p. to do a th.*]; *God ~!* det (vilket) Gud förbjude!; *God ~ that...* Gud förbjude att... **2** utestänga från; förvisa från **3** utesluta, [för]hindra

forbidden [fə'bɪdn] perf. p. av *forbid*

forbidding [fə'bɪdɪŋ, fɔ:'b-] frånstötande [*a ~ appearance* (yttre)], osympatisk [*a ~ person*]; avskräckande; anskrämlig; avvisande, ogästvänlig, otillgänglig [*a ~ coast*]

forbore [fɔ:'bɔ:] imperf. av *2 forbear*

forborne [fɔ:'bɔ:n] perf. p. av *2 forbear*

force [fɔ:s] **I** *s* **1** styrka, kraft äv. bildl. [*the ~ of an argument* (*a blow*)]; makt; *social ~s* sociala krafter; *by ~ of* i kraft av; *in* [*great*] *~* mil. i stort antal **2** styrka [*a ~ of 8,000 men*]; *the F~* polisen; pl. *armed ~s* väpnade styrkor, krigsmakt **3** våld [*use ~*]; *brute ~* [fysiskt] våld **4** [laga] kraft; *be in ~* äga (vara i) kraft, gälla; *put in*[*to*] *~* sätta i kraft **5** verklig innebörd, exakt mening [*the ~ of a word*] **6** fys. kraft; *electric* (*magnetic*) *~* elektrisk (magnetisk) fältstyrka **II** *vb tr* **1** tvinga **2** pressa [upp]; forcera; *~ the pace* driva upp farten (tempot) **3** bryta upp [*~ a lock*]; *~ a passage* (*one's way*) [med våld] bana sig väg, tränga sig [*in*[*to*] in i (till)] **4 a**) tvinga fram, tvinga sig till, pressa fram **b**) *~ a th.* [*up*]*on a p.* tvinga (truga) på ngn ngt **5** spec. förbindelser med adv.: *~ down* pressa (tvinga) ner, tvinga i sig; trycka ner; *~ through* driva (trumfa) igenom

forced [fɔ:st] **1** tvingad, tvungen; påtvingad, tvångs- [*~ feeding*, *~ labour*]; *~ landing* nödlandning **2** forcerad; *~ march* äv. ilmarsch **3** ansträngd [*a ~ style* (*manner*), *a ~ smile*]

force-feed ['fɔ:sfi:d] **I** *vb tr* tvångsmata äv. bildl. **II** *s*, *~* [*lubrication*] trycksmörjning

forceful ['fɔ:sf(ʊ)l] **1** kraftfull [*a ~ personality*, *a ~ style*] **2** se *forcible 2*

forcemeat ['fɔ:smi:t] kok. färs till fyllning av kyckling, fisk o.d.; köttbullssmet

forceps ['fɔ:seps] (konstr. ss. sg. el. pl.; pl. *forceps*) isht kirurgisk tång, pincett; *a* [*pair of*] *~* en tång (pincett)

forcible ['fɔ:səbl, -sɪbl] **1** [som sker] med våld (tvång), tvångs- [*~ feeding*] **2** eftertrycklig [*in the most ~ manner*]; effektfull

forcibly ['fɔ:səblɪ, -sɪb-] **1** med våld; mot min (din etc.) vilja; godtyckligt **2** med eftertryck (myndighet, kraft)

ford [fɔ:d] **I** *s* vad[ställe] **II** *vb tr* vada över (genom); korsa **III** *vb itr* vada

fore [fɔ:] **I** *adj* framtill belägen; framförvarande; främre **II** *s* främre del; sjö. för; *at the ~* sjö. i fockmastens topp; *to the ~* a) på platsen, till hands; tillgänglig, lätt åtkomlig; fullt synlig b) aktuell [*the question is much to the ~*] **III** *adv*, *~ and aft* i för och akter; från för till akter

1 forearm ['fɔ:rɑ:m] underarm

2 forearm [ˌfɔ:r'ɑ:m] beväpna [på förhand]

forebear ['fɔ:beə] se *1 forbear*

foreboding [fɔ:'bəʊdɪŋ] **1** [ond] aning **2** förebud; förutsägelse

forecast [ss. vb 'fɔ:kɑ:st, fɔ:'kɑ:st, ss. subst. 'fɔ:kɑ:st] **I** (*forecast forecast* el. *~ed ~ed*) *vb tr* **1** på förhand beräkna, förutse **2** förutsäga; *what weather do they ~ for tomorrow?* vad sa de om vädret i morgon [i väderrapporten]? **3** varsla **II** *s* [förhands]beräkning [*a ~ of next year's trade*]; prognos; förkänning; *weather ~* väderrapport

forecourt ['fɔ:kɔ:t] **1** [ytter]gård **2** del av tennisbana mellan servelinje o. nät

forefather ['fɔ:ˌfɑ:ðə] förfader, stamfader

forefinger ['fɔ:ˌfɪŋgə] pekfinger

forefront ['fɔ:frʌnt] främsta del (led); förgrund; *in the ~ of the battle* i främsta stridslinjen; *be in the ~* bildl. vara högaktuell, stå i förgrunden

foregoing [fɔ:'gəʊɪŋ] föregående

foregone ['fɔ:gɒn] **1** [för]gången **2** *a ~ conclusion* a) en förutfattad mening b) en given sak

foreground ['fɔ:graʊnd] förgrund

forehand ['fɔ:hænd] i tennis o.d. forehand

forehead ['fɒrɪd, 'fɔ:hed] panna

foreign ['fɒrən] **1** utländsk; utrikes[-]; främmande; *minister for* (*of*) *~ affairs* utrikesminister; *the F~ and Commonwealth Office* utrikesdepartementet i London; *~ trade* utrikeshandel, handel med utlandet **2** på annan ort [belägen]; utsocknes, från annan ort (annat grevskap o.d.) [kommande], främmande [*~ labour*] **3** *~ matter* främmande föremål

foreigner ['fɒrənə] utlänning

foreleg ['fɔ:leg] framben

fore|man ['fɔ:|mən] (pl. *-men* [-mən]) **1** [arbets]förman, [arbets]bas; verkmästare; arbetsledare; boktr. faktor; *working ~* arbetsledare som själv deltar i arbetet **2** ordförande i jury

foremost ['fɔ:məʊst] **I** *adj* främst; förnämst **II** *adv* främst [*first and ~*], först; *head ~* huvudstupa, på huvudet, med huvudet före

forenoon ['fɔ:nu:n] förmiddag
forensic [fə'rensɪk] juridisk, rättslig, rätts-; kriminalteknisk; ~ *laboratory* kriminalteknisk anstalt
foreplay ['fɔ:pleɪ] förspel till sexuellt umgänge
forerunner ['fɔ:ˌrʌnə] förelöpare; föregångare
foresee [fɔ:'si:] (*foresaw foreseen*) förutse; veta på förhand
foreseeable [fɔ:'si:əbl] förutsebar; *in the ~ future* inom överskådlig framtid
foreshadow [fɔ:'ʃædəʊ] bebåda; ställa i utsikt
foresight ['fɔ:saɪt] **1** förutseende **2** omtänksamhet
foreskin ['fɔ:skɪn] anat. förhud
forest ['fɒrɪst] [stor] skog äv. bildl. [*a ~ of masts in the harbour*]; skogstrakt; ~ *land* skogsmark
forestall [fɔ:'stɔ:l] förekomma; föregripa [*~ criticism*]
forester ['fɒrəstə] **1** jägmästare **2** skogvaktare
forestry ['fɒrəstrɪ] skogsvetenskap; skogsvård
foretaste ['fɔ:teɪst] försmak
foretell [fɔ:'tel] (*foretold foretold*) förutsäga; förebåda
forethought ['fɔ:θɔ:t] omtänksamhet
forever [fə'revə] för alltid; jämt [och ständigt]
forewarn [fɔ:'wɔ:n] varsko, förvarna
foreword ['fɔ:wɜ:d] förord
forfeit ['fɔ:fɪt] **I** *s* **1** bötessumma, böter; pris; pant i lek **2** förverkande **3** *~s* (konstr. ss. sg.) pantlek **II** *vb tr* **1** förverka, få plikta med [*~ one's life*] **2** mista, förlora [*~ the good opinion of one's friends*]
forgave [fə'geɪv] imperf. av *forgive*
1 forge [fɔ:dʒ], ~ *ahead* kämpa (arbeta, pressa) sig fram (förbi)
2 forge [fɔ:dʒ] **I** *s* **1** smedja, smidesverkstad **2** smidesugn **3** järnverk; metallförädlingsverk **II** *vb tr* **1** smida **2** förfalska, efterapa [*~ a cheque, ~ a signature*] **3** utforma, skapa [*~ a new Constitution*] **III** *vb itr* förfalska
forger ['fɔ:dʒə] förfalskare
forgery ['fɔ:dʒ(ə)rɪ] **1** förfalskning[sbrott] **2** konkr. förfalskning, efterapning [*a literary ~*] **3** jur. urkundsförfalskning
forget [fə'get] (*forgot forgotten*, poet. *forgot*) **I** *vb tr* glömma [bort], inte minnas (komma ihåg); *not ~ting* inte att förglömma, för att inte glömma **II** *vb itr*, *~ about a th.* glömma bort ngt
forgetful [fə'getf(ʊ)l] glömsk; försumlig; *be ~* vara glömsk av sig
forgetfulness [fə'getf(ʊ)lnəs] glömska; försumlighet
forget-me-not [fə'getmɪnɒt] bot. förgätmigej
forgive [fə'gɪv] (*forgave forgiven*) **I** *vb tr* förlåta; ursäkta [*~ my ignorance*]; *not to be ~n* oförlåtlig **II** *vb itr* förlåta
forgiven [fə'gɪvn] perf. p. av *forgive*
forgiveness [fə'gɪvnəs] förlåtelse; överseende
forgo [fɔ:'gəʊ] (*forwent forgone*) avstå från [*~ one's advantage*], försaka [*~ pleasures*]
forgot [fə'gɒt] imperf. av *forget*
forgotten [fə'gɒtn] perf. p. av *forget*
fork [fɔ:k] **I** *s* **1** gaffel; ~ *luncheon* (*dinner*) gående lunch (middag), enkel lunch (middag) **2** grep, tjuga **3** [gaffelformig] förgrening; ~ [*junction*] vägskäl, skiljeväg; korsväg **4** anat. gren, skrev **5** [*tuning*] ~ stämgaffel **6** framgaffel på cykel **II** *vb tr* **1** lyfta (ta, kasta, bära, gräva m.fl.) med grep (gaffel) **2** vard., ~ *out* (isht amer. *up, over*) punga ut [med], langa fram [*~ out* (*up, over*) *a lot of money*] **III** *vb itr* **1** [för]grena (dela) sig; ~ *left* (*right*) ta (vika) av till vänster (höger) **2** vard., ~ *out* (isht amer. *up, over*) punga ut med stålarna [*he wouldn't ~ out* (*up, over*)]
forked [fɔ:kt] [för]grenad
forlorn [fə'lɔ:n] **1** [ensam och] övergiven; ödslig **2** förtvivlad [*a ~ attempt* (*cause*)] **3** bedrövlig, eländig [*his ~ appearance*] **4** *~ hope* a) sista förtvivlat försök b) svagt (fåfängt) hopp
form [fɔ:m] **I** *s* **1** form i olika bet.; *the plural ~* gram. pluralform[en], pluralis; *be in* (*on*) *~* t.ex. sport. vara i [fin] form (i god kondition), vara i slag, vara tränad **2** gestalt; figur; gestaltning; slag, form; *take ~* ta form (gestalt) **3** etikett[sak]; *it is bad ~* det passar sig inte, det är obelevat (inte fint) **4** formulär, blankett [*a ~ for a contract; fill up a ~*]; formel; ~ *letter* standardbrev **5** [lång] bänk utan rygg; skolbänk **6** [skol]klass; årskurs [*first ~*] **II** *vb tr* **1** bilda [*~ a Government*]; forma, dana; [an]ordna; grunda; ~ *a coalition* ingå (bilda) en koalition **2** utbilda, fostra, forma [*~ a child's character*] **3** skaffa sig [*~ a habit*]; stifta [*~ an acquaintance*] **4** utforma [*~ a plan*]; fatta [*~ a resolution*]; bilda (göra) sig [*~ a judgement* (*an opinion*)] **5** utgöra [*~ part* (en del) *of*] **III** *vb itr* formas, forma sig; bildas [*ice had ~ed*]
formal ['fɔ:m(ə)l] **1** formell; formenlig **2** formlig **3** högtidlig [*a ~ occasion*], ceremoniös; formell [*a ~ bow*]; ~ *dress* högtidsdräkt **4** stel; formalistisk
formalit|y [fɔ:'mælətɪ] **1** formenlighet; formbundenhet; formalism, stelhet **2** konventionalism, formalism **3** formalitet [*customs -ies*]; formsak; *a*

mere ~ en ren formalitet (formsak) **4** stelhet; formellt uppträdande

formalize ['fɔ:məlaɪz] formalisera

formally ['fɔ:məlɪ] **1** formellt; för formens skull; helt formellt [*they never met, except* ~] **2** uttryckligen **3** i vederbörlig form (ordning) **4** högtidligt

format ['fɔ:mæt] boks format, utseende

formation [fɔ:'meɪʃ(ə)n] **1** formande; utformning; bildning äv. konkr.; daning; gestaltning **2** mil. el. sport. formering; gruppering **3** [berg]formation

formative ['fɔ:mətɪv] formande, utvecklings- [~ *stage*]; utbildnings-; formbar; *the ~ years of a child's life* äv. utvecklingsåren under ett barns liv

former ['fɔ:mə] **1** föregående [*my ~ students*]; förgången; *in ~ times* fordom, förr i världen **2** förra, förre [*the ~ prime minister*] **3** *the ~* den förre (förra), det (de) förra [*the ~...the latter...*]

formerly ['fɔ:məlɪ] förut; fordom, förr [i världen]; ~ *ambassador in* f.d. ambassadör i

formidable ['fɔ:mɪdəbl, fɔ:'mɪd-] **1** fruktansvärd; skräckinjagande; respektingivande **2** formidabel, väldig [*a ~ task*]

formul|a ['fɔ:mjʊl|ə] (pl. äv. *-ae* [-i:]) **1** formel; formulering; formulär; teol. bekännelseformel **2** matem. el. kem. formel **3** recept **4** isht amer. modersmjölksersättning **5** i bilsport formel [*F~ 1*]

formulate ['fɔ:mjʊleɪt] formulera

fornicate ['fɔ:nɪkeɪt] mest jur. bedriva otukt

forsake [fə'seɪk, fɔ:'s-] (*forsook forsaken*) **1** överge [~ *one's friend*] **2** ge upp [~ *an idea*], avstå från

forsaken [fə'seɪk(ə)n, fɔ:'s-] perf. p. av *forsake*

forsook [fə'sʊk, fɔ:'s-] imperf. av *forsake*

fort [fɔ:t] fort; skans; *hold the ~* bildl. hålla ställningarna; sköta det hela

1 forte ['fɔ:teɪ, -tɪ, isht amer. fɔ:t] stark sida, styrka [*singing is not my ~*]

2 forte ['fɔ:tɪ] mus. (it.) **I** *s* o. *adv* forte **II** *adj* forte-

forth [fɔ:θ] **1** framåt; vidare; *back and ~* fram och tillbaka; *from this time ~* hädanefter **2** fram [*bring* (*come*) ~]

forthcoming [fɔ:θ'kʌmɪŋ] **1** kommande, utkommande; stundande; ~ *events* kommande program t.ex. på bio **2** vard. tillmötesgående

forthright ['fɔ:θraɪt] **I** *adj* rättfram, öppen [~ *approach*] **II** *adv* rakt fram (ut)

forthwith [ˌfɔ:θ'wɪθ, -'wɪð] genast; skyndsamt

fortieth ['fɔ:tɪɪθ, -tɪəθ] **1** fyrtionde **2** fyrtion[de]del

fortification [ˌfɔ:tɪfɪ'keɪʃ(ə)n] **1** mil. fortifikation; befästande **2** befästning; isht pl. *~s* [be]fästningsverk

fortif|y ['fɔ:tɪfaɪ] **I** *vb tr* **1** mil. befästa **2** [för]stärka; beväpna; uppmuntra; ~ *oneself with a glass of rum* styrka sig med ett glas rom **3** förskära blanda vin med alkohol; berika; *-ied wine* vanl. starkvin **II** *vb itr* uppföra befästningar

fortitude ['fɔ:tɪtju:d] mod isht i lidande o. motgång; tålamod

fortnight ['fɔ:tnaɪt] fjorton dagar (dar); *every ~* el. *once a ~* var fjortonde dag, varannan vecka

fortnightly ['fɔ:tˌnaɪtlɪ] [som äger rum (utkommer) o.d.] var fjortonde dag

fortress ['fɔ:trəs] fästning; [starkt] befäst ort (stad); bildl. fäste, värn

fortuitous [fɔ:'tju:ɪtəs] tillfällig; slumpartad

fortunate ['fɔ:tʃ(ə)nət] **1** lycklig; lyckad; *be ~* ha tur **2** lyckosam

fortunately ['fɔ:tʃ(ə)nətlɪ] lyckligtvis, som tur var (är); lyckligt

fortune ['fɔ:tʃu:n, -tju:n, -tʃ(ə)n] **I** *s* **1** lycka [*when ~ changed*]; öde; omständighet [*his ~s varied*]; tur; *Dame F~* fru Fortuna; *I had the good ~ to* el. *it was my good ~ to* jag hade lyckan (turen) att; *seek one's ~* söka lyckan (sin lycka); *try one's ~* pröva lyckan, försöka sin lycka **2** förmögenhet; rikedom, välstånd; stor hemgift; *come into a ~* ärva en förmögenhet, få ett stort arv **II** *vb itr* åld. hända [sig] [*it ~d that*]; ~ *upon* råka finna

fortune-hunter ['fɔ:tʃu:nˌhʌntə, -tʃ(ə)n-] lycksökare

fortune-teller ['fɔ:tʃu:nˌtelə, -tʃ(ə)n-] spåman; spåkvinna

forty ['fɔ:tɪ] (jfr *fifty* m. sms.) **I** *räkn* fyrti[o]; ~ *winks* vard. [en] liten tupplur [*have* el. *take* (ta sig) ~ *winks*; *I want my ~ winks*] **II** *s* fyrti[o]; fyrti[o]tal

forward ['fɔ:wəd, sjö. 'fɒrəd] **I** *adj* **1** främre [~ *ranks*], framtill (framför) belägen; sjö. för- **2** framåtriktad; framryckande; ~ *gear* växel [för gång framåt] **3** försigkommen; brådmogen [*a ~ child*] **4** framfusig [*a ~ young man*]; indiskret **II** *s* sport. forward, anfallsspelare, kedjespelare **III** *adv* **1** framåt, framlänges; sjö. förut inombords; i förgrunden; ~ *march!* framåt marsch! **2** fram [*rush ~*] **IV** *vb tr* **1** [be]främja [~ *a p.'s interests*] **2** vidarebefordra; *please ~* på brev eftersändes **3** skicka; befordra; spediera

forwards ['fɔ:wədz] framåt; *backwards and ~* fram och tillbaka, hit och dit

fossil ['fɒsl, -sɪl] **I** *adj* fossil [~ *bones, ~ ferns*], förstenad; ~ *fuel* fossilt bränsle **II** *s* fossil; *an old ~* bildl. om pers. en gammal stofil

foster ['fɒstə] **1** ta sig an [~ *the sick*] **2** utveckla [~ *musical ability*]; befordra [~ *trade*]; bildl. fostra, uppamma

fought [fɔ:t] imperf. o. perf. p. av *fight*

foul [faʊl] **I** *adj* **1** illaluktande, dålig [~ *smell*] **2** äcklig [*a* ~ *taste*]; vard. usel, gräslig **3** smutsig [~ *linen*], förorenad, grumlig [~ *water*]; ~ *air* förpestad luft **4** belagd [*a* ~ *tongue*]; *a* ~ *pipe* en sur pipa **5** *fall* (*run*) ~ *of* a) kollidera med; segla (törna) på, driva emot b) komma (råka) i konflikt med [*fall* ~ *of the law*] **6** gemen, skamlig [*a* ~ *deed*]; rå, oanständig [~ *language*]; vard. otäck **7** ojust; ~ *means* olagliga medel **II** *s* ojust spel; boxn. foul; *commit a* ~ ruffa **III** *vb itr* sport. spela ojust (mot reglerna) **IV** *vb tr* **1** smutsa ned; bildl. fläcka; vanställa **2** täppa till [~ *a drain*] **3** sjö. m.m. göra oklar; kollidera med **4** sport. spela (vara) ojust mot

1 found [faʊnd] imperf. o. perf. p. av *find*

2 found [faʊnd] gjuta, stöpa

3 found [faʊnd] **1** grunda [~ *a colony* (*school, town*)], [in]stifta **2** bildl. grunda [~*ed on fact*]; *well* ~*ed* välgrundad, berättigad

foundation [faʊn'deɪʃ(ə)n] **1** grundande, [in]stiftande **2** stiftelse; donation; [donations]fond **3** grund; grundval, bas; fundament; *the* ~[*s*] *of a building* grunden till en byggnad; *the report has no* ~ ryktet saknar grund **4** underlag; ~ *cream* puderunderlag

foundation stone [faʊn'deɪʃ(ə)nstəʊn] grundsten

1 founder ['faʊndə] gjutare

2 founder ['faʊndə] grundare

3 founder ['faʊndə] **1** om häst snava och falla, stupa av trötthet **2** sjö. [vattenfyllas och] sjunka, förlisa **3** om t.ex. hus, mark sjunka; störta in, rasa **4** bildl. stupa; gå under, slå fel; stranda

foundry ['faʊndrɪ] **1** gjuteri; järnbruk **2** gjutning; gjutarkonst

1 fount [faʊnt] poet. källa

2 fount [faʊnt, fɒnt] boktr. [stil]sats; stil

fountain ['faʊntən] **1** fontän; kaskad; [*water*] ~ dricksfontän **2** bildl. källa; ursprung

fountain pen ['faʊntənpen] reservoarpenna

four [fɔ:] (jfr *five* m. ex. o. sms.) **I** *räkn* fyra; ~ *bits* amer. sl. 50 cent; ~ *eyes* vard. [din] glasögonorm person med glasögon **II** *s* fyra; fyrtal; *on all* ~*s* på alla fyra

four-cylinder ['fɔ:ˌsɪlɪndə] fyrcylindrig

four-dimensional [ˌfɔ:daɪ'menʃənl, -dɪ'm-] fyrdimensionell

fourfold ['fɔ:fəʊld] **I** *adj* fyrdubbel **II** *adv* fyrdubbelt

four-letter [ˌfɔ:'letə], ~ *word* runt ord svordom som i engelskan oftast består av 4 bokstäver

four-poster [ˌfɔ:'pəʊstə] himmelssäng [äv. ~ *bed*]

foursome ['fɔ:səm] **1** golf. foursome **2** två par, sällskap på fyra personer

fourteen [ˌfɔ:'ti:n, attr. '--] fjorton; jfr *fifteen* m. sms.

fourteenth [ˌfɔ:'ti:nθ, attr. '--] fjortonde; fjorton[de]del; jfr *fifth*

fourth [fɔ:θ] (jfr *fifth*) **I** *räkn* fjärde **II** *adv*, *the* ~ *largest town* den fjärde staden [i storlek] **III** *s* **1** fjärdedel **2** *the F*~ [*of July*] fjärde juli Förenta staternas nationaldag **3** mus. kvart **4** fjärde man; *make a* ~ vara (bli) fjärde man **5** motor. fyrans växel, fyran; *put the car in* ~ lägga in fyran

fowl [faʊl] **I** *s* **1** höns[fågel]; fjäderfä **2** koll. fågel, fåglar **II** *vb itr* jaga (fånga) fågel

fox [fɒks] **I** *s* **1** zool. räv **2** rävskinn **3** bildl. räv **4** isht amer. sl. sexig tjej (brud), pangbrud **II** *vb tr* vard. lura; förbrylla

foxglove ['fɒksglʌv] bot. fingerborgsblomma

foxhunting ['fɒksˌhʌntɪŋ] **I** *s* rävjakt **II** *adj* intresserad av rävjakt [~ *man*]

foyer ['fɔɪeɪ] foajé

fracas ['frækɑ:, amer. 'freɪkəs] (pl. *fracas* ['frækɑ:z], amer. *fracases* [-kəsɪz]) stormigt uppträde

fraction ['frækʃ(ə)n] **1** [bråk]del [~*s of an inch*]; gnutta, dugg [*not a* ~ *better*], [litet] stycke; fragment **2** matem. bråk **3** polit. o.d. fraktion

fractious ['frækʃəs] **1** bråkig, oregerlig **2** grinig, besvärlig, kinkig [*a* ~ *child* (*old man*)]

fracture ['fræktʃə] **I** *s* **1** brytning, spricka **2** kir. [ben]brott, fraktur **II** *vb tr* o. *vb itr* bryta[s]

fragile ['frædʒaɪl, amer. -dʒ(ə)l] bräcklig [~ *health*; ~ *china*], skör, spröd; om pers. klen

fragment [ss. subst. 'frægmənt, ss. vb fræg'ment] **I** *s* [avbrutet] stycke, skärva, splitter [~ *of glass*, ~ *of a shell*]; fragment, brottstycke [*overhear* ~*s of a conversation*] **II** *vb itr* gå sönder **III** *vb tr* slå sönder

fragmentary ['frægmənt(ə)rɪ, fræg'mentərɪ] fragmentarisk; lösryckt

fragrance ['freɪgr(ə)ns] vällukt, doft

fragrant ['freɪgr(ə)nt] **1** välluktande **2** ljuvlig [~ *memories*]

frail [freɪl] **1** bräcklig [~ *support*], skör [*a* ~ *child*, *a* ~ *constitution*], skröplig; förgänglig [~ *happiness*] **2** svag, lätt förledd

frame [freɪm] **I** *vb tr* **1** bygga [upp], inrätta **2** tänka ut [~ *a plan*, ~ *a plot*]; utarbeta; bilda [~ *words*] **3** rama in **4** vard. **a**) ~ [*up*] koka (dikta, sätta) ihop [~ *a charge*] **b**) ~ [*up*] fixa [på förhand] t.ex. match; fiffla (fuska) med [resultatet av] t.ex. val, match

c) sätta dit; sätta fast genom en falsk anklagelse **II** *s* **1** stomme; bjälklag; skrov; underrede; ram t.ex. på cykel o. bilchassi; stativ; [bärande] konstruktion ([trä]ställning); mes till ryggsäck; sjö. spant **2** ram [*~ of a picture*], karm [*~ of a window*]; [glasögon]bågar; [sy]båge; *~ aerial* radio. ramantenn **3** kropp; kroppsbyggnad [*his powerful ~*] **4** drivbänk **5** *~* [*of mind*] [sinnes]stämning **6** ram, system, struktur [*the ~ of society*]; *~ of government* regim, författning **7** bild[ruta] på filmremsa o.d.; [TV-]bild

framework ['freɪmwɜ:k] **1** stomme; skelett; konstruktion **2** bildl. stomme; ram, struktur; disposition; *within the ~ of* inom ramen för

franc [fræŋk] franc

France [frɑ:ns] Frankrike

franchise ['fræn(t)ʃaɪz] **I** *s* **1** *the ~* rösträtt[en], valrätt[en] **2** medborgarrätt **3** ensamrätt; isht amer. koncession, tillstånd; ekon. franchise **II** *vb tr* ekon. bevilja franchise

frank [fræŋk] **I** *adj* öppen, rättfram, uppriktig [*be ~ with* (mot) *a p.*]; *to be quite ~* för att säga det rent ut (säga som det är), sanningen att säga **II** *vb tr* frankera; *~ing machine* frankeringsmaskin

frankfurter ['fræŋkfɜ:tə] frankfurterkorv

frankly ['fræŋklɪ] öppet etc., jfr *frank I*; uppriktigt sagt; *speak ~* tala rent ut

frantic ['fræntɪk] **1** ursinnig, vild [*~ attempts*], utom (ifrån) sig [*~ with* (av) *anxiety* (*joy, pain*)]; rasande, vanvettig; hektisk [*a ~ search*] **2** vard. förfärlig [*be in a ~ hurry*]

fraternal [frə'tɜ:nl] broderlig

fraternity [frə'tɜ:nətɪ] **1** broderskap [*liberty, equality, ~*], broderlighet **2** broderskap; samfund; *the medical ~* läkarkåren **3** amer. manlig studentförening vid college, ofta med hemlig ritual; *~ house* föreningshus

fraternize ['frætənaɪz, -tɜ:n-] fraternisera isht neds.; förbrödra sig

fraud [frɔ:d] **1** bedrägeri [*get money by ~*]; svek; svindel; bluff; falsarium [*a literary ~*]; *~ squad* polis. bedrägerirotel **2** vard. bedragare

fraudulent ['frɔ:djʊlənt] bedräglig [*~ bankruptcy*; *~ proceedings* (förfarande)], svekfull; olaglig

fraught [frɔ:t], *~ with* åtföljd (full, uppfylld) av, laddad med; *~ with danger* (*peril*) farofylld

1 fray [freɪ], *eager for the ~* stridslysten äv. bildl.

2 fray [freɪ] **I** *vb tr* nöta (slita) [ut], nöta [ut] i kanten; göra trådsliten; skrubba; *~ed cuffs* trasiga (fransiga) manschetter; *~ed nerves* trasiga nerver **II** *vb itr* bli nött ([tråd]sliten)

freak [fri:k] **I** *s* **1** *~* [*of nature*] naturens nyck, kuriositet; missfoster **2** vard. original, excentriker; udda person **3** sl. knarkare; i sms. -missbrukare [*acid ~*]; -ätare [*pill ~*]; *speed ~* pundare **4** sl., vanl. i sms. -älskare, -fantast [*football ~*]; *health ~* frisksportare, hurtbulle, hälsofreak **II** *adj* **1** nyckfull, onormal [*a ~ storm*] **2** abnorm, monstruös; egenartad **3** vard. originell **III** *vb itr* sl., *~ out* a) bli (vara) hög (påtänd) av narkotika; snedtända b) smälla av, flippa ut

freakish ['fri:kɪʃ] nyckfull; underlig; abnorm

freckle ['frekl] **I** *s* fräkne; liten fläck, prick **II** *vb tr* o. *vb itr* göra (bli) fräknig (fläckig); få fräknar

freckled ['frekld] o. **freckly** ['freklɪ] fräknig; fläckig

free [fri:] **I** *adj* **1** fri; frivillig; oförtjänt [*the ~ grace of God*]; *he is ~ to* det står honom fritt att; *go ~* röra sig fritt, gå lös; *leave a p. ~ to* ge ngn frihet (fria händer) att; *~ agent* människa med full handlingsfrihet, fritt handlande väsen; *have* (*give a p.*) *a ~ hand* ha (ge ngn) fria händer; *~ speech* det fria ordet **2** fri, oupptagen, ledig [*have a day ~*]; tillgänglig; *~ fight* allmänt slagsmål **3** befriad; *~ from* äv. utan **4** [kostnads]fri, gratis [äv. *~ of charge*; vard. *for ~*]; franko; *~ library* offentligt bibliotek; *~ alongside* [*ship*] (förk. *f.a.s.*) hand. fritt [vid] fartygs sida; *~ from alongside* (förk. *f.f.a.*) hand. fritt från fartygs sida; *~ on board* (förk. *f.o.b.*) hand. fritt ombord **5 a**) ogenerad, ledig [*~ movements, a ~ gait*] **b**) frispråkig, öppen[hjärtig] **c**) alltför fri, oanständig [*be ~ in one's conversation*]; *make ~ with a p.* ta sig friheter med (gentemot) ngn **d**) fördomsfri; *~ and easy* otvungen, naturlig; vårdslös; ogenerad **II** *adv* fritt i olika bet., isht gratis [*the gallery is open ~ on Fridays*] **III** *vb tr* befria

freebie ['fri:bɪ] vard. fribiljett, fri måltid m.m.; [*the show*] *was a ~* ...var gratis

freedom ['fri:dəm] **1** frihet; *~ of movement* rörelsefrihet **2** ledighet [*~ of movements*]; djärvhet; *take ~s with* ta sig friheter med (gentemot) **3** privilegium; fri- och rättighet; nyttjanderätt

free-for-all ['fri:fərˌɔ:l] **I** *adj* **1** öppen för alla **2** oreglerad, regellös **II** *s* **1** allmänt (öppet) slagsmål (gräl o.d.) **2** huggsexa

freehold ['fri:həʊld] [egendom med] full besittningsrätt; egen mark (tomt)

freelance ['fri:lɑ:ns, ˌ-'-] **I** *s* frilans inte fast anställd **II** *vb itr* arbeta som frilans

freeloader ['fri:ˌləʊdə] vard. matfriare, snyltgäst
freely ['fri:lɪ] **1** fritt [*think ~, translate ~*]; obehindrat **2** frivilligt [*~ grant a th.*] **3** öppet, oförbehållsamt; ogenerat **4** rikligt, i mängd
freemason ['fri:ˌmeɪsn] frimurare
free-range ['fri:reɪn(d)ʒ], *~ hens* höns som går fria, sprätthöns
freesia ['fri:zjə] bot. fresia
freestyle ['fri:staɪl] sport. fristil; *~* [*swimming*] frisim, fritt simsätt
free trade [ˌfri:'treɪd] frihandel
freeway ['fri:weɪ] amer. [vanl. tullfri] motorväg
freewheel [ˌfri:'wi:l] åka (köra) på frihjul
free-will [ˌfri:'wɪl] **I** *s* fri vilja; frivillighet **II** *adj* frivillig
freeze [fri:z] **I** (*froze frozen*) *vb itr* **1** frysa [*the water froze*]; frysa till; frysa fast; bildl. isa sig [*the blood froze in his veins*]; *~!* isht amer. stå still!, stanna!; [*raspberries*] *~ well* ...går bra att frysa **2** frysa, vara iskall [*I am freezing*]; stelna av köld; rysa; *~ to death* frysa ihjäl **II** (*froze frozen*; se äv. *frozen*) *vb tr* **1** [komma (få) att] frysa, förvandla till is; frysa [ned (in)], djupfrysa [*~ meat*]; lokalbedöva genom frysning [*~ a tooth*]; bildl. isa **2** *be frozen up* om fartyg frysa fast **3** vard., *~ out* frysa ut [*of* ur, från], bli (göra sig) kvitt, bojkotta; konkurrera ut **4** hand. förbjuda; spärra [*~ a bank account*]; maximera, fixera [*~ prices, ~ wages*]; *~ prices* (*wages*) äv. införa prisstopp (lönestopp) **5** film. el. TV. frysa en bild **III** *s* **1** frost; köldknäpp **2** bildl. frysning; *wage ~* lönestopp
freeze-dry [ˌfri:z'draɪ] frystorka
freezer ['fri:zə] frys, frysbox, frysfack; kylvagn; glassmaskin; *~ bag* fryspåse
freezing ['fri:zɪŋ] **I** *adj* bitande kall äv. bildl. [*~ politeness*] **II** *s* djupfrysning; fryspunkt [*above ~*] **III** *adv*, *~ cold* iskall
freezing-compartment ['fri:zɪŋkəmˌpɑ:tmənt] frysfack
freezing-point ['fri:zɪŋpɔɪnt] fryspunkt [*above* (*at, below*) *~*]
freight [freɪt] **I** *s* **1** frakt[avgift] till sjöss, amer. äv. med järnväg; *~ rates* (*charges*) fraktsatser, fraktskalor **2** fraktgods i mots. till ilgods [äv. *goods on* (*in*) *~*] **3** frakt; skeppslast **4** amer., *~ car* godsvagn; *~ depot* (*yard*) godsbangård **II** *vb tr* **1** lasta [*~ a ship*] **2** befrakta [*~ a ship for* (till, på)] **3** frakta
freighter ['freɪtə] **1** fraktbåt; fraktflygare, transportflygplan **2** befraktare; godsavsändare; speditör
French [fren(t)ʃ] **I** *adj* fransk; *~ bean* skärböna; haricot vert; *~ fried* [*potatoes*] (vard. *~ fries*) isht amer. pommes frites; *~ horn* mus. valthorn; *take ~ leave* vard. smita [utan att säga adjö], avdunsta; handla (agera) utan lov; *~ letter* vard. gummi kondom; *~ window* (amer. *door*) till trädgård o.d. glasdörr **II** *s* **1** franska [språket] **2** *the ~* fransmännen
French|man ['fren(t)ʃ|mən] (pl. *-men* [-mən]) fransman
frenetic [frə'netɪk] frenetisk
frenzy ['frenzɪ] **I** *s* [utbrott av] ursinne; vanvett [*he was almost driven to ~*]; vansinne; *in a ~ of* [*enthusiasm*] vild av... **II** *vb tr* göra vanvettig (vild, ursinnig)
Freon ['fri:ɒn] ® freon
frequency ['fri:kwənsɪ] frekvens äv. fys.; täthet; *~ count* frekvensundersökning; *high ~* (förk. *HF*) radio. höga frekvenser
frequent [ss. adj. 'fri:kwənt, ss. vb frɪ'kwent] **I** *adj* ofta förekommande, vanlig [*a ~ happening, a ~ practice, a ~ sight*]; tät [*~ service of trains, ~ visits*]; frekvent; *a ~ caller* en flitig besökare; *make ~ use of* göra flitigt bruk av **II** *vb tr* ofta besöka [*~ a café*], ofta bevista
frequently ['fri:kwəntlɪ] ofta, titt och tätt
fresco ['freskəʊ] (pl. *~es* el. *~s*) freskomåleri; *paint in ~* måla al fresco
fresh [freʃ] **1** ny [*break ~ ground, ~ information, a ~ paragraph, ~ supplies*]; *make a ~ start* börja om från början (på nytt) **2** färsk [*~ bread* (*vegetables, water*); *~ footprints; ~ memories*]; frisk [*~ water*], fräsch [*~ colours* (*flowers*)] **3** frisk, uppfriskande, sval [*~ air* (*breeze, wind*)]; *~ breeze* sjö. styv bris **4** nygjord; nyss erhållen; nyss utkommen (utsläppt); *~ arrivals* nyanlända [personer] **5** grön oerfaren; färsk **6** frisk [och kry]; pigg; [*as*] *~ as a daisy* fräsch som en nyponros **7** fräck; *don't get ~!* var inte så fräck!
freshen ['freʃn] **I** *vb tr*, *~* [*up*] friska upp [*~ up one's English*], fräscha upp **II** *vb itr* **1** bli frisk[are]; ljusna **2** *~* [*up*] snygga upp (till) sig
freshly ['freʃlɪ] friskt etc., jfr *fresh*; isht nyligen; *~ painted* nymålad
freshness ['freʃnəs] nyhet etc., jfr *fresh*; fräschör
freshwater ['freʃˌwɔ:tə] sötvattens- [*~ fish*]
1 fret [fret] **I** *vb itr* **1** [gå omkring och] vara sur, gräma sig; *~ting* otålig, retlig, grinig **2** gnaga; fräta **II** *vb tr* **1** reta [upp]; oroa; gräma; *~ oneself* gräma (oroa) sig [*to death* till döds] **2** om små djur gnaga [på] **III** *s* förargelse, harm, förtret; *be in a ~* vara på dåligt humör, gå omkring och gräma sig
2 fret [fret] pryda med sniderier (inläggningar); pryda i allm.; perf. p. *~ted* rikt snidad (skulpterad), i genombrutet arbete
fretful ['fretf(ʊ)l] sur

fretsaw ['fretsɔ:] lövsåg
Freudian ['frɔɪdjən] **I** *adj* freudiansk; ~ *slip* freudiansk felsägning **II** *s* freudian
friar ['fraɪə] [tiggar]munk; *Black F~* svartbroder dominikan
friction ['frɪkʃ(ə)n] **1** friktion; gnidning **2** bildl. friktion, slitningar
Friday ['fraɪdeɪ, -dɪ isht attr.] fredag; jfr *Sunday*; *Black* ~ olycksdag, tykobrahedag; *man* (*girl*) ~ ngns allt i allo, högra hand
fridge [frɪdʒ] vard. kyl[skåp]
friend [frend] vän, väninna; kamrat; bekant; *be ~s with* vara [god] vän med; *be bad ~s* vara ovänner; *make ~s* skaffa sig (få) vänner, bli [goda] vänner; *make a ~ of a p.* få en god vän i ngn, vinna ngns vänskap; *lady* ~ kvinnlig vän, väninna vanl. till man
friendliness ['frendlɪnəs] vänlighet
friendl|y ['frendlɪ] **I** *adj* **1** vänlig, vänskaplig [*to, with* mot]; *in a ~ manner* (*way*) äv. vänligt, vänskapligt; ~ *match* sport. vänskapsmatch **2** ss. efterled i sms. -vänlig [*user-friendly, customer-friendly*] **II** *s* sport. vänskapsmatch
friendship ['fren(d)ʃɪp] vänskap; vänskapsförhållande
frieze [fri:z] **1** arkit. fris **2** textil. fris
frigate ['frɪgət] **1** hist. fregatt[skepp] **2** fregatt snabbt eskortfartyg
fright [fraɪt] **1** skräck; fruktan; *get* (*have*) *a* ~ **2** vard. spöke, fågelskrämma; fasa; [*her new hat*] *is a* ~ ...är förskräcklig (fasansfull)
frighten ['fraɪtn] **I** *vb tr* skrämma, förfära; ~ *a p. into doing a th.* skrämma ngn [till] att göra ngt; ~ *a p. to death* skrämma ihjäl ngn, skrämma livet ur ngn **II** *vb itr* bli skrämd (rädd)
frightful ['fraɪtf(ʊ)l] förskräcklig; otäck
frigid ['frɪdʒɪd] **1** [is]kall **2** bildl. kall[sinnig] [*a ~ welcome*] **3** fysiol. frigid
frigidity [frɪ'dʒɪdətɪ] **1** köld **2** bildl. kallsinnighet **3** fysiol. frigiditet
frill [frɪl] **I** *s* **1** krås **2** pl. *~s* vard. krusiduller; choser; *there are no ~s on him* det är inga krumbukter med honom **II** *vb tr* förse med krås; bilda krås till; rynka, krusa, plissera
frilly ['frɪlɪ] **1** krusad, plisserad; snirklad **2** luftig [*~ clothes*]; ytlig [*a ~ book*]
fringe [frɪn(d)ʒ] **I** *s* **1** a) frans; koll. fransar; bård b) lugg hårfrisyr **2** [ut]kant; [skogs]bryn **3** marginal, periferi; ~ *benefit* extraförmån utöver lön; tjänsteförmån, fringis; ~ *group* marginalgrupp, yttergrupp i politik o.d. **II** *vb tr* förse med frans[ar], fransa, kransa
frisk [frɪsk] **I** *vb itr*, ~ [*about*] hoppa ystert; skutta **II** *vb tr* sl. muddra leta igenom
frisky ['frɪskɪ] yster, sprallig, lustig, livlig [*~ children*]
1 fritter ['frɪtə] kok. beignet; *bread ~s* ung. fattiga riddare
2 fritter ['frɪtə], ~ *away* plottra bort, slösa (kasta) bort [*~ away one's time* (*energy*)]
frivolity [frɪ'vɒlətɪ] **1** lättsinne **2** trams **3** nöje
frivolous ['frɪvələs] **1** om saker obetydlig [*a ~ book, ~ work*], liten; futtig; grundlös [*a ~ complaint*]; bagatellartad; okynnes- [*a ~ prosecution*] **2** om pers. lättsinnig; tanklös
1 frizzle ['frɪzl] steka
2 frizzle ['frɪzl] **I** *vb tr* krusa, krulla, locka [*~ hair*] **II** *vb itr* krusa (krulla) sig **III** *s* krusad hårlock; krusat (krullat) hår
fro [frəʊ] biform till *from*; *to and* ~ fram och tillbaka, av och an, hit och dit
frock [frɒk] **I** *s* **1** ngt åld. [lätt vardags]klänning; flickklänning **2** munkkåpa **II** *vb tr* bekläda med prästerlig värdighet
frock coat [ˌfrɒk'kəʊt] bonjour
frog [frɒg] **1** groda; *have a ~ in the* (*one's*) *throat* få en tupp i halsen **2** *F~* neds. fransos, fransman
frog|man ['frɒg|mən] (pl. *-men* [-mən]) grodman, röjdykare
frogmarch ['frɒgmɑ:tʃ] **1** släpa (föra) bort med tvång genom att t.ex. bryta upp armarna bakom ryggen **2** bära i armar och ben med ansiktet nedåt [*~ a prisoner*]
frolic ['frɒlɪk] **I** *s* skoj, muntert upptåg; glad tillställning **II** *vb itr* leka; ha upptåg (konster) för sig; roa sig, ha skoj
from [frɒm, obeton. frəm] **1** från; ur: **a**) om rum, utgångspunkt [*start ~ London*] **b**) om härkomst, ursprung o.d. [*people ~ London*; *derived ~ Latin*; *deduce ~*] **c**) om tid, *~ a child* ända från barndomen, från barnsben, redan som barn **d**) om skillnad [*separate* (*refrain, differ*) *~*]; *know an Englishman ~ a Swede* [kunna] skilja en engelsman från en svensk **2** om material av [*steel is made ~ iron*], ur **3** om orsak, motiv m.m. på grund av [*absent ~ illness*]; av [*do a th. ~ curiosity* (*politeness*)]; att döma av [*~ his dress I should say...*], efter [*~ what I have heard he is a scoundrel*] **4** om mönster, förebild efter; *named* ~ uppkallad efter; *painted ~ nature* målad efter naturen **5** för; *safe* (*secure*) ~ säker för **6** tillsammans med prep. o. adv.: *~ above* ovanifrån; *~ afar* ur fjärran, fjärran ifrån; på långt håll; ~ *behind* bakifrån; *~ below* (*beneath*) nedifrån; från undersidan [av]; *~ without* utifrån
frond [frɒnd] bot. ormbunksblad
front [frʌnt] **I** *s* **1** framsida; fasad; *in* ~ framtill, i spetsen, före [*walk in ~*]; *~ of* amer. framför, utanför, inför **2** mil. front

[*be at* (vid) *the* ~; *on the* ~], stridslinje; krigsskådeplats **3** meteor. front [*cold* ~] **4** *the* ~ [strand]promenaden på en badort **5 a**) uppsyn, hållning, uppträdande; *show* (*present, put on*) *a bold* ~ hålla god min; [fräckt] låtsas som ingenting **b**) fräckhet [*have the* ~ *to do a th.*] **6** a) [yttre] sken, fasad b) täckmantel, kamouflage; bulvan [äv. ~ *man*] **7** skjortbröst [*a false* (*loose*) ~] **II** *adj* framtill belägen, front-; *the* ~ *bench* ministerbänken, exministerbänken resp. oppositionsledarbänken på varsin sida om talmansbordet; ~ *door* ytterdörr, port, framdörr på bil; ~ *man* a) galjonsfigur bildl. b) bulvan; ~ *organization* täckorganisation; ~ *page* förstasida av tidning; *in the* ~ *rank* bildl. i främsta (första) ledet; ~ *room* rum åt gatan; ~ *tooth* framtand; ~ *vowel* fonet. främre vokal **III** *vb itr* vetta, ligga **IV** *vb tr* **1** vetta [*windows* ~*ing the street*], vara vänd (vända sig) mot **2** beklädа (förse) framsidan av [~ *a house with stone*]

frontal ['frʌntl] frontal; front-; fasad-; [sedd] framifrån; ~ *attack* frontattack

frontier ['frʌntɪə, amer. -'-] stats gräns; gränsområde äv. bildl.

frontispiece ['frʌntɪspi:s] titelplansch

front-page ['frʌntpeɪdʒ], ~ *news* (*stuff*) förstasidesnyheter, förstasidesstoff

front-runner ['frʌntˌrʌnə] ledare i tävling o.d.; främsta kandidat

frost [frɒst] **I** *s* **1** frost; tjäle; köld under fryspunkten, äv. bildl.; köldperiod; *ten degrees of* ~ Celsius tio grader kallt; *Jack F*~ frosten personifierad **2** rimfrost [*the grass was covered with* ~] **II** *vb tr* **1** frostskada **2** beklädа (betäcka) [liksom] med rimfrost; ~*ed windowpanes* fönsterrutor med rimfrost på **3** glasera med socker [~*ed cake*] **III** *vb itr,* ~ *over* (*up*) täckas av rimfrost

frostbite ['frɒs(t)baɪt] **I** *s* köldskada; förfrysning **II** (*frostbit* el. *frostbitten*) *vb tr* köldskada, frostskada

frostbitten ['frɒs(t)ˌbɪtn] frostbiten, frostskadad; [för]frusen

frosting ['frɒstɪŋ] **1** glasyr på bakverk **2** matt yta på glas, silver m.m.

frosty ['frɒstɪ] frost- [~ *nights*], frostig äv. bildl.

froth [frɒθ] **I** *s* **1** fradga, skum [~ *on the beer*] **2** bildl. svammel **II** *vb itr* fradga [sig], skumma; ~ *at the mouth* tugga fradga **III** *vb tr* göra (vispa) till skum; bringa (få) att skumma [ofta ~ *up*]

frothy ['frɒθɪ] fradgande, skummande

frown [fraʊn] **I** *vb itr* **1** rynka pannan (ögonbrynen); visa en hotfull (bister) uppsyn **2** ~ *at* ([*up*]*on*) se ogillande (hotande, dystert) på; ~ [*up*]*on* äv. ogilla, fördöma **II** *s* rynkad panna; bister uppsyn; sura miner; [*he had*] *a deep* ~ *on his brow* ...djupa rynkor i pannan

froze [frəʊz] imperf. av *freeze*

frozen ['frəʊzn] **I** perf. p. av *freeze* **II** *adj* djupfryst [~ *food*]; ofta om tillgångar [fast]frusen, bunden [~ *credits,* ~ *assets*]; maximerad [~ *prices,* ~ *wages*]

frugal ['fru:g(ə)l] sparsam; måttlig; enkel, frugal [*a* ~ *fare* (*meal*)], billig

fruit [fru:t] **1** frukt, bär äv. koll. [*every kind of* ~; *bear* ~; *he feeds on* ~]; ätbar växt[produkt] i allm. [*the* ~*s of the earth*]; bot., ~*s* vanl. fruktsorter **2** frukt, produkt [*the* ~*s of industry*], avkastning; resultat [*the* ~ *of long study*]; behållning; *bear* ~ bära frukt ge resultat

fruit drop ['fru:tdrɒp], pl. ~*s* syrliga karameller med olika fruktsmak

fruiterer ['fru:tərə] frukthandlare; ~*'s* [*shop*] fruktaffär

fruitful ['fru:tf(ʊ)l] **1** fruktbar; fruktbringande **2** bildl. givande, fruktbar [*a* ~ *subject*]; lönande [*a* ~ *career*], fördelaktig

fruition [frʊ'ɪʃ(ə)n] åtnjutande av ngt önskat; njutning (nöje) av ngt; förverkligande; *come to* ~ förverkligas, realiseras

fruitless ['fru:tləs] fruktlös, resultatlös [~ *efforts*]

fruit machine ['fru:tməʃi:n] spelautomat

frump [frʌmp] vard. tantaktigt fruntimmer, nucka

frustrate [frʌ'streɪt, '--] **1** omintetgöra [~ *a p.'s plans*], gäcka [~ *a p.'s hopes*] **2** göra besviken (otillfredsställd); frustrera äv. psykol.; perf. p. ~*d* äv. lurad på konfekten

frustration [frʌ'streɪʃ(ə)n] **1** omintetgörande, gäckande **2** frustrering; missräkning; *sense of* ~ [känsla av] vanmakt (maktlöshet)

1 fry [fraɪ] **I** *vb tr* steka i panna; bryna; ~ *up* steka (värma) upp **II** *vb itr* stekas; [*the sausages*] *are* ~*ing* ...håller på att stekas, ...står och steker **III** *s* **1** stekt [mat]rätt **2** innanmäte **3** amer. vard. stekafton utomhus [*a fish* ~]

2 fry [fraɪ] (pl. lika) **1** småfisk; yngel av fisk, grodor m.m.; *salmon* ~ unglax på 2:a året **2** *small* ~ vard. småglin, småungar; obetydligt folk

frying-pan ['fraɪɪŋpæn] stekpanna; *out of the* ~ *into the fire* ur askan i elden

ft. [fʊt, resp. fi:t] förk. för *foot* resp. *feet*

fuchsia ['fju:ʃə] bot. fuchsia

fuck [fʌk] vulg. **I** *vb tr* o. *vb itr* **1** knulla [med] **2** ~ [*it*]*!* fan [också]!; ~ *off!* stick för helvete!, dra åt helvete!; ~ *you!* fan ta dig!, dra åt helvete! **II** *s* **1** knull samlag o. person **2** *I don't care* (*give*) *a* ~ jag bryr mig inte ett jävla dugg om det, det ger jag fan i

fucking ['fʌkɪŋ] vulg. jävla, satans; ~ *hell!* jävlar!, fy fan!

fuddy-duddy ['fʌdɪˌdʌdɪ] vard. **I** *s* [gammal] stofil **II** *adj* mossig; stockkonservativ

fudge [fʌdʒ] **I** *s* fudge slags mjuk kola **II** *vb tr,* ~ [*up*] lappa (fuska) ihop; fiffla (fuska) med

fuel [fjʊəl] **I** *s* bränsle, drivmedel; bildl. näring; ~ *gauge* bensinmätare, bränslemätare; *liquid* (*solid*) ~ flytande (fast) bränsle **II** *vb tr* **1** förse med bränsle; mata, driva [~*led by uranium*]; lägga på eld **2** bildl. underblåsa; understödja **III** *vb itr* skaffa bränsle; fylla på [bensin (olja)], tanka; ~*ling station* bunkringsstation

fug [fʌg] vard. instängdhet, kvalm[ighet]

fugitive ['fju:dʒətɪv] **I** *adj* flyende; förrymd [*a ~ slave*] **II** *s* flykting, flyende; rymling

fulfil [fʊl'fɪl] **I** *vb tr* **1** uppfylla, infria [~ *a p.'s hopes*], tillfredsställa; fullgöra [~ *one's duties*]; motsvara [~ *a purpose*]; fylla [~ *a need*] **2** fullborda [~ *a task*] **II** *vb rfl,* ~ *oneself* förverkliga sig själv; nå full utveckling

fulfilment [fʊl'fɪlmənt] **1** uppfyllelse etc., jfr *fulfil* **2** fullbordan

full [fʊl] **I** *adj* **1** full, fylld; fullsatt [vard. äv. ~ *up*]; *I'm* ~ [*up*] vard. jag är mätt **2** *be* ~ *of* vara helt upptagen av, bara tänka på [och tala om], helt gå upp i [*he is ~ of himself* (*his subject*)] **3** rik, riklig [*a ~ meal*], ymnig; rikhaltig [*a ~ programme*] **4** full[ständig]; hel [*a ~ dozen*]; fulltalig [*a ~ jury*]; fullstämmig; ~ *beard* helskägg; ~ *board* på pensionat o.d. helpension; ~ *cream* tjock grädde **5** fyllig, rund [*a ~ bust* (*face, figure*); ~ *lips*]; rik **II** *adv* **1** fullt; drygt [~ *six miles*]; alldeles; rakt, rätt [*the light fell ~ upon him*] **2** mycket; *I know it ~ well* det vet jag mycket väl **III** *s, in* ~ fullständigt, i sin helhet, till fullo [*the newspaper printed the story in ~*]; *to the* ~ fullständigt, till fullo; i [allra] högsta grad

full-blooded [ˌfʊl'blʌdɪd, attr. '-ˌ--] **1** fullblods- [*a ~ horse*] **2** kraftfull; varmblodig; verklig [*a ~ personality, ~ enjoyment*]

full-bodied [ˌfʊl'bɒdɪd, attr. '-ˌ--] fyllig [*a ~ wine*], stark; mustig äv. bildl. [*a ~ novel*]

full-fledged [ˌfʊl'fledʒd] **1** fullfjädrad **2** bildl. färdig[utbildad] [*a ~ engineer*], mogen, fullfjädrad [*a ~ artist*]

full-grown [ˌfʊl'grəʊn, attr. '--] fullväxt; fullvuxen

full-length [ˌfʊl'leŋθ, attr. '--] hellång [*a ~ skirt*]; hel; av normal längd [*a ~ novel*]; *a ~ film* en långfilm; *a ~ portrait* en helbild, ett porträtt i helfigur

full-scale ['fʊlskeɪl] **1** i naturlig skala (storlek), i skala 1:1 [*a ~ drawing*], fullskale- [~ *model*] **2** omfattande, total [*a ~ war*]; ~ *debate* generaldebatt

full-time ['fʊltaɪm] **I** *adj* heltids- [*a ~ employee*] **II** *adv* [på] heltid; *work ~* arbeta [på] heltid

fully ['fʊlɪ] **1** fullt, helt [*capital ~ paid up*]; utförligt; ~ *automatic* helautomatisk **2** drygt [~ *two days*]

fully-fashioned [ˌfʊlɪ'fæʃ(ə)nd] formstickad, fasonstickad

fulsome ['fʊlsəm] **1** överdriven [~ *politeness*], grov [~ *flattery*] **2** äcklig

fumble ['fʌmbl] **I** *vb itr* fumla [~ *at* (med) *a lock*]; famla [~ *about* (omkring) *in the dark*]; treva [~ *in one's pockets for* (efter) *one's matches*]; *a fumbling attempt* ett fumligt (trevande, klumpigt) försök **II** *vb tr* fumla med, [stå och] fingra tafatt på; missa [~ *a chance* (*ball*)], tappa [~ *a ball*]; ~ *one's way* treva sig fram **III** *s* fumlande; sport. miss

fume [fju:m] **I** *s* **1** oftast pl. ~*s* rök [~*s of a cigar*]; utdunstning[ar]; gaser, ånga, ångor [~*s of petrol*]; stank, lukt **2** *be in a* ~ rasa, skälva, darra [*be in a ~ of impatience*] **II** *vb itr* **1** ryka; ånga **2** vara rasande **III** *vb tr* röka trä o.d.

fumigate ['fju:mɪgeɪt] **1** desinficera [genom rökning] **2** röka trä

fun [fʌn] **1** nöje; skämt; *for* ~ för skojs (ro) skull **2** vard. rolig [*a ~ party*], skojig, lustig; ~ *run* välgörenhetslopp

function ['fʌŋ(k)ʃ(ə)n] **I** *s* **1** funktion [*the ~*[*s*] *of the heart*], uppgift [*the ~ of education*], verksamhet; åliggande [*the ~s of a magistrate*]; syssla **2** [offentlig] ceremoni; fest[lighet]; bjudning [*social ~s*] **3** matem. m.m. funktion **II** *vb itr* fungera; verka

functional ['fʌŋ(k)ʃənl] **1** funktionell, funktions-; ämbetsmässig, officiell **2** fysiol., matem. el. psykol. funktionell

functionary ['fʌŋ(k)ʃ(ə)nərɪ] **I** *s* funktionär; lägre ämbetsman, tjänsteman **II** *adj* **1** ämbets- **2** fysiol. funktionell

fund [fʌnd] **I** *s* **1** fond; [grund]kapital; kassa; insamling; *raise ~s* samla in pengar, göra en penninginsamling **2** vard., pl. ~*s* tillgångar, [penning]medel, pengar; *be short of* (*low in*) ~*s* ha ebb i kassan **3** bildl. fond, stor tillgång [*a ~ of experience*], [stort] förråd [*a ~ of amusing stories*] **II** *vb tr* **1** fondera **2** betala, finansiera

fundamental [ˌfʌndə'mentl] **I** *adj* fundamental; grund- [~ *colour, ~ principle*]; grundläggande, väsentlig; principiell **II** *s,* vanl. pl. ~*s* grundprinciper, grunddrag, grundlagar; grundläggande fakta; *agree on ~s* vara enig[a] (nå enighet) i huvudsak (princip)

fundamentalist [ˌfʌndəˈmentəlɪst] polit. el. relig. fundamentalist
fundamentally [ˌfʌndəˈmentəlɪ] fundamentalt; i grunden
funeral [ˈfju:n(ə)r(ə)l] **1** begravning [*officiate at a* ~]; *that's his* ~ vard. det blir hans sak att fixa, det är hans huvudvärk **2** begravningståg, begravningsprocession **3** begravnings-; ~ *director* begravningsentreprenör; ~ *parlour* (amer. *parlor* el. *home*) begravningsbyrå; bårhus; ~ *pile* (*pyre*) [likbrännings]bål; ~ *service* jordfästning
funereal [fjʊˈnɪərɪəl] **1** begravnings- **2** dyster, sorglig
funfair [ˈfʌnfeə] vard. nöjesfält
fungus [ˈfʌŋgəs] (pl. *fungi* [ˈfʌŋgi:, -gaɪ, ˈfʌn(d)ʒaɪ] el. ~*es*) svamp
funicular [fjʊˈnɪkjʊlə, fəˈn-] **I** *adj* rep-, tåg-; kabel-; ~ *railway* bergbana **II** *s* se ~ *railway*
funk [fʌŋk] vard. **I** *s* **1** rädsla; *be in a* [*blue*] ~ vara skraj (byxis), ha byxångest **2** fegis **3** mus. funk **II** *vb itr* vara skraj **III** *vb tr* **1** vara skraj för **2** smita ifrån; ~ *it* smita, dra sig undan
funnel [ˈfʌnl] **I** *s* **1** tratt **2** skorsten på båt el. lok; rökfång **II** *vb tr* o. *vb itr* koncentrera[s]
funny [ˈfʌnɪ] *adj* **1** rolig; komisk; skämtsam; ~ *business* (*stuff*) skämt, lustighet[er], skoj [*don't try any* ~ *business!*]; *the* ~ *farm* vard. hispan, dårhuset; *the* ~ *page* seriesidan, skämtsidan i tidning **2** konstig [*it's* ~ *he hasn't answered your letter*]; löjlig [*that* ~ *little shop*]; *I feel* ~ jag känner mig [lite] konstig
funny-bone [ˈfʌnɪbəʊn] tjuvsena armbågsnerv; *hit one's* ~ få en änkestöt
fur [fɜ:] **I** *s* **1** päls[hår] på vissa djur; *make the* ~ *fly* ställa till bråk **2** skinn av vissa djur; ~ el. pl. ~*s* päls, pälsverk ss. klädesplagg [*wear a* ~ (~*s*)]; pl. ~*s* äv. pälsvaror, pälsverk koll.; ~ *coat* päls herr o. dam **3** pälsartat överdrag m.m.: a) beläggning på tungan b) pannsten **II** *vb tr* **1** pälsfodra **2** belägga **III** *vb itr* bli belagd med grums o.d.
furious [ˈfjʊərɪəs, ˈfjɔ:r-] rasande, ursinnig [*be* ~ *with* (på) *a p.*; *be* ~ *at* (över, för) *a th.*]; våldsam [*a* ~ *gale*], vild [~ *driving*]; *fast and* ~ uppsluppen, bullersam, vild
furl [fɜ:l] **I** *vb tr* rulla ihop; fälla ihop [~ *an umbrella*]; sjö. beslå [~ *a sail*] **II** *vb itr* rullas (fällas) ihop
furlong [ˈfɜ:lɒŋ] 1/8 engelsk mil 201,17 m
furlough [ˈfɜ:ləʊ] **I** *s* mil. permission [*he is home on* ~] **II** *vb tr* mil. ge permission; hemförlova
furnace [ˈfɜ:nɪs] **1** masugn äv. bildl. **2** värme[lednings]panna
furnish [ˈfɜ:nɪʃ] **1** förse [*a p. with a th.*]; leverera, anskaffa; ~*ed with* [försedd] med **2** bildl. lämna, ge bevis, exempel o.d. **3** inreda; ~*ed apartments* (*rooms*) möblerade rum, möblerad våning
furniture [ˈfɜ:nɪtʃə] (utan pl.) möbler; möblemang, bohag, inventarier; *a piece* (*an article*) *of* ~ en möbel t.ex. soffa; ~ *van* flyttbil
furore [fjʊ(ə)ˈrɔ:rɪ, ˈfjʊərɔ:] vild hänförelse, begeistring [*create* (göra) *a* ~], sensation
furrier [ˈfʌrɪə] körsnär; päls[varu]handlare
furrow [ˈfʌrəʊ] **I** *s* **1** [plog]fåra **2** bildl. fåra äv. i ansiktet; ränna; spår **II** *vb tr* plöja; fåra; räffla
furry [ˈfɜ:rɪ] **1** päls-; pälsbetäckt; pälsklädd **2** grumsig **3** belagd [*a* ~ *tongue*]
further [ˈfɜ:ðə] **I** (komp. av *far*) **1** bortre [*the* ~ *end of the room*], avlägsnare **2** vidare; *without* ~ *consideration* utan närmare övervägande **II** *adv* (komp. av *far*) **1** längre [*we can see* ~ *from here*], längre bort, mera avlägset; ~ *on* längre fram; *it will* (*shall*) *go no* ~ det stannar oss emellan **2** vidare, ytterligare; dessutom; närmare; *inquire* (*go*) ~ *into the matter* närmare undersöka saken **III** *vb tr* [be]främja; hjälpa [fram]; befordra
furthermore [ˌfɜ:ðəˈmɔ:] vidare, dessutom
furthermost [ˈfɜ:ðəməʊst] avlägsnast, borterst
furthest [ˈfɜ:ðɪst] (superl. av *far*) **I** *adj* borterst, ytterst; *this is the* ~ *I can go* det (detta) är det längsta jag kan sträcka mig (gå) **II** *adv* längst [bort], vidast
furtive [ˈfɜ:tɪv] förstulen [*a* ~ *glance*], [gjord] i smyg; lömsk
fury [ˈfjʊərɪ] **1** raseri [*in a* ~]; våldsamhet; raserianfall; *like* ~ vard. vanvettigt, fruktansvärt; av bara katten (den), i rasande fart **2** bildl. furie [*she is a little* ~]; hämndeande, plågoande **3** *F*~ mytol. furie
1 fuse [fju:z] **I** *vb tr* o. *vb itr* **1** smälta; smälta samman äv. bildl.; gjuta[s] samman; slå samman t.ex. bolag; fusionera; bildl. förena[s] **2** slockna om elektr. ljus på grund av att en propp har gått; *the bulb* (*lamp*) *had* ~*d* proppen hade gått **II** *s* säkring, [säkerhets]propp [äv. *safety* ~ el. ~ *plug*; *a* ~ *has blown* (gått)]; ~ *wire* smälttråd, smältsäkring; tänd[nings]kabel
2 fuse [fju:z] **I** *s* tändrör; stubintråd; *time* ~ mil. tidrör; *have a short* ~ vard. ha kort stubin, tända lätt **II** *vb tr* förse krut o.d. med en lunta
fuselage [ˈfju:zɪlɑ:ʒ, -lɪdʒ] [flyg]kropp
fusillade [ˌfju:zɪˈleɪd] gevärseld, gevärssalva; beskjutning; *a* ~ [*of questions*] en korseld...
fusion [ˈfju:ʒ(ə)n] **1** [samman]smältning; smält massa **2** sammanslagning av företag o.d.; fusion [~ *into one*] **3** kärnfys. fusion [*nuclear* ~]

fuss [fʌs] **I** *s* bråk, väsen; tjafs[ande]; fjäsk; *make a ~* göra (föra) väsen, ställa till bråk, bråka **II** *vb itr* göra mycket väsen, tjafsa; fjanta [omkring] [*she ~ed about in the kitchen*]; *~ over a th.* göra väsen (stor affär) av ngt **III** *vb tr* plåga, irritera

fussy ['fʌsɪ] **1** beskäftig, bråkig; tjafsig; fjäskig; petig; ivrig; nervös [*a ~ man, ~ manners*] **2** utstyrd [*~ clothes*]; sirlig [*~ [hand]writing*]

fusty ['fʌstɪ] **1** unken [*~ bread*]; *the room smells ~* rummet luktar instängt **2** förlegad [*a ~ [old] professor*]

futile ['fju:taɪl, amer. 'fju:tl] **1** fåfäng, meningslös [*~ anger, a ~ effort, a ~ idea*], onyttig, gjord förgäves **2** innehållslös [*a ~ book*]

futility [fjʊ'tɪlətɪ] fåfänglighet; värdelöshet, futtighet; *the ~ of* äv. det fåfänga i

future ['fju:tʃə] **I** *adj* framtida, [till]kommande; senare [*a ~ chapter*]; *his ~ life* hans framtid **II** *s* **1** framtid; *the immediate ~* [den] närmaste framtiden; *near ~* nära (överskådlig) framtid **2** gram., *the ~* futurum[et]

futuristic ['fju:tjʊərɪstɪk] futuristisk

fuzz [fʌz] **I** *s* **1** fjun; stoft **2** sl., mest koll. *the ~* snuten **3** mus., *~ box* fuzzbox elektronisk anordning som används med gitarr **II** *vb tr, ~ [up]* göra oklar, röra ihop

fuzzy ['fʌzɪ] **1** fjunig **2** suddig **3** krusig [*~ hair*] **4** sl. lurvig berusad

G

G, g [dʒi:] (pl. *G's* el. *g's* [dʒi:z]) **1** G, g **2** mus., *G flat* gess; *G major* G-dur; *G minor* G-moll

1 G [dʒi:] (pl. *G's* el. *Gs* [dʒi:z]) amer. sl. lakan, långsjal 1000 dollar

2 G [dʒi:] (förk. för *general*) amer. barntillåten [film] [*a ~ movie*]

g. förk. för *gramme[s]*, isht amer. *gram[s]*

gab [gæb] vard. **I** *s* prat, gafflande; *have the gift of the ~* vara slängd i käften; *stop your ~!* håll käften! **II** *vb itr* babbla

gabble ['gæbl] **I** *vb itr* **1** babbla, pladdra **2** om gäss o.d. snattra **II** *vb tr* rabbla **III** *s* **1** babbel, pladder **2** snatter

gaberdine [,gæbə'di:n, '---] textil. gabardin

gable ['geɪbl] triangulär gavel; [hus]gavel; *~ roof* sadeltak

gad [gæd] vard., *~ about* stryka (driva) omkring

gadabout ['gædəbaʊt] vard. dagdrivare

gadget ['gædʒɪt] vard. **1** apparat **2** tillbehör, finess

Gaelic ['geɪlɪk, 'gæl-] **I** *adj* gaelisk **II** *s* gaeliska [språket]

gaffe [gæf] vard. tabbe

gag [gæg] **I** *vb tr* lägga munkavle på; bildl. äv. sätta munkorg på; täppa till [munnen på] **II** *vb itr* teat. el. film. komma med gags (komiska inslag), skämta **III** *s* **1** munkavle; bildl. äv. munkorg **2** teat. el. film. komiskt inslag, gag **3** sl. skämt

gaga ['gɑ:gɑ:] vard. **1** gaggig, senil; tokig **2** betuttad

gaiet|y ['geɪətɪ] **1** glädje, munterhet **2** festligt intryck (utseende) [*flags that gave a ~ to the scene*]

gaily ['geɪlɪ] glatt; lustigt

gain [geɪn] **I** *s* **1 a**) vinst i allm.; förvärv; vunnen förmån **b**) [snöd] vinning **2** pl. *~s* isht affärsvinst, inkomst[er] **3** ökning [*a ~ in weight*] **II** *vb tr* **1** vinna [*~ experience (time, a prize)*], [lyckas] skaffa sig [*~ permission*], få [*~ speed*], erhålla; förvärva; tillvinna sig [*~ confidence (sympathy)*]; *~ 2 kilos* öka (gå upp) 2 kilo **2** [för]tjäna [*~ one's living*] **3** vinna för sin sak (över till sin sida) [äv. *~ over*] **4** om klocka forta sig [*~ a minute a day*] **III** *vb itr* **1** vinna; öka, gå upp [*~ in weight*]; tillta **2** *~ [up]on* a) vinna (ta in) på [*~ on the other runners in a race*] b) öka försprånget framför, dra ifrån [*~ on one's pursuers*] **3** om klocka forta sig

gainful ['geɪnf(ʊ)l] vinstgivande, inkomstbringande [*~ trade*]; *~ employment* förvärvsarbete

gainsay [geɪn'seɪ] (*gainsaid gainsaid* [geɪn'sed el. -'seɪd]) litt. **1** bestrida, förneka **2** motsäga [*I dare not ~ him*]
gait [geɪt] gång [*limping ~*]
gala ['gɑ:lə, 'geɪlə] **1** stor fest; gala; *swimming ~* simuppvisning **2** gala-, fest- [*~ performance*]; *in ~ dress* i galadräkt, i [full] gala
galaxy ['gæləksɪ] **1** astron. galax; *the G~* Vintergatan **2** bildl. lysande samling [*a ~ of famous people*]
1 gale [geɪl] **1** [hård] vind, storm; poet. mild vind **2** sjö. kuling 7-10 grader Beaufort; *~ warning* stormvarning **3** *~s of laughter* skrattsalvor
2 gale [geɪl] bot., [*sweet*] *~* pors
1 gall [gɔ:l] bitterhet; galla
2 gall [gɔ:l] **I** *vb tr* **1** skava [sönder], skrubba **2** bildl. plåga, irritera **II** *s* **1** skavsår, skrubbsår **2** bildl. oro
gallant ['gælənt] **1** tapper; i parl. stående epitet för militära ledamöter [*the honourable and ~ member*] **2** ståtlig, präktig [*a ~ ship (horse, show)*] **3** galant, artig
gallantry ['gæləntrɪ] **1** mod, hjältemod **2** artighet [mot damer], galanteri
gall bladder ['gɔ:l,blædə] anat. gallblåsa
galleria [,gælə'ri:ə] galleria inbyggt köpcentrum
gallery ['gælərɪ] **1** galleri, [konst]museum; *art ~* konstgalleri, konstsalong **2** läktare inomhus; teat. översta (tredje, ibl. fjärde) rad [*in* (på) *the ~*]; *the ~* äv. läktarna **3** läktarpublik i allm.; åskådare; *play to the ~* spela för galleriet, fria till publiken **4** arkit. galleri i olika bet.; loftgång; balkong; upphöjd veranda; [smal] gång; pelargång **5** täckt bana [*shooting-gallery*] **6** *rogues' ~* förbrytaralbum, förbrytargalleri
galley ['gælɪ] **1** sjö. (hist.) galär **2** stor roddbåt; isht örlogsfartygs slup; lustbåt **3** sjö. kabyss, kök
Gallic ['gælɪk] gallisk; fransk
gallivant ['gælɪvænt, -vɑ:nt] gå och driva (dra), flanera; *be ~ing about* äv. vara ute på vift
gallon ['gælən] gallon rymdmått för isht våta varor: a) britt. [*imperial*] *~* = 4,546 liter b) amer. = 3,785 liter
gallop ['gæləp] **I** *vb itr* galoppera; bildl. rasa, jaga [*~ through one's work (a book)*] **II** *s* **1** galopp; *ride at a (at full) ~* rida i galopp (i full galopp) **2** ridtur i galopp [*let's go for a ~*]
gallows ['gæləʊz] (vanl. konstr. ss. sg.; pl. *~[es]*) galge [*a ~ was set up*]; *send a p. to the ~* döma ngn till galgen; *~ humour* galghumor
gallstone ['gɔ:lstəʊn] med. gallsten
galore [gə'lɔ:] i massor; *whisky ~* äv. massor (mängder) av whisky
galosh [gə'lɒʃ] **1** galosch **2** amer. pampusch
galvanize ['gælvənaɪz] **1** galvanisera **2** bildl. egga, sporra [*~ a p. into doing a th.*]; väcka, uppliva
gambit ['gæmbɪt] **1** schack. spelöppning **2** bildl. utspel; inledning; knep; [*opening*] *~* spelöppning
gamble ['gæmbl] **I** *vb itr* spela hasard; spela [*~ on the Stock Exchange*], spekulera [*~ in shares*]; *~ on* vard. slå vad om, tippa [*~ on the result of a race*] **II** *vb tr* sätta på spel, satsa; *~ away* spela bort [*~ away all one's fortune*] **III** *s* [hasard]spel; bildl. hasard; lotteri [*marriage is a ~*], vågspel; chansning
gambler ['gæmblə] [hasard]spelare
gambling ['gæmblɪŋ] hasardspel; *~ machine* spelautomat
gambling-den ['gæmblɪŋden] spelhåla
gambling-house ['gæmblɪŋhaʊs] spelkasino
gambol ['gæmb(ə)l] **I** *s* **1** hopp, skutt **2** isht pl. *~s* upptåg, lustigheter **II** *vb itr* göra glädjesprång
1 game [geɪm] **I** *s* **1** spel; lek [*children's ~s*]; pl. *~s* äv. sport, idrott; *the Olympic Games* [de] olympiska spelen, olympiaden; *give the ~ away* vard. prata bredvid mun; *play a good ~* [*of tennis*] spela [tennis] bra; *two can play at that ~* bildl. den ene är inte sämre än den andre, det där kan jag också göra **2** a) match [*let's play another ~*] b) [spel]parti; *a ~ of chess* ett parti schack **3** vunnet spel; game i tennis; set i bordtennis o. badminton; *~ point* i tennis gameboll; i bordtennis setboll **4** a) förehavande, plan b) knep c) lek; gyckel; *so that's your little ~?* jaså, det är det du har i kikarn (håller på med)?; *it was only a ~* det var bara skämt (på skoj) **5** spel [*they sell toys and ~s*] **6** vard. bransch [*he is in the advertising ~*] **7** a) vilt b) byte; bildl. lovligt byte; mål; *big ~* storvilt **II** *adj, be ~ for* ha lust med, ställa upp på
2 game [geɪm] ofärdig [*a ~ arm (leg)*]
gamekeeper ['geɪm,ki:pə] skogvaktare, jaktvårdare
gamely ['geɪmlɪ] modigt, beslutsamt
gamesmanship ['geɪmzmənʃɪp] vard. [konsten att vinna genom] psykning
gaming-table ['geɪmɪŋ,teɪbl] spelbord
gammon ['gæmən] **I** *s* saltad o. rökt skinka **II** *vb tr* salta och röka skinka
gamut ['gæmət] **1** mus. tonskala; [ton]omfång **2** bildl. skala, register; *the whole ~ of emotion (feeling)* hela känsloskalan (känsloregistret)

gander ['gændə] **1** gåskarl, gåshanne **2** sl. titt [*take a ~ at*]

gang [gæŋ] **I** *s* **1** [arbets]lag **2** liga, band; *a ~ of thieves* en tjuvliga **3** vard. gäng, sällskap [*don't get mixed up with that ~*] **II** *vb itr, ~ up* slå sig ihop, samarbeta [*with* med]; gadda ihop sig (sig samman) [*on, against* mot]; *~ up on* äv. mobba

gangling ['gæŋglɪŋ] gänglig

gangplank ['gæŋplæŋk] landgång

gangrene ['gæŋgri:n] **I** *s* kallbrand; med. gangrän **II** *vb itr* angripas av kallbrand

gangster ['gæŋstə] gangster

gangway ['gæŋweɪ] **I** *s* **1** gång, passage isht mellan bänkrader **2** sjö. landgång; gångbord; fallrep; spång; *~ ladder* fallrepstrappa **II** *interj, ~!* ge plats!

gantry ['gæntrɪ] **1** kranportal; traversbana; lastningsbrygga **2** järnv. signalbrygga; film. o.d. strålkastarbrygga

gaol [dʒeɪl] **I** *s* fängelse; häkte; jfr äv. *jail* **II** *vb tr* sätta i fängelse

gaoler ['dʒeɪlə] fångvaktare

gap [gæp] **1** öppning, gap; bräsch; blotta [*there is no ~ in our defences*]; klyfta i bergskedja **2** bildl. a) lucka [*a ~ in his knowledge (memory)*], brist; mellanrum, tomrum, hål; avbrott [*a ~ in the conversation*], hopp b) klyfta [*the generation ~*]

gape [geɪp] **1** gapa; om spricka o.d. öppna sig vitt **2** [stå och] gapa, glo

gaping ['geɪpɪŋ] gapande [*a ~ hole (wound)*]

garage ['gærɑ:ʒ, -rɑ:dʒ, -rɪdʒ, isht amer. gə'rɑ:ʒ] **I** *s* garage; [bil]verkstad; *~ mechanic* bilmekaniker **II** *vb tr* ställa in (ha) i garage

garb [gɑ:b] **1** dräkt [*clerical ~*]; *in the ~ of [a sailor]* äv. klädd som... **2** bildl. sken; mask; *in the ~ of* under sken (täckmantel) av

garbage ['gɑ:bɪdʒ] **1** avskräde; amer. äv. sopor; *~ can* amer. soptunna; sophink; *~ chute* amer. sopnedkast; *~ [removal] truck* amer. sopbil **2** bildl. smörja **3** data. irrelevanta data, sopor

garble ['gɑ:bl] förvanska

garden ['gɑ:dn] **I** *s* **1** trädgård; [villa]tomt; *the G~ of Eden* Edens lustgård **2** vanl. pl. *~s* offentlig park med trädgårdsanläggningar [*Kensington Gardens*] **II** *adj* trädgårds- [*~ plants*] **III** *vb itr* arbeta i trädgården; driva (ägna sig åt) trädgårdsskötsel

garden centre ['gɑ:dn,sentə] trädgårdscenter

garden city [,gɑ:dn'sɪtɪ] trädgårdsstad

gardener ['gɑ:dnə] trädgårdsmästare; *landscape ~* trädgårdsarkitekt

gardenia [gɑ:'di:njə] bot. gardenia

gardening ['gɑ:dnɪŋ] **1** trädgårdsskötsel; trädgårdsarbete [*he is fond of ~*] **2** trädgårds- [*~ tools*]

gargle ['gɑ:gl] **I** *vb tr* gurgla [sig i] [*~ one's throat*] **II** *vb itr* gurgla sig **III** *s* **1** gurgelvatten **2** gurgling

gargoyle ['gɑ:gɔɪl] **1** arkit. vattenkastare ofta i form av grotesk figur **2** vard. fågelskrämma

garish ['geərɪʃ] **1** prålig [*~ dress*], grann **2** bländande; gräll [*~ colours*]

garland ['gɑ:lənd] **I** *s* **1** krans av blommor, blad o.d. **2** segerkrans [*carry [away]* (vinna) *the ~*] **II** *vb tr* pryda med krans[ar]; bilda en krans omkring

garlic ['gɑ:lɪk] vitlök; *~ salt* vitlökssalt

garment ['gɑ:mənt] **1** klädesplagg isht ytterplagg **2** pl. *~s* kläder

garner ['gɑ:nə] litt. **I** *s* spannmålsbod, spannmålsmagasin **II** *vb tr* magasinera; förvara; samla, bärga [*in*]

garnet ['gɑ:nɪt] **1** miner. granat **2** granatrött

garnish ['gɑ:nɪʃ] **I** *vb tr* kok. garnera [*fish ~ed with parsley*] **II** *s* kok. garnering

garret ['gærət, -rɪt] vindskupa

garrison ['gærɪsn] **I** *s* **1** garnison **2** garnisonsort **II** *vb tr* **1** förse med garnison [*~ a province*]; förlägga garnison i [*~ a fort*] **2** förlägga i garnison; *be ~ed* äv. ligga i garnison

garrulous ['gærʊləs, -rjʊl-] pratsam

garter ['gɑ:tə] **1** a) [knä]strumpeband runt benet b) amer. strumpeband; ärmhållare [äv. *arm (sleeve) ~*]; *~ belt* amer. strumpebandshållare **2** [*the Order of*] *the G~* strumpebandsorden

gas [gæs] **I** *s* **1** gas i allm. **2** gas[bränsle], stadsgas **3** **a)** [gift]gas [*tear gas, nerve gas, poison gas*] **b)** lustgas [äv. *laughing-gas*] **4** vard. gaslåga **5** vard. snack; skrävel **6** **a)** amer. vard. (kortform för *gasoline*) bensin **b)** isht amer., *step on the ~* trampa på gasen, gasa på; bildl. sätta fart, skynda på **7** sl., *it's a real ~* det är dökul (jättehäftigt) **II** *vb itr* **1** vard. snacka; skrävla **2** *~ up* amer. tanka, fylla på bensin **III** *vb tr* **1** gasa, anfalla (bedöva, döda) med gas; gasförgifta; *~ oneself* gasa ihjäl sig **2** förse (lysa upp) med gas **3** *~ up* amer. tanka [*~ up the car*]

gasbag ['gæsbæg] vard. pratmakare

gas cooker ['gæs,kʊkə] gasspis

gaseous ['gæsjəs, 'geɪz-] gasformig; *~ form* gasform

gas fire ['gæsfaɪə] gaskamin

gash [gæʃ] **I** *vb tr* skära (hugga) djupt i; *~ed* gapande **II** *s* [lång och] djup skåra

gasket ['gæskɪt] tekn. packning; [*cylinder head*] *~* topplockspackning

gas mask ['gæsmɑ:sk] gasmask

gas meter ['gæs,mi:tə] gasmätare apparat

gasoline ['gæsəli:n, -lɪn, --'-] **1** kem. gasolin

2 amer. [motor]bensin; ~ *truck* a) bensindriven lastbil b) tankbil
gasometer [gæ'sɒmɪtə] **1** gasklocka **2** kem. gasometer, gasbehållare
gasp [gɑ:sp] **I** *vb itr* dra efter andan, flämta; *make a p.* ~ bildl. göra ngn fullkomligt stum, ta andan ur ngn; ~ *for breath* kippa efter andan (luft) **II** *vb tr,* ~ *[out]* flåsa (flämta) fram, yttra flämtande **III** *s* flämtning; *at one's (the) last* ~ nära att ge upp andan, döende; utpumpad
gas station ['gæs,steɪʃ(ə)n] amer. bensinstation
gassy ['gæsɪ] full av gas; gas-; ~ *beer* öl med mycket kolsyra
gastric ['gæstrɪk] mag- [~ *disease (pains)*]; ~ *juice* magsaft; ~ *ulcer* magsår
gastritis [gæ'straɪtɪs] magkatarr; med. gastrit [*acute (chronic)* ~]
gastroenteritis [,gæstrə(ʊ)ente'raɪtɪs] med. gastroenterit, mag-tarminflammation
gastronomy [gæ'strɒnəmɪ] gastronomi
gasworks ['gæswɜ:ks] (konstr. vanl. ss. sg.; pl. *gasworks*) gasverk
gate [geɪt] **1** port äv. skidsport.; grind; järnv. äv. bom; järnv. o. vid flygplats spärr **2** bildl. inkörsport **3** [damm]lucka; [sluss]port **4** sport. a) publiksiffra [*TV has affected ~s*], publiktillströmning [*a big* ~] b) biljettintäkter
gateau o. **gâteau** ['gætəʊ, gæ'təʊ] (pl. *~x* [-z]) fr. kok. tårta
gatecrash ['geɪtkræʃ] vard., ~ *[into]* objuden ta sig in [~ *[into] a party*]; planka (smita) in på [~ *into a football match*]; tränga sig in på [~ *into the American market*]
gatecrasher ['geɪt,kræʃə] vard. objuden gäst, snyltgäst, inkräktare; plankare
gateway ['geɪtweɪ] **1** port[gång]; ingång, utgång, utgångsport **2** bildl. [inkörs]port; väg, nyckel [*a ~ to fame (knowledge)*]
gather ['gæðə] **I** *vb tr* **1** [för]samla [~ *a crowd*] **2** a) samla [ihop] [~ *sticks for a fire*] b) plocka [~ *flowers (mushrooms)*] c) samla (hämta) in [äv. ~ *in*] d) ta upp [~ *the ball*]; ~ *a shawl about one's shoulders* svepa en sjal om axlarna **3** a) få, vinna [~ *experience*] b) skaffa sig [~ *information*] c) förvärva; ~ *speed* få (sätta) fart **4** sluta sig till; *I ~ he has left* han har visst rest, det sägs att han har rest **5** a) dra ihop, rynka [~ *one's brows*] b) sömnad. rynka **6** ~ *up* a) ta (lyfta) upp från marken o.d. b) samla ihop [~ *up one's books*], samla upp c) dra ihop till mindre omfång **II** *vb itr* **1** [för]samlas **2** samla (dra ihop) sig [*the clouds are ~ing*]; [till]växa; *a storm is ~ing* det drar ihop sig till oväder
gathering ['gæð(ə)rɪŋ] **I** *s* **1** samling [*we were a great* ~] **2** sammankomst **3** varsamling, böld **4** [för]samlande, plockning, skörd[ande] etc., jfr *gather I* **II** *adj* annalkande [~ *storm*]
GATT [gæt] (förk. för *General Agreement on Tariffs and Trade*) GATT
gauche [gəʊʃ] klumpig; ofin
gaudy ['gɔ:dɪ] [färg]grann, prålig [~ *decorations*], skrikig [~ *colours*]
gauge [geɪdʒ] **I** *vb tr* **1** a) mäta rymd, kaliber, storlek b) justera mått o. vikter; kalibrera c) gradera **2** bildl. bedöma [~ *a p.'s character*], mäta, uppskatta **II** *s* **1** [standard]mått; dimension[er], kaliber; tråds o.d. grovlek; *take the ~ of* bedöma, ta mått på **2** spårvidd **3** tekn. mätare [*oil (petrol)* ~, *wind* ~], mätinstrument; precisionsmått; tolk; *pressure* ~ manometer, tryckmätare **4** bildl. mätare [~ *of* (på) *intellect*], måttstock
gaunt [gɔ:nt] mager, tanig
1 gauntlet ['gɔ:ntlət] **1** kraghandske **2** järnhandske; *pick (take) up the* ~ ta upp stridshandsken (den kastade handsken)
2 gauntlet ['gɔ:ntlət], *run the* ~ löpa gatlopp
gauze [gɔ:z] **1** gas[väv]; ~ *bandage (roller)* gasbinda **2** lätt [dim]slöja
gave [geɪv] imperf. av *give A*
gavel ['gævl] ordförandeklubba
gawky ['gɔ:kɪ] tafatt
gawp [gɔ:p] vard. [stå och] glo
gay [geɪ] (adv. *gaily,* isht. amer. *gayly*) **I** *adj* **1** sl. gay, homosexuell; bög- **2** glad [~ *voices (laughter)*]; lustig **3** sprittande [~ *music*], grann **II** *s* sl. bög
gaze [geɪz] **I** *vb itr* stirra, blicka (se, titta) intensivt (oavvänt), spana [~ *at the stars*] **II** *s* intensivt (oavvänt) betraktande (tittande); blick [*with a bewildered* ~], spänd blick
gazelle [gə'zel] zool. gasell
gazette [gə'zet] **I** *s* officiell tidning [*the London G~*]; *be in the* ~ stå i [den officiella] tidningen ss. befordrad, i konkurs o.d. **II** *vb tr* kungöra i den officiella tidningen
gazetteer [,gæzɪ'tɪə] geografiskt namnregister till kartbok; geografisk uppslagsbok
GB [,dʒi:'bi:] förk. för *Great Britain*
GCE [,dʒi:si:'i:] förk. för *General Certificate of Education*
GCSE [,dʒi:si:es'i:] förk. för *General Certificate of Secondary Education*
GDP [,dʒi:di:'pi:] (förk. för *gross domestic product*) BNP
GDR [,dʒi:di:'ɑ:] (förk. för *German Democratic Republic*) DDR (hist.)
gear [gɪə] **I** *s* **1** redskap, utrustning, grejor [*fishing-gear*], apparat **2** a) kugghjul, drev; sammankopplade drivhjul; *train of ~s*

hjulverk; löpverk **b**) mekanism, inrättning [*steering-gear*]; flyg. ställ [*landing-gear*] **3** kopplingsmekanism, utväxling; motor. växel; *change* (isht amer. *shift*) ~[*s*] växla; *high* (*low*) ~ stor (liten) utväxling; hög (låg) växel; *reverse* ~ back[växel]; *put a car in third* ~ lägga i trean (treans växel) [på en bil]; *move into low* ~ sakta av, varva ner **4** sjö. löpande gods, tackel **5** seldon; *riding* ~ ridtyg **6** persedlar, tillhörigheter **II** *vb tr* **1** ~ *down* växla ner [~ *down the car*] **2** ~ *to* rätta (lämpa, anpassa) efter [~ *production to the demand*]; *be ~ed to* äv. vara inriktad på

gearbox ['gɪəbɒks] o. **gearcase** ['gɪəkeɪs] motor. växellåda

gearlever ['gɪəˌli:və] växelspak

gee [dʒi:] isht amer., ~ [*whizz*]*!* jösses!, nej men!, oj [då]! [~ *what a surprise!*]

geese [gi:s] pl. av *goose*

gel [dʒel] **I** *s* **1** kem. gel **2** [*hair*] ~ hårgelé **II** *vb itr* **1** bilda gel, gelatisera; stelna **2** vard. lyckas [*that new idea ~led*]

gelignite ['dʒelɪgnaɪt] spränggelatin

gem [dʒem] **1** ädelsten ofta mindre o. isht slipad o. polerad; juvel **2** bildl. a) klenod b) litet konstverk

Gemini ['dʒemɪnaɪ, -ni:] astrol. Tvillingarna

gen [dʒen] sl., *the* ~ info[n], upplysningar[na] [*they'll give you all the ~ about it*], nyheter[na]; *what's the ~?* vad nytt?, hur är läget?

gender ['dʒendə] kön isht gram., genus; ~ *gap* könsklyfta, klyfta mellan könen

gene [dʒi:n] biol. gen, arvsanlag; ~ *manipulation* genmanipulation

genealogical [ˌdʒi:njə'lɒdʒɪk(ə)l] genealogisk; ~ *table* stamtavla, släkttavla

genealogy [ˌdʒi:nɪ'ælədʒɪ] **1** genealogi **2** härstamning; släktledning; stamtavla

general ['dʒen(ə)r(ə)l] **I** *adj* **1** allmän; generell; vanlig, genomgående [*it's a ~ mistake*]; ungefärlig [*I can only give you a ~ idea of it*]; helhets-, total- [*the ~ impression of it is good*]; *in* ~ i allmänhet, på det hela taget, för det mesta; ~ *anaesthetic* allmän bedövning (anestesi), narkos; ~ *degree* lägre akademisk examen utan specialisering (mots. *honours*); *a ~ election* allmänna val; ~ *practitioner* allmänpraktiker, allmänpraktiserande läkare; *the ~ public* den stora allmänheten; ~ *store* lanthandel, diverseaffär; *in ~ terms* i allmänna (allmänt hållna) ordalag **2** general- [~ *programme*]; *the UN G~ Assembly* FN:s generalförsamling; ~ *strike* storstrejk, generalstrejk; allmän strejk **3** i titlar efterställt huvudordet general- [*consul-general, major-general*], över- [*inspector-general*] **4** mil. general[s]- [~ *rank*]; ~ *officer commanding* kommenderande general **II** *s* **1** mil. general **2** härförare

generalization [ˌdʒen(ə)rəlaɪ'zeɪʃ(ə)n] generalisering; allmän slutsats; allmän sats

generalize ['dʒen(ə)rəlaɪz] generalisera

generally ['dʒen(ə)rəlɪ] **1** i allmänhet, vanligen **2** allmänt [*the new plan was ~ welcomed*] **3** i allmänhet; ~ *speaking* i stort sett

generat|e ['dʒenəreɪt] alstra, frambringa, framställa, utveckla, generera [~ *electricity* (*gas, heat, power*)], framkalla; *-ing station* kraftstation

generation [ˌdʒenə'reɪʃ(ə)n] **1** alstring, skapande; åstadkommande; framställning [~ *of electricity* (*gas*)] **2** generation i olika bet.; släktled; mansålder [*a ~ ago*]; *the rising* ~ det uppväxande släktet

generator ['dʒenəreɪtə] tekn. generator

generic [dʒɪ'nerɪk, dʒe'n-] generisk äv. med.; släkt- [~ *characters* (*name*)]; allmän; ~ *term for* sammanfattande benämning på, samlingsnamn för

generosity [ˌdʒenə'rɒsətɪ] **1** storsinthet **2** generositet, givmildhet

generous ['dʒen(ə)rəs] **1** storsint **2** generös, frikostig; *be ~ with one's money* vara flott [av sig], vara spendersam **3** riklig, stor [*a ~ helping* (portion)]; rik [*a ~ harvest*]; [*it is*] *planned on a ~ scale* ...stort upplagd **4** fyllig [*a ~ wine*] **5** bördig [~ *soil*]

genesis ['dʒenəsɪs] **1** uppkomst [*the ~ of the movement* (*idea*)] **2** *G~* Första mosebok

genetic [dʒə'netɪk] genetisk [~ *code*, ~ *damage*]; ärftlighets- [~ *research*]; ~ *engineering* genteknik

genetics [dʒə'netɪks] (konstr. ss. sg.) genetik, ärftlighetslära

Geneva [dʒə'ni:və] geogr. Genève

genial ['dʒi:njəl] **1** [glad och] vänlig, gemytlig **2** mild, gynnsam [*a ~ climate*], behaglig [~ *heat*], skön [~ *sunshine*] **3** litt. genialisk [~ *vision*]

genital ['dʒenɪtl] genital-, köns- [~ *parts*]

genitals ['dʒenɪtlz] genitalier, könsdelar

genitive ['dʒenətɪv] gram. genitiv[-]; *the ~* [*case*] genitiv[en]

genius ['dʒi:njəs] (pl. i bet. *1 ~es*, i bet. *3* o. *4 genii* ['dʒi:nɪaɪ]) **1** a) geni [*he is a mathematical ~*] b) [speciell] begåvning, [naturlig] fallenhet [*find out in which way one's children's ~ lies*]; genialitet; *a flash of ~* en snilleblixt **2** anda [*the ~ of* (som präglade) *that age*], kynne [*the French ~*] **3** genius; *his good ~* hans goda ande (genius) **4** ande, genie

genocide ['dʒenə(ʊ)saɪd] folkmord

gent [dʒent] (förk. för *gentleman*) **1** vard.

herre; skämts. fin karl, gentleman **2** hand., *~s'* herr- [*~s' pyjamas*] **3** vard., *gents* (konstr. ss. sg.) herrtoalett; på skylt äv. herrar

genteel [dʒen'ti:l] iron. fin [*~ manners (persons)*]

gentile ['dʒentaɪl] **I** *adj* icke-judisk; bibl. hednisk **II** *s* icke-jude; bibl. hedning

gentle ['dʒentl] **1** mild [*~ manner*], mjuk, ljuv, vänlig [*her ~ nature* (väsen)], saktmodig; vek [*a ~ heart*]; stilla, låg [*~ music (tone, voice)*], diskret [*a ~ hint*], lätt [*a ~ tap (touch)*], varsam; behaglig, lagom [*~ heat (speed)*]; sakta [sluttande] [*a ~ slope*], sakta framflytande [*a ~ stream*] **2** om pers. mild, blid [*a ~ lady*]; *the ~ sex* det svaga könet

gentlefolk ['dʒentlfəʊk] (konstr. ss. pl.) herrskap, fint folk [äv. *~s*]

gentleman ['dʒentlmən] (pl. *gentlemen* ['dʒentlmən]) **1** herre [*there is a ~ waiting for you*]; *gentlemen!* mina herrar! **2** gentleman [*a fine old ~*]; *a true ~* en sann gentleman, en verkligt fin man; *gentlemen's agreement* muntlig överenskommelse som baserar sig på ömsesidigt förtroende

gentleness ['dʒentlnəs] mildhet; mjukhet etc., jfr *gentle*

gently ['dʒentlɪ] **1** sakta, stilla [*close the door ~*], varsamt [*hold it ~*], svagt [*the road slopes ~*]; *~ [does it]!* sakta i backarna! **2** milt, vänligt [*speak ~, reprimand a p. ~*], mjukt etc., jfr *gentle*

gentry ['dʒentrɪ] **1** *the ~* (konstr. vanl. ss. pl.) a) lågadeln b) den högre medelklassen **2** (konstr. ss. pl.) vard. (skämts. el. neds.) människor, individer [*these ~*], folk

genuine ['dʒenjʊɪn] äkta [*~ pearls (Persian carpets)*]; autentisk [*a ~ manuscript*]; sann, riktig [*a ~ cause for satisfaction*]

geographer [dʒɪ'ɒgrəfə] geograf

geographical [dʒɪə'græfɪk(ə)l] geografisk; *~ mile* nautisk mil, distansminut

geography [dʒɪ'ɒgrəfɪ] geografi

geological [dʒɪə'lɒdʒɪk(ə)l] geologisk

geologist [dʒɪ'ɒlədʒɪst] geolog

geology [dʒɪ'ɒlədʒɪ] geologi

geometric [dʒɪə'metrɪk] o. **geometrical** [dʒɪə'metrɪk(ə)l] geometrisk; *~ progression* geometrisk talföljd

geometry [dʒɪ'ɒmətrɪ] geometri

geranium [dʒə'reɪnjəm] bot. **1** pelargon[ia] **2** geranium

geriatric [ˌdʒerɪ'ætrɪk] **I** *adj* geriatrisk [*~ hospitals*]; *~ care* åldringsvård **II** *s* **1** åldring **2** vard. gamling

geriatrics [ˌdʒerɪ'ætrɪks] (konstr. ss. sg.) o. **geriatry** ['dʒerɪətrɪ] med. geriatri

germ [dʒɜ:m] **1** embryo **2** bakterie; mikrob isht sjukdomsalstrande; *~ warfare* bakteriologisk krigföring **3** bildl. frö, upprinnelse

German ['dʒɜ:mən] **I** *adj* tysk; *the ~ Democratic Republic* hist. DDR **II** *s* **1** tysk; tyska **2** tyska [språket]

Germanic [dʒɜ:'mænɪk] **I** *adj* germansk **II** *s* urgermanska [språket]

Germany ['dʒɜ:m(ə)nɪ] Tyskland

germicide ['dʒɜ:mɪsaɪd] bakteriedödande (mikrobdödande) medel (ämne)

germinate ['dʒɜ:mɪneɪt] **I** *vb itr* gro, spira [upp]; skjuta knopp; bildl. spira **II** *vb tr* få att gro (spira [upp]); bildl. framkalla

germination [ˌdʒɜ:mɪ'neɪʃ(ə)n] groning, uppspirande; knoppning

gestation [dʒe'steɪʃ(ə)n] havandeskap; dräktighet; fosterstadium; bildl. ung. tankemöda

gesticulate [dʒe'stɪkjʊleɪt] gestikulera

gesture ['dʒestʃə] **I** *s* **1** gest, [hand]rörelse [*he uses lots of ~s*]; *a ~ of refusal* en avböjande gest **2** bildl. gest [*it is merely a ~*] **II** *vb itr* o. *vb tr* göra ett tecken (en gest) [åt], visa med en gest

get [get] (*got got*, perf. p. amer. ofta äv. *gotten*) **I** *vb tr* (se äv. *III*) **1** få [*~ permission*]; *I've got it from him* a) jag har fått den (det) av honom b) jag har hört det av honom **2** [lyckas] få, skaffa sig [*~ a job*]; inhämta [*~ information*] **3** få [*~ the measles; ~ a shock*]; *he'll ~ it!* vard. han ska få [så han tiger]! **4** fånga, få **5** fånga, få fram [*the painter got her expression well*] **6** få tag i, nå [*I got him on the phone*] **7** radio. el. TV. få (ta) in [*can you ~ France?*] **8** vard. få [fast] [*they got the murderer*], knäppa skjuta **9** vard. uppfatta [*I didn't ~ your name*]; märka; fatta [*do you ~ what I mean?*] **10** vard. **a**) sätta fast (dit); *you've got me there!* äv. nu är jag ställd!; *got you!* nu har jag dig [allt]! **b**) ta [*narcotics will ~ him*] **11** vard. **a**) *it ~s me* [*how he can be so stupid*] jag fattar inte... **b**) reta [*his arrogance ~s me*]; *don't let it ~ you* ta det inte så hårt, var inte ledsen för det **c**) tända, påverka; *that got them* det tände dom på **12 a**) *have got* ha **b**) *have got to* vara (bli) tvungen att; *I've got to go* jag måste gå **13** skaffa [*~ a p. a job*], ordna [med] [*~ tickets for* (åt) *a p.*], hämta **14 a**) komma med [*did you ~ the bus?*] **b**) *that won't ~ us anywhere* det kommer vi ingen vart med **15 a**) göra [*~ a p. angry*]; *~ one's feet wet* bli våt om fötterna **b**) *~ a th. done* se till att ngt blir gjort; få ngt gjort, låta göra ngt **c**) *~ a p. (a th.) going* få (sätta) i gång ngn (ngt) **16** *~ a p. (a th.) to* få (förmå) ngn (ngt) att

II *vb itr* (se äv. *III*) **1** komma [*I got home early*]; *~ there* komma (ta sig) dit; *he's not ~ting anywhere* han kommer ingen vart

2 a) ~ *to* + inf. [småningom] komma att + inf., lära sig att + inf. [*I got to like him*]; ~ *to be* [komma att] bli [*they got to be friends*] **b**) ~ + pres. p. börja + inf. [~ *talking*] **3** bli [~ *better* (*dirty*)]; ~ *married* gifta sig

III *vb tr* o. *vb itr* med prep. o. adv. isht med spec. övers.:

~ **about**: a) ta itu med [*let's ~ about the job*] b) resa omkring; vara uppe och ute om sjukling c) komma ut om rykte

~ **across** bildl., vard. gå in [*their ideas never got across to* (hos) *others*]

~ **along**: **a**) klara (reda) sig [*we can't ~ along without money*] **b**) komma vidare (framåt, längre) **c**) *I must be ~ting along* jag måste ge mig i väg; ~ *along with you!* vard. ge dig i väg!; snack! **d**) se ~ *on e*)

~ **at**: **a**) komma åt, nå [*I can't ~ at it*]; komma över; få tag i **b**) komma på **c**) syfta på; *what are you ~ting at?* vart är det du vill komma? **d**) vard. hacka på [*he was ~ting at me*]

~ **away**: **a**) komma i väg; sport. starta **b**) komma undan, rymma; *there is no ~ting away from the fact that...* man kan inte komma ifrån att...

~ **back**: **a**) få igen (tillbaka) [~ *one's money back*]; skaffa igen (tillbaka) [*I'll ~ it back*] **b**) komma (gå) tillbaka **c**) ~ *one's own back on a p.* ta revansch på ngn

~ **behind** komma (bli) efter

~ **by**: a) komma (ta sig) förbi b) klara sig [*she can't ~ by without him*]; passera, duga

~ **down**: **a**) få ned [*he couldn't ~ the medicine down*] **b**) anteckna, skriva (ta) ned **c**) göra nedstämd [*worries ~ you down*]; *don't let it ~ you down* ta inte vid dig så hårt för det **d**) gå (komma, stiga) ned (av); ~ *down on one's knees* falla på knä **e**) ~ *down to* ta itu med

~ **in**: **a**) få (ta) in i olika bet.: få under tak [~ *in the harvest*]; sätta in [~ *in a blow*]; ~ *a word in* [*edgeways*] få en syl i vädret **b**) ~ *a p. in* [*to repair the TV*] få hem (skicka efter) ngn... **c**) komma in, ta sig in [*I got in through the window*] **d**) komma in, bli vald [*he got in by a large majority*] **e**) ~ *in with* komma ihop med, bli vän med

~ **into**: **a**) stiga (komma) in i (upp på) [~ *into a bus*] **b**) komma i, få på sig [~ *into one's clothes*] **c**) råka (komma) i [~ *into danger* (*difficulties*)], komma in i, få [~ *into bad habits*] **d**) ~ *a p. into* få (skaffa) in ngn i [~ *a p. into a firm*] **e**) komma (sätta sig) in i [*you'll soon ~ into the job*] **f**) sätta sig i [*the pain ~s into the joints*]; *what has got into him?* vad har det flugit i honom?

~ **off**: **a**) få (ta) av (upp, loss) [*I can't ~ the lid off*] **b**) få i väg [~ *the children off to school*] **c**) få frikänd; gå fri; slippa (klara sig) undan [*he got off lightly* (lindrigt)] **d**) lämna [*they got off the subject*] **e**) ge sig av, komma i väg; ~ *off to bed* gå och lägga sig; ~ *off to sleep* somna in **f**) gå (stiga) av [*he got off* [*the train*]]; gå bort (ner) från [~ *off the chair*]; ~ *off it!* vard. äh, lägg av!; försök inte! **g**) ~ *off* [*work*] bli ledig [från arbetet] **h**) ~ *off with* vard. stöta på, få ihop det med

~ **on**: **a**) få (sätta) på [*I can't ~ the lid on*], ta (få, sätta) på sig [*I got my coat on*] **b**) öka fart **c**) gå (stiga) på [*he got on* [*the train*]]; sätta sig [upp] på; ~ *on one's feet* a) stiga (komma) upp; resa sig för att tala b) bildl. komma på fötter **d**) gå vidare; lyckas; trivas; *how is he ~ting on?* hur har han det?, hur står det till med honom?; hur går det för honom? **e**) dra jämnt, komma [bra] överens; *he is easy to ~ on with* han är lätt att umgås med **f**) *be ~ting on* [*in years* (*life*)] [börja] bli gammal; *time is ~ting on* tiden går **g**) *be ~ting on for* närma sig, gå mot [*he is ~ting on for 70*] **h**) ~ *on to* komma upp på (med) [*he couldn't ~ on to the bus*]; få tag i i telefon, [få] tala med

~ **out**: **a**) få fram [*he got out a few words*], ta (hämta) fram [*he got out a bottle of wine*]; få (ta) ut (ur); ~ *a th out of a p.* få (locka) ur (av) ngn ngt **b**) ge ut [*they got out an anthology*] **c**) gå (komma, stiga, ta sig) ut, komma upp; gå (stiga) av (ur); komma (sippra) ut [*the secret got out*]; ~ *out of* äv. komma ifrån (ur) [~ *out of a habit*]

~ **over**: **a**) komma (ta sig) över; bildl. komma över i olika bet.: övervinna [~ *over one's shyness*], hämta sig från [~ *over an illness*], glömma **b**) ~ *a th. over with* få ngt undanstökat (avklarat)

~ **round**: **a**) kringgå [~ *round a law*]; komma ifrån [*you can't ~ round the fact that...*] **b**) lyckas övertala; *she knows how to ~ round him* hon vet hur hon ska ta honom **c**) ~ *round to* få tillfälle till, få tid med

~ **through**: **a**) få (driva) igenom [i] [~ *a bill through Parliament*] **b**) gå igenom; *he got through* [*his examination*] han klarade sig [i examen]; *the bill got through* lagförslaget gick igenom **c**) komma (klara sig) igenom; bli färdig med **d**) komma fram äv. i telefon **e**) göra slut på [*he got through all his money*]

~ **to**: **a**) komma [fram] till; ~ *to bed* komma i säng **b**) sätta (komma) i gång med [~ [*down*] *to work*] **c**) *where has it got to?* vard. vart har det tagit vägen?

~ **together**: **a**) få ihop [~ *a team together*], samla (plocka) ihop [~ *your* *things together*]; skaffa ihop **b**) träffas [*let's ~ together sometime*]

~ **up**: **a**) få upp; få att stiga upp (resa sig); lyfta upp **b**) gå (stiga) upp [~ *up early in the morning*]; resa sig, ställa sig upp **c**) [an]ordna [~ *up a party*] **d**) styra ut [*the book was beautifully got up*]; klä ut **e**) få [~ *up an appetite*], få upp [~ *up steam*] **f**) lära (läsa, plugga) in **g**) ~ *up to* komma till; komma (hinna) ifatt; hitta på, ställa till [med] [~ *up to mischief*]

~ **with it** sl. hänga med i svängen

getaway ['getəweɪ] vard. **1** start **2** rymning; *make a ~* rymma, fly, smita

get-together ['getəgeðə] vard. träff

get-up ['getʌp] vard. **1** utstyrsel [*the book has an elaborate ~*] **2** klädsel; utstyrsel, rigg

geyser [i bet. *1* 'gi:zə, amer. 'gaɪ-] **1** gejser, varm springkälla **2** varmvattenberedare

ghastly ['gɑ:stlɪ] **I** *adj* **1** hemsk, ohygglig **2** vard. gräslig [*a ~ dinner (failure)*] **3** spöklik [*~ paleness*], likblek [*a ~ face*], spökaktig [*a ~ light*] **II** *adv* hemskt; *~ pale* likblek

gherkin ['gɜ:kɪn] liten [inläggnings]gurka

ghetto ['getəʊ] (pl. *~s*) getto

ghost [gəʊst] **I** *s* **1** spöke; döds ande, gast; gengångare; *lay a ~* besvärja (fördriva) en ande; *raise a ~* frambesvärja (mana fram) en ande **2** *give up the ~* a) ge upp andan b) ge upp, lägga av [för gott] **3** *the Holy G~* den Helige Ande **4** skugga [*he is the ~ of his former self* (jag)]; vard. aning, spår, tillstymmelse; skymt [*the ~ of a smile*] **5** vard., se *ghostwriter* **6** TV., ~ [*image*] spökbild **II** *vb itr* o. *vb tr* vara spökskrivare [åt, av]

ghostly ['gəʊstlɪ] spöklik [*a ~ figure*], spök- [*~ hour*]

ghostwriter ['gəʊstˌraɪtə] spökskrivare

ghoul [gu:l] **1** likplundrare, gravskändare **2** bildl. person med pervers dragning åt det makabra

ghoulish ['gu:lɪʃ] **1** demonisk, hemsk, djävulsk **2** makaber [*~ humour*]

GHQ [ˌdʒi:eɪtʃ'kju:] förk. för *General Headquarters*

GI [ˌdʒi:'aɪ, attr. '--] amer. mil. vard. (av *Government Issue*) menig [soldat], värnpliktig

giant ['dʒaɪənt] **I** *s* jätte; gigant **II** *adj* jätte- [*~ cactus*; *~ panda*], jättelik, jättestor

gibber ['dʒɪbə] **I** *vb itr* pladdra; sluddra **II** *s* pladder; sludder

gibberish ['dʒɪbərɪʃ, 'gɪb-] pladdrande; rotvälska

gibe [dʒaɪb] **I** *vb itr*, *~ at* håna, pika, ge gliringar [*~ at a p.*], göra sig lustig över [*~ at a p.'s mistakes*] **II** *vb tr* se *~ at* ovan **III** *s* gliring, stickord

giblets ['dʒɪbləts] kok. [fågel]krås

giddiness ['gɪdɪnəs] yrsel [*a fit of ~*]

giddy ['gɪdɪ] **1** yr [i huvudet] [*be (turn) ~*]; *I feel ~* [*when I look down*] jag blir yr i huvudet..., jag får svindel... **2** svindlande [*~ height (precipice)*], virvlande [*~ motion*] **3** bildl. tanklös

gift [gɪft] **I** *s* **1** gåva; givande; gåvorätt; *~ token (voucher)* ung. presentkort **2** talang, begåvning; *she has a ~ for languages* hon har lätt för språk, hon är språkbegåvad **II** *vb tr* begåva

gifted ['gɪftɪd] begåvad, talangfull

gigantic [dʒaɪ'gæntɪk] gigantisk; väldig

giggle ['gɪgl] **I** *vb itr* fnissa **II** *s* fniss

gigolo ['dʒɪgələʊ, 'ʒɪg-] (pl. *~s*) gigolo

gild [gɪld] förgylla; guldfärga; bildl. förgylla [upp] [äv. *~ over*], ge glans åt

1 gill [gɪl] **1** gäl **2** *white (pale) about the ~s* vard. blek om nosen **3** bot. skiva under svamps hatt

2 gill [dʒɪl] mått för våta varor, vanl. 1/4 *pint* 1,42 dl (amer. 1,18 dl)

gilt [gɪlt] **I** *adj* förgylld **II** *s* förgyllning själva metallen

gimlet ['gɪmlət] **1** tekn. handborr, vrickborr, spetsborr, navare **2** drink gin el. vodka o. limejuice

gimmick ['gɪmɪk] vard. **1** [lustig] grej; gimmick, jippo [*a ~ to attract customers*] **2** manick, grunka

1 gin [dʒɪn] **1** gin [*~ and tonic*]; genever; enbärsbrännvin; *pink ~* gin smaksatt med angostura **2** ~ [*rummy*] gin rummy kortspel

2 gin [dʒɪn] **I** *s* **1** snara, dona **2** tekn. [bomulls]rensningsmaskin **II** *vb tr* **1** snara, snärja **2** rensa [*~ cotton*]

ginger ['dʒɪn(d)ʒə] **I** *s* **1** ingefära **2** vard. ruter, kläm; *~ group* mest polit. aktivistgrupp **3** ljust rödgul färg **4** vard. person med rödblont hår **II** *vb tr* **1** krydda med ingefära **2** ~ [*up*] bildl. vard. elda upp; pigga upp **III** *adj* vard. rödgul [*~ hair*]

gingerbread ['dʒɪn(d)ʒəbred] pepparkaka; *take the gilt off the ~* bildl. ta bort det roliga (kryddan, glansen) från det hela; *~ man* pepparkaksgubbe

gingerly ['dʒɪn(d)ʒəlɪ] [ytterst] försiktigt; ängsligt

gingham ['gɪŋəm] gingham bomullstyg

ginseng ['dʒɪnseŋ] bot. el. med. ginseng[rot]

gipsy ['dʒɪpsɪ] se *gypsy*

giraffe [dʒɪ'rɑ:f, -'ræf] zool. giraff

girder ['gɜ:də] byggn. bärbjälke ofta av järn; bindbjälke

girdle ['gɜ:dl] **I** *s* **1** gördel äv. anat., höfthållare **2** bälte äv. bildl. [*a ~ of green fields round the town*]; skärp **II** *vb tr* **1** omgjorda, omge **2** ringbarka [*~ trees*]

girl [gɜ:l] **1** flicka äv. flickvän [*Mary is his*

~]; *girls' school* flickskola **2** tjänsteflicka **3** ~ *scout* amer. flickscout
girlfriend ['gɜ:lfrend] flickvän
girlhood ['gɜ:lhʊd] **1** flicktid; *in her* ~ [redan] som flicka **2** flickor [*the nation's* ~]
girlish ['gɜ:lɪʃ] flick-; flickaktig
giro ['dʒaɪrəʊ] (pl. ~*s*) [post]giro; [bank]giro; *by* ~ per giro; ~ *account* girokonto
girth [gɜ:θ] omfång; omkrets [*a tree 10 metres in* ~]
gist [dʒɪst] kärnpunkt, kärna [*the* ~ *of the matter*]; *the* ~ *of* äv. kontentan av, det väsentliga i
give [gɪv] **A** (*gave given*) *vb* **I** *tr* (se äv. *III*) **1 a**) ge, skänka; förläna; bevilja; avge [~ *one's vote* (röst)]; *be* ~*n* få [i present] **b**) ge frist; *I'll* ~ *you until tonight* jag ger dig frist till i kväll **c**) ~ *me*...[*any day* (*every time*)]! tacka vet jag...!; ~ *or take* vard. på ett ungefär **2** ge mot ersättning, betala; ~ *as good as one gets* ge [lika gott] igen; *I'll* ~ *it* [*to*] *him!* jag ska ge honom!, han ska minsann få! **3** ge, räcka, överlämna; erbjuda; framföra hälsning; ~ *my compliments* (*love*) *to* hälsa så mycket till, [hjärtliga] hälsningar till; ~ *way*: a) retirera b) ge vika [*the ice* (*rope*) *gave way*], svikta; om priser vika c) ge (lämna) plats, vika [undan], lämna företräde [~ *way to traffic coming* [*in*] *from the right*] d) hemfalla, hänge sig; ge efter [~ *way to grief*], ge vika **4** offra tid, kraft o.d.; *he gave his life to the cause of peace* han ägnade sitt liv åt fredens sak; ~ *one's mind* (*oneself*) *to* ägna (hänge) sig åt **5** frambringa ss. produkt, resultat [*a lamp* ~*s light*]; framkalla, väcka [~ *offence* (anstöt)], vålla [~ *a p. pain*] **6** lägga fram, framställa; ange [*he gave no reason for*...]; *don't* ~ *me that!* vard. kom inte med det där!
7 a) framföra, hålla [~ *a lecture*]; teat. ge [*they are giving Hamlet*] b) utbringa [~ *a toast* (skål) *for*; ~ *three cheers for*] **8** utfärda [~ *a command*]; avge [~ *an answer*]; fälla, avkunna [~ *judgement*] **9** ~ *a cry* (*scream*) skrika till, ge till ett skri[k]; ~ *a jump* hoppa till
II *itr* (se äv. *III*) **1** ge; ~ *and take* ge och ta, kompromissa **2** ge vika [*the branch gave*]; svika; slappna **3** vetta
III *tr* o. *itr* m. adv.:
~ **away**: a) ge bort b) dela ut [~ *away the prizes*] c) vard.: oavsiktligt förråda, avslöja [~ *away a secret*]
~ **back** ge (lämna) tillbaka, återställa [~ *a th. back to its owner*]
~ **forth** ge ifrån sig; sända ut
~ **in**: **a**) lämna in [~ *in your examination papers*] **b**) ~ *in one's name* anmäla sig **c**) ge sig, ge vika [*I* ~ *in*]; falla till föga
~ **off** avge [*this coal* ~*s off a lot of smoke*], sända ut; utdunsta
~ **out**: a) dela ut [~ *out tickets*] b) [låta] tillkännage c) avge [~ *out heat*], sända ut gas o.d. d) tryta, ta slut; svika [*his strength gave out*] e) krångla, strejka
~ **over**: **a**) överlämna, överlåta **b**) överge **c**) ~ *oneself over to* hänge sig åt
~ **up**: **a**) lämna ifrån sig, avlämna [*tickets must be* ~*n up at the entrance*], överlämna; avstå från [~ *up one's seat to a lady*]; överge [~ *up a theory*]; ~ *oneself up* överlämna sig, anmäla sig [för polisen] **b**) ge upp [~ *up the attempt*]; ge upp hoppet om [*the doctors have* ~*n him up*] **c**) ~ *oneself up to* hänge sig åt **d**) upphöra [med]; *he gave up smoking* han slutade röka
B *s*, ~ *and take* ömsesidiga eftergifter, kompromisser, kompromissvilja
giveaway ['gɪvəweɪ] **1** oavsiktligt förrådande **2** presentartikel som reklam **3** ~ *price* vrakpris, struntsumma
given ['gɪvn] **I** *adj* o. *perf p* (av *give*) **1** given etc., jfr *give A*; ~ *name* isht amer. förnamn **2** ~ *to* begiven på; fallen för [~ *to boasting* (skryt)]; lagd för; hemfallen åt **3** bestämd, given [*a* ~ *time, the* ~ *conditions*] **II** *prep* o. *konj* **1** givet [att] **2** förutsatt [att], under förutsättning att man har [~ *common sense it can be done*]; med hänsyn till
glacial ['gleɪsjəl, 'gleɪʃjəl, 'glæsɪəl] **1** is-, glaciär-; *the* ~ *period* (*epoch, era*) istiden **2** isig, iskall äv. bildl. [*a* ~ *smile*]
glacier ['glæsjə, 'gleɪs-] glaciär
glad [glæd] **1** end. glad, [för]nöjd; ~ *of* glad att få, tacksam för [~ *of a few tips as to how to do it*]; [*I'm*] ~ *to see you!* det var roligt att [få] träffa dig!; välkommen! **2** glädjande [~ *tidings* (budskap)], glad [*a* ~ *occasion*]; *give a p. the* ~ *eye* vard. flörta [vilt] med ngn; ~ *rags* vard. [fest]blåsa; stass, finkläder
gladden ['glædn] glädja; liva upp
glade [gleɪd] glänta
gladiator ['glædɪeɪtə] gladiator
gladly ['glædlɪ] med glädje, gärna [*I would* ~ *help you*]
gladness ['glædnəs] glädje
glamorous ['glæmərəs] glamorös, förtrollande, tjusig [~ *film stars*]
glamour ['glæmə] glamour; romantiskt skimmer
glance [glɑ:ns] **I** *vb itr* **1** titta [hastigt (flyktigt)], ögna [~ *over* (*through*) *a letter*] **2** snudda [*the blow only* ~*d on the bone*]; studsa [äv. ~ *aside* (*off*); *bullets* ~*d off* (mot, bort från) *his helmet*] **3** blänka [till] [*their helmets* ~*d in the sunlight*], glimta

[till] **II** *vb tr*, ~ *one's eye over* ögna igenom **III** *s* **1** [hastig (flyktig)] blick, titt [*a ~ at these figures will convince you*]; ögonkast [*at* (vid) *the first ~*]; påseende [*at a cursory* (flyktigt) *~*]; *loving ~s* kärleksfulla blickar; *at a ~* med en enda blick; med detsamma **2** [ljus]glimt, skimmer **3** anspelning

gland [glænd] anat. körtel

glandular ['glændjʊlə] anat. körtel-, körtelartad

glare [gleə] **I** *vb itr* **1** lysa med ett bländande sken **2** glo [argt], stirra [vilt], blänga [ilsket] **II** *s* **1** [bländande (starkt)] ljussken **2** bildl. glans; prål; *in the full ~ of publicity* inför öppen ridå, i rampljuset **3** ilsken blick; vild glans

glaring ['gleərɪŋ] **1** bländande [*~ light, ~ sunshine*], skarpt (grällt) lysande [*~ neon signs*], glänsande **2** vild [*~ eyes, ~ look*] **3** skrikande, bjärt, gräll [*~ colours*], [alltför] påfallande [*a ~ dress*]; påtaglig [*~ defects*], iögon[en]fallande [*~ faults*], flagrant, grov, uppenbar [*a ~ mistake; ~ indiscretion*]

Glasgow ['glɑ:zgəʊ, 'glɑ:sg-]

glass [glɑ:s] **1** ämnet glas [*made of ~*] **2** a) [dricks]glas äv. om innehållet [*a ~ of wine; have a ~ too much*] b) spegel c) barometer [*the ~ is rising*] d) pl. *~es* glasögon; äv. pincené **3** koll. glassaker, glas [*~ and china* (porslin)] **4** sjö. glas halvtimme

glassful ['glɑ:sfʊl] glas ss. mått [*a ~ of brandy*]

glasshouse ['glɑ:shaʊs] **1** växthus, drivhus **2** glashus; *people who live in ~s should not throw stones* man skall inte kasta sten när man [själv] sitter i glashus

glassware ['glɑ:sweə] glasvaror, glas

glassy ['glɑ:sɪ] **1** glas-, glasartad **2** bildl. glatt; *a ~ stare* en stel blick

glaucoma [glɔ:'kəʊmə] med. glaukom, grön starr

glaze [gleɪz] **I** *vb tr* **1** sätta glas i, glasa [*~ a window*]; *~ in* glasa in [*~ in a veranda*], sätta glas (fönster) i **2** glasera [*~ cakes*]; *~d earthenware* fajans; *~d tiles* kakel **3** mål. lasera **4** polera, glätta **II** *vb itr* om blick bli glasartad, stelna [äv. *~ over*] **III** *s* **1** glasyr **2** mål. lasyr **3** glans; glansig yta

glazier ['gleɪzjə, 'gleɪʒjə, -ʒə] glasmästare

gleam [gli:m] **I** *s* glimt äv. bildl. [*a ~ of humour*]; stråle äv. bildl.; svagt skimmer; [svagt] ljussken (blinkande) [*the ~ of a distant lighthouse*]; *a ~ of hope* en strimma (stråle) av hopp, en ljusglimt **II** *vb itr* glimma [*a cat's eyes ~ing in the darkness*], skimra svagt; glänsa

glean [gli:n] *vb tr* **1** plocka [*~ ears* (ax)] **2** samla [ihop] [*~ materials*], plocka (skrapa) ihop [*~ bits of information*], snappa upp

glee [gli:] **1** uppsluppen glädje [*shout with* (av) *~*], munterhet **2** glee flerstämmig sång

gleeful ['gli:f(ʊ)l] glad

glen [glen] trång dal spec. i Skottl. o. Irl.; klyfta

glib [glɪb] lätt och ledig [*~ manners*]; talför [*a ~ talker*]; lättvindig [*~ excuses*]; *have a ~ tongue* vara slängd i käften

glide [glaɪd] **I** *vb itr* **1** glida [*a boat ~d past* (förbi); *time ~d by* (i väg)], glida fram **2** smyga sig, **3** flyg. flyga i glidflykt; glida [*~ down to the landing-field*] **II** *vb tr* låta glida **III** *s* **1** glidning **2** flyg. glidflykt; *~ path* (*slope*) glidbana

glider ['glaɪdə] glid[flyg]plan; segelflygare

gliding ['glaɪdɪŋ] glidning; glidflykt; segelflygning

glimmer ['glɪmə] **I** *vb itr* glimma; blänka **II** *s* **1** svagt (ostadigt) sken; *a ~ of light* ett svagt ljussken, en ljusglimt **2** glimt, skymt; aning [*not the least ~ of intelligence*]; *a ~ of hope* en strimma av hopp

glimpse [glɪm(p)s] **I** *s* skymt; *catch* (*get*) *a ~ of* [få] se en skymt av **II** *vb itr* **1** kasta en flyktig blick **2** skymta [fram] **III** *vb tr* [få] se (uppfånga) en skymt av, skymta

glint [glɪnt] **I** *vb itr* glittra **II** *s* glimt [*there is an ironical ~ in his eye*[*s*]]; glitter [*~s of gold in her hair*]

glisten ['glɪsn] glittra [*~ing dew-drops*], tindra, glänsa [*eyes ~ing with* (av) *tears*]

glitter ['glɪtə] **I** *vb itr* **1** glittra [*~ing eyes*], blänka [*a ~ing sword*], gnistra [*~ing diamonds*], tindra [*stars ~ing in the sky*]; glimma; *all that ~s is not gold* det är inte guld allt som glimmar **2** bildl. glänsa; *~ing prizes* lockande belöningar **II** *s* glitter äv. konkr.; glittrande ljus [*the ~ of the Christmas tree decorations*]

glitz [glɪts] vard. prål, glitter

gloat [gləʊt], *~ over* ([*up*]*on*) glo (stirra) skadeglatt (triumferande, lystet, girigt) på, frossa i (njuta av) [anblicken av] [*~ over every detail of the murder*]; ruva på (över) [*~ on one's money*]; vara skadeglad över [*~ over a p.'s misfortunes*]

global ['gləʊb(ə)l] **1** global [*~ strategy, ~ warfare*], världsomspännande; *~ warming* global uppvärmning **2** total [*the ~ output* (produktion) *of a factory*]

globe [gləʊb] **1** klot, kula **2** *the ~* jordklotet **3** [*terrestrial*] *~* [jord]glob **4** *~ artichoke* kronärtskocka **5** anat., *~* [*of the eye*] ögonglob **6** globformig [lamp]kupa

globetrotter ['gləʊbˌtrɒtə] globetrotter

globular ['glɒbjʊlə] klotformig

globule ['glɒbju:l] [litet] klot, [liten] rund kula

gloom [glu:m] **1** isht dystert dunkel; djup skugga **2** dysterhet, förstämning [*the delegates departed in ~*]; svårmod; *cast a ~ on (over)* kasta en mörk skugga över

gloomy ['glu:mɪ] **1** mörk, skum [*~ light* (belysning)] **2** dyster; beklämmande [*a ~ spectacle*]; beklämd; *~ atmosphere* förstämning, dyster stämning

glorification [ˌglɔ:rɪfɪ'keɪʃ(ə)n] förhärligande; lovprisande; glorifiering

glorify ['glɔ:rɪfaɪ] förhärliga; lovprisa; glorifiera

glorious ['glɔ:rɪəs] **1** strålande, underbar [*a ~ sunset*]; vard. [ur]tjusig, överdådig, [ur]flott [*a ~ dinner*] **2** ärorik

glory ['glɔ:rɪ] **I** *s* **1** ära [*win ~ on the field of battle*], ryktbarhet **2** [förnämsta] prydnad [*the chief ~ of the district is the old castle*] **3** lov och pris [*~* [*be*] *to* (vare) *God*] **4** lysande härlighet, prakt; *the glories of the country* landets härligheter **5** glanstid, glansdagar; *bask (bathe) in the reflected ~ of* sola sig i glansen från (av); *in* [*all*] *one's ~* a) på sin höjdpunkt, på höjden av sin makt, i all sin glans b) i extas, i sitt esse [*when he's teaching, he's in his ~*] **6** gloria **II** *vb itr, ~ in* vara stolt över, glädja sig åt

1 gloss [glɒs] **I** *s* **1** glans [*the ~ of silk*], glänsande yta **2** bildl. [bedrägligt] sken [*a ~ of legality*] **II** *vb tr* **1** göra glansig; glätta **2** förgylla upp, ge ett skenfagert utseende; *~ over* släta över [*~ over a p.'s faults*], skyla över

2 gloss [glɒs] **I** *s* **1** glossa, not **2** glossar; kommentar **II** *vb tr* **1** glossera; kommentera **2** bortförklara [äv. *~ away (over)*]

glossary ['glɒsərɪ] ordlista, ordförteckning

glossy ['glɒsɪ] **I** *adj* glansig [*~ silk*], blank [*old worn-out clothes get ~*], blankpolerad; *~ magazine* elegant tidskrift (isht modejournal) på högglättat papper **II** *s* vard., se *glossy magazine* ovan

glove [glʌv] handske; boxhandske; *~ locker (compartment)* handskfack i bil; *fit like a ~* passa som hand i handske, sitta som gjuten, passa precis; *with the ~s off* bildl. stridslystet; på fullt allvar; *handle (treat) a p. with* [*kid*] *~s* behandla ngn med silkesvantar

glow [gləʊ] **I** *vb itr* glöda äv. bildl. [*~ with* (av) *enthusiasm*]; blossa [*~ with* (av) *anger*], brinna; *~ing with health* strålande av hälsa **II** *s* glöd [*the ~ of* (från) *his cigar; the ~ of sunset*]; frisk rodnad [*a ~ of health*]; *in a ~ of enthusiasm* med glödande entusiasm

glower ['glaʊə] blänga (glo) ilsket

glowing ['gləʊɪŋ] glödande äv. bildl. [*~ metal, ~ colours, ~ enthusiasm*]; blossande [*~ cheeks*]; entusiastisk [*a ~ account* (skildring)]

glow-worm ['gləʊwɜ:m] zool. lysmask

glucose ['glu:kəʊs] kem. glukos

glue [glu:] **I** *s* lim [*fish ~*] **II** *vb tr* limma [vanl. *~ on*], limma ihop [vanl. *~ together*]; bildl. fästa hårt; kitta fast, trycka; *be ~d to the TV* vara (sitta) [som fast]klistrad vid TV:n

glum [glʌm] trumpen; dyster

glut [glʌt] **I** *vb tr* **1** översvämma [*~ the market* [*with fruit*]] **2** överlasta **3** bildl. mätta lystnad; tillfredsställa till det yttersta el. till leda **II** *s* överflöd, uppsjö [*a ~ of pears in the market*]

glutinous ['glu:tɪnəs] glutinös

glutton ['glʌtn] storätare; *he is a ~ for work* han är en riktig arbetsnarkoman

gluttonous ['glʌtənəs] frossande; omättlig

gluttony ['glʌtənɪ] frosseri

GMT [ˌdʒi:em'ti:] förk. för *Greenwich Mean Time*

gnarled [nɑ:ld] o. **gnarly** ['nɑ:lɪ] knotig [*a ~ old oak*], knölig, kvistig; krokig

gnash [næʃ] **I** *vb itr* **1** om tänder gnissla **2** om person gnissla [med tänderna], skära tänder **II** *vb tr, ~ one's teeth* gnissla med tänderna, skära tänder

gnat [næt] mygga; knott; pl. *~s* äv. koll. mygg

gnaw [nɔ:] (*~ed ~ed,* perf. p. ibl. *gnawn*) **I** *vb tr* **1** gnaga på [*~ a bone*]; tugga på [*he was ~ing his fingernails*], gnaga [*rats ~ed a hole in the floor*]; plåga [*~ed with* (av) *anxiety*] **2** fräta på, tära på **II** *vb itr* gnaga äv. bildl. [*~ing hunger*]

gnome [nəʊm] gnom; skattbevarande jordande; grotesk dvärg; trädgårdstomte

GNP [ˌdʒi:en'pi:] (förk. för *gross national product*) internationell BNP

go [gəʊ] **A** (*went gone*; 3 pers. sg. pres. *goes*) *vb* (se äv. *going*) **I** *itr* (med adv. o. prep., se isht *II*) **1** fara, resa, åka; ge sig av, ge sig i väg; gå; *I must be ~ing* jag måste [ge mig] i väg; *look where you are ~ing!* se dig för! **2** om tid gå; *to ~* kvar [*there is only five minutes to ~*] **3** utfalla, gå [*how did the voting ~?*]; *how goes it?* vard. hur går det?, hur står det till?; *how's your new job ~ing?* hur går det med ditt nya arbete? **4 a**) vara i gång, gå [*the clock won't ~*] **b**) vara i farten; *she can really ~ some* hon kan verkligen sätta fart **c**) sätta i gång; [*ready, steady,*] *~!* ...gå! **5** gå till väga; [*when you draw* (spänner) *a bow*] *you ~ like this* ...gör man så här **6** bli [*~ bad (blind)*] **7** a) försvinna, ryka [*there went all my money*]; upphöra [*I wish this pain would ~*]; avskedas b) gå [sönder]; gå i stöpet [*there ~ all my plans*] c) säljas, gå [*the house went cheap*] d) gå [åt] [*his money* *went on books*] **8** a) ha sin plats, bruka vara [*where do the cups* (*does the picture*) *~?*]; ligga b) få plats (rum), rymmas [*they will ~ in the bag*] **9** ljuda [*the siren went*]; låta; säga [*'bang!' went the gun*]; *how does the tune ~?* hur låter (går) melodin? **10** betr. ordalydelse o.d. lyda; om sång gå [*it goes to the tune of* (melodin)...]; *as the phrase goes* som man brukar säga **11** gälla [*what he says goes*] **12** a) räcka b) nå **13** [i allmänhet] vara; *as things ~* som förhållandena (läget) nu är, i stort sett **14** *~ far* el. *~ a long* (*great*) *way*: **a**) fara etc. långt **b**) gå (komma) långt [*he will no doubt ~ far*] **c**) räcka långt (länge) **d**) gå (sträcka sig) långt; *that's ~ing too far* det är att gå för långt **15** *~ to* + inf.: **a**) bidra till att, tjäna till att; *it goes to prove* (*show*) *that...* det bevisar att... **b**) behövas för att; *the qualities that ~ to make a teacher* de egenskaper som är nödvändiga för en lärare **c**) om pengar o.d. gå (användas) till att **d**) *~ to see* gå (fara etc.) och hälsa på, besöka, söka

II med adv. o. prep. isht med spec. övers.:

~ **about**: **a**) fara etc. omkring **b**) om rykte gå **c**) *~ a long* (*great*) *way about* göra en lång omväg **d**) ta itu med [*~ about one's work*]

~ **against**: a) strida (vara) emot [*it goes against my principles*], bjuda ngn emot b) gå ngn emot c) motsätta sig [*~ against a p.'s wishes*]

~ **ahead**: **a**) sätta i gång; fortsätta; *~ ahead!* äv. kör [igång]! **b**) gå [raskt] framåt **c**) gå (rycka) fram[åt]; gå före [*you ~ ahead and say we're coming*] **d**) ta ledningen isht sport., gå om äv. bildl.

~ **along**: **a**) fara etc. [vidare], fortsätta **b**) [*he makes up stories*] *as he goes along* ...allteftersom **c**) *~ along with* fara etc. tillsammans med, följa med; instämma med, hålla med [*I can't ~ along with you on* (i) *that*] **d**) *~ along with you!* vard. struntprat!; i väg med dig!

~ **at**: a) rusa på [*he went at him with his fists*] b) ta itu med, gripa sig an med [*~ at it the right way*]

~ **away** gå bort, försvinna

~ **back**: **a**) fara etc. tillbaka; träda tillbaka; gå tillbaka **b**) *~ back on* undandra sig; bryta [*~ back on one's word*], svika [*~ back on one's promise*]

~ **before**: a) fara etc. före; gå före [*pride* (högmod) *goes before a fall*] b) tas upp i, föreläggas [*the question will ~ before a committee*] c) träda (komma) inför

~ **beyond** gå utöver, överskrida

~ **by**: **a**) passera [förbi]; förflyta [*time went by slowly*] **b**) fara över (via) [*~ by Paris to Italy*]; fara etc. med [*~ by boat*]; *~ by air* flyga; *~ by car* åka bil **c**) gå (rätta sig) efter [*that's nothing to ~ by*], döma (gå) efter [*you can't ~ by people's faces*] **d**) *~ by the name of...* gå (vara känd) under namnet...

~ **down**: **a**) gå ner; falla, sjunka; *he has gone down in the world* det har gått utför med honom **b**) gå under äv. bildl. **c**) minska [*~ down in weight*]; försämras [*~ down in quality*], om vind o. vågor lägga sig **d**) sträcka sig fram till en [tid]punkt, gå [ända] fram [*the first volume goes down to 1988*] **e**) *~ down in history* gå till historien (eftervärlden) **f**) slå an [*the speech went down with* (på) *the audience*], göra lycka [*~ down on the stage*], gå in (hem) **g**) insjukna [*~ down with* (i) *malaria*]

~ **for**: **a**) *~ for a walk* göra (ta [sig]) en promenad, gå ut och gå **b**) gå efter, hämta **c**) gå lös på, kasta sig över [*the dog went for him*] **d**) gälla [för] [*that goes for you too!*] **e**) vard. gilla; *I rather ~ for that* jag gillar det skarpt **f**) *he's got a lot ~ing for him* vard. a) han har det väl förspänt b) det är mycket som talar för honom

~ **in**: **a**) gå in; gå 'i [*the cork won't ~ in*]; gå in i [*the key won't ~ in the lock*] **b**) om solen gå i moln **c**) delta i tävling o.d. **d**) *~ in for* gå in för, satsa på, lägga an på, sträva efter, ägna sig åt [*~ in for farming*], slå sig på [*~ in for golf*]; tycka om [*she goes in for dress* (kläder)]; vara 'för, verka för [*they ~ in for his policy*]; hänge sig åt; gå upp i [*~ in for an examination*]

~ **into**: **a**) gå in i (på); gå in vid [*~ into the army*]; gå med i; slå sig på [*~ into politics*] **b**) gå in på [*~ into details*; *I won't ~ into that now*]; noggrant undersöka [*~ into the matter* (*problem*)] **c**) klä sig i [*~ into mourning*] **d**) falla i, gripas av, råka i [*~ into ecstasies*]; *~ into hysterics* bli hysterisk

~ **off**: **a**) ge sig i väg **b**) explodera, om skott o. eldvapen gå av, brinna av, om väckarklocka [börja] ringa, om t.ex. siren [börja] ljuda **c**) bli dålig; falla av; bli sämre **d**) *~ off* [*to sleep*] falla i sömn, somna, slockna **e**) gå [*how did the play ~ off?*] **f**) *~ off into* brista ut i

~ **on**: **a**) fara etc. vidare, fortsätta; *~ on about* tjata om, köra med [*he went on about his theories*] **b**) göra [*~ on a journey* (*an outing, a trip*)] **c**) *~ on to* gå över till, fortsätta med **d**) fortgå, pågå [*the talks went on all day*] **e**) försiggå, stå 'på [*what's ~ing on here?*]; vara på (i) gång **f**) bära sig åt; bråka, tjata [*he always goes on at* (på) *me about that*] **g**) om kläder gå på **h**) teat. komma in [på scenen] **i**) *~ on* [*with you*]*!* vard. äsch!, nä hör du!, larva dig inte! **j**) klara sig; *I've got enough to ~ on with* jag

har så det räcker **k**) tändas [*the lights went on*] **l**) 'gå efter [*the only thing we have to ~ on*], hålla sig till [*what evidence have we to ~ on?*], bygga på **m**) *I don't ~ much on that* vard. det ger jag inte mycket för

~ **out**: **a**) gå (fara etc.) ut; *out you ~!* ut med dej! **b**) strejka, gå i strejk [äv. *~ out on strike*] **c**) slockna [*my pipe has gone out*] **d**) försvinna, dö ut **e**) *~ all out* sätta in alla sina krafter, göra sitt yttersta, ta ut sig helt, ge järnet **f**) *~ out of* gå ur, komma ur [*~ out of use*] **g**) *~ out with* vard. sällskapa med

~ **over**: **a**) gå över till ett annat parti o.d. **b**) stjälpa **c**) *~ over* [*big*] vard. slå an [kolossalt], göra [enorm] succé **d**) gå igenom, granska [*~ over the accounts* (räkenskaperna)], se över [*the mechanic went over the engine*], besiktiga [*~ over the house before buying it*]; läsa igenom; retuschera **e**) sl. klå upp

~ **round**: **a**) fara etc. runt (omkring) **b**) gå runt [*wheels ~ round*]; *it makes my head ~ round* det gör mig yr i huvudet **c**) räcka [till] för alla [*the glasses will never ~ round*] **d**) *~ round to* gå över till, [gå (ta) och] hälsa på

~ **through**: **a**) gå igenom i div. bet.: söka (rota) igenom [*~ through the whole room*], muddra [*~ through a p.'s pockets*]; [detalj]granska; utföra, genomföra; genomgå [*~ through an operation*], gå i lås [*the deal did not ~ through*] **b**) göra av med [*he went through all his money*] **c**) *~ through with* genomföra, fullfölja

~ **to**: **a**) gå i [*~ to school* (*to church*)]; gå på [*~ to the theatre*]; gå till [*~ to bed*] **b**) vända sig till **c**) om pengar o.d. anslås till [*all his money went to charity*] **d**) svara mot; *three feet ~ to one yard* det går tre fot på en yard **e**) ta på sig [*~ to a great deal of trouble*] **f**) *~ to blazes* (*hell*)! dra åt helsike! **g**) *~ 'to it* vard. sätta i gång, sätta fart

~ **together**: a) fara etc. tillsammans b) vard. vara tillsammans c) [bruka] följas åt, gå väl ihop

~ **under**: **a**) gå under, förlisa **b**) gå (duka) under, gå omkull [*the firm has gone under*] **c**) *~ under the name of...* gå (vara känd) under namnet...

~ **up**: **a**) gå upp, stiga [*prices went up*] **b**) fara etc. upp; resa [in] [*~ up to town* (*London*)] **c**) om rop höjas **d**) tändas [*the lights went up*] **e**) *~ up for* gå upp i [*~ up for an examination*] **f**) gå (fara) uppför; gå (klättra) upp i

~ **with**: **a**) fara etc. med [*I'll ~ with you*] **b**) vard. vara ihop med [*he's ~ing with her*] **c**) följa 'med [*~ with the times* (tiden)] **d**) höra till [*it goes with the profession*]; höra ihop med; *and everything that goes with it* med allt vad därtill hör **e**) passa (gå) till

~ **without**: **a**) bli (vara) utan **b**) *it goes without saying* det säger sig självt

III *tr*, *~ it* vard. **a**) leva om **b**) gå 'på, köra 'på; *~ it!* sätt i gång bara! **c**) hålla i, inte ge sig **d**) *~ it alone* handla på egen hand

B (pl. *~es*) *s* **1** gående, gång; *it's no ~* vard. det går inte, det är ingen idé **2** vard. **a**) *a rum ~* se *2 rum* **b**) *it was a near ~* det var nära ögat **3** vard. fart, ruter, go [*there's no ~ in him*], liv, kläm; *full of ~* schvungfull **4** vard. försök; tag; *have a ~* [*at it*] försöka, göra ett försök; *it's your ~* det är din tur; *at one ~* på en gång **5** vard. succé; *make a ~ of a th.* lyckas med ngt, ha framgång med ngt **6** *from the word ~* från första stund (början)

goad [gəʊd] **I** *s* **1** pikstav för att driva på dragdjur **2** bildl. sporre; tagg **II** *vb tr* **1** driva på (sticka) med en pikstav **2** bildl. egga; *~ a p. into doing a th.* sporra (reta) ngn att göra ngt; *~ a p. on* driva på ngn

go-ahead ['gəʊəhed] **I** *adj* framåt [av sig] [*he is very ~*], rivig; gåpåaraktig; framåtsträvande [*a ~ nation*]; *give the ~ signal* ge klarsignal **II** *s* vard. klarsignal [*give the ~*]

goal [gəʊl] sport. o. i allm. mål [*win by* (med) *3 ~s to* (mot) *1*; *the ~ of his ambition*; *reach one's ~*]; *play* (*be*) *in* (*keep*) *~* stå i mål

goalkeeper ['gəʊlˌki:pə] målvakt

goalkick ['gəʊlkɪk] fotb. inspark; *take a ~* göra inspark

goalless ['gəʊlləs] sport. mållös, utan mål; *the match was a ~ draw* matchen slutade oavgjort 0-0

goalpost ['gəʊlpəʊst] målstolpe på fotbollsplan o.d.

goat [gəʊt] get; *get a p.'s ~* vard. gå ngn på nerverna, reta (förarga) ngn

goatee [gəʊ'ti:, attr. äv. 'gəʊti:] bockskägg [äv. *~ beard*]

gob [gɒb] sl. **I** *s* gap; *shut your ~!* håll käften! **II** *vb itr* spotta

1 gobble ['gɒbl] **I** *vb tr* **1** *~* [*up* (*down*)] glufsa i sig, sörpla i sig, sluka **2** vard., *~* [*up*] ta, hugga, lägga beslag på, uppsluka **II** *vb itr* glufsa, sörpla

2 gobble ['gɒbl] **I** *vb itr* klucka om el. som kalkon **II** *s* kluck[ande]

go-between ['gəʊbɪˌtwi:n] mellanhand, medlare

goblet ['gɒblət] glas på fot; remmare

goblin ['gɒblɪn] elakt troll, nisse

god [gɒd] **1** *G~* Gud **2** gud [*the ~ of love*]; avgud; *My G~!* Gode Gud!; *for God's sake!* för guds skull! **3** pl., *in the ~s* teat. på hyllan (översta raden)

god|child ['gɒd|tʃaɪld] (pl. *-children* [-ˌtʃɪldrən]) gudbarn, fadderbarn
goddamn ['gɒdæm] isht amer. vard. **I** *interj*, *~!* djävlar!, fan också! **II** *adj* djävla
goddaughter ['gɒdˌdɔ:tə] guddotter
goddess ['gɒdɪs] gudinna
godfather ['gɒdˌfɑ:ðə] **1** gudfar; manlig fadder **2** gudfader maffiaboss
God-fearing ['gɒdˌfɪərɪŋ] gudfruktig
godforsaken ['gɒdfəseɪkn] gudsförgäten [*that ~ place*], eländig; gudlös; *at this ~ hour in the morning* vid denna okristliga tid på morgonen
godmother ['gɒdˌmʌðə] gudmor; kvinnlig fadder
godsend ['gɒdsend] gudagåva; evig lycka (tur) [*it was a ~ that he didn't recognize me*]
godson ['gɒdsʌn] gudson
go-getter ['gəʊˌgetə, ˌ-'--] vard. handlingsmänniska; neds. gåpåare
goggle ['gɒgl] **I** *vb itr* **1** rulla med ögonen; glo **2** rulla [*with goggling eyes*] **II** *vb tr*, *~ one's eyes* rulla med ögonen
goggles ['gɒglz] **1** skyddsglasögon, solglasögon **2** sl. brillor **3** (konstr. ss. sg.) sl. 'glasögonorm' person med glasögon **4** skygglappar
going ['gəʊɪŋ] **I** *s* **1** gående, gång **2** före [*heavy ~*], väg[lag] [*the ~ was bad*]; *it's heavy ~* bildl. det går trögt **3** [*50 miles an hour*] *is good ~* ...är en bra [medel]fart **II** *adj* o. *pres p* i spec. bet. **1 a)** väl inarbetad (upparbetad) [*a ~ concern*] **b)** *get ~* komma i gång; sätta i gång [*get ~!*] **c)** *get a th. ~* få i gång ngt **2 a)** som finns [att få], som står att få [*the best coffee ~*]; [*the biggest fool*] *~* ...som går på två ben **b)** hand. [nu] gällande, dags- [*the ~ price*] **3** *~, ~, gone!* vid auktion första, andra, tredje [gången]! **4** *be ~ on for* närma sig [*she is ~ on for forty*] **5** *be ~ to* + inf. skola, tänka [*what are you ~ to do?*], ämna; just skola [till att] [*he was ~ to say something when...*], stå i begrepp att
goings-on [ˌgəʊɪŋz'ɒn] vard. förehavanden isht neds. [*I've heard of your ~*]
goitre ['gɔɪtə] med. struma
go-kart ['gəʊkɑ:t] go-kart liten tävlingsbil
gold [gəʊld] **1** guld [*worth one's (its) weight in ~*; *it is [of] real* (äkta) *~*]; *as good as ~* mest om barn förfärligt gullig (snäll), god som guld; *a heart of ~* bildl. ett hjärta av guld **2** guld- [*a ~ watch*], gyllene
golden ['gəʊld(ə)n] **1** guld- [*~ earrings*], av guld **2** guldrik **3** guldgul, guldglänsande, gyllene [*~ hair*] **4** bildl. guld-; gyllene, utomordentlig **5** i div. förb.: *~ hamster* zool. guldhamster; *~ oldie* gammal favorit (goding); mus. äv. evergreen; *a ~ opportunity* ett gyllene tillfälle; *~ parachute* ekon. (vard.) fallskärmsavtal; *~ rain* **a)** pyrotekn. guldregn **b)** bot. gullregn; *~ syrup* [ljus] sirap
goldfinch ['gəʊldfɪn(t)ʃ] zool. steglits[a]
goldfish ['gəʊldfɪʃ] guldfisk
gold leaf [ˌgəʊld'li:f] bladguld
gold mine ['gəʊldmaɪn] guldgruva äv. bildl.
gold plate ['gəʊldpleɪt, ˌ-'-] gulddoublé
gold-plated ['gəʊldˌpleɪtɪd] guldpläterad
goldsmith ['gəʊldsmɪθ] guldsmed
golf [gɒlf] **I** *s* golf[spel] **II** *vb itr* spela golf
golf club ['gɒlfklʌb] **1** golfklubba **2** golfklubb
golf course ['gɒlfkɔ:s] golfbana
golfer ['gɒlfə] golfspelare
golf links ['gɒlflɪŋks] (konstr. ofta ss. sg.) golfbana
Goliath [gə(ʊ)'laɪəθ] bibl. **I** Goljat **II** *s* jätte [*business ~s*]; *~ crane* åkbar bockkran
golliwog ['gɒlɪwɒg] **1** trasdocka med svart ansikte **2** pers., ung. fågelskrämma
golly ['gɒlɪ], [*by*] *~!* vard. kors [i alla mina dar]!, o, du store [tid]!
gondola ['gɒndələ] gondol äv. i butik; *~ car* amer. öppen godsvagn
gondolier [ˌgɒndə'lɪə] gondoljär
gone [gɒn] (av *go*) **1** borta [*the book is ~*]; slut [*my money is ~*]; ute [*all hope is ~*]; [bort]gången **2** förlorad; död; *be far ~* **a)** vara starkt utmattad; vara svårt sjuk (döende) **b)** vara långt framskriden [*the work is far ~*], vara [mycket] avancerad **3** förgången, gången [*~ ages* (tider)]; förbi; *it is past and ~* det tillhör det förflutna; *she is six month ~* [*with child*] vard. hon är i [slutet av] sjätte månaden **4** *she is ~ on him* vard. hon är tokig i (helt tänd på) honom
gong [gɒŋ] **I** *s* **1** gonggong; mus. äv. gong **2** mil. sl. medalj **II** *vb tr* vard. om polis stoppa [*~ a motorist*]
gonorrhoea [ˌgɒnə'rɪə] med. gonorré
goo [gu:] isht amer. vard. **1** gegga[moja]; kladd **2** [sliskig] sentimentalitet
good [gʊd] **I** (*better best*) *adj* **1** god, bra [*a ~ knife*]; [*very*] *~!* bra!, fint!, skönt! **2 a)** nyttig, bra; *~ for you!* skönt!, fint!; grattis!; så bra då! **b)** färsk inte skämd, frisk **c)** *is it ~ to eat?* duger det att äta? **3** duktig, styv, bra [*he is ~ at mathematics*]; *he is ~ with children* han har bra hand med barn **4** angenäm, god [*~ news*]; [*it's*] *~ to see you* [det var] roligt att se dig **5** vänlig, hygglig; snäll [*be a ~ boy!*] **6 a)** ordentlig [*a ~ beating* (kok stryk)]; bastant; *have a ~ wash* tvätta sig ordentligt **b)** rätt stor, rätt lång [*we've come a ~ way*]; *a ~ while* en bra stund **c)** dryg [*a ~ hour*]; *a ~ two hours* dryga (drygt) två timmar **d)** adverbiellt framför adj. rätt, riktigt [*a ~ long walk (time)*] **7** rolig,

bra [*a ~ joke*] **8** tillförlitlig, bra [*a car with ~ brakes*]; ekonomiskt solid; *I have it on ~ authority* jag har det från säker källa **9** moraliskt god [*a ~ and holy man*], bra **10** i hälsnings- och avskedsfraser: *~ afternoon* god middag; god dag; adjö; *~ day* adjö; god dag; *~ evening* god afton; god dag; adjö **11** i förb. m. subst. i spec. bet.: *a ~ fellow* en trevlig (hygglig) karl; *I know a ~ thing when I see it* jag förstår mig på vad som är bra; *all in ~ time* i lugn och ro **12** i förb. m. vb i spec. bet.: *make ~* a) gottgöra [*make ~ a loss*], ersätta [*make ~ the damage*], täcka [*make ~ a deficiency*], betala; ta igen något försummat, hämta in t.ex. tid; reparera b) utföra [*make ~ one's retreat*]; hålla [*make ~ a promise*] c) vard. lyckas

II *adv* **1** *as ~ as* så gott som [*as ~ as settled*] **2** vard. väl; *they beat us ~ and proper* de klådde upp oss ordentligt

III *s* **1** gott [*~ and evil* (ont)]; det goda [*prefer ~ to evil* (det onda)]; nytta; *it is* [*all*] *for your own ~* det är för ditt eget bästa; *it is no ~* det är inte lönt, det tjänar ingenting till; *do ~* göra gott [*to* mot]; *it does you ~* det är bra (nyttigt) för dig **2** *for ~* för gott, för alltid **3** *I am £100 to the ~* jag har vunnit (har ett överskott på) 100 pund **4** goda [människor] [*~ and bad alike respected him*] **5** se *goods*

goodbye [ss. subst. gʊd'baɪ, isht ss. interj. gʊ'baɪ] adjö [*say ~ to, bid ~*]

good-for-nothing ['gʊdfəˌnʌθɪŋ] odåga, odugling; *a ~ boy* en odåga till pojke

good-humoured [ˌgʊd'hju:məd] gladlynt

good-looking [ˌgʊd'lʊkɪŋ] snygg

goodly ['gʊdlɪ] [rätt] stor, betydande, betydlig [*a ~ number* (*sum*)], riklig, rikligt tilltagen

good-natured [ˌgʊd'neɪtʃəd] godmodig; beskedlig

goodness ['gʊdnəs] **1** godhet; *have the ~ to* ha godheten att **2** *the ~* det goda (bästa) [*of* i], musten [*the ~ of the meat* (*coffee*)] **3** vard. i st.f. *God*: *~ knows* a) [det] vete Gud (gudarna) b) Gud ska veta [*~ knows I've tried hard*]; *thank ~!* gudskelov!; *~ gracious* [*me*]*!* du milde!, du store [tid]!, kors!, milda makter!

goods [gʊdz] **1** *~* [*and chattels*] lösöre[n], lösegendom, tillhörigheter [*half his ~ were stolen*]; *worldly ~* jordiska ägodelar **2** varor; frakt på järnväg; fraktgods; *~ train* godståg **3** vard., *the ~* (konstr. ibl. ss. sg.) vad som behövs, det nödvändiga; det riktiga, äkta vara; *deliver the ~* bildl. göra vad som ska göras, göra sitt, hålla sitt ord **4** vard., *piece* (*bit*) *of ~* [flick]snärta; riktig goding

good-tempered [ˌgʊd'tempəd] godlynt, godmodig

goodwill [ˌgʊd'wɪl, -'-] **1** hand. goodwill; kundkrets vid affärsöverlåtelse **2** god vilja, välvilja **3** medgivande; [bered]villighet; iver

goody ['gʊdɪ] **I** *s* **1** isht pl. *goodies* vard. godbitar **2** vard. hjälte i film o.d. [*goodies and baddies*] **II** *interj*, *~!* smaskens!, godis!, alla tiders!

goody-goody [ˌgʊdɪ'gʊdɪ] **I** *s* hymlande (skenhelig) person **II** *adj* hymlande, skenhelig

gooey ['gu:ɪ] vard. **1** geggig **2** sentimental; sliskig [*~ sentimentality*]

goof [gu:f] sl. **I** *s* **1** fjant, klantskalle **2** tabbe **II** *vb itr* göra en tabbe; soppa till det **III** *vb tr* amer. fuska bort

goofy ['gu:fɪ] **I** *adj* sl. **1** dum, fånig **2** galen **II** *s*, *G~* Jan Långben seriefigur

goose [gu:s] (pl. *geese* [gi:s]) **1** gås; *kill the ~ that lays the golden eggs* döda hönan som värper guldägg **2** bildl. gås

gooseberry ['gʊzb(ə)rɪ, gu:z-] **1** krusbär **2** *play ~* vard. vara femte hjulet under vagnen, vara i vägen

gooseflesh ['gu:sfleʃ] gåshud på huden

goose step ['gu:sstep] mil. **1** [stram] paradmarsch med sträckta ben; noggrann marsch **2** på stället marsch

1 gore [gɔ:], *a horror film full of ~* en bloddrypande skräckfilm

2 gore [gɔ:] stånga [ihjäl]; genomborra

gorge [gɔ:dʒ] **I** *s* **1** trång klyfta mellan branta klippor; hålväg **2** strupe; *his ~ rose at it* el. *it made his ~ rise* bildl. det äcklade (kväljde) honom **3** vard. skrovmål **II** *vb tr* **1** proppa full; *~ oneself with* proppa i sig, frossa på **2** sluka, svälja glupskt **III** *vb itr* frossa, smörja kråset

gorgeous ['gɔ:dʒəs] **1** praktfull [*a ~ sunset*], kostbar [*a ~ gown*], prunkande **2** vard. underbar, härlig, läcker; *hello, ~!* hej snygging!

gorilla [gə'rɪlə] **1** zool. gorilla **2** sl. gorilla livvakt o.d. **3** sl. torped lejd mördare

gormless ['gɔ:mləs] vard. dum, knasig

gorse [gɔ:s] bot. ärttörne

gory ['gɔ:rɪ] blodig, blodbesudlad; bloddrypande

gosh [gɒʃ], *~!* kors [i alla mina dar]!, jösses!

go-slow [ˌgəʊ'sləʊ] maskning som kampmetod vid arbetskonflikt [*the ~ at the factory continues*]; *~ policy* maskningstaktik

gospel ['gɒsp(ə)l] evangelium i olika bet., äv. bildl. [*the ~ of health*]; evangelie-; *the G~ according to St. Luke* evangelium enligt Lukas, Lukasevangeliet; *it is* [*the*] *~ truth* det är säkert som amen i kyrkan, det är dagsens sanning

gossamer ['gɒsəmə] **1** [tunn] spindelväv **2** ytterst tunn gasväv; flor [*as light as ~; a ~ veil*]
gossip ['gɒsɪp] **I** *s* **1** a) skvaller, sladder b) prat om ditt och datt c) ung. kåserande; *~ column* skvallerspalt **2** skvallerbytta; skvallerkärring **II** *vb itr* skvallra, sladdra; prata om ditt och datt; kåsera
got [gɒt] imperf. o. perf. p. av *get*
Gothic ['gɒθɪk] **I** *adj* gotisk äv. byggn. **II** *s* **1** gotiska [språket] **2** gotik byggnadsstil
gotten ['gɒtn] se *get*
gouge [gaʊdʒ] **I** *s* **1** håljärn **2** urholkning, ränna gjord med håljärn **II** *vb tr* **1** urholka (gräva ut) [liksom] med håljärn **2** ~ [*out*] trycka ut [*~ out a p.'s eye with one's thumb*]
goulash ['gu:læʃ, -lɑ:ʃ] kok. gulasch
gourd [gʊəd] bot. kurbits; kalebass
gourmand ['gʊəmənd] gourmand
gourmet ['gʊəmeɪ] gourmé, finsmakare
gout [gaʊt] **1** gikt **2** droppe [*~s of blood*]
govern ['gʌv(ə)n] **I** *vb tr* **1** styra, regera [över] [*~ a people* (*a country*)] **2** leda, bestämma [*be ~ed by other factors*], styra **3** gram. styra [*German prepositions that ~ the dative*] **4** jur. gälla [för], reglera [*the law ~ing the sale of spirits*], vara tillämplig på; utgöra prejudikat för **II** *vb itr* styra, härska
governess ['gʌvənəs] guvernant
governing ['gʌvənɪŋ] regerande; styrande, härskande [*the ~ classes*]; ledande [*the great ~ principle*]; *~ body* (*council*) direktion, styrelse
government ['gʌvnmənt, 'gʌvəmənt] **1** styrande; ledning; [regerings]makt [*what the country needs is strong* (en stark) *~*] **2** [*form* (*mode*) *of*] ~ styrelsesätt, styrelseform, regeringsform, statsskick **3** regering [*His* (*Her*) *Majesty's G~; the British G~*], ministär; *the G~* äv. staten **4** regerings- [*in G~ circles*]; stats- [*G~ finances; G~ loan*], statlig; *G~ Issue* amer. mil., vard. menig [soldat], värnpliktig
governmental [,gʌv(ə)n'mentl] regerings-
governor ['gʌvənə] **1** styresman **2** ståthållare; guvernör t.ex. i delstat i USA [*the G~ of New York State*] **3** kommendant i fästning **4 a**) direktör [*~ of a prison*]; chef [*the G~ of the Bank of England*] **b**) styrelsemedlem; [*board of*] *~s* styrelse, direktion **5** tekn. regulator
governor-general [,gʌvənə'dʒen(ə)r(ə)l] (pl. *governors-general* el. *governor-generals*) generalguvernör
gown [gaʊn] **1** finare klänning [*dinner ~*] **2** talar, kappa ämbetsdräkt för akademiker, domare, präst m.fl.; *cap and ~* akademisk ämbetsdräkt
GP [,dʒi:'pi:] förk. för *general practitioner*
GPO [,dʒi:pi:'əʊ] förk. för *General Post Office*
grab [græb] **I** *vb tr* hugga; rycka till sig; roffa (grabba) åt sig; ~ [*hold of*] hugga (grabba) tag i **II** *vb itr* gripa; *~ at* äv. nappa på [*~ at an opportunity*] **III** *s* hastigt grepp; *make a ~ at* försöka gripa [tag i]; *it's up for ~s* vard. det står öppet för vem som helst [bara man försöker]
grace [greɪs] **I** *s* **1** behag, charm **2** älskvärdhet; takt; *with* [*a*] *good ~* [på ett] älskvärt [sätt]; med bibehållen fattning (värdighet); gärna, [god]villigt **3** [tilltalande] drag; *a saving ~ of humour* ett försonande drag av humor **4** mytol., *the Graces* gracerna **5** mus., pl. *~s* prydnadsnoter, ornament; utsmyckningar **6** ynnest, gunst [*enjoy a p.'s ~*]; välvilja; ynnestbevis; *be in a p.'s bad ~s* vara i onåd hos ngn **7** nåd straffbefrielse; anstånd, frist **8** teol. nåd [*God's ~*]; *by the ~ of God* [*, King of Great Britain*] med Guds nåde... **9** bordsbön [*say ~*] **10** *His* (*Her, Your*) *G~* Hans (Hennes, Ers) nåd om el. till hertig, hertiginna, ärkebiskop **II** *vb tr* **1** pryda; *he ~s his profession* han är en prydnad för sin kår **2** hedra [*~ a p. with a visit*]
graceful ['greɪsf(ʊ)l] **1** behagfull, graciös [*~ movements*] **2** charmerande; älskvärd
graceless ['greɪsləs] **1** charmlös, klumpig **2** taktlös [*~ behaviour*]
gracious ['greɪʃəs] **1** nådig, vänlig [*a ~ reply* (*smile*)]; iron. nedlåtande **2** *good ~!* el. *my ~!* **3** behaglig; *~ living* vällevnad, välstånd **4** artig, förekommande [*a ~ host*]
gradation [grə'deɪʃ(ə)n] **1** gradering; skala **2** pl. *~s* övergångar, [mellan]stadier, grader; nyanser **3** språkv. avljud [äv. *vowel ~*]
grade [greɪd] **I** *s* **1** grad; steg; rang; nivå, dignitet; lönegrad, löneklass; *high ~ of intelligence* hög intelligensnivå **2** amer. [skol]klass, årskurs; *~ school* ung. grundskola lägre stadier **3** isht amer. betyg **4** kvalitet [*of high* (*low*) *~*], sort; *~ A* klass A, bästa sorten; attr. bästa sortens; bildl. förstklassig, prima **5 a**) vägs o.d. stigning, lutning; konkr. stigning, backe, sluttning **b**) *make the ~* vard. nå toppen, lyckas, bestå provet, klara sig **6** amer. höjdläge, plan; *~ crossing* amer. järnvägskorsning [i plan], plankorsning **II** *vb tr* **1** gradera; sortera; dela in (upp) i kategorier; klassificera **2** amer. skol. o.d. betygsätta, sätta betyg på, rätta **3** jämna väg o.d.; reducera backe **III** *vb itr* **1** graderas **2** omärkligt övergå **3** amer. skol. o.d. sätta betyg
gradient ['greɪdjənt] vägs o.d. stigning, stigningsgrad; konkr. stigning, backe; *steep* (*easy*) *~* stark (svag) stigning

gradual ['grædʒʊəl, -djʊəl] gradvis; jämn; långsam; ~ *slope* svag lutning
gradually ['grædʒʊəlɪ, -djʊəlɪ] gradvis
graduate [ss. subst. o. adj. 'grædʒʊət, -djʊət, -djʊeɪt, ss. vb 'grædjʊeɪt, -dʒʊeɪt] **I** *s* akademiker, person med akademisk examen; amer. äv. elev som fullgjort sin skolgång; *a high school* ~ amer. en som gått ut (har avgångsbetyg från) *high school*; *he is a London* ~ han har tagit sin [akademiska] examen vid universitetet i London **II** *adj* **1** med akademisk examen; ~ *student* forskarstuderande, doktorand **2** examinerad, utbildad [~ *nurse*] **III** *vb itr* avlägga (ta) [akademisk] examen, utexamineras; amer. äv. avsluta sina studier; ~ *in law* ta juridisk kandidatexamen **IV** *vb tr, ~d glass* mätglas
graduation [ˌgrædjʊ'eɪʃ(ə)n, -dʒʊ-] **1** [avläggande av] akademisk examen; amer. äv. avgång från skola i allm.; [avgångs]examen **2** gradering [*the ~ of a thermometer*]; pl. *~s* gradindelning; skala
1 graft [grɑ:ft] **I** *s* **1** ymp, ympkvist **2** med. transplanterad vävnad, transplantat **3** a) ympning b) med. transplantation **II** *vb tr* **1** ympa; ympa in **2** med. transplantera **3** bildl. omplantera, tillföra
2 graft [grɑ:ft] **I** *s* vard. korruption **II** *vb itr* **1** vard. mygla **2** sl. jobba hårt
grain [greɪn] **I** *s* **1** [sädes]korn [*a ~ of wheat (maize)*], gryn [*a ~ of rice*], frö **2** [bröd]säd, spannmål; ~ *elevator* spannmålsmagasin, spannmålssilo **3** korn [*~s of sand (salt, gold)*], gryn; bildl. grand, korn, gnutta [*not a ~ of truth*] **4** gran minsta eng. vikt = 0,0648 g **5** a) ytas kornighet, [grad av] skrovlighet, gräng; narv på läder; lugg b) ådrighet äv. konstgjord; fiber; fibrernas [längd]riktning i trä o.d.; skiktning c) inre struktur som den framträder i tvärsnitt o.d.; gry i sten d) bildl. natur, kynne; *against the* ~ a) mot luggen b) mot fibrernas längdriktning **II** *vb tr* **1** göra kornig, korna; narva läder **2** mål. ådra
gram [græm] isht amer., se *gramme*
grammar ['græmə] **1** grammatik [*study* ~] **2** språk[behandling] **3** bok grammatik, språklära [*a ~ of English*]
grammarian [grə'meərɪən] grammatiker
grammar school ['græməsku:l] **1** i Storbritannien, förr läroverk **2** i USA, treårig skola för elever mellan 9 och 12 år
grammatical [grə'mætɪk(ə)l] grammatisk [*~ rule, ~ error*]; grammatikalisk, grammatiskt riktig [*~ sentence*]; ~ *subject* a) grammatiskt subjekt b) formellt subjekt
gramme [græm] gram
gramophone ['græməfəʊn] grammofon; ~ *record* grammofonskiva, grammofonplatta
granary ['grænərɪ] spannmålsmagasin
grand [grænd] **I** *adj* **1** stor, pampig; storartad, storslagen [*a ~ view*], ståtlig, lysande; förnäm, fin [*a ~ lady, ~ people*], distingerad; iron. fin [*he is too ~ to speak to his old friends*]; upphöjd; ~ *opera* [stor] opera seriös o. utan talpartier; *live in ~ style* leva på stor fot, leva flott **2** stor, störst, förnämst; högste; *G~ Duke* storhertig, storfurste **3** slutgiltig, slut- [*~ result*]; ~ *finale* stort slutnummer; stor avslutning; ~ *total* slutsumma **4** vard. utmärkt, härlig [*~ weather*], förträfflig [*~ condition*]; [*that's*] *~!* fint!, utmärkt! **II** *s* **1** mus. flygel **2** sl. tusen dollar (pund); *five* ~ femtusen dollar (pund)
grand|child ['græn|tʃaɪld] (pl. *-children* [-ˌtʃɪldr(ə)n]) barnbarn
granddad ['grændæd] vard. farfar; morfar
granddaughter ['græn(d)ˌdɔ:tə] sondotter; dotterdotter
grandeur ['græn(d)ʒə, -djʊə, -djə] **1** storslagenhet, majestät [*the solemn ~ of this church*], storvulenhet **2** prakt, pomp, elegans
grandfather ['græn(d)ˌfɑ:ðə] farfar; morfar; *~['s] clock* golvur
grandiose ['grændɪəʊs] **1** storslagen; högtflygande [*~ plans*] **2** bombastisk [*~ speech*]
grandma ['grænmɑ:] o. **grandmam[m]a** ['grænməˌmɑ:] vard. farmor; mormor
grandmother ['græn(d)ˌmʌðə] farmor; mormor
grandpa ['grænpɑ:] o. **grandpapa** ['grænpəˌpɑ:] vard. farfar; morfar
grandson ['græn(d)sʌn] sonson; dotterson
grandstand ['græn(d)stænd] **I** *s* **1** huvudläktare, åskådarläktare vid tävlingar o.d. **2** publik på huvudläktaren (åskådarläktaren) **II** *adj, ~ finish* spurt på upploppet (framför läktaren); rafflande slut **III** *vb itr* amer. vard. spela för galleriet; göra en ren uppvisning
grange [greɪn(d)ʒ] lantgård; utgård
granite ['grænɪt] granit
granny ['grænɪ] **1** vard. farmor; mormor **2** vard. gumma; *~'s chin* käringhaka
grant [grɑ:nt] **I** *vb tr* **1** tillmötesgå [*~ a request*]; tillerkänna [*he was ~ed a pension*]; *~ a child his wish* uppfylla ett barns önskan **2** bevilja, ge [*~ permission, ~ a privilege*], anslå pengar; förläna, skänka; jur. överlåta [*~ property*]; *God ~ that* Gud give att **3** medge; ~ (*~ed* el. *~ing*) *that* förutsatt att; låt oss anta att, även om [så vore att]; *~ed!* a) må så vara!, medges! b) för all del! ss. svar på ursäkt **II** *s* anslag, bidrag, stipendium; förläning; koncession; oktroj; *direct ~ school* skola med statsanslag

granulate [ss. vb ˈgrænjʊleɪt, ss. adj. ˈgrænjʊlət] **I** *vb tr* **1** göra kornig, korna; *~d sugar* strösocker **2** göra knottrig på ytan **II** *vb itr* korna (gryna) sig **III** *adj* kornig; knottrig

granule [ˈgrænju:l] [litet] korn

grape [greɪp] [vin]druva; vin[ranka]; *a bunch of ~s* en druvklase, en vindruvsklase

grapefruit [ˈgreɪpfru:t] grapefrukt

grapevine [ˈgreɪpvaɪn] **1** vinranka **2** grundlöst rykte; 'anka'; *the ~ [telegraph]* djungeltelegrafen

graph [grɑ:f, græf] grafisk framställning; matem. graf, kurva; språkv. graf; *bar ~* stapeldiagram

graphic [ˈgræfɪk] **1** grafisk [*~ industry*], skriv- [*~ symbols*]; *~ arts* a) teckning, målning och grafik b) grafik, grafisk konst **2** [framställd] i diagram, grafisk [*~ method, ~ record, ~ representation*] **3** bildl. målande, åskådlig [*a ~ description*]

graphics [ˈgræfɪks] (konstr. ss. sg.) grafik

graphite [ˈgræfaɪt] miner. grafit

grapple [ˈgræpl] brottas; *~ together* brottas [med varandra], ta livtag

grasp [grɑ:sp] **I** *vb tr* **1** fatta [tag i], gripa; *~ the nettle* bildl. ta tjuren vid hornen **2** gripa om, hålla i **3** fatta [*~ the point*], sätta sig in i [*~ the situation*] **II** *vb itr, ~ at* gripa efter, försöka gripa (få tag i, uppnå); nappa på, ta emot med uppräckta händer [*~ at a proposal*] **III** *s* **1** grepp; räckhåll; *beyond (within) his ~* utom (resp. inom) räckhåll för honom **2** uppfattning; fattningsförmåga; grepp på ämne; vidsyn; andlig bredd; *have a good ~ of the subject* ha ett bra grepp om (behärska) ämnet **3** handtag

grasping [ˈgrɑ:spɪŋ] vinningslysten, sniken

grass [grɑ:s] **I** *s* **1** gräs; *he does not let the ~ grow under his feet* han låter inte gräset gro under fötterna, han förspiller inte sin tid; *the ~ is [always] greener on the other side [of the fence (hill)]* bildl. gräset är alltid grönare på andra sidan [staketet]; *~ court* tennis gräsbana **2** [gräs]bete [*half of the farm is ~*]; gräsbevăxt mark; gräsmatta [*keep off* (beträd ej) *the ~!*]; *put (send, turn) out to ~* a) släppa (driva) ut på [grön]bete b) vard. pensionera **3** sl. tjallare **4** sl. gräs marijuana **II** *vb itr, ~ on a p.* sl. tjalla på ngn

grasshopper [ˈgrɑ:sˌhɒpə] zool. gräshoppa; *green ~* vårtbitare

grass roots [ˌgrɑ:sˈru:ts] **I** *s pl, the ~* bildl. a) gräsrötterna, det enkla folket b) roten, [själva] grunden **II** *attr adj (grass-roots)* gräsrots- [*at ~ level*], på gräsrotsnivå [*a ~ movement*]; *~ democracy* närdemokrati

grass snake [ˈgrɑ:ssneɪk] zool. snok

grass widow [ˌgrɑ:sˈwɪdəʊ] gräsänka; frånskild [kvinna]

grass widower [ˌgrɑ:sˈwɪdəʊə] gräsänkling; frånskild [man]

grassy [ˈgrɑ:sɪ] **1** gräsbevuxen; gräs- [*~ bank (plain)*] **2** [gräs]grön; gräslik

1 grate [greɪt] **I** *vb tr* **1** riva **2** gnissla med; *~ one's teeth* skära tänder, gnissla med tänderna **II** *vb itr* **1** gnissla, gnälla, raspa **2** skorra (låta) illa; *~ [up]on* skära (skorra) i [*~ on the ear*]

2 grate [greɪt] [eld]rist; rost; öppen spis (häll)

grateful [ˈgreɪtf(ʊ)l] **1** tacksam [*to* (mot) *a p., for* (för) *a th.*] **2** litt. angenäm [*~ news*], behaglig, välgörande [*~ shade*]; tacknämlig

grater [ˈgreɪtə] rivjärn; skrapare

gratification [ˌgrætɪfɪˈkeɪʃ(ə)n] **1** tillfredsställande [*~ of a desire*] **2** tillfredsställelse [*the ~ of knowing* (av att veta) *that I've done my duty*], glädje; nöje, njutning

gratify [ˈgrætɪfaɪ] tillfredsställa [*~ one's desire, ~ a p.'s curiosity*]; göra belåten (nöjd, glad), glädja [*it has gratified me highly*]

gratifying [ˈgrætɪfaɪɪŋ] tillfredsställande, glädjande

1 grating [ˈgreɪtɪŋ] **I** *adj* **1** rivande **2** gnisslande etc., jfr *1 grate II*; skärande, hård; irriterande, obehaglig **II** *s* **1** rivande; *~s of carrots* rivna morötter **2** gnisslande etc., jfr *1 grate II*

2 grating [ˈgreɪtɪŋ] galler, gallerverk; sjö. trall

gratitude [ˈgrætɪtju:d] tacksamhet [*to* (mot) *a p. for a th.*]

gratuitous [grəˈtju:ɪtəs] **1** kostnadsfri, avgiftsfri [*~ admission, ~ instruction*] **2** ogrundad [*~ assumption*], omotiverad; oberättigad, oförtjänt [*a ~ insult*]; opåkallad, onödig [*a ~ lie*]

gratuity [grəˈtju:ətɪ] **1** drickspengar; dusör, handtryckning; *no gratuities!* drickspengar undanbedes! **2** gratifikation

1 grave [greɪv] **1** om pers. allvarlig; dyster **2** om sak allvarlig, grav [*a ~ error*], allvarsam, svår [*~ illness*]

2 grave [greɪv] grav; gravvård; *dig one's own ~* gräva sin egen grav

grave-digger [ˈgreɪvˌdɪgə] dödgrävare

gravel [ˈgræv(ə)l] **I** *s* **1** grus **2** med. [njur]grus **II** *vb tr* grusa

gravestone [ˈgreɪvstəʊn] gravsten

graveyard [ˈgreɪvjɑ:d] kyrkogård äv. bildl. [*a ~ of cars*]; begravningsplats

gravitate [ˈgrævɪteɪt] **1** gravitera **2** bildl., *~ towards (to)* dras mot (till), luta åt

gravitation [ˌgrævɪˈteɪʃ(ə)n] **1** gravitation;

the law of ~ tyngdlagen, gravitationslagen **2** bildl. dragning

gravity ['grævətɪ] **1** allvar, värdighet [*the ~ of a judge*] **2** a) allvar, betydelse [*the ~ of an occasion (a question, a matter)*] b) allvarlig (betänklig) karaktär, allvar [*the ~ of an offence*]; *the ~ of the situation* situationens allvar **3** tyngd, vikt; *centre of ~* tyngdpunkt **4** tyngdkraft; *the law of ~* tyngdlagen, gravitationslagen

gravy ['greɪvɪ] **1** köttsaft; sky; [kött]sås **2** sl. stålar; storkovan; *climb on (ride, get on, board) the ~ train* komma sig [upp] i smöret, skära guld med täljknivar

gravy boat ['greɪvɪbəʊt] såsskål

1 gray [greɪ] isht amer., se *grey*

2 gray [greɪ] fys. gray enhet

1 graze [greɪz] **I** *vb tr* **1** snudda vid; skrapa mot **2** skrapa [*~ one's knee*], skava **II** *vb itr, ~ against* snudda vid, skrapa mot **III** *s* skråma

2 graze [greɪz] **I** *vb itr* beta; *grazing ground (land)* betesmark **II** *vb tr* **1** [låta] beta, valla [*~ sheep*] **2** låta kreaturen beta [på] [*~ a field*]; beta [av]

grease [ss. subst. gri:s, ss. vb äv. gri:z] **I** *s* **1** fett äv. smält; talg, ister, flott **2** tekn. smörjmedel, [konsistens]fett **II** *vb tr* **1** smörja med fett; [rund]smörja bil o.d.; valla skidor; *like ~d lightning* som en oljad blixt, blixtsnabbt; *~ a p.'s palm* smörja (muta) ngn **2** smörja ned **3** vard. smörja, muta

greasepaint ['gri:speɪnt] teat. smink

greaseproof ['gri:spru:f], *~ [paper]* smörgåspapper, smörpapper

greasy ['gri:zɪ, 'gri:sɪ] **1** fet [*~ food*]; oljig, talgig; hal [*a ~ road; a ~ football pitch*]; *~ pole* såpad stång att klättra upp på **2** flottig [*~ fingers, ~ clothes*]; oljig [*a ~ smile*]; *~ spoon* isht amer. sl. sjaskig sylta billig restaurang

great [greɪt] **I** *adj* **1** stor; *the G~ Bear* astron. Stora björn[en]; *G~ Britain* Storbritannien, ibl. England **2** stor, viktig [*a ~ occasion; no ~ matter*]; *the ~ attraction* glansnumret, huvudnumret **3** stor, framstående, betydande [*a ~ painter; a ~ statesman*]; storsint, ädel [*a ~ deed*] **4** mäktig, stor; hög [*a ~ lady*]; *Alfred the G~* Alfred den store **5** om tid lång [*a ~ interval*]; hög [*a ~ age*]; *a ~ while* en lång stund **6** stor; ivrig [*a ~ reader*]; *~ friends* mycket goda vänner **7** vard. härlig [*it was a ~ sight*]; utmärkt; [*that's*] *~!* fint!, utmärkt!; *we had a ~ time* vi hade jättetrevligt; *wouldn't it be ~ if...!* vore det inte underbart om...! **II** *adv* vard. utmärkt; *things are going ~* det (allt) går utmärkt (väldigt bra, fint) **III** *subst adj, the ~* de stora, ässen [*the golf ~s*]; de mäktiga

greatcoat ['greɪtkəʊt] överrock; militärs kappa

great-grand|child [ˌgreɪt'grænˌtʃaɪld] (pl. *-children* [-ˌtʃɪldr(ə)n]) barnbarnsbarn

great-granddaughter [ˌgreɪt'grænˌdɔ:tə] sons (dotters) sondotter (dotterdotter); barnbarnsbarn

great-grandfather [ˌgreɪt'græn(d)ˌfɑ:ðə] farfars (farmors) far; morfars (mormors) far

great-grandmother [ˌgreɪt'græn(d)ˌmʌðə] farfars (farmors) mor; morfars (mormors) mor

great-grandson [ˌgreɪt'græn(d)sʌn] dotters (sons) dotterson (sonson); barnbarnsbarn

greatly ['greɪtlɪ] mycket, i hög grad [*~ disappointed*]; *be ~ mistaken* ta grundligt (alldeles) fel

greatness ['greɪtnəs] **1** storlek i omfång, grad **2** storhet

grebe [gri:b] zool. dopping; *great crested ~* skäggdopping

Grecian ['gri:ʃ(ə)n] grekisk i stil [*~ nose, ~ profile*]

Greece [gri:s] Grekland

greed [gri:d] glupskhet; snikenhet

greedy ['gri:dɪ] **1** glupsk [*a ~ boy*] **2** lysten; girig

greedy-guts ['gri:dɪgʌts] sl. matvrak

Greek [gri:k] **I** *s* **1** grek; grekinna **2** grekiska [språket]; *it is ~ to me* vard. jag förstår inte ett dugg, det är rena grekiskan för mig **II** *adj* grekisk; *the ~ Church* den grekisk-katolska kyrkan

green [gri:n] **I** *adj* **1** grön; grönskande; *~ belt* grönt bälte, grönområden kring stad; *have ~ fingers* (amer. *a ~ thumb*) vard. ha gröna fingrar, ha hand med blommor; vara trädgårdsmänniska; *give a p. the ~ light* vard. ge ngn grönt ljus (klarsignal, klartecken); *the G~ Party* polit. de Gröna, Miljöpartiet **2** färsk om matvaror, sår m.m. **3** omogen; naiv; *a ~ hand* en otränad (oerfaren) arbetare **4** frisk, spänstig; *keep a p.'s memory ~* hålla ngns minne levande **5** blek, med en sjuklig färg **II** *s* **1** grönt; grön färg; grön nyans **2** allmän gräsplan; plan [isht i sms. *bowling-green*]; golf. green; *the village ~* byallmänningen, gräsplanen i byn **3** grönska **4** pl. *~s* vard. [blad]grönsaker **III** *vb itr* bli grön, grönska; *~ out* skjuta gröna (nya) skott **IV** *vb tr* **1** göra (måla, färga) grön; klä i grönska [äv. *~ over*] **2** sl. lura

greenery ['gri:nərɪ] **1** grönska **2** [prydnads]grönt

greenfly ['gri:nflaɪ] zool. [grön] bladlus, isht persikbladlus

greengage ['gri:ngeɪdʒ, 'gri:ŋg-] renklo slags plommon

greengrocer ['gri:nˌgrəʊsə] [frukt- och]

grönsakshandlare; ~*'s* [*shop*] frukt- och grönsaksaffär
greengrocery ['gri:nˌgrəʊs(ə)rɪ] **1** [frukt- och] grönsaksaffär **2** frukt och grönsaker ss. handelsvaror
greenhorn ['gri:nhɔ:n] bildl. gröngöling
greenhouse ['gri:nhaʊs] växthus; ~ *effect* växthuseffekt, drivhuseffekt
Greenland ['gri:nlənd] geogr. Grönland; ~ *shark* zool. håkäring; ~ *whale* zool. grönlandsval
Greenwich ['grenɪdʒ, 'grɪn-, -ɪtʃ] geogr. egenn.; ~ *Mean Time* [ˌ--'--] Greenwichtid
greet [gri:t] **1** hälsa **2** välkomna gäst o.d. **3** om syn, ljud, lukt möta [*a surprising sight ~ed us* (*our eyes*)]; [*a smell of coffee*] *~ed us* äv. ...slog emot oss
greeting ['gri:tɪŋ] hälsning [*Christmas ~s*]; hälsningsfras; välkomnande; *~s card* gratulationskort
gregarious [grɪ'geərɪəs, grə'g-] **1** som lever i flock; bildl. mass-; *be* ~ uppträda i flock **2** sällskaplig
grenade [grɪ'neɪd, grə'n-] mil., liten granat, handgranat
grenadier [ˌgrenə'dɪə] grenadjär
grew [gru:] imperf. av *grow*
grey [greɪ] **I** *adj* grå; om tyg ofta oblekt; ~ *eminence* grå eminens; *G~ Friar* gråbroder franciskanmunk; ~ *matter* grå hjärnsubstans; vard. grå celler, intelligens **II** *s* grått; grå färg; grå nyans **III** *vb tr* göra grå **IV** *vb itr* gråna
greyhound ['greɪhaʊnd] vinthund; ~ *racing* sport. hundkapplöpning; *ocean* ~ snabbgående oceanångare, oceanfartyg
grid [grɪd] **1** galler; rist **2** [kraft]ledningsnät **3** elektr. el. radio. galler; gitter **4** rutor, rutsystem på karta **5** [*starting*] ~ startplats i motorsport **6** sl. båge, hoj cykel [*old* ~] **7** se *gridiron*
griddle ['grɪdl] **1** [pannkaks]lagg för gräddning ovanpå spisen **2** grill
gridiron ['grɪdˌaɪən] **1** halster; grill; rost **2** nät[verk] **3** amer. vard. fotbollsplan
grief [gri:f] sorg; smärta; *good ~!* vard. bevare mig väl!, kors!
grievance ['gri:v(ə)ns] missnöjesanledning; klagomål; *have a* ~ ha något att klaga (beklaga sig) över
grieve [gri:v] högtidl. **I** *vb tr* bedröva, vålla sorg (smärta) [~ *one's parents*], smärta ofta opers. [*it ~s me*]; *be ~d at* (*about, over*) vara sorgsen (bedrövad, förkrossad) över **II** *vb itr* sörja [*at* (*for, over, about*) över; *to* + inf. över att]
grievous ['gri:vəs] **1 a**) sorglig, smärtsam, svår [~ *loss,* ~ *injury,* ~ *decision*]; bitter klagan **b**) litt. svår [~ *pain, sin*]; farlig [~ *error,* ~ *folly*] **c**) ngt åld. grov [~ *crime*]; *a* ~ *injustice* (*wrong*) en blodig orätt **2** åld. sorgsen [*a* ~ *cry*]
grill [grɪl] **I** *vb tr* **1** grilla **2** bildl. ansätta hårt [i korsförhör], grilla **II** *s* **1** grillrätt m.m. **2** grill, halster; rost
grille [grɪl] **1** galler omkring el. framför ngt; gallergrind; [gallerförsedd] lucka **2** grill på bil
grillroom ['grɪlru:m] grill [rum i] restaurang
grim [grɪm] **1** hård, obeveklig, fast [~ *determination*] **2** barsk, bister [~ *expression*]; dyster plats o.d.; ~ *humour* bister humor, galghumor **3** vard. otrevlig
grimace [grɪ'meɪs, 'grɪməs] **I** *s* grimas **II** *vb itr* grimasera
grime [graɪm] **I** *s* ingrodd svart smuts, sot **II** *vb tr* smutsa (sota) ned; *~d* smutsig, sotig
grimy ['graɪmɪ] smutsig, sotig
grin [grɪn] **I** *vb itr* flina; visa tänderna; ~ *and bear it* hålla god min i elakt spel, bita ihop tänderna i svår situation **II** *s* flin; grin
grind [graɪnd] **I** (*ground ground*) *vb tr* **1** mala [~ *corn into* (till) *flour*]; ~ [*to pieces*] mala (smula) sönder, krossa **2** bildl. förtrycka; krossa; ~ *the faces of the poor* förtrycka (utarma) de fattiga **3** slipa; vässa; polera; *ground glass* matt (mattslipat) glas **4** skrapa [med]; ~ *one's teeth* [*together*] skära tänder[na] **5** veva; ~ *out a tune* veva fram en melodi **6** vard. plugga [~ *French*] **II** (*ground ground*) *vb itr* **1** mala; gå att mala **2** [stå och] veva (mala) **3** skrapa, skava [*a ship ~ing on* (*against*) *the rocks*], gnissla; ~ *to a halt* stanna med ett gnissel; bildl. stanna av, köra fast **4** vard. sträva och slita; plugga; ~ [*away*] *at one's studies* plugga, knoga med sina studier **5** utmanande rotera med (vicka på) höfterna i dans; *bump and* ~ jucka och rotera med höfterna **III** *s* **1** malning; skrap, skrapande ljud; *fine* ~ finmalning **2** vard. knog, slitgöra **3** amer. sl. plugghäst
grinder ['graɪndə] **1** malare; slipare **2** kvarn [*coffee-grinder*]; [övre] kvarnsten; slipmaskin **3** kindtand; pl. *~s* vard. tänder
grindstone ['graɪn(d)stəʊn] slipsten; *keep* (*hold*) *a p.'s nose to the* ~ bildl. hålla ngn i ständigt arbete, låta ngn slita hund
grip [grɪp] **I** *s* **1** grepp, [fast] tag, fattning; *have a* ~ *of* ha grepp på (om) ämne; behärska; *lose* [*one's*] ~ *on* förlora greppet om, förlora kontrollen (herraväldet) över **2** handtag på vapen, väska m.m.; fäste, koppling; gripklo **3** hårklämma **4** pl. *~s* nappatag **5** teat. vard. scenarbetare; film. el. TV. passare **II** *vb tr* **1** gripa [om] [~ *the railing*] **2** bildl. gripa, fängsla **III** *vb itr* **1** fatta (få) fast tag; ta [*the brakes failed to* ~ (tog inte)] **2** bildl. göra starkt intryck

gripe [graɪp] **1** pl. [*the*] *~s* magknip, kolik **2** vard. gnäll
gripping ['grɪpɪŋ] gripande
grisly ['grɪzlɪ] hemsk, gräslig
grist [grɪst] **1** mäld; *~ to the mill* bildl. välkommet bidrag (tillskott), vinst, fördel; *everything (all) is ~ that comes to my mill* alla bidrag mottas med tacksamhet, jag har användning för allt **2** mald säd
gristle ['grɪsl] brosk isht i kött
grit [grɪt] **I** *s* **1** hård partikel; sandkorn; sand **2** vard. gott gry **II** *vb tr* **1** gnissla med; *~ one's teeth* a) skära tänder b) bita ihop tänderna **2** sanda [*~ the roads*]
grits [grɪts] (konstr. ss. sg. el. pl.) **1** [kross]gryn **2** gröpe
gritty ['grɪtɪ] grusig
grizzle ['grɪzl] vard., mest om barn gnälla; skrika
grizzled ['grɪzld] grå; gråsprängd
grizzly ['grɪzlɪ] **I** *adj* grå; gråhårig; *~ bear* grizzlybjörn, stor nordamerikansk gråbjörn **II** *s* se *~ bear* under *I*
groan [grəʊn] **I** *vb itr* stöna [*~ with* (av) *pain*]; sucka [*for* efter]; digna; om trä o.d. knaka; *the table ~ed with food* bordet dignade av mat **II** *s* **1** stön, suck **2** [missnöjt] mummel
grocer ['grəʊsə] specerihandlare; *~'s* [*shop* (isht amer. *store*)] speceriaffär, livsmedelsaffär
grocery ['grəʊs(ə)rɪ] **1** mest pl. *groceries* specerier **2** speceriaffär [amer. äv. *~ store*]; *~ chain* livsmedelskedja
grog [grɒg] sjö. toddy på rom, whisky el. konjak
groggy ['grɒgɪ] vard. ostadig [på benen]; isht sport. groggy
groin [grɔɪn] anat. ljumske; vard. skrev [*kick a p. in the ~*]
groom [gru:m, grʊm] **I** *s* **1** stalldräng, ridknekt **2** brudgum **II** *vb tr* **1** sköta; rykta **2** göra fin (snygg) **3** vard. träna, trimma [*~ a political candidate*]
groove [gru:v] **I** *s* **1** fåra, skåra; spår i t.ex. grammofonskiva; fals; not; gänga på skruv **2** bildl. [hjul]spår, gängor [*fall into the old ~*]; *get into a ~* fastna i slentrian **II** *vb tr* holka ur; skära [ut] ränna o.d.; nota; *~ and tongue* sponta
groovy ['gru:vɪ] **1** slentrianmässig **2** ngt åld. sl. toppen; mysig; jättesnygg; maffig
grope [grəʊp] **I** *vb itr* treva **II** *vb tr* **1** *~ one's way* treva sig fram **2** sl. tafsa på; kåta upp
gross [grəʊs] **I** *adj* **1** grov, simpel [*~ language, ~ jests*] **2** grov [*~ carelessness, ~ exaggeration*], krass [*~ materialism*]; *~ negligence* jur. grov oaktsamhet (vårdslöshet) **3** total-, brutto- [*~ price, ~ income, ~ profit, ~ weight*]; *~ domestic product* (förk. *GDP*) bruttonationalprodukt **II** *s* (pl. lika) gross 12 dussin [*two ~ pens*]; *by* [*the*] *~* grossvis, i gross **III** *vb tr* [för]tjäna (ta in) brutto [*~ two thousand pounds*]
grossly ['grəʊslɪ] grovt [*~ exaggerated*]
grotesque [grə(ʊ)'tesk] **I** *s* **1** konst. grotesk[ornamentik] **2** grotesk figur **II** *adj* **1** konst. [i] grotesk [stil] **2** grotesk; barock [*that is quite ~*]
grotto ['grɒtəʊ] (pl. *~s* el. *~es*) grotta
grotty ['grɒtɪ] vard. **1** urusel, vissen; kass **2** ful; snuskig
grouch [graʊtʃ] vard. **I** *vb itr* knota, sura **II** *s* **1** surhet, grinighet; *have a ~ against a p.* vara sur på ngn **2** surpuppa
1 ground [graʊnd] imperf. o. perf. p. av *grind*
2 ground [graʊnd] **I** *s* **1** mark; jord; grund; *break fresh (new) ~* a) bryta (odla upp) ny mark b) bildl. bryta nya vägar (ny mark) **2** mark; område; plan [*cricket (football) ~*]; [idrotts]anläggning, stadion; *we have covered a lot of ~ today* vi har hunnit långt i dag; *go over the ~ again* bildl. gå igenom saken (materialet, problemet) igen; *lose ~* förlora terräng, gå tillbaka, avta **3** pl. *~s* inhägnat område, [stor] tomt **4** persons jord, ägor **5** botten isht sjö. o. bildl., havsbotten; *break ~* lyfta ankar **6** pl. *~s* bottensats, sump [*coffee grounds*]; drägg **7** isht amer. elektr. jord[kontakt], jordledning **8** grund; botten [*pink roses on a white ~*] **9** anledning, grund, motiv, [giltigt] skäl; *give ~[s] for* ge anledning till; *have good ~[s] for believing* ha goda skäl (all anledning) att tro
II *vb tr* **1** grunda; *well ~ed* [väl]grundad, motiverad **2** *~ oneself in a subject* lära sig grunderna i ett ämne; *be well ~ed in* ha goda grunder (kunskaper) i **3** flyg. a) tvinga att landa b) förbjuda (hindra) att flyga; ge pilot marktjänst; *all aircraft are ~ed* inga plan kan (får) starta
ground control [ˌgraʊn(d)kən'trəʊl] **1** flyg. markkontroll **2** markutrustning; *~ approach* markstationerad landningsradar, GCA
ground floor [ˌgraʊn(d)'flɔ:, isht attr. '--] bottenvåning; *on the ~* äv. på nedre botten; *get in on the ~* bildl. a) komma in i bolag med samma rättigheter som stiftarna b) vara med från starten c) komma i en fördelaktig position
grounding ['graʊndɪŋ] **1** grundande **2** grundkunskaper [*a good ~ in grammar*]
groundless ['graʊndləs] grundlös
groundnut ['graʊn(d)nʌt] bot. jordnöt
ground rent ['graʊndrent] jordränta, tomthyra
groundsheet ['graʊn(d)ʃi:t] markskydd mot fukt; tältunderlag
grounds|man ['graʊn(d)z|mən] (pl. *-men*

[-mən el. -men]) planskötare för kricketplan o.d.
ground swell ['graʊndswel] **1** grunddyning; lång svår dyning **2** bildl. underström
groundwork ['graʊndwɜ:k] **1** grundval, grund [~ *for* el. *of* (till, för) *a good education*], basis; grunddrag; grundprincip **2** grundläggande (förberedande) arbete
group [gru:p] **I** *s* **1** grupp, grupp- [~ *psychology,* ~ *sex,* ~ *therapy*]; klunga; sammanslutning; avdelning; ~ *[life] insurance* grupplivförsäkring **2** koncern **3** mil. [flyg]eskader; amer. ung. [flyg]flottilj; ~ *captain* överste vid brittiska flygvapnet **II** *vb tr* gruppera, ordna (samla) i grupp[er], föra samman (indela) [i grupper] [äv. ~ *together*]
1 grouse [graʊs] **I** (pl. lika) *s* skogshöns; populärt mest moripa, skotsk ripa [äv. *red* ~]; *black* ~ orre; *red* ~ moripa **II** *vb itr* jaga skogsfågel; gå (vara ute) på ripjakt
2 grouse [graʊs] vard. **I** *s* knot **II** *vb itr* knota, gruffa
grove [grəʊv] **1** skogsdunge; lund [*orange* ~], plantering **2** klunga [*a* ~ *of little tents*]
grovel ['grɒvl] **1** kräla i stoftet, krypa [äv. ~ *in the dust* (*dirt*)] **2** bildl. förnedra sig; vältra sig [~ *in sentimentality*]
grovelling ['grɒvlɪŋ] **I** *adj* lismande **II** *s* lismande
grow [grəʊ] (*grew grown*) **I** *vb itr* **1** växa; gro, spira [*plants* ~ *from seeds*]; växa till; bli större; utvecklas; utvidgas; tillta, öka [*his influence has* ~*n*]; ~ *into a habit* [så småningom] bli till (övergå till) en vana; ~ *up* växa upp, bli fullvuxen, bli stor; *be* ~*n up* vara vuxen (fullvuxen, stor) **2** ~ *on* a) hota (hålla på) att bli ngn övermäktig, bli allt djupare rotad hos [*the habit grew on him*] b) mer och mer tilltala (imponera på) ngn **3** [småningom] bli [~ *better,* ~ *rich*]; ~ *big and strong* växa sig stor och stark; *be* ~*ing* börja bli [*be* ~*ing late* (*old*)] **4** ~ *to* + inf. mer och mer börja [att], lära sig att, komma att [*I grew to like it*] **II** *vb tr* **1** odla [~ *potatoes*]; producera **2** låta växa, anlägga; ~ *a beard* anlägga (lägga sig till med) skägg, låta skägget växa **3** *be* ~*n [over]* vara beväxt (bevuxen, övervuxen) [*with weeds*]
grower ['grəʊə] **1** *it is a rapid* (*fast*) ~ om växt den växer fort **2** odlare
growl [graʊl] **I** *vb itr* **1** morra **2** mullra **3** knota **II** *s* morrande etc., jfr *I*; argt (missnöjt) mummel
grown [grəʊn] **I** perf. p. av *grow* **II** *adj* **1** fullvuxen, vuxen, 'stor' **2** grodd [~ *wheat*]
grown-up ['grəʊnʌp, ˌ-'-] **I** *adj* vuxen [*a* ~ *son*] **II** *s* vuxen [person]; *two* ~*s* två vuxna
growth [grəʊθ] **1** växt; tillväxt [*the* ~ *of the city*]; utveckling [*the* ~ *of trade*]; utvidgning, stigande, tilltagande; ~ *rate* ekon. tillväxttakt **2** odling **3** växt, växtlighet [*a thick* ~ *of weeds*], bestånd; *a week's* ~ *of beard* en veckas skäggväxt **4** skörd isht av vin; alster, produkt; vinsort; *French* ~*s* franska viner
grub [grʌb] **I** *vb itr* gräva, rota äv. bildl.; ~ *about* gå och rota (böka) **II** *vb tr,* ~ *[up]* gräva i, gräva upp land; rensa (röja) upp mark; befria från rötter o.d. **III** *s* **1** zool. larv **2** vard. käk mat; ~ *up!* käket är klart!
grubby ['grʌbɪ] smutsig; snuskig, sjaskig
grudge [grʌdʒ] **I** *vb tr* **1** knorra (klaga) över; ~ *the cost* dra sig för kostnaderna **2** missunna [*they* ~*d him his success*] **II** *s, bear* (*owe*) *a p. a* ~ hysa agg (ha ett horn i sidan) till ngn
grudging ['grʌdʒɪŋ] motsträvig, motvillig; missunnsam; *a* ~ *admission* ett motvilligt medgivande
gruel [grʊəl] välling; havresoppa
gruelling ['grʊəlɪŋ] vard. **I** *adj* mycket ansträngande [*a* ~ *motor race*], het; sträng [*a* ~ *cross-examination*], skarp **II** *s* ordentlig omgång; svår (hård) pärs
gruesome ['gru:səm] hemsk
gruff [grʌf] **1** grov; sträv [*a* ~ *manner*], butter **2** skrovlig [*a* ~ *voice*]
grumble ['grʌmbl] **I** *vb itr* knota, klaga, muttra [*about* (*at, over*) över] **II** *vb tr,* ~ *[out]* muttra fram **III** *s* muttrande; knot
grumpy ['grʌmpɪ] knarrig
grunt [grʌnt] **I** *vb itr* grymta; knorra **II** *vb tr* grymta fram **III** *s* grymtning
G-string ['dʒi:strɪŋ] **1** fikonlöv, frimärke minsta kvarvarande plagg hos stripteasedansös **2** mus. g-sträng
guarantee [ˌgær(ə)n'ti:] **I** *s* **1** garanti äv. bildl.; säkerhet; borgen; ~ *certificate* (*warrant*) garantibevis, garantisedel **2** garant; borgensman; *be* ~ *for* äv. gå i god för, garantera **II** *vb tr* **1** garantera [~ *peace*]; gå i borgen för; tillförsäkra [~ *a p. immunity*]; ge ngn garantier **2** bädda för [*good planning* ~*s success*]
guarantor [ˌgær(ə)n'tɔ:, gə'ræntɔ:] garant; borgensman; ~ *powers* polit. garantimakter
guard [gɑ:d] **I** *vb tr* **1** bevaka [~ *prisoners*], hålla vakt vid [~ *the frontiers*], vakta [över], övervaka **2** skydda; gardera äv. schack. el. kortsp.; ~ *oneself against* gardera (skydda, säkra) sig mot **II** *vb itr* hålla vakt; vara på sin vakt, akta sig [~ *against* (för) *temptations*]; fäktn. gardera sig; ~ *against* äv. a) gardera (skydda) sig mot [~ *against disease* (*suspicion*)] b) vara ett skydd mot **III** *s* **1** vakt, bevakning, skydd; *keep* ~ hålla

vakt, stå (gå) på vakt; *be on one's ~* vara på sin vakt [*against* mot]; akta sig [*against* för] **2** skydd; försvar **3** försvarsställning i fäktning o.d. **4** fångvaktare; vakt; väktare **5** isht mil. vakt, vaktmanskap **6** pl. *~s* garde [*Horse Guards*] **7** konduktör på tåg; bromsare; amer. spärrvakt **8** skydd, skyddsanordning av olika slag; skärm på cykel

guarded ['gɑ:dɪd] **1** bevakad, vaktad, garderad **2** försiktig; reserverad

guardian ['gɑ:djən] **1** väktare [*~ of the law*]; bevakare [*~ of public interests*]; skydds- [*~ angel*] **2** jur. förmyndare; vårdnadshavare, målsman

guardroom ['gɑ:dru:m] mil. vaktrum; arrestrum

guards|man ['gɑ:ds|mən] (pl. *-men* [-mən]) **1** gardesofficer; gardist **2** amer. nationalgardist

Guatemala [ˌgwɑ:tə'mɑ:lə, ˌgwæt-]

Guernsey ['gɜ:nzɪ] geogr.

guerrilla [gə'rɪlə] **1** *~ war[fare]* gerillakrig[föring] **2** gerillasoldat; pl. *~s* äv. gerillatrupper, gerilla

guess [ges] **I** *vb tr* **1** gissa [*~ the truth*]; uppskatta **2** isht amer. vard. tro, anta; *I ~ you are hungry* äv. du är väl hungrig?; *I ~ I'll go now* jag tänker gå nu, jag tror jag går nu; *I ~ed as much* jag tänkte mig just det, var det inte det jag trodde; *I ~ so* äv. antagligen; *~ what!* vet du vad?, har du hört? **II** *vb itr* gissa [*~ right (wrong)*]; *keep a p. ~ing* hålla ngn i ovisshet, hålla ngn på sträckbänken **III** *s* gissning; *it's anybody's ~* det vete fåglarna; *your ~ is as good as mine* jag vet inte mer om det än du, det är mer än jag vet; *give (have, make) a ~* gissa [*at a th.* [på] ngt]; *by way of a ~* gissningsvis

guesswork ['geswɜ:k] gissning[ar], [rena] spekulationer

guest [gest] **1** gäst, gäst- [*~ conductor (lecture)*]; främmande [*we're expecting ~s to dinner*]; *be my ~!* vard. var så god!, ta för dig bara!; ofta iron. genera dig inte!; det bjuder jag på! **2** bot. el. zool. parasit

guest-house ['gesthaʊs] [finare] pensionat, gästhem

guffaw [gʌ'fɔ:] **I** *s* gapskratt **II** *vb itr* gapskratta

guidance ['gaɪd(ə)ns] ledning; anförande; ciceronskap; vägledning [*we need ~ on this point*], orientering; rådgivning [*marriage ~*]; rättesnöre

guide [gaɪd] **I** *vb tr* **1** visa vägen [*he will ~ us*], [väg]leda [*the blind man was ~d by his dog*], visa; ledsaga; guida **2** styra [*~ the State*], leda [*~ a horse*]; vara vägledande för; *be ~d by* låta sig vägledas (styras) av; *~d missile (weapon)* [fjärrstyrd] robot, robotvapen **II** *s* **1** vägvisare; guide; rådgivare [*her religious ~*]; rättesnöre; ledning [*serve as a ~*]; vägledning; ledtråd **2** handbok [*a ~ to* (i) *English conversation*], resehandbok [*a ~ to* (över) *Italy*], guide, katalog [*a ~ to* (över) *the museum*]; nyckel [*a ~ to* (till) *the pronunciation*]; *railway ~* tågtidtabell **3** flickscout **4** tekn. ledare, löpskena [äv. *~ rail*], gejd

guidebook ['gaɪdbʊk] vägvisare, resehandbok; katalog

guide dog ['gaɪ(d)dɒg] ledarhund för blinda, blindhund

guideline ['gaɪdlaɪn] riktlinje; *~s* äv. anvisningar

guild [gɪld] gille; sällskap

guildhall [ˌgɪld'hɔ:l] **1** gilleshus **2** rådhus, stadshus; *[the] G~* rådhuset i City i London

guile [gaɪl] svek, falskhet, förräderi; [argan] list

guileless ['gaɪlləs] sveklös; öppen; aningslös

guillotine [ˌgɪlə'ti:n, 'gɪləti:n] **I** *s* giljotin **II** *vb tr* giljotinera

guilt [gɪlt] **1** skuld [*proof of his ~*]; skuldkänsla; *~ complex* skuldkomplex, skuldkänsla **2** brottslighet [*lead a life of* (i) *~*]

guilty ['gɪltɪ] **1** skyldig [*~ of* (till) *murder*]; *find a p. ~ (not ~)* förklara ngn skyldig (inte skyldig); *plead not ~* neka **2** skuldmedveten [*a ~ look*]; *~ conscience* dåligt samvete

guinea ['gɪnɪ] guinea förr mynt om 21 shilling

guinea pig ['gɪnɪpɪg] **1** zool. marsvin **2** försökskanin

guise [gaɪz] utseende, yttre; sken, mask; *in the ~ of* a) i form (gestalt) av b) klädd som; *under the ~ of* under sken (en mask) av [*under the ~ of friendship*]

guitar [gɪ'tɑ:] gitarr; *rhythm ~* kompgitarr

guitarist [gɪ'tɑ:rɪst] gitarrist; *rhythm ~* kompgitarrist

gulch [gʌltʃ] amer. [smal] bergsklyfta

gulf [gʌlf] **1** golf, [havs]bukt; vik [*the G~ of Bothnia*]; *the G~ Stream* Golfströmmen **2** bildl. svalg

gull [gʌl] zool. mås; trut; *common ~* fiskmås

gullet ['gʌlɪt] matstrupe; strupe

gullible ['gʌləbl] lättlurad

gully ['gʌlɪ] **1** ränna, klyfta, åbädd **2** [djupt] dike

gulp [gʌlp] **I** *vb tr, ~ [down]* svälja häftigt, stjälpa (slänga) i sig [*~ down a cup of tea*], sluka **II** *s* **1** sväljning; *at one ~* i ett tag (drag), på en gång **2** munfull, klunk, tugga

1 gum [gʌm] anat., mest pl. *~s* tandkött

2 gum [gʌm] vard. (förvrängning av *God*); *by ~!* för tusan!

3 gum [gʌm] **I** *s* **1** gummi; kåda **2** slags hård genomskinlig gelékaramell **3** tuggummi **4** pl. *~s* amer. vard. galoscher; gummistövlar **II** *vb tr* **1** fästa (klistra upp) med gummi [ofta *~ down (in, up)*] **2** *~ up* sl. förstöra; stoppa
gumboil ['gʌmbɔɪl] med. tandböld
gumption ['gʌm(p)ʃ(ə)n] vard. sunt förnuft; *he has no ~* han saknar framåtanda, han är alldeles bortkommen (bakom)
gun [gʌn] **I** *s* **1** mil. kanon; bössa, gevär; *heavy ~s* tungt artilleri **2** vard. revolver; pistol **3** spruta; tryckspruta; insektsspruta; *grease ~* smörjspruta, fettspruta **4** spec. uttr.: *big ~* sl. stor (verklig) höjdare; pamp, storgubbe; högdjur; *son of a ~* vard. rackare, skojare, kanalje; *stick (stand) to one's ~s* bildl. stå fast, stå på sig **II** *vb itr* **1** skjuta (jaga) med gevär [*go ~ning*] **2** *~ for* vard. a) vara på jakt efter b) vara ute efter, kämpa för, försöka få (nå) [*be ~ning for a rise*] **III** *vb tr* **1** vard. skjuta [på] **2** vard., *~ [down]* skjuta ner
gunboat ['gʌnbəʊt] **1** sjö. kanonbåt; *~ diplomacy* kanonbåtsdiplomati diplomati med stöd av [hot om] militärt våld **2** pl. *~s* amer. sl. stora bla'n skor, fötter
gun dog ['gʌndɒg] jakthund
gunfire ['gʌnˌfaɪə] skottlossning; mil. artillerield
gunge [gʌndʒ] vard. gegga[moja]
gun|man ['gʌn|mən] (pl. *-men* [-mən]) gangster, revolverman; beväpnad man
gunner ['gʌnə] mil. kanonjär; artillerist; riktare; [kulsprute]skytt äv. på flygplan
gunpoint ['gʌnpɔɪnt], *at ~* under pistolhot (gevärshot)
gunpowder ['gʌnˌpaʊdə] krut
gunrunning ['gʌnˌrʌnɪŋ] vapensmuggling
gunshot ['gʌnʃɒt] skottvidd [*out of (within) ~*]
gunwale ['gʌnl] sjö. reling
gurgle ['gɜːgl] **I** *vb itr* **1** klunka, klucka; porla **2** skrocka [*~ with laughter*], gurgla **II** *s* **1** klunk[ande], kluck[ande]; porlande **2** skrockande (gurglande) ljud
guru ['gʊruː, 'guːruː] ind. guru äv. bildl.
gush [gʌʃ] **I** *vb itr* **1** välla [fram] [*the oil ~ed from the well*], forsa [ut] [*the blood ~ed from the wound*], strömma [ut] **2** vard. vara översvallande [i sitt tal]; *~ about (over)* tala med hänförelse om **II** *s* **1** framvällande; ström [*a ~ of water*] **2** bildl. häftigt utbrott (anfall) [*a ~ of anger (energy)*]; vard. sentimentalt svammel
gusset ['gʌsɪt] kil i klädesplagg
gust [gʌst] **1** häftig vindstöt, kastvind, stormby; by, regnby **2** bildl. storm, [häftigt] utbrott [*a ~ of anger*]
gusto ['gʌstəʊ], *with [great] ~* med stort välbehag, med stor förtjusning
gusty ['gʌstɪ] byig
gut [gʌt] **I** *s* **1** tarm; tarmkanal; *blind ~* blindtarm **2** tarmsträng, kattgut **3** tafs till metrev **II** *vb tr* **1** rensa fisk **2** tömma, rensa; *~ted by fire* urblåst (utbränd) av eld **III** *adj, ~ feeling (reaction)* instinktiv känsla (reaktion); känsla i magen
guts [gʌts] vard. **1** inälvor; innanmäte, bildl. äv. innehåll; *I hate his ~* jag avskyr honom som pesten **2** mage [*stick a bayonet into a man's ~*] **3** kurage; *he's got no ~* a) det är ingen ruter i honom b) han är [för] feg **4** amer. mage, fräckhet
gutsy ['gʌtsɪ] isht amer. sl. **1** modig **2** kraftfull; utmanande
gutter ['gʌtə] **1** rännsten; *~ press* skandalpress **2** avloppsränna **3** takränna
guttersnipe ['gʌtəsnaɪp] **1** rännstensunge **2** vard. knöl, tölp
guttural ['gʌt(ə)r(ə)l] **I** *adj* strup-; strupljuds-; isht fonet. guttural **II** *s* strupljud; gutturalt ljud
1 guy [gaɪ] gaj
2 guy [gaɪ] **I** *s* **1** Guy-Fawkes-docka som till minnet av Guy Fawkes, aktiv i krutkonspirationen 1605, bärs omkring på gatorna och bränns 5 nov. **2** bildl. fågelskrämma, löjlig figur **3** vard. karl, kille; tjej; *he's a bad ~* han är en buse (skurk) **II** *vb tr* driva (skoja) med
guzzle ['gʌzl] **I** *vb itr* supa, pimpla; vräka (glufsa) i sig **II** *vb tr* supa, pimpla; vräka (glufsa) i sig; sluka [*~ energy*]
gymkhana [dʒɪm'kɑːnə] **1** idrottsplats **2** gymkhana
gymnasi|um [dʒɪm'neɪzj|əm] (pl. *-ums* el. *-a* [-ə]) **1** gymnastiksal; gymnastiklokal, idrottslokal **2** om icke-anglosaxiska förhållanden gymnasium
gymnast ['dʒɪmnæst] gymnast
gymnastic [dʒɪm'næstɪk] gymnastisk
gymnastics [dʒɪm'næstɪks] (konstr. ss. sg. utom i bet. 'gymnastiserande') gymnastik, gymnastik- [*a ~ lesson (teacher)*]; *do ~* göra gymnastik, gympa, gymnastisera; *mental ~* hjärngymnastik
gym slip ['dʒɪmslɪp] o. **gym suit** ['dʒɪmsuːt] gymnastikdräkt [för flickor]
gynaecological [ˌgaɪnɪkə'lɒdʒɪk(ə)l, ˌdʒaɪ-] gynekologisk
gynaecologist [ˌgaɪnɪ'kɒlədʒɪst, ˌdʒaɪ-] gynekolog
gynaecology [ˌgaɪnɪ'kɒlədʒɪ, ˌdʒaɪ-] gynekologi
gypsy ['dʒɪpsɪ] zigenare, zigenar- [*~ orchestra*], zigensk; *~ caravan* zigenarvagn
gyrate [ˌdʒaɪ(ə)'reɪt, ˌdʒɪ-] rotera
gyrocompass ['dʒaɪərə(ʊ)ˌkʌmpəs] gyrokompass

gyroscope ['dʒaɪərəskəʊp] tekn. gyroskop

H, h [eɪtʃ] (pl. *H's* el. *h's* ['eɪtʃɪz]) H, h

H förk. för *hard, hardness* (på blyertspenna), *hydrogen*

ha [hɑ:] *interj*, *~!* ha ha!, ah!, åh!

habeas corpus [ˌheɪbjəs'kɔ:pəs], [*writ of*] ~ ung. åläggande om prövning [inför rätta] av det berättigade i ett frihetsberövande

haberdashery ['hæbədæʃərɪ, ˌ-'---] **1** sybehör; amer. herrekiperingsartiklar **2** sybehörsaffär, kortvaruaffär; amer., mindre herrekipering[saffär]

habit ['hæbɪt] **1** vana [*be the slave of* ~]; pl. *~s* äv. levnadsvanor; *get out* (*break oneself*) *of the ~ of* [*smoking*] vänja sig (lägga) av med att..., sluta...; *force of* ~ vanans makt **2** dräkt [*monk's ~, nun's ~*], klädnad; [munk]kåpa

habitable ['hæbɪtəbl] beboelig

habitat ['hæbɪtæt] naturv. naturlig miljö

habitation [ˌhæbɪ'teɪʃ(ə)n] **1** boende; *not fit for* ~ obeboelig **2** högtidl. boning [*a human* ~]

habit-forming ['hæbɪtˌfɔ:mɪŋ] vanebildande

habitual [hə'bɪtjʊəl] **1** invand, inrotad [*a ~ practice*]; vanemässig **2** inbiten, vane- [*a ~ drunkard*] **3** vanlig [*a ~ sight*], sedvanlig

habitually [hə'bɪtjʊəlɪ] jämt, för jämnan [*he is ~ late*]

1 hack [hæk] **I** *vb tr* **1** hacka [i], göra hack i; hacka (hugga, skära) sönder **2** sport. sparka motspelare på smalbenet (skenbenet) **3** data. sl. hacka (bryta) sig in i illegalt ta sig in i [*~ a computer system*] **II** *vb itr* **1** hacka **2** sport. sparka motspelare på smalbenet (skenbenet) **3** hacka [och hosta]; *~ing cough* hackhosta **4** data. hacka illegalt ta sig in i datasystem; hacka (bryta) sig in [*~ into* (i) *a computer system*]

2 hack [hæk] **1** [enklare] ridhäst; uthyrningshäst, åkarhäst; neds. åkarkamp, hästkrake **2 a**) ~ [*journalist*] [tidnings]murvel; ~ [*writer*] dussinförfattare **b**) medelmåtta i arbetslivet; klåpare

hacker ['hækə] hacker, isht person som illegalt tar sig in i datasystem

hackneyed ['hæknɪd] [ut]sliten

hacksaw ['hæksɔ:] tekn. bågfil metallsåg

had [hæd, obeton. həd, əd, d] imperf. o. perf. p. av *have*

haddock ['hædək] kolja [*finnan* (rökt) ~]

hadn't ['hædnt] = *had not*

haemoglobin [ˌhi:mə(ʊ)'gləʊbɪn] kem. hemoglobin

haemophilia [ˌhi:mə(ʊ)'fɪlɪə] med. blödarsjuka

haemorrhage ['hemərɪdʒ] med. blödning; *cerebral ~* hjärnblödning
haemorrhoids ['hemərɔɪdz] med. hemorrojder
haft [hɑ:ft] handtag på dolk, kniv, verktyg
hag [hæg] **1** häxa **2** ful gammal käring
haggard ['hægəd] utmärglad, tärd, härjad; vild till utseendet; stirrande [*~ eyes*]
haggis ['hægɪs] isht skotsk., ung. fårpölsa
haggle ['hægl] pruta; köpslå, ackordera; *~ about (over) the price of a th.* pruta (pruta ned priset) på ngt
Hague [heɪg] geogr.; *The ~* Haag
1 hail [heɪl] **I** *s* hagel; bildl. regn [*a ~ of blows*]; *a ~ of lead* ett kulregn **II** *vb itr* hagla **III** *vb tr* bildl. låta hagla
2 hail [heɪl] **I** *vb tr* **1** hälsa [*~ a p.* [*as*] *leader*]; välkomna **2** kalla på; ropa till sig; hejda; sjö. preja; *within ~ing distance* inom prejningshåll (hörhåll) **II** *vb itr, ~ from* vara (komma) från, höra hemma i [*he ~s from Boston*] **III** *interj, ~!* hell!, var hälsad! **IV** *s* hälsning; rop; *within ~* inom prejningshåll (hörhåll)
hailstone ['heɪlstəʊn] hagel[korn]
hailstorm ['heɪlstɔ:m] hagelby
hair [heə] hår; hårstrå; *a fine head of ~* [ett] vackert hår; *keep your ~ on!* sl. ta't lugnt!; *let one's ~ down* vard. koppla (slappna) av; slå sig lös, släppa loss; *split ~s* ägna sig åt hårklyverier, hänga upp sig på struntsaker; *a ~ of the dog* [*that bit you*] vard. en återställare
hairbrush ['heəbrʌʃ] hårborste
hair curler ['heəˌkɜ:lə] hårspole
haircut ['heəkʌt] **1** [hår]klippning; *have (get) a ~* klippa sig **2** klippning, frisyr
hairdo ['heədu:] vard. frisyr
hairdresser ['heəˌdresə] [hår]frisör; hårfrisörska; *~'s* frisersalong; raksalong
hairdrier o. **hairdryer** ['heəˌdraɪə] hårtork
hairgrip ['heəgrɪp] hårklämma
hair lotion ['heəˌləʊʃ(ə)n] hårvatten
hairpiece ['heəpi:s] postisch; tupé
hairpin ['heəpɪn] hårnål; *~ bend* hårnålskurva
hair-raising ['heəˌreɪzɪŋ] vard. **1** hårresande **2** spännande
hairslide ['heəslaɪd] hårspänne
hairsplitting ['heəˌsplɪtɪŋ] **I** *s* hårklyveri[er] **II** *adj* hårklyvande, spetsfundig
hairstyle ['heəstaɪl] frisyr
hairy ['heərɪ] **1** hårig; hårbevuxen, hårbeväxt; luden; hår- **2** sl. a) otäck, hårresande b) kinkig **3** sl. gammal, mossig [*a ~ joke*]
hake [heɪk] zool. kummel
halcyon ['hælsɪən] stilla; *~ days* lugna fridfulla dagar; sötebrödsdagar
hale [heɪl] isht om gamla spänstig; *~ and hearty* frisk och kry
half [hɑ:f] **I** (pl. *halves*) *s* **1** halva; *I'll go halves with you* jag delar lika med dig; *too clever by ~* lite väl (lite för) slipad; *cut in ~ (into halves)* skära itu, klyva **2** sport. halvlek; halvback **II** *adj* halv [*~ my time, ~ the year, ~ this year*]; *~ an hour* en halvtimme, en halv timme **III** *adv* **1** halvt, halv- [*the potatoes were ~ cooked; ~ dead*]; halvt om halvt; *~ as much (many) again* en halv gång till så mycket (många), en och en halv gång så mycket (många); *at ~ past five* (vard. [*at*] *~ five*) [klockan] halv sex **2** *not ~*: **a**) vard. inte alls; *not ~ bad* inte så illa, inte så tokig; riktigt hygglig **b**) vard. el. iron., *not ~!* om!, det kan du slå dig i backen på (skriva upp)!, jaja män!; *he was not ~ good!* gissa om han (akta dig vad han) var bra!; *he didn't ~ swear* han svor som bara den
half-back ['hɑ:fbæk] sport. halvback
half-baked [ˌhɑ:f'beɪkt] **1** halvstekt **2** bildl. halv[-]; halvfärdig; ogenomtänkt; omogen; grön; *~ measure* halvmesyr **3** vard. knasig [*~ idea (scheme)*]
half-brother ['hɑ:fˌbrʌðə] halvbror
half-caste ['hɑ:fkɑ:st] halvblod isht avkomling av europé och indier
half-hearted [ˌhɑ:f'hɑ:tɪd, 'hɑ:fˌh-] halvhjärtad, ljum; klenmodig
half-mast [ˌhɑ:f'mɑ:st] **I** *s,* [*at*] *~* på halv stång **II** *vb tr* hissa flagga på halv stång
halfpenny ['heɪpnɪ, -pənɪ] hist. halvpenny[mynt]
half-term [ˌhɑ:f'tɜ:m], *~* [*holiday (vacation)*] mitterminslov
half-timbered [ˌhɑ:f'tɪmbəd, attr. '-ˌ--] av korsvirke
half-time [ss. attr. adj. 'hɑ:ftaɪm, ss. pred. adj., adv. o. subst. ˌ-'-] **I** *adj* halvtids- [*~ work*] **II** *adv* [på] halvtid (deltid) [*work ~*] **III** *s* halvtid äv. sport.; *be on ~* arbeta halvtid
halfway [ˌhɑ:f'weɪ, attr. '--] **I** *adj* som ligger halvvägs (på halva vägen); bildl. halv[-]; *a ~ house* a) ett värdshus (rastställe o.d.) på halva vägen [mellan två orter] b) ett mellanstadium, ett övergångsstadium, någonting mitt emellan [*a ~ house between the two systems*] **II** *adv* halvvägs; *meet ~* bildl. mötas på halva vägen; *meet trouble ~* göra sig onödiga bekymmer
half-wit ['hɑ:fwɪt] **1** fån, idiot, dumbom **2** sinnessvag person
half-yearly [ˌhɑ:f'jɪəlɪ, -'jɜ:lɪ] **I** *adj* halvårs- **II** *adv* varje halvår
halibut ['hælɪbət] zool. hälleflundra
halitosis [ˌhælɪ'təʊsɪs] med. dålig andedräkt
hall [hɔ:l] **1** entré, [för]hall, farstu **2** sal för banketter o.d.; hall; aula, [samlings]lokal [*assembly ~*] **3** samlingshus, samlingslokal; *concert ~* konserthus **4** univ.: **a**) [college]matsal **b**) mindre

college **c**) studentlokal, studentbyggnad; ~ *of residence* studenthem
hallelujah [ˌhælɪˈlu:jə] halleluja
hallmark [ˈhɔ:lmɑ:k] **I** *s* **1** kontrollstämpel **2** kännetecken, hallstämpel [*the ~ of success*]; *the ~s of a gentleman* det utmärkande för en gentleman **II** *vb tr* kontrollstämpla
hallo [həˈləʊ, ˌhʌˈləʊ, ˌhæˈləʊ] se *hello*
hallow [ˈhæləʊ, i perf. p. kyrkl. ofta -ləʊɪd] helga [*~ed be thy name*], göra (hålla) helig
Hallowe'en [ˌhæləʊˈi:n] isht skotsk. el. amer. (amer. äv. *Halloween*) allhelgonaafton 31 okt.
hallucination [həˌlu:sɪˈneɪʃ(ə)n, -ˌlju:-] hallucination, synvilla
hallway [ˈhɔ:lweɪ] isht amer. **1** entré **2** korridor
hal|o [ˈheɪləʊ] (pl. *-oes* el. *-os*) **1** gloria, nimbus, strålglans; bildl. äv. aura **2** solgård, mångård, ljusgård, halo[fenomen] **3** foto. ljusgård
1 halt [hɔ:lt, hɒlt] **I** *s* halt; rastställe; järnv. anhalt; busshållplats; *call a ~* a) mil. kommendera halt b) bildl. säga stopp; sätta stopp [*to* för]; *come to* (*make*) *a ~* göra halt (uppehåll), stanna **II** *vb itr* o. *vb tr* [låta] stanna, [låta] göra halt
2 halt [hɔ:lt, hɒlt] halta om vers, jämförelse etc.; vackla; *~ing delivery* hackigt framställningssätt
halter [ˈhɔ:ltə, ˈhɒl-] **1** grimma **2** [galg]rep
halve [hɑ:v] **1** halvera **2** minska till (med) hälften
halves [hɑ:vz] pl. av *half*
1 ham [hæm] **1** skinka [*a slice of ~*]; lår på djur **2** pl. *~s* skinkor, bak[del] **3** has; förr knäled
2 ham [hæm] vard. **I** *s* **1** ~ [*actor*] buskisaktör **2** [*radio*] ~ radioamatör **II** *vb itr* spela över, spela buskis
hamburger [ˈhæmbɜ:gə] kok. hamburgare [äv. *~ steak*]
ham-fisted [ˌhæmˈfɪstɪd] o. **ham-handed** [ˌhæmˈhændɪd] fumlig, klumpig
hamlet [ˈhæmlət] liten by isht utan kyrka
hammer [ˈhæmə] **I** *s* **1** hammare äv. i piano o. anat.; slägga; *steak ~* köttklubba; *go at it ~ and tongs* vard. slåss (gräla) för fullt; ta i på skarpen (av alla krafter) **2** auktionsklubba; *come* (*go*) *under the ~* gå under klubban **3** sport. slägga; *~ throw* släggkastning ss. tävlingsgren **II** *vb tr* **1** hamra på; spika fast (upp), slå (bulta) in [ofta *~ up* (*down*)]; bearbeta; *~ a nail home* slå in en spik ordentligt **2** *~* [*out*] a) hamra [ut], hamra till, smida b) bildl. [mödosamt] utarbeta, utforma; fundera ut; utjämna **3** *~ a th. into a p.'s head* (*into a p.*) slå (få, dunka) i ngn ngt **4** vard. klå grundligt, ge stryk i t.ex. spel **III** *vb itr* **1** hamra, bulta [*~ at* (*on*) *the door*] **2** *~* [*away*] *at* arbeta på, slita (knoga) med
hammock [ˈhæmək] hängmatta, hängkoj; *garden ~* hammock
1 hamper [ˈhæmpə] större korg vanl. m. lock [*a luncheon ~*]; *Christmas ~* julkorg, julpaket med matvaror
2 hamper [ˈhæmpə] hindra, hämma [*it ~ed my movements*; *~ progress*]; genera; binda [händerna på], klavbinda, vara (ligga) i vägen för; belamra; besvära
hamster [ˈhæmstə] zool. hamster
hamstring [ˈhæmstrɪŋ] **I** *s* knäsena; hassena **II** (*hamstrung hamstrung* el. *~ed ~ed*) *vb tr* bildl. lamslå [*hamstrung by lack of money*], undertrycka
hand [hænd] **I** *s* **1** hand; pl. *~s* fotb. hands regelbrott; [*win*] *~s down* ...med lätthet; *wait on a p. ~ and foot* passa upp [på] ngn; *force a p.'s ~* bildl. tvinga ngn att bekänna färg; *hold* (*stay*) *one's ~* vänta och se, ge sig till tåls; *hold* (*stay*) *a p.'s ~* hejda (hålla tillbaka) ngn; *lay* [*one's*] *~s on* a) lägga beslag (vantarna) på; få tag i b) bära hand på ngn c) välsignande lägga händer[na] på; *make money ~ over fist* vard. skära guld med täljknivar, håva in massor med pengar **2** i vissa fastare prep. förb.:
close (*near*) **at** *~* nära; till hands; [nära] förestående; *the hour was at ~* timmen närmade sig
by *~* för hand [*done by ~*]; *send by ~* sända med bud
from *~*: *from ~ to ~* ur hand i hand, från man till man; *from ~ to mouth* ur hand i mun, för dagen [*live from ~ to mouth*]
in *~* **a**) i hand[en]; till sitt förfogande [*have some money in ~*]; på lager; föreliggande [*the matter in ~*]; resterande [*the copies still in ~*] **b**) i sin hand [*keep* [*well*] *in ~*] **c**) för händer [*whatever he has in ~*], på gång; *one game in ~* sport. en match mindre spelad; *go ~ in ~ with* bildl. gå hand i hand med, hålla jämna steg med
fall **into** *a p.'s ~s* falla (råka) i händerna på ngn
off *~* på rak arm; *get a th. off one's ~s* slippa (komma) ifrån ngt
on *~* a) till hands [*I'll be on ~ when you come*] b) i sin ägo; i (på) lager [*a stock of goods on ~*]; *on one's ~s* på sitt ansvar, i sin vård
out of *~* a) genast b) ur kontroll, oregerlig; *the children have got out of ~ lately* barnen har blivit omöjliga (oregerliga) på sistone
to *~*: *your letter has come to ~* Ert brev har kommit mig (oss) till handa
3 visare på ur [*second hand*] **4** sida, håll; *on all ~s* på alla håll (händer); *on the right*

~ på höger hand, till höger **5** hand; källa; *learn a th. at first* ~ få veta ngt i första hand **6** arbetare [*how many ~s do you employ?*]; [sjö]man; *all ~s* hela besättningen, alle man; *a bad (good) ~ at* dålig (duktig) i **7** handlag; *get one's ~ in* träna upp sig; komma i slag; *try one's ~ at* försöka (ge) sig på **8** handstil **9** i formell stil namnteckning **10** kortsp. a) parti, spel b) [kort på] hand; *declare one's ~* bjuda [på sina kort]

II *vb tr* räcka, lämna, ge [*a th. to a p.*]; ~ *back* lämna tillbaka; ~ *round* servera; låta gå [laget] runt; dela ut

handbag ['hæn(d)bæg] **1** handväska; ~ *snatcher* väskryckare **2** [mindre] resväska (kappsäck)

handball ['hæn(d)bɔ:l] sport. handboll

handbook ['hæn(d)bʊk] handbok; resehandbok

handbrake ['hæn(d)breɪk] handbroms

handclap ['hæn(d)klæp] handklappning

handful ['hæn(d)fʊl] (pl. *~s* el. ibl. *handsful*) **1** handfull; litet antal; *a ~ of...* en handfull (näve)..., ett litet antal... **2** vard. besvärlig individ (uppgift)

handicap ['hændɪkæp] **I** *s* **1** belastning **2** fysiskt o. psykiskt handikapp; rörelsehinder **3** sport. handikapp **II** *vb tr* **1** belasta, handikappa **2** fysiskt handikappa; perf. p. *~ed* handikappad, rörelsehindrad **3** sport. ge (belasta med) handikapp

handicraft ['hændɪkrɑ:ft] **1** hantverk, [hem]slöjd **2** hantverksskicklighet

handiwork ['hændɪwɜ:k] **1** [händers] verk; verk [*the whole trouble is his ~*] **2** praktiskt arbete; slöjd

handkerchief ['hæŋkətʃɪf] **1** näsduk **2** huvudduk; sjalett

handle ['hændl] **I** *vb tr* **1** ta i, beröra [*do not ~ the fruit*], plocka (röra, bläddra) i **2** hantera [*~ tools*]; begagna, handha, handskas (umgås) med [*nasty stuff to ~*]; utnyttja [*~ colour*], göra något av **3** sköta [om]; ta, handskas med [*~ a p. gently (with discretion)*]; klara [av] [*~ a situation*], gå i land med; ha hand om [*he ~s large sums of money*]; manövrera [*~ a ship*] **4** behandla [*~ a subject, ~ a problem*] **II** *vb itr, this car ~s well* den här bilen känns bra att köra **III** *s* handtag; vev; grepp; *dead man's ~* järnv. m.m. säkerhetsgrepp, död mans grepp; *fly off the ~* vard. bli rasande, brusa upp

handlebar ['hændlbɑ:] **1** ofta pl. *~s* styrstång, styre på cykel **2** *~ moustache* cykelstyre, knävelborrar slags mustasch

handling ['hændlɪŋ] **1** beröring, hantering m.m., jfr *handle I*; *his ~ of...* hans sätt att handskas med..., hans sätt att klara (gå i land med)...; *he takes some ~* han är svår att få bukt med (handskas med) **2** fotb. hands regelbrott

handmade [ˌhæn(d)'meɪd, attr. '--] handgjord

handout ['hændaʊt] vard. **1** pressmeddelande; stencil som delas ut **2** gratisprov; reklamlapp **3** allmosa t.ex. mat, kläder till dörrknackare

handpick [ˌhænd'pɪk] plocka för hand; handplocka äv. bildl.

handrail ['hændreɪl] ledstång

handshake ['hæn(d)ʃeɪk] handslag

handsome ['hænsəm] **I** *adj* **1** vacker; ~ *man* stilig (snygg) man (karl) **2** ädelmodig, generös [*~ conduct, ~ treatment, a ~ present*] **3** ansenlig, nätt [*a ~ sum of money*]; ordentlig avbasning **4** amer. skicklig; vacker [*a ~ speech*] **II** *adv, handsome is as (that) ~ does* vacker är som vackert gör

handstand ['hæn(d)stænd] gymn., *do a ~* stå på händerna

handwriting ['hændˌraɪtɪŋ] handstil; skrift

handwritten ['hændˌrɪtn] handskriven

handy ['hændɪ] **1** händig, skicklig, flink **2** till hands [*have a th. ~*]; [*he took*] *the first towel ~* ...första bästa handduk **3** lätthanterlig [*a ~ volume*]; bekväm **4** nära [till hands]

handyman ['hændɪmæn] (pl. *handymen* ['hændɪmen]) allt i allo; hantlangare

hang [hæŋ] **I** *vb tr* (*hung hung*, i bet. *I 2* mest *~ed ~ed*) **1** hänga [upp] [äv. *~ up*]; ~ *wallpaper* tapetsera, sätta upp tapeter **2 a**) hänga [*~ oneself*], avliva medelst hängning **b**) vard., *~!* el. *~ the expense!* strunta i vad det kostar!; *I'll see you ~ed first!* katten (tusan) heller! **3** hänga [med] [*~ one's head*] **4** behänga, pryda; ~ *a room with pictures* hänga upp tavlor i ett rum **5** ~ *fire* a) om skjutvapen vara hårdtryckt b) bildl. gå trögt, dra ut på tiden **II** *vb itr* **1** hänga **2** hänga[s] i galgen, bli hängd **3** sväva, tveka; ~ *in the balance* vara oviss, hänga på en tråd **III** *vb tr* o. *vb itr* med prep. o. adv. i spec. bet.:

~ **about** el. ~ **around** gå och driva; stå och hänga; hänga i (på)

~ **back** dra sig, tveka

~ **behind** släpa efter; dröja sig kvar

~ **on**: **a**) hänga (bero) på **b**) hänga (hålla) [sig] fast **c**) hålla 'i [*~ on to your hat*] **d**) *time ~s heavy on my hands* tiden släpar sig fram **e**) ~ *on* [*a moment (minute)*]! vard. vänta lite!, stopp ett tag!, dröj ett ögonblick!

~ **out**: **a**) hänga ut (fram) t.ex. kläder **b**) om t.ex. tunga hänga ut[e]; *let it all ~ out* vard. slappna av **c**) vard. hålla till

~ **over**: a) hänga [hotande] över [*my*

exams are ~ing over me] b) vard. hänga med, vara kvar
~ **together** hänga (hålla) ihop
~ **up**: **a**) skjuta åt sidan; fördröja [*the work was hung up by the strike*] **b**) tele. lägga på [luren]; ~ *up on a p.* slänga på luren, lägga på i örat på ngn
IV *s* **1** fall [*the ~ of a gown*] **2** vard., *get the ~ of* komma på det klara (underfund) med, få grepp på **3** vard., *I don't give* (*care*) *a ~* det struntar jag blankt i
hangar ['hæŋə, -ŋgə] hangar
hangdog ['hæŋdɒg] **I** *s* galgfågel **II** *adj* skyldig; slokörad
hanger ['hæŋə] **1** upphängare isht i sms. [*paper-hanger*] **2** hängare i o. till kläder; [kläd]galge
hanger-on [ˌhæŋər'ɒn] (pl. *hangers-on*) vard. påhäng, snyltgäst
hang-gliding ['hæŋˌglaɪdɪŋ] hängflyg[ning]
hanging ['hæŋɪŋ] **I** *adj* **1** hängande, häng-; utskjutande; lutande; ~ *garden* hängande trädgård, terrassträdgård **2** häng- **II** *s* **1** [upp]hängning; ~ *committee* upphängningskommitté som bestämmer tavlornas plats på en utställning **2** hängning straff **3** oftast pl. *~s* förhängen, draperier, gobelänger; tapeter
hang|man ['hæŋ|mən] (pl. *-men* [-mən]) bödel
hangout ['hæŋaʊt] vard. **1** [stam]tillhåll **2** lya bostad
hangover ['hæŋˌəʊvə] **1** kvarleva, rest **2** vard. baksmälla, kopparslagare; *have a ~* äv. vara bakis
hangup ['hæŋʌp] vard. **1** komplex **2** a) betänklighet [*I've no ~s about it*] b) hinder; stötesten
hanker ['hæŋkə], ~ *after* (*for*) [gå och] längta (tråna) efter, åtrå
hanky-panky [ˌhæŋkɪ'pæŋkɪ] vard. **1** smussel; fuffens; spel bakom kulisserna **2** hokuspokus **3** vänsterprassel
haphazard [ˌhæp'hæzəd] tillfällig, slumpartad [*a ~ remark*]; *in a ~ manner* [liksom] på en höft, på måfå
hapless ['hæpləs] olycklig
happen ['hæp(ə)n] **1** hända, ske, inträffa; falla (slumpa) sig; komma sig; ~ *what may* hända vad som hända vill; *it* [*so*] *~ed that* det föll (slumpade) sig så att; *these things will ~* så kan det gå **2** råka [*to do* [att] göra]; *I ~ed to know* av en händelse (händelsevis) visste jag, jag råkade veta **3** ~ [*up*]*on* [händelsevis] komma på (över), råka på **4** vard., ~ *by* (*along, past*) råka komma förbi; ~ *into a theatre* slinka in på en teater
happening ['hæp(ə)nɪŋ] **I** *s* **1** händelse, tilldragelse **2** teat. o.d. happening **II** *adj* trendig [*~ place* (*scene*); *~ clothes*]
happily ['hæpəlɪ] **1** lyckligt **2** lyckligtvis
happiness ['hæpɪnəs] lycka, glädje
happy ['hæpɪ] **1** lycklig; glad, belåten; ~ *hour* vard. 'happy hour' på krog o.d.; [*do a th.*] *to keep a p. ~* ...för att hålla ngn på gott humör **2** lycklig [*be in the ~ position* (ställningen) *of having...*], av ödet gynnad; framgångsrik; glädjande; *a ~ event* vard. en lycklig tilldragelse; [*A*] *H~ New Year!* Gott nytt år! **3** lyckad, lyckligt funnen; fyndig; ~ *medium* gyllene medelväg **4** ss. efterled i sms. -glad [*trigger-happy*]
happy-go-lucky [ˌhæpɪgə(ʊ)'lʌkɪ] sorglös; *he has a ~ way of doing the job* han tar lätt på arbetet
harangue [hə'ræŋ] **I** *s* [lång] harang, tirad; skränigt (långrandigt) tal; våldsamt utfall **II** *vb tr* harangera; predika för **III** *vb itr* hålla tal; predika
harass ['hærəs, isht amer. hə'ræs] plåga, jäkta; trakassera; svårt hemsöka; trötta ut; oroa [*~ the enemy*]; härja
harassment ['hærəsmənt, isht amer. hə'ræs-] **1** plågande etc., jfr *harass*; trakasseri; förtret; *police ~* polisövergrepp, trakasserier från polisens sida **2** oro
harbour ['hɑːbə] **I** *s* hamn äv. bildl. **II** *vb tr* **1** härbärgera, ta emot [*~ refugees*]; gömma [*~ smuggled goods*]; bereda fartyg hamn **2** bildl. hysa [*~ designs* (*suspicions*)], nära **III** *vb itr* gå i hamn; söka skydd [i hamn]
harbour master ['hɑːbəˌmɑːstə] hamnkapten
hard [hɑːd] **I** *adj* **1** hård, fast; ~ *court* tennis hardcourt bana av asfalt, betong etc.; ~ *shoulder* trafik. vägren **2** hård, häftig [*a ~ fight*], kraftig; ihärdig [*a ~ worker*], seg; ~ *drinker* storsupare; ~ *drugs* tung narkotika; ~ *labour* jur. straffarbete **3** svår [*a ~ question*]; *he has learnt it the ~ way* han har fått slita hårt för att lära sig det; han har gått den långa vägen; *it is ~ going* det är svårt (tufft) **4** hård[hjärtad]; sträng [*a ~ master*]; tung [*a ~ life*], tryckande; om klimat sträng, hård [*~ weather*; *a ~ winter*]; *drive a ~ bargain* pressa priset till det yttersta; *~ lines* (*luck*) vard. otur, osis; *it is ~* [*lines*] *on him* det är synd om honom **5** om pris [hög och] fast **II** *adv* **1** hårt, intensivt [*look ~ at*], kraftigt [*it is raining ~*]; strängt; ivrigt [*study ~*]; *try ~* verkligen försöka, anstränga sig **2** illa; med svårighet [*the victory was ~ won*]; svårt **3** nära; sjö. dikt; ~ *by* strax bredvid, alldeles intill **III** *s* sl. straffarbete [*five years ~*]
hard-and-fast [ˌhɑːd(ə)n'fɑːst] fastslagen, järnhård, benhård [*~ rules*]

hardback ['hɑ:dbæk] **I** *adj* inbunden om bok **II** *s* inbunden bok
hardboard ['hɑ:dbɔ:d] hardboard, hårdpapp
hard-boiled [ˌhɑ:d'bɔɪld, attr. '--] **1** hårdkokt [~ *eggs*] **2** vard. hårdkokt, hårdhudad [*a ~ politician*; *a ~ official*]
hardcore [ss. subst. ˌhɑ:d'kɔ:, ss. adj. '--] **I** *s* kärntrupp, kärna i t.ex. parti **II** *adj* **1** hårdnackad; orubblig; övertygad **2** svår, obotlig **3** ~ *porno*[*graphy*] hårdporr
harden ['hɑ:dn] **I** *vb tr* **1** göra hård[are]; bildl. äv. skärpa, [för]stärka **2** härda [~ *children*; ~ *steel*]; vänja; stålsätta [~ *oneself against*]; ~ *oneself to* härda sig mot, vänja sig vid **3** förhärda; ~ *one's heart* förhärda sig; perf. p. *~ed* förhärdad [*a ~ed criminal*], luttrad [*he is ~ed after 25 years in the business*] **II** *vb itr* **1** hårdna; härdas; förhärdas **2** om pris bli fast[are]
hard-headed [ˌhɑ:d'hedɪd] kall, beräknande [*a ~ businessman*]
hard-hearted [ˌhɑ:d'hɑ:tɪd] hård[hjärtad]; obarmhärtig
hardliner ['hɑ:dˌlaɪnə] vard. hårding
hardly ['hɑ:dlɪ] **1** knappt [*I need ~ say*], näppeligen; inte gärna; ~ *had he sat down when* (*before*, ibl. *than*) [*the door opened*] han hade knappt satt sig förrän... **2** med möda (svårighet) [*hardly-earned*]
hardness ['hɑ:dnəs] hårdhet etc., jfr *hard*; *the ~ of* det fasta (svåra etc.) i
hardship ['hɑ:dʃɪp] vedermöda; lidande; umbärande; *suffer great ~s* slita mycket ont, utstå svåra umbäranden
hardware ['hɑ:dweə] **1** järnvaror, metallvaror; ~ *store* amer. järnaffär **2** data. hårdvara **3** sl. a) vapen koll.; skjutjärn koll.; ammunition b) isht amer. glitter medaljer o.d.
hardwearing [ˌhɑ:d'weərɪŋ] slitstark; motståndskraftig
hardwood ['hɑ:dwʊd] lövträ; hårt träslag av lövträd, isht ek och ask; ~ *tree* lövträd
hard-working ['hɑ:dˌwɜ:kɪŋ, pred. ˌ-'--] arbetsam, hårt arbetande, ihärdig
hardy ['hɑ:dɪ] härdad [*a ~ mountaineer*], motståndskraftig, härdig [~ *plants*]
hare [heə] **I** *s* hare; ~ *and hounds* lek snitseljakt till fots **II** *vb itr* vard. rusa, springa
harebell ['heəbel] bot. **1** blåklocka **2** engelsk klockhyacint
harelip [ˌheə'lɪp, '--] harmynthet
harelipped ['heəlɪpt] harmynt
harem ['hɑ:ri:m, hɑ:'ri:m, 'heərəm] harem
haricot ['hærɪkəʊ], ~ [*bean*] trädgårdsböna; isht skärböna, brytböna pl.
hark [hɑ:k] **1** lyssna; ~ *to* lyssna till (på) **2** ~ *back* bildl. återvända [~ *back to the old days*]
harlot ['hɑ:lət] hora, sköka
harm [hɑ:m] **I** *s* skada, ont; *do more ~ than good* göra mera skada än nytta; *I meant no ~* jag menade inget illa, det var inte så illa ment **II** *vb tr* skada; *he wouldn't ~ a fly* han gör inte en fluga förnär
harmful ['hɑ:mf(ʊ)l] skadlig
harmless ['hɑ:mləs] oskadlig; oförarglig, beskedlig; *render ~* oskadliggöra
harmonic [hɑ:'mɒnɪk] **I** *adj* harmonisk **II** *s* [harmonisk] överton
harmonica [hɑ:'mɒnɪkə] munspel
harmonious [hɑ:'məʊnjəs] **1** bildl. harmonisk; endräktig, vänskaplig **2** harmonisk, melodisk
harmonium [hɑ:'məʊnjəm] [orgel]harmonium
harmonize ['hɑ:mənaɪz] **I** *vb itr* harmoniera, stämma överens, passa (gå) ihop [*colours that ~ well with each other*] **II** *vb tr* **1** harmonisera melodi; göra harmonisk **2** bildl. bringa i samklang
harmony ['hɑ:m(ə)nɪ] **1** mus. harmoni; samklang, samspel; välljud **2** bildl. harmoni [*in ~*]; samförstånd; *be in ~ with* äv. harmoniera med
harness ['hɑ:nɪs] **I** *s* sele äv. bildl.; seldon; *in ~* i arbete[t], i tjänst[en], i selen, i tagen **II** *vb tr* **1** sela [på]; spänna för; bildl. binda **2** utnyttja, utbygga t.ex. vattenfall; tämja [~ *nuclear power*]
harp [hɑ:p] **I** *s* mus. harpa **II** *vb itr* **1** spela [på] harpa **2** ~ *on* [jämt] tjata (mala) om [*he is always ~ing on his misfortunes*]
harpist ['hɑ:pɪst] harpist
harpoon [hɑ:'pu:n] **I** *s* harpun **II** *vb tr* harpunera
harpsichord ['hɑ:psɪkɔ:d] mus. cembalo
harrow ['hærəʊ] **I** *s* harv **II** *vb tr* **1** harva **2** bildl. plåga [~ *a p.'s mind*]
harry ['hærɪ] **1** härja **2** plåga
harsh [hɑ:ʃ] **1** hård, sträv [*a ~ towel*] **2** skarp [*a ~ flavour*] **3** skärande **4** grov, hård [*a ~ expression* (*face*)] **5** ogästvänlig [*a ~ climate*] **6** hård, sträng
hart [hɑ:t] zool. [kron]hjort hanne
harvest ['hɑ:vɪst] **I** *s* **1** skörd [*ripe for ~*]; skördetid **2** bildl. skörd **II** *vb tr* skörda äv. bildl.
harvester ['hɑ:vɪstə] **1** skördeman **2** skördemaskin; självbindare
has [hæz, obeton. həz, əz, z, s] 3 pers. sg. pres. av *have*
has-been ['hæzbɪn] vard. fördetting
1 hash [hæʃ] **I** *vb tr* hacka sönder t.ex. kött [äv. ~ *up*] **II** *s* **1** kok., slags stuvad pyttipanna **2** bildl. hackmat; *settle* (*fix*) *a p.'s ~* vard. göra hackmat (slarvsylta) av ngn **3** bildl. uppkok (hopkok) av gammalt material
2 hash [hæʃ] vard. hasch
hashish ['hæʃi:ʃ, -ʃɪʃ] haschisch

hasn't ['hæznt, 'hæzn] = *has not*

hasp [hɑ:sp, hæsp] **I** *s* **1** [dörr]hasp; klinka **2** spänne på bok **II** *vb tr* haspa, stänga med klinka

hassle ['hæsl] vard. **I** *s* käbbel; kiv; kurr slagsmål; virrvarr; krångel, strul **II** *vb itr* käbbla, kivas; slåss **III** *vb tr* trakassera; kivas med

hassock ['hæsək] **1** knäkudde; mjuk knäpall; fotkudde **2** [gräs]tuva

haste [heɪst] hast; brådska; förhastande; *make ~* raska på, skynda sig; *in ~* i [en] hast, hastigt; förhastat

hasten ['heɪsn] **I** *vb tr* påskynda **II** *vb itr* skynda [sig]

hastily ['heɪstəlɪ] skyndsamt; i största (all) hast

hasty ['heɪstɪ] **1** brådskande, skyndsam [*a ~ glance*] **2** förhastad [*a ~ conclusion, ~ words*], överilad **3** häftig [*a ~ temper*]

hat [hæt] hatt; ibl. mössa; *bad ~* vard. rötägg, slyngel; *old ~* adj., vard. ute, omodern, förlegad [*that song is old ~*]; *opera ~* chapeau-claque; *soft felt ~* mjuk hatt, filthatt; *~s off* [*to…*]*!* hatten av [för…]!; *talk through one's ~* vard. prata i nattmössan; bluffa, skryta; *keep a th. under one's ~* hålla tyst om ngt, inte föra ngt vidare

1 hatch [hætʃ] **1** [serverings]lucka; lucköppning; nedre dörrhalva av delad dörr **2** sjö. [skepps]lucka **3** *down the ~!* vard. skål!, botten opp!

2 hatch [hætʃ] **I** *vb tr* **1** kläcka [äv. *~ forth* (*out*)] **2** bildl. kläcka, koka ihop [*~ a plot*] **II** *vb itr* **1** kläckas äv. bildl.; krypa fram ur ägg **2** ruva **III** *s* **1** [ägg]kläckning; ruvande **2** kull

hatchback ['hætʃbæk] bil. halvkombi

hatchet ['hætʃɪt] [hand]yxa; *~ man* vard. a) yrkesmördare b) hantlangare, hejduk; *do a ~ job on* vard. sabla ner, kritisera sönder

hate [heɪt] **I** *s* hat, ovilja **II** *vb tr* hata; inte tåla, avsky [*to do, doing*]; *I'd ~ you to get burnt* det vore hemskt om du skulle bränna dig

hateful ['heɪtf(ʊ)l] **1** förhatlig; avskyvärd **2** hatfull, hätsk

hatrack ['hætræk] hatthylla

hatred ['heɪtrɪd] hat, avsky [*bear* (hysa) *~ to a p.*]

hatter ['hætə] hattmakare; *~'s* hattaffär

hat trick ['hættrɪk] hat trick t.ex.: a) i fotb.: tre mål av samma spelare i en match b) i kricket: att slå ut tre slagmän med tre bollar i rad c) allm. tre segrar (framgångar) etc.

haughty ['hɔ:tɪ] högdragen, högmodig

haul [hɔ:l] **I** *vb tr* **1** isht sjö. hala [*~ in the anchor*], dra **2** transportera **3** *~* [*up*] föra [*be ~ed* [*up*] *before a magistrate*] **II** *vb itr* **1** hala **2** sjö. ändra kurs (riktning) äv. bildl.; segla [*~ south* (söderut)] **III** *s* **1** halning, tag i halning; drag **2** notvarp; fångst **3** kap [*get a fine ~*]; byte vid inbrott o.d.

haulage ['hɔ:lɪdʒ] **1** halande; transport; *~ contractor* åkare, åkeriägare **2** transportkostnader

haulier ['hɔ:ljə] **1** åkare; [*firm of*] *~s* åkeri **2** långtradarchaufför

haunch [hɔ:n(t)ʃ] höft; kok. lår[stycke]; *sit on one's ~es* sitta på huk; om hund sitta på bakbenen

haunt [hɔ:nt] **I** *vb tr* **1** spöka i (på, hos); hemsöka; *this room is ~ed* det spökar i det här rummet **2** om tankar o.d. förfölja [*the recollection ~ed him*]; ansätta **3** ofta besöka **II** *s* tillhåll; vistelseort; favoritställe

haunting ['hɔ:ntɪŋ] oförglömlig [*its ~ beauty*]; som förföljer en [*~ memories*], efterhängsen [*a ~ melody*]

have [hæv, ss. vb obeton. həv] **I** (*had had*; 3 pers. sg. pres. *has*) tempusbildande *hjälpvb* ha [*I ~* (*had*) *done it*]; [*it's the first time*] *I ~ been here* …jag är här

II (för tema se *I*) *vb tr* **1** ha, äga; [*if you add on insurance, heating*] *and* (*or*) *what ~ you* vard. …och det ena med det andra, …eller vad du vill **2** hysa, ha [*~ a special liking* (förkärlek) *for*]; visa; *he had no fear* han kände ingen fruktan **3** göra, ta [*~ a walk; ~ a bath*] **4** få [*I had a letter from him*]; äta [*I am having my dinner*], dricka [*we had a cup of tea*]; *let a p. ~ a th.* låta ngn få ngt **5** få, föda [*~ a baby*] **6** vard. ha [fått] ngn fast; lura; *you had me there!* a) nu har du mig fast! b) jag vet inte, jag har ingen aning **7** *~ it* i mera spec. bet.: **a**) *as Byron has it* som det står hos Byron **b**) *the ayes ~ it* jarösterna är i majoritet **c**) vard. få [på pälsen]; *let him ~ it* [*good and proper*]*!* ge honom bara! **d**) *he's had it* sl. det är slut med honom; han har missat chansen; *you've had it!* sl. där rök din sista chans!, nu är det klippt!; *~ it made* ha sitt på det torra, ha lyckats **e**) *~ it your own way!* gör som du vill!; *~ it made* ha sitt på det torra, ha lyckats **f**) med prep. o. adv.: *I didn't think he had it in him* jag trodde inte att han var så duktig; *~ it out with a p.* göra upp (tala ut) med ngn **8 a**) tillåta; *I won't ~ it* jag tänker inte finna mig i det **b**) *I'm not having any!* vard. det går jag inte med på! **9** *~ to* + inf. vara (bli) tvungen att, få lov att, behöva [*he had to pay £100; he did not ~ to wait long*]; *I ~ to go* äv. jag måste gå **10** *~ a th. done* se till att ngt blir gjort; få ngt gjort; *he is having his house repaired* han håller på och reparerar huset (får huset reparerat) **11** *~ a p. do* etc. *a th.* låta ngn göra ngt [*~ your doctor examine her*]; *~ a p. doing* etc. *a th.* få se (råka ut för) att ngn gör ngt [*we shall soon ~ them calling every day*]; *what would you ~ me do?* vad vill ni att jag skall göra? **12** med prep. o. adv. isht med spec. betydelser: ~ *on* ha kläder på sig [*he had nothing on*]; ~ *a p. on* vard. driva med ngn; *I ~ nothing on this evening* vard. jag har inget för mig i kväll; ~ *a tooth out* [låta] dra ut en tand; ~ *a p. up* stämma ngn [inför rätta]; *be had up* åka fast [*he was had up for drunken driving*]

III *vb itr* imperf. *had* i spec. användning: *you had better* (ibl. *best*) *ask him* det är bäst att du frågar honom

IV *s, the ~s and the have-nots* [de] bemedlade och [de] obemedlade, [de] rika och [de] fattiga

haven ['heɪvn] **1** hamn **2** bildl. tillflykt[sort], fristad

haven't ['hævnt, 'hævn] = *have not*

haversack ['hævəsæk] axelväska, ryggsäck

havoc ['hævək] **I** *s* förstörelse, ödeläggelse; *make* (*work*) ~ anställa förödelse, härja, husera **II** *vb tr* o. *vb itr* ödelägga, härja

Hawaii [hɑ:'waɪi:]

1 hawk [hɔ:k] **1** zool. hök; falk **2** polit. hök

2 hawk [hɔ:k] **I** *vb tr* **1** bjuda ut isht varor på gatan [äv. ~ *about* (*around*)] **2** ~ *about* sprida [ut] rykten o.d. **II** *vb itr* sälja (bjuda ut) varor

3 hawk [hɔ:k] **I** *vb itr* harkla sig **II** *vb tr,* ~ [*up*] harkla upp

hawker ['hɔ:kə] gatuförsäljare; gårdfarihandlare

hawthorn ['hɔ:θɔ:n] bot. hagtorn

hay [heɪ] hö; *the mowing of* ~ [hö]slåttern; *hit the* ~ vard. krypa till kojs, gå och knyta sig; *make* ~ bärga hö

hay fever ['heɪ,fi:və, ,-'--] med. hösnuva

haystack ['heɪstæk] höstack

haywire ['heɪwaɪə] vard. **1** trasslig; *go* ~ a) trassla till sig b) paja, gå sönder **2** knasig; *go* ~ äv. få spader

hazard ['hæzəd] **I** *s* **1** slump **2** risk[fylldhet]; ~ *lights* bil. varningsblinkers; *health* ~ hälsorisk **II** *vb tr* **1** riskera [~ *one's reputation*] **2** våga [sig på] [~ *a guess*], våga framkasta [~ *an opinion*]

hazardous ['hæzədəs] **1** riskfylld **2** slumpartad, tillfällig

haze [heɪz] **1** dis[ighet], töcken; tunn dimma **2** bildl. [lätt] förvirring; dimmighet; töcken

hazel ['heɪzl] **I** *s* **1** bot. a) hassel b) hasselnöt **2** nötbrun (ljusbrun) färg **II** *adj* nötbrun [~ *eyes*]

hazel nut ['heɪzlnʌt] hasselnöt

hazy ['heɪzɪ] **1** disig luft; töckenhöljd **2** bildl. dunkel, suddig [*a ~ recollection*]; oredig; villrådig

H-bomb ['eɪtʃbɒm] vätebomb

HE förk. för *His Eminence, His Excellency, high explosive*

1 he [hi:, obeton. hɪ, ɪ] **I** (objektsform *him*) *pron* **1** pers. han; om djur äv. den, det; om människan hon [*modern man has made enormous scientific advances and yet ~...*]; *who is ~?* äv. vem är det? **2** determ. den om pers. i allm. bet., mest i sentenser o.d. [~ *who lives will see*] **II** (pl. *~s*) *s* han[n]e [*our dog is a ~*]; *~s and shes* män och kvinnor; han[n]ar och honor **III** *adj* ss. förled i sms. vid djurnamn han- [*he-dog*]; -han[n]e [*he-fox*]

2 he [hi:], *play* ~ leka kull (sistan, tafatt)

head [hed] **I** *s* **1 a**) huvud **b**) i förb. m. annat subst.: ~ *over ears* (*heels*) *in debt* (*in love*) upp över öronen skuldsatt (förälskad) **c**) ss. subj.: *~s will roll* bildl. huvuden kommer att rulla; *his ~ has been turned by this success* den här framgången har stigit honom åt huvudet **d**) ss. obj.: *give a p. his ~* ge ngn fria tyglar (händer); *he has a good* (*poor*) *~ for figures* han är bra (dålig) på att räkna; *keep one's ~ above water* hålla sig flytande äv. bildl.; *laugh one's ~ off* vard. skratta ihjäl sig **e**) m. prep. o. adv.: *he is taller than Tom by a ~* han är huvudet längre än Tom; ~ *first* (*foremost*) huvudstupa; *off one's ~* vard. knasig, knäpp **2 a**) chef [*the ~ of the firm*], ledare; huvudman; rektor; *the ~ of the family* familjens överhuvud, ättens huvudman **b**) ledarställning, spets [*be* (stå) *at the ~ of a th.*]; front äv. mil. **3 a**) person, individ; *a* (*per*) ~ per man (skaft), vardera [*they paid £20 a ~*] **b**) *twenty ~ of cattle* tjugo [stycken] nötkreatur **c**) antal [*a large ~ of game*] **4 a**) övre ända [*the ~ of a ladder*], topp; knopp; [kolonn]huvud; huvudända [*the ~ of a bed*]; källa [*the ~ of a river*]; *the ~ of the table* övre ändan av bordet, hedersplatsen **b**) huvud [*the ~ of a nail*], krona; *a ~ of cabbage* ett kålhuvud **c**) *~s or tails?* krona eller klave? **d**) skum [*the ~ on a glass of beer*]; grädde på mjölk **e**) bildl. höjdpunkt; *bring matters to a ~* driva saken till sin spets **5 a**) rubrik, överskrift, titel; *under the ~ of...* under rubriken... **b**) huvudpunkt; moment; kategori **6** a) framdel [*the ~ of a plough*]; spets [*arrow-head*] b) [hög] udde [ofta i egennamn: *Beachy H~*] **7** *give a p. ~* vulg. suga av ngn

II *adj* **1** huvud- [~ *office*]; främsta; ~ *boy* ung. förste ordningsman i skola **2** mot- [~ *wind*]

III *vb tr* **1** anföra [~ *a procession*]; stå i spetsen för; ~ *the list* stå överst på listan **2** ~ *off* [komma förbi och] mota tillbaka; genskjuta; stoppa; bildl. avvärja, förhindra

3 fotb. nicka 4 förse med huvud (rubrik, överskrift, titel) 5 vända, rikta, styra [~ *one's ship for* (mot) *the harbour*]; *~ed for* på väg mot (till), destinerad till
IV *vb itr* 1 stäva, styra [kosan] [~ *south* (sydvart)] 2 bildl. *be ~ing for* gå till mötes
headache ['hedeɪk] 1 huvudvärk; *have a ~* ha huvudvärk, ha ont i huvudet 2 vard. huvudbry; *that's not my ~* det är inte min huvudvärk (sak)
headband ['hedbænd] huvudbindel
headdress ['heddres] huvudbonad; huvudprydnad[er]; hårklädsel
header ['hedə] 1 dykning; fall [på huvudet] 2 fotb. nick
headgear ['hedgɪə] huvudbonad
head-hunter ['hed,hʌntə] 1 huvudjägare 2 'headhunter', chefsrekryterare
heading ['hedɪŋ] 1 rubrik, överskrift, titel 2 anförande [*the ~ of a procession*] 3 avdelning, stycke 4 riktning, kurs [*her ~ was westerly*] 5 huvud på brevpapper o.d.; överstycke; framdel 6 fotb. nickning
headlamp ['hedlæmp] 1 bil. strålkastare 2 pannlampa vid t.ex. gruvarbete
headland ['hedlənd] 1 hög udde 2 åkerren
headlight ['hedlaɪt] strålkastare; *drive with ~s on* bil. köra på helljus
headline ['hedlaɪn] **I** *s* 1 rubrik; *hit* (*make*) *the ~s* bli (vara) rubrikstoff (förstasidesstoff) 2 pl. *~s* radio. el. TV. rubriker, [nyhets]sammandrag **II** *vb tr* förse med rubrik, rubriksätta
headlong ['hedlɒŋ] **I** *adv* 1 på huvudet [*fall ~*] 2 besinningslöst [*rush ~ into danger*]; brådstörtat **II** *adj* brådstörtad, plötslig [*a ~ decision*]
headmaster [,hed'mɑ:stə] rektor
headmistress [,hed'mɪstrəs] kvinnlig rektor
head-on [,hed'ɒn] **I** *adj* frontal; *~ collision* frontalkrock **II** *adv* med huvudet (framsidan, bogen) före, rakt på (in i)
headquarters [,hed'kwɔ:təz, '-,--] (konstr. ss. sg. el. pl.; pl. *headquarters*) högkvarter[et]; huvudkontor[et] [*the ~ of a company*]
headrest ['hedrest] huvudstöd; nackstöd i bil
headroom ['hedru:m] trafik. fri höjd
headscarf ['hedskɑ:f] (pl. *-s* el. *-scarves* [-skɑ:vz]) sjalett
headset ['hedset] hörlurar med mikrofon
head start ['hedstɑ:t] försprång
headstone ['hedstəʊn] 1 byggn. slutsten 2 gravsten [vid huvudändan]
headstrong ['hedstrɒŋ] halsstarrig
head waiter [,hed'weɪtə] hovmästare
headway ['hedweɪ] 1 fart [framåt]; framsteg; *make ~* skjuta fart; komma framåt (vidare), göra framsteg 2 trafik. fri höjd
headwind ['hedwɪnd] motvind
headword ['hedwɜ:d] uppslagsord
heady ['hedɪ] 1 som stiger åt huvudet [*~ wine* (*perfume*)]; bildl. berusande 2 förhastad [*a ~ decision*]
heal [hi:l] **I** *vb tr* 1 bota; läka; *time ~s all wounds* tiden läker alla sår 2 återställa; *~ a quarrel* bilägga en tvist **II** *vb itr* läka[s] [*the wound ~s slowly*]; botas
healer ['hi:lə] 1 helbrägdagörare 2 botemedel; *time is a great ~* tiden är den bästa läkaren
health [helθ] 1 hälsa, sundhet 2 hälsotillstånd, hälsa [*good ~*], välstånd [*economic ~*]; *bad* (*ill*) *~* dålig (svag) hälsa, ohälsa, sjuklighet; *~ hazard* (*risk*) hälsorisk; *he is in a low state of ~* hans hälsotillstånd är dåligt 3 skål [*drink a ~ to* (för)]; *drink* [*to*] *a p.'s ~* dricka ngns skål, skåla med ngn; *your ~!*
health centre ['helθ,sentə] vårdcentral; läkarhus
health-food ['helθfu:d] hälsokost
health resort ['helθrɪ,zɔ:t] kurort
healthy ['helθɪ] 1 frisk [*be ~*; *of a ~ constitution*; *a ~ appetite*]; vid god hälsa [*be ~*]; sund [*~ judgement*, *~ views*] 2 hälsosam, sund
heap [hi:p] **I** *s* 1 hög; *all in a ~* i en enda hög; *be struck* (*knocked*) *all of a ~* vard. bli alldeles paff 2 vard., *a ~ of* en hel hög, en hop, en massa; *it did me ~s of good* det gjorde mig förfärligt (hemskt) gott **II** *vb tr* 1 ~ [*up* (*together*)] hopa, lägga i en hög [~ [*up*] *stones*], stapla [upp]; lägga på hög, samla [ihop] [~ [*up*] *riches*] 2 fylla [~ *a plate with food*]; råga [*a ~ed spoonful* (*measure*)] 3 överösa, överhopa
hear [hɪə] (*heard heard*) **I** *vb tr* 1 höra 2 lyssna på (till); åhöra; [*you're not going,*] *do you ~ me!* ...uppfattat?, ...hör du det!; *~ me out!* låt mig få tala till punkt! 3 få höra (veta) 4 jur. [för]höra [~ *the accused*, *~ a witness*]; pröva, behandla [~ *a case*] **II** *vb itr* 1 höra; uppfatta; *~!, ~!* utrop av bifall ja!, [ja!], bravo!, instämmer!; iron. hör på den! 2 få höra; *have you ~d about my sister?* har du hört vad som har hänt min syster?; *let me ~ from you soon* låt snart höra av dig!, hör av dig snart!; *~ of* höra talas om [*I've never ~d of her*]
heard [hɜ:d] imperf. o. perf. p. av *hear*
hearer ['hɪərə] åhörare
hearing ['hɪərɪŋ] 1 hörsel; *~ dog* hund som specialtränats som hjälp åt hörselskadade; *~ spectacles* hörglasögon 2 hörhåll; *in a p.'s ~* i ngns närvaro, så att ngn hör (kan höra) 3 utfrågning, hearing; jur. förhör; prövning, behandling [*the ~ of the case*]; *preliminary ~* förundersökning
hearing aid ['hɪərɪŋeɪd] o. **hearing appliance** ['hɪərɪŋə,plaɪəns] hörapparat

hearsay ['hɪəseɪ] hörsägen, rykte[n]; attr. grundad på hörsägner [*~ evidence* (vittnesmål)], andrahands- [*~ rumours*]
hearse [hɜ:s] likvagn
heart [hɑ:t] **1** anat. hjärta; *~ attack* hjärtattack; *a ~ condition* hjärtbesvär; *~ transplantation* hjärttransplantation; *~ trouble* hjärtbesvär **2** hjärta [*he lost his ~ to her*]; sinne [*a man after my* [*own*] *~*]; själ; mod; *change of ~* sinnesförändring; *break a p.'s ~* krossa ngns hjärta; *he had his ~ in his mouth* han hade hjärtat i halsgropen; *have one's ~ in the right place* ha hjärtat på rätta stället; *have one's ~ in one's work* arbeta med liv och lust, känna arbetsglädje; *put one's ~* [*and soul*] *into one's work* lägga ned hela sin själ i arbetet; *set one's ~ at rest* slå sig till ro; bli lugn; *take ~* fatta (repa) mod; *at the bottom of one's ~* innerst inne; *by ~* utantill, ur minnet; *with all one's ~* av hela sitt hjärta **3** hjärta [*in the ~ of the city*], centrum; *the ~ of the matter* hjärtpunkten, pudelns kärna **4** kortsp. hjärterkort; pl. *~s* hjärter
heartache ['hɑ:teɪk] hjärtesorg
heartbeat ['hɑ:tbi:t] hjärtslag pulsslag
heartbreak ['hɑ:tbreɪk] hjärtesorg
heartbreaking ['hɑ:tˌbreɪkɪŋ] förkrossande, hjärtskärande; hjärtknipande; vard. förskräckligt tråkig [*a ~ task*]
heartbroken ['hɑ:tˌbrəʊk(ə)n] med krossat (brustet) hjärta, förtvivlad
heartburn ['hɑ:tbɜ:n] halsbränna
hearten ['hɑ:tn] uppmuntra [*~ing news*]
heart failure ['hɑ:tˌfeɪljə] med. hjärtsvikt
heartfelt ['hɑ:tfelt] djupt känd [*~ thanks*]
hearth [hɑ:θ] **1** härd äv. tekn.; eldstad, spisel **2** [hemmets] härd [*~ and home*]
heartily ['hɑ:təlɪ] **1** hjärtligt, av hjärtat, varmt **2** tappert, friskt; ivrigt, med entusiasm [*fight ~ for one's cause*] **3** med god aptit **4** innerligt, ordentligt [*~ sick* (led) *of a th.*], grundligt
heartless ['hɑ:tləs] hjärtlös
heart-to-heart [ˌhɑ:ttə'hɑ:t] förtrolig, öppen
heart-warming ['hɑ:tˌwɔ:mɪŋ] glädjande
hearty ['hɑ:tɪ] **I** *adj* **1** hjärtlig [*a ~ welcome*], varm; uppriktig; ivrig [*a ~ supporter of a cause*] **2** kraftig [*a ~ blow*]; hurtfrisk [*a ~ type*] **3** matfrisk **4** kraftig, riklig [*a ~ meal*]; *a ~ appetite* [en] frisk (stor, god) aptit **II** *s* sl., ung. hurtbulle, friskus
heat [hi:t] **I** *s* **1** hetta; värme äv. fys. [*~ is a form of energy*]; *~ treatment* värmebehandling **2** bildl. hetta, iver [*speak with some ~*]; *in the ~ of the battle* (*struggle, combat*) i stridens hetta **3** sport. heat, [enkelt] lopp; *dead ~* dött lopp **4** brunst; *in* (*on, at*) *~* brunstig **5 a**) vard. press, tryck; *put* (*turn*) *the ~ on a p.* dra åt tumskruvarna på ngn, öka trycket på ngn **b**) sl., *the ~* snuten, snutarna **c**) sl., *on ~* kåt **II** *vb tr, ~* [*up*] upphetta äv. bildl. [*cool a p.'s ~ed brain*]; värma [upp] [*~* [*up*] *some water, ~ up the leftovers*]; elda [i] [*~ a stove*]; hetsa [*be ~ed into fury*]
heated ['hi:tɪd] upphettad etc., jfr *heat II*; het, animerad [*a ~ discussion*]
heater ['hi:tə] värmeelement, kamin [*electric ~*]; varmvattensberedare
heath [hi:θ] hed
heathen ['hi:ð(ə)n] **1** hedning; *the ~* koll. hedningarna **2** vard. vilde [*he grew up as a young ~*]
heather ['heðə] bot. ljung
heating ['hi:tɪŋ] upphettning, uppvärmande; *central ~* centralvärme
heatstroke ['hi:tstrəʊk] med. värmeslag
heat wave ['hi:tweɪv] **1** värmebölja **2** fys. värmevåg
heave [hi:v] **I** (*~d ~d*, isht sjö. *hove hove*) *vb tr* **1** lyfta [ofta *~ up*]; komma att hävas **2** dra [*~ a sigh*], utstöta; *~ a groan* stöna **3** sjö. o. vard. hiva, kasta [*~ a th. overboard, ~ a brick through* (*out of*) *a window*] **4** sjö. hiva, vinda [upp]; hissa [*~ a sail*]; *~ the anchor* lätta ankar **5** geol. förkasta **II** (*~d ~d*, isht sjö. *hove hove*) *vb itr* **1** höja sig; *~ in sight* sjö. vard. komma i sikte, dyka upp äv. om pers. **2** hävas [och sänkas], svalla [*the heaving billows* (vågorna)] **3** flämta, kippa **4** försöka (vilja) kräkas; kräkas, spy; äcklas **5** sjö. hiva; *~ ho!* hi å hå! **III** *s* **1** hävning; tag [*a mighty ~*] **2** höjning; svallning; dyning **3** sjö. hivande **4** geol. [horisontell] förkastning
heaven ['hevn] **1** vanl. pl. *~s* himmel, himlavalv **2** vard., i utrop himmel[en]; himmelrike[t]; Gud [*H~'s will*]; *H~ forbid!* [vilket] Gud förbjude!, Gud bevare oss (mig) [för det]!; *move ~ and earth* göra sitt yttersta (allt man kan); *go to ~* komma till himlen
heavenly ['hevnlɪ] **1** himmelsk; gudomlig; överjordisk; från himlen [*a ~ angel*]; *~ choir* änglakör **2** himla-; *~ bodies* himlakroppar **3** vard. gudomlig
heavily ['hevəlɪ] **1** tungt [*~ loaded*], hårt [*~ taxed* (beskattad)], strängt [*~ punished*]; kraftigt [*it rained ~*]; högt [*~ insured*]; tätt [*~ populated*]; mödosamt; trögt, långsamt; jfr f.ö. *heavy I* **2** i hög grad, mycket [*~ dependent on* (beroende av)]
heavy ['hevɪ] **I** *adj* **1** tung, grov; om tyg tjock; *~ traffic* a) tung trafik b) stark (livlig) trafik **2** mil. tung [*a ~ bomber*; *~ weapons*], tungt beväpnad; *~ guns* (*artillery*) tungt (grovt) artilleri **3** stor [*~ expenses*], svår [*a ~ loss* (*defeat*)], dryg [*~ taxes*], omfattande [*a ~ building*

programme]; stark [~ *demand* (efterfrågan)]; våldsam [*a ~ blow* (*storm*); *open ~ fire*]; tät [~ *snowfall*]; stadig [*a ~ meal*]; *a ~ buyer* en storköpare; *he's a ~ drinker* han dricker (super) mycket, han har alkoholproblem; *a ~ sea* sjö. grov sjö; *a ~ smoker* en storrökare; *be ~ on* använda (förbruka) massor av [*the car is ~ on oil; don't be so ~ on the butter*] **4** tyngd, laddad **5** allvarlig, värdig isht teat. [*play the ~ father*]; *a ~ part* en allvarlig roll **6** tung [*with a ~ heart*], betryckt; sorglig [~ *news*] **II** *s*, pl. *the heavies* de stora (tunga) tidningarna, [tidnings]drakarna **III** *adv* tungt; *time hangs* (*lies*) ~ [*on my hands*] tiden kryper fram (blir lång) [för mig]

heavy-duty [ˌhevɪ'dju:tɪ] motståndskraftig, tålig [~ *gloves*]; tekn. tung; ~ *oil* HD-olja

heavy-handed [ˌhevɪ'hændɪd] hårdhänt; handfast; klumpig

heavy-hearted [ˌhevɪ'hɑ:tɪd] tungsint

heavyweight ['hevɪweɪt] isht sport. **1** tungvikt; tungvikts- [~ *title*], tung **2** tungviktare

Hebrew ['hi:bru:] **I** *s* **1** hebré; [*the Epistle to the*] *~s* (konstr. ss. sg.) Hebréerbrevet **2** hebreiska [språket] **II** *adj* hebreisk

heck [hek] vard. för *hell*; *what the ~!* vad i helsike!

heckle ['hekl] **1** häckla lin o.d. **2** bildl. häckla

hectare ['hektɑ:, -teə] hektar

hectic ['hektɪk] hektisk [*lead a ~ life*]

hector ['hektə] **I** *vb tr* tyrannisera; *a ~ing tone* [en] mästrande ton, [en] skolmästarton **II** *vb itr* spela översittare; skrävla

he'd [hi:d] = *he had; he would*

hedge [hedʒ] **I** *s* **1** häck äv. bildl. [*a ~ of police*]; inhägnad **2** bildl. skrank, mur; skydd [*a ~ against inflation*]; undanflykt **3** vid vadslagning [hel]gardering **II** *vb tr* inhägna [med en häck]; omgärda, kringgärda, inringa; spärra av (till) [ofta ~ *up*]; ~ *in* (*round, about*) omringa, inringa; omgärda, kringgärda; bildl. äv. omge, omsluta

hedgehog ['hedʒ(h)ɒg] zool. igelkott

hedgerow ['hedʒrəʊ] häck av buskar el. träd

hedonism ['hi:də(ʊ)nɪz(ə)m] filos. hedonism; vard. njutningslystnad

heed [hi:d] **I** *vb tr* bry sig om [~ *a warning*], ta hänsyn till **II** *s*, *give* (*pay*) ~ *to* ta hänsyn till, lyssna till, fästa avseende vid, bry sig om

heedless ['hi:dləs] **1** ~ *of* obekymrad om, som inte fäster avseende vid **2** bekymmerslös

1 heel [hi:l] **I** *s* **1** häl; bakfot; fot; klack [*wear high ~s*]; bakkappa på sko; *kick* (*cool*) *one's ~s* [få (stå och)] vänta; slå dank; *take to one's ~s* lägga benen på ryggen, ta till benen (sjappen) **2** slut äv. om tid [*the ~ of a session*]; rest; *a ~ of cheese* en ostkant **3** isht amer. sl. knöl **II** *vb tr* **1** klacka [~ *shoes*] **2** fotb. klacka [~ *the ball*] **3** ~ *in a plant* jordslå en växt

2 heel [hi:l] sjö., ~ [*over*] kränga, få slagsida

hefty ['heftɪ] vard. **1** stöddig, bastant; ordentlig; kraftig [*a ~ push*] **2** tung

heifer ['hefə] kviga

height [haɪt] **1** höjd [*the ~ of a mountain*]; *200 feet in ~* 200 fot hög **2** längd [*draw oneself up* (sträcka på sig) *to one's full ~*], storlek; *what is your ~?* hur lång är du? **3** höjd; kulle; topp [*mountain ~s*] **4** höjdpunkt, högsta grad; höjd [*the ~ of his ambition*]; *the ~ of fashion* högsta mode[t]; *the ~ of perfection* fullkomligheten själv; *at its ~* på sin höjdpunkt

heighten ['haɪtn] **I** *vb tr* **1** göra hög[re] **2** bildl. [för]höja [~ *an effect*], öka; förstärka [~ *the contrast*]; underblåsa [~ *suspicions* (*jealousy*)] **II** *vb itr* mest bildl. [för]höjas

heinous ['heɪnəs] skändlig, avskyvärd [*a ~ crime*], fruktansvärd

heir [eə] [laglig] arvinge, arvtagare; ~ *apparent* (pl. *~s apparent*) närmaste (obestridlig) arvinge till ännu levande; ~ *to the throne* tronarvinge

heiress ['eərɪs] arvtagerska

heirloom ['eəlu:m] släktklenod

heist [haɪst] isht amer. sl. **I** *s* stöt, rån **II** *vb tr* knycka, råna; göra en stöt mot (på)

held [held] imperf. o. perf. p. av *1 hold*

helicopter ['helɪkɒptə] helikopter

heliport ['helɪpɔ:t] helikopterflygplats

helium ['hi:ljəm] kem. helium

hell [hel] a) helvete[t] b) ofta i slangartade uttryck: *oh, ~!* jäklar [också]!; det var [som] fan!; *a* (starkare *one*) ~ *of* [*a mess*] en jäkla (himla)...; *a ~ of a noise* ett jäkla (jädrans) oväsen; *we had a ~ of a time* a) vi hade ett helvete, vi hade det för djävligt b) vi hade jäkligt kul (roligt); *what the ~* [*do you want*]*?* vad i helvete...?, vad fan...?; *get the ~ out of here!* dra åt helvete!; *give a p. ~* låta ngn få se på fan, låta ngn få sina fiskar varma; skälla ut ngn; *make a p.'s life ~* göra livet till ett helvete för ngn

he'll [hi:l] = *he will* (*shall*)

hellish ['helɪʃ] helvetisk, djävulsk[t elak]

hello [ˌhe'ləʊ, hə'ləʊ] hallå; ss. hälsning hej!; uttr. förvåning äv. jaså [minsann]!; ~ *there!* a) hej[san]!, tjänare! b) hör du du!

helm [helm] **I** *s* roder; rorkult; *be at the ~* sitta vid rodret äv. bildl.; stå (sitta) till rors **II** *vb tr* styra isht bildl.

helmet ['helmɪt] hjälm; kask

helmsman ['helmzmən] rorsman
help [help] **I** *vb tr* **1 a**) hjälpa [~ *a p.* [*to*] *do* ([med] att göra) *a th.*], bistå **b**) [be]främja, underlätta [*this did not ~ the negotiations*]; *so ~ me God* så sant mig Gud hjälpe; *God ~ you if...!* Gud nåde dig om...!; ~ *a p. on* (*off*) *with his coat* hjälpa ngn på (av) med rocken; ~ *out* hjälpa ngn ur knipan, hjälpa ngn till rätta, vara till hjälp för ngn [*will* (kan) *100 ~ you out?*]; ~ *up* (*down*) hjälpa ngn upp (ned) el. uppför (nedför) **2** ~ *a p. to a th.* servera (lägga för) ngn ngt [*may I ~ you to some meat?*]; ~ *yourself!* var så god [och ta]!, ta för dig (er)! **3** låta bli; *I can't ~ it* jag kan inte låta bli, jag rår inte för det, jag kan inte hjälpa det; *I can't ~ laughing* jag kan inte låta bli att skratta, jag kan inte hålla mig för skratt, jag måste skratta **II** *vb itr* **1** hjälpa [till]; ~ *to* hjälpa till att, göra sitt till att, bidra till att [*this ~s to explain why it was never done*] **2** servera **III** *s* **1** hjälp; *be of ~* [*to a p.*] vara [ngn] till hjälp **2** hjälp, botemedel; *there is no ~ for it* det är ingenting att göra åt det **3** hjälp[medel] [*books are a ~ to knowledge*] **4** pers. [hem]hjälp
helper ['helpə] hjälpare; medhjälpare
helpful ['helpf(ʊ)l] hjälpsam
helping ['helpɪŋ] portion; [*do you want*] *another ~ of fish?* ...en portion fisk till?
helpless ['helpləs] hjälplös
helpmate ['helpmeɪt] kamrat och hjälp isht om maka el. make
Helsinki ['helsɪŋkɪ, -'--] Helsingfors
helter-skelter [ˌheltə'skeltə] **I** *adv* huller om buller; hals över huvud **II** *adj* hastig [*a ~ flight*]
1 hem [hem] **I** *s* fåll; [neder]kant **II** *vb tr* **1** fålla; kanta **2** ~ *in* (*about, round*) stänga inne, omringa
2 hem [ss. interj. hm, ss. vb hem] **I** *interj*, ~! hm! **II** *vb itr* säga hm; tveka; ~ *and haw* (*ha*) humma, stamma, dra på orden; knota
he-|man ['hi:|mæn] (pl. *-men* [-men]) vard. he-man, karlakarl
hemisphere ['hemɪˌsfɪə] halvklot, hemisfär; *the Western ~* västra halvklotet
hemline ['hemlaɪn] nederkant, fåll på kjol o.d.
hemlock ['hemlɒk] bot. odört
hemp [hemp] bot. hampa
hen [hen] **1** höna **2** isht i sms. hon-, -hona, -höna
hence [hens] **1** härav [~ *it follows that...*] **2** följaktligen [*and ~...*] **3** härefter; *five years ~* om fem år; fem år härefter **4** åld. el. poet. härifrån; [*get thee*] ~! [vik] hädan!
henceforth [ˌhens'fɔ:θ] o. **henceforward** [ˌhens'fɔ:wəd] hädanefter, framdeles
hench|man ['hen(t)ʃ|mən] (pl. *-men* [-mən]) hejduk, hantlangare
hen party ['henˌpɑ:tɪ] vard. fruntimmersbjudning
henpecked ['henpekt] vard. som står under toffeln; *be ~* stå under toffeln
hepatitis [ˌhepə'taɪtɪs] med. hepatit
her [hɜ:, obeton. äv. ɜ:, hə, ə] **I** *pers pron* (objektsform av *she*) **1** henne vanl. äv. om fartyg; om tåg, bil, land m.m. den **2** vard. hon [*it's ~*] **3** sig [*she took it with ~*] **II** *fören poss pron* hennes [*it is ~ hat*]; sin [*she sold ~ house*]; dess [*England and ~ sons*]; jfr *my*
herald ['her(ə)ld] **I** *s* **1** hist. härold **2** heraldiker **3** budbärare **4** bildl. härold, förebud **II** *vb tr* förebåda, inleda [~ *a new era*]
heraldic [he'rældɪk] heraldisk
heraldry ['her(ə)ldrɪ] heraldik
herb [hɜ:b] **1** ört; växt [*collect ~s*]; kryddväxt; läkeört, medicinalväxt **2** örtkrydda
herbaceous [hɜ:'beɪʃ(ə)s] örtartad; ört-; ~ *border* kantrabatt
herbal ['hɜ:b(ə)l] ört- [~ *medicine* (*tea*)]
herbicide ['hɜ:bɪsaɪd] växtgift
1 herd [hɜ:d] **I** *s* **1** hjord [*a ~ of cattle*], flock **2** neds. hop; *follow the ~* bildl. följa med strömmen, gå i flock **II** *vb itr* gå i hjord[ar]; gå i flock; ~ *together* flockas, samlas; gå i flock (hjord[ar])
2 herd [hɜ:d] vakta [~ *sheep*]; driva
here [hɪə] **1** här [*I live ~*]; hit; ~! vid upprop ja!; *~'s how!* [din] skål!; *~'s to...* en skål för...; ~ *today,* [*and*] *gone tomorrow* i dag röd, i morgon död; ~ *you are!* här har du!, var så god!; se här!; [*still*] ~ [ännu] här, kvar **2** här nere på jorden [äv. ~ *below*] **3** här[i], härvidlag [~ *we agree*] **4** nu; ~ *goes!* vard. ja, då sätter (kör) vi (jag) i gång!
hereabouts ['hɪərəˌbaʊt, -s] häromkring, här i (på) trakten
hereafter [hɪər'ɑ:ftə] **I** *adv* litt. el. jur. **1** härefter **2** här nedan **3** i det tillkommande **II** *s* litt., *the ~* livet efter detta (döden)
hereby [ˌhɪə'baɪ, '--] härmed [*I ~ beg to inform you...*]
hereditary [hɪ'redɪt(ə)rɪ] arv- [~ *prince, ~ foe*]; arvs- [~ *character* (anlag)]; ärftlighets- [~ *principle*]; ärftlig [~ *disease*]; [ned]ärvd [~ *customs*]; medfödd [~ *talent*]
heredity [hɪ'redətɪ] ärftlighet; nedärvande; arv [~ *and environment*]
heresy ['herəsɪ] kätteri; irrlära
heretic ['herətɪk] kättare
heretical [hɪ'retɪk(ə)l] kättersk
heritage ['herɪtɪdʒ] **1** arv; arvedel **2** kulturarv; ~ *coast* kuststräcka officiellt

förklarad som naturminne; *Minister of the H~* i Storbritannien kulturminister
hermit ['hɜ:mɪt] eremit; enstöring
hernia ['hɜ:njə] (pl. äv. *herniae* ['hɜ:nɪi:]) med. bråck
hero ['hɪərəʊ] (pl. *~es*) **1** hjälte; *the ~ of the hour* (*day*) dagens hjälte, hjälten för dagen **2** [manlig] huvudperson i bok o.d.; hjälte [*the ~ of the play*]
heroic [hɪ'rəʊɪk] **I** *adj* heroisk; hjälte- [*~ deeds*]; hjältemodig **II** *s*, pl. *~s* högtravande språk (stil, ton), poser, hjältefasoner
heroin ['herə(ʊ)ɪn] heroin; *~ addict* heroinist, heroinmissbrukare
heroine ['herə(ʊ)ɪn] **1** hjältinna **2** [kvinnlig] huvudperson i bok o.d.; hjältinna [*the ~ of the film*]
heroism ['herə(ʊ)ɪz(ə)m] hjältemod
heron ['her(ə)n] zool. häger; *night ~* natthäger
hero-worship ['hɪərəʊˌwɜ:ʃɪp] **I** *s* hjältedyrkan **II** *vb tr* dyrka som hjälte
herpes ['hɜ:pi:z] med. herpes; *~ zoster* bältros
herring ['herɪŋ] zool. sill
hers [hɜ:z] hennes [*is that book ~?*]; sin [*she must take ~*]; *a friend of ~* en vän till henne; jfr *1 mine*
herself [hə'self] sig [*she dressed ~*], sig själv [*she helped ~*; *she is not ~ today*]; hon själv [*nobody but ~*], själv [*she can do it ~*]; *her brother and ~* hennes bror och hon [själv]; *the queen ~* drottningen själv; själva[ste] drottningen, drottningen i egen hög person; jfr *myself*
Herzegovina [ˌhɜ:tsəgə(ʊ)'vi:nə] geogr. Hercegovina
he's [hi:z, hɪz] = *he is* o. *he has*
hesitant ['hezɪt(ə)nt] tvekande, tveksam
hesitate ['hezɪteɪt] **1** tveka; vara villrådig; *he who ~s is lost* ung. den intet vågar, han intet vinner **2** hacka i talet; *~ for words* leta efter orden
hesitation [ˌhezɪ'teɪʃ(ə)n] tvekan, villrådighet; betänkligheter; *have no ~ in doing a th.* inte tveka att göra ngt
heterogeneous [ˌhetərə(ʊ)'dʒi:njəs] heterogen, olik[artad]; brokig [*a ~ collection*]
heterosexual [ˌhetərə(ʊ)'seksjʊəl] heterosexuell
hew [hju:] (*~ed ~ed* el. *~n*) **1** hugga [i] ngt; hugga sönder [vanl. *~ to pieces*, *~ asunder*]; *~ one's way* hugga sig väg (fram) **2** hugga (yxa) till; släthugga
hewn [hju:n] perf. p. av *hew*
hexagon ['heksəgən] geom. hexagon, sexhörning
hexagonal [hek'sægənl] geom. hexagonal, sexkantig, sexvinklig, sexhörnig
hey [heɪ], *~!* hej! för att påkalla uppmärksamhet; hallå [där]!; hurra!; åh!, oh!; va?; hör nu!
heyday ['heɪdeɪ] höjd[punkt]; glansperiod, glansdagar, bästa dagar (tid); blomstringstid
hi [haɪ] **1** *~!* hallå där! **2** *~* [*there*]*!* isht amer. hej!, hejsan!, tjänare!
hiatus [haɪ'eɪtəs] lucka t.ex. i manuskript
hibernate ['haɪbəneɪt] övervintra; gå (ligga) i ide äv. bildl.
hibernation [ˌhaɪbə'neɪʃ(ə)n] **1** övervintring; djurs vinterdvala; *go into ~* gå i ide **2** bildl. dvala
hibiscus [hɪ'bɪskəs] bot. hibiskus
hiccough ['hɪkʌp] se *hiccup*
hiccup ['hɪkʌp] **I** *s* hickning; *have the ~s* ha hicka **II** *vb itr* hicka
hid [hɪd] imperf. o. perf. p. av *2 hide*
hidden ['hɪdn] **I** perf. p. av *2 hide* **II** *adj* [undan]gömd; [för]dold [*~ motives*]
1 hide [haɪd] **1** [djur]hud; skinn **2** vard. skinn [*save one's ~*]; *have a thick ~* ha hård (tjock) hud, vara tjockhudad; *tan a p.'s ~* ge ngn på huden, klå upp ngn
2 hide [haɪd] **I** (*hid hidden* el. *hid*) *vb tr* gömma, dölja; hålla gömd; *~ oneself* gömma sig, hålla sig gömd; *I didn't know where to ~ myself* jag visste inte var jag skulle göra av mig **II** (*hid hidden* el. *hid*) *vb itr* gömma sig, hålla sig gömd (dold); *~ out* vard. hålla sig undan (gömd)
hide-and-seek [ˌhaɪdən(d)'si:k] kurragömma
hideous ['hɪdɪəs] otäck; anskrämlig
hide-out ['haɪdaʊt] vard. gömställe för förbrytare, gerilla o.d.; tillhåll
1 hiding ['haɪdɪŋ] stryk; *a* [*good*] *~* ett [ordentligt] kok stryk
2 hiding ['haɪdɪŋ] **1** gömmande **2** *be in ~* hålla sig gömd (undan); *come out of ~* komma fram, dyka upp igen **3** gömställe
hiding-place ['haɪdɪŋpleɪs] gömställe
hierarchy ['haɪərɑ:kɪ] hierarki; rangordning
hieroglyphic [ˌhaɪərə(ʊ)'glɪfɪk] **I** *adj* **1** hieroglyfisk **2** symbolisk **II** *s* **1** hieroglyf[tecken] **2** hemligt tecken, symbol
hi-fi [ˌhaɪ'faɪ] (vard. för *high-fidelity*) **I** *s* **1** hi-fi naturtrogen ljudåtergivning **2** hi-fi-anläggning **II** *adj* hi-fi- [*a ~ set* (anläggning)]
higgledy-piggledy [ˌhɪgldɪ'pɪgldɪ] **I** *adv* huller om buller **II** *adj* rörig **III** *s* virrvarr
high [haɪ] **I** *adj* **1** hög; högt belägen; *the tide is ~* det är flod **2** hög, högre [*a ~ official*]; fin [*of ~ family*]; *~ life* [livet i] den förnäma världen **3** förnämst; i titlar över- [*H~ Commissioner*]; *H~ Admiral* storamiral **4** hög [*~ fever*], stark; intensiv; *~ colour* (*complexion*) hög (stark) [ansikts]färg **5** *at ~ noon* precis kl. 12 på

dagen, när solen står (stod) som högst; *the ~ season* högsäsongen; *~ summer* högsommar **6** högdragen; *be ~ and mighty* vard. vara hög [av sig], vara dryg (överlägsen) **7** extrem, ultra- [*a ~ Tory*]; kyrkl. ortodox, högkyrklig **8** upprymd; (pred.) vard. uppspelt; full berusad, på snusen; sl. hög narkotikaberusad **9** lyxig, flott [*~ living*] **10** om kött ankommen; om vilt vanl. välhängd, med stark viltsmak
II *adv* **1** högt [*~ in the air*; *~ up*]; *search* (*hunt, look*) *~ and low* leta överallt, söka med ljus och lykta **2** högt, i högt tonläge **3** starkt [*the wind was blowing ~*], häftigt; *feelings ran ~* känslorna svallade (råkade i svallning) **4** *as ~ as* så högt som **III** *s* **1** vard. topp; *hit* (*reach*) *a new ~* nå nya rekordsiffror **2** *on ~* i (mot) höjden (himmelen); *from on ~* från höjden (ovan) **3** vard. kick

high-and-mighty [ˌhaɪən(d)ˈmaɪtɪ] vard. högdragen

highball [ˈhaɪbɔːl] isht amer. grogg

highbrow [ˈhaɪbraʊ] vard. **I** *s* intelligensaristokrat; neds. intelligenssnobb **II** *adj* intellektuell [av sig]; neds. intelligenssnobbig, kultursnobbig

high chair [ˌhaɪˈtʃeə] hög barnstol

high-class [ˌhaɪˈklɑːs, attr. ˈ--] högklassig; förstklassig [*a ~ hotel*], kvalitets- [*~ article*]

highfalutin [ˌhaɪfəˈluːtɪn] o. **highfaluting** [ˌhaɪfəˈluːtɪŋ] vard. högtravande [*~ language*], högtflygande [*~ ideas*]

high-fidelity [ˌhaɪfɪˈdelətɪ, -faɪˈd-] **I** *s* high fidelity naturtrogen ljudåtergivning **II** *adj* high fidelity- [*a ~ set* (anläggning)]

highflown [ˈhaɪfləʊn] högtravande

high-flying [ˌhaɪˈflaɪɪŋ] högtflygande; högt strävande

high-handed [ˌhaɪˈhændɪd, attr. ˈ-ˌ--] egenmäktig; överlägsen [*he has a ~ manner*], myndig

high-heeled [ˈhaɪhiːld, pred. ˌ-ˈ-] högklackad

high jump [ˈhaɪdʒʌmp] **1** sport. höjdhopp **2** sl., *he's for the ~* han kommer att åka dit (få det hett)

highland [ˈhaɪlənd] **I** *s* högland; *the Highlands* Skotska högländerna **II** *adj* höglands-

high-level [ˈhaɪˌlevl] på hög nivå [*~ conference*]

highlight [ˈhaɪlaɪt] **I** *s* **1** höjdpunkt; clou; pl. *~s* mus. urval [av kända partier] **2** pl. *~s* [blekta] slingor i håret **II** *vb tr* bildl. framhäva

highly [ˈhaɪlɪ] **1** högt [*~ esteemed*]; starkt [*~ seasoned*]; *~ paid* högavlönad **2** högst, i högsta grad [*~ interesting* (*surprised*)]; *~ recommend* varmt rekommendera **3** berömmande, uppskattande [*speak ~ of a p.*]; *think ~ of a p.* ha höga tankar om ngn, sätta ngn högt

highly-strung [ˌhaɪlɪˈstrʌŋ] nervös [av sig]; överspänd; *~ nerves* spända nerver

high-minded [ˌhaɪˈmaɪndɪd, attr. ˈ-ˌ--] högsint; ädel [*~ purpose*]

highness [ˈhaɪnəs] **1** höjd; *the ~ of prices* de höga priserna **2** *His* (*Her, Your*) *H~* Hans (Hennes, Ers) Höghet titel för furstlig person

high-octane [ˌhaɪˈɒkteɪn], *~ petrol* (*gasoline*) högoktanig bensin

high-pitched [ˌhaɪˈpɪtʃt, attr. ˈ--] hög [*a ~ sound*]; gäll [*a ~ voice*]

high-powered [ˌhaɪˈpaʊəd] **1** högeffektiv, driftig [*~ executives*] **2** energisk, intensiv [*a ~ political campaign*] **3** stark [*a ~ engine*]; starkt förstorande [*a ~ microscope*]; *a ~ car* en bil med stark motor

high-pressure [ˌhaɪˈpreʃə, attr. ˈ-ˌ--] **I** *adj* **1** högtrycks- [*~ cylinder*] **2** påträngande [*~ advertising* (*selling*)], som övar påtryckning **II** *vb tr*, *~ a p. into doing a th.* pressa ngn att göra ngt

high-ranking [ˈhaɪˌræŋkɪŋ] högt uppsatt, med hög rang; *a ~ officer* äv. en högre officer

high-rise [ˈhaɪraɪz] **I** *attr adj* höghus- [*~ area*]; *~ building* höghus **II** *s* höghus

highroad [ˈhaɪrəʊd] **1** huvudväg **2** bildl., *the ~ to success* [den säkra] vägen till framgång

high school [ˈhaɪskuːl] **1** hist. läroverk **2** i USA **a**) 4-årig skola för elever mellan 14 och 18 år **b**) *junior ~* 3-årig skola för elever mellan 12 och 15 år; *senior ~* 3-årig skola för elever mellan 15 och 18 år

high-spirited [ˌhaɪˈspɪrɪtɪd] oförskräckt, morsk; livlig; eldig [*a ~ horse*]

high street [ˈhaɪstriːt] storgata, huvudgata

highway [ˈhaɪweɪ] **1** huvudväg, [stor] landsväg; *divided* (*dual*) *~* amer. väg med skilda körbanor; *the H~ Code* britt., regelsamling för vägtrafikanter **2** [huvud]stråk, led äv. till sjöss

highwayman [ˈhaɪweɪmən] stråtrövare isht till häst

hijack [ˈhaɪdʒæk] vard. **I** *vb tr* **1** kapa t.ex. flygplan; [preja och] råna (plundra, stjäla) under transport [*~ goods from a train*] **2** amer., *~ a p. into doing a th.* tvinga (pressa) ngn att göra ngt **II** *vb itr* företa kapning[ar]; plundra; stjäla **III** *s* kapning

hijacker [ˈhaɪˌdʒækə] vard. [flygplans]kapare; rånare, plundrare

hike [haɪk] vard. **I** *s* **1** [fot]vandring **2** höjning [*a ~ in wages*] **II** *vb itr* **1** [fot]vandra; [motions]promenera **2** *~ up* om kläder åka (glida) upp **III** *vb tr* **1** dra

[~ *up one's socks*] **2** släpa [*they ~d him out*] **3** höja [~ *the price of milk*]

hiker ['haɪkə] [fot]vandrare

hilarious [hɪ'leərɪəs] **1** uppsluppen [*a ~ party*]; munter, lustig **2** festlig

hilarity [hɪ'lærətɪ] uppsluppenhet; munterhet

hill [hɪl] **1** kulle; backe; *as old as the ~s* gammal som gatan, urgammal **2** hög, kupa av jord, sand o.d.; stack [*ant-hill*]

hillbilly ['hɪlˌbɪlɪ, ˌ-'--] amer. vard. **1** lantis isht från bergstrakterna i södra USA **2** lantlig; *~ music* folkmusik från södra USA

hillock ['hɪlək] mindre kulle; hög

hillside ['hɪlsaɪd] bergssluttning, backe

hilly ['hɪlɪ] bergig [~ *country*], backig [~ *road*]; brant

hilt [hɪlt] fäste på svärd, dolk o.d.; [*up*] *to the ~* helt och hållet, till fullo

him [hɪm, obeton. äv. ɪm] (objektsform av *1 he*) **I** *pers pron* **1** honom **2** vard. han [*it's ~*] **3** sig [*he took it with ~*] **II** *determ pron* den [*the prize goes to ~ who wins*]

himself [hɪm'self] sig [*he brushed ~*], sig själv [*he helped ~; he is not ~ today*]; han själv [*nobody but ~*], själv [*he can do it ~*]; *his father and ~* hans far och han [själv]

1 hind [haɪnd] bakre [~ *wheel*]; *~ leg* bakben; *he can talk the ~ leg*[*s*] *off a donkey* vard. han är en riktig pratkvarn

2 hind [haɪnd] zool. hind

1 hinder ['haɪndə] bakre [~ *end*, ~ *part*]

2 hinder ['hɪndə] hindra [~ *a p. in his work*]; förhindra [~ *a crime*]; avhålla; vara (stå) i vägen för

hindrance ['hɪndr(ə)ns] hinder; *be more of a ~ than a help* vara mera till besvär än till nytta

hindsight ['haɪndsaɪt] efterklokhet

Hindu [ˌhɪn'du:, attr. '--] **I** *s* hindu **II** *adj* hinduisk; indisk

hinge [hɪn(d)ʒ] **I** *s* **1** gångjärn; *be off the ~s* vard. vara rubbad (vrickad) **2** [*stamp*] ~ [frimärks]fastsättare **3** bildl. central (springande) punkt **II** *vb itr*, *~ on* (*upon*) bildl. hänga (bero) på [*everything ~s* [*up*]*on what happens next*], röra sig om (kring) [*the argument ~d on this point*]

hint [hɪnt] **I** *s* **1** vink, antydan; anspelning; pl. *~s* äv. råd [*~s for housewives*], tips [*a few ~s on* (om) *how to do it*] **2** aning, gnutta [*gin with a ~ of vermouth*]; *there was no ~ of malice* [*in his words*] det fanns inte ett spår (en skymt) av elakhet... **II** *vb tr* antyda; låta ana **III** *vb itr*, *~ at* antyda, göra (kasta fram) en antydan om; anspela (syfta) på

1 hip [hɪp], [*rose*] ~ nypon frukt

2 hip [hɪp], *~, ~, hurrah* (*hurray*)*!* hipp hipp hurra!

3 hip [hɪp] ngt åld. sl. hip, inne modern

4 hip [hɪp] höft; länd; *he stood with his hands on his ~s* han stod med händerna i sidan

hippie ['hɪpɪ] hippie

hippo ['hɪpəʊ] (pl. *~s*) vard. flodhäst

hippopotam|us [ˌhɪpə'pɒtəm|əs] (pl. *-uses*, ibl. *-i* [-aɪ]) zool. flodhäst

hippy ['hɪpɪ] se *hippie*

hire ['haɪə] **I** *s* **1** hyra, [hyres]avgift för tillfälligt bruk av ngt; *for ~* till uthyrning, att hyra; på taxibil ledig; *let out on ~* hyra ut; *~ car* hyrbil; *car ~ service* biluthyrning **2** tjänstefolks lön **3** bildl. lön **II** *vb tr* **1** hyra [~ *a car* (*a restaurant*)]; *~d bus* äv. abonnerad buss **2** isht amer. anställa **3** leja [~ *a murderer*] **4** *~ out* hyra ut [~ *out cars*]

hire-purchase [ˌhaɪə'pɜ:tʃəs] avbetalningsköp ss. system; avbetalnings- [~ *system*]; *buy* (*pay for*) *on ~* köpa på avbetalning

his [hɪz, obeton. ɪz] hans [*it's ~ car; the car is ~*]; hennes [*man* (människan) *and ~ future*]; sin [*he sold ~ car*]; jfr *my* o. *1 mine*

hiss [hɪs] **I** *vb itr* väsa; brusa; vissla **II** *vb tr* **1** vissla åt; *~ an actor off the stage* vissla ut en skådespelare **2** väsa fram **III** *s* väsning; brusande; i t.ex. radio brus; [ut]vissling

historian [hɪ'stɔ:rɪən] historiker; *~ of literature* litteraturhistoriker

historic [hɪ'stɒrɪk] historisk märklig, minnesvärd; *within ~ times* i historisk tid

historical [hɪ'stɒrɪk(ə)l] historisk som tillhör (bygger på) historien [*a*[*n*] *~ document* (*novel*)]; historie- [~ *writing*]; *the ~ present* gram. historiskt presens

history ['hɪst(ə)rɪ] **1** historia; historien [*for the first time in ~*], historie- [*a ~ play*]; *ancient* (*mediaeval, modern*) *~* forntidens (medeltidens, nyare tidens) historia; *~ of art* konsthistoria; *natural ~* naturhistoria **2** berättelse, historia

hit [hɪt] **I** (*hit hit*) *vb tr* **1** slå [till]; träffa [*he did not ~ me*]; *~ the mark* (*target*) träffa prick (rätt) **2** slå, stöta **3** köra (ränna, stöta, törna) mot [*the car ~ a tree*], träffa [*the ball ~ the post*] **4** komma på, finna [~ *a happy medium*], träffa [~ *the right note*] **5** drabba (träffa) [kännbart] [*feel* [*oneself*] *~*]; *that ~ him hard* det tog honom hårt **6** vard. nå [~ *a new high*]; komma [upp] på [~ *the front page*]; *~ the hay* (*sack*) vard. krypa till kojs, gå och knyta sig; *~ the road* (*trail*) vard. a) ge sig ut på luffen, lifta b) ge sig i väg **7** *~ it off* vard. komma [bra] överens **II** (*hit hit*) *vb itr* **1** slå; *~ back* slå tillbaka; bildl. bita ifrån sig **2** träffa; ta; stöta; *~ and run* smita [från olycksplatsen] om bilförare **III** *s* **1** slag, stöt isht i spel, fäktning o.d.; *direct ~* fullträff **2** gliring **3** [*lucky*] ~ lyckokast; lyckträff

4 [publik]succé, braksuccé; slagnummer; schlager, hit **5** sl. mord på uppdrag; rån

hitch [hɪtʃ] **I** *vb tr* **1** rycka, dra [*I ~ed my chair nearer*], rycka på; *~ up* dra (hala) upp [*~ up one's trousers*] **2** binda fast [*~ a horse to* (vid) *a tree*], haka (göra) fast [*~ a trailer to a car*], häkta fast; *~ one's wagon to a star* ställa upp ett högt ideal för sig, sikta mot stjärnorna; vard. skaffa sig inflytelserika förbindelser **3** vard., *~ a lift* (*a ride*) lifta, få lift **II** *s* **1** ryck, dragning; stöt **2** sjö. stek **3** tillfälligt avbrott, stopp; hinder, aber; *there's a ~ somewhere* det finns en hake någonstans, det har hakat upp sig någonstans

hitchhike ['hɪtʃhaɪk] **I** *vb itr* lifta **II** *s* lift

hither ['hɪðə] litt. **I** *adv* hit; *~ and thither* hit och dit **II** *adj* hitre [*the ~ end*]

hitherto [ˌhɪðə'tu:, '---] hit[in]tills

hit man ['hɪtmæn] vard. torped lejd mördare

hit parade ['hɪtpəˌreɪd] mus. topplista, hitlista

hive [haɪv] **I** *s* **1** a) bikupa b) bisamhälle [i en kupa] **2** bildl. a) svärm b) myrstack; *what a ~ of industry!* vilka arbetsmyror! **II** *vb tr* **1** stocka bin; ta in [*~ a swarm*] **2** hysa **3** samla i förråd, samla in **4** *~ off* avskilja, bryta ut; knoppa av, stycka av **III** *vb itr*, *~ off* a) flyga (bryta sig) ut, frigöra sig b) knoppa av (lägga över en del av produktionen på) dotterföretag

HM [ˌeɪtʃ'em] förk. för *His* (*Her*) *Majesty*

HMS [ˌeɪtʃem'es] förk. för *His* (*Her*) *Majesty's Ship*

HMSO [ˌeɪtʃemes'əʊ] förk. för *His* (*Her*) *Majesty's Stationery Office*

hoard [hɔ:d] **I** *s* **1** samlat förråd; undangömd skatt [*a miser's ~*] **2** arkeol. depåfynd **II** *vb tr* samla (skrapa) ihop, samla på hög (i förråd) [ofta *~ up*]; hamstra [*~ food*] **III** *vb itr* hamstra

hoarder ['hɔ:də] samlare; hamstrare; girigbuk

1 hoarding ['hɔ:dɪŋ] samling, [upp]lagring; hamstring

2 hoarding ['hɔ:dɪŋ] **1** plank kring bygge o.d. **2** affischplank

hoarfrost [ˌhɔ:'frɒst, '--] rimfrost

hoarse [hɔ:s] hes [*he shouted himself ~*], skrovlig

hoary ['hɔ:rɪ] **1** grå; gråhårig **2** urgammal

hoax [həʊks] **I** *vb tr* lura, narra; spela ngn ett spratt **II** *s* skämt; upptåg; bluff; [tidnings]anka

hob [hɒb] [spis]häll

hobble ['hɒbl] **I** *vb itr* halta; stappla [fram]; vagga i gången **II** *vb tr* **1** komma (få) att halta **2** binda ihop fötterna på häst; binda ihop fötterna **III** *s* haltande; stapplande

hobby ['hɒbɪ] hobby [*gardening is her pet ~*]

hobby-horse ['hɒbɪhɔ:s] **1** gunghäst; käpphäst **2** bildl. käpphäst, favorittema, älsklingsämne; *ride one's ~* köra med (älta) sin käpphäst

hobnob ['hɒbnɒb] **I** *vb itr* umgås intimt (förtroligt), fraternisera; *~ with* äv. frottera (beblanda) sig med **II** *s* pratstund

hobo ['həʊbəʊ] (pl. *~s* el. *~es*) isht amer. **1** vagabond **2** kringvandrande arbetare

1 hock [hɒk] på djur has

2 hock [hɒk] rhenvin

3 hock [hɒk] vard., *in ~* på stampen (pantbanken)

hockey ['hɒkɪ] sport. **1** landhockey [amer. äv. *field ~*]; *~ stick* landhockeyklubba **2** amer. hockeyklubba **3** se *ice hockey*

hocus-pocus [ˌhəʊkəs'pəʊkəs] **1** hokuspokus äv. ss. trolleriformel; knep, fiffel **2** trollkonst[er]

hoe [həʊ] **I** *s* hacka **II** *vb tr* o. *vb itr* hacka; rensa med hacka

hog [hɒg] **I** *s* **1** svin; isht slaktsvin **2** bildl. svin; matvrak; krass egoist; drulle **3** *go the whole ~* ta steget fullt ut; löpa linan ut **II** *vb tr* vard. hugga för sig [av]; *~ it* hugga för sig; *~ down* glupa i sig

hoist [hɔɪst] **I** *vb tr* hissa [*~ a flag, ~ sail; ~ goods aboard*]; hissa (lyfta) upp; hala (vinda) upp [äv. *~ up*]; gruv. uppfordra; släpa [*~ oneself out of bed*]; *be ~ with one's own petard* fångas i sin egen fälla, själv gå i fällan **II** *s* **1** hissning; lyft **2** hissverk

1 hold [həʊld] **I** (*held held*) *vb tr* **1** hålla, hålla i [*~ the ladder for me!*]; hålla fast (kvar); *~ my arm* håll (ta) mig under armen; *~ one's head high* hålla huvudet högt **2** bära (hålla) upp [*this pillar ~s the platform*] **3** hålla för, tåla; *he can ~ his liquor* han tål en hel del sprit **4** innehålla; rymma [*the theatre ~s 500 people*]; *what does the future ~ for us?* vad kommer framtiden att föra med sig [åt oss]? **5** inneha [*~ a record*], ha, äga [*~ shares*], bekläda [*~ an office* (*a post*)]; inta [*~ a high position*], ligga på [*~ second place*]; *~ office* sitta vid makten, regera **6** hålla sig kvar på (i) [*~ a job*]; hålla [*~ a fortress*]; *~ the line, please* tele. var god och vänta (dröj); *~ it!* vänta ett tag!; *the car ~s the road well* bilen ligger bra på vägen **7** behålla, hålla kvar; hålla fången [*~ a p.'s attention*], uppta; mus. hålla ut [*~ a note*] **8** hålla [*~ a meeting* (*a debate*)], anordna, ställa till med; föra, hålla i gång [*~ a conversation*]; fullfölja kurs **9** hejda; hålla [*~ one's breath*] **10 a**) anse; *~* [*the view*] *that* anse att **b**) ha, hysa [*~ an opinion*], hylla [*~ a theory*]; *~ a p. in contempt* hysa förakt för ngn **c**) *~ a th. against a p.* lägga ngn ngt till last **d**) *~ a* *th. over a p.* låta ngt hänga över ngn som ett hot

11 med adv.:

~ **against** lägga till last [*I won't ~ it against you*]

~ **back** hålla tillbaka; dölja, hålla inne med [*~ back information*]; *~ a th. back from a p.* äv. undanhålla ngn ngt

~ **down** a) hålla ner [*~ one's head down*], hålla fast; hålla nere b) vard. behålla, stanna kvar i (på) [*he can't ~ down a job*]

~ **in** hålla in [*~ in one's horse*]; behärska, lägga band på, hålla tillbaka [*~ in one's temper*; *~ oneself in*]

~ **off** hålla på avstånd [*~ the enemy off*]; skjuta upp

~ **on** hålla fast

~ **out** hålla (räcka) ut (fram) [*he held out his hand*]; erbjuda [*~ out many opportunities*]; *~ out hopes (expectations) to a p.* inge ngn hopp, väcka förväntningar hos ngn

~ **together** hålla ihop (samman) [*he ~s the nation together*]; binda

~ **up**: **a**) hålla (räcka, sträcka) upp [*~ up your hand*]; *~ up one's head* bildl. hålla huvudet högt **b**) hålla (visa) fram; bildl. framhålla [*~ up as a model*]; *~ up to* utsätta för, utlämna åt [*~ a p. up to contempt*] **c**) hålla uppe, stödja **d**) uppehålla [*we have been held up by fog*], hejda [*~ up the traffic*], hålla tillbaka **e**) överfalla [och plundra], råna

II (*held held*) *vb itr* **1** hålla [*the rope held*], hålla ihop **2** behålla (inte släppa) taget **3** hålla i sig, hålla (stå) sig [*will the fine weather ~?*] **4** *~ [good]* stå fast [*my promise still ~s [good]*], gälla, vara giltig (tillämplig), hålla streck, stå sig [*the rule ~s [good]*] **5** *~ to (by)* hålla (stå) fast vid [*~ to (by) one's opinion*], vidhålla, hålla sig till **6** *~ with* vard. gilla [*~ with a method*], hålla med

7 med adv.:

~ **back** dra sig undan, dröja

~ **forth** orera, hålla låda

~ **off**: **a**) hålla sig på avstånd **b**) *if the rain ~s off* om det håller upp, om det inte blir regn

~ **on**: **a**) hålla [sig] fast [*~ on to the rope*], klamra sig fast [*~ on to office* (makten)] **b**) hålla ut [*~ on to the end*] **c**) *~ on!* vänta ett tag!; sakta i backarna!

~ **out**: **a**) hålla ut, hålla stånd; *~ out for* a) stå fast vid sitt krav på b) avvakta, vänta tills man får **b**) räcka [*will the food ~ out?*] **c**) hålla till [*a gang who ~s out there*] **d**) vard., *~ out on a p.* a) hålla inne med (dölja) något för ngn b) strunta i ngns önskan (krav)

~ **together** hålla ihop (samman)

~ **up**: **a**) hålla sig uppe; hålla ut **b**) stå (hålla i) sig [*if the wind ~s up*]; hålla upp, vara uppehållsväder **c**) vard. hejda sig

III *s* **1** tag; fäste; bildl. hållhake, grepp, herravälde [*maintain one's ~ over a p. (a th.)*]; *catch (take, lay, seize) ~ of* ta (fatta, gripa) tag i, gripa; *have a ~ on* ha en hållhake på **2** brottn. grepp; boxn. fasthållning; *no ~s barred* alla grepp är tillåtna **3** *put (keep) a th. on ~* låta ngt vänta

2 hold [həʊld] sjö. el. flyg. lastrum; *~ cargo* rumslast

holdall ['həʊldɔːl] rymlig bag (väska)

holder ['həʊldə] **1** innehavare [*~ of a championship*], upprätthållare [*~ of a post*]; arrendator, ägare av land o.d.: i sms. -hållare [*record-holder*]; *~ of a scholarship* stipendiat **2** hållare ofta i sms.; handtag; behållare; munstycke [*cigarette-holder*]; ställ [*bottle-holder*]

holding ['həʊldɪŋ] **1** hållande; innehav[ande]; besittning **2** arrende[gård]; lantegendom; *large ~* storjordbruk **3** pl. *~s* [innehav av] värdepapper; banks portfölj [*the bank's ~s of bonds*]; andel; bestånd [*the ~s of American libraries*]

hold-up ['həʊldʌp] **1** rånöverfall; *a bank ~* ett [väpnat] bankrån **2** avbrott [*a ~ in the work*]; [trafik]stopp **3** vard. uppskörtning

hole [həʊl] **I** *s* **1** hål **2** håla äv. bildl. [*he lives in a wretched little ~*]; djurs kula, lya [*the ~ of a fox*] **3** vard. knipa [*I was in a ~*] **II** *vb tr* slå (spela) boll i hål i golf o.d. **III** *vb itr* **1** göra hål; få hål; om strumpor gå sönder **2** golf., *~ in one* gå i hål med ett slag, göra hole in one

holiday ['hɒlədeɪ, -dɪ] **I** *s* **1** helgdag; fridag, lovdag; *bank ~* bankfridag **2** ledighet [*a week's ~*]; *~s* pl. ferier, lov [*the school ~s, Christmas ~s*], semester, semestrar **3** helgdags- [*~ clothes*]; semester- [*~ pay*]; ferie- [*~ course*]; *~ camp* a) semesteranläggning, semesterby b) feriekoloni, barnkoloni; *~ cottage* fritidshus, sommarstuga; *~ flats (apartments)* lägenhetshotell, semestervåningar; *in a ~ mood* i feststämning, i en glad stämning **II** *vb itr* semestra, fira semester [*~ at the seaside*]

holiday-maker ['hɒlədeɪˌmeɪkə, -dɪ-] semesterfirare

holiness ['həʊlɪnəs] helighet; *His H~* Hans helighet påven

Holland ['hɒlənd] geogr.

holler ['hɒlə] vard. ropa, gasta

hollow ['hɒləʊ] **I** *adj* **1** ihålig **2** hålig; urholkad, konkav; insjunken, infallen [*~ cheeks*] **3** ihålig, intetsägande [*~ words*] **II** *adv* vard. fullständigt [*beat a p. ~*] **III** *s*

1 [i]hålighet **2** håla, urholkning; grop; sänka i marken; bäcken; *in the ~ of one's hand* i sin kupade hand **IV** *vb tr* göra ihålig (konkav), holka ur

holly ['hɒlɪ] bot. järnek

hollyhock ['hɒlɪhɒk] bot. stockros

holocaust ['hɒləkɔ:st] stor förödelse, förintelse; *the H~* judeutrotningen i Tyskland under andra världskriget

holster ['həʊlstə] pistolhölster

holy ['həʊlɪ] **I** *adj* **1** helig; *the H~ Bible* bibeln **2** helig, gudfruktig **II** *s* helgedom; *the H~ of Holies* det allra heligaste äv. bildl.

homage ['hɒmɪdʒ] vördnad; *pay* (*do*) *~ to* hylla, bringa sin hyllning, betyga sin vördnad

home [həʊm] **I** *s* **1** hem; bostad; hemvist; hemort; *my ~ is my castle* mitt hem är min borg; *there is no place like ~* borta bra men hemma bäst; *at ~*: **a**) hemma [*stay at ~*], i hemmet; i hemlandet [*at ~ and abroad*] **b**) hemmastadd äv. bildl.; *feel at ~* känna sig som hemma, finna sig till rätta **c**) sport. på hemmaplan **d**) *be at ~* [*to a p.*] ha mottagning [för ngn], ta emot [ngn] **2** hem; anstalt; *maternity ~* mödrahem **3** a) i spel mål; i lekar bo b) hemmamatch [*2 ~s and 2 aways*] **II** *adj* **1** hem- [*~ life*], hemmets [*~ comforts*]; hemma-; för hemmabruk; hemgjord; hemlagad **2** [som ligger] i hemorten (nära hemmet); hem- **3** sport. hemma- [*~ match* (*team*)]; *~ run* i baseboll 'home run' rundning av spelfält **4** inhemsk [*~ products*], inländsk; inrikes- [*~ news*]; *~ affairs* inre angelägenheter **5** *~ truths* obehagliga (beska) sanningar **III** *adv* **1** hem [*come* (*go*) *~*; *welcome ~*], hemåt; *it's nothing to write ~ about* vard. det är ingenting att hurra för (hänga i julgran) **2** hemma; framme; i (vid) mål; *be ~ and dry* vara helt säkrad (säker); [*the treaty*] *was now ~ and dry* ...hade nu förts i hamn **3** i (in) ordentligt (så långt det går) [*drive a nail ~*], i botten [*press a pedal ~*]; *bring a th. ~ to a p.* a) fullt klargöra ngt för ngn, få ngn att klart inse ngt b) lägga skulden på ngn för ngt

homecoming ['həʊm,kʌmɪŋ] hemkomst

home economics [,həʊmi:kə'nɒmɪks] (konstr. ss. sg.) skol. hemkunskap

home-grown [,həʊm'grəʊn, attr. '--] av inhemsk skörd [*~ tomatoes*]

home help [,həʊm'help, '--] **1** hemhjälp inom hemtjänsten; *trained ~* hemvårdare **2** hemvård; *~ service* hemtjänst

homeland ['həʊmlænd] hemland

homeless ['həʊmləs] hemlös; bostadslös

homely ['həʊmlɪ] **1** enkel [*live in a ~ manner*], okonstlad; tarvlig; *~ fare* husmanskost **2** hemlik, hemtrevlig [*a ~ atmosphere*] **3** amer. alldaglig [*a ~ face*]

home-made [,həʊm'meɪd, attr. '--] hemgjord äv. bildl.; hembakad; inhemsk, av inhemskt fabrikat [*~ cars*]

Home Secretary [,həʊm'sekrətrɪ] i Storbritannien inrikesminister

homesick ['həʊmsɪk] som lider av hemlängtan; *be* (*feel*) *~* längta hem, ha hemlängtan

homestead ['həʊmsted] **1** [bond]gård **2** isht i USA [nybyggar]hemman som staten upplåtit till nyodling

homeward ['həʊmwəd] **I** *adv* hemåt; mot hemmet (hemlandet); *be ~ bound* vara på hemväg (hemgående) **II** *adj* hem- [*~ voyage*]; destinerad hem [*~ cargo*]

homewards ['həʊmwədz] se *homeward I*

homework ['həʊmwɜ:k] hemarbete; skol. äv. hemuppgifter, [hem]läxor; *a piece of ~* en läxa

homicidal [,hɒmɪ'saɪdl] mordisk [*~ tendencies*]; dråp-; *~ lunatic* sinnessjuk mördare

homicide ['hɒmɪsaɪd] **1** dråpare, mördare **2** dråp; *the ~ squad* vard. mordkommissionen

homing ['həʊmɪŋ] **1** hemvändande; *~ pigeon* brevduva **2** målsökande [*~ torpedo*]; *~ device* målsökare, målsökningsanordning

homo ['həʊməʊ] (pl. *~s*) homo, fikus

homoeopathy [,həʊmɪ'ɒpəθɪ] homeopati

homogeneous [,hɒmə(ʊ)'dʒi:njəs] homogen, likartad

homogenize [hɒ'mɒdʒənaɪz] homogenisera äv. mjölk; göra enhetlig

homosexual [,həʊmə(ʊ)'seksjʊəl] **I** *adj* homosexuell **II** *s* homosexuell [person]

homosexuality [,həʊmə(ʊ)seksjʊ'ælətɪ] homosexualitet

homy ['həʊmɪ] isht amer. hemlik, hemtrevlig; gästvänlig; intim

honest ['ɒnɪst] **I** *adj* ärlig, hederlig [*~ man* (*people*), *~ labour*]; uppriktig [*~ opinion*; *an ~ face*]; ärligt vunnen [*~ profits*]; *~ to God* (*goodness*)*!* det ska gudarna veta! **II** *adv* se *honestly*

honestly ['ɒnɪstlɪ] **1** ärligt, hederligt; på ärligt sätt **2** uppriktigt sagt [*I don't think I can, ~*]

honesty ['ɒnɪstɪ] **1** ärlighet; heder; uppriktighet; *~ is the best policy* ärlighet varar längst **2** bot. judaspengar; månviol

honey ['hʌnɪ] **1** honung **2** vard. raring **3** vard. toppensak, urtjusig sak

honeycomb ['hʌnɪkəʊm] **I** *s* **1** vaxkaka i bikupa **2** vaxkakemönster **II** *vb tr* göra hålig (porig, porös, cellformig), genomborra [*a rock ~ed with passages*]

honeymoon ['hʌnɪmu:n] **I** *s* smekmånad; bröllopsresa [*they went to England for* (på)

their ~] **II** *vb itr* fira [sin] smekmånad; vara på bröllopsresa
honeysuckle ['hʌnɪˌsʌkl] bot. kaprifol; try
honk [hɒŋk] **I** *s* **1** skrik, snattrande av vildgäss **2** bils tut; tutande **II** *vb itr* om bil, chaufför tuta
honor o. **honorable** amer., se *honour* o. *honourable*
honorary ['ɒn(ə)rərɪ] **1** heders-, äre- [~ *gift*] **2** heders- [~ *member*], honorär- [~ *consul*]; ~ *doctorate* hedersdoktorat; ~ *secretary* sekreterare i förening o.d., utan arvode
honour ['ɒnə] **I** *s* **1** ära, heder [*it is a great ~ to* (för) *me*]; *in ~ of* för att hedra (fira), med anledning av [*a party in ~ of his arrival*], för att hedra minnet av [*a ceremony in ~ of those killed in battle*]; *table of ~* honnörsbord **2** heder, hederskänsla; *there is ~ among thieves* det finns hederskänsla (hedersbegrepp) även bland tjuvar; *on my ~* på hedersord, på min ära; *code of ~* hederskodex; *word of ~* hedersord **3** *Your H~* Ers Nåd, Ers Höghet nu mest till vissa domare **4** mest pl. *~s* hedersbetygelser; utmärkelser; [*with*] *military ~s* [under] militära hedersbetygelser **5** univ., *~s* [*degree*] 'honours' kvalificerad examen med tre bedömningsgrader **II** *vb tr* **1** hedra, ära; utmärka; ~ *a p. with* äv. göra ngn äran av [*will you ~ me with a visit?*] **2** hand. honorera, infria växel **3** anta inbjudan
honourable ['ɒn(ə)rəbl] **1** hedervärd **2** ärofull [~ *peace*], hedrande, hedersam [~ *burial* (*terms*)]; äre- [~ *monument*]; ~ *mention* hedersomnämnande **3** redbar, ärlig [~ *conduct* (*intentions*)] **4 a)** ärad epitet som tillkommer underhusets (i USA kongressens) medlemmar [*the ~ member for Islington North*] **b)** *the H~* (*Hon.* förk.) välborna, välborne titel som tillkommer yngre söner till *earls*, barn till *viscounts* o. *barons* samt hovdamer, medlemmar av högsta domstolen och vissa andra högre ämbetsmän; *the Right H~* (*Rt. Hon.* förk.) högvälborne titel som tillkommer *earls, viscounts* o. *barons*, medlemmar av *Privy Council*, borgmästaren i London m.fl.
hood [hʊd] **1** kapuschong; huva, luva **2** univ. krage löst hängande på akademisk ämbetsdräkt och vars färger utmärker grad, fakultet o. universitet **3** a) huv; skydd; spiskåpa b) sufflett c) amer. motorhuv
hoodlum ['hu:dləm, 'hʊd-] vard. gangster; ligist
hoodwink ['hʊdwɪŋk] föra bakom ljuset
hoof [hu:f] **I** (pl. *~s*, ibl. *hooves*) *s* **1** hov; [*cloven*] ~ klöv **2** skämts. fot, klöv [*take your ~s off my sofa*] **II** *vb tr* **1** sparka [med hoven] **2** sl., ~ [*out*] sparka, avskeda
hook [hʊk] **I** *s* **1** hake; hängare, hank i kläder; dörrhake; klädhängare; [met]krok; [virk]nål; [telefon]klyka; [*swallow a story*] *~, line and sinker* ...med hull och hår, ...utan vidare; *sling one's ~* sl. sticka, sjappa **2** bildl. krok, bete; *get* (*get* el. *let a p.*) *off the ~* vard. ta sig (hjälpa ngn) ur knipan **3** boxn. krok[slag], hook **II** *vb tr* **1** häkta [ihop (igen)], knäppa [med hakar och hyskor] [~ *a dress*] **2** fånga med hake (krok); bildl. fånga, få på kroken [~ *a rich husband*] **3** ~ *up* a) haka (häkta) ihop; hänga upp; spänna för b) koppla in, ansluta **III** *vb itr* **1** häktas [ihop (igen)], knäppas [med hakar och hyskor] [*the dress ~s at the back*] **2** ~ *on* haka sig fast [*to* vid]
hooked [hʊkt] **1** böjd, krokig [~ *nose*] **2** försedd med krok[ar] [~ *stick*] **3** sl. fast; *be ~ on* a) sitta fast i, vara slav under b) vara tänd på (tokig i)
hooker ['hʊkə] isht amer. sl. fnask
hooky ['hʊkɪ] amer. vard., *play ~* skolka [från skolan]
hooligan ['hu:lɪgən] huligan, ligist
hooliganism ['hu:lɪgənɪz(ə)m] ligistfasoner; busliv; *football ~* äv. läktarvåld
hoop [hu:p] **1** tunnband äv. leksak; band, beslag **2** ring [spänd med papper] som cirkusryttare hoppar genom; *go through the ~*[*s*] vard. gå igenom (ha) ett litet helvete
hooray [hʊ'reɪ], *~!* hurra!
hoot [hu:t] **I** *vb itr* **1** bua **2** skrika, hoa om uggla **3** tjuta om t.ex. ångvissla; tuta om t.ex. signalhorn **II** *vb tr* bua åt; ta emot med buanden (skrän) **III** *s* **1** buande; vrål [*~s of rage*] **2** ugglas skrik, hoande **3** ångvisslas tjut; signalhorns tut **4** vard., *I don't care* (*give*) *a ~* (*two ~s*) det bryr jag mig inte ett dugg om, det struntar jag blankt i
hooter ['hu:tə] ångvissla; tuta
Hoover ['hu:və] **I** egenn. **II** *s* ® a) varumärke för dammsugare, tvättmaskiner m.m. b) vard., *h~* dammsugare **III** *vb tr* ® vard., *h~* dammsuga
hooves [hu:vz] pl. av *hoof*
1 hop [hɒp] **I** *vb itr* **1** hoppa **2** vard. dansa [och skutta] **3** vard. kila [~ *over the road*], sticka, flyga [~ *down to Rome*]; kliva, hoppa [~ *into* (in i) *a car*; *on* (på) *a bus*] **II** *vb tr* sl., ~ *it* sticka, försvinna **III** *s* **1** hopp, hoppande isht på ett ben; skutt; *be on the ~* vara i farten (om sig och kring sig); *catch a p. on the ~* a) ta ngn på sängen b) ertappa (ta) ngn på bar gärning **2** vard. skutt dans **3** vard. flygtur; [flyg]etapp [*from Berlin to Tokyo in three ~s*]
2 hop [hɒp] humle[planta]; pl. *~s* humle ss. ämnesnamn
hope [həʊp] **I** *s* hopp; pl. *~s* hopp,

förhoppningar; *live in ~* leva på hoppet **II** *vb itr* hoppas; *~ for the best* hoppas [på] det bästa **III** *vb tr* hoppas [på] [*I ~ to see* (få se) *it*]; *I ~ not* det hoppas jag inte

hopeful ['həʊpf(ʊ)l] **I** *adj* hoppfull, full av hopp [*be* (*feel*) *~ about* (inför, med tanke på) *the future*] **II** *s, a* [*young*] *~* en lovande förmåga

hopefully ['həʊpfʊlɪ] **1** hoppfullt **2** förhoppningsvis

hopeless ['həʊpləs] hopplös, tröstlös; ohjälplig; obotlig [*a ~ idiot*]

hopscotch ['hɒpskɒtʃ] hoppa hage lek; *play ~* hoppa hage

horde [hɔ:d] hord i olika bet. [*~s of Tartars*; *a ~ of tourists*]; nomadstam; svärm [*a ~ of locusts*]

horizon [hə'raɪzn, hʊ'r-] horisont äv. bildl. [*on* (vid) *the ~*; *it is above my ~*]; nivå

horizontal [ˌhɒrɪ'zɒntl] **I** *adj* horisontal [*~ line* (*surface*)]; *~ bar* gymn. räck **II** *s* horisontallinje

hormone ['hɔ:məʊn] hormon, hormon- [*~ secretion* (avsöndring)]

horn [hɔ:n] **1** horn äv ss. ämne; insekts antenn, spröt **2** signalhorn **3** mus. horn; vard., jazz blåsinstrument; *English ~* engelskt horn; *French ~* valthorn **4** lur; tratt på gammaldags grammofon **5** kok. strut [*cream ~*] **6** vulg. ståkuk [*the ~*] **7** *~ of plenty* ymnighetshorn; *draw* (*pull*) *in one's ~s* bildl. a) dra åt svångremmen b) ta det lugnare, slå av på takten c) stämma ned tonen

horned [hɔ:nd] försedd med horn (hornlika utsprång); behornad; *~ cattle* hornboskap

hornet ['hɔ:nɪt] zool. bålgeting; bildl. getingbo; *stir up a ~'s nest* el. *bring* (*raise*) *a ~'s nest about one's ears* bildl. sticka sin hand i ett getingbo

horny ['hɔ:nɪ] **1** horn-; hornartad **2** hård som horn; om hand valkig **3** sl. kåt; sexgalen

horoscope ['hɒrəskəʊp] horoskop; *cast a p.'s ~* ställa ngns horoskop

horrendous [hɒ'rendəs] fasansfull, förfärlig

horrible ['hɒrəbl] fasansfull; vard. förskräcklig, hemsk [*~ noise* (*weather*)]

horrid ['hɒrɪd] avskyvärd, vidrig [*~ spectacle* (*war*)]; otäck; vard. gräslig

horrific [hɒ'rɪfɪk] vard. fasansfull

horrify ['hɒrɪfaɪ] slå med fasa (skräck); uppröra; perf. p. *horrified* skräckslagen

horrifying ['hɒrɪfaɪɪŋ] skräckinjagande; upprörande

horror ['hɒrə] **1** fasa, skräck, avsky [*have a ~ of publicity*] **2 a**) fasa [*the ~s of war*]; *chamber of ~s* skräckkammare, skräckkabinett **b**) skräck- [*~ film* (*story*)] **3** pl. *the ~s* vard. **a**) deppighet; *it gives me the ~s* jag får stora skälvan av det **b**) delirium

horror-stricken ['hɒrəˌstrɪk(ə)n] o. **horror-struck** ['hɒrəstrʌk] skräckslagen

hors-d'œuvre [ɔ:'dɜ:vr] (pl. lika el. *~s* [utt. som sg.]) hors d'œuvre; pl. *~s* smårätter, assietter

horse [hɔ:s] **I** *s* **1** häst; hingst; hästdjur; *~s for courses* vard. man skall göra det man är lämpad för, rätt man på rätt plats; *hold your ~s!* vard. ha inte så bråttom!, lugn i stormen!; *I have got it* [*straight*] *from the ~'s mouth* jag har det från säkert (pålitligt) håll; det är ett stalltips **2** (konstr. ss. pl.) mil. kavalleri; kavallerister **3** gymn. häst **4** ställning ss. stöd; torkställning för kläder [äv. *clothes ~*]; bock; sågbock **II** *vb itr, ~ around* amer. sl. skoja, busa; spexa, spela pajas

horseback ['hɔ:sbæk], *on ~* till häst, på hästryggen, ridande; *be on ~* sitta till häst

horse chestnut [ˌhɔ:s'tʃesnʌt] bot. hästkastanj

horsefly ['hɔ:sflaɪ] zool. broms

horseman ['hɔ:smən] [skicklig] ryttare

horsemanship ['hɔ:smənʃɪp] **1** ryttarskicklighet **2** ridkonst[en]

horseplay ['hɔ:spleɪ] skoj; spex

horsepower ['hɔ:sˌpaʊə] (pl. lika) fys. hästkraft [*an engine of* (på) *70 ~*, *a 70-horsepower engine*]; *how much ~?* hur många hästkrafter?

horse-race ['hɔ:sreɪs] [häst]kapplöpning

horseradish ['hɔ:sˌrædɪʃ, ˌ-'--] bot. pepparrot

horseshoe ['hɔ:ʃʃu:, 'hɔ:sʃu:] hästsko; hästsko- [*~ magnet*], i hästskoform

horse-trade ['hɔ:streɪd] bildl. **I** *s* kohandel **II** *vb itr* kohandla

horse-trading ['hɔ:sˌtreɪdɪŋ] bildl. kohandel

horsewhip ['hɔ:swɪp] **I** *s* [rid]piska **II** *vb tr* piska

horsewoman ['hɔ:sˌwʊmən] [skicklig] ryttarinna

horticulture ['hɔ:tɪkʌltʃə] trädgårdsodling, trädgårdskonst, hortikultur

hose [həʊz] **I** *s* **1** slang för bevattning, dammsugare o.d. **2** (konstr. ss. pl.) hand. [lång]strumpor [*six pair of ~*] **II** *vb tr* vattna [med slang]; *~ down* spola av (över) [*~ down a car*]

hosiery ['həʊzɪərɪ, 'həʊʒə-, -ʒjə-] strumpor

hospice ['hɒspɪs] 'hospice', vårdhem för obotligt sjuka (döende)

hospitable [hɒ'spɪtəbl, '----] **1** gästfri, gästvänlig [*a ~ house*], hjärtlig **2** *~ to* öppen (mottaglig) för [*~ to new ideas*]

hospital ['hɒspɪtl] sjukhus, lasarett; *~ nurse* sjuksköterska

hospitality [ˌhɒspɪ'tælətɪ] gästfrihet

hospitalize ['hɒspɪt(ə)laɪz] lägga in på (föra till) sjukhus

1 host [həʊst] massa [*a ~ of details*; *~s of friends*], svärm [*a ~ of admirers*]

2 host [həʊst] **I** *s* **1** värd; pl. *~s* äv. värdfolk **2** värdshusvärd **3** biol. värd, värddjur **II** *vb tr* vara värd (TV. programledare) för

3 host [həʊst] katol., *the H~* hostian

hostage ['hɒstɪdʒ] gisslan; *as a ~* el. *as ~s* som gisslan; *all the ~s* hela gisslan, alla i gisslan

hostel ['hɒst(ə)l] **1** hospits; härbärge; *youth ~* vandrarhem **2** univ. studenthem

hostess ['həʊstɪs] **1** värdinna äv. ss. yrkesutövare [*air hostess*] **2** a) nattklubbsvärdinna b) lyxfnask

hostile ['hɒstaɪl, amer. -tl] fiende-; fientlig; ovänlig

hostilit|y [hɒ'stɪlətɪ] fientlighet, fientlig inställning, fiendskap; ovänlighet; *feel ~ towards* hysa ovänskap mot; *-ies* fientligheter; *suspend -ies* inställa fientligheterna

hot [hɒt] **I** *adj* **1** het, varm [*~ milk*]; *be ~ and bothered* el. *be ~ under the collar* vara upphetsad (arg, irriterad); *a ~ meal* el. *~ meals* lagad (varm) mat; *we had a ~ time* (*it was ~ work* vard.) *there* det gick hett till där; *give it him ~* [*and strong*] vard. ge honom efter noter, gå hårt åt honom **2** om krydda stark; om smak äv. skarp; kryddstark [*~ food*]; *the pepper is ~ on the tongue* pepparn bränner (svider) på tungan **3** hetsig, het [*a ~ temper*]; eldig [*~ youth*]; *be ~ for* ivra för, vara entusiastisk för [*be ~ for a reform*], vara tänd på; *be ~ on* gilla skarpt [*he's ~ on sports cars*] **4** häftig, het [*a ~ struggle*], vild [*a ~ chase*]; hård [*~ pace*] **5** svår; farlig; *the place is becoming too ~ for him* marken börjar bränna under hans fötter **6** nära; *~ on the track* (*trail*, *heels*) *of a p.* hack i häl efter ngn **7** sl. kåt; sexig **8** sl. **a**) het; *~ goods* tjuvgods; smuggelgods **b**) efterlyst (jagad) [av polisen] **9** sl. häftig, ball; *it's pretty ~* det är inte så tokigt (oävet), det är inga dåliga grejor **10** sl. trimmad, hottad [*a ~ car*]; *~ rod* amer. hotrod trimmad äldre bil **II** *adv*, *~ off the press* vard. direkt från pressarna **III** *vb tr* vard., *~ up* **a**) hetsa (reta) upp **b**) dramatisera; sätta fart på; *~ it up for a p.* sl. göra det hett för ngn **c**) trimma bil; hotta upp **IV** *vb itr*, *~ up* vard. ta fart, bli livligare

hotbed ['hɒtbed] **1** drivbänk **2** bildl. härd [*a ~ of* (för) *vice* (*crime*)]

hot-blooded [ˌhɒt'blʌdɪd, '-ˌ--] hetlevrad; varmblodig; passionerad

hot dog [ˌhɒt'dɒg] varm korv; *~!* amer. vard. finemang!

hotel [hə(ʊ)'tel, ə(ʊ)'t-] hotell; *~ car* amer. restaurang- och sovvagn; *~ proprietor* hotellägare

hotelier [hə(ʊ)'telɪeɪ] o. **hotel-keeper** [hə(ʊ)'telˌki:pə, ə(ʊ)'t-] hotellvärd

hot-headed [ˌhɒt'hedɪd, attr. '-ˌ--] hetsig (häftig, hetlevrad) [av sig]; som lätt brusar upp

hothouse ['hɒthaʊs] drivhus, växthus; *~ atmosphere* drivhusklimat äv. bildl.

hot line [ˌhɒt'laɪn] polit., *the ~* heta linjen

hotplate ['hɒtpleɪt] [elektrisk] kokplatta; värmeplatta

hotpot ['hɒtpɒt] kok. köttgryta

hot-tempered [ˌhɒt'tempəd, attr. '-ˌ--] hetlevrad

hot-wire [ˌhɒt'waɪə] bil. vard. tjuvkoppla [*~ the engine*]

hound [haʊnd] **I** *s* **1** [jakt]hund **2** fähund [*a lazy ~*] **3** amer. sl. fantast, entusiast [*movie ~*]; *be a movie ~* äv. vara filmbiten **II** *vb tr* jaga [liksom] med hundar; bildl. jaga [*~ed by one's creditors*], förfölja; *~ down* fånga in

hour ['aʊə] **1** timme; tidpunkt; pl. *~s* äv. [arbets]tid [*school ~s*]; *after ~s* efter arbetstid; när skolan slutat [för dagen]; efter stängningsdags; *at* [*such*] *a late ~* [så] sent; *by the ~* a) timvis, i timmar b) per (efter) timme; *in the small ~s* fram på (framåt) småtimmarna; [*he came*] *on the ~* ...på slaget **2** stund [*the ~ has come*]; *the man of the ~* mannen för dagen, dagens hjälte

hourglass ['aʊəglɑ:s] timglas

hour hand ['aʊəhænd] timvisare

hourly ['aʊəlɪ] **I** *adj* **1** [som går (inträffar, upprepas m.m.)] varje timme [*two ~ doses*]; tim- **2** ständig [*in ~ expectation of*] **II** *adv* **1** i timmen [*two doses ~*] **2** ständigt; vilken timme som helst [*we are expecting news ~*]

house [ss. subst. haʊs, i pl. 'haʊzɪz, ss. vb haʊz] **I** *s* **1** hus; vard. kåk; villa; fastighet, lägenhet; bostad; boning; *it's on the ~* vard. det är huset (värden på stället) som bjuder [på det] **2** parl. hus; *the Lower H~* a) andra kammaren b) i Storbritannien underhuset; *the H~ of Lords* i Storbritannien överhuset **3** teat. **a**) salong; *there was a full ~* det var utsålt (fullt hus); *play to an empty ~* spela för tomma bänkar **b**) föreställning [*the second ~ starts at 9 o'clock*] **4** handelshus, firma; *publishing ~* [bok]förlag; *~ language* koncernspråk **5** skol. hus, elevhem på internatskola **6** hushåll; *keep ~* ha eget hushåll; hushålla; *set up ~* sätta bo, bilda eget hushåll **7** släkt, ätt [*an ancient ~*], hus **II** *vb tr* **1** skaffa bostad (tak över huvudet) åt; hysa in; härbärgera; *the club is ~d there* klubben har sina lokaler där **2** förvara; få under tak **3** rymma, innehålla

house agent ['haʊsˌeɪdʒənt] fastighetsmäklare
house arrest [ˌhaʊsə'rest], *under ~* i husarrest
houseboat ['haʊsbəʊt] husbåt
house-bound ['haʊsbaʊnd] tvungen att stanna hemma (inne); bunden vid hemmet, låst
housebreaking ['haʊsˌbreɪkɪŋ] **1** jur., åld. el. amer. inbrott [i hus] [*be arrested for ~*] **2** rivning [av hus]
household ['haʊs(h)əʊld] **I** *s* hushåll [*we are a ~ of six* (på sex personer)], hus **II** *adj* hushålls-; vardags-; husbehovs-; *~ duties* hushållsgöromål, hushållsbestyr; *~ remedy* huskur; *his name is a ~ word* hans namn är på allas läppar
householder ['haʊsˌ(h)əʊldə] husinnehavare, lägenhetsinnehavare
house-hunting ['haʊsˌhʌntɪŋ], *go ~* gå och se på hus, gå på jakt efter hus
housekeeper ['haʊsˌki:pə] hushållerska; husfru på hotell
housekeeping ['haʊsˌki:pɪŋ] hushållning, hushållsskötsel; vard. hushållspengar; *~ money* (*allowance*) hushållspengar; *do the ~* hushålla, sköta hushållet
housemaid ['haʊsmeɪd] husa; *~'s knee* med. skurknä, skurknöl
houseman ['haʊsmən] ung. underläkare
house-owner ['haʊsˌəʊnə] villaägare
house-proud ['haʊspraʊd] överdrivet huslig
housetrained ['haʊstreɪnd] rumsren [*a ~ dog*]
house-warming ['haʊsˌwɔ:mɪŋ], *~* [*party*] inflyttningsfest i nytt hem
housewife ['haʊswaɪf] (pl. *-wives* [-waɪvz]) hemmafru
housework ['haʊswɜ:k] hushållsarbete, hushållsgöromål
housing ['haʊzɪŋ] **1** inhysande, härbärgering; hand. magasinering **2** bostäder [*modern ~*]; byggnader; bostadsförhållanden; *~ accommodation* a) bostad, bostäder; bostadsbestånd b) logi **3** bostadsbyggande; *~ agency* bostadsförmedling; fastighetsförmedling; *be on the ~ list* stå i bostadskön **4** skydd; löst täckning över båt o.d. **5** tekn. hus
hove [həʊv] imperf. o. perf. p. av *heave*
hovel ['hɒv(ə)l, 'hʌv-] **1** [öppet] skjul **2** ruckel, kyffe
hover ['hɒvə, 'hʌv-] **1** om fåglar, flygplan o.d. sväva, kretsa **2** vänta [äv. *~ about*]; *~ about* äv. kretsa omkring, slå sina lovar omkring **3** bildl. sväva [*~ between life and death*]; pendla [*~ between two extremes*]
hovercraft ['hɒvəkrɑ:ft] (pl. lika) svävare
how [haʊ] **1** hur; *~ do you do?* god dag! vid presentation; ibl. hur står det till?; *~ is it that...?* hur kommer det sig att...?; *~'s that?* a) hur kommer det sig?, vad beror det på? b) vad tycker (säger) du om det?; *that's ~ he got it* det var så (på så sätt) han fick det; *I'll show you ~* [*to do it*] jag ska visa dig [hur man gör]; *here's ~!* skål! **2** i utrop så; *~ kind you are!* så snäll du är!, vad du är snäll!
however [haʊ'evə] **I** *adv* hur...än [*~ rich he may be*]; *~ you like* hur ni vill, hur som helst **II** *konj* emellertid [*later ~, he decided to go*]
howitzer ['haʊɪtsə] mil. haubits
howl [haʊl] **I** *vb itr* **1** tjuta [*the wind ~ed through* (i) *the trees*]; yla [*a wolf ~s*] **2** tjuta; *~ with laughter* tjuta av skratt **II** *vb tr* skrika ut; *~ down* överrösta, tysta ned [med skrik] **III** *s* **1** tjut; ylande **2** tjut, vrål; ramaskri
howler ['haʊlə] vard. groda; grovt fel
HQ förk. för *Headquarters*
HRH förk. för *His* (*Her*) *Royal Highness*
hrs. förk. för *hours*
hub [hʌb] **1** [hjul]nav **2** centrum [*a ~ of commerce*]
hubbub ['hʌbʌb] larm, stoj[ande]; bråk; ståhej
hubby ['hʌbɪ] vard. (förk. för *husband*); *my ~* min man (gubbe)
hub-cap ['hʌbkæp] navkapsel
huddle ['hʌdl] **I** *vb tr* vräka (stuva, bylta, gyttra) ihop [äv. *~ together* (*up*)]; slänga (kasta, vräka, stuva, proppa) huller om buller [*~ clothes into* (ner i) *a trunk*]; *the children were ~d together* barnen satt (låg) tätt tryckta intill varandra **II** *vb itr* [äv. *~ together* (*up*)] skocka [ihop] sig; trycka sig intill varandra [*the children ~d together to keep warm*], kura ihop sig; *~ up against a p.* krypa (trycka sig) tätt intill ngn **III** *s* **1** massa [*a ~ of large stones*], bråte; samling **2** oordning, virrvarr; *all in a ~* i en enda röra **3** vard., *be in a ~* ha en privat (hemlig) överläggning, diskutera i enrum
hue [hju:] **1** färg [*the ~s of the rainbow*] **2** färgton, [färg]skiftning; bildl. schattering [*political parties of every ~*]
huff [hʌf] **I** *vb itr, ~ and puff* flåsa och stöna **II** *vb tr* förnärma **III** *s* [utbrott av] dåligt humör [*he went away in a ~*]; *be in* (*get into*) *a ~* vara (bli) förnärmad (kränkt, stött) [*at* över]
huffy ['hʌfɪ] **1** butter, tjurig [*in a ~ mood*]; *get ~* bli förnärmad (stött) **2** lättstött
hug [hʌg] **I** *vb tr* **1** omfamna, krama **2** hylla [*~ an opinion*]; hålla fast vid [*~ a belief*] **3** hålla nära [*~ the shore*]; *~ the land* kära (hålla tätt intill) land; *the car ~s the road* bilen har mycket bra väghållning[sförmåga] **II** *s* omfamning, kram

huge [hju:dʒ] väldig, mycket stor, enorm [~ *mountains* (*waves*), *a* ~ *army* (*sum*)]
hulk [hʌlk] **1** holk, hulk gammalt avriggat fartygsskrov **2** vrak; ruin, skal [*the fire reduced the building to an empty* ~] **3** bildl. åbäke [*you* (ditt) *great* ~], hulk
hulking ['hʌlkɪŋ] vard. stor och tung; lunsig; klumpig; *a big* ~ *fellow* en riktig bjässe (hulk), ett stort åbäke
hull [hʌl] sjö. el. flyg. [fartygs]skrov; [flygbåts]skrov
hullabaloo [ˌhʌləbə'lu:] ståhej; *make a great* ~ *about a th.* ställa till ett himla väsen om ngt
hullo [ˌhʌ'ləʊ, hʌ'l-] se *hello*
hum [hʌm] **I** *vb itr* **1** surra [~ *like a bee*]; mus., radio. el. TV., samt om t.ex. humla brumma; om trafik brusa **2** gnola **3** mumla, humma **4** sorla; vard. vara i liv och rörelse; *things are beginning to* ~ vard. nu börjar det hända saker och ting, det börjar röra [på] sig **5** sl. lukta [pyton (apa)] [*this ham is beginning to* ~] **II** *vb tr* **1** gnola [på] [~ *a song*]; ~ *a child to sleep* nynna ett barn till sömns **2** mumla [fram] **III** *s* **1** surrande [*the* ~ *of bees*]; brum[mande], jfr *I 1*; [svagt] sorl [*a* ~ *of voices from the next room*], [svagt] brus [*the* ~ *of distant traffic*] **2** gnolande **3** mummel
human ['hju:mən] **I** *adj* mänsklig [*a* ~ *voice*; *he has become more* ~ *lately*; *to err is* ~], människo- [*the* ~ *body*], human- [~ *biology* (*ecology*)]; ~ *being* mänsklig varelse, människa; *the* ~ *race* människosläktet, människorna **II** *s* människa [*we* ~*s*, *all* ~*s*]
humane [hjʊ'meɪn] **1** human [~ *treatment*], mänsklig, barmhärtig **2** humanistisk [~ *studies*]
humanism ['hju:mənɪz(ə)m] **1** mänsklighet, humanitet **2** humanism
humanitarian [hjʊˌmænɪ'teərɪən, ˌhju:mæn-] **I** *s* **1** humanitetsförkämpe **2** människovän **II** *adj* humanitär [*for* ~ *reasons*], människovänlig
humanity [hjʊ'mænətɪ] **1** mänskligheten [*crimes against* ~], människosläktet **2** den mänskliga naturen; mänsklighet **3** människokärlek; [*treat people and animals*] *with* ~ ...humant **4** *the humanities* humaniora isht klassiska språk o.d.
humanly ['hju:mənlɪ] mänskligt; *all that is* ~ *possible* allt som står i mänsklig makt
humble ['hʌmbl] **I** *adj* **1** ödmjuk [*a* ~ *attitude*], underdånig [*he is very* ~ *towards his superiors*], undergiven; *eat* ~ *pie* [få] svälja förödmjukelsen; krypa till korset **2** låg [*a* ~ *post*], ringa, blygsam [*a* ~ *income*], enkel [*a man of* ~ *origin*; *my* ~ *home*], oansenlig, tarvlig; *in my* ~ *opinion* enligt min ringa mening **II** *vb tr* göra ödmjuk; kväsa [~ *a p.'s pride*]; förödmjuka [~ *one's enemies*]; förnedra
humbug ['hʌmbʌg] **I** *s* **1** humbug, svindel **2** skojare **3** slags pepparmyntskaramell **II** *interj*, ~*!* [strunt]prat!, snack!, nonsens! **III** *vb tr* lura **IV** *vb itr* bluffa
humdrum ['hʌmdrʌm] enformig; vardaglig
humid ['hju:mɪd] fuktig [~ *air*, ~ *ground*], våt
humidifier [hjʊ'mɪdɪfaɪə], [*air*] ~ luftfuktare
humidity [hjʊ'mɪdətɪ] fukt
humiliate [hjʊ'mɪlɪeɪt] förödmjuka
humiliation [hjʊˌmɪlɪ'eɪʃ(ə)n, ˌhju:mɪl-] förödmjukelse; förnedring
humility [hjʊ'mɪlətɪ] ödmjukhet; anspråkslöshet
humorous ['hju:m(ə)rəs] humoristisk [*a* ~ *writer*]; skämtsam [~ *remarks*]
humour ['hju:mə] **I** *s* **1** humor; *he has no sense of* ~ han har inget sinne för humor (ingen humor) **2** a) humör, lynne b) sinnelag, temperament; *in a bad* (*good*) ~ på dåligt (gott) humör **II** *vb tr* blidka [*you should try to* ~ *him when he is in a bad temper*]; ~ *a p.* äv. låta ngn få sin vilja fram, göra ngn till viljes, låta ngn få som han vill
hump [hʌmp] **I** *s* **1** puckel **2** mindre, rund kulle **3** sl., *it gives me the* ~ a) det gör mig deppig (nere) b) det får mig på dåligt humör **II** *vb tr* **1** kuta med [äv. ~ *up*; ~ *up one's shoulders*]; ~ [*up*] *one's back* a) kuta, skjuta rygg [*the cat* ~*ed* [*up*] *her back when she saw the dog*] b) bildl. bli arg, tjura **2** göra deppig **3** vard. kånka på (med)
humpback ['hʌmpbæk] **1** puckelrygg person o. rygg; ~ *whale* zool. knölval, puckelval **2** ~ *bridge* trafik. valvbro
humus ['hju:məs] humus, mylla
hunch [hʌn(t)ʃ] **I** *vb tr*, ~ [*up*] kröka, [böja och] dra upp [*he was sitting at the table with his shoulders* ~*ed up*] **II** *s* **1** puckel **2** tjockt stycke [*a* ~ *of bread*] **3** vard. aning; *I have a* ~ *that* jag har på känn att, jag har en föraning [om] (känsla [av]) att
hunchback ['hʌn(t)ʃbæk] puckelrygg
hunchbacked ['hʌn(t)ʃbækt] puckelryggig
hundred ['hʌndrəd, -drɪd] hundra; hundratal [*in* ~*s*]; *a* (*one*) ~ [ett] hundra; *a* ~ *to one* hundra mot ett; *a* ~ *per cent* a) ss. adj. hundraprocentig, fullständig b) ss. adv. hundraprocentigt, fullständigt; ~*s and thousands* kok. strössel
hundredfold ['hʌndrədfəʊld,-drɪd-] **I** *adv*, *a* ~ hundrafalt, hundrafaldigt **II** *s*, *a* ~ hundrafalt
hundredth ['hʌndrədθ, -drɪdθ] **I** *räkn* hundrade; ~ *part* hundra[de]del **II** *s* hundra[de]del; *a* ~ *of a second* en hundradels sekund

hundredweight ['hʌndrədweɪt, -drɪd-] (pl. vanl. lika) ung. centner a) britt. = 50,802 kg b) amer. = 45,359 kg
hung [hʌŋ] **I** imperf. o. perf. p. av *hang* **II** *adj* **1** polit., *a ~ parliament* ett parlament där inget parti har egen majoritet **2** jur., *a ~ jury* en oenig jury
Hungarian [hʌŋ'geərɪən] **I** *adj* ungersk **II** *s* **1** ungrare; ungerska kvinna **2** ungerska [språket]
Hungary ['hʌŋgərɪ] Ungern
hunger ['hʌŋgə] **I** *s* **1** hunger; *~ is the best sauce* hungern är den bästa kryddan **2** bildl. hunger [*~ for knowledge*], längtan [*~ for love*] **II** *vb itr* **1** vara hungrig; svälta **2** bildl. hungra, längta [*for* efter]
hunger-strike ['hʌŋgəstraɪk] **I** *s* hungerstrejk **II** (*hunger-struck hunger-struck*) *vb itr* hungerstrejka
hungry ['hʌŋgrɪ] **1** hungrig **2** bildl. hungrande, törstande, längtande, girig; *be ~ for* hungra (törsta) efter [*be ~ for knowledge*], längta efter [*be ~ for affection*], vara sugen på
hunk [hʌŋk] vard. **1** tjockt (stort) stycke [*a ~ of bread*] **2** *a ~* [*of a man*] en sexig kille
hunt [hʌnt] **I** *vb tr* **1** jaga [*~ big game* (*tigers*)] **2** jaga (leta) [ivrigt] efter, vara på jakt (språng) efter, jaga; *~ the slipper* lek smussla sko **3** driva, jaga [*~ the neighbour's cat out of the garden*] **4** m. adv., *~ down* jaga (hetsa) till döds, förfölja till det yttersta; infånga, [jaga och] få fast [*~ down a criminal* (*an escaped prisoner*)] **II** *vb itr* **1** jaga britt. isht om hetsjakt med hund; *be out* (*go*) *~ing* vara [ute] på (gå på) jakt **2** snoka, leta; *be ~ing for* vara på jakt efter **III** *s* **1** jakt; britt. isht hetsjakt till häst med hundar som dödar räven **2** letande [*find a th. after a long ~*], jakt [*the ~ for* (på) *the murderer*]; *be on the ~ for* vara på jakt efter, leta efter **3** jaktsällskap, jaktklubb
hunter ['hʌntə] **1** jägare äv. bildl. ss. efterled i sms. [*fortune-hunter*] **2** jakthund
hunting ['hʌntɪŋ] jakt ss. näringsgren el. sport [*~ and fishing*; *he is fond of ~*]; britt. isht jakt [till häst], jfr *hunt III 1*
hunting-ground ['hʌntɪŋgraʊnd] jaktmark; *the happy ~s* de sälla jaktmarkerna
hunts|man ['hʌnts|mən] (pl. *-men* [-mən]) jägare
hurdle ['hɜ:dl] **I** *s* **1** sport.: i häcklöpning häck; i hästsport hinder; *~s* (konstr. ss. sg.) häcklöpning, häck [*110 metres ~s*] **2** bildl. hinder, svårighet **II** *vb tr* kapplöpn. hoppa över ett hinder **III** *vb itr* löpa häck; ta hinder
hurdler ['hɜ:dlə] sport. häcklöpare
hurdy-gurdy [ˌhɜ:dɪ'gɜ:dɪ] mus. **1** positiv **2** vielle
hurl [hɜ:l] **I** *vb tr* **1** slunga **2** utslunga [*~ threats at* (mot)], fara ut i [*~ invective* (smädelser) *at*], kasta [*~ furious glances at*]; *~ defiance at* trotsa **II** *s* kraftigt kast, slungning
hurly-burly ['hɜ:lɪˌbɜ:lɪ, ˌ--'--] oväsen
hurrah [hʊ'rɑ:] o. **hurray** [hʊ'reɪ] **I** *interj*, *~!* hurra! **II** *s* hurra **III** *vb itr* hurra **IV** *vb tr* hurra för
hurricane ['hʌrɪkən, -keɪn] orkan, svår storm
hurry ['hʌrɪ] **I** *vb tr* **1** snabbt föra [*~ troops to the front*]; driva [på]; *~ a p. along* få ngn att skynda sig, skynda på ngn **2** skynda på, jäkta [*it's no use ~ing her*]; påskynda [ofta *~ on*, *~ up*; *~ dinner*] **II** *vb itr* skynda sig, jäkta [*don't ~, there's plenty of time*]; skynda, ila [*~ away* (*off*); *they hurried to the station*]; brådska; *~ on* skynda vidare **III** *s* brådska, jäkt; hast; *be in a ~* ha (få) bråttom [*to* [med] att; *he was in a ~ to leave*]
hurt [hɜ:t] **I** (*hurt hurt*) *vb tr* **1** skada, göra illa; *~ oneself* göra sig illa, slå sig [*did you ~ yourself?*]; *get* (*be*) *~* bli skadad, komma till skada, skada sig, göra sig illa **2** skada, vålla skador på **3** *my foot ~s me* jag har ont i foten, det gör ont (värker) i foten [på mig] **4** bildl.: **a**) skada [*it ~ his reputation*]; *that won't ~ him* det tar han ingen skada av **b**) såra [*his tone ~ me*]; perf. p. *~* sårad [*in a ~ tone*; *feel ~*]; stöta, kränka **II** (*hurt hurt*) *vb itr* **1** vålla skada; *it won't ~* det skadar inte **2** göra ont [*it ~s terribly*] **III** *s* **1** kroppslig skada; isht slag **2** skada förfång [*what ~ can it do you?*]; men, oförrätt; *it was a ~ to his pride* det sårade hans stolthet
hurtful ['hɜ:tf(ʊ)l] **1** sårande [*~ remarks*] **2** skadlig, farlig [*~ to* (för) *the health*]
hurtle ['hɜ:tl] **I** *vb tr* slunga **II** *vb itr* **1** susa [fram] [*the car ~d down the road*], rusa **2** rasa [*tons of snow ~d down the mountain*]
husband ['hʌzbənd] **I** *s* man [*her future* (blivande) *~*], äkta man, make; *~ and wife* man och hustru, äkta makar **II** *vb tr* hushålla med [*~ one's resources*], spara på [*~ one's strength* (krafterna)]
husbandry ['hʌzbəndrɪ] **1** jordbruk **2** hushållning [*good* (*bad*) *~*] **3** sparsamhet
hush [hʌʃ, interj. vanl. ʃ:] **I** *vb tr* **1** hyssja åt (på); tysta [ner] [*~ your dog!*], få att tiga [äv. *~ up*, *~ down*]; *~ a baby to sleep* vyssa ett barn till sömns **2** *~* [*up*] tysta ner [*~ up a scandal*], hemlighålla, lägga locket på **II** *vb itr* **1** tystna; tiga **2** hyssja **III** *s* tystnad, stillhet [*in the ~ of night*] **IV** *interj*, *~!* sch!, hyssj!, tyst!
hush-hush [ˌhʌʃ'hʌʃ, '--] vard. **I** *adj* hemlig, topphemlig [*a ~ investigation*] **II** *s* hysch-hysch, hemlighetsmakeri

husk [hʌsk] **I** *s* **1** skal, hylsa, skida **2** bildl. [värdelöst] yttre skal **II** *vb tr* skala
1 husky ['hʌskɪ] **1** torr [i halsen]; hes [*a ~ voice*] **2** vard. stor och stark
2 husky ['hʌskɪ] zool. eskimåhund
hussar [hʊ'zɑ:] husar
hussy ['hʌzɪ, 'hʌsɪ] **1** skämts. jäntunge [*little ~*] **2** slinka
hustings ['hʌstɪŋz] (konstr. vanl. ss. sg.) valrörelse, valkampanj
hustle ['hʌsl] **I** *vb tr* **1** knuffa [till], skuffa till; driva [*~ a p. out of the room*], tvinga, pressa [*into doing a th.* [till] att göra ngt] **2** vard. påskynda [*~ the work*] **3** sl. lura på pengar; *~ a p. out of a th.* lura av ngn ngt, blåsa ngn på ngt **II** *vb itr* **1** knuffas; tränga sig; pressa sig [*someone ~d against him in the crowd*]; tränga (armbåga) sig fram **2** isht amer. sl. fixa pengar (grejer) på olika, oftast olagliga sätt; sno stjäla; gno, gå på gatan om prostituerad; langa narkotika; spela [hasard] **III** *s* **1** knuffande, skuffande **2** jäkt; *~ and bustle* liv och rörelse, fart och fläng **3** amer. vard. gåpåaranda, fart, krut [*they haven't got any ~ in them*], rivighet **4** isht amer. sl. blåsning; bondfångeri; sätt att fixa stålar, jfr *II 2*
hustler ['hʌslə] **1** rivig karl **2** isht amer. sl. a) fixare; skojare; tjuv b) hallick c) fnask
hut [hʌt] **I** *s* **1** hydda, koja; hytt [*bathing-hut*]; *mud ~* lerhydda **2** mil., provisorisk [trä]barack **II** *vb tr* förlägga i barack
hutch [hʌtʃ] bur [*rabbit ~*]
hyacinth ['haɪəs(ɪ)nθ] bot. el. miner. hyacint
hyaena [haɪ'i:nə] se *hyena*
hybrid ['haɪbrɪd] **I** *s* **1** biol. hybrid, korsning **2** språkv. hybridord **3** bildl. blandprodukt **II** *adj* hybrid; bastard-; bland- [*~ race, ~ form*], blandnings-
hydrangea [haɪ'dreɪn(d)ʒə] bot. [vanlig] hortensia
hydrant ['haɪdr(ə)nt] vattenpost; *fire ~* brandpost[huvud]
hydraulic [haɪ'drɔ:lɪk] hydraulisk
hydraulics [haɪ'drɔ:lɪks] (konstr. vanl. ss. sg.) hydraulik; vattenbyggnad[slära]
hydrochloric [ˌhaɪdrə(ʊ)'klɒrɪk, -'klɔ:r-] kem. klorväte-; *~ acid* saltsyra
hydroelectric [ˌhaɪdrə(ʊ)ɪ'lektrɪk], *~ power* vattenkraft
hydrofoil ['haɪdrə(ʊ)fɔɪl] **1** flyg. bärplan **2** bärplansbåt [äv. *~ vessel*]
hydrogen ['haɪdrədʒ(ə)n] kem. väte; *~ bomb* vätebomb
hydrophobia [ˌhaɪdrə(ʊ)'fəʊbjə] med. rabies
hydroplane ['haɪdrə(ʊ)pleɪn] planande racerbåt
hydroxide [haɪ'drɒksaɪd] kem. hydroxid
hyena [haɪ'i:nə] zool. hyena
hygiene ['haɪdʒi:n] **1** hygien, hälsovårdslära, hälsolära **2** hygien [*bad ~ and lack of food*], hälsovård **3** *mental ~* mentalhygien
hygienic [haɪ'dʒi:nɪk] hygienisk
hymen ['haɪmən] anat. mödomshinna
hymn [hɪm] **1** hymn **2** psalm i psalmbok
1 hype [haɪp] vard. **I** *s* **1** reklam[kampanj], [reklam]jippo **2** bedrägeri, blåsning **II** *vb tr* **1** haussa upp [äv. *~ up*] **2** manipulera; lura **3** tända entusiasmera [äv. *~ up*]
2 hype [haɪp] sl. **I** *s* **1** a) sil injektion b) kanyl **2** knarkare **II** *vb itr* sila narkotika
hyperactive [ˌhaɪpər'æktɪv] hyperaktiv
hypermarket ['haɪpəˌmɑ:kɪt] stormarknad
hypersensitive [ˌhaɪpə'sensɪtɪv] **1** hyperkänslig, lättsårad; lättstött **2** överkänslig
hypertension [ˌhaɪpə'tenʃ(ə)n] med. hypertoni
hyphen ['haɪf(ə)n] **I** *s* bindestreck **II** *vb tr* se *hyphenate*
hyphenate ['haɪfəneɪt] skriva (avdela, förena, förse) med bindestreck
hypnos|is [hɪp'nəʊs|ɪs] (pl. *-es* [-i:z]) hypnos
hypnotic [hɪp'nɒtɪk] **I** *adj* **1** hypnotisk äv. friare **2** mottaglig för hypnos **II** *s* **1** sömnmedel **2** hypnotiserad [person]; person som är mottaglig för hypnos
hypnotism ['hɪpnətɪz(ə)m] **1** hypnotism **2** hypnos
hypnotist ['hɪpnətɪst] hypnotisör
hypnotize ['hɪpnətaɪz] hypnotisera
hypochondriac [ˌhaɪpə(ʊ)'kɒndrɪæk, ˌhɪp-] psykol. **I** *s* hypokonder **II** *adj* hypokondrisk
hypocrisy [hɪ'pɒkrəsɪ] hyckleri
hypocrite ['hɪpəkrɪt] hycklare
hypocritical [ˌhɪpə(ʊ)'krɪtɪk(ə)l] hycklande
hypodermic [ˌhaɪpə(ʊ)'dɜ:mɪk] **I** *adj* införd (liggande) under huden; subkutan [*~ injection*]; *~ syringe* injektionsspruta för injektion under huden **II** *s* spruta injektion under huden
hypothes|is [haɪ'pɒθəs|ɪs] (pl. *-es* [-i:z]) hypotes, antagande, tankeexperiment; förutsättning
hypothetical [ˌhaɪpə(ʊ)'θetɪk(ə)l] hypotetisk
hysterectomy [ˌhɪstə'rektəmɪ] med. hysterektomi, bortopererande av livmodern
hysteria [hɪ'stɪərɪə] hysteri; friare äv. hysterisk upphetsning
hysterical [hɪ'sterɪk(ə)l] hysterisk
hysterics [hɪ'sterɪks] (konstr. vanl. ss. sg.) hysteri; hysteriskt anfall; *go [off] into ~* få ett hysteriskt anfall, bli hysterisk
Hz förk. för *hertz*

I

I, i [aɪ] (pl. *I's* el. *i's* [aɪz]) I, i
I [aɪ] (objektsform *me*) jag
Iberian [aɪ'bɪərɪən] **I** *adj* iberisk; *the ~ Peninsula* Pyreneiska (Iberiska) halvön **II** *s* **1** iber **2** iberiska [språket]
ibex ['aɪbeks] (pl. äv. *ibices*) zool. stenbock
ice [aɪs] **I** *s* **1** is; *dry ~* kolsyresnö, torris; *cut no* (*little*) *~* vard. inte göra något intryck, inte imponera [*with* på]; *be* (*be treading* el. *be skating*) *on thin ~* bildl. vara ute (ha kommit ut) på hal is **2** glass; *an ~* en glass **3** sl. glitter diamanter, juveler **II** *vb tr* **1** kyla [ner] [*~ a bottle of beer*]; bildl. äv. frysa [*~ relations with that country*]; *~d tea* iste **2** *~* [*over*] täcka (belägga) med is **3** isa [*weather that ~d his breath*] **4** glasera [*~ cakes*] **III** *vb itr* **1** *~* [*over*] frysa till [*the pond ~d over*] **2** *~ up* bli nedisad [*the wings of the aircraft had ~d up*], frysa
ice age ['aɪseɪdʒ] istid
ice axe ['aɪsæks] isyxa
iceberg ['aɪsbɜ:g] **1** isberg; *~ lettuce* isbergssallad **2** bildl. isbit
ice-bound ['aɪsbaʊnd] **1** isblockerad [*an ~ harbour*] **2** fastfrusen [*an ~ ship*]; *be* (*become*) *~* bli (vara) inisad
icebox ['aɪsbɒks] **1** isskåp **2** frysfack **3** amer. kylskåp **4** amer. sl. isoleringscell
icebreaker ['aɪsˌbreɪkə] isbrytare
ice cream [ˌaɪs'kri:m, attr. '--] glass; *~ cone* glasstrut
ice cube ['aɪskju:b] iskub, istärning, isbit
ice hockey ['aɪsˌhɒkɪ] ishockey; *~ skate* ishockeyrör
Iceland ['aɪslənd] geogr. Island; *~ moss* islandslav
Icelander ['aɪsləndə, -lændə] islänning; isländska kvinna
Icelandic [aɪs'lændɪk] **I** *adj* isländsk **II** *s* isländska [språket]
ice lolly ['aɪsˌlɒlɪ] isglass[pinne]; glasspinne
ice pack ['aɪspæk] **1** packis **2** isblåsa, isomslag
ice pick ['aɪspɪk] isklyvare
ice rink ['aɪsrɪŋk] skridskobana, isbana
ice skate ['aɪsskeɪt] **I** *s* skridsko **II** *vb itr* åka skridsko[r]
icicle ['aɪsɪkl] istapp, ispigg
icily ['aɪsɪlɪ] isande, iskallt äv. bildl.
iciness ['aɪsɪnəs] iskyla, isande köld äv. bildl.
icing ['aɪsɪŋ] **1** nedisning isht flyg. [äv. *~ down*]; isbildning **2** kok. glasyr; *~ sugar* florsocker, pudersocker **3** i ishockey icing
icon ['aɪkɒn, -kən] kyrkl. ikon
icy ['aɪsɪ] **1** iskall [*an ~ wind*]; *~ cold* iskyla **2** isig [*~ roads*] **3** bildl. iskall [*in an ~ tone, an ~ stare*], isande [*~ silence*]
ID [ˌaɪ'di:] (förk. för *identity*); *~* [*card*] ID-kort, leg; *~ disc* ID-bricka
I'd [aɪd] = *I had, I would* o. *I should*
idea [aɪ'dɪə] idé; begrepp, syn [*his ~ of the matter*], åsikt [*you shouldn't force your ~s on other people*]; avsikt [*the ~ of* (med) *this arrangement is…*]; infall; uppslag [*that gave me the ~ for* (till) *my new book*; *that man is full of ~s*]; *the* [*very*] *~!* el. *what an ~!* ett sån't påhitt!, vilken idé!, hur kan man komma på en så'n tanke?; *what's the big ~?* vad är meningen (vitsen) med det [här] egentligen, vad ska det vara bra för?; *I have no ~* det har jag ingen aning om; *you can have no ~ of how…* du kan inte ana (föreställa dig) hur…
ideal [aɪ'dɪəl, -'di:əl] **I** *adj* **1** idealisk [*~ weather*], ideal- [*an ~ woman*]; fulländad [*~ beauty*]; mönstergill [*~ behaviour*] **2** inbillad; drömd [*~ happiness*] **II** *s* ideal; *a man of ~s* en idealist
idealism [aɪ'dɪəlɪz(ə)m, aɪ'di:əl-] idealism äv. filos.
idealist [aɪ'dɪəlɪst, aɪ'di:əl-] idealist äv. filos.
idealistic [aɪˌdɪə'lɪstɪk, aɪˌdi:ə'l-] idealistisk
idealize [aɪ'dɪəlaɪz, -'di:əl-] **I** *vb tr* idealisera; försköna **II** *vb itr* idealisera; skapa ideal
ideally [aɪ'dɪəlɪ] idealiskt
identical [aɪ'dentɪk(ə)l] **1** identisk, alldeles likadan, likvärdig, likalydande [*in two ~ copies*]; helt ense [*we are ~ in our views*]; *~ twins* enäggstvillingar **2** *the* [*very*] *~* precis samma
identification [aɪˌdentɪfɪ'keɪʃ(ə)n] **1** identifiering; igenkännande; *~ mark* igenkänningstecken **2** associering, uppgående **3** legitimation[spapper] [*he carries ~ with him at all times*]; *~ disc* (*tag*) mil. identitetsbricka; *~ papers* legitimationshandlingar; *~ plate* nummerplåt
identify [aɪ'dentɪfaɪ] **I** *vb tr* **1** identifiera; känna igen; uppfatta som identisk **2** *~ oneself* legitimera sig [*can you ~ yourself?*] **II** *vb itr, ~ with* identifiera sig med
identity [aɪ'dentətɪ] identitet äv. matem.; *~ card* identitetskort, legitimation; *~ disc* mil. identitetsbricka; *~ papers* legitimationshandlingar
ideological [ˌaɪdɪə'lɒdʒɪk(ə)l] ideologisk
ideology [ˌaɪdɪ'ɒlədʒɪ] **1** polit. o.d. ideologi [*Marxist ~*] **2** filos. idélära[n]
idiocy ['ɪdɪəsɪ] idioti
idiom ['ɪdɪəm] idiom
idiomatic [ˌɪdɪə'mætɪk] idiomatisk
idiosyncrasy [ˌɪdɪə'sɪŋkrəsɪ] egenhet
idiot ['ɪdɪət, 'ɪdjət] idiot
idiotic [ˌɪdɪ'ɒtɪk] idiotisk

idle ['aɪdl] **I** *adj* **1** sysslolös, ledig; arbetslös; oanvänd; *lie ~* ligga oanvänd **2** tekn. stillastående; på tomgång **3** lat **4** gagnlös, fruktlös [*~ speculations*], resultatlös [*~ efforts*]; *~ gossip* (*tales*) löst skvaller; *an ~ threat* ett tomt (bara ett) hot **II** *vb itr* **1** slösa bort tiden, slöa; gå och driva **2** tekn. gå på tomgång **III** *vb tr, ~ [away]* slösa bort [*don't ~ away your time*] **IV** *s* tekn. tomgång; *change the ~ speed* ändra [på] tomgången

idleness ['aɪdlnəs] **1** sysslolöshet; *~ is the parent of all vices* lättjan är alla lasters moder, fåfäng gå lärer mycket ont **2** lättja **3** gagnlöshet etc., jfr *idle I 4*

idler ['aɪdlə] **1** dagdrivare; flanör **2** tekn. a) mellanhjul b) tomgångsskiva

idol ['aɪdl] **1** avgud; avgudabild; gudabild **2** bildl. idol

idolatry [aɪ'dɒlətrɪ] **1** avgudadyrkan **2** bildl. måttlös (gränslös) beundran, idoldyrkan

idolize ['aɪdə(ʊ)laɪz] avguda, idolisera, göra till sin gud; dyrka

idyll ['ɪdɪl, 'aɪd-] idyll äv. dikt

idyllic [ɪ'dɪlɪk, aɪ'd-] idyllisk; *~ spot* äv. idyll

i.e. [ˌaɪ'i:, ˌðæt'ɪz] (förk. för *id est*) lat. se *that is* under *that I 2*

if [ɪf] **I** *konj* **1** om; även om [*~ he is little, he is strong*], om...så [*I'll do it ~ it kills me* (ska bli min död)!]; *as ~* som om, liksom om; *as ~ to* liksom för att; *it isn't as ~ he doesn't know the rules* det är inte så att han inte kan reglerna; *~ only because* om inte för annat så bara för att; *~ only to* om inte annat så för att [*I'll do it, ~ only to annoy him*]; *~ so* om så är, i så fall; *~ I were you* om jag vore [som] du, om jag vore i ditt ställe; *he's fifty* [*years of age*] *~ he's a day* han är femti [år] så säkert som aldrig det; *well, ~ it isn't John!* ser man på, är det inte John?; *~ it had not been for him* om inte han hade varit **2** om, huruvida; *I doubt ~ he will come* jag tvivlar på att han kommer **II** *s* villkor, förbehåll [*there are too many ~s in the contract*], om [*the future is full of ~s*]; *without ~s and buts* (*ands*) utan om och men, utan omsvep

igloo ['ɪglu:] (pl. *~s*) igloo

ignite [ɪg'naɪt] **I** *vb tr* [an]tända **II** *vb itr* tändas

ignition [ɪg'nɪʃ(ə)n] tändning; upphettning; brand; tändningslås; *~ coil* tändspole; *~ switch* tändningslås

ignoble [ɪg'nəʊbl] gemen [*an ~ action*], ovärdig, tarvlig [*an ~ man*], skamlig

ignominious [ˌɪgnə(ʊ)'mɪnɪəs] vanhedrande [*an ~ peace*], neslig, skymflig [*an ~ defeat*]

ignominy ['ɪgnəmɪnɪ, -nɒm-] **1** vanära **2** neslighet, skamlig gärning

ignoramus [ˌɪgnə'reɪməs] dumhuvud

ignorance ['ɪgn(ə)r(ə)ns] okunnighet [*be kept in ~ of* (om) *the facts*], ovetskap

ignorant ['ɪgn(ə)r(ə)nt] **I** *adj* okunnig, ovetande **II** *s* ignorant

ignore [ɪg'nɔ:] ignorera, nonchalera

ikon ['aɪkɒn, -kən] se *icon*

ileus ['ɪlɪəs] med. tarmvred

ill [ɪl] **I** (*worse worst*) *adj* **1** mest pred. sjuk, dålig [*be* (*feel*) *~*; *seriously ~ patients*]; *be ~* vara sjuk; *be taken ~* bli sjuk, insjukna [*with* i] **2** dålig; *~ fame* (*repute*) dåligt rykte, vanrykte **3** illvillig, dålig [*~ temper*] **II** *s* **1** ont **2** skada; *do ~* göra illa (orätt) **3** vanl. pl. *~s* olyckor, motgångar [*the ~s of life*], missförhållanden [*social ~s*] **III** (*worse worst*) *adv* **1** illa; dåligt [*they were ~ provided with ammunition*]; *go ~ with* gå illa för [*things* (det) *are going ~ with the Government*] **2** litt. svårligen, knappast [*I can ~ afford it*]

I'll [aɪl] = *I will* o. *I shall*

ill-advised [ˌɪləd'vaɪzd] mindre välbetänkt, oförnuftig [*an ~ step* (*measure*)]

ill-bred [ˌɪl'bred] ouppfostrad

ill-concealed [ˌɪlkən'si:ld] illa dold [*~ satisfaction*]

ill-considered [ˌɪlkən'sɪdəd] mindre välbetänkt

ill-disposed [ˌɪldɪ'spəʊzd] **1** illvillig, illasinnad **2** ogynnsamt stämd, avogt (ovänligt) sinnad, illvilligt inställd **3** obenägen [*to do a th.*] **4** illa disponerad

illegal [ɪ'li:g(ə)l] illegal, lagstridig

illegible [ɪ'ledʒəbl] oläslig

illegitimate [ˌɪlɪ'dʒɪtɪmət] **I** *adj* **1** illegitim, olaglig [*an ~ action*], orättmätig; jur. obehörig [*~ gain* (vinst)]; ogiltig **2** illegitim, utomäktenskaplig [*an ~ child*] **II** *s* utomäktenskapligt (illegitimt) barn

ill-fated [ˌɪl'feɪtɪd] **1** olycklig, olycksalig [*an ~ voyage*], olycksförföljd [*an ~ ship*] **2** ödesdiger [*an ~ scheme*]

ill-favoured [ˌɪl'feɪvəd] ful [*an ~ old man*]

ill-feeling [ˌɪl'fi:lɪŋ] agg; avoghet [*without any ~*]; misstämning; *I bear him no ~* jag hyser inget agg mot (till) honom

ill-gotten [ˌɪl'gɒtn] orättmätigt erhållen; *~ gains* orättfånget gods; skämts. lättförtjänta pengar

ill-humoured [ˌɪl'hju:məd] på dåligt humör; misslynt, vresig; med dåligt humör

illicit [ɪ'lɪsɪt] olovlig, otillåten; smyg- [*~ trade*], lönn- [*~ distillery* (bränneri)]; *~ sexual relations* utomäktenskapliga förbindelser

illiteracy [ɪ'lɪt(ə)rəsɪ] **1** analfabetism **2** brist på bildning

illiterate [ɪ'lɪt(ə)rət] **I** *adj* **1** inte läs- och skrivkunnig [*a largely ~ population*]; *~ person* analfabet **2** illitterat, olärd **II** *s* **1** analfabet **2** illitterat (obildad) person

ill-luck [ˌɪl'lʌk] olycka, otur; *as ~ would have it* olyckligtvis, till all olycka
ill-mannered [ˌɪl'mænəd] ohyfsad, ouppfostrad
ill-natured [ˌɪl'neɪtʃəd] elak [av sig], ondskefull [*~ gossip*]; vresig [av sig]
illness ['ɪlnəs] sjukdom [*suffer from an ~*]; *suffer from ~* vara sjuklig
illogical [ɪ'lɒdʒɪk(ə)l] ologisk
ill-timed [ˌɪl'taɪmd] oläglig; illa beräknad; malplacerad [*~ jokes*]
ill-treatment [ˌɪl'tri:tmənt] dålig behandling; misshandel
illuminate [ɪ'lu:mɪneɪt, ɪ'lju:-] **1** upplysa [*poorly ~d rooms*], belysa **2** illuminera [*~d streets*]; *~d advertisement (sign)* ljusreklam
illuminating [ɪ'lu:mɪˌneɪtɪŋ, ɪ'lju:-] bildl. upplysande, belysande
illumination [ɪˌlu:mɪ'neɪʃ(ə)n, ɪˌlju:-] **1** upplysning, belysning **2** vanl. pl. *~s* illuminering[ar], illumination[er]
illusion [ɪ'lu:ʒ(ə)n, ɪ'lju:-] **1** illusion, fantasifoster; självbedrägeri; [falsk] förhoppning, vanföreställning; *cherish the ~ that...* leva i den föreställningen att... **2** illusion, [sinnes]villa; sken [av verklighet]; bländverk; *optical ~* synvilla, optisk villa
illusionist [ɪ'lu:ʒənɪst, ɪ'lju:-] illusionist
illusive [ɪ'lu:sɪv, ɪ'lju:-] o. **illusory** [ɪ'lu:s(ə)rɪ, ɪ'lju:-] illusorisk, bedräglig, gäckande
illustrate ['ɪləstreɪt] **1** illustrera, åskådliggöra; förklara **2** illustrera [*the book is very well ~d*]; *~ with pictures* förse med bilder
illustration [ˌɪlə'streɪʃ(ə)n] **1** illustration genom exempel o.d.; förklaring; belysande exempel [*that was a bad ~*]; *in ~ of* för att illustrera (belysa), som illustration till **2** illustration, bild; illustrering
illustrator ['ɪləstreɪtə] illustratör
illustrious [ɪ'lʌstrɪəs] lysande [*an ~ career*], [vida] berömd; frejdad [*~ heroes*]
ill-will [ˌɪl'wɪl] illvilja, agg; *bear a p. ~* hysa illvilja mot ngn, bära (hysa) agg till (mot) ngn
I'm [aɪm] = *I am*
image ['ɪmɪdʒ] **1 a**) bild, avbildning; bildstod **b**) spegelbild; optik. bild [båda äv. *reflected ~*] **c**) avbild äv. bibl.; kopia; *he is the very (spitting) ~ of his father* han är sin far upp i dagen **d**) avgudabild [*worship ~s*], helgonbild **2 a**) [sinne]bild; föreställning; psykol. efterbild **b**) språklig bild [*speak in ~s*], metafor **c**) image; *the party ~* partiets image, partiets ansikte [utåt]
imagery ['ɪmɪdʒ(ə)rɪ] bilder, bildspråk [*Shakespeare's ~*]
imaginable [ɪ'mædʒɪnəbl] tänkbar [*his influence was the greatest ~*], som tänkas kan
imaginary [ɪ'mædʒɪn(ə)rɪ] inbillad [*~ dangers*], inbillnings- [*~ illness*], fantasi- [*~ picture*], fingerad
imagination [ɪˌmædʒɪ'neɪʃ(ə)n] **1** fantasi, föreställningsförmåga; *in ~* i tankarna (fantasin) **2** inbillning [*it is only ~*]; *that's only your ~* det är bara som du tror (inbillar dig)
imaginative [ɪ'mædʒɪnətɪv] fantasirik; uppfinningsrik; fantasi-; *~ faculty (power)* föreställningsförmåga
imagine [ɪ'mædʒɪn] **1** föreställa sig; [*just*] *~!* kan man tänka sig! **2** gissa [*I ~ it will rain*] **3** inbilla sig, få för sig
imbalance [ɪm'bæləns] obalans
imbecile ['ɪmbəsi:l, -saɪl] **I** *adj* imbecill **II** *s* imbecill person; friare idiot
imbibe [ɪm'baɪb] **1** suga upp [*the sponge ~s water*] **2** bildl. insupa [*~ knowledge*] **3** skämts. dricka [*~ beer*]
imbue [ɪm'bju:] **1** genomsyra [*~d with* (av) *hatred*]; *~ a p. with courage* intala (inge) ngn mod, ingjuta mod hos ngn **2** genomdränka; impregnera med färg; starkt färga
IMF [ˌaɪem'ef] (förk. för *International Monetary Fund*) Internationella Valutafonden
imitate ['ɪmɪteɪt] imitera, efterlikna, efterbilda; härma
imitation [ˌɪmɪ'teɪʃ(ə)n] **1** imitation, efterbildning; *worthy of ~* efterföljansvärd **2** imitation; förfalskning **3** attr. oäkta, imiterad [*~ tortoise-shell*], falsk, konst- [*~ leather*]
imitator ['ɪmɪteɪtə] imitatör; efterföljare
immaculate [ɪ'mækjʊlət] **1** obefläckad, perfekt [*an ~ rendering of the sonata*], ren; oklanderlig [*~ conduct*; *an ~ appearance (white suit)*]; *the I~ Conception* den obefläckade avlelsen **2** biol. inte fläckig
immaterial [ˌɪmə'tɪərɪəl] **1** oväsentlig, oviktig [*that is quite ~ to* (för) *me*], likgiltig; *it is ~ whether...* det är likgiltigt om... **2** immateriell, andlig
immature [ˌɪmə'tjʊə] vanl. bildl. omogen
immaturity [ˌɪmə'tjʊərətɪ] omogenhet isht bildl.
immeasurable [ɪ'meʒ(ə)rəbl] omätlig, omätbar [*~ damage*]
immediacy [ɪ'mi:djəsɪ] **1** omedelbarhet, omedelbar närhet **2** aktualitet [*many of these topics have lost their ~*]
immediate [ɪ'mi:djət] **1** omedelbar [*~ help*], omgående [*~ delivery*]; överhängande [*there is no ~ danger*]; *take ~ action* vidta omedelbara åtgärder, handla snabbt; *in the ~ future* inom den

närmaste [fram]tiden **2** närmaste [*the ~ heir to the throne*]
immediately [ɪ'mi:djətlɪ] **I** *adv* **1** omedelbart, genast **2** närmast, omedelbart [*the time ~ before the war*]; direkt [*be ~ affected by the strike*] **II** *konj* så snart [som]
immense [ɪ'mens] **I** *adj* **1** ofantlig, oerhörd **2** vard. storartad **II** *s* oändlighet
immensity [ɪ'mensətɪ] väldig omfattning [*the ~ of the disaster*]; ofantlighet; oerhörd (väldig) mängd (massa)
immerse [ɪ'mɜ:s] **1** sänka (lägga) ner, doppa [ner] [*~ one's head in the water*]; döpa genom nedsänkande i vatten **2** bildl. *~ oneself in* fördjupa (engagera) sig i
immigrant ['ɪmɪgr(ə)nt] **I** *s* immigrant **II** *adj* invandrande, invandrad; immigrant-
immigrate ['ɪmɪgreɪt] immigrera
immigration [ˌɪmɪ'greɪʃ(ə)n] immigration
imminent ['ɪmɪnənt] hotande [*an ~ danger*], nära (omedelbart) förestående; *be ~* äv. närma sig [*a storm is ~*], förestå, hota [*a strike is ~*]
immobile [ɪ'məʊbaɪl, -bi:l, amer. vanl. -b(ə)l] orörlig, immobil
immobilize [ɪ'məʊbɪlaɪz] göra orörlig; med. immobilisera; sätta ur funktion; perf. p. *~d* handlingsförlamad
immoderate [ɪ'mɒd(ə)rət] omåttlig [*~ eating*], överdriven [*~ demands; ~ zeal*], hejdlös
immodest [ɪ'mɒdɪst] oblyg [*~ claims*], ofۛörsynt, fräck [*~ boast*]; oanständig
immoral [ɪ'mɒr(ə)l] omoralisk; osedlig
immorality [ˌɪmə'rælətɪ] omoral, osedlighet
immortal [ɪ'mɔ:tl] odödlig [*~ fame (poetry)*]
immortality [ˌɪmɔ:'tælətɪ] odödlighet
immortalize [ɪ'mɔ:təlaɪz] odödliggöra
immovable [ɪ'mu:vəbl] **I** *adj* **1** orörlig; *~ feasts* kyrkl. fasta helgdagar **2** bildl. orubblig; obeveklig; känslolös **3** fast isht jur. om egendom **II** *s*, pl. *~s* jur. fast egendom
immune [ɪ'mju:n] immun; okänslig, oemottaglig [*he is ~ to flattery*]; skyddad
immunity [ɪ'mju:nətɪ] **1** med. immunitet **2** parl. el. dipl. immunitet; isht jur. undantagsrätt
immunize ['ɪmjʊnaɪz] med. immunisera
immunodeficiency [ˌɪmjʊnə(ʊ)dɪ'fɪʃ(ə)nsɪ] med. immundefekt; *human ~ virus* (förk. *HIV*) humant immundefektvirus
imp [ɪmp] **1** smådjävul **2** satunge; [bus]frö; rackarunge
impact ['ɪmpækt] **1** stöt isht mek.; sammanstötning; om projektil anslag [*force of ~*], nedslag [*point of ~*]; kraft [*the terrific ~ of the blow*] **2** inverkan [*the ~ of modern science [up]on society*]; intryck [*the speech made little ~ on the audience*]
impair [ɪm'peə] försämra [*~ one's health by overwork*]; försvaga, sätta ner [*~ed eyesight*], minska [*~ the usefulness of a th.*]; *have ~ed hearing (vision)* ha nedsatt hörsel (syn), vara hörselskadad (synskadad)
impale [ɪm'peɪl] spetsa; nagla fast
impart [ɪm'pɑ:t] **1** ge [*~ authority to*]; överföra [*motion is ~ed to* (till) *the wheels*] **2** meddela, vidarebefordra [*~ information (news)*], tala om [*she ~ed her plans to* (för) *him*]; *~ knowledge to a p.* meddela (bibringa) ngn kunskaper
impartial [ɪm'pɑ:ʃ(ə)l] opartisk
impartiality [ɪmˌpɑ:ʃɪ'ælətɪ] opartiskhet
impassable [ɪm'pɑ:səbl] oframkomlig, ofarbar [*~ roads*]; oöverstiglig [*~ mountains*]
impasse [æm'pɑ:s, -'pæs, ɪm-] isht. bildl. återvändsgränd, död punkt
impassioned [ɪm'pæʃ(ə)nd] lidelsefull
impassive [ɪm'pæsɪv] känslolös, kall; likgiltig; okänslig; uttryckslös, livlös [*an ~ face (look)*]
impatience [ɪm'peɪʃ(ə)ns] otålighet; irritation
impatient [ɪm'peɪʃ(ə)nt] otålig; häftig, ivrig; *~ about* otålig när det gäller (i fråga om) [*don't get ~ about a trivial thing like that*]
impeach [ɪm'pi:tʃ] **1** jur. anklaga isht ämbetsman [*~ a judge for* el. *of* (för) *taking bribes*] **2** jur. ställa inför riksrätt åtala inför amerikanska senaten (förr äv. brittiska överhuset) [*~ the President*] **3** ifrågasätta [*do you ~ my motives?*], dra i tvivelsmål; nedsätta
impeachment [ɪm'pi:tʃmənt] **1** åtal, anklagelse **2** riksrättsåtal, jfr *impeach 2*
impeccable [ɪm'pekəbl] **1** oklanderlig [*~ manners, ~ clothes*], otadlig [*~ character*], felfri **2** om pers. ofelbar
impecunious [ˌɪmpɪ'kju:njəs] medellös, utan pengar
impede [ɪm'pi:d] hindra [*~ the traffic*], hämma
impediment [ɪm'pedɪmənt] hinder; svårighet; förhinder; äktenskapshinder; *speech ~* talfel
impel [ɪm'pel] **1** driva [*he had been ~led to crime by poverty*], förmå, egga [*~ a p. to greater efforts*], tvinga [*~ a p. to tolerate a th.*] **2** [fram]driva
impending [ɪm'pendɪŋ] överhängande [*an ~ danger, the ~ crisis*]; annalkande [*the ~ storm*], nära förestående [*their ~ marriage*]
impenetrable [ɪm'penɪtrəbl] **1** ogenomtränglig, tät [*~ darkness*] **2** bildl. ogenomtränglig [*an ~ mystery*] **3** otillgänglig [*~ to reason*]
imperative [ɪm'perətɪv] **I** *adj* **1** absolut nödvändig [*it is ~ that he should come*

(kommer)] **2** gram. imperativ; *the ~ mood* imperativ[en] **II** *s* **1** gram. el. filos. imperativ **2** oavvisligt krav; tvingande nödvändighet

imperceptible [ˌɪmpəˈseptəbl] oförnimbar; omärklig; *by ~ degrees* omärkligt

imperfect [ɪmˈpɜːfɪkt] **I** *adj* **1** ofullständig **2** ofullkomlig, bristfällig **3** gram. imperfektiv[isk]; progressiv form; *~ tense* se *II* **II** *s* gram. progressiv (pågående) form isht i imperfekt

imperfection [ˌɪmpəˈfekʃ(ə)n] **1** ofullständighet **2** ofullkomlighet; bristfällighet, skavank; skönhetsfel

imperial [ɪmˈpɪərɪəl] **1** kejserlig [*His I~ Majesty*], kejsar- [*~ crown*] **2** hist. som gäller [brittiska] imperiet **3** gällande i Storbritannien [*~ weights and measures*] **4** bildl. kejserlig, furstlig [*with ~ generosity*]; majestätisk [*~ gestures*]

imperialism [ɪmˈpɪərɪəlɪz(ə)m] imperialism

imperious [ɪmˈpɪərɪəs] befallande [*~ looks* (min)]; högdragen; övermodig

impersonal [ɪmˈpɜːsənl] **I** *adj* **1** opersonlig **2** gram. a) om verb opersonlig b) om pronomen obestämd; opersonlig [*the ~ 'it'*] **II** *s* gram. a) opersonligt verb b) obestämt pronomen; opersonligt pronomen

impersonate [ɪmˈpɜːsəneɪt] **1** imitera [*~ famous people*], efterlikna; föreställa [*they ~d animals*] **2** uppträda som [*he was caught when trying to ~ an officer*] **3** personifiera, förkroppsliga **4** framställa, gestalta [*he has ~d Hamlet on the stage*]

impersonation [ɪmˌpɜːsəˈneɪʃ(ə)n] (jfr *impersonate*) **1** imitation [*~s of famous people*] **2** uppträdande **3** personifiering **4** framställning, gestaltning [*his ~ of Hamlet*]

impersonator [ɪmˈpɜːsəneɪtə] imitatör

impertinence [ɪmˈpɜːtɪnəns] **1** näsvishet, impertinens; oförskämdhet **2** brist på relevans

impertinent [ɪmˈpɜːtɪnənt] **1** näsvis; oförskämd; påflugen **2** irrelevant

imperturbable [ˌɪmpəˈtɜːbəbl] orubblig; orubbligt lugn

impervious [ɪmˈpɜːvjəs] **1** ogenomtränglig, otillgänglig; *~ to light* ogenomskinlig **2** oemottaglig [*~ to* (för) *reason* (*criticism*)]

impetuous [ɪmˈpetjʊəs] **1** impulsiv; förhastad [*an ~ remark*], gjord i hastigt mod **2** häftig

impetus [ˈɪmpɪtəs] **1** rörelseenergi hos kropp i rörelse; levande kraft; fart; *with great ~* med våldsam kraft, med stor fart **2** *give an ~ to* sätta fart på (i), ge [ökad] kraft åt, driva på

impinge [ɪmˈpɪn(d)ʒ] **1** stöta; *~ [up]on* (*against*) träffa [*if a strong light ~s on the eye*], kollidera med **2** bildl. *~ [up]on* göra intryck på, påverka **3** inkräkta [*~ on other people's rights*]

impish [ˈɪmpɪʃ] okynnig, busig; *~ tricks* sattyg

implacable [ɪmˈplækəbl] oförsonlig [*an ~ enemy*; *~ hatred*], obeveklig, oblidkelig

implant [ss. vb ɪmˈplɑːnt, ss. sb. ˈɪmplɑːnt] **I** *vb tr* inplanta [*~ ideas in a p.*], inympa [*~ good habits in children*], inprägla, inskärpa [*in a p.'s mind* (hos ngn)]; med. implantera t.ex. medicin; transplantera t.ex. vävnad **II** *s* med. **1** implantat; om vävnad äv. transplantat **2** implantation av t.ex. medicin; transplantation av t.ex. vävnad

implausible [ɪmˈplɔːzəbl] osannolik; oantaglig

implement [ss. sb. ˈɪmplɪmənt, ss. vb -ment] **I** *s* verktyg, redskap; pl. *~s* äv. grejer **II** *vb tr* realisera, genomföra [*~ a plan* (*policy*)], fullgöra, uppfylla [*~ a promise* (*an agreement*)]

implicate [ˈɪmplɪkeɪt] blanda in, implicera [*~ a p. in a crime*]; *be ~d in* äv. vara delaktig i, bli invecklad i

implication [ˌɪmplɪˈkeɪʃ(ə)n] **1** inblandning [*~ in a conspiracy*] **2** innebörd; [naturlig] slutsats (följd); *by ~* underförstått, indirekt, antydningsvis

implicit [ɪmˈplɪsɪt] **1** underförstådd [*an ~ threat*; *~ in the contract*], inte klart utsagd; tyst [*an ~ agreement*], stillatigande; inbegripen **2** obetingad, blind [*~ faith*]

implicitly [ɪmˈplɪsɪtlɪ] underförstått etc., jfr *implicit*; i förtäckta ordalag

implore [ɪmˈplɔː] **I** *vb tr* bönfalla, tigga och be [*a p. to do a th.*]; **II** *vb itr* bönfalla; *~ for mercy* tigga [och be] om nåd

imply [ɪmˈplaɪ] **1** innebära [*this right implies certain obligations*]; betyda [*do you realize fully what your words ~?*]; förutsätta; *as the name implies* som namnet antyder **2** antyda, låta påskina

impolite [ˌɪmpəˈlaɪt] oartig

imponderable [ɪmˈpɒnd(ə)rəbl] *adj* ovägbar; ouppskattbar

import [ss. sb. ˈɪmpɔːt, ss. vb ɪmˈpɔːt] **I** *s* **1** import; import- [*~ duty* (tull), *~ goods*, *~ quota*, *~ trade*]; införsel; vanl. pl. *~s* importvaror, importartiklar; totalimport[en] [*~s of raw cotton*], import[en] [*food ~s*; *the ~s exceed the exports*] **2** innebörd **3** vikt, betydelse [*questions of great ~*], betydenhet **II** *vb tr* **1** importera, föra in **2** innebära, betyda; *what does the word ~?* äv. vad ligger i ordet?

importance [ɪmˈpɔːt(ə)ns] vikt, betydelse, angelägenhet; *attach [great] ~ to* lägga (fästa) [stor] vikt vid, fästa [stort] avseende vid, sätta [stort] värde på, bry sig [mycket] om, tillmäta ngt [stor] betydelse; *with an air of ~* med en viktig min; *of no ~* utan betydelse (vikt)

important [ɪmˈpɔ:t(ə)nt] viktig, betydelsefull [*an ~ person*]

importantly [ɪmˈpɔ:t(ə)ntlɪ] **1** viktigt nog [*but, ~ in this case, there is...*]; *more ~* vad som är viktigare **2** huvudsakligen, i första hand

importation [ˌɪmpɔ:ˈteɪʃ(ə)n] **1** import[erande], införsel, införande **2** importvara, importartikel

importer [ɪmˈpɔ:tə] importör

impose [ɪmˈpəʊz] **I** *vb tr* **1** lägga på [*~ taxes*], lägga [*~ a burden [up]on*]; införa [*~ a speed limit*]; *~ a fine [up]on a p.* döma ngn till (ådöma ngn) böter, bötfälla ngn; *~ a task [up]on a p.* lägga en uppgift på ngn, ålägga ngn en uppgift **2** *~ a th. [up]on a p.* tvinga (pracka, lura) på ngn ngt **II** *vb itr*, *~ [up]on* a) lura, bedra [*~ on a p. to do a th.*], föra bakom ljuset b) dra fördel av, begagna sig av [*~ [up]on a p.'s credulity* (godtrogenhet)]; vara till besvär [*I don't want to ~ [on you], but...*]

imposing [ɪmˈpəʊzɪŋ] imponerande; vördnadsbjudande, ståtlig

imposition [ˌɪmpəˈzɪʃ(ə)n] **1** påläggande [*the ~ of new taxes*] etc., jfr *impose I 1*; påbud **2** pålaga **3** a) börda b) skol. straffläxa **4** lurande, bedrägeri **5** *~ of hands* kyrkl. handpåläggning

impossibilit|y [ɪmˌpɒsəˈbɪlətɪ, -sɪˈb-] omöjlighet; *ask for -ies* begära det omöjliga

impossible [ɪmˈpɒsəbl, -sɪb-] **1** omöjlig; *ask for the ~* begära det omöjliga **2** vard. outhärdlig [*it's an ~ situation!*]

impossibly [ɪmˈpɒsəblɪ, -sɪb-] **1** hopplöst [*~ lazy*]; otroligt [*the sky was ~ blue*], vansinnigt [*~ expensive*] **2** *not ~* möjligtvis, möjligen; kanske

impostor [ɪmˈpɒstə] bedragare

impotence [ˈɪmpət(ə)ns] **1** maktlöshet, vanmakt; oförmåga, impotens **2** fysiol. impotens

impotent [ˈɪmpət(ə)nt] **1** maktlös; oförmögen **2** fysiol. impotent

impoverish [ɪmˈpɒv(ə)rɪʃ] **1** utarma; *he is ~ed* han har blivit utfattig **2** göra kraftlös (improduktiv, ofruktbar), utarma [*~ the soil*]; försämra

impracticable [ɪmˈpræktɪkəbl] **1** ogenomförbar [*an ~ plan*], outförbar; oanvändbar [*an ~ method*] **2** ofarbar

impractical [ɪmˈpræktɪk(ə)l] **1** opraktisk **2** se *impracticable*

imprecise [ˌɪmprɪˈsaɪs] inexakt; obestämd; ofullständig

impregnable [ɪmˈpregnəbl] **1** ointaglig [*an ~ fortress*]; ogenomtränglig [*~ defence*] **2** oangriplig; ovedersäglig, obestridlig

impregnate [ˈɪmpregneɪt, -ˈ--] **1** befrukta äv. bildl.; göra havande **2** impregnera [*~ wood*]; mätta [*water ~d with salt*]; genomdränka **3** bildl. genomtränga, genomsyra [*~d with* (av) *socialistic ideas*]

impresario [ˌɪmprəˈsɑ:rɪəʊ] (pl. *~s*) impressario

1 impress [ss. sb. ˈɪmpres, ss. vb ɪmˈpres] **I** *s* avtryck; märke, prägel äv. bildl.; *bear the ~ of* vara präglad av, bära [en] prägel av **II** *vb tr* **1** a) trycka på ett märke o.d.; *~ a mark on* sätta ett märke på b) stämpla, prägla **2** inprägla en idé o.d.; *~ a th. [up]on one's mind* inprägla (inpränta) ngt i minnet; *~ oneself on* sätta sin prägel på **3** göra intryck på [*the book did not ~ me at all*], imponera på; *be favourably ~ed with* få ett fördelaktigt (gott) intryck av

2 impress [ɪmˈpres] mil. tvångsvärva, tvångsmönstra [*~ sailors*], tvångskommendera

impression [ɪmˈpreʃ(ə)n] **1** intryck; verkan; *make a deep ~ on a p.* göra [ett] djupt intryck på ngn **2** intryck, förnimmelse, känsla av ngt; *have an ~ that* ha ett intryck av att, känna på sig att **3** imitation [*he gave several ~s of TV personalities*] **4** märke, stämpel, prägel äv. bildl. **5** tryckning [*a first ~ of 5,000 copies*], omtryckning

impressionable [ɪmˈpreʃ(ə)nəbl] mottaglig för intryck; [*children who are*] *at the ~ age* ...i den lättpåverkade (känsliga) åldern

impressionist [ɪmˈpreʃənɪst] **1** konst. o.d. impressionist **2** imitatör

impressive [ɪmˈpresɪv] effektfull, verkningsfull, slående; gripande [*an ~ ceremony*]

imprint [ss. sb. ˈɪmprɪnt, ss. vb ɪmˈprɪnt] **I** *s* **1** avtryck [*the ~ of a foot*], intryck, prägel; bildl. äv. stämpel **2** typogr., [*publisher's (printer's)*] *~* tryckort, tryckår och förläggarens (boktryckarens) namn **II** *vb tr* **1** trycka på, märka; sätta [*~ a postmark on a letter*] **2** bildl. inprägla, inpränta [*~ a th. on (in) one's mind*], inskärpa [*~ on* (hos) *a p. the importance of a th.*]

imprison [ɪmˈprɪzn] sätta i fängelse; spärra in

imprisonment [ɪmˈprɪznmənt] fängslande; inspärrning; fångenskap [*during his long ~*], frihetsstraff, frihetsberövande [*two years' ~*]; *~ for life* el. *life ~* livstids fängelse

improbable [ɪmˈprɒbəbl] osannolik, otrolig

impromptu [ɪmˈprɒm(p)tju:] **I** *adv* [helt] improviserat **II** *s* improvisation; mus. impromptu **III** *adj* oförberedd [*an ~ speech*]

improper [ɪmˈprɒpə] **1** oegentlig; oriktig, felaktig [*~ diagnosis*]; orättmätig [*make ~ use* (bruk) *of a th.*]; *~ fraction* matem.

oegentligt bråk **2** opassande [~ *conduct*], oanständig [~ *language*]

impropriet|y [ˌɪmprəˈpraɪətɪ] **1** oanständighet [*of* i]; *-ies* oanständigheter, fräckheter **2** oegentlighet; oriktighet, felaktighet **3** olämplighet; *the ~ of* det olämpliga i

improve [ɪmˈpru:v] **I** *vb tr* förbättra, utveckla [~ *a method*; ~ *one's mind*], fullkomna; hjälpa upp; stärka [~ *one's health*]; *that did not ~ matters* det gjorde inte saken bättre **II** *vb itr* **1** förbättras, bli bättre; gå framåt; *he ~s on acquaintance* han vinner vid närmare bekantskap **2** repa sig efter sjukdom; bli bättre (starkare) **3** om pris stiga

improvement [ɪmˈpru:vmənt] förbättring etc., jfr *improve*; upprustning av bostäder

improvisation [ˌɪmprəvaɪˈzeɪʃ(ə)n, -prɒv-] mus. o. friare improvisation

improvise [ˈɪmprəvaɪz] **I** *vb tr* improvisera [*an ~d speech*; *an ~d meal*]; mus. äv. fantisera; *an ~d bed* en provisorisk bädd (säng) **II** *vb itr* improvisera; mus. äv. fantisera

imprudence [ɪmˈpru:d(ə)ns] oklokhet, obetänksamhet

imprudent [ɪmˈpru:d(ə)nt] oklok, obetänksam

impudence [ˈɪmpjʊd(ə)ns] oförskämdhet, fräckhet; *none of your ~!* vet hut!

impudent [ˈɪmpjʊd(ə)nt] oförskämd, fräck

impugn [ɪmˈpju:n] ifrågasätta [~ *a p.'s integrity* (hederlighet)], bestrida [~ *a statement* (*a claim*)]

impulse [ˈɪmpʌls] **1** stöt; *give an ~ to* sätta fart på (i), rycka upp, stimulera, aktivera **2** impuls [*my first ~ was to run away*], ingivelse; ~ *purchase* impulsköp; [*acting*] *on an ~* [*he turned to the left*] lydande en plötslig ingivelse... **3** elektr. el. fysiol. impuls

impulsive [ɪmˈpʌlsɪv] **1** impulsiv **2** framdrivande; stötvis verkande

impunity [ɪmˈpju:nətɪ] straffrihet; trygghet; *with ~* ostraffat, saklöst, opåtalt; utan fara (risk)

impure [ɪmˈpjʊə] oren

impurity [ɪmˈpjʊərətɪ] **1** orenhet **2** förorening

in [ɪn] **I** *prep* **1** uttr. befintlighet: i [~ *a box*; ~ *politics*], på [~ *the fields*; ~ *the street*], vid [*the house is ~ a street near the centre*; *he is ~ the police*]; *there is something ~ it* det ligger någonting i det **2** klädd o.d. i [*dressed ~ mourning* (*white*)] **3 a**) i i ngn (ngts) väsende (karaktär o.d.) [*there is no great harm* (inte mycket ont) ~ (äv. hos) *him*]; *what's ~ a name?* vad betyder väl ett namn? **b**) hos i en författares verk o.d. [~ *Shakespeare*] **4** i tidsuttr. o.d.: **a**) om den period under vilken något sker: i [~ *April*], om el. på [~ *the morning*; ~ [*the*] *summer*]; under [~ *my absence*]; ~ [*the year*] *2000* [år] 2000; ~ *the 18th century* på 1700-talet **b**) om tid som åtgår för något på [*I did it ~ five minutes*] **c**) efter (inom) viss tid om [*she will be back ~ a month*] **d**) före *ing*-form el. verbalsubstantiv vid [*be careful ~ using* (användningen av) *it*]; *she slipped ~ crossing the street* hon halkade när (då) hon gick över gatan **5** i uttr. som anger sätt, medel, språk o.d. på; ~ *earnest* på allvar **6** i uttr. som betecknar urval, proportion, antal på [*not one ~ a hundred*], till [*seven ~ number*] **7** [i anseende] till, i fråga om; *blind ~ one eye* blind på ena ögat **8** i uttr. som anger ett tillstånd vid [~ *good health*] **9** angivande avsikt till, som; ~ *memory of* till minne av; ~ *reply to* [*your letter*] som (till) svar på... **10** särskilda fall: enligt [~ *my opinion*]; under [~ *these circumstances*]; *there is nothing ~ it* vard. det är hugget som stucket

II *adv* **1** in [*come ~*]; *day ~, day out* dag ut och dag in **2** inne [*he wasn't ~ when I called*]; framme; *the train is ~* tåget är inne, tåget har kommit **3** i vissa uttr.: *be ~ for*: **a**) kunna vänta sig [*we're ~ for bad weather*]; *be ~ for it* äv. vara illa ute, få det hett om öronen **b**) vara anmäld (ha anmält sig) till [*be ~ for a competition*] **c**) vara uppe (gå upp) i [*be ~ for an examination*]; *have it ~ for a p.* vard. ha ett horn i sidan till ngn; *be ~ on* vard. a) vara med i (om), ha del i [*if there's any profit, I want to be ~ on it*], delta i b) ha reda på; *be* (*keep*) [*well*] *~ with* vard. ha tumme med [*he was well ~ with the boss*], stå på god fot med

III *s*, *all the ~s and outs* alla konster och knep; *know the ~s and outs of a th.* känna [till] ngt utan och innan

IV *adj* **1** vard. inne modern o.d. [*turbans are ~ this year*]; *it's the ~ thing to...* det är inne att... **2** inkommande [*the ~ train*]

in. förk. för *inch*[*es*]

inability [ˌɪnəˈbɪlətɪ] **1** oförmåga; oduglighet; [*he regretted*] *his ~ to help* ...att han inte var i stånd att hjälpa **2** ~ [*to pay*] oförmåga att betala, insolvens

inaccessible [ˌɪnækˈsesəbl] otillgänglig äv. bildl.; oåtkomlig; ouppnåelig

inaccuracy [ɪnˈækjʊrəsɪ] **1** bristande noggrannhet (precision) **2** felaktighet, oriktighet

inaccurate [ɪnˈækjʊrət] **1** inte [tillräckligt] noggrann; slarvig **2** felaktig, oriktig

inaction [ɪnˈækʃ(ə)n] overksamhet; slöhet

inactive [ɪnˈæktɪv] **1** overksam; inaktiv **2** slö

inactivity [ˌɪnækˈtɪvətɪ] **1** overksamhet; inaktivitet **2** slöhet

inadequacy [ɪn'ædɪkwəsɪ] otillräcklighet, bristfällighet; bristande (brist på) motsvarighet; olämplighet
inadequate [ɪn'ædɪkwət] inadekvat; olämplig; otillräcklig, bristfällig
inadmissible [ˌɪnəd'mɪsəbl] otillåtlig, otillåten; oantaglig; jur. oacceptabel, inte godtagbar [~ *evidence*]
inadvertent [ˌɪnəd'vɜ:t(ə)nt] **1** ouppmärksam **2** oavsiktlig
inadvertently [ˌɪnəd'vɜ:t(ə)ntlɪ] ouppmärksamt; av misstag (slarv)
inadvisable [ˌɪnəd'vaɪzəbl] inte tillrådlig
inalienable [ɪn'eɪljənəbl] omistlig [~ *rights*], oavhändlig
inane [ɪ'neɪn] **1** tom, innehållslös **2** meningslös [~ *remark*]
inanimate [ɪn'ænɪmət] inte levande, död [~ *nature*]; själlös
inapplicable [ɪn'æplɪkəbl, ˌɪnə'plɪk-] oanvändbar, inte tillämpbar (passande)
inappropriate [ˌɪnə'prəʊprɪət] olämplig, malplacerad
inapt [ɪn'æpt] **1** olämplig, malplacerad [~ *remark*], inadekvat **2** oskicklig, tafatt [~ *attempt*]
inarticulate [ˌɪnɑ:'tɪkjʊlət] **1** oartikulerad, otydlig; stapplande; oklar, oredig; *he is always so* ~ han har alltid så svårt att uttrycka sig **2** mållös [~ *rage*; ~ *with rage*], stum [~ *despair*] **3** utan leder, oledad [*an* ~ *body*]
inasmuch [ɪnəz'mʌtʃ], ~ *as* konj.: a) eftersom, emedan b) försåvitt; såtillvida som
inattention [ˌɪnə'tenʃ(ə)n] ouppmärksamhet; brist på omtanke
inattentive [ˌɪnə'tentɪv] ouppmärksam, inte uppmärksam
inaudible [ɪn'ɔ:dəbl] ohörbar
inaugural [ɪ'nɔ:gjʊr(ə)l] **I** *adj* invignings- [~ *speech* (*address*)]; installations- [~ *lecture*] **II** *s* **1** inträdestal; öppningsanförande **2** invigningshögtidlighet
inaugurate [ɪ'nɔ:gjʊreɪt] **1** inviga, öppna [~ *a new air route*; ~ *an exhibition*]; avtäcka staty o.d. **2** installera [~ *a president*] **3** inleda, inaugurera [~ *a new era*], införa
inauguration [ɪˌnɔ:gjʊ'reɪʃ(ə)n] **1** invigning, öppnande; avtäckning **2** installation [*the* ~ *of the President of the USA*]; *I~ Day* amer. installationsdagen 20 jan. då en nyvald president tillträder sitt ämbete **3** inledning
inauspicious [ˌɪnɔ:'spɪʃəs, -nɒs-] **1** olycksbådande **2** ogynnsam; inte lyckosam
inbred [ˌɪn'bred, attr. 'ɪnb-] **1** medfödd, naturlig **2** uppkommen genom (föremål för) inavel
inbreeding [ˌɪn'bri:dɪŋ] inavel
Inc. (förk. för *Incorporated* isht amer.) ung. AB
incalculable [ɪn'kælkjʊləbl] **1** oräknelig [~ *quantities*] **2** omöjlig att förutse; oöverskådlig [~ *consequences*]
incapability [ɪnˌkeɪpə'bɪlətɪ] oduglighet, inkompetens; oförmåga
incapable [ɪn'keɪpəbl] **1** oduglig; inkompetent; oskicklig; kraftlös **2** ~ *of* oförmögen (ur stånd, inkapabel) till [~ *of such an action*]
incapacitate [ˌɪnkə'pæsɪteɪt] göra [tillfälligt] arbetsoförmögen; mil. sätta ur stridbart skick; ~ *a p. for work* (*from working*) göra ngn oduglig (oförmögen) till arbete
incapacity [ˌɪnkə'pæsətɪ] oförmåga; arbetsoduglighet; ~ *for work* arbetsoförmåga, oförmåga att arbeta
incarcerate [ɪn'kɑ:səreɪt] fängsla
incarnate [ss. adj. ɪn'kɑ:nət, -neɪt, ss. vb 'ɪnkɑ:neɪt, ɪn'kɑ:neɪt] **I** *adj* förkroppsligad [*Liberty* ~]; *a devil* ~ en djävul i människohamn, en ärkeskurk **II** *vb tr* förkroppsliga; levandegöra; förverkliga
incarnation [ˌɪnkɑ:'neɪʃ(ə)n] inkarnation, förkroppsligande
incautious [ɪn'kɔ:ʃəs] oförsiktig
incendiary [ɪn'sendjərɪ] **1** mordbrands-; ~ *bomb* brandbomb **2** uppviglande, upphetsande; ~ *speech* brandtal
1 incense ['ɪnsens] rökelse
2 incense [ɪn'sens] reta upp
incentive [ɪn'sentɪv] **I** *adj* eggande; sporrande; *be* ~ *to* sporra (stimulera) till; ~ *pay* (*wage*) prestationslön **II** *s* drivfjäder, sporre, motivation
inception [ɪn'sepʃ(ə)n] påbörjande; början; *from its* ~ från [första] början
incessant [ɪn'sesnt] oavbruten
incessantly [ɪn'sesntlɪ] oavbrutet; utan avbrott; i det oändliga
incest ['ɪnsest] incest
inch [ɪn(t)ʃ] **I** *s* tum 2,54 cm; bildl. smula; *3 ~es* 3 tum; *I don't trust him an* ~ jag litar inte ett dugg (ett skvatt) på honom; *by ~es* a) lite i sänder, sakta men säkert, gradvis b) nätt och jämnt **II** *vb tr*, ~ *one's way* (*oneself*) *forward* flytta sig framåt tum för tum (mycket långsamt) **III** *vb itr*, ~ *forward* krypa framåt (fram) [bit för bit]
incidence ['ɪnsɪd(ə)ns] förekomst [*the increasing* ~ *of road accidents*], utbredning [*the* ~ *of a disease*]
incident ['ɪnsɪd(ə)nt] **I** *s* händelse, incident; *they regretted the* ~ de beklagade det inträffade **II** *adj*, ~ *to* som följer med, som hör till
incidental [ˌɪnsɪ'dentl] **1** tillfällig;

oväsentlig; bi-; ~ *expenses* tillfälliga (oförutsedda) utgifter **2** ~ *to* (*upon*) som följer (är förbunden) med, som brukar följa med
incidentally [ˌɪnsɪ'dent(ə)lɪ] **1** tillfälligtvis, i förbigående, [helt] apropå **2** för övrigt, förresten [~, *why did you come so late?*]; inom parentes, i förbigående
incinerate [ɪn'sɪnəreɪt] **1** förbränna till aska **2** amer. bränna, kremera
incinerator [ɪn'sɪnəreɪtə] **1** förbränningsugn t.ex. för sopor **2** amer. krematorieugn
incipient [ɪn'sɪpɪənt] begynnande, begynnelse-; gryende
incision [ɪn'sɪʒ(ə)n] inskärning; skåra, snitt; *make an* ~ kir. göra (lägga) ett snitt
incisive [ɪn'saɪsɪv] **1** skärande; ~ *teeth* framtänder **2** bildl. skarp [~ *criticism*], genomträngande [~ *voice*]
incisor [ɪn'saɪzə] framtand
incite [ɪn'saɪt] egga [upp]
inclement [ɪn'klemənt] om väder el. klimat omild, bister, kylig
inclination [ˌɪnklɪ'neɪʃ(ə)n] **1** lutning; böjning [~ *of* (på) *the head*]; fys. inklination; *angle of* ~ fys. inklinationsvinkel, lutningsvinkel **2** benägenhet, lust, böjelse; tendens; förkärlek, tycke
incline [ɪn'klaɪn, ss. subst. äv. 'ɪnklaɪn] **I** *vb tr* **1** luta ned (fram); böja [på] [~ *one's head*] **2** göra böjd (benägen) **II** *vb itr* **1** luta **2** vara böjd (benägen); visa tendens **III** *s* lutning, sluttning; stigning; lutande plan
inclined [ɪn'klaɪnd] **1** lutande; sned riktning; ~ *plane* fys. lutande plan **2** benägen, böjd; *I am* ~ *to think that...* jag är benägen att tro (lutar [snarast] åt den åsikten) att...
include [ɪn'klu:d] omfatta; inkludera; räkna med; ~ *a th. in one's programme* ta med (upp) ngt på sitt program
including [ɪn'klu:dɪŋ] omfattande; inklusive [~ *all expenses*], däribland [*fifty maps* ~ *six of North America*]
inclusion [ɪn'klu:ʒ(ə)n] inbegripande; medräknande; medtagande [~ *in* (på) *the list*]; *with the* ~ *of...* inklusive..., ...medräknad
inclusive [ɪn'klu:sɪv] **1** inberäknad; [*from Monday*] *to Saturday* ~ ...t.o.m. lördag **2** som inkluderar allt [*an* ~ *fee*], med allt inberäknat; fullständig [*an* ~ *list*]; ~ *terms* t.ex. på hotell: fast pris med allt inberäknat (inklusive allt) **3** [all]omfattande
incognito [ˌɪnkɒg'ni:təʊ, ɪn'kɒgnɪtəʊ] **I** *adv* inkognito **II** *adj* [som reser (uppträder)] inkognito **III** (pl. ~*s*) *s* inkognito
incoherence [ˌɪnkə(ʊ)'hɪər(ə)ns] brist på sammanhang; oförenlighet; motsägelse
incoherent [ˌɪnkə(ʊ)'hɪər(ə)nt] osammanhängande [~ *speech*; ~ *ideas*]; oförenlig; motsägande; inkonsekvent
income ['ɪnkʌm, 'ɪŋk-, -kəm] inkomst, avkastning; persons samtliga (vanligen årliga) inkomster; ~ *gap* inkomstklyfta; lönegap; *he has a very large* ~ han har mycket stora inkomster
income tax ['ɪnkʌmtæks, 'ɪŋk-, -kəm-] inkomstskatt: *income-tax return* självdeklaration
incoming ['ɪnˌkʌmɪŋ] inkommande [~ *letters*], ankommande [~ *trains*, ~ *post* (*mail*)]; ~ *call* tele. ingående samtal
incommunicado ['ɪnkəˌmju:nɪ'kɑ:dəʊ] isolerad [*the prisoner was held* ~]
incomparable [ɪn'kɒmp(ə)rəbl] **1** ojämförlig **2** oförliknelig, utomordentlig [~ *artist*; ~ *beauty*], enastående
incompatible [ˌɪnkəm'pætəbl] **1** oförenlig; oförsonlig; ~ *colours* färger som skär mot varandra **2** tekn. el. data. inkompatibel
incompetence [ɪn'kɒmpət(ə)ns] **1** inkompetens **2** jur. obehörighet, jävighet
incompetent [ɪn'kɒmpət(ə)nt] **I** *adj* **1** inkompetent [~ *at* (för, i) *one's job*; ~ *for teaching* (att undervisa)] **2** jur. obehörig, jävig **II** *s* inkompetent person
incomplete [ˌɪnkəm'pli:t] ofullständig; ofullbordad; inkomplett
incomprehensible [ɪnˌkɒmprɪ'hensəbl] obegriplig
inconceivable [ˌɪnkən'si:vəbl] obegriplig; vard. otrolig
inconclusive [ˌɪnkən'klu:sɪv] inte avgörande, inte bindande [~ *evidence*], inte beviskraftig; resultatlös [~ *discussion*]; ofullständig
incongruous [ɪn'kɒŋgrʊəs] **1** oförenlig, inkongruent **2** omaka, avvikande; olämplig **3** motsägande
inconsiderable [ˌɪnkən'sɪd(ə)rəbl] obetydlig
inconsiderate [ˌɪnkən'sɪd(ə)rət] **1** tanklös [~ *children*], obetänksam **2** taktlös [~ *behaviour*], ofinkänslig
inconsistency [ˌɪnkən'sɪst(ə)nsɪ] **1** oförenlighet **2** inkonsekvens; motsägelse
inconsistent [ˌɪnkən'sɪst(ə)nt] **1** oförenlig **2** inkonsekvent; ologisk; [själv]motsägande, osammanhängande
inconsolable [ˌɪnkən'səʊləbl] otröstlig [~ *grief*]
inconspicuous [ˌɪnkən'spɪkjʊəs] föga iögonenfallande (framträdande); [nästan] omärklig; obemärkt; tillbakadragen; oansenlig; [*she tried to make herself*] *as* ~ *as possible* ...så osynlig (liten) som möjligt; ~ *colours* diskreta färger

inconstant [ɪn'kɒnst(ə)nt] vankelmodig; ombytlig
incontinence [ɪn'kɒntɪnəns] **1** hämningslöshet; liderlighet **2** med. inkontinens
incontinent [ɪn'kɒntɪnənt] **1** hämningslös; liderlig **2** ohämmad [*an ~ flow of talk*] **3** med. inkontinent
incontrovertible [ˌɪnkɒntrə'vɜ:təbl] obestridlig [*~ fact*], ovederlägglig; odiskutabel
inconvenience [ˌɪnkən'vi:njəns] **I** *s* olägenhet; obekvämlighet; besvär, omak; obehag; *put a p. to ~* vålla ngn besvär osv. **II** *vb tr* besvära, förorsaka besvär, störa
inconvenient [ˌɪnkən'vi:njənt] oläglig; olämplig; obekväm; besvärlig; *it's a bit ~ just at the moment* äv. det passar inte så bra just nu
incorporate [ɪn'kɔ:pəreɪt] **1** införliva, inkorporera; lägga till, arbeta in [*~ changes into a text*]; omfatta [*the book ~s all the newest information on the subject*]; samla [*he ~d his ideas in a book*] **2** blanda [upp]; legera **3** uppta [som medlem] **4** göra till (konstituera som) korporation (ett bolag); *~d company* isht amer. aktiebolag
incorrect [ˌɪnkə'rekt, ˌɪŋk-] inte fullt riktig (korrekt); oriktig, inkorrekt; orättad
incorrigible [ɪn'kɒrɪdʒəbl] oförbätterlig
incorruptible [ˌɪnkə'rʌptəbl] **1** som inte kan fördärvas, oförstörbar; oförgänglig **2** omutlig, obesticklig
increase [ss. vb ɪn'kri:s, 'ɪnkri:s, ss. subst. 'ɪnkri:s, ɪn'kri:s] **I** *vb itr* öka[s] [*the population has ~d by* (med) *2,000 to 50,000*], stiga [*the birthrate is increasing*], växa ['till], tillta; föröka sig **II** *vb tr* öka [på], öka ut; höja [*~ the price*] **III** *s* ökning; [för]höjning; tilltagande; *get an ~ in pay* få löneförhöjning (höjd lön); *crime is on the ~* brottsligheten är i tilltagande (ökar, stiger)
increasing [ɪn'kri:sɪŋ, 'ɪnkri:sɪŋ] ökande etc., jfr *increase I*; *an ~ number of people* äv. ett allt större antal människor; *to an ever ~ extent* i allt större utsträckning (högre grad)
increasingly [ɪn'kri:sɪŋlɪ, 'ɪnkri:sɪŋlɪ] mer och mer, alltmer; *~ complicated* äv. allt krångligare
incredible [ɪn'kredəbl] otrolig; vard. ofattbar, fantastisk
incredulous [ɪn'kredjʊləs] klentrogen, skeptisk
increment ['ɪnkrɪmənt] tillväxt; tillägg
incriminate [ɪn'krɪmɪneɪt] anklaga för brott; rikta misstankarna mot; binda vid brottet
incubate ['ɪnkjʊbeɪt] **I** *vb tr* ruva [på]; kläcka **II** *vb itr* ruva; kläckas
incubation [ˌɪnkjʊ'beɪʃ(ə)n] **1** ruvande; äggkläckning **2** med. inkubation; *period of ~* el. *~ period* inkubationstid
incubator ['ɪnkjʊbeɪtə] **1** äggkläckningsmaskin **2** med. kuvös
inculcate ['ɪnkʌlkeɪt, ɪn'kʌlkeɪt] inskärpa
incumbent [ɪn'kʌmbənt] **1** kyrkoherde **2** innehavare av post (ämbete)
incur [ɪn'kɜ:] ådra sig [*~ a p.'s hatred*], åsamka sig [*~ great expense*], utsätta sig för [*~ risks*]
incurable [ɪn'kjʊərəbl] **1** obotlig **2** bildl. oförbätterlig [*an ~ optimist*]
incursion [ɪn'kɜ:ʃ(ə)n] plötsligt anfall (angrepp); bildl. intrång
indebted [ɪn'detɪd] **1** skuldsatt; *be ~ to a p.* vara skyldig ngn pengar, stå i skuld till (hos) ngn **2** tack skyldig; *be ~ to a p. for a th.* äv. stå i tacksamhetsskuld till ngn för ngt
indecency [ɪn'di:snsɪ] oanständighet; otillbörlighet
indecent [ɪn'di:snt] **1** oanständig; otillbörlig; ekivok; sedlighetssårande; *~ assault* jur. våldtäktsförsök, misshandel vid sexualbrott; *~ exposure* jur., sedlighetssårande blottande, exhibitionism **2** vard. opassande [*leave a party in ~ haste*]
indecision [ˌɪndɪ'sɪʒ(ə)n] obeslutsamhet, vankelmod; tvekan
indecisive [ˌɪndɪ'saɪsɪv] **1** obestämd [*~ answer*] **2** obeslutsam, vacklande; tveksam
indeed [ɪn'di:d] **I** *adv* **1** verkligen, faktiskt; ja, verkligen; riktigt; *thank you very much ~!* hjärtligt (tusen) tack!, tack så hemskt mycket!; [*who is this woman? -*] *who is she, ~?* a) ...ja, den som visste det! b) ...vet du verkligen inte det? **2** visserligen, förvisso **3** i svar ja (jo) visst; *yes, ~!* el. *~, yes!* ja visst!, ja absolut!, oh ja! **II** *interj*, *~!* verkligen!, är det möjligt?, ser man på!, jo pytt!
indefatigable [ˌɪndɪ'fætɪgəbl] outtröttlig, oförtruten
indefensible [ˌɪndɪ'fensəbl] omöjlig att försvara, ohållbar; oförsvarlig [*~ conduct*]
indefinable [ˌɪndɪ'faɪnəbl] odefinierbar; *an ~ something* något odefinierbart, något - jag vet inte vad
indefinite [ɪn'defɪnət] obestämd, vag [*an ~ reply*; *~ promises*]; inte närmare bestämd, obegränsad; *~ article* gram. obestämd artikel
indefinitely [ɪn'defɪnətlɪ] obestämt, vagt, svävande; på obestämd tid; obegränsat
indelible [ɪn'deləbl] outplånlig äv. bildl.; *~ pencil* ung. anilinpenna
indelicate [ɪn'delɪkət] **1** ogrannlaga, ofinkänslig, taktlös **2** grov, simpel, plump
indemnify [ɪn'demnɪfaɪ] **1** skydda [*~ a p.*

from el. *against* (mot) *harm* (*loss*)] **2** hålla skadeslös, gottgöra [*a p. for* (för) *a th.*]
indemnity [ɪn'demnətɪ] **1** skadeslöshet; strafflöshet **2** gottgörelse, skadeersättning, skadestånd
indent [ɪn'dent] **I** *vb tr* **1** tanda kanten av ngt; göra inskärning (snitt, hack) i **2** typogr. o.d. göra [ett] indrag på [~ *the first line of each paragraph*] **II** *vb itr* rekvirera
indentation [ˌɪnden'teɪʃ(ə)n] **1** tandning; inskärning **2** typogr. o.d. indrag
indenture [ɪn'dentʃə] kontrakt; isht lärlingskontrakt
independence [ˌɪndɪ'pendəns] oberoende; frihet; *I~ Day* amer. 4 juli, självständighetsdagen firas till minne av oavhängighetsförklaringen
independent [ˌɪndɪ'pendənt] **I** *adj* **1** oberoende, oavhängig [*the I~ Labour Party*], självständig [*an ~ thinker*; ~ *research*]; fri [~ *church*]; independent; av varandra oberoende [*two ~ witnesses*], utan förbindelse med varandra; ~ *school* fristående skola utan statligt ekonomiskt stöd **2** ekonomiskt oberoende, självförsörjande; ~ *means* privat förmögenhet, egna pengar **3** enskild, särskild; om ingång egen **II** *s* independent; partilös
independently [ˌɪndɪ'pendəntlɪ] oberoende etc., jfr *independent I*; på egen hand; var för sig
indescribable [ˌɪndɪ'skraɪbəbl] obeskrivlig
indestructible [ˌɪndɪ'strʌktəbl] **1** oförstörbar; outslitlig **2** outplånlig
indeterminate [ˌɪndɪ'tɜ:mɪnət] obestämd; oviss; oavgjord
ind|ex ['ɪnd|eks] **I** *s* (pl. *-exes*, i bet. *2* o. *3* vanl. *-ices* [-ɪsi:z]) **1** alfabetisk förteckning, register, ordregister; kartotek; index, katalog; *card* ~ kortregister; ~ *card* kartotekskort; *subject* ~ ämneskatalog på bibliotek; ämnesregister **2** indicium, tecken, mätare [*of* på] **3** matem. o.d. a) index b) exponent **4** [pris]index, indextal **II** *vb tr* **1** förse med register (index), indexera; katalogisera, registrera **2** ekon. indexreglera
index-finger ['ɪndeksˌfɪŋgə] **1** pekfinger **2** visare
index-linked ['ɪndekslɪŋkt] o. **index-related** ['ɪndeksrɪˌleɪtɪd] ekon. indexreglerad
India ['ɪndjə] geogr. Indien
Indian ['ɪndjən] **I** *adj* indisk [*the ~ Ocean*]; indiansk; ~ *corn* majs; ~ *wrestling* a) armbrytning b) slags brottning **II** *s* **1** indier **2** indian [äv. *Red* (*American*) ~] **3** vard. indianska språk
India rubber o. **india rubber** [ˌɪndjə'rʌbə] kautschuk; suddgummi
indicate ['ɪndɪkeɪt] ange, utvisa, markera på karta o.d.; tillkännage, visa (peka) på, tyda på [*everything ~d the opposite*]; isht tekn. indikera [*~d horsepower*]; *be ~d* vara önskvärd (på sin plats)
indication [ˌɪndɪ'keɪʃ(ə)n] **1** angivande, utvisande; tillkännagivande [*an ~ of one's intentions*]; antydan [*did he give you any ~ of* (om) *his feelings?*] **2** tecken; symptom äv. med.; *the ~s are that* allt tyder (pekar) på att
indicative [ɪn'dɪkətɪv, i bet. *I 1* äv. 'ɪndɪkeɪtɪv] **I** *adj* **1** *be ~ of* tyda på, visa, vittna om **2** gram. indikativ [~ *verb form*]; *the ~ mood* indikativ[en] **II** *s* gram. **1** *the ~* indikativ[en] **2** indikativform
indicator ['ɪndɪkeɪtə] **1** visare; nål; ~ el. *direction* ~ bil. blinker **2** tekn. indikator **3** tecken **4** anslagstavla; skylt; signaltavla; nummertavla; *arrival* ~ järnv., flyg. o.d. ankomsttavla
indict [ɪn'daɪt] åtala
indictable [ɪn'daɪtəbl] åtalbar
indictment [ɪn'daɪtmənt] åtal [för brott]
indifference [ɪn'dɪfr(ə)ns] likgiltighet
indifferent [ɪn'dɪfr(ə)nt] **1** likgiltig [~ *to* (för) *danger*]; kallsinnig; okänslig **2** betydelselös
indigenous [ɪn'dɪdʒɪnəs] **1** infödd; inhemsk **2** medfödd
indigestible [ˌɪndɪ'dʒestəbl] osmältbar äv. bildl.; svår att smälta
indigestion [ˌɪndɪ'dʒestʃ(ə)n] dålig matsmältning; matsmältningsbesvär
indignant [ɪn'dɪgnənt] indignerad [*an ~ protest*], kränkt, uppbragt
indignation [ˌɪndɪg'neɪʃ(ə)n] indignation
indignity [ɪn'dɪgnətɪ] kränkande behandling
indigo ['ɪndɪgəʊ] **I** (pl. *~s*) *s* **1** indigo[blått] [äv. *~ blue*] **2** indigo[växt] **II** *adj* indigoblå [äv. *~ blue*]
indirect [ˌɪndɪ'rekt, -daɪ'r-] indirekt [~ *answer*; ~ *taxes*], medelbar; sekundär [~ *effect*]; ~ *lighting* indirekt belysning; ~ *object* gram. indirekt objekt, dativobjekt; ~ *speech* indirekt tal (anföring)
indirectly [ˌɪndɪ'rektlɪ, -daɪ'r-] indirekt; på omvägar (krokvägar, bakvägar)
indiscipline [ɪn'dɪsɪplɪn] brist på disciplin
indiscreet [ˌɪndɪ'skri:t] **1** obetänksam, oförsiktig **2** indiskret
indiscretion [ˌɪndɪ'skreʃ(ə)n] **1** a) obetänksamhet, oförsiktighet b) felsteg; snedsprång **2** indiskretion
indiscriminate [ˌɪndɪ'skrɪmɪnət] **1** utan åtskillnad; godtycklig **2** urskillningslös
indiscriminately [ˌɪndɪ'skrɪmɪnətlɪ] **1** godtyckligt; utan åtskillnad [*they were punished ~*] **2** urskillningslöst

indispensable [ˌɪndɪ'spensəbl] oundgänglig, oumbärlig
indisposed [ˌɪndɪ'spəʊzd] **1** indisponerad; obenägen **2** indisponerad, opasslig
indisposition [ˌɪndɪspə'zɪʃ(ə)n] **1** obenägenhet **2** indisposition, opasslighet
indisputable [ˌɪndɪ'spju:təbl, ɪn'dɪspjʊtəbl] obestridlig
indistinct [ˌɪndɪ'stɪŋ(k)t] otydlig, oklar; dunkel
indistinguishable [ˌɪndɪ'stɪŋgwɪʃəbl] **1** omöjlig att [sär]skilja; obestämbar **2** som inte kan urskiljas
individual [ˌɪndɪ'vɪdjʊəl] **I** *adj* individuell [~ *teaching*], enskild, särskild; egenartad, personlig [~ *style*] **II** *s* individ, enskild; vard. person, typ [*a peculiar* ~]
individualist [ˌɪndɪ'vɪdjʊəlɪst] individualist
individuality ['ɪndɪˌvɪdjʊ'ælətɪ] individualitet, särprägel
individually [ˌɪndɪ'vɪdjʊəlɪ] individuellt
indivisible [ˌɪndɪ'vɪzəbl] odelbar
Indo-China [ˌɪndəʊ'tʃaɪnə] geogr. o. hist. Indokina
indoctrinate [ɪn'dɒktrɪneɪt] indoktrinera
indoctrination [ɪnˌdɒktrɪ'neɪʃ(ə)n] indoktrinering
indolent ['ɪndələnt] indolent, loj
indomitable [ɪn'dɒmɪtəbl] okuvlig [~ *courage* (*will*)], oövervinnelig
Indonesia [ˌɪndə(ʊ)'ni:zjə, -'ni:ʒə, -'ni:ʃə] geogr. Indonesien
Indonesian [ˌɪndə(ʊ)'ni:zjən, -'ni:ʒ(ə)n, -'ni:ʃ(ə)n] **I** *adj* indonesisk **II** *s* **1** indones **2** indonesiska [språket]
indoor ['ɪndɔ:] inomhus- [~ *arena* (*games*)]
indoors [ˌɪn'dɔ:z] inomhus; *go* ~ äv. gå in
indubitable [ɪn'dju:bɪtəbl] otvivelaktig
induce [ɪn'dju:s] **1** förmå, föranleda, förleda, få [*what ~d you to do such a thing?*] **2** medföra, [för]orsaka [*illness ~d by overwork*], framkalla [*~d abortion*] **3** inducera
inducement [ɪn'dju:smənt] bevekelsegrund; motivation; anledning; medel; lockbete; sporre
induct [ɪn'dʌkt] **1** installera; introducera **2** amer. mil. inkalla; ~ *into the army* kalla in till militärtjänst [i armén]
induction [ɪn'dʌkʃ(ə)n] **1** filos., fys. el. matem. induktion; framkallande [~ *of the hypnotic state*]; ~ *coil* induktionsapparat, induktionsrulle, gnistinduktor **2** installation; introduktion **3** amer. mil. inkallelse; ~ *paper* inkallelseorder
indulge [ɪn'dʌldʒ] **I** *vb tr* **1** ge efter för; skämma bort [~ *a p.* (*oneself*) *with the best food*]; ~ *oneself* äv. a) hänge sig [~ *oneself in* (åt) *nostalgic memories*] b) slå sig lös **2** ge fritt utlopp åt [~ *one's inclinations*], tillfredsställa **II** *vb itr*, ~ *in* hänge sig åt, tillåta sig [njutningen av], tillfredsställa sitt begär efter, unna sig [~ *in* [*the luxury of*] *a holiday* (*a cigar*)]
indulgence [ɪn'dʌldʒ(ə)ns] **1** överseende **2** eftergivenhet; släpphänthet **3** tillfredsställande; hängivet uppgående; *his only ~s* det enda (den enda lyx) han unnar sig **4** kyrkl. avlat; pl. *~s* avlatsbrev
indulgent [ɪn'dʌldʒ(ə)nt] **1** överseende **2** alltför eftergiven; släpphänt
industrial [ɪn'dʌstrɪəl] industriell, industri- [~ *diamond*; ~ *product*; ~ *society*]; ~ *action* strejkaktioner, stridsåtgärder; ~ *disease* yrkessjukdom; ~ *relations* förhållandet mellan (förhållanden som rör) arbetsmarknadens parter
industrialism [ɪn'dʌstrɪəlɪz(ə)m] industrialism
industrialist [ɪn'dʌstrɪəlɪst] industriman
industrialize [ɪn'dʌstrɪəlaɪz] industrialisera
industrious [ɪn'dʌstrɪəs] flitig, strävsam
industry ['ɪndəstrɪ] **1** flit, idoghet **2** industri; näringsliv; industrigren [*agriculture and other industries*]; *industries fair* industrimässa
inebriate [ss. adj. o. subst. ɪ'ni:brɪət, -brɪeɪt, ss. vb ɪ'ni:brɪeɪt] **I** *adj* berusad **II** *s* alkoholist **III** *vb tr* rusa, berusa äv. bildl.
inedible [ɪn'edəbl] oätlig
ineffective [ˌɪnɪ'fektɪv] ineffektiv; oduglig [*an ~ salesman*]; verkningslös [*an ~ remedy*]
ineffectual [ɪnɪ'fektʃʊəl, -tjʊəl] **1** utan effekt [~ *measures*], verkningslös [~ *remedy*], fruktlös [~ *efforts*]; *an ~ gesture* ett slag i luften **2** om pers. ineffektiv
inefficiency [ˌɪnɪ'fɪʃ(ə)nsɪ] ineffektivitet; brist på driftighet (framåtanda), oduglighet
inefficient [ˌɪnɪ'fɪʃ(ə)nt] **1** ineffektiv [~ *measures*, ~ *organization*] **2** om pers. ineffektiv
inelegant [ɪn'elɪgənt] utan elegans
ineligible [ɪn'elɪdʒəbl] **1** inte valbar **2** olämplig, inte kvalificerad [~ *for the position* (*office*)]
inept [ɪ'nept] **1** orimlig; dum **2** oduglig; olämplig
ineptitude [ɪ'neptɪtju:d] **1** orimlighet; dumhet **2** oduglighet; olämplighet
inequality [ˌɪnɪ'kwɒlətɪ] **1** olikhet [*social* ~] **2** otillräcklighet, inkompetens
inequitable [ɪn'ekwɪtəbl] orättfärdig
ineradicable [ˌɪnɪ'rædɪkəbl] outrotlig, ingrodd [~ *habits*]
inert [ɪ'nɜ:t] trög; overksam, död [~ *mass* (*matter*)]; inaktiv; kem. neutral; ~ *gases* inerta gaser, ädelgaser
inertia [ɪ'nɜ:ʃjə] tröghet; slöhet; inaktivitet

inertia-reel [ɪ'nɜ:ʃjəri:l], ~ [*seat-*]*belt* bil. rullbälte

inescapable [ˌɪnɪ'skeɪpəbl] oundviklig, ofrånkomlig

inestimable [ɪn'estɪməbl] ovärderlig, oskattbar; oändlig

inevitable [ɪn'evɪtəbl] **I** *adj* oundviklig, ofrånkomlig; vard. äv. vanlig [*the ~ happy ending*], evig [*the tourist with his ~ camera*] **II** *s, bow to the ~* finna sig i det oundvikliga (ofrånkomliga)

inevitably [ɪn'evɪtəblɪ] oundvikligt, ofrånkomligen

inexact [ˌɪnɪg'zækt] inexakt, inte [fullt] riktig; onöjaktig; inadekvat; otillförlitlig

inexcusable [ˌɪnɪk'skju:zəbl] oförlåtlig; oförsvarlig

inexhaustible [ˌɪnɪg'zɔ:stəbl] **1** outtömlig, outsinlig [*~ supply*; *~ subject*] **2** outtröttlig [*~ patience*]

inexorable [ɪn'eks(ə)rəbl] obeveklig, ofrånkomlig, obönhörlig; obarmhärtig

inexpensive [ˌɪnɪk'spensɪv] [pris]billig

inexperience [ˌɪnɪk'spɪərɪəns] oerfarenhet, brist på rutin

inexperienced [ˌɪnɪk'spɪərɪənst] oerfaren, orutinerad

inexplicable [ˌɪnek'splɪkəbl, ɪn'eksplɪkəbl] oförklarlig

inexpressible [ˌɪnɪk'spresəbl] outsäglig, obeskrivlig; obeskrivbar; outsägbar

inextricable [ˌɪnɪk'strɪkəbl, ɪn'ekstrɪkəbl] olöslig [*an ~ dilemma*]; oupplöslig [*an ~ knot*]

infallibility [ɪnˌfælə'bɪlətɪ] ofelbarhet

infallible [ɪn'fæləbl] **1** ofelbar [*none of us is ~*] **2** osviklig, ofelbar [*~ remedies* (*methods*)]

infamous ['ɪnfəməs] **1** illa beryktad **2** vanhedrande; tarvlig, skändlig, skamlig [*~ lie*]

infamy ['ɪnfəmɪ] **1** vanära **2** skändlighet; nidingsdåd

infancy ['ɪnfənsɪ] **1** spädbarnsålder; [tidiga] barnaår; [tidig] barndom **2** bildl. barndom; *when socialism was in its ~* i socialismens barndom

infant ['ɪnfənt] **I** *s* **1** spädbarn **2** skol. barn [under 7 år] **II** *adj* barn- [*~ voices*; *~ years*], spädbarns-; *~ mortality* barnadödlighet; spädbarnsdödlighet

infantile ['ɪnfəntaɪl] barn-; barnslig [*~ pastimes*]; neds. barnslig, infantil äv. med.

infantry ['ɪnf(ə)ntrɪ] infanteri; *~ regiment* infanteriregemente

infant school ['ɪnf(ə)ntsku:l] skola för elever mellan 5 - 7 år inom den obligatoriska skolan

infatuated [ɪn'fætjʊeɪtɪd] förblindad [*~ with* (av) *love* (*pride*)]; besatt [*he was ~ by her*]; passionerad [*~ love*]; *~ with* (*about*) *a p.* blint förälskad (vansinnigt kär) i ngn

infatuation [ɪnˌfætjʊ'eɪʃ(ə)n] dårskap; [blind] förälskelse

infect [ɪn'fekt] infektera, smitta äv. bildl. o. data. [*~ed with* (av)]; smitta ner; smitta av sig på

infection [ɪn'fekʃ(ə)n] med. infektion; smittämne; smittosam sjukdom

infectious [ɪn'fekʃəs] smitt[o]sam; med. infektiös; bildl. äv. smittande [*~ laugh*]; *~ disease* smittosam sjukdom, infektionssjukdom

infer [ɪn'fɜ:] **1** sluta sig till [*you may ~ the rest*]; *he ~red that* han drog den slutsatsen att **2** innebära [*democracy ~s freedom*] **3** antyda

inference ['ɪnf(ə)r(ə)ns] slutledning; slutsats; *draw an ~ from a th.* dra en slutsats av ngt

inferior [ɪn'fɪərɪə] **I** *adj* lägre i rang o.d.; underlägsen; sämre, sekunda, dålig [*~ quality*] **II** *s* underordnad; *his ~s* hans underordnade; *I am his ~* jag är underordnad honom; jag är honom underlägsen

inferiority [ɪnˌfɪərɪ'ɒrətɪ] underlägsenhet; lägre samhällsställning (värde osv.); *~ complex* mindervärdeskomplex

infernal [ɪn'fɜ:nl] **1** som hör till underjorden (dödsriket, helvetet) **2** infernalisk, djävulsk; vard. jäkla, förbannad [*it's an ~ nuisance*]

inferno [ɪn'fɜ:nəʊ] (pl. *~s*) inferno, helvete

infertile [ɪn'fɜ:taɪl, amer. -tl] ofruktbar, ofruktsam, steril

infertility [ˌɪnfə'tɪlətɪ] ofruktbarhet, ofruktsamhet; sterilitet

infest [ɪn'fest] hemsöka; härja på (i); *be ~ed with* vara hemsökt (angripen, nedlusad, översvämmad) av

infidelity [ˌɪnfɪ'delətɪ] **1** relig. otro **2** [fall av] otrohet [*conjugal ~*], trolöshet; trolös handling **3** brist på överensstämmelse vid översättning, avbildning o.d.

infighting ['ɪnˌfaɪtɪŋ] närkamp i boxning

infiltrate ['ɪnfɪltreɪt, -'--] **I** *vb tr* infiltrera; [oförmärkt] nästla sig (tränga) in i **II** *vb itr* tränga in i vävnader o.d.; mil. [oförmärkt] nästla sig (tränga) in

infiltration [ˌɪnfɪl'treɪʃ(ə)n] infiltration äv. med.; infiltrering; mil. äv. innästling

infiltrator ['ɪnfɪltreɪtə] infiltratör

infinite ['ɪnfɪnət, mat. o. gram. äv. 'ɪnfaɪnaɪt] **I** *adj* oändlig, ändlös [*~ number*]; isht gram infinit; *~ harm* oerhört stor skada **II** *s, the ~* oändligheten

infinitely ['ɪnfɪnətlɪ] oändligt; i det oändliga; *~ better* oändligt mycket bättre

infinitesimal [ˌɪnfɪnɪ'tesɪm(ə)l] oändligt liten

infinitive [ɪn'fɪnɪtɪv] gram. **I** *adj* infinitiv-;

the ~ mood infinitiv[en] **II** *s, the ~* infinitiv[en]; *~ marker* infinitivmärke
infinity [ɪnˈfɪnətɪ] **1** oändlighet, ändlöshet **2** oändligheten
infirm [ɪnˈfɜːm] klen, skröplig
infirmity [ɪnˈfɜːmətɪ] skröplighet, [ålderdoms]svaghet; pl. *infirmities* krämpor [*the infirmities of old age*], skavanker
inflame [ɪnˈfleɪm] **1** tända, upptända [*~d with* (av) *passion*]; hetsa upp **2** inflammera [*~d eyes*] **3** underblåsa
inflammable [ɪnˈflæməbl] lättantändlig äv. bildl.; eldfarlig [*highly* (mycket) *~*]
inflammation [ˌɪnfləˈmeɪʃ(ə)n] **1** med. inflammation **2** upphetsning
inflammatory [ɪnˈflæmət(ə)rɪ] **1** upphetsande; provocerande; *~ speech* äv. brandtal **2** inflammatorisk [*~ condition* (tillstånd)]
inflatable [ɪnˈfleɪtəbl] **I** *adj* uppblåsbar **II** *s* uppblåsbart föremål
inflate [ɪnˈfleɪt] **1** blåsa upp, fylla med luft (gas) **2** göra uppblåst [*~ a p. with* (av) *pride*] **3** ekon. inflatera, öka på ett inflationsdrivande sätt; driva upp över verkliga värdet [*~ prices*]
inflated [ɪnˈfleɪtɪd] **1** uppblåst, bildl. äv. inbilsk; pumpad, luftfylld; *a vastly ~ opinion of oneself* en starkt överdriven föreställning om sig själv **2** svulstig [*~ language*] **3** ekon. inflations- [*~ prices*]
inflation [ɪnˈfleɪʃ(ə)n] **1** uppblåsning; uppsvälldhet **2** ekon. inflation; *rate of ~* inflationstakt
inflationary [ɪnˈfleɪʃn(ə)rɪ] inflationsdrivande; inflatorisk [*~ effects* (*tendencies*)]; inflationistisk [*~ policy*]; inflations-; *~ gap* inflationsgap; *~ spiral* inflationsspiral
inflect [ɪnˈflekt] **1** gram. böja **2** modulera [*~ one's voice*]
inflection [ɪnˈflekʃ(ə)n] **1** gram. böjning; böjd form; böjningsändelse **2** röstens modulation; tonfall
inflexible [ɪnˈfleksəbl] isht bildl. oböjlig; orörlig, stel; orubblig
inflexion [ɪnˈflekʃ(ə)n] se *inflection*
inflict [ɪnˈflɪkt] pålägga, ålägga [*~ a penalty*], lägga på [*~ heavy taxes*], vålla, tillfoga [*~ suffering*], tilldela [*~ a blow*], påtvinga
infliction [ɪnˈflɪkʃ(ə)n] **1** påläggande etc., jfr *inflict* **2** lidande, hemsökelse
inflight [ˈɪnflaɪt], *~ meals* (*movies*) måltider (filmvisning) ombord under flygning
inflow [ˈɪnfləʊ] inströmmande; tillströmning; tillflöde; tillförsel; *~ pipe* tilloppsrör
influence [ˈɪnflʊəns] **I** *s* inflytande; inverkan, påverkan; *have ~ with a p.* äga inflytande hos ngn; *a man of ~* en inflytelserik man (person); *under the ~ of drink* (vard. *under the ~*) [sprit]påverkad; *driving under the ~ [of drink]* rattfylleri **II** *vb tr* ha inflytande på; influera; förmå
influential [ˌɪnflʊˈenʃ(ə)l] som har (utövar) [stort] inflytande
influenza [ˌɪnflʊˈenzə] influensa
influx [ˈɪnflʌks] **1** inströmning, inflöde [*~ of water*] **2** tillströmning, tillflöde [*~ of visitors; ~ of wealth*]; riklig tillförsel, uppsjö
inform [ɪnˈfɔːm] **I** *vb tr* meddela, underrätta, upplysa, informera **II** *vb itr* **1** ge information **2** *~ against* (*on*) uppträda som angivare mot, ange, anklaga
informal [ɪnˈfɔːml] informell; *~ dress* på bjudningskort kavaj, vardagsklädsel
informality [ˌɪnfɔːˈmælətɪ] informell karaktär, enkelhet
informally [ɪnˈfɔːməlɪ] informellt; utan formaliteter (ceremonier)
informant [ɪnˈfɔːmənt] sagesman, källa; meddelare
information [ˌɪnfəˈmeɪʃ(ə)n] **1** (utan pl.) meddelande[n]; underrättelse[r], upplysning[ar], information[er]; *~ bureau* informationsbyrå; *~ desk* informationen [*ask at* (i, vid) *the ~ desk*]; *thank you for that piece* (*bit*) *of ~* tack för upplysningen; *for your ~* för din (er) kännedom, jag (vi) kan upplysa dig (er) om **2** jur. angivelse
informative [ɪnˈfɔːmətɪv] **1** upplysande; upplysnings-; informativ; *~ label* varudeklaration **2** lärorik
informed [ɪnˈfɔːmd] **1** välunderrättad, välorienterad; initierad; *keep a p. ~ as to* hålla ngn à jour med **2** kultiverad
informer [ɪnˈfɔːmə] angivare
infra dig [ˌɪnfrəˈdɪg] vard. (förk. för *infra dignitatem* lat.) under ens värdighet, opassande [*it's a bit ~ to go there*]
infrared [ˌɪnfrəˈred] infraröd [*~ rays*]; *~ lamp* värmelampa
infrastructure [ˈɪnfrəˌstrʌktʃə] mil. el. ekon. infrastruktur
infrequent [ɪnˈfriːkwənt] ovanlig
infrequently [ɪnˈfriːkwəntlɪ] sällan
infringe [ɪnˈfrɪn(d)ʒ] **I** *vb tr* överträda [*~ a law, ~ a rule*], kränka [*~ the rights of other people*]; göra intrång i [*~ a copyright, ~ a patent*] **II** *vb itr, ~ against* överträda, bryta mot
infringement [ɪnˈfrɪn(d)ʒmənt] brott, överträdelse; intrång
infuriate [ɪnˈfjʊərɪeɪt] göra rasande (ursinnig)
infuriating [ɪnˈfjʊərɪeɪtɪŋ] fruktansvärt irriterande
infuse [ɪnˈfjuːz] **I** *vb tr* **1** ingjuta, inge,

bibringa; genomsyra **2** göra infusion på; laka ur med hett vatten; låta stå och dra [~ *the tea*] **II** *vb itr* [stå och] dra [*let the tea ~*]
infusion [ɪn'fju:ʒ(ə)n] **1** ingjutande; tillförsel **2** infusion; dekokt **3** tillsats
ingenious [ɪn'dʒi:njəs] fyndig, påhittig; genial; sinnrik [~ *machine*]
ingenuity [ˌɪn(d)ʒɪ'nju:ətɪ] fyndighet, påhittighet; genialitet; sinnrikhet
ingenuous [ɪn'dʒenjʊəs] öppen [~ *smile*], uppriktig [~ *confession*]; naiv
ingot ['ɪŋgət, -gɒt] tacka av guld, silver el. stål
ingrained [ɪn'greɪnd] **1** genomfärgad; genomdränkt **2** bildl. ingrodd [~ *with dirt*], inrotad [~ *prejudices*]; oförbätterlig [~ *liar*]; tvättäkta; nedärvd
ingratiate [ɪn'greɪʃieɪt], ~ *oneself with* (*into the favour of*) *a p.* ställa (nästla) sig in hos ngn, smila in sig hos ngn
ingratiating [ɪn'greɪʃieɪtɪŋ], ~ *smile* insmickrande (inställsamt) leende
ingratitude [ɪn'grætɪtju:d] otacksamhet
ingredient [ɪn'gri:djənt] ingrediens; komponent; inslag
ingrowing ['ɪnˌgrəʊɪŋ] invuxen [~ *toenail*]
inhabit [ɪn'hæbɪt] bebo; bo i; perf. p. *~ed* bebodd, befolkad
inhabitable [ɪn'hæbɪtəbl] beboelig
inhabitant [ɪn'hæbɪt(ə)nt] invånare [~ *of a town* (*country*)]
inhale [ɪn'heɪl] **I** *vb tr* andas in, dra in [~ *cigarette smoke*] **II** *vb itr* andas in; dra halsbloss
inherent [ɪn'her(ə)nt, -'hɪər-] inneboende; konstitutiv; naturlig, medfödd
inherently [ɪn'her(ə)ntlɪ, -'hɪər-] i sig; i och för sig [*it is ~ impossible*]
inherit [ɪn'herɪt] **I** *vb tr* ärva äv. bildl.; få i arv **II** *vb itr* ärva
inheritance [ɪn'herɪt(ə)ns] arv; arvedel; ~ *tax* arvsskatt
inheritor [ɪn'herɪtə] arvinge
inhibit [ɪn'hɪbɪt] hämma [*an ~ed person*]; undertrycka [~ *one's natural impulses*]; hindra
inhibition [ˌɪn(h)ɪ'bɪʃ(ə)n] **1** hämmande **2** psykol. hämning
inhospitable [ɪnhɒ'spɪtəbl, ɪn'hɒsp-] ogästvänlig [*an ~ person*]; karg [~ *coast*]
inhuman [ɪn'hju:mən] **1** omänsklig, grym, inhuman **2** inte mänsklig; övermänsklig
inhumane [ˌɪnhjʊ'meɪn] se *inhuman 1*
inimitable [ɪ'nɪmɪtəbl] oefterhärmlig; oförliknelig
iniquity [ɪ'nɪkwətɪ] **1** orättfärdighet; ondska; syndfullhet **2** synd
initial [ɪ'nɪʃ(ə)l] **I** *adj* begynnelse- [~ *stage*], inledande [~ *position*], första [*the ~ symptoms of a disease*], initial-; ~ *capital* a) startkapital b) stor begynnelsebokstav **II** *s* **1** begynnelsebokstav; anfang; initial **2** initial, signatur **III** *vb tr* **1** signera [med initialer] **2** märka [med initialer]
initially [ɪ'nɪʃ(ə)lɪ] i början
initiate [ss. vb ɪ'nɪʃieɪt, ss. subst. ɪ'nɪʃiət, -ʃieɪt] **I** *vb tr* **1** börja, ta initiativet till **2** inviga [~ *a p. into* (i) *a secret*], inviga, göra förtrogen **3** uppta (ta in) [som medlem] [~ *a p. into* (i) *a society*]; initiera [~ *a p. into a secret sect*] **II** *s* [nyligen] invigd (initierad) [person]; nybörjare
initiation [ɪˌnɪʃɪ'eɪʃ(ə)n] **1** påbörjande, begynnelse **2** införande, invigning **3** upptagande; initiation; ~ *ceremony* invigningsceremoni, intagningsceremoni
initiative [ɪ'nɪʃɪətɪv] **1** initiativ; *on* (*of*) *one's own ~* på eget initiativ, av egen drift **2** initiativkraft, företagsamhet [*have* (*lack*) ~]
inject [ɪn'dʒekt] **1** spruta in, injicera **2** bildl. ingjuta [~ *new life into a th.*], lägga in
injection [ɪn'dʒekʃ(ə)n] **1** injektion äv bildl.; spruta; insprutning äv. konkr. **2** mek. insprutning [*fuel ~*]; ~ *pump* insprutningspump
injudicious [ˌɪndʒʊ'dɪʃəs] omdömeslös, oklok [~ *remark*]
injunction [ɪn'dʒʌŋ(k)ʃ(ə)n] **1** förständigande, åläggande; befallning, tillsägelse **2** jur., [*court*] ~ domstolsföreläggande
injure ['ɪn(d)ʒə] **1** skada [~ *one's arm*; ~ *a p.'s reputation*], såra **2** göra ngn orätt, förorätta; såra; *~d party* jur. målsägare, målsägande
injurious [ɪn'dʒʊərɪəs] **1** skadlig [~ *to health* (för hälsan)] **2** kränkande [~ *statement*], skymflig
injury ['ɪn(d)ʒ(ə)rɪ] **1** skada; men; ~ *time* fotb. o.d. förlängning på grund av skada **2** oförrätt
injustice [ɪn'dʒʌstɪs] orättvisa; *do a p. an ~* göra ngn orätt, [be]döma ngn orättvist
ink [ɪŋk] **I** *s* **1** bläck; *Chinese* (*India*[*n*]) ~ tusch **2** trycksvärta [äv. *printer's ~*] **II** *vb tr* bläcka ned; ~ *in* (*over*) fylla 'i (märka) med bläck (tusch)
inkling ['ɪŋklɪŋ] **1** aning **2** vink
inkpad ['ɪŋkpæd] färgdyna, stämpeldyna
inky ['ɪŋkɪ] bläckig; bläcksvart
inlaid [ˌɪn'leɪd, attr. äv. 'ɪnleɪd] inlagd, mosaik-; ~ *linoleum* genomgjuten linoleummatta
inland [ss. subst. o. adj. 'ɪnlənd, -lænd, ss. adv. ɪn'lænd] **I** *s* inland; *the ~* äv. det inre av landet **II** *adj* **1** belägen (som ligger) inne i landet; inlands- **2** inländsk, inrikes; ~ *revenue* statens inkomster av direkta och indirekta skatter **III** *adv* inne i landet; inåt landet, in i landet

inlet ['ɪnlet] **1** sund, gatt, havsarm; liten vik **2** ingång; öppning; inlopp; insläpp, intag [*air* ~]; inströmning; ~ *pipe* inloppsrör, inströmningsrör; insugningsrör

inmate ['ɪnmeɪt] intern på institution; pensionär; patient; invånare [*all the ~s of the house*]

inmost ['ɪnməʊst] innerst; *in the ~ depths of the forest* djupast (längst) inne i skogen

inn [ɪn] **1** värdshus; gästgivargård **2** *the Inns of Court* de fyra juristkollegierna i London, advokatsamfund för utbildning av *barristers*

innate [ˌɪ'neɪt, '--] medfödd

inner ['ɪnə] inre; invändig; inner-; bildl. äv. dunkel, hemlig

innermost ['ɪnəməʊst] innerst

innings ['ɪnɪŋz] (pl. lika, vard. äv. *~es* [-ɪz]) **1** i kricket o.d. [inne]omgång, tur att vara inne **2** bildl. tur, chans; [glans]period; *I have had my ~* jag har haft min tid (gjort mitt)

innkeeper ['ɪnˌki:pə] värdshusvärd; gästgivare

innocence ['ɪnə(ʊ)sns] **1** oskuldsfullhet, troskyldighet **2** oskuld

innocent ['ɪnə(ʊ)snt] **I** *adj* **1** oskuldsfull, troskyldig [*an ~ young girl*] **2** oskyldig [*he is ~ of the crime*] **3** oförarglig; oskyldig [*~ amusements*] **II** *s* **1** oskuldsfull person isht barn **2** lättrogen (enfaldig) person

innocuous [ɪ'nɒkjʊəs] oskadlig [*~ drugs*], ofarlig [*~ snakes*]; bildl. blek

innovation [ˌɪnə(ʊ)'veɪʃ(ə)n] förnyelse; innovation

innovator ['ɪnə(ʊ)veɪtə] förnyare, innovatör

innuendo [ˌɪnjʊ'endəʊ] (pl. *~s* el. *~es*) [förtäckt] antydning; gliring

innumerable [ɪ'nju:m(ə)rəbl] oräknelig

inoculate [ɪ'nɒkjʊleɪt] **1** med. ympa in smittämne; inokulera; *~ a p. against* [skydds]ympa (vaccinera) ngn mot **2** trädg. okulera, ympa träd

inoculation [ɪˌnɒkjʊ'leɪʃ(ə)n] **1** med. [in]ympning, inokulation **2** trädg. okulering

inoffensive [ˌɪnə'fensɪv] oförarglig

inopportune [ɪn'ɒpətju:n, ˌɪnɒpə't-] oläglig [*at an ~ time*], inopportun

inordinate [ɪ'nɔ:dɪnət] **1** omåttlig, överdriven [*~ demands, ~ expectations*], ohämmad **2** oregelbunden [*~ hours* (tider)], oordnad

inorganic [ˌɪnɔ:'gænɪk] oorganisk [*~ chemistry*]; ostrukturerad, planlös

in-patient ['ɪnˌpeɪʃ(ə)nt] sjukhuspatient

input ['ɪnpʊt] **1** insats; tillförsel; intag **2** elektr. el. radio. ineffekt; data. input, indata [äv. *~ data*]; inmatning, ofta in- [*~ capacitance*], ingångs- [*~ impedance*]

inquest ['ɪnkwest] rättslig undersökning; förhör om dödsorsaken

inquire [ɪn'kwaɪə] **I** *vb itr* **1** fråga, höra sig för, höra efter; hänvända sig; *~ after a p.* fråga hur det står till med ngn **2** *~ into* undersöka, forska i, utreda **II** *vb tr* **1** fråga om (efter) [*~ the way; ~ a p.'s name*]; fråga [*he ~d what I wanted (how to do it)*] **2** ta reda på

inquiry [ɪn'kwaɪərɪ, amer. äv. 'ɪnkwərɪ] **1** a) förfrågan [*about (after, for)* om] b) efterforskning, undersökning c) förhör; sjö. sjöförhör; *judicial ~* rättslig undersökning; *court of ~* undersökningsdomstol; mil. undersökningsnämnd **2** fråga; *a look of ~* en frågande (spörjande) blick

inquisition [ˌɪnkwɪ'zɪʃ(ə)n] **1** jur. [rättslig] undersökning **2** *the I~* hist. inkvisitionen

inquisitive [ɪn'kwɪzɪtɪv] **1** frågvis **2** vetgirig

insane [ɪn'seɪn] sinnessjuk, mentalsjuk; vansinnig [*an ~ idea (attempt)*], galen

insanitary [ɪn'sænɪt(ə)rɪ] hälsovådlig; ohälsosam; ohygienisk

insanity [ɪn'sænətɪ] sinnessjukdom, mentalsjukdom; vansinne

insatiable [ɪn'seɪʃjəbl] omättlig; osläcklig [*~ thirst*]

inscribe [ɪn'skraɪb] **1** skriva [in], rista [in] **2** skriva in, enrollera **3** hand. inregistrera aktieägare o.d.; *~d share* aktie ställd till viss person **4** *~d copy* dedikationsexemplar

inscription [ɪn'skrɪpʃ(ə)n] **1** inskrift [*~ on a medal (monument)*], påskrift **2** dedikation

inscrutable [ɪn'skru:təbl] **1** outgrundlig [*an ~ face (smile)*], mystisk [*the ~ ways of God*], oförklarlig **2** ogenomtränglig [*~ fog*]

insect ['ɪnsekt] insekt; neds., om person kryp

insecticide [ɪn'sektɪsaɪd] insektsdödande medel

insecure [ˌɪnsɪ'kjʊə] osäker [*~ footing (hold); ~ foundation*], otrygg [*feel ~*]; vansklig [*be in an ~ position*], utsatt för fara

insecurity [ˌɪnsɪ'kjʊərətɪ] osäkerhet

insensible [ɪn'sensəbl] **1** medvetslös **2** okänslig [*~ to* (för) *pain*]; otillgänglig, omedveten; slö; känslolös **3** omärklig; *by ~ degrees* omärkligt

insensitive [ɪn'sensətɪv] okänslig

inseparable [ɪn'sep(ə)rəbl] **I** *adj* oskiljaktig **II** *s*, pl. *~s* oskiljaktiga vänner

insert [ss. vb ɪn'sɜ:t, ss. subst. 'ɪnsɜ:t] **I** *vb tr* sätta (föra, skjuta, sticka, passa, rycka) in, infoga; *~ a key in a lock* sticka [in] en nyckel i ett lås **II** *s* **1** inlägg **2** a) inlaga, bilaga i tidning b) insticksblad i bok **3** annons **4** film. el. TV. inklippt stillbild

insertion [ɪnˈsɜːʃ(ə)n] **1** insättande, införande etc., jfr *insert I* **2** a) inlägg b) tillägg i skrift o.d. c) inlaga, bilaga i tidning

in-service [ˈɪnˌsɜːvɪs], ~ *training* internutbildning inom offentlig förvaltning

inshore [ˌɪnˈʃɔː, ˈɪnʃ-] **1** in mot land (kusten); ~ *wind* pålandsvind **2** inne under (inne vid, nära) land (kusten); ~ *fisheries* kustfiske

inside [ˌɪnˈsaɪd, ss. adj. ˈ--] **I** *s* **1** insida; *the* ~ insidan, innersidan [*the* ~ *of the hand*; *the* ~ *of a curve*], den inre sidan; det inre (innersta); innandömet; ~ *out* ut och in; med avigsidan (insidan) ut; *know a th.* ~ *out* känna [till] (kunna) ngt utan och innan **2** vard. mage; pl. ~*s* inälvor **II** *adj* inre, inner- [~ *pocket*]; invärtes; intern; ~ *information* inside information; förhandstips, stalltips; ~ *job* sl. insidejobb, internt jobb stöld med hjälp av någon inifrån **III** *adv* inuti; inåt; [där] inne; in [*walk* ~*!*]; bildl. inombords; *he has been* ~ vard. han har suttit inne i fängelse **IV** *prep* inne i; in i; på insidan av

insider [ˌɪnˈsaɪdə] person ur (som tillhör) den inre kretsen, insider

insidious [ɪnˈsɪdɪəs] försåtlig [~ *disease*]

insight [ˈɪnsaɪt] insikt[er]; förståelse; skarpsinne; insyn

insignia [ɪnˈsɪgnɪə] (pl. lika el. ~*s*) insignier; tecken [*an* ~ *of* (på) *mourning*]; mil. gradbeteckning[ar], utmärkelsetecken

insignificant [ˌɪnsɪgˈnɪfɪkənt] **1** obetydlig, oansenlig; utan [all] betydelse; betydelselös **2** meningslös; intetsägande

insincere [ˌɪnsɪnˈsɪə] inte uppriktig, hycklande

insincerity [ˌɪnsɪnˈserətɪ] bristande (brist på) uppriktighet, hyckleri

insinuate [ɪnˈsɪnjʊeɪt] **1** insinuera, låta påskina; antyda **2** [oförmärkt (gradvis)] smyga (föra) in; så [~ *doubt into the minds of* (tvivel hos) *the people*]

insinuation [ɪnˌsɪnjʊˈeɪʃ(ə)n] **1** insinuation **2** insmygande

insipid [ɪnˈsɪpɪd] **1** utan smak; *it's* ~ det smakar ingenting **2** ointressant, intetsägande

insist [ɪnˈsɪst] **1** insistera [*don't, unless he* ~*s*]; ~ *on* (*upon*) insistera på, [bestämt] yrka på, kräva, fordra **2** vidhålla sin ståndpunkt; ~ *on* (*upon*) a) stå fast vid, vidhålla, hålla fast vid, hävda [bestämt], hålla på [*he* ~*s on punctuality*] b) [ständigt] understryka (betona, framhålla, uppehålla sig vid)

insistence [ɪnˈsɪst(ə)ns] **1** hävdande, hållande, fasthållande, [ständigt] understrykande; envishet **2** yrkande

insistent [ɪnˈsɪst(ə)nt] **1** envis, enträgen; ihärdig **2** ihållande

insole [ˈɪnsəʊl] innersula; iläggssula

insolence [ˈɪnsələns] oförskämdhet; förmätenhet

insolent [ˈɪnsələnt] oförskämd; förmäten

insoluble [ɪnˈsɒljʊbl] **1** olöslig [~ *salts*], oupplöslig **2** oförklarlig, olöslig [*an* ~ *problem*]

insolvency [ɪnˈsɒlv(ə)nsɪ] insolvens; obestånd

insolvent [ɪnˈsɒlv(ə)nt] **I** *adj* insolvent, oförmögen att betala **II** *s* insolvent gäldenär

insomnia [ɪnˈsɒmnɪə] med. sömnlöshet

insomniac [ɪnˈsɒmnɪæk] sömnlös [person]

inspect [ɪnˈspekt] syna, granska; ta en överblick över; bese; inspektera, besiktiga

inspection [ɪnˈspekʃ(ə)n] granskning, synande; inspektion; *tour* (*journey*) *of* ~ inspektionsresa; *on close*[*r*] ~ vid närmare granskning

inspector [ɪnˈspektə] **1** inspektör, inspektor; granskare; kontrollant; uppsyningsman; *I*~ *of Taxes* ung. taxeringsinspektör **2** *police* ~ ung. polisinspektör; högre [polis]kommissarie [äv. *chief* ~]

inspiration [ˌɪnspəˈreɪʃ(ə)n, -spɪˈr-] inspiration; inspirationskälla; *draw one's* ~ *from* hämta sin inspiration från

inspire [ɪnˈspaɪə] inspirera; fylla [~ *a p. with enthusiasm*]; inge [*he* ~*s confidence*]

inspiring [ɪnˈspaɪərɪŋ] inspirerande

instability [ˌɪnstəˈbɪlətɪ] instabilitet; ostadighet

installation [ˌɪnstəˈleɪʃ(ə)n] **1** installation; tillträdande; invigning (insättning) i ämbete **2** installation; montering

instalment [ɪnˈstɔːlmənt] **1** avbetalning; amortering; avbetalningstermin; *by* ~*s* avbetalningsvis, genom avbetalningar (amorteringar), på avbetalning; *purchase on the* ~ *system* köpa på avbetalning, göra avbetalningsköp **2** [små]portion; avsnitt; häfte; *the story will appear in 10* ~*s* berättelsen kommer att publiceras i 10 avsnitt; *by* ~*s* portionsvis; litet i sänder; i flera avsnitt; häftesvis

instance [ˈɪnstəns] **I** *s* **1** exempel; belägg; fall; *for* ~ till exempel; *in this* ~ i detta fall **2** *at the* ~ *of a p.* på ngns yrkande (begäran, anmodan) **3** isht jur. instans **II** *vb tr* **1** anföra (ge) som exempel **2** exemplifiera

instant [ˈɪnstənt] **I** *adj* **1** ögonblicklig, omedelbar [~ *relief*] **2** enträgen; trängande [~ *need of help*] **3** snabb-; ~ *coffee* snabbkaffe, pulverkaffe; ~ *food* snabbmat; ~ *replay* TV. repris [i slow-motion] **II** *s* ögonblick; *this* [*very*] ~

nu genast, nu med detsamma, nu på ögonblicket; *on the ~* el. *in an ~* ögonblickligen, genast
instantaneous [ˌɪnst(ə)n'teɪnjəs] ögonblicklig; isht tekn. momentan
instantly ['ɪnstəntlɪ] **I** *adv* ögonblickligen **II** *konj* i samma ögonblick [som] [*he ran ~ he saw me*]
instead [ɪn'sted] i stället; *~ of* i stället för
instep ['ɪnstep] a) [fot]vrist b) ovanläder på sko c) överdel av strumpfot
instigate ['ɪnstɪgeɪt] **1** egga, sporra; [upp]mana **2** anstifta, uppvigla till [*~ a strike*]
instigation [ˌɪnstɪ'geɪʃ(ə)n] tillskyndan; uppmaning; anstiftan, uppvigling; *at (by) the ~ of a p.* på tillskyndan (anstiftan) av ngn
instigator ['ɪnstɪgeɪtə] tillskyndare; anstiftare; upphovsman
instil [ɪn'stɪl] inge, ingjuta
instinct [ss. subst. 'ɪnstɪŋ(k)t, ss. adj. ɪn'stɪŋ(k)t] **I** *s* instinkt; ingivelse; instinktiv känsla [*an ~ for art*], intuitiv förmåga; *act [up]on ~* handla instinktivt **II** *pred adj*, *~ with* fylld (besjälad, mättad) av
instinctive [ɪn'stɪŋ(k)tɪv] instinktiv [*~ behaviour*], oreflekterad
institute ['ɪnstɪtju:t] **I** *vb tr* **1** inrätta, upprätta, grunda; införa [*~ restrictions (rules)*] **2** sätta i gång [med], anställa [*~ an inquiry into* (i, angående) *the matter*], vidta [*~ legal proceedings*] **II** *s* institut äv. konkr.; högskola; institution; samfund; *~ of education* ung. lärarhögskola
institution [ˌɪnstɪ'tju:ʃ(ə)n] **1** inrättande etc., jfr *institute I* **2** institution äv. konkr.; anstalt; stiftelse, samfund; institut
institutional [ˌɪnstɪ'tju:ʃənl] **1** institutions-; *~ care* anstaltsvård; sjukhusvård; sluten psykiatrisk vård **2** amer., *~ advertising* goodwillreklam, prestigereklam **3** instiftelse-
instruct [ɪn'strʌkt] **1** undervisa **2** instruera, ge anvisning[ar]; visa **3** informera **4** ge instruktioner, beordra
instruction [ɪn'strʌkʃ(ə)n] **1** undervisning **2** pl. *~s* instruktioner, föreskrift[er]; upplysning[ar]; *~s [for use]* bruksanvisning[ar]
instructive [ɪn'strʌktɪv] instruktiv, lärorik
instructor [ɪn'strʌktə] **1** lärare, instruktör, handledare **2** amer., ung. extra högskolelektor (universitetslektor)
instrument [ss. subst. 'ɪnstrʊmənt, -trəm-, ss. vb -ment] **I** *s* **1** instrument, redskap; [hjälp]medel; styrmedel [*economic ~s*]; apparat; *~ panel* bil. el. flyg. instrumentbräda, instrumentpanel **2** mus. instrument **II** *vb tr* instrumentera musik
instrumental [ˌɪnstrʊ'mentl, -trə'm-] **1** verksam, *be ~ in* äv. [kraftigt] bidra (medverka) till, hjälpa till med **2** instrument- [*~ navigation*]; instrumentell **3** mus. instrumental
instrumentalist [ˌɪnstrʊ'mentəlɪst, -trə'm-] mus. instrumentalist
insubordinate [ˌɪnsə'bɔ:d(ə)nət] olydig [mot överordnad]
insubordination ['ɪnsəˌbɔ:dɪ'neɪʃ(ə)n] olydnad; isht mil. insubordination
insufferable [ɪn'sʌf(ə)rəbl] odräglig [*~ insolence*; *an ~ child*], olidlig [*~ heat*], outhärdlig
insufficient [ˌɪnsə'fɪʃ(ə)nt] otillräcklig, bristande [*~ evidence*], bristfällig; med. insufficient
insular ['ɪnsjʊlə] **1** insulär, öliknande **2** karakteristisk för öbor [*~ mentality*], insulär; isht trångsynt
insulate ['ɪnsjʊleɪt] **1** fys. el. tekn. isolera; *insulating tape* isoler[ings]band **2** isolera, avskilja
insulation [ˌɪnsjʊ'leɪʃ(ə)n] **1** fys. el. tekn. isolation, isolering **2** isolering; avskiljande
insulin ['ɪnsjʊlɪn] med. insulin; *~ shock (reaction)* insulinchock
insult [ss. subst. 'ɪnsʌlt, ss. vb ɪn'sʌlt] **I** *s* förolämpning, kränkning; *add ~ to injury* göra ont värre, lägga sten på börda (lök på laxen); *sit down under an ~* [stillatigande] finna sig i (svälja) en förolämpning **II** *vb tr* förolämpa, kränka
insuperable [ɪn'sju:p(ə)rəbl] oöverstiglig isht bildl. [*~ barriers*]; oövervinnelig [*~ difficulties*]
insurance [ɪn'ʃʊər(ə)ns] försäkring [*life ~*], assurans; försäkringspremie[r]; *~ agent* försäkringsagent; *~ fraud* försäkringsbedrägeri; *~ against accidents* olycksfallsförsäkring; *~ against fire* brandförsäkring
insure [ɪn'ʃʊə] försäkra; *~ oneself (one's life)* livförsäkra sig
insurer [ɪn'ʃʊərə] försäkringsgivare
insurgent [ɪn'sɜ:dʒ(ə)nt] **I** *adj* upprorisk **II** *s* upprorsman; amer. äv. partipolitisk frondör
insurmountable [ˌɪnsə'maʊntəbl] oöverstiglig äv. bildl. [*~ difficulties*]; oövervinnelig
insurrection [ˌɪnsə'rekʃ(ə)n] resning, revolt, uppror
intact [ɪn'tækt] orörd, intakt; hel; obruten [*the seal was ~*]
intake ['ɪnteɪk] **1** a) intag för vatten o.d.; inlopp b) insugning; påfyllning; inmatning; tillförsel; *~ manifold* insugnings[gren]rör **2** intagning [*the ~ of new students*], rekrytering [*an annual ~ of 100,000 men*]; *order ~* orderingång

intangible [ɪn'tæn(d)ʒəbl] **1** inte påtaglig; obestämd; ofattbar **2** som man inte kan ta på, ogripbar; ~ *assets* immateriella tillgångar

integral ['ɪntɪgr(ə)l, ss. adj. i bet. *1* o. *2* äv. ɪn'tegr(ə)l] **I** *adj* **1** integrerande, nödvändig [~ *part*] **2** hel, odelad; *an ~ whole* ett [samlat] helt **3** matem. integral-; ~ *calculus* integralkalkyl, integralräkning **II** *s* matem. integral

integrate ['ɪntɪgreɪt] **I** *vb tr* **1** fullständiga **2** förena, sammansmälta; införliva, integrera; *an ~d personality* en hel (harmonisk) människa **3** matem. integrera **4** elektr., *~d circuit* integrerad krets **II** *vb itr* **1** bli integrerad om skola, område o.d. **2** anpassa sig [~ *into* (till) *the community*]; ~ *into* äv. växa in i

integration [ˌɪntɪ'greɪʃ(ə)n] **1** sammansmältning; införlivande, integrering **2** matem. integration

integrity [ɪn'tegrətɪ] **1** redbarhet; *a man of ~* en redbar (hederlig) man **2** fullständighet, orubbat (oskadat) tillstånd **3** integritet [*the ~ of a country*]

intellect ['ɪntəlekt] intellekt; pers. äv. begåvning

intellectual [ˌɪntə'lektʃʊəl, -tjʊəl] **I** *adj* intellektuell; ~ *faculties* själsförmögenheter; ~ *snob* intelligenssnobb **II** *s* pers. intellektuell

intelligence [ɪn'telɪdʒ(ə)ns] **1** intelligens; skarpsinne; ~ *quotient* intelligenskvot; ~ *test* intelligenstest **2** (utan pl.) underrättelse[r], meddelande[n]; ~ [*service*] underrättelsetjänst, underrättelseväsen

intelligent [ɪn'telɪdʒ(ə)nt] intelligent, begåvad

intelligible [ɪn'telɪdʒəbl] förståelig; tydlig

intemperate [ɪn'temp(ə)rət] omåttlig [med starka drycker]

intend [ɪn'tend] **1** ämna, ha för avsikt; mena; *I ~ed no harm* jag menade ingenting illa (hade inga onda avsikter) **2** avse, ämna; *this book is ~ed for you* det är (var) meningen att du skall (skulle) få den här boken

intended [ɪn'tendɪd] **I** *adj* **1** tillämnad, avsedd, tilltänkt; vard. blivande [*his ~ bride*] **2** avsiktlig **II** *s* vard., *his* (*her*) ~ hans (hennes) tillkommande

intense [ɪn'tens] intensiv; stark [~ *heat*], häftig [~ *passion*], våldsam [~ *pain*; ~ *hatred*], sträng [~ *cold*]; djup [~ *disappointment*]; innerlig [~ *longing*], livlig [~ *interest*]

intensely [ɪn'tenslɪ] intensivt etc., jfr *intense*

intensify [ɪn'tensɪfaɪ] **I** *vb tr* intensifiera, göra intensiv[are], stegra, öka **II** *vb itr* intensifieras, stegras, öka[s]

intensity [ɪn'tensətɪ] **1** intensitet, kraft, häftighet, våldsamhet; om känsla äv. innerlighet **2** fys. o.d. styrka

intensive [ɪn'tensɪv] **1** intensiv, koncentrerad [~ *bombardment*; ~ *study*], kraftig [~ *efforts*]; ~ *care* med. intensivvård **2** gram. förstärkande [~ *adverb*]

intent [ɪn'tent] **I** *adj* spänt uppmärksam, spänd [~ *look*]; ~ *on* (*upon*) helt inriktad (inställd) på; ivrigt upptagen av (fördjupad i) **II** *s* isht jur. syfte, uppsåt [*with ~ to steal*]; *to all ~s and purposes* praktiskt taget, faktiskt, i allt väsentligt, så gott som

intention [ɪn'tenʃ(ə)n] avsikt; mål; föresats; mening; *I have no ~ of doing so* jag har ingen tanke på (avsikt) att göra det

intentional [ɪn'tenʃ(ə)nl] avsiktlig

intently [ɪn'tentlɪ] med spänd uppmärksamhet; ivrigt; oavlåtligt

inter [ɪn'tɜ:] begrava, gravsätta

interact [ˌɪntər'ækt] påverka varandra, växelverka

interaction [ˌɪntər'ækʃ(ə)n] ömsesidig påverkan, växelspel, interaktion

intercede [ˌɪntə'si:d] lägga sig ut; göra förbön [*he ~d with* (hos) *the governor for* el. *on behalf of* (för) *the condemned man*]; medla

intercept [ˌɪntə'sept] **1** snappa upp på vägen [~ *a letter*, ~ *a message from the enemy*]; fånga upp [~ *the light*] **2** genskjuta, hejda [~ *the enemy's bombers*], spärra [vägen för] **3** matem. skära av

interception [ˌɪntə'sepʃ(ə)n] uppsnappande etc., jfr *intercept*; avbrytande; ingrepp; motåtgärd

interchange [ss. vb ˌɪntə'tʃeɪn(d)ʒ, ss. subst. 'ɪntətʃeɪn(d)ʒ] **I** *vb tr* **1** utbyta [sinsemellan] [~ *views*], byta [med varandra] [~ *gifts*]; byta ut [mot varandra] [~ *two things*] **2** låta omväxla [~ *work with play*] **II** *vb itr* alternera **III** *s* a) [ömsesidigt] utbyte [~ *of gifts* (*ideas*)], utväxling b) replikskifte c) handelsutbyte; ~ *of ideas* äv. tankeutbyte

interchangeable [ˌɪntə'tʃeɪn(d)ʒəbl] utbytbar

intercity ['ɪntəˌsɪtɪ] **I** *adj* intercity-; ~ *train* intercitytåg **II** *s* se ~ *train*

intercom ['ɪntəkɒm] vard., ~ [*telephone*] snabbtelefon, interntelefon

interconnect [ˌɪntəkə'nekt] sammanbinda, sammanlänka

intercontinental ['ɪntəˌkɒntɪ'nentl] interkontinental

intercourse ['ɪntəkɔ:s] **1** umgänge; gemenskap; förbindelse **2** [*sexual*] ~ sexuellt umgänge, samlag

interdependent [ˌɪntədɪˈpendənt] beroende av varandra
interest [ˈɪntrəst, ˈɪnt(ə)rest] **I** *s* **1** intresse [*arouse* (väcka) *great* ~]; *feel* (*take, have*) *an* ~ *in* intressera sig för, finna intresse i, ha (hysa, fatta) intresse för; *feel* (*take*) *no* ~ *in* inte intressera sig för, sakna intresse för **2** intresse, bästa; egen fördel; *look after one's own* (*attend to one's*) ~*s* bevaka sina egna intressen **3** intresse, engagemang [*American* ~*s in Asia*]; andel [*have an* ~ *in a brewery*], insats; anspråk, rätt; *controlling* ~ aktiemajoritet **4** ~[*s* pl.] intresserade kretsar; *the business* ~*s* affärsvärlden **5** ränta äv. bildl.; räntor; *compound* ~ ränta på ränta **II** *vb tr* **1** intressera; göra intresserad; ~ *oneself in* intressera sig för **2** angå [*the fight for peace* ~*s all nations*]
interesting [ˈɪntrəstɪŋ, -t(ə)rest-] intressant, intresseväckande; underhållande; tänkvärd
interface [ˈɪntəfeɪs] **1** fys. gränsyta; bildl. beröringspunkt, samspel [*the* ~ *between man and machine*] **2** konkr. kontakt
interfere [ˌɪntəˈfɪə] **1** om pers. ingripa; *don't* ~*!* lägg dig inte i det [här (där)]! **2** ~ *with* a) hindra, vara ett hinder för, störa b) kollidera med, komma i kollision (konflikt) med; ~ *with each other* kollidera [med varandra]
interference [ˌɪntəˈfɪər(ə)ns] **1** ingripande [*without* ~ *from the police*]; inblandning **2** hinder, störning **3** radio. o.d. störningar; *free from* ~ störningsfri
interfering [ˌɪntəˈfɪərɪŋ] som lägger sig i [andras angelägenheter]; störande
interim [ˈɪntərɪm] lat. **I** *adj* interims-; ~ *receipt* interimskvitto **II** *s* mellantid; *in the* ~ under tiden
interior [ɪnˈtɪərɪə] **I** *adj* **1** inre; invändig; inomhus-; ~ *angle* geom. innervinkel; ~ *decorator* inredningsarkitekt **2** inlands- **3** inrikes **II** *s* **1** inre; insida; interiör; foto. inomhusbild; *the* ~ äv. inlandet, det inre av landet **2** [departement för] inrikesärenden; *the Department of the I*~ i USA o. vissa andra länder inrikesdepartementet; *Minister* (amer. *Secretary*) *of the I*~ inrikesminister
interjection [ˌɪntəˈdʒekʃ(ə)n] **1** inkast **2** utrop **3** gram. interjektion
interlock [ˌɪntəˈlɒk] **I** *vb itr* gripa (gå [in], klaffa) i varandra; vara sammankopplad (synkroniserad) **II** *vb tr* spärra, låsa; fläta ihop; synkronisera
interloper [ˈɪntələʊpə] inkräktare
interlude [ˈɪntəlu:d, -lju:d] mellanspel äv. bildl. o. mus.; uppehåll, paus; intervall; ~*s of bright weather* tidvis uppklarnande [väder]
intermarriage [ˌɪntəˈmærɪdʒ] **1** giftermål[sförbindelse] mellan personer av olika religion, familj, ras o.d.; blandäktenskap **2** ingifte giftermål mellan nära släktingar
intermarry [ˌɪntəˈmærɪ] **1** om familjer, raser o.d. förenas genom giftermål, gifta sig med varandra **2** praktisera ingifte
intermediary [ˌɪntəˈmi:djərɪ] **I** *adj* **1** förmedlande; mäklar- **2** mellanliggande, mellan- **II** *s* **1** mellanhand; mäklare; förmedlare **2** medel; mellanled
intermediate [ˌɪntəˈmi:djət] mellanliggande; som utgör ett övergångsstadium; mellan-; ~ *heat* sport. mellanheat
interment [ɪnˈtɜ:mənt] begravning, gravsättning
interminable [ɪnˈtɜ:mɪnəbl] oändlig; som aldrig tycks vilja ta slut
intermission [ˌɪntəˈmɪʃ(ə)n] **1** uppehåll, avbrott [*without* ~] **2** teat. mellanakt
intermittent [ˌɪntəˈmɪt(ə)nt] intermittent; ojämn [~ *pulse*]; som kommer och går [~ *pain*]
intermittently [ˌɪntəˈmɪt(ə)ntlɪ] ryckvis, stötvis; ojämnt; periodiskt; emellanåt
1 intern [ɪnˈtɜ:n] internera
2 intern [ˈɪntɜ:n] amer. **I** *s* **1** ung. allmäntjänstgörande läkare som bor på sjukhuset **2** lärarkandidat **II** *vb itr* ha sjukhustjänstgöring
internal [ɪnˈtɜ:nl] inre; invärtes; inner- [~ *ear*]; för invärtes bruk [*an* ~ *remedy*]; inhemsk, inrikes[-]; inneboende i ngt; andlig; subjektiv; intern; ~ *combustion engine* förbränningsmotor; ~ *evidence* inre bevis; ~ *revenue* amer., se *inland revenue* under *inland II 2*
internally [ɪnˈtɜ:nəlɪ] i det inre; i sitt inre
international [ˌɪntəˈnæʃ(ə)nl] **I** *adj* internationell; världsomfattande, världs-; utrikes [~ *call*]; sport. lands- [~ *team*] **II** *s* sport. a) internationell tävling; landskamp b) deltagare i internationella tävlingar; landslagsspelare
internecine [ˌɪntəˈni:saɪn] förödande för alla parter [~ *war*]; inbördes [~ *struggle*]
internee [ˌɪntɜ:ˈni:] internerad person; *the* ~*s* de internerade, internerna, fångarna
internment [ɪnˈtɜ:nmənt] internering; ~ *camp* interneringsläger
interplay [ˈɪntəpleɪ] samspel; växelverkan; skiftning [~ *of* (mellan) *light and shade*]
Interpol [ˈɪntəpɒl] (förk. för *International Criminal Police Organization*) Interpol
interpolistic [ˌɪntəpəˈlɪstɪk] *adj* interpolistisk
interpose [ˌɪntəˈpəʊz] **I** *vb tr* **1** sätta (anbringa) emellan; komma hindrande emellan med; inlägga [~ *a veto*] **2** skjuta in [~ *a question*] **II** *vb itr* **1** gå (träda)

emellan, medla [~ *in a quarrel*] **2** avbryta [*'what do you mean?' he ~d*]
interpret [ɪn'tɜːprɪt] **I** *vb tr* tolka; förklara **II** *vb itr* tjänstgöra som (vara) tolk
interpretation [ɪnˌtɜːprɪ'teɪʃ(ə)n] tolkning; förklaring; interpretation; *put a wrong ~ on a th.* tolka ngt på fel sätt (fel)
interpreter [ɪn'tɜːprɪtə] **1** tolk; uttolkare; ~ *of dreams* drömtydare **2** interpret, framställare [~ *of a role*]
interrail [ˌɪntə'reɪl] tågluffa
interrogate [ɪn'terə(ʊ)geɪt] fråga ut; förhöra [~ *a witness*]
interrogation [ɪnˌterə(ʊ)'geɪʃ(ə)n] **1** utfrågning, förhör **2** fråga; *mark of* ~ el. ~ *mark* frågetecken
interrogative [ˌɪntə'rɒgətɪv] **I** *adj* frågande [*an ~ look*]; gram. äv. fråge- **II** *s* gram. frågeord
interrogator [ɪn'terə(ʊ)geɪtə] förhörsledare, utfrågare
interrupt [ˌɪntə'rʌpt] **I** *vb tr* avbryta [~ *the speaker*; ~ *one's work*]; förorsaka avbrott i; störa; skymma [~ *the view*] **II** *vb itr* avbryta [*don't ~!*]
interruption [ˌɪntə'rʌpʃ(ə)n] avbrytande; [störande] avbrott; uppehåll
intersect [ˌɪntə'sekt] **I** *vb tr* skära; *~ed with (by)* genomskuren (genomkorsad) av **II** *vb itr* skära varandra
intersection [ˌɪntə'sekʃ(ə)n] **1** skärning; genomskärning **2** isht geom. skärningspunkt **3** gatukorsning, vägkorsning
intersperse [ˌɪntə'spɜːs] blanda in; blanda upp [*a speech ~d with witty remarks*]
intertwine [ˌɪntə'twaɪn] **I** *vb tr* fläta samman **II** *vb itr* slingra (sno) ihop sig
interval ['ɪntəv(ə)l] **1** mellanrum i tid o. rum; intervall; mellantid, avbrott; teat. o.d. mellanakt; paus, rast; *bright ~s* tidvis uppklarnande [väder]; *at long ~s* med långa mellanrum **2** mus. intervall **3** ~ *training* sport. intervallträning
intervene [ˌɪntə'viːn] **1** komma emellan (i vägen) [*if nothing ~s*], inträffa under tiden, tillstöta **2** intervenera; ingripa [~ *in the debate*], inskrida; gå (träda) emellan, medla; ~ *between* medla mellan, gå emellan **3** infalla
intervention [ˌɪntə'venʃ(ə)n] intervention; inskridande, medling
interview ['ɪntəvjuː] **I** *s* intervju; samtal; *obtain an ~ with* a) få företräde hos b) få en intervju med **II** *vb tr* ha en intervju (ett samtal) med [~ *all applicants for the job*], fråga ut, intervjua
interviewee [ˌɪntəvjuː'iː] intervjuobjekt; *the* ~ äv. den intervjuade
interviewer ['ɪntəvjuːə] intervjuare
intestate [ɪn'testət] **I** *adj* **1** *die ~* dö utan att efterlämna testamente **2** otestamenterad [~ *property*] **II** *s* person som avlidit utan att efterlämna testamente
intestinal [ɪn'testɪnl] tarm- [~ *canal*], inälvs- [~ *worm*]; ~ *disorders* tarmbesvär
intestine [ɪn'testɪn] anat., vanl. pl. *~s* tarmar; inälvor; *the large ~* tjocktarmen
intimacy ['ɪntɪməsɪ] **1** förtrolighet; förtroligt (nära) förhållande; intim bekantskap; umgänge; intimitet **2** intimt (sexuellt) förhållande
intimate [ss. adj. o. subst. 'ɪntɪmət, ss. vb 'ɪntɪmeɪt] **I** *adj* **1** förtrolig, intim [~ *friend[ship]*]; [mycket] nära [~ *connection*]; ingående, djup [*an ~ knowledge of*]; *be on ~ terms with* a) vara god vän med, stå på förtrolig fot med b) ha ett förhållande med **2** *be ~* ha intimt (sexuellt) umgänge **II** *s* förtrogen [vän] **III** *vb tr* **1** tillkännage, meddela **2** antyda
intimation [ˌɪntɪ'meɪʃ(ə)n] **1** tillkännagivande, meddelande **2** antydan; tecken
intimidate [ɪn'tɪmɪdeɪt] skrämma, injaga fruktan (skräck) hos; avskräcka, trakassera; terrorisera
intimidation [ɪnˌtɪmɪ'deɪʃ(ə)n] skrämsel; hotelser
into ['ɪntʊ, framför konsonantljud äv. 'ɪntə] **1** om rörelse, riktning o.d. in i [*come ~ the house*]; ned i [*jump ~ the boat*]; upp i [*get ~ the upper berth*]; ut i [*come ~ the garden*]; fram i [*come ~ the light*]; i [*look ~ the box*]; in på [*go ~ a restaurant*]; ut på [*rush ~ the street*; *go ~ the country*] **2** bildl. **a**) i; *fall ~ disgrace* råka (falla) i onåd; *get ~ conversation* komma i samspråk (samtal); *get ~ difficulties* råka i svårigheter **b**) till [*change ~*; *alter ~*; *turn water ~ wine*]; *develop ~* utveckla [sig] till; *translate ~ English* översätta till engelska **c**) in på [*get ~ details*]; *far [on] ~ the night* [till] långt in på natten; *he's ~ his thirties* han är över (drygt) trettio **3** ~ *the bargain* [till] på köpet, dessutom, till yttermera visso **4** vard., *be ~ a th.* vara intresserad av ngt, syssla med ngt
intolerable [ɪn'tɒl(ə)rəbl] outhärdlig, olidlig [~ *pain*]
intolerance [ɪn'tɒlər(ə)ns] intolerans; överkänslighet [~ *to* (för) *drugs*]
intolerant [ɪn'tɒlər(ə)nt] intolerant; oförmögen att uthärda (fördraga)
intonation [ˌɪntə(ʊ)'neɪʃ(ə)n] fonet. el. mus. intonation
intoxicate [ɪn'tɒksɪkeɪt] berusa äv. bildl.
intoxicating [ɪn'tɒksɪkeɪtɪŋ] [be]rusande; ~ *liquor* rusdryck
intoxication [ɪnˌtɒksɪ'keɪʃ(ə)n] **1** berusning äv. bildl.; rus **2** med. förgiftning

intractable [ɪn'træktəbl] motspänstig, obändig; omedgörlig; oregerlig
intransigent [ɪn'trænsɪdʒ(ə)nt, -'trɑ:n-] omedgörlig
intransitive [ɪn'trænsətɪv, -'trɑ:ns-] gram. **I** *adj* intransitiv **II** *s* intransitivt verb
intravenous [ˌɪntrə'vi:nəs] med. intravenös
intrepid [ɪn'trepɪd] oförskräckt, modig [*an ~ explorer*], orädd
intricac|y ['ɪntrɪkəsɪ, -'---] invecklad beskaffenhet, krånglighet, trasslighet; virrvarr
intricate ['ɪntrɪkət] **1** bildl. invecklad [*an ~ piece of machinery*], intrikat **2** tilltrasslad äv. bildl. [*an ~ plot*]; hoptrasslad
intrigue [ɪn'tri:g] **I** *s* intrig[erande], [onda] anslag **II** *vb itr* intrigera **III** *vb tr* väcka intresse (nyfikenhet) hos [*the news ~d us*]; försätta i spänning; fängsla [*the puzzle ~d her*]; förbrylla
intriguer [ɪn'tri:gə] intrigmakare
intriguing [ɪn'tri:gɪŋ] **1** intrigant **2** fängslande; underfundig
intrinsic [ɪn'trɪnsɪk] inre [*the ~ power*]; egentlig, reell [*the ~ value of a coin*]
introduce [ˌɪntrə'dju:s] **1** införa, introducera, föra in; lansera [*~ a new product*]; foga [*~ amendments into* (till) *a bill*]; *be ~d* äv. komma i bruk, börja användas **2** föra in [*~ a tube into a wound*] **3** inleda **4** presentera; introducera; *~ oneself* presentera sig **5** göra bekant
introduction [ˌɪntrə'dʌkʃ(ə)n] **1** introduktion [*the ~ of a new fashion*] **2** introduktion, inledning; *An I~ to Phonetics* ss. boktitel Inledning till fonetiken, Handledning i fonetik **3** presentation, introduktion; *letter of ~* rekommendationsbrev, introduktionsbrev **4** förspel, introduktion; upptakt
introductory [ˌɪntrə'dʌkt(ə)rɪ] inledande, introduktions- [*~ course*]
introspection [ˌɪntrə(ʊ)'spekʃ(ə)n] psykol. introspektion
introspective [ˌɪntrə(ʊ)'spektɪv] psykol. introspektiv, inåtvänd
introvert ['ɪntrə(ʊ)vɜ:t] **I** *adj* inåtvänd [*an ~ person*]; psykol. introvert **II** *s* psykol. inåtvänd (introvert) person
intrud|e [ɪn'tru:d] **1** tränga (truga) sig på [*[up]on a p.* ngn]; inkräkta; komma objuden (olägligt); *I hope I'm not -ing* jag hoppas jag inte [kommer och] stör, jag stör väl inte **2** tränga in [*into* i]
intruder [ɪn'tru:də] inkräktare
intrusion [ɪn'tru:ʒ(ə)n] **1** inkräktande, intrång; inträngande **2** påflugenhet
intrusive [ɪn'tru:sɪv] **1** inkräktande; inträngande **2** påflugen
intuition [ˌɪntjʊ'ɪʃ(ə)n] **1** intuition **2** ingivelse
intuitive [ɪn'tju:ɪtɪv] intuitiv; i besittning av intuition; *be ~* äv. ha intuition
inundate ['ɪnʌndeɪt] översvämma äv. bildl.; *be ~d with letters* äv. [hålla på att] drunkna i brev
inure [ɪ'njʊə, -jɔ:] vänja; härda
invade [ɪn'veɪd] **I** *vb tr* **1** invadera, tränga (marschera) in i; *an invading army* en invasionsarmé **2** kränka [*~ a p.'s rights*], inkräkta på **II** *vb itr* tränga (marschera) in
invader [ɪn'veɪdə] inkräktare
1 invalid [ss. subst. o. adj. 'ɪnvəlɪd, -li:d, ss. vb 'ɪnvəli:d, -lɪd] **I** *s* sjukling; [kroniskt] sjuk; invalid **II** *attr adj* sjuklig [*an ~ aunt*]; sjuk- [*~ diet*]; handikappad; invalid-; mil. oduglig till aktiv tjänst (krigstjänst) [*~ soldiers*]; *~ car* invalidbil **III** *vb tr* o. *vb itr* göra (bli) sjuklig (kroniskt sjuk); invalidisera[s]
2 invalid [ɪn'vælɪd] ogiltig [*an ~ cheque; declare ~*], utan laga kraft [*an ~ claim*]; som inte gäller (duger) [*an ~ argument (excuse)*]
invalidate [ɪn'vælɪdeɪt] göra ogiltig, ogiltigförklara, upphäva; kullkasta [*~ arguments*]
invaluable [ɪn'væljʊ(ə)bl] ovärderlig
invariable [ɪn'veərɪəbl] oföränderlig; ständig
invariably [ɪn'veərɪəblɪ] oföränderligt; ständigt
invasion [ɪn'veɪʒ(ə)n] **1** invasion äv. bildl. [*an ~ of tourists*] **2** inkräktande [*~ of a right*], kränkning; *~ of privacy* kränkning av privatlivets helgd
invective [ɪn'vektɪv] **1** (utan pl.) invektiv, skymford **2** pl. *~s* förbannelser, svordomar, kraftuttryck
inveigle [ɪn'veɪgl, ɪn'vi:gl] locka
invent [ɪn'vent] **1** uppfinna **2** hitta på; dikta upp
invention [ɪn'venʃ(ə)n] **1** uppfinning [*Edison's ~s*]; påfund, [ren] lögn; *it is pure ~* det är rena [rama] fantasierna **2** uppfinnande [*the ~ of the telephone*]; *necessity is the mother of ~* nöden är uppfinningarnas moder **3** mus. invention
inventive [ɪn'ventɪv] **1** uppfinningsrik **2** uppfinnings- [*~ power*]; uppfinnar- [*~ genius* (förmåga)]
inventor [ɪn'ventə] uppfinnare
inventory ['ɪnvəntrɪ] **1** inventarieförteckning, inventarium; bouppteckning; *make (take, draw up) an ~ of a th.* upprätta [en] [inventarie]förteckning över ngt, inventera ngt **2** inventering **3** inventarier; lager
inverse [ˌɪn'vɜ:s] omkastad; motsatt; *in ~ proportion (ratio) to* omvänt proportionell mot

invert [ɪn'vɜ:t] vända upp och ned [på] [~ *a glass*]; kasta (vända, flytta) om [~ *the word order*]; spegelvända; invertera
invertebrate [ɪn'vɜ:tɪbrət, -breɪt] zool. **I** *s* ryggradslöst djur **II** *adj* ryggradslös
inverted [ɪn'vɜ:tɪd] upp och nedvänd; omvänd; spegelvänd; inverterad; ~ *commas* anföringstecken, citationstecken
invest [ɪn'vest] **I** *vb tr* **1** investera, placera [~ *money in* (i) *stocks*], satsa äv. bildl. [~ *time and energy in a project*] **2** installera [~ *a p. in an office*] **3** ~ *with* utrusta med, förse med [~ *a p. with power* (*full authority*)] **II** *vb itr* investera [~ *in stocks*]; satsa [*a failure to* ~ *in new talents*]; vard. lägga ut (ner) pengar; ~ *in* vard. äv. kosta på sig [~ *in a new coat*]
investigate [ɪn'vestɪgeɪt] utforska, undersöka; utreda [~ *a crime*]
investigation [ɪn,vestɪ'geɪʃ(ə)n] undersökning, utredning
investigative [ɪn'vestɪgeɪtɪv] [ut]forskande, forsknings-; utrednings-; ~ *journalism* (*reporting*) undersökande journalistik
investigator [ɪn'vestɪgeɪtə] forskare; undersökare; utredare; *private* ~ privatdetektiv
investiture [ɪn'vestɪtʃə] **1** ordensutdelning ceremonin **2** insättande (installerande) [i ämbete]
investment [ɪn'ves(t)mənt] investering, investerings- [~ *fund*], placering [~ *of money in stocks*], satsning äv. bildl. [~ *of time and energy*]; kapitalplacering
investor [ɪn'vestə] investerare; aktieägare
inveterate [ɪn'vet(ə)rət] inrotad [*an* ~ *habit*, ~ *prejudices*]; inbiten [*an* ~ *smoker*]
invidious [ɪn'vɪdɪəs] olycklig, betänklig; orättvis; förhatlig, förargelseväckande; *make* ~ *distinctions* (*comparisons*) göra åtskillnad (orättvisa jämförelser)
invigilate [ɪn'vɪdʒɪleɪt] vakta vid examensskrivning
invigilator [ɪn'vɪdʒɪleɪtə] skol. o.d. skrivvakt
invigorat|e [ɪn'vɪgəreɪt] stärka, styrka, liva [upp]; friska upp; *an -ing climate* ett stärkande klimat
invincible [ɪn'vɪnsəbl] oövervinnlig äv. bildl.
inviolate [ɪn'vaɪələt] **1** okränkt, oantastad **2** okränkbar
invisible [ɪn'vɪzəbl] osynlig; ~ *ink* osynligt bläck; ~ *mending* konststoppning
invitation [,ɪnvɪ'teɪʃ(ə)n] **1** inbjudan; ~ *card* inbjudningskort **2** kallelse; invit, uppmaning [*his sneer was an* ~ *to a fight*]; anmodan **3** lockelse
invite [ss. vb ɪn'vaɪt, ss. subst. 'ɪnvaɪt] **I** *vb tr* **1** [in]bjuda [~ *a p. to* (till, på) *dinner*]; ~ *a p. to one's house* bjuda hem ngn **2** a) be, uppmana [~ *a p. to negotiations*]; anmoda b) be om; inbjuda (locka) till, fresta; framkalla, ge anledning till **II** *s* vard. inbjudning
inviting [ɪn'vaɪtɪŋ] inbjudande; lockande, frestande; attraktiv
invoice ['ɪnvɔɪs] **I** *s* faktura; *as per* ~ enligt faktura **II** *vb tr* fakturera
invoke [ɪn'vəʊk] åkalla [~ *God*], anropa; framkalla
involuntary [ɪn'vɒlənt(ə)rɪ] **1** ofrivillig; oavsiktlig **2** oberoende av viljan [~ *muscles*]
involve [ɪn'vɒlv] **1** inveckla, dra in [~ *a p. in trouble*], involvera; blanda in [~ *a p. in a nasty business*]; [*people who are*] ~*d* ...inblandade (berörda); ~*d in* äv. engagerad i **2** medföra, dra med sig [*it would* ~ *my living abroad*]; innefatta, innebära; gälla
involvement [ɪn'vɒlvmənt] inblandning; relation; ~ *in* äv. engagemang i
invulnerable [ɪn'vʌln(ə)rəbl] **1** osårbar **2** oangriplig, oantastlig [~ *arguments*]
inward ['ɪnwəd] **I** *adj* inre [~ *nature*; ~ *happiness*; ~ *organs*]; invändig, invärtes, själslig; in[åt]gående, inåtriktad [*an* ~ *movement*] **II** *adv* inåt äv. bildl.; in i själen; ~ *bound* sjö. på ingående
inwardly ['ɪnwədlɪ] invärtes; i sitt inre (hjärta) [*grieve* ~]
inwards ['ɪnwədz] inåt
iodine ['aɪə(ʊ)di:n, 'aɪədaɪn] kem. jod
ion ['aɪən, 'aɪɒn] fys. el. kem. jon
iota [aɪ'əʊtə] **1** grekiska bokstaven iota **2** bildl. jota [*there is not an* ~ *of truth in it*]
IOU [,aɪəʊ'ju:] (= *I owe you*) skuldsedel
IOW förk. för *Isle of Wight*
IQ [,aɪ'kju:] (pl. ~*s*) (förk. för *intelligence quotient*) IQ
IRA [,aɪɑ:r'eɪ] (förk. för *Irish Republican Army*) I.R.A.
Iran [ɪ'rɑ:n]
Iranian [ɪ'reɪnjən, aɪ'r-] **I** *adj* iransk **II** *s* **1** iranier; iranska kvinna **2** iranska [språket]
Iraq [ɪ'rɑ:k] Irak
Iraqi [ɪ'rɑ:kɪ] **I** *adj* irakisk **II** *s* irakier
irascible [ɪ'ræsɪbl, ,aɪ'r-] hetsig, hetlevrad
irate [aɪ'reɪt] vred, ilsken
Ireland ['aɪələnd] Irland
iris ['aɪərɪs] (pl. äv. *irides* ['aɪrɪdi:z]) **1** anat. iris, regnbågshinna **2** bot. iris
Irish ['aɪ(ə)rɪʃ] **I** *adj* irländsk; ~ *coffee* Irish coffee kaffe med whisky, socker och grädde i **II** *s* **1** irländska (iriska) [språket] **2** *the* ~ irländarna; isht hist. irerna
Irish|man ['aɪ(ə)rɪʃ|mən] (pl. *-men* [-mən]) irländare; isht hist. irer
irk [ɜ:k] trötta, irritera
irksome ['ɜ:ksəm] tröttsam
iron ['aɪən] **I** *s* **1** järn äv. bildl.; *have* [*too*]

many ~s in the fire ha [för] många järn i elden **2** strykjärn **3** brännjärn **4** golf. järn[klubba] **5** med. järn[preparat] **6** pl. *~s* järn, bojor [*put a man in ~s*] **7** sl. järn skjutvapen **II** *attr adj* **1** järn- [*an ~ mine (plate)*]; järngrå, stålgrå; *I~ age* arkeol. järnålder; *~ constitution* järnhälsa, järnfysik **2** järnhård, oböjlig; järn- [*an ~ grip*]; *rule with an ~ hand* styra med järnhand **3** isht mil., *~ ration* reservproviant, nödranson **III** *vb tr* **1** stryka [*~ a shirt*], pressa **2** slå i järn (bojor) **3** järnbeslå **4** *~ out* a) bildl. utjämna [*~ out difficulties*], bringa (få) ur världen [*~ out misunderstandings (a disagreement)*] b) släta (pressa) ut [*~ out wrinkles*] **IV** *vb itr* **1** gå att stryka; *clothes ~ more easily* [*when they are damp*] äv. kläder är mera lättstrukna... **2** [stå och] stryka

ironic [aɪ'rɒnɪk] o. **ironical** [aɪ'rɒnɪk(ə)l] ironisk; *make ~ remarks* äv. ironisera [*about* över]

ironing ['aɪənɪŋ] **1** strykning med strykjärn; pressning **2** stryktvätt

ironing-board ['aɪənɪŋbɔ:d] strykbräde

ironmonger ['aɪən,mʌŋgə] järnhandlare; *~'s* [*shop*] järnaffär, järnhandel

ironware ['aɪənweə] järnvaror

irony ['aɪərənɪ] ironi; *one of life's ironies* en ödets ironi

irrational [ɪ'ræʃənl] irrationell äv. matem.; oförnuftig; förnuftsvidrig; ogrundad; utan förnuft

irreconcilable [ɪ,rekən'saɪləbl] **1** oförsonlig [*~ enemies*] **2** oförenlig [*~ ideas*]

irredeemable [,ɪrɪ'di:məbl] **1** hand. ouppsägbar [*an ~ debt (loan)*]; oinlösbar, oinlöslig [*~ paper money*] **2** oersättlig [*an ~ loss*] **3** oförbätterlig [*an ~ sinner*]

irrefutable [,ɪrɪ'fju:təbl, ɪ'refjʊt-] ovedersäglig [*an ~ argument*]

irregular [ɪ'regjʊlə] **I** *adj* **1** oregelbunden [*an ~ pulse (plural)*]; ojämn [*an ~ surface*] **2** oegentlig, oriktig, reglementsvidrig [*~ conduct (proceedings)*]; ogiltig [*an ~ marriage*] **3** oordentlig [*~ behaviour*] **4** irreguljär [*~ troops*] **II** *s*, pl. *~s* irreguljära trupper, friskaror

irregularit|y [ɪ,regjʊ'lærətɪ] oregelbundenhet; oriktighet; oordentlighet i levnadssätt; ojämnhet [*-ies in the surface*]

irrelevance [ɪ'reləvəns] o. **irrelevancy** [ɪ'reləvənsɪ] irrelevans; brist på (bristande) samband

irrelevant [ɪ'reləvənt] irrelevant, omotiverad; ej hörande; ej tillämplig

irreligious [,ɪrɪ'lɪdʒəs] irreligiös; gudlös [*~ acts*]

irreparable [ɪ'rep(ə)rəbl] irreparabel [*~ damage*]; ohjälplig [*~ injury*]; oersättlig [*~ loss*]

irreplaceable [,ɪrɪ'pleɪsəbl] oersättlig

irrepressible [,ɪrɪ'presəbl] okuvlig; obetvinglig [*~ desire*]; uppsluppen [*~ high spirits* (humör)]

irreproachable [,ɪrɪ'prəʊtʃəbl] oförvitlig [*~ conduct*]; oklanderlig [*~ elegance*]

irresistible [,ɪrɪ'zɪstəbl] oemotståndlig; förtjusande

irresolute [ɪ'rezəlu:t, -lju:t] obeslutsam; vankelmodig, vacklande

irrespective [,ɪrɪ'spektɪv], *~ of* utan hänsyn till, oavsett [*~ of the consequences*]

irresponsible [,ɪrɪ'spɒnsəbl] oansvarig; ansvarslös [*~ behaviour*]

irretrievable [,ɪrɪ'tri:vəbl] oersättlig [*an ~ loss*]; obotlig, ohjälplig

irreverent [ɪ'rev(ə)r(ə)nt] vanvördig

irrevocable [ɪ'revəkəbl] oåterkallelig

irrigate ['ɪrɪgeɪt] [konst]bevattna

irrigation [,ɪrɪ'geɪʃ(ə)n] **1** [konst]bevattning, irrigation **2** med. spolning

irritable ['ɪrɪtəbl] [lätt]retlig, irritabel äv. fysiol.; på dåligt humör [äv. *in an ~ mood*]

irritate ['ɪrɪteɪt] irritera äv. fysiol.; reta upp, förarga

irritating ['ɪrɪteɪtɪŋ] irriterande, retande äv. fysiol.; retsam; ret- [*an ~ cough*]

irritation [,ɪrɪ'teɪʃ(ə)n] irritation äv. fysiol.; [upp]retad sinnesstämning

is [beton. ɪz, obeton. z, s] 3 pers. sg. pres. av *be*

ISBN (förk. för *international standard book number*) ISBN

Islam ['ɪzlɑ:m, -læm, 'ɪs-] **1** islam **2** den islamiska världen (kulturen)

Islamic [ɪz'læmɪk, -'lɑ:m-] islamisk

island ['aɪlənd] **1** ö äv. bildl. o. anat. **2** refug [äv. *traffic ~*]

islander ['aɪləndə] öbo

isle [aɪl] poet. o. i vissa egennamn ö [*the I~ of Wight*; *the British Isles*]

isn't ['ɪznt] = *is not*

isolate ['aɪsəleɪt] isolera; bakteriol. äv. renodla

isolated ['aɪsəleɪtɪd] isolerad; avskild; ensam; enstaka

isolation [,aɪsə(ʊ)'leɪʃ(ə)n] isolering; *~ block (ward)* epidemiavdelning, isoleringsavdelning; *~ hospital* epidemisjukhus

isolationism [,aɪsə(ʊ)'leɪʃ(ə)nɪz(ə)m] isolationism, isoleringspolitik

isotope ['aɪsə(ʊ)təʊp] kem. isotop

Israel ['ɪzreɪ(ə)l, -rɪəl]

Israeli [ɪz'reɪlɪ] **I** *adj* israelisk **II** *s* israel

issue ['ɪʃu:, 'ɪsju:] **I** *vb itr* **1** komma [ut], strömma ut [*smoke issuing from the chimneys*]; utgå, gå ut **2** stamma; jur. härstamma **3** sändas ut **4** *~ in* sluta (resultera) i **II** *vb tr* **1** låta utgå, sända ut [~ *a decree* (*an order*)]; avge [~ *a report*]; tilldela, lämna (dela) ut [~ *rations*]; utfärda [~ *an order*; ~ *a certificate*]; sälja [~ *cheap tickets*] **2** släppa ut [i marknaden], ge ut [~ *new stamps*]; emittera [~ *banknotes* (*shares*)]; publicera **3** mil. utrusta **4** om bibliotek låna ut **III** *s* **1** utströmmande; utsläpp **2** utgång [*a happy ~ of the affair*], utfall [*the ~ of the war*], följd, resultat **3** utgivande [*the ~ of new stamps*]; utlämnande [*the ~ of rations*]; utfärdande [*the ~ of orders* (*a certificate*)]; utsläppande [i marknaden], emission äv. konkr. [*the ~ of new shares* (*banknotes*)]; *day of ~* a) ekon. emissionsdatum; utgivningsdag b) bibliot. utlåningsdag **4** upplaga [*the ~ of a newspaper*], utgåva, nummer [*an ~ of a magazine*]; publikation **5** isht jur. barn, avkomma [*die without male ~*] **6** mil. ranson; utrustning **7** fråga [*political ~s*]; frågeställning [äv. *question at ~*]; jur. [tviste]mål, rättsfråga; *confuse the ~* förvirra begreppen; trassla till det

isthmus ['ɪsməs, -sθm-, -stm-] näs

1 it [ɪt] **I** *pers pron* **1** den [*where's the cat? - it's in the garden*], det [~ *is* (~*'s*) *six miles to Oxford*; ~ *was three days ago*]; sig [*the engine pushed the waggons in front of ~*]; ~ *must not be believed that...* man får inte tro att...; *be 'it* se flott ut; *for impudence he really is 'it* han är något av det fräckaste [man sett]; *that's probably 'it* det är [det som är] förklaringen; *now you've done ~!* nu har du minsann (verkligen) ställt till det! **2** utan direkt motsvarighet i sv.: **a)** *bus ~* vard. ta bussen, åka buss; *lord ~ over* spela herre över; regera; tyrannisera; *I take ~ that...* jag antar (förmodar) att... **b)** efter prep., *run for ~* vard. sticka, kila; skynda (sno) sig **II** *s* vard. **1** *be 'it* 'ha den' i sistan o.d. lekar **2** sex appeal; *she's got 'it* (*'It*) hon har 'det

2 it [ɪt] vard. vermut [*gin and 'it*]

Italian [ɪ'tæljən] **I** *adj* italiensk **II** *s* **1** italienare; italienska kvinna **2** italienska [språket]

italic [ɪ'tælɪk] **I** *adj* typogr. kursiv [~ *type*] **II** *s*, pl. ~*s* kursiv[ering], kursivstil; *print in ~s* kursivera

italicize [ɪ'tælɪsaɪz] kursivera

Italy ['ɪtəlɪ] geogr. Italien

itch [ɪtʃ] **I** *s* **1** klåda; *have an ~* ha klåda **2** obetvinglig längtan (lust), starkt begär [*have an ~ for* (efter) *money*; *have an ~ to do a th.*]; *have an ~ to write* ha skrivklåda **II** *vb itr* **1** klia; känna klåda; *I am ~ing all over* det kliar överallt [på mig] **2** bildl., *my fingers ~* (*I am ~ing*) *to...* det kliar i fingrarna på mig att [få]...

itchy ['ɪtʃɪ] kliande [*an ~ disease*]; ~ *stockings* stickiga strumpor

item ['aɪtəm] **I** *s* **1** punkt [*the first ~ on the agenda*]; nummer [*the first ~ on the programme*]; post [*an ~ on a list, an ~ in a bill* (på en räkning)]; moment; sak, artikel [*the ~s in a catalogue*], ingrediens **2** ~ [*of news*] el. *news ~* notis, nyhet i tidning **II** *vb tr* föra upp, notera

itemize ['aɪtəmaɪz] specificera

itinerant [aɪ'tɪn(ə)r(ə)nt, ɪ't-] [kring]resande [~ *musicians, an ~ preacher*], rese-

itinerary [aɪ'tɪn(ə)rərɪ, ɪ't-] **1** resväg **2** resebeskrivning **3** resehandbok, [rese]guide; resplan

it'll ['ɪtl] = *it will*

ITN [ˌaɪti:'en] förk. för *Independent Television News*

its [ɪts] dess [*I like Wales and ~ green hills*]; sin [*the dog obeys ~ master*]; jfr *my*

it's [ɪts] = *it is*

itself [ɪt'self] sig [*the dog scratched ~*], sig själv [*the child dressed ~*; *the child is not ~ today*]; själv [*the thing ~ is not valuable*]; *he is honesty ~* han är hederligheten (hedern) själv; *by ~* äv. av sig själv, automatiskt

ITV [ˌaɪti:'vi:] förk. för *Independent Television*

IUCD (förk. för *intra-uterine* [*contraceptive*] *device*) IUP intrauterint preventivmedel; spiral

I've [aɪv] = *I have*

ivory ['aɪv(ə)rɪ] a) elfenben b) elfenbensvitt; elfenbens-, elfenbensvit; ~ *tower* bildl. elfenbenstorn [*live in one's ~ tower*]

ivy ['aɪvɪ] bot. murgröna

J

J, j [dʒeɪ] (pl. *J's* el. *j's* [dʒeɪz]) J, j
jab [dʒæb] **I** *vb tr* sticka [*~ a needle into* (i) *one's arm*], stöta [*he ~bed his elbow into* (i) *my side*]; slå [till], smocka till **II** *vb itr* stöta (slå) [till]; boxn. jabba **III** *s* **1** stöt; slag; boxn. jabb **2** vard. stick injektion
jabber ['dʒæbə] **I** *vb itr* o. *vb tr* pladdra, babbla **II** *s* pladder, babbel
jack [dʒæk] **I** *s* **1** *every man ~* (*J~*) [*of them*] vard. vareviga en [av dem], varenda kotte (själ) **2** kortsp. knekt **3** tele. jack; elektr. grenuttag; *~ plug* jackpropp **4** domkraft; vinsch **5** stövelknekt **II** *vb tr* **1** *~* [*up*] hissa (lyfta) [upp] med domkraft e.d. **2** vard., *~ up* a) höja [*~ up prices*] b) karska upp, stärka [*he had a drink to ~ up his courage*]
jackal ['dʒækɔːl, -k(ə)l] **1** zool. sjakal **2** bildl. sjakal; underhuggare, hantlangare
jackass [i bet. *1* o. *3* 'dʒækæs, i bet. *2* vanl. 'dʒækɑːs] **1** åsnehingst **2** bildl. åsna **3** skrattfågel [äv. *laughing ~*]
jackdaw ['dʒækdɔː] zool. kaja
jacket ['dʒækɪt] **1** jacka; kavaj, blazer; grövre kofta; *dust his ~* [*for him*] vard. damma till honom, klå (spöa) upp honom **2** tekn. fodral, beklädnad, kappa; *water ~* vattenmantel **3** omslag; skyddsomslag till bok **4** skal på potatis, frukt o.d.; [*baked*] *~ potatoes* ugnsbakad potatis; [*potatoes baked* (*boiled*)] *in their ~s* ...med skalen på
jack-in-the-box ['dʒækɪnðəbɒks] gubben i lådan äv. bildl.
jack-knife ['dʒæknaɪf] stor fällkniv
jackpot ['dʒækpɒt] spel. jackpot; *hit the ~* vard. a) vinna jackpoten, få en jackpot; kamma hem en storvinst b) ha stor framgång (tur)
Jacuzzi [dʒə'kuːzɪ] ® bubbelpool
1 jade [dʒeɪd] **I** *s* **1** utsläpad hästkrake **2** neds. fruntimmer, käring, slyna **3** skämts. jänta **II** *vb tr* trötta ut, tröttköra
2 jade [dʒeɪd] miner. jade [*jade-green*]
jaded ['dʒeɪdɪd] **1** tröttkörd, utsliten, utmattad [*~ from overwork*] **2** avtrubbad [*~ taste*], nedsatt [*~ appetite*] **3** trött, blaserad
jagged ['dʒægɪd] **1** ojämn [*a ~ edge*], [såg]tandad [*a ~ knife*], spetsig [*~ rocks*], uddad; avbruten **2** bildl. skarp, gäll [*a ~ voice*]; skarpt markerad [*~ rhythm*]
jaguar ['dʒægjʊə] **1** zool. jaguar **2** *J~* Jaguar bilmärke
jail [dʒeɪl] **I** *s* fängelse; häkte **II** *vb tr* sätta i fängelse
jailbird ['dʒeɪlbɜːd] fängelsekund; fånge
jaloppy [dʒə'lɒpɪ] sl. rishög
1 jam [dʒæm] **1** sylt **2** en lätt match; [*a bit of*] *~* a) tur, flax b) ett nöje, en förnöjelse
2 jam [dʒæm] **I** *s* **1** kläm, press **2** [folk]trängsel; [trafik]stockning [*traffic ~*]; anhopning; *~ of logs* timmerbråte i flottled **3** stopp i maskin o.d.; låsning; sjö. beknip; radio. störning **4** sl. knipa; klammeri; *be in* (*get into*) *a ~* vara i (råka i) knipa (klämma, klistret) **II** *vb tr* **1** klämma, pressa; *~ on the brakes* slå till bromsarna, bromsa hårt **2** fylla, blockera [*~ a passage*]; perf. p. *~med* packad [*~med with people*], proppfull **3** sätta ur funktion, stoppa [*~ a machine*]; sjö. beknipa; radio. störa [*~ a transmission*]; *~ up* bromsa [upp], stoppa äv. bildl. **III** *vb itr* **1** råka i kläm, bli fastkilad; fastna; blockeras **2** sättas ur funktion, låsa sig [*the brakes ~med*]
Jamaica [dʒə'meɪkə] **I** geogr. egenn. **II** *s*, *~* [*rum*] jamaicarom
Jamaican [dʒə'meɪkən] **I** *s* jamaican **II** *adj* jamaicansk
jamb [dʒæm] sidopost, sidokarm i dörr el. fönster
jamboree [ˌdʒæmbə'riː, '---] **1** vard. skiva, hippa, glad (uppsluppen) tillställning **2** jamboree scoutmöte
jam jar ['dʒæmdʒɑː] syltburk
jampacked ['dʒæmpækt] vard. proppfull
jangl|e ['dʒæŋgl] **I** *vb itr* rassla, skramla [*-ing keys*]; skrälla [*-ing phones*]; dåna [*-ing bells*]; låta illa, skära [i öronen] **II** *vb tr* föra oljud med; rassla med [*~ one's keys*] etc. **III** *s* oljud; rassel, skrammel, skrällande, klirr[ande]
janitor ['dʒænɪtə] dörrvakt; isht amer. äv. portvakt
January ['dʒænjʊ(ə)rɪ] januari
Jap [dʒæp] vard. (neds.) jappe
Japan [dʒə'pæn] **I** geogr. egenn. **II** *s*, *j~* a) japanlack b) japanskt [lack]arbete **III** *vb tr*, *j~* lackera, svärta med japanlack
Japanese [ˌdʒæpə'niːz] **I** *adj* japansk **II** *s* **1** (pl. lika) japan; japanska **2** japanska [språket]
japonica [dʒə'pɒnɪkə] bot. [liten] rosenkvitten
1 jar [dʒɑː] kruka; burk; *a ~ of jam* en burk sylt
2 jar [dʒɑː] **I** *vb itr* **1** låta illa; gnissla; skorra, skära [[*up*]*on* (i) *the ears*] **2** skramla, skallra; skaka, vibrera **3** bildl. *~ on* stöta, irritera; *it ~red on my nerves* det gick mig på nerverna **4** vara oförenlig, ej gå ihop **II** *s* **1** skorrande **2** skrammel; vibration, skallrande, skakning **3** bildl. chock [*a nasty ~*]
jargon ['dʒɑːgən] **1** jargong [*medical ~*], fikonspråk **2** pladder
jasmine ['dʒæzmɪn, -æsm-] bot. jasmin

jaundice ['dʒɔ:ndɪs] **1** med. gulsot **2** bildl. missunnsamhet, avundsjuka; fördomsfullhet
jaunt [dʒɔ:nt] **I** *s* utflykt; [nöjes]resa **II** *vb itr* göra en utflykt
jaunty ['dʒɔ:ntɪ] **1** lätt och ledig [*a ~ step*], sorglös; hurtig **2** käck [*a ~ little hat*]
javelin ['dʒævlɪn] [kast]spjut äv. sport.; *~ throw* spjutkastning ss. tävlingsgren
jaw [dʒɔ:] **I** *s* **1** käke; hakparti; *lower ~* underkäke **2** pl. *~s* mun, gap; käft äv. på skruvstäd o.d.; bildl. käftar [*the ~s of death*] **3** vard. käft; *hold (stop) your ~!* håll klaffen! **4** vard. käftande, gafflande **II** *vb itr* vard. gaffla; *~ at* skälla (tjata) på
jawbone ['dʒɔ:bəʊn] käkben
jay [dʒeɪ] zool. [nöt]skrika
jay-walker ['dʒeɪˌwɔ:kə] vard. oförsiktig fotgängare
jazz [dʒæz] **I** *s* **1** jazz [*~ ballet, ~ band*] **2** [*responsibilities, duties*] *and all that ~* sl. ...och allt det där (det där snacket) **II** *vb tr, ~ up* a) jazzifiera; jazza upp b) piffa upp c) sätta fart på, pigga upp
jazzy ['dʒæzɪ] jazzig
jealous ['dʒeləs] **1** svartsjuk; avundsjuk, missunnsam **2** mån [*~ of* (om) *one's prestige (rights)*] **3** misstänksamt vaksam; *keep a ~ eye on* misstroget bevaka
jealousy ['dʒeləsɪ] svartsjuka; avundsjuka; utbrott av (bevis på) svartsjuka; *from (out of) ~* av svartsjuka
jeep [dʒi:p] jeep; *~ carrier* amer. sjö. eskorthangarfartyg
jeer [dʒɪə] **I** *vb itr* göra narr, driva, skoja; hånskratta; *~ at* äv. håna, vara spydig mot **II** *vb tr* håna, skratta hånfullt åt **III** *s* gliring
Jekyll ['dʒi:kɪl, 'dʒekɪl] egenn.; *~ and Hyde* [vanl. 'dʒekɪl] doktor Jekyll och mister Hyde dubbelnatur, efter Stevensons roman
jell|y ['dʒelɪ] **I** *s* gelé; fruktgelé; *beat a p. into a ~* vard. slå ngn sönder och samman, mörbulta (mosa) ngn **II** *vb itr* bli [till] (stelna till) gelé, gelatineras **III** *vb tr* göra gelé av; koka in i gelé; *-ied eels* ål i gelé
jellyfish ['dʒelɪfɪʃ] **1** zool. manet **2** bildl. ynkrygg
jemmy ['dʒemɪ] kofot
jeopardize ['dʒepədaɪz] äventyra, våga [*~ one's life*]
jeopardy ['dʒepədɪ] fara [*be in ~ of* (för) *one's life*], våda
jerk [dʒɜ:k] **I** *s* **1** ryck [*the train stopped with a ~*]; stöt, puff [*he gave me a ~*] **2** *physical ~s* vard. [ben]sprattel gymnastik **3** i tyngdlyftning stöt **4** amer. vard. sodamixare [äv. *soda ~*] **5** isht amer. sl. tokstolle; tönt; odåga **II** *vb tr* **1** *~* [*out*] kasta [med en knyck], slänga [i väg]; göra ett kast med (ryck i); rycka [*he ~ed the fish out of the water*]; stöta (puffa, vrida) till; stamma (stappla) fram [*~ out words in a broken way*] **2** amer. vard. mixa [*~ sodas*] **III** *vb itr* **1** rycka [till]; fara upp; *~ along* a) rycka igång [*the train ~ed along*] b) stappla (stamma) 'på [*she ~ed along through her story*] **2** amer. vard. arbeta (servera) i en glassbar **3** *~ off* vulg. runka onanera
jerkin ['dʒɜ:kɪn] långväst
jerky ['dʒɜ:kɪ] ryckig; krampaktig
jerry-built ['dʒerɪbɪlt] dåligt (uselt) byggd, uppsmälld; *a ~ house* äv. ett fuskbygge
Jersey ['dʒɜ:zɪ] **I** geogr. egenn. **II** *s* **1** *j~* [jersey]tröja **2** *j~* textil. jersey **3** jerseyko [äv. *~ cow*]
Jerusalem [dʒə'ru:s(ə)ləm] geogr. egenn.; *~ artichoke* jordärtskocka
jest [dʒest] **I** *s* skämt; lustighet, lustigt infall; drift; *in ~* på skämt (skoj) **II** *vb itr* skämta, skoja, driva
jester ['dʒestə] skämtare; spefågel; kvickhuvud
Jesus ['dʒi:zəs] egenn.; *~!* vard. Herre Gud!, jösses!; *the Society of ~* jesuit[er]orden
1 jet [dʒet] **1** stråle [*a ~ of water (steam)*]; ström [*a ~ of gas (blood)*]; låga [*a ~ of gas*]; *a ~ of flame* en eldstråle **2** isht flyg. jet reaktionsdrift; jet- [*~ fighter, ~ plane, ~ propulsion*] **3** jetplan; jetflyg [*go by ~*] **4** *the ~ set* vard. jetsetet, innekretsarna **5** pip, rör; tekn. munstycke
2 jet [dʒet] **I** *s* miner. jet, gagat **II** *adj* jet-; jetsvart
jet-black [ˌdʒet'blæk, attr. '--] jetsvart
jet-lag ['dʒetlæg] **I** *s* jet-lag, rubbad dygnsrytm efter längre flygning; tidsförskjutning **II** *vb tr, be ~ged* ha jet-lag (rubbad dygnsrytm)
jetsam ['dʒetsəm, -sæm] överbordkastat (utkastat) gods; ilandflutet vrakgods; bildl., om person vrak
jettison ['dʒetɪsn, -tɪzn] **1** kasta överbord [*~ goods in order to lighten a ship*]; göra sig av med [*the plane ~ed its bombs*] **2** [om]kullkasta, omintetgöra [*~ a plan*]
jetty ['dʒetɪ] **1** pir **2** utskjutande [angörings]brygga
Jew [dʒu:] jude
jewel ['dʒu:əl, dʒʊ:l] **I** *s* juvel, ädelsten; [juvel]smycke; bildl. pärla, juvel [*his wife is a ~*]; pl. *~s* ofta smycken **II** *vb tr* besätta (pryda) med juveler; *~led fingers* juvelprydda fingrar; *a ~led ring* en juvelbesatt ring
jewel case ['dʒu:əlkeɪs, 'dʒʊ:l-] juvelskrin
jeweller ['dʒu:ələ, 'dʒʊ:lə] juvelerare; *~'s* [*shop*] guldsmedsaffär
jewellery ['dʒu:əlrɪ, 'dʒʊ:l-] smycken; *a piece of ~* ett smycke
Jewess ['dʒu:es, dʒu:'es] judinna
Jewish ['dʒu:ɪʃ] judisk
jew's-harp [ˌdʒu:z'hɑ:p] mungiga

1 jib [dʒɪb] sjö. **I** *s* **1** klyvare **2** kranarm **II** *vb tr* skifta segel; flytta över bom **III** *vb itr* gip[p]a

2 jib [dʒɪb] **1** om t.ex. häst vara (bli) istadig, vägra [att gå vidare]; rygga, skygga **2** dra sig ur spelet; protestera; ~ *at* skygga (rygga) för, streta emot; ~ *at doing a th.* vara ovillig (vägra) att göra ngt

jibe [dʒaɪb] se *gibe*

jig [dʒɪg] **I** *s* **1** jigg slags dans; jiggmelodi **2** fiske. pimpel, pilk **3** tekn. jigg vid borrning o.d. **II** *vb itr* **1** jigga; skutta **2** fiske. pimpla; ~ *for cod* pilka torsk **III** *vb tr* låta (få att) skutta (hoppa, gunga) [upp och ned]; gunga [upp och ned]

jiggle ['dʒɪgl] vard. vicka (vippa) [med (på)]; ruska (skaka) [på]; dingla (svänga, gunga) [med]

jigsaw ['dʒɪgsɔ:] figursåg; ~ [*puzzle*] pussel

jilt [dʒɪlt] överge

jimmy ['dʒɪmɪ] isht amer., se *jemmy*

jingle ['dʒɪŋgl] **I** *vb itr* klinga; skramla, rassla [*the keys ~d in his pocket*]; klirra [*the glasses ~d*] **II** *vb tr* klinga (pingla) med; skramla (rassla) med [*he ~d his keys*]; klirra med [~ *the glasses*] **III** *s* **1** klingande, pinglande **2** ramsa; reklamramsa i t.ex. reklam; neds. nonsensvers; slagdänga

jingoism ['dʒɪŋgəʊɪz(ə)m] krigshets

jinx [dʒɪŋks] isht amer. sl. olycksfågel, olycka; olycksbringande sak; trolldom; *there's a ~ on* [*this job*] det har gått troll i...

jittery ['dʒɪtərɪ] vard. skakis, nervis

Jnr. o. **jnr.** ['dʒu:njə] förk. för *junior*

job [dʒɒb] **I** *s* **1** arbete; ~ *analysis* arbetsanalys, arbetsstudie[r]; *he always does a fine ~ of work* han gör alltid ett fint arbete **2 a**) jobb anställning [*he has a good ~*]; arbetstillfälle; *~s for the boys* ung. rena svågerpolitiken (myglet) **b**) arbetsplats **3** arbete, produkt [*the new model is a fine ~*] **4** vard. jobb; fasligt besvär (sjå), slit [*what a ~!*]; göra; *he had quite a ~ getting* (*to get*) [*the things in order*] han hade ett fasligt sjå [med] att få... **5** vard. sak; fall; affär, historia; *a bad ~* en sorglig historia, en tråkig situation; *he gave it up as a bad ~* han gav spelet förlorat, han gav upp spelet; *it's a good ~* det var tur (bra); [*he went,*] *and a good ~, too!* ...och väl var det!, ...och gudskelov för det! **6** vard. stöt; skum affär

II *vb itr* **1** göra tillfällighetsjobb; arbeta på ackord (beting) **2** hand. jobba; spekulera [~ *in stocks*] **3** fiffla, svindla; mygla

jobber ['dʒɒbə] **1** tillfällighetsarbetare; ackordsarbetare **2** hand. mellanhand; grossist; mäklare **3** skojare, svindlare

jobcentre ['dʒɒbˌsentə] arbetsförmedling lokal

jobless ['dʒɒbləs] arbetslös; arbetslöshets- [~ *insurance*]

job lot ['dʒɒblɒt] hand. [blandat] varuparti

jockey ['dʒɒkɪ] **I** *s* jockey **II** *vb tr* lura; genom intriger omintetgöra, störta [~ *an enterprise*]; manövrera; ~ *a p. into a th.* lura ngn att göra ngt; ~ *a p. out of a th.* lura av ngn ngt **III** *vb itr* begagna knep, manövrera; ~ *for position* a) kapplöpn. tränga [medtävlare] för att få bättre position b) bildl. försöka att manövrera sig in i (på) en [fördelaktig] position

jockstrap ['dʒɒkstræp] suspensoar

jocular ['dʒɒkjʊlə] skämtsam, munter; lustig, humoristisk

jodhpurs ['dʒɒdpəz, -pɜ:z] **1** jodhpurs, långa ridbyxor [*a pair of ~*] **2** jodhpurs slags kängor

jog [dʒɒg] **I** *vb tr* **1** stöta (puffa) till ofrivilligt el. för att påkalla uppmärksamhet [*he ~ged my elbow*]; [lätt] knuffa [till]; få att skumpa (guppa) [*the horse ~ged its rider up and down*] **2** bildl. sätta (få) [lite] fart på (liv i) [*couldn't you ~ him a little?*]; ~ *a p.'s memory* [*for him*] friska upp ngns minne; ge ngn en påstötning, stöta 'på ngn [*about a th.* om ngt] **II** *vb itr* **1** skaka; dunsa, dunka [*his head ~ged against the side of the car*] **2** lunka; sport. jogga; [*we must try to*] ~ *along* (*on*) *somehow* ...komma (knega) vidare [på något sätt] **III** *s* knuff, stöt, puff

jogger ['dʒɒgə] sport. joggare

joggle ['dʒɒgl] **I** *vb tr* skaka, ruska **II** *vb itr* skaka; skumpa

join [dʒɔɪn] **I** *vb tr* **1** förena [~ *one thing to* (med) *another*]; förbinda [~ *an island to* (med) *the mainland*]; föra tillsamman, bringa i beröring [med varandra]; slå samman; foga samman, sätta ihop [~ *the pieces*]; koppla; ~ *battle* drabba samman, öppna (börja) striden; ~ *efforts* göra förenade ansträngningar; ~ *together* (*up*) foga samman, sätta ihop **2** förena sig med; flytta ihop med; följa med; komma över (gå in) till; gå in i (vid) [~ *a society* (*union*)], ansluta sig till [~ *a party*]; göra gemensam sak med; träffa [~ *one's friends*]; hinna upp; ~ *the army* gå in i (vid) armén, ta värvning; *won't you ~ us?* vill du inte göra oss sällskap?; *I'll join you in a minute* jag kommer efter (vi ses) strax **3** gränsa till **II** *vb itr* **1** förenas; förena sig; sluta sig tillsammans; ~ *in* a) ss. adv. vara (komma, bli) med [*I won't ~ in*; *may I ~ in?*], delta, falla (stämma) in [*here the violin ~s in*] b) ss. prep. delta i, blanda sig i [~ *in the conversation*], stämma (falla) in i [*they all ~ed in the song* (*laughter*)]; ~ *in an undertaking* gå (vara) med på ett företag

2 gränsa till varandra **III** *s* skarv, fog, hopfogning
joiner ['dʒɔɪnə] **1** [inrednings]snickare **2** amer. klubbmänniska
joinery ['dʒɔɪnərɪ] snickeri
joint [dʒɔɪnt] **I** *s* **1** sammanfogning[sställe], föreningspunkt; tekn. fog **2** bot., biol. o. friare led; *out of ~* ur led, ur gängorna; i olag **3** kok. stek; [styckad] bit; *~ of lamb* lammstek **4** sl. a) sylta; sämre nattklubb (kafé); [lönn]krog; spelhåla b) kyffe **5** isht amer. sl. joint **II** *attr adj* förenad, med-; gemensam, sam-; *~ account* gemensamt konto, gemensam räkning; *~ owner* a) medägare b) partredare; *~ ownership* jur. samäganderätt; *~ stock* aktiekapital **III** *vb tr* foga ihop (samman)
jointly ['dʒɔɪntlɪ] gemensamt, i gemenskap; *~ and separately* en för alla och alla för en
joist [dʒɔɪst] tvärbjälke; golvbjälke; takbjälke
joke [dʒəʊk] **I** *s* **1** skämt; kvickhet, lustighet; puts; skoj; *practical ~* practical joke handgripligt skämt; spratt, skoj; *crack (make) ~s* säga (kläcka ur sig) kvickheter, skämta; *it's getting beyond a ~* det börjar gå för långt; *by way of a ~* på skämt (skoj) **2** föremål för skämt (drift) [*a standing ~*], driftkucku **II** *vb itr* skämta, skoja
joker ['dʒəʊkə] **1** skämtare, lustigkurre; spefågel; kvickhuvud **2** sl. kille **3** kortsp. joker; *~ in the pack* joker i leken person **4** vard. hake
joking ['dʒəʊkɪŋ] **I** *adj* skämtsam [*~ remarks*] **II** *s* skämt; drift; *this is no ~ matter* den här saken är inte att skämta med, det här är ingenting att skämta om
jollity ['dʒɒlətɪ] **1** gladlynthet **2** skoj; fest, festlighet; festlig samvaro; festande
jolly ['dʒɒlɪ] **I** *adj* glad, skojig, kul, livad; lite på snusen; *a ~ fellow* en glad gosse (prick) **II** *adv* vard. mycket, förbaskat [*he knows ~ well that...*]; *that's ~ good* det var riktigt bra (jättebra); *a ~ good fellow* en hedersknyffel, en förbaskat bra karl; *he knows ~ well* han vet [det] nog [alltför väl]
jolt [dʒəʊlt] **I** *vb itr* om åkdon o.d. skaka [till], skumpa; *~ along* skumpa (skaka) iväg **II** *vb tr* skaka [om]; ge en chock; kullkasta **III** *s* skakning, stöt äv. bildl.; bildl. slag
Jordan ['dʒɔ:dn] geogr. **1** *the ~* Jordan[floden] **2** Jordanien
jostle ['dʒɒsl] **I** *vb tr* knuffa [till]; ränna (stöta) emot; *~ one's way* armbåga sig fram **II** *vb itr* knuffas, trängas
jot [dʒɒt] **I** *s* jota, dugg, dyft; *not a ~* äv. inte det ringaste **II** *vb tr, ~ down* krafsa (kasta) ned, anteckna, notera; skiss[er]a
jotter ['dʒɒtə] anteckningsbok
journal ['dʒɜ:nl] **1** tidskrift isht teknisk el. vetenskaplig; journal; [dags]tidning **2** journal, dagbok; liggare; sjö. loggbok; *keep a ~* föra dagbok (journal)
journalese [ˌdʒɜ:nə'li:z] neds. tidningsjargong
journalism ['dʒɜ:nəlɪz(ə)m] journalistik
journalist ['dʒɜ:nəlɪst] journalist
journey ['dʒɜ:nɪ] **I** *s* resa isht till lands o. bildl. [*make (go on, start on, set out on) a ~*] **II** *vb itr* resa
Jove [dʒəʊv] mytol. Jupiter; *by ~ (j~)!* du store!
jovial ['dʒəʊvjəl] jovialisk [*a ~ fellow*], fryntlig; gemytlig [*in a ~ mood*]
jowl [dʒaʊl] **1** käkben; [under]käke **2** kind
joy [dʒɔɪ] **I** *s* glädje; glädjekälla, glädjeämne; pl. *~s* fröjder, glädjeämnen; *~ of life* livsglädje **II** *vb itr* o. *vb tr* glädja[s]
joyful ['dʒɔɪf(ʊ)l] **1** [jublande] glad, förtjust **2** glädjande [*~ news*]; lycklig [*a ~ event*]
joyous ['dʒɔɪəs] **1** glad [*a ~ melody (temper)*] **2** glädjande [*~ news*]; fröjdefull
joyride ['dʒɔɪraɪd] **1** nöjestur **2** vard. buskörning (vansinnesfärd) i lånad stulen bil
joystick ['dʒɔɪstɪk] **1** flyg. vard. styrspak **2** data. styrspak, joystick **3** vulg. kuk
JP [ˌdʒeɪ'pi:] förk. för *Justice of the Peace*
Jr. o. **jr.** ['dʒu:njə] förk. för *junior*
jubilant ['dʒu:bɪlənt] jublande, triumferande
jubilation [ˌdʒu:bɪ'leɪʃ(ə)n] jubel; segerjubel
jubilee ['dʒu:bɪli:, -eɪ, dʒu:bɪ'li:] jubileum; jubileums- [*~ edition, ~ exhibition*]
Judaism ['dʒu:deɪɪz(ə)m] judendom[en]; judaism[en]
Judas ['dʒu:dəs] bibl. egenn.; bildl. judas; *~ kiss* judaskyss
judder ['dʒʌdə] **I** *vb itr* skaka, vibrera **II** *s* skakning, vibration
judge [dʒʌdʒ] **I** *s* domare; bedömare, kännare [*a good ~ of horses*], sakkunnig [*he is no ~*]; [*the Book of*] *Judges* bibl. Domareboken; *be a good ~ of* förstå sig bra på, känna väl till **II** *vb tr* **1** döma; avgöra; bestämma; *~ a case* döma i (avdöma) ett mål **2** bedöma [*I can't ~ whether he was right or wrong*], döma; *as far as I can ~* såvitt jag kan [be]döma **3** anse [för] [*I ~d him to be about 50*]; förmoda **III** *vb itr* **1** tjänstgöra (sitta) som domare; avkunna dom, döma, fälla utslag; medla **2** döma, fälla omdöme; *~ for yourself!* döm själv!; *to ~ from* el. *judging by (from)* att döma av
judgement ['dʒʌdʒmənt] **1** jur. dom, utslag isht i civilmål; *give (pass, pronounce) ~* avkunna (fälla) dom, fälla utslag [*against, for, on* över] **2** dom; *sit in ~ on a p.* sätta sig till doms över ngn **3** bedömande,

bedömning; omdömesförmåga; gott omdöme; uppfattning; *error of ~* felbedömning; *in (according to) my ~* efter min mening, enligt min uppfattning **4** relig., *the Last J~* yttersta domen

judicial [dʒʊˈdɪʃ(ə)l] **1** rättslig, juridisk [*on ~ grounds*], domstols-; rätts- [*a ~ act*]; domar- [*~ duties*]; doms-; ådömd; dömande; *~ murder* justitiemord; *~ separation* av domstol ålagd hemskillnad **2** opartisk [*a ~ investigation*]; kritisk

judiciary [dʒʊˈdɪʃɪərɪ, -ʃə-] **I** *adj* se *judicial* **II** *s, the ~* domarkåren, domarna; domstolarna

judicious [dʒʊˈdɪʃəs] förståndig; omdömesgill, rationell

judo [ˈdʒu:dəʊ] sport. judo

jug [dʒʌg] **1** kanna, tillbringare [*a milk ~; a ~ of milk*]; stånka [*a ~ of beer*] **2** sl. kåk fängelse; häkte; *be in ~* sitta i häkte (på kåken)

juggle [ˈdʒʌgl] **I** *vb itr* **1** jonglera **2** bildl. leka [*~ with ideas*]; bolla, trolla [*~ with figures*]; fiffla **II** *vb tr* lura [*~ a p. into* (till) *a th.*]; fiffla med [*the manager ~d his figures*]

juggler [ˈdʒʌglə] jonglör

Jugoslavia [ˌju:gə(ʊ)ˈslɑ:vjə] se *Yugoslavia*

jugular [ˈdʒʌgjʊlə] **I** *adj* strup-, hals-; med. jugular; *~ vein* se *II* **II** *s* halsblodåder, halsven; *go for the ~* vard. sätta kniven på strupen på ngn

juice [dʒu:s] **1** saft vätska, sav o.d.; juice; *~ extractor* saftpress **2** vard. a) soppa bensin b) el[ström] **3** amer. sl. stålar **4** amer. sl. dricka sprit

juicy [ˈdʒu:sɪ] **1** saftig; såsig [*a ~ pipe*] **2** vard. saftig, pikant [*~ gossip*] **3** läcker, sexig **4** isht amer. lönsam, fördelaktig [*a ~ contract*]

ju-jitsu [dʒu:ˈdʒɪtsu:] sport. jiujitsu

jukebox [ˈdʒu:kbɒks] jukebox

July [dʒʊˈlaɪ] juli

jumble [ˈdʒʌmbl] **I** *vb tr, ~ [up (together)]* blanda (röra, vräka) ihop utan ordning; *be ~d [up together]* ligga (vara) i en enda röra **II** *s* virrvarr; sammelsurium [*a ~ of words*]; *a ~ of [different things]* en [enda] röra av..., ett [enda] virrvarr av...; *~ sale* loppmarknad på välgörenhetsbasar

jumbo [ˈdʒʌmbəʊ] (pl. *~s*) **1** vard. jumbo elefant **2** bjässe; klumpeduns äv. bildl. **3** flyg., *~ [jet]* jumbojet

jump [dʒʌmp] **I** *vb itr* hoppa; skutta; guppa; hoppa till; *~ at a chance (an opportunity)* gripa en chans (ett tillfälle); *~ in* hoppa in i vagn o.d.; *it made him ~* det kom (fick) honom att hoppa högt av t.ex. förskräckelse **II** *vb tr* **1** hoppa över äv. bildl. [*~ a fence (chapter)*]; *~ the [traffic] lights* vard. köra mot rött ljus; *~ the gun* vard. tjuvstarta; ta ut ngt i förväg, förhasta sig; *~ the queue* vard. tränga sig (smita) före [i kön]; *~ rope* amer. hoppa [hopp]rep **2** *~ a train* a) tjuvåka med [ett] tåg b) amer. hoppa på ett tåg [i farten]; ta tåget i all hast **3** förmå (få) att hoppa [*~ one's horse over a fence*]; *~ a child on one's knee* ung. låta ett barn rida ranka **III** *s* **1** hopp; skutt; *high ~* höjdhopp; *long ~* längdhopp **2** [plötslig] stegring (höjning) [*a ~ in prices*]

jumped-up [ˈdʒʌmptʌp] vard. parvenyaktig, stöddig; *they are a ~ lot* de är en samling uppkomlingar

jumper [ˈdʒʌmpə] **1** hoppare; *high ~* höjdhoppare **2** plagg jumper; sjö. bussarong; amer. äv. slags förkläde **3** *~ cable (lead)* bil. startkabel

jumpsuit [ˈdʒʌmpsu:t, -sju:t] overall

jumpy [ˈdʒʌmpɪ] **1** hoppig; hoppande **2** vard. skärrad

junction [ˈdʒʌŋ(k)ʃ(ə)n] **1** förenande; förbindelse **2** knutpunkt; mötesplats **3** järnvägsknut [*Clapham J~*]; vägkors[ning] **4** elektr. koppling

juncture [ˈdʒʌŋ(k)tʃə] **1** föreningspunkt; fog **2** kritiskt ögonblick; avgörande tidpunkt [*at this ~*]

June [dʒu:n] **I** *s* juni **II** kvinnonamn

jungle [ˈdʒʌŋgl] djungel; bildl. äv. snårskog; *asphalt (concrete) ~* storstadsdjungel, stenöken

junior [ˈdʒu:njə] **I** *adj* yngre äv. i tjänsten o.d.; den yngre, junior [*John Smith, J~*]; junior- [*a ~ team*]; lägre i rang; underordnad [*~ minister* i regeringen]; *~ college* amer. förberedande college som ger lägre universitetsexamen; *~ high school* se *high school* **II** *s* **1** [person som är] yngre äv. i tjänsten o.d.; yngre medlem; yngre kompanjon; *my ~s* de som är yngre än jag [i tjänsten], mina yngre kolleger **2** isht sport. junior **3** amer. tredjeårsstudent vid college; junior[student]; tredjeårselev vid fyraårig 'high school'; junior[elev] **4** amer. vard. grabb[en] [*take it easy, ~!*]; [*I bought it*] *for ~* ...åt grabben (min pojke)

juniper [ˈdʒu:nɪpə] **1** bot. en; *~ berry* enbär **2** envirke, ene

1 junk [dʒʌŋk] skräp [*an attic full of ~*], skrot, sopor; bildl. smörja, skräp [*talk ~*]; *~ art* skrotskulpturer o.d.; *~ food* skräpmat, snabbmat; *~ mail* skräpreklam, direktreklam; *~ shop* lumpbod, affär för begagnade prylar (kläder etc.)

2 junk [dʒʌŋk] djonk kinesiskt segelfartyg

junket [ˈdʒʌŋkɪt] **I** *s* **1** sötad mjölk som bringats att stelna genom löpe, slags kvarg **2** kalas, fest; utflykt **II** *vb itr* kalasa

junkie o. **junky** [ˈdʒʌŋkɪ] sl. pundare

junta [ˈdʒʌntə, ˈhʊntə] polit. junta

jurisdiction [ˌdʒʊərɪs'dɪkʃ(ə)n] jurisdiktion; rättskipning
jurisprudence [ˌdʒʊərɪs'pru:d(ə)ns, ˌ--'--] juridik, rättsvetenskap
juror ['dʒʊərə] juryman, juryledamot äv. friare
jury ['dʒʊərɪ] **1** jur. jury grupp av edsvurna; *grand ~* amer. åtalsjury; *be on a ~* vara med i en jury, vara utsedd till juryman; *serve (sit) on a ~* sitta i en jury **2** [tävlings]jury
jury box ['dʒʊərɪbɒks] jurybås
just [dʒʌst, adv. äv. dʒəst] **I** *adj* **1** rättvis [*a ~ decision (teacher)*]; rättrådig [*a ~ man*] **2** rätt, riktig [*~ conduct*], väl avvägd **3** välförtjänt [*~ punishment (reward)*] **4** skälig [*the payment is ~*] **5** berättigad, välgrundad [*~ suspicions*] **II** *adv* **1** just [*this is ~ what I wanted*]; alldeles, exakt [*it's ~ two o'clock*]; *it's ~ as well* det är lika [så] bra (gott); *that's ~ it* just [precis] det ja; *he is ~ the man* [*for the post*] han är rätte mannen... **2** just [*they have ~ left*], nyss **3** genast, strax; *it's ~ on six* klockan (hon, den) är snart (nästan) sex **4** nätt och jämnt; *I ~ managed to* jag lyckades med knapp nöd (med nöd och näppe) att **5** bara [*~ a moment (minute)!*; *she is ~ a child*; *I ~ looked at him*]; *~ fancy!* tänk bara! **6** vard. fullkomligt, alldeles [*he's ~ crazy*]; *not ~ yet* inte riktigt än **7** vard. **a**) förstärkande minsann, verkligen [*I'll ~ give it to you* (ge dig)!]; verkligt [*that's ~ fine!*]; [*did she laugh?* -] *didn't she ~!* ...jo, det kan du tro (skriva upp) att hon gjorde! **b**) i frågor, *~'who owns* [*this place*]? vem äger egentligen...?
justice ['dʒʌstɪs] **1** rättvisa, rätt; *law and ~* lag och rätt; *fall into the hands of ~* falla i rättvisans händer **2** rätt [och billighet]; berättigande; riktighet; rimlighet; *in ~* rätteligen; med skäl **3** domare isht i *Supreme Court of Judicature*, ung. justitieråd; *Lord J~* domare i *Court of Appeal*; *J~ of the Peace* fredsdomare
justifiable [ˌdʒʌstɪ'faɪəbl, '-----] försvarlig; rättfärdig [*a ~ action*]; *~ homicide* dråp i nödvärn
justification [ˌdʒʌstɪfɪ'keɪʃ(ə)n] försvar; berättigande; urskuldande; *in ~ of* till försvar för
justify ['dʒʌstɪfaɪ] **1** försvara; rättfärdiga; urskulda [*nothing can ~ such an action*]; *I was justified in doing so* jag var i min fulla rätt (hade all rätt) att göra det **2** bevisa [*~ a statement*], bestyrka
justly ['dʒʌstlɪ] rättvist [*treat a p. ~*]; med rätta [*~ indignant*]
justness ['dʒʌstnəs] rättvisa; rättmätighet; riktighet; *the ~ of a th.* det rättvisa (rättmätiga, berättigade) i ngt
jut [dʒʌt] **I** *vb itr*, *~ out (forth)* skjuta ut, sticka fram (ut) **II** *vb tr* skjuta [fram]
jute [dʒu:t] bot. el. textil. jute; *~ cloth* juteväv
juvenile ['dʒu:vənaɪl, amer. -n(ə)l] **I** *s* tonåring; pl. *~s* äv. minderåriga; ungdomar; *for ~s* äv. barntillåten **II** *adj* **1** ungdoms- [*~ books*], barn-; *~ court* ungdomsdomstol; *~ delinquency* ungdomsbrottslighet **2** litt. ungdomlig **3** omogen, naiv, juvenil
juxtapose ['dʒʌkstəpəʊz] placera intill varandra, placera sida vid sida
juxtaposition [ˌdʒʌkstəpə'zɪʃ(ə)n] plats (läge) intill varandra, placering sida vid sida

K

K, k [keɪ] (pl. *K's* el. *k's* [keɪz]) K, k
K förk. för *kelvin*
kale [keɪl] grönkål, kruskål
kaleidoscope [kə'laɪdəskəʊp] kalejdoskop; *a ~ of colours* bildl. ett mångskiftande färgspel
kangaroo [ˌkæŋgə'ru:] zool. känguru
kaput [kæ'pʊt] sl. kaputt; kass
karate [kə'rɑ:tɪ] sport. karate; *~ chop* karateslag
Kazakhstan [ˌkæzæk'stɑ:n] geogr. Kazakstan
KC förk. för *King's Counsel*
kebab [kɪ'bæb, kə-] kok. kebab grillspett
keel [ki:l] **I** *s* köl; *on an even ~* a) sjö. på rät köl b) bildl. på rät köl; i balans **II** *vb tr, ~ [over]* vända upp och ned på, välta båt **III** *vb itr, ~ over* a) sjö. kantra; vända upp kölen b) vard. tuppa av
keen [ki:n] **1** eg. bet. skarp, vass [*a ~ edge, a ~ razor*] **2** bildl. skarp, intensiv; genomträngande, isande [*a ~ wind*], bitande [*~ satire (sarcasm)*] **3** om känslor m.m. intensiv; häftig [*a ~ pain*]; stark [*a ~ sense of duty*]; levande [*a ~ interest*]; frisk [*a ~ appetite*]; hård [*~ competition*] **4** om sinnen, förstånd skarp [*~ sight, ~ hearing; a ~ eye* (blick) *for*]; fin [*a ~ nose for*]; skarpsinnig, klipsk **5** ivrig [*I am ~ on going again*]; entusiastisk [*a ~ sportsman*]; passionerad [*a ~ lover of music*]; *be ~* äv. ha lust; *~ on* pigg på [*a th.* ngt; *doing a th.* att göra ngt]; *~ on travelling* reslysten
keenness ['ki:nnəs] skärpa äv. bildl.; intensitet etc., jfr *keen*
keep [ki:p] **I** (*kept kept*) *vb tr* (se äv. *III*) **1** hålla, hålla kvar; uppehålla; *~ alive* hålla vid liv **2** behålla; hålla på, spara [på] [*~ for future needs*]; låta stå; ha; förvara; bevara [*~ a secret*] **3** ha, äga, hålla sig med [*~ a car; ~ a dog*]; hand. föra [*we don't ~ that brand* (märke)] **4** underhålla, försörja [*wife and children to ~*] **5** hålla [*~ a (one's) promise*] **6** föra [*~ a diary*], sköta [*~ accounts*] **7** sköta, vårda **8** skydda; *~ goal* stå i mål
II (*kept kept*) *vb itr* (se äv. *III*) **1** hålla sig [*~ awake; ~ silent*]; förbli; *how are you ~ing?* hur står det till [med dig]? **2** stå (hålla) sig [*will the meat ~?*] **3** fortsätta [*~ straight on* (rakt fram)]; *~ left!* håll (kör, gå) till vänster! **4** *~ [on] doing a th.* fortsätta (fortfara) [med] att göra ngt; *she ~s [on] talking* hon bara pratar och pratar
III *vb tr* o. *vb itr* med adv. el. prep. med spec. övers.:
~ at *it* a) hålla i arbete b) ligga i
~ away hålla på avstånd (borta)
~ back hålla tillbaka; dölja
~ down hålla nere [*~ down prices*]; undertrycka, hålla tillbaka [*~ down a revolt*]
~ from avhålla från; dölja för; *~ a p. from doing a th.* hindra ngn (avhålla ngn) från att göra ngt
~ in hålla inne [med]; hålla med [*~ a p. in pocket money*]; hålla sig inne; *~ [well] in with* vard. hålla sig väl med
~ off hålla på avstånd; avvärja; stänga ute; hålla sig undan; undvika [*I kept off the subject*]; *~ off the grass!* beträd ej gräsmattan!
~ on a) behålla [på] [*~ one's hat on*] b) hålla i sig [*if the rain ~s on*]; fortsätta med; *~ on at* vard. tjata på; hålla efter ngn
~ out hålla ute; *~ out of* hålla sig borta ifrån, hålla sig utanför (ifrån)
~ to hålla sig till; hålla fast vid [*~ to one's plans*]; stå fast vid [*~ to one's promise*]; *~ a th. to oneself* [be]hålla ngt för sig själv, tiga med ngt; *~ [oneself] to oneself* hålla sig för sig själv
~ together hålla ihop (tillsammans); *enough to ~ body and soul together* tillräckligt för att uppehålla livet
~ under hålla nere; *~ the fire under* hålla elden under kontroll
~ up hålla uppe, uppehålla äv. bildl. [*they kept me up all night; ~ up a correspondence*]; vidmakthålla, hålla i stånd; fortsätta [med]; hålla vid liv [*~ up a conversation*]; hålla sig uppe äv. bildl.; hålla i sig; *~ it up* fortsätta [med det], hänga i, inte ge tappt
IV *s* **1** underhåll; uppehälle [*earn one's ~*] **2** *for ~s* vard. för alltid, för gott
keeper ['ki:pə] **1** vårdare, [mental]skötare; skogvaktare; vakt; [djur]skötare; uppsyningsman; intendent vid museum; sport. målvakt **2** ss. efterled i sms. -innehavare [*shopkeeper*], -hållare [*bookkeeper*], -vakt [*goalkeeper*], -vaktare
keep-fit [ˌki:p'fɪt], *~ campaign* 'håll-i-form-kampanj', motionskampanj; *~ movement* frisksport[rörelse]
keeping ['ki:pɪŋ] **1** förvar; *in safe ~* i säkert (gott) förvar **2** samklang; *be in ~ with* gå ihop (i stil) med, stämma överens med; *be out of ~ with* inte gå ihop (stämma överens, harmoniera) med, inte passa in i
keepsake ['ki:pseɪk] minne; *for (as) a ~* som minne
keg [keg] kagge
Kelvin ['kelvɪn] **I** egenn. **II** *s* fys., *k~* kelvin enhet för temperatur
kennel ['kenl] *s* **1** hundkoja **2** vanl. pl. *~s*

kennel, hundgård; ~ *club* kennelklubb **3** rävs lya **4** kyffe, ruckel **5** koppel [hundar]

kept [kept] imperf. o. perf. p. av *keep*; ~ *woman* hålldam, älskarinna

kerb [kɜ:b] trottoarkant; ~ *drill* [fotgängares] trafikvett

kerbstone ['kɜ:bstəʊn] kantsten i trottoarkant

kerchief ['kɜ:tʃɪf] sjalett, halsduk; huvudduk

kernel ['kɜ:nl] **1** kärna i nöt, fruktsten o. säd; [sädes]korn **2** bildl. kärna

kerosene o. **kerosine** ['kerəsi:n] **1** isht amer. fotogen **2** flyg., [*aviation*] ~ flygfotogen

kestrel ['kestr(ə)l] zool. tornfalk; *lesser* ~ rödfalk

ketchup ['ketʃəp] ketchup [*tomato* ~]; *mushroom* ~ svampsoja

kettle ['ketl] **1** kanna för tevatten, [kaffe]panna; *electric* ~ elektrisk vattenkokare **2** [fisk]kittel; *a fine* (*pretty, nice*) ~ *of fish* en skön röra

kettle-drum ['ketldrʌm] mus. puka

key [ki:] **I** *s* **1** nyckel äv. bildl. [~ *figure* (*man*); ~ *industry*]; lösning, facit; *master* ~ huvudnyckel **2** urnyckel; nyckel öppnare till t.ex. sardinburk **3** facit[bok], nyckel **4** tangent på piano, skrivmaskin, dator m.m.; klaff på blåsinstrument; nyckel på telegraf **5** mus. tonart [*the* ~ *of C*]; bildl. ton[art]; färgton; *speak in a high* ~ tala med hög (gäll) röst; *all in the same* ~ monotont, uttryckslöst **II** *vb tr* **1** mus. stämma; ~ *up* bildl. jaga upp, skruva upp; mus. stämma högre **2** ~ [*in*] skriva (knappa, koda) in på t.ex. dator

keyboard ['ki:bɔ:d] **I** *s* klaviatur; manual på orgel; tangentbord på piano, skrivmaskin m.m.; ~*s* keyboards, synt **II** *vb tr* **1** skriva (knappa) in på t.ex. dator **2** registrera i t.ex. dator

keyboarder ['ki:ˌbɔ:də] data. inskrivare, inkodare

keyhole ['ki:həʊl] nyckelhål; ~ *surgery* kir. titthålskirurgi

keynote ['ki:nəʊt] **1** mus. grundton **2** bildl. grundton; grundtanke [*the* ~ *of his speech* (*policy*)]

keypad ['ki:pæd] knappsats på telefon, fjärrkontroll m.m.; [litet] tangentbord

keyphone ['ki:fəʊn] knapp[sats]telefon

key-ring ['ki:rɪŋ] nyckelring

keystone ['ki:stəʊn] byggn. slutsten i valv; bildl. grundval; grundprincip

kg. förk. för *kilogram*[*s*], *kilogramme*[*s*]

khaki ['kɑ:kɪ] **I** *s* kaki tyg o. färg **II** *adj* kakifärgad

kHz förk. för *kilohertz*

kibbutz [kɪ'bʊts] (pl. *kibbutzim* [ˌkɪbʊt'si:m]) kibbutz

kick [kɪk] **I** *vb tr* (se äv. *III*) **1** sparka [till]; ~ *the bucket* sl. kola [av] dö; *I could* ~ *myself for missing the chance* Gud vad det retar (grämer) mig att jag inte tog chansen **2** stöta till; om skjutvapen rekylera mot

II *vb itr* (se äv. *III*) **1** sparka[s]; om häst slå bakut **2** bildl. protestera [~ *against* (*at*) *a decision*]; bråka **3** om skjutvapen rekylera

III *vb tr* o. *vb itr* med prep. o. adv. isht med spec. övers.:

~ **against** *the pricks* spjärna mot [udden]; jfr *II 2*

~ **off** a) sparka av sig skorna b) sparka i gång [~ *off a campaign*]; göra avspark i fotboll

~ **out** sparka ut; kasta ut; slå bakut; *be* ~*ed out* vard. få sparken (kicken)

~ **over** sparka omkull; ~ *over the traces* bildl. hoppa över skaklarna; göra sig fri, revoltera

~ **up** sparka (riva) upp t.ex. damm; vard. ställa till; ~ *up a row* (*fuss, dust, shindy*) ställa till bråk (oväsen) [*about, over* om, för...skull]

IV *s* **1** spark; *free* ~ frispark; *penalty* ~ straffspark **2** vard. a) nöje, spänning; kick b) mani; *he gets a big* ~ *out of* (*gets his* ~*s by*) *skiing* han tycker det är helskönt (kul, spännande) att åka skidor **3** vard. styrka, krut i dryck; *a cocktail with a* ~ *in it* en cocktail som river bra, en cocktail med krut i **4** rekyl av skjutvapen **5** sl., *get* (*give a p.*) *the* ~ få (ge ngn) kicken (sparken)

kickback ['kɪkbæk] vard. **1** a) våldsam reaktion, motreaktion b) rekyl **2** ung. olaglig provision **3** mutor

kick-off ['kɪkɒf] **1** avspark i fotboll **2** bildl. igångsparkande [*the* ~ *of a campaign*]

kick-start ['kɪkstɑ:t] **I** *vb tr* trampa igång, kickstarta **II** *s*, *give the economy a* ~ sätta fart på ekonomin, ge ekonomin en skjuts

1 kid [kɪd] **1** zool. killing **2** getskinn; chevreau; pl. ~*s* glacéhandskar [äv. ~ *gloves*]; *treat a p. with* ~ *gloves* bildl. behandla ngn med silkesvantar **3** vard. barn, unge; grabb; isht amer. äv. ungdom [*college* ~*s*]; ~ *brother* lillebror; ~ *sister* lillasyster

2 kid [kɪd] **I** *vb tr* lura, narra; skoja (retas) med; *you're* ~*ding* [*me*]*!* nu skojar du med mig!, du skämtar! **II** *vb itr* skämta; retas; *I'm not* ~*ding!* el. *no* ~*ding!* jag lovar!, det är säkert!, jag skämtar (skojar) inte!

kiddy ['kɪdɪ] vard. litet barn; pl. *kiddies* äv. småttingar

kidnap ['kɪdnæp] **I** *vb tr* kidnappa **II** *s* kidnapp[n]ing

kidney ['kɪdnɪ] **1** njure **2** bildl. art, sort [*a man of the right* ~]; natur

kidney bean ['kɪdnɪbi:n] bot.

1 trädgårdsböna; isht skärböna; rosenböna **2** isht amer. [röd] kidneyböna

kidney machine ['kɪdnɪməʃi:n] med. konstgjord njure

kill [kɪl] **I** *vb tr* **1** döda, mörda, slå ihjäl; slakta; ta död på; ta kål på; *be ~ed* äv. dö, omkomma [*he was ~ed in an accident*], slå ihjäl sig; *that won't ~ him* det dör han inte av; *~ oneself* a) ta livet av sig, ta död på sig b) förta sig äv. iron. [*don't ~ yourself!*]; *~ two birds with one stone* slå två flugor i en smäll; *~ a p. with kindness* klema (dalta) för mycket med ngn; *it is a case of ~ or cure* ung. det må bära eller brista, går det så går det **2** vard. överväldiga, förkrossa; *you're ~ing me!* a) jag dör av skratt! b) iron. dödskul, va! **3** fotb. döda, dämpa boll; *~ the ball* i tennis slå en dödande boll **II** *vb itr* **1** döda, dräpa [*thou shalt not ~*], mörda **2** vard. göra ett överväldigande intryck; göra susen; *got up (dressed) to ~* ursnyggt klädd, uppklädd till tusen **III** *s* jakt., villebrådets dödande; [jakt]byte; *be in at the ~* vara på plats när något händer

killer ['kɪlə] **1** mördare; slaktare **2** något livsfarligt; utrotningsmedel; *the disease is a ~* sjukdomen är dödlig **3** amer. sl. pangsak fin sak **4** zool., *~ [whale]* späckhuggare **5** fysiol., *~ cell* mördarcell

killing ['kɪlɪŋ] **I** *s* **1** dödande etc., jfr *kill I*; mord **2** vard., *make a ~* göra ett fint kap (ett klipp) **II** *adj* **1** dödande; bildl. mördande [*a ~ pace* (tempo)], isande [*a ~ arrogance*] **2** vard. oemotståndlig; fantastisk; dödskul

kill-joy ['kɪldʒɔɪ] glädjedödare

kiln [kɪln, yrkesspråk kɪl] **I** *s* brännugn för kalk, tegel o.d.; torkugn; kölna **II** *vb tr* bränna (torka) i brännugn (torkugn, kölna)

kilo ['ki:ləʊ] (pl. *~s*) förk. för *kilogram[me]*

kilo- ['kɪlə(ʊ)] kilo-

kilocycle ['kɪlə(ʊ)ˌsaɪkl] kilocykel

kilogramme ['kɪlə(ʊ)græm] kilogram

kilohertz ['kɪlə(ʊ)hɜ:ts] kilohertz

kilometre ['kɪlə(ʊ)ˌmi:tə, kɪ'lɒmɪtə] kilometer

kiloton ['kɪlə(ʊ)tʌn] kiloton

kilowatt ['kɪlə(ʊ)wɒt] kilowatt

kilt [kɪlt] **I** *s* kilt **II** *vb tr* **1** skörta upp fästa upp **2** vecka, plissera

kimono [kɪ'məʊnəʊ] (pl. *~s*) kimono

kin [kɪn] **I** *s* **1** (konstr. ss. pl.) släkt[ingar] **2** släktskap; *of ~* släkt, besläktad **3** familj ätt **II** *pred adj* släkt, besläktad

1 kind [kaɪnd] **1** slag; *nothing of the ~* ingenting ditåt (sådant, dylikt), inte alls så; ss. svar äv. visst inte!, inte alls!; *they are two of a ~* de (båda två) är likadana (lika goda); *~ of*: **a**) slags, sorts; *a ~ of* ett slags, något slags; *a different ~ of* ett annat slags; *every ~ of* el. *all ~s of* alla slags, alla möjliga; *what ~ of trees are those?* vad är det där för slags träd? **b**) adverbiellt, vard. liksom, på sätt och vis [*I ~ of expected it*] **2** *in ~* in natura [*pay in ~*]

2 kind [kaɪnd] vänlig, snäll, älskvärd, hygglig [*~ people*]; *~ regards* hjärtliga hälsningar

kind-hearted [ˌkaɪnd'hɑ:tɪd, attr. '-,--] godhjärtad

kindle ['kɪndl] **I** *vb tr* **1** antända **2** lysa upp **3** bildl. upptända, väcka [*~ the interest of the audience*]; egga upp; underblåsa **II** *vb itr* **1** tända, fatta eld **2** bildl. upptändas; lysa upp

kindling ['kɪndlɪŋ] **1** antändning etc., jfr *kindle* **2** tändved, stickor att tända eld med; tändmaterial

kindly ['kaɪndlɪ] **I** *adj* **1** vänlig **2** bildl. mild [*a ~ climate*]; gynnsam; välgörande, värmande, angenäm **3** åld. infödd [*a ~ Scot*] **II** *adv* vänligt etc., jfr *2 kind*; *~ shut the door at once!* befallande var snäll och stäng dörren genast!; *~ meant* välment

kindness ['kaɪndnəs] vänlighet, snällhet; *do a p. a ~* visa ngn en vänlighet

kindred ['kɪndrəd] **I** *s* **1** släktskap genom födsel **2** (konstr. ss. pl.) släkt[ingar] [*his ~ live abroad*] **II** *attr adj* besläktad, befryndad äv. bildl.; liknande; *a ~ likeness* släkttycke

kinetic [kɪ'netɪk, kaɪ'n-] fys. kinetisk; *~ energy* kinetisk energi, rörelseenergi

king [kɪŋ] **I** *s* **1** kung äv. bildl. [*the ~ of beasts (birds); oil ~*]; *Kings* bibl. Konungaböckerna; *the ~ of soaps* i reklam världens bästa tvål **2** kung i kortlek, schack m. fl. spel; dam i damspel; *~'s pawn* schack. kungsbonde **II** *vb tr* **1** göra till kung **2** *~ it* uppträda som (spela) kung, härska

kingdom ['kɪŋdəm] **1** kungarike, konungarike; kungadöme; *the ~ of Sweden* kungariket Sverige **2** bildl. rike, välde; område; *the ~ of God* Guds rike **3** naturv. rike; *the animal, vegetable, and mineral ~s* djur-, växt- och mineralriket

kingfisher ['kɪŋˌfɪʃə] zool. kungsfiskare

kingpin ['kɪŋpɪn] **1** i bowling mittenkägla; i kägelspel kung **2** bildl. ledare; stöttepelare [*he (it) is the ~ of the whole system*] **3** tekn. spindelbult

king-size ['kɪŋsaɪz] jättestor, extra stor; king-size [*a ~ cigarette*]

kink [kɪŋk] **1** knut på tråd; sjö. kink; krullad (lagd) [hår]lock **2** egenhet; egendomlighet; hugskott **3** vard. sexuell avvikelse, perversitet

kinky ['kɪŋkɪ] **1** tovig; krusig; *a ~ rope* ett rep fullt med knutar, ett knutigt rep **2** krullig [*~ hair*] **3** vard. bisarr [*~ clothes*] **4** pervers, sexuellt avvikande

kinsfolk ['kɪnzfəʊk] (konstr. ss. pl.) litt. släkt[ingar]
kinship ['kɪnʃɪp] **1** släktskap; blodsband **2** bildl. frändskap; ~ *in spirit* själsfrändskap
kins|man ['kɪnz|mən] (pl. *-men* [-mən]) litt. [manlig] släkting, frände
kiosk ['ki:ɒsk] kiosk
kip [kɪp] sl. **I** *s* **1** pang ungkarlshotell, härbärge; slaf säng **2** sömn; *get some* ~ kvarta ett tag **II** *vb itr,* ~ [*down*] gå och kvarta, knyta sig lägga sig; slafa sova
kipper ['kɪpə] **I** *s* 'kipper' slags fläkt, saltad o. röktorkad fisk isht sill **II** *vb tr* fläka fisk [*~ed herring*]
kiss [kɪs] **I** *vb tr* kyssa äv. bildl.; pussa; ~ *the dust* (*ground*) a) krypa i stoftet b) bita i gräset; *I'll ~ it better* till barn jag ska blåsa på det [så går det över] **II** *vb itr* kyssas, pussas; ~ *and tell* skryta med sina erövringar **III** *s* kyss; *the ~ of death* dödsstöten; *give a p. the ~ of life* behandla ngn med mun-mot-mun-metoden
kissproof ['kɪspru:f] kyssäkta
kit [kɪt] **I** *s* **1** utrustning av kläder m.m.; grejor [*golfing* (*skiing*) ~]; persedlar; mundering [*battle* ~], utstyrsel [*ski* ~]; sats, byggsats; *first-aid* ~ förbandslåda **2** kappsäck; mil. packning **II** *vb tr,* ~ *out* (*up*) utrusta, ekipera
kitbag ['kɪtbæg] **1** sportbag **2** mil. ränsel, ryggsäck
kitchen ['kɪtʃɪn, -tʃ(ə)n] **I** *s* kök **II** *attr adj* köks- [~ *fan* (*machine*)]; ~ *utensils* husgeråd, köksgeråd
kitchenette [ˌkɪtʃɪ'net] kokvrå, litet kök, pentry
kitchen garden [ˌkɪtʃɪn'gɑ:dn] köksträdgård
kitchen range ['kɪtʃɪnreɪn(d)ʒ] köksspis
kitchen sink [ˌkɪtʃɪn'sɪŋk] diskbänk; *everything but the* ~ vard. allt möjligt, rubbet
kite [kaɪt] **1** zool. glada **2** drake av papper o.d.; *fly a* ~ a) sända upp en drake b) bildl. släppa upp en försöksballong, göra (skicka ut) en trevare, pejla opinionen
kith [kɪθ], ~ *and kin* vänner och fränder; släktingar
kitsch [kɪtʃ] vard. (ty.) smörja, kitsch
kitten ['kɪtn] **1** kattunge; *have* (*be having*) *~s* vard. sitta som på nålar; få spader **2** flicksnärta
1 kitty ['kɪtɪ] kattunge
2 kitty ['kɪtɪ] **1** spel. pott **2** vard. kassa, fond
kiwi ['ki:wi:] **1** zool. kivi **2** kiwi[frukt] **3** *K~* vard. nyzeeländare utom i Nya Zeeland
Kleenex ['kli:neks] ® ansiktsservett, pappersnäsduk
kleptomania [ˌkleptə(ʊ)'meɪnjə] kleptomani
kleptomaniac [ˌkleptə(ʊ)'meɪnɪæk] kleptoman
km. förk. för *kilometre*[*s*]
knack [næk] **1** skicklighet att göra ngt; [gott] handlag; *get the ~ of a th.* få kläm på ngt, få in det rätta greppet på ngt; *there's a ~ in it* det finns ett knep med det **2** liten vana, benägenhet
knapsack ['næpsæk] ryggsäck, ränsel; axelväska, persedelpåse
knave [neɪv] **1** kanalje, bedragare **2** knekt i kortlek; ~ *of hearts* hjärter knekt
knavery ['neɪvərɪ], *piece of* ~ skurkstreck
knavish ['neɪvɪʃ] skurkaktig, samvetslös; ~ *trick* skurkstreck
knead [ni:d] **I** *vb tr* knåda äv. massera; älta **II** *vb itr* om katt karda
knee [ni:] **I** *s* knä äv. tekn. el. byggn.; *bend* (*bow, crook*) *the* (*one's*) ~[*s*] böja knä, knäböja äv. bildl.; *his trousers are torn* (*gone*) *at the ~s* hans byxor har hål på knäna; *on one's bended ~s* på sina bara knän **II** *vb tr* beröra med knä[e]t, knäa
kneecap ['ni:kæp] **I** *s* **1** knäskål **2** knäskydd **II** *vb tr* skadskjuta ngn i knät som hämnd el. dyl., krossa knät på
knee-deep [ˌni:'di:p] knädjup; *the snow was* ~ snön gick [upp] till knäna
kneel [ni:l] (*knelt knelt* el. *~ed ~ed*) knäböja; ~ *down* falla på knä; lägga sig på knä
knee-length [ˌni:'leŋθ, attr. '--] knäkort; ~ *stocking* knästrumpa
kneepad ['ni:pæd] knäskydd
knell [nel] själaringning; klämtning; bildl. dödsklocka; olyckligt förebud; dödsstöt; *toll the* ~ ringa själaringning
knelt [nelt] imperf. o. perf. p. av *kneel*
knew [nju:] imperf. av *know*
knickers ['nɪkəz] **1** knickers slags byxor **2** [dam]underbyxor [med ben], benkläder; mamelucker; *get one's ~s in a twist* sl. bli upprörd, hetsa upp sig
knick-knack ['nɪknæk] prydnadsföremål, småsak; pl. *~s* äv. krimskrams, krafs, grannlåt
knife [naɪf] **I** (pl. *knives* [naɪvz]) *s* kniv; ~ *pleat* sömnad. efterveck **II** *vb tr* knivhugga, knivskära
knight [naɪt] **I** *s* **1** medeltida riddare; bildl., ngns riddare **2** riddare av en orden; ~ *bachelor* (pl. *~s bachelors* el. *~s bachelor*) riddare av lägsta rang utan ordenstillhörighet **3** knight adelsman av lägsta rang (titeln ej ärftlig) **4** schack. springare **II** *vb tr* dubba till riddare; utnämna till knight
knighthood ['naɪthʊd] **1** (jfr *knight I 1-3*) riddarvärdighet, knightvärdighet; *confer a ~* [*up*]*on* förläna riddarvärdighet åt;

utnämna till knight, adla **2** koll. ridderskap
knit [nɪt] **I** (*~ted ~ted* el. *knit knit,* i bet. *1* vanl. *~ted ~ted*) *vb tr* **1** sticka t.ex. strumpor **2** dra ihop, rynka; *~ one's brows* rynka pannan (ögonbrynen) **3** *~ together* [fast] förena, knyta (binda) [samman] äv. bildl. [*to* med]; få att växa ihop [*~ broken bones*] **II** (*~ted ~ted* el. *knit knit,* i bet. *1* vanl. *~ted ~ted*) *vb itr* **1** sticka **2** växa ihop; [fast] förenas äv. bildl.; knytas till varandra **3** rynka sig, rynkas [*his brows ~*]
knitting ['nɪtɪŋ] stickning äv. konkr.; stickat arbete; *stick to one's ~* hålla sig till saken, sköta sitt
knitting-needle ['nɪtɪŋˌni:dl] [strump]sticka
knitwear ['nɪtweə] trikåvaror; stickade plagg
knives [naɪvz] pl. av *knife*
knob [nɒb] **1** knopp; ratt på t.ex. radio; runt handtag, vred [*door-knob*]; knöl **2** liten bit [*a ~ of sugar*]; klick [*a ~ of butter*] **3** [rund] kulle **4** *with ~s on* sl. och mer därtill, så det förslår; alla gånger; *the same to you with ~s on!* tack detsamma!, det kan du vara själv!
knock [nɒk] **I** *vb tr* (se äv. *III*) **1** slå [hårt]; bulta, knacka; *~ a p. cold* (*into the middle of next week*) a) slå ngn medvetslös b) slå ngn med häpnad **2** vard. slå med beundran (häpnad) **3** vard. racka ner på **II** *vb itr* (se äv. *III*) **1** knacka äv. om motor, bulta [*~ at the door*], slå **2** stöta (slå) ihop, krocka
III *vb tr* o. *vb itr* med adv. el. prep. med spec. övers.:
~ **about**: a) slå (kasta) hit och dit; våldsamt misshandla b) vard. driva (flacka) omkring [i] c) vard., om saker ligga och skräpa
~ **against** stöta (slå) emot; *~ one's head against a stone* (*brick*) *wall* bildl. köra huvudet i väggen
~ **back**: **a**) vard. svepa, stjälpa i sig [*~ back five beers*] **b**) *that ~ed me back ten pounds* vard. jag åkte på en smäll på tio pund
~ **down**: a) knocka, slå ned; riva ned (omkull) b) riva; montera ned t.ex. maskin för transport c) på auktion klubba d) vard. pressa ned [*~ down the price of*]
~ **in** slå in (i); bryta upp
~ *a th.* **into** *shape* få fason på ngt
~ **off**: **a**) slå av **b**) slå av på [*~ ten pounds off the price*] **c**) sluta [med] [*~ off work at five*], sluta arbetet, lägga av **d**) vard. klara av; smälla ihop [*~ off an article*] **e**) sl. knycka **f**) sl. knäppa mörda **g**) *~ a p.'s head off* bildl. slå in skallen på ngn; *~ it off!* sl. lägg av!
~ **on** slå mot (i) [*~ one's head on a wall*]; *~ on the head* slå ngn i skallen; bildl. sätta p (stopp) för
~ **out**: **a**) slå ut; knacka ur [*~ out one's pipe*]; *~ the bottom out of* bildl. slå hål på, kullkasta [*~ the bottom out of a theory*] **b**) knocka, slå boxare knockout, besegra; slå medvetslös; bildl. överväldiga
~ **over**: a) slå (stöta) omkull b) överrumpla, göra paff
~ **to** *pieces* slå i bitar (sönder) äv. bildl.
~ **together** sätta ihop i en hast, smälla ihop
~ **up**: **a**) kasta upp; knacka upp, väcka genom att knacka **b**) vard. [hastigt] ställa till med; sno ihop [*~ up a meal*], rafsa ihop; skramla ihop **c**) vard. göra poäng i kricket **d**) trötta ut; perf. p. *~ed up* utmattad, utsjasad **e**) sl. göra på smällen göra gravid **f**) *~ up against* vard. stöta på (ihop med) [*~ up against a friend*]
IV *s* **1** slag; knackning äv. i motor; smäll; *there is a ~ at the door* det knackar [på dörren] **2** vard. [inne]omgång i kricket **3** vard. smäll; kritik; prickning; *take a ~* få en knäck, bli ruinerad
knock-down ['nɒkdaʊn] **I** *adj* **1** bildl. bedövande; *a ~ blow* ett dråpslag **2** om pris nedsatt; på auktion minimi- [*a ~ price*] **3** isärtagbar, nedmonterbar; *~ furniture* byggmöbler, monterbara möbler **II** *s* **1** dråpslag; boxn. nedslagning **2** amer. [pris]nedsättning
knocker ['nɒkə] **1** a) portklapp b) person (sak) som knackar (bultar, slår) **2** amer. sl. gnällspik, häcklare **3** sl., pl. *~s* pattar bröst
knock-kneed [ˌnɒk'ni:d] **1** kobent **2** bildl. haltande; tafatt
knock-out ['nɒkaʊt] **I** *adj* knockout- [*a ~ blow*]; *~ competition* (*contest*) utslagstävling **II** *s* **1** knockout[slag] i boxning **2** vard. pangsuccé; toppengrej; pangbrud
knoll [nəʊl] [rund] kulle
1 knot [nɒt] zool. kustsnäppa
2 knot [nɒt] **I** *s* **1** knut; knop; *make* (*tie*) *a ~* göra (knyta, slå) en knut [*in* på] **2** [band]rosett, kokard **3** skärningspunkt, föreningspunkt **4** bildl. svårighet, problem; *the* [*very*] *~* själva knuten [*of* i]; *tie oneself* [*up*] *in*[*to*] *~s* el. *get into ~s* bildl. a) trassla in sig b) trassla till det för sig **5** knöl; ledknut; kvist i trä; knopp **6** klunga [*people were standing about in ~s*] **7** sjö. knop i timmen; *do 20 ~s* göra 20 knop **8** garnhärva, garndocka **II** *vb tr* **1** knyta en knut; knyta om [*~ a parcel firmly*]; knopa; *~ together* knyta ihop **2** bildl. a) knyta samman, förena b) veckla in, trassla till
knotty ['nɒtɪ] **1** knutig; knölig, knotig **2** bildl. kvistig, kinkig
know [nəʊ] **I** (*knew known*) *vb tr* o. *vb itr*

1 veta; ha reda på, känna till; [*he's a bit stupid,*] *you* ~ ...vet du, ...förstår du; *you never* ~ man kan aldrig veta; *I wouldn't* ~ vard. inte vet jag, jag har ingen aning; *what do you* ~ [*about that*]*!* vard. vad säger du om det då!, nej men ser man på!; ~ *of* känna till, veta [*I* ~ *of a place that would suit you*]; ha hört talas om [*I* ~ *of him*]; *not that I* ~ *of* inte såvitt (vad) jag vet **2** kunna; *he* ~*s his business* han kan sin sak; *he* ~*s all about cars* han kan [allt om] bilar; *I* ~ *nothing about paintings* jag förstår mig inte alls på tavlor **3** ~ *how to* kunna [konsten att], förstå sig på att; veta att **4** känna [*I don't* ~ *him*]; *get to* ~ lära känna, bli bekant med; [*he will do it*] *if I* ~ *him* ...om jag känner honom rätt **5** känna igen; identifiera; [kunna] skilja; ~ *a good thing when one sees it* kunna skilja på bra och dåligt, veta vad som är bra **6** vara med om [*he knew poverty in his early life*], se [*he has* ~*n better days*]; *it has never been* ~*n to happen* det har veterligen aldrig hänt; *she has never been* ~*n to tell a lie* man har aldrig hört henne ljuga **II** *s, in the* ~ vard. initierad, invigd

know-all ['nəʊɔ:l] vard. besserwisser; allvetare

know-how ['nəʊhaʊ] vard. know-how

knowing ['nəʊɪŋ] **I** *adj* **1** kunnig **2** medveten **3** [knip]slug [*a* ~ *fellow*], illmarig; menande [*a* ~ *glance*] **II** *s* vetande; *there is no* ~ *where that will end* man kan inte veta var det skall sluta

knowingly ['nəʊɪŋlɪ] **1** medvetet **2** menande

knowledge ['nɒlɪdʒ] (utan pl.) **1** kunskap[er]; vetskap, kännedom; erfarenhet; vetande, lärdom; *a thorough* ~ *of English* grundliga kunskaper (insikter) i engelska; *get* ~ *of* få vetskap om, få veta, få reda på; *to* [*the best of*] *my* ~ såvitt (vad) jag vet **2** *carnal* ~ jur. könsumgänge

knowledgeable ['nɒlɪdʒəbl] kunnig; klyftig; välunderrättad

known [nəʊn] (av *know*) känd, bekant; *be* ~ *by* a) vara känd av [*he is* ~ *by all*] b) kännas igen på [*he is* ~ *by his voice*]; *as is well* ~ som bekant

knuckle ['nʌkl] **I** *s* **1** knoge; led **2** på vissa djur knäled; kok. lägg på kalv o. svin; ~ *of veal* äv. kalvkyl **3** [*a bit*] *near the* ~ vard. på gränsen till oanständig **II** *vb tr* slå (gnida) med knogarna **III** *vb itr,* ~ *under* (*down*) falla till föga, böja sig [*to* för]

knuckle-duster ['nʌkl,dʌstə] knogjärn

KO [,keɪ'əʊ] boxn., sl. = *knock out* o. *knock-out*

koala [kəʊ'ɑ:lə] zool., ~ [*bear*] koala, pungbjörn

kook [ku:k] isht amer. sl. knasboll

Koran [kɒ'rɑ:n], *the* ~ Koranen

Korea [kə'rɪə] geogr., *North* ~ Nordkorea

Korean [kə'rɪən] **I** *s* **1** korean **2** koreanska [språket] **II** *adj* koreansk

kosher ['kəʊʃə] **I** *adj* **1** jud., om mat o.d. koscher ritualenlig [~ *food*] **2** vard. äkta **II** *s* koscher mat, jfr *I 1*

kowtow [,kaʊ'taʊ] **I** *s* **1** djup bugning kinesisk vördnadsbetygelse med pannan mot marken **2** bildl. kryperi **II** *vb itr* **1** buga sig [till marken] **2** krypa, svansa

k.p.h. förk. för *kilometres per hour*

Kremlin ['kremlɪn] geogr., *the* ~ Kreml

kudos ['kju:dɒs] vard. beröm, ära, heder

Kuwait [kʊ'weɪt, -'waɪt]

kW (förk. för *kilowatt*[*s*]) kW

L

L, l [el] (pl. *L's* el. *l's* [elz]) L, l
1 L (förk. för *Learner*) övningsbil, övningskörning skylt på bil; ~ *driver* övningsförare
2 L (förk. för *elevated railroad*) amer. vard. högbana; ~ *train* L-tåg
LA [ˌel'eɪ] förk. för *Los Angeles*
lab [læb] **1** (vard. kortform för *laboratory*) labb **2** (vard. förk. för *low-alcohol beer*) lättöl
label ['leɪbl] **I** *s* **1** etikett äv. data.; märke; adresslapp; påskrift **2** [sigill]band **3** bildl. etikett, stämpel [*attach a ~ to* (på) *people*], beteckning **4** skivmärke grammofonbolag **II** *vb tr* etikettera äv. data.; förse med påskrift (adresslapp); sätta etikett på äv. bildl.; rubricera; beteckna; ~ *a p. as a reactionary* stämpla ngn som reaktionär
labia ['leɪbjə] blygdläppar
labor ['leɪbə] amer. **I** *s* se *labour I*; *L~ Day* ung. 'arbetarklassens dag' i USA o. Canada fridag 1:a måndagen i september; ~ *union* fackförening **II** *vb itr* o. *vb tr* se *labour II* o. *III*
laboratory [lə'bɒrət(ə)rɪ, amer. 'læbrətɔ:rɪ] laboratorium; verkstad äv. bildl.
laborious [lə'bɔ:rɪəs] **1** mödosam [~ *task*]; tung [~ *style*] **2** strävsam
labour ['leɪbə] **I** *s* **1** arbete, möda, ansträngning; *hard* ~ straffarbete; ~ *of love* (pl. *labours of love*) kärt besvär (arbete) **2** ekon. a) arbete b) arbetskraft; arbetare koll.; *skilled* ~ se *skilled 2*; ~ *force* arbetsstyrka, arbetskraft; ~ *legislation* arbetslagstiftning; *International L~ Organization* internationella arbetsorganisationen **3** polit., *L~* arbetarna, arbetarklassen; *L~* el. *the L~ Party* arbetarpartiet; *L~ leader* a) ledare för arbetarpartiet, arbetarledare b) fackföreningsledare **4** förlossningsarbete; värkar [äv. ~ *pains*]; ~ *ward* förlossningsavdelning **II** *vb itr* **1** arbeta [hårt] [~ *at* (på, med) *a task*; ~ *in* (för) *the cause of peace*] **2** bemöda sig, anstränga sig, sträva **3** ~ *under* ha att dras (kämpa) med [~ *under a difficulty*] **4** arbeta (kämpa) sig [fram] **III** *vb tr* breda ut sig över; lägga [för] stor vikt vid [~ *a point* (*the obvious*)]
laboured ['leɪbəd] **1** överarbetad, ansträngd, tvungen, krystad [~ *style*] **2** besvärad, tung [~ *breathing*]
labourer ['leɪbərə] arbetare; isht grovarbetare; *agricultural* (*farm*) ~ jordbruksarbetare, lantarbetare
labour-intensive ['leɪbərɪnˌtensɪv] arbetsintensiv
labour-saving ['leɪbəˌseɪvɪŋ] arbetsbesparande; ~ *devices* (*appliances*) arbetsbesparande hjälpmedel (apparater)
laburnum [lə'bɜ:nəm] bot. gullregn
labyrinth ['læbərɪnθ] labyrint äv. anat. o. bildl.
lace [leɪs] **I** *s* **1** snöre; snodd **2** galon[er] [*gold ~, silver ~*] **3** spets[ar]; *Brussels ~* brysselspets[ar] **II** *vb tr* **1** snöra; ~ [*up*] [*one's shoes*] snöra... **2** trä **3** *~d* a) galonerad b) garnerad med spetsar **4** vard. a) klå [upp] b) klå, besegra **5** vard. spetsa [~ *coffee with brandy*]; *~d coffee* ung. kaffegök, kaffekask **III** *vb itr* **1** snöra sig i korsett; ~ [*up*] snöras [*it ~s* [*up*] *at the side*] **2** ~ *into* vard. a) klå upp b) skälla ut
laceration [ˌlæsə'reɪʃ(ə)n] **1** sönderslitning **2** rivsår, skärsår; med. laceration
lack [læk] **I** *s* brist; fattigdom; m. fl. ex. *for* (*through*) ~ *of* av brist på; *be in ~ of* sakna **II** *vb tr* sakna [~ *courage*], lida brist på **III** *vb itr* **1** ~ *for* sakna [*they ~ed for nothing*] **2** *be ~ing* fattas, saknas [*for* för; *from* i (hos)]; *nothing is ~ing* det fattas (saknas) ingenting **3** *be ~ing in* sakna [*he is ~ing in courage*], vara utan
lackadaisical [ˌlækə'deɪzɪk(ə)l] nonchalant [~ *manner*]
lackey ['lækɪ] lakej äv. bildl.
lacklustre ['lækˌlʌstə] glanslös, matt
laconic [lə'kɒnɪk] lakonisk, ordknapp
lacquer ['lækə] **I** *s* **1** lackfernissa **2** lack [*Japanese ~*] **3** lackarbete[n] **4** [*hair*] ~ hårsprej **5** nagellack **II** *vb tr* lackera
lacy ['leɪsɪ] spetslik
lad [læd] **1** pojke; *my ~* i tilltal min vän; [*stable*] ~ stallpojke **2** vard. karl, kille
ladder ['lædə] **I** *s* **1** stege; sjö. lejdare; [fisk]trappa; *the ~ of success* karriärstegen **2** [löp]maska på strumpa o.d.; *repair a ~* maska upp en löpmaska **II** *vb itr, my stocking has ~ed* det har gått en maska (maskor) på min strumpa; *tights that won't ~* masksäkra strumpbyxor **III** *vb tr* riva upp en maska (maskor) på
ladderproof ['lædəpru:f] masksäker [~ *stockings*]
laden ['leɪdn] **1** lastad [*a ~ mule*]; *trees ~ with apples* träd dignande av äpplen **2** bildl. mättad; fylld [~ *with* (med, av) *moisture*] **3** bildl. tyngd [~ *with* (av) *sorrow* (*grief*)]
la-di-dah [ˌlɑ:dɪ'dɑ:] vard. **I** *adj* tillgjord, snobbig **II** *s* tillgjord (snobbig) person
ladle ['leɪdl] **I** *s* slev [*soup ~*]; tekn. skopa; skovel på vattenhjul **II** *vb tr* ösa med slev; sleva; ~ *out* ösa upp, servera
lady ['leɪdɪ] **1** dam; *ladies and gentlemen* mina damer och herrar **2 a**) *~'s* el. *ladies'*

ofta dam- [*ladies' hairdresser* (*tailor*)]; *ladies' doubles* i tennis damdubbel **b**) *ladies* el. *ladies'* (konstr. ss. sg.) vard. damtoalett **3** kvinnlig [*~ principal*]; *~ author* författarinna, kvinnlig författare **4** fru; härskarinna; *the ~ of the house* frun i huset, värdinnan **5** *L~* Lady adelstitel **6** vard., *my* (*your* etc.) *~* frun; *the old ~* a) frugan b) morsan

ladybird ['leɪdɪbɜ:d] zool. [Maria] nyckelpiga, gullhöna [äv. *~ beetle*]

ladybug ['leɪdɪbʌg] amer., se *ladybird*

Lady Day ['leɪdɪdeɪ] vårfrudagen 25 mars

lady-in-waiting [ˌleɪdɪɪn'weɪtɪŋ] (pl. *ladies-in-waiting*) [uppvaktande] hovdam [*~ to* (hos) *the Queen*]

lady-killer ['leɪdɪˌkɪlə] vard. kvinnotjusare, kvinnojägare

ladylike ['leɪdɪlaɪk] **1** som (lik) en lady **2** feminin

ladyship ['leɪdɪʃɪp] **1** ladys rang **2** *Her* (*Your*) *L~* Hennes (Ers) nåd, grevinnan m.fl. adelstitlar enl. ladyns rang

1 lag [læg] **I** *vb itr* **1** ligga (halka, sacka) efter [äv. *~ behind*] **2** mattas [*interest ~s*] **II** *s* försening [*~ of the tide*]; förskjutning; eftersläpning; tekn. retardation

2 lag [læg] värmeisolera, klä in i (med) värmeisolerande material

lager ['lɑ:gə] [ljus] lager [äv. *~ beer*]

lagging ['lægɪŋ] tekn. isolering äv. material

lagoon [lə'gu:n] lagun

laid [leɪd] imperf. o. perf. p. av *4 lay*

lain [leɪn] perf. p. av *2 lie*

lair [leə] **1** vilda djurs läger **2** bildl. lya; tillhåll

laity ['leɪətɪ] (konstr. ss. pl.), *the ~* lekmännen

1 lake [leɪk] lackfärg; [*crimson*] *~* röd lackfärg, lackrött

2 lake [leɪk] sjö; bildl. äv. hav [*surrounded by a ~ of flowers*]; *the* [*English*] *Lakes* el. *the L~ District* sjödistriktet i nordvästra England; *the Great Lakes* Stora sjöarna mellan USA o. Canada

lamb [læm] **I** *s* **1** lamm äv. bildl.; *poor ~!* stackars krake! **2** kok. lamm[kött]; *roast ~* lammstek **II** *vb itr* lamma

lambskin ['læmskɪn] lammskinn

lame [leɪm] **I** *adj* **1** halt; ofärdig; *his arm was ~* han var ofärdig i armen; *~ duck* vard. a) hjälplös person; invalid b) insolvent börsspekulant, dålig betalare c) polit. övergångs-, som sitter kvar under en övergångsperiod [*a ~-duck president*] **2** bildl. bristfällig, otillfredsställande; haltande [*~ verses*]; lam [*a ~ excuse*] **II** *vb tr* göra halt (ofärdig)

lamely ['leɪmlɪ] lamt; tamt

lament [lə'ment] **I** *vb itr* klaga, jämra [sig] **II** *vb tr* beklaga; begråta; sörja [*~ a p.*]; perf. p. *~ed* äv. djupt saknad; *your late ~ed father* din [djupt saknade] bortgångne far **III** *s* **1** [ve]klagan **2** klagosång

lamentable ['læməntəbl, lə'ment-] **1** beklaglig [*a ~ mistake*] **2** bedrövlig [*a ~ performance*], ynklig

lamp [læmp] lampa; lykta; bildl. ljus

lampoon [læm'pu:n] **I** *s* pamflett, smädeskrift **II** *vb tr* skriva en pamflett (pamfletter) mot; smäda i skrift

lamppost ['læmppəʊst] **1** lyktstolpe; *between you and me and the ~* vard. i förtroende (oss emellan) [sagt] **2** sl., pers. lång räkel (drasut)

lampshade ['læmpʃeɪd] lampskärm

lance [lɑ:ns] **I** *s* **1** lans; *break a ~ with* bildl. bryta en lans med, ta en dust med **2** lansiär **3** fisk. spjut; ljuster **4** lansett **II** *vb tr* med. öppna med lansett; *~ a boil* öppna (sticka hål på) en böld

lance corporal [ˌlɑ:ns'kɔ:p(ə)r(ə)l] korpral gruppbefäl inom armén

lancer ['lɑ:nsə] mil. lansiär

lancet ['lɑ:nsət] med. lansett; *the L~* ansedd britt. läkartidskrift

land [lænd] **I** *s* **1** land i mots. till hav, vatten; *see* (*find out*) *how the ~ lies* sondera terrängen; *on ~* a) på [torra] land b) till lands **2** litt. o. bildl. land; *the ~ of dreams* drömmarnas land (rike) **3** ägd mark; pl. *~s* [jord]egendomar; marker, ägor; *work on the ~* vara lantarbetare **4** jord, mark [*arable ~*; *stony ~*] **II** *vb tr* **1** landsätta [*~ passengers*], föra i land, lossa [*~ goods*]; landa fiskfångst **2** a) dra i land, dra upp [*~ a fish*] b) vard. fånga, få tag i [*~ a husband*; *~ a job*]; ta (kamma) hem, vinna [*~ the prize*] **3** *~ an aeroplane* gå ned med (landa med) ett flygplan **4** *~ oneself in great trouble* råka in i en mycket besvärlig situation; *they were ~ed in a strange town* [*without money*] de befann sig mitt i en främmande stad...; *be ~ed with* få (ha fått) på halsen (på sig) **5** vard. pricka in [*~ a punch*]; *~ a p. one* [*in the eye*] klippa till ngn [i synen] **III** *vb itr* **1** landa, lägga till; landstiga [*we ~ed at Bombay*] **2** landa [*the aeroplane ~ed*], gå ned; ta mark; *~ on one's feet* komma ned på fötterna äv. bildl. **3** hamna [äv. *~ up*; *~ in the mud*], råka in; sluta; *~ up in* hamna (sluta) i, råka rakt in i **4** vard., om slag träffa, gå in

landed ['lændɪd] **1** jordägande, besutten; *the ~ interest*[*s*] godsägarna **2** jord-; *~ estate* jordegendom, gods

landing ['lændɪŋ] **1** landning; landstigning; landsättning etc., jfr *land II* o. *III*; *~ operation* landstigningsföretag **2** landningsplats; kaj; landgång **3** trappavsats **4** sport. nedslag

landing-craft ['lændɪŋkrɑ:ft] mil. landstigningsbåt
landing-gear ['lændɪŋgɪə] flyg. landställ, landningsställ
landing-stage ['lændɪŋsteɪdʒ] sjö., isht flytande [landnings]brygga
landing-strip ['lændɪŋstrɪp] flyg. landningsbana isht tillfällig för t.ex. militära ändamål
landlady ['læn(d)ˌleɪdɪ] **1** [hyres]värdinna; [kvinnlig] husägare; [värdshus]värdinna **2** [kvinnlig] godsägare som arrenderar ut jord
landlocked ['læn(d)lɒkt] instängd (omgiven) av land [*a ~ country*]
landlord ['læn(d)lɔ:d] **1** [hyres]värd; husägare; [värdshus]värd **2** jordägare som arrenderar ut jord
landlubber ['læn(d)ˌlʌbə] sjö. vard. landkrabba
landmark ['læn(d)mɑ:k] **1** gränsmärke, råmärke **2** landmärke; sjö. riktmärke; orienteringspunkt **3** bildl. hållpunkt; milstolpe
landmine ['læn(d)maɪn] mil. **1** landmina **2** vard. bomb från fallskärm
landowner ['lændˌəʊnə] jordägare
landscape ['læn(d)skeɪp] **1** landskap; *~ architecture* landskapsarkitektur; landskapsvård; *~ gardener* trädgårdsarkitekt; *~ window* panoramafönster **2** konst. landskap; landskapsmåleri; *~ painter* landskapsmålare
landslide ['læn(d)slaɪd] **1** jordskred **2** polit. jordskred; jordskredsseger [äv. *~ victory*]
lane [leɪn] **1** a) smal väg mellan häckar o.d.; stig b) trång gata; ofta bakgata; *it is a long ~ that has no turning* allting har en ända hur tröstlöst det än ser ut **2** häck av militär o.d.; passage mellan led o.d.; *form a ~* bilda häck **3** körfält [äv. *traffic ~*] **4** farled för oceanfartyg; segelled; flyg. luftled **5** råk; isränna **6** sport. bana; bowlingbana
language ['læŋgwɪdʒ] **1** språk; tungomål; *~ laboratory* (vard. *lab*) inlärningsstudio, språklaboratorium; *~ learning* språkinlärning **2** språk [*his ~ was dreadful*]; framställning; [*bad*] *~* rått (grovt) språk, svordomar; *strong ~* a) kraftiga ordalag b) kraftuttryck, grovheter
languid ['læŋgwɪd] **1** slapp, matt äv. bildl. [*~ gesture* (*voice*)] **2** slö; likgiltig; trög, långsam [av sig]; hand. matt **3** tråkig
languish ['læŋgwɪʃ] **1** avmattas, tyna av äv. bildl.; försmäkta **2** tråna; se trånsjuk ut
languor ['læŋgə] **1** slapphet, svaghet **2** slöhet; likgiltighet **3** vemod, trängtan; tristess **4** dåsighet; tryckande stillhet [*the ~ of a summer day*]
lank [læŋk] **1** om hår långt och rakt, stripigt **2** [lång och] gänglig; [lång och] mager; slankig; spenslig **3** skrumpen
lanky ['læŋkɪ] [lång och] gänglig, skranglig
lanolin ['lænə(ʊ)lɪn] o. **lanoline** ['lænə(ʊ)li:n, -lɪn] lanolin
lantern ['læntən] **1** lykta; lanterna; lanternin; *Chinese ~* kulört lykta, papperslykta; *~ jaws* infallna kinder **2** [*magic*] *~* laterna magica; skioptikon
1 lap [læp] **1** knä; sköte äv. bildl. [*in the ~ of the gods*]; [kjol]fång; *live in the ~ of luxury* leva lyxliv **2** skört
2 lap [læp] **I** *vb tr* **1** linda, svepa; linda (svepa) in **2** lägga kant över kant (om lott) **3** sport. a) varva komma ett el. flera varv före b) avverka [*they ~ped the course in 3 minutes*] **II** *vb itr* skjuta (gå, nå) ut; *~ over* överlappa varandra, ligga om lott **III** *s* **1** sport. varv; *~ time* varvtid; *~ of honour* ärevarv **2** etapp [*the first ~ of the journey*]
3 lap [læp] **I** *vb tr* **1** lapa [äv. *~ up*]; sörpla i sig [äv. *~ up* (*down*)]; *he ~s up everything you say* vard. han slickar i sig (suger i sig, sväljer) allt vad du säger **2** om vågor skvalpa mot [*waves ~ped the shore*] **II** *vb itr* om vågor skvalpa
lapdog ['læpdɒg] knähund äv. bildl.
lapel [lə'pel] slag på kavaj o.d.
Lapland ['læplænd] Lappland, Lappmark[en]
Laplander ['læplændə] o. **Lapp** [læp] same
lapse [læps] **I** *s* **1** lapsus; *it was a ~ of* [*the*] *memory* det var ett minnesfel; *~ of the pen* skrivfel **2** felsteg; avfall [*~ from true belief*], avsteg [*~ from one's principles*] **3** nedsjunkande, fall **4** om tid [för]lopp; tid[srymd]; *a ~ of a hundred years* [en tidsrymd av] hundra år **II** *vb itr* **1 a**) sjunka ned [äv. *~ back*]; *he ~d into silence* han försjönk i tystnad **b**) *~ from* avfalla (avvika) från, göra avsteg från **2** upphöra
laptop ['læptɒp], *~* [*computer* (*portable*)] portföljdator
larceny ['lɑ:sənɪ, -snɪ] jur. tillgrepp; stöld; *grand ~* amer. grov stöld; *petit* (*petty*) *~* åld. el. amer. snatteri
larch [lɑ:tʃ] bot. lärk[träd] [äv. *~ tree*]
lard [lɑ:d] **I** *s* isterflott **II** *vb tr* späcka äv. bildl. [*~ed with quotations*]
larder ['lɑ:də] skafferi; visthus[bod]
large [lɑ:dʒ] **I** *adj* **1** stor i div. mera eg. bet., t.ex. a) rymlig [*a ~ flat*] b) ansenlig [*a ~ sum*], betydande [*a ~ number* (*quantity*)] c) riklig [*a ~ supply*]; *as ~ as life* a) i kroppsstorlek, i naturlig storlek b) vard. livslevande, i egen hög person [*here he is, as ~ as life*] **2** frikostig, liberal **II** *s, at ~* **a**) fri; *set a p. at ~* försätta ngn på fri fot, försätta ngn i frihet, frige ngn **b**) utförligt,

detaljerat [*write at ~*]; vidlyftigt; vitt och brett **c**) i stort; *the public at ~* den stora allmänheten; folk i allmänhet; *society at ~* samhället i stort (sin helhet) **III** *adv, by and ~* i stort sett, på det hela taget **IV** *vb itr* sjö. slöra

largely ['lɑ:dʒlɪ] till stor (övervägande) del; i [tämligen] hög grad; i stor utsträckning

large-scale ['lɑ:dʒskeɪl] i stor skala [*~ map*]; omfattande [*~ reforms*], stor [*~ project*]; stor- [*~ consumer*]; mass- [*~ production*]

largish ['lɑ:dʒɪʃ] ganska stor; *a ~ sum of money* en större summa pengar

1 lark [lɑ:k] zool. lärka

2 lark [lɑ:k] **I** *s* vard., *have a ~ with* skoja med **II** *vb itr* skoja, leka; *~ about* skoja, bråka, stoja **III** *vb tr* skoja med

laryngitis [ˌlærɪn'dʒaɪtɪs] med. laryngit

larynx ['lærɪŋks] (pl. *larynges* [læ'rɪndʒi:z] el. *~es*) struphuvud

lascivious [lə'sɪvɪəs] lysten, liderlig [*~ thoughts*; *a ~ old man*], lasciv; obscen

laser ['leɪzə] fys. laser [*~ memory* (*surgery*)]; *~ beam* laserstråle; *~ printer* laserskrivare

1 lash [læʃ] **I** *vb tr* **1** piska; piska (klatscha) 'på; prygla; gissla; om vågor, regn [ursinnigt] piska mot; slå; kasta; piska med [*the tiger ~ed its tail angrily*] **2** bildl. gissla; komma med våldsamma utfall mot **II** *vb itr* a) piska; om orm göra [ett] utfall b) störta [sig]; *~ at* slå [efter], piska (ge) 'på, snärta till; *~ out* a) slå vilt omkring sig, bråka, rasa; om häst slå bakut [*at* mot] b) vard. slå på stort, slösa, spendera **III** *s* **1** snärt, tafs på piska **2** [pisk]rapp äv. bildl. **3** spörapp **4** ögonfrans

2 lash [læʃ] surra; sjö. äv. naja; *~ down* surra (naja) fast [*on* på]

1 lashing ['læʃɪŋ] **1** piskande, piskning etc., jfr *1 lash I* o. *II*; *get a ~* få prygel **2** pl. *~s of* vard. massor (massvis) av

2 lashing ['læʃɪŋ] surrning

lass [læs] flicka, tös

lasso [lə'su:, 'læsəʊ] **I** (pl. *~s* el. *~es*) *s* lasso **II** *vb tr* fånga med lasso

1 last [lɑ:st] **I** *s* skomakares läst; *stick to one's ~* bli vid sin läst, inte lägga sig i det man inte begriper **II** *vb tr* lästa [ut]

2 last [lɑ:st] **I** *adj* **1** sist; ytterst; enda återstående; slutlig; *~ name* efternamn; *~ [but] not least* sist men inte minst **2** sist; förra; *~ evening* i går kväll; *~ year* i fjol, förra året; *~ Monday week* i måndags åtta dagar sedan, åtta dagar i måndags; *in* (*for, during*) *the ~ few days* [under] de sista (senaste) dagarna; sedan några dagar [tillbaka] **3** allra störst, ytterst; *to the ~ degree* i högsta grad

II *adv* **1** sist [*who came ~?*]; i sista rummet, sist- [*last-mentioned*]; *~ of all* allra sist **2** senast, sist, sista gången [*when did you see him ~?*] **3** [och] slutligen (till sist)

III *s* **1** sista; *the ~* a) den sista; det sista; *the ~ but one* den näst sista **b**) den föregående (andra); den sistnämnda; [*a row of girls*] *each prettier than the ~* ...den ena sötare än den andra **2** sista stund; slut; *breathe* (*gasp*) *one's ~* utandas sin sista suck **3** *I shall never hear the ~ of that* det där kommer jag att få höra (äta upp) många gånger (så länge jag lever) **4** *at ~* till slut, slutligen, äntligen

3 last [lɑ:st] **I** *vb itr* **1** vara, hålla på [*how long did the programme ~?*], räcka; förslå; hålla i sig; leva vidare; *~ for ever* räcka (vara) i evighet **2** hålla [*the coat will ~ the year out*]; hålla sig; om färg sitta i **3** hålla ut [äv. *~ out*]; klara sig; leva **II** *vb tr* räcka [till] för ngn [*it will ~ me a month*]; *~ out the winter* a) räcka vintern över (ut) b) klara (kämpa igenom) vintern

lasting ['lɑ:stɪŋ] **1** bestående, varaktig; ihållande **2** hållbar

lastly ['lɑ:stlɪ] till sist, slutligen; avslutningsvis

latch [lætʃ] **I** *s* **1** [dörr]klinka; *the door is on the ~* låset [på dörren] är uppställt **2** [säkerhets]lås **3** spärrhake **II** *vb tr* stänga med klinka; låsa, smälla igen **III** *vb itr* **1** låsa sig **2** *~ on to* vard. a) få, komma över b) få tag i (på)

latchkey ['lætʃki:] portnyckel; *~ child* nyckelbarn

late [leɪt] **I** (komp. *later* el. *latter*, superl. *latest* el. *last*, jfr dessa ord) *adj* **1** sen; för sen; långt framskriden; *in ~ August* i slutet av augusti; *in the ~ forties* i slutet av (på) fyrtiotalet; *he is in his ~ forties* han är närmare femtio; *~ summer* sensommar[en], eftersommar[en]; *be ~* vara sen (försenad), komma sent, komma för sent [*be ~ for* (till) *dinner*]; *make ~* försena; *it is getting ~* det börjar bli sent, klockan är mycket **2** endast attr. a) [nyligen] avliden, framliden b) förre; före detta (förk. f.d.), förutvarande [*~ director of the company*]; *my ~ husband* min avlidne (salig) man **3** nyligen avslutad (inträffad o.d.); senaste tidens [*the ~ political troubles*], senaste; *of ~ years* på (under) senare år[en], på (under) [de] sista åren

II (komp. *later*, superl. *latest* el. *last*, jfr dessa ord) *adv* **1** sent; för sent; *better ~ than never* bättre sent än aldrig; *sit [up] ~* el. *be up ~* sitta (vara) uppe länge om kvällarna; *sit ~ at dinner* sitta länge till bords; *~ at night* sent på natten; *~ into the night* till långt in på natten; *as* (*so*) *~ as 1990*

[ännu] så sent som 1990, ännu 1990 **2** poet. nyligen
latecomer ['leɪt,kʌmə] person som kommer för sent
lately ['leɪtlɪ] på sista tiden; för inte så länge sedan
lateness ['leɪtnəs], *the ~ of his arrival* hans sena ankomst
latent ['leɪt(ə)nt] latent [*~ disease (germs)*], dold [*~ talent*], förborgad; *~ energy* bunden energi
later ['leɪtə] **I** *adj* senare; nyare, yngre **II** *adv* senare; efteråt; *sooner or ~* förr eller senare; *not ~ than Friday* senast på (inte senare än [på]) fredag; *see you ~!* ajö (hej) så länge!, vi ses [snart igen]!
lateral ['læt(ə)r(ə)l] sido- [*~ bud*; *~ branch of a family*]; sidoställd
latest ['leɪtɪst] **I** *adj* senast, sist [*the ~ fashion*]; *the ~ [thing]* det senaste [i modeväg]; *at the ~* senast, inte senare än; *by Monday at the ~* senast om (på) måndag **II** *adv* senast, sist [*latest-born*]
latex ['leɪteks] bot. mjölksaft; latex
lath [lɑ:θ, ss. subst. pl. äv. lɑ:ðz] **I** *s* ribba, latta; *~ and plaster* putsning, rappning **II** *vb tr* spika ribbor (lattor) på
lathe [leɪð] **1** svarv; svarvstol **2** drejskiva
lather ['lɑ:ðə, 'læðə] **I** *s* **1** lödder äv. på häst **2** vard., *be [all] in a ~* vara uppjagad (upphetsad) **II** *vb tr* tvåla in; täcka med lödder
lathery ['lɑ:ðərɪ, 'læð-] **1** löddrig **2** lös
Latin ['lætɪn] **I** *adj* latinsk; *~ America* Latinamerika **II** *s* **1** latin [*classical ~, late ~*]; *Low ~* icke-klassiskt latin, senlatin **2** a) latinamerikan b) sydeuropé
latitude ['lætɪtju:d] **1** geogr. el. astron. latitud, bredd; geogr. äv. breddgrad [äv. *degree of ~*]; pl. *~s* äv. delar av världen, trakter [*warm ~s*] **2** handlingsfrihet, [rörelse]frihet [*don't allow the boy too much ~*]; spelrum, utrymme, latitud
latrine [lə'tri:n] latrin[grop]
latter ['lætə] **1** *the ~* den (det, de) senare [*the former...the ~...*]; denne [*my brother asked the landlord but the ~ wouldn't allow it*], denna, dessa **2** sista, senare [*the ~ half (part)*]
latter-day ['lætədeɪ] modern; *the Latter-day Saints* de sista dagarnas heliga mormonerna
latterly ['lætəlɪ] på sista tiden
lattice ['lætɪs] **1** galler[verk] **2** gallerfönster; fönster med blyinfattade rutor [äv. *~ window*]
Latvia ['lætvɪə] Lettland
Latvian ['lætvɪən] **I** *adj* lettisk **II** *s* **1** lett; lettiska kvinna **2** lettiska [språket]
laudable ['lɔ:dəbl] lovvärd, berömvärd
laudatory ['lɔ:dət(ə)rɪ] prisande, berömmande
laugh [lɑ:f] **I** *vb itr* skratta; *don't make me ~!* och det ska man tro på!, lägg av!; *~ at* skratta åt, ha roligt åt, göra narr av, förlöjliga; *~ at difficulties* skratta åt (ta lätt på) svårigheter **II** *vb tr* skratta; *~ away (off)* slå bort med ett skratt **III** *s* skratt; *a hearty ~* ett hjärtligt skratt; *the ~ was on him* det var han som fick tji
laughable ['lɑ:fəbl] skrattretande; löjlig
laughing ['lɑ:fɪŋ] **I** *adj* skrattande; *~ jackass* skrattfågel, jättekungsfiskare **II** *s* skratt, skrattande; *it is no ~ matter* det är ingenting att skratta åt
laughing-gas ['lɑ:fɪŋgæs] lustgas
laughing-stock ['lɑ:fɪŋstɒk] [föremål för] åtlöje; driftkucku; *make a ~ of oneself* göra sig löjlig (till ett åtlöje)
laughter ['lɑ:ftə] skratt, munterhet [*cause ~*]; *burst into ~* brista ut i skratt
1 launch [lɔ:n(t)ʃ] **I** *vb tr* **1** sjösätta fartyg; sätta i sjön **2** slunga [ut] [*~ a spear*], skjuta av, sända i väg [*~ a torpedo*], skjuta (sända) upp [*~ a rocket*] **3** lansera; starta [*~ a campaign*]; sätta i gång [med], ge fart åt, ge en start åt, hjälpa fram; *~ an attack* börja ett anfall **II** *vb itr* sätta i gång, starta; *~ into* a) kasta sig in i (på); dra på sig [*~ into expense*] b) brista ut i
2 launch [lɔ:n(t)ʃ] **1** barkass **2** större motorbåt för passagerartrafik; färja; ångslup
launder ['lɔ:ndə] **I** *vb tr* **1** tvätta [och stryka] **2** bildl. tvätta svarta pengar o.d. **II** *vb itr* gå att tvätta
Launderette [,lɔ:ndə'ret, ,lɔ:n'dret] ® självtvätt[inrättning]
laundress ['lɔ:ndrəs] tvätterska
Laundromat ['lɔ:ndrəmæt] ® isht amer., se *Launderette*
laundry ['lɔ:ndrɪ] **1** tvättinrättning; tvättstuga **2** tvätt [*has the ~ come back yet?*], tvättkläder; *~ basket* tvättkorg **3** tvätt [och strykning (mangling)]
Laurel ['lɒr(ə)l] egenn.; *~ and Hardy* komikerpar Helan Hardy och Halvan Laurel
laurel ['lɒr(ə)l] **1** lager; lagerträd **2** bildl., *gain (reap, win) ~s* skörda lagrar
lav [læv] (vard. kortform för *lavatory*) toa
lava ['lɑ:və] lava; *~ flow (stream)* lavaström
lavatory ['lævət(ə)rɪ] toalett[rum]; *~ humour* kissochbajshumor
lavender ['lævəndə] **1** lavendel [*~ bag (oil)*] **2** lavendel[blått] [äv. *~ blue*]
lavish ['lævɪʃ] **I** *adj* **1** slösaktig, frikostig [*~ of* (med) *praise*], flott **2** slösande [*~ praise*], överflödande; påkostad **II** *vb tr* slösa [med]
law [lɔ:] **1** lag; regel; *~ and justice* lag och rätt; *the ~s of cricket* kricketreglerna; *the ~ of self-preservation* självbevarelsedriften; *the [long] arm of the ~* lagens [långa] arm; *make ~s* stifta lagar; *take the ~ into one's*

own hands ta lagen i egna händer; *beyond the ~* utom räckhåll för lagen; *go beyond the ~* bryta mot lagen; *by* (*according to*) *~* enligt lag[en]; i lag **2** samling rättsregler rätt; lag **3** juridik, lagfarenhet; *~ student* juris studerande; *~ school* juridisk fakultet; *doctor of ~*[*s*] juris doktor; *the faculty of ~* juridiska fakulteten **4** *the ~* a) juristyrket b) vard. polisen **5** process; *go to ~ about a th.* börja process om ngt, dra ngt inför rätta

law-abiding ['lɔ:əˌbaɪdɪŋ] laglydig

law court ['lɔ:kɔ:t] domstol; rådhus

lawful ['lɔ:f(ʊ)l] **1** laglig, tillåten i lag **2** laglig, erkänd av lagen; *~ age* (*years*) myndig (laga) ålder; *reach ~ age* bli myndig; *~ heir* rättmätig arvinge; *~ wife* lagvigd hustru

lawless ['lɔ:ləs] laglös; lagstridig

lawmaker ['lɔ:ˌmeɪkə] lagstiftare

1 lawn [lɔ:n] fint linne, batist

2 lawn [lɔ:n] gräsmatta, gräsplan; gräsmark; *croquet ~* krocketplan

lawnmower ['lɔ:nˌməʊə] gräsklippningsmaskin; *power*[*ed*] *~* motorgräsklippare

lawn tennis ['lɔ:nˌtenɪs] tennis på gräsplan, men äv. den formella beteckningen på tennis

lawsuit ['lɔ:su:t, -sju:t] process; mål; *bring a ~ against* öppna process mot

lawyer ['lɔ:jə, 'lɔɪə] jurist; advokat

lax [læks] **1** slapp [*~ discipline*], löslig; vag; släpphänt; slarvig **2** fonet. slapp [*~ vowel*] **3** lös, slak [*~ cord*]; porös; *~ bowels* med. lös mage

laxative ['læksətɪv] **I** *adj* med. lösande, laxer- **II** *s* laxermedel, laxativ

laxity ['læksətɪ] o. **laxness** ['læksnəs] **1** slapphet, löslighet; obestämdhet; *~ of morals* moralisk slapphet, slapp moral **2** löshet

1 lay [leɪ] poet. kväde; ballad, visa

2 lay [leɪ] lekmanna- [*~ preacher* (*opinion*)]; *~ brother* lek[manna]broder

3 lay [leɪ] imperf. av *2 lie*

4 lay [leɪ] **I** (*laid laid*) *vb tr* (se äv. *III*) **1** lägga; placera; *~ bricks* mura; *~ eggs* lägga ägg, värpa; *~ hold of* fatta (få) tag i, ta på, gripa; utnyttja, begagna förevändning **2** få (komma) att lägga sig; *~ a ghost* fördriva en ande **3** duka [*~ the table*], duka fram **4** täcka [*~ a floor with a carpet*]; lägga 'på [*~ a carpet*]; belägga **5** lägga [på] [*~ a tax* (*a burden*) *on*], kasta [*~ the blame on*]; *~ a th. at a p.'s door* ge ngn skulden för ngt **6** anlägga [*~ a road*]; bygga, dra [*~ a pipeline*]; *~ a cable* lägga ner (ut) en kabel; slå (dra) en kabel **7** vid vadhållning sätta, hålla [*~ ten to* (mot) *one*]; *~ a bet* slå (hålla) vad **8** förlägga [*~ the scene* (*story*) *in* (till)] **9** lägga fram [*~ facts before* (för)] **10** sl., *get laid* få sig ett ligg (nyp) **11** med adj. lägga; *~ bare* blottlägga; *~ open* öppna; blottställa, utsätta [*to* för]

II (*laid laid*) *vb itr* (se äv. *III*) **1** värpa **2** slå vad **3** sjö. lägga sig [*~ close to the wind*] **4** i ovårdat språk i st. för *2 lie*

III *vb tr* o. *vb itr* med adv. o. prep. isht med spec. övers.:

~ **aside**: a) lägga av (undan), spara [*~ aside money for one's old age*] b) lägga bort (ifrån sig) [*~ aside the book*]

~ **by** sjö. lägga bi

~ **down**: **a**) lägga ner [*~ down a book*]; *~ oneself down* lägga sig **b**) lägga ner, nedlägga [*~ down one's office*], ge upp **c**) offra [*~ down one's life*] **d**) lägga på bordet; deponera **e**) [börja] bygga [*~ down a new ship*], anlägga **f**) fastställa, uppställa [*~ a th. down as a rule*]; hävda; *~ down the law* a) uttala sig auktoritativt b) vard. lägga ut texten, uttala sig dogmatiskt c) vard. domdera, tala om hur saker och ting skall vara **g**) göra upp, utarbeta [*~ down a plan*]

~ **off**: a) friställa [*~ off workmen*] b) vard. sluta upp med [*~ off!*] c) vard. ta ledigt, vila d) fotb. passa

~ **on**: **a**) lägga (dra, leda) in, installera [*~ on electricity* (*water*)] **b**) vard. ordna **c**) lägga på [*~ on taxes*] **d**) lägga 'på [*~ on paint*], anbringa, applicera; *~ it on* [*thick* (*with a trowel*)] bildl. bre 'på [för tjockt], överdriva **e**) sätta på spåret [*~ on the hounds* (*the police*)]

~ **out**: **a**) lägga ut; lägga fram [*~ out one's clothes*]; duka fram; breda ut **b**) vard. slå ut (sanslös) **c**) lägga ut, göra av med [*~ out one's money*] **d**) planera, anlägga [*~ out a garden*]; staka ut väg o.d.; göra upp [*~ out plans*]; göra layouten till [*~ out a page*] **e**) *~ oneself out* bemöda sig, göra sig besvär [*to* att]

~ **together** lägga (slå) ihop; *they laid* [*their*] *heads together* de slog sina kloka huvuden ihop

~ **up**: **a**) lägga upp [*~ up provisions*], lägga undan **b**) sjö. lägga upp [*the ship is laid up*] **c**) vard., *be laid up* ligga sjuk [*with the flu* i influensa]

IV *s* **1** läge; ställning, riktning; *know the ~ of a land* veta hur landet ligger **2** sl. a) ligg kvinnlig samlagspartner b) ligg, skjut samlag

layabout ['leɪəbaʊt] vard. dagdrivare, arbetsskygg individ

lay-by ['leɪbaɪ] parkeringsplats vid landsväg; rastplats

layer ['leɪə] **1** lager, skikt [*~ of clay*] **2** bot. avläggare **3** läggare; värphöna [*a good ~*]

layette [leɪ'et] babyutstyrsel

lay|man ['leɪ|mən] (pl. *-men* [-mən])

lekman; icke-fackman; *among laymen* äv. på lekmannahåll
lay-off ['leɪɒf] **1** friställning **2** a) ofrivillig ledighet; arbetslöshetsperiod b) paus; lugn (tyst) period (årstid); uppehåll
layout ['leɪaʊt] **1** planering äv. konkr.; utstakning av väg **2** layout; plan; arrangemang, uppställning
laze [leɪz] **I** *vb itr* lata sig, slöa; slå dank; dåsa; ~ *around* gå och slå dank, driva omkring **II** *vb tr*, ~ *away one's time* dåsa bort tiden **III** *s* latstund, siesta
laziness ['leɪzɪnəs] lättja; dåsighet
lazy ['leɪzɪ] **I** *adj* **1** lat; dåsig **2** som rör sig långsamt **II** *vb itr* o. *vb tr* se *laze I* o. *II*
lazybones ['leɪzɪˌbəʊnz] (konstr. ss. sg.; pl. *lazybones*) vard. latmask
lb. [paʊnd, pl. paʊndz] (förk. för *libra, librae* lat. = *pound*[*s*]) [skål]pund
lbs. [paʊndz] pl. av *lb.*
LCD **1** (förk. för *liquid crystal display*, se *liquid I 1*) LCD **2** förk. för *lowest* (*least*) *common denominator*
LEA [ˌeli:'eɪ] förk. för *Local Education Authority*
1 lead [led] **I** *s* **1** bly; ~ *poisoning* blyförgiftning **2** a) blyerts b) blyertsstift **3** kula; kulor, bly; poet. lod **4** sjö. [sänk]lod; *swing the* ~ sl. skolka, smita, simulera; spela sjuk, maska **5** plomb blysigill **6** pl. ~*s* blytak; blyinfattning i fönster **II** *adj* av bly [~ *pipes*] **III** *vb tr* **1** täcka (belasta; blanda) med bly; infatta i bly **2** plombera med blysigill **3** boktr. slå emellan [äv. ~ *out*]
2 lead [li:d] **I** (*led led*) *vb tr* (se äv. *III*) **1** leda; vägleda; anföra; dirigera; vara ledare för [~ *an undertaking*]; ~ *the way* gå i spetsen, visa vägen **2** föranleda; *do not let this* ~ *you to* låt inte detta förleda dig att **3** **a**) föra [~ *a miserable existence* (tillvaro)], leva [~ *a quiet life*]; ~ *a double life* leva ett dubbelliv **b**) ~ *a p. a dance* ställa till besvär för (köra med) ngn **4** kortsp. [ha förhand och] spela ut, dra [~ *the ace of trumps*]
II (*led led*) *vb itr* (se äv. *III*) **1** leda; anföra, vara ledare; ange tonen; ligga i täten; sport. leda **2** om väg o.d. gå, föra; *all roads* ~ *to Rome* ordspr. alla vägar bär till Rom **3** ~ *to* leda till, medföra, resultera i **4** kortsp. ha förhand
III *vb tr* o. *vb itr* med adv. o. prep. med spec. övers.:
~ **astray** föra vilse isht bildl.; föra på avvägar
~ **away** föra bort; *be led away by* bildl. låta sig ryckas med (förledas) av
~ **off**: a) föra bort b) öppna c) börja [*he led off by saying that...*]; kortsp. spela ut
~ *a p.* **on** locka (uppmuntra; förleda) ngn; *he is just* ~*ing you on* han bara driver med dig
~ **up to** föra (leda) [upp (fram)] till, resultera i
IV *s* **1 a**) ledning; anförande **b**) ledande plats (ställning); försprång; tät **c**) ledtråd; tips; *follow* (*take*) *a p.'s* ~ följa ngns exempel; *give the* ~ ange tonen **2** kortsp. utspel äv. bildl., förhand **3** teat. a) huvudroll b) huvudrollsinnehavare **4** elektr. ledning; ledare; kabel **5** koppel rem
leaden ['ledn] **1** bly-; blyaktig **2** tung [~ *heart*; ~ *sleep*; ~ *steps*], blytung; tryckande; blygrå [~ *clouds*]; matt
leader ['li:də] **1** ledare; anförare; föregångsman, främste man; *follow my* (amer. äv. *the*) ~ lek o. bildl., ung. 'följa John' **2** amer. mus. dirigent; konsertmästare **3** ledare i tidning
leadership ['li:dəʃɪp] **1** ledarskap; ledning **2** ledarförmåga
leading ['li:dɪŋ] ledande; förnämst; tongivande; ~ *actor* (*actress*) manlig (kvinnlig) huvudrollsinnehavare; ~ *light* a) sjö. ledfyr b) bildl. drivande kraft; ~ *part* huvudroll
leaf [li:f] **I** (pl. *leaves*) *s* **1** löv; lövverk; *be in* [*full*] ~ vara utsprucken (lövad); *shake like a* ~ darra som ett asplöv **2** blad i bok; *take a* ~ *out of a p.'s book* bildl. följa ngns exempel **3** folie, folium **4** [dörr]halva, [dörr]flygel; [fönster]lucka; sektion av skärm **5** klaff till bord o.d. **II** *vb itr* **1** lövas **2** ~ *through* bläddra i (igenom)
leaflet ['li:flət] flygblad; folder, cirkulär
leafy ['li:fɪ] **1** lövad; bladbeklädd **2** bladliknande
1 league [li:g] förr: längdmått, ung. 5 km; poet. mil
2 league [li:g] **1** förbund; *be in* ~ *with* stå i förbund med; vara i komplott med **2** sport. serie; *the L*~ [engelska] ligan
leak [lɪ:k] **I** *s* läcka äv. elektr. o. bildl.; otäthet; läckage äv. bildl.; *there is a* ~ *in the roof* taket läcker (är otätt), det läcker genom taket; *have* (*do, take*) *a* ~ sl. kissa **II** *vb itr* läcka, inte hålla tätt; vara läck (otät); bildl. äv. låta nyheten (uppgiften) läcka ut; *the roof* ~*s* taket läcker (är otätt), det läcker genom taket; ~ *out* sippra (läcka) ut äv. bildl.; dunsta ut, komma ut **III** *vb tr* låta läcka (sippra) ut (in), släppa igenom (in) [*this camera* ~*s light*]; bildl. äv. läcka [~ *news to the press*]
leakage ['li:kɪdʒ] **1** läckande; läcka; läckage **2** bildl. läckage; [mystiskt] försvinnande [~ *of money*]
leaky ['li:kɪ] läckande, läck
1 lean [li:n] **I** *adj* smal; mager [*a* ~ *man* (*face*); ~ *cattle* (*meat*); ~ *crops* (*soil*)],

torftig [~ *diet*]; ~ *years* magra år **II** *s* magert kött

2 lean [li:n] **I** (*leaned leaned* [lent el. li:nd] el. *leant leant* [lent]) *vb itr* **1** luta sig [~ *out* (*forwards, over, against* osv.)]; stödja sig; ~ *on* (*upon*) bildl. förlita sig på **2** stå snett, luta [äv. ~ *over*] **II** (för tema se *I*) *vb tr* luta, stödja, ställa

leaning ['li:nɪŋ] **1** lutning **2** böjelse, sympati, tendens; *have literary ~s* ha litterära intressen

leant [lent] imperf. o. perf. p. av *2 lean*

leap [li:p] **I** (*leapt leapt* [lept] el. *leaped leaped* [lept el. li:pt]) *vb itr* hoppa, för ex. jfr *jump I*; *my heart ~s with joy* hjärtat (mitt hjärta) spritter av glädje, jag är överlycklig; ~ *up* slå upp [*flames were ~ing up*] **II** (för tema se *I*) *vb tr* hoppa över [~ *a wall*]; sätta över **III** *s* **1** hopp; plötslig övergång; hinder; *a great ~ forward* ett stort steg (språng) framåt; *by ~s and bounds* med stormsteg **2** [fisk]trappa

leapfrog ['li:pfrɒg] gymn. **I** *s, play ~* hoppa bock **II** *vb itr* o. *vb tr* hoppa bock [över]

leapt [lept] imperf. o. perf. p. av *leap*

leap year ['li:pjɜ:, -jɪə] skottår

learn [lɜ:n] **I** *vb tr* (*learnt learnt* [lɜ:nt] el. *learned learned* [lɜ:nt el. lɜ:nd]) **1** lära sig; läsa på (över); ~ *by heart* lära sig utantill **2** få veta, [få] höra **3** ovårdat el. dial. för *teach* **II** (för tema se *I*) *vb itr* **1** lära [sig] [*he ~s fast*]; skaffa sig kunskaper **2** [få] höra [*I've ~t of his illness*]

learned [i bet. *I* lɜ:nt, lɜ:nd, i bet. *II* 'lɜ:nɪd] **I** imperf. o. perf. p. av *learn* **II** *adj* lärd; bevandrad; *my ~ friend* min ärade kollega

learner ['lɜ:nə] lärjunge; nybörjare; volontär; ~ *car* övningsbil; *she is a fast ~* hon lär sig snabbt; *the ~ of a language* den (en) som lär sig ett språk

learning ['lɜ:nɪŋ] **1** inlärande, studium; inlärning **2** vetande; bildning; *a man of* [*great*] ~ en [grund]lärd man

learnt [lɜ:nt] imperf. o. perf. p. av *learn*

lease [li:s] **I** *s* arrende; arrende[tid]; arrendekontrakt; *have a long ~ of life* ha ett långt liv, vara långlivad; *get* (*take* [*on*]) *a new ~ of life* få nytt liv, leva upp igen **II** *vb tr* **1** arrendera, överta (inneha) arrendet på **2** arrendera ut, hyra ut [äv. ~ *out*]; leasa

leasehold ['li:s(h)əʊld] **I** *s* arrende **II** *attr adj* arrenderad, arrende-

leaseholder ['li:sˌ(h)əʊldə] arrendator

leash [li:ʃ] **I** *s* [hund]koppel; *give full ~ to* bildl. ge fria tyglar åt; *keep a p. on a tight ~* hålla ngn hårt, hålla efter ngn ordentligt **II** *vb tr* koppla; föra i koppel

least [li:st] (superl. av *little*) **I** *adj* o. *adv* minst; *without the ~ hesitation* utan [den] minsta (ringaste) tvekan **II** *pron, the ~* det minsta; *to say the ~* [*of it*] minst sagt, milt talat; *at ~* a) åtminstone; i varje fall, i alla händelser b) [allra] minst, åtminstone [äv. *at the very ~*]

leather ['leðə] **1** läder; ~ *upholstery* skinnklädsel **2** föremål av läder t.ex. läderrem; [sämsk]skinn; vard. läder[kula] fotboll; pl. ~*s* skinnbyxor; ridbyxor; skor

leathery ['leðərɪ] läderartad, seg [~ *meat*]

1 leave [li:v] **I** (*left left*) *vb tr* **1** lämna; lämna kvar; lämna efter sig; glömma [kvar]; låta ligga [kvar]; lägga; uppskjuta [*don't ~ it too late* (för länge)]; ~ *it at that* låta det vara, lämna det därhän; *the illness had left him a wreck* sjukdomen hade gjort honom till ett vrak; ~ *well* (amer. *enough*) *alone* ordspr. låt det vara som det är; väck inte den björn som sover; *be left* a) lämnas kvar b) finnas (bli) kvar **2** testamentera **3** lämna; överge; ~ *school* sluta (lämna) skolan **4** överlåta; låta; ~ *to chance* lämna åt slumpen; ~ *it to me!* låt mig sköta det här!; *I'll ~ it to you to...* jag överlåter åt dig att...

5 spec. förb. med adv.:

~ **about**: ~ *the books* [*lying*] *about* låta böckerna ligga kringströdda (ligga framme)

~ **aside** lämna utan avseende

~ **behind** lämna [kvar], lämna efter sig; ställa kvar, glömma [kvar]; *be left behind* hamna på efterkälken, bli efter

~ **off** sluta [med], avbryta [~ *off work* (*reading*)]; sluta upp med [~ *off a bad habit*; ~ *off smoking*]; lägga av [~ *off one's winter clothes*]

~ **out** a) utelämna; förbigå; inte inbjuda b) låta ligga framme; *feel left out of things* känna sig utanför

II (*left left*) *vb itr* **1** [av]resa; lämna sin plats **2** ~ *off* sluta [*we left off at page 10*]

III *s* **1** lov, tillåtelse; *by* (*with*) *your ~* a) med er tillåtelse b) ofta iron. med förlov sagt **2** permission, [tjänst]ledighet [äv. ~ *of absence*], lov; *be on ~* [*of absence*] ha permission; vara [tjänst]ledig **3** avsked, farväl; *take one's ~* säga adjö, ta farväl

2 leave [li:v] lövas, spricka ut

leaven ['levn] **I** *s* **1** surdeg **2** bildl. [positivt] inslag **II** *vb tr* **1** jäsa med surdeg **2** bildl. genomsyra; blanda [upp]; omdana

leaves [li:vz] pl. av *leaf*

leave-taking ['li:vˌteɪkɪŋ] avsked; avskedstagande

Lebanese [ˌlebə'ni:z] **I** (pl. lika) *s* libanes **II** *adj* libanesisk

Lebanon ['lebənən] geogr. Libanon

lecherous ['letʃ(ə)rəs] liderlig; vällustig

lechery ['letʃərɪ] liderlighet, lusta; otukt

lectern ['lektən] **1** läspulpet i kyrka **2** kateder

lecture ['lektʃə] **I** *s* **1** föreläsning, föredrag; ~ *hall (room)* föreläsningssal **2** straffpredikan; *give (read) a p. a* ~ läsa lagen för ngn, läxa upp ngn **II** *vb itr* föreläsa **III** *vb tr* **1** föreläsa för **2** läxa upp

lecturer ['lektʃ(ə)rə] **1** föreläsare, föredragshållare **2** univ., ung. högskolelektor

led [led] imperf. o. perf. p. av *2 lead*

ledge [ledʒ] **1** [utskjutande] list; fönsterbräde **2** [klipp]avsats, klipphylla **3** klipprev

ledger ['ledʒə] hand. huvudbok

lee [li:] **I** *s* lä; läsida **II** *attr adj* lä- [~ *side*], i lä

leech [li:tʃ] **1** zool. blodigel **2** bildl. a) igel [*he hangs on like a* ~] b) blodsugare

leek [li:k] purjolök äv. nationalemblem för Wales

leer [lɪə] **I** *s* sneglande; lömsk (hånfull; lysten) blick **II** *vb itr* snegla, kasta lömska etc. blickar

lees [li:z] drägg äv. bildl.; fällning; *drain (drink) to the* ~ bildl. tömma till sista droppen (ända till dräggen)

leeward ['li:wəd, sjö. 'lu:əd, 'lju:əd] **I** *adj* lä- **II** *adv* i lä; lävart **III** *s* lä; *to* ~ ner i lä, åt läsidan

leeway ['li:weɪ] **1** sjö. avdrift; *make* ~ göra avdrift, driva **2** bildl. *have much* ~ *to make up* ha mycket att ta igen av vad man försummat o.d. **3** vard. spelrum; andrum; *give a p. plenty of* ~ ge ngn stor frihet (fritt spelrum)

1 left [left] imperf. o. perf. p. av *1 leave*

2 left [left] **I** *adj* vänster äv. polit.; ~ *turn* vänstersväng **II** *adv* till vänster, åt vänster; ~ *turn!* mil. vänster om!; *turn* ~ svänga (gå, köra) till vänster, ta av åt vänster **III** *s* vänster sida (hand), vänster flygel; *the L~* polit. vänstern; *a straight* ~ boxn. en rak vänster; *on your* ~ till vänster om dig, på din vänstra sida; *in England you keep to the* ~ det är vänstertrafik i England

left-hand ['lefthænd] vänster, vänster- [~ *side*; ~ *traffic*], med vänster hand [~ *blow*]

left-handed [ˌleft'hændɪd] **1** vänsterhänt; med vänster hand [~ *blow*]; avsedd för vänster hand **2** tafatt; ~ *compliment* tvetydig (ironisk, klumpig) komplimang

left-hander [ˌleft'hændə] **1** vänsterhänt person; sport. vänsterhandsspelare **2** vänsterslag

leftist ['leftɪst] polit. **I** *s* vänsteranhängare **II** *adj* vänsterorienterad [~ *supporters*]

left-luggage [ˌleft'lʌgɪdʒ] järnv. o.d., ~ [*office*] effektförvaring, resgodsinlämning

left-off ['leftɒf] vard. **I** *adj*, ~ *clothes (clothing)* avlagda kläder **II** *s*, pl. ~*s* avlagda kläder

left-over ['leftˌəʊvə] **I** *adj* överbliven; ledig **II** *s* **1** pl. ~*s* [mat]rester **2** kvarleva

left-wing ['leftwɪŋ] [som befinner sig] på vänsterkanten (vänstra sidan el. flygeln); vänstervriden, radikal

left-winger [ˌleft'wɪŋə] **1** vänsteranhängare **2** sport. vänsterytter

lefty ['leftɪ] vard. **1** vänsterradikal **2** isht amer. vänsterhänt person

leg [leg] **I** *s* **1** ben lem; *wooden* ~ träben; *pull a p.'s* ~ vard. driva (skoja) med ngn [*you're pulling my* ~]; *stretch one's* ~*s* [få] sträcka på benen; röra på sig; *be on one's last* ~*s* vard. a) vara nära slutet (alldeles utmattad) b) vara så gott som ruinerad c) sjunga på sista versen; *get [up] on one's* ~*s* (skämts. *hind* ~*s*) a) resa sig isht för att hålla tal; ta till orda b) komma på benen igen efter sjukdom c) om häst stegra sig d) skämts. bli jättearg; *get (set, put) a p. on his* ~*s* a) få ngn på benen igen b) hjälpa ngn på fötter; *stand on one's own* ~*s* stå på egna ben, vara oberoende **2** kok. lägg; ~ *of mutton* fårstek, fårlår, kyl **3** [byx]ben; skaft på strumpa el. stövel **4** ben, fot på möbel o.d.; *be on its last* ~*s* ha vingliga (vacklande) ben, vara nära att falla ihop **5** i kricket: 'legsidan' del av planen till vänster räknat från slagmannen **6** sport. omgång av matcher o.d. [*first (second)* ~] **7** etapp av distans, resa o.d. **II** *vb tr*, ~ *it* vard. lägga benen på ryggen, skynda sig [iväg], lägga iväg

legacy ['legəsɪ] legat, testamentarisk gåva (donation); bildl. arv; *a* ~ *of hatred* ett nedärvt hat

legal ['li:g(ə)l] laglig, laga, lag-; lagenlig; rättslig; *take* ~ *action* vidta laga åtgärder, dra saken inför rätta, gå till domstol; *take* ~ *advice* rådfråga en advokat; ~ *offence* lagbrott, straffbar handling; *without* ~ *rights* rättslös; ~ *separation* av domstol ålagd hemskillnad

legality [lɪ'gælətɪ] laglighet, legalitet

legalize ['li:gəlaɪz] göra laglig, legalisera

legation [lɪ'geɪʃ(ə)n] legation

legend ['ledʒ(ə)nd] **1** legend, helgonberättelse; [folk]saga **2** inskrift på mynt el. medalj; legend; inskription

legendary ['ledʒ(ə)nd(ə)rɪ] legend-; legendarisk [~ *heroes*], legendartad; sagoomspunnen; sagolik, otrolig

leggy ['legɪ] **1** långbent, gänglig; med skrangliga ben **2** vard. med smäckra (snygga) ben

legibility [ˌledʒɪ'bɪlətɪ] läslighet

legible ['ledʒəbl] läslig; tydlig

legion ['li:dʒ(ə)n] legion; bildl. här[skara], [stor] skara; *the Foreign L~* främlingslegionen

legislate ['ledʒɪsleɪt] lagstifta

legislation [ˌledʒɪs'leɪʃ(ə)n] lagstiftning
legislative ['ledʒɪslətɪv, -leɪt-] lagstiftande; lagstiftnings- [~ *reforms*]; legislativ; ~ *body* (*assembly*) lagstiftande församling
legislator ['ledʒɪsleɪtə] lagstiftare
legislature ['ledʒɪsleɪtʃə, -lətʃə] lagstiftande församling, legislatur
legitimacy [lɪ'dʒɪtɪməsɪ] legitimitet; rättmätighet; äkta börd
legitimate [ss. adj. lɪ'dʒɪtɪmət, ss. vb lɪ'dʒɪtɪmeɪt] **I** *adj* **1** legitim, laglig, rättmätig [*the ~ king*]; lagligt berättigad **2** legitim, född inom äktenskapet [*a ~ child*], äkta, [inom]äktenskaplig [*of ~ birth*] **3** befogad, rimlig [*a ~ reason*]; berättigad [*~ claims*] **II** *vb tr* **1** legitimera **2** stadfästa; göra laglig, legalisera **3** berättiga
leg-pulling ['legˌpʊlɪŋ] vard. skämt[ande]
legroom ['legru:m] plats för benen
leisure ['leʒə, amer. vanl. 'li:ʒə] **I** *s* ledighet; lägligt tillfälle; ~ *clothes* (*wear*) fritidskläder; *at ~* a) ledig, inte upptagen b) utan brådska, i lugn och ro [*do a th. at ~*]; *at your ~* när du får tid, när det passar dig [bra]; efter behag **II** *attr adj* ledig, fri; ~ *hours* (*time*) lediga stunder, fritid
leisured ['leʒəd, amer. vanl. 'li:ʒəd] ledig, som förfogar över sin tid; lugn; *the ~ classes* de [klasser] som inte behöver arbeta, de rika, överklassen
leisurely ['leʒəlɪ, amer. vanl. 'li:ʒəlɪ] **I** *adj* lugn, maklig; ledig; *at a ~ pace* i lugn och ro, i lugn (maklig) takt **II** *adv* utan brådska; i lugn och ro
lemon ['lemən] **I** *s* **1** a) citron b) citronträd c) citronfärg **2** sl. torrboll **3** sl. fiasko; otur; *the answer is a ~* där kammar du noll **II** *adj* citronfärgad, citrongul
lemonade [ˌlemə'neɪd] lemonad, läskedryck; sockerdricka
lemon curd [ˌlemən'kɜ:d] citronkräm
lemon soda [ˌlemən'səʊdə] se *lemon squash*
lemon sole [ˌlemən'səʊl] zool. o. kok. bergtunga
lemon squash [ˌlemən'skwɒʃ] lemon squash citronsaft och vatten el. sodavatten
lemon-squeezer ['leman,skwi:zə] citronpress
lend [lend] (*lent lent*) **1** låna [*~ a th. to a p.*; *~ a p. a th.*], låna ut; ~ *at interest* låna [ut] mot ränta **2** ~ *oneself to* a) låna sig till, gå med på, samtycka till; förnedra sig till [att använda] b) om sak lämpa sig (passa, vara lämplig) för **3** ge [*~ aid*; *~ enchantment*], förläna [*~ dignity* (*glory*)]; ~ *an ear* (*one's ears*) lyssna, höra [*to* på], låna ett [välvilligt] (sitt) öra [*to* åt]; ~ *a helping hand* räcka en hjälpande hand
lender ['lendə] långivare
lending-library ['lendɪŋˌlaɪbr(ə)rɪ] lånebibliotek
length [leŋθ] **1** längd; om tid äv. varaktighet, långvarighet; sträcka; *a ~ of pipe* ett rörstycke (stycke rör); *go the whole ~* bildl. ta steget fullt ut **2** *at ~*: a) slutligen; äntligen b) länge [*speak at ~*] c) utförligt; *at great ~* mycket utförligt (detaljerat, ingående), länge och väl
lengthen ['leŋθ(ə)n] **I** *vb tr* förlänga, göra [ännu] längre; dra ut på, töja [äv. *~ out*]; ~ *a skirt* lägga ned en kjol **II** *vb itr* förlängas, bli längre
lengthiness ['leŋθɪnəs] långrandighet
lengthy ['leŋθɪ] [väl] lång; [för] utförlig; långdragen; långrandig
lenience ['li:njəns] o. **leniency** ['li:njənsɪ] mildhet, överseende, eftergivenhet
lenient ['li:njənt] mild, överseende, eftergiven
lens [lenz] **1** fys. el. anat. lins **2** foto. lins; objektiv; ~ *aperture* bländaröppning; ~ *louse* vard. linslus **3** [*contact*] ~ kontaktlins
Lent [lent] fasta[n]
lent [lent] imperf. o. perf. p. av *lend*
lentil ['lentl] bot. el. kok. lins
Leo ['li:əʊ] **I** mansnamn **II** *s* astrol. Lejonet; *he's* [*a*] ~ han är Lejon
leopard ['lepəd] zool. leopard; *a ~ never changes* (*cannot change*) *its spots* ränderna går aldrig ur
leper ['lepə] spetälsk; bildl. utstött
leprosy ['leprəsɪ] spetälska, lepra
lesbian ['lezbɪən] **I** *adj* lesbisk **II** *s* lesbisk kvinna
lesion ['li:ʒ(ə)n] **1** med. lesion, organskada **2** [yttre] skada; skavank
less [les] **I** *adj* o. *adv* o. *s* (komp. av *little*) mindre; ~ *and* ~ [allt] mindre och mindre, allt mindre; *none the ~* = *nevertheless*; *little ~ than* föga mindre än, nästan; *in ~ than no time* i en handvändning, på nolltid; *I could do no ~* det var det minsta jag kunde göra; *it's no* (*nothing*) *~ than a scandal* det är ingenting mindre än en skandal **II** *prep* minus [*5 ~ 2 is 3*], med avdrag av (för) [*£300 a week ~ rates and taxes*], så när som på [*a year ~ three days*]
lessee [le'si:] arrendator; hyresgäst
lessen ['lesn] **I** *vb tr* **1** [för]minska, reducera [*~ the effect* (*speed*)] **2** förringa **II** *vb itr* minskas; avta
lesser ['lesə] mindre [*the ~ prophets*]
lesson ['lesn] **1** lektion; [undervisnings]timme; *English ~* engelsklektion; engelsktimme **2** läxa; *do* (*learn, prepare*) *one's ~s* lära sig läxorna, läsa på läxorna; *set the ~* ge läxa [till nästa gång] **3** bildl. läxa; tillrättavisning, skrapa; *I learnt a* (*my*) ~ jag fick en läxa (en

tankeställare); jag blev vis av skadan; *I have learnt a ~ never to...* jag har lärt mig att aldrig...; *teach a p. a ~* ge (lära) ngn en läxa **4** kyrkl. bibeltext

lessor [ˌle'sɔ:] utarrenderare; hyresvärd

lest [lest] isht litt. **1** för (så) att inte ngt skulle hända **2** efter ord för fruktan, oro o.d. [för] att [kanske]

1 let [let] **I** (*let let*) *vb tr* (se äv. *III*) **1** (äv. ss. hjälpvb) låta, tillåta; *won't you ~ me help you?* får jag inte hjälpa dig?; *yes, ~'s!* ja, det gör vi!; *~'s have a drink!* ska vi ta [oss] en drink?; *L~ there be light!* bibl. Varde ljus! **2** släppa in [*my shoes ~ water*]

II (*let let*) *vb tr* o. *vb itr* (se äv. *III*) hyra ut [*she has ~ her house to* (åt) *us*], arrendera ut; hyras ut [*the flat ~s for £50 a month*]; *to ~* att hyra

III *vb tr* o. *vb itr* i vissa förb. **1** med adj.:

~ **alone**: **a**) låta vara [i fred], inte bry sig om [*~ those problems alone*]; *~ well alone!* låt det vara som det är! **b**) ännu (mycket) mindre [*he can't look after himself, ~ alone others*]

~ **loose** släppa [*~ that dog loose*]; ge fritt lopp åt

2 med verb

~ **be** låta vara [i fred] [*~ me be*]

~ **fall**: a) låta falla; tappa b) fälla [*~ fall a remark*]

~ **go**: **a**) låta fara; släppa [*~ me go!*; *~ go a p.'s hand*], släppa lös (fri); släppa ifrån sig; släppa taget; sjö. låta gå, fälla [*~ go the anchor*]; slå bort [tanken på]; *~ go of* släppa [*~ go of a p.'s hand*] **b**) *~ it go at that!* låt gå för det!; låt det vara [som det är]! **c**) *~ oneself go* låta sig ryckas med [*he ~ himself go on* (av) *the subject*], slå (släppa) sig lös; missköta sig, slarva med sitt utseende

~ **slip**: a) försitta, missa [*~ slip an opportunity*] b) låta undfalla sig, fälla [*~ slip a remark*]

3 med adv. o. prep.:

~ **down**: **a**) släppa (dra, sänka, fira) ner; *~ down one's hair* se *hair* **b**) sömnad. lägga (släppa) ner **c**) bildl. lämna i sticket, svika [*~ down a friend*]; förödmjuka

~ **in**: **a**) släppa in [*~ in a p.*; *~ in light and air*]; *~ oneself in* ta sig in själv **b**) fälla (lägga, foga) in **c**) *~ in the clutch* bil. släppa upp kopplingen **d**) *~ a p. in for* [*a lot of trouble*] dra (blanda) in ngn i..., förorsaka ngn...; *you're ~ting yourself in for a lot of work* du får bara en massa arbete på halsen **e**) *~ a p. in on* vard. inviga ngn i

~ **into**: **a**) släppa in i; *be ~ into* släppas (slippa) in i **b**) sätta in i [*we must ~ another window into the wall*] **c**) inviga i, låta få veta [*~ a p. into a secret*]

~ **off**: **a**) avskjuta, bränna av [*~ off fireworks*], fyra av äv. bildl. **b**) släppa, låta slippa undan [*~ off with* (med) *a fine*]; *be ~ off* släppas, slippa [undan (ifrån)] **c**) släppa ut t.ex. ånga, tappa av; släppa upp t.ex. en ballong; *~ off steam* vard. avreagera sig **d**) släppa av [*~ me off at 12th Street!*] **e**) släppa sig fjärta

~ **on** vard. skvallra [*I won't ~ on*]; förråda; låtsas, låtsas om [*don't ~ on that you are annoyed*]

~ **out**: **a**) släppa ut; släppa lös; *be ~ out* släppas (slippa) ut (lös) **b**) sömnad. lägga (släppa) ut **c**) sjö. sticka ut rev **d**) avslöja [*~ out a secret*], tala 'om **e**) vard. fria (rentvå) [från misstankar] **f**) *~ out* [*on lease*] hyra (arrendera) ut **g**) utstöta, ge ifrån sig [*~ out a shriek*]

~ **through** släppa igenom (fram)

~ **up**: **a**) avta, minska; sluta **b**) *~ up on* ta lite lättare på; behandla mildare

2 let [let] **1** jur., *without ~ or hindrance* utan minsta hinder **2** sport. nätboll vid serve

let-down ['letdaʊn] **1** besvikelse; bakslag **2** minskning, nedgång [*a ~ in sales*]

lethal ['li:θ(ə)l] dödlig, dödande; letal; *~ weapon* dödligt (livsfarligt) vapen, mordvapen

lethargy ['leθədʒɪ] letargi; sjukligt slöhetstillstånd, dvala äv. bildl.

let's [lets] = *let us*

1 letter ['letə] uthyrare [*~ of rooms*]

2 letter ['letə] **1** bokstav äv. bildl. [*keep to* (*abide by*) *the ~ of the law*]; bildl. äv. ordalydelse; *capital* (*small*) *~s* stora (små) bokstäver; *use capital ~s* äv. texta; *to the* (*down to the last*) *~* bokstavligt; till punkt och pricka [*carry out an order to the ~*] **2** brev; *~ of credit* hand. kreditiv **3** *~s* (konstr. ss. sg. el. pl.) litteratur, vitterhet; litterär bildning, lärdom

letter bomb ['letəbɒm] brevbomb

letterbox ['letəbɒks] brevlåda

letter card ['letəkɑ:d] postbrev; kortbrev

letterhead ['letəhed] **1** brevhuvud **2** firmabrevpapper med brevhuvud

lettering ['letərɪŋ] bokstäver, [in]skrift [*~ on a gravestone*]; textning

letterpress ['letəpres] **1** ~ [*printing*] boktryck **2** [tryckt] text i motsats till illustrationer

lettuce ['letɪs] bot. [huvud]sallat; salladshuvud

letup ['letʌp] **1** avbrott [*it rained a whole week without ~*] **2** avtagande

leukaemia [lʊ'ki:mɪə, ljʊ-] med. leukemi

level ['levl] **I** *s* **1** nivå äv. bildl. [*a conference at the highest ~*]; höjd [*the water rose to a ~ of 10 metres*]; *the ~ of the water* vattenståndet; *above the ~ of the sea* över havsytan (havet); [*the lecture*] *was above my ~* ...låg över min horisont (nivå)

2 vard., *on the* ~ uppriktigt, ärligt sagt, schysst **3** vattenpass **II** *adj* **1** jämn, slät, plan **2** vågrät; på samma plan, i jämnhöjd; likformig; jämn; ~ *crossing* plankorsning; järnvägskorsning [i plan]; *draw* ~ *with* hinna upp **3** *have a* ~ *head* vara redig (klar) i huvudet **4** stadig [*a* ~ *look* (*gaze*)] **III** *tr* **1** jämna, planera [~ *a lawn* (*road*)] **2** göra vågrät med t.ex. ett vattenpass; nivellera; jämna ut, utplåna olikheter o.d. [äv. ~ *out*]; jämna till; göra likställd; ~ *down* sänka [till en lägre nivå]; jämna **3** ~ [*with* (*to*) *the ground*] jämna med marken, rasera **4** avpassa; ~ *oneself to* anpassa sig efter **5** rikta [~ *an accusation at a p.*]; ~ *one's gun at* rikta (höja) geväret mot **IV** *itr* **1** bli jämn[are] **2** flyg., ~ *off* plana ut

level-headed [ˌlevlˈhedɪd] balanserad, nykter

lever [ˈliːvə, amer. vanl. ˈlevə] **I** *s* **1** hävstång; spak; handtag; spett **2** bildl. påtryckningsmedel [*a* ~ *to force him to resign*], tillhygge **II** *vb tr* lyfta (flytta) med [en] hävstång; baxa [undan]; bända [upp]; ~ *oneself up* häva sig upp

leverage [ˈliːv(ə)rɪdʒ, amer. vanl. ˈlev-] **1** hävstångsverkan **2** bildl. makt

levity [ˈlevətɪ] lättsinne

levy [ˈlevɪ] **I** *s* **1** uttaxering; [tvångs]upptagande (utskrivning) [av skatt]; uppbörd **2** utskrivning, uppbåd äv. konkr.; utskrivet manskap **II** *vb tr* **1** uttaxera, lägga på [~ *a tax*]; ~ *a tax* (*a fine*) *on a p.* påföra ngn en skatt (böter) **2** utskriva; sätta upp [~ *an army*]

lewd [luːd, ljuːd] liderlig, vällustig; oanständig [*a* ~ *joke* (*person*)]

lexicographer [ˌleksɪˈkɒɡrəfə] lexikograf

lexicography [ˌleksɪˈkɒɡrəfɪ] lexikografi

liabilit|y [ˌlaɪəˈbɪlətɪ] **1** ansvar, skadeståndsskyldighet, ansvarsskyldighet; skyldighet; betalningsskyldighet, [ekonomisk] förpliktelse, engagemang; *limited* ~ begränsad ansvarighet; ~ *for* (*to*) *military service* värnplikt; ~ *to pay taxes* el. *tax* ~ skatteplikt **2** mottaglighet [~ *to* (för) *certain diseases*], benägenhet [*to* för, till] **3** pl. *-ies* hand. skulder, skuldförbindelser, passiva; *meet one's -ies* infria sina [skuld]förbindelser **4** bildl. belastning, handikapp; olägenhet, nackdel

liable [ˈlaɪəbl] **1** ansvarig **2** förpliktad, skyldig [*be* ~ *to serve on a jury*]; ~ *to* belagd med straff, skatt o.d.; underkastad; *be* ~ *to a fine* kunna bötfällas **3** mottaglig; benägen; ~ *to abuse* som lätt kan missbrukas

liaise [liːˈeɪz] etablera (upprätthålla) kontakt

liaison [lɪˈeɪzən, -zɒn] **1** a) förbindelse b) [fritt] förhållande, [kärleks]förbindelse **2** mil. samband; ~ *officer* sambandsofficer **3** *in* ~ *with* i förbund (maskopi) med

liana [lɪˈɑːnə] o. **liane** [lɪˈɑːn] bot. lian

liar [ˈlaɪə] lögnare, lögnhals

libel [ˈlaɪb(ə)l] **I** *s* **1** ärekränkning isht i skrift; smädeskrift, libell **2** skymf **II** *vb tr* ärekränka; smäda

libellous [ˈlaɪbələs] ärekränkande, ärerörig, smäde- [*a* ~ *poem*]

liberal [ˈlɪb(ə)r(ə)l] **I** *adj* **1** frikostig [*a* ~ *giver*], givmild **2** liberal, vidsynt **3** *a* ~ *education* [högre] allmänbildning, [en] god uppfostran **4** *L~* polit. liberal **II** *s*, *L~* polit. liberal

liberalize [ˈlɪb(ə)rəlaɪz] liberalisera

liberate [ˈlɪbəreɪt] **1** befria; frige; bildl. frigöra [*a ~d woman*] **2** kem. frigöra

liberation [ˌlɪbəˈreɪʃ(ə)n] **1** befrielse; frigivning, frigivande; frigörelse, frigörande; ~ *movement* befrielserörelse; frihetsrörelse **2** kem. frigörelse

liberator [ˈlɪbəreɪtə] befriare

liberty [ˈlɪbətɪ] frihet; pl. *liberties* äv. fri- och rättigheter, privilegier; ~ *of action* handlingsfrihet; ~ *of speech* yttrandefrihet; *what a ~!* vard. vad fräckt!; *set at* ~ a) försätta på fri fot, frige [*set prisoners at* ~] b) frigöra kapital

Libra [ˈliːbrə, ˈlɪb-] astrol. Vågen; *he is* [*a*] ~ han är Våg

librarian [laɪˈbreərɪən] bibliotekarie

library [ˈlaɪbr(ə)rɪ] bibliotek; film. arkiv; *mobile* ~ bokbuss; *public* ~ offentligt bibliotek, folkbibliotek; *record* ~ diskotek samling grammofonskivor

librettist [lɪˈbretɪst] librettoförfattare

Libya [ˈlɪbɪə] geogr. Libyen

Libyan [ˈlɪbɪən] **I** *adj* libysk **II** *s* libyer

lice [laɪs] pl. av *louse I 1*

licence [ˈlaɪs(ə)ns] **I** *s* **1 a**) licens [*radio* ~], tillståndsbevis; privilegium; tillstånd, lov, rätt; dispens; ~ *fee* licens[avgift]; *driving* (*driver's*) ~ körkort **b**) [sprit]rättigheter **c**) [*pilot's*] ~ [flyg]certifikat **2** a) tygellöshet b) lättfärdighet **3** [handlings]frihet; konst. frihet; *poetic* ~ poetisk frihet, licentia poetica **II** *vb tr* se *license I*

license [ˈlaɪs(ə)ns] **I** *vb tr* bevilja (ge) ngn licens (tillstånd, [sprit]rättigheter), utfärda tillståndsbevis för, licensera; auktorisera; *shops ~d* [*to sell tobacco*] affärer som har rätt (tillstånd)... **II** *s* amer., se *licence I*; ~ *plate* nummerplåt, registreringsskylt

licensed [ˈlaɪs(ə)nst] isht med [sprit]rättigheter; *be fully* ~ ha vin- och spriträttigheter, ha fullständiga rättigheter

licensee [ˌlaɪs(ə)nˈsiː] licensinnehavare; person som har [sprit]rättigheter

licentious [laɪˈsenʃəs] tygellös
lichen [ˈlaɪkən, ˈlɪtʃən] bot. lav
lick [lɪk] **I** *vb tr* **1** slicka äv. om eld o. vågor; slicka på [*~ a lolly*]; *~ a p.'s boots* (*shoes*) vard. krypa [i stoftet] (krusa) för ngn; *~ into shape* sätta (få) fason (hyfs) på, sätta pli på, göra folk av; *~ up* slicka i sig, slicka upp; om eld förtära **2** vard. klå upp [*~ a p. at tennis*], övertrumfa; *get ~ed* få stryk (smörj) **II** *s* **1** slickning; *give one's face a cat's ~* vaska av sig i ansiktet; *give a th. a ~ and a promise* gå över (tvätta, rengöra) ngt rätt slarvigt (hafsigt) **2** vard. klick, skvätt [*a ~ of paint*] **3** vard. fräs fart; *at a great* (*at full*) *~* i full fräs (speed) **4** vard., *not a ~ of work* inte ett skvatt (smack), grand **5** hårvirvel; tjusarlock [äv. *cowlick*]
licomosa [ˌlɪkəˈməʊsə] *s* bot. vattenros
licorice [ˈlɪkərɪs] isht amer., se *liquorice*
lid [lɪd] **1** lock; *put the ~ on* vard. a) sätta stopp för [*put the ~ on gambling*] b) göra slut på [*that put the ~ on their friendship*] c) lägga på locket [*the government managed to put the ~ on before the affair became public*] **2** ögonlock [äv. *eyelid*] **3** vard. kanna hatt
lido [ˈliːdəʊ] (pl. *~s*) friluftsbad
1 lie [laɪ] **I** *s* lögn; *give a p. the ~* beslå ngn med lögn; *tell a ~* (*~s*) ljuga, tala osanning; *it was just a pack of ~s* det var bara lögn alltsammans (en massa lögner) **II** *vb itr* o. *vb tr* ljuga; *he ~d to my face* han ljög mig mitt upp i ansiktet
2 lie [laɪ] **I** (*lay lain*) *vb itr* **1 a**) ligga [*~ motionless*]; *~* (*be lying*) *awake* ligga vaken **b**) ligga begraven, vila; *here ~s* här vilar **2** a) utbreda sig, ligga [*know how the land ~s*], vara belägen, befinna sig b) om väg o.d. gå, leda **3** sjö. ligga an viss kurs **4** med adv. o. prep. i spec. bet.:
~ **about** (**around**) **a**) ligga och skräpa, ligga kringspridd[a]; *leave money lying about* låta pengar ligga framme **b**) slöa
~ **at** sjö., *~ at anchor* ligga för ankar
~ **back** luta (lägga) sig tillbaka
~ **down**: **a**) lägga sig [och vila] **b**) *take an insult lying down* finna sig i en förolämpning; *take it lying down* ge sig utan vidare
~ **in**: **a**) ligga i [*the difficulty ~s in the pronunciation*], bestå i; *everything that ~s in my power* allt som står i min makt **b**) ligga kvar i sängen **c**) ligga i barnsäng
~ **on**: **a**) ligga på; *~ hard* (*heavy*) *on* ligga tung över; vila tungt på, tynga [på] [*it lay heavy on his conscience*] **b**) åligga
~ **under** ligga under; vara utsatt för; tyngas av; *~ under an obligation to a p.* stå i tacksamhetsskuld till ngn; *~ under suspicion* vara misstänkt
~ **up** om fartyg läggas upp
~ **with** ligga på, åvila [*the burden of proof ~s with you*], ligga hos [*the fault ~s with the Government*]; *it ~s with you to* det är din sak att
II *s* läge, belägenhet; riktning, sträckning [*the ~ of the valley*]; *know the ~ of the land* bildl. veta hur landet ligger
lie-detector [ˈlaɪdɪˌtektə] lögndetektor
lie-down [laɪˈdaʊn] **1** *go and have a ~* lägga sig och vila **2** liggdemonstration
lie-in [laɪˈɪn, ˈ--] vard. **1** *have a nice ~* ligga och dra sig i sängen **2** liggdemonstration
lieu [ljuː, luː], *in ~ of* i stället för
lieutenant [lefˈtenənt, amer. luːˈtenənt] **1** löjtnant inom armén; kapten inom flottan; *flight ~* kapten inom flyget; *first ~* i USA löjtnant inom armén o. flyget; *second ~* fänrik inom armén (i USA äv. inom flyget) **2** ställföreträdare, högra hand **3** i USA a) ung. polisinspektör b) biträdande brandkapten
life [laɪf] (pl. *lives*) **1** a) liv [*how did ~* (livet) *begin?*] b) livstid, liv [*a cat has nine lives*], levnad, levnadslopp; varaktighet c) tillvaro [*lead* (föra) *a quiet ~*]; [*he told me his*] *~ story* ...livs historia; *early ~* ungdom[en]; *how's ~?* hur lever livet med dig?, hur är läget?; *great loss of ~* stora förluster i människoliv, stor manspillan; *it is a matter of ~ and death* det är en fråga om liv eller död, det gäller livet; *for ~* a) för [att rädda] livet b) för livet [*friends for ~*], på livstid [*imprisonment for ~*]; *take a p.'s ~* ta livet av ngn; [*they ran*] *for dear ~* ...för brinnande livet; *not on your ~* aldrig i livet **2** levnadsteckning, levnadsbeskrivning, biografi [*the lives of* (över) *great men*] **3** konst. natur; *from* (*after*) [*the*] *~* efter naturen, efter levande modell
lifebelt [ˈlaɪfbelt] livbälte; räddningsbälte
lifeblood [ˈlaɪfblʌd] **1** hjärtblod **2** bildl. livsnerv, hjärteblod
lifeboat [ˈlaɪfbəʊt] livbåt; livräddningsbåt; *~ operation* bildl. räddningsaktion
lifebuoy [ˈlaɪfbɔɪ] livboj, frälsarkrans
lifeguard [ˈlaɪfgɑːd] **1** livvakt **2** pl. *~s* livgarde **3** livräddare, strandvakt, badvakt
life jacket [ˈlaɪfˌdʒækɪt] flytväst
lifeless [ˈlaɪfləs] livlös, död, friare äv. utan liv, trög; andefattig
lifelike [ˈlaɪflaɪk] livslevande, naturtrogen, levande
lifeline [ˈlaɪflaɪn] **1** livlina **2** räddningslina, räddningsstross **3** livslinje i handen **4** livsviktig förbindelse [med omvärlden]
lifelong [ˈlaɪflɒŋ] livslång [*~ friendship*], livstids-; *~ friends* vänner för livet
life raft [ˈlaɪfrɑːft] sjö. räddningsflotte
life-saver [ˈlaɪfˌseɪvə] **1** se *lifeguard 3* **2** vard. räddare i nödens stund

life-saving ['laɪfˌseɪvɪŋ] livräddnings-
life-size [ˌlaɪf'saɪz, attr. '--] o. **life-sized** [ˌlaɪf'saɪzd, attr. '--] i kroppsstorlek, i naturlig storlek [*a ~ portrait*]
lifestyle ['laɪfstaɪl] livsstil
lifetime ['laɪftaɪm] livstid; *a ~* ett helt liv; hela livet [*it'll last a ~*]
lift [lɪft] **I** *vb tr* **1** lyfta äv. sport. [*~ a ball*]; lyfta på [*~ one's hat (the lid)*], höja äv. bildl.; *have one's face ~ed* genomgå en ansiktslyftning; *~ up* lyfta upp, upplyfta, höja; *~ a word out of its context* bryta ut ett ord ur sitt sammanhang **2** häva [*~ a blockade*], upphäva **3** ta upp rotfrukter **4** vard. knycka, snatta **II** *vb itr* **1** lyfta; höja sig; *~ off* rymd. el. flyg. starta, lyfta, lätta **2** lätta [*the fog ~ed*], lyfta **III** *s* **1** lyft[ande]; tyngd **2** bildl. [gratis]skjuts, lift; befordran **3** hiss; lyftverk; [skid]lift
ligament ['lɪgəmənt] **1** anat. ligament **2** [förenings]band
1 light [laɪt] **I** *s* **1** ljus; belysning; dagsljus; lampa; pl. *~s* ofta trafikljus; *~ year* ljusår; [*shining*] *~* [klart skinande] ljus, snille; *have the ~s on* ha ljuset på (tänt) på t.ex. bil; *put on (put out) the ~* tända (släcka) [ljuset]; *see the ~* a) se dagens ljus, komma till världen [äv. *see the ~ of day*] b) relig. bli frälst (väckt); *place a th. in a good (favourable) ~* [fram]ställa ngt i en gynnsam (fördelaktig) dager; *I don't see the matter in that ~* jag ser inte saken så **2** sjö. a) fyr b) lanterna **3** pl. *~s* förstånd, vett; *according to one's ~s* efter bästa förstånd **4** ljusöppning; fönster[ruta] **5** konst. ljusparti på tavla, dager; *~ and shade* skuggor och dagrar **6** pl. *~s* teat. rampljus **II** *adj* ljus; belyst, upplyst; [*it's beginning to*] *get (grow) ~* ...bli ljust **III** (*lit lit* el. *lighted lighted*) *vb tr* **1** tända [äv. *~ up*; *~ a candle (a cigarette, the gas)*], få eld (fyr) i (på); *~ a fire* tända (elda) en brasa **2** belysa; *~ up* lysa upp äv. bildl., belysa; tända [ljus] i **3** lysa ngn [på väg] **IV** (*lit lit* el. *lighted lighted*) *vb itr* **1** tändas; ta eld **2** *~ up* a) tända [ljuset] [*it's time to ~ up*] b) vard. tända cigaretten (pipan, cigarren) [*he struck a match and lit up*] c) bildl. lysa upp [*~ up with delight* (av förtjusning)]
2 light [laɪt] **I** *adj* **1** lätt [*a ~ burden*]; lätt- med låg halt av fett, kolesterol m.m. [*~ beer (margarine)*]; *a ~ meal* en lätt måltid; *~ programme* lättare program, underhållningsprogram; *~ reading* nöjesläsning **2** mil. lätt [*~ bomber*; *~ infantry*], lättbeväpnad **3** lös [*~ soil* (jord)]; om dimma o.d. lätt **4** oviktig; obetydlig; lindrig, lätt [*a ~ attack of illness*]; *this is no ~ matter* det här är ingen småsak (bagatell) **5** lättsinnig; flyktig; lätt[färdig] [*a ~ woman*] **II** *adv* lätt [*sleep ~*]; *get off ~* slippa lindrigt undan
3 light [laɪt] (*lit lit* el. *lighted lighted*); *~ [up]on* råka (stöta, träffa) på, [oförmodat] hitta
light bulb ['laɪtbʌlb] glödlampa
1 lighten ['laɪtn] **I** *vb tr* lätta [*~ a ship of* (från) *her cargo*], göra lättare, bildl. äv. lindra **II** *vb itr* lätta [*his worries seem to have ~ed somewhat*], bli lättare
2 lighten ['laɪtn] **1** ljusna **2** blixtra
1 lighter ['laɪtə] **1** tändare [*cigarette ~*]; *~ fluid* tändarvätska till cigarettändare **2** [lykt]tändare
2 lighter ['laɪtə] läktare
light-fingered ['laɪtˌfɪŋgəd, ˌ-'--] **1** långfingrad, långfingrig **2** fingerfärdig
light-headed [ˌlaɪt'hedɪd] **1** yr i huvudet [*after two drinks she began to feel ~*], virrig **2** tanklös
light-hearted [ˌlaɪt'hɑːtɪd, '---] lätt om hjärtat (till sinnes)
lighthouse ['laɪthaʊs] fyr
lighting ['laɪtɪŋ] lyse; *~ effects* ljuseffekter
lightly ['laɪtlɪ] **1** lätt; försiktigt [*eat ~*]; flyktigt; *~ clad* lättklädd, tunnklädd; *~ done* lättstekt; *take a th. ~* ta lätt på ngt **2** sorglöst **3** ytligt; utan vägande skäl [*the prize is not given ~*]
lightness ['laɪtnəs] **1** ljus[styrka], klarhet, jfr *1 light* **2** lätthet m.m., jfr *2 light I 1* o. *4*; lättnad; *~ of heart* sorglöshet
lightning ['laɪtnɪŋ] **1** blixtrande; *a flash of ~* en blixt; *sheet ~* ytblixt[ar]; *summer (heat) ~* kornblixt[ar] **2** blixt- [*~ strike (visit, war)*]; *like [greased] ~* som en [oljad] blixt, blixtsnabbt
lightning conductor ['laɪtnɪŋkənˌdʌktə] åskledare
light-pen ['laɪtpen] data. ljuspenna
lightship ['laɪt-ʃɪp] fyrskepp
lightweight ['laɪtweɪt] **1** lättvikt; lättvikts- [*~ bicycle*], lätt; *~ entertainment* äv. underhållning i den lättare genren **2** sport. o. bildl. lättviktare
light year ['laɪtjɪə] astron. ljusår äv. bildl.
likable ['laɪkəbl] sympatisk; tilltalande, behaglig
1 like [laɪk] **I** *adj* **1** (jfr *II*) lik; *be ~* vara lik, likna [*she is ~ him*], se ut som [*she was ~ a witch*]; *what's it ~?* a) hur[dan] är den? b) hur ser den ut? c) hur smakar den (det)? d) hur känns det?, hur är det?; *what...is ~* vad...vill säga [*learn what skiing is ~*] **2** (litt.) liknande [*hospitals and ~ institutions*]; samma; *~ father, ~ son* äpplet faller inte långt från trädet **II** *prep* **1** som [*if I were to behave ~ you*], som t.ex.; *he speaks French ~ a native* han talar franska som en infödd; *a book ~ this* en sådan [här] bok; *just ~ that* [så där] utan vidare

2 likt, typiskt [för]; *that is just ~ him!* det är [just (så)] likt honom! **3** i spec. förb.:
~ anything vard. som bara den [*he ran ~ anything*], så in i vassen; i högan sky [*cry ~ anything*], av hela sitt hjärta [*he wanted ~ anything to go there*]; *anything ~* någorlunda, någotsånär [*if the weather is anything ~ fine*]
nothing ~ vard. inte alls; inte på långt när, inte tillnärmelsevis [*nothing ~ as (so) old*]; *there is nothing ~ sailing* det finns inget som går upp mot att segla
something ~: **a**) vard. omkring [*something ~ £100*] **b**) något liknande [*feel something ~ anger*], något i stil med; *something ~ that* något i den stilen, något sådant **c**) *that's something ~!* det låter bra!, så ska det se ut!
III *konj* vard.: a) som [*pronounce the word ~ I do*], såsom b) som om [*he behaved ~ he was the only one*] **IV** *adv* **1** *as ~ as not* högst sannolikt **2** vard. liksom, så att säga [*they encouraged us ~*] **V** *s* **1** *the ~* något liknande (dylikt, sådant) **2** vard., *the ~s of me* såna som jag

2 like [laɪk] **I** *vb tr* o. *vb itr* tycka [bra] om; [gärna] vilja [*I don't ~ troubling (to trouble) him*], vilja [*do as you ~*], ha lust; vilja ha [*I ~ my tea strong*]; *whenever he ~s* när han vill (har lust), när det faller honom in, när det passar honom; *how do you ~ it?* vad tycker du om det?; hur smakar det?; hur vill du ha det? t.ex. teet; hur trivs du?; *I ~ his impudence (cheek)!* iron. han är inte lite fräck han!; *what would you ~?* vad skulle du vilja ha?, vad får det lov att vara? **II** *s*, pl. *~s and dislikes* sympatier och antipatier

likeable ['laɪkəbl] se *likable*

likelihood ['laɪklɪhʊd] sannolikhet, rimlighet

likely ['laɪklɪ] **I** *adj* **1** sannolik, rimlig; *he is the most ~ person to know* han är nog den som har bäst reda på saken; *not bloody ~!* vard. i helvete heller!, jag gör så fan heller! **2** lämplig [*I couldn't find a ~ house*], passande; ägnad; lovande [*a ~ young man*]; tänkbar [*he called at every ~ house*] **II** *adv, very (most) ~* el. *as ~ as not* [högst] sannolikt, troligen, troligtvis, antagligen

like-minded [ˌlaɪk'maɪndɪd] likasinnad

liken ['laɪk(ə)n] litt. likna

likeness ['laɪknəs] **1** likhet; *family ~* släkttycke **2** skepnad [*assume (anta) the ~ of a swan*]; form **3** porträtt; avbild; beläte; [*the portrait*] *is a good ~* ...är mycket likt

likewise ['laɪkwaɪz] **1** på samma sätt, sammaledes; *say (do) ~* säga (göra) detsamma **2** också, därtill, dessutom [*she is ~ our chairman*]

liking ['laɪkɪŋ] tycke, böjelse; [*special*] *~* förkärlek

lilac ['laɪlək] **I** *s* **1** syren **2** lila, gredelint **II** *adj* syrenfärgad, lila, gredelin

Lilliputian [ˌlɪlɪ'pju:ʃjən] **I** *s* lilleputt invånare i Lilleputt o. friare **II** *adj* lilleputt[s]-; friare lilleputtaktig, pytteliten

lilt [lɪlt] **I** *s* **1** glad visa (melodi), trall **2** [fast (vacker)] rytm **II** *vb tr* o. *vb itr* sjunga (spela, tala) glatt (rytmiskt)

lily ['lɪlɪ] lilja; näckros; *African ~* kärlekslilja

lily of the valley [ˌlɪlɪəvðə'vælɪ] (pl. *lilies of the valley*) liljekonvalj

limb [lɪm] **1** lem, ben [*rest one's tired ~s*]; *stretch one's ~s* sträcka på armar och ben **2** [stor] gren; *be out on a ~* vard. vara illa ute, vara i [en] knipa; vara ute på farliga vägar

limber ['lɪmbə] **I** *adj* böjlig **II** *vb tr* o. *vb itr*, *~ up* mjuka upp [*~ up one's muscles*]

1 limbo ['lɪmbəʊ] (pl. *~s*) teol. limbo; *be in ~* sväva i ovisshet

2 limbo ['lɪmbəʊ] (pl. *~s*) limbo dans

1 lime [laɪm] bot. lime frukt

2 lime [laɪm] bot. lind

3 lime [laɪm] **I** *s* **1** kalk; *slaked ~* släckt kalk **2** fågellim **II** *vb tr* **1** kalka vägg, jord, hudar **2** bestryka med fågellim

limelight ['laɪmlaɪt] bildl. rampljus; *be (appear) in the ~* stå (träda fram) i rampljuset, stå (träda) i förgrunden

limestone ['laɪmstəʊn] geol. kalksten

limit ['lɪmɪt] **I** *s* gräns, yttersta gräns äv. bildl.; pl. *~s* gränser, skrankor, begränsning; *he's the ~!* vard. han är alldeles hopplös!; *that's the ~!* vard. det är [då] höjden!, det var det värsta!; *off ~s* amer. isht skol. el. mil. [på] förbjudet område, förbjudet **II** *vb tr* begränsa; inskränka; hand. limitera

limitation [ˌlɪmɪ'teɪʃ(ə)n] **1** begränsning, inskränkning; gräns; *he has his ~s* han har sin begränsning **2** jur. preskription; [*period of*] *~* preskriptionstid, fatalietid; giltighetstid

limited ['lɪmɪtɪd] begränsad, inskränkt; knapp; snäv; *~ [liability] company* aktiebolag med begränsad ansvarighet

limitless ['lɪmɪtləs] obegränsad

limo ['lɪməʊ] (pl. *~s*) vard. kortform för *limousine*

limousine [ˌlɪmə'zi:n, '---] limousine äv. om trafikbil mellan flygterminal och flygplats; lyxbil

1 limp [lɪmp] mjuk; slapp [*a ~ hand*], kraftlös, lealös; hängig; *~ cloth (binding)* mjukt band på bok

2 limp [lɪmp] **I** *vb itr* linka äv. bildl. **II** *s* haltande [gång]; *walk with a ~* halta

limpet ['lɪmpɪt] **1** zool. skålsnäcka **2** person som klamrar sig fast

limpid ['lɪmpɪd] klar äv. bildl. [*a ~ style*]; genomskinlig, kristallklar

linchpin ['lɪn(t)ʃpɪn] **1** axelsprint **2** bildl. stöttepelare
linden ['lɪndən] bot. lind [äv. *linden tree*]
1 line [laɪn] **I** *s* **1** a) lina; [met]rev; [kläd]streck; mätlina b) elektr. el. tele. ledning [*telephone ~s*], linje **2 a**) linje, streck **b**) kontur, linje **c**) linje i handen o.d., rynka **d**) strimma; linje i TV-bild **3** gräns[linje] [*cross the ~ into Canada*] **4** geogr. el. sjö., *the L~* linjen ekvatorn [*cross the L~*] **5** mil. el. sjö. linje i div. bet. [äv. t.ex. *the Maginot ~*]; *the ~* a) linjen, linjetrupperna b) fronten **6** linje äv. bolag [*a bus ~*]; rutt; järnv. linje [*the train stopped on* (ute på) *the ~*], bana, spår **7** rad [*a ~ of chairs*], linje; fil; isht amer. kö; *single ~ of traffic* enkelt körfält **8** i skrift: **a**) rad [*page 10 ~ 5*; *drop* (skriv) *me a ~*; *read between the ~s*]; vers[rad] **b**) teat., vanl. pl. *~s* replik [*the actor had forgotten his ~s*], roll [*he knew his ~s*] **c**) vard., pl. [*marriage*] *~s* vigselattest **9** [släkt]gren [*in a direct* (direkt nedstigande) *~*]; ätt [*the last of his ~*] **10** riktning [*the ~ of march*], kurs, bildl. äv. linje [*follow the party ~*], handlingssätt [*what ~ would you recommend?*]
11 a) fack, bransch [*what ~ is he in?*] **b**) *it's not in my ~* [*of country*] det är inte mitt fack (min bransch, mitt gebit)
12 hand. vara, sortiment [*a cheap ~ in hats*], [varu]slag; modell, typ [*a new ~ of computer printers*] **13** div. fraser o. uttryck: **a**) i förb. med 'of': *~ of action* förfaringssätt, handlingssätt; *the end of the ~* slutet [*it'll be the end of the ~ for him*] **b**) i förb. med vb: *be in ~* (*on a ~*) *with* ligga helt i linje med; *be out of ~* göra ngt olämpligt, gå sin egen väg; *draw the ~* bildl. dra gränsen [*at* vid], säga stopp, säga ifrån [*at* när det gäller]; *~ engaged* (amer. *busy*)*!* tele. upptaget!; *fall into ~* a) mil. falla in i ledet b) bildl. inta samma ståndpunkt; *hold the ~, please!* tele. var god och vänta!; *lay a th. on the ~* a) tala klarspråk b) sätta ngt på spel c) lägga pengarna på bordet; *shoot a ~* sl. skryta **c**) andra förb. med prep. el. förb. med adv.: *all along the ~* bildl. över ([ut]efter) hela linjen, till alla delar; *don't step* (*do anything*) *out of ~!* gör inte något olämpligt! **II** *vb tr* **1** dra linjer (en linje) på **2** ordna i linje, rada upp; mil. ställa upp [på linje] [äv. *~ up*] **3** stå utefter [*many people ~d the streets*] **4** göra rynkig, fåra pannan o.d. **III** *vb itr* bilda linje; *~ up* ställa upp [sig]; ställa sig i kö, köa
2 line [laɪn] **1** fodra, beklä [invändigt] **2** fylla, stoppa full [*~ one's stomach*], späcka; *~ one's pocket* (*purse*) tjäna mycket pengar; sko sig [*at a p.'s expense* på ngns bekostnad]
lineage ['lɪnɪɪdʒ] **1** härstamning **2** ättlingar
linear ['lɪnɪə, -njə] linje-, lineär; längd-; bestående av linjer
1 lined [laɪnd] **1** randig; strimmig; *~ paper* linjerat papper **2** rynkad, fårad
2 lined [laɪnd] fodrad etc., jfr *2 line*; *~ envelope* fodrat kuvert
linen ['lɪnɪn] **I** *s* **1** linne[väv] **2** koll. linne [*bed linen*]; underkläder; *dirty* (*soiled*) *~* smutskläder, smutstvätt; *wash one's dirty ~ in public* bildl. tvätta sin smutsiga byk offentligt **II** *adj* linne-
line printer ['laɪnˌprɪntə] data. radskrivare
1 liner ['laɪnə] a) linjefartyg b) trafik[flyg]plan
2 liner ['laɪnə] **1** a) [löstagbart] foder b) tekn. foder; mellanlägg; insats **2** fodral till grammofonskiva; skivalbum
linesman ['laɪnzmən] **1** sport. linjedomare **2** linjesoldat **3** banvakt **4** amer. linjearbetare; kabelläggare
line-up ['laɪnʌp] **1** uppställning; sport. äv. startfält; bildl. gruppering [*a new ~ of Afro-Asian powers*] **2** uppsättning; isht radio. el. TV. program[utbud] **3** konfrontation isht misstänkta uppställda för identifiering
linger ['lɪŋgə] **I** *vb itr* **1 a**) dröja [sig] kvar, stanna [kvar] [*we ~ed for a while after the party*] **b**) slräntra [*~ homewards*] **2** *~* [*on*] fortleva, [ännu] leva kvar [*the custom ~s on*] **3** tveka; söla; *~ on* (*over*) bildl. dröja vid, uppehålla sig länge vid [*~ on* (*over*) *a subject*] **II** *vb tr*, *~ away* slösa bort, förspilla [*~ away a lot of time*]
lingerie ['lænʒərɪ, 'lɒn-] damunderkläder
lingo ['lɪŋgəʊ] (pl. *~es* el. *~s*) neds. el. skämts. språk; fikonspråk; [yrkes]jargong
linguist ['lɪŋgwɪst] **1** språkkunnig person; *he is a good ~* han är mycket språkbegåvad **2** lingvist, språkforskare
linguistic [lɪŋ'gwɪstɪk] lingvistisk; språklig, språk- [*~ theory*]; *~ ability* språkbegåvning
linguistics [lɪŋ'gwɪstɪks] (konstr. ss. sg.) lingvistik
liniment ['lɪnəmənt] med. liniment
lining ['laɪnɪŋ] foder, invändig klädsel [*a jewel case with a velvet ~*]; brädfodring; tekn. foder [*cylinder ~*], belägg [*brake ~*]; *every cloud has a silver ~* ingenting ont som inte har något gott med sig, efter regn kommer solsken
link [lɪŋk] **I** *s* **1** a) länk i kedja; maska b) länkstång c) [hår]länk d) manschettknapp e) ss. mått 7,92 tum = 20,1 cm **2** bildl. länk [*a ~ in a chain of evidence*]; [mellan]led; förbindelseled, förbindelse[länk] [*the ~ between the past and the future*], föreningslänk; anknytning; *connecting ~* förbindelseled; föreningsband; anknytning **II** *vb tr* länka (koppla) ihop (samman), förbinda [äv. *~*

together (*up*); *two towns ~ed by a canal*], knyta; ~ *arms* gå arm i arm **III** *vb itr*, ~ [*up*] länkas (kopplas) ihop (samman), förena sig, vara förenad[e], stå i förbindelse med varandra; mil. nå samband
links [lɪŋks] (konstr. ofta ss. sg.) golfbana
link-up ['lɪŋkʌp] **1** sammanlänkning; sammanträffande; samband, förbindelseled **2** tele. gruppsamtal **3** rymd. dockning
linnet ['lɪnɪt] zool. hämpling
lino ['laɪnəʊ] vard. för *linoleum*
linoleum [lɪ'nəʊljəm] linoleum; linoleummatta
linseed ['lɪnsi:d] linfrö
linseed oil ['lɪnsi:dɔɪl] linolja
lint [lɪnt] förbandsgas
lintel ['lɪntl] överstycke på dörr el. fönster
lion ['laɪən] **1** lejon; *the ~'s share* lejonparten, brorslotten **2** bildl.: berömdhet, celebritet **3** astrol., *the L~* Lejonet
lioness ['laɪənes] lejoninna
lionize ['laɪənaɪz] fira
lip [lɪp] **1** läpp; pl. *~s* läppar, mun [*put the glass to one's ~s*]; *lower* (*under*) ~ underläpp; *upper* ~ överläpp **2** kant, rand, brädd; pip
lip gloss ['lɪpglɒs] läppglans
lip-reading ['lɪpˌri:dɪŋ] läppavläsning
lipsalve ['lɪpsælv, -sɑ:v] cerat
lip service ['lɪpˌsɜ:vɪs] tomma ord, munväder; *pay* (*give*) ~ *to* låtsas hålla med om (stödja), tjäna med läpparna
lipstick ['lɪpstɪk] läppstift
liquefy ['lɪkwɪfaɪ] smälta; kondensera; anta vätskeform; *liquefied petroleum gas* gasol, kondenserad petroleumgas
liqueur [lɪ'kjʊə] likör; ~ *brandy* benämning på finare konjak
liquid ['lɪkwɪd] **I** *adj* **1** flytande, i vätskeform; poet. vatten-, våt; ~ *crystal display* flytande kristaller i t.ex. armbandsur **2** klar [*a ~ sky*], genomskinlig; ~ *eyes* blanka (klara, ibl. tårfyllda) ögon **3** om ljud o.d. mjuk, smekande **4** hand. likvid [~ *assets* (tillgångar)], disponibel **II** *s* vätska; spad
liquidate ['lɪkwɪdeɪt] **I** *vb tr* **1** likvidera, betala [~ *a debt*] **2** likvidera, avveckla [~ *a firm*] **3** bildl. likvidera **II** *vb itr* träda i likvidation
liquidation [ˌlɪkwɪ'deɪʃ(ə)n] **1** likvidering, betalning **2** likvidation, avveckling; administration; *go into* ~ träda i likvidation, gå i konkurs **3** likvidering
liquidize ['lɪkwɪdaɪz] göra flytande; mosa
liquor ['lɪkə] spritdryck, rusdryck; *alcoholic* (*spirituous*) *~s* alkoholhaltiga (starka) drycker, spritdrycker; *hard* ~ [stark]sprit
liquorice ['lɪkərɪs] **1** bot. lakritsrot **2** lakrits; ~ *allsorts* engelsk lakritskonfekt
Lisbon ['lɪzbən] geogr. Lissabon
lisp [lɪsp] **I** *vb itr* läspa **II** *vb tr* läspa [fram] [äv. ~ *out*] **III** *s* läspning, läspande; *have* (*speak with*) *a* ~ läspa
lissome ['lɪsəm] smidig, mjuk, graciös; vig
1 list [lɪst] **1** stad[kant]; remsa; list, kant **2** *enter the ~s* ge sig in i striden, ta upp kampen [*against, with* mot; *for* för]
2 list [lɪst] **I** *s* lista, förteckning; mil. rulla; ~ *price* katalogpris, listpris **II** *vb tr* **1 a**) ta upp (ta med, sätta upp, föra upp, skriva upp) på listan (en lista osv.) [~ *a p.'s name*]; lista; ta (föra) upp [*the dictionary ~s many technical terms*]; *~ed building* kulturminnesmärke, rivningsskyddad byggnad **b**) göra upp en lista (förteckning) på (över) [~ *all one's engagements*] **2** hand. a) notera b) prissätta
3 list [lɪst] isht sjö. **I** *vb itr* ha (få) slagsida **II** *s* slagsida; ~ *to port* (*to starboard*) babords (styrbords) slagsida
listen ['lɪsn] *vb itr* lyssna, höra efter [*now ~ carefully!*]; ~ [*out*] *for* lyssna efter [~ *for a p.'s footsteps*]; ~ *to* a) lyssna på (till), höra [på] [~ *to music*], avlyssna, höra efter b) bildl. höra på, lyssna till, lyda, ge efter för, följa; ~ *in on* avlyssna, tjuvlyssna på
listener ['lɪsnə] åhörare; lyssnare [*a good ~*]; *The L~* radio o. TV-tidning
listless ['lɪstləs] håglös, liknöjd, likgiltig; slapp, slö
lit [lɪt] **I** imperf. o. perf. p. av *1 light III, IV* o. *3 light* **II** *adj* sl., ~ [*up*] upprymd berusad
litany ['lɪtənɪ] kyrkl. litania äv. bildl.
liter ['li:tə] isht amer., se *litre*
literacy ['lɪt(ə)rəsɪ] läs- och skrivkunnighet
literal ['lɪt(ə)r(ə)l] **1** ordagrann [~ *translation*], exakt [*a ~ copy of an old manuscript*]; bokstavstrogen **2** bokstavlig [*in the ~ sense of the word*]; vard. fullkomlig, verklig
literally ['lɪt(ə)rəlɪ] **1** ordagrant **2** bokstavligt [*carry out orders too ~*], bokstavligen; i egentlig betydelse; vard. bokstavligt talat, formligen [*the children were ~ starving*]
literary ['lɪt(ə)rərɪ] litterär; vitter; litteratur- [~ *history*]; författar- [*the ~ profession*]; ~ *career* karriär som författare
literate ['lɪtərət] **1** läs- och skrivkunnig **2** litterat
literature ['lɪt(ə)rətʃə, -tjʊə] litteratur
lithe [laɪð] smidig; böjlig
lithograph ['lɪθə(ʊ)grɑ:f, -græf] **I** *s* litografi **II** *vb tr* o. *vb itr* litografera
lithography [lɪ'θɒgrəfɪ] litografi
Lithuania [ˌlɪθjʊ'eɪnjə] Litauen
Lithuanian [ˌlɪθjʊ'eɪnjən] **I** *adj* litauisk **II** *s*

1 litauer; litauiska kvinna **2** litauiska [språket]
litigate ['lɪtɪgeɪt] **I** *vb itr* processa **II** *vb tr* processa om; tvista om
litigation [ˌlɪtɪ'geɪʃ(ə)n] rättstvist
litmus ['lɪtməs] lackmus [~ *paper*]
litre ['li:tə] liter [*two ~s of milk*]
litter ['lɪtə] **I** *s* **1** skräp, avfall **2** bår för sjuka **3** strö t.ex. under kreatur; gödsel; [*cat*] ~ kattsand **4** kull [*a ~ of pigs (puppies)*] **II** *vb tr* **1** ~ [*up*] **a**) skräpa ner [i, på], stöka till i (på) [~ *up the room (the table)*] **b**) strö omkring sig [*he ~ed his things all over the room*], kasta huller om buller **c**) ligga kringströdda (och skräpa) i (på) [*papers ~ed the room (the table)*], belamra **2** föda (få) en kull ungar **III** *vb itr* föda [en kull] ungar
litterbin ['lɪtəbɪn] papperskorg på allmän plats; papperspelle
litterbug ['lɪtəbʌg] isht amer. vard. o. **litterlout** ['lɪtəlaʊt] vard. person som skräpar ner på allmän plats
little ['lɪtl] (komp. *less* el. *lesser,* superl. *least*) **I** *adj* (se äv. *II*) **1** liten, pl. små; lill- [~ *finger*; ~ *toe*], lilla- [*my ~ sister*], lille- [*my ~ brother*], små- [~ *children*]; *L~ Italy* de italienska kvarteren i storstad; *the ~ man* ofta den vanliga människan; *the ~ woman* skämts. frugan **2** småsint; futtig; *little things please ~ minds* ordspr. litet roar barn **II** *adj* o. *adv* o. *pron* **1** lite; föga [*of ~ value*]; ringa [*of ~ importance*], obetydlig [~ *damage*]; ~ *by* ~ litet i sänder, [så] småningom, gradvis; *I have ~ left to say* jag har inte mycket att tillägga; *he ~ imagined that* el. ~ *did he imagine that* föga anade han att; *make ~ of* bagatellisera, inte göra mycket väsen av; *no ~* inte ringa, inte [så] litet [*it takes no ~ courage to do that*]; *the ~* det lilla [*the ~ of his work I have seen*] **2** *a ~* **a**) lite, litet [*he had a ~ money left*], en smula **b**) *not a ~* inte så litet, ganska mycket; ganska, rätt [så] [*I was not a ~ surprised*]
liturgy ['lɪtədʒɪ] liturgi
1 live [laɪv] **I** *adj* **1** levande; ~ *bait* levande bete **2** glödande; ~ *coal* glödande kol[stycke], glöd **3** inte avbränd, oanvänd [*a ~ match*]; inte exploderad [*a ~ shell (bomb)*]; laddad [*a ~ cartridge*]; skarp [~ *ammunition*]; ström-; ~ *wire* a) strömförande (spänningsförande) ledning b) vard. energiknippe, eldsjäl **4** radio. el. TV. direkt-, direktsänd; ~ *broadcast (coverage transmission)* direktsändning **II** *adv* radio. el. TV. direkt [*they broadcast it ~*]
2 live [lɪv] **I** *vb itr* **1** leva; fortleva, leva kvar [*his memory will always ~*]; *we ~ and learn* man lär så länge man lever; ~ *well* a) leva (äta) gott, ha det bra b) leva ett rättskaffens liv; ~ *up to* a) leva ända till [*he ~d up to that period*] b) uppfylla, infria löfte c) leva upp till, motsvara [~ *up to one's reputation*], göra skäl för d) leva enligt [~ *up to one's principles*] **2** bo [~ *in the country*; ~ *with* (hos) *one's parents*], vara bosatt [~ *in London*]; vistas; ~ *in* a) bo på arbetsplatsen b) sammanbo, sambo **II** *vb tr* leva [~ *a happy (double) life*]; ~ *a lie* leva på en lögn; ~ *it up* vard. leva livet (livets glada dagar)
livelihood ['laɪvlɪhʊd] [livs]uppehälle, levebröd [*deprive a p. of his ~*]; *means of ~* födkrok; *earn (gain, get, make) one's ~* förtjäna sitt uppehälle, försörja sig [*by* på]
liveliness ['laɪvlɪnəs] livlighet; naturtrogenhet; liv i framställning o.d.
lively ['laɪvlɪ] **1** livlig; *look ~!* raska på!, snabba på! **2** livlig, levande [*a ~ description*], naturtrogen **3** om färg glad
liven ['laɪvn] **I** *vb tr, ~ up* liva (pigga) upp **II** *vb itr, ~ up* bli livlig[are] (uppiggad), livas (piggas) upp
1 liver ['lɪvə], *a fast (loose) ~* en rucklare, person som för ett vidlyftigt liv
2 liver ['lɪvə] lever anat. el. kok.; ~ *paste* paté, finare leverpastej
liverish ['lɪvərɪʃ] **1** vard. leversjuk **2** vard. retlig; ur gängorna
livery ['lɪvərɪ] **1** livré **2** [särskild] dräkt som bärs av medlemmar av vissa sammanslutningar; gilledräkt
lives [laɪvz] pl. av *life*
livestock ['laɪvstɒk] kreatursbesättning; boskap, husdjur
livid ['lɪvɪd] **1** blygrå; blå[blek], likblå [~ *with cold*]; askgrå, vit [~ *with rage*] **2** vard. rasande
living ['lɪvɪŋ] **I** *adj* **1** levande [~ *beings*]; i livet [*are your parents ~?*]; nu (då) levande [*no man* (ingen) *~ could do (could have done) better*], samtida; *the ~* de levande **2** glödande om kol o.d. **II** *s* **1** liv, att leva [~ *is expensive these days*]; vistelse, att vistas [~ *in the same house became impossible*], att bo; levnadssätt [*luxurious ~*]; *be fond of good ~* tycka om god mat och god dryck **2** livsuppehälle, levebröd; *earn (make) a ~* förtjäna sitt uppehälle, tjäna sitt levebröd; *what does he do for a ~?* vad försörjer han sig på? **3** livs- [~ *conditions*]; ~ *quarters* bostad
living room ['lɪvɪŋru:m, -rʊm] vardagsrum
lizard ['lɪzəd] zool. ödla
'll [l] = *will* o. *shall* [*I'll = I will, I shall*]
llama ['lɑ:mə] zool. lama[djur]
LL B [ˌelel'bi:] (förk. för *Legum Baccalaureus*) lat. = *Bachelor of Laws* ung. jur. kand.

LL D [ˌelel'di:] (förk. för *Legum Doctor*) lat. = *Doctor of Laws* jur. dr

load [ləʊd] **I** *s* **1** last; lass; börda äv. bildl.; *a teaching ~ of [30 hours a week]* en undervisningsskyldighet på...; *a ~ was lifted from my heart* en sten (tyngd) föll från mitt bröst **2** tekn. belastning **3** vard., pl. *~s* massor **4** sl., *get a ~ of* lyssna på, höra på; kolla in **5** vulg., *shoot one's ~* satsa, spruta ejakulera **II** *vb tr* **1** lasta [*~ a ship*; *~ coal*], lassa; fylla [*~ the washing-machine*] **2** a) belasta tekn. o. friare [*~ one's memory with*] b) tynga ner, komma att digna [ofta *~ down*; *grapes ~ down the vines*], överlasta, lasta full [ofta *~ down*; *~ a p. down with parcels*]; *~ [down] one's stomach [with food]* proppa i sig **3** överhopa [*~ a p. with gifts*; *~ed with debts*], överösa [*~ a p. with abuse*] **4** ladda [*~ a camera (film)*] **5** *~ dice* förfalska tärningar genom att göra en sida tyngre; *~ the dice against a p.* ligga ngn i fatet [*lack of education ~ed the dice against him*]; *the dice are heavily ~ed against us* vi har alla oddsen emot oss; *~ the dice in favour of* gynna **III** *vb itr* **1** lasta [äv. *~ up*] **2** ladda [*~ quickly!*] **3** vard., *~ up* ladda in, proppa i sig

loaded ['ləʊdɪd] **1** lastad etc., jfr *load II 1-5*; *~ dice* falska tärningar **2** bildl. [värde]laddad, känsloladdad [*a ~ word*] **3** sl. packad berusad **4** vard. tät

1 loaf [ləʊf] (pl. *loaves*) **1 a)** limpa [äv. *~ of bread*]; *[tin] ~* formbröd; *half a ~ is better than none (no bread)* små smulor är också bröd, något är bättre än inget **b)** *meat ~* köttfärs i ugn, kött[färs]limpa **2** sl., *use your ~!* använd knoppen (förståndet)!

2 loaf [ləʊf] **1** stå och hänga [*they were ~ing at street corners*]; *~ [about]* slå dank, [sitta och] slöa **2** släntra [*he ~ed across the room*]; *~ [about]* gå och driva (dra), driva (loda, strosa) omkring

loafer ['ləʊfə] **1** dagdrivare; flanör **2** loafer slags lågsko

loam [ləʊm] **1** formlera **2** bördig lerjord

loan [ləʊn] **I** *s* lån; kredit; pl. *~s* äv. kreditgivning, utlåning **II** *vb tr* isht amer. låna [ut]

loath [ləʊθ] obenägen

loathe [ləʊð] avsky; äcklas av

loathing ['ləʊðɪŋ] avsky; leda; vämjelse; *have a ~ for* hysa (känna) avsky för, känna äckel för

loathsome ['ləʊðsəm, 'ləʊθs-] avskyvärd, vidrig, äcklig, vämjelig

loaves [ləʊvz] pl. av *1 loaf I*

lob [lɒb] **I** *s* sport. lobb **II** *vb tr* sport. lobba

lobby ['lɒbɪ] **I** *s* **1** hall, vestibul, entréhall i hotell o.d.; [teater]foajé; korridor; tambur **2** parl. **a)** förhall där allmänheten kan komma till tals med medlemmar av lagstiftande församling; *[division] ~* voteringskorridor, omröstningskorridor vid sidan av underhusets sessionssal **b)** påtryckningsgrupp, intressegrupp **II** *vb itr* arbeta som påtryckningsgrupp **III** *vb tr* öva påtryckningar på medlem av lagstiftande församling

lobbyist ['lɒbɪɪst] medlem av påtryckningsgrupp (intressegrupp)

lobe [ləʊb] lob [*~ of the brain (lung)*], flik [*~ of an oak leaf*]; *~ of the ear* örsnibb

lobelia [lə(ʊ)'bi:ljə] bot. lobelia

lobster ['lɒbstə] hummer; *red as a ~* röd som en kräfta, illröd

lobsterpot ['lɒbstəpɒt] hummertina

local ['ləʊk(ə)l] **I** *adj* lokal [*~ time*], lokal- [*~ call* (samtal), *~ radio*], [här] på platsen [*the ~ doctor*; *a ~ firm*], plats-, orts- [*~ population*]; kommun-; *the ~ authority (authorities*, amer. *government)* de lokala (kommunala) myndigheterna; *~ education authority* ung. länsskolnämnd; *~ government* kommunal självstyrelse **II** *s* **1** ortsbo [*I met one of the ~s*]; *he is a ~* han är härifrån, han bor här **2** sport., *the ~s* ortslaget, ortens eget lag **3** vard., *the ~* kvarterspuben, bykrogen, ortens pub

locality [lə(ʊ)'kælətɪ] **1** lokalitet, ställe; fyndplats; trakt, ort **2** läge **3** *sense of ~* lokalsinne, orienteringsförmåga

locally ['ləʊkəlɪ] lokalt; med hänsyn till platsen

locate [lə(ʊ)'keɪt, amer. '--] **1** lokalisera [*~ the enemy's camp*; *~ the disease*], leta reda på [*I ~d the town on the map*], spåra; pejla [med hjälp av radio] **2** förlägga [*~ the headquarters in* (till) *Paris*], lokalisera; placera; *be ~d* förläggas etc.; ligga, sitta [*the switch is ~d above the light*]

location [lə(ʊ)'keɪʃ(ə)n] **1** lokalisering; *[radio] ~* [radio]pejling **2** läge, belägenhet [*a suitable ~ for a factory*]; *on ~* på ort och ställe **3** film. inspelningsplats utanför studion; *shoot films on ~* spela in (filma) på platsen dvs. ej i studio

loch [lɒk, lɒx] skotsk. **1** insjö **2** havsvik, fjord

1 lock [lɒk] lock av hår; pl. *~s* äv. hår

2 lock [lɒk] **I** *s* **1** lås; *under ~ and key* inom lås och bom, under (inom) lås, inlåst; *put a th. under ~ and key* låsa in (ner, undan) ngt **2** på gevär o.d. säkring; *~, stock, and barrel* rubb och stubb, hela rubbet **3** spärr **4** sluss; *air ~* luftsluss **5** årklyka **6** bil. vändradie **II** *vb tr* **1** låsa [igen] med lås; *~ away* låsa undan [*~ away the jewellery*]; *~ a p. (oneself) in* låsa (stänga) in ngn (sig), låsa om ngn (sig); *~ up* a) låsa (stänga) till [*~ up a room*] b) låsa in (ner, undan) [*~ up the jewellery*] c) låsa in, stänga in [*~*

oneself up in (på) *one's room*]; spärra in [~ *up a prisoner*] **2** innesluta; omsluta, [om]slingra; *~ed in an embrace* tätt omslingrade **III** *vb itr* gå i lås [*the door ~s automatically*], gå att låsa [*does this trunk ~?*]; ~ *up* låsa [dörren (dörrarna)] [efter sig]

locker ['lɒkə] [låsbart] skåp (fack); förvaringsbox; ~ *room* omklädningsrum [med låsbara skåp]

locket ['lɒkɪt] medaljong

lockjaw ['lɒkdʒɔː] med. käkläsa, munläsa; vard. stelkramp

lockout ['lɒkaʊt] lockout; ~ *notice* lockoutvarsel

locksmith ['lɒksmɪθ] låssmed, klensmed

lock-up ['lɒkʌp] **I** *s* **1** arrest, finka **2** se ~ *garage* under *II* **II** *adj* låsbar; ~ *garage* ung. hyrt garage utan anslutning till bostaden

locomotive [ˌləʊkə'məʊtɪv, '----] **I** *adj* [utrustad] med rörelseförmåga; rörlig **II** *s* lokomotiv

locust ['ləʊkəst] **1** a) zool. gräshoppa från Asien o. Afrika som uppträder i svärmar b) bildl. parasit **2** bot., ~ [*tree*] a) falsk akacia b) johannesbröd[träd]

lodge [lɒdʒ] **I** *s* **1** grindstuga [äv. *gate-keeper's ~*], [trädgårdsmästar]bostad **2** [jakt]hydda, [jakt]stuga; isht amer. sportstuga, sommarstuga **3** portvaktsrum [äv. *porter's ~*] **II** *vb tr* **1** inkvartera äv. friare; hyra ut rum åt; *board and ~ a p.* ge ngn kost och logi (helinackordering) **2** isht jur. anföra, framföra [~ *a complaint* (klagomål)], inlägga [~ *a protest*], lämna in [~ *an application*] **3** placera, sätta **4** deponera [~ *money in the bank*] **5** driva (sticka) in vapen o.d.; *a bullet ~d in the brain* en kula som har fastnat (sitter [kvar]) i hjärnan **III** *vb itr* **1** hyra [rum], bo **2** ta in **3** slå ned, hamna; sätta sig fast, fastna [*the bullet ~d in his jaw*]

lodger ['lɒdʒə] inneboende, hyresgäst; [*make a living*] *by taking* [*in*] *~s* ...genom att hyra ut rum

lodging ['lɒdʒɪŋ] **1** husrum, logi **2** pl. *~s* hyresrum, uthyrningsrum, rum i privatfamilj, möblerade rum; [hyres]lägenhet, bostad

lodging house ['lɒdʒɪŋhaʊs] enklare [privat]hotell

loft [lɒft] **I** *s* **1** vind; [hö]skulle **2** i kyrka o.d. läktare **3** duvslag **II** *vb tr* sport., ~ *the ball* lyfta bollen; slå en hög boll

lofty ['lɒftɪ] **1** hög [*a ~ tower* (*mountain*)], ståtlig; om rum hög i taket **2** bildl. hög [~ *ideals*], upphöjd [~ *sentiments, ~ style*], ädel

1 log [lɒg] **I** *s* **1** [timmer]stock; vedträ; [trä]kubb; *sleep like a ~* sova som en stock **2** sjö. a) logg b) se *logbook* **II** *vb tr* föra in i loggboken

2 log [lɒg] förk. för *logarithm*

logarithm ['lɒgərɪð(ə)m] matem. logaritm

logbook ['lɒgbʊk] **1** sjö. el. flyg. loggbok **2** resejournal

log cabin ['lɒgˌkæbɪn] timmerstuga

loggerhead ['lɒgəhed], *be at ~s* vara osams (oense) [*with* med]

logic ['lɒdʒɪk] logik; bildl. äv. beviskraft

logical ['lɒdʒɪk(ə)l] logisk, följdriktig; *carry* (*push*) *a th. to its ~ conclusion* ung. driva ngt till sin spets

logistics [lə(ʊ)'dʒɪstɪks] (konstr. ss. sg. el. pl.) **1** mil. underhållstjänst **2** allm. logistik

logotype ['lɒgə(ʊ)taɪp] logotyp

loin [lɔɪn] **1** pl. *~s* länder; *the ~s* äv. njurtrakten **2** kok. njurstek

loincloth ['lɔɪnklɒθ] höftskynke

loiter ['lɔɪtə] **I** *vb itr* söla, dra benen efter sig; stå och hänga [~ *outside a house*]; ~ [*about*] dra (driva) omkring, gå och driva, slå dank **II** *vb tr*, ~ *away* söla (slösa, slarva) bort [~ *away one's time*]

loll [lɒl] **1** ligga och dra sig [~ *in bed all morning*]; sitta och hänga [~ *in a chair*]; lättjefullt luta sig; ~ [*about*] gå och driva, [gå omkring och] lata sig **2** ~ *out* hänga ut ur munnen [*the dog's tongue was ~ing out*]

lollipop ['lɒlɪpɒp] **1** klubba, slickepinne **2** klubbliknande skylt; ~ *man* (*lady*) vard. trafikvakt med sådan skylt vid övergångsställe för skolbarn

lolly ['lɒlɪ] **1** vard. klubba, slickepinne; *ice ~* isglass[pinne] **2** sl. stålar, kosing pengar

London ['lʌndən] geogr.

Londoner ['lʌndənə] londonbo

lone [ləʊn] **1** enslig, ensligt belägen [*a ~ house*] **2** ensam; ensamstående om ogift el. änka **3** *a ~ wolf* bildl. en ensamvarg

loneliness ['ləʊnlɪnəs] ensamhet; enslighet; övergivenhet

lonely ['ləʊnlɪ] ensam; enslig, ensligt belägen [*a ~ house*], öde; ensam och övergiven [*feel ~*], dyster

loner ['ləʊnə] **1** enstöring **2** ensamvarg

lonesome ['ləʊnsəm] se *lonely*

1 long [lɒŋ] längta; *I'm ~ing to see you* jag längtar [efter] att träffa (få träffa) dig

2 long [lɒŋ] **I** *adj* (se äv. *IV*) lång i rum o. tid; långvarig; långdragen; längd- [~ *jump*]; ~ *drink* vard. drink i högt glas; *a ~ time ago* m.fl. fraser, se under *time I 1 d* **II** *s* (se äv. *IV*) **1** *the ~ and short of it* summan av kardemumman, kontentan **2** lång [signal] i morsealfabetet **III** *adv* (se äv. *IV*) **1** länge; ~ *live the King!* leve kungen! **2** efter tidsuttr. hel; *an hour ~* en hel timme **IV** *adj* o. *s* o. *adv* i div. spec. förb. **1** med verb: *I shan't* (*won't*) *be ~* jag är strax tillbaka, jag blir inte länge [borta]; *be ~ about a th.*

hålla på länge (dröja) med ngt; *it was not ~ before he came* det dröjde inte länge förrän han kom; *take ~* ta lång tid **2** med adv., konjv. el. prep.: *~ ago* för länge sedan; *as (so) ~ as* a) så länge [som] [*stay* [*for*] *as ~ as you like*], lika länge som b) om...bara [*you may borrow the book so ~ as you keep it clean*]; *as ~ as...ago* redan för...sedan; *~ since* för länge sedan

long-distance [ˌlɒŋˈdɪst(ə)ns] långdistans- [*~ flight*], fjärr- [*~ train*]; *~ call* isht amer. rikssamtal

longevity [lɒnˈdʒevətɪ] långt liv; livslängd; hög ålder

longhand [ˈlɒŋhænd] vanlig skrift i motsats till stenografi; långskrift; *write in ~* skriva för hand

longing [ˈlɒŋɪŋ] **I** *adj* längtande; begärlig **II** *s* längtan; begär

longitude [ˈlɒn(d)ʒɪtjuːd, ˈlɒŋgɪ-] geogr. el. astron. longitud, längd; geogr. äv. längdgrad [äv. *degree of ~*]

long-lived [ˌlɒŋˈlɪvd] långlivad; långvarig

long-range [ˌlɒŋˈreɪn(d)ʒ, attr. äv. ˈ--] långskjutande [*~ gun*], med stor räckvidd; långdistans- [*~ flight*]; långtids- [*~ forecast* (prognos)], på lång sikt, långsiktig [*~ plans (planning)*]; *~ ballistic missile* långdistansrobot

longshore|man [ˈlɒnʃɔː|mən] (pl. *-men* [-mən]) hamnarbetare, stuveriarbetare, stuvare, sjåare

long-sighted [ˌlɒŋˈsaɪtɪd, ˈ-ˌ--] **1** långsynt; översynt **2** bildl. skarpsynt, förutseende

long-standing [ˈlɒŋˌstændɪŋ] gammal; långvarig

long-suffering [ˌlɒŋˈsʌf(ə)rɪŋ] långmodig

long-term [ˈlɒŋtɜːm] lång [*~ loans*]; långsiktig [*~ policy*], långtids- [*~ planning (memory)*]; *~ parking* långtidsparkering

long-winded [ˌlɒŋˈwɪndɪd] mångordig, omständlig, långrandig

loo [luː] vard., *the ~* toa, dass[et]

look [lʊk] **I** *vb itr* o. *vb tr* **1** se; *~* [*here*]*!* a) titta [här]! b) hör nu (du)!, vet du!; *~ before you leap!* tänk först och handla sen! **2** leta; *~* [*and see*] se (titta) efter **3** se ut, tyckas; se ut som; *~ like* se ut som, likna [*it ~s like gold*]; *what does he ~ like?* hur ser han ut?; *it ~s very like him* det är mycket likt honom; *he ~s* [*like*] *it* det ser han ut för; *he ~s himself* (*his old self*) *again* han är sig lik igen; *he ~ed the part* han var som skapt för rollen **4** ha utsikt, ligga [*the window ~s north* (åt el. mot norr)] **5** *~ daggers* ha mord i blicken; *he ~ed daggers at me* han gav mig en mördande blick **6** med adv. el. prep.:

~ about se sig om[kring]; *~ about for* [*a job*] se sig om efter..., söka...

~ after: **a**) se efter, se till, passa på; sköta om, vårda; sköta [om] [*~ after one's health*]; tillvarata, bevaka [*~ after one's interests*]; *~ after oneself* klara (sköta) sig själv, sköta om sig **b**) se (titta) efter; leta (söka) efter

~ around se sig om[kring]

~ at se (titta) på (åt); *~ at every penny* se (vända) på slantarna; *she is the sort of person you wouldn't ~ twice at* hon är inte en sådan som man vänder sig om efter

~ away se (titta) bort

~ back: **a**) se sig om **b**) se (tänka) tillbaka **c**) *from then on he never ~ed back* från och med då gick det stadigt framåt för honom

~ down se (titta) ned [[*up*]*on*]; *~ down* [*up*]*on a p.* bildl. se ned på ngn

~ for: a) leta (titta, söka) efter b) vänta [sig], hoppas på

~ forward se framåt; *~ forward to* se fram emot, längta efter; emotse

~ in titta in, hälsa på

~ into: a) se (titta) in i b) undersöka [*I'll ~ into the matter*]

~ on: a) se (titta) ˈpå, [bara] vara åskådare b) se *~ upon*

~ out: **a**) se (titta) ut [*~ out of* (genom) *the window*] **b**) se sig för; *~ out!* se upp!, se dig för!, akta dig! **c**) *~ out on* (*over*) ha utsikt över, vetta mot

~ over: a) se över b) se igenom; se på, inspektera [*~ over a house before buying it*], granska; undersöka

~ round: a) se sig om[kring] [*~ round the town* (i staden)] b) se (titta, vända) sig om c) se *~ around*

~ through: a) se (titta) igenom; titta i [*~ through a telescope*] b) se (titta, gå) igenom [*~ through some letters*]; undersöka c) låtsas inte se

~ to: **a**) bildl. se på (till) **b**) sköta (se) om; sörja för; *~ to it that...* se till (laga så, sörja för) att... **c**) räkna med (på), vänta [sig]; *~ to a p. for a th.* vänta [sig] ngt av ngn

~ up: **a**) se (titta) upp; *~ up to a p.* se upp till ngn, respektera ngn **b**) *things are ~ing up* bildl. det ljusnar, det tar sig igen **c**) ta reda på, slå upp [*~ up a word in a dictionary*]; vard. söka upp, hälsa på **d**) *~ a p. up and down* mönstra ngn [från topp till tå], mäta ngn med blicken

~ upon: **a**) bildl. betrakta [*~ upon a p. with distrust*]; *~ upon a th. with favour* se på ngt med gillande **b**) *~ upon as* betrakta som, anse som (för)

II *s* **1** blick; titt; ögonkast; *let me have a ~* får jag se (titta); *have* (*take*) *a ~ at* titta på, ta [sig] en titt på **2** a) utseende b) uttryck [*an ugly ~ on* (i) *his face*] c) min [*angry ~s*], uppsyn d) pl. *~s* persons

utseende [*she has her mother's ~s*]; *by the ~ of it* av utseendet att döma
look-alike ['lʊkəlaɪk] dubbelgångare
looker-on [ˌlʊkər'ɒn] (pl. *lookers-on* [ˌlʊkəz'ɒn]) åskådare
look-in ['lʊkɪn] vard. **1** titt; *give a p. a ~* titta in till ngn, hälsa på [hos] ngn **2** chans [*I didn't even get a ~*]
looking-glass ['lʊkɪŋglɑːs] spegel; spegelglas
lookout ['lʊkaʊt] **1** utkik i alla bet.; *~ man* utkiksman; *be on the ~ for* hålla utkik efter, försöka få tag i **2** utsikt; bildl. utsikter **3** *that's my (his) ~* det är min (hans) sak (ensak); det angår ingen annan
1 loom [luːm] **1** vävstol **2** lom på åra
2 loom [luːm] [hotfullt] dyka fram (upp) [*the ship ~ed [up] through the fog*], framträda; *~ ahead* bildl. hota, vara i annalkande
loony ['luːnɪ] vard. **I** *adj* galen; idiotisk [*~ idea*]; hispig; *~ bin* dårhus **II** *s* galning, dåre, tokstolle
loop [luːp] **I** *s* **1** ögla; slinga; stropp; träns; hälla; knut; handrem på skidstav; båge i krocket; *~ aerial* radio. ramantenn **2** spiral livmoderinlägg **3** järnv. slingspår; vändslinga **4** cirkelbana; flyg. looping **5** liten ring; rund hylsa **II** *vb tr* **1** lägga i en ögla (öglor) **2** göra (slå) en ögla (öglor) på **3** vira [i öglor] [*~ a rope round a th.*] **4** flyg., *~ the loop* göra en looping **III** *vb itr* **1** bilda en ögla (öglor); gå i en ögla (båge) **2** cirkla, flyga i cirkel [*come ~ing through the air*]; flyg. göra loping
loophole ['luːphəʊl] **1** bildl. kryphål, smyghål [*a ~ in the law*] **2** skottglugg; titthål; ljusspringa
loose [luːs] **I** *adj* **1** a) lös [*~ flowers*; *a ~ knot*; *~ sand*]; slapp [*~ skin*], slak [*a ~ rope*]; lucker [*~ soil*]; gles [*a ~ material*]; vid [*~ clothes*]; *~ cash* småpengar, löspengar; *be (feel) at a ~ end* vard. vara sysslolös, inte ha något för sig **b**) lös [*a ~ tooth*]; loss [*break a th. ~*]; glapp; *be ~* äv. glappa; *get ~* lossna; komma lös, slita sig [loss] **2** slankig, ledlös [*~ limbs*] **3** löslig [*~ thinking*], fri [*a ~ translation*], slapp [*a ~ style*]; vag **4** lösaktig, lättfärdig [*a ~ life (woman)*]; *~ living* lösaktigt leverne **II** *s, be [out] on the ~* vard. a) föra ett utsvävande liv b) vara ute på vift c) vara på fri fot, springa lös **III** *vb tr* **1** lösa, släppa lös **2** sjö. lossa
loose-fitting ['luːsˌfɪtɪŋ] löst sittande; ledig, vid
loose-leaf ['luːsliːf] lösblads- [*~ book (system)*], med lösa blad [*~ notebook*]
loosely ['luːslɪ] löst etc., jfr *loose I*
loosen ['luːsn] **I** *vb tr* **1** lossa [på] [*~ a screw*], lösa upp [*~ a knot*]; släppa efter på; bildl. äv. lätta på [*~ discipline*] **2** göra lös[are], luckra [upp]; *~ up* mjuka upp [*~ up one's muscles*] **3** bildl. lösa, frigöra; *it ~ed his tongue* det löste (lossade) hans tungas band **II** *vb itr* **1** lossna; om knut gå upp **2** lösas upp; bli lös[are] **3** *~ up* vard. a) tina upp, bli mera meddelsam b) värma (mjuka) upp musklerna etc.
loot [luːt] **I** *s* **1** byte, rov äv. bildl. **2** sl. [mycket] stålar pengar **II** *vb tr* **1** plundra [*~ a city*] **2** föra bort som byte **3** amer. råna **III** *vb itr* plundra
looter ['luːtə] plundrare; tjuv
lop [lɒp] **I** *s* [avhuggna] grenar **II** *vb tr* **1** kvista träd; kvista upp **2** hugga av; *~ off* a) hugga av, kapa [*~ off branches*] b) bildl. kapa, skära (ta) bort
lope [ləʊp] **I** *vb itr* gå med långa kliv; om djur skutta **II** *s* långt kliv; långt skutt
lop-sided [ˌlɒp'saɪdɪd] **1** som lutar (hänger över) åt ena sidan; sned; *be ~* äv. luta åt ena sidan, hänga snett **2** bildl. skev; med slagsida
lord [lɔːd] **I** *s* **1** herre; poet. ägare; *the ~ of the manor* godsherren, godsägaren **2** magnat [*press ~s*] **3** poet. el. skämts. gemål; *her ~ [and master]* hennes herre och man **4** teol., *the L~* Herren, Gud; *in the year of our L~ 1500* år 1500 efter Kristi födelse; *the Lord's Prayer* fadervår, Herrens bön **5** lord; *live like a ~* leva furstligt (som en prins) **6** *the [House of] Lords* överhuset **7** *L~* Lord adelstitel före namn **8** *L~* ss. ämbetstitel [*L~ Chancellor, L~ Chief Justice* m.fl.] se under *chancellor, chief* m.fl. **9** *My Lord* [mɪ'lɔːd, till domare äv. mɪ'lʌd] i tilltal till: a) högre adelsmän Ers nåd, greven, baron etc. b) högre domare, biskopar m.fl. Ers nåd, herr domare etc. **II** *vb tr*, *~ it over* spela herre över
lordly ['lɔːdlɪ] **1** högdragen; befallande; nonchalant **2** förnäm, värdig; ståtlig
lordship ['lɔːdʃɪp] **1** herravälde **2** *Your (His) L~* Ers (Hans) nåd etc., jfr *My Lord* under *lord I 9* **3** lordvärdighet
lore [lɔː] kunskap, kännedom, lära [*the ~ of herbs*]; [folk]kultur [*Irish ~*]; *bird ~* läran om fåglarna
lorgnette [lɔː'njet] **1** lornjett **2** teaterkikare [med skaft]
lorry ['lɒrɪ] **1** lastbil [äv. *motorlorry*]; i sms. -bil [*coal-lorry*] **2** flakvagn; öppen godsvagn
lose [luːz] (*lost lost*) **I** *vb tr* **1** förlora, mista [*~ one's money (leg)*; *he has lost his wife*]; tappa [*~ one's hair*]; bli av med [*I've lost my cold*]; gå miste om, missa [*I lost part of what he said*]; *~ 2 kilos* magra (gå ned) 2 kilo; *~ courage (heart)* tappa modet, bli modfälld **2** förlora [*~ a war (an election)*], bli slagen i **3** tappa bort: a) slarva bort,

förlägga [*I've lost my key*] b) komma ifrån [*I lost him in the crowd*]; ~ *sight of* förlora ur sikte, bildl. äv. bortse från, glömma [bort]; ~ *one's* (*the*) *way* gå (råka, köra o.d.) vilse, tappa bort (förirra) sig, gå bort sig **4** missa, komma för sent till [~ *the bus* (*train*)] **5** förspilla, sätta (kasta) bort [~ *time*], försumma, försitta [~ *the chance*]; *there's no time to* ~ det är ingen tid att förlora **6** om klocka sakta sig, dra sig [efter] [*my watch has lost 3 minutes*]; ~ *time* sakta sig, dra sig [efter] **II** *vb rfl,* ~ *oneself* tappa bort (förirra) sig [*I lost myself in the city*]; förlora sig [~ *oneself in details*], försjunka, fördjupa sig [*he lost himself in a book*]; ~ *oneself in one's work* helt gå upp i sitt arbete **III** *vb itr* **1** förlora [*you won't* ~ *by* (på) *it*; ~ *by* (med) *five points*], tappa; misslyckas, bli slagen; ~ *heavily* göra stora förluster **2** om klocka sakta sig **3** ~ *out* misslyckas; förlora; dra det kortaste strået

loser ['lu:zə] förlorare [*be a bad* (*good*) ~]; *be the* ~ *by* vara den som förlorar (blir lidande) på

loss [lɒs] **1** förlust; skada; *the* ~ *of the game* (*the opportunity*) [*depressed him*] att han förlorade spelet (missade chansen)...; *one man's* ~ *is another man's gain* den enes död är den andres bröd; *feel the* ~ *of* känna saknad (avsaknad) efter, sakna; *sell at a* ~ sälja med förlust **2** *be at a* ~ vara villrådig (handfallen); *he is never at a* ~ [*what to do*] han vet alltid råd; *he is never at a* ~ *for an answer* han är aldrig svarslös; *be at a* ~ *to know what to say* inte veta vad man skall säga

loss-leader ['lɒs,li:də] hand. lockvara

lost [lɒst] **I** imperf. av *lose* **II** *adj* o. *perf p* (av *lose*) **1** förlorad; borttappad, förkommen; försvunnen; *it is* ~ äv. den är borta, den har försvunnit (kommit bort); *get* ~*!* sl. dra åt helsike!, stick!; *be* ~ *in* a) försvinna (drunkna) i [*he was* ~ *in the crowd*] b) bildl. vara försjunken (fördjupad) i [*be* ~ *in thought* (tankar)] **2** a) vilsegången, vilsekommen [*a* ~ *child*] b) bildl. bortkommen [*I felt* ~] c) [helt] hjälplös, förlorad [*I'm* ~ *without my glasses*]; *I am* ~ jag har gått (kört) vilse, jag har tappat bort mig **3** sjö. förlist; *the crew was* ~ besättningen omkom; *the ship was* ~ fartyget förliste (gick under) **4** förtappad [*a* ~ *soul*] **5** förspilld [~ *time*]; försutten [~ *opportunities*]; *be* ~ [*up*]*on* bildl. vara bortkastad på, inte göra verkan på; gå förlorad för, gå ngn förbi **6** *be* ~ *to* bildl. vara helt renons på, ha förlorat (tappat) [*he is* ~ *to all sense of duty*]

lot [lɒt] **I** *s* **1** lott; *cast* (*draw*) ~*s* kasta (dra) lott; *cast* (*throw*) *in one's* ~ *with* förena sitt öde med, göra gemensam sak med **2** a) lott, andel, del b) lott, öde; *fall to a p.'s* ~ a) falla på ngns lott, komma ngn till del b) bli ngns lott (öde) **3** a) film. inspelningsområde b) isht amer. tomt [*building* ~], plats [*burial* ~], område [*wood* ~] **4** lott, nummer på auktion **5** vard. sällskap; anhang [*he and his* ~]; *that* ~ [*ought to be shot*] såna där [typer]...; *they are a bad* ~ de är ett riktigt pack; *they are a queer* ~ de är ena konstiga ena (typer) **6** vard., *the* ~ a) allt, alltihop [*that's the* ~], rubbet b) allihopa [*she is the best of the* ~] **7** vard. massa; *a* ~ mycket [*that's a* ~; *he is a* ~ *better*]; till stor del, i hög grad [*it looks a* ~ *like it used to*]; *a* ~ *of* [*things*] el. ~*s of* [*things*] en massa..., en hel hop (hög)..., [väldigt] mycket (många)...; ~*s and* ~*s* [*of*] massvis [med], massor [med (av)]; *quite a* ~ en hel del, ganska (rätt) mycket, inte så litet [*he knows quite a* ~] **II** *vb tr,* ~ [*out*] stycka jord i lotter

lotion ['ləʊʃ(ə)n] vätska, lösning [*antiseptic* ~]; lotion, tinktur; vatten [*hair* ~]; *hand* ~ handbalsam; *rubbing* ~ liniment; *suntan* ~ solkräm

lottery ['lɒtərɪ] lotteri äv. bildl. [*marriage is a* ~]; ~ *list* dragningslista; ~ *ticket* lott[sedel]

lotto ['lɒtəʊ] lotto[spel]

lotus ['ləʊtəs] lotus[blomma]

loud [laʊd] **I** *adj* **1** hög [~ *voice*], kraftig, stark [~ *sound*]; högljudd; bullersam; *in a* ~ *voice* med hög röst **2** bildl. skrikig [*a* ~ *tie*], skrikande [~ *colours*], grann, prålig; tarvlig [~ *manners*] **II** *adv* högt [*don't speak so* ~*!*]; *out* ~ högt, med hög röst [*laugh* (*read, say, think*) *out* ~]

loud-hailer [,laʊd'heɪlə] megafon

loudly ['laʊdlɪ] **1** högt; högljutt etc., jfr *loud I 1* **2** bildl. skrikigt etc., jfr *loud I 2*

loudmouth ['laʊdmaʊθ] gaphals

loud-mouthed ['laʊdmaʊθt, -maʊðd] högljudd [av sig]; skränig

loudspeaker [,laʊd'spi:kə] högtalare

lounge [laʊn(d)ʒ] **I** *vb itr* **1** släntra; ~ [*about*] gå och driva (dra), strosa [omkring], gå och strosa, flanera **2** stå (sitta) och hänga; slöa **II** *vb tr,* ~ *away* slöa bort [~ *away an hour*], fördriva i sysslolöshet **III** *s* **1** a) i bostad vardagsrum; 'finare' salong b) på hotell sällskapsrum, salong, vestibul c) på flygplats vänthall; *cocktail* ~ cocktailbar; *TV* ~ TV-rum **2** slöande; *have a* ~ *in a chair* sitta och slöa [och ha det skönt] i en stol

lounger ['laʊn(d)ʒə] **1** dagdrivare **2** vilstol; solsäng

lounge suit [,laʊn(d)ʒ'su:t, -'sju:t, '--] kostym

lour ['laʊə] se bister (ond, hotfull) ut; blänga; om himlen mörkna

louse [ss. subst. laʊs, ss. vb laʊz, laʊs] **I** *s* **1** (pl. *lice* [laɪs]) lus **2** (pl. *~s*) vard. äckel, kräk **II** *vb tr* **1** avlusa **2** vard., *~ up* sabba
lousy ['laʊzɪ] **1** lusig, full med löss **2** vard., *~ with* nedlusad med [*he is ~ with money*] **3** vard. urdålig, urusel [*a ~ dinner* (*player*), *feel ~*], vidrig [*~ weather*], jäkla [*you ~ swine*]; gemen
lout [laʊt] slyngel; drummel, tölp
loutish ['laʊtɪʃ] drumlig, tölpig
lovable ['lʌvəbl] älsklig
love [lʌv] **I** *s* **1** kärlek; förälskelse; tillgivenhet; lust; passion [*music is one of the great ~s of his life*]; *there is no ~ lost between them* de tål inte varandra, de är inga vänner precis; *make ~* älska, ligga med varandra; *make ~ to* älska (ligga) med; *for the ~ of God!* för Guds skull!; *in ~* förälskad, kär [*with* i]; *fall in ~ with* förälska sig i, bli kär (förälskad, förtjust) i; *he has fallen out of ~ with her* han är inte kär i henne längre **2** hälsning[ar]; *send a p. one's ~* hälsa till ngn **3** älskling, raring; lilla vän; till främmande person snälla du (ni) el. utan motsvarighet på sv.; *my ~!* äv. min älskade **4** vard. rar (förtjusande) människa [*he is a ~*], raring, sötnos; förtjusande (tjusig) sak **5** i tennis o.d. noll; *fifteen ~* femton - noll; *~ all* noll - noll **II** *vb tr* o. *vb itr* älska; tycka [mycket] om, vara förtjust i [*she ~s dancing* (*to dance*)]; hålla [mycket] av; *~ a p. dearly* älska ngn högt (innerligt, ömt); *she* (*he*) *~s me, she* (*he*) *~s me not* älskar, älskar inte ramsa; *yes, I'd ~ to* ja, mycket (hemskt) gärna, ja, med förtjusning
love affair ['lʌvəˌfeə] kärleksaffär, kärlekshistoria
love game ['lʌvgeɪm] blankt game i tennis o.d.
love letter ['lʌvˌletə] kärleksbrev
lovely ['lʌvlɪ] **1** förtjusande, söt [*a ~ girl*], ljuvlig **2** vard. härlig, underbar [*we had a ~ holiday*]; festlig, rolig [*a ~ joke*]; *it's ~ and warm here* det är varmt och skönt (gott) här
love-making ['lʌvˌmeɪkɪŋ] **I** *s* samlag **II** *adj* älskande [*~ couples*] **III** *pres p*, *be ~* älska ha samlag
love match ['lʌvmætʃ] giftermål av kärlek
lover ['lʌvə] **1** älskare; tillbedjare; *~ boy* snygging; kvinnojägare, donjuan **2** [varm] vän; *be a ~ of* äv. älska, tycka om
lovesick ['lʌvsɪk] kärlekskrank; smäktande
loving ['lʌvɪŋ] kärleksfull, öm [*~ parents* (*words*)], älskande; tillgiven [*a ~ friend*]; *a ~ couple* ett älskande par, ett kärlekspar
1 low [ləʊ] **I** *vb itr* råma **II** *s* råmande
2 low [ləʊ] **I** *adj* **1** låg i olika bet.; låglänt [*~ ground*]; djup [*a ~ bow* [baʊ]]; urringad [*a ~ dress*]; *the L~ Countries* Nederländerna, Belgien och Luxemburg; *~ current* svagström; *~ pulse* låg (långsam) puls **2** ringa [*~ rainfall* (nederbörd)], låg [*~ birth* (börd)], oansenlig; lågt stående, lägre [*~ forms of life*]; *high and ~* hög[a] och låg[a] **3** simpel [*~ manners*; *~ company*], gemen, nedrig [*a ~ trick*]; *~ comedy* buskis, fars **4** klen, kraftlös [*feel ~ and listless*] **5** knapp [*~ diet*]; *~ in protein* fattig på protein, proteinfattig **6** nästan slut [*our supply is very ~*]
II *adv* **1** lågt; djupt [*bow ~*]; lågmält [*speak ~*]; svagt [*burn ~*]; billigt, till lågt pris [*buy ~*]; *~* [*down*] *on* (*in*) *the list* långt ner på listan **2** knappt **3** *as ~ as* [ända] ner till [*temperature as ~* [*down*] *as to...*]
4 i förb. med vissa verb:
bring ~ a) sätta ned [krafterna hos], försvaga b) förnedra [*be brought ~*] c) ruinera
lay ~ a) kasta omkull (till marken), döda; begrava b) tvinga att ligga till sängs [*influenza has laid him ~*]
lie ~ a) ligga kullslagen (slagen till marken) b) vard. hålla sig gömd (undan) c) vard. ligga lågt, förhålla sig avvaktande; kortsp. lurpassa
III *s* **1** botten[läge] [*the recent ~ in the stock market*], bottennotering; *this is a new* (*an all-time*) *~ in tastelessness* det är bottenrekord i (absoluta botten av) smaklöshet **2** meteor. lågtryck, lågtrycksområde
low-alcohol [ˌləʊ'ælkəhɒl], *~ beer* lättöl
lowbrow ['ləʊbraʊ] vard. (ofta neds.) **I** *adj* ointellektuell, obildad; enklare [*~ entertainment*] **II** *s* ointellektuell (obildad) person
low-class [ˌləʊ'klɑ:s, attr. '--] enklare [*a ~ pub*]
low-cut [ˌləʊkʌt, attr.'--] urringad
low-down ['ləʊdaʊn] **I** *adj* **1** nedrig [*a ~ trick*] **2** avsigkommen, förfallen **II** *s* (*lowdown*) vard., *get* (*give a p.*) *the ~ on a th.* bli tipsad (tipsa ngn) om ngt
lower ['ləʊə] **I** *adj* lägre etc., jfr *2 low I*; undre; nedre [*L~ Austria*]; under- [*~ bed*, *~ lip* (*jaw*)]; *the ~ class* (*classes*) de lägre klasserna, underklassen; *~ deck* sjö. a) undre däck; trossdäck b) trossbotten c) underofficerare och manskap; *~ limit* undre (lägre) gräns, minimigräns **II** *adv* lägre etc., jfr *2 low II*; *~ down* längre ner **III** *vb tr* sänka; sätta ned äv. bildl. [*~ resistance* (motståndskraften)]; göra lägre; dämpa äv. bildl. [*~ a p.'s pride*]; skruva ned [*~ the gas* (*radio*)], minska [på]; sänka (hissa) ned, hala (ta) ned [*~ a flag*] sjö. fira [ner], sätta ut [*~ a boat*]; *~ oneself* a) sänka (fira, hala) sig ned b) bildl. förödmjuka sig; nedlåta (sänka) sig [*to* til

[att]} **IV** *vb itr* **1** sjunka, gå ned [*it ~ed in value*]; bli lägre; dämpas **2** minska[s]
lower-case ['ləʊəkeɪs] typogr., *~ letter* gemen, liten bokstav
lowermost ['ləʊəməʊst, -məst] lägst; underst
low-key [ˌləʊ'ki:, attr. '--] o. **low-keyed** [ˌləʊ'ki:d] lågmäld äv. bildl.
lowland ['ləʊlənd] **I** *s* lågland; *the Lowlands* Skotska lågländerna **II** *adj* låglands-; *~ plain* lågslätt
low-lying [ˌləʊ'laɪɪŋ, attr. '-ˌ--] läglänt
low-minded [ˌləʊ'maɪndɪd, attr. '-ˌ--] lågsinnad, gemen; simpel, vulgär
low-necked [ˌləʊ'nekt, attr. '--] låghalsad
low-paid [ˌləʊ'peɪd, attr. '--] lågavlönad
low-pitched [ˌləʊ'pɪtʃt, attr. '--] låg, som har lågt tonläge [*a ~ sound*]; lågmäld [*a ~ voice*]
low-rise ['ləʊraɪz] låghus- [*~ area*]; *~ building* låghus
loyal ['lɔɪ(ə)l] lojal, trofast [*a ~ friend*]; [plikt]trogen
loyalist ['lɔɪəlɪst] regeringstrogen person; regeringstrogen [*the ~ troops*]
loyalty ['lɔɪ(ə)ltɪ] lojalitet; trofasthet; [plikt]trohet
lozenge ['lɒzɪn(d)ʒ] **1** ruta; geom. romb **2** pastill [*throat ~*]
LP förk. för *Labour Party*
1 LSD [ˌeles'di:] LSD narkotiskt medel
2 LSD o. **£.s.d.** [ˌeles'di:] (förk. för *pounds, shillings, and pence*) vard. pengar; *it is only a matter of ~* det är bara en penningfråga
Ltd. ['lɪmɪtɪd] (förk. för *Limited*) AB; *Black and White ~* AB Black and White
lubricant ['lu:brɪkənt, 'lju:-] smörjmedel; glidmedel
lubricate ['lu:brɪkeɪt, 'lju:-] **1** [rund]smörja; olja; smörja (olja) in; bildl. göra smidigare, få att gå (löpa) lättare (smidigare) **2** vard. muta
lubrication [ˌlu:brɪ'keɪʃ(ə)n, ˌlju:-] [rund]smörjning; insmörjning; smörj- [*~ instructions*]
lucid ['lu:sɪd, 'lju:-] **1** klar, lättförståelig [*a ~ explanation*] **2** fullt normal; *~ intervals* ljusa [mellan]stunder
lucidity [lu:'sɪdətɪ, lju:-] o. **lucidness** ['lu:sɪdnəs, 'lju:-] klarhet, tydlighet isht bildl.
luck [lʌk] lycka; slump; *any ~?* lyckades det?, blev (gav) det något resultat?; *bad ~* otur, olycka; motgång; *good ~* lycka, tur; framgång, medgång; *ill ~* se *ill-luck*; *just my ~!* iron. det är min vanliga tur (mitt vanliga öde)!; *no such ~!* så väl är (var) det inte!; *the best of ~!* lycka till [och ha det så bra]!; *a wonderful piece* (*slice, stroke*) *of ~* en underbar tur; *as ~ would have it, I was...* det slumpade sig så att...; *push one's ~* vard. utmana ödet
luckily ['lʌkəlɪ] lyckligtvis; *~ for me* till min lycka, som tur var för mig
lucky ['lʌkɪ] som har tur, med tur [*a ~ man*]; lyckad [*a ~ escape* (*guess*)]; lyckosam, lycklig; lyckobringande [*a ~ charm* (amulett)]; lycko- [*it's my ~ day* (*number, star*)]; *be ~* a) ha tur [*you are ~ to be* (som är) *there*], vara lyckligt lottad b) vara tur [*it's ~ for him*] c) bringa lycka, ha lycka (tur) med sig [*a horseshoe is ~*]; *by a ~ chance* genom en lycklig slump, av en [ren] lyckträff; *~ you!* tur för dig!; [din] lyckans ost!
lucrative ['lu:krətɪv, 'lju:-] lukrativ [*~ business* (*employment*)], räntabel [*~ investments*]
ludicrous ['lu:dɪkrəs, 'lju:-] löjlig; skrattretande
ludo ['lu:dəʊ] ung. fia[spel]
lug [lʌg] **I** *vb tr* **1** släpa, kånka [*he ~ged it up the stairs*], dra; släpa (kånka, knoga) på **2** *~* [*in*] dra (blanda, sticka) in [*into* i; *~ anecdotes into a conversation*] **3** rycka, dra [*~ a p. by* (i) *the ear*] **II** *vb itr* rycka **III** *s* släpande, kånkande; ryck
luggage ['lʌgɪdʒ] resgods, reseffekter; *a piece of ~* ett kolli
luggage label ['lʌgɪdʒˌleɪbl] adresslapp
luggage rack ['lʌgɪdʒræk] bagagehylla
luggage van ['lʌgɪdʒvæn] resgodsvagn
lugubrious [lu:'gu:brɪəs, lju:'g-] dyster
lukewarm ['lu:kwɔ:m, 'lju:k-] **1** ljum [*~ tea*] **2** bildl. halvhjärtad [*~ support*], ljum [*~ friendship*]
lull [lʌl] **I** *vb tr* **1** vyssja, lulla **2** bildl. söva [*~ a p.'s suspicions*], lugna, stilla [*~ a p.'s fears*]; *~ a p. into a false sense of security* invagga ngn i en falsk känsla av säkerhet **3** *be ~ed* lugna sig, lägga sig [*the wind* (*sea*) *was ~ed*] **II** *vb itr* lugna sig, lägga sig; om storm äv. bedarra **III** *s* paus [*a ~ in the conversation*]; bildl. stiltje; *the ~ before the storm* lugnet före stormen äv. bildl.
lullaby ['lʌləbaɪ] vaggvisa
lumbago [lʌm'beɪgəʊ] med. ryggskott, lumbago
1 lumber ['lʌmbə] lufsa
2 lumber ['lʌmbə] **I** *s* **1** [gammalt] skräp, bråte, bildl. äv. smörja, barlast **2** isht amer. timmer **II** *vb tr*, *~* [*up*] belamra, fylla [med skräp] [*the room is all ~ed up with rubbish*]; belasta, tynga [*a mind ~ed* [*up*] *with useless facts*]; få ta på sig, bli fast med
lumberyard ['lʌmbəjɑ:d] amer. brädgård
luminous ['lu:mɪnəs, 'lju:-] lysande; självlysande [*~ paint*]; strålande [*~ eyes*]; ljus- [*~ intensity*]; *~ tape* reflexband
1 lump [lʌmp] zool. stenbit
2 lump [lʌmp] vard., *if you don't like it you*

can ~ it passar det inte (om du inte vill ha det) så får det vara!

3 lump [lʌmp] **I** *s* **1** klump; stycke; klimp, klick; *~ sugar* bitsocker; *pay down a ~ sum* betala en klumpsumma, betala på en gång (på ett bräde); *a ~ of coal* ett kol **2** vard. massa; hög [*the articles were piled in a great ~*] **3** bula **4** vard. trögmåns **II** *vb tr* slå ihop [*they ~ed their expenses*]; *~ together* slå ihop [i klump] [*~ items together*], bunta ihop; bildl. behandla i klump, skära över en kam **III** *vb itr* klumpa sig

lumpy ['lʌmpɪ] **1** full av klumpar [*~ sauce*]; knölig [*a ~ bed*], ojämn **2** klumpig [*a ~ gait*]

lunacy ['lu:nəsɪ, 'lju:-] vansinne, vanvett

lunar ['lu:nə, 'lju:-] mån- [*~ landscape*], lunar; *~ month* synodisk månad; månvarv

lunatic ['lu:nətɪk] **I** *adj* vansinnig, vanvettig [*a ~ proposal*] **II** *s* **1** galning, dåre [*work like a ~*] **2** *certified ~* jur. sinnessjukförklarad person

lunch [lʌn(t)ʃ] **I** *s* lunch; i USA äv. lätt måltid, mellanmål; *have* (*take*) *~* äta lunch; *~ box* matlåda **II** *vb itr* äta lunch; *we ~ed on salmon* vi åt lax till lunch

luncheon ['lʌn(t)ʃ(ə)n] (formellt för *lunch*) **I** *s* lunch; *~ meat* konserverat fläskkött blandat med säd **II** *vb itr* luncha

lunch hour ['lʌn(t)ʃˌaʊə] lunchrast, lunchtimme; frukostrast; *in* (*during*) *the ~* äv. på (under) lunchen

lunchtime ['lʌn(t)ʃtaɪm] lunchtid; *~ recess* amer. lunchrast

lung [lʌŋ] lunga äv. bildl.; lung- [*~ cancer*]

lunge [lʌndʒ] **I** *s* **1** fäktn. utfall äv. bildl.; boxn. rakt slag **2** häftig rörelse [framåt]; *with a ~ he grabbed the ball* han kastade sig på bollen **II** *vb itr* **1** göra [ett] utfall [äv. *~ out*]; *he ~d out suddenly* han gjorde ett plötsligt utfall **2** boxn. slå ett rakt (raka) slag **3** rusa; göra ett plötsligt (hastigt) ryck [*the car ~d forward*] **III** *vb tr* stöta, sticka t.ex. vapen; slå slag

lupin ['lu:pɪn, 'lju:-] bot. lupin

1 lurch [lɜ:tʃ] **I** *s* överhalning; vard. raglande **II** *vb itr* kränga; vard. ragla

2 lurch [lɜ:tʃ], *leave in the ~* lämna i sticket, svika; strandsätta

lure [ljʊə, lʊə] **I** *s* **1** lockbete; fisk. drag; bete; vid falkjakt lockfågel, bulvan **2** lockelse, dragningskraft [*the ~ of the sea*], frestelse [*the ~[s] of the metropolis*] **II** *vb tr* locka

lurid ['ljʊərɪd, 'lʊə-] **1** brandröd, flammande [*a ~ sky* (*sunset*)]; skrikig, gräll [*paperbacks in ~ covers*] **2** hotande, hotfull [*~ thunderclouds*]; kuslig, hemsk, spöklik [*a ~ atmosphere*], ohygglig, makaber

lurk [lɜ:k] **1** [stå och] lura [*a man ~ing in the shadow*], stå (ligga) på lur; hålla sig dold **2** bildl. lura [*dangers were ~ing*]; dölja sig

luscious ['lʌʃəs] **1** läcker, delikat [*~ peaches*]; ljuvlig [*a ~ feeling*]; *~ lips* sensuella läppar, [en] generös mun **2** bildl. överlastad [*a ~ style*] **3** vard. yppig [och sexig] [*a ~ blonde*]

lush [lʌʃ] **1** frodig [*a ~ growth of vegetation*], saftig [*~ grass*]; grönskande [*~ meadows*] **2** flott, lyxig [*~ surroundings*], överdådig [*a ~ dinner*], läcker

lust [lʌst] **I** *s* lusta; kättja; åtrå, begär; *the ~s of the flesh* köttets lustar; *~ for life* livsaptit **II** *vb itr, ~ for* (*after*) åtrå, eftertrakta, längta efter; törsta efter

lustful ['lʌstf(ʊ)l] lysten [*~ eyes*], vällustig, kättjefull

lustre ['lʌstə] **1** glans; lyster **2** bildl. glans, ära; strålande skönhet; *add fresh ~ to* skänka ny glans åt

lustrous ['lʌstrəs] glänsande; skimrande [*~ pearls*]; strålande [*~ eyes*]

lusty ['lʌstɪ] frisk och stark; kraftig [*~ cheers, a ~ kick*], hjärtlig [*a ~ laugh*]; rejäl [*a ~ meal*]; *a ~ appetite* en strålande aptit

lute [lu:t, lju:t] mus. luta

Lutheran ['lu:θ(ə)r(ə)n, 'lju:-] **I** *adj* luthersk; evangelisk-luthersk [*the ~ Church*] **II** *s* lutheran

Luxembourg o. **Luxemburg** ['lʌks(ə)mbɜ:g] **I** geogr. **II** *adj* luxemburgsk

luxuriant [lʌg'zjʊərɪənt, lʌk'sj-, lʌg'ʒʊə-] frodig [*~ vegetation*], ymnig, överflödande; kraftig [*~ hair*]; överlastad

luxuriate [lʌg'zjʊərɪeɪt, lʌk'sj-, lʌg'ʒʊə-] frodas; njuta i fulla drag; *~ in* (*on*) frossa i (på), njuta av, hänge sig åt

luxurious [lʌg'zjʊərɪəs, lʌk'sj-, lʌg'ʒʊə-] **1** luxuös [*a ~ hotel*], lyxig, flott [*~ surroundings*]; praktfull, påkostad, överdådig; utsökt [*~ food*]; skön och bekväm [*a ~ armchair*]; *a ~ life* en lyxtillvaro, ett lyxigt liv **2** lyxälskande, njutningslysten; njutningsfylld, härlig [*a ~ feeling of well-being*]; dyrbar, lyxig [*~ habits*] **3** rik [*a ~ harvest*]

luxur|y ['lʌkʃ(ə)rɪ] **1** lyx, överflöd, överdåd [*live in ~*]; *a life of ~* ett lyxliv, ett liv i lyx; *~ goods* lyxartiklar **2** lyxartikel, lyxvara [*jewels and other -ies*]; pl. *-ies* äv. delikatesser, godsaker; [*a bathroom is*] *no ~*...är ingen lyx; *I can afford a few -ies now and then* jag kan kosta på mig lite lyx då och då **3** [riktig] njutning **4** attr. lyx- [*a ~ hotel* (*flat*)]; *~ tax* lyxskatt

LV [ˌel'vi:] förk. för *luncheon voucher*

lye [laɪ] lut

1 lying ['laɪɪŋ] **I** *pres p* av *1 lie II* **II** *adj*

lögnaktig [*a ~ person (report)*], som ljuger **III** *s* ljugande; lögnaktighet
2 lying ['laɪɪŋ] av *2 lie I*
lymph [lɪmf] fysiol. lymfa; *~ gland (node)* lymfkörtel, lymfknut
lynch [lɪn(t)ʃ] **I** *vb tr* lyncha **II** *s, ~ law* lynchlag
lynx [lɪŋks] lo[djur]
lyre ['laɪə] mus. lyra
lyric ['lɪrɪk] **I** *adj* lyrisk; *~ poet* lyrisk skald, lyriker; *~ poetry (verse)* lyrik; *~ stage* lyrisk scen; opera **II** *s* lyrisk dikt; pl. *~s* a) lyrik b) [sång]text
lyrical ['lɪrɪk(ə)l] lyrisk isht bildl.; känslofull
lyricism ['lɪrɪsɪz(ə)m] **1** lyrisk karaktär (stil) **2** lyriskt uttryck **3** lyriskt patos

M

M, m [em] (pl. *M's* el. *m's* [emz]) M, m
M förk. för *Monsieur, motorway* [*[the] M 1*]
'm 1 = *am* [*I'm*] **2** se *ma'am*
m. förk. för *metre[s], mile[s], million[s], 2 minute[s]*
MA [ˌem'eɪ] förk. för *Master of Arts*
ma [mɑ:] vard. mamma; mor [*~ (M~) Smith*]
ma'am [mæm, məm] frun i tilltal av tjänstefolk m.fl., ofta utan mots. i sv. [*Yes, ~!*], se äv. *madam 1*
mac [mæk] vard. (kortform av *mackintosh*), regnrock, regnkappa
macabre [mə'kɑ:br, -bə] makaber
macadam [mə'kædəm] makadam[kross], krossten; *~ road* makadamväg, grov asfaltväg
macaroni [ˌmækə'rəʊnɪ] makaroni
macaroon [ˌmækə'ru:n] kok. mandelbiskvi, makron
1 mace [meɪs] muskotblomma krydda
2 mace [meɪs] stav buren framför t.ex. talmannen i underhuset [*the M~*]
Macedonia [ˌmæsɪ'dəʊnjə] geogr. Makedonien
Mach [mæk, mɑ:k], *~ [number]* flyg. machtal
machine [mə'ʃi:n] **I** *s* **1** maskin; [*automatic*] *~* automat **2** bildl. [parti]organisation, [parti]apparat [*the Democratic (party) ~*]; maskineri **3** maskin- [*the ~ age, ~ milking*], maskinell [*~ equipment*] **II** *vb tr* tillverka med (på) maskin; sy på maskin
machine gun [mə'ʃi:ngʌn] mil. **I** *s* kulspruta; *light ~* kulsprutegevär **II** *vb itr* o. *vb tr* skjuta med kulspruta [på]
machinery [mə'ʃi:nərɪ] **1** maskiner [*the factory has a great deal of ~*]; maskinpark; *by ~* med maskinkraft; maskinellt **2** maskineri äv. bildl., mekanism
machine tool [mə'ʃi:ntu:l] verktygsmaskin
machinist [mə'ʃi:nɪst] **1** maskinkonstruktör; maskinreparatör **2** maskinarbetare; maskinsömmerska
machismo [mə'tʃɪzməʊ] [starkt utvecklad] manlighet
macho ['mætʃəʊ, 'mɑ:-] **I** (pl. *~s*) *s* macho, mansgris **II** *adj* macho-
mackerel ['mækr(ə)l] (pl. lika el. *~s*) zool. makrill
mackintosh ['mækɪntɒʃ] regnrock, regnkappa
mad [mæd] **1** a) vansinnig; galen, tokig äv. vard. [*she's ~ about him (music)*] b) vard. isht amer. arg, förbaskad, förbannad; *~ cow [disease]* galnakosjukan; *go ~* bli vansinnig

(galen, tokig), bli utom sig; *like* ~ som en galning, som [en] besatt [*he ran* (*worked*) *like* ~], vilt **2** [folk]ilsken [*a* ~ *bull*]; galen om hund

madam ['mædəm] **1** i tilltal ~ el. *M*~ frun, fröken; i affärer o.d. äv. damen; ofta utan motsv. i sv. [*Yes, M~!*]; [*Dear*] *M*~ tilltalsord i formella brev, utan motsv. i sv. **2** vard. frun [i huset] [*is* ~ *at home?*] **3** vard. bordellmamma

madcap ['mædkæp] vildhjärna, galenpanna; vildbasare; yrhätta

madden ['mædn] göra galen (rasande)

maddening ['mædnɪŋ] som kan göra en galen (vild) [~ *pains*]; vansinnig; vard. outhärdlig, högst irriterande [~ *delays*]

made [meɪd] **I** imperf. av *make* **II** *adj* o. *perf p* (av *make*) **1** gjord [~ *in England*]; i sms. -gjord [*factory-made*]; *he is* ~ *for the job* han är som gjord (skapt) för arbetet; [*show them*] *what you are* ~ *of* ...vad du går för (duger till); ~ *of money* gjord av pengar, stenrik **2** konstruerad, uppbyggd [*the plot is well* ~], sammansatt **3** välbärgad [*a* ~ *man*]; *he is a* ~ *man* äv. hans lycka är gjord

Madeira [mə'dɪərə] **I** geogr. egenn.; ~ *cake* sockerkaka med citronskal **II** *s* madeira vin

made-to-measure [ˌmeɪdtə'meʒə] måttbeställd, måttsydd

made-up [ˌmeɪd'ʌp] **1** (se äv. *make up* under *make A III*) påhittad [*a* ~ *story*]; konstruerad [*a* ~ *word*] **2** färdiggjord; *a* ~ *bed* en bäddad säng (iordninggjord sängplats) **3** sminkad [*a* ~ *woman*]; uppgjord **4** belagd om väg

madhouse ['mædhaʊs] vard. dårhus

mad|man ['mæd|mən] (pl. *-men* [-mən el. -men]) dåre, vettvilling; *like a* ~ som en galning

madness ['mædnəs] **1** vansinne; bildl. äv. vanvett **2** ursinne

Mafia ['mæfɪə, 'mɑ:-], ~ el. *m*~ maffia äv. bildl.; *the* ~ maffian

magazine [ˌmægə'zi:n] **1** [illustrerad] tidning, magasin äv. radio. el. TV.; veckotidning **2** mil. [ammunitions]förråd; förrådshus; [krut]durk **3** magasin i gevär; kassett i kamera

magenta [mə'dʒentə] **I** *s* magenta **II** *adj* magentafärgad

maggot ['mægət] [flug]larv; mask i ost o. kött

magic ['mædʒɪk] **I** *attr adj* magisk [~ *rites*], troll- [~ *power*]; trolsk [*a* ~ *glimmer*]; förtrollad [*a* ~ *wood*], förtrollande [~ *beauty*]; ~ *carpet* flygande matta; *the M*~ *Flute* Trollflöjten **II** *s* magi [*black* (*white*) ~], trolldom; trolleri; magik; förtrollning; *work* ~ trolla, göra underverk [*I can't work* ~], ha en magisk verkan; *act like* ~ ha en magisk verkan

magical ['mædʒɪk(ə)l] **1** magisk [~ *effect*], förbluffande [*the result was* ~] **2** trolsk

magician [mə'dʒɪʃ(ə)n] illusionist, trollkarl

magistrate ['mædʒɪstreɪt, -trət] fredsdomare ofta oavlönad ej juridiskt utbildad domare; [underrätts]domare; ~*s' court* ung. motsv. tingsrätt

magnanimous [mæg'nænɪməs] storsint, ädelmodig, högsint; ädel

magnate ['mægneɪt] magnat; storhet

magnesium [mæg'ni:zjəm, məg-] kem. magnesium

magnet ['mægnət] magnet äv. bildl.

magnetic [mæg'netɪk] **1** magnetisk; magnet- [~ *mine* (*needle*)]; ~ *field* magnetfält **2** bildl. fängslande [*a* ~ *personality*], lockande [*a* ~ *smile*], magnetisk [~ *attraction*]

magnetism ['mægnətɪz(ə)m] magnetism; bildl. äv. dragningskraft

magnetize ['mægnətaɪz] **1** magnetisera **2** bildl. fängsla

magnification [ˌmægnɪfɪ'keɪʃ(ə)n] förstoring

magnificence [mæg'nɪfɪsns, məg-] storslagenhet, prakt

magnificent [mæg'nɪfɪsnt, məg-] storslagen, magnifik; praktfull; vard. härlig [~ *weather*]

magnify ['mægnɪfaɪ] **1** förstora; ~*ing glass* förstoringsglas **2** förstärka ljud **3** bildl. förstora [upp] [~ *the dangers*]

magnitude ['mægnɪtju:d] storlek; omfattning; betydelse; astron. magnitud; matem. storhet

magnolia [mæg'nəʊljə] bot. magnolia

magpie ['mægpaɪ] zool. skata

mahogany [mə'hɒgənɪ] **I** *s* **1** mahogny[trä] **2** mahognyträd **3** mahognyfärg **II** *adj* **1** mahogny- **2** mahognyfärgad

maid [meɪd] **1** hembiträde, jungfru, piga **2** poet. mö **3** ungmö; *old* ~ gammal ungmö (fröken, nucka) **4** ~ *of honour* (pl. *maids of honour*) a) hovfröken b) [förnämsta] brudtärna

maiden ['meɪdn] **I** *s* poet. mö, flicka; ungmö **II** *attr adj* **1** ogift [*my* ~ *aunt*]; jungfrulig [~ *modesty*], jungfru- **2** bildl. jungfrulig, orörd [~ *soil*] **3** förstlings- [~ *work*], jungfru- [~ *speech* (*trip, voyage, flight*)]

maidenhead ['meɪdnhed] **1** jungfrulighet; mödom **2** mödomshinna

maidservant ['meɪdˌsɜ:v(ə)nt] hembiträde

1 mail [meɪl] brynja; pansar äv. bildl.; *coat of* ~ el. ~ *coat* brynja, pansarskjorta

2 mail [meɪl] **I** *s* **1** isht amer. post försändelser [*is there much* ~*?*; *open the* ~; *there was a bill in* (med, bland) *the* ~]; postlägenhet [*by the next* ~]; post[befordran]; pl. ~*s* post[försändelser] [*the ~s were lost*]; *send by* ~ sända med posten (per post) **2** post[verk]; *the Royal M~* [Brittiska] Postverket **3** posttåg [*night* ~] **II** *vb tr* isht amer. sända (skicka) med posten (per post); skicka [~ *a parcel*], posta, lägga på [~ *a letter*]

mailbag ['meɪlbæg] postsäck; postväska

mailbox ['meɪlbɒks] isht amer. brevlåda; brevfack

mail|man ['meɪl|mən] (pl. *-men* [-mən]) isht amer. brevbärare

mail-order ['meɪl,ɔ:də] postorder- [~ *catalogue*]; ~ *firm* (*company*) postorderfirma

maim [meɪm] lemlästa, stympa; skadskjuta; bildl. fördärva; ~*ed* äv. lytt, ofärdig

main [meɪn] **I** *adj* **1** huvudsaklig; viktigast; störst; huvud- [~ *building*]; sjö. stor-; *have an eye to* (*look to*) *the ~ chance* se till sin egen vinning (sina egna intressen), ha födgeni, vara om sig; ~ *character* huvudperson i pjäs, roman o.d.; *the ~ entrance* huvudingången, stora ingången; ~ *street* huvudgata; amer. storgata [ofta ss. namn *M~ Street*] **2** *by ~ force* a) med våld b) av alla krafter **II** *s* **1** *in the* ~ huvudsakligen, i huvudsak, på det hela taget **2** *with might and* ~ med all makt, av alla krafter **3** huvudledning för vatten, gas, elektricitet; pl. ~*s* elektr. nät; ~*s receiver* radio. nätmottagare **4** sjö. **a**) storsegel; *the* ~ vanl. storen **b**) stormast

mainframe ['meɪnfreɪm] data. stordator [äv. ~ *computer*]

mainland ['meɪnlənd, -lænd] fastland

mainline ['meɪnlaɪn] **I** *s* amer. huvudväg; järnv. huvudbana, stambana **II** *adj* framstående, ledande

mainly ['meɪnlɪ] huvudsakligen; väsentligen

mains-operated ['meɪnz,ɒpəreɪtɪd] elektr. nätansluten

mainstay ['meɪnsteɪ] **1** sjö. storstag **2** bildl. stöttepelare

mainstream ['meɪnstri:m] **I** *s* **1** bildl. huvudströmning[ar]; allfarväg **2** huvudflod, huvudström **II** *adj* **1** traditionell, bred [~ *art*]; strömlinjeformad [~ *politics*] **2** mus. mainstream [~ *jazz*]

maintain [meɪn'teɪn] **1** uppehålla, upprätthålla [~ *contact* (*friendly relations*)], hålla vid makt, vidmakthålla [~ *law and order*], [bi]behålla, bevara [~ *a tradition*], hålla [~ *a speed of 90 kilometres an hour*]; ~ *discipline* upprätthålla disciplinen, hålla disciplin; ~ *silence* iaktta tystnad, hålla tyst **2** underhålla, hålla i gott skick [~ *a house*] **3** hålla på, försvara, hävda [~ *one's rights*]; [under]stödja [~ *a cause*] **4** underhålla [~ *a family*], livnära; hålla [~ *a son at a public school*]; ~*ed school* statsunderstödd skola **5** stå fast vid [~ *one's principles*]; hävda, [vilja] påstå [*I ~ that...*]

maintenance ['meɪntənəns] **1** uppehållande etc., jfr *maintain 1* **2** underhållande; underhåll, skötsel; mil. underhållstjänst; ~ *work* underhållsarbete **3** försvarande; understödjande **4** försörjning; [livs]uppehälle, existensmedel; underhållsbidrag [*she gets no ~ from her ex-husband*]

maisonette o. **maisonnette** [,meɪzə'net] **1** etagevåning, tvåplanslägenhet **2** litet hus

maize [meɪz] bot. majs; *ear of* ~ majsax, majskolv

majestic [mə'dʒestɪk] majestätisk

majesty ['mædʒɪstɪ] majestät i olika bet.; majestätisk storhet (storslagenhet) [*the ~ of Rome*]; *Your* (*His, Her*) *M~* Ers (Hans, Hennes) Majestät

major ['meɪdʒə] **I** *adj* **1** större [*a ~ operation*; *the ~ prophets*], stor- [*a ~ war*], [mera] betydande, [ganska] betydelsefull [*he was a ~ figure at the time*], viktig[are], viktigast [*the ~ cities* (*poets*)]; allvarlig[are] [*a ~ illness*]; överordnad; ~ *subject* amer. univ. huvudämne **2** jur. myndig [~ *age*] **3** mus. **a**) stor [~ *interval*]; ~ *third* stor ters **b**) dur- [~ *scale*]; ~ *key* (*mode*) durtonart; *A* ~ a-dur **II** *s* **1** mil. major **2** jur. myndig [person] **3** amer. univ. a) huvudämne [*history is his* ~] b) student med (som har) ngt som huvudämne [*two history ~s*] **4** mus. dur **III** *vb itr*, ~ *in* isht amer. univ. specialisera sig på, ha (välja) som huvudämne [*he is ~ing in history*]

major-general [,meɪdʒə'dʒen(ə)r(ə)l] generalmajor

majority [mə'dʒɒrətɪ] **1 a**) majoritet, flertal; *the ~ of people* de flesta [människor]; *the great* (*vast*) ~ det stora flertalet, de allra flesta **b**) majoritet; *gain a* ~ komma i majoritet[sställning]; *a solid* ~ en kompakt majoritet; *ordinary* ~ enkel majoritet **2** myndig ålder, myndighetsålder; *attain* (*reach*) *one's* ~ bli myndig

make [meɪk] **A** (*made made*) *vb* **I** *tr* (se äv. *III*) **1 a**) göra; tillverka; ~ *into* göra till, förvandla till **b**) göra [i ordning], laga [till] [~ *lunch*], koka, brygga [~ *coffee* (*tea*)]; sy [~ *a dress*] **c**) göra; ingå [~ *an agreement*], fatta [~ *a decision*]; hålla [~ *a speech*], stifta [~ *laws*], sluta [~ *an alliance*]; lämna [~ *a contribution*], komma med [~ *excuses*], ställa [~ *conditions*], avge [~ *a promise*]; ~ *the bed* bädda [sängen]; ~

a phone call ringa ett samtal; ~ *war* föra krig; börja krig

2 a) med adj. göra; ~ *a p. happy* göra ngn glad **b**) göra till [~ *it a rule*], utnämna (utse) till [*they made him chairman*]

3 med inf.: **a**) få (komma) att [*he made me cry*], förmå att [*he made me do it*], låta [*he made me work hard*], tvinga att; i roman o.d. låta [*the author ~s the heroine die in the last chapter*]; *it's enough to ~ one cry* det är så man kan gråta [åt det] **b**) ~ *believe that one is* låtsas att man är **c**) ~ *do* klara sig

4 a) [för]tjäna [~ *£15,000 a year*]; göra [sig] [~ *a fortune*]; få, skaffa sig [~ *many friends*] **b**) vinna [~ *5 points*]; kortsp. ta [hem] [~ *a trick* (*stick*)] **c**) [för]skaffa [*that made him many enemies*]

5 bli [*this ~s the tenth time*], göra; bilda; *3 times 3 ~*[*s*] *9* 3 gånger 3 är (blir, gör) 9

6 a) uppskatta till [*I ~ the distance 5 miles*], få till [*how many do you ~ them?*]; *what time do you ~ it?* el. *what do you ~ the time?* hur mycket är din klocka?; *what do you ~ of that?* vad säger (tror) du om det?; *I don't know what to ~ of it* jag vet inte vad jag ska tro om det **b**) bestämma (fastställa) till [~ *the price 10 dollars*]; ~ *it two!* a) ta två! b) vi säger två!, jag (vi) tar två!; *let's ~ it 6 o'clock!* ska vi säga (bestämma) klockan 6?

7 avverka o.d. [~ *50 miles in a day*]

8 a) komma fram till, [lyckas] nå [~ *the summit*] **b**) sjö. nå [~ *port*], angöra [~ *land*] **c**) hinna med (till) [*we made the bus*]; *can we ~ it?* hinner vi?

9 a) göra berömd [*that book made him*]; *it will ~ or break him* det blir hans framgång eller fall **b**) *that's made the* (*my*) *day* dagen är räddad

II *itr* (se äv. *III*) **1 a**) styra kurs; skynda **b**) ~ *at* slå efter, hötta mot [*he made at me with his stick*] **2** ~ *for* främja, bidra till, verka för [~ *for better understanding*] **3 a**) ~ *as if* (*as though*) låtsas som om [*he made as if he didn't hear us*]; göra min av att [vilja] [*he made as if to go*] **b**) ~ *to* göra en ansats att, visa tecken till att

III *tr* o. *itr* med adv. med spec. övers.:

~ **away with** a) försvinna med b) röja undan

~ **off** ge sig i väg

~ **out**: **a**) skriva (ställa) ut [~ *out a cheque*], utfärda [~ *out a passport*], göra upp, upprätta [~ *out a list*]; fylla i [~ *out a form*] **b**) tyda; uppfatta **c**) förstå, begripa [*as far as I can ~ out*], komma underfund med; *I can't ~ him out* äv. jag förstår mig inte på honom **d**) bevisa [riktigheten av] [~ *out one's case*] **e**) påstå, göra gällande [*he made out that I was there*]

~ **over** överlåta

~ **up**: **a**) utgöra; *be made up of* bestå (utgöras) av **b**) göra (sätta, ställa) upp [~ *up a list*] **c**) hitta på **d**) laga (reda) till, expediera [~ *up a prescription*]; sätta (blanda, röra) ihop; sy upp [~ *up a dress*], sy [ihop]; ~ *up a bed* ställa i ordning en säng **e**) slå (packa, lägga) in [~ *up a parcel*] **f**) sminka, teat. äv. maskera; ~ [*oneself*] *up* sminka (måla) sig, göra make up, teat. äv. maskera sig **g**) göra upp [~ *up the accounts*] **h**) fylla ut; få ihop till [~ *up the required sum*]; täcka [~ *up a deficit*] **i**) göra slut på [~ *up a quarrel*]; ~ *it up* bli sams igen **j**) ~ *up* [*for*] ersätta, gottgöra [~ *up* [*for*] *the loss*], reparera; ta igen, hämta in [~ *up* [*for*] *lost time*]; ~ *it up to a p.* [*for a th.*] gottgöra ngn [för ngt], ge ngn kompensation [för ngt]; ~ *up for lost ground* ta igen det försummade

B *s* **1** a) fabrikat [[*of*] *our own ~*] b) märke, fabrikat [*cars of all ~s*] **2** utförande **3** vard., *be on the ~* vara vinningslysten, vara om sig

make-believe ['meɪkbɪˌliːv] **I** *s* inbillning, fantasi; låtsaslek; *it is only ~* äv. det är bara låtsat (spelat), det är på låtsas **II** *attr adj* låtsad, spelad; falsk; låtsas- [~ *friend* (*world*)]

maker ['meɪkə] **1** tillverkare [~ *of auto parts*], producent; i sms. ofta -makare **2** skapare; *the* (*our*) *M~* Skaparen

makeshift ['meɪkʃɪft] **I** *s* provisorium, nödlösning **II** *adj* provisorisk, tillfällig; nöd- [*a ~ rhyme* (*solution*)]

make-up ['meɪkʌp] **1** a) make up, sminkning b) smink, skönhetsmedel; *put on ~* sminka sig, göra make up **2** sammansättning [*the ~ of a team*], beskaffenhet

makeweight ['meɪkweɪt] **1** tillägg **2** fyllnadsgods **3** motvikt

making ['meɪkɪŋ] **1** tillverkning; tillagning; skapande; förtjänande etc., jfr *make A I*; *it is in the ~* det är i vardande, det håller på att bli till (ta form, utveckla sig); *that was the ~ of him* det gjorde honom till den han är; det satte fason på honom **2** *have the ~s of...* ha goda förutsättningar (anlag, möjligheter) att bli...

maladjusted [ˌmælə'dʒʌstɪd] **1** feljusterad **2** missanpassad; miljöskadad

malady ['mælədɪ] sjukdom [*spiritual maladies*]; sjuka äv. bildl.; lidande

malaise [mə'leɪz] **1** lätt illamående (obehag) **2** olustkänsla; missnöje [*social ~*]

malaria [mə'leərɪə] med. malaria

Malaysia [mə'leɪzɪə, -'leɪʒ-]

male [meɪl] **I** *adj* manlig [~ *heir* (*servant*); *the ~ population*], mans- [~ *voice*], av mankön; han- [~ *animal* (*flower*)], av hankön; ~ *child* gossebarn **II** *s* **1** mansperson; statistik. o.d. man [*~s and females*] **2** zool. hane

malevolence [mə'levələns] elakhet, illvilja

malevolent [mə'levələnt] elak, illvillig

malformation [ˌmælfɔː'meɪʃ(ə)n] missbildning; skevhet

malfunction [ˌmæl'fʌŋ(k)ʃ(ə)n] krångel, funktionsoduglighet; tekniskt fel

malice ['mælɪs] **1** illvilja, elakhet; *bear a p. ~* hysa agg till (mot) ngn **2** jur. brottslig avsikt; *with ~ aforethought* med berått mod, i uppsåt att skada; *without ~* utan ont uppsåt

malicious [mə'lɪʃəs] **1** illvillig, elak; skadeglad [*a ~ smile*], spydig [*~ remarks*]; *take a ~ delight in* vara skadeglad över, njuta [skadeglatt] av **2** jur. uppsåtlig [*~ damage*]; *~ intent* ont uppsåt

malign [mə'laɪn] **I** *adj* **1** skadlig **2** ondskefull, illvillig **II** *vb tr* baktala, svärta ned

malignant [mə'lɪgnənt] **1** ondskefull; skändlig; ond [*~ intention (spirit)*] **2** malign [*~ tumour*]

malinger [mə'lɪŋgə] isht mil. simulera spela sjuk

mall [mɔːl, mæl] **1** trädplanterad promenadplats **2** gågata; [inbyggt] köpcenter **3** amer. mittremsa på väg o.d.

mallard ['mæləd] zool. gräsand

malleable ['mælɪəbl] **1** smidbar **2** bildl. formbar, smidig; foglig

mallet ['mælɪt] mindre klubba; sport. klubba för krocket och polo

malnutrition [ˌmælnjʊ'trɪʃ(ə)n] undernäring

malpractice [ˌmæl'præktɪs] jur. tjänstefel, ämbetsbrott; felbehandling av patient

malt [mɔːlt, mɒlt] **I** *s* **1** malt; *~ liquors* maltdrycker **2** vard. maltdryck **II** *vb tr* **1** mälta **2** tillsätta malt till; *~ed milk* a) pulver (dryck) på malt och torrmjölk b) amer. milkshake med glass och maltsmak

Malta ['mɔːltə, 'mɒl-] geogr.

Maltese [ˌmɔːl'tiːz, ˌmɒl-, '--] **I** *adj* maltesisk; malteser- [*~ dog*]; *~ cross* malteserkors **II** *s* **1** (pl. lika) maltesare; maltesiska kvinna **2** maltesiska [språket]

maltreatment [mæl'triːtmənt] misshandel

mama [mə'mɑː] se *mamma*

mamma [mə'mɑː, amer. 'mɑːmə] **1** barnspr. mamma; *~'s boy* mammas gosse **2** sl., *red-hot ~* sexig brud

mammal ['mæm(ə)l] däggdjur

mammon ['mæmən] mammon; bibl. Mammon [*serve God and ~*]

mammoth ['mæməθ] **I** *s* zool. mammut **II** *attr adj* kolossal, jättelik [*~ organization*]

mammy ['mæmɪ] isht amer. barnspr. mamma; *~'s darling* morsgris; mammas älskling

man [mæn] **I** (pl. *men* [men]) *s* **1 a**) man; herre; isht amer. vard. i tilltal du, hörru, polarn [*hi ~, what's up, ~?*]; *a ~'s ~* en [riktig] karlakarl; *an old ~* en gammal man, en [gammal] gubbe; *old ~ Jones* vard. gubben Jones; *the old ~* vard. [fars]gubben; *that ~ Brown* den där Brown; *~ and boy* adverbiellt alltsedan pojkåren; *he is your ~* han är [säkert] rätt man; *make a ~ of a p.* göra karl (folk) av ngn; *~ to ~* man mot man; män emellan; öppet **b**) mannen [*~ is physically different from woman*] **c**) [äkta] man; pojkvän; älskare; *her old ~* äv. hennes gubbe **d**) ss. pron., vard., *a ~* man [*what can a ~ do in such a case?*] **2 a**) människa [*all men must die; feel a new ~*]; människan [äv. *M~; the development of ~*]; *~ and beast* folk och fä; *Shaw the ~* Shaw som människa; *the ~ in the street* vard. mannen på gatan, gemene man **b**) *~ for ~* individuellt [sett]; en för en **3 a**) attr. o. i sms. man- [*man-eater*]; herr-; manlig; *men friends* manliga bekanta; herrbekanta **b**) *~'s* el. *men's* herr- [*men's clothes*] **4 a**) betjänt [*my ~ Jeeves*], tjänare; dräng; biträde **b**) arbetare [*the men were locked out*] **c**) vanl. pl. *men* mil. meniga [*officers and men*]; sjö. matroser; *200 men* äv. 200 man; *the men* äv. manskapet, karlarna **5** *he is a Bristol ~* han är från Bristol **6** pjäs i schack; bricka i brädspel o.d. **II** *vb tr* **1** isht sjö. el. mil. bemanna [*~ a ship; ~ the guns*]; besätta med manskap [*~ the barricades*] **2** besätta [*~ a post*]

manage ['mænɪdʒ] **I** *vb tr* **1** hantera [*~ an oar*]; sköta [*~ a business*], förvalta; isht sjö. manövrera, styra **2** få bukt med, klara [av] [*I think I can ~ him*], tygla [*~ a restive horse*] **3** klara, gå i land med, orka med [*can you ~ all that work?*]; lyckas med, ordna [*they ~ these things better at that hotel*], lyckas [*she ~d to do* ([med att] göra) *it*]; förmå; *could you ~* [*another piece of cake?*] orkar du [äta ('med)]...? **II** *vb itr* klara sig (det), reda sig [*we can't ~ without his help*]; *can you ~?* klarar du (kan du klara) dig (det)?

manageable ['mænɪdʒəbl] [lätt]hanterlig; överkomlig [*~ task (problem)*]; lättskött; om pers. medgörlig

management ['mænɪdʒmənt] **1** a) skötsel [*the failure was caused by bad ~*], drift b) förvaltning, ledning c) [företags]ledning; regi, regim; *under new ~* på skylt ny regim **2** handhavande; hanterande; isht sjö. manövrering

manager ['mænɪdʒə] **1** direktör; föreståndare; förvaltare; intendent; [*branch*] *~* kamrer för banks avdelningskontor

2 manager; sport. äv. lagledare; förbundskapten
manageress [ˌmænɪdʒəˈres, ˈ----] kvinnlig föreståndare (avdelningschef); kvinnlig direktör
managerial [ˌmænəˈdʒɪərɪəl] direktörs- etc., jfr *manager*; styrelse- [*a ~ meeting*]
managing [ˈmænɪdʒɪŋ] **1** förvaltande; *~ committee* [förvaltnings]direktion; verkställande utskott; *~ director* verkställande direktör; *~ editor* redaktionschef **2** försiktig; sparsam **3** beskäftig; maktlysten
mandarin [ˈmændərɪn] **1** mandarin kinesisk ämbetsman **2** bildl. byråkrat **3** a) bot. mandarin [äv. *~ orange*] b) mandarinträd
mandate [ss. subst. ˈmændeɪt, -dɪt, ss. vb ˈmændeɪt, -ˈ-] **I** *s* **1** mandat, uppdrag **2** fullmakt **3** polit. mandat; mandatområde **4** befallning **II** *vb tr* överlämna till mandatärstat; *~d territory* mandat[område]
mandatory [ˈmændət(ə)rɪ] **1** *~ power* mandatärmakt **2** föreskriven **3** befallande, påbjudande; *~ sign* påbudsmärke
mandolin o. **mandoline** [ˌmændəˈlɪn] mandolin
mane [meɪn] man på djur; äv. vard. för tjockt hår
manful [ˈmænf(ʊ)l] manlig; beslutsam
manganese [ˌmæŋgəˈniːz, ˈ---] kem. mangan
manger [ˈmeɪn(d)ʒə] krubba
1 mangle [ˈmæŋgl] **I** *s* **1** mangel; isht varmmangel, strykmangel **2** vridmaskin **II** *vb tr* o. *vb itr* **1** mangla **2** vrida
2 mangle [ˈmæŋgl] **1** hacka (riva) sönder **2** illa tilltyga, skada svårt, massakrera **3** bildl. fördärva
mango [ˈmæŋgəʊ] (pl. *~es*) bot. **1** mango frukt **2** mangoträd
mangrove [ˈmæŋgrəʊv] bot. mangrove[träd]
mangy [ˈmeɪn(d)ʒɪ] **1** skabbig [*a ~ dog*] **2** sjaskig, eländig
manhandle [ˈmænˌhændl] vard. hantera hårdhänt; illa tilltyga
manhole [ˈmænhəʊl] manhål; i gata o.d. inspektionsbrunn; *~ cover* man[håls]lucka
manhood [ˈmænhʊd] **1** mannaålder, vuxen (mogen) ålder, mognad [*reach ~*]; manbarhet **2** manlighet; mandom; [manna]mod; *~ test* mandomsprov
man-hour [ˈmænˌaʊə] mantimme [*production per ~*], arbetstimme
manhunt [ˈmænhʌnt] människojakt
mania [ˈmeɪnjə, -nɪə] **1** psykol. mani **2** mani, vurm; *have a ~ for* ha mani (dille) på, vurma för **3** (ss. efterled i sms.) -hysteri
maniac [ˈmeɪnɪæk] **I** *adj* se *maniacal* **II** *s* galning [äv. friare *a football ~*]; niding
maniacal [məˈnaɪək(ə)l] galen, vansinnig
manic [ˈmænɪk] **I** *adj* psykol. manisk **II** *s* maniker; *~ depression* manodepressivitet
manic-depressive [ˌmænɪkdɪˈpresɪv] psykol. **I** *adj* manodepressiv **II** *s* manodepressiv person
manicure [ˈmænɪkjʊə] **I** *s* manikyr **II** *vb tr* manikyrera
manicurist [ˈmænɪkj(ʊ)ərɪst] manikyrist
manifest [ˈmænɪfest] **I** *adj* påtaglig **II** *vb tr* **1** bevisa [*~ the truth of a statement*] **2** manifestera, visa [*~ good conduct*]; uppenbara, röja [*~ one's feelings*], ge uttryck för [*~ one's surprise*]; *~ oneself* a) visa sig [*the ghost ~ed itself at midnight*] b) (äv. *be ~ed*) yttra (visa) sig, bli uppenbar, komma i dagen; göra sig gällande [*the American competition began to ~ itself*]
manifestation [ˌmænɪfeˈsteɪʃ(ə)n] **1** manifestation, uppenbarande; yttring, tecken; uttryck; utslag [*a ~ of bad temper*] **2** demonstration
manifesto [ˌmænɪˈfestəʊ] (pl. *~s* el. *~es*) manifest
manifold [ˈmænɪfəʊld] **I** *adj* mångfaldig [*~ times*], [av] många [slag], mångahanda [*~ duties*]; mångsidig [*a ~ programme*] **II** *s* **1** kopia; *~ paper* genomslagspapper **2** tekn. förgreningsrör [*exhaust ~, intake ~*]; samlingsrör **III** *vb tr* mångfaldiga; duplicera
manipulate [məˈnɪpjʊleɪt] **1** hantera, manövrera [*~ a lever*], manipulera **2** manipulera med, fuska med, förfalska [*~ accounts*] **3** manipulera, styra [*~ one's supporters*]
mankind [i bet. *1* mænˈkaɪnd, i bet. *2* ˈmænkaɪnd] **1** mänskligheten **2** manssläktet, män
manliness [ˈmænlɪnəs] **1** manlighet **2** manhaftighet
manly [ˈmænlɪ] **1** manlig [*~ behaviour*; *~ sports*] **2** manhaftig [*a ~ woman*]
man-made [ˈmænmeɪd] människotillverkad; orsakad av människor [*many ~ dangers today threaten the air*]; konstgjord [*a ~ lake*]; *~ fibre* syntetfiber, konstfiber
manna [ˈmænə] bibl., bot. o. bildl. manna
mannequin [ˈmænɪkɪn] skyltdocka; provdocka; målares modelldocka
manner [ˈmænə] **1** sätt mest i prepositionsuttr.; *in a ~ of speaking* på sätt och vis, på ett sätt; så att säga; *adverb of ~* gram. sättsadverb **2** sätt [att uppträda], hållning, uppträdande, beteende [*he has an awkward ~*] **3** pl. *~s* [belevat] sätt, [gott] uppförande, levnadsvett, hyfsning, [folk]skick, uppfostran; *good ~s* god ton, fint sätt; goda seder; *teach a p. ~s* lära ngn

att uppföra (skicka) sig **4** pl. *~s* seder, [levnads]vanor; samhällsförhållanden **5** sort; *by no* (*not by any*) *~ of means* inte på minsta sätt, på intet vis; under inga omständigheter

mannerism ['mænərɪz(ə)m] manér

manœuvr|e [mə'nu:və] **I** *s* manöver äv. bildl.; pl. *~s* mil. äv. manöver **II** *vb itr* **1** manövrera, manipulera [*~ for a new post*] **2** hålla manöver [*the fleet is -ing off the east coast*] **III** *vb tr* manövrera [med]; leda, föra, styra; *~ a p. into* [*a good job*] lotsa in ngn på...

man-of-war [ˌmænə(v)'wɔ:] (pl. *men-of-war*) örlogsfartyg, örlogsman; krigsfartyg

manor ['mænə] herrgård; gods; hist. säteri; *the lord of the ~* godsägaren; hist. godsherren

manor house ['mænəhaʊs] **1** herrgård; herresäte; slott **2** man[gårds]byggnad

manpower ['mænˌpaʊə] arbetskraft; människomaterial

manservant ['mænˌsɜ:v(ə)nt] (pl. *menservants*) [manlig] tjänare

mansion ['mænʃ(ə)n] **1** [ståtlig] byggnad **2** pl. *~s* hus med hyresvåningar, hyreshus, bostadskvarter [*Victoria Mansions*]

manslaughter ['mænˌslɔ:tə] jur. dråp

mantelpiece ['mæntlpi:s] spiselkrans; *~ clock* pendyl

mantle ['mæntl] **I** *s* **1** mantel **2** bildl. täcke [*a ~ of snow*] **3** zool. el. tekn. mantel **II** *vb tr* hölja [om]; skyla [över], dölja; breda ut sig över (i) [*a blush ~d her cheeks*]

man-to-man [ˌmæntə'mæn] ...man mot man [*a ~ fight*], ...män emellan [*a ~ talk*]; *~ marking* sport. punktmarkering

manual ['mænjʊəl] **I** *adj* manuell; *~ gearshift* manuell växelspak, handspak; *~ labour* (*work*) manuellt arbete; kroppsarbete **II** *s* handbok, manual; lärobok; *instruction ~* instruktionsbok; handbok

manufacture [ˌmænjʊ'fæktʃə] **I** *s* **1** tillverkning, fabrikation; frambringande **2** produkt, [fabriks]vara; tillverkning **II** *vb tr* tillverka [*~ shoes*], producera äv. friare [*~ a lot of novels* (*paintings*)]; frambringa; hitta på, komma med [*~ an excuse*]; *~d goods* fabriksvaror

manufacturer [ˌmænjʊ'fæktʃ(ə)rə] fabrikant, producent; fabrikör, fabriksidkare

manufacturing [ˌmænjʊ'fæktʃ(ə)rɪŋ] **I** *s* fabrikation, tillverkning; fabricering **II** *adj* fabriks- [*~ district* (*town*)]; fabriksidkande [*~ establishment*]; *~ industry* tillverkningsindustri

manure [mə'njʊə] gödsel, gödning[sämne]; *artificial ~* konstgödsel, konstgödning

manuscript ['mænjʊskrɪpt] **I** *s* manuskript, handskrift **II** *adj* handskriven [*a ~ copy*], i manuskript

many ['menɪ] många [*~ people* (människor)]; mycket [*~ people* (folk)]; *a good ~* ganska (rätt) många, inte så få; ganska (rätt) mycket, inte så litet [*a good ~ people* (folk)]; *a great ~* en [stor] mängd; en massa, en hel del (hop), [väldigt] många [*a great ~ boys*]; *he said so in so ~ words* han sa klart och tydligt så; han sa så (det) rent ut (rakt på sak); *be one too ~* vara en för mycket, vara överflödig, vara i vägen; *have one too ~* vard. ta sig ett glas (ett järn) för mycket

map [mæp] **I** *s* karta; [sjö]kort [*a ~ of* (över) *the islands*]; *off the ~* vard. a) inte aktuell; glömd, föråldrad b) utanför kartan, avsides belägen **II** *vb tr* göra en karta över, kartlägga; göra upp [*~ a programme*]; *~ out* a) kartlägga [i detalj] b) staka ut; planera, fördela, ruta in [*~ out one's time*]

maple ['meɪpl] **1** bot. lönn; *Norway ~* blodlönn **2** lönn[trä]

mar [mɑ:] fördärva; skämma; vanpryda; *make or ~ a p.* hjälpa eller stjälpa ngn

marathon ['mærəθ(ə)n] maraton[lopp]; maraton- [*~ race* (*dance*)]

marble ['mɑ:bl] **I** *s* **1** marmor **2** pl. *~s* [kollektion av] marmorskulpturer (marmorstatyer) **3** kula till kulspel; *~s* kulspel; *play ~s* spela kula **4** marmorering **5** sl., pl. *~s* kulor pengar **6** sl., *have all one's ~s* vara klar i knoppen, vara [riktigt] skärpt **II** *adj* marmor- [*a ~ statue* (*tomb*)]; bildl. marmorvit [*a ~ brow*], marmorhård, marmorkall

March [mɑ:tʃ] månaden mars; *as mad as a ~ hare* spritt [språngande] galen, helgalen

1 march [mɑ:tʃ] **I** *vb itr* **1** marschera, tåga; vandra; *~ off* marschera (tåga) i väg, [be]ge sig i väg (av); *forward ~!* framåt marsch! **2** bildl. gå framåt; *~ on* skrida fram[åt] [*time ~es on*] **II** *vb tr* låta marschera; föra [i marschordning]; låta bryta upp [*~ the troops*]; *~ off* föra bort [*they ~ed him off to prison*] **III** *s* **1** marsch; [lång (mödosam)] vandring (färd); *~ past* förbimarsch, defilering **2** dagsmarsch [äv. *day's ~*]; *steal a ~ on* bildl. [obemärkt] skaffa sig ett försprång (en fördel) framför **3** mus. marsch; *dead* (*funeral*) *~* begravningsmarsch, sorgmarsch **4** bildl. framåtskridande, framsteg; *the ~ of events* händelseutvecklingen

2 march [mɑ:tʃ] **I** *s*, pl. *~es* gränser; gränsland [*the Welsh ~es*] **II** *vb itr* gränsa

mare [meə] sto

margarine [ˌmɑ:dʒə'ri:n, ˌmɑ:gə-, '---] margarin

margin ['mɑːdʒɪn] **1** marginal, kant [*notes written in* (*on*) *the* ~], marg; ~ *release* margfrigörare på skrivmaskin **2** kant; strand **3** hand. o. bildl. marginal; täckning; säkerhetsmarginal [äv. *safety* ~]; tidsmarginal; spelrum; [yttersta] gräns; ~ *of error* felmarginal; *allow* (*leave*) *a* ~ lämna en marginal

marginal ['mɑːdʒɪn(ə)l] marginal-; kant-, brädd-; gräns- [~ *zone*]; marginell [*of* ~ *importance*], [som är (befinner sig)] i utkanten (marginalen) [~ *groups of society*]; ~ *rate of tax* marginalskattesats

marginally ['mɑːdʒɪnəlɪ] i marginalen; i kanten; marginellt

marguerite [ˌmɑːgəˈriːt] bot. prästkrage; margerit; odlad krysantemum

marigold ['mærɪgəʊld] bot. ringblomma [äv. *pot* ~]; *French* (större *African*) ~ tagetes

marijuana [ˌmærɪˈjwɑːnə, -ˈdʒwɑːnə] marijuana

marina [məˈriːnə] **1** marina, småbåtshamn **2** strandpromenad på badort

marinade [ˌmærɪˈneɪd] kok. **I** *s* marinad **II** *vb tr* marinera

marine [məˈriːn] **I** *adj* marin-; havs- [~ *products*], sjö-; sjöfarts-; sjöförsvars-; ~ *biology* marinbiologi, biologisk havsforskning **II** *s* **1** marin; *the mercantile* (*merchant*) ~ handelsflottan **2** marinsoldat; *the* [*Royal*] *Marines* brittiska marinsoldatkåren; [*you can*] *tell that to the* ~*s* det går jag inte på, det kan du försöka inbilla andra

mariner ['mærɪnə] litt. el. sjö. sjöman, sjöfarande, seglare; pl. ~*s* äv. sjöfolk; ~*'s card* kompassros; *master* ~ kapten, befälhavare på handelsfartyg

marionette [ˌmærɪəˈnet] marionett

marital ['mærɪtl] äktenskaplig [~ *obligations*], äktenskaps-; ~ *likeness* äktenskapstycke

maritime ['mærɪtaɪm] **1** maritim [~ *climate*], sjö-; sjöfarts-, sjöfartsidkande; ~ *insurance* sjöförsäkring **2** belägen (boende, växande) vid havet; kust- [~ *provinces*]; ~ *population* kustbefolkning, skärgårdsbefolkning

marjoram ['mɑːdʒ(ə)rəm] bot. el. kok. mejram

1 mark [mɑːk] mark mynt

2 mark [mɑːk] **I** *s* **1** märke, fläck [*dirty* ~*s in a book*], prick; ärr; spår; *leave* (*make*) *a* ~ *on* sätta sitt märke (sin prägel) på **2** [känne]tecken, kännemärke; uttryck; *a* ~ *of gratitude* ett bevis på tacksamhet **3** märke, tecken; bomärke [*make* (rita) *one's* ~] **4** riktmärke, sjömärke **5** streck på en skala, märke på t.ex. logglina; *overstep the* ~ överskrida gränsen, gå för långt; *be up to the* ~ hålla (fylla) måttet; vara riktigt kry (i form) **6** betyg [*get good* ~*s*], poäng **7** mål; *he's an easy* ~ vard. han är ett tacksamt offer lättlurad; *hit the* ~ a) träffa prick (rätt); slå huvudet på spiken b) lyckas; *miss the* ~ a) bomma, missa [målet] b) förfela sitt mål; *beside the* ~ vid sidan av; inte på sin plats **8** sport. startlinje; *on your* ~*s, get set, go!* på era platser (klara), färdiga, gå! **9** typ t.ex. av flygplan [*Meteor M*~ *IV*]; kvalitet, sort; vard. typ [*she's just my* ~], stil; *that's just your* ~ vard. iron. det är något [som passar] för dig **10** *of* ~ av [stor] betydelse, betydande, framstående [*a man of* ~]

II *vb tr* **1** sätta märke[n] på, märka [~ *a th. with chalk*]; prissätta; notera; ~ *down* a) sätta ned [priset på] b) notera, anteckna **2** markera; utmärka; märka [*such an experience* ~*s you*]; beteckna [*this speech* ~*s a change of policy*]; *his writing was* ~*ed by originality* hans stil präglades av originalitet; ~ *the time* slå takten **3** spel. el. sport. markera **4** betygsätta, rätta [~ *a paper* (skrivning)]; bedöma **5** pricka (märka) ut [~ *a route*]; ~ *off* pricka för; ~ *out* staka ut [~ *out boundaries*]; strecka; planera; utse, välja ut, bestämma [*for* till] **6** märka; ~ *my words* märk (sanna) mina ord

III *vb itr* **1** sätta märken **2** spel. el. sport. markera **3** märka

markdown ['mɑːkdaʊn] [pris]nedsättning [*a* ~ *of* (med) *20 per cent*]

marked [mɑːkt] **1** märkt etc., jfr *2 mark II*; *he was a* ~ *man* han var på förhand dömd (märkt för livet); ~ *price* utsatt pris **2** markerad [*strongly* ~ *features*], utpräglad [*a* ~ *American accent*]; tydlig, markant

markedly ['mɑːkɪdlɪ] markerat; tydligt, påfallande, påtagligt

marker ['mɑːkə] **1** märkare; stämplare; skol. o.d. betygsättare **2** markör äv. språkv. **3** märkpenna **4** bokmärke **5** [spel]mark

market ['mɑːkɪt] **I** *s* **1** [salu]torg; marknad; torgdag; isht ss. efterled i sms. handel [*antique* ~]; [*covered*] ~ saluhall; *bring* (*take*) *one's eggs* (*hogs, pigs*) *to the wrong* (*a bad*) ~ a) vända sig till fel person b) misslyckas i sina planer; spekulera fel **2** ekon. el. hand. marknad [*the freight* (*labour, world*) ~; *there is no* ~ *for these goods*]; avsättning; efterfrågan; marknadspris, marknadsvärde; avsättningsort, avsättningsområde; ~ *forces* marknadskrafter; *the black* ~ svarta börsen; *the money* ~ penningmarknaden; *find* (*meet with*) *a ready* ~ finna (få) god (hastig) avsättning; *play the* ~ vard. spekulera på börsen **II** *vb tr* **1** sälja på

torget **2** hand. skaffa marknad för, marknadsföra
marketable ['mɑ:kɪtəbl] **1** säljbar, kurant, lättsåld [~ *products*] **2** marknads- [~ *value*]
market garden [ˌmɑ:kɪt'gɑ:dn] handelsträdgård
marketing ['mɑ:kɪtɪŋ] **I** *s* **1** hand. marknadsföring, marketing **2** [torg]handel; torgbesök; köp; torgförande, saluförande; *do one's* ~ göra sina [torg]uppköp **II** *adj* marknadsförings-, sälj- [~ *scheme*]; marknads-, avsättnings- [~ *possibilities*]; ~ *research* marknadsundersökning[ar], marknadsforskning
marketplace ['mɑ:kɪtpleɪs] [salu]torg; marknad[splats]; bildl. äv. [öppet] forum
market price [ˌmɑ:kɪt'praɪs, '---] **1** ekon. marknadspris **2** torgpris
market research [ˌmɑ:kɪtrɪ'sɜ:tʃ] marknadsundersökning[ar]
market square [ˌmɑ:kɪt'skweə], *the* ~ stortorget
market town ['mɑ:kɪttaʊn, ˌ--'-] ung. marknadsort
marking ['mɑ:kɪŋ] **I** *adj* märk-, märknings-; stämpel- **II** *s* **1** märkning; markering äv. sport.; betygsättning [~ *of examination papers*], jfr f.ö. *2 mark II* **2** teckning [*the* ~ *of a bird's feather* (*an animal's skin*)]
marks|man ['mɑ:ks|mən] (pl. *-men* [-mən]) skicklig skytt, prickskytt
marksmanship ['mɑ:ksmənʃɪp] skjutskicklighet, skjutfärdighet; träffsäkerhet
markup ['mɑ:kʌp] hand. **1** prishöjning **2** pålägg
marmalade ['mɑ:m(ə)leɪd] marmelad av citrusfrukter, isht apelsiner
marmot ['mɑ:mət] zool. murmeldjur
1 maroon [mə'ru:n] **I** *s* **1** rödbrun färg **2** smällare; mil. signalraket **II** *adj* rödbrun
2 maroon [mə'ru:n] strandsätta; lämna åt sitt öde
marquee [mɑ:'ki:] **1** [stort] tält; officerstält **2** amer. [skärm]tak, baldakin över entré o.d.
marquess ['mɑ:kwɪs] o. **marquis** ['mɑ:kwɪs] markis titel
marriage ['mærɪdʒ] **1** äktenskap, giftermål; bildl. [nära] förening; *the* ~ *acts* el. *the code of* ~ *laws* giftermålsbalken; ~ *counselling* (*guidance*) äktenskapsrådgivning; *open* ~ fritt äktenskap; *by* ~ genom gifte **2** vigsel, förmälning; ~ *ceremony* vigselceremoni, vigselakt; ~ *certificate* (vard. *lines*) vigselbevis; *the M~ of Figaro* Figaros bröllop opera
marriageable ['mærɪdʒəbl] giftasvuxen [äv. *of* ~ *age*]
married ['mærɪd] gift; äkta; äktenskaplig, äktenskaps-; *a* ~ *couple* ett gift (äkta) par; *get* ~ gifta sig; *engaged to be* ~ förlovad
marrow ['mærəʊ] **1** märg; *spinal* ~ ryggmärg **2** bot., [*vegetable*] ~; amer. äv. ~ *squash* märgpumpa; olika sorters squash
marry ['mærɪ] **I** *vb tr* **1** gifta sig med; ~ *money* (*a fortune*) gifta sig till en förmögenhet (pengar), gifta sig rikt, göra ett gott parti **2** ~ [*off*] gifta bort [*to* med] **3** viga; förena i äktenskap **II** *vb itr* gifta sig; bildl. förenas; ~ *again* gifta om sig
Mars [mɑ:z] **1** mytol. el. astron. Mars **2** ~ [*bar*] ® Mars slags fylld chokladkaka
marsh [mɑ:ʃ] sumpmark, träsk, mosse; ~ *gas* sumpgas
marshal ['mɑ:ʃ(ə)l] **I** *s* **1** mil. marskalk; *M~ of the Royal Air Force* flygmarskalk högsta grad i brittiska flygvapnet **2** marskalk; ceremonimästare **3** amer. a) ung. sheriff; polismästare b) brandchef **II** *vb tr* **1** ställa upp [~ *military forces*]; järnv. rangera **2** ordna [~ *one's thoughts*]; framställa klart [och tydligt] [~ *facts*] **3** placera [efter rang] vid bankett o.d.; föra högtidligt [~ *a delegation into the presence of the Queen*]
marshalling-yard ['mɑ:ʃ(ə)lɪŋjɑ:d] rangerbangård
marshmallow ['mɑ:ʃˌmæləʊ] **1** bot. altea; farmakol. altearot **2** marshmallow slags sötsak
marshy ['mɑ:ʃɪ] sumpig; träsk, moss-
marsupial [mɑ:'su:pjəl, -'sju:-] zool. **I** *adj* pungartad, pung-; pungdjurs- **II** *s* pungdjur
marten ['mɑ:tɪn] **1** zool. mård **2** mård[skinn]
martial ['mɑ:ʃ(ə)l] krigisk; krigs-, krigar-; stridslysten; martialisk; militär- [~ *music*]; soldat-; *the* ~ *arts* kampsporter ss. judo, karate, kendo
Martian ['mɑ:ʃjən] **I** *adj* astron. Mars- **II** *s* marsian
martin ['mɑ:tɪn] zool. svala; [*house*] ~ hussvala
martinet [ˌmɑ:tɪ'net] isht mil. tyrann
martyr ['mɑ:tə] **I** *s* martyr äv. bildl.; offer; *die a* ~ dö som martyr, lida martyrdöden **II** *vb tr* låta lida martyrdöden, göra till martyr äv. bildl.; *the ~ed saints* de heliga martyrerna
martyrdom ['mɑ:tədəm] martyrskap; martyrdöd; bildl. kval
marvel ['mɑ:v(ə)l] **I** *s* underverk [*the ~s of modern science*], under; *work ~s* göra underverk **II** *vb itr* litt. förundra sig
marvellous ['mɑ:v(ə)ləs] underbar
Marxist ['mɑ:ksɪst] **I** *s* marxist **II** *adj* marxistisk
marzipan ['mɑ:zɪpæn, ˌ--'-] marsipan
mascara [mæ'skɑ:rə] mascara
mascot ['mæskət] maskot

masculine ['mæskjʊlɪn] **I** *adj* **1** manlig [*a ~ face, ~ pride*], maskulin [*a ~ appearance* (utseende), *~ habits*] **2** om kvinna maskulin [*a woman with ~ features*], manhaftig [*a ~ woman*] **3** gram. maskulin [*a ~ noun, the ~ gender*] **II** *s* gram. **1** *the ~* [genus] maskulinum **2** maskulinum, maskulint ord

masculinity [ˌmæskjʊ'lɪnətɪ] manlighet; manhaftighet

mash [mæʃ] **I** *s* **1** mäsk **2** sörp; slags blandfoder **3** mos; sörja äv. bildl. **4** vard. potatismos [*sausage and ~*] **II** *vb tr* **1** mäska **2** sörpa **3** mosa; stöta sönder; röra ihop [äv. *~ up*]; *~ed potatoes* potatismos **4** sl. laga, brygga [*~ tea*]

mask [mɑ:sk] **I** *s* **1** mask, ansiktsmask äv. ss. kosmetiskt medel; med. munskydd; sport. ansiktsskydd **2** bildl. mask [*his friendliness is only a ~*], förklädnad; sken, täckmantel **II** *vb tr* maskera äv. bildl.; förkläda; dölja [*~ one's feelings*] **III** *vb itr* maskera sig

masked [mɑ:skt] *adj* maskerad; *~ ball* maskeradbal

masochist ['mæsə(ʊ)kɪst, 'mæz-] psykol. masochist

mason ['meɪsn] **1** [sten]murare; stenhuggare **2** (äv. *M~*) frimurare

masonic [mə'sɒnɪk], (äv. *M~*) frimurar- [*~ lodge*]

masquerade [ˌmæskə'reɪd, ˌmɑ:s-] **I** *s* maskerad; bildl. förklädnad; *~ dress* maskeraddräkt **II** *vb itr* **1** vara maskerad (utklädd) **2** bildl. uppträda; *~ as* äv. ge sig sken av (ge sig ut för) att vara

1 mass o. **Mass** [mæs, isht katol. mɑ:s] kyrkl. mässa äv. mus.; *attend ~* gå i (vara i, höra) mässan; *go to ~* gå i mässan

2 mass [mæs] **I** *s* **1** massa; mängd; klump, mass- [*~ psychosis, ~ grave, ~ meeting*]; *the* [*great*] *~* huvudmassan, större delen, [det stora] flertalet [*of* av]; *the ~es* massan, massorna, de breda lagren **2** fys. massa **II** *vb tr* **1** samla [ihop], slå ihop [äv. *~ together* (*up*)]; *~ed choir* masskör **2** mil. koncentrera, dra samman [*~ troops*]; *~ed attack* massanfall, massangrepp, massattack **III** *vb itr* **1** samlas **2** mil. koncentreras

massacre ['mæsəkə] **I** *s* massaker, massmord, slakt **II** *vb tr* massakrera, slakta

massage ['mæsɑ:ʒ] **I** *s* massage; *~ parlour* (amer. *parlor*) massageinstitut **II** *vb tr* massera

masseur [mæ'sɜ:] massör

massive ['mæsɪv] **1** massiv; väldig; *~ resistance* kompakt motstånd **2** isht miner. massiv [*~ gold*], kompakt **3** kraftig [*~ features*]; högvälvd [*a ~ forehead*]; vard. tjock [*~ legs*]

mass-produce ['mæsprəˌdju:s, ˌ--'-] massproducera; *~d article* äv. massartikel

mast [mɑ:st] **I** *s* mast äv. sjö. [*radio ~*]; *at full ~* på hel stång; *half ~* [*high*] på halv stång **II** *vb tr* förse med mast[er] [*~ a ship*]

master ['mɑ:stə] **I** *s* **1** herre; överman [*find one's ~*]; mästare; *I am ~ here* här är det jag som råder; *be ~ of the situation* behärska situationen **2** husbonde; djurs husse; *the ~ of the house* herrn i huset, husbonden, husfadern **3** sjö. kapten på handelsfartyg, skeppare; *~'s certificate* sjökaptensbrev **4** a) lärare isht vid högre skolor b) [läro]mästare, lärofader **5** univ. o.d., *Master's degree* ung. magisterexamen **6** [hantverks]mästare; *~ mechanic* verkmästare i fabrik o.d.; chefmekaniker **7** mästare [*a picture by an old ~*], stor konstnär **8** *M~ of Ceremonies* ceremonimästare, klubbmästare; programvärd, konferencier **9** jakt. master; *M~ of* [*Fox*]*hounds* master vid rävjakt **10** *M~* före pojknamn unge herr [*M~ Henry*] **II** *attr adj* **1** mästerlig; mästar- [*a ~ cook*]; *~ race* herrefolk **2** huvud- [*a ~ plan*], över-; förhärskande **III** *vb tr* **1** göra sig till (bli) herre över; övervinna, övermanna, överväldiga **2** [lära sig] behärska [*~ a language*], [lära sig] bemästra [*~ the situation*]; [helt] förstå

masterful ['mɑ:stəf(ʊ)l] **1** dominerande; befallande; myndig; egenmäktig **2** se *masterly*

master key ['mɑ:stəki:] huvudnyckel

masterly ['mɑ:stəlɪ] mästerlig; mästar-; mäster- [*a ~ shot*]

mastermind ['mɑ:stəmaɪnd] **I** *s, be the ~ behind a th.* vara hjärnan bakom ngt **II** *vb tr* leda

masterpiece ['mɑ:stəpi:s] mästerverk

masterstroke ['mɑ:stəstrəʊk] mästerdrag

mastery ['mɑ:st(ə)rɪ] **1** herravälde [*~ over one's enemies*]; övertag; kontroll [*of* (över) *one's desires*] **2** [suveränt] behärskande [*his ~ of French* (*the violin*)]; kunskap; *have a thorough ~ of a th.* grundligt behärska ngt

masticate ['mæstɪkeɪt] **1** tugga **2** mala sönder

masturbate ['mæstəbeɪt] onanera

mat [mæt] **1** matta; isht dörrmatta; *be on the ~* vard. få en skrapa (reprimand), bli utskälld **2** underlägg för karott o.d.; tablett; liten duk

matador ['mætədɔ:] matador

1 match [mætʃ] tändsticka; *dead* (*spent*) *~* avbränd tändsticka; *strike a ~* tända en tändsticka

2 match [mætʃ] **I** *s* **1** sport. match; *football* (*soccer*) *~* fotbollsmatch **2** like [*he has not*

his ~]; *be no ~ for* inte kunna mäta sig med, inte vara någon match för **3** motstycke, motsvarighet, pendang [*find a ~ to the vase*]; [*these colours*] *are a good ~* ...går (passar) bra ihop, ...matchar varandra bra **4** giftermål, äktenskap; parti äv. om pers. [*she is an excellent ~*]
II *vb tr* **1** vara (finna) en värdig (jämbördig) motståndare till; sport. matcha [*~ a boxer* (*team*)]; [*I'm ready to*] *~ my strength against* (*with*) *yours* ...mäta mina krafter med (ställa upp mot, tävla med) dig; *no one can ~ him* äv. ingen går upp emot honom **2** gå [bra] ihop med, matcha [*the carpets should ~ the curtains*]; svara mot **3** para ihop; anpassa; finna ett motstycke till **4** gifta bort
III *vb itr* stämma överens [med varandra] [*her feelings and actions don't ~*], passa (gå) [bra] ihop, matcha varandra [*these colours ~ well*], passa, harmoniera

matchbook ['mætʃbʊk] tändsticksplån med avrivningständstickor

matchbox ['mætʃbɒks] tändsticksask

matchless ['mætʃləs] makalös, [som är] utan motstycke; överlägsen

matchmaker ['mætʃˌmeɪkə] **1** äktenskapsmäklare **2** matcharrangör

match point [ˌmætʃ'pɔɪnt, '--] matchboll i tennis o.d.

1 mate [meɪt] schack. **I** *s* o. *interj* matt; *~!* [schack och] matt! **II** *vb tr* o. *vb itr* göra matt; *be ~d* bli (göras) matt

2 mate [meɪt] **I** *s* **1** vard. kompis, [arbets]kamrat; i tilltal äv. du el. utan motsv. i sv. [*hallo, ~!*; *where are you going, ~?*] **2** sjö. styrman; *chief ~* överstyrman **3** biträde; *bricklayer's ~* murarhantlangare **4** a) [god] make (maka) b) om djur, isht fåglar make, maka c) om sak make [*the ~ to this glove*] **II** *vb tr* para djur [äv. *~ up*] **III** *vb itr* **1** om djur para sig; om fåglar, fiskar leka **2** sällskapa med

material [mə'tɪərɪəl] **I** *adj* **1** materiell [*~ needs, ~ comfort; the ~ world*]; kroppslig **2** väsentlig [*a ~ improvement*] **II** *s* **1** material, ämne båda äv. bildl.; *raw ~*[*s*] råämne äv. bildl.; råvara, råvaror **2** stoff [*collect ~ for a book*] **3** tyg **4** pl. *~s* materiel

materialistic [məˌtɪərɪə'lɪstɪk] materialistisk

materialize [mə'tɪərɪəlaɪz] **I** *vb tr* **1** materialisera **2** förverkliga [*~ one's plans*] **II** *vb itr* **1** ta fast form; förverkligas, gå i uppfyllelse [*our plans did not ~*] **2** materialisera (uppenbara) sig; vard. visa sig [*he did not ~*]

materially [mə'tɪərɪəlɪ] **1** materiellt **2** i väsentlig grad **3** påtagligt, uppenbart

maternal [mə'tɜ:nl] **1** moderlig [*~ care*]; moders- [*~ love* (*happiness*)] **2** på mödernet (mödernesidan); *~ grandfather* morfar; *~ grandmother* mormor

maternally [mə'tɜ:nəlɪ] **1** moderligt **2** på mödernet [*be ~ related*]

maternity [mə'tɜ:nətɪ] moderskap; moderskaps-; BB-, förlossnings-; *~ allowance* (*benefit, grant*) motsv. föräldrapenning; *~ dress* mammaklänning; *~ home* mödrahem; *~ hospital* BB; *~ welfare* mödravård; *be on ~ leave* vara mammaledig

matey ['meɪtɪ] vard. **I** *adj* kamratlig; sällskaplig; vänskaplig **II** *s* kompis

math [mæθ] (amer. vard., kortform för *mathematics*) matte

mathematical [ˌmæθə'mætɪk(ə)l] matematisk [*~ problem* (*logic*)]

mathematician [ˌmæθəmə'tɪʃ(ə)n] matematiker

mathematics [ˌmæθə'mætɪks] **1** (konstr. vanl. ss. sg.) matematik [*~ is founded on logic; ~ is his weak subject*] **2** (konstr. vanl. ss. pl.) matematik[kunskaper]; *his ~ are weak* han är svag i matematik

maths [mæθs] (vard. kortform för *mathematics*) matte

matin ['mætɪn] **I** *s*, pl. *~s* kyrkl. morgonbön, morgonandakt, morgongudstjänst; katol. ottesång; poet. morgonsång, morgonvisa **II** *attr adj* morgon-; ottesångs-

matinée ['mætɪneɪ] matiné; *~ idol* filmidol, teateridol

mating ['meɪtɪŋ] parning; fåglars, fiskars lek; *~ season* parningstid, brunsttid

matriarchal [ˌmeɪtrɪ'ɑ:k(ə)l] matriarkalisk

matrimonial [ˌmætrɪ'məʊnjəl] äktenskaplig, äktenskaps- [*~ problems*]; giftermåls- [*~ plans*]; *~ agency* äktenskapsbyrå

matrimony ['mætrɪm(ə)nɪ] **1** äktenskap[et]; *enter into holy ~* inträda i det heliga äkta ståndet **2** giftermål, bröllop

matri|x ['meɪtrɪ|ks, 'mæt-] (pl. *-ces* [-si:z] el. *-xes*) matris äv. för grammofonskiva; gjutform

matron ['meɪtr(ə)n] **1** förr [avdelnings]föreståndarinna; husmor på sjukhus, i skola o.d. **2** mogen [gift] kvinna; matrona

matronly ['meɪtr(ə)nlɪ] matronaliknande [*a ~ figure*]; tantig, tantaktig

matt [mæt] matt [*~ colour* (*gold*)]; om yta äv. matterad [*~ paper* (*surface*)]; *~ finish* matt yta

matter ['mætə] **I** *s* **1** materia; stoff; substans, ämne [*liquid ~; solid ~*]; *colouring ~* färgämne; *reading ~* tryckalster; lektyr **2** ämne [äv. *subject ~*]; innehåll **3** a) sak [*a ~ I know little about*], angelägenhet; fråga, spörsmål [*legal ~s*]

b) pl. *~s* förhållanden[a], tillståndet, saker och ting; *it's no laughing ~* det är ingenting att skratta åt; *a ~ of course* en självklar sak; *as a ~ of fact* faktiskt, i själva verket; *a ~ of habit* en vanesak; *it is a ~ of life and death* det är en fråga om liv eller död, det gäller livet; *it is only a ~ of time* det är bara en tidsfråga **4** orsak; föremål [*be a ~ of* (för) *interest*]; *it is a ~ of (for) regret that...* det är att beklaga att... **5** *no ~* det gör ingenting, det spelar ingen roll **6** *what is the ~?* vad står på?, vad har hänt?, vad är det? **7** post., *postal ~* postförsändelse[r]; *printed ~* trycksak[er] **8** typogr. text i motsats till rubriker el. annonser **9** med. var **10** *a ~ of* några [få] [*within a ~ of hours*]; ungefär, omkring [*a ~ of £50*]
II *vb itr* betyda [*learning ~s less than common sense*], vara av betydelse; *it doesn't ~* det gör ingenting, det spelar ingen roll; *it ~s little whether...* det spelar liten roll om...

matter-of-fact [ˌmæt(ə)rə(v)'fækt] [torr och] saklig

matting ['mætɪŋ] mattväv; mattor; *coconut ~* kokosmatta

mattress ['mætrəs] madrass

mature [mə'tjʊə] **I** *adj* **1 a**) mogen, fullt utvecklad [*a ~ cell*; äv. bildl. *~ plans*]; *after ~ consideration (deliberation)* efter moget övervägande **b**) vuxen [*persons of ~ age (years)*] **2** förfallen till betalning [*a ~ bill*]
II *vb tr* bringa till mognad, få att mogna [*these years ~d his character*], [fullt] utveckla **III** *vb itr* **1** mogna [äv. bildl. *~ into* (till) *a man*]; låta mogna [*leave wine (cheese) to ~*] **2** förfalla [till betalning] [*the bill ~s next month*]

maturity [mə'tjʊərətɪ] **1** mognad isht bildl. **2** mogen ålder [äv. *age (years) of ~*]; *reach ~* nå mogen ålder **3** hand. förfallotid, förfallodag

maudlin ['mɔːdlɪn] gråtmild [*~ sentimentality*], känslosam; rörd; [fyll]sentimental

maul [mɔːl] klösa; bildl. misshandla

mauve [məʊv] **I** *adj* malvafärgad [äv. *mauve-coloured*] **II** *s* malva[färg]

maverick ['mæv(ə)rɪk] isht amer. **1** omärkt kalv **2** partilös [person]

mavory ['meɪv(ə)rɪ] *s* bot. hesning

mawkish ['mɔːkɪʃ] sentimental; mjäkig [*a ~ manner, a ~ young man*]

maxim ['mæksɪm] maxim

maximal ['mæksɪm(ə)l] maximal, högst, störst

maximize ['mæksɪmaɪz] maximera, bringa till [ett] maximum

maxim|um ['mæksɪm|əm] **I** *s* (pl. *-a* [-ə] el. *-ums*) maximum, höjdpunkt, högsta punkt; *be at its (a) ~* stå (vara) på höjdpunkten; vara maximal; [*he got 90 marks*] *out of a ~ of 100* ...av maximalt (maximala) 100, ...av 100 möjliga **II** *attr adj* högst, störst; maximi- [*~ temperature, ~ thermometer, ~ value*]; maximal, maximal-

May [meɪ] **I** *s* månaden maj; *~ Day* första maj ss. fest- o. demonstrationsdag; *~ Day Holiday* första måndagen efter första maj **II** kvinnonamn

may [meɪ] (imperf. *might*, jfr d.o.) **1** kan [kanske (möjligen, eventuellt)] [*he ~ have said so*], kan tänkas; torde (skulle) [kunna]; *he ~ or ~ not do it* kanske han gör det, kanske inte; *you ~ regret it* [*some day*] du kan komma (kommer kanske) att [få] ångra det..., du kanske ångrar (får ångra) det... **2** får [lov att] [*~ I interrupt you?*]; kan [få]; *~ I come in?* får jag komma in?; *you ~ as well ask him* du kan [lika] gärna [ta och] fråga honom **3** må; i bisats äv. skall; *~ this be a warning to you* låt detta bli dig en varning; *be that as it ~* det må vara hur som helst [med den saken]

maybe ['meɪbiː] kanske

May-Day ['meɪdeɪ] förstamaj- [*~ demonstrations*]

mayhem ['meɪhem] förödelse; *cause (commit, create) ~* åstadkomma förödelse, härja vilt

mayn't [meɪnt] = *may not* (se *may*)

mayonnaise [ˌmeɪə'neɪz, '---] majonnäs

mayor [meə] borgmästare ordförande i kommunfullmäktige (om utländska förh.)

mayoress [ˌmeər'es, 'meərəs] **1** hustru till *mayor* **2** kvinnlig borgmästare

maypole ['meɪpəʊl] majstång

maze [meɪz] **1** labyrint isht anlagd med höga häckar; irrgång[ar] båda äv. bildl. **2** förvirring; bestörtning

mazurka [mə'zɜːkə] mus. mazurka

MB [ˌem'biː] **1** (förk. för *Medicinae Baccalaureus*) lat. = *Bachelor of Medicine* **2** förk. för *megabyte*

MBE [ˌembiː'iː] förk. för *Member of* [*the Order of*] *the British Empire*

MC [ˌem'siː] förk. för *Master of Ceremonies, Member of Congress, Military Cross*

MD 1 förk. för *Managing Director* **2** (förk. för *Medicinae Doctor*) lat. = *Doctor of Medicine*

me [miː, obeton. mɪ] **I** *pers pron* (objektsform av *I*) **1** mig **2** vard. jag [*it's only ~*; *~ too*] **3** jag [*he's younger than ~*] **4** vard. för *my*; *she likes ~ singing* [*her to sleep*] hon tycker om att jag sjunger... **5** (åld., poet. el. amer. dial. för *myself*) mig [*I laid ~ down*; *I'm going to get ~ a car* amer.] **II** *fören poss pron* (dial. el. vard. för *my*) min [*where's ~ hat?*] **III** *s* vard., *the real ~* mitt rätta (verkliga) jag

1 mead [mi:d] mjöd
2 mead [mi:d] poet. för *meadow*
meadow ['medəʊ] äng; ängs-; *~ campion* bot. gökblomma, gökblomster
meagre ['mi:gə] mager äv. bildl. [*a ~ face, ~ soil*]; påver [*~ result* (*meal*)]; knapp [*a ~ income*]; torftig [*a ~ essay*], ynklig [*~ wages*]
1 meal [mi:l] mål [mat] [*three ~s a day*], måltid; *~ ticket* a) isht amer. matkupong b) vard. födkrok; försörjare; *hot ~s* lagad mat; *at ~s* vid måltiderna, vid bordet
2 meal [mi:l] [grovt] mjöl
meals-on-wheels [ˌmi:lzɒn'wi:lz] (konstr. ss. sg. el. pl.) hemkörning av lagad mat vanl. ss. service inom hemtjänsten
mealtime ['mi:ltaɪm] måltid; matdags [*it's ~*]
1 mean [mi:n] **I** *s* **1** medelväg; *strike the golden ~* gå den gyllene medelvägen **2** matem. el. statistik. medelvärde [*the ~ of 3,5 and 7 is 5*]; genomsnitt **II** *adj* isht vetensk. medel- [*~ distance, ~ temperature, ~ value*]
2 mean [mi:n] **1** snål, gemen; ful [*a ~ trick*] **2** amer. vard. elak, ruskig **3** ringa [*of ~ birth* (börd)]; *have a ~ opinion of* ha en låg tanke om **4** torftig, sjabbig [*a ~ house in a ~ street*]; smutsig; fattig **5** vard., *feel ~* skämmas; amer. äv. känna sig krasslig (ur gängorna, vissen)
3 mean [mi:n] (*meant meant*) **I** *vb tr* **1** betyda [*dictionaries tell you what words ~*]; innebära [*his failure ~s my ruin*]; *does the name ~ anything to you?* säger namnet dig någonting?; *I know what it ~s* [*to be alone*] jag vet vad det vill säga... **2** mena [*he ~s no harm* (illa)], ha i sinnet; ämna; ha för avsikt, vara fast besluten [*he really ~s to do it*]; *I ~t to tell you* jag tänkte tala om det för dig **3** [till]ämna, avse; *it was ~t for* [*a garage*] det [var meningen att det] skulle bli..., det var tänkt som...; *what is this ~t to be?* vad ska det här vara (föreställa)? **4** mena; *say one thing and ~ another* säga ett och mena ett annat; *you don't ~ to say that...* du menar väl [ändå] inte att..., du vill väl aldrig (inte) påstå att... **5** *~t* förutbestämd [*she was ~t for greater things*]; *we were ~t for each other* äv. vi är som gjorda för varandra **II** *vb itr* mena; *~ well* (*kindly*) mena väl [*by a p.* med ngn]
meander [mɪ'ændə] **1** om flod o.d. snirkla (slingra) sig **2** ströva omkring [äv. *~ along*] **3** snirkla sig [fram] [*his lecture ~ed along*]
meaning ['mi:nɪŋ] **I** *adj* menande [*a ~ look*] **II** *s* mening; betydelse [*a word with many ~s*], innebörd [*I did not grasp the ~ of his speech*]; *what is the ~ of* [*this word*]? vad betyder...?; [*love -*] *you don't know the ~ of the word!* ...du har ingen aning om vad det betyder!, ...vad vet du om det?
meaningful ['mi:nɪŋf(ʊ)l] meningsfull [*~ work*]; betydelsefull
meaningless ['mi:nɪŋləs] meningslös; betydelselös; intetsägande
meanness ['mi:nnəs] snålhet etc., jfr *2 mean*
means [mi:nz] **1** (konstr. ofta ss. sg.; pl. *means*) medel, möjlighet[er], sätt [*a ~; this ~; every ~ has* (*all ~ have*) *been tried; there is* (*are*) *no ~ of learning what is happening*]; bildl. verktyg [*a ~ in the service of science*]; *by ~ of* med hjälp av, genom [*thoughts are expressed by ~ of words*]; *by all ~* a) så gärna, naturligtvis, givetvis, för all del b) ovillkorligen, prompt, till varje pris c) på alla sätt; *by some ~ or other* på ett eller annat sätt **2** *means* pl. medel, tillgångar, resurser; förmögenhet [*my* [*private*] *~ were much reduced*]
means test ['mi:nztest] behovsprövning
meant [ment] imperf. o. perf. p. av *3 mean*
meantime ['mi:ntaɪm] o. **meanwhile** ['mi:nwaɪl] **I** *s* mellantid; *in the ~* under tiden, så länge; under (i) mellantiden **II** *adv* under tiden, så länge; under (i) mellantiden
measles ['mi:zlz] (konstr. vanl. ss. sg.) mässling[en]; *German ~* röda hund
measly ['mi:zlɪ] vard. ynklig, futtig [*a ~ present*]
measurable ['meʒ(ə)rəbl] mätbar; överskådlig [*in a ~ future*]; *within* [*a*] *~ distance of* [*success*] bildl. mycket nära...
measure ['meʒə] **I** *s* **1** mått, storlek **2** mått konkr. [*a pint ~*]; mätredskap; bildl. mått, måttstock; *weights and ~s* mått och vikt; *full* (*good*) *~* rågat mått; *give short* (*full*) *~* mäta [upp] knappt (med råge) **3** mån, grad; *in a ~* el. *in some ~* i viss (någon) mån; *in a great* (*large*) *~* i hög grad **4** gräns; *know no ~* inte känna någon gräns **5** [mått och] steg, åtgärd [*these ~s proved inadequate*]; *take ~s* vidta mått och steg **6** parl. lagförslag; *introduce a ~* framlägga ett [lag]förslag **7** versmått **8** mus. takt **9** matem. divisor som går jämnt upp i ett tal; *greatest common ~* största gemensamma divisor **II** *vb tr* **1** mäta; ta mått på [*~ a p. for* (till) *a suit*]; *~ oneself* (*one's ability, one's strength*) *against* (*with*)... mäta sig (sin förmåga, sina krafter) med... **2** avpassa **III** *vb itr* **1** mäta, ta mått **2** mäta visst avstånd; *it ~s 7 centimetres* den mäter 7 centimeter **3** gå att mäta, kunna mätas **4** bildl. *~ up* hålla måttet
measured ['meʒəd] **1** [upp]mätt; avpassad

2 taktfast, regelbunden [~ *steps*] **3** väl avvägd
measurement ['meʒəmənt] **1** mätning; *system of* ~ måttsystem **2** pl. ~*s* mått, dimensioner
meat [mi:t] **1 a**) kött; *butcher's* ~ färskt slaktkött utom fläsk, vilt, fågel o.d.; *cold* ~ kallskuret; ~ *extract* köttextrakt; ~ *loaf* köttfärslimpa **b**) [ätligt] innanmäte [*the* ~ *of an egg*], kött [*the* ~ *of a lobster* (*a crab*)] **2** *it was* ~ *and drink to me* vard. det var just det rätta (det var någonting) för mig **3** [väsentligt] innehåll
meatball ['mi:tbɔ:l] **1** köttbulle **2** sl. klantskalle, pundhuvud
meaty ['mi:tɪ] **1** köttig; kött- [*a* ~ *bone* (*flavour*)]; välmatad [*a* ~ *crab*] **2** innehållsrik
Mecca ['mekə] **I** geogr. Mecka **II** *s* bildl. mecka [*a* ~ *for tourists*], vallfartsort
mechanic [mə'kænɪk] mekaniker; maskinarbetare; *aircraft* ~ flygmekaniker, montör
mechanical [mə'kænɪk(ə)l] mekanisk äv. bildl. [~ *brake*, ~ *movements*, ~ *power*]; maskinmässig; [maskin]teknisk; automatisk; ~ *engineering* maskinlära
mechanics [mə'kænɪks] **1** (konstr. vanl. ss. sg.) mekanik; maskinlära; ~ *of materials* hållfasthetslära **2** (konstr. ss. pl.) teknik, arbetsgång [*the* ~ *of play-writing*]
mechanism ['mekənɪz(ə)m] **1** mekanism äv. bildl. el. psykol. [*defence* ~]; maskineri äv. bildl. **2** mekanik [*the* ~ *of supply and demand*], teknik
mechanization [ˌmekənaɪ'zeɪʃ(ə)n] mekanisering; motorisering
mechanize ['mekənaɪz] mekanisera; motorisera [~*d forces*]
medal ['medl] medalj
medallion [mə'dæljən] medaljong
medallist ['med(ə)lɪst] medaljör; *gold* ~ guldmedaljör
meddle ['medl] blanda (lägga) sig 'i [andras angelägenheter]; *you are always meddling* du lägger dig då 'i allting, du skall då alltid lägga din näsa i blöt; ~ *with* a) blanda (lägga) sig 'i [*don't* ~ *with that business*] b) fingra på, rota i [*who's been meddling with my things?*]
meddlesome ['medlsəm] beskäftig
mediaeval [ˌmedɪ'i:v(ə)l, ˌmi:d-] se *medieval*
median ['mi:djən] **I** *adj* mitt-, mellan-, median- [~ *value*] **II** *s* geom. el. statistik. median
mediate [ss. adj. 'mi:dɪət, ss. vb 'mi:dɪeɪt] **I** *vb itr* medla **II** *vb tr* medla [~ *a peace*]; åstadkomma t.ex. uppgörelse genom medling (förlikning)
mediation [ˌmi:dɪ'eɪʃ(ə)n] medlande; medling; förlikning
mediator ['mi:dɪeɪtə] medlare; fredsmäklare; förlikningsman
medic ['medɪk] vard. **1** läkare **2** medicinare student
Medicaid ['medɪkeɪd] amer., statlig o. federal sjukhjälp åt låginkomsttagare
medical ['medɪk(ə)l] **I** *adj* medicinsk; läkar-; medicinal- [~ *herb*]; ~ *attendance* (*care*) läkarvård; ~ *examination* (*check-up*) läkarundersökning, hälsoundersökning; ~ *treatment* läkarvård **II** *s* vard. läkarundersökning
medicament [me'dɪkəmənt] läkemedel
medication [ˌmedɪ'keɪʃ(ə)n] **1** läkarbehandling; medicinering **2** medicin
medicinal [me'dɪsɪnl] **1** läkande [~ *properties* (egenskaper)], botande; hälsosam **2** medicinsk; medicinal- [~ *herb*]
medicine ['meds(ə)n, medɪs(ə)n isht i bet. *1*] **1** medicin äv. i mots. till kirurgi m.m.; läkekonst[en]; läkarvetenskap[en]; *Doctor of M*~ medicine doktor **2** medicin, läkemedel; ~ *cabinet* (*cupboard*) medicinskåp, husapotek; *get some* (*a taste, a dose*) *of one's own* ~ bildl. få smaka sin egen medicin
medieval [ˌmedɪ'i:v(ə)l, ˌmi:d-] medeltida; *in* ~ *times* under medeltiden
mediocre [ˌmi:dɪ'əʊkə] medelmåttig, slätstruken
mediocrity [ˌmi:dɪ'ɒkrətɪ] **1** medelmåttighet, slätstrukenhet **2** medelmåtta [*he is a* ~]
meditate ['medɪteɪt] **I** *vb tr* **1** fundera på **2** begrunda **II** *vb itr* meditera
meditation [ˌmedɪ'teɪʃ(ə)n] meditation; religiös betraktelse; funderande
Mediterranean [ˌmedɪtə'reɪnjən] **I** *adj* medelhavs- [~ *climate*]; *the* ~ *Sea* Medelhavet **II** geogr. *the* ~ Medelhavet
medi|um ['mi:dj|əm] **I** (pl. *-a* [-ə] el. *-ums*) *s* **1** medium äv. spiritistiskt; [hjälp]medel, förmedling[slänk]; förmedlare **2** meddelelsemedel; *the media* (konstr. ss. sg. el. pl.) [mass]media **3** *strike a happy* ~ gå den gyllene medelvägen **II** *adj* medelstor, medelstark, medelgod; mellanstor; medium; medel- [~ *price*]; medium-; ~ *bomber* medeltungt bombplan; *below* ~ *height* under medellängd; ~ *size* medelstorlek, mellanstorlek; ~ *wave* radio. mellanvåg
medley ['medlɪ] **1** [brokig] blandning, röra; blandat sällskap **2** mus. potpurri **3** simn. medley individuellt; ~ *relay* medleylagkapp
meek [mi:k] **1** ödmjuk, saktmodig **2** foglig, beskedlig

meerschaum ['mɪəʃəm] **1** miner. sjöskum **2** sjöskumspipa [äv. ~ *pipe*]
1 meet [mi:t] **I** (*met met*) *vb tr* **1** möta; träffa, råka; lära känna; om flod flyta samman (förena sig) med; ~ *Mr. Smith!* får jag föreställa herr Smith? **2** möta i strid; bekämpa; bemöta [~ *criticism*], besvara; ~ *a challenge* anta en utmaning; ~ *a difficulty* övervinna en svårighet **3** motsvara [~ *expectations*]; tillfredsställa [~ *demands*]; infria [~ *obligations*]; bestrida [~ *costs*]; täcka [~ *a deficiency*]; *the supply ~s the demand* tillgången motsvarar efterfrågan **II** (*met met*) *vb itr* **1** mötas; ses; träffas, råkas; om floder flyta samman; ~ *again* ses igen, återses **2** ~ *with* träffa [på], stöta på; uppleva [~ *with an adventure*]; komma över, hitta; möta, röna; amer. träffa, ha ett sammanträffande med; ~ *with an accident* råka ut för en olyckshändelse; ~ *up with* träffa, råka **III** *s* **1** jakt. möte; mötesplats; jaktsällskap **2** sport. tävling
2 meet [mi:t] litt., *as is ~* [*and proper* (*fitting*)] som sig bör
meeting ['mi:tɪŋ] **1** möte; sammanträffande; sammanträde **2** sport. tävling
mega- ['megə, ˌmegə se f. ö. sms. nedan] **1** mega- en miljon **2** vard. mega-, super- [*megastar*]
megabyte ['megəbaɪt] data. megabyte
megahertz ['megəhɜ:ts] megahertz
megalomania [ˌmegələ(ʊ)'meɪnjə] psykol. storhetsvansinne, megalomani
megalomaniac [ˌmegələ(ʊ)'meɪnɪæk] psykol. person som lider av storhetsvansinne (megalomani)
megaphone ['megəfəʊn] **I** *s* megafon **II** *vb tr* o. *vb itr* ropa [ut] i megafon
megaton ['megətʌn] megaton
megawatt ['megəwɒt] megawatt
melancholic [ˌmelən'kɒlɪk] psykol. melankolisk
melancholy ['melənkəlɪ] **I** *s* melankoli, tungsinthet **II** *adj* **1** melankolisk, tungsint **2** sorglig
mellow ['meləʊ] **I** *adj* **1** om frukt [full]mogen; om vin fyllig, vällagrad, mogen; om ost mogen **2** om t.ex. ljud, färg, ljus fyllig, rik **3** mogen, mild[rad] gm ålder o. erfarenhet **II** *vb tr* **1** bringa till mognad etc., jfr *I 1* o. *2*; mildra **2** göra mogen (mild) gm ålder o. erfarenhet; slipa av **III** *vb itr* **1** om t.ex. frukt mogna **2** mildras; vekna **3** mogna, mildras gm ålder o. erfarenhet
melodic [mɪ'lɒdɪk] melodisk
melodious [mɪ'ləʊdjəs] melodisk, melodiös
melodrama ['melə(ʊ)ˌdrɑ:mə] melodram
melodramatic [ˌmelə(ʊ)drə'mætɪk] melodramatisk
melody ['melədɪ] **1** melodi **2** välljud, musik
melon ['melən] bot. melon
melt [melt] **I** *vb itr* **1** smälta; lösas upp; vard. smälta bort av hetta; ~ *away* smälta [bort]; smälta ihop; skingras, ta slut, försvinna **2** bildl. röras, vekna; ~ *into* (*in*) *tears* röras till tårar **II** *vb tr* **1** smälta; lösa upp; skira smör; komma (få) att smälta ihop, smälta samman; ~ *down* smälta ned (ner) **2** bildl. röra **III** *s* tekn. smälta
melting-pot ['meltɪŋpɒt] smältdegel äv. bildl.; *be in the ~* bildl. vara i stöpsleven
member ['membə] **1** medlem; deltagare [*conference ~*]; parl. representant; ~ *state* medlemsstat; *M~ of* [*the*] *Congress* i USA kongressledamot; *M~ of Parliament* parlamentsledamot; *be ~ for* representera valkrets **2** del; led av t.ex. sats, ekvation
membership ['membəʃɪp] **1** medlemskap **2** medlemsantal
membrane ['membreɪn] biol. el. anat. membran, hinna, tunn skiva
memento [mɪ'mentəʊ] (pl. *~s* el. *~es*) **1** minne [*keep a th. as a ~*], minnessak **2** memento, påminnelse; varning[stecken]
memo ['meməʊ] (pl. *~s*) (förk. för *memorandum*) PM; ~ *pad* anteckningsblock
memoir ['memwɑ:] **1** biografi **2** vanl. pl. *~s* memoarer, levnadsminnen, självbiografi
memorable ['mem(ə)rəbl] minnesvärd
memorand|um [ˌmemə'rænd|əm] (pl. *-a* [-ə] el. *-ums*) **1** meddelande, PM, promemoria [*an inter-office* (internt) *~*] **2** [minnes]anteckning; minneslista **3** dipl. diplomatisk [not]
memorial [mɪ'mɔ:rɪəl] **I** *attr adj* minnes- [*~ service, ~ volume* (skrift)]; ~ *arch* triumfbåge; *M~ Day* amer. minnesdagen till minne av i olika krig stupade soldater, vanl. 30 maj **II** *s* minnesmärke
memorize ['meməraɪz] memorera
memory ['memərɪ] **1** minne; *speak from ~* tala utan manuskript; *to the best of my ~* såvitt jag kan minnas; *commit to ~* lägga på minnet; lära sig utantill **2** minne, hågkomst; åminnelse; eftermäle; *memories of childhood* barndomsminnen; *of blessed ~* salig i åminnelse **3** minne tid man minns ngt; *within living ~* i mannaminne **4** data. minne; ~ *bank* minnesbank
men [men] pl. av *man I*
menace ['menəs] **I** *s* hot, [hotande] fara; hotelse; *he's a ~* vard. han är hopplös (odräglig) **II** *vb tr* o. *vb itr* hota [med]
menagerie [mɪ'nædʒərɪ] menageri
mend [mend] **I** *vb tr* **1** laga; lappa kläder; stoppa strumpor **2** avhjälpa; ställa till rätta **3** förbättra; bättra på; ~ *one's manners* (*ways*) bättra sig **II** *vb itr* **1** bli bättre; läkas **2** *it is never too late to ~* bättre sent än

aldrig, det är aldrig för sent att bättra sig **III** *s* **1** lapp, stopp lagat ställe **2** *be on the ~* a) vara på bättringsvägen, ta sig b) om affärer hålla på och ordna [till] sig

menfolk ['menfəʊk] (konstr. ss. pl.) manfolk

menial ['mi:njəl] **I** *adj* ovärdig, enkel [*~ work* (*tasks*)] **II** *s* neds. tjänare

meningitis [ˌmenɪn'dʒaɪtɪs] med. hjärnhinneinflammation

menopause ['menə(ʊ)pɔ:z] med. menopaus, klimakterium; *male ~* manlig övergångsålder

menstruate ['menstrʊeɪt] menstruera

menstruation [ˌmenstrʊ'eɪʃ(ə)n] menstruation

mental ['mentl] **1** mental, psykisk, själs-; förstånds-; *~ age* intelligensålder; *~ disorder* (*illness, derangement*) mentalsjukdom; psykisk störning; *~ hospital* (*home*) mentalsjukhus **2** vard. galen [*go* (bli) *~*]

mentality [men'tælətɪ] **1** mentalitet, [själs]läggning, kynne **2** intelligens, förstånd

mentally ['mentəlɪ] **1** mentalt, psykiskt, själsligt; andligt; *~ ill* (*disordered, deranged*) mentalsjuk; psykiskt störd; *~ retarded* psykiskt utvecklingsstörd **2** i tankarna; i huvudet [*calculate ~*]

menthol ['menθɒl] mentol

mention ['menʃ(ə)n] **I** *s* omnämnande; *honourable ~* hedersomnämnande; *make ~ of* [om]nämna **II** *vb tr* omnämna; nämna, tala om; *not to ~* för att [nu] inte tala om (nämna); *don't ~ it!* ss. svar på tack el. ursäkt ingen orsak!, [det är] ingenting att tala om!, för all del!

mentor ['mentɔ:] mentor, rådgivare

menu ['menju:] matsedel; meny äv. data.

mercantile ['mɜ:k(ə)ntaɪl] merkantil; handels-, affärs-; *~ marine* handelsflotta

mercenar|y ['mɜ:s(ə)n(ə)rɪ] **I** *adj* **1** vinningslysten; egennyttig **2** om soldat lejd, lego- **II** *s* legosoldat, legoknekt; pl. *-ies* äv. legotrupper

merchandise ['mɜ:tʃ(ə)ndaɪz] **I** *s* koll. [handels]varor **II** *vb itr* handla

merchant ['mɜ:tʃ(ə)nt] **I** *s* **1** köpman, grosshandlare isht importör el. exportör **2** skotsk. el. amer. detaljhandlare **3** vard. karl, individ **II** *adj* handels-; *~ bank* affärsbank; *~ ship* (*vessel*) handelsfartyg

merciful ['mɜ:sɪf(ʊ)l] barmhärtig, nådig

merciless ['mɜ:sɪləs] obarmhärtig; skoningslös

mercurial [mɜ:'kjʊərɪəl] **1** kvicksilver- [*~ poisoning*] **2** livlig [*~ temperament*], kvick[tänkt] **3** flyktig, ombytlig

Mercury ['mɜ:kjʊrɪ] mytol. el. astron. Merkurius

mercury ['mɜ:kjʊrɪ] kvicksilver; *the ~ is rising* barometern (termometern) stiger

mercy ['mɜ:sɪ] **1** barmhärtighet, nåd; *have ~ on a p.* förbarma sig över ngn; vara ngn nådig; *for ~'s sake* för Guds skull **2** *be at the ~ of a p.* (*a th.*) vara i ngns (ngts) våld

mere [mɪə] blott, bara; *by a ~* (*the ~st*) *chance* av en ren slump; *a ~ 2%* ynka (futtiga) 2%

merely ['mɪəlɪ] endast, bara

merge [mɜ:dʒ] **I** *vb tr* slå ihop (samman) [*~ two companies*]; *be ~d in* äv. gå över i, förvandlas till **II** *vb itr* gå ihop (samman); smälta ihop (samman), absorberas; flyta ihop

merger ['mɜ:dʒə] **1** sammansmältning, införlivande **2** hand. sammanslagning, fusion

meridian [mə'rɪdɪən] **I** *s* **1** meridian **2** middagshöjd äv. bildl.; kulmen **II** *adj* meridian-

meringue [mə'ræŋ] maräng

merit ['merɪt] **I** *s* förtjänst [*the book has its ~s*]; värde; *~s and demerits* fel och förtjänster, fördelar och nackdelar; *a work of great ~* ett mycket förtjänstfullt arbete **II** *vb tr* förtjäna

meritocracy [ˌmerɪ'tɒkrəsɪ] meritokrati

mermaid ['mɜ:meɪd] sjöjungfru

merrily ['merəlɪ] muntert; glatt

merriment ['merɪmənt] munterhet, uppsluppenhet

merry ['merɪ] **1** munter, uppsluppen; glad; [*A*] *M~ Christmas!* God Jul! **2** vard. lite glad (upprymd, i gasen)

merry-go-round ['merɪgə(ʊ)raʊnd] karusell; bildl. äv. virvel

merrymaker ['merɪˌmeɪkə] festare

mesh [meʃ] **I** *s* maska i nät o.d.; pl. *~es* äv. trådar; nät[verk]; snaror, garn äv. bildl. **II** *vb tr* **1** fånga i ett nät (nätet) **2** mek. koppla ihop äv. bildl. **III** *vb itr* **1** fastna i ett nät (nätet); snärja in sig **2** om kugge gripa in

mesmerize ['mezm(ə)raɪz] **1** magnetisera, hypnotisera **2** suggerera; fascinera

mess [mes] **I** *s* **1** röra, oreda, oordning; soppa, klämma; *he looked a ~* han såg hemsk (förfärlig) ut **2** smörja; [hund]lort; *make a ~* smutsa (söla, kladda, skräpa) ner; *the dog has made a ~ on the carpet* hunden har gjort på mattan **3** vard. sopa, misslyckad individ **4** mil. el. sjö. matsällskap; mäss **II** *vb tr* **1** *~* [*up*] a) röra (stöka) till; smutsa (söla, kladda) ner b) trassla (strula) till, vända upp och ned på, kullkasta [*it has ~ed up our plans*], förstöra, sabba c) fara hårt fram med ngn; göra förvirrad **2** *~ a p. about* (*around*) röra (trassla) till saker och ting (det) för ngn, djävlas med ngn **3** mil. utspisa **III** *vb itr*

1 ~ *about* (*around*) **a**) gå och driva **b**) ställa (röra, strula) till **c**) vanl. ~ *around* amer. vänsterprassla [*with* med]; ~ *with* a) bråka (djävlas) med, lägga sig i b) beblanda sig med, ha att göra med c) pillra (tafsa, kladda) på d) vänsterprassla med **2** äta i mässen; sjö. skaffa

message ['mesɪdʒ] **1** meddelande [*did he leave any ~?*]; budskap äv. politiskt o.d.; bud; *he got the ~* vard. han förstod vinken; *give a p. a ~* hälsa ngn från ngn; *can I give* (*leave*) *a ~?* i telefon o.d. är det något jag kan framföra? **2** telegram **3** ärende [*go* (*run*) *~s*]

messenger ['mesɪndʒə] bud; budbärare; ~ *boy* expressbud; springpojke äv. bildl.

Messiah [mə'saɪə] **1** Messias äv. bildl. **2** Kristus

Messrs. ['mesəz] (eg. förk. för *Messieurs,* isht i affärsstil använt ss. pl. av *Mr.*) **1** herrar[na] **2** Firma, Herrar [~ *Jones & Co.*]

messy ['mesɪ] **1** rörig, stökig; tilltrasslad **2** smutsig, grisig

met [met] imperf. o. perf. p. av *1 meet*

metabolism [me'tæbəlɪz(ə)m] ämnesomsättning

metal ['metl] **I** *s* **1** metall **2** metallblandning **3** krossten för vägbygge **4** järnv., pl. *~s* skenor, spår; *run off* (*leave, jump*) *the ~s* spåra ur **II** *adj* metall-; ~ *tip* beslag; hästsko

metallic [me'tælɪk] metallisk; metall-; ~ *paint* metallic, metallicfärg

metallurgy [me'tælədʒɪ, mɪ't-] metallurgi

metalwork ['metlwɜ:k] **1** metallsmide; *piece of ~* konkr. metallarbete **2** metallslöjd

metaphor ['metəfə] metafor, bild, bildligt uttryck

metaphysics [ˌmetə'fɪzɪks] (konstr. ss. sg.) metafysik

mete [mi:t], ~ [*out*] litt. utmäta [~ *out punishment*]; tilldela, beskära

meteor ['mi:tjə] meteor

meteoric [ˌmi:tɪ'ɒrɪk] **1** meteor- [*a ~ stone*]; meteorartad, meteorlik äv. bildl.; *a ~ career* en kometkarriär; ~ *shower* meteorregn **2** atmosfärisk

meteorite ['mi:tjəraɪt] meteorit

meteorologist [ˌmi:tjə'rɒlədʒɪst] meteorolog

meteorology [ˌmi:tjə'rɒlədʒɪ] meteorologi

1 meter ['mi:tə] mätare; taxameter; ~ *maid* vard. lapplisa; ~ *man* (*reader*) [mätar]avläsare

2 meter ['mi:tə] amer., se *metre*

methane ['mi:θeɪn] kem. metangas

method ['meθəd] metod; ordning; [planmässigt] förfaringssätt; sätt; *there is* [*a*] ~ *in his* (*her* etc.) *madness* det är metod i galenskapen

Methodist ['meθədɪst] kyrkl. **I** *s* metodist **II** *attr adj* metodistisk

meticulous [mə'tɪkjʊləs] noggrann; minutiös; pedantisk

metre ['mi:tə] **1** meter längdmått **2** litt. meter i poesi; versmått; takt

metric ['metrɪk] meter- [*the ~ system*]; ~ *ton* ton 1000 kg

metrication [ˌmetrɪ'keɪʃ(ə)n] övergång till metersystemet

metronome ['metrənəʊm] metronom

metropolis [mə'trɒpəlɪs] **1** metropol, huvudstad; storstad; *the ~* (*M~*) britt. ofta London [med förorter] **2** kyrkl. ärkebiskopssäte; metropolitsäte i grekisk-ortodoxa kyrkan

metropolitan [ˌmetrə'pɒlɪt(ə)n] **I** *adj* **1** huvudstads-, storstads-, världsstads-; britt. ofta London- [*the M~ Police*]; ~ *city* se *metropolis 1*; *the M~ Railway* en av tunnelbanelinjerna i London **2** kyrkl. metropolitansk **II** *s* **1** storstadsbo **2** kyrkl. ärkebiskop; metropolit i grekisk-ortodoxa kyrkan

mettle ['metl] **1** liv[lighet]; mod, kurage; *be on one's ~* uppbjuda alla sina krafter **2** natur; temperament; skrot och korn

mew [mju:] **I** *vb itr* jama **II** *s* jamande; mjau

mews [mju:z] (konstr. vanl. ss. sg.; pl. lika) **1** stall, garagelänga som urspr. varit stall **2** stallgård; bakgata

Mexican ['meksɪkən] **I** *adj* mexikansk **II** *s* mexikan; mexikanska

mezzanine ['metsəni:n, 'mez-] **1** byggn. entresol[våning] [äv. ~ *storey*] **2** amer. teat. [främre] första raden

mg. förk. för *milligram*[*s*], *milligramme*[*s*]

MHz (förk. för *megahertz*) MHz

mica ['maɪkə] miner. glimmer; *yellow ~* kattguld

mice [maɪs] pl. av *mouse*

mickey ['mɪkɪ] vard., *take the ~ out of a p.* driva (retas) med ngn

Mickey Mouse [ˌmɪkɪ'maʊs] **I** Musse Pigg seriefigur **II** *attr adj* (äv. *mickey mouse*) **1** fattig, ynklig [*a ~ military operation*]; meningslös, banal **2** enkel, lätt [*a ~ university course*]

microbe ['maɪkrəʊb] mikrob

microbiology [ˌmaɪkrə(ʊ)baɪ'ɒlədʒɪ] mikrobiologi

microchip ['maɪkrə(ʊ)tʃɪp] data. mikrochips

microcomputer [ˌmaɪkrə(ʊ)kɒm'pju:tə] data. mikrodator

microcosm ['maɪkrə(ʊ)kɒz(ə)m] o. **microcosmos** [ˌmaɪkrə(ʊ)'kɒzmɒs] mikrokosm[os], värld i smått

microfiche ['maɪkrə(ʊ)fɪʃ] foto. mikrofiche

microfilm ['maɪkrə(ʊ)fɪlm] **I** *s* mikrofilm **II** *vb tr* mikrofilma

micrometer [maɪ'krɒmɪtə] mikrometer äv. ss. längdmått; ~ *screw* mikrometerskruv
microphone ['maɪkrəfəʊn] mikrofon
microprocessor [ˌmaɪkrə(ʊ)'prəʊsesə] data. mikroprocessor
microscope ['maɪkrəskəʊp] mikroskop
microscopic [ˌmaɪkrə'skɒpɪk] o. **microscopical** [ˌmaɪkrə'skɒpɪk(ə)l] mikroskopisk
microwave ['maɪkrə(ʊ)weɪv] **I** *s* mikrovåg; ~ *oven* mikrovågsugn **II** *vb itr* o. *vb tr* laga [mat] i en mikrovågsugn
mid [mɪd] **I** (oftast i sms.) *adj* mitt-, mellan-; [i] mitten av (på) [*it was ~ May* (*mid-May*)]; *from ~ May to ~ July* från mitten av maj till mitten av juli; *in ~ flight* i flykten; bildl. halvvägs **II** *prep* poet. för *amid*
mid-air [ˌmɪd'eə] **I** *s, in ~* [högt uppe] i luften [*catch a ball in ~*] **II** *attr adj* [som är (sker)] i luften [*a ~ collision*]
midday ['mɪddeɪ, i bet. *1* äv. ˌmɪd'd-] **1** middagstid; *at ~* vid middagstiden, på middagen **2** mitt på dagen, middags-; ~ *dinner* middag[smål] mitt på dagen
middle ['mɪdl] **I** *attr adj* mellersta; ~ *age* (*life*) medelålder; *the M~ Ages* medeltiden; *the M~ East* Mellersta Östern; ~ *finger* långfinger; *the M~ West* Mellanvästern i USA **II** *s* **1** mitt; *in the ~ of* i mitten av (på), mitt i (på, under); *in the ~ of nowhere* på vischan; bortom all ära och redlighet **2** midja
middle age [ˌmɪdl'eɪdʒ] medelålder
middle-class [ˌmɪdl'klɑːs, attr. '--] medelklass-
middle|man ['mɪdl|mæn] (pl. *-men* [-men]) hand. mellanhand
middle-of-the-road [ˌmɪdləvðə'rəʊd] moderat, mitten-; ~ *Swede* medelsvensson
middleweight ['mɪdlweɪt] isht sport. **1** mellanvikt; mellanvikts- **2** mellanviktare
middling ['mɪdlɪŋ] vard. **I** *adj* **1** medelgod; medelmåttig **2** någorlunda [bra] **II** *adv* tämligen
midge [mɪdʒ] zool. [fjäder]mygga
midget ['mɪdʒɪt] **I** *s* **1** dvärg som förevisas; lilleputt **2** midgetbil **II** *adj* mini- [*~ golf*; ~ *submarine*], lilleputt-
midland ['mɪdlənd] **I** *s, the Midlands* Midlands, mellersta England benämning på de centrala grevskapen **II** *adj* central; *M~* Midlands-, i mellersta England
midnight ['mɪdnaɪt] **1** midnatt **2** midnatts- [*~ blue*; ~ *mass*]; nattsvart; *the ~ sun* midnattssolen
midriff ['mɪdrɪf] **1** mellangärde **2** amer. infällt midjeparti på kläder **3** tvådelat plagg
midst [mɪdst] litt. mitt; *in the ~ of* mitt i, mitt ibland, mitt uppe i, mitt under; mitt i värsta (hetaste)...; *in our ~* [mitt] ibland oss, i vår krets
midsummer ['mɪdˌsʌmə] midsommar; *M~ Day* midsommardagen 24 juni
midway [ˌmɪd'weɪ, '--] *adv* halvvägs
Midwest [ˌmɪd'west], *the ~* Mellanvästern
mid|wife ['mɪdwaɪf] (pl. *-wives*) barnmorska
midwifery ['mɪdwɪf(ə)rɪ] förlossningskonst; förlossningshjälp
midwinter [ˌmɪd'wɪntə] midvinter; *in ~* mitt i vintern
1 might [maɪt] (imperf. av *may*) **1** kunde; *he ~ lose his way* han kunde gå vilse **2** fick, kunde få; *he asked if he ~ come in* han frågade om han fick (kunde få) komma in **3** måtte; *I hoped he ~ succeed* jag hoppades han skulle (måtte) lyckas
2 might [maɪt] litt. makt; kraft
mighty ['maɪtɪ] **I** *adj* **1** litt. mäktig, väldig; kraftig **2** vard. väldig, kolossal **II** *adv* vard. väldigt, mäkta ofta iron.
mignonette [ˌmɪnjə'net] bot. [lukt]reseda
migraine ['miːgreɪn, 'maɪ-] migrän
migrant ['maɪgr(ə)nt] **I** *adj* flyttande **II** *s* **1** person som flyttar (drar) från plats till plats; ~ [*worker*] gästarbetare **2** flyttfågel; vandringsdjur
migrate [maɪ'greɪt, 'maɪgreɪt] **1** om pers. utvandra **2** om fåglar flytta; om fisk vandra
migration [maɪ'greɪʃ(ə)n] **1** vandring; folkvandring **2** grupp; flock; [fågel]sträck
mike [maɪk] vard. mick mikrofon
Milan [mɪ'læn] geogr. Milano
mild [maɪld] mild; blid; ljum äv. bildl. [*she showed only a ~ interest in it*]; svag [*a ~ drink*; *a ~ attempt* (*protest*)]; lindrig [*~ illness, a ~ punishment*]
mildew ['mɪldjuː] **I** *s* **1** mjöldagg; bladmögel **2** mögel[fläckar] på tyg, papper o.d. **II** *vb tr* fläcka (förstöra) genom mjöldagg (mögel)
mildly ['maɪldlɪ] milt etc., jfr *mild*; *to put it ~* för att använda ett milt uttryck, milt uttryckt
mile [maɪl] [engelsk] mil; *nautical ~* nautisk mil, distansminut; *50 ~s an hour* 50 'miles' i timmen = ung. 80 km i timmen; *the queue was ~s long* kön sträckte sig mil bort, kön tog aldrig slut; *he's ~s above me* vard. han står skyhögt över mig; *it was ~s better* (*easier*) vard. det var ofantligt mycket bättre (lättare)
mileage ['maɪlɪdʒ] **1** antal [körda] 'miles' (mil); vägsträcka i 'miles' (mil); längd (avstånd) i 'miles' (mil); ~ *recorder* vägmätare **2** kostnad per 'mile' (mil); reseersättning [äv. ~ *allowance*] **3** antal körda 'miles' (mil) per 'gallon' (liter); *my new car gets better ~* min nya bil drar mindre bensin
mileometer [maɪ'lɒmɪtə] vägmätare

milestone ['maɪlstəʊn] milstolpe äv. bildl.
milieu ['mi:ljɜ:, -'-, amer. mi:l'ju:] miljö
militant ['mɪlɪt(ə)nt] **I** *adj* militant; aggressiv; ~ *propaganda* hetspropaganda **II** *s* **1** militant (stridbar) person **2** [strids]kämpe
militarism ['mɪlɪtərɪz(ə)m] militarism
militarize ['mɪlɪtəraɪz] militarisera
military ['mɪlɪt(ə)rɪ] **I** *adj* militärisk, militär[-], krigs-; ~ *academy* militärhögskola, krigs[hög]skola, kadettskola; ~ *march* militärmarsch **II** (konstr. ss. pl.) *s* militärer; *the* ~ militären
militate ['mɪlɪteɪt] strida vanl. bildl.; ~ *against* strida mot; motverka, skada
militia [mɪ'lɪʃə] milis, lantvärn
milk [mɪlk] **I** *s* mjölk; mjölk- [~ *chocolate*]; *come home with the* ~ vard. komma hem på morgonkulan **II** *vb tr* **1** mjölka; tappa **2** bildl. mjölka på; sko sig på **3** vard. snappa upp t.ex. telegram **III** *vb itr* mjölka
milk bar ['mɪlkbɑ:] ung. glassbar där äv. mjölkdrinkar o. smörgåsar serveras
milkmaid ['mɪlkmeɪd] **1** mjölkerska, mjölkpiga **2** mejerska
milk|man ['mɪlk|mən] (pl. *-men* [-mən]) mjölkutkörare, mjölkbud
milkshake [ˌmɪlk'ʃeɪk, '--] milkshake ofta med glass
milksop ['mɪlksɒp] mes, mähä
milk tooth ['mɪlktu:θ] (pl. *-teeth* [-ti:θ]) mjölktand
milky ['mɪlkɪ] **1** mjölkaktig; mjölk-; mjölkig **2** *the M~ Way* Vintergatan
mill [mɪl] **I** *s* **1** kvarn; *he has been through the* ~ han har fått slita ont, han har varit med om litet av varje; *put a p. through the* ~ sätta ngn på prov; utsätta ngn för svåra prövningar **2** fabrik; spinneri; verk samtliga isht ss. efterled i sms.; *cotton* ~ bomullsspinneri **II** *vb tr* **1** mala; krossa **2** valsa t.ex. järn; valka, stampa tyg **3** räffla mynt m.m.; fräsa **III** *vb itr*, ~ [*about* (*around*)] trängas; myllra, krylla
millenni|um [mɪ'lenɪ|əm] (pl. äv. *-a* [-ə]) **1** årtusende **2** tusenårsjubileum, tusenårsfest **3** *the* ~ det tusenåriga riket; den eviga freden
millepede ['mɪlɪpi:d] se *millipede*
miller ['mɪlə] mjölnare
millet ['mɪlɪt] bot. hirs
millibar ['mɪlɪbɑ:] meteor. millibar
milligramme ['mɪlɪgræm] milligram
millilitre ['mɪlɪˌli:tə] milliliter
millimetre ['mɪlɪˌmi:tə] millimeter
milliner ['mɪlɪnə] modist; ~'*s* [*shop*] modistaffär, hattaffär
million ['mɪljən] miljon; *two* ~ *people* två miljoner människor; *feel like a* ~ *dollars* (*bucks*) vard. må jättebra (som en prins)
millionaire [ˌmɪljə'neə] miljonär
millionairess [ˌmɪljə'neərɪs] miljonärska
millionth ['mɪljənθ] **I** *räkn* miljonte; ~ *part* miljondel **II** *s* miljondel
millipede ['mɪlɪpi:d] zool. tusenfoting
millstone ['mɪlstəʊn] kvarnsten; *a* ~ *round a p.'s neck* bildl. en kvarnsten om ngns hals; en black om foten för ngn
millwheel ['mɪlwi:l] kvarnhjul
milometer [maɪ'lɒmɪtə] se *mileometer*
mime [maɪm] **I** *s* **1** mim **2** mim[iker]; pantomimiker; komiker **II** *vb itr* spela [panto]mim, mima; spela komedi **III** *vb tr* härma
mimic ['mɪmɪk] **I** *adj* **1** mimisk; härmande; härmlysten **2** imiterad, låtsad **II** *s* **1** imitatör **2** mimiker **III** *vb tr* **1** härma, parodiera **2** apa efter **3** härma, efterlikna; vara förvillande lik ngt annat
mimicry ['mɪmɪkrɪ] **1** härmande **2** efterapning äv. konkr. **3** zool. mimicry, skyddande förklädnad (likhet) [äv. *protective* ~]
mimosa [mɪ'məʊzə] bot. mimosa
minaret ['mɪnəret] minaret
mince [mɪns] **I** *vb tr* **1** hacka [fint]; hacka sönder äv. bildl.; ~*d meat* finskuret kött; köttfärs **2** välja [~ *one's words*]; *not* ~ *matters* ([*one's*] *words*) inte skräda orden **II** *vb itr* **1** tala tillgjort (fint) **2** trippa **III** *s* **1** finskuret kött; köttfärs **2** se *mincemeat*
mincemeat ['mɪnsmi:t] blandning av russin, mandel, äpplen, socker, kryddor m.m. som fyllning i paj o.d.; *make* ~ *of* vard. göra hackmat (mos, slarvsylta) av
mince pie [ˌmɪns'paɪ] [portions]paj med *mincemeat*
mincer ['mɪnsə] **1** köttkvarn **2** hackare, hackmaskin
mincing ['mɪnsɪŋ] tillgjord; trippande
mind [maɪnd] **I** *s* **1** sinne; förstånd; fantasi; sinnelag; mentalitet; inställning [*a reactionary* ~]; *he has a brilliant* ~ han är en lysande begåvning; *he has a dirty* ~ han har snuskig fantasi; *have an open* ~ vara öppen för nya idéer (intryck o.d.); *frame of* ~ sinnesstämning; *presence of* ~ sinnesnärvaro; *broaden a p.'s* ~ vidga ngns synkrets (vyer); *keep one's* ~ *on* koncentrera sig på; *in one's* ~*'s eye* för sitt inre öga, i tankarna, i fantasin; *what did you have in* ~? vad hade du tänkt dig?; *whatever put that into your* ~? hur kunde du komma på den tanken (idén)?; *get a th. off one's* ~ [lyckas] få ngt ur tankarna; *be out of one's* ~ vara från sina sinnen; vara tokig; *put that out of your* ~! slå det ur tankarna! **2** mening; *be of one* ~ vara av samma mening (åsikt) [*with* som]; *change one's* ~ ändra mening (åsikt); *read a p.'s* ~ läsa ngns tankar **3** lust; önskan; *have a* [*good* (*great*)] ~ *to* ha god lust att; *know*

one's own ~ veta vad man vill; *make up one's* ~ besluta (bestämma) sig **4** minne; *bear (have, keep) in* ~ komma ihåg, ha (hålla) i minnet; *from (since) time out of* ~ sedan urminnes tid[er] **5** pers. ande, hjärna; *great ~s* snillen, skarpa hjärnor; *small ~s* små (trångsynta) själar **II** *vb tr* **1** ge akt på; tänka på; ~ *you are in time!* se till att du kommer i tid!; ~ *what you are doing!* se dig för!, tänk på vad du gör! **2** akta sig för; vara rädd om; ~ *the dog!* varning för hunden!; ~ *you don't fall!* akta dig så att du inte faller!; ~ *how you go!* var försiktig!, ta det försiktigt! **3** se efter, sköta [om], passa [~ *children*]; ~ *your own business!* vard. sköt du ditt (dina egna affärer)! **4** isht i nek. o. fråg. satser: **a**) bry sig om; ha något emot; *I don't ~...* jag bryr mig inte om...; jag har inget emot...; *don't ~ me!* bry dig inte om mig!; genera dig inte [för mig]! äv. iron. **b**) i hövlighetsuttryck *do you ~ my smoking?* har du något emot att jag röker?; *would you ~ shutting the window?* vill du vara snäll och stänga fönstret?; *don't ~ my asking, but...* ursäkta att jag frågar, men... **III** *vb itr* **1** ~ [*you*]*!* kom ihåg!, märk väl! **2** ~ *!* akta dig!, se upp! **3** *do you ~ if I smoke?* har du något emot att jag röker?; *I don't* ~ gärna för mig, det har jag inget emot; *I don't ~ if I do* vard. det säger jag inte nej till; *never ~!* a) strunt i det b) bry (bekymra) dig inte om det! c) det angår dig inte! [äv. *never you ~!*]

minded ['maɪndɪd] **1** hågad; *socially* ~ socialt inriktad, samhällstillvänd **2** ss. efterled i sms. -sinnad, -sint [*high-minded*]

minder ['maɪndə] **1** ss. efterled i sms. -skötare **2** kortform för *childminder*

mindful ['maɪn(d)f(ʊ)l] uppmärksam; *be ~ of* vara uppmärksam (ge akt) på; tänka på

mindless ['maɪndləs] **1** själlös; slö **2** glömsk, ouppmärksam

mind-reader ['maɪndˌri:də] tankeläsare

1 mine [maɪn] min [*it is* ~; *I have lost* ~]; *a book of* ~ en av mina böcker

2 mine [maɪn] **I** *s* **1** gruva **2** bildl. [verklig] guldgruva, [rik] källa; outtömligt förråd; *be a ~ of information* vara en verklig guldgruva (en rik informationskälla) **3** mil. mina; *lay ~s* lägga ut minor, minera **II** *vb tr* **1** a) bryta [~ *ore*], utvinna b) bearbeta [~ *an orefield*]; gräva i [~ *the earth for gold*] **2** gräva [~ *tunnels*]; gräva hål i (gångar under); underminera äv. bildl. **3** mil. a) minera b) minspränga **III** *vb itr* **1** bryta en gruva; ~ *for gold* gräva [efter] guld **2** arbeta i en gruva **3** mil. minera, lägga ut minor

minefield ['maɪnfi:ld] **1** mil. minfält; bildl. krutdurk **2** gruvfält

miner ['maɪnə] gruvarbetare

mineral ['mɪn(ə)r(ə)l] **I** *s* **1** mineral **2** pl. *~s* koll. mineralvatten; läskedrycker **II** *adj* mineralisk; mineralhaltig; mineral- [~ *oil*; ~ *wool*]; ~ *deposit* mineralfyndighet; ~ *water* mineralvatten; läskedryck

mineralogist [ˌmɪnəˈræləd͡ʒɪst] mineralog

mineralogy [ˌmɪnəˈræləd͡ʒɪ] mineralogi

minesweeper ['maɪnˌswi:pə] minsvepare

mingle ['mɪŋgl] **I** *vb tr* blanda; *~d feelings* blandade känslor **II** *vb itr* blanda sig; förena sig; ~ *with* (*in*) blanda sig med (i); umgås med; deltaga i

mingy ['mɪnd͡ʒɪ] vard. snål

mini ['mɪnɪ] **1** miniatyr[föremål]; minibil, småbil **2** minikjol; minimode[t]

miniature ['mɪnjətʃə, 'mɪnə-] **I** *s* **1** miniatyr i olika bet.; miniatyrmålning **2** miniatyrmåleri **II** *attr adj* miniatyr-; dvärg- [~ *pinscher*]; ~ *camera* småbildskamera; ~ *golf* minigolf

minibus ['mɪnɪbʌs] minibuss

minicab ['mɪnɪkæb] minitaxi

minicomputer [ˌmɪnɪkəmˈpju:tə] minidator

minim ['mɪnɪm] mus. halvnot

minimal ['mɪnɪm(ə)l] minimal, lägst

minimize ['mɪnɪmaɪz] **1** reducera (begränsa) till ett minimum, minimera **2** bagatellisera, förringa; underskatta

minim|um ['mɪnɪm|əm] **I** (pl. *-a* [-ə] el. *-ums*) *s* minimum, lägsta punkt; [*with*] *a* (*the*) ~ *of...* [med] minsta möjliga... **II** *attr adj* lägsta, minsta; minimi- [~ *thermometer*; ~ *wage*]; minimal[-]

mining ['maɪnɪŋ] **1** gruvdrift; gruvarbete; brytning; gruv-, bergs-; ~ *engineer* bergsingenjör; gruvingenjör **2** mil. el. sjö. minering

minion ['mɪnjən] **1** gunstling; kelgris; neds. hejduk **2** skämts. om tjänare tjänande ande

minister ['mɪnɪstə] **I** *s* **1** polit. el. dipl. minister; ~ *of state* biträdande departementschef i vissa större departement **2** kyrkl. präst isht Skottl. el. frikyrklig, i USA protestantisk; tjänare [*a ~ of God*]; ~ *of religion* protestantisk präst **II** *vb itr* **1** hjälpa [till]; ~ *to* passa upp på; sköta, vårda; sörja för; bidra till **2** kyrkl. officiera, tjänstgöra

ministerial [ˌmɪnɪˈstɪərɪəl] **1** ministeriell, minister-; regerings-; regeringsvänlig; *the ~ benches* regeringspartiets bänkar **2** prästerlig

ministry ['mɪnɪstrɪ] **1** ministär, regering, kabinett **2** departement, ministerium **3** ministertid; ministerämbete **4** prästerlig verksamhet (tjänstgöring, gärning); *enter the* ~ bli präst, gå den prästerliga banan

mink [mɪŋk] **1** flodiller; mink amerikansk art **2** skinn mink

minnow ['mɪnəʊ] zool. kvidd; mört

minor ['maɪnə] **I** *adj* **1** mindre [*a ~ offence, a ~ operation; the ~ prophets*], smärre [*~ adjustments*], mindre betydande, obetydlig [*a ~ poet*], mindre väsentlig; små- [*~ planets*]; lindrig[are] [*a ~ illness*]; underordnad i rang; *~ league* amer. sport. lägre serie; *Brown ~* i skolor den yngre [av bröderna] Brown; Brown junior **2** jur. omyndig, minderårig **3** mus. **a)** liten [*~ interval*]; *~ third* liten ters **b)** moll- [*~ scale*]; *~ key* (*mode*) molltonart; *A ~* a-moll **II** *s* **1** jur. omyndig person **2** amer. univ. a) tillvalsämne b) student som har ngt som tillvalsämne [*he is a history ~*] **3** mus. moll
Minorca [mɪ'nɔ:kə] geogr. Menorca
minorit|y [maɪ'nɒrətɪ, mɪ'n-] **1** minoritet [*national -ies*], mindretal; attr. minoritets- [*~ government (language, programme)*]; *be in a (the) ~* vara i minoritet **2** minderårighet, omyndighet, omyndig ålder
minster ['mɪnstə] **1** klosterkyrka **2** domkyrka, katedral [*York M~*]
minstrel ['mɪnstr(ə)l] **1** hist., medeltida trubadur **2** sångare vanl. svartsminkad [förr äv. *nigger ~*]
1 mint [mɪnt] **1** bot. mynta; *~ sauce* myntsås **2** bit mintchoklad, mintkaramell
2 mint [mɪnt] **I** *s* **1** myntverk; *in ~ condition* (*state*) ny [och fin], fräsch, obegagnad; i skick som ny **2** vard. massa [pengar]; *a ~ of money* en [hel] massa pengar **II** *vb tr* mynta
minuet [ˌmɪnjʊ'et] mus. menuett
minus ['maɪnəs] **I** *prep* **1** minus **2** vard. utan [*~ her clothes*] **II** *adj* minus-; negativ; *~ sign* minus[tecken] **III** *s* **1** minus[tecken] **2** minus; negativ kvantitet
minuscule ['mɪnəskju:l] diminutiv
1 minute [maɪ'nju:t, mɪ'n-] **1** ytterst liten, minimal; obetydlig **2** minutiös; *in ~ detail* in i minsta detalj
2 minute ['mɪnɪt] **1** minut; [liten] stund; *it is ten ~s to two (past two)* klockan är tio minuter i två (över två); *wait a ~!* [vänta] ett ögonblick!, vänta lite!, låt mig se!; *just a ~!* ett ögonblick bara!; *I knew him the ~ I saw him* jag kände igen honom i samma ögonblick jag såg honom; *this ~* a) ögonblickligen, genast b) alldeles nyss, för ett ögonblick sedan **2** minut del av grad **3** pl. *~s* protokoll [*of* över, vid, från]
minute hand ['mɪnɪthænd] minutvisare
minutely [maɪ'nju:tlɪ, mɪ'n-] **1** minimalt; obetydligt **2** minutiöst
minx [mɪŋks] fräck slyna; ofta skämts. flicksnärta
miracle ['mɪrəkl] **1** mirakel; *~ man* undergörare **2** *~* [*play*] medeltida mirakel[spel]
miraculous [mɪ'rækjʊləs] mirakulös
mirage ['mɪrɑ:ʒ, -'-] hägring; bildl. äv. villa, illusion
mire ['maɪə] **1** träsk, myr, kärr **2** dy äv. bildl.; gyttja; *drag through (in, into) the ~* bildl. dra ned (släpa) i smutsen, smutskasta
mirror ['mɪrə] **I** *s* spegel äv. bildl.; *~ image* spegelbild äv. bildl.; *driving ~* backspegel **II** *vb tr* [av]spegla, återspegla
mirth [mɜ:θ] munterhet
misadventure [ˌmɪsəd'ventʃə] olyckshändelse, missöde; *death by ~* jur. död genom olyckshändelse
misanthropic [ˌmɪz(ə)n'θrɒpɪk, ˌmɪs(ə)n-] o. **misanthropical** [ˌmɪz(ə)n'θrɒpɪk(ə)l, ˌmɪs(ə)n-] misantropisk; folkskygg
misapprehension ['mɪsˌæprɪ'henʃ(ə)n] missförstånd; *be under a ~* missta sig
misappropriate [ˌmɪsə'prəʊprɪeɪt] förskingra; tillskansa sig
misappropriation ['mɪsəˌprəʊprɪ'eɪʃ(ə)n] förskingring
misbehave [ˌmɪsbɪ'heɪv], *~* [*oneself*] bära sig illa åt, uppföra sig illa (opassande)
misbehaviour [ˌmɪsbɪ'heɪvjə] dåligt uppförande
miscalculate [ˌmɪs'kælkjʊleɪt] **I** *vb tr* **1** räkna fel på; felberäkna, felkalkylera **2** felbedöma **II** *vb itr* **1** räkna fel **2** missräkna sig
miscalculation ['mɪsˌkælkjʊ'leɪʃ(ə)n] **1** felräkning; felberäkning **2** felbedömning
miscarriage [ˌmɪs'kærɪdʒ] **1** missfall; *have a ~* få missfall **2** misslyckande; *~ of justice* justitiemord
miscarry [ˌmɪs'kærɪ] **1** få missfall **2** misslyckas, gå om intet; slå fel
miscellaneous [ˌmɪsə'leɪnjəs] **1** blandad, brokig **2** varjehanda
miscellan|y [mɪ'selənɪ] **1** [brokig] blandning **2** pl. *-ies* a) blandade (strödda) skrifter, strögods b) antologi; varia
mischance [ˌmɪs'tʃɑ:ns, 'mɪstʃɑ:ns] missöde
mischief ['mɪstʃɪf] **1** ofog, rackartyg, sattyg **2** skälmskhet **3** rackarunge [*you are a proper* (riktig) *~*] **4** skada; åverkan; *do ~* göra ont (skada, åverkan); vålla förtret [*to* för]
mischief-maker ['mɪstʃɪfˌmeɪkə] intrigmakare; orostiftare
mischievous ['mɪstʃɪvəs] **1** elak [*~ rumours*] **2** okynnig; *~ tricks* rackartyg
misconception [ˌmɪskən'sepʃ(ə)n] missuppfattning
misconduct [mɪs'kɒndʌkt] **1** dåligt uppförande **2** jur. äktenskapsbrott; *professional ~* tjänstefel **3** vanskötsel
misconstrue [ˌmɪskən'stru:] **1** misstolka **2** felkonstruera

misdeed [ˌmɪs'di:d] missgärning, missdåd
misdemeanour [ˌmɪsdɪ'mi:nə] förseelse i allm. el. (åld. el. amer.) jur.
misdirect [ˌmɪsdə'rekt, -daɪ'r-] **1** visa ngn fel väg (åt fel håll); leda (föra) vilse (på villospår) isht bildl. **2** *~ed* felriktad [*a ~ blow*]; missriktad [*~ patriotism*]
miser ['maɪzə] girigbuk, gnidare
miserable ['mɪz(ə)r(ə)bl] **1** olycklig; eländig; *make things* (*life*) *~ for a p.* göra livet surt för ngn **2** miserabel, bedrövlig; ömklig
miserly ['maɪzəlɪ] girig
misery ['mɪzərɪ] **1** elände; olycka; bedrövelse, förtvivlan; kval; *make a p.'s life a ~* göra ngns liv till en pina; göra livet surt för ngn; *put an animal out of its ~* göra slut på ett djurs lidanden **2** misär **3** vard. dysterkvist; gnällspik
misfire [ˌmɪs'faɪə] **1** om skjutvapen klicka **2** om motor inte tända (starta), krångla **3** slå slint [*his plans ~d*]
misfit ['mɪsfɪt] **1** misslyckad individ, missanpassad [person] **2** *the coat is a ~* rocken passar inte (har dålig passform)
misfortune [mɪs'fɔ:tʃ(ə)n, -tʃu:n] olycka; motgång; missöde; otur [*have the ~ to*]
misgiving [mɪs'gɪvɪŋ] farhåga; obehaglig känsla; *~*[*s* pl.] äv. onda aningar; tvivel, betänkligheter; *an air of ~* en betänksam min
misgovern [ˌmɪs'gʌvən] regera dåligt; *~ed* äv. misskött
misguided [ˌmɪs'gaɪdɪd] vilseledd; missriktad; omdömeslös
mishandle [ˌmɪs'hændl] **1** misshandla **2** missköta
mishap ['mɪshæp, mɪs'h-] missöde; olyckshändelse
mishear [ˌmɪs'hɪə] (*misheard misheard*) höra fel [på]
mishmash ['mɪʃmæʃ] mischmasch
misinform [ˌmɪsɪn'fɔ:m] vilseleda; felunderrätta [*you have been* (är) *~ed*]
misinterpret [ˌmɪsɪn'tɜ:prɪt] misstolka, misstyda; missuppfatta
misinterpretation ['mɪsɪnˌtɜ:prɪ'teɪʃ(ə)n] misstolkning
misjudge [ˌmɪs'dʒʌdʒ] **1** felbedöma **2** misskänna
mislay [mɪs'leɪ] (*mislaid mislaid*) förlägga [*I have mislaid my gloves*]
mislead [mɪs'li:d] (*misled misled*) vilseleda; förleda
mismanage [ˌmɪs'mænɪdʒ] missköta; förvalta dåligt
mismanagement [ˌmɪs'mænɪdʒmənt] misskötsel, vanskötsel; vanstyre
misnomer [ˌmɪs'nəʊmə] oriktig benämning; felbeteckning
misogynist [mɪ'sɒdʒɪnɪst] kvinnohatare
misplace [ˌmɪs'pleɪs] felplacera; *~d* äv. malplacerad; missriktad, bortkastad [*~d generosity*]
misprint [ss. vb ˌmɪs'prɪnt, ss. subst. 'mɪsprɪnt] **I** *vb tr* trycka fel **II** *s* tryckfel
mispronounce [ˌmɪsprə'naʊns] uttala fel (felaktigt)
mispronunciation ['mɪsprəˌnʌnsɪ'eɪʃ(ə)n] felaktigt uttal; uttalsfel
misquote [ˌmɪs'kwəʊt] felcitera
misread [ˌmɪs'ri:d] (*misread misread* [ˌmɪs'red]) läsa fel; feltolka
misrepresent ['mɪsˌreprɪ'zent] framställa oriktigt; förvränga
misrule [ˌmɪs'ru:l] **I** *s* vanstyre **II** *vb tr* regera illa
Miss [mɪs] (förk. för *Mistress*) fröken före namn [*~ Jones*]; ibl. utan motsv. i sv. om författare, konstnärer m.m. [*~ Agatha Christie*]
1 miss [mɪs] **1** skämts. flicka; ung dam; flicksnärta **2** hand., *junior ~* tonåring
2 miss [mɪs] **I** *vb tr* **1** missa; inte hinna med [*~ the bus* (*boat*)]; inte träffa; *~ the boat* (*bus*) äv. (vard.) missa chansen, vara för sent ute; komma på överblivna kartan; inte hinna med tåget; *you can't ~ it!* du kan inte ta (komma, gå) fel! **2** missa, bomma på mål; *~ a penalty* sport. äv. bränna en straff **3** gå miste om; missa; försumma; utebli från; undgå; *~ a lesson* försumma (missa) en lektion **4** sakna [*~ one's purse*; *~ a friend*]; känna saknad efter **5** *~* [*out*] utelämna, [ute]glömma; hoppa över **II** *vb itr* **1** missa; bildl. slå slint **2** *~ out* [*on*] gå miste om; utebli [från] **III** *s* miss; *it was a near ~* a) det var nästan träff b) det var nära ögat; *give a th. a ~* låta bli (strunta i, hoppa över) ngt [*I'll give the dinner a ~*]; *a ~ is as good as a mile* nära skjuter ingen hare
missal ['mɪs(ə)l] missale
misshapen [ˌmɪs'ʃeɪp(ə)n] missbildad, vanskapt
missile ['mɪsaɪl, amer. 'mɪsl] **1** kastvapen sten, spjut o.d.; projektil kula, granat, pil **2** robot[vapen]; raket[vapen]; *cruise ~* kryssningsrobot
missing ['mɪsɪŋ] saknad; frånvarande; borta; *be ~* saknas, fattas, vara borta; *the ~* de saknade t.ex. soldater i krig
mission ['mɪʃ(ə)n] **1** polit. el. dipl. a) [officiellt] uppdrag b) delegation äv. hand.; dipl., äv. beskickning **2** mil. uppdrag [*a bombing ~*] **3** mission; uppgift; kallelse; *~ in life* livsuppgift **4** relig. mission; missionsfält; missionsstation
missionary ['mɪʃ(ə)nərɪ] **I** *attr adj* missions- [*a ~ meeting*, *~ work*]; missionärs- **II** *s* missionär
missis ['mɪsɪz] vard. **1** frun använt av

tjänstefolk [*yes,* ~]; *the* ~ *has gone out* frun har gått ut **2** *the* (*my, his, your*) ~ skämts. frugan

missive ['mɪsɪv] isht officiell skrivelse

misspell [ˌmɪs'spel] (*misspelt misspelt*) *vb tr* o. *vb itr* stava fel

missus ['mɪsɪz] se *missis*

mist [mɪst] **I** *s* **1** dimma; imma **2** bildl. töcken; slöja [*a* ~ *of tears*]; *be in a* ~ vara förbryllad **II** *vb tr* hölja i dimma (dis); göra immig; *the glass is* ~*ed over* glaset är immigt **III** *vb itr* bli (vara) dimmig (disig); upplösas i dimma; bildl. skymmas; ~ *over* höljas i dimma (dis); imma [sig]

mistak|e [mɪ'steɪk] **I** (*mistook mistaken,* se äv. *mistaken*) *vb tr* **1** missförstå, missuppfatta [*don't* ~ *me*] **2** ta miste (fel) på; *there is no -ing...* man kan inte missta sig på..., det råder inget tvivel om... **3** ~ *a p.* (*a th.*) *for* förväxla ngn (ngt) med, ta ngn (ngt) för, tro ngn (ngt) vara **II** *s* misstag; missförstånd, missuppfattning; fel; missgrepp; *make a* ~ a) missta sig, begå (göra) ett misstag, ta fel b) i skrivning o.d. göra (skriva) ett fel; *spelling* ~ stavfel; *my* ~ jag tar fel; mitt fel; *and no* ~ el. *make no* ~ det är inte tu tal om det, det är inget tvivel om det, var [så] säker på det; *by* ~ av misstag

mistaken [mɪ'steɪk(ə)n] **I** *perf p* (av *mistake*); *be* ~ missta sig, ta fel [*about* på, i fråga om]; förväxlas [*for* med] **II** *adj* **1** felaktig; förfelad **2** *it is a case of* ~ *identity* det föreligger en förväxling [av personer]

mistakenly [mɪ'steɪk(ə)nlɪ] av misstag; felaktigt; med orätt

mister ['mɪstə] **1** herr[n] [*don't call me* ~] **2** vard. herrn; barnspr. farbror; *hey* ~, [*what do you think you're doing?*] hallå där..., hör du du...

mistletoe ['mɪsltəʊ, 'mɪzl-] bot. mistel

mistreat [ˌmɪs'tri:t] behandla illa; misshandla

mistress ['mɪstrəs] **1** älskarinna **2** lärarinna; *the French* ~ lärarinnan i franska, fransklärarinnan **3** husmor; djurs matte; *the* ~ *of the house* frun [i huset] **4** härskarinna; mästare

mistrust [ˌmɪs'trʌst] **I** *vb tr* **1** se *distrust II* **2** misstänka **II** *s* se *distrust I*

misty ['mɪstɪ] **1** dimmig, töcknig; immig **2** bildl. dimmig

misunderstand [ˌmɪsʌndə'stænd] (*misunderstood misunderstood*) missförstå

misunderstanding [ˌmɪsʌndə'stændɪŋ] **1** missförstånd **2** missförstånd

misuse [ss. subst. ˌmɪs'ju:s, ss. vb ˌmɪs'ju:z] **I** *s* missbruk [~ *of a p.'s position*]; felaktig användning [~ *of a word*] **II** *vb tr* missbruka; använda felaktigt

1 mite [maɪt] **1** bibl. skärv äv. bildl. [*the widow's* ~] **2** vard. liten smula **3** pyre; *poor little* ~*!* stackars liten!

2 mite [maɪt] zool. kvalster; or

mitigate ['mɪtɪgeɪt] mildra [~ *pain*]; *mitigating circumstances* förmildrande omständigheter

mitre ['maɪtə] mitra; bildl. biskopsvärdighet

mitt [mɪt] **1** halvvante **2** [tum]vante **3** basebollhandske; vard. boxhandske **4** sl. labb, näve

mitten ['mɪtn] **1** [tum]vante, tumhandske **2** halvvante

mix [mɪks] **I** *vb tr* **1** blanda; röra ihop [~ *a cake*]; ~ [*up*] blanda (röra) ihop; bildl. äv. förväxla; ~ *it* (amer. ~ *it up*) vard. råka i slagsmål (gräl) **2** förena [~ *business with pleasure*] **3** tekn. mixa **II** *vb itr* **1** blanda sig; gå ihop **2** umgås [~ *in certain circles;* ~ *with other people*]; blanda sig [~ *with the other guests*]; beblanda sig [*I don't* ~ *with people like that*]; *he doesn't* ~ *well* han har svårt att umgås (går inte bra ihop) med folk **III** *s* **1** blandning; [kak]mix **2** tekn. mix[ning]

mixed [mɪkst] **1** blandad [*a* ~ *salad*]; bland- [~ *forest*]; om färg melerad; ~ *bag* blandad kompott, salig blandning **2** blandad [~ *company*], bland- [~ *marriage*]; gemensam [~ *bathing*], sam- [~ *school*], med (för) båda könen (olika raser, religioner, nationaliteter); ~ *breed* blandras **3** blandad [~ *feelings*]; ~ *blessing* på gott och ont

mixed-up [ˌmɪkst'ʌp, attr. '--] vard. förvirrad; rådvill, vilsen [*a* ~ *kid*]

mixer ['mɪksə] **1** blandare [*concrete* ~]; [*electric* (*hand*)] ~ elvisp **2** inom ljudtekniken mixer[bord]; radio. kontrollbord; TV. bildkontrollbord, bildmixer; film. mixningsbord **3** radio. el. TV. o.d. ljudtekniker **4** *he is a good* (*poor*) ~ vard. han har lätt (svårt) för att umgås med folk **5** amer. bartender

mixture ['mɪkstʃə] **1** blandning äv. konkr.; legering **2** mixtur; *the* ~ *as before* vard. det gamla vanliga

mix-up ['mɪksʌp] vard. **1** röra; [samman]blandning; förväxling; misstag; förvirring **2** slagsmål; kalabalik

mm. förk. för *millimetre*[*s*]

MO förk. för *Medical Officer, money order*

moan [məʊn] **I** *vb itr* **1** jämra sig, stöna [svagt]; klaga, sucka **2** vard. beklaga sig, knota; ~ *and groan* gnöla och gnälla **II** *s* jämmer; klagan, suckande

moat [məʊt] vallgrav, slottsgrav

mob [mɒb] **I** *s* **1** *the* ~ pöbeln, mobben, [den skränande] massan; ~ *law* (*rule*) pöbelvälde **2** vard. krets, klick **3** sl. gangsterliga; *the M*~ maffian **II** *vb tr*

1 skocka sig omkring, omringa; ofreda om fåglar; *be ~bed* äv. förföljas [av en folkhop] **2** isht amer. invadera, översvämma **III** *vb itr* skocka sig; *~ forward* tränga fram i flock
mobile ['məʊbaɪl, -bi:l, ss. adj. amer. vanl. -b(ə)l] **I** *adj* **1** rörlig; mobil; transportabel; mil. äv. marschfärdig; *~ home* husvagn ss. permanent bostad; *~ police* motoriserad trafikpolis, trafikövervakare; *~ [recording] unit* inspelningsbil, inspelningsbuss; *~ [tele]phone* mobiltelefon **2** [lätt]rörlig; hastigt skiftande **II** *s* konst. mobil
mobility [ˌmə(ʊ)'bɪlətɪ] **1** rörlighet äv. sociol.; mil. äv. mobilitet; *social ~* rörlighet mellan samhällsklasserna **2** lättrörlighet
mobilization [ˌməʊbɪlaɪ'zeɪʃ(ə)n] mobilisering
mobilize ['məʊbɪlaɪz] **I** *vb tr* mobilisera; uppbåda, uppbjuda [*~ one's energy*]; sätta i rörelse (omlopp) **II** *vb itr* mobilisera
mobster ['mɒbstə] sl. ligamedlem; maffiamedlem
moccasin ['mɒkəsɪn] mockasin
mocha ['mɒkə] **1** mocka[kaffe] **2** mocka[skinn]
mock [mɒk] **I** *vb tr* **1** förlöjliga, driva med **2** parodiera, härma; apa efter **3** gäcka [*~ a p.'s hopes*] **II** *vb itr* gyckla **III** *s, make a ~ of a p.* göra narr av ngn **IV** *attr adj* oäkta, falsk; fingerad, sken-; låtsad, spelad [*with ~ dignity*]
mockery ['mɒkərɪ] **1** a) gyckel, drift; spefullhet; hån b) [föremål för] åtlöje; *become the ~ of* bli till ett åtlöje för; *make a ~ of a p.* göra ngn till ett åtlöje **2** parodi [*a ~ of justice*], vrångbild; *a [mere] ~* rena gycklet (farsen)
mocking-bird ['mɒkɪŋbɜ:d] zool. härmfågel
mock-up ['mɒkʌp] modell ofta i full skala; attrapp
mod cons [ˌmɒd'kɒnz] vard. förk. för *modern conveniences*
mode [məʊd] **1** sätt; metod; form; *~ of payment* betalningssätt **2** bruk; stil, mode **3** gram. modus
model ['mɒdl] **I** *s* **1** modell [*clay ~; sports ~; last year's ~*]; [foto]modell; mannekäng; skyltdocka; *sit (pose) as a ~* sitta (stå) modell **2** mönster, förlaga **II** *attr adj* **1** modell- [*~ train*] **2** mönster-; mönstergill, exemplarisk, idealisk; *~ farm* mönstergård, mönsterjordbruk **III** *vb tr* **1** modellera; forma **2** utforma; rita [modellen till] **3** *~ a th. after (on, upon)* [ut]forma (göra, bilda) ngt efter (med...som förebild); kalkera ngt på **4** visa [*~ dresses*]; *she's ~ling clothes for an agency* hon är mannekäng åt en modefirma **IV** *vb itr* **1** modellera [*~ in clay*] **2** vara (arbeta som) modell (fotomodell, mannekäng)
moderate [ss. adj. o. subst. 'mɒd(ə)rət, ss. vb 'mɒdəreɪt] **I** *adj* **1** måttlig; moderat; lagom; lindrig; *~ breeze* måttlig vind; sjö. frisk bris; *~ gale* hård vind; sjö. styv kuling; *~ oven* medelvarm ugn **2** medelmåttig; rätt bra **II** *s, M~* moderat politiker **III** *vb tr* **1** moderera, dämpa; lägga band på; lugna [*have a moderating influence on a p.*] **2** leda [*~ a meeting (discussion)*] **IV** *vb itr* **1** lugna (lägga) sig; dämpas, avta [*the wind is moderating*] **2** leda förhandlingar[na], presidera
moderately ['mɒd(ə)rətlɪ] **1** måttligt; lagom **2** medelmåttigt; någorlunda
moderation [ˌmɒdə'reɪʃ(ə)n] måtta, måttlighet; lugn; *in ~* med måtta, inom rimliga gränser; måttligt; lagom
modern ['mɒd(ə)n] **I** *adj* modern [*~ art; ~ society*], nutids- [*~ history*]; ny- [*M~ Greek*]; nymodig; *a flat with ~ conveniences* en modern[t utrustad] lägenhet **II** *s* nutidsmänniska; modern människa
modernize ['mɒdənaɪz] **I** *vb tr* modernisera **II** *vb itr* bli (vara) modern
modest ['mɒdɪst] **1** blygsam [*a ~ income*]; anspråkslös, försynt [*a ~ request*]; ringa; modest; *be ~ about* inte skryta med **2** anständig, sedesam
modesty ['mɒdɪstɪ] **1** blygsamhet; anspråkslöshet **2** anständighet
modicum ['mɒdɪkəm] [liten] smula; minimum [*with a ~ of effort*]
modification [ˌmɒdɪfɪ'keɪʃ(ə)n] [för]ändring; modifikation, modifiering; jämkning
modify ['mɒdɪfaɪ] **1** [för]ändra; modifiera; anpassa; jämka (rucka) på, slå av på [*~ one's demands*] **2** gram. bestämma; inskränka betydelse
modulate ['mɒdjʊleɪt] **I** *vb tr* modulera äv. mus.; anpassa **II** *vb itr* modulera
module ['mɒdju:l] mått[enhet]; tekn. el. ped. modul; data. äv. maskinenhet
mogul ['məʊg(ə)l] sport. puckelpist
mohair ['məʊheə] textil. mohair
Mohammedan [mə(ʊ)'hæmɪd(ə)n] **I** *adj* muhammedansk **II** *s* muhammedan
moist [mɔɪst] fuktig [*~ climate; ~ lips*]; immig; *eyes ~ with tears* tårade (tårfyllda) ögon
moisten ['mɔɪsn] **I** *vb tr* fukta **II** *vb itr* bli fuktig
moisture ['mɔɪstʃə] fukt, fuktighet; imma
moisturize ['mɔɪstʃəraɪz] fukta [*use cream to ~ your skin*]
molar ['məʊlə] oxeltand; kindtand
molasses [mə(ʊ)'læsɪz] (konstr. ss. sg.) **1** melass **2** isht amer. sirap
Moldavia [mɒl'deɪvjə] geogr. Moldavien
1 mole [məʊl] [födelse]märke

2 mole [məʊl] **I** *s* zool. mullvad **II** *vb tr, ~ out* gräva fram **III** *vb itr* gräva gångar
molecule ['mɒlɪkju:l, 'məʊl-] fys. el. kem. molekyl
molehill ['məʊlhɪl] mullvadshög; *make a mountain out of a ~* göra en höna av en fjäder, förstora upp allting
molest [mə(ʊ)'lest] **1** ofreda, antasta **2** störa, besvära
mollify ['mɒlɪfaɪ] **1** blidka **2** dämpa, lindra
mollusc ['mɒləsk] zool. mollusk
mollycoddle ['mɒlɪkɒdl] klema (pjoska) med, skämma bort
molten ['məʊlt(ə)n] **1** smält, flytande [*~ steel*; *~ lava*]; *~ metal* gjutmetall **2** stöpt
mom [mɒm] amer. vard., kortform för *momma*
moment ['məʊmənt] **1** ögonblick; [liten] stund; tidpunkt; *the ~ of truth* sanningens [bistra] ögonblick, sanningens stund; *one ~* el. *half a ~* el. *just a ~* [vänta] ett ögonblick, vänta lite; *at the ~* a) för ögonblicket, för tillfället, just nu b) [just] då, vid den tidpunkten; *at that very ~* i samma ögonblick, just i det ögonblicket; *in a ~* om ett ögonblick; på ett ögonblick [*it was done in a ~*] **2** betydelse [*an affair of great ~*]; *a matter of no ~* en sak utan vikt, en oviktig sak **3** fys. moment
momentary ['məʊmənt(ə)rɪ] ett ögonblicks, en kort stunds [*a ~ pause*]; tillfällig
momentous [mə(ʊ)'mentəs] **1** [mycket] viktig **2** ödesdiger
momentum [mə(ʊ)'mentəm] fart äv. bildl.; styrka [*gain* (vinna i) *~*; *the growing ~ of the attack*]; *the car gained* (*gathered*) *~* bilen fick fart (fick upp farten)
momma ['mɒmə] amer. vard., se *mamma*
monarch ['mɒnək] monark; bildl. konung
monarchist ['mɒnəkɪst] monarkist
monarchy ['mɒnəkɪ] monarki
monastery ['mɒnəst(ə)rɪ] [munk]kloster
monastic [mə'næstɪk] o. **monastical** [mə'næstɪk(ə)l] kloster-, munk-
Monday ['mʌndeɪ, -dɪ isht attr.] måndag; *Easter ~* annandag påsk; jfr *Sunday*
monetary ['mʌnɪt(ə)rɪ] monetär; *the International M~ Fund* internationella valutafonden
money ['mʌnɪ] **1** (utan pl.) a) pengar [*hard-earned ~*] b) penning-; ekonomisk, finansiell; *~ matters* penningangelägenheter, penningfrågor, penningaffärer; *~ for jam* (*old rope*) vard. lättförtjänta pengar, ett lätt jobb; *have* (*get*) *one's ~'s worth* få valuta för pengarna (sina pengar); *be short of ~* ha ont om pengar **2** mynt[sort]; *foreign ~s* utländska mynt[sorter]
money box ['mʌnɪbɒks] sparbössa; kassaskrin
moneyed ['mʌnɪd] **1** penningstark, förmögen [*a ~ man*] **2** penning- [*~ power*]
money-lender ['mʌnɪ,lendə] penningutlånare
money-making ['mʌnɪ,meɪkɪŋ] **I** *adj* **1** som tjänar (gör) pengar **2** inbringande **II** *s* penningförvärv; att tjäna (göra) pengar
money order ['mʌnɪ,ɔ:də] amer. postanvisning på lägre belopp
Mongolia [mɒŋ'gəʊljə] geogr. Mongoliet
mongoose ['mɒŋgu:s, 'mʌŋ-] zool. **1** a) mungo b) faraoråtta **2** slags kattapa
mongrel ['mʌŋgr(ə)l] **I** *s* **1** byracka, bondhund **2** bastard; korsning, blandning **II** *adj* av blandras; bastard-; korsnings-
monitor ['mɒnɪtə] **I** *s* **1** skol. ordningsman **2** monitor; TV. o.d. kontrollmottagare; dosmätare för radioaktivitet; *~* [*screen*] bildskärm, monitorskärm **3** övervakare vid monitor etc., jfr *2* **4** varan slags ödla **II** *vb tr* övervaka; avlyssna **III** *vb itr* vara övervakare
monk [mʌŋk] munk; *black ~* svartbroder
monkey ['mʌŋkɪ] **I** *s* **1** zool. apa; markatta **2** bildl. *you little ~!* din lilla rackarunge!; *put a p.'s ~ up* vard. reta gallfeber på ngn **II** *vb itr, ~* [*about* (*around*)] gå och driva, slå dank; spela apa; göra rackartyg
monkey business ['mʌŋkɪ,bɪsnɪs] vard. **1** fuffens **2** larv
monkey nut ['mʌŋkɪnʌt] vard. jordnöt
monkey wrench ['mʌŋkɪren(t)ʃ] skiftnyckel
mono ['mɒnəʊ] **I** *adj* monofonisk, mono- **II** (pl. *~s*) *s* **1** mono **2** monoplatta [äv. *~ record* (*disc*)]
monochrome ['mɒnəkrəʊm] **I** *adj* monokrom **II** *s* monokrom
monocle ['mɒnəkl] monokel
monogamous [mɒ'nɒgəməs] monogam
monogamy [mɒ'nɒgəmɪ] engifte
monogram ['mɒnəgræm] monogram
monolith ['mɒnə(ʊ)lɪθ] monolit pelare, skulptur o.d. i ett enda block
monologue ['mɒnəlɒg] monolog
monopolize [mə'nɒpəlaɪz] **1** monopolisera; få (ha) monopol på (ensamrätt till) **2** bildl. [själv] lägga beslag på
monopoly [mə'nɒpəlɪ] **1** monopol, ensamrätt **2** ®, *M~* Monopol sällskapsspel
monorail ['mɒnə(ʊ)reɪl] enspårsbana
monosyllabic [,mɒnə(ʊ)sɪ'læbɪk] enstavig
monosyllable ['mɒnə,sɪləbl] enstavigt ord; *speak in ~s* tala enstavigt; vara fåmäld
monotone ['mɒnətəʊn] entonighet; enformighet; *speak* (*read*) *in a ~* tala (läsa) entonigt (med entonig röst)
monotonous [mə'nɒtənəs] monoton, enformig [*~ work*], entonig [*a ~ voice*]

monotony [mə'nɒtənɪ] monotoni, enformighet, entonighet
monoxide [mə'nɒksaɪd], *carbon* ~ koloxid
monsoon [mɒn'su:n] meteor. monsun
monster ['mɒnstə] monster; missfoster, odjur
monstrosity [mɒn'strɒsətɪ] **1** vidunder; missfoster; monstrum; odjur **2** a) missbildning, monstrositet b) vidunderlighet
monstrous ['mɒnstrəs] **1** missbildad [*a* ~ *embryo*], vanskapt, monströs **2** vidunderlig, monstruös **3** ofantlig, oerhörd [*a* ~ *lie*] **4** vard. fullkomligt orimlig (otrolig), skandalös **5** avskyvärd, ohygglig [*a* ~ *crime*]
montage [mɒn'tɑ:ʒ, 'mɒntɑ:ʒ] fr. montage
Montenegro [ˌmɒntɪ'ni:grəʊ] geogr.
month [mʌnθ] månad; *this* ~ [i] denna månad[en]; *by the* ~ per månad, månadsvis; *for* ~*s* i månader; *she's in her eighth* ~ hon är i åttonde månaden
monthly ['mʌnθlɪ] **I** *adj* månatlig; ~ *salary* månadslön **II** *adv* månatligen, en gång i månaden **III** *s* **1** månadstidskrift **2** pl. *monthlies* vard. mens
monument ['mɒnjʊmənt] **1** monument; *ancient* ~ fornminne, fornlämning; kulturminnesmärke **2** bildl. betydelsefullt (monumentalt) verk
monumental [ˌmɒnjʊ'mentl] **1** monument-, minnes- [*a* ~ *inscription*] **2** monumental[-]; vard. äv. häpnadsväckande, enorm [~ *ignorance*]
moo [mu:] **I** *vb itr* säga 'mu'; råma, böla **II** *s* **1** mu; råmande, bölande **2** vard. [dum] kossa kvinna
mooch [mu:tʃ] vard., ~ [*about* (*around*)] driva [omkring], gå och drälla, stryka omkring; smyga, snoka [*after* efter]
1 mood [mu:d] gram. modus
2 mood [mu:d] [sinnes]stämning; humör; lust, håg; *be in the* ~ vara upplagd [*for a th.* för ngt], ha lust [*for a th.* för (med) ngt; *to do a th.* att göra ngt]; *be in no* ~ inte vara upplagd (ha lust)
moody ['mu:dɪ] **1** lynnig **2** på dåligt humör, trumpen, sur
moon [mu:n] **I** *s* måne; *full* ~ fullmåne; *the* ~ *is out* det är månsken; *change of the* ~ månskifte; *be over the* ~ bildl. vara i sjunde himlen **II** *vb itr* vard., ~ [*about* (*around*)] gå och dra, slöa; dagdrömma
moonlight ['mu:nlaɪt] **I** *s* månsken **II** *attr adj* månljus; månskens- [~ *night*] **III** *vb itr* vard. extraknäcka; jobba svart
moonlighting ['mu:nˌlaɪtɪŋ] vard. **1** extraknäck **2** skumraskaffär[er], skumrasktrafik
moonlit ['mu:nlɪt] månljus, månbelyst
moonshine ['mu:nʃaɪn] **1** månsken **2** vilda fantasier; nonsens; *that's all* ~ äv. det är bara prat **3** sl. smuggelsprit isht whisky
moonstone ['mu:nstəʊn] miner. månsten
moonstruck ['mu:nstrʌk] galen, sinnesrubbad
1 moor [mʊə, mɔ:] [ljung]hed [*the Yorkshire* ~*s*]
2 moor [mʊə, mɔ:] sjö. förtöja
moorhen ['mʊəhen, 'mɔ:-] zool. **1** rörhöna **2** [höna av] moripa
mooring ['mʊərɪŋ, 'mɔ:-] sjö. **1** förtöjning fastgörande; ~ *buoy* moringsboj, förtöjningsboj **2** vanl. pl. ~*s* förtöjningar äv. bildl.
Moorish ['mʊərɪʃ, 'mɔ:-] morisk
moorland ['mʊələnd, 'mɔ:-] hed[land]
moose [mu:s] (pl. ~*s* el. lika) [amerikansk] älg
moot [mu:t] **I** *attr adj* diskutabel; ~ *point* (*question*) omtvistad fråga **II** *vb tr* ta upp till diskussion
mop [mɒp] **I** *s* **1** mopp; disksvabb; sjö. svabb **2** vard. kalufs **II** *vb tr* torka [av] [~ *the floor*]; sjö. svabba; ~ *one's brow* torka sig i pannan, torka svetten ur pannan
mope [məʊp] vara dyster (nere, slö), sitta ensam och uggla; ~ *about* gå omkring och grubbla (hänga med huvudet)
moped ['məʊped] moped
moral ['mɒr(ə)l] **I** *adj* **1** moralisk; sedlig [*live a* ~ *life*]; ~ *fibre* [moralisk] karaktärsstyrka **2** a) andlig b) inre; ~ *certainty* a) bestämd övertygelse b) till visshet gränsande sannolikhet **II** *s* **1** [sens]moral ur ngt; *draw* (*point*) *the* ~ dra ut (peka på, framhålla) sensmoralen **2** pl. ~*s* moral ofta sexualmoral; sedlighet, moraliska principer
morale [mɒ'rɑ:l, mə'r-] isht truppers moral [*the* ~ *of the troops is excellent*]; [god] anda, kampanda
morality [mə'rælətɪ] **1** moral; sedelära; *a high standard of* ~ en hög moralisk standard **2** sedlighet; dygd **3** ~ [*play*] medeltida moralitet; slags allegoriskt skådespel
moralize ['mɒrəlaɪz] moralisera, predika moral
morass [mə'ræs] moras, träsk; bildl. dy
morbid ['mɔ:bɪd] **1** sjuklig, osund, morbid [~ *imagination*]; sjukdoms-; sjukligt dyster (misstänksam) **2** makaber [~ *details*]
more [mɔ:], **1** mer; *it's getting* ~ *and* ~ *difficult* (*exciting*) det blir allt svårare (mer och mer spännande); ~ *or less* a) mer eller mindre b) ungefär, cirka [*a hundred* ~ *or less*]; *there is* ~ *to it than that* fullt så enkelt är det inte; [*the situation is*] [*all*] *the* ~ *difficult because* ...så mycket besvärligare eftersom **2** fler, flera; ~ *books* fler[a]

böcker; *the ~ the merrier* ju fler desto (dess, ju) roligare **3** ytterligare, till [*a few* ~], mer; vidare; *once ~* en gång till, ännu en gång **4** komparativbildande mer; -are; mest; -[a]st; *~ complicated* mera komplicerad **5** *no ~* a) inte mer[a], inga (inte) fler[a] b) inte (aldrig) mer; inte längre [*he is an actor no ~*]; inte heller; lika litet [*he knows very little about it, and no ~ do I*]; *no ~ of that!* nog om den saken!, nu får det vara nog!; *no ~ than* a) knappast mer än, bara [*no ~ than five people*] b) lika litet som; *not any ~* **a**) inte mer[a] (fler[a]) [*I don't want any ~*] **b**) aldrig mer[a]; *I don't want to see him any ~* jag vill aldrig se honom mer

morello [mə'reləʊ, mɒ'r-] (pl. *~s*) bot., *~ [cherry]* morell

moreover [mɔː'rəʊvə] dessutom; vidare

morgue [mɔːg] **1** bårhus **2** tidn. sl. arkiv, referensbibliotek

moribund ['mɒrɪbʌnd] döende; utdöende [*~ civilizations*]; stagnerande [*a ~ political party*]

Mormon ['mɔːmən] **I** *s* mormon; *the ~ State* Mormonstaten Utah **II** *adj* mormonsk

morn [mɔːn] poet. morgon

morning ['mɔːnɪŋ] **1** morgon, förmiddag; *this ~* adv. i morse, i dag på morgonen (förmiddagen), i förmiddags; *the ~ after* morgonen därpå, nästa (följande) morgon (förmiddag); *in the ~* på morgonen (förmiddagen), på (om) mornarna (förmiddagarna) **2** morgon-, förmiddags- [*a ~ walk*]; *~ assembly* skol. morgonsamling

Moroccan [mə'rɒkən] **I** *adj* marockansk **II** *s* marockan; marockanska

Morocco [mə'rɒkəʊ] Marocko

moron ['mɔːrɒn] **1** psykol. debil [person] **2** vard. el. neds. idiot

moronic [mə'rɒnɪk] **1** psykol. debil **2** vard. el. neds. enfaldig, idiotisk

morose [mə'rəʊs] sur[mulen], vresig

morrow ['mɒrəʊ] litt. morgondag; *the ~* morgondagen, följande (nästa) dag

Morse [mɔːs] **I** egenn.; *the ~ code* (*alphabet*) morsealfabetet **II** *s* morsealfabet

morsel ['mɔːs(ə)l] **1** munsbit; bit, smula; stycke **2** läckerhet, godbit äv. bildl.

mortal ['mɔːtl] **I** *adj* **1** dödlig äv. bildl. [*man is ~; a ~ disease*]; jordisk, förgänglig [*this ~ life*]; dödsbringande; döds- [*~ agony, ~ danger, ~ enemy, ~ sin*]; *~ fight* (*combat*) strid på liv och död **2** vard. (ss. förstärkningsord) *no ~ reason* ingen som helst anledning; *not a ~ soul* inte en själ (kotte) **II** *s* dödlig människa (varelse); *ordinary ~s* vanliga dödliga

mortality [mɔː'tæləti] **1** dödlighet **2** mortalitet, dödlighet [*infant ~*]; dödlighetsprocent [*heavy* (hög) *~*]; *~ rate* dödstal, dödlighetsprocent; mortalitet

mortally ['mɔːtəlɪ] **1** dödligt äv. bildl. [*~ wounded, ~ offended*] **2** vard. förfärligt

1 mortar ['mɔːtə] **1** mortel **2** mil. granatkastare

2 mortar ['mɔːtə] **I** *s* murbruk **II** *vb tr* mura [ihop]

mortgage ['mɔːgɪdʒ] **I** *s* inteckning; hypotek; hypotekshandling [äv. *~ deed*]; vard. lån; *first ~* första inteckning, botteninteckning; *~ loan* **II** *vb tr* **1** inteckna [*~d up to the hilt*], belåna **2** bildl. sätta i pant

mortician [mɔː'tɪʃ(ə)n] amer. begravningsentreprenör

mortification [ˌmɔːtɪfɪ'keɪʃ(ə)n] **1** förödmjukelse **2** harm; missräkning **3** späkning

mortuary ['mɔːtjʊərɪ] **I** *adj* begravnings- [*~ rites*], grav- [*~ chapel*]; döds- **II** *s* bårhus

mosaic [mə(ʊ)'zeɪɪk] **I** *adj* mosaik- **II** *s* mosaik [*a design in ~*]

Moscow ['mɒskəʊ, amer. vanl. 'mɒskaʊ] Moskva

Moslem ['mɒzlem] se *Muslim*

mosque [mɒsk] moské

mosquito [mə'skiːtəʊ] (pl. *~s* el. *~es*) zool. moskit, [stick]mygga; pl. *~[e]s* äv. mygg

moss [mɒs] bot. mossa; moss-

mossy ['mɒsɪ] mossig; moss- [*~ green*]; mossbelupen äv. bildl.; mosslik

most [məʊst] (superl. av *much*) **I** *adj* o. *pron* mest, flest [*I have many books but he has ~*], den (det) mesta, de flesta; *the ~* det mesta [*that's the ~ I can do*]; *for the ~ part* mest, till största delen; mestadels, för det mesta; *~ of us* de flesta av oss; *make the ~ of* dra största möjliga fördel av, göra det mesta möjliga av, utnyttja (njuta av) på bästa sätt, ta väl vara på; *at* [*the*] *~* högst, på sin höjd; i bästa fall **II** *adv* **1** mest [*what pleased me ~* el. *what ~ pleased me*]; *the one he values* [*the*] *~* den som han värderar högst (mest); *~ of all* allra mest (helst), mest (helst) av allt **2** superlativbildande mest; -[a]st; *the ~ beautiful of all* den allra vackraste; *~ famous* ryktbarast, mest berömd; [*when you are*] *~ prepared* ...[som] mest förberedd **3** högst, särdeles [*~ interesting; a ~ wonderful story*]; *~ certainly* [ja] absolut, alldeles säkert, helt visst; *~ probably* (*likely*) högst sannolikt

mostly ['məʊs(t)lɪ] **1** mest **2** vanligen, mestadels [*he's at home ~*]

MOT [ˌeməʊ'tiː] (förk. för *Ministry of Transport*); *~* [*test*] vard. kontrollbesiktning av fordon äldre än tre år

motel [məʊ'tel, 'məʊtel] motell

moth [mɒθ] **1** a) nattfjäril b) mal [äv. *clothes ~*] **2** flygv. moth[plan]
mothball ['mɒθbɔ:l] **I** *s* malkula, malmedel; *in ~s* bildl. i malpåse **II** *vb tr* bildl. lägga (förvara) i malpåse
moth-eaten ['mɒθ,i:tn] maläten; bildl. äv. förlegad
mother ['mʌðə] **I** *s* **1** moder, mor, mamma; *~'s boy* mammas gosse; *~'s ruin* skämts. gin dryck; *~ country* a) moderland b) fosterland, fädernesland; hemland; *~ figure* (*image*) modersgestalt; *~ tongue* (*language*) a) modersmål b) moderspråk, grundspråk; *be a ~ to* vara som en mor för **2** bildl. moder, källa, upphov [*misrule is often the mother of* (till) *revolt*]; *the M~ of Parliaments* parlamentens moder brittiska parlamentet **3** gumman; *M~ Goose* ung. Gåsmor fiktiv författare till eng. barnrim **4** moder, abbedissa [äv. *M~ Superior*] **II** *vb tr* **1** sätta (föda) till världen; bildl. vara upphovsman till, ge upphov till **2** vara som en mor för, fostra; pyssla (sköta) om
motherhood ['mʌðəhʊd] moderskap
mother-in-law ['mʌð(ə)rɪnlɔ:] (pl. *mothers-in-law* ['mʌðəzɪnlɔ:]) **1** svärmor **2** vard. styvmor
motherly ['mʌðəlɪ] moderlig [*~ care*], moders- [*~ love, ~ pride*]
mother-of-pearl [,mʌð(ə)rə(v)'pɜ:l] pärlemor
mothproof ['mɒθpru:f] **I** *adj* malsäker; *~ bag* malpåse **II** *vb tr* malsäkra
motif [məʊ'ti:f] mus., konst. el. litt. motiv, tema, ämne, grundtanke
motion ['məʊʃ(ə)n] **I** *s* **1** rörelse; gest, tecken; *slow ~* film. ultrarapid; slow motion; *~ picture* [spel]film; *put* (*set*) *in ~* sätta i rörelse (i gång) **2** [omröstnings]förslag, yrkande äv. jur.; jur. hemställan **3** a) med. öppning, avföring b) vanl. pl. *~s* avföring, exkrementer **II** *vb itr* vinka, ge (göra) tecken **III** *vb tr* vinka (ge el. göra tecken) åt (till) [*~ a p. to come*]
motionless ['məʊʃ(ə)nləs] orörlig; i vila
motivate ['məʊtɪveɪt] **1** motivera **2** vara drivfjädern bakom (motivet till) [*what ~d their desperate action?*] **3** skapa intresse hos
motivation [,məʊtɪ'veɪʃ(ə)n] motivering; isht psykol. motivation
motive ['məʊtɪv] **I** *s* motiv, bevekelsegrund **II** *adj* rörelse-; *~ power* (*force*) drivkraft
motley ['mɒtlɪ] **I** *adj* brokig; sammanrafsad; *a ~ crew* (*crowd*) en brokig skara **II** *s* brokig blandning
motor ['məʊtə] **I** *s* **1** motor, motor- **2** åld. vard. bil, bil- **II** *adj* fysiol. motorisk [*~ nerve*]; *~ activity* motorik; *fine ~ skills* (*ability*) finmotorik **III** *vb itr* bila [*we ~ed to Brighton*]
motorbike ['məʊtəbaɪk] vard. för *motorcycle*
motorboat ['məʊtəbəʊt] **I** *s* motorbåt **II** *vb itr* köra (åka) motorbåt
motorcade ['məʊtəkeɪd] bilkortege
motorcar ['məʊtəkɑ:] bil
motorcoach ['məʊtəkəʊtʃ] **1** buss; turistbuss **2** järnv. motorvagn
motorcycle ['məʊtə,saɪkl, ,--'--] **I** *s* motorcykel; *~ combination* motorcykel med sidvagn **II** *vb itr* köra (åka) motorcykel
motorcyclist ['məʊtə,saɪklɪst] motorcyklist
motoring ['məʊtərɪŋ] **1** bilande, bilkörning; *~ accident* bilolycka; *~ offence* trafikförseelse **2** motorsport
motorist ['məʊtərɪst] bilist
motorize ['məʊtəraɪz] motorisera [*~d divisions*]
motorlorry ['məʊtə,lɒrɪ] lastbil
motor scooter ['məʊtə,sku:tə] skoter
motorway ['məʊtəweɪ] motorväg
motto ['mɒtəʊ] (pl. *~es* el. *~s*) **1** motto, valspråk, devis; tänkespråk **2** överskrift
1 mould [məʊld] **I** *s* **1** [mat]jord; mull **2** mull, stoft **II** *vb tr* mylla över (ner), kupa [äv. *~ up*; *potatoes should be kept ~ed* [*up*]]
2 mould [məʊld] **1** mögel **2** mögelsvamp
3 mould [məʊld] **I** *s* **1** form äv. bildl.; gjutform; matris; tekn. äv. modell, schablon, mall; *cast in the same ~* stöpt i samma form **2** kok. a) form b) pudding; aladåb **3** form, [kropps]byggnad; gestalt **4** bildl. typ [*men of a quite different ~*] **II** *vb tr* gjuta, forma äv. bildl.; *~ a p.'s character* forma (dana) ngns karaktär
moulder ['məʊldə], *~* [*away*] a) vittra (falla) sönder b) [för]multna c) bildl. förtvina, mögla [bort]
moulding ['məʊldɪŋ] **1** gjutning; form äv. form- [*~ press*]; *opinion ~* opinionsbildning, formande av opinion[en] **2** listverk; utsirning
mouldy ['məʊldɪ] **1** möglig; unken; murken; *become* (*grow, go*) *~* mögla; *smell ~* lukta mögel **2** bildl. möglig, förlegad, dammig **3** urusel
moult [məʊlt] **I** *vb itr* **1** om fåglar rugga **2** om andra djur fälla hår (horn); ömsa skal **II** *vb tr* fälla fjädrar o.d.; ömsa skal etc., jfr *I*
mound [maʊnd] **1** hög, kulle; upphöjning; gravhög; kummel **2** vall
1 mount [maʊnt] litt. (i namn) berg [*the M~ of Olives*]; *the ~ of Venus* anat. venusberget
2 mount [maʊnt] **I** *vb tr* **1** gå (springa) uppför [*~ the stairs*]; stiga (gå, klättra) upp på (i) [*~ a platform*; *~ a pulpit*]; bestiga [*~ the throne*]; *~ a horse* sitta upp, stiga till häst **2** placera [*~ a statue on a*

foundation] **3** hjälpa upp i sadeln **4** montera [~ *insects*; ~ *pictures*]; sätta upp; installera; göra [i ordning] [~ *an exhibition*]; klistra (sätta) upp (in) [i album] [~ *stamps*]; uppfodra; infatta [~ *a diamond in a ring*]; rama in; besätta; beslå **5** sätta upp [~ *a play*] **6** mil. sätta i gång, öppna; ~ *an offensive* äv. ta till offensiven **7** ~ *guard* a) gå 'på (överta) vakten, ställa sig på vakt b) gå på vakt, stå på post, hålla vakt **8** om djur betäcka, bestiga **II** *vb itr* **1** stiga; stiga (gå, klättra) upp; gå uppför; höja sig **2** sitta upp, stiga till häst **3** bildl. ~ [*up*] stiga, växa, gå (rusa) i höjden [*bills* ~ *up quickly at hotels*] **III** *s* **1** kartong, papper o.d. som bakgrund till bilder m.m. **2** [rid]häst **3** frimärksfastsättare **4** montering; infattning; inramning; beslag **5** objektglas för mikroskop **6** mil. stativ

mountain ['maʊntɪn, -ən] [högre] berg; *a* ~ *of flesh* ett fläskberg fet person; *I have* ~*s of work to do* jag är överlastad med arbete; *move* (bibl. *remove*) ~*s* försätta (förflytta) berg; ~ *region* bergstrakt

mountain ash [ˌmaʊntən'æʃ] bot. rönn

mountaineer [ˌmaʊntɪ'nɪə] **I** *s* bergsbestigare **II** bergsbo **III** *vb itr* göra bergsbestigningar

mountaineering [ˌmaʊntɪ'nɪərɪŋ] bergsbestigning[ar]

mountainous ['maʊntɪnəs] **1** bergig **2** ofantlig, hög som berg [~ *waves*]

mounted ['maʊntɪd] **1** uppklättrad **2** ridande [~ *police*]; fordonsburen [~ *infantry*] **3** monterad; uppsatt; uppställd; uppklistrad, insatt i album; inramad, infattad

mourn [mɔ:n] **I** *vb itr* sörja; ~ *for a p.* sörja ngn; ha sorg (bära sorgdräkt) efter ngn **II** *vb tr* sörja över; sörja

mourner ['mɔ:nə] **1** sörjande [person]; deltagare i sorgetåg (begravningsfölje); *the* ~*s* de sörjande; *the chief* ~ den närmast sörjande **2** *professional* (*hired*) ~ gråterska, lejd sörjande

mournful ['mɔ:nf(ʊ)l] sorglig, dyster; sorgsen

mourning ['mɔ:nɪŋ] **I** *adj* sörjande **II** *s* **1** sorg; sorgdräkt; *deep* (*full*) ~ djup sorg[dräkt]; *in* ~ sorgklädd; *be in* (*wear*) ~ *for* ha (bära) sorg efter **2** sorg-; ~ *clothes* (*dress*) sorgdräkt, sorgkläder

mouse [ss. subst. maʊs, ss. vb maʊz] **I** (pl. *mice* [maɪs], i bet. *2* vanl. ~*s*) *s* **1** a) mus, [liten] råtta b) bildl. skygg och tillbakadragen person; *as quiet as a* ~ tyst som en mus; *are you a man or a* ~? du är väl [en] karl! **2** data. mus **II** *vb itr* om djur fånga (ta) möss (råttor)

mousetrap ['maʊstræp] råttfälla

mousse [mu:s] **1** kok. mousse; ss. dessert äv. fromage **2** hårmousse

moustache [mə'stɑ:ʃ, amer. vanl. 'mʌstæʃ] mustasch[er]; *grow a* ~ anlägga mustasch

mousy ['maʊsɪ] råttlik[nande]; råttfärgad [~ *hair*]

mouth [ss. subst. maʊθ, i pl. maʊðz; ss. vb maʊð] **I** *s* **1** mun; *corner of the* ~ mungipa; *have a big* ~ vard. prata för mycket; vara stor i truten; *have one's heart in one's* ~ ha hjärtat i halsgropen; *shut your* ~! håll mun (käften)! **2** grimas; *make a* [*wry*] ~ göra en grimas, rynka på näsan [*at* åt] **3** mynning [*the* ~ *of a river*]; utlopp, inlopp; öppning **II** *vb tr* **1** deklamera, artikulera överdrivet [äv. ~ *out*] **2** forma [ljudlöst] med läpparna **III** *vb itr* deklamera; orera

mouthful ['maʊθfʊl] munfull; munsbit, tugga; smula; *swallow a th. at a* ~ svälja ngt i en munsbit

mouth organ ['maʊθˌɔ:gən] munspel, munharmonika

mouthpiece ['maʊθpi:s] **1** munstycke; bett på betsel; boxn. tandskydd **2** [telefon]lur [*speak into the* ~!] **3** bildl. talesman

mouth-to-mouth [ˌmaʊθtə'maʊθ], ~ *method* mun-mot-munmetod

mouthwash ['maʊθwɒʃ] munvatten

mouth-watering ['maʊθˌwɔ:t(ə)rɪŋ] aptitretande, som får det att vattnas i munnen

movable ['mu:vəbl] **I** *adj* **1** rörlig; ~ *feast* kyrkl. rörlig helg[dag] **2** lös [~ *property*], personlig [~ *goods*] **II** *s*, vanl. pl. ~*s* lösöre, inventarier; bohag, husgeråd, möbler; flyttsaker

move [mu:v] **I** *tr* **1** flytta, flytta på; förflytta [~ *troops*]; ~ *house* flytta, byta bostad **2** a) röra [på] [~ *o.'s lips*] b) sätta i gång; hålla i gång **3** röra, bedröva; göra intryck på, beveka; *be* ~*d* bli rörd, röras, gripas [*by* (*with*) av; *he was deeply* ~*d*] **4** påverka; *nothing could* ~ *him* ingenting kunde påverka honom **5** göra hemställan hos **6** parl. o.d. föreslå; yrka [på] **II** *itr* **1** a) röra [på] sig b) förflytta sig [~ *one step*]; *you must* ~ *very carefully* du måste gå fram med stor försiktighet **2** a) sätta sig i rörelse [*begin to* ~], sätta[s] i gång b) bryta upp; flytta; *I must be moving* vard. jag måste ge mig av (i väg); *things are beginning to* ~ det börjar röra på sig; ~ *off* ge sig av, avlägsna sig; ~ *on* gå på (vidare), cirkulera; ~ *out* a) gå ut b) flytta [ut], avflytta **3** i schack o.d. a) om pjäs röra sig, flyttas b) flytta, dra **4** företa sig något **5** vistas; ~ *in the best society* röra sig (umgås) i de bästa kretsar **6** hemställa, yrka **III** *s* flyttning; i schack o.d. drag; bildl. [schack]drag [*a clever* ~], utspel [*a new* ~ *to solve the crisis*], åtgärd; *a wrong* ~ ett feldrag; *get a ~ on!* vard. raska (skynda) på!; *make a ~* bildl. göra ett drag äv. i schack o.d.; handla, göra något; *make a ~ to go* göra en ansats att gå

movement ['mu:vmənt] **1** rörelse; förskjutning; *freedom of ~* bildl. rörelsefrihet **2** isht pl. *~s* rörelser, förehavanden, beteende; hållning, skick **3** [ur]verk; gång; mekanism **4** mus. a) sats [*the first ~ of a symphony*] b) tempo; rytm **5** tendens [*a ~ towards formalism*]; utveckling [*a ~ towards greater freedom of the press*] **6** politisk, religiös o.d. rörelse [*the Labour ~; the temperance ~*]; riktning [*philosophical ~s*]

mover ['mu:və] **1** upphov, drivkraft; upphovsman, drivande kraft; *prime ~* a) [primär] drivkraft, kraftkälla; kraftgenerator b) primus motor, initiativtagare **2** förslagsställare, motionär

movie ['mu:vɪ] vard. [spel]film; amer. bio[graf]; *the ~s* bio; *~ house* (*theater*) isht amer. bio[graf]

moviegoer ['mu:vɪˌgəʊə] biobesökare

moving ['mu:vɪŋ] **I** *adj* o. *pres p* **1** rörlig; *~ pavement* (amer. *walkway*) rullande trottoar; *~ picture* isht amer. vard. [spel]film; *~ staircase* (*stairway*) rulltrappa **2** rörande [*~ ceremony*]; bevekande **II** *s* [för]flyttning; *~ van* amer. flyttbil

1 mow [məʊ] (imperf. *mowed*, perf. p. *mown, mowed*) **I** *vb tr* meja, slå [*~ grass* (*hay*); *~ a field*], skära [*~ corn*]; klippa [*~ a lawn*]; *~ down* bildl. meja ned **II** *vb itr* slå, skära; klippa

2 mow [məʊ] [hö]stack, hövolm; skyl

mower ['məʊə] **1** a) slåttermaskin b) gräsklippare maskin **2** a) slåtterkarl b) gräsklippare person

Mozambique [ˌməʊzəm'bi:k] Moçambique

MP [ˌem'pi:] **1** (pl. *MP's* el. *MPs*) (förk. för *Member of Parliament*); *he is an ~* han är parlamentsledamot **2** förk. för *Metropolitan* (*Military, Mounted*) *Police*

m.p.h. förk. för *miles per hour*

Mr. o. **Mr** ['mɪstə] (pl. *Messrs.* ['mesəz]) (förk. för *mister*) hr, herr: a) före namn [*~ Brown, ~ John B.*] b) vid tilltal före vissa titlar, utan namn [*~ Chairman, ~ Speaker* m.fl.] c) före titel och namn, i sv. utan motsvarighet [*~ Justice Brown*] d) före kirurgs namn i motsats till andra läkare; *~ Big* bossen, chefen; *~ Right* den rätte

Mrs. o. **Mrs** ['mɪsɪz] (förk. för *missis*) fru framför namn o. ibl. i tilltal före vissa titlar [*~ Brown, ~ Jane* (*John*) *B.*; *~ Chairman*]; *Dr. and ~ Smith* Dr och Fru Smith, Dr Smith med Fru

1 MS [ˌem'es, 'mænjʊskrɪpt] (pl. *MSS* [ˌemes'es el. 'mænjʊskrɪpts]) förk. för *manuscript*

2 MS 1 (förk. för *multiple sclerosis*) MS **2** förk. för *Master of Science* (*Surgery*)

Ms. o. **Ms** [mɪz, məz] **I** titel för kvinna som ersättning för Miss el. Mrs före namn [*~ [Sarah] Brown*] **II** (pl. *Mses*[.] el. *Mss*[.] ['mɪzɪz]) *s* kvinna i allm. [*a fair sprinkling of ~s among the staff*]

much [mʌtʃ] **I** (*more most*) *adj* mycket; *without ~ difficulty* utan större svårighet **II** *pron* **1** mycket [*you have ~ to learn; she is not ~ to look at*]; *~ you know about it!* det vet du inte ett dugg om!; *make ~ of* a) förstå [*I couldn't make ~ of the play*] b) göra stor affär av **2** *as ~* lika (så) mycket [*as* som]; *as ~ again* (*more*) lika mycket till; *I thought as ~* var det inte det jag trodde **3** *how ~* hur mycket; *how ~ is this?* vad kostar den här? **4** *so ~* så mycket; *the scene resembled nothing so ~ as...* scenen liknade mest av allt...
III (*more most*) *adv* **1** mycket: **a**) före komp. [*~ older* (*more useful*); *~ inferior*]; *very ~ older* betydligt äldre **b**) före vissa adj. [äv. *very ~*; [*very*] *~ afraid* (*alike*)]; *he doesn't look ~ like a clergyman* han ser knappast (just inte) ut som en (nån) präst **c**) vid vb o. perf. p. [äv. *very ~*; *I ~ regret the mistake*; [*very*] *~ annoyed* (*astonished*)]; *thank you very ~* tack så mycket **d**) vid adverbiella uttr. [*~ above the average*]; *~ to my delight* till min stora förtjusning **2** före superl. absolut; *~ the best plan* äv. den avgjort bästa planen **3** ungefär; *pretty ~ alike* ungefär lika

muck [mʌk] **I** *s* **1** gödsel **2** vard. lort, skit äv. bildl. **II** *vb tr* **1** gödsla **2** vard. lorta (skita, grisa) ner; *~ a p. about* (*around*) köra med ngn; bråka (tjafsa) med ngn **III** *vb itr*, *~ about* (*around*) vard. a) gå och dra, drälla omkring b) tjafsa

muckraking ['mʌkˌreɪkɪŋ] vard. sensationsmakeri; skandalskriverier

muck-up ['mʌkʌp] vard. soppa, fiasko; *make a ~ of a th.* a) misslyckas med (sabba) ngt, göra bort sig b) trassla (soppa) till ngt

mucky ['mʌkɪ] vard. lortig, skitig; motbjudande; lerig [*a ~ road*]

mucus ['mju:kəs] slem

mud [mʌd] gyttja, dy; sörja, lera [*the ~ of the roads*]; mudder, slam; *it's as clear as ~* skämts. el. iron. man fattar inte ett dyft; *throw* (*fling, sling*) *~ at* bildl. smutskasta, svärta ned; förtala

muddle ['mʌdl] **I** *vb tr* **1** fördärva, förfuska [*you have ~d the scheme*], trassla till **2** förvirra; göra omtöcknad (lummig) [*the drink ~d him*] **3** *~ up* (*together*) röra ihop [*he has ~d things up completely*]; blanda ihop, förväxla **II** *vb itr*, *~ along* (*on*)

a) hålla på och vimsa b) hanka sig fram **III** *s* röra
muddled ['mʌdld] rörig, oredig, virrig
muddle-headed ['mʌdlˌhedɪd] virrig
muddy ['mʌdɪ] **I** *adj* **1** smutsig [~ *roads* (*shoes*)]; gyttjig **2** grumlig [~ *coffee*; ~ *stream*], oklar, smutsbrun **II** *vb tr* **1** göra smutsig (lerig, sörjig); smutsa (stänka) ned **2** grumla
mudguard ['mʌdgɑ:d] stänkskärm på bil
mudpack ['mʌdpæk] kosmetisk ansiktsmask
mudslinging ['mʌdˌslɪŋɪŋ] smutskastning; förtal
1 muff [mʌf] muff äv. tekn.
2 muff [mʌf] vard. **I** *s* **1** miss, sumpning; *make a ~ of* missa, sumpa **2** klåpare, klantskalle **II** *vb tr* missa [~ *an opportunity*]; ~ *a catch* sport. tappa bollen **III** *vb itr* göra bort sig; missa [bollen]
muffin ['mʌfɪn] **1** slags tebröd som äts varma med smör **2** amer. muffin; *English ~* se *1*
muffle ['mʌfl] **I** *vb tr* **1** linda om [~ *one's throat*]; ~ [*up*] pälsa (klä, bylta) på [~ *oneself up well*], svepa (vira) in **2** linda [om] för att dämpa ljud; madrassera dörr; dämpa; *~d* äv. dämpad, dov [*~d sounds*], [halv]kvävd [*~d voices*] **II** *s* tekn. muffel
muffler ['mʌflə] **1** [ylle]halsduk **2** isht amer. ljuddämpare
mufti ['mʌftɪ] **1** mufti muslimsk rättslärd **2** civila kläder; *in ~* äv. civil[klädd]
1 mug [mʌg] **I** *s* **1** mugg [*a ~ of tea*], sejdel [*a ~ of beer*] **2** sl. a) tryne, fejs b) käft, trut **3** sl. [blåögd] idiot **II** *vb tr* vard. **1** överfalla (slå ner) och råna isht på gatan **2** amer. plåta [till förbrytaralbum]
2 mug [mʌg] vard., *~ up* plugga
mugger ['mʌgə] sl. [brutal] rånare isht på gatan
mugging ['mʌgɪŋ] vard. rånöverfall isht på gatan
muggy ['mʌgɪ] kvav, tryckande
mulatto [mjʊ'lætəʊ] (pl. *~s* el. *~es*) mulatt
mulberry ['mʌlb(ə)rɪ] **1** mullbär; *~ tree* mullbärsträd; [*here we go round*] *the ~ bush* sånglek ...en enebärsbuske **2** mullbärsträd
1 mule [mju:l] sandalett utan häl el. rem; hällös toffel
2 mule [mju:l] mula; mulåsna; *as stubborn* (*obstinate*) *as a ~* envis som synden (en åsna)
1 mull [mʌl] grubbla (fundera) över
2 mull [mʌl] [krydda och] glödga; *~ed wine* glödgat vin, vinglögg
multifarious [ˌmʌltɪ'feərɪəs] mångahanda [*his ~ duties*], mångskiftande [~ *activities*]
multilateral [ˌmʌltɪ'læt(ə)r(ə)l] multilateral [~ *agreement* (*treaty*)]; mångsidig, flersidig
multimillionaire [ˌmʌltɪmɪljə'neə] mångmiljonär
multinational [ˌmʌltɪ'næʃənl] **I** *adj* multinationell **II** *s* multinationellt företag
multiple ['mʌltɪpl] **I** *adj* mångahanda [~ *interests*]; mångfaldig, åtskillig [~ *bruises*]; flerdubbel; mutipel [~ *system*]; *~ collision* seriekrock; *~ sclerosis* med. multipel skleros **II** *s* matem. mångfald, multipel
multiple-choice [ˌmʌltɪpl'tʃɔɪs] flervals- [~ *test*, ~ *item* (uppgift)]
multiplication [ˌmʌltɪplɪ'keɪʃ(ə)n] **1** matem. multiplikation; *~ table* multiplikationstabell **2** mångfaldigande, mångdubblande; [för]ökning
multiplicity [ˌmʌltɪ'plɪsətɪ] mångfald [*a ~ of duties*]; mångskiftande karaktär
multiply ['mʌltɪplaɪ] **I** *vb tr* **1** multiplicera **2** mångfaldiga; öka **II** *vb itr* **1** mångdubblas; ökas **2** föröka (fortplanta) sig
multiracial [ˌmʌltɪ'reɪʃ(ə)l] som omfattar (representerar) många raser
multistorey [ˌmʌltɪ'stɔ:rɪ] flervånings- [~ *hotel*]; *~ block* (*building*) höghus
multitude ['mʌltɪtju:d] **1** mängd **2** folkmassa; *the ~* [den stora] massan, mängden
1 mum [mʌm] barnspr. mamma; vard. morsa [*my ~*]
2 mum [mʌm] vard. **I** *interj*, *~!* tyst!, tig! **II** *s*, *~'s the word!* håll tyst med det! **III** *pred adj* tyst [*keep ~*]
mumble ['mʌmbl] **I** *vb itr* mumla **II** *vb tr*, ~ [*out*] mumla [fram] **III** *s* mummel
mumbo jumbo [ˌmʌmbəʊ'dʒʌmbəʊ] (pl. *~s*) **1** tomma ceremonier (ritualer) **2** fikonspråk
mummify ['mʌmɪfaɪ] mumifiera
1 mummy ['mʌmɪ] mumie äv. bildl.
2 mummy ['mʌmɪ] barnspr. mamma; *~'s darling* mammagris, morsgris; mammas älskling
mumps [mʌmps] (konstr. ss. sg.) med. påssjuka; *be down with* [*the*] *~* ligga i påssjuka
munch [mʌn(t)ʃ] **I** *vb itr* mumsa **II** *vb tr* mumsa på; mumsa (snaska) [i sig] [~ *chocolates*]
mundane ['mʌndeɪn] **1** jordisk, denna världens [~ *pleasures*] **2** trivial
Munich ['mju:nɪk] geogr. München
municipal [mjʊ'nɪsɪp(ə)l] kommunal [~ *buildings*]; kommun-, stads- [~ *libraries*]; *~ council* kommunfullmäktige
municipality [mjʊˌnɪsɪ'pælətɪ] **1** kommun **2** kommunstyrelse
mural ['mjʊər(ə)l] **I** *adj* mur-; *~ painting* muralmålning, väggmålning **II** *s* muralmålning
murder ['mɜ:də] **I** *s* mord; *~ case* mordfall, mordaffär; *~ investigation* mordutredning; *~ investigator* mordutredare,

mordspanare; *attempted ~* mordförsök; *cry (scream) blue* (amer. *bloody*) *~* vard. skrika i högan sky **II** *vb tr* **1** mörda **2** bildl. fördärva; misshandla [*~ a song*]
murderer ['mɜ:dərə] mördare
murderess ['mɜ:dərəs] mörderska
murderous ['mɜ:d(ə)rəs] **1** mordisk; blodtörstig **2** mord- [*~ assault* (*weapons*)]
murky ['mɜ:kɪ] **1** mörk, skum, dunkel [*a ~ night*]; dyster **2** mulen; tät [*~ darkness*] **3** bildl. skum [*a man with a ~ past*]
murmur ['mɜ:mə] **I** *s* **1** sorl; surr [*the ~ of bees*] **2** mummel; *without a ~* utan knot, utan att knysta (mucka) **3** med., [*heart*] *~* blåsljud **II** *vb itr* **1** sorla, porla; surra **2** mumla; knota, knorra
muscle ['mʌsl] **I** *s* **1** muskel; pl. *~s* äv. muskulatur **2** muskler; muskelvävnad; muskelstyrka **II** *vb itr* vard., *~ in* tränga (nästla) sig in [*on* på, i]; hålla sig framme, försöka komma med på ett hörn **III** *vb tr* vard., *~ one's way* tränga sig [fram]; *~ one's way into* [*the conversation*] lägga sig i...
Muscovite ['mʌskə(ʊ)vaɪt] moskvabo
muscular ['mʌskjʊlə] **1** muskel- [*~ rheumatism* (*strength, tissue*)] **2** muskulös
1 muse [mju:z] **1** mytol. musa; *the* [*nine*] *Muses* [de nio] muserna **2** poet
2 muse [mju:z] **1** fundera **2** säga [halvt] för sig själv; *~ aloud* tänka högt **3** se (titta) begrundande
museum [mjʊ'zɪəm] museum; *~ piece* museiföremål äv. bildl.
mush [mʌʃ] **1** mos, sörja **2** vard. smörja
mushroom ['mʌʃrʊm, -ru:m] **I** *s* svamp [*edible* (*poisonous*) *~s*]; champinjon; *spring up like ~s* växa upp som svampar [ur marken] **II** *attr adj* **1** svamp-, champinjon- [*~ omelette* (*soup*)] **2** svampliknande [*the ~ cloud of an atom bomb*] **3** hastigt uppväxande (uppvuxen) [*a ~ town*]; kortlivad [*~ enterprise*] **III** *vb itr* **1** plocka svamp (champinjoner) [*go ~ing*] **2** *~ out* (*up*) växa upp som svampar (en svamp) [ur marken]
mushy ['mʌʃɪ] **1** mosig, lös **2** vard. känslosam; blödig
music ['mju:zɪk] **1 a**) musik; *~ while you work* musik under arbetet **b**) musik- [*~ lesson* (*festival*)] **2** noter [*read ~*], nothäften [*printed ~*]; *sheet of ~* notblad, nothäfte **3** *face the ~* vard. ta konsekvenserna, [få] stå sitt kast; *it's ~ to my ears* vard. det låter som [ljuv] musik för mina öron
musical ['mju:zɪk(ə)l] **I** *adj* **1** musikalisk; välljudande [*a ~ voice*]; musikintresserad [*a ~ person*]; musikaliskt utvecklad [*~ taste*]; *have a ~ ear* ha bra musiköra **2** musik-, musikalisk [*~ instruments*]; *~ comedy* musikal; filmmusikal; *~ evening* [*party*] musikafton, musikalisk soaré **3** *~ box* speldosa; *~ chairs* sällskapslek hela havet stormar **II** *s* musikal; filmmusikal
music box ['mju:zɪkbɒks] speldosa
music hall ['mju:zɪkhɔ:l] **1** varieté[teater]; *~ singer* varietésångare, vissångare **2** amer. konsertsal
musician [mjʊ'zɪʃ(ə)n] **1** musiker; musikant **2** tonsättare
music stand ['mju:zɪkstænd] notställ
musk [mʌsk] mysk
musket ['mʌskɪt] hist. musköt
musketeer [ˌmʌskə'tɪə] hist. musketerare; musketör
muskrat ['mʌskræt, ˌ-'-] zool. bisamråtta
musk rose ['mʌskrəʊz, ˌ-'-] bot. **1** myskros **2** myskmalva
Muslim ['mʊzləm, 'mʊs-, 'mʌz-] **I** *s* muslim, muselman **II** *adj* muslimsk
muslin ['mʌzlɪn] a) muslin b) amer., ung. [bomulls]lärft
musquash ['mʌskwɒʃ] **1** zool. bisamråtta **2** *~* [*fur*] bisam pälsverk
mussel ['mʌsl] zool. mussla
must [mʌst, ss. vb obeton. məst, məs, mst, ms] **I** *hjälpvb* **1 a**) måste, är (var) tvungen att [*he said I ~ go*; *I couldn't stand it - I ~ help her*]; *well, if you ~!* om du absolut (nödvändigtvis) måste (vill) så! **b**) i påståendesats med negation får, fick [*you ~ never ask*]; *we ~n't be late, ~ we?* vi får inte komma för sent, eller hur? **2** måste [utan tvivel], måtte **3** ngt iron., *he ~* [*come and bother me just now!*] han ska naturligtvis (förstås)..., det är typiskt att han ska...; *he ~ go and break his leg* det är klart att han skulle gå och bryta benet **II** *s* vard., *a ~* ett måste [*that book is a ~*]
mustang ['mʌstæŋ] mustang häst
mustard ['mʌstəd] senap äv. bot.; *cut the ~* isht amer. vard. motsvara förväntningarna, lyckas
muster ['mʌstə] **I** *s* **1** mönstring; *pass ~* a) undergå mönstring (inspektion) utan anmärkning, bli antagen b) bildl. godkännas, bli accepterad; duga [*as, for* till] **2** uppbåd [*a large ~ of football supporters*]; samling **II** *vb tr* **1** samla [ihop]; mil. ställa upp **2** *~* [*up*] uppbjuda [*~* [*up*] *all one's strength*] **III** *vb itr* **1** ställa upp [sig] [*~ for inspection*] **2** samlas, träffas
mustiness ['mʌstɪnəs] unkenhet etc., jfr *musty*
mustn't ['mʌsnt] = *must not*
musty ['mʌstɪ] **1** unken [*~ smell*], instängd [*~ air*], ovädrad [*~ room*], möglig **2** bildl. förlegad [*~ ideas*]
mutation [mjʊ'teɪʃ(ə)n] **1** förändring; växling **2** biol. mutation **3** språkv. omljud

mute [mju:t] **I** *adj* **1** stum; mållös; tyst **2** fonet. stum, som inte uttalas [~ *'e'*] **II** *s* **1** stum person **2** teat. statist **3** mus. sordin; dämmare **III** *vb tr* dämpa; mus. sätta sordin på; *in ~d tones* med dämpad (sordinerad) röst
mutilate ['mju:tɪleɪt] stympa äv. bildl.; lemlästa; vanställa
mutilation [ˌmju:tɪ'leɪʃ(ə)n] stympande; förvanskning
mutineer [ˌmju:tɪ'nɪə] **I** *s* myterist; upprorsman **II** *vb itr* göra myteri
mutiny ['mju:tɪnɪ] **I** *s* myteri äv. bildl.; uppror **II** *vb itr* göra myteri (uppror)
mutt [mʌt] sl. **1** fårskalle **2** hundracka
mutter ['mʌtə] **I** *vb itr* **1** mumla, muttra **2** knota, knorra **II** *vb tr* mumla [fram] [~ *an answer*] **III** *s* **1** mumlande, muttrande **2** knorrande, knot
mutton ['mʌtn] får[kött]; *roast ~* fårstek
mutual ['mju:tʃʊəl, -tjʊəl] **1** ömsesidig; inbördes; *~ admiration society* sällskap för inbördes beundran **2** gemensam [*a ~ friend*]; *~ efforts* förenade (gemensamma) ansträngningar
mutually ['mju:tʃʊəlɪ, -tjʊəl-] ömsesidigt; *they are ~ exclusive* det ena utesluter det andra
muzzle ['mʌzl] **I** *s* **1** nos, tryne **2** munkorg; bildl. äv. munkavle; nosgrimma **3** mynning på skjutvapen **II** *vb tr* **1** sätta munkorg på; bildl. äv. sätta munkavle på **2** trycka (gnugga) nosen mot
muzzy ['mʌzɪ] vard. **1** virrig; omtöcknad, lummig **2** otydlig, suddig [*a ~ outline*]
MW förk. för *megawatt[s]*, *medium wave*
my [maɪ, obeton. mɪ] **I** *fören poss pron* min; *without ~ knowing it* utan att jag vet (visste) om det; *yes, ~ dear!* ja, kära (lilla) du (vän)! **II** *interj*, *oh, ~!* nä men!, oj då!
myopic [maɪ'ɒpɪk, -'əʊp-] med. myopisk, närsynt
myriad ['mɪrɪəd] **I** *s* myriad **II** *adj* litt. oräknelig
myrtle ['mɜ:tl] bot. myrten
myself [maɪ'self, obeton. äv. mɪ's-] mig [*I have hurt ~*], mig själv [*I can help ~*; *I am not quite ~ today*]; jag själv [*nobody but ~*], själv [*I saw it ~*; *I ~ saw it*]; *my wife and ~* min fru och jag [själv]; [*all*] *by ~* a) [alldeles] ensam (för mig själv) [*I live all by ~*] b) [alldeles] själv, [helt] på egen hand [*I did it all by ~*]
mysterious [mɪ'stɪərɪəs] **1** mystisk [*a ~ death* (*house*, *person*)]; gåtfull **2** hemlighetsfull [av sig]
mystery ['mɪst(ə)rɪ] **1** a) mysterium [*it is a ~ to* (för) *me*], hemlighet b) mystik c) hemlighetsfullhet; *there is a ~* (*an air of ~*) *about it* det är något mystiskt med det **2** deckare roman o.d. [äv. *~ novel*]; *~ writer* deckarförfattare **3** relig. mysterium **4** *~ [play]* medeltida mysteriespel
mystic ['mɪstɪk] **I** *adj* **1** mystisk, inre [*~ experience*] **2** gåtfull **II** *s* mystiker
mysticism ['mɪstɪsɪz(ə)m] mystik; mysticism
mystify ['mɪstɪfaɪ] mystifiera; förbrylla
myth [mɪθ] myt, [guda]saga, legend
mythical ['mɪθɪk(ə)l] **1** mytisk [*~ literature*], sago- [*~ heroes*] **2** bildl. mytisk
mythology [mɪ'θɒlədʒɪ] mytologi

N

N, n [en] (pl. *N's* el. *n's* [enz]) N, n

N förk. för *New, Northern* (postdistrikt i London), *north*[*ern*]

NAAFI o. **Naafi** ['næfɪ] (förk. för *Navy, Army, and Air Force Institute*[*s*]) mil., ung. marketenteri

1 nab [næb] vard. hugga [åt sig]; sno, norpa, knycka; haffa [*the police ~bed him*]

2 nab [næb] vard. förk. för *no-alcohol beer*

nadir ['neɪdɪə, 'næd-] astron. nadir, bildl. äv. botten[läge]

1 nag [næg] [liten] ridhäst; vard. hästkrake

2 nag [næg] **I** *vb tr* gnata (tjata) på [*she ~ged her husband*] **II** *vb itr* gnata, tjata; ~ *at* äv. plåga

nail [neɪl] **I** *s* **1** nagel; klo **2** spik; söm; *hit the ~ on the head* bildl. slå (träffa) huvudet på spiken; *on the ~* vard. på stubben [*pay on the ~*], på stående fot **II** *vb tr* **1** spika [fast]; spika ihop; ~ *down* spika igen (till) **2** avslöja; ~ *a lie* avslöja en lögn **3** hålla fast (kvar) [~ *a p.*], hålla fången, fängsla [*he ~ed his audience*]; ~ *a p. down* ställa ngn mot väggen, pressa ngn [på klart besked]; *be ~ed to the spot* stå som fastnaglad **4** vard. **a**) få (sätta) fast, haffa [*they ~ed the thief*]; *get ~ed* åka dit **b**) skjuta ned, fälla [~ *a bird in flight*] **c**) amer. sl. knycka, stjäla

nail file ['neɪlfaɪl] nagelfil

nail polish ['neɪlˌpɒlɪʃ] nagellack

nail scissors ['neɪlˌsɪzəz] nagelsax

nail varnish ['neɪlˌvɑːnɪʃ] nagellack

naïve [naɪ'iːv, nɑː'iːv] naiv; okonstlad

naked ['neɪkɪd] **1** naken; bar, blottad [*a ~ sword*]; kal [~ *trees*]; öppen [~ *threats*]; *the ~ eye* blotta ögat; *the ~ truth* den osminkade sanningen **2** försvarslös, värnlös

namby-pamby [ˌnæmbɪ'pæmbɪ] **I** *adj* **1** känslosam **2** mjäkig; klemig; *be ~* äv. sjåpa sig **II** *s* **1** sentimental smörja **2** a) mjäkig (sentimental) person b) morsgris

name [neɪm] **I** *s* **1** namn; benämning; *give* (*send*) *in one's ~* anmäla sig; *know a p. by ~* a) känna ngn till namnet b) veta (kunna) namnet på ngn, veta vad ngn heter; *mention* (*address*) *a p. by ~* nämna ngn vid (tilltala ngn med) namn; *go by* (*under*) *the ~ of...* vara känd (gå) under namnet...; *in the ~ of the law* (*of decency*) i lagens (anständighetens) namn; *the ~ of the game* vard. vad det handlar om (går ut på); *in one's own ~* i eget namn, på eget bevåg; *he hasn't a penny* (*cent*) *to his ~* han äger inte ett öre **2** skällsord; *call a p. ~s* skälla på ngn, kasta glåpord efter ngn **3** rykte, namn; *bad* (*ill*) *~* dåligt rykte; *make one's ~* skapa sig ett namn, slå igenom
II *vb tr* **1** ge namn [åt] [~ *a baby*]; döpa [till]; kalla [för] [*they ~d the child Tom*]; *be ~d* äv. heta, kallas; ~ *after* (amer. äv. *for*) uppkalla efter **2** namnge [*three persons were ~d*]; säga namnet på [*can you ~ this flower?*]; benämna; nämna [*the ~d person*]; *you ~ it* vard. allt man kan tänka sig, allt mellan himmel och jord [*he's been a teacher, a taxi-driver — you ~ it*] **3 a**) säga, bestämma, ange [*you can ~ your price*]; ~ *the day* vard. bestämma bröllopsdatum **b**) utse, utnämna **4** sätta namn på

name-dropping ['neɪmˌdrɒpɪŋ] 'kändissnobberi' skryt över att vara bekant med kända personer

nameless ['neɪmləs] **1** namnlös; okänd, anonym; *a person who shall be ~* en person vars namn inte skall nämnas; en person som får förbli anonym **2** namnlös [~ *misery*], outsäglig

namely ['neɪmlɪ] nämligen [*only one boy was there, ~ John*]; det vill säga

nameplate ['neɪmpleɪt] namnskylt

namesake ['neɪmseɪk] namne

Namibia [nə'mɪbɪə] geogr.

Namibian [nə'mɪbɪən] **I** *adj* namibisk **II** *s* namibier

nanny ['nænɪ] **1** barnspr. a) dadda barnsköterska b) mormor, farmor **2** bildl. förmyndare *the ~ state* förmyndarsamhället

1 nap [næp] **I** *s* tupplur [*have* el. *take* (ta sig) *a ~*], middagssömn **II** *vb itr* ta sig en tupplur; *catch a p. ~ping* ta ngn på sängen, bildl. äv. överrumpla ngn

2 nap [næp] lugg, ludd på tyg o.d.

napalm ['neɪpɑːm, 'næp-] **I** *s* napalm; ~ *bomb* napalmbomb **II** *vb tr* använda napalm mot

nape [neɪp], ~ [*of the neck*] nacke

naphtha ['næfθə, 'næpθə] kem. nafta

napkin ['næpkɪn] **1** [*table*] ~ servett **2** blöja; *disposable ~* [cellstoff]blöja **3** amer., [*sanitary*] ~ dambinda

Naples ['neɪplz] geogr. Neapel

nappy ['næpɪ] (förk. för *napkin*) blöja; ~ *pants* blöjbyxor

narcissistic [ˌnɑːsɪ'sɪstɪk] psykol. narcissistisk

narcomaniac [ˌnɑːkə(ʊ)'meɪnɪæk] narkoman

narcotic [nɑː'kɒtɪk] med. **I** *s* narkotiskt preparat; pl. *~s* äv. narkotika; *~s addict* narkotikamissbrukare **II** *adj* narkotisk; bedövande

nark [nɑːk] **I** *s* sl. tjallare **II** *vb itr* sl. tjalla

narrate [nə'reɪt, næ'r-] **I** *vb tr* berätta [*~ a story*], berätta om [*~ one's adventures*] **II** *vb itr* berätta

narration [nə'reɪʃ(ə)n, næ'r-] **1** berättande **2** berättelse

narrative ['nærətɪv] **I** *s* se *narration* **II** *adj* berättande, narrativ [*~ poems*], berättelse- [*in ~ form*]; berättar- [*~ art (skill)*]

narrator [næ'reɪtə, nə'r-] berättare äv. i t.ex. pjäs

narrow ['nærəʊ] **I** *adj* **1** smal **2** knapp [*~ majority*], snäv [*within ~ bounds*], inskränkt [*in a ~ sense*], begränsad [*a ~ field of study*]; *have a ~ escape* undkomma med knapp nöd **3** trångsynt **II** *s* vanl. *~s* (konstr. ss. sg. el. pl.) trångt farvatten **III** *vb itr* bli trång (trängre); smalna [av]; minskas **IV** *vb tr* göra trängre (smalare); dra ihop; *~ [down]* begränsa, inskränka

narrowly ['nærəʊlɪ] **1** a) smalt etc., jfr *narrow I* b) noga [*watch him ~*] **2** med knapp nöd, nätt och jämnt [*he ~ escaped*]

narrow-minded [ˌnærəʊ'maɪndɪd] trångbröstad, trångsynt

NASA ['næsə] (förk. för *National Aeronautics and Space Administration*) NASA, amerikanska rymdflygstyrelsen

nasal ['neɪz(ə)l] **I** *adj* **1** näs- [*~ bone*]; *~ catarrh* med. snuva; *~ spray* nässpray **2** fonet. nasal; *have a ~ twang* tala i näsan **II** *s* nasal[ljud]

nasalize ['neɪzəlaɪz] **I** *vb tr* nasalera **II** *vb itr* tala nasalt

nastiness ['nɑːstɪnəs] otäckhet etc., jfr *nasty*

nasty ['nɑːstɪ] **1** otäck i olika bet.: a) äcklig, vidrig b) obehaglig, otrevlig [*he turned* (blev) *~*] c) elak, ilsken [*she gave me a ~ look*] d) ful [*a ~ habit*] e) ruskig [*~ weather*] f) svår [*a ~ storm*], elakartad [*a ~ wound*]; *a ~ trick* ett elakt (fult) spratt **2** besvärlig, kinkig [*a ~ problem*] **3** tarvlig [*cheap and ~*]

nation ['neɪʃ(ə)n] nation; folk; folkslag

national ['næʃənl] **I** *adj* nationell [*~ art; ~ pride*]; national- [*~ income; ~ romanticism*], stats- [*~ debt* (skuld)], statlig [*~ income tax; a ~ theatre*]; riks- [*the ~ press*], lands- [*a ~ campaign*]; folk- [*a ~ hero*]; inhemsk; *~ anthem* nationalsång; *the ~ debt* statsskulden; *the N~ Guard* i USA nationalgardet; *~ holiday* nationaldag; *~ mourning* landssorg; *~ park* nationalpark, naturreservat; *~ service* allmän värnplikt; *the N~ Trust* brittisk fornminnes- och naturvårdsorganisation **II** *s* **1** medborgare, undersåte [*British ~s*] **2** rikstidning

nationalism ['næʃ(ə)nəlɪz(ə)m] nationalism

nationalist ['næʃ(ə)nəlɪst] **I** *s* nationalist **II** *adj* nationalistisk [*a ~ movement*]; nationalist- [*the N~ army*]

nationalistic [ˌnæʃ(ə)nə'lɪstɪk] nationalistisk

nationality [ˌnæʃ(ə)'nælətɪ] nationalitet; *~ sign* nationalitetsbokstav på bil

nationalization [ˌnæʃ(ə)nəlaɪ'zeɪʃ(ə)n, -lɪ'z-] förstatligande, socialisering

nationalize ['næʃ(ə)nəlaɪz] förstatliga, socialisera; perf. p. *~d* äv. statlig

nationwide ['neɪʃ(ə)nwaɪd] landsomfattande, riksomfattande

native ['neɪtɪv] **I** *adj* **1** födelse- [*my ~ town*]; *~ country* (poet. *land*) fosterland, hemland; *~ language* (*tongue*) modersmål; *~ speaker* infödd talare **2** medfödd [*~ ability*], naturlig [*~ beauty*]; *be ~ to* vara medfödd hos (naturlig för) **3** infödd [*a ~ Welshman*]; inhemsk **4** infödings- [*~ customs (troops)*] **5** zool. el. bot. inhemsk; *be ~ to* äv. höra hemma i; *~ forest* urskog **II** *s* **1** inföding; infödd [*he speaks English like a ~*]; *he is a ~ of England (Sheffield)* han är infödd engelsman (Sheffieldbo) **2** zool. el. bot. inhemskt djur, inhemsk växt

NATO ['neɪtəʊ] (förk. för *North Atlantic Treaty Organization*) NATO atlantpaktsorganisationen

natter ['nætə] vard. **I** *vb itr* snacka **II** *s* pratstund [*have a ~*], snack

natty ['nætɪ] vard. nätt, prydlig; snygg [*~ gloves*]; behändig [*a ~ little gadget*]

natural ['nætʃr(ə)l] **I** *adj* **1** naturlig; natur- [*~ gas (product)*]; naturenlig, naturtrogen; *~ childbirth* naturlig förlossning; *~ parents* biologiska föräldrar; *~ resources* naturtillgångar; *~ science* naturvetenskap **2** naturlig; *~ gift* (*talent*) naturlig (medfödd) begåvning (fallenhet), naturbegåvning; *it comes ~ to him* det faller sig naturligt för (det ligger 'för) honom **3** naturlig; normal; förklarlig [*a ~ mistake*] **4** illegitim, utomäktenskaplig [*a ~ son*]; köttslig, riktig [*~ brother*] **5** vildväxande **6** mus. utan förtecken; *A ~* [stamtonen] A **II** *s* **1** mus. a) stamton b) återställningstecken c) vit tangent på piano **2** vard. naturbegåvning [*as an actor he's a ~*]; *he's a ~ for the job* han är som skapt (klippt och skuren) för jobbet

naturalist ['nætʃrəlɪst] **1** naturalist **2** naturforskare; isht biolog

naturalization [ˌnætʃrəlaɪ'zeɪʃ(ə)n] naturalisering, naturalisation

naturalize ['nætʃrəlaɪz] **1** naturalisera, ge medborgarskap [åt] [*~ immigrants into* (i) *the USA*]; *become a ~d British subject* bli naturaliserad brittisk medborgare, få brittiskt medborgarskap **2** uppta, låna in [*~ a foreign word*]

naturally ['nætʃrəlɪ] **1** naturligt [*behave ~*]

2 a) naturligtvis b) naturligt (begripligt) nog **3** av naturen [*she is ~ musical*] **4** av sig själv [*it grows ~*]; *her hair curls ~* hon är självlockig; *it comes ~ to me* det faller sig naturligt för mig

nature ['neɪtʃə] **1** natur; naturen; väsen; art, slag [*things of this ~*]; kynne; *human ~* människans natur, den mänskliga naturen **2** natur-; *~ conservation (conservancy)* naturvård; *~ reserve* naturreservat

naturist ['neɪtʃərɪst] naturist, nudist

naught [nɔ:t] **1** högtidl. el. åld. ingenting; *bring to ~* omintetgöra, förstöra; *come (go) to ~* gå om intet **2** isht amer., se *nought 1*

naughtiness ['nɔ:tɪnəs] stygghet etc., jfr *naughty*

naughty ['nɔ:tɪ] **1** isht om barn stygg, elak **2** oanständig [*a ~ novel*]; lättsinnig

nausea ['nɔ:sjə, -zjə] kväljningar, illamående

nauseate ['nɔ:sɪeɪt, -zɪeɪt] kvälja; äckla; *be ~d by* få kväljningar av

nauseating ['nɔ:sɪeɪtɪŋ, -zɪeɪt-] o. **nauseous** ['nɔ:sjəs, -ʃjəs] kväljande, äcklande; äcklig

nautical ['nɔ:tɪk(ə)l] nautisk [*~ instrument*], sjö- [*~ term*], sjömans- [*~ expression*], navigations-; *~ chart* sjökort

naval ['neɪv(ə)l] sjömilitär; sjö- [*~ battle (hero)*; *~ power*], marin-, örlogs- [*~ base (station)*]; skepps- [*~ gun*]; *~ academy* amer. sjökrigsskola; *~ dockyard* örlogsvarv; *~ forces* sjöstridskrafter; *~ officer* sjöofficer

1 nave [neɪv] arkit. mittskepp i kyrka

2 nave [neɪv] [hjul]nav

navel ['neɪv(ə)l] anat. navel

navigable ['nævɪgəbl] **1** segelbar, navigerbar **2** manöverduglig; om ballong styrbar

navigate ['nævɪgeɪt] **I** *vb tr* **1** navigera, föra [*~ a ship (an aircraft)*], flyga **2** segla på (över) [*~ the Atlantic*], trafikera **3** bildl. lotsa [*~ a bill through Parliament*] **II** *vb itr* **1** navigera; styra **2** segla

navigation [ˌnævɪ'geɪʃ(ə)n] **1** navigation **2** sjöfart, sjötrafik **3** trafikering [*~ of the Thames*]

navigator ['nævɪgeɪtə] navigatör

navvy ['nævɪ] **1** vägarbetare; järnvägsarbetare **2** grävmaskin [äv. *steam-navvy*]

navy ['neɪvɪ] [örlogs]flotta; *the British N~* el. *~ yard* amer. örlogsvarv, örlogsdepå

navy-blue [ˌneɪvɪ'blu:, attr. '---] marinblå

Nazi ['nɑ:tsɪ, 'nɑ:zɪ] **I** *s* nazist **II** *adj* nazistisk

Nazism ['nɑ:tsɪz(ə)m, 'nɑ:zɪ-] nazism[en]

NB [ˌen'bi:] förk. för *nota bene, North Britain* (som adress = *Scotland*)

NBC [ˌenbi:'si:] förk. för *National Broadcasting Company*

NCO [ˌensi:'əʊ] förk. för *non-commissioned officer*

NE förk. för *North-Eastern* (postdistrikt i London), *north-east[ern]*

neap [ni:p] nipflod

Neapolitan [nɪə'pɒlɪt(ə)n] **I** *s* neapolitan **II** *adj* neapolitansk, från (i) Neapel

near [nɪə] **I** *attr adj* **1** nära [*a ~ friend*], närbelägen; närliggande; närstående; nära förestående; *the N~ East* Främre Orienten; *in the ~ future* i en nära (snar) framtid, inom den närmaste [fram]tiden **2** a) konst- [*~ leather*], imiterad b) nära nog fullständig; *~ beer* ung. svagdricka **3** a) hitre b) trafik., se *nearside* c) vid ridning o. körning med häst vänster **II** *adv* o. *pred adj* nära [*don't go too ~*]; *~ enough* nära nog, nästan; *come (get) ~* närma sig [[*to*] *a th.* ngt], komma i närheten av, bildl. äv. nästan gå (komma) upp till; *~ [up]on* nära [*it was ~ upon 2 o'clock*]; [*5 pounds*] *as ~ as makes no difference* ...så gott som **III** *prep* nära [*~ the door*; *~ death*]; i närheten av; *it lies ~ my heart* det ligger mig varmt om hjärtat **IV** *vb tr* o. *vb itr* närma sig [*as the ship ~ed land*; *the baseball season is ~ing*]

nearby [ss. adj. 'nɪəbaɪ, ss. adv. o. prep. nɪə'baɪ] **I** *adj* närbelägen, som ligger i närheten [*a ~ pub*] **II** *adv* i närheten [*he lives ~*] **III** *prep* i närheten av [*he lives ~ the river*]

nearer ['nɪərə] (komp. av *near*) närmare etc., jfr *near*; *the ~* äv. den hitre; *a ~ way* en närmare (genare) väg; *~ to* närmare

nearest ['nɪərɪst] (superl. av *near*) närmast etc., jfr *near*; hiterst; *the ~ way* den närmaste (genaste) vägen; *~ to* närmast; *those ~ [and dearest] to me* mina närmaste

nearly ['nɪəlɪ] **1** nästan; närmare, inemot [*~ 2 o'clock*], uppemot; så gott som; *finished, or ~ so* i det närmaste färdig **2** nära; *~ related* nära släkt, släkt på nära håll

nearness ['nɪənəs] **1** närhet; närbelägenhet **2** nära släktskap

nearside ['nɪəsaɪd] trafik. [sida] närmast vägkanten (trottoaren); vid vänstertrafik vänster [sida]; vid högertrafik höger [sida]

near-sighted [ˌnɪə'saɪtɪd] närsynt

neat [ni:t] **1** ordentlig [*a ~ worker*], noga, snygg [*~ work*]; välstädad [*a ~ desk*], ren [och snygg]; proper; vårdad [*a ~ appearance*], prydlig [*~ writing*] **2** snygg, välformad [*a ~ figure*] **3** fyndig [*a ~ answer*], elegant [*a ~ solution*] **4** ren [*drink one's whisky ~*] **5** sl. schysst

nebulous ['nebjʊləs] oklar

necessarily ['nesəs(ə)rəlɪ, ˌnesə'serəlɪ] nödvändigtvis; ovillkorligen

necessar|y ['nesəs(ə)rɪ] **I** *adj* nödvändig [*a ~ evil*]; erforderlig, nödig, behövlig;

ofrånkomlig, ovillkorlig [*a ~ result*]; *if ~* om så är nödvändigt, om så behövs (erfordras), eventuellt; *when ~* vid behov, när så behövs **II** *s* nödvändighetsartikel, nödvändigt ting; *the ~* vard. pengarna [som behövs] [*provide (find) the ~*]; *-ies of life* livsförnödenheter

necessitate [nəˈsesɪteɪt] **1** nödvändiggöra, kräva **2** tvinga, nödga

necessit|y [nəˈsesɪtɪ] **1** a) nödvändighet [*of* av] b) [tvingande] behov [*for* av] c) [nöd]tvång d) nöd [*driven by ~ to steal*]; *~ is the mother of invention* nöden är uppfinningarnas moder; *there is no ~ for you to go* det är inte nödvändigt att du går; *from (out of) ~* av nödtvång; *in case of ~* i nödfall, om det är [absolut] nödvändigt **2** nödvändigt ting [*food and warmth are -ies*], villkor, förutsättning [*a ~ for happy living*], livsförnödenheter; *the -ies of life* livets nödtorft

neck [nek] **I** *s* **1** hals; *back of the ~* nacke; *break one's ~* a) bryta nacken (halsen) av sig b) vard. göra sitt yttersta [*to* för att]; *save one's ~* bildl. rädda skinnet; *stick one's ~ out* vard. sticka ut hakan utsätta sig för kritik; *get it in the ~* vard. få på huden (nöten); *be thrown out on one's ~* bli utkastad med huvudet före; *be up to one's ~ in debt* vara skuldsatt upp över öronen **2** urringning [*a round ~*] **3** bildl. hals [*the ~ of a bottle*] **4** långsmalt pass (sund); *~ of land* landtunga, [smalt] näs **5** sl. fräckhet [*he had the ~ to...*] **II** *vb itr* sl. hångla

neckerchief [ˈnekətʃɪf] scarf; snusnäsduk

necklace [ˈnekləs] halsband, collier [*pearl ~*], halssmycke; bildl. pärlband

neckline [ˈneklaɪn] urringning [*V-shaped ~*]

necktie [ˈnektaɪ] slips

nectar [ˈnektə] nektar, bildl. äv. gudadryck

nectarine [ˈnekt(ə)rɪn] bot. nektarin

née [neɪ] om gift kvinna född [*Mrs. Crawley, ~ Sharp*]

need [ni:d] **I** *s* **1** behov; *if ~ be* om så behövs (erfordras); *there is no ~ for you to go* el. *you have no ~ to go* du behöver (måste) inte gå, du är inte tvungen att gå; *at ~* vid behov **2** pl. *~s* behov [*our daily ~s*] **3** nöd; *be in ~* vara i (lida) nöd **II** *vb tr* **1** behöva [*that is what he ~s most*], ha behov av; kräva, fordra [*work that ~s much care*]; behövas, krävas [*it ~s a lot of money for that*]; *it ~s rewriting* det behöver skrivas om **2** behöva, vara tvungen att [*~ he do it?*; *he ~ not come*]; *not ~* äv. slippa **III** *vb itr* **1** behöva, vara behövande [*give to those who ~*] **2** behövas [*all that ~s*]

needful [ˈni:df(ʊ)l] **I** *adj* nödvändig; önskvärd **II** *s, the ~* vard. a) pengarna som behövs, resurser[na] b) det som behövs

needle [ˈni:dl] **I** *s* **1** nål äv. på grammofon; visare på instrument; [*crochet*] *~* virknål; [*knitting*] *~* [strump]sticka; *magnetic ~* magnetnål; [*sewing*] *~* synål **2** med., *hypodermic ~* kanyl **3** barr på gran el. tall **4** vard., *get the ~* a) bli sur b) bli skärrad (nervös) **II** *vb tr* **1** sticka [hål på] **2** vard. tråka; irritera, enervera

needlecraft [ˈni:dlkrɑ:ft] handarbete

needless [ˈni:dləs] onödig [*~ work*]; *~ to say, he did it* självfallet gjorde han det

needlework [ˈni:dlwɜ:k] handarbete; sömnad; *a piece of ~* ett handarbete

needn't [ˈni:dnt] = *need not*

needs [ni:dz] (före el. efter *must*) nödvändigtvis, ovillkorligen; *I ~ must* [*do it just now*] jag måste ovillkorligen..., jag är absolut tvungen att...

needy [ˈni:dɪ] [hjälp]behövande

negate [nɪˈgeɪt] förneka

negation [nɪˈgeɪʃ(ə)n] **1** förnekande, nekande **2** gram. el. filos. negation

negative [ˈnegətɪv] **I** *adj* negativ; nekande [*a ~ answer*], negerande **II** *s* **1** nekande [svar]; *an answer in the ~* ett nekande svar, ett nej till svar **2** nekande ord (uttryck), gram. äv. negation **3** foto. negativ

neglect [nɪˈglekt] **I** *vb tr* **1** försumma, strunta i **2** försumma [*~ one's duty (family)*], slarva med; nonchalera **II** *s* **1** försummelse; nonchalerande; *~ of duty* tjänsteförsummelse **2** vanskötsel, vanvård; *be in a state of ~* vara vansköttt (vanvårdad)

neglectful [nɪˈglektf(ʊ)l] **1** försumlig; slarvig, vårdslös **2** likgiltig

negligence [ˈneglɪdʒ(ə)ns] försumlighet, nonchalans; vårdslöshet; jur. vållande; *by (from, through) ~* av (genom) försumlighet etc.

negligent [ˈneglɪdʒ(ə)nt] **1** försumlig **2** nonchalant

negligible [ˈneglɪdʒəbl] **1** negligerbar [*a ~ factor*], försumbar **2** obetydlig

negotiable [nɪˈgəʊʃjəbl] **1** hand. negociabel, säljbar **2** förhandlingsbar **3** om väg farbar

negotiate [nɪˈgəʊʃɪeɪt] **I** *vb itr* förhandla **II** *vb tr* **1** förhandla om, underhandla om [*~ peace*] **2** förhandla sig till, få till stånd [*~ a treaty*]; ombesörja, förmedla [*~ a loan (sale)*]; träffa [*~ an agreement*] **3** hand. negociera, sälja [*~ a bill*] **4** klara [*a difficult corner for a bus to ~*]

negotiation [nɪˌgəʊʃɪˈeɪʃ(ə)n] **1** förhandling; *enter into (upon) ~ with* börja (inleda) förhandlingar (underhandlingar) med **2** förmedlande [*~ of a loan*], uppgörande **3** hand. negociering

negotiator [nɪˈgəʊʃɪeɪtə] **1** förhandlare, underhandlare **2** förmedlare [~ *of a loan*]
Negress o. **negress** [ˈniːgrəs] negress
Negro o. **negro** [ˈniːgrəʊ] **I** (pl. *~es*) *s* neger **II** *adj* neger-, svart [*the ~ race*]
neigh [neɪ] **I** *vb itr* gnägga **II** *s* gnäggning
neighbour [ˈneɪbə] **I** *s* **1** granne; *my ~ at table* min bordsgranne **2** medmänniska **II** *vb itr, ~ upon* gränsa till
neighbourhood [ˈneɪbəhʊd] **1** grannskap; omgivning [*a lovely ~*], omnejd; stadsdel [*a fashionable ~*], kvarter; *in our ~* i våra trakter **2** *in the ~ of* omkring, ungefär [*in the ~ of £500*]
neighbouring [ˈneɪb(ə)rɪŋ] grann- [*~ country* (*village*)]; närbelägen; angränsande; kringboende
neighbourly [ˈneɪbəlɪ] som det anstår en god granne (goda grannar); sällskaplig
neither [ˈnaɪðə, isht amer. ˈniːðə] **I** *pron* ingen isht av två; ingendera; *in ~ case* i ingetdera fallet **II** *konj* o. *adv* **1** *~...nor* varken...eller **2** med föreg. negation inte heller; [*she can't sing,*] *~ can I* (vard. *me ~*) ...och [det kan] inte jag heller; [*if you don't go,*] *~ shall I* ...så gör inte jag det heller
neologism [nɪˈɒlədʒɪz(ə)m] neologism
neon [ˈniːən, -ɒn] kem. neon; neon- [*~ light*]; *~ sign* neonskylt
nephew [ˈnefjʊ, ˈnevj-] brorson
nepotism [ˈnepətɪz(ə)m] nepotism, svågerpolitik
Neptune [ˈneptjuːn] mytol. el. astron. Neptunus
nerve [nɜːv] **I** *s* **1** anat. nerv **2** pl. *~s* nerver [*he has ~s of iron* (stål)]; *he's a bundle of ~s* han är ett nervknippe; *it gets on my ~s* det går mig på nerverna **3** a) mod b) vard. fräckhet c) kraft; *have the ~ to...* a) ha mod (vara modig) nog att... b) vard. ha fräckheten (vara fräck nog) att...; *he lost his ~* han tappade självkontrollen **II** *vb tr* ge mod (styrka) [åt]; *~ oneself* samla mod (styrka); göra sig rustad (beredd) [*for* för, till]
nerve centre [ˈnɜːvˌsentə] nervcentrum
nerve-racking [ˈnɜːvˌrækɪŋ] nervpåfrestande; enerverande
nervous [ˈnɜːvəs] **1** nerv- [*~ system*; *~ shock*], nervös; *a ~ breakdown* ett nervsammanbrott **2** ängslig, nervös
nervousness [ˈnɜːvəsnəs] ängslan, oro; nervositet; överspändhet
nervy [ˈnɜːvɪ] nervös, nervig, skärrad
nest [nest] **I** *s* **1** rede; bo [*a wasp's ~*], näste **2** krypin **3** näste, tillhåll; *a ~ of vice* ett syndens (lastens) näste **4** sats av likartade föremål som passar i varandra; *~ of tables* satsbord **II** *vb itr* **1** bygga bo **2** *go ~ing* leta (plundra) fågelbon **3** gå att stapla; *~ing chairs* stapelbara stolar
nest egg [ˈnesteg] **1** redägg ägg som läggs i rede för att locka till värpning **2** bildl. reserv[summa]; sparslant; *he has a little ~* äv. han har sparat (lagt undan) lite [pengar]
nestle [ˈnesl] **I** *vb itr* **1** sätta (lägga) sig bekvämt till rätta [äv. *~ up*], krypa ihop **2** *~ up* trycka sig, smyga sig [*to, against* intill] **II** *vb tr* **1** trycka **2** hålla ömt [*~ a bird in one's hand*]
1 net [net] **I** *s* **1** nät; håv [*butterfly ~*], [fiske]garn; *~ stocking* nätstrumpa **2** bildl. nät, garn, snara **3** tyll; *~ curtain* trådgardin **4** sport. målbur; *hit the back of the ~* få en fullträff, slå bollen i nät **II** *vb tr* fånga med (i) nät (håv); bildl. fånga [i sina garn] **III** *vb itr* **1** knyta nät **2** sport. näta; i tennis o.d. slå bollen i nät
2 net [net] **I** *adj* **1** netto; netto- [*~ weight*]; *~* [*register*] *ton* nettoregisterton **2** egentlig, slut-; [*after all that work*] *what was the ~ result?* ...vad blev resultatet av det hela? **II** *vb tr* **1** förtjäna [i] netto, göra en nettovinst på [*he ~ted £500 from* (på) *the deal*], håva in **2** inbringa [i] netto
netball [ˈnetbɔːl] **1** slags korgboll **2** i tennis o.d. nätboll
Netherlands [ˈneðələndz] **I** geogr.; *the ~* (konstr. ss. sg. el. pl.) Nederländerna **II** *adj* nederländsk
netting [ˈnetɪŋ] **1** nätknytning, nätbindning **2** nätverk; *wire ~* metalltrådsnät, ståltrådsnät
nettle [ˈnetl] **I** *s* nässla; *stinging ~* brännässla **II** *vb tr* reta; såra
network [ˈnetwɜːk] **1** isht bildl. nät [*a ~ of railways*], nätverk äv. data.; system **2** radio. el. TV. sändarnät; radiobolag; TV-bolag
neuralgia [ˌnjʊəˈrældʒə] med. neuralgi
neuros|is [ˌnjʊəˈrəʊsɪs] (pl. *-es* [-iːz]) psykol. neuros
neurotic [ˌnjʊəˈrɒtɪk] psykol. **I** *adj* nervsjuk äv. friare **II** *s* neurotiker
neuter [ˈnjuːtə] **I** *adj* **1** gram. a) neutral [*a ~ noun, the ~ gender*], neutrum- [*a ~ ending*] b) intransitiv **2** bot. el. zool. könlös **II** *s* **1** gram. **a**) *the ~* [genus] neutrum **b**) neutrum, neutralt ord **2** zool. kastrerat (steriliserat) djur **III** *vb tr* kastrera [*a ~ed tomcat* (hankatt)], sterilisera
neutral [ˈnjuːtr(ə)l] **I** *adj* **1** neutral [*~ country* (*colour, reaction*)]; opartisk [*a ~ person*]; obestämd **2** färglös äv. bildl. [*a ~ personality*]; om skokräm äv. ofärgad **3** *~ gear* motor. friläge, neutralläge **II** *s* **1** neutral person (stat o.d.) **2** motor. friläge, neutralläge
neutrality [njʊˈtrælətɪ] neutralitet [*armed* (väpnad) *~*], opartiskhet

neutralize ['nju:trəlaɪz] **1** neutralisera; motverka **2** mil. oskadliggöra [~ *a bomb*]; nedkämpa
neutron ['nju:trɒn] fys. neutron; ~ *bomb* neutronbomb
never ['nevə] aldrig; isht vard. inte [alls]; ~*!* vard. nej, vad säger du!, det menar du inte!; ~ [*in all my (your) life*]*!* aldrig [i livet]!, aldrig någonsin!; *well, I* ~ [*did*]*!* jag har då aldrig sett (hört) på maken!; ~ *say die!* ge aldrig tappt (upp)!
never-ceasing ['nevə,si:sɪŋ] o.
never-ending ['nevər,endɪŋ] evig; oändlig
nevertheless [,nevəðə'les] icke (inte) desto mindre; likväl
new [nju:] **1** ny; ny- [~ *election*]; *the N~ Testament* Nya testamentet; ~ *town* nyanlagd stad som byggs för att ge bostäder och arbetstillfällen **2** nygjord; färsk [~ *milk*]; bildl. frisk [~ *blood*]; ~ *bread* färskt (nybakat) bröd
newcomer ['nju:,kʌmə] nykomling
newfangled [,nju:'fæŋgld] neds. nymodig; ~ *ideas* äv. nya påfund, nymodigheter
new-laid [,nju:'leɪd, attr. '--] nyvärpt [~ *eggs*]
newly ['nju:lɪ] **1** nyligen [~ *arrived*], ny- [*a newly-married couple*] **2** på ett nytt sätt [*an idea* ~ *expressed*] **3** ånyo, omigen
newly-weds ['nju:lɪwedz] vard., *the* ~ de nygifta
new-mown ['nju:məʊn] nyslagen [~ *hay*], nyklippt [*a* ~ *lawn*]
newness ['nju:nəs] **1** nymodighet; *the* ~ *of* det nya med (i) **2** färskhet
news [nju:z] (konstr. ss. sg.) nyheter [*no* ~ *is good* ~; *watch the* ~ *on TV*], nyhet; *an interesting piece (item, bit) of* ~ en intressant nyhet; *that's* ~ *to me* det är nytt (en nyhet) för mig, det visste jag inte
news agency ['nju:z,eɪdʒ(ə)nsɪ] nyhetsbyrå, telegrambyrå
newsagent ['nju:z,eɪdʒ(ə)nt] innehavare av tidningskiosk (tobaksaffär); ~*'s* tobaksaffär, tidningskiosk
newscast ['nju:zkɑ:st] radio. el. TV. nyhetssändning
newsdealer ['nju:z,di:lə] amer., se *newsagent*
newsflash ['nju:zflæʃ] [brådskande] nyhetstelegram; kort extrameddelande i radio el. TV
newsletter ['nju:z,letə] informationsblad, cirkulär; föreningsbulletin
newspaper ['nju:s,peɪpə] **1** tidning; ~ *cutting* tidningsurklipp **2** tidningspapper [*wrapped in* ~]
newsprint ['nju:zprɪnt] tidningspapper
newsreader ['nju:z,ri:də] radio. el. TV. nyhetsuppläsare
newsreel ['nju:zri:l] journal[film]
newsroom ['nju:zru:m] **1** tidskriftsrum, tidningsrum **2** nyhetsredaktion
newsstand ['nju:zstænd] tidningskiosk
newsvendor ['nju:z,vendə] tidningsförsäljare på gatan
newsy ['nju:zɪ] vard. full av nyheter (skvaller) [*a* ~ *letter*]
newt [nju:t] zool. vattenödla
New Year [,nju:'jɪə, -'jɜ:] nyår; ~*'s Day* nyårsdag[en]; ~*'s Eve* nyårsafton
New York [,nju:'jɔ:k]
New Yorker [,nju:'jɔ:kə] newyorkbo, person från New York
New Zealand [,nju:'zi:lənd] **I** Nya Zeeland **II** *adj* nyzeeländsk
New Zealander [,nju:'zi:ləndə] nyzeeländare
next [nekst, före konsonant ofta neks] **I** *adj* o. *s* **1** a) nästa [*see* ~ *page*], [närmast] följande b) närmast [*during the* ~ *two days*]; *to be continued in our* ~ fortsättning följer i nästa nummer; *he lives* ~ *door* [*to me*] han bor alldeles bredvid [mig]; *the girl* ~ *door* äv. en alldeles vanlig flicka, en flicka vem som helst; [*I can do that as well as*] *the* ~ *man* ...vem som helst **2** näst [*the* ~ *greatest*] **II** *adv* **1** därefter, därpå [~ *came a tall man*], [nu] närmast, sedan [*what are you going to do* ~*?*]; *what* ~*?* vad kommer (hur blir) det sen?; uttr. förvåning var ska det sluta egentligen? **2** alldeles, omedelbart [*the room* ~ *above*] **3** näst; *the* ~ *best thing is...* det näst bästa är... **4** ~ *to:* **a**) närmast, [tätt] intill, [alldeles] bredvid [*she stood* ~ *to me*], närmast (näst) efter [*he came* ~ *to me*] **b**) näst [efter] [*the largest city* ~ *to London*] **c**) nära nog [~ *to impossible*]; ~ *to nothing* nästan ingenting [alls], knappt någonting
next-door [,neks'dɔ:] **I** *adj* närmast [*my* ~ *neighbours*] **II** *adv* se *next I 1*
next-of-kin [,nekstəv'kɪn] närmaste anhörig (anhöriga) [*the* ~ *has (have) been notified*]
NHS förk. för *National Health Service*
nib [nɪb] stift på reservoarpenna; [stål]penna
nibble ['nɪbl] **I** *vb tr* knapra på; nafsa **II** *vb itr* **1** knapra, nagga; nafsa **2** om fisk [små]hugga **3** bildl., ~ *at* lukta (nosa) på [~ *at an offer*]; *begin to* ~ *at one's capital* [börja] nagga sitt kapital i kanten **III** *s* **1** napp; *I felt a* ~ *at the bait* jag kände hur det nappade **2** knaprande; *he took the bread in little* ~*s* han knaprade i sig brödet
nice [naɪs] **1 a**) trevlig; sympatisk; hygglig; snäll [*it wasn't* ~ *of you*], rar; vacker [*a* ~ *day,* ~ *weather*]; fin [*a* ~ *dress*]; behaglig, skön **b**) iron. snygg, skön [*a* ~ *mess* (röra)], vacker; *you're a* ~ *one!* du är just en snygg en! **c**) ~ *and comfortable* riktigt skön (bekväm) **2 a**) god, välsmakande **b**) *a* ~ *book* en god (bra, trevlig) bok

3 kräsen, [alltför] nogräknad; noggrann **4** taktfull, smidig [*a ~ handling of the situation*] **5** ömtålig [*a ~ question* (*problem*)] **6** [hår]fin [*a ~ distinction*]

nice-looking [ˌnaɪsˈlʊkɪŋ, ˈ-ˌ--] se *good-looking*

nicely [ˈnaɪslɪ] **1** trevligt etc., jfr *nice* **2** vard. utmärkt [*that will suit me ~*]; *he is doing ~* a) han klarar sig utmärkt b) han blir bättre och bättre

nicet|y [ˈnaɪs(ə)tɪ] **1** precision, noggrannhet; skärpa i t.ex. omdöme o. uppfattning; god urskillning; *to a ~* på pricken, precis, lagom **2** finess; ofta pl. *-ies* spetsfundigheter, petitesser [*grammatical -ies*]

niche [nɪtʃ, ni:ʃ] nisch

nick [nɪk] **I** *s* **1** hack, skåra **2** rätt ögonblick; *in the ~ [of time]* i sista (rätta) ögonblicket, i grevens tid **3** sl., *in the ~* i häktet; på kåken **4** sl., *in good ~* i [fin] form; i gott skick **II** *vb tr* **1** göra ett hack (en skåra) i **2** sl. a) knycka b) haffa gripa [*~ a criminal*]

nickel [ˈnɪkl] **I** *s* **1** nickel **2** amer. femcentare **II** *vb tr* förnickla

nickel silver [ˌnɪklˈsɪlvə], [*electroplated*] *~* alpacka

nickname [ˈnɪkneɪm] **I** *s* **1** öknamn; tillnamn **2** smeknamn; kortnamn **II** *vb tr* ge ngn [ett] öknamn (tillnamn etc.) [*they ~d him Skinny*]

nicotine [ˈnɪkəti:n, ˌ--ˈ-] nikotin

niece [ni:s] brorsdotter

nifty [ˈnɪftɪ] vard. **1** flott, tjusig **2** kvick, snabb **3** klurig, smart

Niger [staten ni:ˈʒeə, floden ˈnaɪdʒə] geogr.

Nigeria [naɪˈdʒɪərɪə]

Nigerian [naɪˈdʒɪərɪən] **I** *s* nigerian **II** *adj* nigeriansk

Nigerien [ni:ˈʒeərɪən] **I** *s* nigerer **II** *adj* nigerisk

niggardly [ˈnɪgədlɪ] **I** *adj* knusslig **II** *adv* knussligt

nigger [ˈnɪgə] neds. nigger; svarting

niggle [ˈnɪgl] **I** *vb itr* **1** gnata **2** tjafsa **II** *vb tr* **1** plåga **2** driva med

niggling [ˈnɪglɪŋ] **I** *s* **1** knåpgöra **2** petighet **II** *adj* petig; småaktig; *~ work* knåpgöra

night [naɪt] natt äv. bildl.; kväll, afton; mörker; natt-, kvälls- [*~ work*]; *~!* vard. för *good ~!*; *last ~* a) i går kväll b) i natt, natten till i dag; *make a ~ of it* vard. göra sig en glad kväll (en helkväll); *at ~* a) på kvällen, på (om) kvällarna, under kvällstid b) på (om) natten (nätterna), nattetid

nightcap [ˈnaɪtkæp] **1** nattmössa **2** vard. sängfösare

nightclub [ˈnaɪtklʌb] nattklubb

nightdress [ˈnaɪtdres] nattlinne; nattdräkt

nightfall [ˈnaɪtfɔ:l] nattens (mörkrets) inbrott; *at ~* äv. i kvällningen

nightgown [ˈnaɪtgaʊn] o. **nightie** [ˈnaɪtɪ] nattlinne; nattdräkt

nightingale [ˈnaɪtɪŋgeɪl] zool. sydnäktergal; *thrush ~* näktergal

nightlight [ˈnaɪtlaɪt] nattljus; nattlampa t.ex. i sovrum

nightly [ˈnaɪtlɪ] **I** *adj* nattlig; kvälls- **II** *adv* på (om) natten (nätterna); varje kväll

nightmare [ˈnaɪtmeə] mardröm äv. bildl.

night porter [ˈnaɪtˌpɔ:tə] nattportier

night safe [ˈnaɪtseɪf] servicebox på bank

nightschool [ˈnaɪtsku:l] aftonskola

nightshade [ˈnaɪt-ʃeɪd] bot. Solanum; *deadly ~* belladonna

nightshift [ˈnaɪt-ʃɪft] nattskift

nightstick [ˈnaɪtstɪk] amer. [polis]batong

night-time [ˈnaɪttaɪm], *in the ~* nattetid, på (om) natten (nätterna)

night watchman [ˌnaɪtˈwɒtʃmən] nattvakt

nightwear [ˈnaɪtweə] nattdräkt

nil [nɪl] ingenting; noll; *they won two ~* de vann med två [mot] noll

Nile [naɪl] geogr.; *the ~* Nilen

nimble [ˈnɪmbl] **1** kvick [*~ feet, ~ movements*], vig **2** bildl. livlig [*~ imagination*]

nincompoop [ˈnɪnkəmpu:p, ˈnɪŋk-] vard. dumhuvud, mähä, våp

nine [naɪn] (jfr *five* med ex. o. sms.) **I** *räkn* nio; *a ~ days' wonder* ung. en kortvarig (snart glömd) sensation **II** *s* nia

nineteen [ˌnaɪnˈti:n, attr. ˈ--] nitton; jfr *fifteen*

nineteenth [ˌnaɪnˈti:nθ, attr. ˈ--] nittonde; nitton[de]del; jfr *fifth*

ninetieth [ˈnaɪntɪɪθ, -tɪəθ] **1** nittionde **2** nittion[de]del

ninety [ˈnaɪntɪ] (jfr *fifty* med sms.) **I** *räkn* nitti[o] **II** *s* nitti[o]; nitti[o]tal

ninth [naɪnθ] nionde; nion[de]del; mus. nona; jfr *fifth*

1 nip [nɪp] **I** *vb tr* **1** nypa; nafsa **2 a**) bita i [*a cold wind that ~s the fingers*]; sveda, skada växtskott o.d. **b**) bildl. fördärva; *~ ...in the bud* kväva...i sin linda **II** *vb itr* vard. kila; *~ along* (*off, on ahead, round*) kila (slinka) i väg (bort, före, över) **III** *s* **1** nyp[ning] **2** frostskada **3** skarp kyla; *there is a ~ in the air today* det är lite kyligt i dag **4** *be ~ and tuck* vard. ligga jämsides, hålla jämna steg

2 nip [nɪp] droppe [*a ~ of whisky*]; *have a ~* ta sig en hutt

nipple [ˈnɪpl] **1** bröstvårta; spene **2** isht amer. dinapp **3** tekn. nippel

nippy [ˈnɪpɪ] vard. **1** om väder bitande kall **2** kvick; fräsig; *look ~!* sno på!

1 nit [nɪt] gnet ägg av lus o.d.

2 nit [nɪt] sl. dumbom

nitpicking ['nɪtˌpɪkɪŋ] vard. **I** *s* petighet **II** *adj* petig
nitrate ['naɪtreɪt] kem. nitrat; ~ *of silver* silvernitrat
nitre ['naɪtə] kem. salpeter
nitrogen ['naɪtrədʒən] kem. kväve; ~ *dioxide* kvävedioxid
nitroglycerine [ˌnaɪtrə(ʊ)glɪsə'ri:n] kem. nitroglycerin
nitty-gritty [ˌnɪtɪ'grɪtɪ] sl. praktiska [och tråkiga] detaljer; kärnpunkt; *get down to the* ~ komma till kärnan (sakens kärna)
nitwit ['nɪtwɪt] sl. dumbom
1 no [nəʊ] **1 a)** ingen; ~ *one* ingen, inte någon; ~ *one man could have done it* det skulle ingen ha kunnat göra ensam; ~ *way!* vard. aldrig i livet!, sällan!, det går inte! **b)** ~ *parking* (*smoking* m.fl.) parkering (rökning m.fl.) förbjuden **2** inte precis någon [*she's ~ angel*] **3** *there is ~ knowing when...* man kan inte (aldrig) veta när...
2 no [nəʊ] **I** *adv* **1** nej; ~? jaså, inte det? **2 a)** *or* ~ eller inte **b)** ~ *better than before* inte bättre än förut **c)** *to ~ inconsiderable extent* i inte ringa omfattning **d)** sl., ~ *can do!* kan [bara] inte!, det går [bara] inte! **3** förstärkande ja, nej [*I suspect, ~, I am certain, that he is wrong*] **II** (pl. *~es*) *s* **1** nej; *he won't take ~ for an answer* han accepterar inte ett nej som svar **2** nejröst; *the ~es have it* nejrösterna är i majoritet
Noah ['nəʊə, nɔ:] mansnamn; bibl. Noa, Noak
1 nob [nɒb] sl. knopp, skalle
2 nob [nɒb] sl. överklassare; snobb; höjdare
nobility [nə(ʊ)'bɪlətɪ] **1** adel, adelsstånd; *the* ~ britt. högadeln **2** adelskap; adlig börd **3** bildl. ädelhet
noble ['nəʊbl] **I** *adj* **1** adlig **2** ädel, fin [*a ~ face*], nobel; ståtlig; förnämlig **3** bildl. ädel [*a ~ mind, ~ thoughts*], nobel, upphöjd; förfinad; storsint **4** ~ *gas* ädelgas **II** *s* ädling, adelsman
noble|man ['nəʊbl|mən] (pl. *-men* [-mən]) adelsman
nobody ['nəʊb(ə)dɪ, 'nəʊˌbɒdɪ] **I** *självst indef pron* ingen, inte någon **II** *s* nolla obetydlig person; enkel människa; *like ~'s business* vard. som bara den
nocturnal [nɒk'tɜ:nl] nattlig [*~ habits*]; natt- [*~ birds* (*animals*)]
nod [nɒd] **I** *vb itr* **1** nicka **2** nicka till, halvsova; ~ *off* vard. slumra (nicka) till **II** *vb tr* **1** nicka med [*~ one's head*] **2** nicka [*~ approval* (bifall); *~ assent* (samtycke)] **III** *s* **1** nick [*a ~ of* (med, på) *the head*], nickning äv. av sömnighet; *a ~ is as good as a wink to him* han förstår halvkväden visa **2** [tupp]lur; *the land of N~* Jon Blunds rike

nodule ['nɒdju:l] liten knut
noise [nɔɪz] **I** *s* **1** buller; i t.ex. radio brus **2** bråk, oväsen; ~ *abatement* bullerbekämpning; bullerminskning; *~s off* radio. o.d. bakgrundsljud, ljudkuliss; *make a ~ in the world* väcka allmänt uppseende, låta tala om sig **II** *vb tr*, ~ [*abroad*] basunera ut, sprida [ut]
noiseless ['nɔɪzləs] ljudlös; tystgående [*a ~ typewriter*]
noisy ['nɔɪzɪ] bullrig
noloitis [ˌnəʊləʊ'ɪtɪs] *s* med. noloma
nomad ['nəʊmæd, 'nɒm-] **I** *s* nomad **II** *adj* nomad-, nomadisk
nomadic [nə(ʊ)'mædɪk] nomad-, nomadisk
no-man's-land ['nəʊmænzlænd] ingenmansland
nominal ['nɒmɪnl] nominell, formell, så kallad
nominate ['nɒmɪneɪt] **1** nominera [*~ Mr. A. for* (till) *Mayor*], föreslå som kandidat **2** utnämna, utse
nomination [ˌnɒmɪ'neɪʃ(ə)n] **1** nominering [*~ of candidates for* (till)...] **2** utnämning; utnämningsrätt
nominative ['nɒmɪnətɪv] gram. nominativ[-]; *the ~* [*case*] nominativ[en]
nominee [ˌnɒmɪ'ni:] kandidat
non [nɒn] lat. inte; ss. prefix: a) icke- [*non-smoker*] b) o- [*non-essential*] c) non- [*non-intervention*] d) -fri [*non-iron*] e) pseudo- [*non-event*]
non-alcoholic ['nɒnˌælkə'hɒlɪk] alkoholfri
non-aligned [ˌnɒnə'laɪnd] alliansfri
nonce-word ['nɒnswɜ:d] språkv. tillfällig [ord]bildning
nonchalance ['nɒnʃ(ə)ləns] nonchalans; likgiltighet; oberördhet
nonchalant ['nɒnʃ(ə)lənt] nonchalant; likgiltig; oberörd
non-commissioned [ˌnɒnkə'mɪʃ(ə)nd] utan [kunglig] fullmakt; ~ *officer* mil. kompanibefäl, plutonsbefäl, gruppbefäl; underofficer
non-committal [ˌnɒnkə'mɪtl] till intet förpliktande [*a ~ answer*]; reserverad [*a ~ attitude*]
nonconformist [ˌnɒnkən'fɔ:mɪst, 'nɒŋk-] nonkonformist, kyrkl. äv. frikyrklig
nondescript ['nɒndɪskrɪpt] isht neds. obestämbar, svårbestämbar
non-drip [ˌnɒn'drɪp] droppfri
none [nʌn] **I** *indef pron* ingen, inte någon [*~ of them has* (*have*) *come*]; inga; inget [*~ of this concerns me*]; *~ of your nonsense!* inga dumheter!; *~ of that!* sluta upp med det där!, nu räcker det! **II** *adv* inte; *~ the less* se *nevertheless*; [*the pay*] *is ~ too high* ...är inte alltför (inte särskilt) hög

nonentity [nɒ'nentətɪ] [ren] nolla; obetydlig sak
nonetheless [ˌnʌnðə'les] se *nevertheless*
non-existent [ˌnɒnɪg'zɪst(ə)nt] obefintlig; icke existerande; *it is ~* det existerar (finns) inte
non-fiction [ˌnɒn'fɪkʃ(ə)n] facklitteratur; sakprosa
non-iron [ˌnɒn'aɪən] strykfri [*a ~ shirt*]
no-nonsense [ˌnəʊ'nɒnsəns] rakt på sak, rättfram [*a ~ approach to the problem*]
non-resident [ˌnɒn'rezɪd(ə)nt] **I** *adj* som inte är fast bosatt [här] på orten **II** *s* person som inte är fast bosatt [här] på orten; tillfällig besökare (gäst)
nonsense ['nɒns(ə)ns] nonsens; *~ verses* (*rhymes*) nonsenspoesi; *there is no ~ about him* det är inget krångel med honom, det är en rejäl karl
nonsensical [nɒn'sensɪk(ə)l] meningslös, orimlig, fånig
non-skid [ˌnɒn'skɪd] halkfri [*~ tyres*]
non-smoker [ˌnɒn'sməʊkə] **1** icke-rökare **2** kupé för icke-rökare
non-smoking [ˌnɒn'sməʊkɪŋ], *~ compartment* kupé för icke-rökare
non-starter [ˌnɒn'stɑːtə] **1** sport., *be a ~* inte ställa upp (starta) **2** *he is a ~* han har inga chanser
non-stick [ˌnɒn'stɪk] som maten inte fastnar i (på) [*a ~ pan*]
non-stop [ˌnɒn'stɒp] **I** *adj* o. *adv* nonstop, utan mellanlandning; utan att stanna; *~ train* direkttåg **II** *s* direkttåg
non-violence [ˌnɒn'vaɪələns] icke-våld
1 noodle ['nuːdl] kok. nudel
2 noodle ['nuːdl] **1** dumhuvud, stolle **2** vard. skalle
nook [nʊk] vrå, skrymsle; avkrok
noon [nuːn] **1** middag [*before ~*]; *at ~* klockan tolv [på dagen]; i middags **2** bildl. middagshöjd
noose [nuːs, nuːz] **1** [*running*] *~* rännsnara, löpknut **2** bildl. snara; band
nor [nɔː] **1** och inte [heller], eller; *neither...~* varken...eller; [*I don't understand this.* -] *N~ do I* ...Det gör inte jag heller, ...Inte jag heller **2** och (men) inte; *~ was this all* och (men) det var inte allt
Nordic ['nɔːdɪk] nordisk
norm [nɔːm] norm; rättesnöre; *the ~* ofta det normala [*departures from the ~*]
normal ['nɔːm(ə)l] **I** *adj* normal; regelrätt **II** *s* det normala [*below* (*above*) *~*]
normalize ['nɔːməlaɪz] normalisera
normally ['nɔːməlɪ] normalt [sett]
Norman ['nɔːmən] **I** mansnamn **II** *s* normand **III** *adj* **1** normandisk **2** arkit. romansk [*~ style*]
Normandy ['nɔːməndɪ] geogr. Normandie
north [nɔːθ] **I** *s* **1** norr, nord; för ex. jfr *east I 1* **2** *the ~* (*N~*) nordliga länder; norra delen; norra halvklotet **II** *adj* nordlig, norra; *N~ America* Nordamerika; *the N~ Atlantic Treaty Organization* Atlantpaktsorganisationen; *the N~ Pole* nordpolen **III** *adv* mot (åt) norr; norr; för ex. jfr *east III*
northbound ['nɔːθbaʊnd] nordgående
north-east [ˌnɔːθ'iːst] **I** *s* nordost, nordöst **II** *adj* nordöstlig, nordostlig **III** *adv* mot (i) nordost (nordöst); *~ of* nordost om
north-easterly [ˌnɔːθ'iːstəlɪ] **I** *adj* nordostlig, nordöstlig, nordöstra **II** *adv* mot nordost (nordöst); från nordost
north-eastern [ˌnɔːθ'iːstən] nordostlig, nordöstlig
northerly ['nɔːðəlɪ] nordlig; mot norr; nordlig vind; jfr vid. *easterly*
northern ['nɔːð(ə)n] **1** nordlig; norra [*the ~ hemisphere*], nord-; för ex. jfr *eastern 1*; *~ lights* norrsken **2** nordisk
northerner ['nɔːð(ə)nə] person från norra delen av landet (norra England); nordbo; i USA nordstatsbo
northernmost ['nɔːð(ə)nməʊst] nordligast
northward ['nɔːθwəd] **I** *adj* nordlig etc., jfr *eastward I* **II** *adv* mot (åt) norr; sjö. nordvart; *~ of* norr om
northwards ['nɔːθwədz] se *northward II*
north-west [ˌnɔːθ'west] **I** *s* nordväst **II** *adj* nordvästlig, nordvästra **III** *adv* mot (i) nordväst; *~ of* nordväst om
north-western [ˌnɔːθ'westən] nordvästlig
Norway ['nɔːweɪ] geogr. egenn. Norge; *~ lobster* havskräfta, kejsarhummer
Norwegian [nɔː'wiːdʒ(ə)n] **I** *adj* norsk **II** *s* **1** norrman; norska kvinna **2** norska [språket]
nose [nəʊz] **I** *s* **1** näsa; nos; *it is as plain as the ~ on your face* vard. det är solklart, det är klart som korvspad; *blow one's ~* snyta sig; *stick one's ~ into other people's business* blanda (lägga) sig i andras angelägenheter, lägga näsan i blöt; *I had to pay through the ~* vard. jag blev uppskörtad; *speak through* (*in*) *one's ~* tala i näsan **2** bildl. näsa; luktsinne; väderkorn; *have a* [*keen*] *~ for* ha [fin] näsa för **3** pip, spets [*the ~ of a projectile*]; på fartyg för; på flygplan nos **II** *vb tr* **1** *~* [*out*] vädra, få väderkorn på, spåra upp **2** nosa på **III** *vb itr* **1** nosa **2** *~* [*about* (*around*)] snoka [*for, after* efter; *into* i]
nose-bleeding ['nəʊzˌbliːdɪŋ] näsblod
nosegay ['nəʊzgeɪ] [liten] blombukett
nosey ['nəʊzɪ] vard. nyfiken; närgången [*a ~ question*]; *N~ Parker* sl. nyfiken (snokande) människa
nosh [nɒʃ] sl. **I** *s* käk; skrovmål; kalas **II** *vb itr* käka

nostalgia [nɒ'stældʒɪə] nostalgi; längtan tillbaka, hemlängtan
nostril ['nɒstr(ə)l] näsborre
nosy ['nəʊzɪ] vard., se *nosey*
not [nɒt] (efter hjälpvb ofta *n't* [*haven't, couldn't*]) inte, ej; ~ *a* äv. ingen [~ *a bad idea!*]; *you had better* ~ det är bäst du låter bli; *he warned (cautioned) me* ~ *to* [*go there*] han varnade mig för att...; ~ *to mention*... för att [nu] inte tala om (nämna)...; ..., *doesn't (hasn't, can't* m.fl.) *he (she, it, one)?* vanl. ...eller hur?
notable ['nəʊtəbl] **I** *adj* **1** märklig [*a* ~ *event*] **2** framstående, betydande [*a* ~ *painter*] **3** kem. märkbar [*a* ~ *quantity*] **II** *s* notabilitet, bemärkt person
notably ['nəʊtəblɪ] **1** märkligt **2** särskilt, i synnerhet [*other countries,* ~ *Britain and the USA*]
notar|y ['nəʊtərɪ], ~ [*public*] (pl. *-ies* [*public*]) notarius publicus [äv. *public* ~]
notation [nə(ʊ)'teɪʃ(ə)n] beteckningssätt; skriftsystem; mus. notskrift [äv. *musical* ~]; beteckning
notch [nɒtʃ] **I** *s* **1** hack, skåra, inskärning **2** amer. vard. pinnhål; *take a p. down a* ~ *or two* sätta ngn på plats **II** *vb tr* **1** göra [ett] hack etc. i (på), karva i **2** ~ [*down (up)*] göra en skåra (ett märke) för; notera [~ *another victory*]
note [nəʊt] **I** *s* **1** anteckning, notering; pl. ~*s* äv. a) referat b) koncept, manuskript [*he spoke for an hour without* ~*s*] **2** kort brev (meddelande) **3** dipl. not; *exchange of* ~*s* notväxling **4** not, anmärkning i marginalen eller under texten; pl. ~*s* äv. kommentar[er] **5** ~ [*of hand*] el. *promissory* ~ skuldsedel, revers [*for* på] **6** sedel; ~ *issue* sedelutgivning **7** mus.: a) ton b) not[tecken] c) tangent; *a false* ~ en falsk ton **8** [fågel]sång [*the blackbird's merry* ~] **9** ton, stämning; [*the book ends*] *on a* ~ *of pessimism* ...i en pessimistisk ton **10** [skilje]tecken; ~ *of exclamation* utropstecken **11** *a family of* ~ en ansedd familj **12** *take* ~ *of* lägga märke till **II** *vb tr* **1** lägga [noga] märke till, märka, notera, konstatera [*we* ~ *from* (av) *your letter that*...]; beakta **2** framhålla **3** ~ [*down*] anteckna, skriva upp (ned), notera
notebook ['nəʊtbʊk] anteckningsbok
noted ['nəʊtɪd] bekant, välkänd
notepaper ['nəʊtˌpeɪpə] brevpapper
noteworthy ['nəʊtˌwɜ:ðɪ] anmärkningsvärd, beaktansvärd, märklig
nothing ['nʌθɪŋ] **I** självst. *indef pron* ingenting; ~ *but* el. ~ *else than (but)* ingenting annat än, blott, endast; *he did* ~ *but complain* han gjorde inget annat än klagade; *he is* ~ *if not* [*persistent*] om det är något som han är, så är det...; *for* ~ a) gratis [*he did it for* ~] b) utan orsak [*they quarrelled for* ~] c) förgäves [*they had suffered for* ~], till ingen nytta; *there is* ~ *in it* a) det ligger ingenting ingen sanning i det b) det är (var) ingen konst; *I can make* ~ *of it* jag får inte ut något av det, jag förstår mig inte på det; *there's* ~ *to it* a) det är (var) ingen konst b) det ligger ingenting ingen sanning i det; *come to* ~ gå om intet, rinna ut i sanden **II** *adv* inte alls; ~ *near (like)* inte på långt när
notice ['nəʊtɪs] **I** *s* **1 a**) notis, meddelande [*a short* ~ *in the paper*]; ~*s of births* födelseannonser **b**) [kort] recension; pl. ~*s* äv. kritik, press [*the actor got very good* ~*s*] **2** a) varsel, meddelande på förhand; förvarning [*without* ~] b) uppsägning; ~ *of a strike* strejkvarsel; *give* ~ underrätta, varsko [*of* om], säga till; *give* ~ [*to quit*] säga upp sig; säga upp [*you must give him* ~ *at once*]; *until (till) further* ~ tills vidare **3** uppmärksamhet; kännedom [*bring a th. to a p.'s* ~]; *attract* ~ tilldra sig (väcka) uppmärksamhet; *take* ~ *of* a) lägga märke till, ta notis om, bry sig om, fästa sig vid [*he took no* ~ *of it* (äv. han struntade i det)] b) visa uppmärksamhet **II** *vb tr* märka
noticeable ['nəʊtɪsəbl] **1** märkbar; synlig **2** påfallande
notice board ['nəʊtɪsbɔ:d] anslagstavla
notification [ˌnəʊtɪfɪ'keɪʃ(ə)n] **1** tillkännagivande **2** underrättelse **3** anmält fall [*27* ~*s of salmonella*]
notify ['nəʊtɪfaɪ] **1** tillkännage, kungöra [*a th. to* (för) *a p.*] **2** ~ [*a p. of a th.*] el. ~ [*a th. to a p.*] underrätta (varsko) [ngn om ngt], anmäla [ngt för (till) ngn]
notion ['nəʊʃ(ə)n] **1** föreställning **2** uppfattning **3 a**) aning; *I have not the haziest (slightest)* ~ *of* jag har inte den blekaste (ringaste) aning om **b**) idé [*a stupid* ~]; *get that* ~ *out of your head* slå de där grillerna ur huvudet **4** amer., pl. ~*s* småartiklar, korta varor, sybehör; ~ *store* diversehandel
notoriety [ˌnəʊtə'raɪətɪ] ökändhet
notorious [nə(ʊ)'tɔ:rɪəs] **1** ökänd [*a* ~ *criminal*], notorisk **2** allmänt känd
notoriously [nə(ʊ)'tɔ:rɪəslɪ] som alla vet, som bekant; ~ *cruel* känd för sin grymhet
notwithstanding [ˌnɒtwɪθ'stændɪŋ, -wɪð's-] **I** *prep* oaktat, trots; utan hinder av **II** *adv* det oaktat **III** *konj* trots att
nougat ['nu:gɑ:, 'nʌgət] fransk (hård) nougat
nought [nɔ:t] **1** noll; ~*s and crosses* (konstr. ss. sg.) slags luffarschack **2** se *naught 1*
noun [naʊn] gram. substantiv
nourish ['nʌrɪʃ] **1** ge näring åt; uppföda

2 bildl. a) nära, hysa [~ *hope*] b) fostra; ge näring åt
nourishing ['nʌrɪʃɪŋ] närande [~ *food*]
nourishment ['nʌrɪʃmənt] näring
novel ['nɒv(ə)l] **I** *adj* ny [*a ~ style*; *a ~ experience*], nymodig; ovanlig **II** *s* roman
novelist ['nɒvəlɪst] romanförfattare
novelt|y ['nɒv(ə)ltɪ] **1** nyhet, nymodighet; ovanlighet; ~ *value* nyhetsvärde; *have the charm of* ~ äga nyhetens behag; *by way of* ~ som omväxling **2** konkr. nyhet [*fashion -ies*], modernitet; [*party*] ~ skämtartikel
November [nə(ʊ)'vembə] november
novice ['nɒvɪs] **1** kyrkl. novis **2** novis, nybörjare
now [naʊ] **I** *adv* **1** nu; nuförtiden; ~...~ (*then*) än...än; [*every*] ~ *and then* (*again*) då och då; *by* ~ vid det här laget; *for* ~ för tillfället, tillsvidare [*that's enough for* ~]; *bye-bye for ~!* hej så länge! **2** med försvagad tidsbet.: ~, *that's how it is* ja, så är det; ~, *what do you mean by that?* vad menar du med det för resten?; ~, ~ a) aj, aj; aja baja [~ ~, *don't touch it!*] b) så där ja; sesà uppfordrande; ~ *then* a) så där ja [~ *then, that was that!*]; nå [~ *then, what are we going to do now?*] b) aj, aj; aja baja [~ *then, don't touch it!*]; *did he ~!* nej [men] (jaså), gjorde han det?, nej verkligen?, ser man på! **II** *konj* nu då [~ *you mention it, I do remember*] **III** *s* nu[et]
nowadays ['naʊədeɪz] nuförtiden
nowhere ['nəʊweə] ingenstans, inte någonstans; ingen (inte någon) vart; ~ *else* [*but*] ingen (inte någon) annanstans [än]; ~ *near* inte på långt när (långa vägar), inte tillnärmelsevis
noxious ['nɒkʃəs] skadlig
nozzle ['nɒzl] munstycke; tekn. dysa
NSPCC (förk. för *National Society for the Prevention of Cruelty to Children*) ung. motsv. i sv. BRIS (Barnens rätt i samhället)
NT förk. för *New Testament*
nth [enθ] **1** matem. n-te **2** vard., *to the ~ degree* i allra högsta grad
nuance [njʊ'ɑ:ns] nyans
nub [nʌb] **1** bit [~ *of coal*], stump [~ *of pencil*] **2** noppa; knut **3** bildl. knut, kärnpunkt [*the ~ of the matter*]
nubile ['nju:baɪl, amer. -bl] **1** giftasvuxen; [köns]mogen **2** vard. sexuellt attraktiv om flicka
nuclear ['nju:klɪə] kärn-; fys. äv. atom-; nukleär; kärnvapen- [~ *disarmament*]; kärnenergidriven [~ *submarine*]; ~ *bomb* atombomb; ~ *carrier* kärnvapenbärare; ~ *energy* atomenergi, kärnenergi; ~ *physics* kärnfysik; ~ *power* kärnkraft
nuclear-powered [ˌnju:klɪə'paʊəd] o. **nuclear-propelled** [ˌnju:klɪəprə'peld] kärnenergidriven [~ *submarine*]
nucle|us ['nju:klɪ|əs] (pl. *-i* [-aɪ], ibl. *-uses*) **1** astron., biol. el. fys. kärna **2** bildl. kärna [*the ~ of a town*]; centrum; grundstomme; grundplåt [*of* till]
nude [nju:d] **I** *adj* naken; bar; ~ *dancer* nakendansös **II** *s* nakenfigur, konst. äv. nakenstudie, akt; *in the* ~ naken; *pose in the* ~ posera naken, stå nakenmodell
nudge [nʌdʒ] **I** *vb tr*, ~ *a p.* a) knuffa (puffa) [till] ngn [med armbågen] b) bildl. driva (puffa) på ngn **II** *s* [lätt] knuff
nudism ['nju:dɪz(ə)m] nudism
nudist ['nju:dɪst] nudist
nudity ['nju:dətɪ] nakenhet
nugget ['nʌgɪt] klump av ädel metall; ~ [*of gold*] guldklimp
nuisance ['nju:sns] otyg [*the mosquitoes are a* ~], ofog, oskick [*long speeches are a* ~]; besvär, elände; plåga [*he is a real* (riktig) ~]; isht om barn bråkstake; jur. olägenhet, förfång; *what a ~!* så tråkigt (förargligt)!, ett sånt elände!
null [nʌl] jur. ogiltig; ~ *and void* ogiltig, av noll och intet värde
nullify ['nʌlɪfaɪ] annullera; ogiltigförklara
numb [nʌm] **I** *adj* stel[frusen], känslolös; ~ *with cold* stel av köld **II** *vb tr* göra stel[frusen]; förlama [*~ed with grief*]; döva [*medicine to ~ the pain*]
number ['nʌmbə] **I** *s* **1** antal [*a considerable* ~], mängd; *~s* [*of people*] [*live like this*] massor av (ett stort antal) människor... **2** nummer [*telephone* ~]; tal [*whole* (*odd*) *~s*]; *cardinal* ~ grundtal **3** teat. o.d. nummer [*do a solo* ~] **4** gram. numerus **5** pl. *~s*: **a**) numerär överlägsenhet i antal [äv. *superior ~s*]; *there is safety* (*strength*) *in ~s* ung. ju fler man är desto större trygghet (desto bättre) **b**) *Numbers* (konstr. ss. sg.) Fjärde mosebok **c**) amer., *~s* [*game* (*racket*)] slags olagligt lotteri **6** i div. uttr.: **a**) ~ *one* etta isht på topplista [*this week's ~ one*]; sl. bäst, toppen [*you're ~ one*] **b**) vard., ~ *one* en själv, ens egen person **c**) barnspr., *do* [*a*] ~ *one* kissa; *do* [*a*] ~ *two* bajsa **d**) vard., *his ~ is up* det är ute med honom **II** *vb tr* **1** numrera; ibl. paginera **2** räkna [*the army ~ed 40,000*], omfatta, uppgå till; *we ~ed 20 in all* vi var sammanlagt 20 **3** räkna hänföra [*I ~ myself among his friends*] **4** räkna antalet av; *his days are ~ed* hans dagar är räknade **III** *vb itr* räknas
numeral ['nju:m(ə)r(ə)l] **I** *adj* siffermässig, siffer-; ~ *sign* taltecken **II** *s* **1** gram. räkneord; *cardinal* ~ grundtal **2** taltecken, siffra [*Roman ~s*]
numerator ['nju:məreɪtə] matem. täljare
numerical [njʊ'merɪk(ə)l] **1** numerisk; ~ *strength* numerär; ~ *superiority* numerär överlägsenhet, överlägsenhet i antal

2 siffer- [~ *calculation*, ~ *system*] **3** *in* ~ *order* i nummerordning
numerous ['nju:m(ə)rəs] talrik
nun [nʌn] nunna
nunnery ['nʌnərɪ] [nunne]kloster
nuptial ['nʌpʃ(ə)l] **I** *adj* bröllops-, äktenskaps- [~ *vows*], äktenskaplig [~ *happiness*] **II** *s*, vanl. pl. ~*s* bröllop, vigsel, förmälning
nurse [nɜ:s] **I** *s* **1** [sjuk]sköterska; [*male*] ~ sjukskötare, manlig sjuksköterska **2** [barn]sköterska **3** amma **II** *vb tr* **1** sköta barn el. sjuka; vårda **2** amma **3** kela med [~ *a kitten*], [sakta] smeka **4** sköta om [~ *a cold*]; vara försiktig med [~ *a weak ankle*] **5** hysa [~ *a grudge* (agg) *against a p.*] **III** *vb itr* **1** amma **2** sköta sjuka
nursery ['nɜ:s(ə)rɪ] **1** a) barnkammare b) barnstuga, daghem c) barnhem; ~ *rhyme* barnramsa, barnkammarrim, barnvisa; ~ *school* lekskola; förskola **2** plantskola [äv. ~ *garden*]
nursing ['nɜ:sɪŋ] **1** sjukvård; vård; *the* ~ *profession* sjuksköterskeyrket **2** amning; ~ *bottle* nappflaska
nursing home ['nɜ:sɪŋhəʊm] sjukhem
nurture ['nɜ:tʃə] **1** fostra **2** föda [upp]; driva upp planta; nära **3** bildl. hysa
nut [nʌt] **I** *s* **1** a) nöt; [nöt]kärna b) bildl., *he's a tough* ~ han är en hårding **2** tekn. mutter **3** vard. a) knäppskalle b) -fantast [*football* ~] **4** sl. **a**) huvud rot, boll; *be* (*go*) *off one's* ~ vara (bli) knäpp (galen) **b**) vulg., pl. ~*s* ballar testiklar **II** *vb itr* plocka nötter
nutcase ['nʌtkeɪs] sl. knasboll; dåre
nutcracker ['nʌtˌkrækə] **1** vanl. pl. ~*s* nötknäppare **2** zool. nötkråka
nuthatch ['nʌthætʃ] zool. nötväcka
nutmeg ['nʌtmeg] *s* **I** bot. muskot[nöt] äv. krydda; muskotträd [äv. ~ *tree*] **II** *vb tr* fotb., ~ *a player* göra en tunnel på en spelare
nutrient ['nju:trɪənt] näringsämne
nutrition [njʊ'trɪʃ(ə)n] **1** näringsprocess; näring **2** näringslära
nutritious [njʊ'trɪʃəs] näringsrik
nutritive ['nju:trətɪv] **I** *adj* **1** närings-; ~ *value* näringsvärde **2** närande **II** *s* näringsmedel
nuts [nʌts] **I** *s* pl. av *nut* **II** *interj* sl., ~! [skit]snack!, dra åt skogen! **III** *adj* sl. knasig, knäpp [*he's* ~]; *be* [*dead*] ~ *about* vara alldeles galen i (vild på); *go* ~ få spader, bli knäpp (knasig)
nutshell ['nʌt-ʃel] nötskal; *in a* ~ bildl. i ett nötskal; i korthet
nutty ['nʌtɪ] **1** nötrik, med mycket nötter [*a* ~ *cake*] **2** nötliknande; med nötsmak; ~ *flavour* nötsmak **3** sl. **a**) knasig **b**) *be* ~ *about a p.* vara galen i ngn
nuzzle ['nʌzl] **I** *vb tr* **1** gnida nosen (mulen) mot [*the horse* ~*d my shoulder*]; ~ *one's face against* trycka ansiktet mot **2** isht om svin rota i jorden; böka upp [~ *truffles* (tryffel)] **II** *vb itr* **1** ~ [*up*] *against* gnida nosen (mulen) mot; trycka (smyga) sig intill **2** isht om svin samt bildl. rota, böka
NW förk. för *North-Western* (postdistrikt i London), *north-west*[*ern*]
NY förk. för *New York*
nylon ['naɪlən, -lɒn] nylon; pl. ~*s* nylonstrumpor
nymph [nɪmf] mytol. nymf
nymphomaniac [ˌnɪmfə(ʊ)'meɪnɪæk] nymfoman
NZ förk. för *New Zealand*

O

O, o [əʊ] (pl. *O's* el. *o's* [əʊz]) **1** O, o **2** nolla; i sifferkombinationer noll; [*please dial*] *5060* [ˌfaɪvəʊ'sɪksəʊ] ...5060
oaf [əʊf] fåne; drummel
oak [əʊk] **1** ek träd **2** ek, ekträ; *heart of* ~ kärnkarl
oaken ['əʊk(ə)n] av ek
oar [ɔː] **I** *s* **1** åra; *put one's* ~ *in* blanda sig i samtalet, lägga sin näsa i blöt **2** roddare [*a good* (*bad*) ~] **II** *vb tr* o. *vb itr* ro
oarlock ['ɔːlɒk] isht amer. årtull
oas|is [əʊ'eɪs|ɪs] (pl. *-es* [-iːz]) oas äv. bildl.
oath [əʊθ, i pl. əʊðz, əʊθs] **1** ed; ~ *of office* tjänsteed; *swear an* ~ avlägga (svära) en ed; *take* [*an*] ~ gå (avlägga) ed, svära [*that* på att] **2** svordom
oatmeal ['əʊtmiːl] **1** havremjöl **2** ~ *porridge* havre[gryns]gröt
obdurate ['ɒbdjʊrət] förhärdad; hård[hjärtad]
OBE [ˌəʊbiː'iː] förk. för *Officer of* [*the Order of*] *the British Empire*
obedience [ə'biːdjəns] lydnad, hörsamhet
obedient [ə'biːdjənt] lydig; *your* ~ *servant* i brevslut Med utmärkt högaktning
obelisk ['ɒbəlɪsk] obelisk
obese [ə(ʊ)'biːs] mycket (sjukligt) fet
obesity [ə(ʊ)'biːsətɪ] stark (sjuklig) fetma
obey [ə(ʊ)'beɪ] lyda, hörsamma
obituary [ə'bɪtʃʊərɪ, ə'biːtj-] **1** ~ [*notice*] dödsruna; minnesruna; dödsannons **2** ss. rubrik i tidning dödsfall
object [ss. subst. 'ɒbdʒɪkt, ss. vb əb'dʒekt] **I** *s* **1** föremål äv. bildl. [*an* ~ *of* (för) *admiration*]; objekt **2** syfte[mål], [ända]mål; *the* ~ *is* [*to get all the balls into the holes*] det gäller...; *the* ~ *of his journey* syftet (ändamålet) med hans resa **3** gram. objekt **II** *vb tr* invända [*I* ~*ed that* (att)...] **III** *vb itr* göra invändningar, opponera sig; ogilla, inte [kunna] tåla [*I* ~ *to people who come late*]; *if you don't* ~ om du inte har något emot det (något att invända)
objection [əb'dʒekʃ(ə)n] invändning; motvilja [*he has a strong* ~ *to getting up early*]; ~*!* jur. protest!; ~ *sustained* (*overruled*) protesten bifalles (avslås)
objectionable [əb'dʒekʃ(ə)nəbl] förkastlig, betänklig; anstötlig [*the* ~ *parts of the book*], stötande; misshaglig; obehaglig, otäck [*an* ~ *smell*]
objective [əb'dʒektɪv] **I** *adj* objektiv; saklig **II** *s* **1** mål **2** optik. objektiv [äv. ~ *glass*]
objectivity [ˌɒbdʒek'tɪvətɪ] objektivitet; saklighet
object lesson ['ɒbdʒɪktˌlesn] **1** åskådningslektion; pl. ~*s* äv. åskådningsundervisning **2** skolexempel
objector [əb'dʒektə] person som gör invändningar (opponerar sig); motståndare
obligation [ˌɒblɪ'geɪʃ(ə)n] **1** förpliktelse, åtagande; åliggande; *be* (*feel*) *under an* ~ vara (känna sig) förpliktad [*to* att]; *put* (*lay*) *a p. under an* ~ *to* ålägga (förplikta) ngn att **2** tacksamhetsskuld; *be under* [*an*] ~ *to a p.* stå i tacksamhetsskuld till ngn [*for* för]
obligatory [ə'blɪgət(ə)rɪ, 'ɒblɪgeɪtərɪ] obligatorisk; bindande [*an* ~ *promise*]
oblige [ə'blaɪdʒ] **1** förplikt[ig]a; tvinga; *be* ~*d to* vara (bli) förpliktad (skyldig) att; vara (bli) tvungen att **2** tillmötesgå [*I do my best to* ~ *him*], göra (vara) till lags; göra ngn en tjänst; stå ngn till tjänst; *please* (*will you*) ~ *me by shutting...* vill ni göra mig den tjänsten och (att) stänga...; *to* ~ *you* för att göra dig en tjänst; *I'm much* ~*d* [*to you*] jag är [dig] mycket tacksam; *would you* ~ *at the piano?* skulle du vilja vara vänlig och spela lite piano för oss?
obliging [ə'blaɪdʒɪŋ] förekommande, tillmötesgående, förbindlig, tjänstvillig
oblique [ə(ʊ)'bliːk] **1** sned **2** gram. **a**) indirekt; ~ *speech* indirekt tal (anföring) **b**) ~ *case* oblikt kasus **3** indirekt; smyg-; förtäckt [~ *threats*]
obliterate [ə'blɪtəreɪt] **1** utplåna äv. bildl.; stryka ut; tillintetgöra **2** makulera frimärken
oblivion [ə'blɪvɪən] glömska; *fall* (*sink*) *into* ~ falla (råka) i glömska
oblivious [ə'blɪvɪəs] **1** glömsk; *be* ~ *of* [helt] glömma [bort] **2** omedveten
oblong ['ɒblɒŋ] **I** *adj* avlång, rektangulär **II** *s* avlång figur
obnoxious [əb'nɒkʃəs] avskyvärd [*an* ~ *smell*]; förhatlig
oboe ['əʊbəʊ] mus. oboe
obscene [əb'siːn] **1** oanständig **2** motbjudande, vidrig
obscenity [əb'senətɪ, -'siːn-] **1** oanständighet **2** vidrighet
obscure [əb'skjʊə] **I** *adj* **1** dunkel, mörk [*an* ~ *corner*] **2** otydlig, oklar [*an* ~ *sound*] **3** svårfattlig [*an* ~ *passage in a book*], grumlig, oklar **4** obemärkt, föga känd [*an* ~ *French artist*], obeaktad; obskyr **II** *vb tr* **1** förmörka; skymma [*mist* ~*d the view*] **2** bildl. a) fördunkla b) ställa i skuggan
obscurity [əb'skjʊərətɪ] **1** dunkel **2** otydlighet **3** svårfattlighet **4** obemärkthet; *live in* ~ leva obemärkt
obsequious [əb'siːkwɪəs] inställsam, krypande
observable [əb'zɜːvəbl] märkbar [*an* ~ *decline*]; iakttagbar

observance [əb'zɜ:v(ə)ns] **1** iakttagande, efterlevnad; fullgörande **2** firande [*the ~ of a holiday*]
observant [əb'zɜ:v(ə)nt] uppmärksam [*an ~ boy*], observant, iakttagande
observation [ˌɒbzə'veɪʃ(ə)n] **1** observation; iakttagelse, erfarenhet; observerande, iakttagande; *~ post* mil. observationspost, observationsplats **2** iakttagelseförmåga [*a man of* (med) *little ~*] **3** anmärkning, yttrande
observatory [əb'zɜ:vətrɪ] observatorium
observe [əb'zɜ:v] **I** *vb tr* **1** observera; lägga märke till; varsebli, märka **2** a) iaktta [*~ silence*], följa, efterleva [*~ a principle* (*a law*)] b) fira [*~ a festival*] **3** anmärka; *as has already been ~d* som redan nämnts (konstaterats) **II** *vb itr* **1** iaktta, observera **2** yttra sig
observer [əb'zɜ:və] **1** iakttagare [*he is a keen* (skarpsynt) *~*]; observatör **2** *an ~ of* en som följer (efterlever)
obsess [əb'ses] anfäkta; *be ~ed by* (*with*) vara [som] besatt av; ha på hjärnan
obsession [əb'seʃ(ə)n] tvångsföreställning
obsessive [əb'sesɪv] **1** tvångsmässig [*~ fears*] **2** överdriven
obsolescence [ˌɒbsə(ʊ)'lesns] något föråldrad karaktär (beskaffenhet)
obsolescent [ˌɒbsə(ʊ)'lesnt] något ålderdomlig
obsolete ['ɒbsəli:t] föråldrad [*~ words* (*expressions*)], gammalmodig; omodern
obstacle ['ɒbstəkl] hinder äv. bildl.
obstacle race ['ɒbstəklreɪs] hindertävling slags sällskapslek
obstetrics [ɒb'stetrɪks] (konstr. ss. sg.) obstetrik
obstinacy ['ɒbstɪnəsɪ] envishet
obstinate ['ɒbstɪnət] envis
obstreperous [əb'strep(ə)rəs] skränig, bullrig; oregerlig [*~ behaviour*]
obstruct [əb'strʌkt] **I** *vb tr* **1** täppa till (igen) [*~ a passage*] **2** hindra [*~ the traffic*], hämma **3** skymma; *~ the view* skymma sikten, hindra utsikten **II** *vb itr* parl. o.d. obstruera
obstruction [əb'strʌkʃ(ə)n] **1** tilltäppning etc., jfr *obstruct I* **2** spärr; hinder **3** sport. obstruktion
obstructive [əb'strʌktɪv] **1** tilltäppande **2** hindrande
obtain [əb'teɪn] **I** *vb tr* [lyckas] få, skaffa sig [*~ information* (*permission*)], erhålla [*metal is ~ed from* (ur) *ore*]; få tag i [*where can I ~ the book?*]; förskaffa; [upp]nå, ernå; *tickets can be ~ed from...* biljetter finns att få hos (i)... **II** *vb itr* gälla [*this custom still ~s in some places*]
obtainable [əb'teɪnəbl] som kan fås (erhållas); anskaffbar; tillgänglig
obtrusive [əb'tru:sɪv] **1** påträngande, närgången **2** påfallande [*an ~ error*]
obtuse [əb'tju:s] **1** bildl. slö **2** trubbig äv. geom. [*an ~ angle* (vinkel)]; slö
obverse ['ɒbvɜ:s] **1** advers på mynt o.d. **2** framsida; motsatt sida **3** motstycke; motsats
obviate ['ɒbvɪeɪt] förebygga [*~ misunderstanding*], undanröja [*~ a risk* (*a danger*)]
obvious ['ɒbvɪəs] tydlig, uppenbar; upplagd [*an ~ chance*]; självklar; *for ~ reasons* av lättförklarliga skäl
occasion [ə'keɪʒ(ə)n] **I** *s* **1** a) tillfälle [*on festive* (festliga) *~s*] b) evenemang [*celebrate the ~*]; *should the ~ arise* i förekommande fall, vid behov; *from ~ to ~* från den ena gången till den andra; *make the most of the ~* utnyttja tillfället (situationen); *on ~* då och då, någon gång; *on that ~* vid det tillfället, den gången **2** [yttre] anledning; *there is no ~ for you to do it* det finns ingen anledning för dig att göra det **II** *vb tr* orsaka; föranleda [*~ a p. to do a th.*]
occasional [ə'keɪʒənl] tillfällig; enstaka [*~ showers*]; *I have the ~ cup of tea* jag dricker en kopp te någon gång [när det faller sig]
occasionally [ə'keɪʒnəlɪ] [någon gång] då och då, emellanåt; *very ~* någon enstaka (enda) gång
occidental [ˌɒksɪ'dentl] *adj* västerländsk
occult [ɒ'kʌlt] **I** *adj* ockult; magisk **II** *s, the ~* det ockulta, ockulta ting
occupant ['ɒkjʊpənt] **1** innehavare [*the first ~ of the post*], ockupant; invånare [*the ~s of the house*]; *the ~s of the car* (*the boat*) *were...* de [personer] som satt (befann sig) i bilen (båten) var..., bilens (båtens) passagerare var... **2** besittningstagare, ockupant äv. mil.
occupation [ˌɒkjʊ'peɪʃ(ə)n] **1** mil. ockupation; inflyttning [*the flat is ready for ~*] **2** sysselsättning [*my favourite ~*], sysslande [*all this ~ with...*], syssla [*my daily ~s*]; yrke [*state name and ~*]; *gainful ~* förvärvsarbete
occupational [ˌɒkjʊ'peɪʃənl] sysselsättnings- [*~ therapy*], yrkes- [*~ disease*]; *~ hazard* yrkesfara; *~ pension* tjänstepension
occupier ['ɒkjʊpaɪə] **1** innehavare [*the ~ of the flat*]; ockupant; *the ~s of the flat* [*had left*] äv. de som bodde i lägenheten... **2** besittningstagare; ockupant äv. mil.
occupy ['ɒkjʊpaɪ] **1** mil. ockupera, inta **2** inneha [*~ a high office* (*an important position*)]; inta [*~ a prominent* (ledande) *position*] **3** bebo [*~ a house*], bo i; bo på [*they ~ the ground floor*] **4** uppta [*the table occupies half the floor space*; *~ a p.'s time*];

the seat is occupied platsen är upptagen **5** sysselsätta [*it occupied his thoughts* el. *his mind* (hans tankar)]; *be occupied* vara sysselsatt, vara upptagen, sysselsätta sig, hålla på [*with a th.* med ngt; [*in*] *doing a th.* med att göra ngt]

occur [ə'kɜ:] **1** inträffa, hända **2** ~ *to a p.* falla ngn in [*to* att]; *it ~red to me that* det föll mig in att, jag kom att tänka på att **3** förekomma [*misprints ~ on every page*], finnas

occurrence [ə'kʌr(ə)ns] **1** händelse; *that is an everyday ~* det förekommer dagligen **2** förekomst; inträffande; *it is of frequent ~* det förekommer (inträffar) ofta

ocean ['əʊʃ(ə)n] **1** ocean, världshav; ~ *liner* oceangångare **2** vard., *~s of time* (*money*) massor av tid (pengar)

ocean-going ['əʊʃ(ə)nˌgəʊɪŋ] oceangående

ochre ['əʊkə] miner. el. tekn. ockra

o'clock [ə'klɒk], *it is ten ~* klockan är tio; *ten ~ came* klockan blev tio

octagon ['ɒktəgən] geom. oktogon, åtthörning

octagonal [ɒk'tægənl] åtthörnig, åttkantig

octane ['ɒkteɪn] kem. oktan; ~ *number* (*rating*) oktantal

octave ['ɒktɪv] mus. oktav

October [ɒk'təʊbə] oktober

octogenarian [ˌɒktəʊdʒɪ'neərɪən] åttioåring; person mellan åttio och nittio år [gammal]

octopus ['ɒktəpəs] zool. [åttaarmad] bläckfisk

ocular ['ɒkjʊlə] okulär; ögon-; synlig

oculist ['ɒkjʊlɪst] ögonläkare

odd [ɒd] **1** udda, ojämn [*an ~ number*] **2** omaka, udda [*an ~ glove*] **3** enstaka; ~ *pair* restpar **4** extra [*an ~ player*], överskjutande; överbliven [*the ~ bits of metal*]; *keep the ~ change!* det är jämna pengar (jämnt)!; *at fifty ~* vid några och femtio [års ålder] **5** tillfällig, sporadisk, strö-, extra; ~ *jobs* ströjobb, diverse småjobb; *at ~ moments* på lediga [små]stunder, lite då och då **6** underlig, besynnerlig **7** ~ *man out* a) 'udda går ut' vid olika sällskapslekar b) 'udde' den som blir över vid vissa sällskapslekar c) bildl. udda person, särling d) bildl. femte hjulet under vagnen

oddball ['ɒdbɔ:l] isht amer. vard. **I** *s* underlig kuf (kurre) **II** *adj* kufisk

oddity ['ɒdətɪ] **1** underlighet, besynnerlighet **2** original [*he's something of an ~*], underlig (besynnerlig) människa

oddly ['ɒdlɪ] underligt, konstigt [*~ enough* (nog)]

oddment ['ɒdmənt] **1** udda (enstaka) artikel (exemplar), restartikel; stuvbit **2** pl. *~s* småsaker

odds [ɒdz] (konstr. vanl. ss. pl.) **1** utsikter, odds; [stor] sannolikhet; *the ~ are against him* han har alla odds (oddsen) emot sig; *the ~ are in his favour* han har goda utsikter, han har stora chanser **2** spel. o.d. odds; *long* (*large*) ~ höga odds; små chanser; *shout the ~* vard. domdera **3** olikhet[er]; *split the ~* mötas på halva vägen **4** *at ~* oense, osams, på kant med varandra **5** ~ *and ends* småsaker, [små]prylar; smått och gott; rester, stumpar, småskräp, avfall

odds-on ['ɒdzɒn], *stand an ~ chance of* [*winning*] ha [mycket] goda utsikter att...

ode [əʊd] ode

odious ['əʊdjəs] förhatlig

odometer [əʊ'dɒmɪtə, ɒ'd-] isht amer. vägmätare

odour ['əʊdə] **1** a) lukt b) odör c) [väl]doft **2** anstrykning, doft; *an ~ of sanctity* en prägel av fromhet (helighet)

odourless ['əʊdələs] luktfri, doftlös

oestrogen ['i:strə(ʊ)dʒ(ə)n, 'es-] östrogen

of [ɒv, obeton. əv, v] **1** i uttr. som beteckn. läge, avskiljande: om [*north ~ York*]; från [*within a mile ~ Hull*]; *cure a p. ~ a cold* bota ngn från en förkylning; *be robbed ~ a th.* bli bestulen på ngt; *five minutes ~ twelve* amer. fem minuter i (före) tolv **2** i uttr. som beteckn. härkomst, ursprung: av [*born ~ poor parents*]; från [*Professor Smith ~ Cambridge*] **3** i uttr. som beteckn. orsak, anledning o.d.: för [*be afraid ~*; *for* (av) *fear ~*]; över [*be proud ~*]; på [*be weary ~*]; av [*die ~ hunger*]; av el. i [*die ~ cancer*] **4** utan direkt motsvarighet i sv.: **a**) *a cup ~ tea* en kopp te **b**) *the town ~ Brighton* staden Brighton **c**) *on the fifth ~ May* den femte maj **5** i uttr. som beteckn. innehåll, ämne, förhållande o.d.: om [*read ~ a th.*; *stories ~ his travels*]; *hear ~ a th.* höra talas om ngt; *blind ~ one eye* blind på ena ögat **6** i uttr. med objektiv genitiv: av [*the betrayal ~ the secret*]; för [*the fear ~ God*]; om [*knowledge ~ the past*]; på [*the murder ~ Mr. Smith*] **7** i uttr. med egenskapsgenitiv: med [*a man ~ foreign appearance*]; av [*goods ~ our own manufacture*]; *a man ~ note* en framstående man **8** i uttr. med partitiv genitiv: av [*most ~ them*]; *there were only six ~ us* vi var bara sex **9** i uttr. som beteckn. tillhörighet, ägande, förbindelse o.d.: i [*professor ~ history*]; på [*the governor ~ St. Helena*]; med [*the advantage ~ this system*]; från [*a novelist ~ the 18th century*]; till [*the daughter ~ a clergyman*]; *the works ~ Milton* Miltons verk **10** *an angel ~ a woman* en ängel till kvinna

off [ɒf] **I** *adv* o. *pred adj* **1** bort [*steal* (smyga) ~; *~ with you!*]; av [*get* (stiga) ~]; på instrumenttavla o.d. från[kopplad]; ~ *we* *go!* nu går vi!; *far ~* långt bort **2** *time ~* ledighet **3** *be ~*: **a**) vara av[tagen] [*the lid is ~*]; vara ur [*the button is ~*] **b**) ge sig av, kila; *where are you ~ to?* vart ska du ta vägen? **c**) vara ledig **d**) vara slut [*this dish is ~ today*]; vara avstängd [*the water (gas) is ~*]; vara frånkopplad; vara inställd [*the party is ~*], vara avblåst [*the strike is ~*]; *the deal is ~* köpet har gått om intet **e**) vard. inte vara färsk [*the meat was a bit ~*] **f**) *how are you ~ for money?* hur har du det [ställt] med pengar? **II** *attr adj* ledig; *we have our ~ moments* a) vi har våra lugna (lediga) stunder b) alla har vi våra svaga perioder **III** *prep* **1** bort från [*take your elbows ~ the table!*]; ner från [*he fell ~ the ladder*], av [*he fell ~ the bicycle*]; borta från [*keep one's hands* (fingrarna) *~ a th.*]; ur [*~ course*] **2** vid, nära [*the island lies ~ the coast*; *~ Baker Street*]; isht sjö. utanför [*~ the Welsh coast*] **3** vard., *be ~ a th.* ha tappat intresset för ngt; *I'm ~ smoking* jag har lagt av med att röka **4** på [*3 % discount ~ the price*]

offal ['ɒf(ə)l] [slakt]avfall; inälvsmat

offbeat ['ɒfbi:t] **1** mus. offbeat med markering på andra och fjärde tonen **2** vard. annorlunda

off-chance ['ɒftʃɑ:ns] liten chans [*there is an ~ that...*]; *we called on the ~ of finding you at home* vi chansade på att du skulle vara hemma

off-colour [ˌɒf'kʌlə] [lite] krasslig, ur gängorna

off-day ['ɒfdeɪ] **1** ledig dag, fridag **2** dålig dag [*it was one of my ~s*]

offence [ə'fens] **1** [lag]överträdelse [*a slight ~*]; bildl. försyndelse, brott; *punishable ~* straffbar handling; *commit an ~* överträda (bryta mot) lagen, begå ett brott **2** anstöt; förtrytelse, harm; förolämpning; *take ~* ta illa upp **3** anfall

offend [ə'fend] **I** *vb tr* stöta, verka stötande på; såra [*~ a p.'s feelings*]; förnärma, kränka; förtörna; *be ~ed* bli stött [*with (by) a p.* på ngn; *at (by) a th.* över ngt] **II** *vb itr* **1** väcka anstöt (förargelse) **2** synda [*~ against* (mot) *a rule*]; *~ against* äv. bryta mot, kränka [*~ against a law*]

offender [ə'fendə] lagöverträdare; *first ~* förstagångsförbrytare

offense [ə'fens] amer., se *offence*

offensive [ə'fensɪv] **I** *adj* **1** offensiv [*~ weapons*]; aggressiv; *~ movements* offensiva trupprörelser **2** anstötlig; förolämpande, kränkande [*~ language*] **3** obehaglig [*an ~ person*], vidrig, motbjudande [*an ~ smell*] **II** *s* offensiv; *take the ~* ta till offensiven, övergå till anfall

offer ['ɒfə] **I** *vb tr* **1** erbjuda, bjuda [*I ~ed him £150,000 for the house*]; hand. offerera; bjuda ut [*~ the shares at* (till) *98*]; *~ for sale* bjuda ut till försäljning, saluföra, salubjuda; *~ one's services* erbjuda sina tjänster, ställa sig till förfogande **2** utfästa; *~ a reward* utfästa en belöning **3** relig., *~ [up]* offra [*to* åt] **4** framföra [*~ an apology*], lägga fram [*~ an opinion*], ge [*~ an explanation*], anföra **5** förete, erbjuda [*~ many advantages*] **II** *vb itr* **1** erbjuda sig; *as occasion ~s* när tillfälle erbjuder (yppar) sig, när det blir tillfälle **2** *~ to* + inf.: erbjuda sig att [*he ~ed to help me*] **III** *s* erbjudande, anbud; hand. offert; *~ [of marriage]* [giftermåls]anbud, frieri

offering ['ɒf(ə)rɪŋ] **1** offrande **2** offer; bildl. gåva **3** erbjudande

off-hand [ˌɒf'hænd] **I** *adv* **1** på rak arm [*I can't tell you ~*] **2** nonchalant [*reply ~*] **II** *adj* **1** oförberedd, improviserad **2** nonchalant

office ['ɒfɪs] **1** a) kontor [ofta pl. *~s*]; byrå; expedition; redaktion; tjänsterum, ämbetsrum; kansli; amer. [läkar]mottagning b) isht ss. efterled i sms. -bolag, -kontor; *~ block* kontorsbyggnad; *~ hours* kontorstid **2** *O~* a) departement [*the Home O~*] b) [ämbets]verk [*the Patent O~*] **3** [offentligt] ämbete, befattning; *resign (retire from, leave) ~* avgå [ur tjänst]; *take (come into, get into) ~* tillträda sitt ämbete (sin tjänst, sin post); om minister äv. inträda i regeringen; om parti, regering komma till makten; *the Government in ~* den sittande regeringen **4** [tjänste]förrättning, uppgift, funktion

officer ['ɒfɪsə] **1** officer; pl. *~s* äv. befäl; *~ of the day (on duty)* dagofficer **2** [*public*] *~* ämbetsman, tjänsteman i statlig tjänst o.d. **3** [*police*] *~* polis[man], [polis]konstapel

official [ə'fɪʃ(ə)l] **I** *s* **1** ämbetsman; *government ~* regeringstjänsteman **2** sport. funktionär **II** *adj* **1** officiell [*in ~ circles*]; ämbets- [*~ dress* (dräkt)], ämbetsmanna- [*~ career* (bana)], tjänste- [*~ letter*]; [*he is here*] *on ~ business* ...på tjänstens vägnar; *~ quotation* hand. kursnotering; *the O~ Secrets Act* sekretesslagen **2** officiell [*~ style*]

officialdom [ə'fɪʃ(ə)ldəm] byråkrati; ämbetsmannakåren

officially [ə'fɪʃ(ə)lɪ] officiellt; på ämbetets (tjänstens) vägnar

officiat|e [ə'fɪʃɪeɪt] **1** kyrkl. förrätta gudstjänst; officiera [*at* vid] **2** sport. tjänstgöra som (vara) funktionär [*at* vid] **3** fungera [*~ as host (chairman)*], tjänstgöra

officious [ə'fɪʃəs] beskäftig, beställsam

offing ['ɒfɪŋ] sjö. rum (öppen) sjö; *in the ~* a) ute på [öppna] sjön, på visst avstånd

från land b) bildl. i antågande, under uppsegling
off-licence ['ɒfˌlaɪs(ə)ns] **1** *have an ~* ha rättighet att sälja vin och sprit **2** spritbutik
off-peak ['ɒfpi:k, pred. ˌ-'-] inte maximal; *at ~ hours* vid lågtrafik[tid]; när det inte är rusning; vid lågbelastning
offprint ['ɒfprɪnt] särtryck
off-season ['ɒfˌsi:zn] **I** *adj* lågsäsong- **II** *adv* under lågsäsong[en] (dödsäsong[en])
offset ['ɒfset] (*offset offset*) uppväga [*the gains ~ the losses*; *~ a disadvantage*], neutralisera, kompensera
offshoot ['ɒfʃu:t] **1** bot. sidoskott **2** avkomling i sidoled, sidogren [*an ~ of a family*] **3** bildl. sidoskott; avläggare
offshore [ˌɒf'ʃɔ:] **1** frånlands- [*~ wind*]; [*the wind*] *is* [*blowing*] *~* ...blåser från land **2** [ett stycke] utanför kusten (från land) [*~ fisheries*], offshore- [*~ platform*]
offside [ˌɒf'saɪd] **I** *adv* fotb. o.d. offside **II** *adj* **1** fotb. o.d. offside- **2** trafik.: vid vänstertrafik höger; vid högertrafik vänster **III** *s* **1** trafik. höger (vänster) sida, jfr *II 2* **2** fotb. o.d. offside
offspring ['ɒfsprɪŋ] (pl. vanl. lika) **1** avkomma [*a numerous ~*], avföda **2** ättling; barn [*she is the mother of numerous ~*]
offstage [ˌɒf'steɪdʒ] utanför scenen; i kulisserna
off-the-cuff [ˌɒfðə'kʌf] improviserad
off-white [ˌɒf'waɪt, attr. '--] off-white
oft [ɒft] poet. ofta; *many a time and ~* mången gång
often ['ɒfn, 'ɒft(ə)n] ofta; *as ~ as not* inte så sällan, ganska ofta
ogle ['əʊgl] **I** *vb itr* snegla; [ögon]flirta **II** *vb tr* snegla på; [ögon]flirta med
ogre ['əʊgə] i folksagor [människoätande] jätte
oh [əʊ] **1** *~!* åh!, äsch!, oj!, aj!; *~, is that so?* jaså [du]!; *~ no!* nej då!, visst inte!, ånej! **2** hör du [*~, John, would you pass those books?*]
OHMS förk. för *On His* (*Her*) *Majesty's Service*
oil [ɔɪl] **I** *s* **1** olja; *~ pressure gauge* oljetrycksmätare; *pour ~ on the flame*[*s*] bildl. gjuta olja på elden; *pour ~ on* [*the*] *troubled waters* bildl. gjuta olja på vågorna **2** mest pl. *~s* oljemålningar, oljor **II** *vb tr* olja [in]; *~ a p.'s palm* (*hand*) bildl. smörja (muta) ngn
oilcloth ['ɔɪlklɒθ] vaxduk; oljeduk
oilfield ['ɔɪlfi:ld] oljefält
oilfired ['ɔɪlˌfaɪəd] oljeeldad; *~ central heating* oljeeldning
oil gauge ['ɔɪlgeɪdʒ] olje[nivå]mätare
oil painting ['ɔɪlˌpeɪntɪŋ] **1** oljemålning **2** vard., *she's not exactly an* (*she's no*) *~* hon är inte någon skönhet precis
oil rig ['ɔɪlrɪg] oljerigg
oilslick ['ɔɪlslɪk] oljefläck t.ex. på vattnet
oiltanker ['ɔɪlˌtæŋkə] **1** oljetanker, oljetankfartyg **2** oljetankbil
oil well ['ɔɪlwel] oljekälla
oily ['ɔɪlɪ] **1** oljig; fet, flottig **2** bildl. oljig
ointment ['ɔɪntmənt] salva; smörjelse
OK [ˌəʊ'keɪ] vard. **I** *adj* o. *adv* OK, bra; *it's ~ by* (*with*) *me* det är OK för min del, gärna för mig **II** *s*, [*the*] *~* okay, godkännande, klarsignal, klartecken [*get* (*give*) *the ~*] **III** (*OK'd OK'd* el. *OKed OKed*) *vb tr* godkänna
okay [ˌəʊ'keɪ], se *OK*
old [əʊld] **I** (komp. o. superl. *older* el. *oldest*; ibl. *elder*) *adj* **1** gammal: a) åldrig b) använd, förlegad c) tidigare, f.d. [*an ~ Etonian*] d) gammal och van; *~ age* ålderdom[en], jfr *old-age*; *~ boy* a) f.d. elev [*the school's ~ boys*] b) vard. gammal farbror; *in the good ~ days* (*times*) på den gamla goda tiden; *the O~ World* Gamla världen; *good ~ John!* vard. gamle [käre] John! **2** forn- [*O~ English, O~ French, O~ High* (*Low*) *German*] **II** *s*, [*in days* (*times*)] *of ~* fordom, i gamla tider, förr i världen; [*I know him*] *of ~* ...sedan gammalt
old-age [ˌəʊld'eɪdʒ], *~ pension* förr ålderspension, folkpension
old-fashioned [ˌəʊld'fæʃ(ə)nd] **1** gammalmodig, ålderdomlig **2** lillgammal
oldish ['əʊldɪʃ] äldre
old-time ['əʊldtaɪm] gammaldags, gammal- [*~ dancing*], ålderdomlig, gångna (gamla) tiders
old-timer [ˌəʊld'taɪmə] vard. **1** *an ~* en som är gammal i gamet **2** gamling
old-world ['əʊldwɜ:ld] gammaldags [*an ~ cottage*]
olive ['ɒlɪv] **I** *s* **1** oliv träd o. frukt; *the Mount of Olives* bibl. Oljeberget **2** *~* [*colour*] oliv[färg], olivgrönt **II** *adj* olivfärgad [*an ~ complexion*], olivgrön
olive oil [ˌɒlɪv'ɔɪl] olivolja
Olympiad [ə(ʊ)'lɪmpɪæd] olympiad, olympiska spel [*the 23rd ~*]
Olympic [ə(ʊ)'lɪmpɪk] **I** *adj* olympisk; *the ~ Games* [de] olympiska spelen, olympiaden **II** *s*, vanl. pl. *~s* olympiska spel, olympiad[er]
omelet ['ɒmlət, -let] isht amer., se *omelette*
omelette ['ɒmlət, -let] omelett; *savoury ~* grönsaksomelett; *you cannot* (*can't*) *make an ~ without breaking eggs* ung. smakar det så kostar det
omen ['əʊmen] **I** *s* omen; *it is a good ~* det är ett gott tecken, det lovar gott för framtiden **II** *vb tr* förebåda

ominous ['ɒmɪnəs, 'əʊm-] illavarslande, olycksbådande

omission [ə(ʊ)'mɪʃ(ə)n] **1** utelämnande, utelämning **2** försummelse; *sins of* ~ underlåtenhetssynder

omit [ə(ʊ)'mɪt] **1** utelämna **2** underlåta

omnibus ['ɒmnɪbəs] **1** omnibus **2** ~ *[book (volume)]* samlingsvolym; billighetsupplaga

omnipotent [ɒm'nɪpət(ə)nt] allsmäktig

omnivorous [ɒm'nɪv(ə)rəs] **1** zool. allätande **2** bildl., *he is an* ~ *reader* han är allätare när det gäller litteratur, han läser allt han kommer över

on [ɒn] **A** *prep* **I** i rumsuttryck o. friare **1 a)** på [~ *a chair; interest* (ränta) ~ *one's capital*] **b)** på el. vid [~ *the Riviera*; amer. *a house* ~ *19th Street*]; ~ [*the staff of*] *a newspaper* [anställd] på (vid) en tidning **c)** på el. i [~ *the radio*; ~ *TV*] **2** i [~ *the ceiling; talk* ~ *the telephone*]; *be* ~ *fire* stå i brand **3** mot [*they made an attack* ~ *the town; it's not fair* ~ *her*] **4** till; ~ *land and sea* till lands och sjöss; ~ *foot* till fots

II i tidsuttryck: **1** på el. utan motsv. i sv.; ~ *Friday* på (om) fredag **2 a)** [omedelbart (genast)] efter [~ *my father's death*; ~ *my return*] **b)** efter och till följd av; ~ *my arrival at* (~ *arriving at*) *Hull, I went...* vid (efter) ankomsten till Hull, gick jag...; ~ *second thoughts* vid närmare eftertanke

III andra fall: **1** om ett ämne o.d. [*a book (lecture)* ~ *a subject*] **2** för [*the fire went out* ~ *me; the horse died* ~ *me*]; *that's a new one* ~ *me* vard. det var nytt för mig **3** i förhållande till [*prices are up by 5 per cent* ~ *last year*] **4** enligt, efter [~ *this principle*] **5** mot; ~ *payment of...* mot [betalning av]... **6** vid upprepningar på [*loss* ~ *loss*] **7** *this is* ~ *me* vard. det är jag som bjuder

B *adv* o. *pred adj* **1** på [*a pot with the lid* ~], på sig [*he drew his boots* ~]; *keep your hat* ~*!* behåll hatten på! **2 a)** vidare [*pass it* ~*!*]; *send* ~ skicka i förväg **b)** fram, framåt; *walk right* ~ gå rakt fram; *a little further* ~ litet längre fram **c)** på; *work* ~ jobba på **d)** kvar; *sit* ~ sitta kvar [*he sat* ~ *at the table*] **3** på påkopplad o.d.; på instrumenttavla o.d. till; *the light is* ~ ljuset (det) är tänt **4** *be* ~ i spec bet.: **a)** vara i gång [*the game is* ~ *again*] **b)** spelas [*the play was* ~ *last year*]; *what's* ~ *tonight?* vad är det för program i kväll?; vad är planerna för i kväll? **c)** *I'm* ~*!* vard. jag är med [på det]!, kör till! **d)** vard. vara möjlig; *it's just not* ~ så gör man bara inte; det går bara inte **e)** *what is he* ~ *about?* vard. vad håller han på och bråkar om? **5 a)** ~ *and* ~ utan uppehåll, i ett **b)** ~ *and off* a) av och på, från och till b) av och till [*it rained* ~ *and off all evening*], [lite] då och då **c)** ~ *to* [upp] på [*jump* ~ *to the bus*], över till, ut på; ner på

once [wʌns] **I** *adv* **1** (ibl. subst.) en gång [*more than* ~; ~ *is enough for me*]; *if I've told you* ~ *I've told you a dozen times* det har jag sagt dig dussintals gånger; ~ *bitten (bit) twice shy* bränt barn skyr elden; ~ *in a way* el. [*every*] ~ *in a while* någon [enstaka] gång, då och då, en och annan gång; *for* ~ för en gångs skull; *never* ~ aldrig någonsin, inte en enda gång; *it was only that* ~ det var bara [för] den gången; *at* ~ a) med detsamma, [nu] genast, ögonblickligen [*come here at* ~*!*], strax b) på en (samma) gång, samtidigt

2 (äv. adj.) en gång [i tiden], förr [i tiden (världen)] [*he* ~ *lived in Persia*]; ~ [*upon a time*] *there was a king* det var en gång en kung

II *konj* när (om)...väl (en gång); ~ *he hesitates, we have him* så snart han tvekar så har vi honom fast

oncoming ['ɒnˌkʌmɪŋ] **I** *adj* förestående, annalkande [*an* ~ *storm*]; mötande [~ *traffic*] **II** *s* ankomst [*the* ~ *of winter*], annalkande

one [wʌn] **I** *räkn* o. *adj* **1** a) en, ett [~ *third*; ~ *Sunday*; ~ *dozen*] b) [den (det)] ena [*blind in* (på) ~ *eye*]; ~ *half of* hälften av, ena halvan av; [*the*] ~...*the other* [den] ena...[den] andra; ~ *or two* ett par [stycken] **2** enda; *the* ~ [*and only*] *thing that matters* det [absolut] enda som betyder något

II *pron* **1** man, isht ss. obj. en [*it hurts* ~ *to be told the truth*], rfl. sig [*pull after* ~]; ~*'s* ens [~*'s own children*]; sin [~ *must always be on* ~*'s guard*], sitt [~ *has to do* ~*'s best*], sina **2** en [viss] [~ [*Mr.*] *John Smith*] **3** ~ *another* varandra [*they like* ~ *another*] **4** ss. stödjeord: **a)** ensamt: en [*I lose a friend and you gain* ~]; någon [*where is my umbrella? - you didn't bring* ~]; [*he's not a great man, but he hopes*] *to become* ~ ...bli det **b)** efter adj., ofta utan motsv. i sv. [*take the red box, not the black* ~]; *my life has been a long* ~ mitt liv har varit långt; *that was a nasty* ~ det var ett otäckt slag (elakt sagt); *the Evil O*~ den (hin) onde; *the little* ~*s* småttingarna **c)** efter best. art. el. pron.: *the* ~ determ. pron. den [*that man is the* ~ *who stole my watch*]; *which* ~ *do you like?* vilken tycker du om?

III *s* **1** etta [*three* ~*s*]; *they came by* ~*s and twos* de kom en och en och två och två **2** enhet **3** vard., *you are a* ~*!* du är en rolig en!, du är verkligen festlig! **4** vard., *be a* ~ *for* vara tokig i (tänd på)

one-act ['wʌnækt], ~ *play* enaktare

one-armed [ˌwʌn'ɑ:md, attr. '--] enarmad; ~ *bandit* vard. enarmad bandit spelautomat

one-man [ˌwʌn'mæn] enmans- [~ *show*]
one-off ['wʌnɒf] enstaka; *a ~ affair* (*event*) en engångsföreteelse
onerous ['ɒnərəs, 'əʊn-] betungande [~ *duties* (*taxes*)], besvärlig, svår
oneself [wʌn'self] sig [*wash ~*]; sig själv [*proud of ~*]; själv [*one had better do it ~*]; en själv; jfr *myself*
one-sided [ˌwʌn'saɪdɪd, attr. '---] ensidig äv. bildl.
one-time ['wʌntaɪm] tidigare; förutvarande, f.d.
one-track ['wʌntræk] enkelspårig äv. bildl.
one-upmanship [wʌn'ʌpmənʃɪp] konsten att psyka ngn (platta till andra)
one-way ['wʌnweɪ] **1** enkelriktad [*a ~ street*] **2** amer., *~ ticket* enkel biljett
ongoing ['ɒnˌgəʊɪŋ] *adj* pågående
onion ['ʌnjən] bot. lök, rödlök; *know one's ~s* vard. kunna sina saker
on-line ['ɒnlaɪn] data. direktansluten, on-line
onlooker ['ɒnˌlʊkə] åskådare
only ['əʊnlɪ] **I** *adj* **1** enda [*this is my ~ coat*; *her ~ brother*]; *he was an ~ child* han var enda barnet **2** enda rätta; enda verkliga; *he's the ~ man* [*for the position*] han är den ende rätte... **II** *adv* **1** bara; *~ once* bara en gång; *if ~ because* om inte för annat så bara för att **2** a) först, inte förrän [*I don't know him very well, I saw* (träffade) *him ~ yesterday*] b) senast [*he can't be dead, I saw* (såg) *him ~ yesterday*]; *~ now* (*then*) först (inte förrän) nu (då); *~ when* först när, först sedan **3** *~ just* just nu, alldeles nyss [*I have ~ just received it*] **III** *konj* men; [*I would lend you the book with pleasure,*] *~ I don't know where it is* ...[men] jag vet bara inte var den är; [*he is remarkably like his brother,*] *~* [*that*] *he is a little taller* ...utom det att han är litet längre
onrush ['ɒnrʌʃ] anstormning
onset ['ɒnset] **1** anfall, angrepp **2** ansats; början, inträde [*the ~ of winter*]
onshore [ˌɒn'ʃɔ:] **1** pålands- [*~ wind*]; [*a wind blowing*] *~* ...mot land **2** nära (längs) kusten; på kusten; kust- **3** i land
onslaught ['ɒnslɔ:t] våldsamt angrepp
onstage [ˌɒn'steɪdʒ] scen-; på scenen; in på scenen
on-the-spot [ˌɒnðə'spɒt] på ort och ställe, på platsen [*~ inquiries*]; *~ fine* ung. ordningsbot
onto ['ɒntʊ, framför konsonantljud äv. 'ɒntə] = *on to*
onus ['əʊnəs] **1** börda; skyldighet, åliggande **2** skuld
onward ['ɒnwəd] **I** *adj* framåtriktad; som för (leder) framåt, framåt-; *~ march* frammarsch **II** *adv* se *onwards*
onwards ['ɒnwədz] framåt, vidare [*move ~*], fram [*it is further ~*]; *from page 10 ~* från och med sid. 10
onyx ['ɒnɪks, 'əʊ-] miner. onyx
oodles ['u:dlz] vard. massor [*~ of money*]
ooz|e [u:z] **I** *vb itr* **1** *~* [*out*] sippra [ut], sippra fram (igenom), sakta flyta (rinna) fram, dunsta ut **2** bildl. **a**) *~* [*out*] sippra (läcka, komma) ut [*rumours* (*the secret*) *began to ~ out*] **b**) *~* [*away*] rinna bort, [börja] sina [*my courage was -ing away*] **3** drypa [*~ with* (av) *sweat*]; droppa **II** *vb tr* låta sippra ut; avge, avsöndra; *he was -ing sweat* han dröp av svett **III** *s* **1** sakta flöde, [ut]sipprande, framsipprande **2** dy, gyttja, [botten]slam
opacity [ə(ʊ)'pæsətɪ] ogenomskinlighet; opacitet; dunkelhet
opal ['əʊp(ə)l] miner. opal
opaque [ə(ʊ)'peɪk] ogenomskinlig; opak; dunkel
OPEC ['əʊpek] (förk. för *Organization of Petroleum Exporting Countries*) OPEC
open ['əʊp(ə)n] **I** *adj* **1** öppen; *in the ~ air* i friska luften, i det fria; *the door flew ~* dörren flög upp; *keep one's bowels ~* hålla magen i gång **2** öppen; offentlig; fri; obegränsad; *~ championship* sport. öppet mästerskap; *the ~ season* (*time*) lovlig tid för jakt o. fiske **3** öppen[hjärtig] **4** ledig [*the job is still ~*] **5** *~ to* **a**) tillgänglig för [*the race is ~ to all*]; *there are two courses ~ to you* två vägar står öppna för dig **b**) öppen för, mottaglig för [*~ to argument*] **c**) *~ to doubt* (*question*) diskutabel, som kan ifrågasättas, tvivelaktig **II** *s* **1** *in the ~* a) i det fria, utomhus b) bildl. öppet, offentligt **2** sport. open tävling öppen för proffs o. amatörer **III** *vb tr* **1** öppna; *~* [*the book*] *at page 21* slå upp sidan 21 [i boken] **2** *~* [*up*] **a**) öppna, skära upp [*~ a wound*] **b**) bryta, röja [*~ ground*], exploatera, öppna [*~ undeveloped land*] **3** öppna; upplåta; börja; inleda; inviga [*~ a new railway*]; *~ an account with* öppna konto hos **4** yppa, uppenbara; *~ oneself to a p.* öppna sig för ngn **IV** *vb itr* **1** öppna[s]; öppna sig **2** om blomma öppna sig, slå ut **3** öppna, börja [*the story ~s well*]; ha premiär [*the play ~ed yesterday*] **4** vetta [*the window ~ed on to* (mot, åt) *the garden*]; leda; *the room ~s on* [*to*] *the garden* rummet har förbindelse med (utgång mot) trädgården **5** *~* [*out*] öppna sig, breda ut sig; bli meddelsam **6** *~ up* **a**) öppna eld **b**) öppna sig **c**) *~ up!* öppna dörren!
open-air [ˌəʊpən'eə, attr. äv. '---] frilufts- [*an ~ concert, ~ life*], utomhus- [*an ~ dance-floor*]
open-ended [ˌəʊpən'endɪd] öppen [och opartisk], förutsättningslös

opener ['əʊp(ə)nə] **1** öppnare; *tin (can)* ~ konservöppnare, burköppnare **2** inledare [~ *of a discussion*]

open-handed [ˌəʊpən'hændɪd] frikostig; ~ *hospitality* stor gästfrihet

open-hearted [ˌəʊpən'hɑ:tɪd] **1** öppenhjärtig **2** varmhjärtad

open-house [ˌəʊpən'haʊs], *he is giving an ~ party tomorrow* det är öppet hus hos honom i morgon

opening ['əʊp(ə)nɪŋ] **I** *pres p* o. *adj* öppnande; inlednings-, begynnelse-, öppnings-; ~ *chapter* inledningskapitel **II** *s* **1** öppnande etc., jfr *open III*; början [*the ~ of the session*], upptakt; invigning; premiär; *the ~ of Parliament* parlamentets öppnande **2** öppning äv. bildl. [*find an ~*]; springa, glugg; mynning **3** [gynnsamt] tillfälle, arbetstillfälle **4** schack. öppning

openly ['əʊpənlɪ] öppet äv. bildl.; oförbehållsamt; offentligt

open-minded [ˌəʊpən'maɪndɪd] öppen (mottaglig) för nya idéer (intryck, synpunkter o.d.); obunden

openness ['əʊpənnəs] öppenhet etc., jfr *open I*

open-plan [ˌəʊpən'plæn, attr. äv. '---], ~ *office* kontorslandskap

opera ['ɒp(ə)rə] **1** opera **2** pl. av *opus*

opera glasses ['ɒp(ə)rəˌglɑ:sɪz] teaterkikare

opera hat ['ɒp(ə)rəhæt] chapeau-claque

opera house ['ɒp(ə)rəhaʊs] operahus

operate ['ɒpəreɪt] **I** *vb itr* **1** verka; om t.ex. maskin arbeta, vara i gång **2** med., ~ [*on*] operera **3** operera äv. mil.; verka **4** börs. göra finansoperationer; spekulera **II** *vb tr* **1** sätta (hålla) i gång [~ *a machine*]; leda [~ *a company*]; *hand ~d* manuellt skött **2** amer. med. operera [~ *a patient*]

operation [ˌɒpə'reɪʃ(ə)n] **1** verkan; inverkan; verksamhet, funktion, gång [*the ~ of an engine*], användning; *be in ~* vara i gång (verksamhet, funktion) **2** operation; förfarande, förfaringssätt; *it can be done in three ~s* det kan göras i tre moment **3** mil. operation, företag **4** med. operation, ingrepp [äv. *surgical ~*]; *have an ~ for...* bli opererad för... **5** börs. spekulation; börsoperation **6** drift [*the ~ of an enterprise*], skötsel [*the ~ of a machine*]

operational [ˌɒpə'reɪʃ(ə)nl] **1** drift[s]-; operations- **2** funktionsduglig; stridsklar

operative ['ɒp(ə)rətɪv] **I** *s* **1** [fabriks]arbetare **2** amer. vard. a) detektiv b) hemlig agent **II** *adj* **1 a**) verkande, verksam, aktiv; i verksamhet **b**) om t.ex. lag i kraft; *become ~* träda i kraft, börja gälla **2** effektiv; *the ~ clause* den väsentliga paragrafen **3** med. operativ

operator ['ɒpəreɪtə] **1** operatör äv. data.; tekniker; *~!* tele. hallå!; fröken! [*~! can you get me 123456?*] **2** med. kirurg **3** isht amer. driftsledare; ägare **4** [börs]spekulant **5** vard. smart individ (typ) [äv. *smooth ~*]

operetta [ˌɒpə'retə] operett

opinion [ə'pɪnjən] **1** mening, åsikt, uppfattning; *public ~* den allmänna opinionen (meningen); *~ poll* opinionsundersökning; *have a low (bad, poor) ~ of* ha en låg tanke om; *I am of [the] ~ that...* jag är av den meningen (åsikten, uppfattningen) att..., jag menar (anser) att... **2** [sakkunnigt] betänkande (yttrande), [expert]utlåtande [*legal (medical) ~s*]

opinionated [ə'pɪnjəneɪtɪd] envis, egensinnig; påstridig; dogmatisk

opium ['əʊpjəm] opium; ~ *addict* opiummissbrukare; ~ *den* opiumhåla

opossum [ə'pɒsəm] zool. opossum, pungråtta

oppalinium [ˌɒpə'lɪnɪəm, -njəm] *s* geol. oppalin

opponent [ə'pəʊnənt] **I** *s* motståndare; i spel äv. motspelare **II** *adj* motstående; motsatt

opportune ['ɒpətju:n, ˌɒpə'tju:n] opportun; lämplig, passande [*an ~ remark (speech)*]

opportunist [ˌɒpə'tju:nɪst, 'ɒpətju:n-] opportunist

opportunity [ˌɒpə'tju:nətɪ] [gynnsamt] tillfälle [*to do a th., of (for) doing a th.* [till] att göra ngt]; *when [an] ~ arises (offers)* när (så snart) [ett] tillfälle erbjuder sig (ges), vid tillfälle; *let an ~ escape (pass, slip)* försumma (missa) ett tillfälle, låta ett tillfälle gå sig ur händerna; *at the first (an early) ~* vid första [bästa] tillfälle; hand. med första lägenhet

oppose [ə'pəʊz] **1** opponera sig mot [~ *a plan*], sätta (vända) sig emot, motarbeta **2** sätta (framställa) som motsats[er]

opposed [ə'pəʊzd] **1** motstående **2** motsatt [~ *views*], kontrasterande; *be ~* stå i motsatsförhållande, stå i motsats (kontrast)

opposite ['ɒpəzɪt, -əsɪt] **I** *adj* **1** [belägen] mitt emot [*the ~ house*], motsatt [*on ~ sides of the square*], motliggande; *they went in ~ directions* de gick åt var sitt håll; *in the ~ direction to (from)* i motsatt riktning mot; ~ *to* mitt emot **2** bildl. motsatt; motsvarighet; ~ *number* kollega i motsvarande ställning **II** *prep* **1** mitt emot [*a house ~ the post office*] **2** mot **III** *adv* mitt emot [*there was an explosion ~*] **IV** *s* motsats [*black and white are ~s*]; *I mean the ~* jag menar tvärtom (det motsatta)

opposition [ˌɒpə'zɪʃ(ə)n] **1** motsättning, opposition, motstånd; *he spoke in ~ to [the plan]* han talade mot..., han motsatte sig... **2** polit. opposition [*be in* ~]; ~ [*party*] oppositionsparti; *the O~* oppositionen [*His* (*Her*) *Majesty's O~*]

oppress [ə'pres] **1** tynga [~ *the mind*], trycka; ~*ed* äv. beklämd, betryckt **2** förtrycka, undertrycka

oppression [ə'preʃ(ə)n] **1** nedtryckande; förtryck [*the* ~ *of the people*] **2** betrycktheт, beklämning **3** tryck; börda

oppressive [ə'presɪv] **1** tyngande [~ *taxes*]; besvärande [~ *heat*]; *it's very* ~ det är mycket kvavt (kvalmigt) **2** förtryckande, tyrannisk, grym [~ *laws* (*rules*)]

oppressor [ə'presə] förtryckare

opprobrium [ə'prəʊbrɪəm] **1** smälek **2** koll. ovett

opt [ɒpt] välja [~ *between alternatives*]; ~ *for a th.* välja ngt, uttala sig för ngt; ~ *out* vard. inte vilja vara med, hoppa av

optic ['ɒptɪk] optisk; ~ *nerve* synnerv

optical ['ɒptɪk(ə)l] optisk [~ *fibre* (*glass*)]; syn-; ~ *illusion* (*delusion*) synvilla, optisk villa

optician [ɒp'tɪʃ(ə)n] optiker

optics ['ɒptɪks] (konstr. ss. sg.) optik

optimism ['ɒptɪmɪz(ə)m] optimism

optimist ['ɒptɪmɪst] optimist

optimistic [ˌɒptɪ'mɪstɪk] optimistisk

optimum ['ɒptɪməm] optimum; optimal

option ['ɒpʃ(ə)n] **1** val [*I had no* ~], fritt val; valfrihet; *have no* [*other*] ~ *but to* inte ha annat val än att **2** alternativ [*none of the* ~*s is satisfactory*]; valmöjlighet; *choose a soft* ~ vard. välja det lättaste alternativet (den enklaste utvägen) **3** hand. el. jur. option; [*right of*] ~ optionsrätt

optional ['ɒpʃ(ə)nl] valfri, fakultativ; ~ *subject* valfritt (frivilligt) ämne; tillvalsämne

opulence ['ɒpjʊləns] välstånd; överflöd

opulent ['ɒpjʊlənt] välmående; rik [~ *decorations*], frodig [~ *vegetation*]

opus ['əʊpəs, 'ɒpəs] (pl. ~*es*, i bet. *1* äv. *opera* ['ɒp(ə)rə]) lat. **1** musikaliskt opus [förk. *Op.*; *Beethoven Op. 37*], [musik]verk **2** litterärt, konstnärligt opus äv. skämts., verk

or [ɔ:, obeton. ə] eller; ~ [*else*] annars [så], eller också, eljest [*hurry up*, ~ [*else*] *you'll be late*]

oracle ['ɒrəkl] orakel; orakelsvar

oral ['ɔ:r(ə)l] **I** *adj* **1** muntlig [~ *tradition*] **2** oral, mun- [~ *cavity* (håla)]; ~ *contraceptives* orala preventivmedel; ~ *thermometer* muntermometer **II** *s* vard. munta muntlig examen

orally ['ɔ:rəlɪ] **1** muntligen **2** oralt; *not to be taken* ~ om medicin får ej tas oralt (genom munnen); för utvärtes bruk

orange ['ɒrɪn(d)ʒ] **1** apelsin; ~*s and lemons* barnlek ung. bro, bro, breja **2** apelsinträd **3** orange[färg]

orangeade [ˌɒrɪn(d)ʒ'eɪd] apelsindryck; läskedryck med apelsinsmak

orang-outang [əˌræŋʊ'tæŋ] o. **orang-[o]utan** [əˌræŋʊ'tæn] zool. orangutang

oration [ə'reɪʃ(ə)n] oration; högtidligt tal

orator ['ɒrətə] [väl]talare

oratorio [ˌɒrə'tɔ:rɪəʊ] (pl. ~*s*) mus. oratorium

oratory ['ɒrət(ə)rɪ] talarkonst äv. iron.

orb [ɔ:b] **1** klot **2** riksäpple

orbit ['ɔ:bɪt] **I** *s* **1** t.ex. planets, satellits [omlopps]bana; himlakropps kretslopp; *in* ~ i [sin] bana **2** bildl. verksamhetsområde; intressesfär **II** *vb tr* **1** röra sig i en bana kring **2** sända upp i bana

orchard ['ɔ:tʃəd] fruktträdgård; *cherry* ~ körsbärsträdgård

orchestra ['ɔ:kɪstrə, -kes-] **1** orkester; ~ [*pit*] orkesterdike **2 a**) ~ *stalls* främre parkett **b**) amer. [främre] parkett

orchestral [ɔ:'kestr(ə)l] orkester-; orkestral

orchestrate ['ɔ:kɪstreɪt, -kes-] mus. orkestrera; bildl. äv. iscensätta [*a carefully* ~*d campaign*]

orchid ['ɔ:kɪd] bot. orkidé isht tropisk o. odlad

ordain [ɔ:'deɪn] **1** prästviga; ~ *a p. priest* viga ngn till präst **2** föreskriva

ordeal [ɔ:'di:l, -'dɪəl, '--] svårt prov, prövning

order ['ɔ:də] **I** *s* **1** a) ordning; ordningsföljd; system; reda b) arbetsordning, regel; *O~! O~!* parl. till ordningen!, till saken!; ~ *of the day* dagordning; *in* ~ i ordning; i gott skick; reglementsenlig; *in alphabetical* (*chronological*) ~ i alfabetisk (kronologisk) ordning; *in* (*after*) *the natural* ~ *of things* enligt naturens ordning; *out of* ~ i olag, ur funktion **2 a**) order; ~*s are* ~*s* [en] order är [en] order; *it's an* ~*!* gör som jag (han etc.) säger!; *it's doctor's* ~*s* det har doktorn sagt (ordinerat); *be under* ~*s to* + inf. ha order att **b**) jur., domstols, domares åläggande; beslut, utslag; ~ *of the Court* domstolsutslag, domstolsbeslut **3 a**) hand. order; uppdrag; *it's a tall* (*large*) ~ det är för mycket begärt; *place an* ~ *for a th. with a firm* placera en order på ngt hos en firma; ~*s in hand* ingångna order (beställningar) **b**) på restaurang beställning **4** hand. el. bank. anvisning; [utbetalnings]order [*an* ~ *for payment on a bank*] **5** [samhälls]klass; *the lower* (*higher*) ~*s* de lägre (högre) klasserna (stånden) **6** orden äv. ordenstecken [*the O~ of the Garter*, *a monastic* ~]; ordenssällskap **7** [*holy*] ~*s* det andliga ståndet; prästvigning; *read for* [*holy*] ~*s* läsa till präst **8** *in* ~ *to* + inf. för att, i avsikt (syfte) att **9** slag; storleksordning [*sums of quite a different* ~]; *talents of a high* ~ talanger av

förnämligt slag; *of* (*in*) *the ~ of* av (i) storleksordningen
II *vb tr* **1** beordra, befalla, säga till; *~ a player off* (*off the field*) sport. utvisa en spelare [från planen]; *the regiment was ~ed to the front* regementet kommenderades ut till fronten **2** beställa [*~ a taxi*], rekvirera **3** med. ordinera, föreskriva; *that's just what the doctor ~ed* vard. [det var] precis vad jag (du etc.) behövde **4** jur. ålägga [*he was ~ed to pay costs* (*damages*)] **5** ordna [upp] [*~ one's affairs*]
orderly ['ɔ:dəlɪ] **I** *adj* **1** [väl]ordnad; metodisk; regelbunden [*~ rows of bungalows*] **2** om pers. ordentlig **3** stillsam [*an ~ crowd*]; disciplinerad **4** mil., *~ duty* ordonnanstjänstgöring; *~ room* kompaniexpedition, regementsexpedition i kasern **II** *s* **1** mil. ordonnans **2 a**) [*hospital*] *~* sjukvårdsbiträde **b**) [*medical*] *~* mil. sjukvårdare
ordinal ['ɔ:dɪnl] **I** *adj*, *~ number* gram. ordningstal **II** *s* gram. ordningstal
ordinarily ['ɔ:dɪn(ə)rəlɪ] **1** vanligen, i vanliga fall **2** vanligt; ordinärt
ordinary ['ɔ:dnrɪ, -dɪn(ə)r-] **I** *adj* **1** vanlig; bruklig; vardaglig, ordinär; *in ~ life* i vardagslivet; *on ~ occasions* (*days*) i vardagslag; *~ seaman* a) i marinen menig b) i handelsflottan jungman; lättmatros **2** ordinarie [*the ~ train*] **II** *s*, *ability far above the ~* förmåga långt utöver det vanliga
ordination [ˌɔ:dɪ'neɪʃ(ə)n] **1** kyrkl. prästvigning, ordination **2** anordning, inrättning
ordnance ['ɔ:dnəns] artilleri; artillerimateriel; *~ map* (*sheet*) generalstabskarta; officiellt kartblad; *~ survey* officiell kartläggning
ore [ɔ:] **1** malm **2** metall ofta poet.
oregano [ˌɒrɪ'gɑ:nəʊ, ə'regənəʊ] bot. oregano
organ ['ɔ:gən] **1** anat. organ [*the ~s of speech* (*digestion*)]; *male ~* manslem **2** bildl. organ tidning, organisation o.d.; språkrör **3** orgel; harmonium
organdie o. **organdy** ['ɔ:gəndɪ] organdi tyg
organ-grinder ['ɔ:gənˌgraɪndə] positivhalare, positivspelare
organic [ɔ:'gænɪk] **I** *adj* **1** organisk [*~ chemistry*; *~ diseases*]; fundamental, strukturell **2** biodynamisk; *~ farming* biodynamisk odling **II** *s* organiskt ämne
organism ['ɔ:gənɪz(ə)m] organism
organist ['ɔ:gənɪst] organist
organization [ˌɔ:gənaɪ'zeɪʃ(ə)n, -nɪ'z-] **1** organisation, organisering **2** organisation; företag; organism; struktur
organize ['ɔ:gənaɪz] **I** *vb tr* **1** organisera [*~ one's work*; *~ a political party*]; ordna, arrangera [*~ a picnic*]; *~d crime* organiserad brottslighet **2** [fackligt] organisera; *~d labour* organiserad (fackansluten) arbetskraft **3** sl. fixa, greja ordna **II** *vb itr* **1** organisera sig **2** bli organisk **3** sl., *get ~d* a) ta sig samman b) fixa något
organizer ['ɔ:gənaɪzə] organisatör; arrangör
orgasm ['ɔ:gæz(ə)m] orgasm
orgy ['ɔ:dʒɪ] orgie; *indulge in an ~ of* fira orgier i
orient [ss. subst. 'ɔ:rɪənt, ss. vb 'ɔ:rɪent] **I** *s* **1** *the O~* a) Orienten, Östern, Österlandet b) amer. östra halvklotet inklusive Europa **2** mest poet. öster **II** *vb tr* o. *vb itr* isht amer., se *orientate*
oriental [ˌɔ:rɪ'entl, ˌɒr-] **I** *adj* **1** *O~* orientalisk [*O~ rugs*]; österländsk **2** åld. östlig **II** *s*, *O~* oriental, österlänning
orientate ['ɔ:rɪənteɪt] orientera äv. bildl.; bestämma ngts el. ngns position; bildl. anpassa
orientation [ˌɔ:rɪən'teɪʃ(ə)n] orientering äv. bildl.
orienteering [ˌɔ:rɪən'tɪərɪŋ] sport. orientering
orifice ['ɒrɪfɪs] mynning [*the ~ of a tube*], öppning
origin ['ɒrɪdʒɪn] ursprung, tillkomst; upphov; härkomst [äv. pl. *~s*]; *country of ~* ursprungsland
original [ə'rɪdʒənl] **I** *adj* **1** ursprunglig, original-; *~ performance* uruppförande; *~ sin* teol. arvsynd **2** originell [*an ~ thinker*, *~ work*]; ny, frisk [*~ ideas*] **II** *s* **1** original [*this is not the ~, it is only a copy*]; grundtext, originaltext **2** original säregen person [*he is a real ~*]
originality [əˌrɪdʒə'nælətɪ] originalitet; ursprunglighet; nyskapande förmåga; friskhet
originally [ə'rɪdʒ(ə)n(ə)lɪ] **1** ursprungligen, från början **2** originellt [*write ~*]
originate [ə'rɪdʒəneɪt] **I** *vb tr* ge (vara) upphov till **II** *vb itr* härröra; uppstå
originator [ə'rɪdʒəneɪtə] upphovsman
ornament [ss. subst. 'ɔ:nəmənt, ss. vb 'ɔ:nəment] **I** *s* **1** ornament; prydnad äv. om pers. [*he was an ~* (för) *his profession*]; prydnadsföremål; utsmyckning **2** mus. ornament **3** [yttre] prål **II** *vb tr* ornamentera; smycka, pryda
ornamental [ˌɔ:nə'mentl] ornamental; prydnads- [*an ~ plant* (*shrub*)]
ornamentation [ˌɔ:nəmen'teɪʃ(ə)n] **1** ornamentering **2** ornament
ornate [ɔ:'neɪt, 'ɔ:neɪt] [skönt] utsirad, utsmyckad; sirlig
ornithologist [ˌɔ:nɪ'θɒlədʒɪst] ornitolog
ornithology [ˌɔ:nɪ'θɒlədʒɪ] ornitologi

orphan ['ɔ:f(ə)n] **I** *s* föräldralöst barn; bildl. värnlös varelse **II** *adj* föräldralös; bildl. värnlös **III** *vb tr* lämna (göra) föräldralös
orphanage ['ɔ:f(ə)nɪdʒ] **1** barnhem **2** föräldralöshet
orris root ['ɒrɪsru:t] violrot
orthodontics [ˌɔ:θə(ʊ)'dɒntɪks] (konstr. ss. sg.) ortodonti
orthodox ['ɔ:θədɒks] **1** ortodox [~ *behaviour*; ~ *views*]; renlärig; ~ *sleep* med. ortosömn **2** *O~* ortodox som rör ortodoxa kyrkan
orthodoxy ['ɔ:θədɒksɪ] ortodoxi; renlärighet
orthography [ɔ:'θɒgrəfɪ] ortografi, rättskrivning, rättstavning, stavning; rättskrivningsregler
orthopaedic [ˌɔ:θə(ʊ)'pi:dɪk] med. ortopedisk
oscillate ['ɒsɪleɪt] **I** *vb itr* **1** svänga; pendla; oscillera; vibrera **2** bildl. pendla; växla; vackla **II** *vb tr* sätta i svängning
Oslo ['ɒzləʊ] geogr.
ossify ['ɒsɪfaɪ] ossifieras; förbenas, bli benhård äv. bildl.; bildl. stelna; förstockas
ostensible [ɒ'stensəbl] skenbar, till skenet
ostensibly [ɒ'stensəblɪ] skenbart
ostentation [ˌɒsten'teɪʃ(ə)n] ståt, skryt
ostentatious [ˌɒsten'teɪʃəs] grann [~ *jewellery*]; vräkig, skrytsam; prålsjuk
osteopath ['ɒstɪəpæθ] med. osteopat, kiropraktor
ostracize ['ɒstrəsaɪz] utesluta
ostrich ['ɒstrɪtʃ, -ɪdʒ; i pl. vanl. -ɪdʒɪz] struts; ~ *policy* bildl. strutspolitik
OT förk. för *Old Testament*
other ['ʌðə] **I** (ss. självst. pl. *~s*) *indef pron* annan; ytterligare; *the ~ day* häromdagen; *the two ~s* el. *the ~ two* de båda andra; *every ~ week* varannan vecka; *I do not wish him ~ than he is* jag önskar honom inte annorlunda än han är; *some day (time) or ~* någon dag (gång) [förr eller senare]; *among ~s* bland andra, bl.a.; *among ~ things* bland annat, bl.a. **II** *adv, ~ than* annat (annorlunda) än
otherwise ['ʌðəwaɪz] (ibl. *adj* el. *konj*) **1** annorlunda, annorledes, annat, påannat sätt [*I could not have done ~*]; *I could do no ~* jag kunde inte annat göra; *~ than friendly* allt annat än vänlig; *~ engaged* upptagen på annat håll **2** annars [så] [*I went at once, ~ I should have missed him*] **3** i andra avseenden; [*he has been lax,*] *but is ~ not to blame* ...men kan för (i) övrigt inte klandras **4** även kallad
otherworldly [ˌʌðə'wɜ:ldlɪ] som hör till en annan värld; verklighetsfrämmande
otter ['ɒtə] zool. utter äv. skinn o. fiskredskap
ouch [aʊtʃ], *~!* aj!, oj!
ought [ɔ:t] (pres. o. imperf., med *to* + inf.) **1** bör, borde, skall, skulle; *as it ~ to [be]* som sig bör **2** *he ~ to be there now* han bör (torde) vara där nu
1 ounce [aʊns] **1** uns (vanl. = 1/16 *pound* 28,35 gram) **2** bildl. uns, gnutta
2 ounce [aʊns] zool. snöleopard
our ['aʊə] vår; jfr *my*; *say O~ Father* läsa Fader vår
ours ['aʊəz] vår [*the house is ~*]; jfr *1 mine*; *~ is a large family* vi är en stor familj
ourselves [ˌaʊə'selvz] oss [*we amused ~*], oss själva [*we can take care of ~*]; vi själva [*everybody but ~*], själva [*we made that mistake ~*]; jfr *myself*
oust [aʊst] driva bort; tränga undan
out [aʊt] **I** *adv* o. *pred adj* **1** uttr. läge el. befintlighet ute; borta, framme; *~ here* härute; *~ there* därute; *shall we dine ~ tonight?* ska vi äta ute på restaurang i kväll? **2** uttr. rörelse el. riktning ut, bort; fram; *I could not get a word ~* jag kunde inte få fram ett ord; *~ you go!* ut med dig! **3** i bildl. uttr.: *the book is ~* a) boken är utlånad b) boken är utkommen; *before the year is ~* innan året är slut; *I was ~ in my calculations* jag hade räknat fel; *be ~ and about* vara uppe, vara på benen, vara i gång [igen] efter sjukdom m.m.; *let them fight it ~!* låt dem slåss om det (saken)!
4 i fastare förb. med prep.:
~ **after**: *be ~ after* vara ute efter
~ **of**: **a**) ut från [*come ~ of the house*], upp ur; ut genom; ur [*drink ~ of a cup*; *~ of use*], från; ute ur, borta från, utanför; utom [*~ of sight*]; *~ of doors* utom (utanför) dörren, utomhus; *in two cases ~ of ten* i två fall av tio **b**) utan [*we are ~ of butter and eggs*] **c**) av, utav [*~ of curiosity*; *it is made ~ of wood*]
~ **with**: *~ with it!* fram med det!, ut med språket!
II *attr adj* **1** yttre; avsides [belägen] [*an ~ island*] **2** ytter- [*the ~ door*]; utgående [*the ~ train*]
III *vb itr* **1** komma fram [*truth will ~*] **2** *~ with* vard. komma fram (ut) med
out-and-out [ˌaʊtn(d)'aʊt] vard. **I** *adv* alltigenom, helt och hållet **II** *adj* tvättäkta [*an ~ Londoner*], fullblods- [*an ~ idealist*], inbiten
outback ['aʊtbæk] austral. **I** *s* vildmark [*the O~*] **II** *adj* vildmarks-
outbalance [ˌaʊt'bæləns] uppväga; väga mer än
outbid [ˌaʊt'bɪd] (*outbid outbid*) bjuda över; bildl. överbjuda
outboard ['aʊtbɔ:d] **I** *adv* utombords **II** *adj* utombords- [*an ~ motor*] **III** *s* utombordsmotor; utombordare
outbreak ['aʊtbreɪk] utbrott [*an ~ of anger, an ~ of hostilities*]; *~ of fire* eldsvåda,

brand; *there has been an ~ of smallpox* en smittkoppsepidemi har brutit ut
outbuilding ['aʊtˌbɪldɪŋ] uthus[byggnad]
outburst ['aʊtbɜ:st] utbrott [*an ~ of rage*], anfall [*an ~ of laughter*], ryck [*an ~ of energy*]
outcast ['aʊtkɑ:st] utstött (övergiven, hemlös) varelse, samhällets olycksbarn
outclass [ˌaʊt'klɑ:s] sport. utklassa
outcome ['aʊtkʌm] **1** resultat; följd **2** utlopp [*it gave no ~ for his energy*]
outcry ['aʊtkraɪ] rop; skrik; rabalder; ramaskri
outdated [ˌaʊt'deɪtɪd] omodern, gammalmodig
outdistance [ˌaʊt'dɪstəns] distansera äv. bildl.
outdo [ˌaʊt'du:] (*outdid outdone*) överträffa; övervinna
outdoor ['aʊtdɔ:] utomhus- [*an ~ aerial*], ute-, frilufts-; *~ clothes* ytterkläder; *lead an ~ life* leva friluftsliv
outdoors [ˌaʊt'dɔ:z] **I** *adv* utomhus, i det fria **II** (konstr. ss. sg.) *s* fria luften
outer ['aʊtə] yttre, ytter-; utvändig; *~ clothes (garments)* överkläder, ytterkläder; *~ space* yttre rymden, världsrymden
outermost ['aʊtəməʊst, -məst] ytterst
outfit ['aʊtfɪt] **I** *s* **1** utrustning äv. bildl. [*a camping ~*]; utstyrsel, ekipering, kläder; redskap, tillbehör; uppsättning; *repair ~* reparationslåda **2** utrustande, utrustning **3** isht amer. vard. företag **4** vard. gäng; grupp; [arbets]lag; band **II** *vb tr* utrusta, ekipera
outfitter ['aʊtfɪtə] försäljare av herrekiperingsartiklar; [*gentlemen's*] *~'s* herrekipering[saffär]
outgoing ['aʊtˌgəʊɪŋ] **I** *adj* **1** utgående [*an ~ telephone call*]; *~ mail* [*tray*] [korg för] utgående post **2** avgående [*the ~ Ministry*]; avträdande [*the ~ tenant*] **3** utåtriktad, sällskaplig [*an ~ personality*] **II** *s*, mest pl. *~s* utgifter, kostnader
outgrow [ˌaʊt'grəʊ] (*outgrew outgrown*) växa om, växa ngn över huvudet; växa ifrån; bli för stor (gammal) för; växa fortare än; växa ur kläder
outhouse ['aʊthaʊs] **1** uthus **2** amer. utedass
outing ['aʊtɪŋ] utflykt
outlandish [ˌaʊt'lændɪʃ] **1** sällsam **2** avlägsen mest neds.; *it's such an ~ place* det är ett ställe bortom all ära och redlighet
outlast [ˌaʊt'lɑ:st] räcka (vara) längre än; överleva
outlaw ['aʊtlɔ:] **I** *s* **1** fredlös **2** laglös individ **II** *vb tr* **1** ställa utom (utanför) lagen, förklara fredlös **2** kriminalisera [*~ war*], [i lag] förbjuda
outlay ['aʊtleɪ] **1** utlägg **2** förbrukning [*~ of energy*]
outlet ['aʊtlet, -lət] **1** utlopp äv. bildl. [*the ~ of a lake*; *an ~ for one's energy*]; avlopp; utgång; avloppskanal **2** marknad [*an ~ for one's products*] **3** amer. elektr. uttag
outline ['aʊtlaɪn] **I** *s* **1** kontur[er], ytterlinje; *~ map* konturkarta **2** konturteckning; *draw in ~* konturera **3** skiss[ering]; översikt; disposition; *An O~ of European History* titel Grunddragen i Europas historia, Europas historia i sammandrag; *rough ~* skiss, utkast **4** pl. *~s* grunddrag, huvuddrag; allmänna principer **II** *vb tr* **1** teckna konturerna av; *be ~d* äv. avteckna sig, vara avtecknad **2** bildl. ange huvuddragen i
outlive [ˌaʊt'lɪv] överleva [*~ one's husband*]; få folk att glömma [*~ a disgrace*]; komma över; *it has ~d its usefulness* den har överlevt sig själv
outlook ['aʊtlʊk] **1** utsikt; bildl. inställning; *~ on life* äv. livsinställning, livssyn, livsåskådning **2** [framtids]utsikter; *the ~ is gloomy (black)* äv. det ser dystert (mörkt) ut; *further ~* meteor. utsikterna för de närmaste dagarna **3** utkik; *on the ~* på utkik, på spaning
outlying ['aʊtˌlaɪɪŋ] **1** avsides [belägen]; ytter- **2** som ligger utanför vissa gränser; gräns-; bildl. äv. utanför ämnet; *~ farm* utgård
outmoded [ˌaʊt'məʊdɪd] urmodig
outnumber [ˌaʊt'nʌmbə] överträffa (vara överlägsen) i antal; *~ed* underlägsen, i minoritet
out-of-date [ˌaʊtəv'deɪt] omodern
out-of-print [ˌaʊtəv'prɪnt] utgången på förlaget, utsåld [från förlaget]
out-of-the-way [ˌaʊtəvð(ə)'weɪ, -təð-] avsides [belägen]
out-of-work [ˌaʊtəv'wɜ:k] arbetslös [person]
out-patient ['aʊtˌpeɪʃ(ə)nt] poliklinikpatient; *~s'* el. *~ department (clinic)* poliklinik
outpost ['aʊtpəʊst] **1** mil. el. bildl. utpost, förpost **2** amer. mil. bas i utlandet
output ['aʊtpʊt] **1** produktion [*the ~ of a factory*]; prestation [*the ~ of each man*]; utbyte, avkastning; *energy ~* energiutveckling **2** elektr. el. radio. uteffekt; *~ stage* slutsteg **3** data. utdata
outrage ['aʊtreɪdʒ] **I** *s* **1** våld **2** våldshandling; *this is an ~* äv. detta är [en] skandal **3** harm [*sense of ~*] **II** *vb tr* **1** våldföra sig på; skymfa **2** uppröra, chockera
outrageous [ˌaʊt'reɪdʒəs] **1** skandalös, skändlig [*~ treatment*]; skymflig [*~ epithets*] **2** överdriven, omåttlig
outrider ['aʊtˌraɪdə] **1** förridare **2** föråkare

outright [ss. adv. ˌaʊt'raɪt, ss. adj. '--] **I** *adv* **1** helt och hållet; på en gång; på fläcken [*he was killed ~*]; *buy a th. ~* a) köpa ngt i fast räkning b) köpa ngt kontant **2** rent ut [*ask him ~*]; utan vidare, öppet; rent av **II** *adj* fullständig, hel, total; grundlig; riktig [*~ wickedness*]; direkt, obetingad [*an ~ denial*]; avgjord [*he was the ~ winner*]

outrun [ˌaʊt'rʌn] (*outran outrun*) **1** springa om (förbi, ifrån); löpa fortare än **2** övergå

outset ['aʊtset] början; inträde; anträdande av resa; avresa; *at the ~* [redan] i (vid) början (starten); *from the ~* från början (starten)

outshine [ˌaʊt'ʃaɪn] (*outshone outshone*) **1** överglänsa, ställa i skuggan **2** lysa starkare än

outside [ˌaʊt'saɪd, ss. adj. '--] **I** *s* **1** utsida; yta; ngts (ngns) yttre; *open the door from the ~* öppna dörren utifrån (från utsidan) **2** *at the* [*very*] *~* på sin höjd, högst **II** *adj* **1** utvändig, yttre; utvärtes; ytter-; ute-, utomhus-; *~ assistance* hjälp utifrån **2** ytterst [*~ prices*]; *at an ~ estimate* högt räknat **3** obetydlig, ytterst liten [*an ~ chance*] **III** *adv* ute; ut [*come ~!*]; utanför; utanpå; utvändigt **IV** *prep* utanför; utanpå; vard. bortsett från, utöver

outsider [ˌaʊt'saɪdə] **1** outsider; utböling; särling **2** sport. m.m. outsider

outsize ['aʊtsaɪz] **I** *s* om kläder o.d. extra stor storlek; *have an ~ in shoes* ha extra stort nummer i skor **II** *adj* extra stor

outskirts ['aʊtskɜ:ts] utkant[er]; ytterområden; gränser; *on the ~ of the town* i utkanten av staden

outsmart [ˌaʊt'smɑ:t] vard. överlista, vara smartare än

outspoken [ˌaʊt'spəʊk(ə)n] rättfram, frimodig; frispråkig

outstanding [i bet. *1* 'aʊtˌstændɪŋ, i bet. *2, 3* ˌ-'--] **1** utstående **2** framstående, framträdande; iögonfallande, påfallande; enastående, utomordentlig **3** om fordringar m.m. utestående, obetald; om växel m.m. utelöpande; om arbete ogjord; *we still have a lot of work ~* vi har fortfarande en massa arbete ogjort (som väntar)

outstay [ˌaʊt'steɪ] stanna längre än [*~ the other guests*], stanna [ut]över bestämd tid

outstretched ['aʊtstretʃt], *with ~ arms* med utbredda armar

outstrip [ˌaʊt'strɪp] distansera; löpa förbi

out-tray ['aʊttreɪ] korg (låda) för utgående post, utkorg

outvote [ˌaʊt'vəʊt] överrösta

outward ['aʊtwəd] **I** *adj* **1** utgående; ut-; utåtriktad; *the ~ journey* (*voyage*) utresan **2** yttre; utvändig, utvärtes; *his ~ appearance* hans yttre **II** *adv* utåt, ut

outwardly ['aʊtwədlɪ] **1** utåt; utvändigt, utanpå **2** till det yttre

outwards ['aʊtwədz] utåt, ut

outweigh [ˌaʊt'weɪ] uppväga; väga mer än

outwit [ˌaʊt'wɪt] överlista

ouzel ['u:zl] zool. ringtrast

oval ['əʊv(ə)l] oval; äggformig

ovary ['əʊvərɪ] **1** anat. äggstock **2** bot. fruktämne

ovation [ə(ʊ)'veɪʃ(ə)n] ovation, bifallsstorm; *they gave him a standing ~* de stod upp och hyllade honom; *receive an ~* bli föremål för ovationer (hyllningar)

oven ['ʌvn] ugn; *~ door* ugnslucka

ovenproof ['ʌvnpru:f] [ugns]eldfast, ugnssäker

oven-ready ['ʌvnˌredɪ] klar att sättas i ugn[en]

ovenware ['ʌvnweə] [ugns]eldfast gods

over ['əʊvə] **I** *prep* **1** över; ovanför; utanpå; *strike a p. ~ the head* slå ngn i huvudet **2** tvärs över, över [till andra sidan av]; på andra sidan av; *the house ~ the way* (*street*) huset mitt över vägen (gatan), huset mitt emot **3** över, mer än [*it cost ~ £ 100*]; *~ and above* förutom, utöver **4** i tidsuttr. **a**) under [*~ several days*]; genom; *~ the years* under årens lopp, genom åren; *~ the years* [*he grew bald*] med åren... **b**) över [*can you stay ~ Monday?*] **5** i, på; *say a th. ~ the telephone* säga ngt i telefon[en]; *hear a th. ~ the radio* (*air*) höra ngt i (på) radio[n] **6 a**) angående [*unease ~ the political situation*]; på grund av **b**) om [*fight ~ a th.*] **II** *adv* **1** över [till (på) andra sidan av] [*he has gone ~* (*he is ~ in*) *America*]; *be ~ there* vara där borta (framme); *go ~ there* gå dit bort (fram), gå över dit **2** över, till övers [*there are four apples ~*]; [*7 into 15 goes twice*] *and one ~* ...och ett i rest **3** igenom [*talk a th. ~*], från början till slut; *ten times ~* tio gånger om; *~ again* om igen, en gång till **4** över [*paint the old name ~*]; *all ~* helt och hållet, överallt [*black all ~*] **5** över, till ända, förbi [*the struggle is ~*]; *get it ~* [*and done with*] få det gjort, få det ur världen **III** *s* i kricket over serie om vanl. 6 kast **IV** *interj* tele., *~* [*to you*]*!* kom!; *~ and out!* klart slut!

overact [ˌəʊvər'ækt] teat. spela över; överdriva

over-age [ˌəʊvər'eɪdʒ] överårig

overall ['əʊvərɔ:l] **I** *s* **1** [skydds]rock **2** pl. *~s* blåställ, överdragskläder, overall; *a pair of ~s* ett blåställ, en overall **II** *attr adj* total [*~ efficiency*], total- [*the ~ length of a bridge*]; helhets- [*an ~ impression*]; samlad [*the ~ production*]; allmän [*an ~ wage increase*]

over-anxious [ˌəʊvər'æŋ(k)ʃəs] **1** alltför (överdrivet) ängslig **2** alltför ivrig

overarm [ss. adj. 'əʊvərɑ:m, ss. adv. ˌəʊvər'ɑ:m] sport. **I** *adj* överarms- [*an ~ ball* (*bowler*)] **II** *adv* över axelhöjd (huvudet) [*serve ~*]; *bowl* (*pitch*) *~* göra ett överarmskast (överhandskast)
overbalance [ˌəʊvə'bæləns] **I** *vb tr* **1** få att tappa balansen; välta [omkull] [*he ~d the boat*] **2** uppväga [*the gains ~ the losses*] **II** *vb itr* tappa balansen [*he ~d and fell*]
overbearing [ˌəʊvə'beərɪŋ] **I** *adj* övermodig, myndig [*an ~ manner*] **II** *s* myndigt (övermodigt, överlägset) uppträdande
overboard ['əʊvəbɔ:d, ˌ--'-] **1** sjö. överbord [*fall* (*go, throw*) *~*]; utombords; *he was lost ~* han föll överbord och drunknade **2** bildl., *go ~* bli hänförd [*for* över], bli överförtjust [*for* i], bli eld och lågor [*for* [in]för, över]; *throw a th. ~* förkasta (överge, kassera) ngt
overcast [ss. vb o. pred. adj. ˌəʊvə'kɑ:st, ss. attr. adj. '---] **I** (*overcast overcast*) *vb tr* [be]täcka, förmörka äv. bildl. [*grey clouds ~ the sky*] **II** (*overcast overcast*) *vb itr* mulna [på] **III** *adj* mulen [*an ~ sky*]
overcharge [ˌəʊvə'tʃɑ:dʒ] **I** *vb tr* o. *vb itr* **1** ta för höga priser (överpriser) [av]; *he was ~d* [*for what he bought*] han fick betala för mycket (överpris)... **2** överbelasta [*~ an electric circuit*]; ladda för kraftigt [*~ a gun*]; överlasta **3** överdriva **II** *s* **1** överpris; överdebitering **2** överbelastning
overcloud [ˌəʊvə'klaʊd] **I** *vb tr* täcka (skymma) med moln **II** *vb itr* bli molntäckt
overcoat ['əʊvəkəʊt] överrock
overcome [ˌəʊvə'kʌm] **I** (*overcame overcome*) *vb tr* besegra [*~ an enemy*], övervinna [*~ an obstacle*], betvinga, lägga band på [*~ one's emotion*], få bukt med [*~ a bad habit*] **II** (*overcame overcome*) *vb itr* segra [*we shall ~*] **III** *perf p* o. *adj* överväldigad; utom sig; utmattad [*~ by* (av) *lack of sleep*]; *~ by exhaustion* utmattad
overconfident [ˌəʊvə'kɒnfɪd(ə)nt] alltför (överdrivet) tillitsfull; tvärsäker, självsäker
overcook [ˌəʊvə'kʊk] koka för länge
overcrowded [ˌəʊvə'kraʊdɪd] överbefolkad [*an ~ city* (*district*)]; överfull [*an ~ bus*], överbelagd [*an ~ hospital*]
overcrowding [ˌəʊvə'kraʊdɪŋ] överbefolkning; överbeläggning; trångboddhet
overdo [ˌəʊvə'du:] (*overdid overdone*) **1** överdriva, göra för mycket av; driva för långt; *~ it* (*things, matters*) gå till överdrift, överdriva **2** steka (koka) mat för länge (mycket, hårt) **3** *~ it* förta (överanstränga) sig
overdone [ˌəʊvə'dʌn, attr. '---] **I** *perf p* (av *overdo*) **II** *adj* **1** för hårt (länge, mycket) stekt (kokt) **2** överdriven [*his politeness is ~*]
overdose [ss. subst. 'əʊvədəʊs, ss. vb ˌəʊvə'dəʊs] **I** *s* överdos **II** *vb tr* **1** ge en överdos [*~ a p.*] **2** överdosera [*~ a medicine*]
overdraft ['əʊvədrɑ:ft] bank. överdragning
overdrive ['əʊvədraɪv] bil. överväxel
overdue [ˌəʊvə'dju:] **1** hand. förfallen; *the rent is* [*long*] *~* hyran är [för länge sedan] förfallen till betalning **2** a) försenad [*the post* (*train*) *is ~*] b) med. överburen; *she is* [*ten days*] *~* hon har gått...över tiden **3** [länge] emotsedd; *an improvement has long been ~* en förbättring har länge varit behövlig
overeat [ˌəʊvər'i:t] (*overate* [ˌəʊvər'et, isht. amer. ˌəʊvər'eɪt] *overeaten*) **I** föräta sig **II** *vb rfl*, *~ oneself* föräta sig
overestimate [ss. vb ˌəʊvər'estɪmeɪt, ss. subst. ˌəʊvər'estɪmət] **I** *vb tr* överskatta; beräkna för högt **II** *s* överskattning; alltför hög beräkning
overexertion [ˌəʊv(ə)rɪg'zɜ:ʃ(ə)n] överansträngning
overexpose [ˌəʊv(ə)rɪk'spəʊz] **1** utsätta (exponera) för mycket (för länge) [*~ oneself to* (för) *the sun*] **2** foto. överexponera
overflow [ss. vb ˌəʊvə'fləʊ, ss. subst. '---] **I** *vb tr* svämma över [*the river ~ed its banks*]; översvämma **II** *vb itr* flöda (svämma) över [bräddarna] [*the lake is ~ing*]; bildl. flöda (svalla) över [*~ with* (av) *gratitude* (*kindness*)] **III** *s* **1** översvämning **2** överflöd, ymnighet; överskott; tekn. överlopp; data. spill; *~* [*pipe*] tekn. skvallerrör; överfallsrör; *~ of population* befolkningsöverskott
overfly [ˌəʊvə'flaɪ] (*overflew overflown*) mil. överflyga, flyga över
overgrown [ˌəʊvə'grəʊn, attr. '---] (av *overgrow*) **1** övervuxen [*walls ~ with* (med, av) *ivy*], igenvuxen [*a garden ~ with* (av) *weeds*] **2** förvuxen [*an ~ boy*]
overhang [ˌəʊvə'hæŋ] **I** (*overhung overhung*) *vb tr* hänga [ut] över, skjuta fram (ut) över [*the cliffs ~ the stream*]; bildl. sväva (hänga) över ngns huvud; hota **II** (*overhung overhung*) *vb itr* skjuta fram (ut) [*the ledge ~s several feet*]; bildl. hota
overhaul [ˌəʊvə'hɔ:l, ss. subst. '---] **I** *vb tr* **1** [noggrant] undersöka; se över; sjö. överhala reparera; *have one's car ~ed* få sin bil genomgången **2** köra (segla) om [*~ another ship*]; hinna upp **II** *s* undersökning; översyn
overhead [ss. adv. ˌəʊvə'hed, ss. attr. adj. '---] **I** *adv* över huvudet; uppe i luften (skyn) [*the clouds ~*] **II** *attr adj* [befintlig] över marken; *~ camshaft* överliggande

kamaxel; ~ *projector* arbetsprojektor, overheadprojektor; ~ *costs* (*expenses, charges*) se *overheads*
overheads ['əʊvəhedz] allmänna (generella) omkostnader, fasta utgifter
overhear [ˌəʊvə'hɪə] (*overheard overheard*) [råka] få höra [~ *a conversation*], tjuvlyssna, snappa (fånga) upp [~ *a word*]
overheat [ˌəʊvə'hi:t] överhetta äv. ekon.; hetta (värma) upp för mycket; *get ~ed* bli överhettad; tekn. gå varm
overjoyed [ˌəʊvə'dʒɔɪd] utom sig av glädje, överlycklig
overkill ['əʊvəkɪl] **1** mil. överdödningsförmåga totalförstöringskapacitet med kärnvapen **2** fördärv [*economic ~*]; överdrifter
overladen [ˌəʊvə'leɪdn] över[be]lastad
overland [ss. adv. ˌəʊvə'lænd, ss. adj. '---] **I** *adv* på land; landvägen, till lands [*travel ~*] **II** *adj* [skeende (gående)] på land (landvägen, till lands); *an ~ journey* en resa till lands (på land)
overlap [ss. vb ˌəʊvə'læp, ss. subst. '---] **I** *vb tr* o. *vb itr* skjuta [ut] över [varandra], delvis täcka [varandra] [*tiles that ~ one another*; *~ping boards*], [delvis] sammanfalla [med]; isht fackspr. överlappa [varandra] **II** *s* isht fackspr. överlapp[ning]
overleaf [ˌəʊvə'li:f] på motsatta (andra) sidan; *continued ~* fortsättning [följer] på nästa sida
overload [ss. vb ˌəʊvə'ləʊd, ss. subst. 'əʊvələʊd] **I** *vb tr* **1** över[be]lasta äv. bildl. [~ *one's memory*]; lasta för tungt [~ *a wagon*]; ~ *one's stomach with...* över[be]lasta magen med... **2** ladda för hårt **II** *s* över[be]lastning
overlook [ˌəʊvə'lʊk] **1** a) titta (se) över [~ *a wall*]; se (skåda) ut över [~ *a valley from a hill*] b) erbjuda utsikt över; *a house ~ing the sea* ett hus med utsikt över havet **2** förbise, inte märka [~ *a printer's error*] **3** överse med, se genom fingrarna med [~ *a fault*] **4** se till (efter), ha tillsyn (uppsikt) över
overlord ['əʊvəlɔ:d] [stor]pamp [*the ~s of industry*]
overnight [ss. adv. ˌəʊvə'naɪt, ss. attr. adj. '---] **I** *adv* **1** över natt[en]; *stay ~* stanna över natt[en], övernatta **2** natten (kvällen) före (innan) [*preparations were made ~*] **3** över en natt [*it changed ~, it lasted only ~*] **II** *attr adj*, ~ *guests* gäster [som stannar] över en natt (natten), nattgäster
overpass ['əʊvəpɑ:s] amer., se *flyover*
overpower [ˌəʊvə'paʊə] överväldiga äv. bildl.; göra matt; övermanna; *be ~ed by the heat* vara alldeles matt av värmen
overpowering [ˌəʊvə'paʊərɪŋ] överväldigande
overrate [ˌəʊvə'reɪt] övervärdera; *an ~d film* en överreklamerad film
overreach [ˌəʊvə'ri:tʃ] **1** sträcka sig [ut]över (utom); nå bortom; ~ *the mark* skjuta över målet äv. bildl. **2** ~ *oneself* bildl. ta sig vatten över huvudet, förlyfta (förta) sig
overreact [ˌəʊvərɪ'ækt] överreagera, reagera (ta i) för kraftigt (hårt)
override [ˌəʊvə'raɪd] (*overrode overridden*) bildl. **a**) trampa under fötterna, sätta sig över, åsidosätta [~ *a p.'s claims*] **b**) överskugga, dominera [*fear overrode all other emotions*]; *overriding* allt överskuggande, dominerande
overrule [ˌəʊvə'ru:l] **1** avvisa [~ *a claim*]; isht jur. ogilla [~ *an action, ~ a plea*], upphäva [~ *a decision*]; *objection ~d!* jur. protesten avslås! **2** behärska, överväldiga [*his greed ~d his common sense*]; *be ~d* bli överkörd (nedröstad)
overrun [ˌəʊvə'rʌn] (*overran overrun*) **1** invadera; översvämma [*warehouses overrun with* (av) *rats*]; härja [i] [*an epidemic disease was ~ning the country*] **2** [be]täcka [*a wall overrun with ivy*]; *overrun with weeds* äv. övervuxen med ogräs
overseas [ss. adj. 'əʊvəsi:z, ss. adv. ˌ--'-] **I** *adj* transmarin; utländsk, utrikes-; ~ *countries* främmande länder, utlandet; ~ *trade* utrikeshandel **II** *adv* på (från, till) andra sidan havet; från (till) utlandet; utomlands [*live* (*go*) ~]
oversee [ˌəʊvə'si:] (*oversaw overseen*) **1** se till, ha uppsikt över [~ *workmen*] **2** [råka] få se
overseer ['əʊvəsɪə] [arbets]förman, verkmästare; uppsyningsman; tryckeriförman
oversexed [ˌəʊvə'sekst] övererotisk
overshadow [ˌəʊvə'ʃædəʊ] **1** överskugga äv. bildl. **2** bildl. ställa i skuggan; *be ~ed by a p.* äv. få stå i skuggan för ngn
overshoe ['əʊvəʃu:] galosch; pampusch, bottin
overshoot [ˌəʊvə'ʃu:t] (*overshot overshot*) **1** skjuta över, missa [~ *the target*]; ~ *the mark* skjuta över målet, bildl. äv. gå för långt, ta till i överkant, överdriva **2** flyg. flyga in för högt för att kunna landa på, plusbedöma [~ *the runway*]
oversight ['əʊvəsaɪt] **1** förbiseende, ouppmärksamhet; *by* (*through*) *an ~* av (genom ett) förbiseende **2** uppsikt, tillsyn
oversimplify [ˌəʊvə'sɪmplɪfaɪ] förenkla alltför mycket [~ *a problem*]
oversize ['əʊvəsaɪz] o. **oversized** ['əʊvəsaɪzd] [som är] över medelstorlek (medellängd); överdimensionerad

oversleep [ˌəʊvəˈsliːp] (*overslept overslept*); ~ [*oneself*] försova sig
overspill [ˈəʊvəspɪl] **I** *s* befolkningsöverskott [äv. ~ [*of*] *population*] **II** *vb itr* svämma över äv. bildl.
overstaffed [ˌəʊvəˈstɑːft] överbemannad; *be* ~ äv. ha för stor personal
overstate [ˌəʊvəˈsteɪt] överdriva påstående, uppgift o.d.; ange för högt; ~ *one's case* säga mer än man kan stå för, ta till [i överkant], bre på
overstatement [ˌəʊvəˈsteɪtmənt] överdrift; överdrivet påstående
overstay [ˌəʊvəˈsteɪ, ˈ---] stanna [ut]över (längre än) [~ *a fixed* (bestämd) *time*]
overstep [ˌəʊvəˈstep] överskrida äv. bildl.; ~ *the mark* sport. göra ett övertramp, bildl. äv. gå för långt, gå till överdrift, överdriva
overt [ə(ʊ)ˈvɜːt, ˈəʊvɜːt] öppen [~ *hostility*]; offentlig
overtake [ˌəʊvəˈteɪk] (*overtook overtaken*) **I** *vb tr* **1** hinna upp (ifatt); ta igen [~ *arrears of work*] **2** köra om (förbi) [~ *other cars on the road*]; gå om (förbi) äv. bildl. **3** överraska [*be ~n by a storm*], komma över [*darkness overtook us*] **4** drabba [*be ~n by a disaster* (*disease*)], gripa [*be ~n by* (*with*) *fear* (*surprise*)] **II** *vb itr* köra om
overtaking [ˌəʊvəˈteɪkɪŋ] omkörning; *no* ~ omkörning förbjuden
overtax [ˌəʊvəˈtæks] **1** överbeskatta **2** kräva för mycket av; ~ *one's strength* överanstränga sig
overthrow [ss. vb ˌəʊvəˈθrəʊ, ss. subst. ˈ---] **I** (*overthrew overthrown*) *vb tr* **1** störta [~ *the government*]; omstörta [~ *the established order* (det bestående)]; slå [~ *the enemy*], förstöra **2** kasta (vräka) omkull [*trees ~n by the storm*] **II** *s* **1** störtande [*the ~ of a government*]; omstörtning **2** nederlag, fall **3** kullkastande äv. bildl. [*the ~ of a plan*]
overtime [ˈəʊvətaɪm] **I** *s* övertid; övertidsarbete; övertidsersättning; *be on* ~ arbeta över (på övertid) **II** *adj* övertids- [~ *work* (*pay*)] **III** *adv* på övertid; *work* ~ äv. arbeta över
overtone [ˈəʊvətəʊn] mus. el. bildl. överton
overture [ˈəʊvətjʊə] **1** mus. ouvertyr **2** ofta pl. *~s* närmanden, trevare; förslag, anbud om underhandling
overturn [ss. vb ˌəʊvəˈtɜːn, ss. subst. ˈ---] **I** *vb tr* välta [omkull] [~ *a chair*], stjälpa [omkull] [~ *a glass*]; stjälpa med [~ *a load of hay*], kantra med [~ *a boat*]; störta [över ända] äv. bildl. [~ *a kingdom*]; omstörta [~ *society*] **II** *s* bildl. omstörtning, omvälvning, fall
overweight [ˈəʊvəweɪt] **I** *s* övervikt **II** *adj* övervikts- [~ *luggage*]; överviktig
overwhelm [ˌəʊvəˈwelm] **1** tynga ned, förkrossa [*be ~ed with* (av) *grief*], övermanna [*be ~ed by the enemy*; *be ~ed with* (av) *gratitude*]; överhopa [~ *with work* (*inquiries*)] **2** översvämma [*be ~ed by a flood*]
overwhelming [ˌəʊvəˈwelmɪŋ] överväldigande [*an ~ victory*], förkrossande [~ *sorrow*]
overwork [ˌəʊvəˈwɜːk] **I** *s* för mycket arbete, överansträngning [*ill through ~*] **II** *vb tr* överanstränga [~ *a horse*, ~ *oneself*]; *be ~ed* äv. vara utarbetad **III** *vb itr* överanstränga sig
overwrought [ˌəʊvəˈrɔːt] **1** utarbetad, överansträngd **2** överspänd **3** utstuderad [*an ~ style*]
oviduct [ˈəʊvɪdʌkt] anat. äggledare
ovulation [ˌɒvjʊˈleɪʃ(ə)n, ˌəʊv-] biol. ägglossning
owe [əʊ] vara skyldig [*he still ~s for the goods*]; ha ngn (ngt) att tacka för ngt; *I ~ him a debt of gratitude* jag står i tacksamhetsskuld till honom; *I ~ it to you that...* jag har dig att tacka för att...
owing [ˈəʊɪŋ] **1** som skall betalas; *the amount* ~ skuldbeloppet **2** ~ *to* på grund av, genom [~ *to a mistake*], med anledning av; tack vare [~ *to his help*]; *be ~ to* bero på, komma sig av, ha sin orsak i
owl [aʊl] **1** uggla; *barn* ~ tornuggla **2** bildl. nattuggla
own [əʊn] **I** *vb tr* **1** äga [*I ~ this house*] **2** erkänna [~ *one's faults*]; ~ *oneself in the wrong* erkänna sig ha orätt **3** kännas vid [*he refused to ~ the child*] **II** *vb itr*, ~ *to* erkänna [~ *to a mistake*]; ~ *up* vard. erkänna, bekänna [*you had better ~ up*] **III** *adj* **1** efter poss. pron. el. genitiv egen [*this is my ~ house, this house is my ~*]; *she cooks her ~ meals* hon lagar maten själv; *make a th. one's ~* göra ngt till sitt, tillägna sig ngt; *each in his ~ way* var och en på sitt sätt; *he has* (*lives in*) *a house of his ~* han har (bor i) [ett] eget hus; *on one's ~* a) ensam, för sig själv [*he lives on his ~*] b) själv, på egen hand c) i särklass **2** *an ~ goal* sport. ett självmål
owner [ˈəʊnə] ägare
owner-driver [ˌəʊnəˈdraɪvə] privatbilist
owner-occupied [ˌəʊnərˈɒkjʊpaɪd] som bebos av ägaren [själv]; ~ *flat* äv. ägarlägenhet, bostadsrättslägenhet
ownership [ˈəʊnəʃɪp] äganderätt, egendomsrätt; *pass into private* ~ övergå i privat ägo
ox [ɒks] (pl. *oxen* [ˈɒks(ə)n]) oxe; stut
oxeye [ˈɒksaɪ] **1** oxöga **2** bot. gul prästkrage m. fl.; ~ *daisy* prästkrage
Oxfam [ˈɒksfæm] förk. för *Oxford Committee for Famine Relief* hjälporganisation
oxide [ˈɒksaɪd] kem. oxid

oxidization [ˌɒksɪdaɪ'zeɪʃ(ə)n] oxidering
oxidize ['ɒksɪdaɪz] oxidera[s]
oxtail ['ɒksteɪl] oxsvans; ~ *soup* oxsvanssoppa
oxygen ['ɒksɪdʒ(ə)n] kem. syre; syrgas; ~ *mask* syrgasmask
oyster ['ɔɪstə] ostron
oz. [aʊns, ss. pl. 'aʊnsɪz] förk. för *ounce*[*s*]
ozone ['əʊzəʊn, -'-] kem. ozon; ~ *hole* ozonhål; ~ *layer* ozonskiktet, ozonlager
ozs. ['aʊnsɪz] förk. för *ounces*

P

P, p [pi:] (pl. *P's* el. *p's* [pi:z]) P, p; *mind one's p's and q's* tänka på vad man säger, hålla tungan rätt i mun[nen]; vara noga med vad man gör
P förk. för *parking, pedestrian* [*crossing*]
p [i bet. *1* i sg. o. pl. pi:] **1** förk. för *penny, pence* [*these matches are 40 ~*] **2** mus. förk. för *piano II*
p. förk. för *1 page I, participle, past, per*
pa [pɑ:] vard. pappa
1 pace ['peɪsɪ, 'pɑ:tʃeɪ] lat. med all aktning (respekt) för
2 pace [peɪs] **I** *s* **1** steg isht ss. mått [*ten ~s away*]; *keep ~ with* hålla jämna steg med äv. bildl. **2** hastighet, fart; *force the ~* driva upp takten; *set* (*make*) *the ~* a) bestämma farten, dra vid löpning b) ange tonen **3** gång; hästs gångart; *at a walking ~* gående; om häst i skritt **4** *put a p. through his ~s* låta ngn visa vad han går för **II** *vb itr* gå med avmätta steg, skrida **III** *vb tr* **1** gå av och an i [*~* [*up and down*] *a room*]; *~ out* (*off*) stega upp [*~ out* (*off*) *a distance of 30 metres*] **2** sport. dra (vara pacemaker) åt
pacemaker ['peɪsˌmeɪkə] **1** sport. pacemaker, hare **2** med. pacemaker
pacific [pə'sɪfɪk] **I** *adj* **1** fredlig, fridsam; fridfull **2** *P~* Stillahavs- [*Canadian P~ Railway*]; *the P~ Ocean* Stilla havet **II** *s, the P~* Stilla havet
pacification [ˌpæsɪfɪ'keɪʃ(ə)n] pacificering; lugnande
pacifier ['pæsɪfaɪə] amer. [tröst]napp
pacifism ['pæsɪfɪz(ə)m] pacifism
pacifist ['pæsɪfɪst] pacifist, fredsvän
pacify ['pæsɪfaɪ] **1** pacificera [*~ a country*; *~ an island*] **2** lugna [ned] [*~ the children*]
1 pack [pæk] **I** *s* **1** packe; mil. [buren] packning; bal **2** a) förpackning b) amer. paket, ask [*a ~ of cigarettes*] **3** band [*a ~ of thieves*], samling [*a ~ of liars*], hop [*a ~ of lies*]; pack; *the whole ~* hela byket (packet) **4** [kort]lek; *a ~ of cards* en kortlek **5** koppel [*a ~ of dogs*] **6** [forwards]kedja i rugby **7** packis[massa] **8** med. inpackning [*dry* (*wet*) *~*], inpackningsbad **9** kosmetisk mask [*a beauty ~*] **II** *vb itr* **1** packa [*you must begin ~ing*]; *I have* (*am*) *~ed* jag har packat; *~ up* vard. a) packa ihop, lägga av [*~ up for the day*] b) paja, lägga av [*the engine ~ed up*] **2** gå att packa **3** a) tränga (packa) ihop sig b) samla sig [i flock] **4** packa sig i väg [äv. *~ off*]; *send a p. ~ing* köra i väg ngn **III** *vb tr* **1** a) packa [*~ one's things*];

bunta; packa (tränga, köra) ihop [~ *people into a bus*], pressa (klämma) in [~ *a lot of work into one day*]; ~ *away* vard. sätta (stoppa) i sig [*he can ~ away a lot of food*]; ~ *up* packa ner (in) **b**) packa [~ *a box*], fylla; *the room was ~ed with people* rummet var fullpackat med (fullt av) folk **2 a**) förpacka; *~ed lunch* (*meal*) lunchpaket, matsäck **b**) konservera på burk [~ *meat*] **3** ~ *off* skicka (sända) i väg [*to* till]; ~ *a p. off* köra i väg ngn **4** vard. bära; ~ *a gun* bära (ha) revolver; *he ~s a terrific punch* sl. han har krut i näven

2 pack [pæk] välja (utse) partiska medlemmar till [~ *a jury*]

package ['pækɪdʒ] **I** *s* **1** packe; större paket äv. bildl. o. data.; kolli; bal; förpackning; ~ *deal* paketavtal, paketöverenskommelse; ~ *holiday* (*tour*) chartersemester, paketresa **2** förpackning **II** *vb tr* förpacka, emballera; packa [in]

packaging ['pækɪdʒɪŋ] **1** förpackning; emballering **2** bildl. förpackning; imageuppbyggnad

packet ['pækɪt] **1** mindre paket; bunt; *a ~ of* [*cigarettes*] ett paket (en ask)... **2** vard., *it costs a ~* det kostar massor (skjortan); *make* (*pull in*) *a ~* göra (håva in) storkovan **3** sl., *catch* (*cop, get, stop*) *a ~* åka på en propp (smäll); råka illa ut

packhorse ['pækhɔ:s] packhäst

pack ice ['pækaɪs] packis

packing ['pækɪŋ] **1** packning etc., jfr *1 pack III* **2** emballage **3** tekn. tätning, packning

packing-case ['pækɪŋkeɪs] packlåda

packthread ['pækθred] segelgarn

pact [pækt] pakt

pad [pæd] **I** *s* **1** dyna; flat kudde; *electric heating ~* elektrisk värmedyna **2** sport. benskydd **3** stoppning; valk [*a hair ~*]; *shoulder ~* axelvadd **4** anteckningsblock, skrivblock; [*writing*] ~ [skriv]underlägg **5** avskjutningsramp för raket o.d. **6** zool. trampdyna; tass hos vissa djur **7** färgdyna, stämpeldyna **8** sl. a) lya; amer. äv. knarkarkvart b) slaf **II** *vb tr* **1** stoppa; madrassera; vaddera; [*a jacket*] *with ~ded shoulders* äv. ...med axelvaddar **2** ~ [*out*] fylla ut med fyllnadsgods [~ *out an essay with quotations*]

padding ['pædɪŋ] **1** stoppning, madrassering, vaddering **2** spaltfyllnad [~ *in a newspaper*], fyllnadsgods

1 paddle ['pædl] **I** *s* **1** paddel[åra] **2** paddling; sakta rodd[tur] **3** *dog ~* hundsim **4** skovel på hjul **II** *vb tr* paddla [~ *a canoe* (*a p.*)] **III** *vb itr* **1** paddla; ro sakta **2** simma hundsim

2 paddle ['pædl] **I** *vb itr* **1** plaska [omkring] **2** fingra, leka **II** *s, have a ~* bada fötterna

paddle steamer ['pædlˌsti:mə] hjulångare

paddle wheel ['pædlwi:l] skovelhjul

paddock ['pædək] **1** paddock **2** sadelplats

1 paddy ['pædɪ] **1** ~ [*field*] risfält **2** [oskalat] ris

2 paddy ['pædɪ] vard. raseri; *get in a ~* bli rasande

padlock ['pædlɒk] **I** *s* hänglås **II** *vb tr* sätta hänglås för

padre ['pɑ:drɪ, -dreɪ] fältpräst; vard. präst

paediatrics [ˌpi:dɪ'ætrɪks] (konstr. ss. sg.) pediatrik

pagan ['peɪgən] **I** *s* hedning **II** *adj* hednisk

1 page [peɪdʒ] **I** *s* sida; bildl. äv. blad [*the ~s of history*] **II** *vb tr* paginera sidor

2 page [peɪdʒ] **I** *s* **1** hist. page, hovsven **2** se *pageboy* **II** *vb tr* kalla på, söka med personsökare o.d.; *paging Mr. Smith!* Herr Smith [söks]!

pageant ['pædʒ(ə)nt] **1** lysande [historiskt] festspel, praktfullt skådespel; festtåg **2** bildl. [tom] ståt

pageantry ['pædʒ(ə)ntrɪ] **1** pomp och ståt; parad **2** prål

pageboy ['peɪdʒbɔɪ] **1** pickolo, hotellpojke, springpojke på varuhus o.d. **2** ~ [*style*] pagefrisyr

paginate ['pædʒɪneɪt] paginera

pagination [ˌpædʒɪ'neɪʃ(ə)n] o. **paging** ['peɪdʒɪŋ] paginering

pagoda [pə'gəʊdə] pagod byggnad o. indiskt mynt

paid [peɪd] imperf. o. perf. p. av *pay*

pail [peɪl] spann, hink

pain [peɪn] **I** *s* **1** smärta, värk; pina, plåga; *~s of childbirth* el. *labour ~s* [födslo]värkar, förlossningsvärkar; bildl. födslovånda; *he's a ~ in the neck* (vulg. *arse*, amer. *ass*) sl. han är en plåga för omgivningen; *it is* (*it gives me*) *a ~* [*in the neck*] sl. det gör mig galen, det är en riktig plåga **2** pl. *~s* (konstr. ibl. ss. sg.) besvär, omak, möda [*great ~s have been taken* (lagts ner)] **3** i vissa jur. uttryck straff; *on* (*under*) *~ of death* vid dödsstraff **II** *vb tr* smärta, plåga; *look ~ed* se plågad ut

painful ['peɪnf(ʊ)l] smärtsam, plågsam äv. bildl.

painkiller ['peɪnˌkɪlə] smärtstillande medel

painless ['peɪnləs] smärtfri [*a ~ childbirth*], utan plågor [*a ~ death*]

painstaking ['peɪnzˌteɪkɪŋ] **I** *adj* omsorgsfull **II** *s* besvär, möda

paint [peɪnt] **I** *s* **1** [målar]färg; pl. *~s* färger; färgtuber; färglåda, målarskrin; *mind the ~!* nymålat!; *a box of ~s* en färglåda, ett målarskrin **2** vard. smink **II** *vb tr* **1** måla; ~ *the town red* vard. [gå ut och] göra stan osäker, [gå ut och] slå runt; ~ *out* (*over*) måla över, utplåna **2** sminka **III** *vb itr* **1** måla **2** sminka sig

paintbox ['peɪntbɒks] **1** färglåda, målarskrin **2** sminklåda
paintbrush ['peɪntbrʌʃ] målarpensel
1 painter ['peɪntə] sjö. fånglina
2 painter ['peɪntə] målare; *~'s colours* målarfärg
painting ['peɪntɪŋ] **1** målning, tavla **2** målning; måleri; målarkonst **3** sminkning
paintwork ['peɪntwɜ:k], *the ~* målningen, färgen, det målade; bil. lackeringen
pair [peə] **I** *s* **1** par; *a ~ of scissors (tongs)* en sax (tång); *a ~ of shoes (trousers)* ett par skor (byxor); *the ~ of you* båda (ni) två [*shut up the ~ of you!*] **2** spann [*a ~ of horses*]; *carriage and ~* tvåspänd vagn, tvåspännare **II** *vb tr* **1** para [ihop], para samman [äv. *~ up*] **2** ordna parvis [äv. *~ off*] **III** *vb itr* **1** *~ off* ordna sig (vara ordnad) parvis; gruppera sig (gå) två och två; vard. gifta sig [*with* med] **2** para sig
pajamas [pə'dʒɑ:məz] isht amer., se *pyjamas*
Pakistan [ˌpɑ:kɪ'stɑ:n]
Pakistani [ˌpɑ:kɪ'stɑ:nɪ] **I** *adj* pakistansk **II** *s* pakistanare
pal [pæl] vard. **I** *s* kamrat [*a great ~ of mine*] **II** *vb itr, ~ up with* bli god vän (kompis) med, slå sig ihop med
palace ['pælɪs, -ləs] palats
palatable ['pælətəbl] välsmakande, smaklig [*~ food*]; bildl. behaglig, tilltalande
palate ['pælət] **1** gom; *cleft ~* kluven gom; gomklyvning, gomspalt **2** bildl. gom, smak
palatial [pə'leɪʃ(ə)l] palatslik[nande]
palaver [pə'lɑ:və] **I** *s* **1** [omständlig] överläggning; palaver **2** prat **II** *vb itr* **1** babbla **2** hålla långa överläggningar (palavrer)
1 pale [peɪl] **1** påle, [spetsad] stake **2** inhägnad **3** gräns; område, sfär; *beyond (outside) the ~* a) utanför anständighetens gräns[er]; otänkbar i bildat sällskap b) utanför socialgruppen
2 pale [peɪl] **I** *adj* blek [*he turned ~ with* (av) *fear*; *a ~ imitation*]; matt [*~ colours, ~ light*]; *~ ale* ljust öl **II** *vb itr* blekna, bli blek; bildl. förblekna; *it ~s into insignificance* det förbleknar fullständigt (till intet) **III** *vb tr* göra blek
Palestine ['pæləstaɪn] Palestina
Palestinian [ˌpælə'stɪnɪən] **I** *adj* palestinsk **II** *s* palestinier
palette ['pælət] palett
paling ['peɪlɪŋ] staket
palisade [ˌpælɪ'seɪd] **I** *s* **1** palissad **2** pl. *~s* amer. [rad av] branta klippor **II** *vb tr* förse med palissad
1 pall [pɔ:l] **1** förlora sin dragningskraft, förlora sitt intresse; *it ~s on you (one)* man tappar intresset för det, det tråkar ut en **2** tröttna
2 pall [pɔ:l] **1** bår kista vid begravning **2** [bår]täcke **3** bildl. [mörkt] täcke, skugga; *a ~ of smoke* en tjock rök, en mörk rökridå
pall-bearer ['pɔ:lˌbeərə] kistbärare; hedersvakt
palliasse ['pælɪæs, ˌ--'-] halmmadrass
palliate ['pælɪeɪt] **1** lindra [för tillfället] [*~ a pain*] **2** skyla (släta) över [*~ a bad impression*]
pallid ['pælɪd] blek
pallor ['pælə] blekhet
pally ['pælɪ] vard. bussig
1 palm [pɑ:m] **I** *s* handflata; *grease (oil) a p.'s ~* vard. smörja (muta) ngn **II** *vb tr* **1** dölja i handen **2** beröra (stryka, massera) med handflatan **3** muta, smörja **4** *~ [off] a th. on a p.* pracka (lura) på ngn ngt
2 palm [pɑ:m] palm; palmkvist; palmblad; segerpalm; *bear (carry) off the ~* hemföra segern; *P~ Sunday* palmsöndag[en]
palmist ['pɑ:mɪst] person som spår i händerna
palmistry ['pɑ:mɪstrɪ] konsten att spå i händer; *practise ~* spå i händer
palmy ['pɑ:mɪ] **1** palmliknande **2** palmrik; palmbevuxen [*a ~ shore*] **3** bildl. segerrik; blomstrande
palpable ['pælpəbl] **1** påtaglig, handgriplig; uppenbar [*a ~ error*] **2** kännbar
palpitate ['pælpɪteɪt] **1** klappa, slå [*his heart ~d wildly*], pulsera **2** skälva
palpitation [ˌpælpɪ'teɪʃ(ə)n] hjärtklappning
palsy ['pɔ:lzɪ, 'pɒl-] förlamning; skakningar
paltry ['pɔ:ltrɪ, 'pɒl-] usel [*a ~ sum*], eländig, ynklig [*a ~ excuse*]; lumpen, tarvlig
pamper ['pæmpə] klema (skämma) bort; pjoska med [*~ one's health*]
pamphlet ['pæmflət] broschyr; [strö]skrift; stridsskrift
1 pan [pæn] **I** *s* **1** kok. panna [*frying-pan*]; [bak]form; [låg] skål, bunke **2** [säng]bäcken **3** vaskpanna för guldvaskning **4** vågskål **5** wc-skål [äv. *lavatory-pan*]; *it has gone down the ~* vard. det har gått åt pipan **6** sl. nylle ansikte; *dead ~* pokerfejs **II** *vb tr* **1** vaska [äv. *~ off (out)*; *~ gold*] **2** vard. såga, sabla ner; förlöjliga **III** *vb itr* **1** vaska [efter guld] **2** *~ out* ge guld vid vaskning; vard. lyckas, utfalla [väl] [*the scheme ~ned out well*]
2 pan [pæn] film. panorera; panorera i (över) sceneri
panacea [ˌpænə'sɪə, -'si:ə] universalmedel; patentmedel, patentlösning; panacé
Panama [ˌpænə'mɑ:, attr. '---] **I** geogr. egenn.

Panama; *the ~ Canal* Panamakanalen; *p~ hat* panamahatt **II** *s, p~* panamahatt
Pan-American [ˌpænə'merɪkən] panamerikansk
pancake ['pænkeɪk] pannkaka; *P~ Day* fettisdag[en] då man äter pannkakor
pancreas ['pæŋkrɪəs] anat. bukspottkörtel; med. pankreas
panda ['pændə] **1** zool. panda; *giant ~* jättepanda **2** *~ car* svartvit polisbil; *~ crossing* övergångsställe med knappar (manuellt påverkade signaler)
pandemonium [ˌpændɪ'məʊnjəm] tumult, kaos; *~ broke loose* ett helveteslarm bröt ut
pander ['pændə] **I** *vb itr* **1** *~ to* uppmuntra, underblåsa; vädja till, ge efter för [*~ to low tastes*] **2** koppla; vara mellanhand **II** *s* kopplare; mellanhand; bildl. villigt redskap [*a ~ to* (för) *a p.'s ambition*]
pane [peɪn] [glas]ruta
panel ['pænl] **I** *s* **1** panel; fält, spegel i vägg, dörr m.m.; pannå; ruta, fyrkant, fyrkantigt stycke **2** fyrkantig isättning (infällning) i plagg el. tyg **3** instrumentbräda; panel **4** a) jurylista b) jury **5** radio. el. TV. o.d. panel; *~ discussion* paneldiskussion; estradsamtal **II** *vb tr* indela i (förse med) rutor (fält); panela
panelling ['pænəlɪŋ] [trä]panel; panelning
pang [pæŋ] [häftig] smärta (plåga); styng; kval; *~s of conscience* samvetskval
panic ['pænɪk] **I** *s* panik; *what's the ~?* varför så bråttom?, det är ingen panik; *be seized with* (*by*) *~* gripas av panik **II** *adj* panisk [*~ fear* (*terror*)] **III** *vb itr* (imperf. o. perf. p. *~ked*) gripas av (råka i) panik; *don't ~!* ingen panik!
panicky ['pænɪkɪ] vard. gripen av panik; nervös; panikartad
panicmonger ['pænɪkˌmʌŋgə] panikmakare
panic-stricken ['pænɪkˌstrɪk(ə)n] o. **panic-struck** ['pænɪkstrʌk] gripen av panik, panikslagen
pannier ['pænɪə] cykelväska, packväska
panoply ['pænəplɪ] **1** hist. el. bildl. [full] rustning [*in full ~*] **2** stort uppbåd (pådrag); pompa
panorama [ˌpænə'rɑːmə] panorama; panoramamålning, rundmålning
panoramic [ˌpænə'ræmɪk, -'rɑːm-] panorama-; *~ sight* mil. panoramakikare, kikarsikte
pan-pipe ['pænpaɪp], ~[*s* pl.] panflöjt; herdepipa
pansy ['pænzɪ] **1** bot. pensé; *wild ~* styvmorsviol **2** sl. a) ngt åld. fikus, homofil b) mes
pant [pænt] **I** *vb itr* flämta, flåsa; stöna; *~ for breath* kippa efter andan **II** *vb tr* flämta (stöna) fram
panther ['pænθə] zool. panter; amer. äv. puma
pantie ['pæntɪ] vard. **1** pl. *~s* a) trosor b) barnbyxor **2** *~ girdle* byxgördel, trosgördel
pantihose se *pantyhose*
pantomime ['pæntəmaɪm] **I** *s* **1** pantomim **2** julspel med musik o. dans [äv. *Christmas ~*] **II** *vb itr* mima; spela pantomim
pantry ['pæntrɪ] **1** skafferi **2** serveringsrum **3** sjö. el. på hotell o.d. pentry
pants [pænts] **1** kalsonger; trosor; barnbyxor **2 a**) isht amer. vard. brallor **b**) *scare the ~ off a p.* ge ngn byxångest, göra ngn byxis; *wear the ~* [*in the family*] vara herre i huset, bestämma var skåpet ska stå; *give a p. a kick in the ~* ge ngn en spark i ändan
pantskirt ['pæntskɜːt] byxkjol
pantsuit ['pæntsuːt, -sjuːt] byxdress, byxdräkt
pantyhose ['pæntɪhəʊz] (konstr. ss. pl.) **1** strumpbyxor **2** trikåer
pap [pæp] välling; skorpvälling
papa [pə'pɑː, amer. vanl. 'pɑːpə] pappa
papacy ['peɪpəsɪ] **1** påvevärdighet; påvemakt **2** påvedöme **3** påvetid
papal ['peɪp(ə)l] påvlig
paper ['peɪpə] **I** *s* **1** papper; papperslapp; pappers- [*~ bag*]; *on ~* på papperet, i teorin [*a good scheme on ~*]; *I want it down on ~* jag vill ha skriftligt på det **2** tidning; *the ~ says* el. *it is in the ~* det står i tidningen **3** dokument, handling; viktigt papper; legitimationshandling **4** [skriftligt] prov, skrivning; uppsats **5** avhandling, föredrag; *read a ~* äv. hålla [ett] föredrag [*on* om, över] **II** *vb tr* **1** tapetsera [*~ a room* (*wall*)]; *~ over the cracks* tapetsera över sprickorna; bildl. [nödtorftigt] skyla (släta) över bristerna **2** täcka (klä) med papper [*~ drawers*]
paperback ['peɪpəbæk] häftad bok
paperboy ['peɪpəbɔɪ] tidningspojke, tidningsbud
paper chase ['peɪpətʃeɪs] snitseljakt
paper clip ['peɪpəklɪp] pappersklämma; gem
paperhanger ['peɪpəˌhæŋə] tapetuppsättare, ung. motsv. målare
paper money ['peɪpəˌmʌnɪ] sedlar
paperweight ['peɪpəweɪt] brevpress
paperwork ['peɪpəwɜːk] pappersarbete, skrivbordsarbete
papier-mâché [ˌpæpjeɪ'mɑːʃeɪ] papier-maché
paprika ['pæprɪkə, pə'priːkə] paprika, paprikapulver
par [pɑː] **1** det normala, medeltal; hand. pari; *above ~* a) över det normala (medeltalet) b) hand. över pari **2** *be on a ~*

vara likställd (jämbördig); vara lika stor [*with* som], gå jämnt upp **3** golf. par; i bowling pari; ~ *for the course* bildl. det vanliga, vad man kan vänta sig
parable ['pærəbl] parabel
parabola [pə'ræbələ] matem. parabel
parabolic [ˌpærə'bɒlɪk] **1** matem. parabolisk **2** ~ *aerial* (amer. *antenna*) parabolantenn
parachute ['pærəʃu:t] **I** *s* fallskärm **II** *vb tr* kasta ner (marksätta) med fallskärm **III** *vb itr* hoppa [ut] med fallskärm
parachutist ['pærəʃu:tɪst] fallskärmshoppare
parade [pə'reɪd] **I** *s* **1** isht mil. parad; mönstring; *be on* ~ paradera **2** uppvisning, förevisning; skyltande; paraderande; *fashion* ~ modevisning **3** promenadstråk, promenad **4** konfrontation för identifiering **II** *vb itr* **1** isht mil. paradera **2** tåga [i procession] **3** promenera (flanera) fram och tillbaka, gå omkring och visa upp sig **III** *vb tr* **1** isht mil. låta paradera [~ *the troops*]; mönstra **2** tåga igenom [i procession] **3** promenera fram och tillbaka på [för att visa upp sig] [~ *the streets*] **4** stoltsera (skylta) med
parade ground [pə'reɪdgraʊnd] mil. exercisplats
paradise ['pærədaɪs] paradis; *P~* bibl. Paradiset; *live in a fool's* ~ leva i lycklig okunnighet, leva på illusioner
paradox ['pærədɒks] paradox
paradoxical [ˌpærə'dɒksɪk(ə)l] paradoxal; ~ *sleep* med. parasömn
paraffin ['pærəfɪn, -fi:n] fotogen; paraffin; ~ *oil* a) fotogen b) amer. paraffinolja
paragon ['pærəgən] mönster; *a ~ of beauty* en fulländad skönhet, en skönhet utan like
paragraph ['pærəgrɑ:f] **I** *s* **1** stycke av en text; [text]avsnitt; [*fresh*] ~*!* nytt stycke! **2** jur. paragraf, lagrum **II** *vb tr* dela in i stycken (paragrafer)
Paraguay ['pærəgwaɪ, -gweɪ, --'-]
Paraguayan [ˌpærə'gwaɪən, -'gweɪən] **I** *s* paraguayare **II** *adj* paraguaysk, paraguayansk
parakeet ['pærəki:t, --'-] parakit; liten [långstjärtad] papegoja; amer. äv. undulat
parallel ['pærəlel, -ləl] **I** *adj* parallell äv. bildl.; jämlöpande; ~ *bars* gymn. barr **II** *s* **1** parallell [linje] **2** geogr. breddgrad [äv. ~ *of latitude*], parallellcirkel **3** motstycke, motsvarighet; *without* [*a*] ~ utan motstycke **4** jämförelse, parallell; *draw a* ~ dra upp en jämförelse, dra en parallell [*between* mellan] **III** *vb tr* **1** jämställa; jämföra **2** finna (uppvisa) en motsvarighet till **3** motsvara **4** vara parallell med
paralyse ['pærəlaɪz] paralysera; lamslå [*the traffic was ~d*]; *~d with fear* skräckslagen
paralysis [pə'ræləsɪs] förlamning äv. bildl.; med. paralysi; bildl. äv. vanmakt
paralytic [ˌpærə'lɪtɪk] **I** *adj* paralytisk, förlamad **II** *s* paralytiker
parameter [pə'ræmɪtə] parameter
paramilitary [ˌpærə'mɪlɪt(ə)rɪ] paramilitär [*~ forces*]
paramount ['pærəmaʊnt] högst [*the ~ chiefs*], störst [*of ~ interest*], förnämst; ytterst viktig [*a ~ consideration*]
paranoia [ˌpærə'nɔɪə] med. paranoia, förföljelsemani
paranoiac [ˌpærə'nɔɪæk] **I** *s* paranoiker **II** *adj* paranoid
paranoid ['pærənɔɪd] **I** *adj* paranoid **II** *s* paranoiker
parapet ['pærəpɪt, -pet] arkit. bröstvärn; balustrad, räcke, parapet
paraphernalia [ˌpærəfə'neɪljə, -lɪə] (konstr. vanl. ss. sg.) tillbehör; [personliga] grejer
paraphrase ['pærəfreɪz] **I** *s* parafras, omskrivning **II** *vb tr* parafrasera, omskriva
paraplegic [ˌpærə'pli:dʒɪk] **I** *adj* paraplegisk; *the P~ Games* handikapp-OS **II** *s* paraplegiker
parasite ['pærəsaɪt] parasit; bildl. äv. snyltgäst
parasitic [ˌpærə'sɪtɪk] o. **parasitical** [ˌpærə'sɪtɪk(ə)l] parasitisk, parasiterande, parasit- [*~ plant* (*animal*)]
parasol ['pærəsɒl, --'-] parasoll
paratrooper ['pærəˌtru:pə] fallskärmsjägare
paratroops ['pærətru:ps] fallskärmstrupper
paratyphoid [ˌpærə'taɪfɔɪd] med. paratyfus
parboil ['pɑ:bɔɪl] **1** förvälla **2** överhetta
parcel ['pɑ:sl] **I** *s* **1** paket, packe, kolli; bunt [*a ~ of banknotes*]; pl. *~s* järnv. styckegods; ~ *post* paketpost **2** del; *be part and ~ of* vara en väsentlig del av **II** *vb tr* **1** ~ [*out*] dela; stycka [*~ land*]; dela ut **2** paketera
parch [pɑ:tʃ] sveda, bränna [*~ the skin*], förtorka [*~ed deserts*]; *be ~ed* [*with thirst*] vara alldeles torr i halsen, ha en brännande törst
parchment ['pɑ:tʃmənt] **1** pergament **2** pergamentmanuskript
pardon ['pɑ:dn] **I** *s* **1** förlåtelse [*ask for* (om) ~ *for* (för) *a th.*], tillgift; [*I beg your*] *~!* el. ~ *me!* förlåt!, ursäkta!; hur sa? **2** jur. benådning, amnesti [*general ~*] **3** kyrkl. avlat **II** *vb tr* **1** förlåta [*~ a p.*; *~ a fault* (*sins*)], ursäkta **2** jur. benåda [*~ a criminal*]
pardonable ['pɑ:dnəbl] förlåtlig; förståelig
pare [peə] skala [*~ an apple*]; klippa [*~ one's nails*], beskära [*~ a hedge*]; skrapa; ~ [*away* (*down, back*)] bildl. skära ned, minska
parent ['peər(ə)nt] förälder; målsman; förfader; ~ *company* moderbolag

parentage ['peər(ə)ntɪdʒ] **1** härkomst, härstamning **2** föräldraskap
parental [pə'rentl] föräldra- [~ *home*]; faderlig, moderlig; ~ *care* föräldraomsorg; ~ *leave* föräldraledighet
parenthes|is [pə'renθəs|ɪs] (pl. *-es* [-i:z]) parentes; parentestecken
parenthetic [ˌpær(ə)n'θetɪk] o. **parenthetical** [ˌpær(ə)n'θetɪk(ə)l] parentetisk, [inskjuten] inom parentes
parenthood ['peər(ə)nthʊd] föräldraskap
pariah [pə'raɪə, 'pærɪə] **1** paria äv. bildl.; utstött **2** ~ [*dog*] pariahund; herrelös hund
parish ['pærɪʃ] socken; [kyrklig] församling; ~ *council* ung. kommunalnämnd
parishioner [pə'rɪʃənə] sockenbo, församlingsbo
Parisian [pə'rɪzjən, -ʒjən] **I** *adj* parisisk, paris[er]- **II** *s* parisare
parity ['pærətɪ] paritet, [jäm]likhet
park [pɑ:k] **I** *s* **1** park **2** parkeringsplats, bilparkering [äv. *car* ~] **3** vard. fotbollsplan; amer. äv. bollplan **II** *vb tr* **1** parkera [*where can we ~ the car?*] **2** vard. parkera, sätta [*where can I ~ my luggage?*; *he ~ed himself on my chair*] **III** *vb itr* parkera
parka ['pɑ:kə] **1** parkas **2** [skinn]anorak
park-and-ride [ˌpɑ:kən(d)'raɪd], *the ~ system* [systemet med] infartsparkering
parking ['pɑ:kɪŋ] parkering; *No P~* Parkering förbjuden; ~ *light* a) parkeringsljus b) positionsljus; ~ *lot* isht amer. parkeringsplats, parkeringsområde; ~ *ticket* böteslapp för parkeringsöverträdelse
parky ['pɑ:kɪ] vard. **I** *adj* kylig [~ *air* (*weather*)], bitande [*a ~ wind*], råkall [*a ~ day*] **II** *s* parkvakt
parlance ['pɑ:ləns] språk; språkbruk [*in military ~*]; *in common* (*ordinary*) ~ i dagligt tal
parley ['pɑ:lɪ] **I** *s* **1** förhandling, överläggning **2** mil. underhandling **II** *vb itr* **1** förhandla, konferera **2** mil. underhandla
parliament ['pɑ:ləmənt] parlament; riksdag; *the Houses of P~* parlamentshuset i London
parliamentary [ˌpɑ:lə'ment(ə)rɪ] parlamentarisk [~ *language*]; parlaments- [~ *debates*]; beslutad (fastställd) av parlamentet; ~ *commissioner* ung. justitieombudsman
parlor ['pɑ:lə] amer., se äv. *parlour*; ~ *car* järnv. salongsvagn
parlour ['pɑ:lə] **1** a) sällskapsrum på värdshus o.d.; samtalsrum i kloster; mottagningsrum b) ngt åld. el. amer. vardagsrum; förmak, mindre salong **2** salong [*beauty ~, hairdresser's ~*], ateljé [*photographer's ~*]; bar [*ice-cream ~*]
parlour game ['pɑ:ləgeɪm] sällskapsspel
parlous ['pɑ:ləs] **1** farlig **2** kinkig
Parmesan [ˌpɑ:mɪ'zæn, attr. '---] **I** *adj* från Parma, parma-; parmesan- [~ *cheese*] **II** *s* parmesan[ost]
parochial [pə'rəʊkjəl] **1** församlings-, socken- **2** trångsynt
parody ['pærədɪ] **I** *s* parodi **II** *vb tr* parodiera
parole [pə'rəʊl] **I** *s* **1** isht mil. hedersord [äv. ~ *of honour*] **2** jur. villkorlig frigivning (benådning) [äv. *release on ~*] **II** *vb tr* **1** mil. frige på hedersord **2** jur. frige villkorligt; med. försöksutskriva
paroxysm ['pærəksɪz(ə)m] paroxysm, häftigt (plötsligt) anfall [*a ~ of laughter* (*pain, rage*)]
parquet ['pɑ:keɪ, -kɪ] **1** parkett[golv] [äv. ~ *flooring*] **2** amer. [isht främre] parkett på teater o.d.; ~ *circle* bortre parkett
parrot ['pærət] **I** *s* papegoja **II** *vb tr* [mekaniskt] säga efter
parry ['pærɪ] sport. el. bildl. **I** *vb tr* parera [~ *a blow*] **II** *s* parad, parering
parse [pɑ:z] gram. el. data. analysera [~ *a word*], ta ut satsdelarna (ordklasserna) i [~ *a sentence*]
parsimonious [ˌpɑ:sɪ'məʊnjəs] överdrivet sparsam; knusslig
parsley ['pɑ:slɪ] bot. persilja
parsnip ['pɑ:snɪp] bot. palsternacka
parson ['pɑ:sn] kyrkoherde; vard. prelat
parsonage ['pɑ:s(ə)nɪdʒ] prästgård
part [pɑ:t] **I** *s* **1** del; avdelning, stycke; avsnitt; beståndsdel, bråkdel; [reserv]del; ~ *of speech* ordklass; *in ~* delvis, till en del; *take in good ~* ta väl upp **2** [an]del, lott; uppgift; *I have no ~ in it* jag har ingen del i det; *take ~* delta, medverka **3** sida; håll; *take a p.'s ~* ta ngns parti; *for my ~* [jag] för min del **4** ofta pl. *~s* [kropps]delar, parti[er], organ **5** pl. *~s* trakt[er], ort, del; kvarter **6** häfte; *in ~s* häftesvis [*be published in ~s*] **7** teat. o.d., äv. bildl. roll; *play* (*act*) *a ~* spela (göra) en roll; bildl. spela teater; *play a vital ~ in* bildl. spela en viktig roll i **8** mus. stämma [*orchestra ~s*] **II** *adv* delvis [~ *ignorance, ~ laziness*] **III** *vb tr* **1** skilja [åt] [*we tried to ~ them*; *till death do us* (*us do*) *~*]; ~ *company* skiljas **2** dela; bena; *she wears her hair ~ed down the middle* hon har mittbena **IV** *vb itr* **1** skiljas, skiljas åt; gå åt olika håll; ~ *with* skiljas från, avstå från [~ *with one's possessions*], göra sig av med **2** öppna (dela) sig; *his hair ~s in the middle* han har mittbena
partake [pɑ:'teɪk] (*partook partaken*) delta; ~ *in* (*of*) *a th.* delta i ngt
part-exchange [ˌpɑ:tɪks'tʃeɪn(d)ʒ] **I** *s* dellikvid; *take a th. in ~* äv. ta ngt i inbyte

II *vb tr,* ~ *a car* byta bil med den gamla som dellikvid
partial ['pɑ:ʃ(ə)l] **1** partiell [*a* ~ *eclipse*], ofullständig [*a* ~ *success*], del- [~ *payment*] **2** partisk **3** *be* ~ *to* vara svag för, vara förtjust i
partiality [ˌpɑ:ʃɪ'ælətɪ] **1** partiskhet **2** svaghet, smak
partially ['pɑ:ʃəlɪ] **1** delvis; ~ *sighted* synsvag, synskadad **2** partiskt [*judge* ~]
participant [pɑ:'tɪsɪpənt] deltagare
participate [pɑ:'tɪsɪpeɪt] delta [*in a th.*]
participation [pɑ:ˌtɪsɪ'peɪʃ(ə)n] deltagande [*the* ~ *of a p. in a meeting*]; delaktighet; medverkan [*with the active* ~ *of Mr. Brown*]; hand. participation
participle ['pɑ:tɪsɪpl] gram. particip; *the past* ~ a) perfekt particip b) supinum; *the present* ~ presens particip
particle ['pɑ:tɪkl] partikel äv. gram. el. fys.
particular [pə'tɪkjʊlə, -kjələ] **I** *adj* **1** särskild [*in this* ~ *case*], bestämd [*for a* ~ *purpose*]; [*why did he want*] *that* ~ *book?* ...just den boken?; *nothing* ~ [just] ingenting särskilt **2** om pers. noggrann, kinkig; kräsen [*be* ~ *about* el. *over* (i fråga om) *food*]; [*do you want tea or coffee?*] *I'm not* ~ ...det gör detsamma [vilket] **3** utförlig [*a* ~ *account*] **II** *s* **1** detalj [*go into* (in på) ~*s*]; pl. ~*s* närmare omständigheter (detaljer); detaljerad beskrivning; *for* ~*s apply to* närmare upplysningar lämnas av **2** *in* ~ i synnerhet, särskilt; *nothing in* ~ [just] ingenting särskilt
particularly [pə'tɪkjʊləlɪ, -kjəl-] särskilt; synnerligen [*be* ~ *glad*], i synnerhet [*be fond of flowers,* ~ *roses*]
parting ['pɑ:tɪŋ] **1** avsked; ~ *shot* bildl. [dräpande] slutreplik **2** bena; *make a* ~ kamma (göra en) bena **3** delning, skiljande skikt; *be at the* ~ *of the ways* bildl. stå vid skiljevägen (ett vägskäl)
partisan [i bet. *1* ˌpɑ:tɪ'zæn, i bet. *2* 'pɑ:tɪz(ə)n] **1** mil. partisan [~ *troops*], frihetskämpe **2** anhängare [*a* ~ *of liberalism*]; ~ *politics* partipolitik
partition [pɑ:'tɪʃ(ə)n, pə't-] **I** *s* **1** delning [*the* ~ *of Germany*] **2** del; fack **3** skiljevägg äv. bildl. el. bot.; mellanvägg **II** *vb tr* **1** dela **2** ~ *off* avdela, avskilja [*a room was* ~*ed off*]
partly ['pɑ:tlɪ] delvis [*made* ~ *of iron*], dels [~ *ignorance,* ~ *laziness*]
partner ['pɑ:tnə] **I** *s* **1** deltagare, kamrat **2** kompanjon, partner [~*s in a firm*]; *sleeping* ~ passiv delägare **3** make, maka, äkta hälft **4** partner, moatjé, kavaljer, dam; *dancing* ~ danspartner, danskavaljer; ~ *at table* bordskavaljer, bordsdam **5** i spel partner [*bridge* ~, *tennis* ~], medspelare
II *vb tr* vara (bli) kompanjon (partner, medspelare) till
partnership ['pɑ:tnəʃɪp] kompanjonskap; enkelt bolag, handelsbolag; *enter* (*go*) *into* ~ *with* ingå kompanjonskap (bilda bolag) med, bli kompanjon med
part-owner [ˌpɑ:t'əʊnə] delägare; sjö. medredare
partridge ['pɑ:trɪdʒ] zool. rapphöna; rapphöns
part-time [attr. adj. 'pɑ:ttaɪm, pred. adj. o. adv. ˌ-'-] **I** *adj* deltids-, halvtid [~ *work*]; *a* ~ *worker* en deltidsanställd, en deltidsarbetande **II** *adv* på deltid (halvtid); *work* ~ ha (arbeta) deltid
part-timer [ˌpɑ:t'taɪmə] deltidsarbetande, deltidsanställd
party ['pɑ:tɪ] **I** *s* **1** isht polit. parti [~ *member*]; ~ *conference* (*convention*) partikongress **2** sällskap [*a* ~ *of tourists, a fishing* ~], lag [*a working* ~]; *search* ~ spaningspatrull; skallgångskedja **3** mil. patrull, avdelning [*landing* ~], detachement **4** bjudning [*tea* ~], fest, party; ~ *dress* festklänning, finklänning, aftonklänning; *the* ~ *is over* vard. a) nu stundar hårdare tider b) nu är det slut på det roliga; *go to a* ~ gå på bjudning osv.; vard. gå bort **5** isht jur. part [*be a* ~ *in* (*to*) *the case*]; kontrahent; sakägare; delägare; intressent [äv. *interested* ~]; *the guilty* ~ den skyldige **6** deltagare; medbrottsling [*make a p.* ~ *to* (till medbrottsling i) *a crime*]; *I won't be a* ~ *to that affair* det vill jag inte vara med om (bli inblandad i) **7** vard. el. skämts. typ [*an odd* (*a queer*) ~]
II *vb itr* isht amer. vard. festa, slå runt
party line ['pɑ:tɪlaɪn, ˌ--'-] **1** polit. partilinje **2** tele. gemensam ledning
party-political [ˌpɑ:tɪpə'lɪtɪk(ə)l] partipolitisk
pass [pɑ:s] **I** *vb itr* (se äv. *III*) **1** passera [förbi], gå (fara, komma, köra osv.) förbi (igenom, vidare); köra om, gå om; *ships that* ~ *in the night* bildl. skepp som mötas i natten; [*the road was too narrow*] *for cars to* ~ ...för att bilar skulle kunna mötas **2** om tid o.d. gå [*time* ~*ed quickly*], förflyta **3** övergå **4** utväxlas [*a few words* ~*ed between them*] **5** gå över, försvinna [*the pain soon* ~*ed*] **6** [få] passera; [kunna] godtas, gå an; ~ *unnoticed* (*unheeded*) gå obemärkt (obeaktad) förbi; *we'll let that* ~, *but...* det får duga (passera), men... **7** gälla, gå, passera; *he would easily* ~ *for a Swede* han kunde mycket väl tas för en svensk **8** a) parl. o.d. gå igenom, antas [*the bill* ~*ed and became law*] b) klara examen; klara sig, bli godkänd
II *vb tr* (se äv. *III*) **1** passera [förbi (igenom)], gå (fara, komma, köra osv.)

förbi (igenom) [*we ~ed the town*]; gå (fara) över [*~ the frontier*]; hoppa över **2** låta passera, släppa igenom, låta gå **3** tillbringa [*~ a pleasant evening*], fördriva [*~ the time*] **4** räcka [*~ [me] the salt, please!*], skicka vidare **5** *~ a remark* fälla ett yttrande **6** släppa ut; *~ a dud cheque* lämna en falsk check **7** anta [*Parliament ~ed the bill*], godkänna [*~ed by the censor*]; bli antagen av; *~ the Customs* gå igenom (passera) tullen **8** a) avlägga, klara [*~ an (one's) examination*] b) godkänna **9** överskrida, övergå [*it ~es my comprehension* (förstånd)]; *it ~es all description* det trotsar all beskrivning **10** föra, låta fara **11** föra, träda; *~ a rope round a th.* slå ett rep om ngt **12** låta passera (defilera) förbi; *~ troops in review* mil. låta trupper passera revy **13** a) jur. avkunna [*~ sentence [up]on* (över) *a p.*] b) [av]ge; rikta [*~ criticism [up]on* (mot)]; *~ judgement on a th.* bedöma (uttala sig om) ngt **14** sport. passa
III *vb itr* o. *vb tr* med beton. part.:
~ **along**: **a**) gå (tåga osv.) fram; *~ along!* passera!, fortsätt [framåt]! **b**) skicka vidare
~ **away**: **a**) gå bort **b**) dö, gå bort **c**) om smärta, vrede o.d. gå över **d**) *~ away the time* fördriva tiden
~ **by**: a) gå (fara, komma osv.) förbi b) bildl. förflyta c) bildl. förbigå
~ **down** låta gå vidare från generation till generation
~ **off**: **a**) gå över [*her anger will soon ~ off*] **b**) avlöpa [*everything ~ed off very well*], förlöpa **c**) slå bort [*he ~ed it off as a joke* (*with a laugh*)] **d**) [falskeligen] utge; *he tried to ~ himself off as a count* han försökte ge sig ut för att vara greve **e**) *~ a th. off on a p.* pracka på ngn ngt
~ **on**: a) gå vidare, fortsätta [*~ on to* (till) *another subject*] b) byta ägare; övergå c) låta gå vidare, vidarebefordra [*read this and ~ it on*]
~ **out**: **a**) vard. tuppa av **b**) *~ out of sight* försvinna ur sikte **c**) isht mil. gå igenom (sluta) en kurs
~ **over**: a) gå över [till andra sidan]; passera b) övergå [*~ over into other hands*] c) gå över, upphöra [*the storm soon ~ed over*] d) bildl. förbigå [*~ it over in* (med) *silence*]; förbise e) bildl. förbigå vid befordran [*he was ~ed over*] f) räcka, överlämna
~ **round** skicka omkring (runt) [*the cakes were ~ed round*], låta gå [laget] runt
~ **through**: a) gå (passera osv.) igenom b) bildl. gå igenom [*~ through several stages*]
IV *s* **1** passerande etc., jfr *I* o. *II* **2** godkännande i examen; *~ [degree]* lägre (mindre specialiserad) akademisk examen **3** [kritiskt] läge (tillstånd); *things have come to a pretty* (*fine*) *~ when...* iron. det är illa ställt om... **4 a**) passerkort **b**) mil. permissionssedel; permission **c**) [*free*] *~* fribiljett, frikort **5** a) fäktn. o.d. utfall, stöt b) bildl. vard. närmande; *make a ~ at a p.* vard. vara närgången mot ngn **6** sport. passning; i tennis passering **7** [bergs]pass; [trång] passage; väg **8** kortsp. pass, passande **9** magisk o.d. handrörelse

passable ['pɑ:səbl] **1** farbar, framkomlig **2** hjälplig

passage ['pæsɪdʒ] **1** a) färd, resa med båt o. flyg; överfart b) passage, genomresa; övergång c) spridning, överföring [*the ~ of the infection is swift*]; *bird of ~* flyttfågel äv. bildl.; *book one's ~* beställa biljett, boka plats; *work one's ~ [to America]* arbeta (jobba) sig över... **2** fri passage [*refuse ~ through a territory*] **3** konkr. a) passage; gång, korridor b) kanal, öppning **4** bildl. gång [*the ~ of time*], lopp [*the ~ of years*]; övergång, **5** ställe i text o.d.; avsnitt; episod **6** mus. passage **7** parl. o.d. antagande [*~ of a bill*], godkännande

passbook ['pɑ:sbʊk] **1** bankbok, motbok **2** hand. motbok

passenger ['pæsɪn(d)ʒə] **1** passagerare; trafikant; *~ train* persontåg **2** vard. oduglig (onyttig) medlem av lag o.d., blindpipa

passer-by [ˌpɑ:sə'baɪ] (pl. *passers-by* [ˌpɑ:səz'baɪ]) förbipasserande

passing ['pɑ:sɪŋ] **I** *adj* **1** a) som går (gick) [förbi] [*a ~ youngster*; *each ~ day*]; förbipasserande, förbigående b) i förbigående [*a ~ remark*] **2** övergående; flyktig; *a ~ whim* en tillfällig nyck **3** om betyg godkänd **II** *s* **1** förbipasserande etc., jfr *pass I* o. *II*; passage; förbifart; amer. omkörning; *the ~ of time* tidens gång (flykt); *in ~* i förbigående (förbifarten) **2** sport. passning **3** bortgång

passion ['pæʃ(ə)n] **1** passion, lidelse; hänförelse, patos; förkärlek; begär **2** häftigt utbrott; *in a ~* i förbittring; med hetta; *fly into a ~* bli ursinnig (rasande) **3** *the P~* Passionen, Kristi lidande (pina), passionshistorien

passionate ['pæʃənət] **1** passionerad, lidelsefull [*a ~ lover*], eldig [*a ~ nature*] **2** hetlevrad, hetsig [*a ~ man*] **3** våldsam, het [*a ~ desire*]

passive ['pæsɪv] **I** *adj* passiv äv. gram. el. kem. [*~ resistance* (*resisters*)]; overksam, undergiven [*~ obedience*]; *~ smoking* passiv rökning **II** *s* gram., *the ~* passiv

passkey ['pɑ:ski:] **1** huvudnyckel **2** portnyckel

Passover ['pɑ:sˌəʊvə] judarnas påskhögtid

passport ['pɑ:spɔ:t] **1** pass **2** passersedel; bildl. äv. början [*a ~ to fame*]
password ['pɑ:swɜ:d] isht mil. o. data. lösen[ord]
past [pɑ:st] **I** *adj* [för]gången, svunnen; förbi; *the danger is ~* faran är över; *the ~ tense* gram., se *II 2*; *I have been ill for the ~ few days* jag har varit sjuk de senaste dagarna **II** *s* **1 a)** *the ~* det förflutna (förgångna), forntiden, vad som varit **b**) föregående liv; *in the ~* tidigare, förr i världen; *it is a thing of the ~* det tillhör det förflutna **2** gram., *the ~* imperfekt, preteritum **III** *prep* **1** förbi [*he ran ~ the house*], [bort]om **2** bortom, utanför, förbi; *it's ~ belief* det är alldeles (helt) otroligt; *she is ~ caring what happens* hon bryr sig inte längre om vad som händer **3** om tid o.d. över; *it's ~ two o'clock* hon (klockan) är över två; *at half ~ one* [klockan] halv två **IV** *adv* förbi [*go (run, hurry) ~*]
pasta ['pæstə, amer. 'pɑ:stə] kok. pasta spaghetti o.d.
paste [peɪst] **I** *s* **1** deg; massa [*almond ~*] **2** pasta [*tomato ~*; *cement ~*]; [bredbar] pastej [*anchovy ~*] **3** klister; *~ pot* klisterburk **II** *vb tr* **1** *~* [*up*] klistra, klistra upp; klistra över [*~* [*up*] *a th. with paper*] **2** vard. klå upp
pasteboard ['peɪstbɔ:d] [limmad] papp, kartong; *~ characters* bildl. schablonfigurer
pastel [pæ'stel, isht attr. 'pæst(ə)l] **1** pastellkrita **2** pastell[färg] kulör **3** [pastell]målning
pastern ['pæstɜ:n] karled på häst
pasteurize ['pɑ:stʃəraɪz, 'pæst-] pastörisera
pastille ['pæst(ə)l, pæ'sti:l] pastill, tablett
pastime ['pɑ:staɪm] tidsfördriv, nöje
pasting ['peɪstɪŋ] vard. stryk; *give a p. a ~* ge ngn stryk (en omgång), klå upp ngn
past master [ˌpɑ:st'mɑ:stə] bildl. mästare [*of* (*in, at*) i; *a ~ in the art of lying*; *a ~ at chess*]
pastor ['pɑ:stə] **I** *s* präst; herde, själasörjare **II** *vb tr* vara själasörjare (herde) för
pastoral ['pɑ:st(ə)r(ə)l, 'pæs-] herde- [*~ life, ~ poem*], pastoral[-], idyllisk; prästerlig
pastry ['peɪstrɪ] **1** [finare] bakverk **2** smördeg; kakdeg; pajdeg
pastryboard ['peɪstrɪbɔ:d] bakbord
pastrycook ['peɪstrɪkʊk] konditor, sockerbagare
pasture ['pɑ:stʃə, -tjʊə] **1** bete gräs o.d.; *put a p. to ~* släppa ut ngn på grönbete **2** betesmark
pasty [ss. subst. 'pæstɪ, ss. adj. 'peɪstɪ] **I** *s* pirog vanl. med köttfyllning **II** *adj* degig; glåmig, blekfet
pat [pæt] **I** *s* **1** klapp **2** [platt] klick [*~ of butter*], klimp **3** ljud: trippande [*the ~ of bare feet*] **II** *vb tr* klappa; *~ a p. on the back* bildl. ge ngn en klapp på axeln **III** *adv* o. *adj* **1** fix och färdig [*a ~ solution*], [genast] till hands [*have the story ~*], omgående [*the story came ~, but wasn't convincing*] **2** *stand ~* stå fast [vid sitt beslut], vara orubblig
patch [pætʃ] **I** *s* **1** a) lapp b) [skydds]lapp för öga c) plåster d) musch av tyg o.d.; *he is not a ~ on you* vard. han går inte upp mot (kan inte jämföras med) dig **2** fläck; bit; *~es of fog* stråk av dimma **3** jordbit, jordlapp; täppa [*a cabbage ~*] **4** *go through* (*strike*) *a bad ~* vard. ha en nedgångsperiod **II** *vb tr* lappa äv. data.; laga; *~ up* a) lappa ihop äv. bildl.; laga; jämka samman, ordna upp, bilägga [*~ up a quarrel* (tvist)] b) hafsa (sno, fuska, sätta) ihop; *~ a quilt* sy ett lapptäcke
patch pocket [ˌpætʃ'pɒkɪt] påsydd ficka
patchwork ['pætʃwɜ:k] **1** lapptäcksarbete, 'patchwork'; *~ quilt* vadderat lapptäcke **2** bildl. lappverk, fuskverk
patchy ['pætʃɪ] **1** lappad, hoplappad **2** vard. ojämn
pate [peɪt] vard. el. skämts. skult, skalle
pâté ['pæteɪ, 'pɑ:-, -tɪ] fr. pastej; *~ de foie gras* [...dəˌfwɑ:'grɑ:] äkta gåsleverpastej
patent ['peɪt(ə)nt, isht i bet. *II* o. *III* o. amer. 'pæt(ə)nt] **I** *adj* **1** klar, uppenbar **2** patenterad, patent- [*~ medicine*] **3** vard. originell; fiffig [*a ~ device*] **II** *s* **1** patent; patenträtt[ighet]; [*letters*] *~* patentbrev **2** privilegium; [*letters*] *~* privilegiebrev; fribrev; öppet brev; kunglig fullmakt **III** *vb tr* patentera; bevilja patent på; få patent på
patent leather [ˌpeɪt(ə)nt'leðə] lackskinn; i sms. lack- [*~ shoes*]; pl. *~s* lackskor
patently ['peɪt(ə)ntlɪ] klart; uppenbarligen; rent ut sagt; *it's ~ absurd* det faller på sin egen orimlighet
paternal [pə'tɜ:nl] **1** faderlig **2** på fädernet (fädernesidan); *~ grandfather* farfar; *on the ~ side* på fädernet (fädernesidan) **3** fäderne-
paternity [pə'tɜ:nətɪ] faderskap
path [pɑ:θ, i pl. pɑ:ðz] **1** stig; gång [*garden ~*]; gångbana **2** bana
pathetic [pə'θetɪk] patetisk; sorglig, beklämmande äv. iron.; ynklig
pathfinder ['pɑ:θˌfaɪndə] **1** stigfinnare; pionjär **2** mil. a) vägledare flygplan el. person som markerar el. belyser mål vid anflygning b) radarsikte
pathological [ˌpæθə'lɒdʒɪk(ə)l] patologisk
pathologist [pə'θɒlədʒɪst] **1** patolog **2** obducent
pathology [pə'θɒlədʒɪ] patologi
pathos ['peɪθɒs] **1** ung. hjärtknipande känslofullhet; patos **2** medlidande

pathway ['pɑːθweɪ] **1** stig **2** väg ofta bildl.; bana

patience ['peɪʃ(ə)ns] **1** tålamod; uthållighet **2** kortsp. patiens

patient ['peɪʃ(ə)nt] **I** *adj* tålig; fördragsam **II** *s* patient

patio ['pætɪəʊ, 'pɑːtɪəʊ] (pl. *~s*) **1** patio **2** uteplats vid villa

patisserie [pə'tɪs(ə)rɪ] **1** konditori **2** bakelser

patriarch ['peɪtrɪɑːk] patriark

patriarchal [ˌpeɪtrɪ'ɑːk(ə)l] patriarkalisk; patriark-

patriot ['pætrɪət, 'peɪt-] patriot, fosterlandsvän

patriotic [ˌpætrɪ'ɒtɪk, ˌpeɪt-] patriotisk

patriotism ['pætrɪətɪz(ə)m, 'peɪt-] patriotism

patrol [pə'trəʊl] **I** *s* patrullering; patrull; ~ *car* polisbil, radiobil; ~ *wagon* amer. transitbuss, piket[buss]; *be on* ~ ha patrulltjänst, patrullera **II** *vb itr* patrullera **III** *vb tr* patrullera [på (i)]

patrol|man [pə'trəʊl|mæn] (pl. *-men* [-men]) amer. **1** [patrullerande] polis **2** representant för motororganisation som hjälper bilister tillrätta

patron ['peɪtr(ə)n, 'pæt-] **1** beskyddare, mecenat; ~ *[saint]* skyddshelgon **2** [stam]kund; gynnare

patronage ['pætrənɪdʒ, 'peɪt-] **1** beskydd, beskyddarskap; stöd; ynnest **2** hand. a) kunders välvilja (förtroende, stöd) b) kundkrets; publik **3** nedlåtande sätt, nedlåtenhet

patronize ['pætrənaɪz, amer. äv. 'peɪt-] **1** beskydda, gynna **2** behandla nedlåtande **3** hand. vara kund (stamgäst) hos, handla hos

patronizing ['pætrənaɪzɪŋ, amer. äv. 'peɪt-] nedlåtande; ~ *air* beskyddarmin

1 patter ['pætə] **I** *vb itr* **1** om regn o.d. smattra **2** om fotsteg tassa **II** *s* **1** smattrande [ljud] **2** trippande [ljud]

2 patter ['pætə] **I** *vb itr* pladdra [på] **II** *s* svada, [sälj]snack; pladder

pattern ['pæt(ə)n] **I** *s* **1** mönster, förebild, föredöme [*a ~ of domestic virtues*], exempel **2** modell, [tillklippnings]mönster [*cut a ~ for* (till) *a dress*] **3** a) varuprov av tyg, mynt m.m.; provbit b) typ [*a gun of another ~*] c) typiskt exempel **4** dekorativt mönster [*a ~ on a carpet* (*wall*)], figurer **5** bildl. form, mönster; bild, struktur; förlopp **II** *vb tr* **1** forma; *he has ~ed himself* [*up*]*on his brother* han har [tagit] sin bror till förebild **2** mönstra; teckna; *~ed wallpaper* mönstrade tapeter

paucity ['pɔːsətɪ] **1** brist **2** fåtalighet

paunch [pɔːn(t)ʃ] **1** buk; vard. kula, isterbuk; *get a ~* få kula (mage) **2** zool. våm

pauper ['pɔːpə] understödstagare; fattighjon; *a ~'s burial* [en] fattigbegravning

pause [pɔːz] **I** *s* **1** paus, uppehåll; tvekan; ~ *button* (*control*) pausknapp, momentanstopp på bandspelare **2** mus. fermat **II** *vb itr* göra en paus (ett uppehåll), stanna [upp]

pave [peɪv] stenlägga äv. bildl.; stensätta, belägga [med sten m.m.], täcka [*a path ~d with moss*]; ~ *the way for* (*to*) bildl. bana väg (jämna vägen) för

pavement ['peɪvmənt] **1** trottoar; ~ *artist* trottoarmålare **2** a) beläggning; stenläggning, stensättning b) amer. belagd (stenlagd) väg (körbana)

pavilion [pə'vɪljən] **1** [stort] tält **2** paviljong; amer. sjukhuspaviljong **3** sport., ung. klubbhus

paving ['peɪvɪŋ] stenläggning, stensättning; gatubeläggning

paving-stone ['peɪvɪŋstəʊn] gatsten

paw [pɔː] **I** *s* **1** djurs tass **2** vard., persons labb, tass; *take your ~s off!* bort med tassarna! **II** *vb tr* **1** röra vid (krafsa på, slå) med tassen (tassarna) **2** skrapa med hoven (hovarna) på (i) **3** vard. fingra (tafsa) på **III** *vb itr* **1** röra (krafsa, slå) med tassen (tassarna) **2** skrapa med hoven (hovarna) **3** vard. fingra, tafsa; ~ *at* gripa (fäkta) efter

1 pawn [pɔːn] **1** schack. bonde **2** neds. om pers. bricka; verktyg

2 pawn [pɔːn] **I** *s* pant; *be in ~* vara pantsatt **II** *vb tr* pantsätta; bildl. sätta i pant [*~ one's life* (*honour*)]

pawnbroker ['pɔːnˌbrəʊkə] pantlånare; *~'s [shop]* se *pawnshop*

pawnshop ['pɔːnʃɒp] pantlånekontor

pay [peɪ] **I** (*paid paid*) *vb tr* **1** a) betala; erlägga; betala ut [*~ wages*] b) löna (betala) sig för c) ersätta [*~ a p.'s kindness with ingratitude*]; straffa; *~ one's* [*own*] *way* a) betala (göra rätt) för sig b) vara lönande, bära sig; *put paid to a th.* vard. sätta stopp (sätta p) för ngt **2** med adv. o. prep. isht i spec. bet.: ~ *back*: a) betala igen (tillbaka) b) bildl. ge igen, ge betalt; ~ *down* betala (erlägga) kontant; ~ *for* a) betala (ge) för b) ge igen (betalt) för [*I'll ~ you for this*]; ~ *off* betala [till fullo] [*~ off a fine*]; betala av [*~ off a house*]; ~ *out*: **a**) betala ut; ge ut **b**) *I'll ~ you out for this!* det här ska du få igen för (få betalt för)!; ~ *up* betala [till fullo] **II** (*paid paid*) *vb itr* **1** betala; [*it's always the woman*] *who ~s* ...som det går ut över **2** löna sig, betala sig [ofta ~ *off*; *honesty ~s*], vara lönande; *the business doesn't ~* affären bär sig inte

3 ~ *for*: **a**) betala [för] [~ *for the furniture*] **b**) bekosta [*my parents paid for my education*] **c**) [få] sota (plikta) för [~ *for a th. with one's life*]; *you'll ~ for this!* det här ska du få sota för! **4** ~ *up* betala **III** *s* betalning, avlöning; lön; *be in p.'s ~* vara i ngns tjänst (sold)
payable ['peɪəbl] om växel o.d. betalbar, att betalas; *cheques should be made ~ to* checkar skall (torde) utställas på
pay-as-you-earn [ˌpeɪəzjʊ'ɜ:n], ~ [*tax*] källskatt; ~ [*tax*] *system* källbeskattning
paycheck ['peɪtʃek] amer. lönebesked
pay claim ['peɪkleɪm] lönekrav
payday ['peɪdeɪ] avlöningsdag
paydesk ['peɪdesk] kassa i butik, biograf o.d.
PAYE [ˌpi:eɪwaɪ'i:] förk. för *pay-as-you-earn*
payee [peɪ'i:] hand. betalningsmottagare, remittent
paying ['peɪɪŋ] **1** lönande **2** betalande; ~ *guest* paying guest betalande gäst i familj
payload ['peɪləʊd] **1** nyttolast **2** mil. last
payment ['peɪmənt] betalning; inbetalning, utbetalning; likvid; *down ~* kontantinsats, handpenning
payoff ['peɪɒf] vard. **1** [ut]betalning; avräkning **2** avlöningsdag **3** förtjänst, utdelning, lön för mödan **4** slutresultat **5** avgörande; vedergällning
pay packet ['peɪˌpækɪt] lönekuvert
payphone ['peɪfəʊn] telefonautomat
payroll ['peɪrəʊl] **1** a) avlöningslista b) personal, personer på avlöningslistan **2** löner, lönesumma; ~ *tax* arbetsgivaravgift
pay station ['peɪˌsteɪʃ(ə)n] amer. telefonkiosk, telefonhytt
pay television ['peɪˌtelɪvɪʒ(ə)n] o. **pay-TV** ['peɪˌti:vi:] betal-TV
PE förk. för *physical education*
pea [pi:] ärt[a]; *green ~s* gröna ärter; *as like as two ~s* [*in a pod*] lika som två bär
peace [pi:s] fred; fredsslut; frid, lugn, stillhet; *on a ~ footing* på fredsfot; ~ *of mind* (*soul*) sinnesfrid; *find ~* finna sinnesro ([sinnes]frid); *may he rest in ~!* må han vila i frid!; *breach of the ~* brott mot (störande av) den allmänna ordningen; *Justice of the P~* fredsdomare
peaceable ['pi:səbl] fredlig; fridsam [~ *disposition*]
peaceful ['pi:sf(ʊ)l] fridfull, stilla [~ *death*, ~ *evening*]; fredlig [~ *times*], fredligt sinnad
peace-loving ['pi:sˌlʌvɪŋ] fredsälskande
peach [pi:tʃ] **1** persika; *~es and cream complexion* persikohy **2** persikoträd **3** vard., *a ~* [*of a girl*] en jättesöt tjej
peacock ['pi:kɒk] påfågel
peahen [ˌpi:'hen, attr. 'pi:hen] påfågel[shöna]
peak [pi:k] **I** *s* **1** spets; bergstopp, bergsspets **2** mösskärm **3** topp, höjdpunkt; maximum; [*unemployment reached*] ~ *figures* ...toppsiffror; *at ~ hours* [*of traffic*] under högtrafik, vid rusningstid; *during ~ viewing hours* på bästa sändningstid i TV; ~ *performance* topprestation **II** *vb itr* nå en topp (höjdpunkt) [*sales ~ in June*]
1 peaked [pi:kt] spetsig, toppig; konliknande; ~ *cap* skärmmössa
2 peaked [pi:kt] vard. avtärd, snipig
peal [pi:l] **I** *s* **1** [stark] klockringning; klockklang **2** klockspel äv. konkr. **3** skräll; [orgel]brus; ~ *of applause* rungande applåd[er] **II** *vb itr* ringa; brusa; skrälla; skalla; runga
peanut ['pi:nʌt] **1** jordnöt; ~ *butter* jordnötssmör **2** vard., pl. *~s* 'småpotatis'; en struntsumma
pear [peə] **1** päron **2** päronträd
pearl [pɜ:l] **1** pärla [*a necklace of ~s*; *she's a ~*]; *cast ~s before swine* kasta pärlor för svin **2** pärlemor **3** pärl- [~ *necklace*]; pärlemor-
pearl-diver ['pɜ:lˌdaɪvə] pärlfiskare
pearly ['pɜ:lɪ] **1** pärlliknande, [genomskinlig] som en pärla; pärlformig **2** *the ~ gates* pärleportarna, himmelens [tolv] portar
peasant ['pez(ə)nt] **1** bonde isht på den europeiska kontinenten; småbrukare; jordbruks-, lant- [~ *labour*] **2** vard. lantis; bondtölp
peasantry ['pez(ə)ntrɪ] allmoge, [små]bönder
pea-shooter ['pi:ʃu:tə] ärtbössa
pea soup [ˌpi:'su:p] gul ärtsoppa
peat [pi:t] **1** torv[strö] **2** [bränn]torv
pebble ['pebl] småsten, klappersten; *you are not the only ~ on the beach* det finns andra än du här i världen
1 peck [pek] **1** mått för torra varor 1/4 bushel: a) britt. =9,087 l b) amer. = 8,810 l **2** vard. massa [*a ~ of troubles* (*dirt*)], hop
2 peck [pek] **I** *vb tr* **1** picka (hacka) på (i); hacka hål i [äv. ~ *a hole in*] **2** a) om fåglar picka, picka i sig [ofta ~ *up*] b) vard. äta, plocka i sig; peta i **3** vard. kyssa lätt (flyktigt) **II** *vb itr* picka, hacka; peta; ~ *at* a) hacka (picka) på (i) b) bildl. hacka (anmärka) på c) vard. [bara] peta i [~ *at one's food*] **III** *s* **1** a) pickande, hackande b) hack, märke **2** vard. lätt (flyktig) kyss
peckish ['pekɪʃ] vard. sugen [*feel ~*]
peculiar [pɪ'kju:ljə] **1** egendomlig, karakteristisk [*an expression ~ to the North*] **2** märklig, egendomlig, underlig, säregen **3** särskild
peculiarity [pɪˌkju:lɪ'ærətɪ] egenhet; säregenhet; egenart

peculiarly [pɪ'kju:ljəlɪ] **1** särskilt **2** särdeles; i synnerhet **3** besynnerligt [*dress* ~], på ett besynnerligt sätt
pecuniary [pɪ'kju:njərɪ] pekuniär, penning- [~ *difficulties*]
pedagogue ['pedəgɒg] lärare
pedagogy ['pedəgɒdʒɪ, -gɒgɪ] **1** pedagogik **2** undervisning
pedal ['pedl] **I** *s* pedal; *loud* ~ vard. högerpedal på piano o.d. **II** *adj* pedal-; tramp- [~ *cycle*]; ~ *boat* trampbåt **III** *vb itr* använda pedal[en] (pedalerna); trampa **IV** *vb tr* trampa [~ *a cycle*]
pedant ['ped(ə)nt] pedant; formalist
pedantic [pɪ'dæntɪk] pedantisk; formalistisk
pedantry ['ped(ə)ntrɪ] pedanteri; formalism
peddle ['pedl] **I** *vb itr* [gå omkring och] sälja på gatan (vid dörrarna) **II** *vb tr* gå omkring och sälja (bjuda ut); torgföra [~ *one's ideas*]; ~ *narcotics* langa narkotika
peddler ['pedlə] langare; *drug* ~ narkotikalangare
pedestal ['pedɪstl] **1** piedestal äv. bildl. [*put* (*set*) *on a* ~]; fotstycke, bas **2** hurts
pedestrian [pə'destrɪən] **I** *adj* **1** [som går] till fots; fot- [~ *tour* (vandring)]; gång- [~ *distances*] **2** avsedd för fotgängare; ~ *crossing* övergångsställe; ~ *street* gågata **3** prosaisk, trivial; torr **II** *s* fotgängare
pedicure ['pedɪkjʊə] **I** *s* pedikyr; fotvård **II** *vb tr* pedikyrera
pedigree ['pedɪgri:] stamträd, stamtavla; härkomst; ~ *cattle* stambokförd boskap
pedlar ['pedlə] gatuförsäljare
pee [pi:] vard. **I** *s* kiss; *have* (*go for*) *a* ~ kissa **II** *vb itr* kissa
peek [pi:k] **I** *vb itr* kika **II** *s* titt, [förstulen] blick; *have* (*take*) *a* ~ *at* ta en titt på
peek-a-boo [ˌpi:kə'bu:] **I** *s* tittut lek **II** *interj*, ~*!* tittut!
peel [pi:l] **I** *s* skal på frukt o.d. **II** *vb tr* skala frukt o.d.; barka [av] träd; ~ [*off*] skala av (bort) **III** *vb itr* **1** släppa skalet, fälla (släppa) barken **2** ramla (falla, flaga) av, flagna [äv. ~ *off*] **3** vard., ~ [*off*] ta (slänga) av sig kläderna, klä av sig
1 peep [pi:p] **I** *vb itr* **1** om fågelunge, råtta o.d. pipa **2** säga ett knyst [*he never dared to* ~ *again*] **II** *s* **1** pip **2** knyst; *don't let me hear another* ~ *out of you!* jag vill inte höra ett knyst till från dig!
2 peep [pi:p] **I** *vb itr* **1** kika, titta; ~ *through the keyhole* kika genom (i) nyckelhålet **2** börja bli synlig, titta (skymta, sticka) fram [ofta ~ *out*] **II** *s* **1** titt, [förstulen] blick; *have* (*take*) *a* ~ *at* ta en titt på, titta (kika) på (in i) **2** första skymt (glimt) **3** a) titthål b) sikte på gevär
peep hole ['pi:phəʊl] kikhål, titthål
1 peer [pɪə] kisa
2 peer [pɪə] **1** like; ~ *group* kamratgrupp **2** pär medlem av högadeln i Storbritannien, ung. adelsman
peerage ['pɪərɪdʒ] **1** *the* ~ pärerna, högadeln **2** pärsvärdighet
peerless ['pɪələs] makalös
peeve [pi:v] vard. irritera, reta; ~*d at* irriterad (förargad) över (på), arg på
peevish ['pi:vɪʃ] retlig, vresig; irriterad [~ *remark*]; gnällig [~ *child*]
peg [peg] **I** *s* **1** pinne; sprint; tapp; pligg; *he is a square* ~ *in a round hole* han är fel man på den platsen (för den uppgiften) **2** [stäm]skruv på stränginstrument; bildl. pinnhål; *come down a* ~ *or two* bildl. stämma ner tonen **3** klädnypa **4** hängare [*hat* ~]; *off the* ~ vard. konfektionssydd, färdigsydd **II** *vb tr* **1** fästa [med en pinne (pinnar etc., jfr *I 1*)]; tappa möbler o.d.; pligga; ~ [*down*] bildl. binda **2** fixera [~ *prices*] **3** ~ [*out*] märka ut (markera) [med pinnar], staka ut; ~ [*out*] *one's claim* bildl. lägga fram sina krav **III** *vb itr* **1** ~ [*away* (*on, along*)] vard. jobba (knoga) 'på [*at a th.* med ngt] **2** traska [~ *along the road*]; kila [~ *down the stairs*] **3** ~ *out* vard. trilla av pinn, kola av dö
pejorative [pɪ'dʒɒrətɪv] språkv. **I** *adj* pejorativ nedsättande **II** *s* pejorativt ord
peke [pi:k] vard. pekin[g]es hund
Pekinese [ˌpi:kɪ'ni:z] **I** *adj* Peking- **II** (pl. lika) *s* pekin[g]es [äv. ~ *dog* (*spaniel*)]
pelican ['pelɪkən] **1** zool. pelikan **2** ~ *crossing* övergångsställe med knappar (manuellt reglerade signaler)
pellet ['pelɪt] **1** liten kula av trä, papper, bröd osv.; pellet **2** [bly]hagel för luftbössa **3** fågels spyboll
pell-mell [ˌpel'mel] **1** huller om buller **2** huvudstupa
pelmet ['pelmɪt] [gardin]kappa; kornisch
1 pelt [pelt] **I** *vb tr* kasta [~ *stones*]; bombardera **II** *vb itr* **1** om regn, snö vräka; ~*ing rain* slagregn, störtregn **2** rusa (kuta) [i väg] **III** *s* **1** slag **2** piskande av regn **3** [*at*] *full* ~ i full fart
2 pelt [pelt] djurs fäll; oberett skinn; hud
pelv|is ['pelv|ɪs] (pl. *-es* [-i:z] el. *-ises*) anat. bäcken
1 pen [pen] **I** *s* **1** fålla; hönsbur; box i svinhus **2** [barn]hage **II** *vb tr* stänga in [i en fålla etc., jfr *I*], spärra in [ofta ~ *up* (*in*); ~*ned up in a house*]
2 pen [pen] **I** *s* penna; *put* ~ *to paper* fatta pennan **II** *vb tr* skriva; teckna ned
3 pen [pen] amer. vard. (kortform för *penitentiary*), fängelse; *the* ~ kåken
penal ['pi:nl] **1** straff-; fångvårds-; ~ *colony* straffkoloni **2** straffbar [~ *act*], kriminell
penalize ['pi:nəlaɪz] **1** belägga med straff;

straffa **2** sport. a) straffa b) belasta med (ge) minushandicap
penalty ['penltɪ] **1** [laga] straff; vite; skadestånd vid kontraktsbrott o.d.; *on ~ of death* vid dödsstraff **2** sport. **a)** ~ [*kick*] fotb. straff[spark]; ~ *area* (*box*) fotb. straffområde; ~ *box* i ishockey utvisningsbås **b)** handicap
penance ['penəns] bot, botövning; *do ~* göra bot [*for* för]
pence [pens] pl. av *penny*
penchant ['pɒŋʃɒn, 'pɑ:ŋʃɑ:n, isht amer. 'pen(t)ʃənt] böjelse
pencil ['pensl] **I** *s* **1** [blyerts]penna; ritstift **2** stift isht med. [*styptic ~*]; penna [*eyebrow ~*] **3** strålknippe **II** *vb tr* **1** rita (skriva, skissera) [med blyerts]; *~led eyebrows* ögonbryn målade med ögonbrynspenna **2** med. pensla
pencil-sharpener ['pensl͵ʃɑ:p(ə)nə] pennvässare
pendant ['pendənt] **1** hänglampa **2** a) prisma i kristallkrona b) hängsmycke [äv. *ear ~*] **3** pendang, motsvarighet
pending ['pendɪŋ] **I** *adj* **1** oavgjord; pågående; oavslutad [*matters ~*]; *the lawsuit was ~* målet var inte avgjort; *patent*[*s*] *~* patentsökt **2** förestående; *there was a by-election ~* äv. ett fyllnadsval stod för dörren **II** *prep* **1** i avvaktan på [*~ his return*] **2** under [loppet av]; [*no action can be taken*] *~ the trial* ...medan rättegången pågår
pendulum ['pendjʊləm] pendel; *the swing of the ~* bildl. opinionens svängning[ar]
penetrate ['penətreɪt] **I** *vb tr* **1** tränga igenom [*~ the darkness*], bryta igenom [*~ the enemy's lines*]; sprida sig (slå igenom) i [*new ideas that ~d those countries*], nästla sig in, bryta in på (i) [*~ the European market*] **2** a) genomskåda [*~ a disguise*] b) tränga in i, penetrera [*~ a p.'s mind*] **II** *vb itr* tränga in äv. bildl.; tränga fram, bana sig väg, slå igenom [*new ideas ~ slowly*]
penetrating ['penətreɪtɪŋ] **1** genomträngande, skarp [*~ cold*; *~ cry*; *~ smell*] **2** inträngande [*~ analysis*]
penetration [͵penə'treɪʃ(ə)n] **1** genomträngande, inträngande äv. bildl.; infiltration [*peaceful ~*] **2** mil. a) genombrott b) projektils genomslag[sförmåga] **3** skarpsinne
pen friend ['penfrend] brevvän
penguin ['peŋgwɪn] zool. pingvin
penicillin [͵penə'sɪlɪn] penicillin
peninsula [pə'nɪnsjʊlə, pe'n-] halvö; *the* [*Iberian*] *P~* Pyreneiska halvön
peninsular [pə'nɪnsjʊlə] halvöliknande
pen|is ['pi:n|ɪs] (pl. *-ises* el. *-es* [-i:z]) penis
penitence ['penɪt(ə)ns] botfärdighet, ånger
penitent ['penɪt(ə)nt] **I** *adj* botfärdig, ångerfull **II** *s* botgörare
penitentiary [͵penɪ'tenʃərɪ] **I** *s* straffanstalt; amer. fängelse **II** *adj* straff- [*~ system*]
penknife ['pennaɪf] (pl. *penknives*) pennkniv
pen name ['penneɪm] pseudonym
pennant ['penənt] **1** sjö. standert **2** vimpel
penniless ['penɪləs] utan ett öre
penny ['penɪ] (pl.: när mynten avses *pennies*, när värdet avses *pence*) penny eng. mynt = 1/100 pund (före 1971 = 1/12 shilling); amer. vard. encentmynt, encentare; *look at every ~* se på slantarna; *~ dreadful* vard. billig rysare; *a ~ for your thoughts* vad är det du tänker på?; *spend a ~* vard. gå på ett visst ställe, gå på toa; *turn* (*make, earn*) *an honest ~* tjäna en slant
penny-wise ['penɪwaɪz, ͵--'-] småsnål; *be ~ and pound-foolish* låta snålheten bedra visheten
pen pal ['penpæl] brevvän
pen-pusher ['pen͵pʊʃə] vard. **1** kontorsslav **2** pennfäktare enkel skribent
pension ['penʃ(ə)n, i bet. *I 2* 'pɑ:ŋsɪɔ:ŋ] **I** *s* **1** pension; årligt underhåll (understöd); *~ contribution* pensionsbidrag **2** a) pensionat b) pension skola **II** *vb tr* pensionera; *~ off* ge [avsked med] pension
pensionable ['penʃ(ə)nəbl] pensionsberättigad; pensions- [*~ age*]; pensionsmässig
pensioner ['penʃ(ə)nə] pensionär
pensive ['pensɪv] tankfull
pentagon ['pentəgən] geom. femhörning; *the P~* Pentagon amerikanska försvarshögkvarterets femkantiga byggnad nära Washington
pentathlon [pen'tæθlɒn, -ən] sport. femkamp
Pentecost ['pentɪkɒst] pingst[dagen]
penthouse ['penthaʊs] **1** [lyxig] takvåning **2** tillbyggt skjul med snedtak
pent-up ['pentʌp, pred. ͵-'-] undertryckt [*~ emotions*], förträngd
penultimate [pə'nʌltɪmət, pe'n-] **I** *adj* näst sista; *~ accent* tryck på näst sista stavelsen **II** *s* penultima näst sista stavelsen
penury ['penjʊrɪ] armod
peony ['pɪənɪ] bot. pion
people ['pi:pl] **I** (konstr. i bet. *1* ibl. ss. pl., i bet. *2-6* alltid ss. pl.) *s* **1** folk [*the English ~*], nation, folkslag [*primitive ~s*] **2** folk; menighet; *the* [*broad mass of the*] *~* de breda lagren, den stora massan **3** vard. anhöriga, närmaste, familj; släkt[ingar]; *my ~* äv. de mina **4** människor[na], personer; folk; *Chinese ~* [*in the USA*] kineser[na]...; *fifty ~* 50 människor

(personer) **5** folk, man; ~ *say* folk (man) säger, det sägs **6** amer. jur., *the P~ versus Brown* staten mot Brown **II** *vb tr* befolka; bildl. äv. fylla, uppfylla

pep [pep] vard. **I** *s* fart, kläm **II** *vb tr, ~ up* pigga upp, sätta fart på

pepper ['pepə] **I** *s* **1** peppar **2** paprika [*green (red) ~*] **II** *vb tr* **1** peppra; bildl. äv. krydda; peppra på **2** peppra [på], beskjuta; bombardera [*~ with questions*] **III** *vb itr* peppra

peppermint ['pepəmənt, -mɪnt] pepparmynta; pepparmint

peppery ['pepərɪ] **1** pepparliknande, peppar-; pepprig **2** bildl. hetsig, ettrig

pep pill ['peppɪl] vard. uppiggande piller (tablett)

pep talk ['peptɔ:k] vard. peptalk kort uppeldande tal före idrottstävling o.d.

per [pɜ:, obeton. pə] lat. per, genom; *~ annum* [pər'ænəm] om året, per år, årligen

perambulate [pə'ræmbjʊleɪt] **I** *vb tr* vandra (resa, ströva) igenom (omkring i) **II** *vb itr* vandra (promenera, resa) omkring

perambulator [pə'ræmbjʊleɪtə] se *pram*

perceive [pə'si:v] **1** märka, se; psykol. percipiera **2** uppfatta, förnimma **3** fatta

percentage [pə'sentɪdʒ] procent; procenttal; procentsats; procenthalt; [an]del; *get a ~ on a th.* få provision (procent) på ngt; *there's no ~ in it* vard. det vinner man inget på; det är ingen vits med det

perceptible [pə'septəbl] märkbar [*~ to* (för) *the eye*], förnimbar; fattbar

perception [pə'sepʃ(ə)n] **1** iakttagelseförmåga [äv. *faculty of ~*], uppfattning[sförmåga] **2** psykol. perception

perceptive [pə'septɪv] insiktsfull; skarp [*a ~ eye*]

1 perch [pɜ:tʃ] (pl. lika el. ibl. *~es*) abborre

2 perch [pɜ:tʃ] **I** *s* **1** sittpinne, pinne för höns o.d.; bildl. upphöjd (säker) position; *come off your ~!* vard. kliv ner från dina höga hästar! **2** a) mätstång b) längdmått 5,5 *yards* = 5,029 m c) ytmått 1/160 *acre* = 25,290 m^2 **II** *vb itr* [flyga upp och] sätta sig [*the birds ~ed on the television aerial*]; klättra upp och sätta sig; klänga sig fast; [sitta och] balansera **III** *vb tr* sätta [upp], placera på pinne el. hög plats; *~ed [up]on a tree* uppflugen i ett träd

percolate ['pɜ:kəleɪt] **I** *vb tr* **1** tränga igenom **2** filtrera; sila; brygga [*~ coffee*] **3** låta rinna, låta passera **II** *vb itr* **1** sila (sippra, rinna) [igenom] **2** bryggas [färdig]

percolator ['pɜ:kəleɪtə] **1** kaffebryggare **2** filtreringsapparat, perkolator

percussion [pə'kʌʃ(ə)n] slag, stöt; med. perkussion; *~ cap* tändhatt, knallhatt

percussionist [pə'kʌʃ(ə)nɪst] mus. slagverkare

peremptory [pə'rem(p)t(ə)rɪ] myndig [*~ manner*], diktatorisk [*~ command*], befallande

perennial [pə'renjəl] **I** *adj* **1** ständig, ständigt återkommande [*~ attacks of the disease*]; varaktig; evig [*~ joke*] **2** bot. perenn **II** *s* perenn (flerårig) växt

perfect [ss. adj. o. subst. 'pɜ:fekt, ss. vb pə'fekt] **I** *adj* **1** perfekt [*the ~ crime*], fulländad [*a ~ gentleman*], fullkomlig; *practice makes ~* övning ger färdighet **2** fullständig; ren; *~ circle* exakt cirkel **3** fullkomlig [*~ stranger*], riktig [*he is a ~ nuisance* (plåga)]; *~ nonsense* rent nonsens **4** vard. underbar, perfekt, fantastisk, väldigt fin [*a ~ day*]; *in ~ harmony* i fullkomlig (rörande) harmoni **5** gram., *~ participle* perfekt particip; supinum **II** *s* gram., *the [present] ~* perfekt **III** *vb tr* göra perfekt etc.; fullkomna [*~ a method*]; förbättra [*~ an invention*]; *~ one's skill* träna upp sin skicklighet

perfectible [pə'fektəbl] utvecklingsbar

perfection [pə'fekʃ(ə)n] **1** fullkomnande [*~ of details*]; förbättring **2** fulländning, perfektion; höjd[punkt]; *to ~* perfekt, på ett fulländat sätt

perfectionist [pə'fekʃənɪst] vard. perfektionist

perforate [ss. vb 'pɜ:fəreɪt, ss. adj. 'pɜ:fərət] **I** *vb tr* perforera; borra (sticka) igenom; *~d ulcer* med. brustet magsår **II** *adj* perforerad; genomborrad

perforation [ˌpɜ:fə'reɪʃ(ə)n] perforering; genomborrande; tandning på frimärke; hål, öppning; med. el. tekn. perforation

perform [pə'fɔ:m] **I** *vb tr* **1** utföra [*~ a task*], verkställa [*~ a command*], uträtta [*~ an errand*]; förrätta [*~ a marriage ceremony* (en vigsel)]; fullgöra [*~ a contract; ~ a duty*] **2** framföra, spela [*~ a piece of music*], uppföra [*~ a play*]; *~ tricks* om djur göra konster **II** *vb itr* **1** uppträda [*~ in the role of Hamlet*]; spela; sjunga; om djur göra konster **2** fungera; tjänstgöra

performance [pə'fɔ:məns] **1** utförande etc., jfr *perform* **2** prestation; verk **3** prestanda, prestationsförmåga **4** föreställning [*give a ~*], konsert, uppförande av pjäs o.d.; uppträdande; föredrag, framställning; *first ~* urpremiär; premiär

performer [pə'fɔ:mə] uppträdande om person el. djur; spelande; spelare; artist, aktör

performing [pə'fɔ:mɪŋ] **I** *pres p* o. *s* utförande etc., jfr *perform*; *~ rights*

uppföranderätt **II** *adj* dresserad [*a ~ elephant*]; utövande [*a ~ artist*]
perfume [ss. subst. 'pɜ:fju:m, ss. vb vanl. pə'fju:m] **I** *s* **1** doft, vällukt **2** parfym **II** *vb tr* parfymera, fylla med vällukt
perfumer [pə'fju:mə] parfymhandlare
perfunctory [pə'fʌŋ(k)t(ə)rɪ] slentrianmässig, rutinmässig; oengagerad; ytlig
perhaps [pə'hæps, præps] kanske; möjligen; ~ *so* kanske det
peril ['per(ə)l, 'perɪl] högtidl. fara, våda, farlighet; risk; *at the ~ of one's life* med fara för livet
perilous ['perələs] farlig
perimeter [pə'rɪmɪtə] omkrets; matem. el. med. äv. perimeter
period ['pɪərɪəd] **1** period; tidsperiod, skede, tidevarv; *the Elizabethan ~* den elisabetanska tiden (perioden); ~ *furniture* stilmöbler **2** lektion; *free ~* håltimme; *20 ~s a week* äv. 20 veckotimmar **3** a) punkt isht tecknet; slut b) paus; *~!* amer. punkt och slut!, och därmed basta! **4** menstruation [äv. pl. *~s*]
periodic [ˌpɪərɪ'ɒdɪk] periodisk; periodiskt återkommande
periodical [ˌpɪərɪ'ɒdɪk(ə)l] **I** *adj* se *periodic* **II** *s* periodisk skrift, tidskrift; ~ *room* tidskriftsrum
peripheral [pə'rɪfər(ə)l] perifer[isk], yttre
periphery [pə'rɪfərɪ] periferi
periscope ['perɪskəʊp] periskop
perish ['perɪʃ] **I** *vb itr* **1** omkomma, förgås [*~ with* (av) *hunger*], dö; *~ the thought!* Gud förbjude!, det skulle aldrig falla mig in! **2** gå förlorad; förstöras; avtyna **II** *vb tr* förstöra; *be ~ed with cold* vara halvt ihjälfrusen
perishable ['perɪʃəbl] **I** *adj* **1** förgänglig **2** lättförstörbar, ömtålig [*~ goods*] **II** *s*, pl. *~s* hand. halvkonserver, dagligvaror
perishing ['perɪʃɪŋ] **I** *adj* förfärlig; förbaskad **II** *adv* förfärligt, förbaskat
peritonitis [ˌperɪtə(ʊ)'naɪtɪs] med. bukhinneinflammation
perjure ['pɜ:dʒə], *~ oneself* begå mened, svära falskt; vittna falskt
perjury ['pɜ:dʒ(ə)rɪ] mened; *commit ~* begå mened
1 perk [pɜ:k] **I** *vb itr, ~ up* piggna till, repa sig **II** *vb tr* sätta upp, lyfta [på]
2 perk [pɜ:k] vard., se *percolate*
3 perk [pɜ:k] vard. kortform för *perquisite*; vanl. pl. *~s* löneförmåner, fringisar; dricks
perky ['pɜ:kɪ] **1** käck, ärtig [*a ~ hat*]; pigg **2** morsk; framfusig, näsvis
1 perm [pɜ:m] **I** *s* (kortform för *permanent wave*) **1** permanent; *have a ~* [låta] permanenta sig **2** permanentat hår **II** *vb tr* permanenta; *~ one's hair* [låta] permanenta sig
2 perm [pɜ:m] vard. (kortform för *permutation*) system vid tippning; systemtips
permanence ['pɜ:mənəns] beständighet; varaktighet; permanens
permanent ['pɜ:mənənt] permanent [*of ~ value*], ständig; varaktig [*~ position*], fast [*~ address*]; *~ wave* permanentning
permanently ['pɜ:mənəntlɪ] permanent, varaktigt, för framtiden; ständigt
permeable ['pɜ:mjəbl] genomtränglig
permeate ['pɜ:mɪeɪt] **I** *vb tr* tränga igenom (in i, ner i); sprida (breda ut) sig i; bildl. äv. genomsyra **II** *vb itr* tränga igenom (in); sprida (breda ut) sig
permissible [pə'mɪsəbl] tillåtlig; *it is ~* äv. det är tillåtet
permission [pə'mɪʃ(ə)n] tillåtelse, lov; *by ~ of...* med tillstånd av...
permissive [pə'mɪsɪv] **1** som tillåter valfrihet, fakultativ [*~ legislation*] **2** tolerant; släpphänt; frigjord; *the ~ society* det kravlösa samhället
permit [ss. vb pə'mɪt, ss. subst. 'pɜ:mɪt] **I** *vb tr* tillåta, medge; *weather ~ting* om vädret tillåter **II** *vb itr, ~ of* tillåta, medge **III** *s* tillstånd; licens; passersedel; *fishing ~* fiskekort; *work ~* arbetstillstånd
permutation [ˌpɜ:mjʊ'teɪʃ(ə)n] **1** matem. permutation **2** systemtips
pernicious [pə'nɪʃəs] [ytterst] skadlig; livsfarlig [*~ disease*]
pernickety [pə'nɪkətɪ] vard. [pet]noga, pedantisk; fjäskig
peroxide [pə'rɒksaɪd] **I** *s* kem. peroxid; *hydrogen ~* el. *~* [*of hydrogen*] väteperoxid, vätesuperoxid **II** *adj* **1** peroxid- **2** blekt; *a ~ blonde* en platinablond kvinna
perpendicular [ˌpɜ:p(ə)n'dɪkjʊlə] **I** *adj* lodrät; geom. perpendikulär; vinkelrät; skämts., om pers. upprätt [*be* (stå) *~*], stående rätt upp och ner **II** *s* **1** geom. normal **2** lodrätt plan (läge); *a little out of the ~* inte riktigt lodrät
perpetrate ['pɜ:pətreɪt] föröva, begå
perpetrator ['pɜ:pətreɪtə] förövare
perpetual [pə'petʃʊəl, -tjʊəl] ständig [*~ chatter*]; evig [*~ nagging*; *~ damnation*]; *~ calendar* evighetskalender
perpetuate [pə'petʃʊeɪt, -'petjʊ-] föreviga; bevara för all framtid
perpetuity [ˌpɜ:pə'tju:ətɪ] beständighet; evighet; *in* (*to, for*) *~* för evärdlig tid, för all framtid
perplex [pə'pleks] förvirra, förbrylla
perplexity [pə'pleksətɪ] **1** förvirring, bryderi **2** trasslighet; förvirrad situation
perquisite ['pɜ:kwɪzɪt] extra förmån

persecute ['pɜ:sɪkju:t] **1** förfölja [*the Christians were ~d*] **2** ansätta
persecution [ˌpɜ:sɪ'kju:ʃ(ə)n] förföljelse; *~ mania (complex)* förföljelsemani
persecutor ['pɜ:sɪkju:tə] förföljare
perseverance [ˌpɜ:sɪ'vɪər(ə)ns] ihärdighet, uthållighet
persevere [ˌpɜ:sɪ'vɪə] framhärda, hålla ut [*with (at, in)* i (med)], hålla fast
persevering [ˌpɜ:sɪ'vɪərɪŋ] ihärdig, uthållig
Persia ['pɜ:ʃə] Persien
Persian ['pɜ:ʃ(ə)n] **I** *adj* persisk; *~ blinds* utvändiga persienner, spjälluckor **II** *s* **1** perser **2** persiska [språket] **3** perserkatt
persist [pə'sɪst] **1** *~ in* framhärda i, hålla fast vid [*~ in one's opinion*] **2** envisas **3** fortsätta; härda ut
persistence [pə'sɪst(ə)ns] o. **persistency** [pə'sɪst(ə)nsɪ] **1** framhärdande; uthållighet; envishet **2** fortlevande
persistent [pə'sɪst(ə)nt] ihärdig, uthållig; ståndaktig, envis; efterhängsen
person ['pɜ:sn] **1** person äv. gram. [*the first (second, third) ~*]; människa ofta neds. [*who is this ~?*]; *a ~* äv. någon; *in one's own ~* i egen hög person **2** litt. yttre; *she was always neat about her ~* hon var alltid noga med sitt yttre
personable ['pɜ:s(ə)nəbl] attraktiv, charmig
personage ['pɜ:s(ə)nɪdʒ] **1** [betydande] personlighet; person äv. skämts. **2** person, gestalt i drama, roman o.d.; karaktär
personal ['pɜ:sənl] **I** *adj* **1** personlig, privat; egen; *make a ~ call* a) göra ett personligt besök b) ringa ett personligt samtal; *from ~ experience* av egen erfarenhet; *~ life* privatliv; *~ organizer* planeringskalender; *~ record* sport. personbästa **2** person- [*~ name*], personlig [*~ pronoun*] **3** *be (become) ~* gå (komma) in på personligheter **4** yttre, kroppslig; *~ hygiene* personlig hygien **II** *s* **1** personnytt **2** ung. personligt ss. annonsrubrik
personality [ˌpɜ:sə'nælətɪ] **1** psykol. personlighet, individualitet; väsen; *have a dual (split) ~* vara en dubbelnatur; lida av personlighetsklyvning **2** personlighet, personlig karaktär **3** känd person[lighet], kändis; *~ cult* personkult **4** mest pl. *personalities* personligheter [*indulge in* (gå in på) *personalities*]
personally ['pɜ:snəlɪ] **1** personligen; i egen person **2** som människa (person) [*I dislike him ~, but admire his ability*]
personification [pɜ:ˌsɒnɪfɪ'keɪʃ(ə)n] personifikation; förkroppsligande
personify [pɜ:'sɒnɪfaɪ] personifiera; förkroppsliga
personnel [ˌpɜ:sə'nel] personal; *~ carrier* mil. trupptransportfordon; *~ manager (chief, officer)* personalchef
perspective [pə'spektɪv] **1** a) perspektivritning b) perspektivlära [äv. *theory of ~*] **2** perspektiv äv. bildl.; syn; utsikt; *in ~* i [rätt] perspektiv; perspektiviskt
Perspex ['pɜ:speks] ® plexiglas
perspicacious [ˌpɜ:spɪ'keɪʃəs] klarsynt; skarpsinnig
perspicacity [ˌpɜ:spɪ'kæsətɪ] klarsynthet; skarpsinne
perspiration [ˌpɜ:spə'reɪʃ(ə)n] **1** svettning, transpiration **2** svett
perspire [pə'spaɪə] **I** *vb itr* svettas, transpirera **II** *vb tr* svettas [ut]
persuade [pə'sweɪd] **1** övertyga; intala **2** övertala
persuasion [pə'sweɪʒ(ə)n] **1** övertalning; övertygande **2** övertalningsförmåga [äv. *power[s] (gift) of ~*] **3** övertygelse äv. religiös
persuasive [pə'sweɪsɪv] övertalande; övertygande; bevekande
pert [pɜ:t] **1** näsvis **2** isht amer. livlig
pertain [pɜ:'teɪn, pə't-], *~ to* a) tillhöra b) hänföra sig till, gälla
pertinent ['pɜ:tɪnənt] relevant, som hör till saken; tillämplig; lämplig, träffande
perturb [pə'tɜ:b] oroa
Peru [pə'ru:]
perusal [pə'ru:z(ə)l] [genom]läsning
peruse [pə'ru:z] läsa igenom [noggrant]
Peruvian [pə'ru:vjən] **I** *adj* peruansk, Peru-; *~ bark* farmakol. kinabark **II** *s* peruan
pervade [pə'veɪd, pɜ:'v-] **I** *vb tr* gå (tränga) igenom; genomsyra **II** *vb itr* vara förhärskande [*a place where this spirit ~s*]
pervasive [pə'veɪsɪv, pɜ:'v-] genomträngande [*~ smell*]; genomgripande
perverse [pə'vɜ:s] **1** motsträvig, vresig; egensinnig; halsstarrig **2** vrång
perversion [pə'vɜ:ʃ(ə)n] **1** förvrängning [*a ~ of facts*], förvanskning **2** onaturlighet, abnorm förändring **3** perversitet; sexuell perversion
perversity [pə'vɜ:sətɪ] **1** fördärv; förvändhet **2** förstockelse
pervert [ss. vb pə'vɜ:t, ss. subst. 'pɜ:vɜ:t] **I** *vb tr* **1** förvränga, förvanska [*~ the truth*] **2** fördärva, förföra, förleda **II** *s* pervers [individ]
perverted [pə'vɜ:tɪd] **1** förvrängd etc., jfr *pervert I* **2** pervers; abnorm
pessary ['pesərɪ] **1** pessar **2** vagitorium
pessimism ['pesɪmɪz(ə)m] pessimism
pessimist ['pesɪmɪst] pessimist
pessimistic [ˌpesɪ'mɪstɪk] pessimistisk

pest [pest] **1** plåga, otyg äv. om pers. **2** skadedjur, skadeinsekt; skadeväxt
pester ['pestə] **1** plåga, ansätta **2** vard. tjata på
pesticide ['pestɪsaɪd] pesticid, bekämpningsmedel
pestilence ['pestɪləns] pest; bildl. äv. pestsmitta
pestilent ['pestɪlənt] **1** dödsbringande; förpestad **2** fördärvlig **3** pestartad, pest-
pestle ['pesl, -stl] mortelstöt
1 pet [pet] **I** *s* **1** sällskapsdjur **2** kelgris, gullgosse; älskling; *you're a perfect ~* du är en ängel (raring) **3** älsklings- [*~ pupil*; *~ phrase*]; sällskaps- [*~ dog*]; *my ~ aversion* det värsta jag vet, min fasa; *~ name* smeknamn **II** *vb tr* **1** kela med; hångla med **2** skämma bort **III** *vb itr* pussas, kela; hångla
2 pet [pet] **I** *s* anfall av dåligt humör; *be in a ~* se *II* **II** *vb itr* vara ur humör
petal ['petl] bot. kronblad
peter ['pi:tə] vard., *~ out* ebba ut, sina, ta slut
petite [pə'ti:t] liten och nätt om kvinna
petition [pə'tɪʃ(ə)n] **I** *s* **1** begäran, anhållan, bön **2** petition; ansökan; jur. [skriftlig] framställning till domstol; inlaga; *file a ~* inlämna en ansökan [*for* om] **II** *vb tr* **1** begära, anhålla om [*~ assistance*] **2** göra framställning (hemställa) hos, inlämna en petition till
petitioner [pə'tɪʃ(ə)nə] **1** kärande i skilsmässoprocess **2** supplikant; petitionär
petrel ['petr(ə)l] **1** zool. stormfågel **2** bildl., *stormy ~* orosstiftare, oroselement
petrify ['petrɪfaɪ] **I** *vb tr* förvandla till sten; förstena äv. bildl.; *petrified with terror* förstenad (lamslagen) av skräck **II** *vb itr* förstenas äv. bildl.
petrochemical [ˌpetrə(ʊ)'kemɪkl] petrokemisk
petrol ['petr(ə)l, -ɒl] bensin; *~ can* bensindunk; *~ station* bensinstation, bensinmack
petroleum [pə'trəʊljəm] petroleum; *~ jelly* vaselin
petticoat ['petɪkəʊt] underkjol; pl. *~s* fruntimmer, kjoltyg
pettifogging ['petɪfɒgɪŋ] **I** *s* **1** lagvrängning **2** krångel **II** *adj* **1** lagvrängande **2** småaktig [*~ critic*]; trivial
petty ['petɪ] **1** liten; trivial; strunt-; *~ cash* a) småposter b) handkassa **2** småsint **3** lägre; små- [*~ kings*; *~ states*]; *~ bourgeois* småborgare **4** i marina grader, *~ officer* sergeant; yngre överfurir
petulant ['petjʊlənt] retlig; grinig
petunia [pə'tju:njə] bot. petunia
pew [pju:] [fast] kyrkbänk; vard. sittplats; *take a ~!* slå dig ner!
pewter ['pju:tə] **1** tenn[legering]; tenn- [*~ ware*] **2** tennkärl
PG [ˌpi:'dʒi:] (förk. för *parental guidance*) film. tillåten för barn endast i vuxens sällskap
pH [ˌpi:'eɪtʃ] kem. pH; *~ value* el. *index of ~* pH-värde
phallic ['fælɪk] fallos-
phantom ['fæntəm] **1** fantasifoster, inbillningsfoster; vision **2** spöke; vålnad
pharmaceutical [ˌfɑ:mə'su:tɪk(ə)l, -'sju:-] farmaceutisk, apotekar-; *~ chemist* [examinerad] apotekare, farmaceut
pharmacist ['fɑ:məsɪst] apotekare
pharmacologist [ˌfɑ:mə'kɒlədʒɪst] farmakolog
pharmacology [ˌfɑ:mə'kɒlədʒɪ] farmakologi
pharmacy ['fɑ:məsɪ] **1** apotek **2** farmaci
phase [feɪz] **I** *s* fas äv. fys., tekn. el. astron. [*the ~s of the moon*]; skede [*the early ~s of the revolution*]; stadium **II** *vb tr* **1** planera **2** synkronisera; *~ out* gradvis (etappvis) avveckla (reducera), ta bort
Ph. D. [ˌpi:eɪtʃ'di:] förk. för *Doctor of Philosophy*
pheasant ['feznt] fasan; *hen ~* fasanhöna
phenomenal [fə'nɒmɪnl] fenomenal, enastående
phenomen|on [fə'nɒmɪn|ən] (pl. *-a* [-ə]) fenomen; företeelse; *infant ~* underbarn
phew [fju:] uttr. otålighet, utmattning, besvikelse el. lättnad, *~!* puh!; usch!, äsch!, äh!
phial ['faɪ(ə)l] liten [medicin]flaska
philanderer [fɪ'lændərə] flört person; kurtisör
philanthropic [ˌfɪlən'θrɒpɪk] o. **philanthropical** [ˌfɪlən'θrɒpɪk(ə)l] filantropisk
philanthropist [fɪ'lænθrəpɪst] filantrop
philanthropy [fɪ'lænθrəpɪ] filantropi
philatelist [fɪ'lætəlɪst] filatelist
philately [fɪ'lætəlɪ] filateli
philistine ['fɪlɪstaɪn] **I** *s* **1** bracka **2** *P~* bibl. filisté **II** *attr adj* **1** brackig **2** *P~* filisteisk
philological [ˌfɪlə'lɒdʒɪk(ə)l] filologisk
philology [fɪ'lɒlədʒɪ] filologi
philosopher [fɪ'lɒsəfə] filosof
philosophical [ˌfɪlə'sɒfɪk(ə)l] filosofisk; lugn; vis
philosophize [fɪ'lɒsəfaɪz] filosofera
philosoph|y [fɪ'lɒsəfɪ] **1** filosofi **2** [livs]filosofi, livssyn, livsåskådning [*men of widely different -ies*]
phlegm [flem] **1** slem **2** flegma, tröghet
phlegmatic [fleg'mætɪk] **I** *adj* flegmatisk, trög **II** *s* flegmatiker
phlox [flɒks] bot. flox
phobia ['fəʊbɪə] fobi
phoenix ['fi:nɪks] mytol., *the P~* fågel Fenix

phone [fəʊn] vard. **I** *s* **1** telefon **2** telefonlur **II** *vb tr* o. *vb itr* ringa [till], telefonera [till]; ringa upp
phone booth ['fəʊnbu:ð] o. **phone box** ['fəʊnbɒks] telefonkiosk
phone-in ['fəʊnɪn] radio. el. TV. telefonväktarprogram
phonetic [fə(ʊ)'netɪk] fonetisk; ljud-; ljudenlig; ~ *transcription* fonetisk skrift, ljudskrift
phonetician [ˌfəʊnə'tɪʃ(ə)n, ˌfɒn-] fonetiker
phonetics [fə(ʊ)'netɪks] (konstr. ss. sg.) fonetik
phoney ['fəʊnɪ] sl. **I** *adj* falsk, bluff-, humbug-; dum; misstänkt; *he is* ~ han är en bluff (humbug) **II** *s* bluff, humbug; bluffmakare
phonograph ['fəʊnəgrɑ:f, -græf] fonograf; amer. äv. grammofon
phosphate ['fɒsfeɪt] kem. fosfat
phosphorus ['fɒsf(ə)rəs] kem. fosfor; ~ *chloride* fosforklorid
photo ['fəʊtəʊ] vard. **I** *s* foto **II** *vb tr* o. *vb itr* fota
photocell ['fəʊtə(ʊ)sel] fotocell
photocopier ['fəʊtəʊˌkɒpɪə] kopieringsapparat
photocopy ['fəʊtə(ʊ)ˌkɒpɪ] **I** *s* fotokopia **II** *vb tr* fotokopiera
photoelectric [ˌfəʊtə(ʊ)ɪ'lektrɪk] fotoelektrisk; ~ *cell* fotocell; ~ *effect* fys. fotoeffekt
photogenic [ˌfəʊtə(ʊ)'dʒenɪk] fotogenisk
photograph ['fəʊtəgrɑ:f, -græf] **I** *s* fotografi; *take a p.'s* ~ fotografera ngn **II** *vb tr* o. *vb itr* fotografera
photographer [f(ə)'tɒgrəfə] fotograf
photographic [ˌfəʊtə'græfɪk] fotografisk
photography [f(ə)'tɒgrəfɪ] fotografering ss. konst.
photostat ['fəʊtə(ʊ)stæt] **I** *s* **1** *P~* ® fotostat kopieringsapparat **2** ~ [*copy*] fotostatkopia **II** *vb tr* o. *vb itr* [fotostat]kopiera
photosynthesis [ˌfəʊtə(ʊ)'sɪnθəsɪs] bot. fotosyntes
phrase [freɪz] **I** *s* fras äv. mus.; uttryck; uttryckssätt; *set* ~ stående uttryck, talesätt **II** *vb tr* **1** uttrycka; beteckna **2** mus. frasera
phrase book ['freɪzbʊk] parlör
phrasemonger ['freɪzˌmʌŋgə] frasmakare
phraseology [ˌfreɪzɪ'ɒlədʒɪ] **1** fraseologi; uttryck, fraser **2** språkbruk
physical ['fɪzɪk(ə)l] **I** *adj* **1** fysisk, materiell; konkret; yttre i mots. till själslig; ~ *features* fysiska förhållanden, naturförhållanden **2** fysikalisk; ~ *chemistry* fysikalisk kemi **3** fysisk, kroppslig [~ *beauty*; ~ *love*], kropps- [~ *exercise* (*strength*)]; ~ *culture* kroppskultur; ~ *education* (förk. *PE*) idrott, gymnastik ss. skolämne **II** *s* vard. läkarundersökning; hälsokontroll
physician [fɪ'zɪʃ(ə)n] läkare; medicinare
physicist ['fɪzɪsɪst] fysiker
physics ['fɪzɪks] (konstr. ss. sg.) fysik ss. vetenskap
physiognomy [ˌfɪzɪ'ɒnəmɪ] fysionomi, utseende; ansiktsuttryck, uppsyn
physiological [ˌfɪzɪə'lɒdʒɪk(ə)l] fysiologisk
physiologist [ˌfɪzɪ'ɒlədʒɪst] fysiolog
physiology [ˌfɪzɪ'ɒlədʒɪ] fysiologi
physiotherapist [ˌfɪzɪə(ʊ)'θerəpɪst] sjukgymnast
physiotherapy [ˌfɪzɪə(ʊ)'θerəpɪ] fysioterapi; sjukgymnastik
physique [fɪ'zi:k] fysik [*a man of* (med) *strong* ~]
pianist ['pjænɪst, 'pɪənɪst] pianist
piano [ss. subst. pɪ'ænəʊ, ss. adv. o. adj. 'pjɑ:nəʊ] (pl. *~s*) **I** *s* piano; *cottage* ~ mindre piano; *play the* ~ spela piano **II** *adv* o. *adj* mus. (it.) piano
piano accordion [pɪˌænəʊə'kɔ:djən] pianodragspel
pianoforte [ˌpjænə(ʊ)'fɔ:tɪ] piano, pianoforte
piano-tuner [pɪ'ænəʊˌtju:nə] pianostämmare
piccolo ['pɪkələʊ] (pl. *~s*) piccolaflöjt
1 pick [pɪk] **I** *vb tr* o. *vb itr* **1** plocka [~ *flowers*] **2** peta [~ *one's teeth*], pilla (peta) på (i); ~ *a bone* gnaga [av] ett ben; *have a bone to* ~ *with a p.* bildl. ha en gås oplockad med ngn; ~ *one's nose* peta sig i näsan **3** plocka sönder [äv. ~ *apart,* ~ *to pieces*]; ~ *to pieces* bildl. göra ner, kritisera sönder **4** hacka (hugga) [upp] [~ *a hole in the ice*]; ~ *holes* (*a hole*) *in* hacka hål i (på); bildl. slå hål på, hitta fel hos **5** picka, plocka i sig; ~ [*at*] *one's food* [sitta och] peta i maten **6** plocka [~ *a fowl*] **7** välja [ut] [~ *the best*]; ~ *and choose* välja och vraka; ~ *a quarrel* söka (mucka) gräl; ~ *sides* välja lag **8** stjäla ur, plundra
9 förb. med adv. med spec. övers.:
~ **off** skjuta ner [en efter en]
~ **out**: a) välja [ut] b) peka ut c) [kunna] urskilja [~ *out one's friends in a crowd*] d) ta ut [~ *out a tune on the piano*]
~ **up**: **a**) plocka upp; lyfta [på] [~ *up the phone*]; hämta [*I'll* ~ *you up by car*] **b**) ~ *up the bill* (isht amer. *tab*) vard. betala **c**) *this will* ~ *you up* det här kommer att pigga upp dig **d**) komma över [~ *a th. cheap*], hitta; lägga sig till med [~ *up a bad habit*]; ~ *up a girl* vard. få tag på (ragga upp) en flicka **e**) återfå [~ *up strength*], hämta sig, komma på fötter [*his business is beginning to* ~ *up again*]; ~ *up courage* repa mod **f**) tillägna sig, lära sig [~ *up the correct*

intonation] **g**) fånga upp, uppfatta; ta (få) in [~ *up a radio station*]

II *s* val något utvalt; *the* ~ det bästa, eliten; *have one's* ~ få välja [efter behag]; *take your* ~ varsågod och välj; det är bara att välja

2 pick [pɪk] **1** [spets]hacka **2** mus. plektrum

pickaback ['pɪkəbæk] se *piggyback*

pickaxe ['pɪkæks] **I** *s* [spets]hacka **II** *vb tr* hacka med spetshacka

picket ['pɪkɪt] **I** *s* **1** [spetsad] påle, stake **2** strejkvakt[er]; ~ *line* [linje av] strejkvakter; vaktlinje **3** demonstrant[er] **4** mil. postering, förpost; vakt; piket **II** *vb tr* **1** a) sätta ut strejkvakter vid [~ *a factory*] b) gå strejkvakt vid **2** mil. a) sätta ut postering vid b) skicka ut på post **III** *vb itr* vara (gå) strejkvakt

picking ['pɪkɪŋ] **1** plockning etc., jfr *1 pick I*; *have the* ~ *of* (*from*) få välja bland **2** pl. ~*s* rester, smulor äv. bildl. **3** pl. ~*s* biförtjänster genom fifflande o.d.; utbyte

pickle ['pɪkl] **I** *s* **1** lag för inläggning; saltlake **2** vanl. pl. ~*s* koll. pickles; *onion* ~*s* syltlök **3** vard. knipa [*a nice* (*pretty, sad*) ~]; *be in a pretty* ~ sitta i en riktig knipa, sitta där vackert **II** *vb tr* lägga in [i lag]; marinera; salta ned (in)

pickled ['pɪkld] **1** inlagd; marinerad; salt[ad]; ~ *cucumber* saltgurka; ättiksgurka; ~ *onions* syltlök **2** dragen, på lyran berusad

pick-me-up ['pɪkmɪʌp] vard. uppiggande dryck; drink [som piggar upp]; återställare

pickpocket ['pɪkˌpɒkɪt] ficktjuv

pick-up ['pɪkʌp] **1** på skivspelare pickup; ~ *arm* tonarm **2** liten, öppen varubil, pickup [äv. ~ *truck*] **3** vard. tillfällig bekantskap **4** vard. liftare [som man plockat upp]; om taxi o.d. körning; passagerare; varor [som hämtas] **5** vard. acceleration[sförmåga] **6** vard. uppgång [*a brisk business* ~]

picnic ['pɪknɪk] **I** *s* **1** picknick [*go for* (*on*) *a* ~], utflykt; ~ *hamper* picknickkorg, matsäckskorg **2** vard. enkel sak; *it's no* ~ äv. det är inget nöje (ingen dans på rosor) **II** (imperf. o. perf. p. ~*ked*) *vb itr* göra en utflykt

picnicker ['pɪknɪkə] picknickdeltagare

pictorial [pɪk'tɔːrɪəl] **I** *adj* illustrerad, i bildform **II** *s* bildtidning

picture ['pɪktʃə] **I** *s* **1** bild, illustration; tavla, målning; porträtt [*old* ~*s of the family*]; kort, foto [*take a* ~ *of a p.*] **2** skildring [*a vivid* ~ *of that time*], beskrivning **3** bild, läge [*the political* ~]; *do you get the* ~? vard. har du bilden klar för dig?, fattar du [situationen]?; *he is out of the* ~ vard. han är borta ur bilden **4** avbild; *he is the* [*very*] ~ *of his father* äv. han är sin far upp i dagen **5** film [äv. *motion* ~]; *the* ~*s* vard. bio **6** TV. bild; bildruta [*a 21-inch* ~] **II** *vb tr* **1** avbilda, framställa i bild **2** ge en bild av, skildra **3** föreställa sig [ofta ~ *to oneself*]

picture book ['pɪktʃəbʊk] bilderbok; pekbok

picture card ['pɪktʃəkɑːd] kortsp. (knekt, dam el. kung) klätt kort

picture gallery ['pɪktʃəˌgælərɪ] konstgalleri

picturegoer ['pɪktʃəˌgəʊə] biobesökare

picture postcard [ˌpɪktʃə'pəʊs(t)kɑːd] vykort

picturesque [ˌpɪktʃə'resk] **1** pittoresk **2** målande

piddle ['pɪdl] **I** *vb itr* **1** ngt vulg. pinka **2** kasta (slösa) bort tiden [äv. ~ *about*] **II** *s* ngt vulg. pink

pidgin ['pɪdʒɪn], ~ *English* pidginengelska starkt förenklat halvengelskt blandspråk

pie [paɪ] **1** paj; pastej; amer. äv. tårta med flera bottnar **2** bildl., *have a finger in the* ~ ha ett finger med i spelet; ~ *in the sky* vard. tomma löften; ibl. valfläsk; utopi

piebald ['paɪbɔːld] **I** *adj* **1** fläckig häst **2** bildl. brokig, blandad **II** *s* [svart]skäck häst

piece [piːs] **I** *s* **1** bit [*a* ~ *of bread* (*chalk, ground*)]; del [*a dinner service of 60* ~*s*]; *a* ~ *of advice* ett råd; *he did a good* ~ *of business* han gjorde en god affär; *give a p. a* ~ *of one's mind* säga ngn sin mening **2** stycke, verk; musikstycke [äv. ~ *of music*] **3** mynt [*a fifty-cent* ~, *a five-penny* ~] **4** ackord; *work by the* ~ arbeta på ackord; *payment by the* ~ el. ~ *wages* ackordslön **5** pjäs i schackspel; bricka i brädspel o.d. **II** *vb tr* **1** laga [äv. ~ *up*] **2** sy ihop [~ *a quilt*]; ~ *together* sy ihop; sätta ihop, foga (lägga) ihop äv. bildl. [~ *together bits of information*]; skarva (lappa) ihop **III** *vb itr*, ~ *on to* hänga (passa) ihop med

piecemeal ['piːsmiːl] **I** *adv* **1** stycke för stycke **2** i stycken (bitar) **II** *adj* gradvis; [gjord] bit för bit; lappverks-

piecework ['piːswɜːk] ackordsarbete; *do* ~ arbeta på ackord

pie chart ['paɪtʃɑːt] tårtdiagram

piecrust ['paɪkrʌst] pajskorpa

pied [paɪd] fläckig, skäckig [~ *horse*], brokig

pier [pɪə] **1** pir; [landnings]brygga **2** bropelare

pierce [pɪəs] **1** genomborra, borra sig in i; tränga fram genom, tränga (skära) igenom [*a shriek* ~*d the air*] **2** borra hål i; *have one's ears* ~*d* låta ta hål i öronen för örhängen o.d.

piety ['paɪətɪ] **1** fromhet; from handling **2** pietet

piffle ['pɪfl] vard. **I** *s* trams, skräp **II** *vb itr* **1** tramsa, svamla **2** fjanta [~ *about*]
piffling ['pɪflɪŋ] vard. fjantig; värdelös [*a ~ matter*]
pig [pɪg] **1** gris; *buy a ~ in a poke* köpa grisen i säcken **2** vard., om person [lort]gris; svin; matvrak; *make a ~ of oneself* äta (dricka) massor, glufsa i sig
1 pigeon ['pɪdʒ(ə)n] zool. duva; *wood ~* ringduva
2 pigeon ['pɪdʒ(ə)n], *that's not my ~* vard. det är inte mitt bord (min huvudvärk)
pigeonhole ['pɪdʒ(ə)nhəʊl] **I** *s* [post]fack i hylla, skrivbord o.d. **II** *vb tr* **1** stoppa in i [ett] fack, sortera [i fack] **2** bildl. a) [tillsvidare] lägga undan b) ordna in, kategorisera
pigeon-toed ['pɪdʒ(ə)ntəʊd] som går inåt med tårna
piggy ['pɪgɪ] vard. griskulting; liten gris äv. bildl.; barnspr. nasse
piggyback ['pɪgɪbæk] **I** *s* ridtur [på ryggen (axlarna)]; *give a child a ~* låta ett barn rida på ryggen **II** *adv, ride ~* rida på ryggen (axlarna)
pigheaded [ˌpɪg'hedɪd, attr. '---] tjurskallig; egensinnig
piglet ['pɪglət] spädgris; pl. *~s* smågrisar
pigment ['pɪgmənt] pigment
pigmentation [ˌpɪgmən'teɪʃ(ə)n] pigmentering; färg
pigskin ['pɪgskɪn] svinläder
pigsty ['pɪgstaɪ] svinstia äv. bildl.
pigtail ['pɪgteɪl] råttsvans fläta
1 pike [paɪk] **1** tullbom, tullgrind **2** vägtull, vägavgift **3** landsväg med tullbommar; amer. [avgiftsbelagd] motorväg; landsväg
2 pike [paɪk] i Nordengland spetsig bergstopp, pik
3 pike [paɪk] (pl. lika el. ibl. *~s*) zool. gädda
pike-perch ['paɪkpɜːtʃ] zool. gös
pikestaff ['paɪkstɑːf] pikskaft, spjutskaft; *as plain as a ~* klart som korvspad, solklart
pilchard ['pɪltʃəd] större sardin
1 pile [paɪl] **I** *s* **1** hög, trave [*a ~ of books (wood)*]; massa [*a ~ of work*] **2** vard., *a ~* en massa pengar **3** bål; *funeral ~* likbål **4** elektr. element [*galvanic ~*], batteri **5** fys. reaktor; *atomic ~* atomreaktor, kärnreaktor **II** *vb tr* a) [ofta *~ up*] stapla [upp], hopa b) lassa på, lasta [*~ a cart*]; *~ it on* vard. bre (spä) på, överdriva **III** *vb itr* **1** hopas, samla (hopa) sig **2** välla [*people ~d in*], pressa sig; *~ into a train* tränga sig på ett [överfullt] tåg **3** *~ up* om bilar o.d. seriekrocka
2 pile [paɪl] **1** hår[beklädnad] på djur; fjun **2** lugg på tyg o.d.; flor på sammet
piles [paɪlz] hemorrojder
pile-up ['paɪlʌp] trafik. seriekrock
pilfer ['pɪlfə] snatta
pilgrim ['pɪlgrɪm] pilgrim; amer. äv. invandrare
pilgrimage ['pɪlgrɪmɪdʒ] pilgrimsfärd; *go on a ~* göra en pilgrimsfärd, vallfärda
pill [pɪl] **1** tablett, piller; *a bitter ~* bildl. ett beskt (bittert) piller **2** sl. boll; pl. *~s* äv. biljard
pillage ['pɪlɪdʒ] **I** *s* **1** plundring **2** byte **II** *vb tr* **1** plundra **2** röva [bort]
pillar ['pɪlə] **1** pelare; *~ of fire* eldpelare **2** stolpe; *run from ~ to post* jaga hit och dit **3** bildl. stöttepelare [*the ~s of society*]
pillar box ['pɪləbɒks] [pelarformig] brevlåda
pillbox ['pɪlbɒks] **1** pillerask äv. om huvudbonad **2** mil. sl. betongvärn
pillion ['pɪljən] damsadel bakom huvudsadeln; på motorcykel o.d. passagerarsadel, bönpall; *ride ~* åka (rida) bakpå
pillory ['pɪlərɪ] **I** *s* skampåle; bildl. schavottering **II** *vb tr* ställa vid skampålen; bildl. äv. låta schavottera
pillow ['pɪləʊ] **I** *s* **1** [huvud]kudde; *~ case (slip)* örngott **2** dyna **II** *vb tr* **1** lägga (låta vila) på en kudde (kuddar) **2** tjänstgöra som (vara) kudde åt
pilot ['paɪlət] **I** *s* **1** sjö. lots **2** pilot, flygare; *automatic ~* autopilot **3** ledare; lots **II** *vb tr* **1** lotsa; bildl. äv. leda [*~ the country through a crisis*] **2** flyga flygplan; vara pilot på flygplan
pilot boat ['paɪlətbəʊt] lotsbåt
pilot lamp ['paɪlətlæmp] kontrollampa
pilot light ['paɪlətlaɪt] **1** tändlåga på gasspis o.d. **2** kontrollampa
pimp [pɪmp] **I** *s* hallick **II** *vb itr* [leva på att] vara hallick
pimple ['pɪmpl] finne
PIN [pɪn] (förk. för *personal identification number*) personlig kod till t.ex. kreditkort
pin [pɪn] **I** *s* **1** knappnål; nål; brosch; [*it was so quiet*] *you could hear a ~ drop* ...att man kunde höra en knappnål falla; *be on ~s and needles* sitta som på nålar **2** bult, sprint; tapp; stift; pinne **3** vard., pl. *~s* ben, påkar **4** sport. kägla; golf. flaggstång; *~ alley* kägelbana; bowlinghall **II** *vb tr* **1** nåla fast, fästa [med knappnål (stift, sprint)]; *~ up a notice* sätta upp ett anslag **2** klämma (kila) fast [ofta *~ down*; *~ned down by a falling tree*], stänga inne; *~ a p.'s arm* hålla fast ngn i armen **3** spetsa på nål; sätta upp [på nål] **4** bildl., *~ one's faith (hopes) on* sätta sin lit till, tro (lita) blint på
pinafore ['pɪnəfɔː] [skydds]förkläde
pinball ['pɪnbɔːl] flipper[spel]; *~ machine* flipperautomat
pince-nez ['pænsneɪ] pincené

pincers ['pɪnsəz] **1** kniptång, tång; *a pair of ~* en kniptång **2** klo på kräftdjur
pinch [pɪn(t)ʃ] **I** *vb tr* **1** nypa; klämma; *these shoes ~ my toes* de här skorna klämmer (är för trånga) i tårna **2** pina, hårt ansätta [*be ~ed with poverty* (*cold, hunger*)], härja, svida; *~ed face* infallet (tärt) ansikte **3** tvinga att inskränka sig (spara); inskränka [på]; *be ~ed for money* vara i penningknipa, ha ont om pengar **4** vard. sno **5** sl. a) haffa arrestera b) göra en razzia i **II** *vb itr* **1** klämma äv. bildl. [*know where the shoe ~es*]; värka **2** snåla; *~ and scrape* (*save*) snåla och spara, vända på slantarna **III** *s* **1** nyp, klämning; *give a ~* ge ett nyp, nypa till, knipa till (åt) **2** nypa [*a ~ of salt* äv. bildl.]; *a ~ of snuff* en pris snus **3** [svår] knipa; trångmål; *at a ~* a) i nödfall, om det kniper (gäller) b) i knipa, i trångmål **4** tryck [*feel the ~ of foreign competition*]; *feel the ~* få känna av de svåra tiderna **5** sl. a) haffande b) razzia
pincushion ['pɪnˌkʊʃ(ə)n] nåldyna
1 pine [paɪn] **1** tyna av [ofta *~ away*]; försmäkta **2** tråna
2 pine [paɪn] **1** tall; pinje **2** furu[trä]
pineapple ['paɪnˌæpl] ananas
pine cone ['paɪnkəʊn] tallkotte
ping [pɪŋ] **I** *s* smäll av resår o.d.; vinande, visslande av gevärskula o.d. **II** *vb itr* smälla; vina, vissla
ping-pong ['pɪŋpɒŋ] pingpong bordtennis
pinhead ['pɪnhed] **1** knappnålshuvud **2** vard. dumbom
1 pinion ['pɪnjən] **I** *s* vingspets **II** *vb tr* **1** vingklippa **2** bakbinda
2 pinion ['pɪnjən] mek. drev
1 pink [pɪŋk] **I** *s* **1** mindre nejlika **2** skärt, ljusrött; *rose ~* ung. rosa **3** *the ~* bildl. höjden [*the ~ of elegance* (*perfection*)] **II** *adj* **1** skär, ljusröd; om hy äv. rödlätt; *~ gin* gin med angostura drink; *see ~ elephants* vard. se skära elefanter **2** vard. polit. ljusröd; *he is ~* äv. han är vänstersympatisör **3** *strike me ~!* sl. det var som sjutton!
2 pink [pɪŋk] om motor knacka
pinky ['pɪŋkɪ] isht amer. el. skotsk. vard. lillfinger
pinmoney ['pɪnˌmʌnɪ] nålpengar; fickpengar
pinnacle ['pɪnəkl] **I** *s* **1** byggn. tinne **2** spetsig bergstopp **3** bildl. höjd[punkt] [*~ of fame*] **II** *vb tr* **1** förse med tinnar **2** kröna
pinpoint ['pɪnpɔɪnt] **I** *s* **1** nålspets, knappnålsspets **2** mil. punktmål [äv. *~ target*]; *~ bombing* precisionsbombning **II** *vb tr* **1** precisera, sätta fingret på [*~ the problem*], slå fast **2** mil. precisionsbomba
pinprick ['pɪnprɪk] nålstick äv. bildl.; pl. *~s* bildl. äv. trakasserier, småelakheter
pinstripe ['pɪnstraɪp] textil. **I** *s* kritstreck[srand] **II** *attr adj* kritstrecksrandig [*~ suit*]
pint [paɪnt] ung. halvliter mått för våta varor = 1/8 *gallon* = 0,568 l, i USA = 0,473 l
pintable ['pɪnˌteɪbl] flipperspel konkr.; *~ machine* flipperautomat
pin-up ['pɪnʌp] vard. **1** utvikningsbrud, pinuppa [äv. *~ girl*] **2** bild av utvikningsbrud **3** amer. vägg- [*~ lamp*]
pioneer [ˌpaɪə'nɪə] **I** *s* pionjär **II** *vb itr* vara pionjär **III** *vb tr* **1** öppna [vägen till]; bana väg för, vara först med **2** gå före, leda
pious ['paɪəs] from
1 pip [pɪp], *he has* [*got*] *the ~* sl. han deppar (tjurar); *he gives me the ~* sl. han går mig på nerverna
2 pip [pɪp] **1** kärna i apelsin, äpple o.d. **2** *squeeze a p. until* (*till*) *the ~s squeak* klämma åt ngn ordentligt **3** *a ~* vard. något alldeles extra
3 pip [pɪp] **I** *s* **1** prick på tärning, spelkort m.m. **2** mil. stjärna ss. gradbeteckning **II** *vb tr* vard. slå; *be ~ped at the post* bli slagen på mållinjen äv. bildl. **III** *vb itr* sl. köra i examen
4 pip [pɪp] i tidssignal o.d. pip; *the ~s* radio. tidssignalen
pipe [paɪp] **I** *s* **1** [lednings]rör [*gas ~*], rörledning **2** [tobaks]pipa; *~ of peace* fredspipa **3** mus. pipa, [enhands]flöjt; pl. *~s* äv. säckpipa **II** *vb itr* **1** blåsa (spela) på pipa (flöjt, säckpipa) **2** pipa, tala (skrika) gällt; *~ down* sl. hålla käften; stämma ned tonen **III** *vb tr* **1** lägga in rör i [*~ a house*] **2** *~d music* skvalmusik, bakgrundsmusik **3** kok. spritsa **4** spela (blåsa) [på pipa (flöjt, säckpipa)] [*~ a tune*]
pipe-cleaner ['paɪpˌkli:nə] piprensare
pipe dream ['paɪpdri:m] önskedröm
pipeline ['paɪplaɪn] **I** *s* rörledning; oljeledning; pipeline; bildl. kanal; *in the ~* under planering (utarbetande), på gång; om varor på väg, under leverans **II** *vb tr* leda genom rör[ledning] (pipeline)
piper ['paɪpə] pipblåsare; i Skottl. isht säckpip[s]blåsare; *pay the ~* betala kalaset, stå för fiolerna
piping ['paɪpɪŋ] **I** *s* pipande **II** *adj* pipande, pipig [*a ~ voice*] **III** *adv*, *~ hot* rykande varm, kokhet; bildl. rykande färsk
piquant ['pi:kənt] pikant [*~ taste, a ~ face*]; om t.ex. intellekt skarp [*a ~ wit*]
pique [pi:k] **I** *s* förtrytelse, sårad stolthet [*in a fit of ~*]; irritation **II** *vb tr* **1** såra [*~ a p.'s pride*]; stöta **2** *~ oneself* [*up*]*on* yvas över
piracy ['paɪərəsɪ] **1** sjöröveri **2** pirattryck; olagligt eftertryck; piratkopiering
piranha [pə'rɑ:nə, pɪ-, -jə] piraya sydam. fisk
pirate ['paɪərət] **I** *s* **1** pirat, sjörövare **2** pirattryckare; piratkopierare; radio.

piratsändare, piratradio **II** *vb tr* **1** om sjörövare röva **2** olovligt reproducera; piratkopiera; *~d edition* piratutgåva **III** *vb itr* bedriva sjöröveri

pirouette [ˌpɪrʊ'et] **I** *s* piruett **II** *vb itr* piruettera

Pisces ['paɪsi:z, 'pɪsi:z, 'pɪski:z] astrol. Fiskarna; *he is [a] ~* han är fisk

piss [pɪs] vulg. **I** *s* piss; *take the ~ out of a p.* driva (jävlas) med ngn **II** *vb itr* **1** pissa **2** *~ off!* stick!, far åt helvete! **III** *vb tr* **1** pissa [*~ blood*] **2** pissa på (ner, i) [*~ the bed*] **3** *~ oneself [laughing]* skratta på sig

pissed [pɪst] vulg. **1** asfull, packad **2** skitförbannad

pissed-off [ˌpɪst'ɒf] vulg. **1** skitförbannad **2** deppig

piste [pi:st] pist; [skid]spår

pistil ['pɪstɪl] bot. pistill

pistol ['pɪstl] pistol

piston ['pɪstən] mek. pistong äv. i blåsinstrument; kolv; *~ ring* kolvring; *~ rod* kolvstång

1 pit [pɪt] **I** *s* **1** a) grop, hål i marken b) fallgrop; *the ~ of the stomach* maggropen **2** gruvhål; [kol]gruva **3** avgrund; *the ~ [of hell]* helvetet, avgrunden **4** [kopp]ärr **5** teat. [isht bortre] parkett; *orchestra ~* orkesterdike **6** bil. a) depå vid racerbana b) smörjgrop vid bilverkstad **II** *vb tr* **1** lägga t.ex. potatis i grop (grav) **2** göra gropig (full av hål) **3** *~ oneself (one's strength) against* mäta sina krafter med

2 pit [pɪt] amer. **I** *s* [frukt]kärna **II** *vb tr* kärna ur

pit-a-pat [ˌpɪtə'pæt] **I** *adv, it makes my heart go ~* det får mitt hjärta att slå fortare **II** *s* hjärtas dunkande; regns, hagels smatter

1 pitch [pɪtʃ] **1** beck; *black (dark) as ~* kolsvart, becksvart, beckmörk **2** kåda

2 pitch [pɪtʃ] **I** *vb tr* **1** sätta (ställa) upp i fast läge; slå upp [*~ a tent*]; *~ a camp* slå läger **2** kasta, slänga; slunga; golf. pitcha; *~ hay* lassa hö med högaffel **3** mus. stämma [*~ed too high (low)*]; sätta i viss tonart; bildl. anslå en viss ton; anpassa på viss nivå **4** *~ed battle* ordnad (regelrätt) batalj, fältslag; drabbning **5** *~ a yarn* vard. dra en historia; *~ it strong* vard. bre på överdriva **II** *vb itr* **1** slå läger **2** om fartyg stampa; om flygplan tippa, kränga i längdriktningen **3** falla huvudstupa [*~ on one's head*]; störta; *~ in* vard. a) hugga in, hugga i b) vara med, bidra; *~ into* vard. kasta sig över [*he ~ed into his supper*], flyga på, gå lös på, skälla ut [*the teacher ~ed into the boy*] **III** *s* **1** grad [*a high ~ of efficiency*], höjdpunkt [*come to a ~*], topp; *at its highest ~* på höjdpunkten **2** mus. el. fonet. tonhöjd; tonfall [*falling ~, rising ~*]; *absolute (perfect) ~* absolut gehör; *at concert ~* konsertstämd något över normalton **3** kast **4** [kricket]plan mellan grindarna; fotbollsplan **5** torgplats för gatuförsäljare, gatumusikant o.d. **6** vard., [*sales*] *~* försäljarjargong, försäljningsknep, säljsnack **7** fiskeplats **8** tältplats **9** fartygs stampning; flygplans tippning

pitch-black [ˌpɪtʃ'blæk, attr. ˈ--] kolsvart

1 pitcher ['pɪtʃə] [hand]kanna; amer. äv. tillbringare; kruka för vatten o.d.; *little ~s have long ears* ordspr. små grytor har också öron

2 pitcher ['pɪtʃə] i baseball kastare

pitchfork ['pɪtʃfɔ:k] **I** *s* högaffel **II** *vb tr* **1** lyfta (lassa) med högaffel **2** bildl. kasta [in] [*~ troops into a battle*]

piteous ['pɪtɪəs] ömklig

pitfall ['pɪtfɔ:l] fallgrop; bildl. äv. fälla

pith [pɪθ] **1** bot. el. zool. märg **2** ryggmärg **3** bildl. **a**) *the ~ of* kärnan i, det väsentliga (viktigaste) i (av) [*the ~ of the speech*] **b**) märg, kraft [*the speech lacked ~*]

pithead ['pɪthed] gruvöppning

pith helmet ['pɪθˌhelmɪt] tropikhjälm

pithy ['pɪθɪ] **1** full av märg; märgliknande **2** bildl. märgfull, kärnfull

pitiable ['pɪtɪəbl] **1** ömklig [*~ sight*], beklagansvärd, som väcker medlidande **2** ynklig; beklaglig [*a ~ lack of character*]

pitiful ['pɪtɪf(ʊ)l] **1** ömklig; patetisk [*a ~ spectacle*] **2** ynklig, usel [*~ wages*]

pitiless ['pɪtɪləs] skoningslös

pittance ['pɪt(ə)ns] knapp (torftig) lön; ringa penning

pitter-patter [ˌpɪtə'pætə] **I** *s* smatter [*the ~ of the rain*]; tipp-tapp, tassande **II** *vb itr* trippa; tassa **III** *adv, go (run) ~* trippa, tassa

pity ['pɪtɪ] **I** *s* **1** medlidande; *feel ~ for* tycka synd om, känna medlidande med **2** synd, skada; *what a ~!* så (vad) synd!, så tråkigt!; *more's the ~* sorgligt nog, tyvärr **II** *vb tr* tycka synd om, ömka; *he is to be pitied* det är synd om honom, han är att beklaga

pivot ['pɪvət] **I** *s* **1 a**) pivåtapp **b**) spets; stift; *~ tooth* stifttand **2** bildl. medelpunkt [*the ~ of her life*] **II** *vb tr* hänga (anbringa) på pivå; förse med pivå; perf. p. *~ed* äv. pivåhängd, svängbar [*~ed window*] **III** *vb itr* pivotera, svänga (vrida sig) kring en pivå

pixie ['pɪksɪ] **1** skälmskt naturväsen **2** *~ [cap]* toppluva, tomteluva

pizza ['pi:tsə] kok. pizza

placard ['plækɑ:d] **I** *s* plakat; löpsedel **II** *vb tr* sätta upp plakat på (i)

placate [plə'keɪt] blidka

placatory [plə'keɪt(ə)rɪ, 'plækət(ə)rɪ] blidkande; försonlig

place [pleɪs] **I** *s* **1** a) ställe, plats b) utrymme; *there's a ~ for everything* var sak har sin plats; *my* (*your* etc.) *~* se *I 3*; *six ~s were laid* det var dukat för sex; *about the ~* på stället, i huset; *fall into ~* ordna sig i rätt ordning; bildl. klarna; *out of ~* inte på sin plats; malplacerad, olämplig; *all over the ~* överallt, lite varstans; *change ~s* byta plats; *I have lost the* (*my*) *~* jag har tappat bort var jag var [i boken o.d.]; *take the ~ of a p.* avlösa ngn, inta ngns plats **2** a) ort, plats [*~ of birth*; *~ of work*] b) lokal, plats c) öppen plats, i namn -platsen [*St. James's P~*], -gatan; *~ of business* affärslokal **3** vard. hus, bostad; *he was at my* (*your* etc.) *~* han var hemma hos mig (dig etc.); *come round to my ~* kom över till mig **4** ställning, rang; position; *keep* (*put*) *a p. in his ~* sätta (hålla) ngn på plats **5** anställning, plats; *it's not my ~ to...* det är inte min sak att... **6** matem., *calculate to the third ~ of decimals* (*to three decimal ~s*) räkna med tre decimaler **II** *vb tr* **1** placera, sätta, ställa; *~ confidence* (*faith*) *in* sätta sin tillit till **2** skaffa plats (anställning) åt **3** hand. placera [*~ an order with* (hos)] **4** placera [*~ a face*], inrangera, identifiera **5** sport. placera isht bedöma ordningen i mål; *be ~d* bli placerad (placera sig) [bland de tre bästa]

placebo [plə'si:bəʊ] (pl. vanl. *~s*) med. placebo

place mat ['pleɪsmæt] [bords]tablett för dukning

placement ['pleɪsmənt] placering äv. om arbete

place name ['pleɪsneɪm] ortnamn

placenta [plə'sentə] anat. moderkaka, placenta

placid ['plæsɪd] lugn; fridfull

placidity [plæ'sɪdətɪ, plə's-] o. **placidness** ['plæsɪdnəs] lugn; fridfullhet

plagiarism ['pleɪdʒjərɪz(ə)m] plagiering; plagiat

plagiarize ['pleɪdʒjəraɪz] plagiera

plague [pleɪg] **I** *s* **1** a) [lands]plåga b) vard. plåga, plågoris [*what a ~ that child is!*], pest **2** pest; farsot; *bubonic ~* böldpest **II** *vb tr* **1** vard. plåga, pina **2** hemsöka, plåga

plaice [pleɪs] zool. [röd]spätta

plaid [plæd] **1** pläd buren till skotsk dräkt **2** skotskrutigt [pläd]tyg (mönster)

plain [pleɪn] **I** *adj* **1** klar [*~ meaning*], lättfattlig [*~ talk*]; *it's ~ sailing* bildl. det går lekande lätt (som smort) **2** ärlig [*a ~ answer*]; rättfram; *I told him in ~ English* (*in ~ language*) jag sa honom det rent ut (på ren svenska) **3** uppenbar; riktig [*a ~ fool*]; *a ~ fact* ett enkelt (rent, uppenbart) faktum **4** enkel, vardags- [*~ dress*; *~ dinner*]; slätkammad [*~ hair*]; enfärgad, omönstrad [*~ blue dress*]; *~ bread and butter* smörgås utan pålägg, smör och bröd; *~ clothes* civila kläder; *~ cooking* enklare matlagning; vardagsmat, husmanskost; *~ omelette* ofylld omelett **5** vanlig [enkel]; simpel **6** om utseende alldaglig; ibl. ful; *she is ~* hon ser [just] ingenting ut **7** slät, jämn **8** kortsp., *~ card* hacka inte trumfkort eller klätt kort **II** *adv* **1** tydligt [*speak* (*see*) *~*] **2** rent ut sagt [*he is ~ stupid*], helt enkelt **III** *s* slätt; jämn mark

plain-clothes ['pleɪnkləʊðz] *~ policeman* (*officer*) civilklädd polis, detektiv

plain-looking ['pleɪnˌlʊkɪŋ], *it* (*she*) *is ~* det (hon) har ett alldagligt (slätstruket) utseende

plainness ['pleɪnnəs] **1** jämnhet **2** tydlighet **3** enkelhet; konstlöshet; alldaglighet

plaintiff ['pleɪntɪf] jur. kärande i civilmål; målsägare

plaintive ['pleɪntɪv] klagande

plait [plæt] **I** *s* fläta av hår m.m. **II** *vb tr* fläta

plan [plæn] **I** *s* **1** plan; *~ of campaign* bildl. krigsplan **2** plan, karta **3** sätt; *the best* (*better*) *~ is to* det bästa [sättet] är att **II** *vb tr* **1** planera, göra upp en plan (planer); *~ned economy* planhushållning; *~ned parenthood* familjeplanering **2** ha för avsikt, planera; *~ to* äv. ha planer på att **III** *vb itr* planera; *~ ahead* planera för framtiden (i förväg), tänka framåt

1 plane [pleɪn] bot. platan

2 plane [pleɪn] **I** *s* **1** plan yta **2** bildl. nivå **3** (kortform av *aeroplane* o. *airplane*) [flyg]plan **4** vinge **II** *adj* plan, jämn, slät; *~ sailing* sjö. segling efter platt kort

3 plane [pleɪn] **I** *s* hyvel **II** *vb tr* o. *vb itr* hyvla [av]

planet ['plænɪt] astron. planet

planetari|um [ˌplænɪ'teərɪ|əm] (pl. *-ums* el. *-a* [-ə]) planetarium

planetary ['plænət(ə)rɪ] planetarisk [*~ system*]

plank [plæŋk] **I** *s* **1** planka, [grövre] bräda; koll. plank; *walk the ~* a) 'gå på plankan' av pirater tvingas överbord med förbundna ögon b) bildl. ung. bli avpolletterad (avsågad) **2** [politisk] programpunkt [*a ~ supporting civil rights*] **II** *vb tr* **1** belägga (klä) med plankor **2** vard., *~ down* a) placera resolut; slänga fram (på bordet) b) lägga upp, punga ut med [*~ down the money*] **3** kok., *~ed steak* plankstek

plankton ['plæŋktən, -ɒn] biol. plankton

planner ['plænə] **1** planerare [*town ~*]; planläggare; planekonom **2** planeringskalender

planning ['plænɪŋ] planering; planläggning; ~ *permission* byggnadslov

plant [plɑ:nt] **I** *s* **1** planta, växt; ört **2** verk [*lighting* ~], anläggning; fabrik; utrustning; *nuclear* ~ kärnkraftverk **3** sl. a) gömt tjuvgods (knark) b) falskt spår c) [polis]fälla d) spion; infiltratör **II** *vb tr* **1** sätta, plantera, så [~ *wheat*]; plantera ut [~ *young fish*, ~ *oysters*] **2** placera [stadigt] [~ *a kiss on a p.'s cheek*; ~ *one's feet on the carpet*]; fästa **3** sl. **a**) gömma [~ *stolen goods*] **b**) placera (lägga) [ut] för att vilseleda [*they ~ed gold nuggets in the worthless mine*]; ~ *evidence on a p.* i hemlighet stoppa på ngn bevismaterial **c**) placera, smuggla in [~ *a spy in the opposing camp*] **d**) plantera [*he ~ed a blow on his opponent's chin*]

plantation [plɑ:n'teɪʃ(ə)n, plæn-] **1** plantage **2** plantering [*fir* ~]; odling

plaque [plæk, plɑ:k] **1** platta **2** plaque, [ordens]kraschan **3** [*dental*] ~ tandläk. plack

plasma ['plæzmə] fysiol. el. fys. plasma

plaster ['plɑ:stə] **I** *s* **1** murbruk, puts **2** ~ [*of Paris*] gips **3** plåster **II** *vb tr* **1** putsa; kalkslå **2 a**) lägga gips (gipsbruk) på; *~ed ceiling* gipstak **b**) med. gipsa **3** plåstra om, sätta plåster på; bildl. lindra **4** smeta på (över), klistra (kleta) full [*the suitcase was ~ed with hotel labels*]; belamra; *his hair was ~ed down* han hade slickat hår

plasterer ['plɑ:st(ə)rə] murare för putsarbete; gipsarbetare

plastic ['plæstɪk] **I** *adj* **1** plast-, av plast; ~ *money* plastkort kreditkort **2** plastisk äv. bildl.; mjuk **3** ~ *art* plastik **4** med., ~ *surgery* plastikkirurgi, plastik **5** bildl. plast- [*we live in the ~ age*] **II** *s* plast

plasticity [plæ'stɪsətɪ] plasticitet; bildbarhet

plastics ['plæstɪks] **1** (konstr. ss. pl.) plast; *the ~ industry* plastindustrin **2** (konstr. ss. sg. el. pl.) a) plastteknik b) med. plastikkirurgi

plate [pleɪt] **I** *s* **1** tallrik, fat; amer. kuvert; [*small*] ~ assiett; [*a wedding breakfast costing $30*] *a* ~ amer. ...kuvertet (per kuvert) **2** kollekttallrik **3** koll. [bords]silver; [ny]silversaker, [silver]servis **4** pläter; plätering **5** platta av metall, trä, glas o.d.; plåt [*steel ~s*]; lamell [*clutch* ~]; namnplåt **6** a) tryckplåt; kliché b) avtryck; plansch [*colour* ~]; kopparstick, stålstick **7** [*dental*] ~ lösgom, [tand]protes **8** kapplöpn. a) pris av silver el. guld; pokal b) priskapplöpning **9** i baseboll *the home* ~ innemålet **10** sl., *~s* [*of meat*] fötter, blan **II** *vb tr* **1** klä över med plåt, plåtbeslå; bepansra **2** plätera; försilvra

plateau ['plætəʊ, plæ'təʊ] (pl. *~s* el. *~x* [-z]) platå, högslätt; bildl. konstant nivå äv. psykol.

plateful ['pleɪtfʊl] (pl. *~s* el. *platesful*) tallrik ss. mått

plate glass [ˌpleɪt'glɑ:s] spegelglas, slipat planglas

plate rack ['pleɪtræk] **1** tallrikshylla **2** diskställ, torkställ

platform ['plætfɔ:m] **1** plattform äv. på buss, järnvägsvagn o.d.; perrong; ~ *car* amer. öppen godsvagn utan sidor **2** estrad; talarstol **3** ~ [*sole*] platåsula **4** polit. [parti]program; [ideologisk] plattform

platinum ['plætɪnəm] platina

platitude ['plætɪtju:d] plattityd; platthet

platitudinous [ˌplætɪ'tju:dɪnəs] platt

Platonic [plə'tɒnɪk] platonisk [~ *love*]

platoon [plə'tu:n] [infanteri]pluton

platter ['plætə] amer. [stort] uppläggningsfat

plausible ['plɔ:zəbl] **1** plausibel, rimlig [~ *excuse*]; lämplig; ofta neds. bestickande [~ *argument*] **2** förledande, [som verkar] förtroendeingivande; *a ~ rogue* en riktig filur

play [pleɪ] **I** *vb itr* (se äv. *III*) **1** leka, roa sig; *just what are you ~ing at?* vard. vad [sjutton] håller du på med? **2** spela i spel, äv sport. o. bildl.; ~ *false* spela falskt [spel]; ~ *for time* försöka vinna tid; maska **3** spela äv. bildl., musicera; ~ *on a p.'s fears* utnyttja ngns rädsla **4** spela äv. bildl., uppträda [*they ~ed to a full house*] **5** a) fladdra; sväva, leka, spela [*the lights ~ed over their faces*] b) vara i gång, vara på [*the fountains ~ every Sunday*]

II *vb tr* (se äv. *III*) **1** leka [~ *hide-and-seek*] **2** spela spel, äv. sport. o. bildl. [~ *a game*]; ~ *a p.* a) spela mot ngn [*England ~ed Brazil*] b) låta ngn spela i match o.d.; sätta in (ställa upp) ngn [*England ~ed Smith as goalkeeper*] **3** spela äv. bildl. [~ *the piano*], framföra **4** spela äv. bildl. [~ *a part* (en roll)]; ~ *truant* (amer. vard. *hook*[*e*]*y*) skolka [från skolan] **5** låta spela (svepa) [~ *a hose on a fire*]

III *vb itr* o. *vb tr* med adv. isht i specialbet.:

~ **about** springa omkring och leka; *stop ~ing about!* sluta larva dig (bråka)!, lägg av!; ~ *about with* leka med, fingra (pilla) på

~ **around**: **a**) ha [en massa] kärleksaffärer; ~ *around with a p.'s affections* leka med ngns känslor **b**) se ~ *about*

~ **back** *a recorded tape* spela av (spela upp, köra) ett inspelat band

~ **down** tona ner, avdramatisera; *he ~ed down* [*his own part in the affair*] han bagatelliserade...

~ **off**: **a**) spela 'om; *the match will be ~ed*

off next week matchen kommer att spelas om (det blir omspel) nästa vecka **b)** ~ *one person off against another* spela ut en person mot en annan
~ **out** spela till slut; spela ut; *the matter is ~ed out* saken är utagerad
~ **over** spela igenom [~ *over a tape*]
~ **up**: a) göra sitt bästa b) vard. bråka c) förstora upp, göra stora rubriker av; ~ *up to a p.* fjäska för ngn [~ *up to one's teachers*]; [*my bad leg*] *is ~ing up again* ...gör sig påmint (krånglar) igen
IV *s* **1** lek; spel; *no child's* ~ ingen barnlek **2** a) spel, framförande b) skådespel, pjäs; *let's go to a ~!* vi går på teatern!; *make great (much, a lot of)* ~ *of (with, about)* göra stor affär (mycket väsen) av **3** a) spel [*the ~ of the muscles*] b) gång, verksamhet; ~ *of colours* färgspel; *be in full* ~ vara i full gång **4** a) [fritt] spelrum, svängrum; bildl. äv. rörelsefrihet; fritt lopp (spel) b) glapprum; glappning; *give the rope more* ~ släcka på repet

playable ['pleɪəbl] spelbar; som man kan (det går att) spela [på (med)]

play-act ['pleɪækt] spela [teater] mest bildl. (neds.), låtsas

playback ['pleɪbæk] **1** playback; avspelning; ~ *head* avspelningshuvud på bandspelare **2** TV. repris [i slow-motion]

playbill ['pleɪbɪl] teateraffisch

playboy ['pleɪbɔɪ] playboy

player ['pleɪə] **1** sport. o.d. spelare; [*he outshone*] *the other ~s* ...sina medspelare **2** skådespelare **3** a) musikant b) i sms. -spelare [*record-player*]

player-piano [ˌpleɪəprˈænəʊ] självspelande piano

playful ['pleɪf(ʊ)l] lekfull

playgoer ['pleɪˌgəʊə] teaterbesökare, teaterhabitué

playground ['pleɪgraʊnd] **1** skolgård; lekplats **2** bildl. rekreationsområde, semesterparadis

playgroup ['pleɪgru:p] lekskola

playhouse ['pleɪhaʊs] teater[byggnad]

playing-card ['pleɪɪŋkɑ:d] spelkort

playing-field ['pleɪɪŋfi:ld] idrottsplan; lekplats

playmaker ['pleɪˌmeɪkə] sport. speluppläggare

playmate ['pleɪmeɪt] lekkamrat

play-off ['pleɪɒf] sport. **1** omspel; extra avgörande match **2** slutspel

playpen ['pleɪpen] lekhage

playsuit ['pleɪsu:t, -sju:t] lekdräkt

plaything ['pleɪθɪŋ] leksak; bildl. äv. lekboll

playtime ['pleɪtaɪm] lektid, lekstund, fritid

playwright ['pleɪraɪt] dramatiker

plaza ['plɑ:zə] **1** torg **2** amer. affärscentrum, shoppingcentrum

PLC o. **Plc** [ˌpi:elˈsi:] förk. för *public limited company* börsnoterat företag

plea [pli:] **1** försvar, ursäkt; förevändning; *put in a ~ for a p.* lägga ett gott ord för ngn, göra ett inlägg till ngns försvar; *on (under) the ~ that* med den motiveringen att, under förevändning (förebärande av) att **2** enträgen bön, vädjan [~ *for* (om) *mercy*] **3** jur. a) parts påstående; svar; inlaga b) svaromål [*defendant's ~*]; ~ *bargaining* amer. förhandling om erkännande som ger lindrigare straff

plead [pli:d] (*~ed ~ed*; amer. äv. *pled pled* [pled]) jur. el. allm. **I** *vb itr* **1 a**) be; ~ *for* plädera (tala) för; be för [~ *for one's life*] **b**) plädera; vädja (be) om [~ *for mercy*]; ~ *for a p.* föra ngns talan [*with* hos] **2** genmäla; ~ *guilty* erkänna [sig skyldig]; ~ *not guilty* neka **II** *vb tr* **1** sköta, åta sig [~ *a cause*] **2** åberopa [sig på], anföra som ursäkt [~ *one's youth*]

pleasant ['pleznt] behaglig, trevlig, glad [*a ~ surprise*], vänlig [*a ~ smile*]; [*a*] ~ *journey!* trevlig (lycklig) resa!

pleasantry ['plezntrɪ] skämt; *they exchanged pleasantries* de utbytte artigheter

please [pli:z] **I** *vb itr* **1** behaga, vilja; ~ *God* om Gud vill; *as you* ~ som du vill (behagar) **2** behaga [*a desire to ~*] **3** imper. i hövligt tilltal: *coffee,* ~ a) får jag be om kaffe; kan jag få kaffe, tack b) kaffe, tack; [*yes*] ~ a) ja tack b) ja, varsågod; *come in, ~!* var så god och stig (kom) in! **II** *vb tr* behaga, göra till viljes (lags); glädja [*I'll do it to ~ my mother*]; *do it just to ~ me!* gör det för min skull!

pleased [pli:zd] **1** nöjd, belåten, glad; ~ *to meet you!* [det var] roligt att träffas!; angenämt!; goddag! **2** tilltalad, road

pleasing ['pli:zɪŋ] behaglig [*a ~ face*], vinnande

pleasurable ['pleʒ(ə)rəbl] angenäm, behaglig, lust- [~ *sensation*]

pleasure ['pleʒə] **1** nöje, glädje; välbehag; lust; vällust; *afford (give)* ~ *to a p.* glädja ngn, bereda (skänka) ngn nöje (glädje); *find ~ in* ha nöje av, finna nöje i; *I have the ~ of informing you* jag har nöjet att meddela er; *may I have the ~ of the next dance (of dancing) with you?* får jag lov till nästa dans?; *with* ~ med nöje, gärna **2** önskan; gottfinnande; *at* ~ efter behag

pleasure trip ['pleʒətrɪp] nöjesresa

pleat [pli:t] **I** *s* veck; plissé **II** *vb tr* vecka; plissera

plebiscite ['plebɪsaɪt, -sɪt] [allmän] folkomröstning

pledge [pledʒ] **I** *s* **1** pant äv. bildl.; *in ~ of* som pant (säkerhet) för; *take a th. out of ~* lösa ut (in) ngt **2** [högtidligt] löfte, utfästelse [~ *of* (om) *aid*]; *take (sign) the ~*

avlägga nykterhetslöfte **3** skål [*a ~ for the happy couple*] **II** *vb tr* **1** lämna som säkerhet, pantsätta; *~ oneself for* gå i borgen för, ansvara för **2** förbinda, förplikta; *be ~d to secrecy* vara bunden av tysthetslöfte **3** [högtidligt] lova, utlova, göra utfästelser om [*the country ~ed its support*] **4** dricka en skål för [*~ the happy couple*]

plenary ['pli:nərɪ] **1** fulltalig; *~ meeting* plenarmöte, plenarförsamling, plenum **2** *~ powers* oinskränkt fullmakt

plenipotentiary [ˌplenɪpə(ʊ)'tenʃ(ə)rɪ] **I** *adj* med oinskränkt fullmakt **II** *s* person försedd med oinskränkt fullmakt; befullmäktigad ambassadör (envoyé, minister)

plentiful ['plentɪf(ʊ)l] riklig, ymnig; talrik

plenty ['plentɪ] **I** *s* **1** [stor] mängd; överflöd; *~ of* gott om, massor av (med), massvis med; *~ of things to be done* en mängd (en massa, ett otal) saker som måste göras; *we have (there's) ~ of time* vi har (det är) gott om tid (god tid) **2** välstånd **II** *adj* vard., *six will be ~* sex räcker (är mer än nog) **III** *adv* isht amer. vard. ganska [så] [*he was ~ nervous*]

plethora ['pleθərə] bildl. övermått; övermättnad

pleurisy ['plʊərəsɪ] med. lungsäcksinflammation

plexus ['pleksəs] nätverk, nät [*~ of nerves; ~ of routes*]; *solar ~* anat. solarplexus

pliable ['plaɪəbl] böjlig, smidig; bildl. äv. eftergiven, lättpåverkad

pliers ['plaɪəz] (konstr. ss. sg. el. pl.) tång, flacktång; avbitare; *a pair of ~* en tång osv.; *flat[-nosed] ~* plattång

plight [plaɪt] tillstånd [*be in a hopeless (miserable, sorry) ~*], svår situation

plinth [plɪnθ] plint under pelare; fot, sockel

plod [plɒd] **I** *vb itr* **1** lunka [ofta *~ on (along)*] **2** kämpa; plugga; *~ away* kämpa (knoga) 'på [*at a th.* med ngt] **II** *vb tr* lunka [på] en väg o.d.; *~ one's way* lunka [sin väg] fram

plodder ['plɒdə] [plikttrogen] arbetsmyra, oinspirerad knegare

plodding ['plɒdɪŋ] trög; knogande, strävsam

1 plonk [plɒŋk] **I** *s* duns, plask **II** *vb tr* ställa ner (lägga, släppa) med en duns [*he ~ed the books [down] on the table*]; *~ down* bildl. punga ut med, lägga upp [på bordet] [*he ~ed down 14, 000 dollars for the car*] **III** *vb itr* falla med en duns; *~ down [somewhere and take a nap]* slänga sig... **IV** *adv* [med en] duns

2 plonk [plɒŋk] vard. enklare vin

plop [plɒp] **I** *interj* o. *s* plums, plupp **II** *vb itr* **1** plumsa **2** pluppa **III** *adv* [med ett] plums (plupp)

1 plot [plɒt] **I** *s* **1** [liten] jordbit; [trädgårds]land [*a ~ of vegetables*]; [*building*] *~* [byggnads]tomt **2** amer. plan[karta] **II** *vb tr* **1** markera, lägga ut [*~ a ship's course*]; plotta [*~ aircraft movements by radar; ~ a curve*], rita (göra upp) ett diagram över **2** kartlägga **3** *~ [out]* indela i tomter; stycka [upp] [*into* i]

2 plot [plɒt] **I** *s* **1** komplott **2** intrig i roman o.d. **II** *vb itr* konspirera **III** *vb tr* umgås med planer på, planera [*~ a p.'s ruin*], förbereda, anstifta [*~ mutiny*]

plough [plaʊ] **I** *s* **1** plog; *put (lay, set) one's hand to the ~* bildl. sätta handen till plogen, ta itu med saken **2** plöjd mark **3** astron., *the P~* Karlavagnen **II** *vb tr* **1** plöja; bildl. fåra; *~ a lonely furrow* bildl. arbeta ensam, gå sin egen väg; *~ one's way* bana sig väg, plöja sig fram **2** univ. sl. kugga [*the examiners ~ed him*]; *be ~ed* äv. spricka i examen **III** *vb itr* **1** plöja; *~ through* bildl. knoga [sig] (plöja) igenom [*~ through a book*] **2** gå att plöja [*land that ~s easily*] **3** univ. sl. spricka

ploughman ['plaʊmən] **1** plöjare **2** bonde; dräng **3** *~'s [lunch]* ung. lunchtallrik [med bröd, ost och pickles o.d.]

ploughshare ['plaʊʃeə] plogbill

plover ['plʌvə] brockfågel; *golden ~* ljungpipare; *ringed (little ringed) ~* större (mindre) strandpipare

plow [plaʊ] amer., se *plough*

ploy [plɔɪ] **1** trick, knep **2** ploj, skämt **3** hobby [*golf is his latest ~*]

pluck [plʌk] **I** *vb tr* **1** plocka [*~ a flower (fruit); ~ a bird (chicken)*]; *~ up [one's] courage (spirits)* ta mod till sig, repa (hämta) mod **2** rycka, dra **3** knäppa på gitarr o.d. **4** vard. skinna, plocka på pengar **II** *vb itr* rycka, dra **III** *s* vard. [friskt] mod, kurage; styrka

plucky ['plʌkɪ] vard. modig

plug [plʌg] **I** *s* **1** plugg av plast el. trä; propp, tapp **2** elektr. o.d. stickpropp; vard. vägguttag **3** knopp till spolningsanordning på wc **4 a**) tobaksstång pressad tobak; *cut ~* pressad och skuren tobak, cut plug **b**) tobaksbuss **5** sl. lovord; i radio m.m. reklam[inslag] **II** *vb tr* **1** plugga igen, stoppa till [med en plugg (propp)] [*~ a hole*; äv. *~ up*]; plugga fast **2** *~ in* elektr. ansluta, koppla in [*~ in the radio*] **3** sl. göra intensiv reklam (puffa kraftigt) för, sälja in [*~ a new song on* (hos) *the audience*] **III** *vb itr* vard., *~ away at* knoga (jobba) 'på med [*~ away at a piece of work*]

plum [plʌm] **1** plommon **2** plommonträd [äv. *plum tree*] **3** vard. läckerbit, godbit;

eftertraktad befattning (roll); *the best ~s* [*went to his friends*] de bästa bitarna..., russinen i kakan...
plumage ['plu:mɪdʒ] fjäderdräkt
plumb [plʌm] **I** *s* blylod; sänke **II** *adj* **1** lodrät **2** isht amer. vard. ren [*~ nonsense*] **III** *adv* **1** lodrätt **2** vard. precis; rakt; alldeles, fullkomligt [*~ crazy*] **IV** *vb tr* loda; *~ the depth of a mystery* gå till botten med ett mysterium
plumber ['plʌmə] **1** rörmokare **2** rörledningsentreprenör
plumbing ['plʌmɪŋ] **1** rörsystem i byggnad o.d. **2** rörarbete
plumb line ['plʌmlaɪn] lodlina
plume [plu:m] **I** *s* stor fjäder, plym; fjäderbuske; [*strut in*] *borrowed ~s* [lysa med] lånta fjädrar **II** *vb tr* **1** förse (pryda) med fjädrar (plymer) **2** om fågel putsa [*~ itself, ~ its feathers*] **3** *~ oneself* bildl. yvas, brösta sig [*on* över]
plummet ['plʌmɪt] **I** *s* **1** tekn. sänklod, [bly]lod **2** sjö. lod för lodning **3** sänke på metrev **4** bildl. tyngd **II** *vb itr* bildl. rasa [*share prices have ~ed*]
plummy ['plʌmɪ] **1** vard. finfin [*a ~ job*]; läcker, härlig **2** vard. fyllig, [affekterat] sonor [*a ~ voice*]
1 plump [plʌmp] **I** *adj* fyllig, mullig, rund [*~ cheeks*]; fet, välgödd [*a ~ chicken*] **II** *vb itr, ~* [*out* (*up*)] bli fyllig (rundare), lägga ut
2 plump [plʌmp] **I** *vb itr* **1** *~* [*down*] dimpa [ner] [*~ into* (*~ down in*) *a chair*], plumsa [*~ down into the water*] **2** *~ for* a) polit. ge alla sina röster åt, stödja [*~ for the Labour candidate*] b) rösta (hålla) på, bestämma sig (fastna) för [*~ for one alternative*] **II** *vb tr* låta dimpa ner (plumsa i); *~ down a heavy bag* släppa en tung väska i golvet
plunder ['plʌndə] **I** *vb tr* o. *vb itr* plundra; röva **II** *s* **1** plundring **2** byte, rov
plunge [plʌn(d)ʒ] **I** *vb itr* **1** störta sig [*~ into* (in i) *a room*], kasta sig [*~ into* (i) *a swimming pool*]; *~ into* bildl. kasta sig in i, ge sig in på, fördjupa sig i [*~ into an argument*] **2** ekon. rasa **II** *vb tr* störta, köra (sticka, doppa) ner; bildl. försätta, störta [*~ a country into war*]; *a room ~d in darkness* ett rum sänkt (höljt) i mörker **III** *s* **1** språng; bildl. äv. djupdykning, störtande, sänkande; *take the ~* bildl. våga språnget, ta det avgörande steget **2** ekon. fall
plunger ['plʌn(d)ʒə] tekn. **1** pistong, kolv **2** vaskrensare sugklocka med skaft
pluperfect [ˌplu:'pɜ:fɪkt] gram., *the ~* pluskvamperfekt
plural ['plʊər(ə)l] **I** *adj* gram. plural **II** *s* gram. plural[form] [*Latin ~s*]; *the ~* äv. plural
plus [plʌs] **I** (pl. *~es* el. *~ses*) *s* **1** matem. a) plus, plustecken b) positivt tal **2** plus; tillskott **II** *adj* **1** matem. el. elektr. plus-; *~ quantity* positivt tal **2** extra, överskjutande; *he's 40 ~* han är drygt fyrtio **III** *prep* plus [*one ~ one*], samt [*carrying a case ~ books*]
plus-fours [ˌplʌs'fɔ:z] golfbyxor
plush [plʌʃ] **I** *s* plysch **II** *adj* **1** plysch- **2** sl. flott [*a ~ night club*]
Pluto ['plu:təʊ] mytol. el. astron. Pluto; guden äv. Pluton
plutocracy [plu:'tɒkrəsɪ] plutokrati; penningaristokrati
plutonium [plu:'təʊnjəm] kem. plutonium
1 ply [plaɪ] **1** veck **2** lager, skikt; tråd; ss. efterled i sms. -dubbel [*three-ply serviettes; three-ply wood*], -trådig [*three-ply wool*]
2 ply [plaɪ] **I** *vb tr* **1** använda (bruka) [flitigt]; *~ the oars* ro med kraftiga tag **2** bedriva [*~ a trade*] **3** förse [*~ a fire with fuel*]; *~ a p. with food and drink* bjuda ngn på rikligt med mat och dryck **4** ansätta, överhopa [*~ a p. with questions* (*petitions*)] **5** trafikera **II** *vb itr* **1** arbeta [träget], vara i full gång **2** göra regelbundna turer mellan två platser
plywood ['plaɪwʊd] plywood
PM förk. för *Prime Minister*
p.m. [ˌpi:'em] (förk. för *post meridiem* lat.) efter middagen, e.m.
pneumatic [njʊ'mætɪk] **I** *adj* **1** pneumatisk, trycklufts- [*~ drill*], luft- **2** teol. andlig **3** vard. välpumpad **II** *s* **1** [inner]slang på cykel o.d. **2** *~s* (konstr. ss. sg.) fys. pneumatik, aeromekanik
pneumonia [njʊ'məʊnjə] med. lunginflammation
PO [ˌpi:'əʊ] förk. för *Post Office*
po [pəʊ] (pl. *~s*) vard. potta
1 poach [pəʊtʃ] pochera; *~ed eggs* äv. förlorade ägg
2 poach [pəʊtʃ] **I** *vb itr* bedriva tjuvskytte (tjuvfiske), tjuvfiska; *~ for salmon* tjuvfiska lax **II** *vb tr* bedriva olaglig jakt (olagligt fiske) på [*~ hares; ~ salmon*]
1 poacher ['pəʊtʃə] äggförlorare kokkärl; pocheringspanna
2 poacher ['pəʊtʃə] tjuvskytt; tjuvfiskare
poaching ['pəʊtʃɪŋ] tjuvskytte; tjuvfiske
pocket ['pɒkɪt] **I** *s* **1** ficka; fack, fodral; hål, fördjupning; fick-; *have a th. in one's ~* bildl. ha ngt som i en liten ask **2** bilj. hål; påse **3** mil. grupp, ficka; *~s of resistance* isolerade motståndsgrupper (motståndsfickor) **4** flyg. luftgrop [äv. *air pocket*] **II** *vb tr* **1** stoppa (sticka) i fickan, stoppa på sig; tjäna [*he ~ed a large sum*]; stoppa i egen ficka [*he ~ed the profits*]; *~ a ball* bilj. göra (sänka) en boll **2** bildl. svälja [*~ one's pride*], finna sig i [*~ an insult*]

pocket book ['pɒkɪtbʊk] **1** anteckningsbok, fickalmanack **2** plånbok **3** isht amer. pocketbok
pocketful ['pɒkɪtfʊl] (pl. *~s* el. *pocketsful*), *a ~ of* en ficka (fickan) full med
pocketknife ['pɒkɪtnaɪf] pennkniv
pocket money ['pɒkɪt,mʌnɪ] fickpengar; *£15 ~* 15 pund i veckopeng
pocket-size ['pɒkɪtsaɪz] o. **pocket-sized** ['pɒkɪtsaɪzd] i fickformat
pockmarked ['pɒkmɑ:kt] koppärrig
pod [pɒd] [frö]skida
podgy ['pɒdʒɪ] vard. knubbig, rultig
podi|um ['pəʊdɪ|əm] (pl. *-a* [-ə]) podium
poem ['pəʊɪm, -em] dikt, poem
poet ['pəʊɪt, -et] poet; diktare
poetic [pəʊ'etɪk] o. **poetical** [,pəʊ'etɪk(ə)l] poetisk; diktar- [*~ talent*]; versifierad [*a ~ version*]; *in poetic form* i versform, på vers; *poetical works* dikter, diktalster
poetry ['pəʊətrɪ] poesi äv. bildl.; diktning; *book of ~* diktbok; *write ~* skriva poesi (dikter, vers)
pogo stick ['pəʊgəʊstɪk] kängurustylta
pogrom ['pɒgrəm, pə'grɒm] pogrom
poignant ['pɔɪnənt] **1** stark, gripande [*~ scene*], intensiv, stor [*~ experience*; *~ interest*] **2** bitter [*~ sorrow*], bitande [*~ sarcasm*]
poinsettia [pɔɪn'setjə] bot. julstjärna
point [pɔɪnt] **I** *s* **1** punkt, prick **2** bildl. punkt, moment, sak; *the fine[r] ~s of the game* spelets finesser; *up to a ~* till en viss grad **3** punkt äv. geom.; *~ diagram* statistik. punktdiagram; *decimal ~* [decimal]komma; *one ~ five* (*1.5, 1·5*) ett komma fem (1,5) **4** [tid]punkt; *I was on the ~ of leaving* jag skulle just gå, jag stod i begrepp att gå **5** spets, udd; på horn tagg; *the ~ of the jaw* hakspetsen, hakan **6** udde; [berg]spets **7** a) grad; punkt [*boiling ~*] b) streck [*the cost of living went up several ~s*] **8** poäng i sport m.m. [*win by* (med) *ten ~s*; *win on* (på) *~s*]; *match ~* i tennis matchboll **9** streck på kompass; *from all four ~s of the compass* från alla fyra väderstrecken **10** a) kärnpunkt, springande punkt; slutkläm, poäng [*the ~ of the story*] b) syfte, mål; åsikt; *the ~ is that...* saken är den att...; *that's just the ~* det är det som är det fina i saken; *get the ~* förstå vad saken gäller, fatta galoppen; *make a ~ of getting up early* göra det till en regel att stiga upp tidigt; *I take your ~* jag förstår vad du menar (vill ha sagt) **11** mening, nytta; *there's no ~ in doing that* det är ingen mening med att göra det; *I can't see the ~ of it* jag kan inte se vitsen med det **12** sida; *he has his [good] ~s* han har sina goda sidor; *that is not his strong ~* det är inte hans starka sida **13** sydd[a] spets[ar] **14 a)** järnv. växeltunga, växelspets; pl. *~s* växel **b)** elektr., [*power*] *~* vägguttag
II *vb tr* **1** peka med; rikta [*~ gun at a p.*]; rikta (ställa) in [*~ a telescope*] **2** *~ out* peka ut, peka på, bildl. äv. påpeka, poängtera [*~ out the defects*] **3** vässa [*~ a pencil*]
III *vb itr* peka; vara vänd (riktad); *~ to* äv. peka (tyda) på
point-blank [,pɔɪnt'blæŋk, attr. '--] **I** *adj* **1** [riktad] rakt mot målet; *~ fire* mil. eld på nära håll **2** om yttrande rakt på sak; blank [*~ refusal*] **II** *adv* **1** rakt [på målet] **2** bildl. direkt [*tell a p. ~*]; utan vidare; *he refused ~* han vägrade blankt
point duty ['pɔɪnt,dju:tɪ] tjänstgöring som trafikpolis; *be on ~* ha trafiktjänst, dirigera trafiken
pointed ['pɔɪntɪd] **1** spetsig **2** bildl. spetsig, skarp [*a ~ reply*], tydligt riktad [*~ criticism*] **3** tydlig [*~ allusion*], markant [*~ ignorance*], uttrycklig **4** precis, exakt
pointer ['pɔɪntə] **1** pekpinne **2** visare på klocka, våg o.d. **3** vard. vink; tips **4** pointer, slags fågelhund
pointless ['pɔɪntləs] **1** meningslös; svag, tam [*a ~ attempt*] **2** poänglös
poise [pɔɪz] **I** *s* **1** jämvikt [äv. *equal* (*even*) *~*]; svävande **2** sätt att föra sig; värdighet **II** *vb tr* balansera, bringa (hålla) i jämvikt **III** *vb itr* balansera, befinna sig (vara) i jämvikt; sväva
poised [pɔɪzd] **1** samlad, värdig; beredd **2** balanserande [*a ball ~ on the nose of a seal*], lyft; svävande
poison ['pɔɪzn] **I** *s* gift äv. bildl.; *~ fang* gifttand; *~ gas* giftgas; *what's your ~?* vard. vad vill du ha [att dricka]? **II** *vb tr* förgifta äv. bildl.; *~ a p.* (*a p.'s mind*) *against* göra ngn avogt inställd mot
poisoner ['pɔɪz(ə)nə] giftblandare
poisonous ['pɔɪz(ə)nəs] **1** giftig, gift- **2** skadlig **3** illvillig, giftig [*a ~ tongue*]
poison-pen ['pɔɪznpen] [anonym] hat- [*a ~ letter*], smutskastnings- [*a ~ campaign*]
1 poke [pəʊk], *buy a pig in a ~* köpa grisen i säcken
2 poke [pəʊk] **I** *vb tr* **1** stöta (knuffa, puffa) [till] med spetsigt föremål, finger o.d.; peta [på]; *~ a hole in* peta hål på (i) **2** röra om [i] eld o.d.; *~ the fire* [*up*] röra om i brasan **3** sticka [fram (ut, in)]; *~ fun at* göra narr av, driva med; *~ one's nose into a th.* sticka näsan (nosa) i ngt, lägga sig i ngt **4** *be ~d up* vara instängd (isolerad) **5** vulg. knulla **II** *vb itr* **1** peta [*~ with a stick in a th.*] **2** rota; snoka [*~ into a p.'s private affairs*]; *~ about* (*around*) [gå och] rota (snoka) [*~ about in the attic*], hålla på och stöka (påta) [*~ about in the garden*] **3** *~* [*out*] sticka fram (ut) [*his head ~d through*

the door] **III** *s* stöt, knuff [*give a p. a ~ in the ribs* (i sidan)]; *give the fire a ~* röra om lite i brasan
1 poker ['pəʊkə] kortsp. poker
2 poker ['pəʊkə] eldgaffel
poky ['pəʊkɪ] **1** trång, kyffig [*a ~ room* (*flat*)], torftig **2** amer. vard. långsam [*~ traffic*]
Poland ['pəʊlənd] Polen
polar ['pəʊlə] polar, pol-; fackspr. el. bildl. polär; *~ bear* isbjörn
polarity [pə(ʊ)'lærətɪ] fackspr. el. bildl. polaritet
polarization [ˌpəʊləraɪ'zeɪʃ(ə)n, -rɪ'z-] fys. o. TV. polarisation, polarisering äv. bildl.
polarize ['pəʊləraɪz] fackspr. el. bildl. polarisera
Pole [pəʊl] polack
1 pole [pəʊl] påle, stake; sport. stav; amer. äv. [skid]stav; *up the ~* vard. a) galen, tokig, knasig b) på fel spår
2 pole [pəʊl] pol [*negative ~*; *the North P~*]; *they are ~s apart* de står långt ifrån varandra; de är diametralt motsatta
pole-axe ['pəʊlæks] **I** *s* slaktyxa **II** *vb tr* hugga ner [med yxa], klubba ner äv. bildl.; *as if he had been ~d* som om han hade fått ett klubbslag
polecat ['pəʊlkæt] zool. iller; amer. äv. skunk
polemic [pə'lemɪk] **I** *adj* polemisk **II** *s* polemik; pl. *~s* (konstr. vanl. ss. sg.) isht teol. polemik
polenta [pə'lentə] kok. polenta
pole-vault ['pəʊlvɔ:lt] sport. **I** *s* stavhopp **II** *vb itr* hoppa stavhopp
police [pə'li:s] **I** (konstr. ss. pl.) *s* polis myndighet [*the ~ have caught him*]; poliser [*several hundred ~ were on duty*]; *~ academy* amer. polisskola; *~ college* polisskola; *~ department* amer. högsta statliga polismyndighet; *~ state* polisstat; *chief of ~* polischef; ss. titel polismästare **II** *vb tr* **1** behärska, bevaka; *UN forces ~d the area* FN-trupper övervakade (kontrollerade) området **2** förse med polis [*~ the city*]
police|man [pə'li:s|mən] (pl. *-men* [-mən]) polis[man], poliskonstapel; *~'s badge* polisbricka
police|woman [pə'li:s|wʊmən] (pl. *-women* [-wɪmɪn]) kvinnlig polis
1 policy ['pɒlɪsɪ] **1** klok politik **2** politik [*foreign ~*]; policy [*a new company ~*]; linje, hållning äv. polit.; *honesty is the best ~* ordspr. ärlighet varar längst; *pursue a ~* föra en politik
2 policy ['pɒlɪsɪ] försäkringsbrev [äv. *insurance ~*]
polio ['pəʊlɪəʊ] med. vard. polio
poliomyelitis [ˌpəʊlɪə(ʊ)maɪə'laɪtɪs] med. poliomyelit[is], polio
Polish ['pəʊlɪʃ] **I** *adj* polsk **II** *s* polska [språket]
polish ['pɒlɪʃ] **I** *s* **1** polering, putsning **2** glans äv. bildl.; bildl. förfining, stil; belevat sätt; polerad yta; *high ~* högglans **3** polermedel; polityr, polish [*furniture ~*]; *nail ~* nagellack **II** *vb tr* **1** polera [*~ brass*], skura; bona [*~ floors*]; putsa [*~ shoes*] **2** bildl. slipa av, polera, putsa; fila på [*~ one's verses*]; *~ up* vard. bättra på [*~ up one's French*] **3** *~ off* vard. snabbt klara av (få ur händerna) [*~ off a job*], [snabbt] expediera [*~ off an opponent*]; svepa, sätta i sig [*~ off a bottle of wine*]
polished ['pɒlɪʃt] **1** polerad etc., jfr *polish II*; blank **2** bildl. förfinad
polite [pə'laɪt] artig, hövlig; belevad
politeness [pə'laɪtnəs] hövlighet, artighet
politic ['pɒlɪtɪk] **1** klok, diplomatisk [*a ~ retreat*] **2** *the body ~* staten, statskroppen
political [pə'lɪtɪk(ə)l] politisk; stats-; *~ science* statsvetenskap; statskunskap
politician [ˌpɒlɪ'tɪʃ(ə)n] **1** [parti]politiker **2** statsman
politics ['pɒlɪtɪks] (konstr. ss. sg. el. pl.) **1** politik; *talk ~* politisera, prata politik **2** politiska idéer [*I don't like his ~*]
polka ['pɒlkə] polka dans el. melodi
poll [pəʊl] **I** *s* **1** a) röstning, val b) röstlängd c) röstetal, röstsiffror; *heavy* (*light*) *~* stort (högt resp. litet, lågt, ringa) valdeltagande **2** undersökning [*Gallup ~*]; [*public*] *opinion ~* opinionsundersökning **II** *vb tr* **1** a) få (samla) antal röster vid val [*he ~ed 3,000 votes*] b) registrera (räkna) väljare, röster **2** intervjua, göra en [opinions]undersökning bland (inom) **III** *vb itr* rösta
pollen ['pɒlən] bot. pollen; *~ count* [uppmätt] pollenhalt, pollenrapport för allergiker
pollinate ['pɒlɪneɪt] pollinera
pollination [ˌpɒlɪ'neiʃ(ə)n] pollinering
polling-booth ['pəʊlɪŋbu:ð, -bu:θ] vallokal
polling-day ['pəʊlɪŋdeɪ] valdag; *on ~* på valdagen
polling-station ['pəʊlɪŋˌsteɪʃ(ə)n] vallokal
pollster ['pəʊlstə] opinionsundersökare
pollutant [pə'lu:tənt, -'lju:-] **1** förorening, förorenande (miljöfarligt) ämne **2** nedsmutsare, miljöförstörare
pollute [pə'lu:t, -'lju:t] **1** förorena **2** bildl. besudla, befläcka
pollution [pə'lu:ʃ(ə)n, -'lju:-] **1** förorenande; *air ~* luftförorening **2** bildl. besudlande
polo ['pəʊləʊ] sport. polo[spel] [*water ~*]; *~ shirt* tenniströja
polonaise [ˌpɒlə'neɪz] polonäs dans el. musikstycke

polo neck ['pəʊləʊnek] polokrage; ~ [*sweater*] polotröja, tröja med polokrage
polyclinic [ˌpɒlɪ'klɪnɪk, '----] poliklinik allmänt sjukhus
polyester [ˌpɒlɪ'estə, 'pɒlɪˌestə] polyester
polygamist [pə'lɪgəmɪst] polygamist
polygamous [pə'lɪgəməs] polygam äv. bot.
polygamy [pə'lɪgəmɪ] polygami
polyglot ['pɒlɪglɒt] **I** *adj* flerspråkig **II** *s* polyglott
Polynesia [ˌpɒlɪ'ni:zjə, -ʒjə, -ʒə] geogr. Polynesien
polystyrene [ˌpɒlɪ'staɪri:n,-'stɪ-] kem. polystyren
polysyllable ['pɒlɪˌsɪləbl] flerstavigt ord
polytechnic [ˌpɒlɪ'teknɪk] **I** *adj* polyteknisk **II** *s* ung. högskola för teknisk yrkesutbildning
polythene ['pɒlɪθi:n] kem. polyeten; ~ *bag* plastpåse
polyunsaturated [ˌpɒlɪʌn'sætʃʊreɪtɪd] fleromättad [~ *fats*]
pomade [pə'mɑ:d, pɒ'm-] **I** *s* pomada **II** *vb tr* pomadera
pomegranate ['pɒmɪˌgrænɪt] **1** granatäpple **2** granatäppelträd
Pomeranian [ˌpɒmə'reɪnjən] **I** *adj* pommersk; ~ *dog* dvärgspets **II** *s* **1** pomrare **2** dvärgspets
pommel ['pʌml] **I** *s* **1** svärdsknapp **2** sadelknapp **II** *vb tr* se *pummel*
pomp [pɒmp] pomp, prakt; ~ *and circumstance* pomp och ståt
pompom ['pɒmpɒm] rund tofs, boll, pompong
pomposity [pɒm'pɒsətɪ] uppblåsthet etc., jfr *pompous*
pompous ['pɒmpəs] uppblåst; dryg; om språk el. stil pompös
ponce [pɒns] sl. **I** *s* **1** hallick **2** feminin typ, vekling **3** bög **II** *vb itr* **1** [leva på att] vara hallick **2** ~ *about* larva omkring
pond [pɒnd] damm; tjärn, liten sjö; *the* [*big* (*herring*)] *P~* vard. pölen Atlanten
ponder ['pɒndə] **I** *vb tr* överväga; begrunda, fundera över (på) [~ *a problem*] **II** *vb itr* grubbla
ponderous ['pɒnd(ə)rəs] **1** tung [~ *movements*] **2** bildl. tung, trög [*a* ~ *style*]
pone [pəʊn], [*corn*] ~ amer., slags majsbröd
pong [pɒŋ] sl. **I** *vb itr* stinka **II** *s* stank
pontiff ['pɒntɪf] påve [äv. *sovereign* ~]
pontificate [ss. subst. pɒn'tɪfɪkət, ss. vb pɒn'tɪfɪkeɪt] **I** *s* pontifikat, påvedöme; påves ämbetstid **II** *vb itr* **1** fungera som påve **2** uttala sig pompöst
1 pontoon [pɒn'tu:n] ponton; flyg. äv. flottör; ~ *bridge* pontonbro
2 pontoon [pɒn'tu:n] kortsp., ung. tjugoett
pony ['pəʊnɪ] **I** *s* **1 a**) ponny; [liten] häst **b**) *play* (*bet on*) *the ponies* sl. spela på hästar **2** sl. 25 pund **3** amer. sl. fusklapp **II** *vb itr* amer. sl. fuska med lathund
pony-tail ['pəʊnɪteɪl] hästsvans[frisyr]
pooch [pu:tʃ] sl. jycke hund
poodle ['pu:dl] pudel
pooh [phu:] uttr. otålighet el. förakt, *~!* äh!, asch!, pytt[san]!
pooh-pooh [ˌpu:'pu:] **I** *interj* se *pooh* **II** *vb tr* rynka på näsan (fnysa) åt [*he ~ed the idea*]
1 pool [pu:l] **1** pöl **2** pool
2 pool [pu:l] **I** *s* **1** kortsp. pulla; pott **2** insatsskjutning **3** pool slags biljard **4** *the football ~s* ung. tipstjänst, tipsbolaget **5** isht hand. pool, [monopol]sammanslutning för begränsning av inbördes konkurrens; trust **6 a**) central; *typing* (*typists'*) ~ skrivcentral **b**) reserv, förråd **II** *vb tr* slå samman [~ *one's resources*] **III** *vb itr* gå samman
poor [pʊə] **1** fattig; *the* ~ de fattiga **2** klen, mycket liten [*a* ~ *consolation, a* ~ *chance*]; skral, torftig, dålig, usel [*a* ~ *meal, a* ~ *salary*]; *he made a very* ~ *show* han gjorde en mycket slät figur **3** stackars, arm; ~ *fellow!* stackars karl (han)! **4** vard. (om avliden) salig; *my* ~ *father* min salig (gamle) far
poorly ['pʊəlɪ] **I** *pred adj* vard. klen till hälsan; dålig, krasslig [*look* ~] **II** *adv* fattigt etc., jfr *poor*, illa; *be* ~ *off* ha det dåligt ställt
1 pop [pɒp] **I** *interj* o. *adv* pang; *it went* [*off*] ~ det sa pang om den, den sa pang **II** *s* **1** knall, smäll, puff **2** skott; *have a* ~ *at* skjuta efter **3** vard. läsk, [kolsyrad] läskedryck **4** sl., *in* ~ i pant; på stampen pantsatt **III** *vb itr* **1** smälla, knalla; knäppa **2** vard. skjuta [~ [*away*] *at* (på, efter) *birds*] **3** kila; *I'll* ~ *along now* nu kilar (sticker) jag; *I'll* ~ *along* (*round*) *to see you* jag tittar in till dig; ~ *in* titta in; ~ *off* a) sl. kola [av], kila vidare dö b) kila (sticka) i väg; *his eyes were ~ping out of his head* han höll på att stirra ögonen ur sig [av förvåning] **4** brista (öppna sig) med en smäll **IV** *vb tr* **1** smälla [~ *a paper bag*]; skjuta **2** stoppa (sticka, lägga, ställa) [undan] [*she ~ped the gin bottle into the cupboard as the vicar entered*]; ~ *one's head out of the window* sticka ut huvudet genom fönstret **3** ~ *down* skriva upp (ner), kasta ner **4** sl. stampa på pantsätta [*I'll* ~ *my watch*] **5** ~ *corn* göra popcorn, 'poppa' [majs]
2 pop [pɒp] vard. **I** *adj* (kortform för *popular*) populär- [~ *art, a* ~ *singer*] **II** *s* pop
3 pop [pɒp] isht amer. vard. kortform för *poppa*
popcorn ['pɒpkɔ:n] popcorn
pope [pəʊp], *the P~* påven
popgun ['pɒpgʌn] barns luftbössa
poplar ['pɒplə] bot. poppel; *white* ~ silverpoppel

poplin ['pɒplɪn] poplin
poppa ['pɒpə] amer. vard. pappa
popper ['pɒpə] vard. **1** tryckknapp **2** skytt **3** popcornapparat **4** uppåttjack
poppy ['pɒpɪ] bot. vallmo; *P~ Day* söndag närmast 11 nov. då konstgjorda vallmoblommor säljs till minne av de stupade under världskrigen
poppycock ['pɒpɪkɒk] vard. strunt[prat]
Popsicle ['pɒpsɪk(ə)l] ® isht amer. isglass[pinne]
pop-top ['pɒptɒp] **I** *adj* [försedd] med rivöppnare [*a ~ beer can*] **II** *s* rivöppnare
populace ['pɒpjʊləs], *the ~* a) [den breda] massan; pöbeln b) befolkningen
popular ['pɒpjʊlə] **1** folk- [*a ~ revolution*], allmän [*~ discontent*]; *~ opinion* den allmänna meningen, folkopinion[en] **2** populär, omtyckt, populär- [*a ~ concert, ~ science*]; allmän; lättfattlig [*in a ~ style*]; *~ feature* glansnummer, publiknummer
popularity [ˌpɒpjʊ'lærətɪ] popularitet; folkgunst; *gain* (*win*) *~* vinna popularitet, bli populär
popularize ['pɒpjʊləraɪz] popularisera; göra populär
popularly ['pɒpjʊləlɪ] **1** allmänt **2** populärt; lättfattligt
populate ['pɒpjʊleɪt] befolka
population [ˌpɒpjʊ'leɪʃ(ə)n] befolkning; folkmängd; statistik. population; befolknings- [*~ explosion, ~ pyramid*]
populous ['pɒpjʊləs] folkrik
porcelain ['pɔ:s(ə)lɪn] finare porslin
porch [pɔ:tʃ] **1** överbyggd entré, portal; amer. veranda **2** förhall, förstuga
porcupine ['pɔ:kjʊpaɪn] zool. piggsvin
1 pore [pɔ:] por
2 pore [pɔ:] stirra, se oavvänt; *~ over* hänga (sitta) med näsan över [*~ over one's books*]; studera noga (flitigt) [*~ over a map*]
pork [pɔ:k] griskött isht osaltat
pork chop [ˌpɔ:k'tʃɒp] fläskkotlett
porker ['pɔ:kə] gödsvin
pork pie [ˌpɔ:k'paɪ] **1** fläskpastej **2** *pork-pie* [*hat*] flatkullig [herr]hatt med uppvikt brätte
porky ['pɔ:kɪ] **1** gris-, fläsk-, av griskött (fläsk) **2** vard. fläskig
porn [pɔ:n] o. **porno** ['pɔ:nəʊ] vard. porr
pornographic [ˌpɔ:nə(ʊ)'græfɪk] pornografisk
pornography [pɔ:'nɒgrəfɪ] pornografi
porous ['pɔ:rəs] porös, full av porer
porpoise ['pɔ:pəs] zool. tumlare
porridge ['pɒrɪdʒ] **1** [havre]gröt **2** sl. fängelse; *do ~* sitta på kåken, sitta inne
1 port [pɔ:t] portvin
2 port [pɔ:t] hamn äv. bildl.; hamnstad; *~ authority* hamnmyndighet; *any ~ in a storm* ordst. i en nödsituation duger vad som helst; *~ of arrival* ankomsthamn; *~ of destination* destination[shamn]
3 port [pɔ:t] sjö. **I** *s* babord **II** *vb tr, ~ the helm!* [lägg] rodret babord!, styrbord hän!
portable ['pɔ:təbl] **I** *adj* bärbar, portabel; flyttbar; lös; *~ radio* bärbar (portabel) radio, transistorapparat **II** *s* bärbar (portabel) apparat (TV, dator etc.)
portal ['pɔ:tl] portal, valvport
portend [pɔ:'tend] förebåda, varsla [om]
portent ['pɔ:tent, -t(ə)nt] förebud isht olyckligt; varsel; järtecken; omen
1 porter ['pɔ:tə] **1** portvakt, dörrvakt, grindvakt **2** vaktmästare; [hotell]portier
2 porter ['pɔ:tə] **1** bärare vid järnvägsstation o.d. **2** amer. sovvagnskonduktör **3** amer. städare **4** (kortform för *~'s beer*) porter
porterhouse ['pɔ:təhaʊs], *~* [*steak*] tjock skiva av rostbiffen närmast dubbelbiffen
portfolio [ˌpɔ:t'fəʊljəʊ] (pl. *~s*) **1** portfölj [*Minister without ~*]; ministerpost **2** aktieportfölj
porthole ['pɔ:thəʊl] **1** sjö. hyttventil; sidventil **2** sjö. [last]port; kanonport **3** skottglugg
portion ['pɔ:ʃ(ə)n] **I** *s* **1** del, stycke **2** andel, lott äv. bildl.; arvedel **3** [mat]portion [*a small ~*] **4** hemgift **II** *vb tr* **1** *~* [*out*] dela, fördela, dela ut [*among* bland; *to* till] **2** *~ off* skärma av
portly ['pɔ:tlɪ] korpulent
portmanteau [pɔ:t'mæntəʊ] (pl. *~s* el. *~x* [-z]) [stor] kappsäck; attr. tänjbar [*a ~ term*]
portrait ['pɔ:trət, -treɪt] **1** porträtt; *have one's ~ taken* a) låta måla sitt porträtt b) [låta] fotografera sig **2** bildl. bild, avbild
portray [pɔ:'treɪ] **1** porträttera, avbilda **2** bildl. framställa (skildra, teckna) [livfullt]
portrayal [pɔ:'treɪəl] **1** porträttmålning **2** framställning
Portugal ['pɔ:tjʊg(ə)l]
Portuguese [ˌpɔ:tjʊ'gi:z] **I** *adj* portugisisk **II** *s* **1** (pl. lika) portugis **2** portugisiska [språket]
pose [pəʊz] **I** *s* **1** pose äv. bildl.; [konstlad] ställning **2** posering **II** *vb tr* **1** framställa, lägga fram [*~ a claim, ~ a question*]; *~ a problem* (*threat*) utgöra ett problem (hot) **2** placera [i önskad pose] **III** *vb itr* posera; inta en pose; *~ as* ge sig ut för att vara
poseur [pəʊ'zɜ:] posör
posh [pɒʃ] vard. **I** *adj* flott [*a ~ hotel*], fin [*her ~ friends*] **II** *vb tr, ~ up* snofsa upp, göra fin
position [pə'zɪʃ(ə)n] **I** *s* **1** position äv. bildl.; läge, plats; *~ finder* a) sjö. [radio]pejlapparat b) mil. avståndsinstrument **2** [social] position [*a ~ in society*], [samhälls]ställning **3** plats,

anställning; befattning **4** ståndpunkt [*what's your ~ on* (i) *this controversy?*], synpunkt **II** *vb tr* **1** placera **2** lokalisera, ange positionen för

positive ['pɒzətɪv] **I** *adj* **1** allm. positiv äv. vetensk. [*a ~ photo*]; *~ feedback* elektr. medkoppling; *the ~ sign* plustecknet **2** a) uttrycklig, bestämd [*a ~ denial*; *~ orders*]; absolut b) verklig c) jakande [*a ~ answer*] **3** säker, övertygad; tvärsäker **4** vard. riktig, verklig, ren [*a ~ lie*], fullkomlig [*a ~ fool*] **5** gram., *the ~ degree* positiv **II** *s* **1** gram. positiv **2** elektr. anod **3** foto. positiv [bild]

positively ['pɒzətɪvlɪ] **1** positivt; uttryckligen **2** säkert **3** absolut, i sig själv, i och för sig **4** verkligt

posse ['pɒsɪ] isht amer. polisstyrka, [polis]uppbåd

possess [pə'zes] **1** besitta, äga, inneha; sitta inne med [*~ information*]; *all I ~* allt jag äger [och har] **2** bildl. a) om idé, känsla o.d. behärska [*the joy that ~ed him*] b) vara förtrogen med, behärska ett språk o.d.; *what ~ed you to do that?* hur i all världen kunde du göra så?

possessed [pə'zest] **1** besatt, behärskad; intagen; *~ by* (*with*) *an idea* (*love*) besatt (fylld) av en idé (av kärlek) **2** *be ~ of* (*with*) vara i besittning av, äga, ha [*be ~ of money* (*good sense*)]

possession [pə'zeʃ(ə)n] **1** besittande, innehav[ande]; ägo; *in ~ of one's senses* vid sina sinnens fulla bruk (sina sinnen); *get ~ of* få tag i, komma över **2** konkr. egendom, besittning; pl. *~s* äv. ägodelar, tillhörigheter **3** [politisk] besittning [*foreign ~s*]

possessive [pə'zesɪv] **I** *adj* **1** hagalen; härsklysten; dominerande; *the ~ instinct* habegäret; begäret att få behärska; *my husband is very ~* min man behandlar mig som om han ägde mig **2** gram. possessiv; *the ~ case* genitiv; *~ pronoun* possessivpronomen **II** *s* gram. **1** possessivpronomen **2** *the ~* genitiv

possessor [pə'zesə] ägare

possibility [ˌpɒsə'bɪlətɪ] möjlighet; eventualitet; *by any ~* på något [möjligt] vis

possible ['pɒsəbl, -sɪbl] **I** *adj* **1** möjlig, tänkbar; eventuell [*for ~ emergencies*]; *if ~* om möjligt **2** rimlig **II** *s* tänkbar kandidat (deltagare, spelare etc.); tänkbar vinnare

possibly ['pɒsəblɪ] **1** möjligt, möjligen; eventuellt; *not ~* omöjligt, omöjligen, överhuvudtaget inte; *I cannot ~ come* äv. jag har ingen [som helst] möjlighet att komma **2** kanske; [det är] mycket möjligt

1 post [pəʊst] **I** *s* **1** post vid dörr, fönster o.d.; stolpe **2** kapplöpn. [mål]stolpe; *the ~* äv. målet; *the starting ~* startlinjen, startstolpen **II** *vb tr* **1** *~* [*up*] sätta (klistra) upp, anslå [*~ a notice*, *~ a bill*] **2** *~* [*up*] offentliggöra, tillkännage [genom anslag] **3** affischera på

2 post [pəʊst] **I** *s* **1** befattning, plats, tjänst **2** mil. post[ställe]; *at one's ~* på sin post äv. bildl. **3** mil. ung. tapto[t] **II** *vb tr* isht mil. postera; förlägga [*be ~ed overseas*]; kommendera

3 post [pəʊst] **I** *s* **1** a) post brev o.d. [*we had a heavy* (mycket) *~ today*] b) [post]tur [*how many ~s are there per day?*] c) postskjuts, postbåt **2** a) post[kontor], postexpedition b) post[befordran]; postverk; *catch the ~* hinna posta före tömning av brevlådan **II** *vb tr* **1** posta [*~ a letter*] **2** hand. föra in (över) en post; bokföra; *~ up* föra à jour, avsluta, slutföra **3** bildl. informera; *keep a p. ~ed* hålla ngn à jour

post- [pəʊst oftast med huvudtryck] efter-, post- [*post-Victorian*]; senare än; *post-Beethoven* [*period*] ...efter Beethoven

postage ['pəʊstɪdʒ] porto; *~ rate* posttaxa; [post]porto

postal ['pəʊst(ə)l] post-; *~ card* isht amer., frankerat postkort; *~ code* se *postcode*; *~ giro account* postgirokonto; *~ service* postförbindelse, posttrafik; *~ tuition* korrespondensundervisning; *the P~ Union* världspostunionen; *~ vote* poströst

postbag ['pəʊs(t)bæg] **1** postsäck; postväska **2** bildl. (i tidskrift o.d.) brevlåda

postbox ['pəʊs(t)bɒks] brevlåda

postcard ['pəʊs(t)kɑːd] frankerat postkort; [*picture*] *~* vykort

postcode ['pəʊs(t)kəʊd] postnummer

postdate [ˌpəʊst'deɪt] postdatera, efterdatera

1 poster ['pəʊstə] avsändare

2 poster ['pəʊstə] **1** anslag; [stor] affisch, poster, plakat; löpsedel; *~ paint* plakatfärg **2** affischör

poste restante [ˌpəʊst'restɒnt] poste restante

posterior [pɒ'stɪərɪə], *~*[*s* isht amer.] skämts. bak[del]

posterity [pɒ'sterətɪ] **1** efterkommande ättlingar **2** eftervärld[en], kommande generationer

post-free [ˌpəʊst'friː] **I** *adj* portofri **II** *adv* portofritt, franko

postgraduate [ˌpəʊs(t)'grædjʊət] **I** *adj* efter avlagd (som avlagt) [första] examen vid universitet, i USA äv. vid *high school*; ung. doktorand- [*~ level*]; *~ studies* forskarutbildning, doktorandstudier **II** *s* forskarstuderande, doktorand

post-haste [ˌpəʊst'heɪst] i ilfart (sporrsträck)

posthumous ['pɒstjʊməs] postum [*a ~ novel*]
postiche [pɒ'sti:ʃ, '--] postisch löshår; peruk
post|man ['pəʊs(t)|mən] (pl. *-men* [-mən]) brevbärare, postiljon; *~'s knock* lek, ung. ryska posten
postmark ['pəʊs(t)mɑ:k] poststämpel
postmaster ['pəʊs(t)ˌmɑ:stə] postmästare; postföreståndare; *the P~ General* i USA ministern för postväsendet
postmistress ['pəʊs(t)ˌmɪstrəs] [kvinnlig] postmästare (postföreståndare); vard. postfröken
postmortem [ˌpəʊs(t)'mɔ:təm] **I** *adj, ~ examination* obduktion; *perform a ~ examination on* vanl. obducera **II** *s* **1** obduktion **2** efterhandsundersökning
postnatal [ˌpəʊs(t)'neɪtl] [som sker] efter födelsen; *~ care* mödravård efter förlossningen
post office ['pəʊstˌɒfɪs] **1** postkontor; *~ box* postfack, postbox **2** *the Post Office* el. *the General Post Office* a) huvudpostkontoret b) postverket; *~ order* postanvisning som skall åtföljas av brev med remittentens namn
post-paid [ˌpəʊs(t)'peɪd] **I** *adj* portofri **II** *adv* franko, portofritt
postpone [pəʊs(t)'pəʊn, pəs'p-] **1** skjuta upp **2** sätta i andra rummet, låta stå tillbaka
postponement [pəʊs(t)'pəʊnmənt, pəs'p-] **1** uppskjutande, senareläggning **2** åsidosättande
postscript ['pəʊsskrɪpt] postskriptum
postulate [ss. subst. 'pɒstjʊlət, -leɪt, ss. vb -leɪt] **I** *s* postulat **II** *vb tr* **1** begära, göra anspråk på **2** postulera
posture ['pɒstʃə, -tjʊə] **I** *s* **1** [kropps]ställning; hållning **2** attityd **II** *vb itr* posera äv. bildl.; vard. göra sig till
postwar [ˌpəʊst'wɔ:, attr. '--] efterkrigs-, efter kriget
posy ['pəʊzɪ] [liten] bukett äv. bildl.
pot [pɒt] **I** *s* **1** a) burk [*a ~ of honey* (*jam*)], kruka [*flowerpot*], pyts [*paint ~*] b) gryta c) kanna [*a tea ~*; *a ~ of tea*]; mugg, stop [*a ~ of ale*] d) potta e) sport. vard. buckla; pris f) tina [*lobsterpot*]; *~ of gold* bildl. guldgruva; lyckträff; *keep the ~ boiling* bildl. hålla grytan kokande, hålla det hela i gång; *go to ~* vard. gå åt pipan, stryka med **2** bildl. **a**) vard. massa [*make a ~ of money*] **b**) vard., [*big*] *~* [stor]pamp **c**) kortsp. o.d. pott **d**) sl., se *potbelly* **3** sl. hasch **II** *vb tr* **1** a) lägga (förvara) i en kruka etc. b) lägga (salta) in [*~ted shrimps* (*ham*)] **2** *~* [*up*] plantera (sätta) i en kruka (krukor) **3** vard. sätta på pottan [*~ the baby*] **4** vard. knäppa skjuta [*~ a rabbit*] **5** bilj., *~ a ball* göra (sänka) en boll **6** förkorta [*a ~ted version*] **III** *vb itr* vard., *~ at* skjuta på (efter) [*~ at a hare*]
potash ['pɒtæʃ] **1** pottaska **2** kali
potassium [pə'tæsjəm] kem. kalium; *~ bromide* bromkalium, kaliumbromid
potato [p(ə)'teɪtəʊ] (pl. *~es*) **1** potatis; *sweet ~* batat, sötpotatis **2** vard. hål på strumpan
potbellied ['pɒtˌbelɪd], *be ~* ha stor mage
potbelly ['pɒtˌbelɪ] kalaskula; isterbuk äv. om pers.
potboiler ['pɒtˌbɔɪlə] vard. bok (konstverk o.d.) som kommit till endast för brödfödans skull
potency ['pəʊt(ə)nsɪ] **1** makt; styrka **2** fysiol. potens
potent ['pəʊt(ə)nt] **1** mäktig, kraftig; stark [*~ reasons*], kraftig[t verkande] [*a ~ remedy*], stark **2** fysiol. potent
potentate ['pəʊt(ə)nteɪt, -tət] potentat
potential [pə(ʊ)'tenʃ(ə)l] **I** *adj* potentiell, eventuell [*a ~ enemy*] **II** *s* potential [*war ~*]; möjlighet[er]
pot herb ['pɒthɜ:b] köksväxt; pl. *~s* äv. sopprötter
pot-holder ['pɒtˌhəʊldə] grytlapp
pot-hole ['pɒthəʊl] **1** geol. jättegryta **2** i väg potthål, grop; tjälskott
pot-holing ['pɒtˌhəʊlɪŋ] grottforskning
potion ['pəʊʃ(ə)n] dryck isht med helande, giftiga el. magiska egenskaper [*love ~*]
pot luck [ˌpɒt'lʌk], *take ~* hålla tillgodo med vad huset förmår
potpourri [pəʊ'pʊrɪ, pɒt-, ˌ--'-] potpurri
pot-roast ['pɒtrəʊst] **I** *s* grytstek **II** *vb tr* bräsera
pot shot [ˌpɒt'ʃɒt] vard. a) slängskott b) bildl. känga pik; gissning; *take a ~ at* a) slänga i väg ett skott efter b) bildl. ge ngn en känga; [försöka] gissa på
potted ['pɒtɪd] **1** se *pot II* **2** sammandragen, förkortad [*a ~ version of the film*] **3** amer. sl. full [som en alika]
1 potter ['pɒtə], *~* [*about*] knåpa, pyssla, pilla [*at* med], fuska [*in* i]
2 potter ['pɒtə] krukmakare; keramiker; *~'s clay* (*earth*) krukmakarlera
pottery ['pɒtərɪ] **1** porslinsfabrik; keramikfabrik; krukmakeri **2** porslinstillverkning; keramiktillverkning; krukmakeri **3** porslin; keramik; lergods
potty ['pɒtɪ] vard. **I** *adj* **1** knasig; tokig **2** pluttig, futtig; *that ~ little car* den där lilla pluttbilen **II** *s* barnspr. potta; *~ training* potträning
pouch [paʊtʃ] **1** pung [*tobacco ~*], [liten] påse **2** biol.: t.ex. pungdjurs pung; pelikaners påse **3** *have ~es under the eyes* ha påsar under ögonen **4** mil. patronväska
poulterer ['pəʊlt(ə)rə] fågelhandlare

poultice ['pəʊltɪs] **I** *s* gröt[omslag] **II** *vb tr* lägga grötomslag på

poultry ['pəʊltrɪ] fjäderfä[n], [tam]fågel, [tam]fåglar, höns; ~ *breeding* fjäderfäavel, hönsavel

poultry farm ['pəʊltrɪfɑ:m] hönsfarm

pounce [paʊns] **I** *s* isht rovfågels (rovdjurs) nedslag på sitt byte; [plötsligt] anfall; *make a* ~ [*up*]*on* slå ner på, kasta sig över **II** *vb itr* **1** ~ [*up*]*on* (*at*) slå ner på äv. bildl. [~ *on a mistake*]; slå klorna (sina klor) i; kasta sig över äv. bildl. [~ *at the first opportunity*] **2** rusa, störta [*he* ~*d into the room*] **III** *vb tr* slå ner på; gripa [med klorna]

1 pound [paʊnd] **1** vikt [skål]pund (vanl. = 16 *ounces* 454 gram) **2** myntv. pund (= 100 pence, före 1971 = 20 shilling); *five* ~*s* (*£5;* ibl. *five* ~) 5 pund

2 pound [paʊnd] **I** *s* **1** inhägnad isht för bortsprungna husdjur **2** uppställningsplats för felparkerade motorfordon **II** *vb tr* **1** ~ [*up*] stänga in **2** ställa upp motorfordon på uppställningsplats

3 pound [paʊnd] **I** *vb tr* **1** dunka (banka, hamra) på [~ *the piano*]; hamra mot [*our guns* ~*ed the walls of the fort*]; puckla 'på [~ *a p.*]; bulta (slå) 'i **2** stöta [~ *spices in a mortar*], pulvrisera; krossa **II** *vb itr* **1** dunka, banka, hamra; ~ *away* dunka 'på; slamra 'på; ~ *on the wall* bulta (dunka) i väggen **2** klampa [*I could hear feet* ~*ing on* (i) *the stairs*], klampa 'på (i väg) [*he* ~*ed along the road*]; om fartyg stampa

pour [pɔ:] **I** *vb tr* **1** hälla, ösa; gjuta; ~ *out* a) slå (hälla) ut b) slå i, hälla i (upp), servera [~ [*out*] *a cup of tea* (*some wine*)] **2** låta strömma ut, sända ut; *the factories* ~ *out* (*forth*) [*millions of cars every year*] fabrikerna spottar (vräker) ut... **3** avlossa [*they* ~*ed 30 bullets into* (mot) *the plane*] **4** *the river* ~*s itself into the sea* floden faller ut i havet **II** *vb itr* strömma, forsa; välla; ösa, hällregna; *the sweat was* ~*ing down his face* svetten strömmade (rann) nedför ansiktet på honom

pout [paʊt] **I** *vb itr* truta (pluta) med munnen; se sur[mulen] (trumpen) ut; tjura **II** *vb tr*, ~ *one's lips* truta (puta, pluta) med munnen **III** *s* sur[mulen], (trumpen) uppsyn

poverty ['pɒvətɪ] **1** fattigdom, armod **2** brist

poverty-stricken ['pɒvətɪˌstrɪkn] utfattig äv. bildl.; torftig, eländig

powder ['paʊdə] **I** *s* **1** pulver äv. ss. läkemedel; stoft; *take a* ~ vard. sticka, smita **2** puder äv. kosmetiskt **3** krut; *keep one's* ~ *dry* hålla sitt krut (krutet) torrt **II** *vb tr* **1** pudra; bepudra, beströ **2** strö ut **3** pulvrisera, smula (mala) sönder; ~*ed egg* äggpulver

powder puff ['paʊdəpʌf] pudervippa

powder room ['paʊdəru:m] damrum

powdery ['paʊdərɪ] **1** puderfin **2** pudrad; betäckt med damm (stoft)

power ['paʊə] **I** *s* **1** förmåga; pl. ~*s* förmåga, begåvning, talang[er]; ~ *of speech* talförmåga **2** makt äv. konkr.; *the Great Powers* stormakterna; *he is a* ~ [*in politics*] han är en maktfaktor... **3** [makt]befogenhet; ~ [*of attorney*] bemyndigande, fullmakt **4** kraft [*the* ~ *of a blow*]; styrka [*the* ~ *of a lens*]; fys. el. tekn. äv. effekt [*100-watt* ~]; kapacitet; ~ *of attraction* dragningskraft **5** [guda]makt; *merciful* ~*s!* milda makter! **6** matem. dignitet; *3 raised to the second* ~ 3 upphöjt till 2, 3 i kvadrat **II** *vb tr* driva; perf. p. ~*ed* motordriven, motor- [*a* ~*ed lawn-mower*]; *a new aircraft* ~*ed by* [*Rolls-Royce engines*] ett nytt flygplan [utrustat] med...

power brake ['paʊəbreɪk] servobroms

power cut ['paʊəkʌt] elektr. strömavbrott; strömavstängning

power drill ['paʊədrɪl] elektrisk borr[maskin]; motorborr

powerful ['paʊəf(ʊ)l] mäktig [*a* ~ *nation*], kraftfull [*a* ~ *ruler*]; kraftig [*a* ~ *blow*], stark [*a* ~ *engine*]; kraftigt verkande [*a* ~ *remedy*]

powerhouse ['paʊəhaʊs] **1** kraftstation, kraftverk; elverk **2** vard. kraftkarl, energiknippe

powerless ['paʊələs] maktlös; ~ *to help* ur stånd att hjälpa

power-mower ['paʊəˌməʊə] motorgräsklippare

power pack ['paʊəpæk] nätdel, nätanslutningsaggregat

power point ['paʊəpɔɪnt] elektr. vägguttag

power station ['paʊəˌsteɪʃ(ə)n] **1** elverk **2** kraftstation, kraftverk

pow-wow ['paʊwaʊ] **I** *s* **1** rådslag mellan eller med indianer **2** vard. möte; samtal, pratstund; rådslag **II** *vb itr* rådslå; vard. pratas vid

pox [pɒks], [*the*] ~ vard. syffe syfilis

pp. förk. för *pages*

PPS (förk. för *post postscriptum*) P.P.S.

PR förk. för *public relations*

practicability [ˌpræktɪkə'bɪlətɪ] **1** görlighet; användbarhet **2** farbarhet

practicable ['præktɪkəbl] **1** görlig; användbar [~ *methods*] **2** farbar

practical ['præktɪk(ə)l] **1** praktisk i olika bet.; ändamålsenlig, tillämpad; ~ *joke* se o. *joke* **2** [praktiskt] användbar (genomförbar) [*a* ~ *scheme*]

practicalit|y [ˌpræktɪ'kælətɪ] praktiskhet; praktisk läggning; praktisk möjlighet; pl. *-ies* praktiska saker (frågor, förhållanden)

practically [i bet. *1* vanl. 'præktɪkəlɪ, i bet. *2*

vanl. 'præktıklı] **1** praktiskt **2** praktiskt taget

practice ['præktıs] **I** *s* **1** praktik [*theory and ~*]; *in ~* i praktiken **2** praxis; bruk [*the ~ of closing* (att stänga) *shops on Sundays*]; sed[vänja]; *religious ~s* religiösa bruk; *it is his ~ to...* han har för vana att...; *we don't make a ~ of* [*doing*] *it* vi brukar inte göra så (det) **3** övning[ar]; *~ makes perfect* övning ger färdighet **4** läkares o. advokats praktik; *be in ~ as a doctor* praktisera som läkare **5** utövande [*the ~ of a profession*]; tillämpning **6** ofta pl. *~s* [tvivelaktiga] metoder [*we don't approve of these ~s*], knep, trick[s] **II** *vb tr* o. *vb itr* amer., se *practise*

practise ['præktıs] **I** *vb tr* **1** öva sig i [*~ English*], öva [*~ music*; *~ scales on the piano*]; *~ the piano* öva [på] piano **2** praktisera, tillämpa [i praktiken] [*~ a method*]; *~ what one preaches* leva som man lär **3** utöva [*~ a profession*]; idka; visa [*~ politeness*]; *~ strict economy* iaktta den största sparsamhet **II** *vb itr* **1** öva sig; öva, träna; *~ on* (*at*) *the piano* öva [på] piano **2** om läkare o. advokat praktisera

practised ['præktıst] **1** om pers. [durk]driven, skicklig; erfaren, rutinerad **2** inövad

practising ['præktısıŋ] praktiserande; aktivt troende; ortodox [*a ~ Jew*]

practitioner [præk'tıʃənə] praktiker; praktiserande läkare; praktiserande jurist

pragmatic [præg'mætık] o. **pragmatical** [præg'mætık(ə)l] pragmatisk, saklig

Prague [prɑ:g] geogr. Prag

prairie ['preərı] prärie

praise [preız] **I** *vb tr* berömma, lovorda; lova [*~ God*]; *~ to the skies* höja till skyarna **II** *s* beröm, lovord; *sing the ~*[*s*] *of a p.* el. *sing a p.'s ~* sjunga ngns lov, prisa ngn; *full of ~ for* full av lovord över

praiseworthy ['preız,wɜ:ðı] lovvärd

pram [præm] (förk. för *perambulator*) barnvagn

prance [prɑ:ns] **I** *vb itr* **1** om häst dansa på bakbenen **2** om pers. kråma sig **II** *s* **1** hästs dansande på bakbenen **2** kråmande rörelse[r] (steg)

prank [præŋk] upptåg; *childish* (*boyish*) *~s* pojkstreck

prate [preıt] **I** *vb itr* prata, pladdra **II** *s* prat

prattle ['prætl] **I** *vb itr* **1** snacka, pladdra **2** jollra **II** *s* **1** snack, pladder **2** joller

prave [preıv] *vb itr* dillumera

prawn [prɔ:n] **I** *s* räka; *Dublin Bay ~* havskräfta **II** *vb itr* fiska räkor

pray [preı] **I** *vb tr* högtidl. be [*I ~ you not to do so*] **II** *vb itr* **1** be[dja]; *~ to God for help* be [till] Gud om hjälp **2** *~* [*don't speak so loud!*] var vänlig [och]...

prayer [preə] **1** bön; *morning ~*[*s*] morgonbön, morgonandakt; *be at ~s* läsa sina böner, be[dja], förrätta [sin] andakt; läsa [sin] aftonbön; *the Book of Common P~* namn på engelska kyrkans bön- och ritualbok **2** *not have a ~* vard. inte ha en chans (suck)

prayer book ['preəbʊk] bönbok

preach [pri:tʃ] **I** *vb itr* predika **II** *vb tr* predika äv. bildl. [*~ abstinence*]; förkunna [*~ the Gospel*]; *~ a sermon* hålla en predikan, predika

preacher ['pri:tʃə] predikant

preamble [pri:'æmbl] **I** *s* inledning **II** *vb tr* o. *vb itr* inleda

preamplifier [,pri:'æmplıfaıə] elektr. förförstärkare

prearrange [,pri:ə'reın(d)ʒ] ordna (avtala) på förhand; *at a ~d signal* på en [på förhand] given signal

precarious [prı'keərıəs] **1** osäker [*a ~ foothold* (*income*)], oviss, prekär; *~ health* vacklande hälsa **2** farlig, riskabel

precaution [prı'kɔ:ʃ(ə)n] **1** försiktighet; *by way of ~* av försiktighetsskäl, för säkerhets skull, försiktigtvis **2** [*measure of*] *~* försiktighetsåtgärd

precautionary [prı'kɔ:ʃnərı] försiktighets-, säkerhets- [*~ measures* (åtgärder)]

precede [prı'si:d] **I** *vb tr* **1** föregå; gå före [*such duties ~ all others*], komma (ligga) före [*countries that ~ ours in wealth*], stå över [*dukes ~ earls*] **2** låta föregås; inleda **II** *vb itr* gå (komma) före [*in the chapter that ~s*]

precedence ['presıd(ə)ns, 'pri:s-] företräde; försteg; [*right of*] *~* företrädesrätt; *have* (*take*) *~ of* (*over*) gå (komma) före, ha företräde framför; ha högre rang än

precedent ['presıd(ə)nt, 'pri:s-] precedensfall; isht jur. prejudikat

preceding [prı'si:dıŋ] föregående

precept ['pri:sept] regel; rättesnöre

precinct ['pri:sıŋ(k)t] **1** [inhägnat] område [*the ~ of the cathedral* (*school*)] **2** [reserverat] område; *pedestrian ~* område med gågator, gågata **3** amer. valdistrikt; [*police*] *~* polisdistrikt **4** vanl. pl. *~s* a) omgivningar [*the ~s of the town*] b) gräns[er]; *within the city ~s* innanför stadsgränsen

precious ['preʃəs] **I** *adj* **1** **a**) dyrbar, värdefull; *~ metals* ädelmetaller **b**) kär [*~ memories*] **2** affekterad **3** vard. iron. snygg, skön [*a ~ mess* (röra)] **II** *s*, *my ~* min älskling (skatt) **III** *adv* vard. väldigt [*take ~ good care of it*], fasligt, förbaskat [*~ little you care!*]

precipice ['presıpıs] brant; *be on the brink* (*edge*) *of the ~* stå vid avgrundens rand

precipitate [ss. adj. prɪ'sɪpɪtət, ss. vb -eɪt] **I** *adj* **1** brådstörtad [*a ~ flight*]; brådskande **2** överilad [*a ~ marriage*]; besinningslös **II** *vb tr* **1** störta ner; bildl. störta [*~ the country into war*] **2** påskynda [*events that ~d his ruin*], plötsligt framkalla [*~ a crisis*] **3** kem. fälla ut

precipitation [prɪˌsɪpɪ'teɪʃ(ə)n] **1** nedstörtande, fall **2** [besinningslös] brådska **3** *with ~* överilat, förhastat **4** påskyndande **5** meteor. nederbörd [*a heavy* (riklig) *~*]

precise [prɪ'saɪs] **1** exakt [*the ~ meaning of a word*], precis; noggrann [*~ measurements* (mätningar)] **2** överdrivet noggrann

precisely [prɪ'saɪslɪ] exakt, precis [*at 2 o'clock ~*]; noggrant; just; egentligen [*what ~ does that mean?*]; *~!* just det [ja]!, precis [så]!

precision [prɪ'sɪʒ(ə)n] precision; precisions- [*~ bombing*]; fin- [*~ mechanics*]

preclude [prɪ'klu:d] förebygga [*~ misunderstanding*], utesluta [*~ a possibility*], undanröja [*~ all doubt*]

precocious [prɪ'kəʊʃəs] brådmogen [*a ~ child*]

precocity [prɪ'kɒsətɪ] brådmogenhet

preconceive [ˌpri:kən'si:v] bilda sig en uppfattning om (föreställa sig) på förhand; *~d opinions* (*ideas*) förutfattade meningar

preconception [ˌpri:kən'sepʃ(ə)n] förutfattad mening; fördom

precondition [ˌpri:kən'dɪʃ(ə)n] nödvändig förutsättning

precursor [prɪ'kɜ:sə] förelöpare; förebud

predator ['predətə] **1** rovdjur **2** bildl. rövare, rovgirig person

predatory ['predət(ə)rɪ] **1** plundrings-, plundrande; rövar- [*~ bands*] **2** rov- [*~ animals*], rovdjurs- **3** rovgirig

predecessor ['pri:dɪsesə, ˌpri:dɪ's-] **1** företrädare, föregångare **2** förfader

predestination [prɪˌdestɪ'neɪʃ(ə)n] predestination, förutbestämmelse; öde

predestine [prɪ'destɪn] predestinera, förutbestämma

predetermine [ˌpri:dɪ'tɜ:mɪn] bestämma (fastställa) i förväg; förutbestämma

predicament [prɪ'dɪkəmənt] predikament; belägenhet

predicate [ss. subst. 'predɪkət, -eɪt, ss. vb -eɪt] **I** *s* gram. predikat; satsens predikatsdel **II** *vb tr* påstå, [ut]säga; förkunna

predict [prɪ'dɪkt] **I** *vb tr* förutsäga; profetera **II** *vb itr* spå

predictable [prɪ'dɪktəbl] förutsägbar

predictably [prɪ'dɪktəblɪ] som kan (kunde) förutsägas; som man kan (kunde) tänka sig

prediction [prɪ'dɪkʃ(ə)n] förutsägelse, profetia

predilection [ˌpri:dɪ'lekʃ(ə)n] förkärlek

predispose [ˌpri:dɪ'spəʊz] göra [på förhand] mottaglig (benägen), predisponera [*to* + inf. för att + inf.]; *be ~d to* vara mottaglig (benägen) för, ha anlag för (för att); *be ~d in a p.'s favour* vara på förhand gynnsamt inställd (stämd) mot ngn

predisposition ['pri:ˌdɪspə'zɪʃ(ə)n] mottaglighet, anlag

predominance [prɪ'dɒmɪnəns] [över]makt; övervägande del

predominant [prɪ'dɒmɪnənt] dominerande, [för]härskande

predominate [prɪ'dɒmɪneɪt] dominera; vara förhärskande; *workers ~* [*in the district*] det bor övervägande (huvudsakligen) arbetare...

pre-eminent [prɪ'emɪnənt] mest framstående (framträdande); överlägsen

pre-empt [prɪ'em(p)t] **1** a) förvärva genom förköpsrätt b) hävda sin förköpsrätt till **2** i förväg lägga beslag på **3** förekomma; föregripa; ersätta [*the programme was ~ed by a special coverage of the match*]

pre-emptive [prɪ'em(p)tɪv] **1** förköps- **2** kortsp., *~ bid* spärrbud, stoppbud **3** förebyggande; föregripande [*a ~ air strike* (flygräd)]

preen [pri:n] **1** om fågel putsa [*~ its feathers*] **2** om pers., *~ oneself* a) snygga till sig b) kråma sig; berömma sig [*on* av], yvas, skryta [*on* över]

prefab ['pri:fæb] vard., *~* [*house*] se *prefabricated house* under *prefabricate*

prefabricate [ˌpri:'fæbrɪkeɪt] fabrikstillverka delarna till; perf. p. *~d* äv. monteringsfärdig; *~d house* äv. monteringshus, elementhus

preface ['prefəs] **I** *s* förord, inledning [*a ~ to a speech*] **II** *vb tr* inleda

prefatory ['prefət(ə)rɪ] inlednings-

prefect ['pri:fekt] **1** i vissa brittiska skolor (ung.) ordningsman **2** i Frankrike, Italien o. antikens Rom prefekt

prefer [prɪ'fɜ:] **1** föredra [*I ~ coffee to tea*], tycka mest (bäst) om; helst (hellre) vilja göra (ha) [*which would* (*do*) *you ~, tea or coffee?*]; *I would* (*should*) *~ you to stay* (*that you stayed*, amer. *for you to stay*) jag föredrar (vill helst, ser helst, skulle helst se) att du stannar [här]; *~red share* preferensaktie **2** lägga fram [*~ a bill*; *~ a statement* (rapport)]; framställa [*~ a claim*]

preferable ['pref(ə)rəbl] som är att föredra; *...is ~* ...är att föredra; ...är bättre [*to* än]

preferably ['pref(ə)rəblɪ] företrädesvis,

helst [~ *today*]; ~ *to all others* framför alla andra

preference ['pref(ə)r(ə)ns] **1** a) förkärlek [*have a ~ for French novels*] b) företräde; *give the ~* [*to*] ge företräde [åt]; *in ~ to* framför [*in ~ to all others*], hellre än **2** preferens; *my ~* isht det (den) jag föredrar (sätter högst) [*of the two this is my ~*] **3** isht ekon. **a**) preferens **b**) ~ [*share*] preferensaktie **4** befordran

preferential [ˌprefə'renʃ(ə)l] preferens-, förmåns- [~ *right*], förmånsberättigad, med förmånsrätt; ~ *treatment* preferensbehandling; *you are always getting ~ treatment* du blir alltid favoriserad

prefix [ss. subst. 'pri:fɪks, ss. vb vanl. -'-] **I** *s* språkv. förstavelse, prefix **II** *vb tr* **1** ~ *a th. to a th.* lägga till ngt i början av ngt isht en bok o.d. **2** språkv. prefigera, sätta som prefix

pregnancy ['pregnənsɪ] a) graviditet, havandeskap b) hos djur dräktighet

pregnant ['pregnənt] **1** gravid; om djur dräktig; *become* (*get a p.*) ~ äv. bli (göra ngn) med barn **2** ~ *with* rik på, fylld av **3** a) om stil, ord pregnant b) om handling, händelse betydelsefull; ödesdiger; *a ~ silence* en laddad (förtätad) tystnad

prehistoric [ˌpri:(h)ɪ'stɒrɪk] o. **prehistorical** [ˌpri:(h)ɪ'stɒrɪk(ə)l] förhistorisk [~ *animals*]; vard. urgammal; ~ *times* förhistorisk tid, forntid, urtid[en]

prehistory [ˌpri:'hɪst(ə)rɪ] förhistoria

prejudge [ˌpri:'dʒʌdʒ] döma på förhand (i förväg); avge ett för tidigt omdöme om

prejudice ['predʒʊdɪs] **I** *s* **1** a) fördom[ar]; avoghet [*his ~ against foreigners*]; fördomsfullhet b) förutfattad[e] mening[ar] [*listen without ~*] **2** förfång, men; *to the ~ of* till förfång (men) för **II** *vb tr* **1** inge ngn fördomar, göra ngn partisk; påverka [~ *a jury member*]; ~ *a p. against* (*in favour of*) göra ngn avogt inställd mot el. till (välvilligt inställd till) **2** inverka menligt på; ~ *a p.'s case* skada ngns sak

prejudiced ['predʒʊdɪst] fördomsfull, partisk; *be ~* äv. ha en förutfattad mening

prelate ['prelət] prelat

preliminar|y [prɪ'lɪmɪnərɪ] **I** *adj* preliminär, förhands-; förberedande [~ *negotiations*]; inledande [~ *remarks*]; ~ *examination* förtentamen; inträdesprövning; ~ *exercise* förövning; ~ *heat* försöksheat; ~ *investigation* förundersökning **II** *s* **1** förberedande åtgärd; pl. *-ies* äv. preludier, preliminärer; förberedelser [*-ies to* (för) *negotiations*]; *peace -ies* inledande fredsförhandlingar **2** se ~ *examination* ovan **3** utslagningstävling, kvalificeringstävling **4** i USA förmatch

prelude ['prelju:d] **I** *s* förspel, upptakt, inledning äv. mus. **II** *vb tr* utgöra förspelet till

premarital [prɪ'mærɪtl] föräktenskaplig [~ *relations*]

premature [ˌpremə'tjʊə, ˌpri:m-, 'premətjʊə, 'pri:m-] **1** för tidig [~ *death*], som inträffar [allt]för tidigt; för tidigt född [*a ~ baby*]; brådmogen **2** förhastad [*a ~ conclusion*]

prematurely [ˌpremə'tjʊəlɪ, ˌpri:m-, 'premətjʊəlɪ, 'pri:m-] **1** [allt]för tidigt; i otid **2** förhastat

premeditated [prɪ'medɪteɪtɪd] överlagd [~ *murder*]; avsiktlig, uppsåtlig

premeditation [prɪˌmedɪ'teɪʃ(ə)n] [föregående] överläggning; uppsåt, berått mod [*with ~*]

premier ['premjə] **I** *adj* första [~ *place*]; främsta; *the ~ league* fotb. elitserien **II** *s* premiärminister; statsminister

première ['premɪeə] premiär

premise ['premɪs] **1** antagande, förutsättning; premiss **2** pl. *~s* fastighet[er], fastighetsområde; lokal[er]; *on the ~s* inom fastigheten (lokalen); på stället, på platsen [*to be consumed on the ~s*]

premium ['pri:mjəm] **1** [försäkrings]premie **2** premie, pris; premium; ~ [*savings*] *bonds* premieobligationer **3** extra belopp utöver ordinarie pris o.d. **4** hand. överkurs

premonition [ˌpri:mə'nɪʃ(ə)n] **1** förvarning; varsel **2** förkänsla, föraning; *have a ~ of danger* ha en förkänsla av annalkande fara

preoccupation [prɪˌɒkjʊ'peɪʃ(ə)n] **1** tankfullhet; förströddhet **2** främsta intresse, huvudsaklig sysselsättning; sysslande [*his constant ~ with lexicography*]

preoccupied [prɪ'ɒkjʊpaɪd] **1** helt upptagen av sina tankar, tankspridd **2** helt upptagen, djupt försjunken

prep [prep] **I** *s* skol. vard. **1** (förk. för *preparation*) läxläsning; *do ~* göra läxorna, plugga **2** ~ [*school*] (förk. för *preparatory school*), se *preparatory I 1* **II** *vb itr* amer. vard. **1** gå i *preparatory school* **2** göra läxorna, plugga

preparation [ˌprepə'reɪʃ(ə)n] **1** a) förberedelse [*make ~s for* (för)] b) tillagning, tillredning [~ *of food*] c) framställning [*the ~ of a vaccine*]; *in ~* under förberedelse (tillagning etc.) **2** a) läxläsning[sstund] b) preparering av läxa el. elev **3** preparat [*pharmaceutical ~s*]

preparatory [prɪ'pærət(ə)rɪ] **I** *adj* **1** förberedande; för- [~ *work*]; ~ *school* a) [privat] förberedande skola för inträde i 'public school' b) i USA högre internatskola för inträde i college **2** ~ *to* som en

förberedelse för (till), före, inför **II** *s* se ~ *school* under *I 1*
prepare [prɪˈpeə] **I** *vb tr* **1 a**) förbereda; preparera; ~ *oneself for* göra sig beredd på; ~ *the ground for* bearbeta (bildl. bereda) marken för **b**) tillreda, laga [till] [~ *food*], bereda; ~*d from* tillagad (beredd) av **c**) framställa [~ *a vaccine*]; blanda till [~ *a medicine*] **2** läsa [på], preparera [~ *one's homework*] **3** tekn. preparera **II** *vb itr* förbereda sig, göra sig redo [~ *for a journey*]; göra sig beredd [~ *for* (på) *the worst*]; ~ *for an exam* läsa på (förbereda sig för) en examen
prepared [prɪˈpeəd] **1** förberedd m.m., jfr *prepare* **2** beredd; i ordning; redo [*be* ~*!*]; benägen [*I'm* ~ *to believe*], villig [*I'm not* ~ *to...*]
preparedness [prɪˈpeədnəs, -ˈpeərɪdnəs] mil., [*military*] ~ [försvars]beredskap
prepay [ˌpriːˈpeɪ] betala i förväg (förskott); frankera [~ *a letter*]; *reply prepaid* om telegram svar betalt
preponderance [prɪˈpɒnd(ə)r(ə)ns] övervikt; överskott, [övervägande] flertal
preposition [ˌprepəˈzɪʃ(ə)n] gram. preposition
preposterous [prɪˈpɒst(ə)rəs] orimlig [*a* ~ *claim*], befängd [*a* ~ *idea*], absurd
prepuce [ˈpriːpjuːs] anat. förhud
prerecord [ˌpriːrɪˈkɔːd] spela in (banda) i förväg (på förhand); perf. p. ~*ed* äv. färdiginspelad, bandad
prerequisite [ˌpriːˈrekwɪzɪt] **I** *s* [nödvändig] förutsättning **II** *adj* nödvändig
prerogative [prɪˈrɒgətɪv] prerogativ [*royal* ~], privilegium
preschool [ˈpriːskuːl] **I** *adj* förskole- [~ *age* (*child*)] **II** *s* förskola
prescribe [prɪˈskraɪb] **I** *vb tr* **1** föreskriva, bestämma; ålägga **2** med. ordinera **II** *vb itr* **1** ge föreskrifter **2** med. ordinera medicin; ge ordination[er]
prescription [prɪˈskrɪpʃ(ə)n] **1** åläggande **2** med. **a**) recept [*make up* (expediera) *a* ~]; *be* (*be placed*) *on* ~ vara (bli) receptbelagd **b**) ordination **c**) medicin [*take this* ~ *three times a day*]
prescriptive [prɪˈskrɪptɪv] **1** med (som ger) föreskrifter; normativ [*a* ~ *grammar*] **2** hävdvunnen [~ *right*]
presence [ˈprezns] **1** närvaro; närhet; förekomst [*the* ~ *of ore in the rock*]; ~ *of mind* sinnesnärvaro **2** imponerande (ståtlig) gestalt (person) **3** hållning [*a man of* [*a*] *noble* ~]; pondus; personlig framtoning; *he has a good* ~ han är representativ, han har verklig pondus
1 present [ˈpreznt] **I** *adj* **1** närvarande; *be* ~ *at* äv. övervara; *those* (*the people*) ~ de närvarande **2** nuvarande, innevarande [*the* ~ *month*], [nu] pågående, aktuell [*the* ~ *boom*], nu levande [*the* ~ *generation*], nu gällande [*the* ~ *system*]; närvarande; *in the* ~ *circumstances* under nuvarande förhållanden **3** föreliggande, ifrågavarande; *in the* ~ *case* i föreliggande (detta) fall, i det [nu] aktuella fallet **4** gram. presens-; *the* ~ *tense* presens **II** *s* **1** *the* ~ nuet [*we must live in the* ~] **2** gram., *the* ~ presens
2 present [ss. subst. ˈpreznt, ss. vb prɪˈzent] **I** *s* present; *he gave it to me as a* ~ jag har fått den i present av honom **II** *vb tr* **1** introducera, presentera isht formellt [*be* ~*ed at Court*] **2** förete, uppvisa [*this case* ~*s some interesting features*] **3** a) lägga fram [~ *a bill* (lagförslag), ~ *a plan*], presentera, överlämna, lämna fram [~ *a petition*] b) hand. o.d. presentera [~ *a cheque at the bank*] **4** a) överlämna, överräcka [~ *prizes*], räcka fram; framföra [~ *a message*], sända b) skänka; ~ *a p. with a th.* el. ~ *a th. to a p.* ge ngn ngt i present, överlämna (överräcka) ngt till (åt) ngn **5** teat. o.d. presentera, framföra [~ *a new play*] **III** *vb rfl* **1** ~ *oneself* om pers. a) presentera sig b) infinna (inställa) sig; visa sig **2** ~ *oneself* om sak erbjuda sig [*a good opportunity* ~*ed itself*]
3 present [prɪˈzent] mil. o.d. **1** ~ *arms* skyldra gevär **2** rikta [*he* ~*ed a pistol at* (mot) *me*]
presentable [prɪˈzentəbl] **1** som kan läggas fram etc.; möjlig att lägga fram etc., jfr *2 present II 3* **2** presentabel
presentation [ˌprez(ə)nˈteɪʃ(ə)n] **1** presentation av ngn **2** överlämnande m.m., jfr *2 present II 3*; framställning; utformning; presentation; *on* ~ *of* mot uppvisande av **3 a**) överlämnande, överräckande **b**) gåva; ~ *copy* gratisexemplar, friexemplar **4** teat. presentation, framförande [*the* ~ *of a new play*]; skådespel **5** med. fosterläge; *face* ~ ansiktsbjudning
present-day [ˈprezntdeɪ] nutidens, modern
presenter [prɪˈzentə] **1** person som presenterar **2** radio. el. TV. presentatör
presentiment [prɪˈzentɪmənt] förkänsla isht av något ont; [för]aning
presently [ˈprezntlɪ] **1** snart, inom kort; kort därefter **2** för närvarande, nu
preservation [ˌprezəˈveɪʃ(ə)n] **1** bevarande, skydd[ande] **2** bevarande, bibehållande; *in a good state of* (*in good*) ~ i gott tillstånd, i välbevarat skick **3** konservering **4** vård; ~ *of game* viltvård
preservative [prɪˈzɜːvətɪv] **I** *adj* bevarande; konserverande **II** *s* **1** konserveringsmedel **2** preservativ; skyddsmedel
preserve [prɪˈzɜːv] **I** *vb tr* **1** bevara, skydda

2 bevara; bibehålla [*she is well ~d*]; behålla [*~ one's eyesight*]; upprätthålla **3** konservera [*~ fruit* (*vegetables*)], lägga in; *~d foods* [livsmedels]konserver **4** vårda; *~ game* bedriva [rationell] viltvård; *the fishing is strictly ~d* ung. fisket är strängt reglerat **II** *s* **1** ofta pl. *~s* sylt; marmelad; konserverad frukt **2 a**) [*nature*] *~* [natur]reservat, nationalpark **b**) [*game*] *~* viltreservat, jaktmarker **c**) fiskevatten [med reglerat fiske] **3** bildl. privilegium; reservat

preset [ˌpriːˈset] **I** (*preset preset*) *vb tr* ställa in på förhand **II** *adj* i förväg inställd

preside [prɪˈzaɪd] presidera

presidency [ˈprezɪd(ə)nsɪ] **1 a**) presidentskap; *candidate for the ~* presidentkandidat **b**) ordförandeskap; presidium **2** amer. befattning (tid) som verkställande direktör

president [ˈprezɪd(ə)nt] **1** a) president b) ordförande; preses **2** amer. verkställande direktör **3** univ. rektor i Storbritannien vid vissa college, i USA vid ett universitet el. college

presidential [ˌprezɪˈdenʃ(ə)l] president- [*~ election*]; ordförande-; *~ campaign* presidentvalskampanj

1 press [pres] **I** *s* **1** a) tryckning [*a ~ of* (med) *the thumb*; *a ~ of* (på) *the button*] b) jäkt[ande] [*the ~ of modern life*], nervös brådska, press [*the ~ of many duties*] c) trängsel; folkmassa **2** a) press [*a hydraulic ~*] b) pressande äv. av kläder; press[veck] **3** [tryck]press; *correct the ~* läsa korrektur; *freedom* (*liberty*) *of the ~* tryckfrihet **4** a) tryckeri[företag] b) förlag **5** [tidnings]press; *The P~ Association* namn på de brittiska tidningarnas telegrambyrå **II** *vb tr* **1** pressa [*~ grapes*; *~ one's trousers*]; trycka [*~ a p.'s hand*]; tränga [*the policemen ~ed the crowd back*]; pressa (tränga) in [*~ a p. into* (i) *a corner*]; krama; *~* [*down*] *the accelerator* trampa ner gaspedalen; *~ the trigger of a gun* trycka av ett gevär (en pistol etc.) **2** truga; pressa [*~ a p. to do a th.*]; försöka övertala (förmå) [*~ a p. to stay*]; *~ a th.* [*up*]*on a p.* truga (tvinga) på ngn ngt **3 a**) ansätta [*~ the enemy*; *be hard ~ed*], pressa [*~ one's opponent*]; ligga efter [*I ~ed him to do it* (för att få honom att göra det)]; hetsa; *he ~ed me for the money* [*I owed him*] han krävde mig på de pengar... **b**) *be ~ed for* ha ont om (knappt med) [*be ~ed for money* (*space*)] **4** driva (skynda) på; *I did not ~ the point* jag framhärdade (insisterade) inte **III** *vb itr* **1** pressa; *~ upon a p.* hårt ansätta ngn **2** *~ for* energiskt kräva, yrka på [*~ for higher wages*], ivrigt sträva efter **3** trängas [*crowds ~ing round the visitors*] **4** brådska; *time ~es* det är bråttom, det brådskar **5** *~ on* (*forward*) pressa på [*the English were ~ing on hard*], pressa (tränga) sig fram, bana sig väg, skynda framåt (på), fortsätta

2 press [pres] **1** rekvirera **2** friare, *~ into service* beslagta, ta i bruk, rekvirera [*taxis were ~ed into service as troop transports*]

press agency [ˈpresˌeɪdʒ(ə)nsɪ] nyhetsbyrå

press box [ˈpresbɒks] pressbås

press-clipping [ˈpresˌklɪpɪŋ] o. **press-cutting** [ˈpresˌkʌtɪŋ] [tidnings]urklipp

press conference [ˈpresˌkɒnfərəns] presskonferens

press gallery [ˈpresˌɡælərɪ] pressläktare

pressing [ˈpresɪŋ] **I** *s* upplaga av en grammofonskiva; pressning från grammofonskivematris; skiva **II** *adj* **1** tryckande **2** brådskande [*~ business*]; trängande [*~ need*] **3** enträgen [*a ~ invitation*]

press stud [ˈpresstʌd] tryckknapp

press-up [ˈpresʌp] gymn. armhävning från golvet

pressure [ˈpreʃə] **I** *s* **1** tryck äv. bildl.; tryckning [*~ of the hand*], tryckande; press [*he works under ~*]; *~ of taxation* skattetryck; *~ of work* arbetsbelastning **2** påtryckning[ar]; *put ~* (*bring ~ to bear*) [*up*]*on a p.* utöva påtryckningar (tryck, press) på ngn **3** stress **4** trångmål; *be under financial ~* ha ekonomiska svårigheter **5** jäkt[ande], tidspress **II** *vb tr* pressa, sätta press på

pressure cabin [ˈpreʃəˌkæbɪn] tryckkabin

pressure-cooker [ˈpreʃəˌkʊkə] tryckkokare

pressure gauge [ˈpreʃəɡeɪdʒ] manometer

pressure group [ˈpreʃəɡruːp] påtryckningsgrupp

pressurize [ˈpreʃəraɪz] **1** vidmakthålla normalt lufttryck i; *~d cabin* tryckkabin **2** utöva påtryckningar på, sätta press på

prestige [preˈstiːʒ] prestige; anseende

prestigious [preˈstɪdʒəs] ansedd

presto [ˈprestəʊ] **I** *adv* **1** mus. (it.) presto **2** hastigt, snabbt; *hey ~!* hokuspokus!, vips! **II** (pl. *~s*) *s* mus. presto

presumably [prɪˈzjuːməblɪ] antagligen, förmodligen, troligen

presume [prɪˈzjuːm] **1** anta; förutsätta; *~ a p.* (*~ that a p. is*) *innocent* utgå från (förutsätta) att ngn är oskyldig **2** a) tillåta sig [*may I ~ to advise you?*]; våga sig på b) vara förmäten

presumption [prɪˈzʌm(p)ʃ(ə)n] **1** a) antagande; förutsättning b) sannolikhet **2** förmätenhet

presumptuous [prɪˈzʌm(p)tjʊəs] förmäten; [alltför] självsäker, arrogant

presuppose [ˌpri:səˈpəʊz] **1** anta [på förhand] **2** förutsätta
pretence [prɪˈtens] **1** förevändning, svepskäl; [falskt] sken [*a ~ of friendship*]; *by* (*on, under*) *false ~s* genom (under) falska förespeglingar; *on the slightest ~* vid minsta förevändning **2** anspråk [*without any ~ to wit or style*]; *I make no ~ to being* [*infallible*] jag gör inga anspråk på att vara... **3** anspråksfullhet; tomt prål
pretend [prɪˈtend] **I** *vb tr* **1** låtsas, leka [*let's ~ that we are pirates*] **2** göra anspråk på [*he did not ~ to know much about it*], göra gällande [*I won't ~ that I know the answer*] **II** *vb itr, ~ to* göra anspråk på [*~ to a title*], göra anspråk på att ha (äga) [*few people ~ to an exact knowledge of the subject*]
pretense [prɪˈtens] amer., se *pretence*
pretension [prɪˈtenʃ(ə)n] anspråk; krav; pretention [*without literary ~s*]
pretentious [prɪˈtenʃəs] anspråksfull, pretentiös
preterite o. **preterit** [ˈpret(ə)rət] gram., *the ~* [*tense*] preteritum, imperfekt
pretext [ˈpri:tekst] förevändning, svepskäl; *on* (*under*) [*the*] *~ of* under förevändning (förebärande, föregivande) av
pretty [ˈprɪtɪ] **I** *adj* **1** söt [*a ~ face* (*girl*)], näpen; snygg, vacker [*~ things*]; om sak äv. trevlig; utmärkt; *~ as a picture* vacker som en dag **2** iron. skön, fin; *a ~ mess* en skön röra **3** betydande, vacker; *a ~ sum* (*penny*) en nätt summa, en vacker slant **II** *adv* vard. rätt, tämligen; *~ much* nästan, ungefär, så gott som [*~ much the same*]; *~ well* nästan, praktiskt taget [*we've ~ well finished*], snart sagt
pretty-pretty [ˈprɪtɪˌprɪtɪ] vard. tvålfager, snutfager; alltför gullig; om färg söt[sliskig]
pretzel [ˈpretsl] kok. [salt]kringla, salt pinne
prevail [prɪˈveɪl] **1** segra [*truth will ~*], få övertaget, ha framgång; [*his ideas*] *have ~ed* äv. ...har stått sig, ...har trängt igenom **2** råda [*the custom still ~s in the north*], florera **3** *~* [*up*]*on* förmå, övertala, beveka [*~* [*up*]*on a p. to do a th.*]
prevailing [prɪˈveɪlɪŋ] rådande [*~ winds*], förhärskande, allmän [*the ~ opinion*], aktuell [*the ~ situation*], [allmänt (vida)] utbredd
prevalence [ˈprevələns] allmän förekomst, utbredning
prevalent [ˈprevələnt] rådande, allmän [*the ~ opinion*], utbredd; *be ~* äv. råda, florera, grassera [*drug-taking is ~ in the big cities*]
prevarication [prɪˌværɪˈkeɪʃ(ə)n] undanflykt[er]; undvikande svar
prevent [prɪˈvent] hindra, förhindra, förekomma; *I ~ed him* [*from*] (*~ed his*) *doing it* jag hindrade honom [från] att göra det
preventable [prɪˈventəbl] som kan [för]hindras
prevention [prɪˈvenʃ(ə)n] förhindrande, förekommande; med. profylax; *~ is better than cure* bättre förekomma än förekommas; *the ~ of cruelty to animals* ung. djurskydd
preventive [prɪˈventɪv] preventiv [*~ war*], hindrande, förebyggande [*~ measures*]; med. äv. profylaktisk; *~ medicine* profylax
preview [ˈpri:vju:] **I** *s* förhandsvisning **II** *vb tr* förhandsvisa
previous [ˈpri:vjəs] **I** *adj* **1** föregående, tidigare; *~ knowledge* (*training*) förkunskaper **2** vard. förhastad **II** *adv, ~ to* före; innan, förrän
previously [ˈpri:vjəslɪ] förut; i förväg; *~ to* se *previous II*
prewar [ˌpri:ˈwɔ:, attr. ˈ--] förkrigs-
prey [preɪ] **I** *s* rov; bildl. äv. offer; *be* (*become, fall*) [*a*] *~ to* vara (bli) ett rov för, vara ett (bli ett, falla) offer för; *bird of ~* rovfågel **II** *vb itr, ~* [*up*]*on* a) jaga, leva på [*hawks ~ing on small birds*] b) plundra c) tära (tynga) på, trycka [*~ on a p.'s mind* (ngn)]
price [praɪs] **I** *s* **1** pris; hand. äv. kurs; *fixed* (*set*) *~* fast pris; [*you can get fresh asparagus*] *at a ~* ...om man är villig (beredd) att betala; *at reduced ~s* till nedsatta priser **2** odds; *starting ~s* odds omedelbart före loppet **3** vard., *what ~ democracy now?* iron. vad ger du för demokratin nu då? **II** *vb tr* **1** prissätta **2** *~ oneself out of the market* tappa marknad genom för hög prissättning
price freeze [ˈpraɪsfri:z] prisstopp
priceless [ˈpraɪsləs] **1** oersättlig [*a ~ painting*] **2** ovärderlig **3** vard. obetalbar
pricey [ˈpraɪsɪ] vard. dyrbar
prick [prɪk] **I** *s* **1** stick; sting; stickande; *~s of conscience* samvetskval **2** *kick against the ~s* spjärna emot **3** tagg **4** vulg. kuk **5** vulg., om person jävla idiot **II** *vb tr* **1** sticka; sticka hål i (på) [*~ a balloon*]; *~ one's finger* [*with* (*on*) *a needle*] sticka sig i fingret [på en nål] **2** stinga; *his conscience ~ed him* han kände ett styng i samvetet **3** pricka av (för) på en lista o.d. **4** *~* [*up*] *one's ears* spetsa öronen
prickle [ˈprɪkl] **I** *s* **1** tagg; törntagg, törne **2** stickande [känsla] **II** *vb tr* o. *vb itr* sticka; stickas
prickly [ˈprɪklɪ] **1** taggig **2** stickande känsla
pride [praɪd] **I** *s* **1** stolthet; självkänsla; högmod; *false ~* ogrundad stolthet, högfärd; *~ goes before* (*will have*) *a fall* högmod går före fall; *take* [*a*] *~ in* a) vara stolt (känna stolthet) över b) sätta sin

stolthet (ära) i **2** glans, prakt **3** *the ~ of* blomman (de bästa) av **4** *give ~ of place to* sätta främst (i första rummet) **5** flock [*a ~ of lions*] **II** *vb rfl, ~ oneself* [*up*]*on* vara stolt över, berömma sig av

priest [pri:st] **1** präst isht katolsk el. icke-kristen **2** (isht) officiell beteckning för präst inom anglikanska kyrkan med rang mellan biskop o. diakon

priesthood ['pri:sthʊd] **1** prästerlig värdighet **2** prästerskap; prästvälde

prig [prɪg] självgod person (pedant)

priggish ['prɪgɪʃ] självgod

prim [prɪm] **1** prudentlig, strikt; prydlig [*a ~ garden*], sirlig **2** pryd

prima donna [ˌpri:mə'dɒnə] primadonna

prima facie [ˌpraɪmə'feɪʃɪ] lat. vid första påseendet (anblicken)

primarily ['praɪm(ə)rəlɪ] **1** primärt, ursprungligen **2** huvudsakligen, i första hand

primary ['praɪmərɪ] **I** *adj* **1** primär, första, grundläggande; *~ colours* fys. grundfärger; *~ education* grundläggande undervisning, lågstadieundervisning **2** huvudsaklig [*of ~ importance*] **II** *s* i USA **1** primärval **2** förberedande valmöte isht mellan valledarna; nomineringsmöte

primate [i bet. *1* 'praɪmət, i bet. *2* 'praɪmeɪt] **1** kyrkl. primas; *the P~ of England* benämning på ärkebiskopen av York; **2** (pl. *~s* ['praɪmeɪts el. praɪ'meɪti:z]) zool. primat

prime [praɪm] **I** *adj* **1** främsta, huvud-; *~ minister* premiärminister; statsminister **2** prima **3** primär, första **4** matem., *~ number* primtal **5** bank., *~ [interest] rate* lägsta [utlånings]ränta **II** *s, in one's ~* el. *in the ~ of life* i sin krafts dagar, i sina bästa år; *it is past its ~* den har sett sina bästa dagar **III** *vb tr* **1** tekn. o.d. flöda [*~ a carburettor*]; aptera [*~ a gun, ~ a charge* (sprängladdning)] **2** instruera [*the witness had been ~d beforehand*] **3** vard. proppa full med mat o.d.; *~ with liquor* fylla [med sprit] **4** grunda, grundmåla

1 primer ['praɪmə] nybörjarbok; abc-bok

2 primer ['praɪmə] **1** tändrör **2** grundfärg, 'primer'

primeval [praɪ'mi:v(ə)l] urtids-; *~ forest* urskog

primitive ['prɪmɪtɪv] **I** *adj* **1** primitiv; *in* [*the*] *~ ages* i urtiden **2** enkel, gammaldags, primitiv [*~ weapons*] **II** *s* urinnevånare

primp [prɪmp] **I** *vb tr* fiffa upp; *~ oneself* se *II* **II** *vb itr* göra (klä) sig fin

primrose ['prɪmrəʊs] bot. primula; isht jordviva

primula ['prɪmjʊlə] bot. primula

Primus ['praɪməs] ®, *~* [*stove*] primus[kök]

prince [prɪns] prins, jfr *Wales*; furste; *P~ Charming* sagoprins[en], drömprins[en]; prinsen i sagor; *live like a ~* leva furstligt (som en prins)

princely ['prɪnslɪ] furstlig äv. bildl.; furste-

princess [prɪn'ses, attr. '--] prinsessa; furstinna

principal ['prɪnsəp(ə)l] **I** *adj* huvudsaklig, huvud-, väsentligast; i titlar första [*~ librarian*]; *~ actor* huvudrollsinnehavare; *~ town* huvudort **II** *s* **1** chef; skol. o.d. rektor **2** solist i orkesterstämma; teat. huvudperson **3** jur. el. hand. huvudman **4** kapital på vilket ränta betalas

principality [ˌprɪnsɪ'pælətɪ] furstendöme; *the P~* benämning på Wales

principally ['prɪnsəp(ə)lɪ] huvudsakligen

principle ['prɪnsəpl] **1** princip; grund; grundsats; *make it a ~* ha som (göra det till) princip; *as a matter of ~* av princip; av principskäl **2** princip [*Archimedes' ~*], lag

prink [prɪŋk] **I** *vb tr* pryda; *~ oneself up* se *II* **II** *vb itr, ~* [*up*] göra sig fin (vacker)

print [prɪnt] **I** *s* **1** boktr. tryck; stil; *large* (*small*) *~* stor (liten, fin) stil **2** avtryck [*~ of a finger* (*foot*)], intryck, spår [*the ~s of a squirrel in the snow*] **3** [*cotton*] *~* tryckt bomullstyg, kattun **4** a) konst. o.d. tryck, gravyr [*old Japanese ~s; colour-print*]; stick; [tryckt] plansch; reproduktion b) foto. kopia; kort **II** *vb tr* **1** trycka bok o.d.; publicera; *~ed circuits* elektr. tryckta kretsar **2** skriva med tryckstil (tryckbokstäver), texta [*please ~*] **3** a) märka genom påtryck; trycka 'på (in, av); bildl. inprägla [*the scene is ~ed in* (*on*) *my memory*] b) trycka [*~ a design*] **4** a) konst. o.d. ta (göra) [ett] avtryck av b) foto. kopiera

printable ['prɪntəbl] tryckbar

printer ['prɪntə] **1** [bok]tryckare; *~'s error* tryckfel **2** data. skrivare, printer

printing ['prɪntɪŋ] **1** a) tryckning [*second ~*], tryck b) tryckeriverksamhet; kopiering **2** [*art of*] *~* boktryckarkonst

printing-house ['prɪntɪŋhaʊs] större [bok]tryckeri

printing-press ['prɪntɪŋpres] tryckpress

print-out ['prɪntaʊt] data. utskrift

prior ['praɪə] **I** *adj* föregående; tidigare; förhands- [*~ right*], i förväg; *have a ~ claim to* ha förhandsrätt till **II** *adv, ~ to* före [*~ to his marriage*] **III** *s* prior

priority [praɪ'ɒrətɪ] prioritet, företräde[srätt], förtur[srätt], förmånsrätt; trafik. förkörsrätt; *be a first* (*top*) *~* ha högsta prioritet; *give ~ to* prioritera

prise [praɪz] **1** bända, baxa; *~ off* bända av (loss) **2** bildl. *~ a secret out of a p.* lirka ur ngn en hemlighet

prism ['prɪz(ə)m] prisma

prison ['prɪzn] fängelse, fångvårdsanstalt; *in ~* i fängelse[t]; *be in ~* sitta i fängelse

(häktad); *put in (go to)* ~ sätta (bli satt) i fängelse
prison camp ['prɪznkæmp] fångläger
prisoner ['prɪznə] fånge; *the* ~ äv. den häktade; *keep (hold) a p.* ~ hålla ngn fången äv. bildl.
prissy ['prɪsɪ] vard. **1** pimpinett, prudentlig; sipp **2** feminin
pristine ['prɪsti:n, -taɪn] forntida, gammaldags; primitiv; ofördärvad, ursprunglig [~ *freshness*]
privacy ['prɪvəsɪ, 'praɪv-] avskildhet, ostördhet; privatliv; *in* ~ a) i enrum b) i stillhet [*live in* ~]
private ['praɪvət] **I** *adj* **1** privat, personlig [*my ~ opinion*]; enskild; privat- [~ *school (secretary)*]; ~ *account* eget (privat) konto; ~ *bar* finare avdelning på en pub; *in his ~ capacity [he is...]* som privatperson...; ~ *detective (investigator,* vard. *eye)* privatdetektiv; vard. privatdeckare; ~ *member* vanlig parlamentsmedlem som inte är minister; ~ *ward (room)* enskilt rum på sjukhus **2** avskild; hemlig [*a ~ meeting*]; dold; ~ *and confidential* privat, [meddelad] i förtroende; ~ *parts* könsdelar **II** *s* **1** mil. menig **2** *in* ~ privat, enskilt, mellan fyra ögon, på tu man hand, i [all] tysthet, i hemlighet; i stillhet **3** pl. *~s* könsdelar
privately ['praɪvətlɪ] privat, personligt; enskilt
privation [praɪ'veɪʃ(ə)n] umbärande[n], försakelse
privatize ['praɪvətaɪz] privatisera
privet ['prɪvɪt] bot. liguster
privilege ['prɪvəlɪdʒ] **I** *s* **1** privilegium; [ensam]rätt; rättighet; [särskild] förmån [*I had the ~ of hearing her sing*]; *it is my ~ to [introduce...]* det är en glädje och ära för mig att... **2** parl. immunitet **II** *vb tr* privilegiera
privileged ['prɪvəlɪdʒd] **1** privilegierad [*the ~ classes*], gynnad **2** konfidentiell [*a ~ communication*]
privy ['prɪvɪ] **I** *adj* **1** ~ *to* [hemligt] medveten om, invigd (delaktig, jur. medintresserad, berörd) i **2** *the P~ Council* ung. riksrådet med numera huvudsakligen formella funktioner **3** ~ *parts* könsdelar **II** *s* toalett
1 prize [praɪz] **I** *s* **1** pris; premie; premium; belöning, lön **2** [lotteri]vinst; *the first* ~ högsta vinsten **3** pris- [~ *competition* (tävling)]; prisbelönt [~ *cattle*]; vard. värd ett pris, prima **II** *vb tr* värdera (skatta) [högt]
2 prize [praɪz] sjö. **I** *s* pris **II** *vb tr* uppbringa
3 prize [praɪz] se *prise II*
prizefight ['praɪzfaɪt] proffsboxningsmatch
prizefighter ['praɪz,faɪtə] proffsboxare
prize-giving ['praɪz,gɪvɪŋ] premieutdelning; prisutdelning
prize money ['praɪz,mʌnɪ] prissumma, prisbelopp
prizewinner ['praɪz,wɪnə] pristagare
PRO [pi:,ɑ:r'əʊ] förk. för *Public Relations Officer*
1 pro [prəʊ] lat. **I** *prefix* **1** pro-, -vän[lig] [*pro-British*] **2** pro- [*proconsul*], vice- **II** (pl. *~s*) *s* (ibl. *adv*) skäl för; ~ *and con* för och emot
2 pro [prəʊ] (pl. *~s*) förk. för *professional* **1** vard. proffs [*a golf* ~] **2** sl. fnask
probabilit|y [,prɒbə'bɪlətɪ] sannolikhet, probabilitet båda äv. matem. [*of* för, av]; rimlighet; möjlighet; chans [*what are the -ies?*]; *in all* ~ med all sannolikhet, antagligen
probable ['prɒb(ə)bl] **I** *adj* **1** sannolik, trolig [*a ~ winner*] **2** trovärdig [*a ~ character in a book*] **II** *s* sannolik deltagare
probably ['prɒb(ə)blɪ] sannolikt, troligen, troligtvis, förmodligen; rimligtvis
probate ['prəʊbeɪt, -bət] jur. testamentsbevakning
probation [prə'beɪʃ(ə)n] **1** prov [*two years on* ~], prövning **2** jur. skyddstillsyn; övervakning; villkorlig dom; *be put on* ~ dömas till skyddstillsyn, få villkorlig dom
probationer [prə'beɪʃnə] kandidat, elev, aspirant; novis; ~ *[nurse]* sjuksköterskeelev
probe [prəʊb] **I** *s* **1** sond äv. för utforskning av rymden [*a lunar* ~] **2** [offentlig] undersökning **II** *vb tr* **1** sondera **2** undersöka grundligt; söka igenom **III** *vb itr* **1** sondera **2** tränga in
probity ['prəʊbətɪ, 'prɒb-] redlighet, redbarhet
problem ['prɒbləm] problem; uppgift; *no ~!* inga problem!, inga bekymmer!
problematic [,prɒblə'mætɪk] o. **problematical** [,prɒblə'mætɪk(ə)l] problematisk, tvivelaktig
procedure [prə'si:dʒə, -djʊə] procedur äv. jur.; förfarande, förfaringssätt
proceed [prə'si:d] **1** fortsätta [sin väg]; ~ *on one's journey (way)* fortsätta sin resa (sin väg, vägen framåt) **2** a) fortsätta [*please ~ with your work*] b) fortskrida, försiggå, pågå **3 a**) övergå; ~ *to take action* skrida till handling **b**) ~ *to* börja [*he ~ed to get angry*], övergå till att, gripa sig an (ta itu) med att **4** gå till väga, förfara; handla [~ *on* (efter) *certain principles*]; bära sig åt
proceeding [prə'si:dɪŋ] **1** förfarande, procedur, åtgärd **2** pl. *~s* **a**) förehavanden **b**) i domstol, sällskap o.d. förhandlingar; protokoll, skrifter **c**) *[legal] ~s* lagliga åtgärder, rättegång[sförfarande]
proceeds ['prəʊsi:dz] intäkter, inkomster

process ['prəʊses, amer. vanl. 'prɒs-] **I** *s* **1** gång, förlopp; *in the* ~ samtidigt, på samma gång **2** process [*chemical ~es*]; isht tekn. äv. metod [*the Bessemer ~*]; procedur; *manufacturing* ~ tillverkningsmetod, framställningssätt **II** *vb tr* **1** tekn. o.d. behandla äv. data.; preparera, bereda [*~ leather*]; *~ed cheese* smältost **2** reproducera på fotomekanisk väg; framkalla [*~ a film*] **3** [rutin]behandla [*his application was quickly ~ed*]

procession [prə'seʃ(ə)n] procession, [fest]tåg

processor ['prəʊsesə, amer. vanl. 'prɒ-] **1** data. processor; centralenhet **2** *food* ~ matberedare

proclaim [prə'kleɪm] **1** proklamera, deklarera, kungöra; påbjuda; utropa till [*he was ~ed king*] **2** röja; avslöja ...såsom

proclamation [ˌprɒklə'meɪʃ(ə)n] proklamation, kungörelse; *issue* (*make*) *a* ~ utfärda en proklamation (en kungörelse)

proclivity [prə(ʊ)'klɪvətɪ] benägenhet

procrastination [prəˌkræstɪ'neɪʃ(ə)n] förhalande

procreation [ˌprəʊkrɪ'eɪʃ(ə)n] **1** avlande, alstring; fortplantning **2** alster

procure [prə'kjʊə] **I** *vb tr* **1** skaffa, skaffa fram (in); [för]skaffa sig; utverka, lyckas uppnå **2** bedriva koppleri med **II** *vb itr* bedriva koppleri

prod [prɒd] **I** *vb tr* **1** sticka [*~ a p. with a bayonet*], sticka till [*~ a p. with a stick*]; stoppa **2** bildl. sporra; *~ a p.'s memory* ge ngns minne lite hjälp på traven **II** *vb itr*, *~ at* sticka [till], stöta till **III** *s* **1** stöt, stick; *give a p. a* ~ stöta (sticka) till ngn, peta hårt på ngn **2** spets; pik[stav]

prodigal ['prɒdɪg(ə)l] **I** *adj* slösaktig; frikostig; *the P~ Son* bibl. den förlorade sonen **II** *s* slösare

prodigious [prə'dɪdʒəs] **1** häpnadsväckande **2** ofantlig

prodig|y ['prɒdɪdʒɪ] under [*the -ies of nature*], underverk; vidunder; [*infant*] ~ underbarn

produce [ss. vb prə'dju:s, ss. subst. 'prɒdju:s] **I** *vb tr* **1** a) producera; skapa b) alstra [*~ a sound*]; ge, bära [*the tree ~s fruit*], avkasta c) åstadkomma, framkalla [*~ a reaction*], vålla, väcka [*the film ~d a sensation*], utlösa; leda till [*~ results*] **2** ta (plocka, dra, få) fram [*~ a paper from one's pocket*], skaffa [fram] [*~ a witness*], förete; visa upp (fram) [*~ one's passport*] **3** a) film. producera [*~ a film*] b) teat. regissera, iscensätta; framföra **4** geom. förlänga **II** *s* **1** produkter av jordbruk o.d. [*dairy* (*garden*) *~*]; alster; *farm* (*agricultural*) ~ jordbruksprodukter **2** produktion

producer [prə'dju:sə] **1** producent; *~ goods* produktionsvaror, kapitalvaror **2 a**) film., radio. el. TV. producent; *executive* ~ produktionsledare **b**) teat. regissör; amer. äv. teaterchef

product ['prɒdʌkt, -dəkt] produkt i olika bet.; vara; verk; bildl. frukt

production [prə'dʌkʃ(ə)n] **1 a**) produktion **b**) alstring **2** produkt; isht litterärt o. konstnärligt verk **3** framskaffande; företeende (jfr *produce I 2*) **4** a) teat. regi, iscensättning; framförande b) film. produktion

productive [prə'dʌktɪv] **1** produktiv [*~ work*]; bördig; rik [*a ~ oilfield*] **2** produktions- [*~ capacity*; *~ apparatus*]

productivity [ˌprɒdʌk'tɪvətɪ] produktivitet [*increase ~*]; produktionsförmåga

prof [prɒf] vard. profet professor

profane [prə'feɪn] **I** *adj* **1** världslig, profan [*~ literature*] **2** hädisk; vanvördig; *~ language* svordomar **II** *vb tr* profanera, vanhelga

profess [prə'fes] **1** förklara [*they ~ed themselves content*]; tillkännage att man har [*he ~ed a great interest in my welfare*] **2** göra anspråk på [*~ to be an authority on...*]; låtsas **3** bekänna sig till [*~ Christianity*], bekänna sin tro på **4** utöva [*~ medicine* (läkaryrket)], praktisera

professed [prə'fest] förklarad, svuren [*a ~ enemy of reform*]

profession [prə'feʃ(ə)n] **1** yrke isht med högre utbildning; yrkesområde; *the learned ~s* ung. de akademiska yrkena; *the military* ~ militäryrket, den militära banan **2** yrkeskår **3** [högtidlig] förklaring [*~s of loyalty*], försäkring **4** bekännelse; *~ of faith* trosbekännelse

professional [prə'feʃ(ə)nl] **I** *adj* **1** yrkes- [*a ~ politician*], förvärvs- [*~ life*], yrkesutövande; professionell [*~ football*], proffs-; *~ duties* plikter som yrkesman **2** professionell, proffs-, [avsedd] för yrkesmässigt bruk [*a ~ tape-recorder*] **II** *s* yrkesman; professionell, proffs

professionally [prə'feʃnəlɪ] yrkesmässigt, professionellt; som yrkesman; i yrket

professor [prə'fesə] **1** univ. professor [*~ of* (i) *English at* (*in*) *the university of O.*] **2** bekännare

professorship [prə'fesəʃɪp] professur

proffer ['prɒfə] litt. **I** *vb tr* räcka (sträcka) fram [*~ a gift*]; erbjuda [*~ one's services*] **II** *s* erbjudan

proficiency [prə'fɪʃ(ə)nsɪ] färdighet, skicklighet, [behöriga] kunskaper; *certificate of* ~ kompetensbevis

proficient [prəˈfɪʃ(ə)nt] skicklig, kunnig; *make oneself ~* förkovra sig
profile [ˈprəʊfaɪl] **I** *s* **1** profil äv. fackspr. i div. bet.; [porträtt i] profil; *keep a low ~* ligga lågt, hålla en låg profil **2** porträtt levnadsbeskrivning [*a ~ of the new prime minister*] **II** *vb tr* profilera äv. tekn.; framställa (avbilda) i profil
profit [ˈprɒfɪt] **I** *s* **1** vinst, förtjänst; vinning, utbyte; behållning [äv. pl. *~s*]; *~ and loss account* vinst- och förlustkonto; *make a ~ on (by)* tjäna på **2** *derive (gain) ~ from* dra (ha) nytta (fördel) av, ha utbyte (behållning) av **II** *vb itr, ~ by (from)* dra (ha) nytta (fördel) av, tillgodogöra sig, utnyttja; vinna på, tjäna på [*~ by a transaction*]
profitable [ˈprɒfɪtəbl] **1** nyttig, fruktbar [*~ discussions*]; tacksam **2** vinstgivande, lönande [*~ investments*]
profiteer [ˌprɒfɪˈtɪə] **I** *s* profitör, profithaj **II** *vb itr* ockra; profitera
profiteering [ˌprɒfɪˈtɪərɪŋ] svartabörsaffärer
profit-sharing [ˈprɒfɪtˌʃeərɪŋ] vinstdelning; vinstandelssystem; *~ scheme* vinstandelsplan
profligate [ˈprɒflɪgət] **I** *adj* **1** utsvävande **2** [hejdlöst] slösaktig, överdådig **II** *s* utsvävande människa
profound [prəˈfaʊnd] **1** djup [*~ anxiety (interest, silence, sleep)*] **2** djupsinnig **3** grundlig, ingående [*~ studies*]; mycket lärd (insiktsfull) **4** outgrundlig [*~ mysteries*], dunkel
profuse [prəˈfjuːs] **1** översvallande [*~ hospitality*]; *offer ~ apologies* be tusen gånger om ursäkt **2** ymnig, riklig
profusely [prəˈfjuːslɪ] ymnigt, rikligt [*sweat ~*]; *~ illustrated* rikt illustrerad
profusion [prəˈfjuːʒ(ə)n] **1** slöseri **2** ymnighet; överflöd [*roses grew there in ~*]; rikedom
progenitor [prə(ʊ)ˈdʒenɪtə] stamfader
progeny [ˈprɒdʒənɪ] avkomma
prognos|is [prɒgˈnəʊs|ɪs] (pl. *-es* [-iːz]) isht med. prognos
program [ˈprəʊgræm] **I** *s* **1** data. program **2** isht amer. a) se *programme I* b) dagordning **II** *vb tr* **1** isht amer., se *programme II* **2** isht data. programmera [*~ a computer*]; programstyra
programme [ˈprəʊgræm] **I** *s* program; skol. o.d. äv. kurs **II** *vb tr* göra upp program för, planlägga; programmera
programmer [ˈprəʊgræmə] data. programmerare
progress [ss. subst. ˈprəʊgres, isht amer. ˈprɒg-; ss. vb prəˈgres] **I** *s* **1** a) framsteg, utveckling; utbredning [*the ~ of Fascism*] b) förlopp c) framryckning; *~ report* lägesrapport; *make ~* göra framsteg, gå framåt **2** färd **II** *vb itr* göra framsteg; fortskrida
progression [prəˈgreʃ(ə)n] **1** förflyttning framåt; fortgång; *in ~* i följd, efter varandra **2** progression
progressive [prəˈgresɪv] **I** *adj* **1** progressiv [*~ policy*], reformvänlig; framstegs- [*~ party*]; avancerad [*~ music (views)*], modern **2** [gradvis] tilltagande [*~ deterioration*], fortlöpande; *on a ~ scale* i stigande skala **3** framåtgående, framåtskridande **4** språkv., *~ tense* progressiv (pågående) form **II** *s* framstegsvän, framstegsman
prohibit [prəˈhɪbɪt] **1** förbjuda [*~ a p. from doing* (att göra) *a th.*] **2** förhindra; hindra [*~ a p. from doing* ([från] att göra) *a th.*]
prohibition [ˌprəʊ(h)ɪˈbɪʃ(ə)n] förbud; rusdrycksförbud
prohibitive [prəˈhɪbɪtɪv] prohibitiv; *a ~ price* ett oöverkomligt (prohibitivt) pris
project [ss. vb prəˈdʒekt, ss. subst. ˈprɒdʒekt] **I** *vb tr* **1** projektera [*~ a new dam*], göra utkast (lägga fram förslag) till, planera; perf. p. *~ed* äv. påtänkt, tilltänkt **2** projicera äv. psykol. [*she ~ed her own fears on to* (på) *her husband*] **3** framhäva, låta framträda **4** slunga (skjuta) [ut], kasta [ut] **5** kasta [*~ a shadow*]; rikta [*~ a beam of light on to a th.*]; *~ed shadow* slagskugga **II** *vb itr* skjuta fram (ut), sticka fram; *~ing* framskjutande, utstående; utbyggd [*~ing window*] **III** *s* projekt; skol. specialarbete
projectile [prəˈdʒektaɪl, amer. -ˈdʒektl] **I** *adj* framdrivande, driv- [*~ force*], kast- **II** *s* projektil
projection [prəˈdʒekʃ(ə)n] **1** projektering [*the ~ of a new dam*], planering **2** a) projektion; projektionsritning b) projektionsbild **3** psykol. o.d. projektion; projicering **4** utslungande, utskjutande, utskjutning **5** utstående del
projector [prəˈdʒektə] projektor; *film ~* filmprojektor
proletarian [ˌprəʊlɪˈteərɪən] **I** *s* proletär **II** *adj* proletär-
proletariat [ˌprəʊlɪˈteərɪət, -ɪæt] proletariat; *the dictatorship of the ~* proletariatets diktatur
proliferate [prəˈlɪfəreɪt] snabbt föröka sig; sprida sig
proliferation [prəˌlɪfəˈreɪʃ(ə)n] bildl. förökning; spridning
prolific [prəˈlɪfɪk] fruktsam; produktiv [*a ~ writer*]
prologue [ˈprəʊlɒg] **I** *s* prolog; bildl. äv. förspel **II** *vb tr* inleda (förse) med en prolog
prolong [prəˈlɒŋ] förlänga, prolongera; dra ut på; perf. p. *~ed* äv. lång[dragen],

långvarig [*after ~ed negotiations*], ihållande [*~ed rain*]

prolongation [ˌprəʊlɒŋ'geɪʃ(ə)n, ˌprɒl-] förlängning, prolongation

prom [prɒm] vard. **1** promenadkonsert **2** [strand]promenad **3** amer. studentbal

promenade [ˌprɒmə'nɑ:d, amer. vanl. -'neɪd, attr. '---] **I** *s* **1 a**) abstr. promenad; tur; *~ concert* promenadkonsert **b**) konkr. [strand]promenad **2** amer., se *prom 3* **II** *vb itr* promenera **III** *vb tr* **1** promenera på [*~ the streets*] **2** promenera med

prominence ['prɒmɪnəns] **1** framskjuten ställning; bemärkthet, prominens; *come into ~* träda i förgrunden **2** utsprång; upphöjning [*a ~ in the middle of a plain*]

prominent ['prɒmɪnənt] **1** utstående [*~ eyes*], utskjutande **2** iögonenfallande [*in a ~ place*] **3** framstående; framträdande [*play a ~ part (role)*], framskjuten, ledande [*~ position*]; *~ figure* förgrundsfigur

promiscuity [ˌprɒmɪ'skju:ətɪ] promiskuitet

promiscuous [prə'mɪskjʊəs] **1** promiskuös; *~ sexual relations* äv. tillfälliga sexuella förbindelser **2** a) urskillningslös b) blandad, brokig [*a ~ audience*]; oordnad [*a ~ mass*]; *~ bathing* gemensamhetsbad

promise ['prɒmɪs] **I** *s* löfte [*a ~ of assistance*]; förespegling; *there was every ~ of...* det fanns (var) alla utsikter till...; *make (give) a ~* ge (avlägga) ett löfte **II** *vb tr* o. *vb itr* **1** lova; utlova; *I ~* jag lovar, det lovar jag; *~ the earth (pie in the sky)* lova guld och gröna skogar; *the Promised Land* bibl. o. bildl. det förlovade landet **2** förebåda [*the clouds ~ rain*]; *it ~s to be* [*a fine day*] det artar sig till [att bli]..., det ser ut att bli...

promising ['prɒmɪsɪŋ] lovande [*a ~ beginning (boy)*], löftesrik

promontory ['prɒməntrɪ] hög udde

promote [prə'məʊt] **1 a**) befordra; *be ~d* äv. få befordran, avancera, gå vidare; *~ a p.* [*to be*] *captain* befordra ngn till kapten **b**) sport. flytta upp **2** främja, verka för **3** puffa för, lansera [*~ certain products*]; *~ sales* aktivera försäljningen **4** grunda, stifta, [vara med om att] starta [*~ a new business company*] **5** vara promotor för [*~ a boxing match*]

promoter [prə'məʊtə] **1** främjare **2** initiativtagare; *company ~* stiftare av [ett] aktiebolag **3** promotor

promotion [prə'məʊʃ(ə)n] **1 a**) befordran; *be due for ~* vänta på (ha utsikt till) befordran **b**) sport. uppflyttning **2** främjande [*the ~ of a scheme*], gynnande **3** marknadsföring; *~ campaign* säljkampanj **4** stiftande [*~ of a company*]

prompt [prɒm(p)t] **I** *adj* snabb, snar, skyndsam [*~ help*; *a ~ reply*], kvick; *take ~ action* vidta snabba åtgärder **II** *adv* precis **III** *s* teat. sufflering, viskning [från sufflören] **IV** *vb tr* **1** driva [*he was ~ed by patriotism*], förmå, tvinga; *~ a p. to* äv. få ngn att [*what ~ed him to say that?*] **2** a) teat. sufflera b) lägga orden i munnen på, påverka [*don't ~ the witness*]; hjälpa på traven **3** föranleda, ge anledning till, orsaka [*what ~ed his resignation?*]

prompter ['prɒm(p)tə] **1** teat. sufflör; *~'s box* sufflörlucka **2** tillskyndare

promulgate ['prɒm(ə)lgeɪt, amer. vanl. prə'mʌlgeɪt] **1** utfärda, kungöra [*~ a law (a decree)*] **2** förkunna [*~ a creed*]; sprida [*~ learning*]; föra fram [*~ a theory*]

prone [prəʊn] **1** framstupa [*fall (lie) ~*]; framåtlutad; *in a ~ position* [liggande] på magen **2** raklång **3** fallen; utsatt, hemfallen; *be ~ to* äv. ha anlag (benägenhet) för [*be ~ to idleness*]

prong [prɒŋ] på gaffel o.d. klo; på räfsa pinne

pronoun ['prəʊnaʊn] gram. pronomen

pronounce [prə'naʊns] **I** *vb tr* **1** uttala; *how do you ~ it?* hur uttalas det? **2** avkunna, fälla [*~ judgement (sentence)*] **3** förklara [*the judge ~d the man guilty*], deklarera; *I now ~ you man and wife* jag förklarar er härmed för äkta makar **II** *vb itr* **1** uttala sig **2** *~ badly* ha dåligt uttal

pronounced [prə'naʊnst] **1** uttalad **2** tydlig [*a ~ difference*], klar [*a ~ tendency*]; utpräglad [*~ accent*]; [starkt] markerad [*~ features*]; uttalad [*~ symptoms*]; prononcerad

pronouncement [prə'naʊnsmənt] proklamation

pronunciation [prəˌnʌnsɪ'eɪʃ(ə)n] uttal

proof [pru:f] **I** *s* **1** bevis; bevisföring; *give ~ of* a) bevisa b) vittna om, ge ett (visa) prov på **2** prov; *put a p. (a th.) to the ~* pröva ngn (ngt), sätta ngn (ngt) på prov **3** a) boktr. korrektur b) foto. provkort, råkopia **4** hos spritdrycker normalstyrka ung. 50 volymprocent alkohol; *86*[%] *~* 43% alkohol **II** *adj* motståndskraftig, oemottaglig [*~ against* (för) *flattery*] **III** *vb tr* göra vattentät, impregnera; preparera

proofread ['pru:fri:d] (*proofread proofread*) korrekturläsa

proofreader ['pru:fˌri:də] korrekturläsare

1 prop [prɒp] **I** *s* stötta äv. bildl. **II** *vb tr*, *~* [*up*] stötta (palla) [upp (under)], sätta stöttor under, hålla uppe, bära upp, stödja äv. bildl.; luta, ställa

2 prop [prɒp] sl. propeller

propaganda [ˌprɒpə'gændə] propaganda; *~ machine* propagandaapparat

propagandist [ˌprɒpə'gændɪst] propagandist

propagate ['prɒpəgeɪt] **I** *vb tr* **1** biol. o.d. föröka, fortplanta **2** sprida [ut] [*~ rumours*], utbreda [*~ beliefs*]; propagera [för] **II** *vb itr* **1** föröka (fortplanta) sig **2** sprida (utbreda) sig

propagation [ˌprɒpə'geɪʃ(ə)n] **1** biol. o.d. fortplantning **2** spridning, utbredning

propel [prə'pel] [fram]driva [*~led by electricity*]; *~ling pencil* stiftpenna, skruvpenna

propellant [prə'pelənt] **1** drivmedel t.ex. för raketer **2** drivkraft

propeller [prə'pelə] propeller

propensity [prə'pensətɪ] benägenhet

proper ['prɒpə] **1** rätt [*in the ~ way*], riktig [*a ~ doctor; a ~ job*]; lämplig; tillbörlig, behörig; *in a ~ condition* i gott skick; *the ~ owner* rätt ägare, den rättmätige ägaren **2** anständig [*~ behaviour*], passande, korrekt **3** särskild; därtill hörande; *~ to* som [normalt] hör ihop med [*a game ~ to the winter*], som passar för [*a hat ~ to the occasion*] **4** egentlig; *~ fraction* egentligt bråk **5** gram., *~ noun (name)* egennamn **6** vard. riktig [*a ~ idiot (nuisance)*], rejäl [*a ~ beating (row)*], verklig

properly ['prɒpəlɪ] **1** rätt [*the matter was not ~ handled* (skött)], riktigt [*as you very ~ remark*]; ordentligt [*she likes to do a thing ~*], väl [*behave ~*], som sig bör, lämpligt [*~ dressed*], anständigt; vederbörligen; *he very ~ refused* han vägrade med rätta **2** *~ speaking* i egentlig mening **3** vard. riktigt

propertied ['prɒpətɪd] besutten [*the ~ classes*]

propert|y ['prɒpətɪ] **1** egendom [*these books are my ~*], ägodelar, förmögenhet; *personal (movable) ~* [personlig] lösegendom, lösöre; *law of ~* förmögenhetsrätt **2** egendom[ar], fastighet[er] [äv. *house ~*]; ägor; *~ speculator* fastighetsspekulant, markspekulant, tomtjobbare **3** egenskap [*the -ies of iron*] **4** teat. o.d., mest pl. *-ies* rekvisita

prophecy ['prɒfəsɪ] profetia; spådom, förutsägelse; *have the gift of ~* ha siargåva

prophesy ['prɒfəsaɪ] profetera, sia

prophet ['prɒfɪt] profet; spåman

prophetic [prə'fetɪk] o. **prophetical** [prə'fetɪk(ə)l] **1** profetisk [*~ inspiration (writings)*] **2** *be ~ of* förebåda

prophylaxis [ˌprɒfɪ'læksɪs] med. profylax

propjet ['prɒpdʒet] turboprop- [*~ aircraft (engine)*]

proportion [prə'pɔ:ʃ(ə)n] **I** *s* **1** proportion; *in ~* i proportion [därtill], proportionsvis, i motsvarande omfattning (mängd); *out of [all] ~* oproportionerlig[t] **2** isht pl. *~s:* **a**) harmoniska proportioner [*a room of* (med) *beautiful ~s*]; *have a sense of ~* ha sinne för proportioner **b**) dimensioner [*assume* (anta) *alarming ~s*], omfattning [*of considerable ~s*] **3** del [*a large ~ of the population*], andel; *in equal ~s* i lika delar **4** matem. a) analogi b) reguladetri **II** *vb tr* avpassa, anpassa

proportional [prə'pɔ:ʃənl] **I** *adj* proportionell; *~ representation* proportionellt valsystem, proportionalism **II** *s* matem. proportional

proportionate [prə'pɔ:ʃ(ə)nət] proportionerlig, proportionell

proposal [prə'pəʊz(ə)l] **1** förslag, uppslag **2** frieri

propose [prə'pəʊz] **I** *vb tr* **1** föreslå **2** lägga fram [*~ a plan*], framställa **3** ämna, tänka [*I ~ to start (~ starting) early*] **II** *vb itr* **1** fria **2** *Man ~s, God disposes* människan spår, men Gud rår

proposer [prə'pəʊzə], *~ [of a motion]* förslagsställare, motionär

proposition [ˌprɒpə'zɪʃ(ə)n] **I** *s* **1** påstående; *as a general ~ [it may be said that]* rent allmänt... **2** förslag **3** logik. el. matem. sats **4** vard. **a**) affär [*a paying ~*]; historia, sak [*that's quite another ~*], grej; företag; *it's a tempting ~* det (tanken) är verkligen frestande (lockande); *that was a tough ~* det var hårda bud (en svår match) **b**) *he is a tough ~* han är svår (inte god) att tas med **II** *vb tr, ~ a p.* vard. a) göra ngn ett skamligt förslag b) komma med ett affärsförslag till ngn

propound [prə'paʊnd] lägga fram [*~ a scheme*], framställa [*~ a theory*]

proprietary [prə'praɪət(ə)rɪ] ägande, ägar-; i enskild ägo, privatägd; *~ articles* märkesvaror; *the ~ classes* de besuttna klasserna; *~ medicine* patentskyddad medicin; *~ name* varumärke

proprietor [prə'praɪətə] ägare, innehavare

propriety [prə'praɪətɪ] **1** anständighet; konvenans; *overstep the bounds of ~* överskrida gränserna för det tillåtna **2** riktighet, lämplighet

props [prɒps] (förk. för *properties*) teat. vard. rekvisita

propulsion [prə'pʌlʃ(ə)n] framdrivning; *jet ~* jetdrift

prosaic [prə'zeɪɪk] prosaisk; enformig

proscribe [prə'skraɪb] **1** proskribera; förklara fredlös; landsförvisa **2** förbjuda

prose [prəʊz] prosa

prosecute ['prɒsɪkju:t] **I** *vb tr* **1** jur. åtala; lagligen beivra [*~ a crime*]; *offenders will be ~d* överträdelse beivras **2** fullfölja [*~ an investigation*] **II** *vb itr* väcka åtal

prosecution [ˌprɒsɪ'kju:ʃ(ə)n] **1** jur. **a**) åtal; *director of public ~s* riksåklagare **b**) *the ~* åklagarsidan; kärandesidan **2** fullföljande

prosecutor ['prɒsɪkju:tə] kärande isht i

brottmål; åklagare; *public* ~ allmän åklagare

prosody ['prɒsədɪ] språkv. prosodi; litt. metrik

prospect [ss. subst. 'prɒspekt, ss. vb prə'spekt, 'prɒspekt] **I** *s* **1** [vidsträckt] utsikt (vy) **2** sceneri[er]; ibl. vidd[er] **3** utsikt [*there is no ~ of* (till) *success*], framtidsperspektiv [*it's not a very cheerful* (roligt) ~]; förespegling; pl. *~s* äv. framtidsutsikter, möjligheter [*a job offering good ~s*]; förhoppningar; *~s in life* framtidsutsikter **4** vard. [eventuell] kandidat; *he is a good* ~ han är ett framtidslöfte (en påläggskalv), han är någonting att satsa på **II** *vb itr* prospektera, leta; söka **III** *vb tr* genomsöka, leta igenom [*~ a region for gold*]

prospective [prə'spektɪv] eventuell, framtida [*~ profits*], motsedd; blivande [*your ~ son-in-law*]; *~ buyer* eventuell (potentiell) köpare (kund), spekulant

prospector [prə'spektə] prospektor; isht guldgrävare

prospectus [prə'spektəs] prospekt; [tryckt] program för kurs o.d.

prosper ['prɒspə] ha framgång; blomstra [upp], gå bra

prosperity [prɒ'sperətɪ] välstånd [*live in ~*], välmåga; blomstring [*time of ~*]; lycka; högkonjunktur

prosperous ['prɒsp(ə)rəs] **1** [upp]blomstrande; välmående [*a ~ merchant (nation)*]; lyckosam [*a ~ enterprise*], lycklig; framgångsrik [*a ~ year*] **2** gynnsam [*a ~ moment*]

prostate ['prɒsteɪt, -tɪt] anat., *~ [gland]* prostata; *he had a ~ [operation]* han opererades för prostata

prostitute ['prɒstɪtju:t] **I** *s* prostituerad, fnask **II** *vb tr* prostituera; prisge, sälja [*~ one's honour*], kasta bort [*~ one's talents*] **III** *vb rfl*, *~ oneself* prostituera sig äv. bildl.; sälja sig

prostitution [ˌprɒstɪ'tju:ʃ(ə)n] prostitution; prisgivande etc., jfr *prostitute II*

prostrate [ss. adj. 'prɒstreɪt, -rɪt, ss. vb prɒ'streɪt] **I** *adj* **1** framstupa [*fall ~*], utsträckt [på magen] [*lie ~*] **2** bildl. slagen [till marken], krossad; nedbruten **II** *vb tr* **1** slå till marken, slå ned **2** *~ oneself* kasta sig (buga sig) till marken **3** utmatta; bryta ner [*~d with* (av) *grief*]

protagonist [prə'tægənɪst] **1** huvudperson i ett drama o.d.; protagonist **2** förkämpe; förgrundsgestalt

protect [prə'tekt] skydda, beskydda

protection [prə'tekʃ(ə)n] **1** skydd, beskydd, värn; *be under a p.'s ~* stå under ngns beskydd **2** vard., *~ [money]* beskyddarpengar, mutor till gangsterorganisation **3** ekon. tullskydd

protective [prə'tektɪv] **1** skyddande, skydds- [*~ clothing*]; *~ colouring (coloration)* biol. skyddsfärg **2** beskyddande [*towards* [gent]emot]; beskyddar- [*~ instincts*]

protector [prə'tektə] beskyddare

protectorate [prə'tekt(ə)rət] protektorat

protégé ['prəʊteʒeɪ, 'prɒt-] (kvinna *protégée* [samma utt.]) fr. skyddsling

protein ['prəʊti:n] kem. protein

protest [ss. subst. 'prəʊtest, ss. vb prə(ʊ)'test] **I** *s* protest, gensaga; *~ meeting* protestmöte; *under ~* under protest[er] **II** *vb itr* protestera; *~ about (at)* beklaga sig (klaga) över, reagera mot **III** *vb tr* **1** bedyra [*~ one's innocence*] **2** hand., *~ a bill* [låta] protestera en växel **3** isht amer. protestera mot

protocol ['prəʊtəkɒl] **1** protokoll **2** protokoll, [diplomatiska] etikettsregler

prototype ['prəʊtə(ʊ)taɪp] prototyp; urtyp, förebild

protract [prə'trækt] dra ut på [*~ a visit*], förhala; fördröja [*bad weather ~ed the work*]; förlänga

protracted [prə'træktɪd] utdragen, långdragen [*~ negotiations*]

protractor [prə'træktə] gradskiva, [kart]vinkelmätare

protrude [prə'tru:d] **I** *vb tr* sticka fram (ut) [*~ the tongue*], skjuta fram (ut) **II** *vb itr* skjuta fram (ut) [*his ears ~*]

protruding [prə'tru:dɪŋ] framskjutande [*~ ears (eyes)*]; *~ jaw* äv. underbett

protuberance [prə'tju:b(ə)r(ə)ns] utbuktning; protuberans; bula

proud [praʊd] **I** *adj* **1** stolt [*I'm ~ of knowing (~ to know) him*]; högmodig **2** ståtlig [*a ~ sight* (anblick)], lysande **3** uppsvälld [*a ~ stream*]; *~ flesh* svallkött, dödkött **II** *adv* vard., *do a p. ~* a) hedra ngn [*his conduct did him ~*] b) göra sig en massa besvär för ngns skull, slå på stort för ngn

prove [pru:v] (*proved proved*; perf.p. isht amer. äv. *proven*) **I** *vb tr* bevisa; visa [*experience ~s that...*]; *~ oneself* visa vad man duger till (går för) **II** *vb itr*, *~ [to be]* visa sig vara [*all ~d in vain*]

proverb ['prɒvɜ:b] ordspråk; *[the Book of] Proverbs* bibl. Ordspråksboken

proverbial [prə'vɜ:bjəl] ordspråksmässig; ordspråks-, i ordspråket [*like the ~ fox*]; allmänt känd, ökänd; *~ saying* ordstäv

provide [prə'vaɪd] **I** *vb tr* **1** anskaffa, ordna med [*who'll ~ the food?*]; *~ one's own food* ta med sig (hålla sig med) egen mat; *~ oneself with* förse sig med, skaffa sig **2** ge [*the tree ~s shade*], lämna **3** om lag o.d.

föreskriva [*the law ~s that* (att)...] **II** *vb itr*, ~ *against* a) vidta åtgärder [för att skydda sig] mot b) jur. förbjuda [*this clause ~s against the use of...*]

provided [prə'vaɪdɪd], ~ [*that*] förutsatt att, på villkor att, om [bara], såvida

providence ['prɒvɪd(ə)ns], *P~* försynen; *divine P~* el. *the P~ of God* Guds försyn

providing [prə'vaɪdɪŋ], ~ [*that*] se *provided*

province ['prɒvɪns] **1** provins; landskap **2** pl. *the ~s* landsorten, provinsen **3** [verksamhets]fält, fack; *it is not* [*within*] *my* ~ det är inte mitt område (min sak)

provincial [prə'vɪnʃ(ə)l] **I** *adj* **1** regional; provins-; landskaps- **2** provinsiell **II** *s* landsortsbo, småstadsbo

provision [prə'vɪʒ(ə)n] **I** *s* **1** a) anskaffande, tillhandahållande b) försörjning c) åtgärd, förberedelse **2** pl. *~s* livsmedel, matvaror, proviant **3** bestämmelse; villkor **II** *vb tr* proviantera

provisional [prə'vɪʒənl] provisorisk; preliminär; ~ *arrangement* äv. provisorium

provis|o [prə'vaɪzəʊ] (pl. *-os*, ibl. *-oes*) förbehåll, reservation; [förbehålls]klausul, bestämmelse

provocation [,prɒvə'keɪʃ(ə)n] provokation, utmaning; incitament; *at* (*on*) *the slightest* ~ vid minsta anledning

provocative [prə'vɒkətɪv] **I** *adj* utmanande [*a ~ dress*], provokativ [*~ language*], provokatorisk **II** *s* stimulerande medel

provoke [prə'vəʊk] **1** reta [upp]; provocera; *be easily ~d to anger* lätt bli arg **2** framkalla [*~ a storm*; *~ a reaction*], utlösa [*~ riots*]; väcka [*~ indignation*], uppväcka

provoking [prə'vəʊkɪŋ] retsam; *how ~!* så förargligt!

prow [praʊ] för[stäv]; poet. skepp

prowess ['praʊɪs] mest litt. **1** tapperhet; bravur **2** skicklighet

prowl [praʊl] **I** *vb itr* stryka omkring isht efter byte **II** *vb tr* stryka omkring i (på) [*wolves ~ the forest*] **III** *s* **1** *be* (*go*) *on the ~* vara ute (gå ut) på jakt, stryka omkring [*for* [på jakt] efter] **2** *~ car* amer. polisbil, radiobil

prowler ['praʊlə] **1** person (djur) som stryker omkring **2** smygande tjuv

proximity [prɒk'sɪmətɪ] närhet; *in close ~ to* i omedelbar närhet av

proxy ['prɒksɪ] fullmakt; befullmäktigat ombud; *by ~* genom fullmakt (ombud)

prude [pru:d] pryd (sipp) människa

prudence ['pru:d(ə)ns] klokhet, förståndighet

prudent ['pru:d(ə)nt] klok, förståndig; välbetänkt

prudery ['pru:dərɪ] pryderi; prydhet, sipphet

prudish ['pru:dɪʃ] pryd, sipp

1 prune [pru:n] **1** sviskon; torkat katrinplommon; *full of ~s* amer. sl. a) dum, enfaldig b) uppåt, livad **2** tönt, knasboll

2 prune [pru:n] **1** beskära träd o.d. [ofta *~down*]; klippa [*~ a hedge*]; ~ [*away* (*off*)] skära av (bort) grenar o.d. **2** bildl. skära ner [*~ an essay*]; rensa

Prussia ['prʌʃə] Preussen

Prussian ['prʌʃ(ə)n] **I** *adj* preussisk **II** *s* preussare

prussic ['prʌsɪk] kem., *~ acid* blåsyra

1 pry [praɪ] **1** snoka [*~ into* (i) *a p.'s affairs*], nosa [*~ into* (i) *everything*] **2** titta (kika) [nyfiket]

2 pry [praɪ] amer., se *prise*

PS [,pi:'es] förk. för *postscript*, *private secretary*

psalm [sɑ:m] **1** psalm i Psaltaren; [*the Book of*] *Psalms* Psaltaren, Davids psalmer **2** psalm

pseud [sju:d] vard., se *pseudo III*

pseudo ['sju:dəʊ, 'su:dəʊ] **I** *prefix* pseudo- [*pseudo-classic*], kvasi- [*pseudo-scientific*], sken- [*pseudo-life*], föregiven **II** *adj* vard., *he is very ~* han är en stor bluff (posör) **III** (pl. *~s*) *s* vard. bluff

pseudonym ['sju:dənɪm, 'su:-] pseudonym

psych [saɪk] **1** psykoanalysera **2** *~ out* a) ana (känna på sig) vad ngn tänker göra b) lösa psykologiskt c) psyka d) itr. deppa ihop, kollapsa **3** *~ up* peppa upp

psyche ['saɪkɪ, ss. vb saɪk] **I** *s* psyke; själsliv, själ **II** *vb tr* o. *vb itr* se *psych*

psychedelic [,saɪkə'delɪk] psykedelisk

psychiatric [,saɪkɪ'ætrɪk] psykiatrisk

psychiatrist [saɪ'kaɪətrɪst, sɪ'k-] psykiater

psychiatry [saɪ'kaɪətrɪ, sɪ'k-] psykiatri

psychic ['saɪkɪk] **I** *adj* **1** psykisk; själslig **2** parapsykisk [*~ research*]; övernaturlig, översinnlig [*~ forces*] **3** medial; medialt lagd; spiritistisk [*a ~ medium*]; *be ~* vara synsk, ha medial förmåga **II** *s* person med medial förmåga

psychoanalyse [,saɪkəʊ'ænəlaɪz] psykoanalysera

psychoanalysis [,saɪkəʊə'næləsɪs] psykoanalys

psychoanalyst [,saɪkəʊ'ænəlɪst] psykoanalytiker

psychoanalytic ['saɪkəʊ,ænə'lɪtɪk] o. **psychoanalytical** ['saɪkəʊ,ænə'lɪtɪk(ə)l] psykoanalytisk

psychological [,saɪkə'lɒdʒɪk(ə)l] psykologisk i olika bet. [*a ~ novel*; *~ moment*; *~ warfare*]

psychologist [saɪ'kɒlədʒɪst] psykolog

psychology [saɪ'kɒlədʒɪ] psykologi

psychopath ['saɪkə(ʊ)pæθ] psykopat

psychopathic [,saɪkə(ʊ)'pæθɪk] psykopatisk

psychos|is [saɪ'kəʊs|ɪs] (pl. *-es* [-i:z]) psykos

psychosomatic [ˌsaɪkə(ʊ)sə(ʊ)'mætɪk] psykosomatisk

psychotherapy [ˌsaɪkə(ʊ)'θerəpɪ] psykoterapi

psychotic [saɪ'kɒtɪk] **I** *adj* psykotisk, mentalt störd **II** *s* psykotisk (mentalt störd) människa

ptarmigan ['tɑːmɪgən] zool. fjällripa; *willow ~* amer. dalripa

PTO [ˌpiːtiː'əʊ] (förk. för *please turn over*) [var god] vänd!

ptomaine ['təʊmeɪn, tə(ʊ)'meɪn] ptomain förruttnelsegift; *~ poisoning* matförgiftning

pub [pʌb] **I** *s* vard. (kortform för *public house*) pub; *~ grub* pubmat **II** *vb itr, go ~bing* gå pubrond

pub-crawl ['pʌbkrɔːl] **I** *s* pubrond [*go on* (göra) *a ~*] **II** *vb itr, go ~ing* gå pubrond, göra en krogrunda

puberty ['pjuːbətɪ] pubertet; *reach the age of ~* komma i puberteten (pubertetsåldern)

pubic ['pjuːbɪk] anat. **1** blygd- [*~ bone* (*hairs*)] **2** blygdbens-

public ['pʌblɪk] **I** *adj* **1** offentlig [*~ building*], allmän [*~ holiday*]; folk- [*~ library*]; statlig, stats- [*~ finances*]; publik; *make ~* offentliggöra, tillkännage, göra allmänt bekant; *~ call-box* telefonkiosk; *~ convenience* offentlig toalett; *~ corporation* affärsdrivande verk, statligt företag; *~ debt* statsskuld; *it is a matter of ~ knowledge* det är offentligt (allmänt) bekant; *~ relations* PR, public relations; *~ services* offentliga verk och inrättningar **2** börsnoterad [*a ~ company*]; *go ~* bli börsnoterad **II** *s* allmänhet [*the general* (stora) *~*]; publik [*it reaches a large ~*]; *the ~ are* (*is*) *not admitted* allmänheten äger icke tillträde; [*the book will appeal to*] *a large ~* ...en stor läsekrets; *in ~* offentligt, inför publik; *open to the ~* öppen för allmänheten

publican ['pʌblɪkən] pubinnehavare; krogvärd

publication [ˌpʌblɪ'keɪʃ(ə)n] **1** publicering; *date* (*year*) *of ~* tryckår, utgivningsår **2** publikation, tryckalster **3** offentliggörande; kungörande; *~ of the banns* lysning

publicity [pʌb'lɪsətɪ] publicitet [*avoid ~*]; reklam; *give a th. ~* ge ngt publicitet; göra reklam (PR) för ngt

publicize ['pʌblɪsaɪz] offentliggöra, ge publicitet åt; göra reklam för; annonsera

publicly ['pʌblɪklɪ] offentligt; av (inför) allmänheten; statligt

publish ['pʌblɪʃ] **I** *vb tr* **1** publicera; ge ut; *the book is ~ed by D.* boken är utgiven (har kommit ut) på D.'s förlag **2** offentliggöra; kungöra; utfärda; *~ the banns* [*of marriage*] avkunna lysning **II** *vb itr* om tidning komma ut

publisher ['pʌblɪʃə] [bok]förläggare; utgivare [*newspaper ~*]; *~*[*s*] äv. förlag [*HarperCollins Publishers*]

publishing ['pʌblɪʃɪŋ] förlagsverksamhet; förlagsbranschen; *~ house* (*company, firm*) [bok]förlag

puce [pjuːs] **I** *s* rödbrunt **II** *adj* rödbrun

1 puck [pʌk] ung. tomte[nisse]

2 puck [pʌk] puck i ishockey

pucker ['pʌkə] **I** *vb tr* rynka; *~* [*up*] rynka, lägga i veck [*~* [*up*] *one's brows*], snörpa ihop, spetsa [*~* [*up*] *one's lips*] **II** *vb itr, ~* [*up*] rynka (vecka) sig **III** *s* rynka, veck; rynkning

pudding ['pʊdɪŋ] **1** a) pudding b) efterrätt c) gröt; *black ~* blodkorv, blodpudding; *~ mould* puddingform **2** sjö. fender

puddle ['pʌdl] pöl, [vatten]puss

pudgy ['pʌdʒɪ] se *podgy*

puerile ['pjʊəraɪl, amer. -rl] barnslig

puerility [pjʊə'rɪlətɪ] barnslighet

puff [pʌf] **I** *s* **1** pust; puff; bloss [*have a ~ at a pipe*]; *~ of wind* vindpust, vindstöt **2** puff, [svag] knall; *the ~s* [*from an engine*] tuffandet... **3** [puder]vippa **4** sömnad. puff **5** kok. **a**) smördegskaka; *jam ~* smörbakelse med sylt i **b**) [*cream*] *~* petit-chou **6** [grov] reklam **II** *vb itr* **1** pusta **2** bolma [*smoke ~ed up from the crater*]; *~* [*away*] *at a cigar* bolma (blossa) på en cigarr **3** blåsa [i stötar] **4** tuffa [*the engine ~ed out of the station*], ånga **5** *~* [*up*] svälla [upp], svullna **III** *vb tr* **1** blåsa [*~ out a candle*] **2** stöta (pusta) ut [*~ smoke*] **3** blossa (bolma) på [*~ a cigar*] **4** *~ out* blåsa upp [*~ out one's cheeks*]; *~ed up* uppblåst äv. bildl., pösig, svällande

puffin ['pʌfɪn] zool. lunnefågel

puffy ['pʌfɪ] **1** byig om vind **2** andfådd **3** uppsvälld, svullen; påsig [*~ under the eyes*]; korpulent **4** pösig äv. bildl.

pug [pʌg] mops

pugilist ['pjuːdʒɪlɪst] pugilist, [proffs]boxare

pugnacious [pʌg'neɪʃəs] stridslysten; stridbar

pug nose ['pʌgnəʊz] trubbnäsa

puke [pjuːk] **I** *vb tr* o. *vb itr* vard. spy **II** *s* **1** kräkning **2** kräkmedel

pull [pʊl] **I** *vb tr* (se äv. *III*) **1** dra; hala; dra (rycka) i; dra ut [*~ a tooth*]; *~ a p.'s hair* el. *~ a p. by the hair* dra ngn i håret, lugga ngn; *~ to pieces* (*bits*) rycka (plocka) sönder, slita i stycken, bildl. göra ned, kritisera sönder **2** dra för [*~ the curtains*], dra ned [*~ the blind*] **3** med. sträcka [*~ a muscle*] **4** göra [*~ a raid*]; *he ~ed a fast one* [*on* (*over*) *me*] vard. han drog mig vid näsan

II *vb itr* (se äv. *III*) **1** dra, rycka, hala **2** ro

III *vb tr* o. *vb itr* med adv. isht med spec. övers.:
~ **apart**: a) rycka (plocka) isär (sönder) b) bildl. göra ned, kritisera ihjäl
~ **away** om fordon köra ut från trottoarkanten
~ **down**: a) riva [ned] [*~ down a house*]; dra ned; bildl. störta [*~ down a government*] b) driva ned [*~ down prices*]
~ **in**: **a**) dra in; hålla in [*~ in a horse*] **b**) bromsa in; ~ *in at* stanna till i (hos) **c**) köra in [*the train ~ed in at the station*]; svänga in [*~ in to the left*]
~ **off**: a) dra (ta) av [sig] b) vard. greja, fixa [*he'll ~ it off*]; lägga beslag på, lyckas få [*~ off a job*] c) köra av [*~ off the road*]
~ **out**: a) dra ut (upp) [*~ out a tooth*]; ta ur (loss); dra (hala) fram (upp) b) dra sig tillbaka [*the troops ~ed out of the country*]; bildl. dra sig (backa) ur c) köra ut [*the train ~ed out of the station*]; svänga ut [*the car ~ed out from the kerb*]
~ **through** klara sig [*the patient ~ed through*]
~ **together**: **a**) hjälpas åt **b**) ~ *oneself together* ta sig samman; ta sig i kragen
~ **up**: a) dra (rycka) upp b) stanna [*he ~ed up the car; the train ~ed up*]
IV *s* **1** drag[ning]; tag; *give a strong ~* ta ett kraftigt tag **2** [år]tag; simtag **3 a**) klunk **b**) drag, bloss; *take a ~ at one's pipe* dra ett bloss på pipan **4** dragningskraft äv. bildl. **5** fördel; *have a (the) ~ on a p.* ha övertag över ngn **6** vard. försänkningar [*he got the job through ~*]

pullet ['pʊlɪt] unghöna, unghöns

pulley ['pʊlɪ] **I** *s* **1** block[skiva], trissa; talja; *~ block* hissblock, talja **2** [*belt*] ~ remskiva **II** *vb tr* **1** hissa [med talja] **2** förse med block

pull-out ['pʊlaʊt] **I** *s* **1** utvikningssida; löstagbar bilaga **2** tillbakadragande [*~ of troops*] **II** *adj* utdrags- [*~ bed*]; *~ supplement* löstagbar bilaga

pullover ['pʊl,əʊvə] **I** *s* **1** pullover **2** amer. utanpåskjorta **II** *adj* pådrags-

pull-tab ['pʊltæb] rivöppnare på burk

pull-up ['pʊlʌp] **1** rastställe vid bilväg **2** gymn. armhävning från t.ex. trapets **3** flyg. brant stigning

pulp [pʌlp] **I** *s* **1** mos; mjuk massa; *beat a p. to a ~* slå ngn sönder och samman **2** [frukt]kött; innanmäte i frukt o.d.; märg i stam **3** [pappers]massa **4** anat. el. bot. pulpa **5** vard., *~ magazine* billig veckotidning **II** *vb tr* **1** krossa till massa; mosa; *~ed copies* makulerade exemplar **2** ta ur [frukt]köttet ur **III** *vb itr* bli till mos

pulpit ['pʊlpɪt] predikstol

pulsate [pʌl'seɪt, 'pʌlseɪt] pulsera äv. bildl.; slå, dunka; vibrera

pulse [pʌls] **I** *s* **1** puls äv. bildl.; *feel (take) a p.'s ~* ta pulsen på ngn; bildl. äv. känna ngn på pulsen **2** pulsslag **3** vibration[er] [*the ~ of an engine*] **4** elektr. el. radio. puls, puls- [*~ modulation*] **II** *vb itr* pulsera äv. bildl.; slå; vibrera

pulverize ['pʌlvəraɪz] **I** *vb tr* pulvrisera; bildl. äv. smula sönder **II** *vb itr* pulvriseras

puma ['pju:mə] zool. puma

pumice ['pʌmɪs] **I** *s* pimpsten **II** *vb tr* göra ren (gnida) med pimpsten

pumice stone ['pʌmɪsstəʊn] pimpsten

pummel ['pʌml] puckla på

1 pump [pʌmp], pl. *~s* a) släta herrskor utan snörning b) amer. [dam]pumps c) gymnastikskor

2 pump [pʌmp] **I** *s* pump **II** *vb tr* **1** pumpa [*~ water out; ~ air into a tyre*]; *~ [dry (empty)]* länspumpa; *~ up* pumpa upp [*~ up a tyre*] **2** pumpa, fråga ut [*~ a witness*] **3** vard., *be completely ~ed [out]* vara fullkomligt utpumpad (tröttkörd)

pumpkin ['pʌm(p)kɪn] bot. pumpa

pun [pʌn] **I** *s* ordlek **II** *vb itr* göra en ordlek (ordlekar)

Punch [pʌn(t)ʃ] teat., motsv. Kasper; *~ and Judy [show]* motsv. kasperteater

1 punch [pʌn(t)ʃ] **I** *s* **1** stans; hålslag; biljettång **2** dorn **3** stämpel **4** klipp i biljett **II** *vb tr* stansa [*~ holes*], slå hål i [*~ paper*], klippa [*~ tickets*] **III** *vb itr, ~ in (out)* stämpla in (ut) med stämpelur

2 punch [pʌn(t)ʃ] **I** *s* **1** knytnävsslag; kort slag; slagkraft äv. bildl.; *I gave him a ~ on the nose* jag klippte (slog) till honom; *he did not pull his ~es* han la inte fingrarna emellan, han gick rakt på sak **2** vard. snärt; kraft **II** *vb tr* puckla på, klippa (slå) till; *I ~ed him on the nose* jag klippte (slog) till honom

3 punch [pʌn(t)ʃ] bål; toddy; *hot rum ~* romtoddy; *Swedish ~* punsch

punchbag ['pʌn(t)ʃbæg] boxn. sandsäck; bildl. slagpåse

punchball ['pʌn(t)ʃbɔ:l] boxn. boxboll

punchbowl ['pʌn(t)ʃbəʊl] bål[skål]

punchcard ['pʌn(t)ʃkɑ:d] hålkort

punch-drunk [,pʌn(t)ʃ'drʌŋk] **1** boxn. punch-drunk; omtöcknad **2** vard. vimmelkantig, halvt bedövad

punch line ['pʌn(t)ʃlaɪn] slutkläm i rolig historia

punch-up ['pʌn(t)ʃʌp] sl. råkurr

punctual ['pʌŋ(k)tjʊəl] punktlig

punctuality [,pʌŋ(k)tjʊ'ælətɪ] punktlighet

punctuate ['pʌŋ(k)tjʊeɪt] **1** interpunktera, kommatera **2** [ideligen] avbryta [*~ a speech with cheers*]

punctuation [,pʌŋ(k)tjʊ'eɪʃ(ə)n] interpunktion, kommatering; *~ mark* skiljetecken

puncture ['pʌŋ(k)tʃə] **I** *s* **1** punktering; stick **2** med. punktion **II** *vb tr* **1** punktera, sticka hål på **2** få punktering på [*he ~d his tyre*] **3** bildl. slå hål på, gå illa åt **III** *vb itr* punktera

pundit ['pʌndɪt] skämts. förståsigpåare

pungent ['pʌndʒ(ə)nt] skarp, frän [~ *smell* (*taste*)]; bildl. äv. bitande, vass [~ *remarks*], kärv; stickande [~ *gas* (*smoke*)]

punish ['pʌnɪʃ] **1** straffa, bestraffa; ibl. tukta **2** vard. a) gå hårt (illa) åt b) pressa, suga musten ur; *~ing* pressande, påfrestande [*a ~ing race*]

punishable ['pʌnɪʃəbl] straffbar

punishment ['pʌnɪʃmənt] **1** straff **2** vard. stryk; *take a lot of ~* a) få mycket stryk, få stryk efter noter b) tåla mycket stryk

punk [pʌŋk] sl. **I** *s* **1** skräp; skit äv. pers. **2** skurk **3** punk aggressiv ungdomsstil; om pers. punkare **II** *adj* **1** urusel **2** punk- [~ *rock*]; punkig

punnet ['pʌnɪt] spånkorg; liten [papp]kartong för bär; bärkorg

1 punt [pʌnt] **I** *s* punt **II** *vb tr* staka [fram], 'punta' **III** *vb itr* staka sig fram; [vara ute och] 'punta'

2 punt [pʌnt] **I** *s* insats i hasardspel **II** *vb itr* **1** satsa i hasardspel; spela mot banken **2** spela på kapplöpning; tippa

1 punter ['pʌntə] 'puntare'

2 punter ['pʌntə] **1** satsare, spelare i hasardspel **2** vadhållare på kapplöpning; [fotbolls]tippare

puny ['pju:nɪ] ynklig, svag äv. bildl.

pup [pʌp] **I** *s* **1** [hund]valp **2** [pojk]valp, spoling **3** vard., *sell a p. a ~* lura ngn [att göra ett dåligt köp] **II** *vb itr* valpa, få valpar

1 pupil ['pju:pl] **1** elev, lärjunge; *~ teacher* lärarkandidat **2** jur. myndling

2 pupil ['pju:pl] anat. pupill

puppet ['pʌpɪt] **1** teat. docka, marionett; *glove ~* handdocka **2** bildl. marionett; marionett- [~ *government* (*state*)] **3** liten docka

puppet theatre ['pʌpɪt,θɪətə] dockteater

puppy ['pʌpɪ] **1** [hund]valp **2** bildl. [pojk]valp, spoling; *~ fat* vard. tonårsfetma

purchase ['pɜ:tʃəs, -tʃɪs] **I** *s* **1** köp; inköp äv. konkr.; uppköp; jur. förvärv; *make ~s* göra inköp **2** tag [*get a ~ on a th.*], [fot]fäste **II** *vb tr* köpa; jur. förvärva; bildl. köpa (tillkämpa) sig; *purchasing power* köpkraft

purchaser ['pɜ:tʃəsə] köpare

pure [pjʊə] **1** ren [~ *air* (*colours, tones*)], oblandad; äkta, gedigen; hel- [~ *silk*]; ~ *mathematics* teoretisk (ren) matematik **2** ren, bara [*it's ~ envy*]; *the truth ~ and simple* rena [rama] sanningen

purée ['pjʊəreɪ] kok. **I** *s* puré; mos [*fruit ~*] **II** *vb tr* göra puré av

purely ['pjʊəlɪ] **1** rent etc., jfr *pure* **2** rent [*a ~ formal request*], uteslutande, bara; *~ by accident* av en ren händelse

purgative ['pɜ:gətɪv] **I** *s* med. laxermedel **II** *adj* **1** med. laxerande **2** renande

purgatory ['pɜ:gət(ə)rɪ] **1** skärseld, lidande; *P~* relig. skärseld[en], purgatorium **2** vard. pina

purge [pɜ:dʒ] **I** *vb tr* **1** rena, luttra; *~ away* rensa bort **2** polit. rensa [upp i], göra utrensningar i [~ *a party*] **3** med. laxera **II** *vb itr* med. laxera **III** *s* **1** rening, renande **2** polit. utrensning **3** med. laxermedel

purification [,pjʊərɪfɪ'keɪʃ(ə)n] **1** rening; bildl. äv. luttring; *~ plant* reningsverk **2** relig. reningsceremoni

purify ['pjʊərɪfaɪ] **I** *vb tr* rena; bildl. äv. luttra **II** *vb itr* renas

purist ['pjʊərɪst] purist

puritan ['pjʊərɪt(ə)n] (hist. *P~*) **I** *s* puritan **II** *adj* puritansk

puritanical [,pjʊərɪ'tænɪk(ə)l] puritansk

purity ['pjʊərətɪ] renhet i olika bet.

purl [pɜ:l] **I** *s* avig [maska] [äv. ~ *stitch*] **II** *vb tr, ~ one* sticka en avig [maska] **III** *vb itr* sticka avigt

purloin [pɜ:'lɔɪn] stjäla

purple ['pɜ:pl] **I** *s* **1** mörklila, purpur[färg] **2** purpur[dräkt]; *the ~* kunglig (kardinals, biskops) värdighet **II** *adj* mörklila; purpurfärgad, purpur-; purpurröd, mörkröd [*his face turned ~*], blodröd [*a ~ sunset*] **III** *vb tr* purpurfärga

purport ['pɜ:pɔ:t, 'pɜ:pət, ss. vb pə'pɔ:t] **I** *vb tr* ge sig ut för, avse [*the book ~s to be...*], påstå sig **II** *s* innebörd, andemening [*the ~ of what he said*]

purpose ['pɜ:pəs] **I** *s* **1** syfte, avsikt, mening; ändamål; *answer* (*serve, suit*) *a p.'s ~* tjäna (passa) ngns syfte, täcka ngns behov; *it answers* (*serves, suits*) *its ~* den fyller sin funktion, den tjänar sitt syfte; *for peaceful ~s* för fredliga ändamål (fredsändamål); *on ~* med avsikt (flit), avsiktligt; *be to the ~* a) ha med saken (ämnet) att göra b) vara ändamålsenlig, vara just det rätta; *to little ~* till föga nytta **2** mål [*have a definite ~ in life*], uppgift; mening [*there is a ~ in the world* (tillvaron)]; *strength of ~* viljestyrka, beslutsamhet **II** *vb tr* ha för avsikt, ämna

purposeful ['pɜ:pəsf(ʊ)l] **1** målmedveten **2** meningsfull

purposely ['pɜ:p(ə)slɪ] **1** avsiktligt, med avsikt (flit) **2** *~ to* endast för att

purr [pɜ:] **I** *vb itr* spinna [*the cat* (*engine*) *~ed*] **II** *s* spinnande; spinnande ljud

purse [pɜ:s] **I** *s* **1** a) portmonnä, börs; amer. [dam]handväska b) kassa [*out of my own ~*] **2** [insamlad] penninggåva;

[penning]pris **II** *vb tr,* ~ [*up*] rynka, dra ihop [~ [*up*] *one's brows*]

purser ['pɜ:sə] sjö. el. flyg. purser

purse strings ['pɜ:sstrɪŋz] bildl., *hold* (*control*) *the* ~ ha hand om (bestämma över) kassan

pursue [pə'sju:] **1** förfölja äv. bildl.; jaga [~ *a thief* (*a bear*)] **2** jaga efter [~ *pleasure*], sträva efter [~ *one's object*] **3** följa [~ *a method*], driva, föra [~ *a policy*] **4** a) fullfölja [~ *a plan*]; fortsätta [~ *a journey*], gå vidare med [~ *an inquiry* (*a subject*)] b) ägna sig åt [~ *a profession*]

pursuer [pə'sju:ə] förföljare

pursuit [pə'sju:t] **1** förföljande, jakt; bildl. jagande; *be in* ~ *of* förfölja, jaga; vara på jakt efter **2** bedrivande, utövande [*in* (under) ~ *of*], skötsel **3** sysselsättning [*a pleasant* ~]; syssla; *literary* ~*s* litterär verksamhet

purveyor [pɜ:'veɪə] [livsmedels]leverantör; *P~ to His* (*Her*) *Majesty* [kunglig] hovleverantör

pus [pʌs] med. var; ~ *basin* rondskål

push [pʊʃ] **I** *vb tr* **1** a) skjuta, fösa; skjuta 'på [~ *a car*], leda [~ *a bike*], dra [~ *a pram*] b) knuffa; knuffa (stöta) till c) driva [~ *the enemy troops into the sea*] d) trycka på [~ *a button*]; ~ *one's way* tränga (knuffa) sig fram; ~ *a p. around* vard. hunsa (köra) med ngn **2** a) driva, pressa [~ *a p. into doing a th.*] b) tvinga [*he'll do it if you* ~ *him*]; *be ~ed* vara i trångmål (knipa) **3** framhärda i [~ *one's claims*]; ~ [*on*] påskynda, driva på, forcera [~ [*on*] *the work*] **4** göra reklam (puffa) för [~ *goods*] **5** foto. pressa **6** sl. langa [~ *drugs*] **7** vard. närma sig [*he is ~ing eighty*] **II** *vb itr* **1** a) tränga sig [fram], knuffa sig [*he ~ed past me*] b) knuffas [*don't ~!*] c) skjuta 'på; ~ *along* vard. kila [i väg], ge sig i väg **2** ~ *for* yrka på, kräva [~ *for higher wages*], kämpa (verka) för **III** *s* **1** knuff, puff; *give the car a* ~ skjuta på bilen **2** [kraft]ansträngning **3** mil. framstöt **4** vard. framåtanda **5** försänkningar [*use* (utnyttja) ~ *to get a job*] **6** *at a* ~ om det gäller (kniper) **7** sl., *get the* ~ a) få sparken b) bli spolad; *give a p. the* ~ a) ge ngn sparken b) spola ngn

pushbike ['pʊʃbaɪk] vard. trampcykel, vanlig cykel

push-button ['pʊʃˌbʌtn] elektr. tryckknapp; tryckknapps- [~ *tuning* (inställning)]; ~ *telephone* knapptelefon

pushcart ['pʊʃkɑ:t] [hand]kärra

pushchair ['pʊʃ-tʃeə] sittvagn för barn

pusher ['pʊʃə] **1** vard. streber **2** påpetare för barn **3** sl., [*drug* (*dope*)] ~ [knark]langare

pushover ['pʊʃˌəʊvə] vard. **1** smal (enkel) sak, barnlek **2** lätt[fångat] byte; lätt motståndare

push-up ['pʊʃʌp] gymn. armhävning från golvet

1 puss [pʊs] kisse; ~, ~*!* kiss! kiss!; *P~ in Boots* Mästerkatten i stövlar

2 puss [pʊs] sl. nylle

3 puss [pʊs] vulg. mus

1 pussy ['pʊsɪ] se *pussy-cat*

2 pussy ['pʊsɪ] vulg. mus äv. kvinna som sexobjekt

pussy-cat ['pʊsɪkæt] **1** kissekatt **2** bot. [vide]kisse **3** smeks., i tilltal gullunge, raring

pussy willow ['pʊsɪˌwɪləʊ] bot. **1** sälg **2** [vide]kisse

1 put [pʊt] (*put put*) **I** *vb tr* (se äv. *III*) **1** lägga, sätta, ställa; stoppa [~ *a th. into one's pocket*]; hälla, slå [~ *milk in the tea*]; *stay* ~ vard. stanna kvar där man är; ~ *a p. through a th.* låta ngn gå igenom ngt [~ *a p. through a test*] **2** uppskatta [*I* ~ *the value at* (till)...], värdera **3** uttrycka, säga [*it can all be* ~ *in a few words*], framställa [~ *matter clearly*], formulera; *to* ~ *it bluntly* för att tala rent ut; *to* ~ *it briefly* för att fatta mig kort **4** [fram]ställa [~ *a question to a p.*]; ~ *a th. before* (*to*) *a p.* förelägga ngn ngt, lägga fram ngt för ngn **5** översätta [~ *into* (till) *English*]; ~ *into verse* sätta på vers **6** satsa, sätta [~ *money on a horse*]; placera [~ *money into a business*] **7** sport., ~ *the shot* (*weight*) stöta kula

II *vb itr* (se äv. *III*) **1** sjö. löpa, styra [~ *into the harbour*]; ~ *into port* söka hamn **2** vard., *don't be* ~ *upon by him!* låt inte honom sätta sig på (topprida) dig!

III *vb tr* o. *vb itr* med adv. o. prep. med spec. övers.:

~ **about** sprida [ut] [~ *about a rumour*]

~ **across**: a) sätta (forsla) över b) sjö. gå (styra) över c) vard. föra (få) fram [*he has plenty to say but he cannot* ~ *it across*]

~ **aside**: a) lägga (sätta, ställa) bort (ifrån sig) b) lägga undan, spara [~ *aside a bit of money*]

~ **away**: **a**) lägga etc. undan (bort, ifrån sig); ~ *the car away* ställa in (undan) bilen **b**) lägga undan, spara [~ *some money away*] **c**) vard. avliva [*my dog had to be* ~ *away*]

~ **back**: a) lägga etc. tillbaka (på sin plats) b) vrida (ställa) tillbaka [~ *the clock back*] c) hålla tillbaka d) häva (hälla) i sig

~ **by**: a) lägga etc. undan (ifrån sig) b) lägga undan, spara [ihop] [~ *money by*]

~ **down**: **a**) lägga etc. ned (ifrån sig), släppa [~ *down a burden*]; sätta (släppa) av [~ *me down at the corner*] **b**) slå ned, kuva [~ *down a rebellion*], sätta stopp för **c**) anteckna, skriva upp [~ *down the* *address*], sätta (föra) upp [~ *it down to* (på) *my account*] **d**) fälla ihop [~ *down one's umbrella*] **e**) uppskatta; anse, betrakta [*they ~ him down as a fool*] **f**) ~ *down to* tillskriva, skylla på [*he ~s it down to nerves*]

~ **forth**: **a**) uppbjuda [~ *forth all one's strength*] **b**) framställa, framlägga [~ *forth a theory*] **c**) skjuta [~ *forth shoots*]; ~ *forth* [*leaves*] slå ut

~ **forward**: **a**) lägga fram, framställa [~ *forward a theory*] **b**) nominera [~ *a p. forward as a candidate*]; ~ *oneself forward as a candidate* ställa upp som kandidat **c**) vrida (ställa) fram [~ *the clock forward*]

~ **in**: **a**) lägga etc. in, dra in [~ *in central heating*]; sticka in [*he ~ his head in at the window*]; lägga ner [~ *in a lot of work*]; ~ *in a good word for* lägga ett gott ord för **b**) skjuta in [*...he ~ in*], sticka emellan med [~ *in a word*] **c**) lämna (ge) in; lämna, komma med [~ *in an offer*]; ~ *in for* lägga in (ansöka) om, söka, anmäla sig [som sökande] till [*he ~ in for the job*] **d**) hinna med [~ *in an hour's work before breakfast*] **e**) sjö. löpa (gå) in [~ *in to* (i) *harbour*]; ~ *in at* [*a harbour*] anlöpa...

~ **inside** sl. bura (spärra, sy) in

~ **off**: **a**) lägga bort (av); ta av [sig]; sätta (släppa) av [*he ~ me off at the station*] **b**) skjuta upp, vänta (dröja) med **c**) avfärda [~ *a p. off with a lot of talk*], avspisa på svar o.d. [*I can't ~ him off any longer*] **d**) hindra, avråda; ~ *a p. off his game* störa ngn i hans spel **e**) vard. förvirra, göra konfys, distrahera [*the noise ~ me off*]; stöta [*his manners ~ me off*]; få att tappa lusten

~ **on**: **a**) lägga (sätta) på [~ *on the lid*]; sätta (ta) på [sig] [~ *on one's coat*], sätta upp [~ *on an air of innocence*], anta; [*her modesty is only*] ~ *on* ...spelad (låtsad); ~ *it on* vard. göra sig till (viktig); överdriva, bre på [~ *it on thick* (för mycket)]; lägga på [priserna] **b**) öka [~ *on speed*]; ~ *on flesh* (*fat*) lägga på hullet, bli tjock; ~ *on weight* öka (gå upp) i vikt **c**) sätta på [~ *on the radio*], sätta i gång; ~ *on the brakes* använda bromsen **d**) ta upp, spela [~ *a play on*] **e**) ~ *a p. on* driva med ngn **f**) ~ *on to* tele. koppla till; *please ~ me on to...* kan jag få...

~ **out**: **a**) lägga etc. ut (fram); räcka (sträcka) fram [~ *out one's hand*], räcka ut [~ *out one's tongue*]; hänga ut [~ *out flags*], sätta upp; ~ *out leaves* slå (spricka) ut **b**) köra (kasta) ut; slå ut; ~ *out of business* konkurrera ut; ~ *a p. out of the way* röja ngn ur vägen **c**) släcka [~ *out the fire*]; ~ *out the light* släcka [ljuset] **d**) vrida (sträcka) ur led [~ *one's shoulder out*]; ~ *out of joint* dra (få) ur led **e**) göra stött; störa [*these interruptions ~ me out*]; *be ~ out about a th.* ta illa vid sig över ngt **f**) vålla besvär, vara besvärlig för [*would it ~ you out to do it?*]; ~ *oneself out* göra sig besvär **g**) ta till, uppbjuda [~ *out all one's strength*] **h**) producera, framställa **i**) offentliggöra **j**) släppa ut; sätta (plantera) ut **k**) låna ut pengar **l**) sjö. sticka ut

~ **over** vard.:, ~ *it* (*one*) *over on a p.* lura ngn

~ **through**: **a**) genomföra **b**) tele. koppla [in]; *I'm ~ting you through* påringt!, varsågod!

~ **together**: a) lägga ihop (samman); sätta ihop, montera [~ *together a machine*] b) samla ihop [~ *together one's thoughts*]

~ **up**: **a**) sätta upp i olika bet. [~ *up a notice* (*one's hair*)]; uppföra, resa [~ *up a tent*]; ställa upp [~ *up a team*] **b**) räcka (sträcka) upp [~ *up one's hand*]; spänna (fälla) upp [~ *up one's umbrella*], hissa [~ *up a flag*] **c**) höja [~ *up a price*] **d**) utbjuda [~ *up for* (till) *sale*] **e**) vard. prestera, göra [~ *up a good game*], komma med [~ *up excuses*]; ~ *up a defence* försvara sig; ~ *up a fight* göra motstånd, kämpa emot **f**) lägga (packa) in [~ *up a th. in a parcel*] **g**) teat. iscensätta, sätta upp [~ *up a play*] **h**) föreslå [~ *up a candidate for* (vid) *an election*] **i**) hysa [~ *a p. up for the night*]; ~ *up at a hotel* (*with a p.*) ta in (bo) på ett hotell (hos ngn) **j**) betala; ~ *up the money* skaffa [fram] pengarna **k**) ~ *a p. up to* sätta ngn in i; lära ngn [~ *a p. up to a trick*]; förleda (lura) ngn till [*he ~ me up to doing* (att göra) *it*] **l**) ~ *up with* stå ut med, finna sig i, tåla, tolerera

~ **upon**: ~ *upon a p.* vålla ngn besvär (omak); trycka ner ngn

2 put [pʌt] golf., se *putt*

putrefaction [ˌpju:trɪˈfækʃ(ə)n] **1** förruttnelse **2** ruttenhet

putrefy [ˈpju:trɪfaɪ] **I** *vb itr* bli rutten, ruttna **II** *vb tr* göra rutten, åstadkomma förruttnelse i

putrid [ˈpju:trɪd] **1** rutten äv. bildl. **2** vard. urusel [~ *weather*; *a ~ film*]

putt [pʌt] golf. **I** *vb tr* o. *vb itr* putta **II** *s* putt

putter [ˈpʌtə] golf. putter

putting-green [ˈpʌtɪŋgri:n] golf. **1** green; övningsgreen **2** minigolfbana på gräs

putty [ˈpʌtɪ] **I** *s* **1** [*glaziers'*] ~ [glasmästar]kitt; [*plasterers'*] ~ spackel **2** *he's like ~ in her hands* han är som vax i hennes händer **II** *vb tr* kitta; spackla

put-up [ˈpʊtʌp] vard. [hemligt] förberedd; *it's a ~ job* det är ett beställningsjobb; det var fixat i förväg

put-you-up [ˈpʊtjʊʌp] bäddsoffa

puzzle ['pʌzl] **I** *vb tr* **1** förbrylla; *I am ~d [as to] how to...* jag är villrådig om hur jag ska...; *look ~d* se förbryllad (häpen, frågande) ut; *~ one's brain[s] (head) about* bry sin hjärna med, grubbla på **2** *~ out* fundera (lura) ut **II** *vb itr* bry sin hjärna, grubbla **III** *s* **1** bryderi **2** gåta [*it's a ~ to* (för) *me*]; problem **3** pussel
puzzling ['pʌzlɪŋ] förbryllande
PVC (förk. för *polyvinyl chloride*) PVC
pygmy ['pɪgmɪ] **a)** *P~* pygmé folkslag **b)** pygmé, dvärg; nolla
pyjamas [pə'dʒɑ:məz] pyjamas; *a pair of ~* en pyjamas
pylon ['paɪlən] **1** [kraft]ledningsstolpe; *radio ~* radiomast **2** flyg. pylon
pyramid ['pɪrəmɪd] pyramid
pyre ['paɪə] bål; *funeral ~* likbål
Pyrenees [ˌpɪrə'ni:z] geogr., *the ~* Pyrenéerna
pyromaniac [ˌpaɪrə(ʊ)'meɪnɪæk] pyroman
python ['paɪθ(ə)n] zool. pytonorm

Q

Q, q [kju:] (pl. *Q's* el. *q's* [kju:z]) Q, q
Q förk. för *Queen, Question*
QC [ˌkju:'si:] förk. för *Queen's Counsel*
1 quack [kwæk] **I** *vb itr* om ankor snattra, bildl. äv. tjattra **II** *s* snatter, bildl. äv. tjatter
2 quack [kwæk] **I** *s* kvacksalvare, vard. kvackare; charlatan; *~ doctor* kvacksalvare **II** *vb itr* kvacka
quad [kwɒd] **1** vard., kortform för *quadrangle 2* **2** vard., kortform för *quadruplet*
quadrangle ['kwɒdræŋgl] **1** geom. fyrhörning; fyrkant **2** [fyrkantig kringbyggd] gård i college, palats o.d.
quadrilateral [ˌkwɒdrɪ'læt(ə)r(ə)l] **I** *adj* fyrsidig **II** *s* fyrsiding
quadruped ['kwɒdrʊped] **I** *s* fyrfotadjur, fyrfoting **II** *adj* fyrfotad
quadruple ['kwɒdrʊpl, ˌkwɒ'dru:pl] **I** *adj* **1** fyrdubbel; kvadrupel- **2** fyrparts- **3** mus., *~ time (measure)* fyrtakt **II** *vb tr* o. *vb itr* fyrdubbla[s]
quadruplet ['kwɒdrʊplət, -plet] fyrling
quagmire ['kwægmaɪə, 'kwɒg-] **1** gungfly, sumpmark; *~ [of mud]* lervälling, leråker, sörja **2** bildl. gungfly; träsk
1 quail [kweɪl] zool. vaktel
2 quail [kweɪl] bäva, rygga tillbaka; vika undan [*her eyes ~ed before his angry looks*]
quaint [kweɪnt] **1** lustig, pittoresk [*a ~ old house (village)*]; pikant; [gammaldags] originell [*~ customs*] **2** märklig [*a ~ idea*]
quake [kweɪk] **I** *vb itr* skaka, skälva, darra [*he ~d with* (av) *cold (fear)*], bäva; gunga **II** *s* **1** skakning, skälvning, darrning **2** [jord]skalv, jordbävning
Quaker ['kweɪkə] kväkare
qualification [ˌkwɒlɪfɪ'keɪʃ(ə)n] **1** a) kvalifikation; [lämplig] egenskap b) behörighet; utbildning [*a university ~*]; *list of ~s* meritförteckning **2** villkor [*~s for* (för [att få]) *membership*] **3** inskränkning, förbehåll [*accept a th. with certain ~s*]
qualified ['kwɒlɪfaɪd] **1** kvalificerad; utbildad [*a ~ nurse*], behörig; berättigad; *be ~ to* äv. ha behörighet att **2** förbehållsam, reserverad, begränsad; blandad [*~ joy*]; *give a th. one's ~ approval* godkänna ngt med vissa förbehåll
qualify ['kwɒlɪfaɪ] **I** *vb tr* **1** kvalificera, meritera; *~ing match* sport. kvalmatch, kvalificeringsmatch; *~ing round* sport. kvalomgång, kvaliciferingsomgång **2** modifiera, inskränka [*~ a statement*] **3** gram. bestämma, stå som bestämning till **II** *vb itr* o. *vb rfl*, *~ [oneself]* kvalificera sig äv. sport.; meritera sig [*for* för]; *~ for (to*

inf.) uppfylla kraven (villkoren) för (för att [få]) [~ *for membership*, ~ *to vote*]; ~ *for* [*the world championship*] kvala in till...

qualitative ['kwɒlɪtətɪv, -teɪt-] kvalitativ

qualit|y ['kwɒlətɪ] **1** kvalitet; beskaffenhet; sort, slag; *have* ~ ha kvalitet, vara utmärkt; ~ *of life* livskvalitet; ~ *goods* kvalitetsvaror **2** egenskap [*he has many good -ies*], drag; *-ies of leadership* ledaregenskaper; *in the* ~ *of* i egenskap av **3** [naturlig] förmåga [*he has the* ~ *of inspiring confidence*], talang; förtjänst [*moral -ies*]

qualm [kwɑ:m, kwɔ:m] **1** betänklighet, skrupel; *~s* [*of conscience*] samvetskval **2** farhåga **3** illamående; pl. *~s* kväljningar

quandary ['kwɒndərɪ] bryderi, dilemma

quantitative ['kwɒntɪtətɪv] kvantitativ

quantit|y ['kwɒntətɪ] **1** kvantitet, mängd; kvantum, mått; hand. parti [*in* ~]; pl. *-ies* äv. [stora] mängder, massor **2 a**) matem. storhet; *unknown* ~ obekant [storhet] **b**) bildl. *an unknown* ~ ett oskrivet blad; en okänd faktor **3** ~ *surveyor* byggnadskalkylator, byggnadsingenjör

quarantine ['kwɒr(ə)nti:n] **I** *s* karantän; *keep in* ~ äv. hålla isolerad **II** *vb tr* lägga (sätta) i karantän

quarrel ['kwɒr(ə)l] **I** *s* **1** gräl, tvist; *we had a* ~ vi grälade; *pick a* ~ söka (mucka) gräl **2** invändning; orsak till missämja; *I have no* ~ *with* (*against*) *him* a) jag har inget otalt med honom b) jag har inget att invända mot honom **II** *vb itr* **1** gräla, tvista; råka i gräl, bli ovänner (osams) **2** klaga, anmärka, ha något att invända

quarrelsome ['kwɒr(ə)lsəm] grälsjuk

1 quarry ['kwɒrɪ] [jagat] villebråd; bildl. eftertraktat byte

2 quarry ['kwɒrɪ] **I** *s* **1** stenbrott; *slate* ~ skifferbrott **2** bildl. kunskapskälla **II** *vb tr* **1** bryta [~ *stone*] **2** bildl. leta (gräva) fram [~ *facts*] **III** *vb itr* **1** bryta sten **2** bildl. forska [~ *in old manuscripts for* (efter)]

quart [kwɔ:t] quart rymdmått för våta varor = 2 *pints* = britt. 1,136 l, amer. = 0,946 l; *try to put a* ~ *into a pint pot* försöka göra det omöjliga

quarter ['kwɔ:tə] **I** *s* **1** fjärdedel; *a* ~ *of a* [*mile*] en fjärdedels (kvarts)... **2** ~ [*of an hour*] kvart; [*a*] ~ *past* (amer. *after*) *ten* [en] kvart över tio; [*a*] ~ *to* (amer. *of*) *ten* [en] kvart i tio; *the clock strikes the ~s* klockan slår kvartsslag (kvarter) **3** kvartal; *by the* ~ kvartalsvis **4** ss. mått **a**) rymdmått för torra varor = 8 *bushels* = 290,9 l **b**) viktmått: a) 1/4 *hundredweight* britt. = 28 *pounds* = 12,7 kg; amer. = 25 *pounds* = 11,3 kg b) 1/4 *pound* = 112 gr = ung. 1 hekto [*a* ~ *of sweets*] **5** amer. 25 cent **6** [mån]kvarter **7** kvarter [*a slum* ~]; *this* ~ *of the town* denna stadsdel **8** håll äv. bildl., sida [*the winds blows from all ~s*]; *from all ~s* (*every* ~) från alla håll [och kanter] **9** pl. *~s* logi, bostad, isht mil. kvarter, förläggning **II** *vb tr* **1** dela i fyra delar **2** mil. inkvartera

quarterdeck ['kwɔ:tədek] sjö. a) halvdäck, akterdäck b) officerare

quarterfinal [ˌkwɔ:tə'faɪnl] sport. kvartsfinal; *enter the ~s* gå till kvartsfinal[en]

quarterly ['kwɔ:təlɪ] **I** *adj* kvartals-; [som återkommer (utkommer)] en gång i kvartalet **II** *adv* kvartalsvis; en gång i kvartalet **III** *s* kvartalstidskrift

quartet o. **quartette** [kwɔ:'tet] kvartett mus. o. bildl.

quarto ['kwɔ:təʊ] (pl. *~s*) **1** kvart[s]format **2** bok i kvart[s]format

quartz [kwɔ:ts] miner. kvarts; ~ *clock* (*watch*) kvartsur

quash [kwɒʃ] **1** jur. ogilla **2** krossa [~ *a rebellion*]

quasi ['kweɪzaɪ, 'kwɑ:zɪ] **I** *adv* liksom, på sätt och vis [*a* ~ *humorous remark*] **II** *prefix* halv- [*quasi-official*], kvasi- [*quasi-scientific literature*]

quaver ['kweɪvə] **I** *vb itr* isht om röst darra, skälva [*in* (med) *a ~ing voice*]; vibrera **II** *s* **1** skälvning; darrande (skälvande) röst **2** mus. åtton[de]delsnot

quay [ki:] kaj

quayside ['ki:saɪd] kaj[område]

queasy ['kwi:zɪ] **1** kväljande [~ *food*] **2** ömtålig, känslig [*a* ~ *stomach* (*conscience*)] **3** illamående

queen [kwi:n] **I** *s* **1** drottning [*the Q~ of England*; *beauty* ~] **2** zool. drottning; ~ *bee* bidrottning, vise **3 a**) schack. drottning; *~'s pawn* drottningbonde, dambonde **b**) kortsp. dam; ~ *of hearts* hjärterdam **II** *vb tr* **1** ~ *it* [*over*] spela översittare [mot] **2** schack., ~ *a pawn* göra en bonde till drottning

queer [kwɪə] **I** *adj* **1** konstig, underlig; egendomlig [*a* ~ *story*]; *a* ~ *fellow* (*fish*) en konstig typ (figur) **2** misstänkt [*a* ~ *character* (figur)] **3** sl. homosexuell **4** vard., *in Q~ Street* i [penning]knipa **II** *s* sl. bög, fikus **III** *vb tr* sl. fördärva [~ *a p.'s chances*]; stjälpa; ~ *the pitch for a p.* el. ~ *a p.'s pitch* [komma och] förstöra allting (det hela) för ngn

quench [kwen(t)ʃ] **1** släcka [~ *a fire*]; ~ *one's thirst* släcka törsten **2** dämpa [~ *a p.'s enthusiasm*], undertrycka, kväva [~ *an uprising*]

querulous ['kwerʊləs, -rjʊl-] grinig, gnällig [*a* ~ *old man*]; klagande

query ['kwɪərɪ] **I** *s* **1** fråga [*raise* (väcka) *a* ~], förfrågan; fundering **2** frågetecken som sätts i marginal o.d. **II** *vb tr* **1** fråga om, undersöka; ~ *whether* (*if*) undra (ställa frågan) om **2** ifrågasätta **3** sätta frågetecken för **4** amer. fråga [~ *a p. on* (om)]

quest [kwest] **I** *s* sökande, strävan [*the ~ for* (efter) *power*]; *in ~ of* på spaning (jakt) efter **II** *vb itr,* ~ *for* (*after*) söka (leta) efter [~ *for treasure*], vara på jakt efter

question ['kwestʃ(ə)n] **I** *s* fråga; spörsmål; tvistefråga; sak; parl. interpellation; *indirect* (*oblique*) ~ gram. indirekt fråga (frågesats); ~ *tag* språkv. påhängsfråga, eller-hur-fråga [t.ex. *nice, isn't it?*]; *when it is a ~ of*... när det gäller (är fråga om)...; *there is no ~ about it* det råder inget tvivel (ingen tvekan) om det, det är inte tu tal om det; *put the* ~ om ordförande föreslå omröstning; [fram]ställa proposition; *be in* ~ a) vara aktuell (i fråga) b) ha ifrågasatts, vara diskutabel (tvivelaktig); *it is out of the* ~ det kommer aldrig på (i) fråga, det kan inte bli tal (fråga) om det **II** *vb tr* **1** fråga [~ *a p. on* (om) *his views*]; förhöra [*he was ~ed by the police*], fråga ut **2** ifrågasätta **III** *vb itr* fråga

questionable ['kwestʃ(ə)nəbl] **1** tvivelaktig **2** tvivelaktig, misstänkt [~ *conduct*]

questioner ['kwestʃ(ə)nə] frågare, frågeställare; parl. interpellant

questioning ['kwestʃ(ə)nɪŋ] **I** *s* förhör [*detain a p. for ~*] **II** *adj* frågande [*a ~ look*]

question mark ['kwestʃ(ə)nmɑ:k] frågetecken

questionnaire [ˌkwestʃə'neə] frågeformulär

queue [kju:] **I** *s* kö; *jump the* ~ vard. tränga sig (smita) före [i kön] **II** *vb itr,* ~ [*up*] köa, ställa sig (stå) i kö

quibble ['kwɪbl] **I** *s* **1** spetsfundighet **2** liten anmärkning **II** *vb itr* **1** rida på ord; ~ *about* (*over*) käbbla om, munhuggas om **2** anmärka, komma med anmärkningar

quick [kwɪk] **I** *adj* **1** snabb [*a ~ train*], hastig [*a ~ look* (*pulse*)], rask; rapp [*a ~ answer*]; kvick, livlig [~ *movements*], flink; pigg [och vaken] [*a ~ child*]; *be ~* [*about it*]*!* skynda (snabba) dig [på]!, raska på!; *a ~ one* vard. en snabbis, isht en drink i all hast **2** häftig [*a ~ temper*], lättretlig **II** *adv* vard. fort [*come ~!*], snabbt **III** *s* **1** nagelrot [*bite* (*cut*) *one's nails to* (ända in till) *the ~*], ömt ställe isht i sår o.d. **2** bildl. öm punkt; *it cuts me to the* ~ det skär mig i hjärtat (in i själen); *hurt* (*sting, touch*) *a p. to the* ~ såra ngn djupt (in i själen), träffa ngns ömmaste punkt

quicken ['kwɪk(ə)n] **I** *vb tr* **1** påskynda [~ *one's steps*], öka [~ *one's pace* (*the pulse*)] **2** stimulera, egga [~ *the imagination*] **II** *vb itr* **1** bli hastigare [*our pace* (*the pulse*) *~ed*] **2** stimuleras **3** a) om havande kvinna känna de första fosterrörelserna b) om foster börja röra sig

quick-freeze [ˌkwɪk'fri:z] (*quick-froze quick-frozen*) snabbfrysa

quickie ['kwɪkɪ] vard. **1** snabbis **2** drink i all hast **3** hastverk t.ex. om kortfilm, bok

quickly ['kwɪklɪ] **1** snabbt, fort, raskt, kvickt **2** inom kort

quickness ['kwɪknəs] snabbhet

quicksand ['kwɪksænd] kvicksand

quicksilver ['kwɪkˌsɪlvə] bildl. [*he is*] *like ~* ...som ett kvicksilver

quickstep ['kwɪkstep] **1** mil. hastig marschtakt **2** snabb dans; isht snabb foxtrot

quick-tempered [ˌkwɪk'tempəd, attr. '---] häftig

1 quid [kwɪd] (pl. lika) sl. pund [*it cost me ten ~*]

2 quid [kwɪd] tuggbuss

quiet ['kwaɪət] **I** *adj* **1** lugn, stilla [*a ~ evening*], tyst [~ *footsteps*]; *be ~!* var stilla (lugn)!; var tyst!, tig!; *anything for a ~ life!* vad gör man inte för husfridens skull! **2** stillsam [~ *children*], fridsam; lågmäld [*a ~ voice*] **3** stillsam, i stillhet [*a ~ chat* (*cup of tea*)] **4** hemlig, dold [~ *resentment*]; *keep a th. ~* el. *keep ~ about a th.* hålla tyst med (om) ngt, inte tala om ngt; *on the* ~ vard. i hemlighet, i smyg, i [all] tysthet **II** *s* stillhet, lugn; tystnad; *in peace and* ~ i lugn och ro

quieten ['kwaɪətn] **I** *vb tr* lugna [~ *a crying baby* (*a p.'s fears*)], stilla [äv. ~ *down*] **II** *vb itr,* ~ *down* lugna sig, bli lugn[are]

quietly ['kwaɪətlɪ] lugnt etc., jfr *quiet I*; i [all] stillhet (tysthet); *come* ~ komma godvilligt

quietness ['kwaɪətnəs] o. **quietude** ['kwaɪɪtju:d] lugn, frid

quill [kwɪl] **1** vingpenna **2** a) gåspenna b) mus. plektrum **3** piggsvins pigg; igelkotts tagg

quilt [kwɪlt] **I** *s* [säng]täcke; ~ *cover* (*case*) påslakan **II** *vb tr* vaddera; matelassera; sticka täcke; vaddsticka; *~ed jacket* äv. täckjacka

quince [kwɪns] bot. kvitten[frukt]; kvitten[träd]

quinine [kwɪ'ni:n, '--] kem. kinin

quintet o. **quintette** [kwɪn'tet] kvintett mus. o. bildl.

quintuplet ['kwɪntjʊplət, -plet] femling

quip [kwɪp] **I** *s* gliring; kvickhet **II** *vb itr* vara spydig (sarkastisk); skämta **III** *vb tr* vara spydig mot

quirk [kwɜ:k] **1** egendomlighet, besynnerlighet; tilltag, påhitt; *by a ~ of fate* genom en ödets nyck **2** fint, listig undanflykt

quisling ['kwɪzlɪŋ] quisling

quit [kwɪt] **I** *pred adj* fri, befriad, fritagen; *be* (*get*) *~ of* äv. vara (bli) kvitt **II** (*~ted ~ted* el. *quit quit*) *vb tr* **1** lämna [*~ a p.* (*the country*)], sluta [på] [*~ one's job*]; flytta från [*~ one's house*] **2** sluta (höra) upp med; avstå från, ge upp [*~ one's claim*]; *~ that!* sluta [upp] med det där!, lägg av! **3** avbörda sig, betala [*~ a debt*] **III** (*~ted ~ted* el. *quit quit*) *vb itr* **1** flytta om hyresgäst; sluta [*~ because of poor pay*]; ge sig i väg; vard. sticka; *give a p. notice to ~* säga upp ngn; *get notice to ~* bli uppsagd **2** lägga av; ge upp

quite [kwaɪt] **1** a) alldeles, fullkomligt, absolut [*~ impossible*], precis, exakt [*is your watch ~ right?*], fullt [*~ sufficient*], helt [*she is ~ young*], mycket [*~ possible*], riktigt [*he was ~ angry*] b) ganska [*~ a nice party*], rätt [*the situation is ~ critical*] c) faktiskt, rent av [*I'd ~ like it*]; *I ~ agree* jag håller helt med dig (er etc.); *that I can ~ believe* det tror jag gärna (visst); *I ~ understand* [*how you feel*] jag förstår så väl (precis)...; *~ another* (*~ a different*) *thing* en helt annan sak; *~ a beauty* en riktig (verklig) skönhet; *he is ~ a man* a) han är en riktig karl b) han är stora karlen; *~ the best* det allra bästa; *he is ~ the gentleman* han är en verklig gentleman; *that's ~ something!* det var inte [så] illa! **2** *~* [*so*]! just det, ja!, alldeles riktigt!

quits [kwɪts] kvitt [*we are ~ now*]; *I'll be ~ with him yet* det här ska han få igen

1 quiver ['kwɪvə] [pil]koger

2 quiver ['kwɪvə] **I** *vb itr* darra, skälva; dallra [*a ~ing leaf*]; fladdra **II** *vb tr* få att darra etc., jfr *I* **III** *s* darrning etc., jfr *I*; *there was a ~ in her voice* hon darrade (skälvde) på rösten

quiz [kwɪz] **I** *s* **1** frågesport; *~ programme* (*show*) frågesportsprogram **2** isht amer. skol. [muntligt] förhör; lappskrivning **II** *vb tr* **1** fråga ut **2** isht amer. skol. hålla förhör med, ge lappskrivning [*~ a class*]

quizmaster ['kwɪz,mɑ:stə] frågesportsledare

quizzical ['kwɪzɪk(ə)l] **1** frågande, undrande [*a ~ look*] **2** spefull, retsam [*~ remarks*]

quoit [kɔɪt, kwɔɪt] sport. **1** [kast]ring **2** *~s* (konstr. ss. sg.) ringkastning, quoits

quorum ['kwɔ:rəm] beslutsmässigt antal [närvarande ledamöter], kvorum

quota ['kwəʊtə] kvot; fördelningskvot; andel; kontingent; tilldelning [*bacon ~*]

quotation [kwə(ʊ)'teɪʃ(ə)n] **1** a) citat b) citerande; *~ mark* citationstecken, anföringstecken **2** hand. a) kurs; notering [*the latest ~s from the Stock Exchange*] b) kostnadsförslag, offert

quote [kwəʊt] **I** *vb tr* **1** citera, anföra [*~ a verse from* (ur) *the Bible*]; *he is ~d as having said that...* han uppges ha sagt att... **2** åberopa, uppge **3** nämna; *can you ~* [*me*] *an instance?* kan du ge [mig] ett exempel? **4** hand. a) notera b) offerera [*~ a price*]; *~d on the Stock Exchange* börsnoterad **II** *vb itr* citera; *~* jag citerar, citat [*the leader of the rebels said, ~, We shall never give in, unquote*] **III** *s* vard. **1** citat **2** *~s* pl. anföringstecken, citationstecken **3** se *quotation 2*

quotient ['kwəʊʃ(ə)nt] kvot äv. matem.

R

R, r [ɑː] (pl. *R's* el. *r's* [ɑːz]) R, r
R förk. för *Regina, Rex, River, Royal*
rabbi ['ræbaɪ] **1** i tilltal o. ss. hederstitel *R~* rabbi **2** rabbin; judisk lärd
rabbit ['ræbɪt] **I** *s* **1** zool. kanin; amer. äv. hare; *~'s foot* a) ss. lyckobringare hartass b) amer. bot. harklöver **2** vard. kanin[skinn]; billigt pälsverk **3** amer. hare attrapp vid hundkapplöpning **II** *vb itr* jaga (fånga) kaniner (amer. äv. harar)
rabbit hutch ['ræbɪthʌtʃ] kaninbur
rabble ['ræbl] larmande folkhop, pack; *the ~* äv. pöbeln, patrasket
rabid ['ræbɪd] rabiat [*a ~ nationalist*]; ursinnig
rabies ['reɪbiːz] med. rabies
RAC [ˌɑːreɪ'siː] förk. för *Royal Armoured Corps, Royal Automobile Club*
raccoon [rə'kuːn] zool. sjubb
1 race [reɪs] **1** ras [*the white ~*], släkt; *~ hatred* rashat **2** släkte; *the human ~* människosläktet
2 race [reɪs] **I** *s* [kapp]löpning; kappkörning, kappsegling o.d.; *flat ~* slätlöpning, slätlopp; *a ~ against time* en kapplöpning med tiden **II** *vb itr* **1** springa (löpa, köra, rida, segla o.d.) i kapp; kappas; tävla i löpning; kappköra; kappsegla; *~ against time* kämpa mot tiden **2** delta (vara med) i kapplöpningar **3** springa (löpa, köra, rida, segla o.d.) [snabbt] [*~ home*]; jaga; om motor, propeller o.d. rusa **4** skena; börja bulta [*my heart ~d*] **III** *vb tr* **1** springa (löpa, köra, rida, segla o.d.) i kapp med [*I'll ~ you home*] **2** låta tävlingslöpa (tävla) [*~ a horse*] **3** köra i rasande fart [*he ~d me to the station*]; snabbtransportera; rusa [*~ an engine*]
racecourse ['reɪskɔːs] kapplöpningsbana
racegoer ['reɪsˌɡəʊə], *he is a ~* han går ofta på kapplöpningar
racehorse ['reɪshɔːs] kapplöpningshäst
racetrack ['reɪstræk] **1** kapplöpningsbana **2** löparbana **3** racerbana
racial ['reɪʃ(ə)l] ras- [*~ discrimination (hatred)*], folk-; *~ disturbances* rasoroligheter
racialism ['reɪʃəlɪz(ə)m] rasism
racialist ['reɪʃəlɪst] rasist
racing ['reɪsɪŋ] [häst]kapplöpning; kapplöpnings- [*a ~ horse*], tävlings-; *~ track* löparbana
racism ['reɪsɪz(ə)m] rasism
racist ['reɪsɪst] rasist
1 rack [ræk] **I** *s* **1** ställ [*pipe-rack*], ställning; lång klädhängare; hållare; hylla [*hatrack*]; bagagehylla; tidningshylla; *clothes ~* torkställ för kläder **2** [foder]häck **3** mek. kuggstång **4** sträckbänk; bildl. äv. pina; *be (put, set) on the ~* ligga (lägga) på sträckbänk[en] äv. bildl. **II** *vb tr* bildl. hålla på sträckbänken, plåga; *~ one's brains (wits)* bråka (bry) sin hjärna; *~ed with pain (by remorse)* plågad av värk (av samvetskval)
2 rack [ræk], *go to ~ and ruin* falla sönder (samman); gå åt pipan (skogen); gå under
1 racket ['rækɪt] **1** sport. racket; vard. rack; *~ case* racketfodral; pl. *~s* rackets[spel] mot vägg, liknande squash **2** snösko
2 racket ['rækɪt] **1** oväsen; *what's the ~?* vard. vad är det [som står på]? **2** vard. a) knep; skoj b) skojarverksamhet; utpressning; *it's a proper ~* det är rena [rama] bluffen; *narcotics ~* olaglig narkotikahandel; narkotikasmuggling **3** *stand the ~* a) hålla ut (stånd), klara sig [*of* mot], bestå provet b) bära hundhuvudet [*of* för] c) betala kalaset
racketeer [ˌrækɪ'tɪə] vard. svindlare, skojare
racketeering [ˌrækɪ'tɪərɪŋ] vard. svindleri, skoj[eri], bluff[ande]
racy ['reɪsɪ] **1** kärnfull [*a ~ style*], livfull **2** mustig, vågad [*a ~ story*]
radar ['reɪdɑː, -də] radar; radarsystem; radar- [*~ screen*]; *~ trap* radarkontroll fartkontroll i trafiken
radial ['reɪdjəl] **I** *adj* radial; radiär, radierande; tekn. äv. radiell; *~ tyre* bil. radialdäck, gördeldäck **II** *s* bil. radialdäck
radiance ['reɪdjəns] strålglans; *the ~ of her smile* hennes strålande leende
radiant ['reɪdjənt] **1** utstrålande; strålande äv. bildl. [*~ beauty, a ~ smile*] **2** strål[nings]- [*~ heat*]; *~ energy* strålningsenergi
radiat|e ['reɪdɪeɪt] **I** *vb tr* **1** utstråla äv. bildl. [*~ light (warmth)*]; radiera **2** bestråla **3** bildl. sprida [*~ joy (love)*] **4** radio. sända [ut], radiera **II** *vb itr* stråla ut, stråla äv. bildl. [*heat -ing from a stove; roads -ing from Oxford*]
radiation [ˌreɪdɪ'eɪʃ(ə)n] **1** [ut]strålning **2** radioaktivitet
radiator ['reɪdɪeɪtə] **1** värmeelement **2** kylare på bil; kyl[nings]apparat
radical ['rædɪk(ə)l] **I** *adj* radikal äv. polit. [*a ~ cure (measure, reform)*]; grundlig, genomgripande [*~ changes*] **II** *s* **1** polit. radikal **2** matem. radikal; rot[tecken] **3** språkv. rot, ordstam; rotord
radii ['reɪdɪaɪ] pl. av *radius*
radio ['reɪdɪəʊ] **I** *s* radio; radioapparat, radiomottagare; *~ commentary* radioreferat, radioreportage; *~ jamming* radiostörning; *~ link* radioförbindelse

II *vb tr* o. *vb itr* radiotelegrafera [till]; radiosända
radioactive [ˌreɪdɪəʊ'æktɪv] radioaktiv; ~ *dust* radioaktivt stoft
radioactivity [ˌreɪdɪəʊæk'tɪvətɪ] radioaktivitet
radiography [ˌreɪdɪ'ɒgrəfɪ] **1** röntgenfotografering **2** [auto]radiografi
radiologist [ˌreɪdɪ'ɒlədʒɪst] radiolog, röntgenolog
radiology [reɪdɪ'ɒlədʒɪ] radiologi
radiotherapy [ˌreɪdɪəʊ'θerəpɪ] radioterapi
radish ['rædɪʃ] rädisa; *black* ~ rättika
radium ['reɪdjəm] fys. radium
ra|dius ['reɪ|djəs] (pl. *-dii* [dɪaɪ]) geom. radie
radon ['reɪdɒn] kem. radon
RAF [ˌɑ:reɪ'ef, vard. ræf] förk. för *Royal Air Force*
raffia ['ræfɪə] bot. **1** rafia[bast] **2** rafiapalm
raffish ['ræfɪʃ] **1** utsvävande **2** prålig, skrikig [~ *clothes*], vulgär; vräkig [*a* ~ *car*]
raffle ['ræfl] **I** *s* tombola[lotteri] **II** *vb tr* lotta ut [genom tombola]
raft [rɑ:ft] **I** *s* **1** flotte [*a rubber* ~] **2** timmerflotte **II** *vb tr* flotta
1 rafter ['rɑ:ftə] flottare
2 rafter ['rɑ:ftə] **I** *s* taksparre **II** *vb tr* förse med [synliga] taksparrar [*a* ~*ed roof*]
1 rag [ræg] **1** trasa äv. skämts. om flagga, näsduk o.d.; pl. ~*s* äv. lump **2** vard. [kläd]trasa; pl. ~*s* äv. lump[or]; *the* ~ *trade* vard. klädbranschen **3** vard. [tidnings]blaska [*the local* ~]
2 rag [ræg] ngt åld. (vard.) **I** *vb tr* reta; isht univ. el. skol. skoja med **II** *s* [student]upptåg; skändning
ragamuffin ['rægəˌmʌfɪn] rännstensunge; trashank; slusk
ragbag ['rægbæg] **1** lumpsäck **2** vard. trashank **3** brokig samling; virrvarr
rage [reɪdʒ] **I** *s* **1** raseri, våldsam vrede (häftighet); *in a* ~ i raseri **2** *be* [*all*] *the* ~ vard. vara sista skriket **II** *vb itr* **1** rasa, vara rasande, *have a raging toothache* ha [en] häftig (intensiv) tandvärk **2** grassera, rasa
ragged ['rægɪd] **1** trasig [*a* ~ *coat*], sönderriven; [klädd] i trasor; *run* ~ köra slut på, slita ut **2** ruggig, raggig [*a dog with a* ~ *coat of hair*]; fransig [*a sleeve with* ~ *edges*]; ovårdad [*a* ~ *appearance*] **3** skrovlig, taggig [~ *rocks*] **4** ojämn äv. bildl. [*a* ~ *performance*]; ryckig [~ *rhythm*]
raglan ['ræglən] raglan[rock]; raglan- [~ *coat* (*sleeve*)]
ragout ['rægu:] kok. ragu
raid [reɪd] **I** *s* **1** räd, plundringståg **2** kupp **3** [polis]razzia, husundersökning **II** *vb itr* göra (deltaga i) en räd (räder); plundra **III** *vb tr* göra en räd (razzia) mot (i), göra husundersökning hos; plundra äv. bildl.
raider ['reɪdə] **1** deltagare i räd (razzia); angripare **2** kommandosoldat; pl. ~*s* äv. anfallskommando **3** attackflygplan
1 rail [reɪl] **I** *s* **1** [vågrät] stång i räcke o.d.; ledstång; ~[*s* pl.] räcke[n]; *altar* ~[*s*] altarskrank **2** sjö. reling **3** a) skena b) järnväg; *travel* (*go*) *by* ~ resa med (åka) tåg, ta tåg[et]; [*send goods*] *by* ~ ...med (på) järnväg **II** *vb tr* sätta upp räcke (staket) omkring [äv. ~ *in*]
2 rail [reɪl] vara ovettig, rasa
3 rail [reɪl] zool. rallfågel; *water* ~ vattenrall
railcar ['reɪlkɑ:] järnv. motorvagn
railing ['reɪlɪŋ], ~[*s* pl.] [järn]staket, räcke[n]
railroad ['reɪlrəʊd] **I** *s* amer., se *railway I* **II** *vb itr* amer. resa med (åka) tåg **III** *vb tr* **1** amer. skicka med (på) järnväg **2** vard. forcera (trumfa) igenom [~ *a bill*]; ~ *a p. into doing a th.* tvinga (lura) ngn att snabbt göra ngt
railway ['reɪlweɪ] **I** *s* järnväg; järnvägsanläggning; järnvägsbolag; järnvägs- [~ *station* (*bridge, transport*)]; [*send goods*] *by* ~ ...med (på) järnväg **II** *vb itr* resa med (åka) tåg
rain [reɪn] **I** *s* regn; regnväder; *the* ~*s* regntiden i tropikerna; *the* ~ *was coming down in buckets* regnet stod som spön i backen **II** *vb itr* regna; hagla [*the blows* ~*ed* [*down*] [*up*]*on* (över) *him*]; *it never* ~*s but it pours* ordspr. en olycka kommer sällan ensam **III** *vb tr* låta regna [~ *blows* [*up*]*on* (över) *a p.*]; *it's* ~*ing buckets* el. *it's* ~*ing cats and dogs* regnet står som spön i backen, det öser ner; *be* ~*ed off* (amer. *out*) amer. inställas på grund av regn, regna inne
rainbow ['reɪnbəʊ] **1** regnbåge; regnbågs- [~ *colours*], regnbågsfärgad; *be at the end of the* ~ bildl. vara skatten vid regnbågens slut, vara en ouppnåelig dröm [*for many Australia is at the end of the* ~] **2** zool., ~ *trout* regnbågsforell
raincoat ['reɪnkəʊt] regnrock
rainfall ['reɪnfɔ:l] **1** regn[skur] **2** regnmängd, nederbörd
rainproof ['reɪnpru:f] regntät, vattentät
rainy ['reɪnɪ] regnig [~ *weather* (*season*)], regnväders- [*a* ~ *day*], regnförande [*a* ~ *wind*]; *save* (*provide, put away, keep*) *money for a* ~ *day* el. *provide against* (*put money by for*) *a* ~ *day* rusta sig (spara) för sämre tider
raise [reɪz] **I** *vb tr* **1** resa [upp], lyfta [upp]; hissa (dra) upp [~ *the curtain* (ridån)]; röra upp [~ *a cloud of dust*]; ~ *one's arm* (*hand*) räcka (sträcka) upp armen (handen); ~ *one's eyebrows* höja på ögonbrynen; ~ *one's glass to a p.* höja sitt glas för ngn, dricka ngn till; ~ *one's hat to a p.* a) lyfta på hatten för ngn b) bildl. ta

av sig hatten för ngn **2** höja [~ *prices*] **3** uppföra, resa [~ *a monument*] **4** föda upp [~ *cattle*], dra upp, odla [~ *vegetables*]; isht amer. äv. [upp]fostra [~ *children*]; ~ *a family* amer. bilda familj, skaffa barn **5** befordra [~ *a captain to* [*the rank of*] (till) *major*]; ~ *a p. to the peerage* upphöja ngn till pär, adla ngn **6** uppväcka [~ *from the dead*]; frammana [~ *spirits*]; ~ *a p.'s spirits* pigga (liva) upp ngn **7** [för]orsaka, väcka [~ *a p.'s hopes*]; ~ *the alarm* slå larm **8** lägga (dra) fram, framställa [~ *a claim*], väcka [~ *a question*], föra på tal; ~ *an objection* göra en invändning **9** samla [ihop], [lyckas] skaffa [~ *money*]; ta [upp] [~ *a loan*] **10** häva [~ *an embargo*] **11** matem. upphöja **II** *s* isht amer. [löne]förhöjning

raisin ['reɪzn] russin

1 rake [reɪk] **I** *s* räfsa; raka; *thin as a* ~ smal som en sticka **II** *vb tr* **1** räfsa; raka; ~ *in* [*a lot of money*] håva in (inkassera)...; ~ *together* (*up*) räfsa ihop; skrapa ihop äv. bildl. [~ *together* (*up*) *a bit of cash*]; ~ *up* [*the past* (*an old story*)] riva upp (rota fram)... **2** leta i **3** skrapa över; mil. bestryka, flankera; beskjuta långskepps [~ *a ship*] **III** *vb itr* riva, söka; ~ [*about*] *among* [*some old papers*] rota i...

2 rake [reɪk] rumlare

3 rake [reɪk] lutning [*the* ~ *of a mast*], fall [*the* ~ *of a ship's bow*]

rake-off ['reɪkɒf] vard. [olaglig] vinstandel (profit); *get a* ~ få [sin] del av bytet

1 rakish ['reɪkɪʃ] utsvävande; depraverad

2 rakish ['reɪkɪʃ] stilig; snitsig; *set one's hat at a* ~ *angle* sätta hatten käckt på svaj

1 rally ['rælɪ] **I** *vb tr* samla, återsamla, samla ihop [~ *troops*; ~ *one's strength*]; bildl. äv. få att samla sig; *~ing cry* a) krigsrop b) flammande appell (uppmaning) **II** *vb itr* **1** samlas, återsamlas, samla sig; ~ *to a p.'s cause* sluta sig till ngns sak; *~ing point* samlingspunkt **2** [åter]hämta sig [~ *from an illness*], samla (få) nya krafter; ta sig upp; få nytt liv; *the market rallied* hand. marknaden blev [åter] fast **3** sport. ha en [lång] slagväxling **III** *s* **1** möte [*a peace* ~]; massmöte **2** rally [*the Monte Carlo R~*] **3** bildl. återhämtning [~ *from an illness*]; uppgång [*a* ~ *in prices*] **4** sport. [lång] slagväxling, lång boll (bollduell) i tennis o.d.

2 rally ['rælɪ] raljera (driva) med

ram [ræm] **I** *s* **1** bagge; bildl. bock [*he is an old* ~] **2** murbräcka [äv. *battering-ram*] **3** sjö. ramm **4** tekn. hejare, fallvikt; [arbets]kolv **II** *vb tr* **1** slå (stöta, driva, pressa, stampa, bulta) ned (in, mot); ~ *a th. down a p.'s throat* bildl. pracka (tvinga) på ngn ngt; köra ngt i halsen på ngn **2** vard. stoppa [~ *clothes into a bag*] **3** ramma [~ *a car*]

ramble ['ræmbl] **I** *vb itr* **1** ströva (vandra) omkring; irra hit och dit; ~ [*on*] prata (pladdra) på, prata smörja **2** växa åt alla håll **II** *s* [ströv]tur, strövtåg äv. bildl.; vandring utan mål

rambler ['ræmblə] **1** vandrare **2** klängros [äv. ~ *rose*]; klängväxt

rambling ['ræmblɪŋ] **I** *s* kringirrande **II** *adj* **1** kringirrande **2** oredig, virrig [*a* ~ *conversation*, ~ *thoughts*] **3** klängande [~ *rose*] **4** oregelbundet byggd [*a* ~ *house*], oregelbundet planerad, utspridd [*a* ~ *town*]

ramification [ˌræmɪfɪ'keɪʃ(ə)n] **1** förgrening äv. bildl. [*an organization with many ~s*] **2** följd

ramp [ræmp] **1** [sluttande] ramp; uppfart[sväg]; påfart[sväg], avfart[sväg] vid motorväg **2** amer. flyg., [*boarding*] ~ flygplanstrappa **3** böjt räcke i trappavsats o.d. **4** reparationsbrygga

rampage ['ræmpeɪdʒ, -'-] **I** *s*, *be* (*go*) *on the* ~ vara ute och härja (leva rövare) **II** *vb itr* härja (rusa) omkring

rampant ['ræmpənt] **1** vild; hejdlös; grasserande, som tar överhand[en]; *be* ~ sprida sig, frodas **2** om växt alltför frodig (tät[vuxen])

rampart ['ræmpɑ:t, -pət] [fästnings]vall; bildl. skydd[svärn], bålverk

ramshackle ['ræmʃækl, ˌ-'--] fallfärdig [*a* ~ *house*], rankig, skraltig [*a* ~ *car*]

ran [ræn] imperf. av *run*

ranch [rɑ:n(t)ʃ, ræn(t)ʃ] i Nordamerika ranch; för djuruppfödning farm [*mink* ~]

rancher ['rɑ:ntʃə, 'ræn-] ranchägare

rancid ['rænsɪd] **1** härsken [~ *butter*] **2** avskyvärd; stinkande

rancour ['ræŋkə] hätskhet, hat[iskhet]; agg

random ['rændəm] **I** *s*, *at* ~ på måfå, på en höft **II** *adj* [gjord (som sker)] på måfå, slumpvis; förlupen [*a* ~ *bullet*]; lösryckt [*a* ~ *remark*]; slumpartad [*a* ~ *choice*]; blandad; *a* ~ *guess* en lös gissning; ~ *sampling* statistik. slumpsampling

randy ['rændɪ] vard. kåt

rang [ræŋ] imperf. av *1 ring*

range [reɪn(d)ʒ] **I** *s* **1** rad [*a wide* (lång) ~ *of buildings*], räcka; ~ *of mountains* bergskedja **2** riktning; *in* [*a*] ~ *with* i linje med **3** skjutbana [äv. *rifle-range*]; provningsbana för robot **4** räckvidd, utsträckning, aktionsradie; foto. el. radar. avstånd; distans; mil. skjutavstånd; *frequency* ~ frekvensområde; *at long* (*short*, *close*) ~ på långt (nära) håll; *a wide* ~ *of colours* en vidsträckt färgskala; *a wide* ~ *of topics* ett brett ämnesurval **5** hand. urval, sortiment; klass [*price* ~]; *a wide* ~ *of* ett stort sortiment **6** *out of* (*beyond*) ~ *of* utom skotthåll för; *within* ~ *of* inom skotthåll för **7** djurs, växters utbredningsområde **8** amer. [vidsträckt] betesmark; öppet landområde, strövområde **9** [köks]spis **II** *vb tr* **1** ställa [upp] i (på) rad **2** klassificera; inrangera, [in]ordna **3** ströva (vandra) i (igenom) [~ *the woods*], segla (fara) omkring på [~ *seas*] **III** *vb itr* **1** sträcka sig, löpa; ~ *over* bildl. sträcka sig över **2** ha sin plats, kunna inrangeras (inordnas) **3** variera inom vissa gränser; *children ranging in age from two to twelve* barn i åldrar mellan två och tolv **4** ströva (vandra) [omkring] [~ *over the hills*] **5** nå, ha en räckvidd av [*this gun* ~*s over ten kilometres*]

range-finder ['reɪn(d)ʒˌfaɪndə] mil. avståndsmätare

ranger ['reɪn(d)ʒə] **1** a) kronojägare b) amer. skogvaktare; parkvakt i nationalpark i USA **2** amer. ridande polis i lantdistrikt

1 rank [ræŋk] **I** *s* **1** rad, räcka; *a* ~ *of taxis* (*cabs*) äv. en taxihållplats **2** mil. o. bildl. led; *the* ~*s* el. *the* ~ *and file* a) mil. de meniga, manskapet b) bildl. gemene (menige) man, de djupa leden; *front* (*rear*) ~ främre (bakre) led; *other* ~*s* gruppbefäl och meniga (manskap) **3** rang; [samhälls]klass; mil. grad [*military* ~*s*]; *hold the* ~ *of colonel* ha överstes grad (rang); *pull* [*one's*] ~ [*on a p.*] vard. utnyttja sin ställning [för att kommendera ngn], spela översittare [mot ngn] **II** *vb tr* **1** ställa upp i (på) led (linje); ordna **2** placera, sätta, inrangera; räkna [~ *a p. as a great poet*], klassificera [~ *an act as a crime*]; sport. ranka **3** amer. ha högre grad (rang) än [*a colonel* ~*s a major*] **III** *vb itr* **1** ha en plats, ha rang; räknas, anses vara; vara likställd (jämställd); sport. rankas; *he* ~*s among the best* han räknas bland (hör till) de bästa **2** amer. vara högst i rang

2 rank [ræŋk] **1** alltför yppig (frodig, tät[växande]) [~ *grass*] **2** överfet [~ *soil*]; övervuxen [~ *with thistles*] **3** illaluktande [~ *tobacco*] **4** grov [~ *injustice*] **5** fullkomlig [*a* ~ *outsider*], ren [~ *lunacy*]

rankle ['ræŋkl] **I** *vb itr* ligga och gnaga (värka) [i hjärtat (sinnet)] **II** *vb tr* gräma

ransack ['rænsæk] **1** söka (leta) igenom [~ *a drawer for* (för att finna) *a th.*]; rannsaka [~ *one's conscience* (*heart*)] **2** gå igenom (undersöka, studera) grundligt **3** plundra

ransom ['rænsəm] **I** *s* lösen; lösensumma; *hold a p.* [*up*] *to* ~ a) hålla ngn som gisslan [tills lösen betalts], kräva lösensumma för att frige ngn b) utöva utpressning mot ngn **II** *vb tr* **1** köpa fri, lösa ut **2** frige mot lösen

rant [rænt] orera; gorma; skräna; ~ *and rave* gorma och skrika, skälla och gorma

1 rap [ræp] **I** *s* **1** rapp; vard. tillrättavisning; *give a p. a* ~ *on* (*over*) *the knuckles* slå ngn (ge ngn smäll) på fingrarna; vard. ge ngn en skrapa, racka ner på ngn **2** knackning; *there was a* ~ *at the door* det knackade på dörren **3** isht amer. sl., *a murder* ~ en mordanklagelse **4** ~ [*music*] rap[musik] **II** *vb tr* **1** slå; knacka på [~ *at* (*on*) *the door*] **2** ~ *out* a) slunga ut [~ *out an oath* (*orders*)] b) spirit. el. tele. knacka [fram] [~ *out a message*] **3** vard. ge en skrapa

2 rap [ræp] vard., *I don't care* (*give*) *a* ~ jag bryr mig inte ett dugg (skvatt) om det

rapacious [rə'peɪʃəs] **1** rovgirig; girig **2** rov- [~ *birds*]

1 rape [reɪp] **I** *vb tr* våldta **II** *s* våldtäkt

2 rape [reɪp] bot. raps

rapid ['ræpɪd] **I** *adj* **1** hastig [*a* ~ *pulse*], snabb [*a* ~ *worker*]; strid [*a* ~ *stream*]; ~ *reading* kursivläsning, extensivläsning **2** brant [*a* ~ *slope*] **II** *s*, vanl. pl. ~*s* fors

rapidity [rə'pɪdətɪ] hastighet, snabbhet; hög fart

rapier ['reɪpjə] [stick]värja; ~ *thrust* värjstöt; bildl. kvick [och skarp] replik

rapist ['reɪpɪst] våldtäktsman

rapport [ræ'pɔ:] [nära] förbindelse

rapt [ræpt] **1** försjunken, fördjupad [*in* (i) *a book*; *upon* (i tankar på) *a th.*]; ~ *in thought* försjunken i tankar **2** hänryckt; *listen with* ~ *attention* lyssna hänryckt

rapture ['ræptʃə] hänryckning, extas; *be in* (*go into*) ~*s* vara (bli) begeistrad (överförtjust) [*over* (*about*) *a th.*]

rapturous ['ræptʃ(ə)rəs] **1** hänryckt; begeistrad [~ *applause*] **2** hänryckande

1 rare [reə] **I** *adj* **1** sällsynt [*a* ~ *stamp*], ovanlig [*a* ~ *occurrence*], osedvanlig; sällan förekommande [~ *flowers*]; ~ *gas* kem. ädelgas; *on* ~ *occasions* någon enstaka gång, högst sällan **2** enastående; *we had a* ~ [*old*] *time* vi hade väldigt roligt **3** tunn; gles; *the* ~ *air of the mountains* den tunna bergsluften **II** *adv* vard. sällsynt

2 rare [reə] lätt stekt, blodig

rarely ['reəlɪ] **1** sällan **2** sällsynt, ovanlig **3** utmärkt

raring ['reərɪŋ] vard., *they were* ~ *to go* de kunde knappt vänta, de var heltända på att börja

rarity ['reərətɪ] **1** tunnhet **2** sällsynthet; sällsynt sak (händelse); *occur with great* ~ förekomma mycket sällan

rascal ['rɑ:sk(ə)l] lymmel, slyngel; skojare; skämts. rackare

1 rash [ræʃ] **1** med. [hud]utslag **2** bildl. epidemi, våg [*a* ~ *of books about crime*]

2 rash [ræʃ] överilad

rasher ['ræʃə] [tunn] skinkskiva [äv. *~ of bacon*]

rasp [rɑ:sp] **I** *s* **1** rasp, [grov] fil **2** raspande [ljud] **II** *vb tr* o. *vb itr* **1** raspa; slipa, riva **2** skära (skorra, gnissla) [i]; irritera, reta [*~ a p.'s feelings (nerves)*]; *a ~ing sound* ett skärande (skorrande) ljud; *a ~ing voice* en skrovlig röst

raspberry ['rɑ:zb(ə)rɪ] **1** hallon; hallonbuske [äv. *~ bush*] **2** sl. **a**) föraktfull fnysning (gest); buande **b**) fis, fjärt [*blow* (släppa) *a ~*]

rat [ræt] **I** *s* **1** råtta; *he's a [little] ~* vard. han är en [riktig] skit[stövel]; *smell a ~* vard. ana oråd (ugglor i mossen) **2** sl. a) isht polit. överlöpare; förrädare; desertör b) tjallare angivare **II** *vb itr* **1** jaga (döda) råttor **2** sl. a) bli överlöpare; gå över [*~ to another party*]; desertera; smita b) tjalla skvallra c) vara strejkbrytare d) vara lockfågel

1 rate [reɪt] gräla på

2 rate [reɪt] **I** *s* **1 a**) hastighet[sgrad] [*~ of increase (progress)*]; *growth ~* tillväxttakt; *at a furious ~* i rasande (vild) fart **b**) grad, mått; *at a certain ~* i [en] viss grad, i visst mått, i viss mån **c**) *at any ~* bildl. i alla fall (händelser), i varje fall, i vilket fall som helst; *at this ~* vard. om det fortsätter så här, på det här viset **2** tal, frekvens; *marriage ~* giftermålsfrekvens **3** a) taxa, tariff b) sats; kurs [*~ of exchange*]; *~* [*of interest*] räntefot, räntesats, ränta **4** pris, belopp; kostnad; värde; *at a cheap ~* till (för) [ett] lågt pris, billigt **5** pl. *~s* ung. kommunalskatt[er] [*taxes and ~s*] **6** klass; *a[n] hotel of the first ~* ett förstaklasshotell **II** *vb tr* **1** uppskatta, taxera; åsätta ett värde (pris) [*~ a th. high*] **2** räkna [*I ~ him among my friends*], anse [*he is ~d [as] kind and hospitable*], [upp]skatta **3** taxera för kommunal beskattning; beskatta kommunalt **4** klassificera, klassa; gradera **5** amer. vara berättigad till; förtjäna **III** *vb itr* räknas, betraktas; amer. äv. betyda något, ha betydelse; *he doesn't ~* äv. han är inget att räkna med

ratepayer ['reɪtˌpeɪə] [kommunal]skattebetalare

rather ['rɑ:ðə, i bet. *3* äv. ˌrɑ:'ðɜ:] **1** hellre; snarare, rättare sagt; *I would (I had, I'd) ~ you didn't* jag skulle hellre (helst) vilja (se) att du inte gjorde det; *I'd rather not* [nej] helst inte, jag ser helst att jag slipper **2** rätt, tämligen [*~ good (well, pretty, ugly)*]; nästan, något av [*it was ~ a disappointment*]; *I ~ like it* jag tycker faktiskt rätt (ganska, riktigt) bra om det; *I ~ think that* jag tror nästan (skulle nästan tro) att **3** vard., ss. svar ja (jo) visst; alla gånger!; gärna!

ratification [ˌrætɪfɪ'keɪʃ(ə)n] ratificering [*~ of a treaty*], ratifikation, stadfästelse

ratify ['rætɪfaɪ] ratificera, stadfästa

1 rating ['reɪtɪŋ] uppsträckning, skrapa

2 rating ['reɪtɪŋ] **1** uppskattning; värdering; *~s* lyssnarsiffror, tittarsiffror **2** klassificering, sjö. el. mil. äv. klassning; klass **3** a) [tjänste]grad b) mil. äv. matros; pl. *~s* manskap, meniga [*officers and ~s*] **4** [relativ] ställning **5** tekn. prestationsförmåga; data; *octane ~* oktantal

ratio ['reɪʃɪəʊ] förhållande, proportion; *the ~ of 1 to 5* förhållandet mellan 1 och 5

ration ['ræʃ(ə)n] **I** *s* ranson; portion; pl. *~s* äv. mat, livsmedel **II** *vb tr* **1** ransonera [*~ sugar*], ransonera (portionera) ut [äv. *~ out*] **2** sätta på ranson[ering] **3** förse med ransoner (mat)

rational ['ræʃənl] rationell äv. matem. [*a ~ method*]; förnuftig [*a ~ explanation*]; förståndig [*a ~ man, ~ conduct*]

rationalization [ˌræʃnəlaɪ'zeɪʃ(ə)n, -lɪ'z-] **1** rationalisering **2** efterrationalisering; bortförklaring

rationalize ['ræʃnəlaɪz] *vb itr* o. *vb tr* rationalisera

rat race ['rætreɪs] vard. karriärjakt; vild jakt (tävlan); allas kamp mot alla

rattle ['rætl] **I** *s* **1** skallra [*a baby's ~; a snake's ~*], [har]skramla **2** skrammel; bildl. larm, oväsen **3** rossling **II** *vb itr* **1** skramla; rassla; smattra [*the gunfire ~d*] **2** rossla **3** pladdra; rabbla; *~ on (away)* pladdra 'på; rabbla 'på **III** *vb tr* **1** skramla (slamra, rassla) med; få att skallra (skaka) **2** rabbla; *~ off (out)* rabbla [upp] **3** vard. irritera [*it ~ s my nerves*], göra nervös (förvirrad); perf. p. *~d* äv. skraj

rattlesnake ['rætlsneɪk] zool. skallerorm

ratty ['rætɪ] vard. sur, irriterad

raucous ['rɔ:kəs] hes [*a ~ voice*]

raunchy ['rɔ:ntʃɪ] vard. slipprig, oanständig; kåt

ravage ['rævɪdʒ] **I** *vb tr* härja [*his ~d face*], ödelägga [*forest ~d by fire*], förhärja, hemsöka [*a country ~d by war*]; plundra **II** *s* **1** ödeläggelse [*secure from ~ by fire*] **2** pl. *~s* härjning[ar], hemsökelse[r]; förödelse

rav|e [reɪv] **I** *vb itr* **1** yra, tala i yrsel (virrigt); fantisera [sjukligt] **2** rasa; *~ against (at) [the new policy]* rasa mot... **3** tala med hänförelse (lidelse) [*about, over* om]; *~ about* äv. vara (bli) tokig i; *he ~d about her beauty* äv. han var begeistrad över hennes skönhet **II** *s* vard. entusiastiskt beröm; *a ~ notice (review)* en översvallande (hänförd, begeistrad) recension

ravel ['ræv(ə)l] **I** *vb tr* **1** ~ [*out*] riva (repa) upp [~ [*out*] *a cardigan*], trassla upp; bildl. reda ut **2** trassla ihop (till, in); bildl. förvirra **II** *vb itr*, ~ [*out*] rivas (repas) upp

raven ['reɪvn] **I** *s* zool. korp **II** *adj* korpsvart, svartglänsande

ravenous ['ræv(ə)nəs] vard. hungrig som en varg

ravine [rə'vi:n] ravin; hålväg

raving ['reɪvɪŋ] **I** *adj* **1** yrande; [sjukligt] fantiserande, förvirrad [*a ~ lunatic*] **2** vard. hänförande, strålande [*a ~ beauty*] **II** *adv* vard. spritt [språngande] [*~ mad*] **III** *s*, pl. *~s* yrande; [sjukliga] fantasier

ravioli [ˌrævɪ'əʊlɪ] kok. ravioli

ravish ['rævɪʃ] **1** hänföra; *~ed by* (*with*) hänförd av (över) **2** litt. skända, våldta

ravishing ['rævɪʃɪŋ] hänförande

raw [rɔ:] **I** *adj* **1** rå; obearbetad; *~ material* (*product*) råmaterial, råvara **2** grön, oövad [*~ recruits*] **3** hudlös; öm; oläkt, blodig [*a ~ wound*] **4** rå, ruggig [*~ weather*] **5** vard. tarvlig, rå [*~ humour*], grov [*a ~ joke*] **II** *s*, *in the ~* naket och osminkat

1 ray [reɪ] zool. rocka

2 ray [reɪ] stråle äv. bildl.; *a ~ of hope* en stråle (strimma, gnista) av hopp; *~ of sunshine* en solstråle äv. bildl.

rayon ['reɪɒn] textil. rayon[silke] [*~ shirts*]

raze [reɪz], ~ [*to the ground*] rasera, jämna med marken; förstöra

razor ['reɪzə] **1** rakkniv; rakhyvel; rakapparat **2** *be on the ~'s edge* befinna sig (vara) i en prekär (kritisk) situation

razor blade ['reɪzəbleɪd] rakblad

razzle ['ræzl] vard., *be* (*go*) *on the ~* vara ute och (gå ut och) rumla (festa) [om]

razzmatazz [ˌræzmə'tæz] vard. **1** hålligång **2** snack; skit **3** jönsig jazz[låt]

RC förk. för *Red Cross, Roman Catholic*

1 re [reɪ, ri:] mus. re

2 re [ri:] jur. el. hand. vard. rörande, beträffande

're [ə] = *are* [*we're*]

reach [ri:tʃ] **I** *vb tr* **1** sträcka; *~ out one's hand for a th.* sträcka (räcka) ut (fram) handen efter ngt **2** räcka, ge [*~ me that book!*] **3** nå; nå upp till; komma (anlända) till, komma (nå) fram till [*as soon as they had ~ed the station*]; *~ a decision* nå (träffa, komma till) ett avgörande (beslut); *~ the end* [*of the chapter*] komma till slutet...
II *vb itr* **1** ~ [*out*] sträcka sig [*for, at* efter]; *~ for the sky!* vard. upp med händerna!; *~ for the stars* sikta mot stjärnorna **2** sträcka (breda ut) sig, nå [*the land ~es as far as the river*] **3** räcka; gå [*a curtain ~ing from floor to ceiling*]; *as far as the eye can ~* (*could ~*) så långt ögat når (kunde nå, nådde)
III *s* **1** räckande, gripande **2** räckhåll; mil. skotthåll; t.ex. boxares räckvidd; omfång, vidd, utsträckning; *out of ~* utom räckhåll, oåtkomlig, ouppnåelig, oupphinnelig [*of a p.* för ngn]; *within ~* inom räckhåll, åtkomlig, uppnåelig, tillgänglig [*of a p.* för ngn]; *within easy ~ of the station* i omedelbar närhet av stationen, på bekvämt avstånd från (till) stationen **3** [rak] sträcka [*the beautiful ~es of a river*]; sträckning [*~es of forest and meadow*]; *the upper ~es of the river* äv. flodens övre lopp

react [rɪ'ækt] **1** reagera **2** ~ [*up*]*on* [åter]verka på, påverka **3** reagera, göra motstånd **4** kem. reagera

reaction [rɪ'ækʃ(ə)n] **1** reaktion; bakslag; omslag; ~ [*up*]*on* [åter]verkan på **2** motstånd, opposition, reaktion **3** reaktion; *~ time* reaktionstid

reactionary [rɪ'ækʃ(ə)nərɪ] **I** *adj* reaktionär **II** *s* reaktionär, bak[åt]strävare

reactor [rɪ'æktə] **1** reaktor; *nuclear ~* kärnreaktor, atomreaktor **2** kem. reagens

read [inf. o. subst. ri:d; imperf., perf. p. o. adj. red] **I** (*read read*) *vb tr* **1** läsa, läsa upp; recitera; tolka [*~ a face* (uppsyn)], tyda [*~ a dream*]; *~ the gas-meter* läsa av gasmätaren; *~ only memory* data. läsminne; *~ a paper* a) läsa [i (igenom)] en tidning b) hålla [ett] föredrag; *take the minutes as ~* godkänna protokollet utan uppläsning; *~ out aloud* läsa [upp] högt; *~ out names* läsa (ropa) upp namn; *~ over* (*through*) läsa igenom **2** läsa, studera; *~ law* läsa juridik **II** (*read read*) *vb itr* **1** läsa, läsa högt; studera; *~ aloud* läsa högt **2** kunna läsas (tydas); stå [att läsa] **3** lyda, låta [*~ like a threat*]; *it ~s better now* det låter (gör sig) bättre nu **4** visa [på] [*the thermometer ~s 10°*] **III** *adj* o. *perf p*, *be well ~* vara [mycket] beläst **IV** *s* lässtund

readable ['ri:dəbl] **1** läsbar, läsvärd **2** läslig, läsbar

reader ['ri:də] **1** läsare; *be a great ~* vara en ivrig (flitig) läsare, läsa mycket **2** uppläsare **3** univ., ung. docent **4** korrekturläsare **5** [*publisher's*] ~ lektör **6** läsebok **7** data. läsare

readership ['ri:dəʃɪp] **1** ung. [högskole]lektorstjänst **2** läsekrets

readily ['redəlɪ] **1** [bered]villigt **2** raskt, snabbt; lätt [*~ recognize a th.*]

readiness ['redɪnəs] **1** [bered]villighet **2** raskhet; lätthet; *~ of wit* snarfyndighet, slagfärdighet **3** beredskap; *in ~* i beredskap, redo, i ordning, färdig; *~ for action* mil. stridsberedskap

reading ['ri:dɪŋ] **I** *adj* läsande, läs[e]-; intresserad av läsning **II** *s* **1** läsning, läsande **2** beläsenhet, belästhet; *a person of wide* (*vast*) ~ en mycket beläst person **3** lektyr [*good* (*dull*) ~]; läsmaterial, läsbart stoff, läsning [*there is plenty of ~ in that magazine*]; *light* ~ lättare lektyr, lätt läsning **4** avläsning på instrument; värde [*blood sugar* ~]; [avläst (utvisat)] gradtal; *barometer* ~ barometerstånd **5** uppfattning, tolkning [*the actor's ~ of the part*] **6** uppläsning [*~s from* (ur) *Shakespeare*], recitation **7** parl. läsning, behandling [*first* ~]

reading-lamp ['ri:dɪŋlæmp] läslampa

reading-room ['ri:dɪŋru:m] läsesal

readjust [ˌri:ə'dʒʌst] **1** ~ *oneself to* återanpassa sig till **2** [åter] ordna [~ *one's dress*], åter sätta (lägga) till rätta; ställa om [~ *one's watch*]; ändra [~ *prices*]

ready ['redɪ] **I** *adj* **1** färdig, klar, beredd, till hands; [bered]villig [~ *to forgive*]; ~ *cash* (*money*) kontanter, reda pengar; *get* ~ el. *get* (*make*) *oneself* ~ göra sig i ordning (klar); ~, *steady, go!* klara (på era platser), färdiga, gå! **2** snar, benägen [*don't be so ~ to find fault*]; kvicktänkt; *a ~ memory* ett gott minne **3** lätt; *a ~ example* ett exempel som ligger nära till hands; ~ *reckoner* snabbräknare, lathund, räknetabell **II** *adv* färdig- [~ *cooked* (lagad)] **III** *s, the* ~ **a**) vard. kontanter[na], reda pengar **b**) mil. färdigställning, i färdigställning, skjutklar äv. bildl. [*cameras at the* ~]; *come to the* ~ inta färdigställning

ready-made [ˌredɪ'meɪd, attr. '---] **I** *adj* färdigsydd, färdiggjord äv. bildl. [~ *ideas*]; konfektionssydd **II** *s* konfektion

reagent [rɪ'eɪdʒ(ə)nt] kem. reagens

real [rɪəl, 'ri:(ə)l] **I** *adj* verklig; äkta [~ *gold* (*pearls*)]; ~ *action* jur. ägotvist; ~ *estate* (*property*) jur. fast egendom; ~ *estate agent* fastighetsmäklare; *in ~ earnest* på fullt allvar **II** *adv* vard. riktigt, verkligt [*have a ~ good time*]; verkligen [*I'm ~ sorry*] **III** *s* isht amer. vard., *for* ~ på riktigt [*they were fighting for* ~]

realism ['rɪəlɪz(ə)m] realism

realist ['rɪəlɪst] realist

realistic [rɪə'lɪstɪk] realistisk; verklighetsbetonad, verklighetstrogen

reality [rɪ'ælətɪ] verklighet; realism; *in* ~ i verkligheten (realiteten)

realization [ˌrɪəlaɪ'zeɪʃ(ə)n, -lɪ'z-] **1** förverkligande etc., jfr *realize 2-4* **2** insikt

realize ['rɪəlaɪz] **1** inse, fatta **2** förverkliga; *his fondest dreams were ~d* hans vildaste drömmar gick i uppfyllelse **3** realisera, omsätta i pengar [~ *shares* (aktier)] **4** [för]tjäna, vinna [~ *a profit*]; inbringa

really ['rɪəlɪ] **1** verkligen, faktiskt; ~? verkligen?, jaså [minsann]?, säger du det?; [*need any help?*] - *not ~!* ...-inte direkt (precis)! **2** riktigt, verkligt [~ *bad* (*good*)]

realm [relm] **1** bildl. sfär, värld, rike; *the ~ of the imagination* el. *the ~s of fancy* fantasins värld; *within the ~[s] of possibility* inom möjligheternas gräns[er] **2** litt. [konunga]rike

realtor ['rɪəltə] amer. fastighetsmäklare

ream [ri:m] **I** *s* **1** ris; *a ~ of paper* ett rispapper **2** pl. *~s* vard. massa, massor **II** *vb tr* **1** tekn. brotscha **2** amer. pressa citrusfrukter

reap [ri:p] **1** meja [av], skära [~ *the crop*] **2** bärga, skörda, bildl. äv. inhösta, få

reaper ['ri:pə] **1** skördearbetare **2** skördemaskin **3** *the R~* liemannen döden

reappear [ˌri:ə'pɪə] åter visa sig

1 rear [rɪə] **I** *vb tr* **1** a) föda upp [~ *poultry* (*cattle*)] b) fostra, uppfostra [~ *a child*] c) odla [~ *crops*]; ~ *a family* bilda (skaffa sig) familj **2** lyfta (höja) [på] [*the snake ~ed its head*]; bildl. sticka fram **II** *vb itr* o. *vb rfl*, ~ [*oneself*] stegra sig [äv. ~ *up*]

2 rear [rɪə] **1** bakre (bakersta) del; baksida [*the ~ of a house*]; mil. el. bildl. eftertrupp; *bring up* (*close*) *the* ~ bilda eftertrupp[en]; *in* (*at*) *the ~ of* på baksidan av, bakom **2** bak- [~ *axle*] **3** vard. bak, rumpa

rear-admiral [ˌrɪə(r)'ædm(ə)r(ə)l] sjö. konteramiral

rearguard ['rɪəgɑ:d] mil. eftertrupp, arriärgarde; ~ *action* reträttstrid, eftertruppsaktion

rear lamp ['rɪəlæmp] o. **rear light** ['rɪəlaɪt] bil. baklykta

rearm [ˌri:'ɑ:m] **I** *vb tr* [åter]upprusta, på nytt beväpna **II** *vb itr* [åter]upprusta

rearmament [rɪ'ɑ:məmənt, ri:'ɑ:-] [åter]upprustning

rearmost ['rɪəməʊst] bakerst; sjö. akterst

rearrange [ˌri:ə'reɪn(d)ʒ] arrangera (ordna, ställa, arbeta) om, bestämma ny tid för [~ *an appointment*]; ~ *the furniture* möblera om

rear-view ['rɪəvju:], ~ *mirror* backspegel

reason ['ri:zn] **I** *s* **1** skäl, orsak; hänsyn [*for political ~s*]; *all the more ~ why* så mycket större anledning [till] att; *for certain ~s* av vissa skäl (orsaker); *for a* [*very*] *good ~* på [mycket] goda grunder, av giltig anledning **2** förstånd **3** förnuft, rimlighet, fog; *there is* [*some*] *~ in that* det är reson (förnuft) i det; *it stands to ~* det är [själv]klart (uppenbart), det faller av (säger) sig själv[t] **II** *vb itr* **1** göra slutledningar, resonera **2** resonera, argumentera **III** *vb tr* **1** resonera [som så] [*he ~ed that...*]; ~ *away* resonera bort **2** ~ *a p. into a th.* (*into doing a th.*) övertala ngn till ngt ([till] att göra ngt)

reasonable ['ri:z(ə)nəbl] **1** förnuftig [*a* ~

decision], resonlig; *beyond ~ doubt* utom rimligt tvivel **2** rimlig, skälig [*a ~ price*], hygglig [*a ~ salary*]

reasonably ['ri:z(ə)nəblɪ] skäligt, skäligen; rimligt[vis]; förnuftigt; tämligen, någorlunda

reasoning ['ri:z(ə)nɪŋ] resonerande; tankegång; slutledning

reassurance [ˌri:ə'ʃʊər(ə)ns] **1** uppmuntran [*in constant need of ~*]; nytt lugn **2** förnyad försäkring, ny försäkran

reassure [ˌri:ə'ʃʊə] **1** uppmuntra, inge ny tillförsikt; lugna **2** på nytt försäkra

reassuring [ˌri:ə'ʃʊərɪŋ] lugnande

rebate ['ri:beɪt, rɪ'beɪt] **I** *s* **1** rabatt **2** återbäring [*tax ~*] **II** *vb tr* rabattera; slå av; ge tillbaka

rebel [ss. subst. 'rebl, ss. vb rɪ'bel] **I** *s* rebell, upprorsman; upprorisk, rebellisk [*the ~ forces*] **II** *vb itr* göra uppror, resa sig, rebellera, protestera

rebellion [rɪ'beljən] uppror; *rise in ~* göra uppror, rebellera

rebellious [rɪ'beljəs] upprorisk; motspänstig

rebirth [ˌri:'bɜ:θ] pånyttfödelse

rebound [ss. vb rɪ'baʊnd, ri:'b-, ss. subst. 'ri:baʊnd] **I** *vb itr* [åter]studsa, studsa tillbaka; mil. rikoschettera; bildl. återfalla, falla tillbaka [*what you do may ~ [up]on yourselves*] **II** *s* återstuds; *on the ~* sport. på studsen, på returen [*hit a ball on the ~*]; bildl. omslag, bakslag; [*she didn't love him, she married him*] *on the ~* ...som plåster på såren, ...i besvikelsen över förlusten av en annan

rebuff [rɪ'bʌf] **I** *s* **1** [snäsigt] avslag; avsnäsning; *meet with* (*suffer*) *a ~* få avslag, bli avvisad; bli avsnäst **2** bakslag **II** *vb tr* avvisa; snäsa av

rebuild [ˌri:'bɪld] (*rebuilt rebuilt*) återuppbygga, återuppföra; bygga om

rebuke [rɪ'bju:k] **I** *vb tr* [skarpt] tillrättavisa, ge en skrapa **II** *s* [skarp] tillrättavisning, skrapa

rebut [rɪ'bʌt] **1** vederlägga **2** avvisa [*~ an offer*]

recalcitrant [rɪ'kælsɪtr(ə)nt] **I** *adj* motspänstig **II** *s* motsträvig person

recall [rɪ'kɔ:l, ss. sb äv. '--] **I** *vb tr* **1** kalla tillbaka [*~ troops from the front*], kalla hem [*~ an ambassador*], återkalla; teat. ropa in; mil. återinkalla **2** erinra (påminna) sig, minnas **3** återkalla, upphäva [*~ a decision*] **II** *s* **1** tillbakakallande, återkallande **2** återkallande, upphävande; *past* (*beyond*) *~* oåterkallelig[t] **3** hågkomst; *have total ~* ha perfekt minne

recant [rɪ'kænt] återkalla, ta tillbaka [*~ a statement*]; avsvärja [sig] [*~ one's faith*]; ta tillbaka [sina ord]

1 recap [ss. vb ˌri:'kæp, ss. subst. '--] se *retread*

2 recap ['ri:kæp] vard. förk. för *recapitulate, recapitulation*

recapitulate [ˌri:kə'pɪtjʊleɪt] rekapitulera, sammanfatta

recapitulation ['ri:kəˌpɪtjʊ'leɪʃ(ə)n] **1** rekapitulering, sammanfattning **2** mus. repris

recapture [ˌri:'kæptʃə] **I** *vb tr* **1** återta, återerövra **2** dra sig till minnes **II** *s* återtagande, återerövring

recede [rɪ'si:d] **1** gå (träda, dra sig) tillbaka; *his hair is receding* han börjar bli tunnhårig framtill **2** gå tillbaka, falla, sjunka

receipt [rɪ'si:t] **I** *s* **1** kvitto; [*advice of*] *~* mottagningsbevis **2** vanl. pl. *~s* intäkter, kassa [*daily ~s*] **3** mottagande; *I am in ~ of your letter* hand. jag har mottagit (erhållit) ert brev **II** *vb tr* kvittera [*~ a bill*]

receive [rɪ'si:v] **I** *vb tr* **1** ta emot, uppbära [*~ money*]; *~ stolen goods* ta emot stöldgods, göra sig skyldig till häleri **2** ofta pass. *be ~d* bli upptagen [som medlem] [*be ~d into* (i) *the Church*] **II** *vb itr* **1** ta emot [*~ on Sundays*] **2** göra sig skyldig till häleri

receiver [rɪ'si:və] **1** mottagare; uppbördsman; inkasserare **2** jur., [*Official*] *R~* konkursförvaltare, god man **3** *~* [*of stolen goods*] hälare **4** TV. o.d. mottagare; [telefon]lur; tele. mikrofon; *put down the ~* lägga på [telefon]luren

recent ['ri:snt] ny; färsk [*~ news*; *a ~ wound*]; nyligen (senast) skedd (inträffad) [*a ~ event*]; nyare, senare; *a ~ book* en nyutkommen bok; *in* (*during*) *~ years* under senare år

recently ['ri:sntlɪ] nyligen; *~ acquired* nyförvärvad

receptacle [rɪ'septəkl] **1** [förvarings]kärl **2** bot. blomfäste

reception [rɪ'sepʃ(ə)n] **1** mottagande, mottagning; *~ centre* mottagningscentral, uppsamlingscentral för flyktingar o.d.; *~* [*desk*] reception, receptionsdisk på hotell; *~ room* a) mottagningsrum b) sällskapsrum **2** upptagande [som medlem] **3** radio. mottagning[sförhållanden]

receptionist [rɪ'sepʃ(ə)nɪst] receptionist; [över]portier; kundmottagare

receptive [rɪ'septɪv] receptiv, mottaglig

recess [rɪ'ses, ss. subst. äv. 'ri:ses] **I** *s* **1** a) isht om parlamentet, kongressen o. domstolar uppehåll, ferier b) amer. skol. rast **2** vrå; *in the innermost ~es of the heart* i hjärtats djupaste vrår, innerst inne **3** nisch, alkov; fördjupning **II** *vb tr* göra en fördjupning (fördjupningar) i [*~ a wall*] **III** *vb itr* amer. göra uppehåll, ta rast

recession [rɪˈseʃ(ə)n] **1** ekon. konjunkturnedgång **2** tillbakavikande; tillbakadragande

recharge [ˌriːˈtʃɑːdʒ] elektr. ladda om (upp) [*~ a battery*]; *~ one's batteries* bildl. ladda upp, ladda batterierna

recipe [ˈresɪpɪ] kok. recept äv. bildl. [*a ~ for* (på) *happiness*]

recipient [rɪˈsɪpɪənt] **I** *s* mottagare; *~ country* mottagarland **II** *adj* mottaglig, receptiv

reciprocal [rɪˈsɪprək(ə)l] **1** ömsesidig [*~ affection*]; till (i) gengäld, gen- [*~ services*] **2** gram. reciprok [*~ pronouns*]

reciprocate [rɪˈsɪprəkeɪt] **I** *vb itr* **1** göra en gentjänst **2** mek. gå (röra sig) fram och tillbaka **II** *vb tr* [inbördes] utbyta, utväxla; gengälda [*~ a p.'s affection* (*love*)]

recital [rɪˈsaɪtl] **1** [detaljerad] redogörelse, uppräkning **2** recitation, uppläsning, deklamation **3** mus. [solist]uppförande

recitation [ˌresɪˈteɪʃ(ə)n] recitation, uppläsning, deklamation; reciterat stycke; recitationsstycke

recite [rɪˈsaɪt] **I** *vb tr* **1** recitera, läsa upp, föredra[ga], deklamera [*~ poems*] **2** redogöra för; räkna (rabbla) upp [*~ one's grievances*] **II** *vb itr* recitera

reckless [ˈrekləs] **1** obekymrad, likgiltig; *~ of* äv. utan tanke på **2** hänsynslös; obetänksam [*~ conduct*], vårdslös, lättsinnig [*~ extravagance*]; *~ driving* vårdslöshet i trafik

reckon [ˈrek(ə)n] **I** *vb tr* **1** räkna; *~ in* räkna ˈmed (in), inberäkna, inkludera [*~ in the tip*] **2** räkna ut [äv. *~ out*; *~ the cost*], beräkna, bedöma **3** räkna [*we ~ him among our supporters*] **4** räkna, anse **5** vard. anse, tycka; [*he's pretty good,*] *I ~* ...tycker jag **6** räkna med [*I ~ that he will come*], anta [*this was not meant for me, I ~*] **II** *vb itr* **1** räkna [*the child can't ~ yet*]; *~ with* a) bildl. göra upp [räkningen] med b) räkna med, ta med i beräkningen **2** *~ [up]on* räkna (lita) på; räkna med, ta med i beräkningen **3** räkna, uppgå till **4** räknas [*he ~s among* (bland, till) *the best*], gälla

reckoning [ˈrek(ə)nɪŋ] **1** [upp]räkning etc., jfr *reckon*; *be out in one's ~* ha räknat fel, bildl. äv. ha missräknat sig **2** räkenskap; *the day of ~* räkenskapens dag

reclaim [rɪˈkleɪm] **I** *vb tr* **1** återvinna; *~ed land* uppodlad (nyodlad) mark, nyodling **2** återvinna avfall m.m. **II** *s* förbättring; *beyond* (*past*) *~* oförbätterlig[t], ohjälplig[t]

reclamation [ˌrekləˈmeɪʃ(ə)n] **1** återvinning av mark; uppodling **2** återvinning av avfall

reclin|e [rɪˈklaɪn] **I** *vb tr* vila, lägga [ned], luta [tillbaka]; perf. p. *-ed* tillbakalutad **II** *vb itr* luta (lägga) sig [tillbaka], vila, ligga (sitta) tillbakalutad [*~ on a couch*]; *-ing chair* (*seat*) vilstol

recluse [rɪˈkluːs] ensling

recognition [ˌrekəgˈnɪʃ(ə)n] **1** erkännande; *in ~ of* som ett erkännande av, som tack för **2** igenkännande; *aircraft ~* flygplansigenkänning; *beyond* (*past*) *~* oigenkännlig, [ända] till oigenkännlighet

recognizable [ˈrekəgnaɪzəbl, ˌ--ˈ---] igenkännlig

recognize [ˈrekəgnaɪz] **1** känna igen **2** erkänna [*~ a p. as lawful heir*; *~ a new government*]; kännas vid [*he no longer ~s me*], vidkännas [*~ an obligation*]; *it's the ~d method* det är den [allmänt] vedertagna (den gängse) metoden **3** erkänna [för sig själv] [*he ~d the danger*] **4** ge ett erkännande, erkänna [*his services to the State were ~d*]

recoil [rɪˈkɔɪl, ss. sb. äv. ˈ--] **I** *vb itr* **1** dra sig tillbaka **2** rygga, rygga (vika) tillbaka **3** studsa tillbaka; mil. rekylera; vard. stöta **4** återfalla, falla tillbaka **II** *s* **1** återstuds[ning]; mil. rekyl; vard. stöt **2** tillbakaryggande

recollect [ˌrekəˈlekt] erinra (påminna) sig, minnas

recollection [ˌrekəˈlekʃ(ə)n] hågkomst, erinring; pl. *~s* minnen [*~s from a long life*]

recommence [ˌriːkəˈmens] **I** *vb itr* börja på nytt (om igen) **II** *vb tr* [på]börja på nytt

recommend [ˌrekəˈmend] **1** rekommendera, förorda; *~ed price* äv. cirkapris **2** [till]råda **3** göra attraktiv (uppskattad), gagna [*behaviour of that kind will not ~ you*], tala för; *the idea has little to ~ it* idén har föga som gör den attraktiv; *this plan has much to ~ itself* det är mycket som talar för denna plan **4** anbefalla, anförtro

recommendation [ˌrekəmenˈdeɪʃ(ə)n] rekommendation; förordande; *~[s]* förslag [*the ~[s] of the committee*]

recompense [ˈrekəmpens] **I** *vb tr* gottgöra **II** *s* gottgörelse, ersättning

reconcile [ˈrekənsaɪl] **1** försona; *become ~d* försonas, förlikas, försona (förlika) sig [*with* med] **2** förena, göra förenlig

reconciliation [ˌrekənsɪlɪˈeɪʃ(ə)n] **1** försoning **2** biläggning **3** förening; samklang

recondite [rɪˈkɒndaɪt, ˈrekəndaɪt] svårfattlig

recondition [ˌriːkənˈdɪʃ(ə)n] reparera (rusta) upp

reconnaissance [rɪˈkɒnɪs(ə)ns] isht mil. spaning; *~ aircraft* spaningsflygplan, rekognosceringsflygplan; *~ party* spaningsavdelning, rekognosceringstrupp

reconnoitre [ˌrekəˈnɔɪtə] isht mil. spana, utforska; sondera

reconsider [ˌriːkən'sɪdə] ta i (under) förnyat övervägande, på nytt överväga
reconstitute [ˌriː'kɒnstɪtjuːt] rekonstruera; ombilda; återuppbygga
reconstruct [ˌriːkən'strʌkt] rekonstruera [~ *a crime* (*text*); ~ *a cathedral*], återuppbygga; bygga om [~ *a ship*]; ombilda [~ *a cabinet*]
reconstruction [ˌriːkən'strʌkʃ(ə)n] **1** rekonstruktion; återuppbyggande, återuppbyggnad **2** ombyggnad; ombildning
record [ss. subst. 'rekɔːd, ss. vb rɪ'kɔːd] **I** *s* **1** uppteckning, registrering; förteckning; protokoll äv jur.; redogörelse; urkund; vittnesbörd; pl. *~s* äv. arkiv; *off the ~* a) utom protokollet b) på stående fot, improviserat; *it is the worst on ~* det är det värsta (sämsta) som någonsin funnits, det sätter bottenrekord **2** ngns förflutna, antecedentia [*his ~ is against him*]; vitsord, meriter [*his ~ as a tennis-player*]; rykte; *a clean ~* ett fläckfritt förflutet **3** isht sport. rekord; rekord- [~ *crop*]; *world ~* världsrekord; *~ for speed* hastighetsrekord; *this was a ~* äv. detta var något enastående; *beat* (*break, cut*) *the ~* slå rekord[et]; *establish* (*make*) *a ~* sätta [ett] rekord **4** [grammofon]skiva **II** *vb tr* **1** a) protokollföra; föra protokoll vid sammanträde; [in]registrera; uppteckna, ta ned, bevara i skrift b) förtälja, återge **2** radio. o.d. spela (sjunga, tala) in **3** om termometer m.m. registrera
recorder [rɪ'kɔːdə] **1** jur. (ung.) domare vid bl.a. tingsrätt **2** inspelningsapparat **3** blockflöjt
recording [rɪ'kɔːdɪŋ] [in]registrering etc., jfr *record II*; radio., film. o.d. inspelning [*I have a good ~ of the opera*]; *~ apparatus* inspelningsapparat; *~ head* inspelningshuvud på bandspelare; [*mobile*] *~ unit* inspelningsbuss, OB-buss
record-player ['rekɔːdˌpleɪə] skivspelare
recorsion [rɪ'kɔːʃn] *s* rekortering
recount [i bet. *I 1* rɪ'kaʊnt, i bet. *I 2* ˌriː'kaʊnt, i bet. *II* 'riːkaʊnt] **I** *vb tr* **1** [omständligt] berätta, relatera; räkna upp **2** räkna om, åter räkna [~ *the votes*] **II** *s* omräkning
recoup [rɪ'kuːp] gottgöra, ersätta [~ *a loss*; ~ *a p. for a loss*]; *~ oneself* hålla sig [själv] skadeslös
recourse [rɪ'kɔːs] tillflykt; utväg; *have ~ to* ta sin tillflykt till, tillgripa
recover [rɪ'kʌvə] **I** *vb tr* **1** återvinna, få tillbaka [~ *one's health* (*voice*)]; *~ one's breath* [åter] hämta andan; *~ one's senses* (*consciousness*) komma till sans igen, återfå medvetandet; *~ lost ground* återvinna förlorad terräng äv. bildl.; vinna tillbaka det förlorade **2** hämta in [~ *lost time* (*a loss*)] **II** *vb itr* [åter]hämta (repa) sig; tillfriskna; återfå jämvikten; *he has completely ~ed* han är helt återställd, han har helt kommit över det
re-cover [ˌriː'kʌvə] **1** åter täcka, täcka över igen **2** klä om t.ex. soffa
recovery [rɪ'kʌvərɪ] **1** återvinnande, återfående, återfinnande [*the ~ of a lost article*] **2** återställande, återhämtning; *make a quick ~* [åter]hämta sig (tillfriskna) snabbt; *he is beyond* (*past*) *~* han står (går) inte att rädda (bota), han är hopplöst förlorad **3** återvinning av avfall m.m.
re-create [ˌriːkrɪ'eɪt] skapa på nytt; återupprätta
recreation [ˌrekrɪ'eɪʃ(ə)n] rekreation; nöje, fritidssysselsättning; sport; *~ area* (*ground*) rekreationsområde, fritidsområde; lekplats; idrottsplats; *~ centre* rekreationscenter, fritidscenter
recreational [ˌrekrɪ'eɪʃənl] rekreations-
recrimination [rɪˌkrɪmɪ'neɪʃ(ə)n] motbeskyllning; pl. *~s* äv. ömsesidiga beskyllningar
recruit [rɪ'kruːt] **I** *s* rekryt äv. bildl.; nykomling, ny medlem **II** *vb tr* **1** rekrytera, värva äv. bildl. [~ *an army*, ~ *adherents*] **2** värva (anställa) som rekryt[er] **III** *vb itr* värva rekryter; *~ing office* värvningsbyrå; mönstringslokal; *~ing officer* rekryteringsofficer
recruitment [rɪ'kruːtmənt] rekrytering, värvning
rectangle ['rektæŋgl] rektangel
rectangular [rek'tæŋgjʊlə] rektangulär
rectify ['rektɪfaɪ] rätta [till] [~ *an error*], korrigera [~ *a method*], beriktiga [~ *a statement*]; reglera
rector ['rektə] **1** kyrkoherde **2** rektor vid vissa universitet, skolor o.d.
rectory ['rekt(ə)rɪ] **1** prästgård **2** pastorat
recuperate [rɪ'kjuːp(ə)reɪt] **I** *vb itr* hämta sig; återfå krafterna, rekreera sig [*go to the seaside to ~*] **II** *vb tr* återfå [~ *one's health*], återvinna
recur [rɪ'kɜː] återkomma, komma tillbaka (igen), dyka (komma) upp igen [*a problem which ~s periodically*]; upprepas [*this accident must never ~*]
recurrence [rɪ'kʌr(ə)ns] återkommande; återgång; upprepande, upprepning
recurrent [rɪ'kʌr(ə)nt] [regelbundet (ofta)] återkommande, periodisk; *~ expenses* [fasta] återkommande utgifter
recycle [ˌriː'saɪkl] återanvända [~ *scrap metal*], återvinna; *~d paper* återvinningspapper
red [red] **I** *adj* röd äv. polit.; *as ~ as a beetroot* (*lobster*) röd som en tomat (kokt

kräfta); *the ~ carpet* vard. röda mattan; *the R~ Cross* Röda korset; *~ flag* a) röd flagga isht ss. varningssignal b) upprorsfana, revolutionsflagga; *~ herring* a) rökt sill b) vard. falskt spår, villospår, avledande manöver; *at the ~ light[s]* trafik. vid rött ljus; *~ rag* bildl. rött skynke; *it's like a ~ rag [to a bull] to him* det verkar som ett rött skynke på honom **II** *s* **1** rött [*dressed in ~*]; röd färg; röd nyans **2** polit. röd **3** vard., *in the ~* med underskott (förlust) **4** rött, rödvin [*a bottle of ~*]

redbreast ['redbrest] zool., [*robin*] ~ rödhake[sångare]

redcurrant [ˌred'kʌrənt, attr. '---] rött vinbär; *~ jam* rödavinbärssylt, rödavinbärsmarmelad

redden ['redn] **I** *vb tr* färga röd **II** *vb itr* bli (färgas) röd; rodna

reddish ['redɪʃ] rödaktig

redecorate [ˌri:'dekəreɪt] måla och tapetsera om; nyinreda

redeem [rɪ'di:m] **1** lösa ut [*~ a pawned watch*], lösa in [*~ a mortgage*] **2** infria [*~ one's promise*] **3** friköpa [*~ a slave*], lösa ut [*~ a prisoner*], befria; isht teol. återlösa **4** gottgöra [*~ an error*]; uppväga [*his faults are ~ed by…*], kompensera; *a ~ing feature* ett försonande drag

redeemable [rɪ'di:məbl] inlösbar etc., jfr *redeem*

redeploy [ˌri:dɪ'plɔɪ] placera om [*~ workers*]; mil. gruppera om

redeployment [ˌri:dɪ'plɔɪmənt] omplacering; mil. omgruppering

redevelop [ˌri:dɪ'veləp] sanera [*~ slum areas*]

redevelopment [ˌri:dɪ'veləpmənt] sanering

red-handed [ˌred'hændɪd], *catch (take) a p. ~* ta (gripa) ngn på bar gärning

redhead ['redhed] vard. rödhårig [person]

red-hot [ˌred'hɒt] glödhet, glödande äv. bildl. [*~ enthusiasm*]; intensiv

redirect [ˌri:dɪ'rekt, -daɪ'r-] **1** åter leda (rikta, styra) **2** eftersända, adressera om [*~ letters (mail)*]; dirigera om [*~ traffic*]

rediscover [ˌri:dɪ'skʌvə] återupptäcka

redistribute [ˌri:dɪ'strɪbjʊt] **1** omfördela **2** dela ut (distribuera) på nytt

red-light ['redlaɪt], *~ district* bordellkvarter, glädjekvarter

redness ['rednəs] rödhet; rodnad; röd färg

redo [ˌri:'du:] (*redid redone*) göra om; tapetsera (måla) om [*have* (få) *the walls redone*]

redolent ['redə(ʊ)l(ə)nt] välluktande, doftande; stark [*a ~ odour*]; *~ of (with)* som påminner om

redouble [rɪ'dʌbl] **I** *vb tr* fördubbla [*~ one's efforts*], öka [*he ~d his pace*]; intensifiera **II** *vb itr* fördubblas, öka[s]

redress [rɪ'dres] **I** *vb tr* **1** [åter] ställa till rätta; återställa [*~ the balance*]; avhjälpa [*~ an abuse (a grievance)*], rätta till, råda bot på **2** gottgöra [*~ an injury (a wrong)*] **II** *s* **1** avhjälpande [*~ of a grievance*] **2** gottgörelse; upprättelse

redskin ['redskɪn] åld. (vard.) rödskinn indian

red-tape [ˌred'teɪp] **I** *s* vard. byråkrati, pedanteri **II** *adj* byråkratisk, pedantisk

reduce [rɪ'dju:s] **1** reducera; minska, dra in på [*~ one's expenses*], sätta (pressa) ned, sänka [*~ the price*]; försvaga [*~d health*]; förminska [*~ a reproduction*]; *~ speed* minska (sänka) farten; *~ one's weight* gå ned [i vikt], banta; *to be sold at ~d prices* till salu till nedsatta priser; *on a ~d scale* i förminskad skala **2** försätta [*to* i ett tillstånd]; förvandla [[*in*]*to* till]; tvinga [*to do a th.* [till] att göra ngt]; *~ to ashes* lägga i (förvandla till) aska; *~ to despair* göra förtvivlad, bringa till förtvivlan; *~ to subjection (submission)* tvinga till underkastelse; *~ a p. to tears* få ngn att gråta (brista i gråt) **3** föra in [*to* (under) *a rule*]; hänföra [*to a class* till en klass] **4** degradera, flytta ned; *~ to the ranks* degradera till menig **5** mat. reducera; *~ an equation* hyfsa (förenkla) en ekvation; *~ a fraction* förkorta ett bråk

reduction [rɪ'dʌkʃ(ə)n] (jfr *reduce*) **1** reduktion; förminskning; nedsättning, rabatt; *sell at a ~* sälja till nedsatt pris **2** försättande; förvandling **3** införande **4** degradering **5** matem. reduktion

redundancy [rɪ'dʌndənsɪ] **1** överflöd; överskott **2** ekon. arbetslöshet [till följd av strukturrationalisering]; *~ payment* ung. avgångsvederlag

redundant [rɪ'dʌndənt] **1** överflödig [*~ workers*]; friställd; *be made ~* friställas, bli friställd; *~ manpower* överflödig (friställd) arbetskraft **2** vidlyftig [*a ~ style*]

reduplicate [rɪ'dju:plɪkeɪt] fördubbla

reed [ri:d] **1** bot. vasstrå; vass; bibl. el. poet. rö; pl. *~s* äv. [tak]halm **2** i blåsinstrument rörblad; *the ~s* äv. rörbladsinstrumenten

re-educate [ˌri:'edjʊkeɪt] omskola, lära upp (uppfostra) på nytt

reedy ['ri:dɪ] **1** vassbevuxen **2** gäll [*a ~ voice*]

1 reef [ri:f] **I** *s* sjö. rev; *take in a ~* a) ta in ett rev b) bildl. ta det försiktigt (lugnt) **II** *vb tr* reva

2 reef [ri:f] rev; *coral ~* korallrev

reek [ri:k] **I** *s* dålig lukt, stank [*the ~ of bad tobacco*] **II** *vb itr* **1** lukta [illa] [*he ~s of whisky (garlic)*]; bildl. lukta lång väg [*the book ~s of predjudice*] **2** ånga [*~ with* (av) *sweat*], ryka

reel [ri:l] **I** *s* **1** rulle [*~ of film*]; vard.

[film]rulle; ~ *of cotton* trådrulle; [*straight*] *off the* ~ vard. i ett svep **2** [nyst]vinda; härvel **3** raglande gång **4** skotsk. reel dans **II** *vb tr* rulla (veva, spola) upp på rulle [äv. ~ *up* (*in*)]; haspla; ~ *off* bildl. rabbla upp [~ *off a long list of names*], haspla ur sig **III** *vb itr* **1** virvla; *my brain* (*head*) *~s* det går runt i huvudet på mig, det snurrar [runt] för mig **2** vackla [~ *under a burden*]; ragla [~ *like a drunken man*]; *he ~ed under the blow* slaget fick honom att vackla

re-elect [ˌri:ɪ'lekt] välja om

re-election [ˌri:ɪ'lekʃ(ə)n] omval

re-enter [ˌri:'entə] **I** *vb itr* gå (komma, träda, stiga) in igen **II** *vb tr* åter gå (komma, träda, stiga) in i

re-entry [ri:'entrɪ] **1** återkomst, rentré; återinresa; ~ *visa* återinresevisum **2** återinträde; återinträde i [jord]atmosfären av satellit o.d. **3** ny anteckning; återinförande

re-examine [ˌri:ɪg'zæmɪn] undersöka (pröva, granska, förhöra, examinera) på nytt

ref [ref] vard. sport. (kortform av *referee*) **I** *s* domare; överdomare **II** *vb itr* o. *vb tr* döma

refectory [rɪ'fekt(ə)rɪ] refektorium; matsal i skola o.d.

refer [rɪ'fɜ:] **I** *vb tr* **1** hänskjuta, remittera [~ *a bill to a committee* (utskott); ~ *a patient*]; överlämna **2** ~ *a p. to* hänvisa (remittera) ngn till, råda ngn att vända sig till **3** kugga i tentamen; *be ~red in one subject* få rest i ett ämne **II** *vb itr*, ~ *to* a) hänvisa till; vädja till; vända sig till; *~ring to your letter* åberopande ert brev b) syfta på, hänföra sig till c) syfta på; *above ~red to* ovannämnd

referee [ˌrefə'ri:] **I** *s* **1** skiljedomare **2** sport. domare i t.ex. fotboll; [ring]domare i boxning; referee, överdomare i tennis **3** referens pers. **II** *vb itr* o. *vb tr* fungera som skiljedomare (domare) [i]; döma [~ *a football match*]

reference ['ref(ə)r(ə)ns] **1** hänvisning, hänskjutning; åberopande; avseende, syftning; *frame of* ~ referensram **2** anspelning; *make* ~ *to* omnämna, åsyfta, beröra **3** hänvändelse; *make* ~ *to* vända sig till; rådfråga; ~ *book* a) uppslagsbok, uppslagsverk; handbok b) referensexemplar; ~ *library* referensbibliotek **4** hänvisning i bok **5** referens äv. pers.; [tjänstgörings]betyg

referend|um [ˌrefə'rend|əm] (pl. äv. *-a* [-ə]) referendum, folkomröstning

referral [rɪ'fɜ:r(ə)l] **1** hänskjutande etc., jfr *refer I*; remittering [*the ~ of the patient to a specialist*], remiss **2** remitterad patient

refill [ss. vb ˌri:'fɪl, ss. subst. 'ri:fɪl] **I** *vb tr* åter fylla; tanka **II** *s* påfyllning; refill; patron till kulpenna m.m.; [*lead*] ~ blyertsstift till stiftpenna

refine [rɪ'faɪn] **I** *vb tr* **1** raffinera [~ *sugar* (*oil*)], förädla **2** förfina [~ *one's style*], förädla; raffinera **II** *vb itr*, ~ [*up*]*on* förfina [~ *upon one's methods*], förbättra

refined [rɪ'faɪnd] **1** raffinerad etc., jfr *refine I 1* **2** raffinerad, förfinad [~ *manners*, ~ *taste*]

refinement [rɪ'faɪnmənt] **1** raffinering, renande **2** förfining, elegans; *a man of* ~ en förfinad man **3** raffinemang

refinery [rɪ'faɪnərɪ] raffinaderi [*an oil* ~]

refit [ˌri:'fɪt] **I** *vb tr* [åter] utrusta; rusta upp [~ *a ship*] **II** *vb itr* [åter] sättas i stånd

reflate [rɪ'fleɪt] ekon. åstadkomma (genomföra) en reflation av (i) [~ *the economy*]

reflation [rɪ'fleɪʃ(ə)n] ekon. reflation

reflect [rɪ'flekt] **I** *vb tr* **1** reflektera, kasta tillbaka [~ *light*, ~ *heat*] **2** reflektera, [av]spegla äv. bildl. [*his face ~ed what was passing through his mind*]; *~ed image* spegelbild **3** ~ *credit* (*honour*) [*up*]*on a p.* lända ngn till heder **4** tänka på, betänka **II** *vb itr* **1** reflektera, tänka efter; ~ [*up*]*on* äv. överväga, tänka över, begrunda **2** ~ [*up*]*on* kasta en skugga över; ~ *favourably* [*up*]*on* ställa i en fördelaktig dager **3** reflekteras; återkastas; återspeglas

reflection [rɪ'flekʃ(ə)n] **1** reflexion, återkastning **2** spegelbild [*see one's ~ in a mirror*]; återsken, reflex **3** reflexion; eftertanke, begrundan; betraktelse[r]; *~s on* äv. funderingar kring; *on* [*further*] ~ vid närmare eftertanke (betänkande, övervägande) **4** kritik; fläck [*a ~ on a p.'s honour*]

reflector [rɪ'flektə] reflektor, reflex[anordning]; ~ *tape* reflexband

reflex ['ri:fleks] **I** *s* **1** reflex, reflexrörelse **2** se *reflection 2* **II** *adj* reflekterad; reflex- [~ *action*]; ~ *camera* spegelreflexkamera

reflexion [rɪ'flekʃ(ə)n] se *reflection*

reflexive [rɪ'fleksɪv] gram. **I** *adj* reflexiv **II** *s* **1** reflexiv[pronomen] **2** reflexivt verb

reform [rɪ'fɔ:m] **I** *vb tr* **1** reformera, [för]bättra **2** omvända [~ *a sinner*] **II** *vb itr* bättra sig **III** *s* reform

reformation [ˌrefə'meɪʃ(ə)n] **1** reformation; förbättring **2** *the R~* hist. reformationen

reformatory [rɪ'fɔ:mət(ə)rɪ] **I** *adj* reformatorisk; uppfostrande **II** *s* amer. (förr äv. britt.) ungdomsvårdsskola

reformer [rɪ'fɔ:mə] reformator; reformvän, reformivrare

1 refrain [rɪ'freɪn] refräng; omkväde

2 refrain [rɪ'freɪn] avhålla sig, avstå [~ *from hostile action*]; ~ *from a th.* (*doing a th.*) äv.

låta bli ngt (att göra ngt); *please ~ from smoking* rökning undanbedes
refresh [rɪ'freʃ] **1** friska upp; liva (pigga) upp; *~ed* äv. utvilad; *~ oneself* a) styrka sig, pigga upp sig b) förfriska sig, läska sig; *~ one's memory* friska upp minnet **2** bättra på [*~ the paintwork*]
refreshing [rɪ'freʃɪŋ] **1** uppfriskande, uppiggande [*a ~ sleep*]; läskande [*a ~ drink*] **2** välgörande [*~ simplicity*], uppfriskande
refreshment [rɪ'freʃmənt] **1** uppfriskning, vederkvickelse **2** vanl. pl. *~s* förfriskningar; *~ room*[*s*] restaurang, servering, byffé på järnvägsstation
refrigerate [rɪ'frɪdʒəreɪt] **1** svalka; kyla [av] **2** frysa [in] [*~ provisions*]
refrigeration [rɪˌfrɪdʒə'reɪʃ(ə)n] **1** [av]kylning **2** [in]frysning
refrigerator [rɪ'frɪdʒəreɪtə] **1** kylskåp; kylrum; *~ car* (*van*) kylvagn **2** kylare kondensor; kylapparat
refuel [ˌri:'fjʊəl] tanka; fylla på [nytt bränsle]
refuge ['refju:dʒ] **1** tillflykt [äv. *place of ~*]; *seek ~* söka sin tillflykt, söka skydd [*from* undan, från; *in, at* i, på; *with* hos] **2** refug
refugee [ˌrefjʊ'dʒi:] isht polit. flykting; *~ camp* flyktingläger
refund [ss. vb ri:'fʌnd, ss. subst. 'ri:fʌnd] **I** *vb tr* återbetala [*~ money*]; ersätta, gottgöra ngn för förlust m.m. **II** *s* återbetalning; återbäring; ersättning, gottgörelse
refurbish [ˌri:'fɜ:bɪʃ] putsa (polera) upp; snygga upp; renovera
refusal [rɪ'fju:z(ə)l] **1** vägran; avslag **2** *give a p.* [*the*] *first ~ of* ge ngn förköpsrätt till
refuse [ss. vb rɪ'fju:z, ss. subst. 'refju:s] **I** *vb tr* **1** vägra, neka; förvägra **2** avslå [*~ a request*], tillbakavisa, avvisa [*~ a candidate*], refusera [*~ an offer*], säga nej till [*~ an office*], avböja; ge ngn korgen **II** *vb itr* vägra, neka, säga nej **III** *s* skräp, avskräde [äv. *~ matter*]; drägg, avskum [*the ~ of society*]; *~ chute* sopnedkast; *~ collection* sophämtning, renhållning; *~ dump* (*tip*) soptipp
refute [rɪ'fju:t] vederlägga
regain [rɪ'geɪn, ri:'g-] **1** återfå [*~ consciousness*], återvinna; *~ one's feet* (*footing*) komma på fötter igen; få fotfäste igen **2** åter uppnå
regal ['ri:g(ə)l] kunglig; majestätisk
regale [rɪ'geɪl] **I** *vb tr* traktera, underhålla [*~ with stories*] **II** *vb itr* o. *vb rfl*, *~* [*oneself*] *with* (*on*) kalasa på, njuta av
regalia [rɪ'geɪljə] a) regalier, [kungliga] insignier b) full stass
regard [rɪ'gɑ:d] **I** *vb tr* **1** anse, betrakta [*I ~ him as the best*] **2** uppfatta, se på [*how is he ~ed locally?*], betrakta [*I ~ him with suspicion* (misstro)] **3** angå, beträffa; *as ~s* vad... beträffar, beträffande **II** *s* **1** avseende, hänseende; *in this ~* i detta hänseende (avseende) **2** hänsyn; aktning; *I have* [*a*] *great ~ for him* jag hyser (har) stor aktning för honom; *he has little ~ for* han tar föga hänsyn till; han hyser föga aktning för; *pay ~ to* ta hänsyn till, fästa avseende vid, bry sig om **3** pl. *~s* hälsningar; *give him my* [*best*] *~s* hälsa honom [så mycket] från mig
regarding [rɪ'gɑ:dɪŋ] beträffande, rörande, angående
regardless [rɪ'gɑ:dləs] **I** *adj* utan hänsyn [*~ of* (till) *expense*], obekymrad **II** *adv* vard. under alla omständigheter
regatta [rɪ'gætə] sport. regatta, kappsegling
regency ['ri:dʒ(ə)nsɪ] regentskap; tillförordnad regering; interimsregering; förmyndarregering
regenerate [ss. adj. rɪ'dʒenərət, ss. vb rɪ'dʒenəreɪt] **I** *adj* pånyttfödd **II** *vb tr* o. *vb itr* bildl. pånyttföda[s]; förnya[s]; biol. m.m. regenerera[s]; föryngra[s]
regent ['ri:dʒ(ə)nt] **I** *s* **1** regent **2** amer. medlem av styrelsen för delstatsuniversitet **II** *adj* regerande; *the Prince R~* prinsregenten
reggae ['regeɪ] reggae västindisk musikform
regime [reɪ'ʒi:m, '--] **1** regim, styrelse **2** system, skick
regiment [ss. subst. 'redʒɪmənt, ss. vb 'redʒɪment] **I** *s* mil. regemente; bildl. äv. armé [*a ~ of ants*] **II** *vb tr* **1** mil. formera i ett regemente (regementen) **2** organisera; disciplinera; likrikta
regimental [ˌredʒɪ'mentl] regements-; *~ band* regementsorkester
regimentation [ˌredʒɪmen'teɪʃ(ə)n] organisering; likriktning
region ['ri:dʒ(ə)n] **1** region, trakt; bildl. äv. rymd; *the abdominal ~* magtrakten **2** geogr. (polit.) distrikt i Skottland motsv. *county* i England o. Wales
regional ['ri:dʒənl, -dʒnəl] **1** regional; lokal **2** regionalistisk
register ['redʒɪstə] **I** *s* **1** register, förteckning; liggare; *~ of voters* röstlängd; *parish ~* kyrkobok **2** mus. a) register; tonläge b) [orgel]register **3** spjäll; tekn. regulator **4** registreringsapparat; mätare; räkneverk; *cash ~* kassaapparat **II** *vb tr* **1** [in]registrera; anteckna; skriva in; anmäla [*~ the birth of a child*]; protokollföra; ung. mantalsskriva; *~ oneself* skriva in sig; registrera sig; anmäla sig; *~ one's vote* avge sin röst; *~ed nurse* legitimerad sjuksköterska; *~ed trade mark* inregistrerat varumärke **2** lägga på minnet; registrera **3** järnv. pollettera

4 post. rekommendera; *~ed letter* rekommenderat brev, rek **5** om instrument registrera, [ut]visa **6** uttrycka [*her face ~ed surprise*] **III** *vb itr* **1** skriva in sig [*~ at a hotel*], anmäla sig [*~ for* (till) *a course*] **2** uppfatta

registrar [ˌredʒɪ'strɑː, '---] **1** registrator; *court ~* ung. inskrivningsdomare **2** borgerlig vigselförrättare; *~'s office* folkbokföringsmyndighet; *get married before the ~* gifta sig borgerligt

registration [ˌredʒɪ'streɪʃ(ə)n] **1** [in]registrering; inskrivning; ung. folkbokföring; *~ document* bil., ung. besiktningsinstrument **2** post. rekommendation

registry ['redʒɪstrɪ] **1** *~* [*office*] registreringskontor, inskrivningskontor; byrå för borgerlig vigsel **2** sjö. registrering; *port of ~* registreringsort, hemort

regret [rɪ'gret] **I** *vb tr* **1** beklaga; ångra [*I ~ doing* (att jag gjorde) *it*]; *~ it* äv. ångra sig; *we ~ to inform you* vi måste tyvärr meddela [Er]; *I ~ not having been able to come* jag beklagar (är ledsen) att jag inte kunde komma; *it is to be ~ted* det är att beklaga (beklagligt) **2** sakna **II** *s* **1** ledsnad, beklagande; ånger; *I have no ~s* jag ångrar ingenting; *much to my ~* [*he never came back*] till min stora sorg... **2** saknad

regretfully [rɪ'gretf(ʊ)lɪ] **1** ångerfullt, beklagande **2** beklagligt nog

regrettable [rɪ'gretəbl] beklaglig

regrettably [rɪ'gretəblɪ] beklagligt nog

regular ['regjʊlə] **I** *adj* **1** regelbunden, reguljär; fast, stadig [*~ work*]; jämn [*~ breathing*]; vanlig [*the ~ route*]; ordentlig; *~ army* stående (reguljär) armé; *~ customer* stamkund, stadig (fast) kund; *at ~ intervals* med jämna mellanrum **2** reglementarisk, stadgeenlig [*a ~ procedure*], formlig, korrekt **3** gram. el. matem. regelbunden **4** vard. riktig [*a ~ hero*], äkta, veritabel [*a ~ rascal*]; rejäl; *~ guy* hedersprick **5** normal; medelstor; regular, 96-oktanig [*~ petrol* (*gasolene*)] **II** *s* **1** vanl. pl. *~s* reguljära trupper; stamanställda (fast anställda) [soldater] **2** vard. stamkund; stamgäst **3** vard. fast anställd [person]

regularity [ˌregjʊ'lærətɪ] regelbundenhet; *~ of attendance* regelbunden närvaro

regularly ['regjʊləlɪ] regelbundet etc., jfr *regular I*; vard. riktigt, ordentligt

regulate ['regjʊleɪt] reglera; normera; styra; rucka [*~ a watch*], justera, ställa in

regulation [ˌregjʊ'leɪʃ(ə)n] **1** reglering, reglerande etc., jfr *regulate* **2 a)** regel, föreskrift, bestämmelse; pl. *~s* äv. [ordnings]stadga, reglemente, förordning [*traffic ~s*] **b)** reglementerad, reglementsenlig [*~ uniform*]

rehabilitate [ˌriːə'bɪlɪteɪt, ˌriːhə-] **1** rehabilitera äv. med.; [åter]upprätta; återanpassa [till samhället] **2** återställa; restaurera

rehabilitation ['riːəˌbɪlɪ'teɪʃ(ə)n, 'riːhə-] **1** rehabilitering äv. med.; [åter]upprättelse; återanpassning [till samhället] **2** återställande; restauration

rehash [ss. vb ˌriː'hæʃ, ss. subst. 'riːhæʃ] **I** *vb tr* **1** kok. göra ett uppkok på, bildl. äv. stuva om **2** amer. gå (snacka) igenom [efteråt] **II** *s* bildl. omstuvning; uppkok

rehearsal [rɪ'hɜːs(ə)l] **1** teat. repetition; *dress ~* generalrepetition, genrep **2** upprepning; uppräkning, återgivande

rehearse [rɪ'hɜːs] **I** *vb tr* **1** repetera [*~ a part* (*play*)], öva [in] [*~ one's lines* (repliker)] **2** upprepa; räkna upp, gå igenom **II** *vb itr* repetera

rehouse [ˌriː'haʊz] skaffa ny bostad åt

reign [reɪn] **I** *s* regering; regeringstid; *~ of terror* skräckvälde, skräckregemente **II** *vb itr* regera, råda äv. bildl. [*silence ~ed everywhere*]; *she was the ~ing beauty* hon var den mest firade skönheten; *~ supreme* härska enväldigt; vara allenarådande; vara helt suverän

reimburse [ˌriːɪm'bɜːs] återbetala, gottgöra [*~ a p.* [*for*] *his costs*], täcka

rein [reɪn] **I** *s* **1** tygel; *draw ~* hålla in häst; sakta farten; *give* [*free*] *~ to one's imagination* ge fria tyglar åt (släppa lös) sin fantasi; *hold the ~s* bildl. hålla i tyglarna **2** pl. *~s* sele för barn **II** *vb tr* tygla äv. bildl.

reincarnation [ˌriːɪnkɑː'neɪʃ(ə)n] reinkarnation

reindeer ['reɪndɪə] (pl. lika) zool. ren

reinforce [ˌriːɪn'fɔːs] förstärka; bildl. underbygga; *~d concrete* armerad betong

reinforcement [ˌriːɪn'fɔːsmənt] **1** förstärkning **2** tekn. armering

reinstate [ˌriːɪn'steɪt] återinsätta; återställa

reinstatement [ˌriːɪn'steɪtmənt] återinsättande; återställande

reintroduce ['riːˌɪntrə'djuːs] återinföra; presentera (introducera) på nytt

reiterate [riː'ɪtəreɪt] upprepa [på nytt (gång på gång)]

reject [ss. vb rɪ'dʒekt, ss. subst. 'riːdʒekt] **I** *vb tr* förkasta [*~ a scheme*], avslå [*~ a request*], tillbakavisa [*~ an offer*]; refusera [*~ a book*]; kassera; ogilla **II** *s* **1** utskottsvara, defekt vara **2** utslagen [person]

rejection [rɪ'dʒekʃ(ə)n] förkastande, avslag, avvisande; refusering [*the ~ of a book*]; kassering; avslag

rejoice [rɪ'dʒɔɪs] **I** *vb tr* glädja **II** *vb itr* glädja sig

rejoicing [rɪˈdʒɔɪsɪŋ] glädje, jubel; pl. *~s* festligheter, [glädje]fest, jubel; *day of ~* glädjedag

rejoin [ˌriːˈdʒɔɪn, i bet. *3* rɪˈdʒɔɪn] **1** åter sammanfoga **2** återförena sig med **3** genmäla, svara, replikera

rejoinder [rɪˈdʒɔɪndə] genmäle, replik

rejuvenate [rɪˈdʒuːvəneɪt] **I** *vb tr* föryngra; vitalisera **II** *vb itr* **1** föryngra, verka föryngrande **2** föryngras

relapse [rɪˈlæps] **I** *vb itr* **1** återfalla [*~ into* (i, till) *crime* (brottslighet)]; åter försjunka [*~ into* (i) *silence*] **2** med. få återfall (recidiv) **II** *s* återfall

relate [rɪˈleɪt] **I** *vb tr* **1** berätta, skildra **2** sätta (ställa) i relation (samband), relatera; *be ~d to* äv. stå i samband med **II** *vb itr, ~ to* stå i relation till, stå i samband med, hänföra sig till; *relating to* angående, om, som avser

related [rɪˈleɪtɪd] besläktad; *closely ~* nära släkt, närbesläktad

relation [rɪˈleɪʃ(ə)n] **1** berättelse, skildring **2** relation; samband; *in ~ to* a) i förhållande (relation) till b) med hänsyn till, angående [äv. *with ~ to*] **3** vanl. pl. *~s* **a**) [inbördes] förhållande, relationer; *their ~s are rather strained* det råder ett ganska spänt förhållande mellan dem **b**) förbindelse[r]; *break off diplomatic ~s* avbryta de diplomatiska förbindelserna **4** släkting [*a ~ of mine*]

relationship [rɪˈleɪʃ(ə)nʃɪp] **1** förhållande [*the ~ between buyer and seller*], relation[er] **2** släktskap

relative [ˈrelətɪv] **I** *adj* **1** relativ [*everything is ~*]; *he did it with ~ ease* han gjorde det förhållandevis (relativt) lätt **2** gram. relativ **3** *~ to* a) som hänför sig till, som har avseende på b) i förhållande (relation) till; *be ~ to* stå i relation till, motsvara **II** *s* **1** släkting **2** gram. relativ[pronomen]; relativt adverb

relatively [ˈrelətɪvlɪ] relativt; *~ speaking* relativt sett

relax [rɪˈlæks] **I** *vb tr* **1** slappa, slappna av i [*~ one's muscles*]; lossa [på] [*~ one's hold* (*grip*)]; verka avslappnande på **2** släppa efter på [*~ discipline*]; mildra [*~ one's severity*], lätta på [*~ restrictions*]; dämpa **3** minska [*~ one's efforts*] **II** *vb itr* **1** koppla av [*let's ~ for an hour*]; slappna av [*learn to ~*]; lugna [ner] sig; [*feel*] *~ed* ...avspänd (avslappnad) **2** slappas, förslappas [*we must not ~ in our efforts*] **3** mildras; dämpas

relaxation [ˌriːlækˈseɪʃ(ə)n] **1** avkoppling, rekreation; förströelse **2** avslappnande; avslappning; mildrande; *~ of discipline* uppluckring av disciplinen

relaxing [rɪˈlæksɪŋ] avslappnande, avkopplande

1 relay [ˈriːleɪ, ss. vb äv. rɪˈleɪ] **I** *s* **1** skift [*work in ~s*], arbetslag; ombyte **2** sport., *~* [*race*] stafett[löpning], stafettlopp **3** fys. el. tekn. relä; radio. återutsändning **II** *vb tr* radio. reläa, återutsända

2 relay [ˌriːˈleɪ] (*relaid relaid*) lägga om

release [rɪˈliːs] **I** *s* **1** frigivning, frisläppande; *~ on probation* jur. villkorlig frigivning **2** utsläpp, släppande, lossande; fällning [*~ of bombs*]; frigörande äv. bildl.; utlösningsmekanism [äv. *~ gear*] **3** befrielse, frigörelse **4** [ut]släppande [*~ of a film*]; publicering, offentliggörande; utgåva; *press ~* pressrelease, pressmeddelande för publicering vid viss tidpunkt **II** *vb tr* **1** frige, släppa [lös] **2** släppa [*~ one's hold*], lossa [på] [*~ the handbrake*]; frigöra [*~ a parachute*] **3** befria, lösa [*~ a p. from an obligation*], frikalla, frigöra **4** släppa ut [*~ a film*]; [låta] publicera, [låta] offentliggöra [*~ news*]

relegate [ˈreləgeɪt] **1** hänskjuta, överlämna **2** degradera; sport. flytta ned

relegation [ˌreləˈgeɪʃ(ə)n] **1** hänskjutande, överlämnande; delegerande **2** förvisning; degradering; sport. nedflyttning

relent [rɪˈlent] vekna

relentless [rɪˈlentləs] obeveklig

relevance [ˈreləvəns] relevans, betydelse

relevant [ˈreləvənt] relevant, av betydelse, som hör till saken; [*study the facts*] *~ to the case* ...som rör fallet

reliability [rɪˌlaɪəˈbɪlətɪ] pålitlighet; driftsäkerhet

reliable [rɪˈlaɪəbl] pålitlig; driftsäker

reliably [rɪˈlaɪəblɪ] pålitligt; *we are ~ informed that* från säker källa (tillförlitligt håll) rapporteras att

reliance [rɪˈlaɪəns] tillit, förtröstan; *have* (*place, put*) *~ on* (*upon, in*) hysa tillit till

reliant [rɪˈlaɪənt] **1** tillitsfull **2** beroende

relic [ˈrelɪk] **1** relik **2** kvarleva; minnesmärke; *~ of the past* fornminne; kvarleva från det förgångna **3** pl. *~s* kvarlevor, stoft

relief [rɪˈliːf] **1** lättnad, lindring **2** understöd; bistånd, hjälp; amer. socialhjälp [äv. *public ~*]; *~ measures* hjälpaktion, hjälpåtgärder; *~ work* beredskapsarbete[n], nödhjälpsarbete[n] **3** avdrag; lättnad [*tax ~*] **4** undsättning [*~ of a besieged town*]; befrielse **5** avhjälpande [*~ of unemployment*]; avlastning, hjälp; avlösning; *run a ~ train* sätta in ett extratåg **6** omväxling; *by way of ~* som omväxling; *by way of light ~* som avkoppling **7** konst. el. boktr. relief äv. bildl.; *~ map* reliefkarta

relieve [rɪ'li:v] **1** lätta; lindra, avhjälpa [*~ distress, ~ suffering*], mildra; *~ one's feelings* ge luft (utlopp) åt sina känslor, avreagera sig **2** understödja, bistå **3** undsätta; befria **4** avlösa [*~ the guard*] **5** ge omväxling åt; lätta upp **6** *~ oneself* förrätta sina [natur]behov **7** *~ a p. of a th.* a) befria ngn från ngt, hjälpa ngn med ngt [*let me ~ you of your suitcase*] b) skämts. ta (knycka) ngt från ngn [*~ a p. of his wallet*] c) befria (frita, lösa) ngn från ngt [*~ a p. of his duties* (*responsibility*)], frånta ngn ngt
religion [rɪ'lɪdʒ(ə)n] religion; skol. religionskunskap; *minister of ~* protestantisk präst
religious [rɪ'lɪdʒəs] **I** *adj* **1** religiös; gudfruktig, from; andlig; *~ instruction* religionskunskap, religionsundervisning **2** som hör till ett kloster, kloster- [*~ life*]; *~ house* kloster **3** samvetsgrann; noga **II** (pl. lika) *s* klosterbroder, munk, nunna
relinquish [rɪ'lɪŋkwɪʃ] **1** lämna, avstå från [*~ a right*], avträda; efterskänka; frångå [*~ a plan*], ge upp, låta fara [*~ a hope*] **2** släppa [*~ one's hold*]
relish ['relɪʃ] **I** *s* **1** [angenäm] smak; bildl. äv. krydda, piff **2** smak; aptit; [väl]behag; *with ~* med förtjusning (nöje) **3** kok.: a) smaktillsats; kryddad sås b) slags pickles på t.ex. gurka o. majonäs c) aptitretare **II** *vb tr* njuta av, uppskatta
relive [ˌri:'lɪv] leva om [*~ one's life*]; återuppleva [*~ a th. in the memory*]
reload [ˌri:'ləʊd] **1** lasta (lassa) om **2** ladda om
relocate [ˌri:lə(ʊ)'keɪt] omlokalisera[s]; [tvångs]förflytta[s]
reluctance [rɪ'lʌktəns] motsträvighet
reluctant [rɪ'lʌktənt] motsträvig
rely [rɪ'laɪ], *~ [up]on* **a**) lita på, förtrösta på **b**) vara beroende av
remain [rɪ'meɪn] **1** återstå; finnas (vara, bli, leva) kvar; restera; *it ~s to be seen* det återstår att se **2** förbli; *I ~, Yours truly* i brev jag förblir Er förbundne **3** stanna [kvar]; stå kvar; *~ behind* stanna kvar som siste man
remainder [rɪ'meɪndə] **I** *s* **1** återstod **2** matem. rest **3** pl. *~s* restexemplar, restupplaga **II** *vb tr* sälja ut, realisera restupplaga
remains [rɪ'meɪnz] **1** återstod[er], kvarleva **2** kvarlevor [*his mortal ~*]
remake [ˌri:'meɪk] **I** (*remade remade*) *vb tr* **1** a) göra om b) sy om **2** göra en nyinspelning av [*~ a film*] **II** *s* nyinspelning av film
remand [rɪ'mɑ:nd] **I** *vb tr* återsända; isht jur. skicka tillbaka [i häkte]; *~ on bail* frige mot borgen **II** *s* jur.: a) återsändande [i häkte] b) återförvisning av mål; *~ centre* ungdomshäkte; *be kept under ~* sitta i rannsakningshäkte
remark [rɪ'mɑ:k] **I** *s* anmärkning; *make a ~* (*some ~s*) fälla ett yttrande, yttra sig; *pass ~s on* (*about*) göra anmärkningar rörande (med avseende på), kommentera **II** *vb tr* **1** anmärka, yttra **2** iaktta, lägga märke till **III** *vb itr*, *~ [up]on* kommentera; anmärka på [*~ [up]on the faults of others*]
remarkable [rɪ'mɑ:kəbl] anmärkningsvärd, märklig, beaktansvärd; utomordentlig
remarry [ˌri:'mærɪ] gifta om sig [med]
remedial [rɪ'mi:djəl] läkande; [av]hjälpande; hjälp- [*~ measures*]; *~ class* specialklass
remedy ['remɪdɪ] **I** *s* botemedel; utväg; *household* (*home*) *~* huskur **II** *vb tr* bota sjukdomar m.m.; råda bot på (för), avhjälpa [*~ a deficiency*], rätta till
remember [rɪ'membə] **I** *vb tr* minnas, komma ihåg; erinra sig, påminna sig; lägga på minnet; ha i åtanke; *~ me to them* hälsa dem [så mycket] från mig **II** *vb itr* minnas, komma ihåg; *not that I ~* inte vad (såvitt) jag minns
remembrance [rɪ'membr(ə)ns] **1** minne; *R~ Day* (*Sunday*) firas i november till minne av de stupade under världskrigen; *in ~ of* till minne[t] av **2** minne, minnessak
remind [rɪ'maɪnd] påminna; *which ~s me* [och] apropå det, förresten
reminder [rɪ'maɪndə] påminnelse, erinran; kravbrev
reminisce [ˌremɪ'nɪs] minnas [gamla (gångna) tider]; prata [gamla] minnen
reminiscence [ˌremɪ'nɪsns] **1** minne, hågkomst; pl. *~s* minnen [*of* från]; memoarer **2** reminiscens
reminiscent [ˌremɪ'nɪsnt], *~ of* som påminner (erinrar) om
remiss [rɪ'mɪs] försumlig
remission [rɪ'mɪʃ(ə)n] **1** förlåtelse; tillgift **2** efterskänkning, eftergift [*~ of a debt*]; *~ of a sentence* straffeftergift
remit [rɪ'mɪt] **I** *vb tr* **1** isht om Gud förlåta [*~ sins*] **2** efterskänka [*~ a debt*] **3** remittera, hänvisa; jur. återförvisa **4** hand. remittera, översända [*~ money*], tillställa **II** *vb itr* hand. remittera pengar; *kindly ~ by cheque* var vänlig betala med checkremissa
remittance [rɪ'mɪt(ə)ns] **1** remittering av pengar **2** remissa
remnant ['remnənt] rest; hand. stuv[bit]
remonstrate ['remənstreɪt, rɪ'mɒns-] *vb itr* protestera
remorse [rɪ'mɔ:s] samvetskval
remorseful [rɪ'mɔ:sf(ʊ)l] ångerfull
remorseless [rɪ'mɔ:sləs] samvetslös; hjärtlös; obeveklig [*a ~ fate*]
remote [rɪ'məʊt] **1** avlägsen i tid, i rum o. bildl.; fjärran; avsides [liggande

(belägen)]; ~ *control* fjärrstyrning, fjärrkontroll, fjärrmanövrering; *a ~ possibility* en ytterst liten möjlighet **2** otillgänglig [*his ~ manner*]

emote-controlled [rɪˌməʊtkən'trəʊld] fjärrstyrd, fjärrmanövrerad [*~ aircraft*]

emotely [rɪ'məʊtlɪ] **1** avlägset, fjärran **2** inte tillnärmelsevis

emoteness [rɪ'məʊtnəs] avlägsenhet

emould [ˌri:'məʊld] stöpa om

emovable [rɪ'mu:vəbl] **1** avsättlig **2** flyttbar **3** urtagbar, löstagbar

emoval [rɪ'mu:v(ə)l] **1** flyttning; avflyttning; ~ *van* flyttbil **2** avlägsnande; bortförande; urtagning; bortskaffande **3** avsättning

emove [rɪ'mu:v] **I** *vb tr* **1** flytta [bort (undan)]; förflytta; föra (forsla) bort; avlägsna [*~ stains*]; ta av [*~ one's coat*]; skaffa undan (bort); röja undan [*~ an obstacle*; *~ the traces*], röja ur vägen; *~ furniture* flytta möbler, utföra flyttningar **2** avsätta, avskeda **3** skol. flytta [upp] [*~ into* (till) *the sixth form*] **II** *vb itr* flytta; avflytta; dra bort, försvinna **III** *s* **1** skol. [upp]flyttning **2** grad; *only one* (*a*) *~ from* blott ett steg från **3** släktled

emover [rɪ'mu:və] **1** [*furniture*] ~ flyttkarl **2** remover; ss. efterled i sms. -urtagningsmedel [*stain ~*], -borttagningsmedel [*hair ~*], -remover [*nail-varnish ~*]

emunerate [rɪ'mju:nəreɪt] ersätta, belöna [*he was ~d for his services*]

emuneration [rɪˌmju:nə'reɪʃ(ə)n] ersättning; lön, belöning

enaissance [rə'neɪs(ə)ns] **1** renässans; *the R~* hist. renässansen **2** pånyttfödelse

ename [ˌri:'neɪm] ge nytt namn

end [rend] (*rent rent*) litt. slita; splittra; riva (slita) sönder

ender ['rendə] **1** återgälda; *~ thanks* framföra tack, tacka **2** återge t.ex. roll; tolka; framföra [*~ a piece of music*] **3** återge [*~ in* (på) *another language*], översätta [*~ into* (till) *Swedish*] **4** *~ [up]* överlämna, ge upp [*~ up a fortress*], [ut]lämna **5** överlämna; avlämna, avge [*~ an answer*]; anföra [*~ a reason*]; *~ an account of* a) lämna redovisning för, avlägga räkenskap för b) lämna (avge) redogörelse för **6** erlägga [*~ tribute*], visa [*~ honour* (*obedience*)], bevisa, ådagalägga; *~ assistance* (*help*) lämna (ge) hjälp **7** göra [*this ~s it probable*, *~ superfluous*]; *~ impossible* omöjliggöra

endering ['rend(ə)rɪŋ] återgäldande; återgivande; framförande; översättning

endezvous ['rɒndɪvu:] (pl. *rendezvous* [-z]) rendezvous, [avtalat] möte, träff; samlingsplats [äv. *place of ~*]

renegade ['renɪgeɪd] **I** *s* renegat, överlöpare, avfälling **II** *vb itr* avfalla

renege [rɪ'ni:g, -'neɪg] **1** kortsp. inte bekänna färg **2** isht amer. bryta ett löfte (löftet)

renegotiate [ˌri:nɪ'gəʊʃɪeɪt] förhandla på nytt [om]

renew [rɪ'nju:] **I** *vb tr* **1** återuppliva, återuppväcka; förnya; *~ed strength* friska (nya, förnyade) krafter **2** ersätta, byta, förnya **3** förnya [*~ an attack*; *~ a loan* (*passport*)]; upprepa [*~ an offer*]; förlänga **II** *vb itr* förnyas; börja på nytt

renewal [rɪ'nju:əl] **1** förnyande; förnyelse; byte; återupplivande; upprepning; återupptagande **2** förlängning, prolongation, omsättning av lån o.d.

renounce [rɪ'naʊns] *vb tr* **1** avsäga sig [*~ a claim* (*right*)], avstå från, ge upp [*~ an attempt*] **2** förneka, inte vilja kännas vid [*~ a friend* (*one's son*)] **3** kortsp. vara renons i

renovate ['renə(ʊ)veɪt] renovera; förnya, återställa; rusta upp

renovation [ˌrenə(ʊ)'veɪʃ(ə)n] renovering; förnyelse, återställande; upprustning

renown [rɪ'naʊn] rykte

renowned [rɪ'naʊnd] ryktbar

1 rent [rent] imperf. o. perf. p. av *rend*

2 rent [rent] spricka; reva; rämna; klyfta

3 rent [rent] **I** *s* hyra; arrende; jur. avgäld; *collect the ~[s]* inkassera hyran (hyrorna) **II** *vb tr* **1** hyra, arrendera **2** hyra ut [äv. *~ out*]

rental ['rentl] **1** hyra; arrende[avgift]; uthyrnings-; *telephone ~* telefonavgift, abonnemangsavgift **2** hyresintäkt

renunciation [rɪˌnʌnsɪ'eɪʃ(ə)n] **1** avsägelse, uppgivande; avsvärjelse **2** förnekande **3** försakelse **4** självförnekelse

reopen [ˌri:'əʊp(ə)n] åter öppna[s]; börja på nytt; återuppta[s]

reorganize [ˌri:'ɔ:gənaɪz] omorganisera, reorganisera; lägga om; ombilda; nydana; sanera [*~ finances*]

1 rep [rep] rips tygsort

2 rep [rep] (kortform för *representative*); isht hand. vard. representant; säljare

3 rep [rep] amer. vard., se *reputation*

repair [rɪ'peə] **I** *vb tr* **1** reparera, sätta i stånd **2** bildl. reparera, rätta till [*~ an error*]; gottgöra, ersätta [*~ a loss*] **II** *s* **1** reparation, lagning; återställande; läkning; *~ kit* (*outfit*) verktygslåda; *~ shop* reparationsverkstad; *it is under ~* den är under reparation (lagning) **2** [gott] skick (stånd); *keep in ~* hålla i [gott] skick; underhålla; *in a good* (*bad*) *state of ~* i gott (dåligt) skick, bra (illa) underhållen

reparation [ˌrepə'reɪʃ(ə)n] gottgörelse; upprättelse; isht pl. *~s* [krigs]skadestånd

repartee [ˌrepɑːˈtiː] kvickt (bitande) svar; slagfärdighet; *he is quick at* ~ han är snabb i repliken (slagfärdig)
repast [rɪˈpɑːst] litt. måltid; *a good* ~ ett gott mål [mat]
repatriate [ss. vb riːˈpætrɪeɪt, ss. subst. -ɪət] **I** *vb tr* repatriera, sända hem **II** *s* repatrierad [person]
repatriation [ˌriːpætrɪˈeɪʃ(ə)n] repatriering, hemsändning
repay [riːˈpeɪ, rɪˈp-] (*repaid repaid*) **1** återbetala, betala tillbaka (igen) [~ *a loan*] **2** återgälda [~ *a visit*]; löna, ersätta
repayment [riːˈpeɪmənt, rɪˈp-] **1** återbetalning **2** återgäldande; vedergällning; lön
repeal [rɪˈpiːl] **I** *vb tr* återkalla, avskaffa [~ *a law*] **II** *s* återkallelse, avskaffande
repeat [rɪˈpiːt] **I** *vb tr* **1** repetera, upprepa; göra (säga m.m.) om, ta om äv. mus.; förnya **2** läsa upp [ur minnet] **3** föra (bära) vidare; återge; *the story won't bear ~ing* historien lämpar sig inte för återgivning (att återges) **4** radio. el. TV. ge (sända) i repris; *be ~ed* gå (ges) i repris **II** *vb rfl,* ~ *oneself* upprepa sig [själv] [*history ~s itself*]; återkomma **III** *vb itr* upprepas, återkomma; *do you find that onions ~?* får du uppstötningar av lök? **IV** *s* **1** repeterande, upprepning **2** ~ [*order*] efterbeställning, förnyad beställning **3** radio. el. TV. repris [äv. ~ *broadcast*]; ~ *performance* repris[föreställning] **4** mus. repris[tecken]
repeatedly [rɪˈpiːtɪdlɪ] upprepade gånger, gång på gång
repel [rɪˈpel] **1** driva tillbaka [~ *an invader*], slå tillbaka [~ *an attack*]; stå emot [~ *temptation*] **2** stå emot, avvisa [~ *moisture*] **3** avvisa, tillbakavisa [~ *a suggestion*] **4** verka frånstötande på [*his beard ~led her*], stöta bort (ifrån sig) [*he ~led her with his meanness*]
repellent [rɪˈpelənt] **I** *adj* **1** tillbakadrivande; avvisande **2** frånstötande **II** *s* insektsmedel
repent [rɪˈpent] **I** *vb tr* ångra **II** *vb itr* ångra sig; ~ *of a th.* ångra ngt
repentance [rɪˈpentəns] ånger, ruelse
repentant [rɪˈpentənt] ångerfull, botfärdig
repercussion [ˌriːpəˈkʌʃ(ə)n] **1** återstudsning; genljud **2** bildl. återverkan; isht pl. *~s* återverkningar; efterverkningar, efterdyningar; *have ~s on* få återverkningar på, återverka på
repertoire [ˈrepətwɑː] repertoar
repertory [ˈrepət(ə)rɪ] **1** repertoar; ~ *company* ensemble vid [en] repertoarteater; ~ *theatre* repertoarteater **2** bildl. repertoar, register
repetition [ˌrepəˈtɪʃ(ə)n] upprepning
repetitious [ˌrepəˈtɪʃəs] ständigt återkommande; enformig, tjatig
repetitive [rɪˈpetətɪv] **1** upprepande **2** enformig, tjatig
rephrase [ˌriːˈfreɪz] formulera om
replace [rɪˈpleɪs, riːˈp-] **1** sätta (ställa, lägga) tillbaka (på plats); återinsätta; återställa, återanskaffa, ersätta [~ *a broken cup*]; ~ *the receiver* lägga på [telefon]luren **2** avlösa; ersätta; byta ut; ~ *Brown by Smith* ersätta Brown med Smith
replaceable [rɪˈpleɪsəbl] ersättlig
replacement [rɪˈpleɪsmənt, riːˈp-] **1** åter[in]sättande; återställande; ersättande; ersättning; avlösning; utbyte [*the ~ of worn-out parts*]; ~ *part* reservdel **2** ersättare; pl. *~s* mil. reserver
replay [ss. vb ˌriːˈpleɪ, ss. subst. ˈriːpleɪ] **I** *vb tr* spela om **II** *s* omspelning; sport. omspel; *action* (isht amer. *instant*) ~ TV. repris [i slow-motion]
replenish [rɪˈplenɪʃ] åter fylla; komplettera
replete [rɪˈpliːt] **1** fylld **2** [över]mätt **3** överfylld, proppfull
replica [ˈreplɪkə] konst. replik; bildl. [exakt] kopia
reply [rɪˈplaɪ] **I** *vb tr* o. *vb itr* svara, genmäla; ~ *to* svara [på], besvara **II** *s* svar; ~ *paid* på brev mottagaren betalar portot; svar betalt
report [rɪˈpɔːt] **I** *vb tr* **1** rapportera, redogöra för; meddela; ~ *oneself* anmäla sig (sin närvaro), inställa sig [*to* för, hos] **2** berätta; *it is ~ed that* det berättas (heter) att, det går ett rykte att; *~ed speech* indirekt tal (anföring) **3** referera **4** rapportera, anmäla; ~ *a p. sick* sjukanmäla ngn; *he was ~ed to the police* han blev polisanmäld **II** *vb itr* **1** avge (avlägga) rapport, redogöra **2** vara reporter (referent) **3** anmäla sig; ~ *sick* sjukanmäla sig; ~ *for duty* anmäla (inställa) sig till tjänst[göring] **III** *s* **1** rapport, [officiell] berättelse; anmälan; *progress* ~ lägesrapport; ~ *of the proceedings* protokoll från domstolsförhandlingar m.m. **2** referat; meddelande **3** rykte **4** skol. [termins]betyg **5** knall, smäll [*the ~ of a gun*]
reportage [ˌrepɔːˈtɑːʒ] **1** reportage **2** reportagestil
reporter [rɪˈpɔːtə] reporter
1 repose [rɪˈpəʊz], ~ *trust* (*confidence*) *in* sätta [sin] tillit till
2 repose [rɪˈpəʊz] **I** *vb tr* vila **II** *vb itr* **1** vila [sig] **2** bildl. vila, vara grundad **III** *s* vila
reprehensible [ˌreprɪˈhensəbl] klandervärd
represent [ˌreprɪˈzent] **1** representera, stå för [*the symbols ~ sounds*]; om bild o.d. föreställa; motsvara [*one centimetre ~s one kilometre*]; utgöra **2** framställa i ord el. bild

[*he ~ed himself as an expert*] **3** framhålla, påpeka **4** representera, företräda
representation [ˌreprɪzen'teɪʃ(ə)n] **1** framställande; framställning, bild; symbol **2** [teater]föreställning **3** polit. representation [*no taxation without ~*]; representantskap; representantförsamling; *proportional ~* proportionellt valsystem
representative [ˌreprɪ'zentətɪv] **I** *adj* **1** representativ **2** *~ of* representerande, föreställande, framställande i bild o.d. **II** *s* **1** representant, typ[exempel] **2** säljare, handelsresande **3** representant, ombud **4** polit. (i USA) representant; *the House of Representatives* representanthuset
repress [rɪ'pres] **1** undertrycka [*~ a revolt*], kväva [*~ a cough*]; kuva; hejda [*~ an impulse*] **2** psykol. förtränga; *~ed* hämmad
repression [rɪ'preʃ(ə)n] **1** undertryckande; repression; förtryck **2** dämpande **3** psykol. bortträngning
repressive [rɪ'presɪv] **1** repressiv; undertryckande; repressions-; dämpande; hejdande **2** [utvecklings]hämmande
reprieve [rɪ'pri:v] **I** *vb tr* ge anstånd (en frist); ge uppskov **II** *s* **1** anstånd, frist; uppskov isht med dödsdoms verkställighet **2** benådning
reprimand ['reprɪmɑ:nd, ss. vb äv. ˌreprɪ'm-] **I** *s* tillrättavisning; vard. skrapa **II** *vb tr* [skarpt] tillrättavisa, ge en reprimand; vard. läxa upp
reprint [ss. vb ˌri:'prɪnt, ss. subst. 'ri:prɪnt] **I** *vb tr* trycka om; *the book is ~ing* boken är under omtryckning **II** *s* omtryck
reprisal [rɪ'praɪz(ə)l] vedergällning; repressalieåtgärd; pl. *~s* repressalier
reproach [rɪ'prəʊtʃ] **I** *s* **1** förebråelse; klander; *a look of ~* en förebrående blick **2** *above* (*beyond*) *~* klanderfri, oklanderlig **II** *vb tr* förebrå [*he ~ed her for being late*]
reproachful [rɪ'prəʊtʃf(ʊ)l] förebrående
reproduce [ˌri:prə'dju:s] **I** *vb tr* **1** reproducera [*~ a picture*], återge [*~ a sound*; *~ a p.'s features*]; avbilda **2** biol. förnya; fortplanta; reproducera **II** *vb itr* fortplanta sig
reproduction [ˌri:prə'dʌkʃ(ə)n] **1** reproducering, återgivande; återgivning [*sound ~*]; avbildning; [konst]reproduktion; *~ furniture* nytillverkade stilmöbler **2** biol. fortplantning; reproduktion
reproductive [ˌri:prə'dʌktɪv] reproducerande; fortplantnings- [*~ organs*]
1 reproof [rɪ'pru:f] tillrättavisning, förebråelse
2 reproof [ˌri:'pru:f] impregnera om (på nytt)
reprove [rɪ'pru:v] tillrättavisa, förebrå
reptile ['reptaɪl] **1** reptil, kräldjur **2** vard. om person reptil, orm
republic [rɪ'pʌblɪk] republik; fristat
republican [rɪ'pʌblɪkən] **I** *adj* republikansk; *the R~ Party* polit. (i USA) republikanska partiet **II** *s* republikan; *R~* polit. (i USA) republikan
repudiate [rɪ'pju:dɪeɪt] **1** förkasta **2** förneka; vägra att erkänna
repugnance [rɪ'pʌgnəns] motvilja, ovilja, avsky, olust
repugnant [rɪ'pʌgnənt] motbjudande, stötande; frånstötande
repulse [rɪ'pʌls] **1** slå tillbaka, avvärja [*~ an attack*], driva tillbaka [*~ an enemy*] **2** avslå [*~ a request*], avvisa, tillbakavisa
repulsion [rɪ'pʌlʃ(ə)n] tillbakaslående
repulsive [rɪ'pʌlsɪv] frånstötande; motbjudande
reputable ['repjʊtəbl] aktningsvärd, hedervärd, hederlig; aktad [*a ~ firm*]
reputation [ˌrepjʊ'teɪʃ(ə)n] [gott] rykte, [gott] anseende; *have* (*earn*) *the ~ of being...* ha (få) rykte (ord) om sig att vara..., vara känd för att vara...; *make one's ~* göra sig ett namn
repute [rɪ'pju:t] **I** *vb tr, be ~d* anses; *be well* (*ill*) *~d* ha gott (dåligt) anseende (rykte, renommé) **II** *s* [gott] anseende, renommé; *be* [*held*] *in good* (*bad*) *~* ha gott (dåligt) rykte, vara väl (illa) känd
reputedly [rɪ'pju:tɪdlɪ] enligt allmänna omdömet (meningen); *he is ~ the best doctor* han har rykte (namn) om sig att vara den bäste läkaren
request [rɪ'kwest] **I** *s* **1** anhållan, begäran; önskan; önskemål; anmodan; *~ programme* önskeprogram; *make a ~ to a p. for a th.* anhålla om ngt hos ngn; *by* (*on*) *~* på begäran **2** efterfrågan; *be in great ~* vara mycket eftersökt (begärlig, eftertraktad) **II** *vb tr* **1** anhålla om; begära **2** anmoda
requiem ['rekwɪem] rekviem
require [rɪ'kwaɪə] **I** *vb tr* **1** behöva, [er]fordra; tarva; perf. p. *~d* äv. erforderlig, nödvändig; *as ~d* efter behov [*pepper as ~d*] **2** begära; *the books ~d* i brev de önskade (begärda) böckerna **II** *vb itr* begära [*do as he ~s*]
requirement [rɪ'kwaɪəmənt] **1** behov **2** krav; pl. *~s* äv. fordringar [*for* för]
requisite ['rekwɪzɪt] **I** *adj* erforderlig **II** *s* behov, krav; förnödenhet; nödvändig (erforderlig) sak (attiralj); *toilet ~s* toalettartiklar
requisition [ˌrekwɪ'zɪʃ(ə)n] **I** *s* **1** [skriftlig] anhållan, rekvisition **2** isht mil. rekvisition; *be under* (*in*) *~* vara i användning (bruk) **II** *vb tr* **1** mil. rekvirera **2** lägga beslag på

reread [ˌri:ˈri:d] (*reread reread*) läsa ˈom (på nytt)
rescue [ˈreskju:] **I** *vb tr* rädda, undsätta; befria **II** *s* räddning, undsättning; befrielse; ~ *operation* räddningsaktion; *come to a p.'s* ~ komma till ngns undsättning (hjälp)
research [rɪˈsɜ:tʃ, ˈri:sɜ:tʃ] **I** *s* **1** forskning; ~ *team* forskargrupp, forskarteam; *do* (*carry on*) ~ forska, bedriva forskning **2** [noggrant] sökande (letande) **II** *vb itr* forska [~ *into* (i) *the causes of cancer*]
researcher [rɪˈsɜ:tʃə] o. **research-worker** [rɪˈsɜ:tʃˌwɜ:kə] forskare
resell [ˌri:ˈsel] (*resold resold*) **1** återförsälja **2** sälja igen (på nytt); sälja vidare
resemblance [rɪˈzembləns] likhet; överensstämmelse [*verbal* ~]; *bear a close* (*strong*) ~ *to* påminna starkt om
resemble [rɪˈzembl] likna, vara lik
resent [rɪˈzent] bli förbittrad (stött, förnärmad) över
resentful [rɪˈzentf(ʊ)l] harmsen, förbittrad
resentment [rɪˈzentmənt] förtrytelse, harm, förbittring
reservation [ˌrezəˈveɪʃ(ə)n] **1** reservation; *mental* ~ tyst förbehåll **2** reserverande; undantagande **3** i USA [indian]reservat **4** a) beställning, bokning b) reserverat rum; reserverad plats; *make ~s* äv. reservera (beställa, boka) plats (rum, bord)
reserve [rɪˈzɜ:v] **I** *vb tr* **1** reservera, lägga av (undan), hålla inne med; förbehålla [~ *a th. for* (*to*) *oneself* (sig ngt)]; ~ *oneself for* spara sig för; ~ *a seat for a p.* hålla en plats åt ngn **2** reservera [~ *seats on a train*] **II** *s* **1** reserv; reservförråd; reservfond; *have* (*hold*) *in* ~ ha i reserv **2** mil. reserv; reservare, reservofficer; pl. *~s* äv. reservtrupper **3** sport. reserv[spelare]; ~ *team* B-lag; *play a* ~ sätta in en reserv **4** reservat; *game* ~ viltreservat; *nature* ~ naturreservat **5** reservation, inskränkning **6** [*central*] ~ trafik. mittremsa, skiljeremsa på väg
reserved [rɪˈzɜ:vd] **1** reserverad; inbunden, tillknäppt **2** reserverad [*a* ~ *seat*] **3** mil. reserv-; *be on the* ~ *list* i marinen: ung. vara på reservstat, tillhöra reserven
reservist [rɪˈzɜ:vɪst] mil. reservare
reservoir [ˈrezəvwɑ:] reservoar; behållare
reshuffle [ˌri:ˈʃʌfl] **I** *vb tr* **1** blanda om kort **2** polit. m.m. möblera om [i], ombilda **II** *s* **1** omblandning av kort **2** polit. m.m. ommöblering, ombildning [*a Cabinet* ~]
reside [rɪˈzaɪd] **1** vistas, bo **2** ~ *in* bildl. ligga hos, tillhöra, tillkomma [*authority ~s in the President*]
residence [ˈrezɪd(ə)ns] **1** vistelse; ~ *permit* uppehållstillstånd; *take up one's* ~ *in a place* bosätta sig på en plats **2** [*place of*] ~ hemvist, vistelseort, uppehållsort **3** bostad, boning; residens; *official* ~ ämbetsbostad, tjänstebostad
resident [ˈrezɪd(ə)nt] **I** *adj* bofast **II** *s* **1** [*permanent*] ~ bofast [person], invånare [på orten]; *be a* ~ *of* vara bosatt i (på) **2** gäst på hotell
residential [ˌrezɪˈdenʃ(ə)l] **1** villa- [*a* ~ *suburb*]; bostads- [*a* ~ *district*]; ~ *university* ung. universitet där studenterna bor på college **2** ~ *qualification* vid t.ex. röstning bostadsband, bostadsstreck; valkretstillhörighet
residue [ˈrezɪdju:] återstod, rest
resign [rɪˈzaɪn] **I** *vb tr* **1** avsäga sig [~ *a claim* (*right*)]; lägga ned; ta avsked från [~ *an* (*one's*) *office* (befattning)]; ~ *office* träda tillbaka, avgå, frånträda ämbetet **2** avstå; överlämna [*into* (i) *a p.'s hands*]; ~ *oneself to* finna (foga) sig i [~ *oneself to one's fate*], resignera inför **II** *vb itr* **1** avgå; träda tillbaka **2** resignera, finna (foga) sig i sitt öde; ge upp
resignation [ˌrezɪgˈneɪʃ(ə)n] **1** avsägelse; avgång; avsked[stagande]; *send* (*give*) *in one's* ~ lämna in sin avskedsansökan **2** resignation, undergivenhet
resigned [rɪˈzaɪnd] **1** resignerad, undergiven; *be* ~ *to* finna (foga) sig i **2** avgången [ur tjänst]
resilience [rɪˈzɪlɪəns] o. **resiliency** [rɪˈzɪlɪənsɪ] **1** elasticitet, spänst[ighet] äv. bildl.; fjädring **2** bildl. [snabb] återhämtningsförmåga
resilient [rɪˈzɪlɪənt] **1** elastisk, spänstig äv. bildl.; fjädrande **2** bildl. som har lätt för att återhämta sig
resin [ˈrezɪn] **I** *s* kåda **II** *vb tr* gnida med kåda
resist [rɪˈzɪst] **I** *vb tr* stå (spjärna) emot; göra motstånd mot [~ *the enemy*]; motsätta sig [~ *arrest*], motarbeta; vara motståndskraftig (beständig) mot [~ *heat*] **II** *vb itr* göra motstånd; stå emot
resistance [rɪˈzɪst(ə)ns] motstånd äv. fackspr. o. konkr.; motvärn; motståndskraft; elektr. resistans; ~ *coil* elektr. motståndsspole
resistant [rɪˈzɪst(ə)nt] motståndskraftig
resolute [ˈrezəlu:t, -zəlju:t] resolut, bestämd
resolution [ˌrezəˈlu:ʃ(ə)n, -zəˈlju:-] **1** beslutsamhet, fasthet **2** beslut; resolution; föresats [*good ~s*]; *New Year's* (*Year*) ~ nyårslöfte **3** upplösning äv. fys., mus. m.m.; sönderdelning **4** lösning [*the* ~ *of a problem*]
resolv|e [rɪˈzɒlv] **I** *vb tr* **1** besluta [sig för], föresätta sig [*to do a th.* att göra ngt; *that* att]; resolvera; *~d, that...* i protokoll beslöts

att... **2** lösa [~ *a problem*]; skingra [~ *a p.'s doubts*] **3** lösa upp, upplösa, sönderdela [~ *a th. into* (i) *its components*]; analysera; förvandla; med. resolvera, fördela **II** *vb itr* **1** besluta sig [*on, upon* för]; ~ [*up*]*on* äv. föresätta sig **2** lösas upp, upplösas, sönderdelas [*it ~d into* (i) *its elements*]; förvandlas **III** *s* beslut, föresats [*keep one's ~*]

resolved [rɪ'zɒlvd] **1** bestämd **2** beslutsam

resonance ['rez(ə)nəns] resonans; genklang

resonant ['rez(ə)nənt] genljudande; resonansrik; ljudlig; ekande

resort [rɪ'zɔ:t] **I** *vb itr*, ~ *to* a) ta sin tillflykt till; tillgripa [~ *to force*], anlita b) frekventera **II** *s* **1** tillflykt; tillgripande; utväg; *have ~ to* ta sin tillflykt till; tillgripa, ta till, bruka **2** tillhåll [*a ~ of* (för) *thieves*]; tillflyktsort; rekreationsort; *health ~* kurort, rekreationsort; *holiday ~* semesterort; *seaside ~* badort

resound [rɪ'zaʊnd] **I** *vb itr* **1** genljuda, eka; ge genljud; bildl. äv. ge eko; *~ing* äv. ljudlig, rungande **2** dundrande, brak- [*a ~ing success* (*victory*)] **II** *vb tr* **1** återkasta ljud **2** besjunga, sjunga [~ *a p.'s praise*]

resource [rɪ'sɔ:s] **1** vanl. pl. *~s* resurser, tillgångar; rikedomar, [penning]medel **2** utväg [*as a last ~*], resurs; tillflykt **3** *be full of ~* alltid finna en utväg; *leave a p. to his own ~s* låta ngn ta vara på (sköta) sig själv

resourceful [rɪ'sɔ:sf(ʊ)l] rådig

respect [rɪ'spekt] **I** *s* **1** respekt; *be held in ~* åtnjuta aktning (respekt) **2** hänsyn; *have* (*pay*) *~ to* ta hänsyn till; *without ~ to* utan hänsyn till (tanke på) **3** avseende, hänseende; *in all* (*many*) *~s* i alla (många) avseenden (hänseenden, stycken); *with ~ to* med avseende på, med hänsyn till, beträffande **4** pl. *~s* vördnadsbetygelser, vördnadsfull[a] hälsning[ar]; *my ~s to...* [jag ber om] min vördnadsfulla (vördsamma) hälsning till... **II** *vb tr* respektera; [hög]akta; ta hänsyn till

respectability [rɪˌspektə'bɪlətɪ] anständighet

respectable [rɪ'spektəbl] **1** respektabel, aktningsvärd [*a ~ citizen*], väl ansedd [*a ~ firm*]; 'bättre' folk; anständig [*a ~ girl*], hederlig; prydlig, proper; passande **2** ansenlig, aktningsvärd; hygglig, hyfsad [*a ~ income*]

respectful [rɪ'spektf(ʊ)l] aktningsfull, respektfull, vördsam

respective [rɪ'spektɪv] respektive; *the ~ merits of the candidates* respektive kandidaters förtjänster

respectively [rɪ'spektɪvlɪ] respektive; var för sig; *they were given £5 and £10 ~* de fick 5 respektive 10 pund

respiration [ˌrespə'reɪʃ(ə)n] **1** andning [*artificial ~*], andhämtning **2** andedrag

respirator ['respəreɪtə] **1** respirator **2** gasmask

respiratory [rɪ'spɪrət(ə)rɪ, -'spaɪər-, 'respərət(ə)rɪ] respiratorisk, andnings- [~ *organs*]

respite ['respaɪt, -pɪt] respit; frist; andrum [~ *from toil*], rådrum; ~ [*for payment*] betalningsanstånd

resplendent [rɪ'splendənt] praktfull

respond [rɪ'spɒnd] *vb itr* **1** svara [~ *to* (på)]; ~ *to* äv. besvara **2** ~ *to* visa sig känslig för, reagera för, låta sig påverkas av [~ *to treatment*]

respondent [rɪ'spɒndənt] jur. svarande isht i skilsmässoprocess

response [rɪ'spɒns] **1** svar i ord el. handling; genmäle; *he made no ~* han svarade inte **2** gensvar; reaktion; *meet with* [*a*] *~* finna gensvar, få respons

responsibility [rɪsˌpɒnsə'bɪlətɪ] **1** ansvar, ansvarighet; *assume* (*undertake*) *the ~ for* ta på sig ansvaret för **2** plikt

responsible [rɪ'spɒnsəbl] **1** ansvarig; ansvarsfull; ansvarskännande; ~ *government* polit. parlamentariskt styrelsesätt **2** vederhäftig **3** tillräknelig [äv. ~ *for one's conduct* (*actions*)]

responsive [rɪ'spɒnsɪv] **1** svars- [*a ~ gesture*] **2** mottaglig, lättpåverkad; förstående [~ *sympathy*]; engagerad, intresserad [*a ~ audience*]

1 rest [rest] **I** *vb itr* förbli [*it ~s a mystery*]; *you may ~ assured that* du kan vara säker (lita) på att **II** *s* **1** *the ~* resten, återstoden [*of* av]; *as to* (*for*) *the ~* a) vad det övriga (de övriga) beträffar b) för (i) övrigt, eljest **2** reserv[fond]

2 rest [rest] **I** *s* **1** vila; lugn; sömn; vilopaus, rast; *day of ~* vilodag; *give it a ~!* vard. sluta [med det där]!, lägg av!; *you can set your mind at ~* [*on that score*] du kan vara (känna dig) lugn [på den punkten]; *lie down for a ~* lägga sig och vila **2** viloplats; hem [*a sailors' ~*] **3** mus. paus[tecken] **4** stöd [*a ~ for the feet*] **II** *vb itr* **1** vila [sig]; slumra; ta igen sig; få lugn (ro, frid); *he will not ~* [*until he knows the truth*] han får (ger sig) ingen ro... **2** ~ *with* ligga hos ngn (i ngns händer), vila hos [*the decision ~s with you*], bero på **3** vila [*his glance ~ed on me*], stödja sig **III** *vb tr* **1** låta vila; ~ *oneself* vila sig, vila ut **2** vila, lägga [~ *one's elbows on* (på) *the table*]

restaurant ['rest(ə)rɒnt, -rɑ:nt] restaurang

restaurant car ['restrɒntkɑ:] restaurangvagn

restaurateur [ˌrestərəˈtɜː] restauratör, restauranginnehavare
rest cure [ˈres(t)ˌkjʊə] med. vilokur, liggkur
restful [ˈrestf(ʊ)l] lugn, fridfull
resting-place [ˈrestɪŋpleɪs] **1** rastplats, rastställe; viloplats **2** [*last*] ~ [sista] vilorum grav
restitution [ˌrestɪˈtjuːʃ(ə)n] återställande, återlämnande [~ *of property* (*rights*)], restitution; [skade]ersättning; upprättelse
restive [ˈrestɪv] **1** om häst istadig, bångstyrig **2** om pers. bångstyrig; otålig
restless [ˈrestləs] rastlös; *I had a ~ night* jag sov oroligt i natt
restoration [ˌrestəˈreɪʃ(ə)n, -tɔːˈr-] **1** återställande; återupprättande; återlämnande; återinförande, återupplivande; återinsättande; *the R~* britt. hist. restaurationen monarkins återupprättande 1660 med Karl II **2** tillfrisknande **3** restaurering, restauration
restorative [rɪˈstɒrətɪv] **I** *adj* återställande **II** *s* stärkande medel
restore [rɪˈstɔː] **1** återställa [~ *order*]; återlämna [~ *stolen property*]; återupprätta; rehabilitera; återuppliva [~ *old customs*]; ~ *a book to its place* ställa tillbaka en bok på dess plats; ~ *to life* återkalla till livet **2** restaurera [~ *a church* (*picture*)] **3** rekonstruera [~ *a text*] **4** återinsätta; ~ *a p. to power* återföra ngn till makten, återge ngn makten
restrain [rɪˈstreɪn] **1** hindra **2** hålla tillbaka [~ *one's tears*], lägga band på; ~ *oneself* behärska (lägga band på) sig
restraint [rɪˈstreɪnt] **1** återhållande **2** tvång; band; hinder; inskränkning; *break loose from all* ~[*s*] bryta sig loss från alla band; *lay* (*put*) *a ~ on* lägga band (hämsko) på; *without* ~ ohämmat, ohejdat, fritt **3** *show* ~ visa återhållsamhet **4** bundenhet
restrict [rɪˈstrɪkt] inskränka, begränsa; *we are ~ed to* [*40 miles an hour in this area*] det råder hastighetsbegränsning på...
restriction [rɪˈstrɪkʃ(ə)n] **1** inskränkning, begränsning; restriktion; *place ~s on* göra inskränkningar i **2** förbehåll
restrictive [rɪˈstrɪktɪv] inskränkande; ~ *practices* konkurrensbegränsning; konkurrensbegränsande (restriktiva) metoder
rest room [ˈrestruːm] amer. toalett på arbetsplats o.d.
result [rɪˈzʌlt] **I** *vb itr* **1** vara (bli) resultatet (följden), härröra, härleda sig; *the ~ing war* det krig som blev följden **2** sluta [*their efforts ~ed badly*]; ~ *in* resultera i, sluta med **II** *s* resultat; följd, utgång; *as a* (*the*) ~ *of* till följd av
resultant [rɪˈzʌlt(ə)nt] **I** *adj* resulterande; ~ *from* härrörande från **II** *s* resultat, produkt
resume [rɪˈzjuːm] **I** *vb tr* **1** återta, ta tillbaka [~ *a gift*]; ~ *one's seat* återta sin plats, sätta sig igen **2** åter[upp]ta, ta upp igen, fortsätta [~ *a conversation*, ~ *work*] **II** *vb itr* återupptas; börja igen (på nytt), fortsätta [*the dancing is about to* ~]
résumé [ˈrezjʊmeɪ] fr. **1** resumé, sammanfattning **2** amer. levnadsbeskrivning
resumption [rɪˈzʌm(p)ʃ(ə)n] **1** återtagande **2** åter[upp]tagande, fortsättning
resurgence [rɪˈsɜːdʒ(ə)ns] återuppvaknande, förnyelse
resurrect [ˌrezəˈrekt] **1** uppväcka från de döda; återkalla till livet; *be ~ed* äv. återuppstå **2** återuppliva, återuppta [~ *an old custom*]
resurrection [ˌrezəˈrekʃ(ə)n] **1** [åter]uppståndelse från de döda **2** återupplivande
resuscitate [rɪˈsʌsɪteɪt] **I** *vb tr* återuppväcka; åter få liv i **II** *vb itr* åter vakna till liv
resuscitation [rɪˌsʌsɪˈteɪʃ(ə)n] återuppväckande [till liv]; återupplivande
retail [ss. subst. adj. o. adv. ˈriːteɪl, riːˈt-, ss. vb riːˈteɪl] **I** *s* försäljning i minut; *by* (*in*, amer. *at*) ~ i minut **II** *adj* detalj-, minut- [~ *business* (*trade*)], detaljhandels-; ~ *dealer* detaljhandlare, minuthandlare, detaljist; ~ *price index* konsumentprisindex **III** *adv*, *buy* (*sell*) ~ köpa (sälja) i minut **IV** *vb tr* **1** sälja i minut **2** berätta i detalj [~ *a story*], återge; återupprepa; föra vidare [~ *gossip*]
retailer [ˈriːteɪlə] **1** detaljist **2** berättare, spridare [~ *of gossip*]
retain [rɪˈteɪn] **1** hålla kvar [~ *a th. in its place*], behålla; hålla tillbaka [~ *the flood waters*]; ~*ing wall* stöd[je]mur **2** [bi]behålla; bevara
retainer [rɪˈteɪnə] **1** trotjänare [*an old* ~] **2** engagemangsarvode åt t.ex. advokat, frilansjournalist m.m.
retake [ss. vb ˌriːˈteɪk, ss. subst. ˈriːteɪk] **I** (*retook retaken*) *vb tr* **1** återta, återerövra **2** ta om film **II** *s* omtagning av film; omtagen scen i film
retaliate [rɪˈtælɪeɪt] öva vedergällning, ge igen
retaliation [rɪˌtælɪˈeɪʃ(ə)n] vedergällning
retard [rɪˈtɑːd] **1** försena; bromsa, hämma, uppehålla; *mentally ~ed* [psykiskt] utvecklingsstörd, förståndshandikappad **2** ~ *the ignition* tekn. sänka tändningen
retch [retʃ, riːtʃ] försöka kräkas
retell [ˌriːˈtel] (*retold retold*) berätta på nytt (om), återberätta
retention [rɪˈtenʃ(ə)n] **1** kvarhållande

2 [bi]behållande **3** [*power of*] ~ minnesförmåga
retentive [rɪ'tentɪv] säker [*a ~ grasp*]; *a ~ memory* gott minne
rethink [ˌri:'θɪŋk] **I** (*rethought rethought*) *vb tr* ompröva **II** (*rethought rethought*) *vb itr* tänka om **III** *s* nytänkande; omprövning; *have a ~* ta sig en ny funderare
reticence ['retɪs(ə)ns] tystlåtenhet
reticent ['retɪs(ə)nt] tystlåten
retin|a ['retɪn|ə] (pl. *-as* el. *-ae* [-i:]) anat., ögats näthinna, retina
retinue ['retɪnju:] följe
retire [rɪ'taɪə] **I** *vb itr* **1** dra sig tillbaka (undan); vika (träda, sjunka) tillbaka **2** gå till sängs (vila) [äv. *~ to bed* (*rest*)] **3** mil. retirera **4** gå i pension; avgå [*~ from office* (från tjänsten)]; *~ on a pension* avgå med pension **II** *vb tr* **1** mil. dra (föra) tillbaka trupper o.d. **2** *be ~d on a pension* få avsked med pension
retired [rɪ'taɪəd] **1** tillbakadragen [*lead* (leva) *a ~ life*] **2** som dragit sig tillbaka (avgått, tagit avsked), f.d.; *~ pay* pension; *put* (*place*) *on the ~ list* bevilja avsked med pension, pensionera
retirement [rɪ'taɪəmənt] **1** tillbakadragenhet; *live in ~* leva tillbakadraget, leva i stillhet **2** mil. återtåg, reträtt **3** tillbakaträdande, pension[ering], avgång [*~ from an office*], avsked[stagande]; *~ age* pensionsålder; *~ pension* ålderspension; *early ~* förtidspension[ering]
retiring [rɪ'taɪərɪŋ] tillbakadragen, försynt
retort [rɪ'tɔ:t] **I** *vb tr* genmäla, svara [skarpt]; besvara **II** *s* [skarpt] svar; motbeskyllning
retouch [ˌri:'tʌtʃ] retuschera äv. foto.
retrace [rɪ'treɪs] följa tillbaka spår m.m.; spåra; *~ one's steps* (*way*) gå samma väg tillbaka
retract [rɪ'trækt] **I** *vb tr* **1** dra tillbaka, dra in [*the cat ~ed its claws*], fälla in **2** ta tillbaka [*~ a statement*]; dementera **II** *vb itr* **1** dra sig tillbaka; dras in; fällas in **2** ta tillbaka sina ord
retractable [rɪ'træktəbl] infällbar, indragbar
retraining [ˌri:'treɪnɪŋ] omskolning
retread [ss. vb ˌri:'tred, ss. subst. 'ri:tred] bil. **I** *vb tr* regummera [*~ a tyre*] **II** *s* regummerat däck
retreat [rɪ'tri:t] **I** *s* **1** reträtt; *beat a* [*hasty*] *~* [hastigt] slå till reträtt (ta till reträtten); *sound* (*blow*) *the* (*a*) *~* blåsa till reträtt; *leave a line of ~ open for oneself* bildl. se till att man har reträtten (ryggen) fri **2** tillflykt[sort], reträtt **II** *vb itr* retirera; dra sig tillbaka; vika [tillbaka el. undan]; [*we heard*] *~ing footsteps* ...steg som avlägsnade sig
retribution [ˌretrɪ'bju:ʃ(ə)n] vedergällning; straff
retrieval [rɪ'tri:v(ə)l] **1** återvinnande **2** återupprättande; räddning **3** *beyond* (*past*) *~* ohjälplig[t], hopplös[t] **4** i tennis o.d. räddning **5** data. återvinnande; *~ system* återvinningssystem
retrieve [rɪ'tri:v] **1** återvinna, få tillbaka [*~ one's umbrella*]; återfinna; ta (plocka) upp igen **2** i tennis o.d. hinna returnera [*~ the ball*] **3** rädda [*~ the situation*]; återställa [*~ one's fortunes*] **4** jakt., om hundar apportera **5** gottgöra, reparera [*~ an error*], ersätta; få ersatt [*~ one's loss*] **6** data. ta fram; öppna; få tillbaka
retriever [rɪ'tri:və] **1** om hund apportör **2** retriever hundras
retroactive [ˌretrəʊ'æktɪv] retroaktiv
retrograde ['retrə(ʊ)greɪd] **1** tillbakagående, retrograd, i motsatt riktning; bakvänd; *~ step* steg tillbaka äv. bildl.; steg baklänges **2** bildl. a) bakåtsträvande b) tillbakagående
retrospect ['retrə(ʊ)spekt] tillbakablick; *in ~* [*, the whole business seems ridiculous*] [så här] i efterhand..., när man ser tillbaka...
retrospective [ˌretrə(ʊ)'spektɪv] **1** retrospektiv **2** retroaktiv
return [rɪ'tɜ:n] **I** *vb itr* **1** återvända, komma (vända) tillbaka (hem); återgå [*~ to work*] **2** återgå [*~ to the original owner*] **II** *vb tr* **1** ställa (lägga, sätta etc.) tillbaka [på sin plats] **2** a) returnera; skicka tillbaka b) återlämna, lämna igen (tillbaka) c) återbetala [*~ a loan*]; *~ to* [*the*] *sender* på brev retur avsändaren, eftersändes ej **3** besvara; *~ a blow* slå tillbaka **4** genmäla **5** om valkrets välja [till parlamentetsledamot] **6** [in]rapportera, anmäla, officiellt förklara; *~ a verdict* avkunna en dom **7** avge svar, redogörelse, inge, lämna in till myndighet [*~ a report*] **8** avkasta, inbringa [*~ a profit*]; *~ interest* ge ränta **III** *s* **1** återkomst; återresa; attr. ofta retur-, åter-; *~* [*ticket*] [turoch]returbiljett; *~ fare* pengar till återresan; *many happy ~s* [*of the day*] har den äran [att gratulera]; *by ~* [*of post*] [per] omgående **2** återsändande, återställande [*~ of a book*]; återbetalning [*~ of a loan*]; returnering; *~ postage* svarsporto, returporto **3** med. återfall [*~ of an illness*]; *have a ~* få ett återfall **4** besvarande; lön; *~ service* gentjänst; *~ visit* svarsvisit **5** sport. retur[boll]; *~* [*match* (*game*)] returmatch, revanschmatch, revanschparti; *~* [*of service*] servereturn **6** avkastning [äv. pl. *~s*]; pl. *~s* äv. intäkter, omsättning **7** officiell anmälan, rapport; pl.

~*s* äv. statistiska uppgifter; resultat [*election ~s*]; [*income-tax*] ~ [själv]deklaration **8** val till parlamentet
returnable [rɪˈtɜːnəbl] som kan (ska) lämnas (skickas) tillbaka; retur- [~ *bottles*]
reunification [ˌriːjuːnɪfɪˈkeɪʃ(ə)n] återförening, återförenande [*the ~ of Germany*]
reunion [ˌriːˈjuːnjən] **1** återförening **2** sammankomst; möte; *family ~* äv. familjehögtid
reunite [ˌriːjuːˈnaɪt] återförena[s], åter ena[s]
re-use [ˌriːˈjuːz] använda på nytt (igen)
Rev. förk. för *Reverend*
rev [rev] vard. **I** *vb tr* o. *vb itr*, ~ [*up*] rusa motor **II** *s* varv; ~ *counter* varvräknare
revaluation [ˌriːvæljʊˈeɪʃ(ə)n, riːˌvæl-] **1** revalvering, uppskrivning av valuta **2** omvärdering
revalue [ˌriːˈvæljuː] **1** revalvera, skriva upp valuta **2** omvärdera
revamp [ˌriːˈvæmp] **1** sätta nytt ovanläder på **2** vard. lappa ihop; göra (skriva) om
reveal [rɪˈviːl] avslöja; uppenbara; visa
reveille [rɪˈvælɪ, -ˈvel-, amer. ˈrev(ə)liː] revelj; *sound the ~* blåsa revelj
revel [ˈrevl] **I** *vb itr* festa [om], rumla [om], svira; frossa, kalasa; ~ *in* frossa i [~ *in luxury*] **II** *s*, ofta pl. ~*s* [uppsluppen] fest, dryckeslag; festande
revelation [ˌrevəˈleɪʃ(ə)n] **1** avslöjande; yppande; *it was a ~ to me* det kom som en överraskning för mig **2** gudomlig uppenbarelse; *Revelations* Uppenbarelseboken, Johannes' uppenbarelse
reveller [ˈrevələ] rumlare; frossare; hålligångare
revelry [ˈrevlrɪ] festande, rumlande
revenge [rɪˈven(d)ʒ] **I** *vb tr* hämnas [~ *an injury*]; ~ *oneself on a p. for a th.* äv. ta revansch på ngn för ngt **II** *s* hämnd, vedergällning; revansch äv. sport.; *take ~ on a p.* hämnas på ngn; ta revansch på ngn
revengeful [rɪˈven(d)ʒf(ʊ)l] hämndlysten
revenue [ˈrevənjuː] statsinkomster [äv. *Public Revenue*[*s*]]; inkomst av investering
reverberate [rɪˈvɜːb(ə)reɪt] **I** *vb tr* återkasta ljud; reflektera ljus, värme **II** *vb itr* återkastas; om ljud äv. eka
reverberation [rɪˌvɜːbəˈreɪʃ(ə)n] genljudande; återkastande; genljud
revere [rɪˈvɪə] vörda
reverence [ˈrev(ə)r(ə)ns] **I** *s* vördnad; *pay ~ to a p.* betyga ngn sin vördnad **II** *vb tr* vörda
reverend [ˈrev(ə)r(ə)nd] **I** *adj* **1** vördnadsvärd **2** i kyrkliga titlar (ofta förkortat *Rev.*): [*the*] *R~ J. Smith* pastor (kyrkoherde) J. Smith **II** *s*, mest pl. ~*s* präster; *right ~s* biskopar
reverent [ˈrev(ə)r(ə)nt] vördnadsfull
reverie [ˈrevərɪ] **1** drömmeri; [dag]dröm; *be lost in* [*a*] ~ vara försjunken i drömmerier (drömmar) **2** drömbild; pl. ~*s* äv. fantasier
reversal [rɪˈvɜːs(ə)l] omkastning [*a ~ of public opinion*]; omslag
reverse [rɪˈvɜːs] **I** *adj* motsatt [~ *direction*], omvänd, bakvänd [*in ~ order*], omkastad; spegelvänd; ~ *gear* back[växel]; *the ~ side of the cloth* tygets avigsida; *the ~ side of the picture* bildl. medaljens baksida (frånsida) **II** *s* **1** motsats; *just* (*quite*) *the ~* alldeles tvärtom **2** baksida, frånsida, avigsida; på mynt o.d. revers; mil. rygg; *in ~* i motsatt ordning **3** omkastning, [plötslig] växling; motgång; nederlag; *suffer a ~* röna motgång; lida ett nederlag **4** tekn. omkastare; motor. back[växel]; *put the car in ~* lägga i backen **III** *vb tr* **1** vända på; vända äv. bildl. [~ *the trend*]; kasta om, slå om; vrida tillbaka; upphäva [~ *the ill effects*]; backa [~ *one's car*]; ~ *the charges* tele. låta mottagaren betala samtalet **2** ändra [om] [~ *the order*]; ~ *one's policy* ändra sin politik, sadla om, göra en helomvändning **IV** *vb itr* **1** vända, slå om [*the trend has ~d*] **2** backa
reversible [rɪˈvɜːsəbl] omkastbar; vändbar [*a ~ coat*]; reversibel; ~ *material* genomvävt tyg
reversion [rɪˈvɜːʃ(ə)n] **1** jur. återgång av egendom till överlåtare el. hans lagliga arvingar; hemfall; bakarv **2** återgång
revert [rɪˈvɜːt] **1** återgå, gå tillbaka [~ *to an earlier stage*]; återkomma; med. återfalla; ~ *to a p.* återgå i ngns ägo **2** jur. återgå [~ *to the State*]
review [rɪˈvjuː] **I** *s* **1** granskning; genomgång; isht amer. skol. repetition; *pass in ~* [låta] passera revy; se tillbaka på; mönstra **2** översikt; återblick; redogörelse **3** mil. mönstring **4** recension av bok m.m. **5** tidskrift **II** *vb tr* **1** granska (betrakta, undersöka) på nytt, gå igenom på nytt; isht amer. skol. repetera **2** ta en överblick över **3** mil. inspektera [~ *the troops*] **4** recensera bok m.m. **5** jur. ompröva
reviewer [rɪˈvjuːə] recensent, anmälare
revile [rɪˈvaɪl] smäda
revise [rɪˈvaɪz] **1** revidera; se igenom (över); omarbeta, bearbeta; ~ *one's opinion* revidera sin (ändra) åsikt **2** skol. repetera
revision [rɪˈvɪʒ(ə)n] **1** revidering; granskning; omarbetning, bearbetning **2** reviderad upplaga **3** skol. repetition; *do some ~* repetera

revisit [ˌri:ˈvɪzɪt] besöka igen (på nytt), återbesöka
revitalize [ˌri:ˈvaɪtəlaɪz] återuppliva; ge ny livskraft
revival [rɪˈvaɪv(ə)l] **1** återupplivande äv. bildl. [~ *of old customs*]; återuppvaknande till sans, liv; återhämtning; återinförande; förnyelse; renässans **2** repris, återupptagande [~ *of a play*], nypremiär **3** ~ [*meeting*] väckelsemöte
revive [rɪˈvaɪv] **I** *vb tr* **1** återuppliva, åter få liv i, återkalla till sans **2** bildl. återuppliva; återinföra [~ *a law*]; återupprätta; förnya; återuppväcka [~ *memories*]; ~ *a p.'s hopes* inge (ge) ngn nytt hopp **3** ge i repris, reprisera, ta upp igen [~ *a play*], ha nypremiär på **II** *vb itr* **1** vakna till liv igen **2** bildl. återupplivas, få nytt liv
revoke [rɪˈvəʊk] **I** *vb tr* återkalla; dra in [~ *a driving licence*]; ta tillbaka [~ *an order*] **II** *vb itr* kortsp. underlåta att bekänna färg, göra 'revoke' **III** *s* kortsp. underlåtenhet att bekänna färg, 'revoke'
revolt [rɪˈvəʊlt] **I** *vb itr* **1** revoltera, göra uppror **2** upprövas, känna avsky **II** *vb tr* uppröra, väcka avsky hos; *be ~ed* bli (vara) upprörd, känna vämjelse (avsky) [*by* vid, inför, över] **III** *s* **1** revolt, uppror; *rise in* ~ revoltera, göra uppror, resa sig **2** avfall **3** upprördhet
revolting [rɪˈvəʊltɪŋ] **I** *adj* **1** upprorisk **2** upprörande, motbjudande [*a* ~ *sight*]; äcklig **II** *s* revolt
revolution [ˌrevəˈlu:ʃ(ə)n, -ˈlju:-] **1** rotation, [kring]svängning kring en axel; varv; slag; ~ *counter* varvräknare **2** astron. omlopp, kretslopp **3** revolution [*the French R~, the Industrial R~*]
revolutionary [ˌrevəˈlu:ʃənərɪ, -ˈlju:-] **I** *adj* revolutionär; revolutionerande [~ *ideas*] **II** *s* revolutionär, [samhälls]omstörtare
revolutionize [ˌrevəˈlu:ʃənaɪz, -ˈlju:-] revolutionera
revolve [rɪˈvɒlv] **I** *vb itr* vrida (röra) sig, rotera; kretsa; snurra [runt] **II** *vb tr* **1** snurra [på] [~ *a wheel*], låta rotera **2** ~ [*in one's mind*] välva, umgås med; grubbla över
revolver [rɪˈvɒlvə] revolver
revolving [rɪˈvɒlvɪŋ] roterande, kringsvängande; kretsande; ~ *chair* kontorsstol, svängstol, snurrstol; ~ *door* [roterande] svängdörr
revue [rɪˈvju:] teat. revy
revulsion [rɪˈvʌlʃ(ə)n] **1** omsvängning [*a* ~ *of* (i) *their feelings*] **2** motvilja
reward [rɪˈwɔ:d] **I** *s* belöning; hittelön; ersättning; *the financial ~s* den ekonomiska behållningen **II** *vb tr* belöna; löna, vedergälla
rewarding [rɪˈwɔ:dɪŋ] givande, lönande
rewind [ss. vb ri:ˈwaɪnd, ss. subst. ˈ--] **I** (*rewound rewound*) *vb tr* spola tillbaka film, band m.m. **II** *s* återspolning (tillbakaspolning) av ljudband o.d.
rewire [ˌri:ˈwaɪə] elektr. dra (lägga in) nya ledningar i [~ *a house*]
reword [ˌri:ˈwɜ:d] formulera om
rewrite [ss. vb ˌri:ˈraɪt, ss. subst. ˈri:raɪt] **I** (*rewrote rewritten*) *vb tr* skriva om; arbeta om **II** *s* omredigering
rhetoric [ˈretərɪk] retorik; vältalighet
rhetorical [rɪˈtɒrɪk(ə)l] retorisk; ~ *pause* konstpaus
rheumatic [rʊˈmætɪk] **I** *adj* reumatisk **II** *s* **1** reumatiker **2** pl. *~s* vard. reumatism
rheumatism [ˈru:mətɪz(ə)m] reumatism
Rhine [raɪn] geogr.; *the* ~ Rhen
rhino [ˈraɪnəʊ] (pl. *~s* el. koll. lika) vard. kortform för *rhinoceros*
rhinoceros [raɪˈnɒs(ə)rəs] (pl. *~es* el. koll. lika) zool. noshörning
Rhodes [rəʊdz] geogr. Rhodos
rhubarb [ˈru:bɑ:b] **1** rabarber; *stewed* ~ rabarberkompott **2** sl. nonsens
rhyme [raɪm] **I** *s* rim; rimord; [rimmad] vers; *nursery* ~ barnramsa, barnkammarrim; *without* ~ *or reason* utan rim och reson **II** *vb itr* rimma, *rhyming dictionary* rimlexikon **III** *vb tr* rimma, låta rimma; sätta på (i) rim, sätta på vers; *~d couplet* rimmat verspar
rhythm [ˈrɪð(ə)m] rytm, takt; ~ *section* mus. rytmsektion
rhythmic [ˈrɪðmɪk] o. **rhythmical** [ˈrɪðmɪk(ə)l] rytmisk; taktfast
RI förk. för *Rhode Island*
rib [rɪb] **I** *s* **1** anat. revben; slakt. högrev av nötkött; rygg av kalv, lamm; ~ *cage* anat. bröstkorg; *poke* (*dig*) *a p. in the ~s* puffa (stöta) till ngn i sidan **2** räffla, [upphöjd] rand; i ribbstickning ribba **II** *vb tr* **1** förse med räfflor (ribbor, spröt m.m.); räffla **2** vard. skoja (retas) med
ribald [ˈrɪb(ə)ld] oanständig
ribbed [rɪbd] ribbad [~ *cloth*], ribbstickad, resårstickad; randig; ~ *knitting* ribbstickning, resårstickning
ribbon [ˈrɪbən] **1** band; ordensband; ~ *microphone* bandmikrofon **2** remsa, strimla; *torn to ~s* [riven] i trasor, sönderriven **3** [*typewriter*] ~ färgband
rice [raɪs] **I** *s* bot. ris; risgryn; *brown* ~ opolerat ris, råris; *ground* ~ rismjöl **II** *vb tr* isht amer. pressa potatis
rich [rɪtʃ] **1** rik; förmögen; *the* ~ de rika **2** riklig, stor [~ *vocabulary*], rikhaltig [~ *supply* (förråd)], rik [~ *harvest*, ~ *vegetation*], ymnig **3** bördig, fet [~ *soil*] **4** fet, kraftig [~ *food*], mäktig [~ *cake*]; ~ *mixture* fet blandning **5** fyllig [~ *tone*, ~ *voice*], varm [~ *colour*], mustig **6** vard.

rolig; dråplig; *that's pretty ~!* det var väl ändå att gå för långt!

riches ['rɪtʃɪz] rikedom[ar]

richly ['rɪtʃlɪ] rikt; rikligt etc., jfr *rich*; i rikt mått, till fullo [*he ~ deserved his punishment*]

richness ['rɪtʃnəs] rikedom; riklighet etc., jfr *rich*

1 rick [rɪk] **I** *s* stack av hö, halm o.d. **II** *vb tr* stacka

2 rick [rɪk] **I** *vb tr* vricka; sträcka **II** *s* vrickning; sträckning

rickets ['rɪkɪts] (konstr. ss. sg. el. pl.) med. rakitis, engelska sjukan

rickety ['rɪkətɪ] **1** rankig, vinglig [*a ~ chair*], skraltig; fallfärdig [*a ~ old house*] **2** med. rakitisk

rickshaw ['rɪkʃɔ:] riksha

ricochet ['rɪkəʃeɪ, -ʃet] **I** *s* rikoschett; studsning **II** *vb itr* rikoschettera; studsa

rid [rɪd] (*rid rid,* ibl. *~ded ~ded*) befria; *~ the house of mice* få huset fritt från råttor; *get ~ of* a) bli av med, bli (göra sig) fri från, bli kvitt b) göra sig av med

riddance ['rɪd(ə)ns] befrielse; [*a*] *good ~* [*of* (*to*) *bad rubbish*]*!* skönt att bli av med (slippa) honom (dem, det etc.)!

ridden ['rɪdn] (perf. p. av *ride*) ss. efterled i sms. -härjad [*crisis-ridden*], ansatt (plågad, hemsökt) av [*fear-ridden*]

1 riddle ['rɪdl] gåta äv. om person

2 riddle ['rɪdl] **I** *s* [grovt] såll, harpa **II** *vb tr* **1** sålla t.ex. sand **2** genomborra [med kulor] [*~ a p. with bullets*]; bombardera [*~ a p. with questions*]

ride [raɪd] **I** (*rode ridden*) *vb itr* **1** rida [*~ on a horse, ~ on a p.'s back* (*shoulders*)]; sitta grensle [*~ on a seesaw* (gungbräda)]; *he is riding for a fall* bildl. det kommer att gå illa för honom; högmod går före fall **2** fara, åka [*~ in a bus; ~ on a bicycle*], köra [*~ on a motorcycle*]; gå [*the car ~s smoothly*] **3** om fartyg rida [*~ on the waves*]; *~ at anchor* rida för ankar (till ankars) **II** *vb tr* **1** rida [på] [*~ a horse*]; *~ one's* (*the*) *high horse* vard. sätta sig på sina höga hästar; *~ the storm* rida ut stormen äv. bildl.; *~ the whirlwind* bildl. besvärja stormen **2** åka; köra [*~ a motorcycle*]; *~ a bicycle* åka cykel, cykla **3** låta rida [*~ a child on one's back*] **III** *s* ritt; åktur, tur [*bus-ride*], resa; skjuts [*can you give me a ~ into town?*]; *bicycle ~* cykeltur; *take* (*go for*) *a ~* rida (åka) ut, göra en ridtur (åktur), ta sig en tur

rider ['raɪdə] **1** ryttare, ryttarinna **2** [*bicycle*] *~* cykelåkare, cyklist; *train ~* tågpassagerare **3** tillägg till dokument o.d.; tilläggsklausul

ridge [rɪdʒ] **1** rygg, kam [*~ of a wave*]; upphöjd rand (kant); *~ of high pressure* meteor. högtrycksrygg; *teeth ~* tandvall **2** [*mountain*] *~* [bergs]rygg, [berg]ås, [bergs]kam

ridicule ['rɪdɪkju:l] **I** *s* åtlöje, spe; *hold up* (*expose*) *to ~* förlöjliga, göra till ett åtlöje **II** *vb tr* förlöjliga

ridiculous [rɪ'dɪkjʊləs] löjlig; absurd

riding ['raɪdɪŋ] ridning; ridsport; *Little Red R~ Hood* Rödluvan

rife [raɪf] mycket vanlig, utbredd, förhärskande; talrik; *be ~* vara (komma) i svang (omlopp), grassera

riffle ['rɪfl] **1** [hastigt] bläddra igenom [äv. *~ through*] **2** kortsp. 'bläddderblanda' blanda genom att bläddra ihop spelkorten

riff-raff ['rɪfræf] slödder, pack

1 rifle ['raɪfl] rota igenom för att stjäla; plundra

2 rifle ['raɪfl] gevär; *~ association* (*club*) skytteförening

rifle range ['raɪflreɪn(d)ʒ] **1** gevärshåll **2** skjutbana

rift [rɪft] spricka äv. bildl. [*a ~ in the ice; a ~ in the party*]; rämna [*a ~ in the clouds*]; bildl. äv. klyfta; *a ~ in the lute* en fnurra på tråden

1 rig [rɪg] lura, svindla; manipulera; *~ an* (*the*) *election* bedriva valfusk

2 rig [rɪg] **I** *vb tr* **1** sjö. rigga, tackla **2** *~* [*out*] förse med kläder, utrusta, ekipera; vard. rigga [upp]; styra ut **3** *~* [*up*] a) montera flygplan o.d. b) vard. rigga [till], rigga upp [*~ up a shelter*] **II** *s* **1** sjö. rigg **2** vard. rigg, stass

Riga ['ri:gə, i limericken 'raɪgə] geogr.

rigging ['rɪgɪŋ] **1** sjö. rigg[ning] **2** vard. rigg

right [raɪt] **I** *adj* **1** rätt, riktig; rättmätig [*the ~ owner*]; *all ~* se under *all III*; [*isn't that*] *~?* va?, eller hur?, inte sant?; *you're ~* [*there*]*!* det har du rätt i!; *be on the ~ side of fifty* vara under femtio [år] **2** höger äv. polit.; *~ back* högerback; *~ hand* höger hand; bildl. högra hand [*he is my ~ hand*]; *~ turn* högersväng **3** om vinkel rät; *at ~ angles with* i rät vinkel mot

II *adv* **1** rätt; *~ ahead* rakt fram, sjö. rätt förut **2** just [*~ here*]; isht amer. genast [*I'll be ~ back*]; *~ then, let's do it* bra (okej), då gör vi det då; *~ away* (isht amer. *~ off*) a) genast b) utan vidare; *~ now* just nu; omedelbart, ögonblickligen **3** alldeles; ända [*~ to the bottom*] **4** rätt, riktigt; *~ first time!* rätt gissat! **5** till höger, åt höger; *~ and left* till höger och vänster, bildl. äv. från alla håll; *turn ~* svänga (gå, köra) till höger, ta av åt höger

III *s* **1** rätt [*~ and wrong* (orätt)]; *by ~s* rätteligen, om rätt ska vara rätt **2** rättighet; *fishing ~*[*s*] fiskerätt; *human ~s* de mänskliga rättigheterna; *~ of assembly* församlingsrätt; *~ of way* förkörsrätt; *stand*

on one's ~s hålla på sin rätt **3** *the ~s of the case* rätta förhållandet; *the ~s and wrongs of the case* de olika sidorna av saken **4** höger sida (hand); *the R~* polit. högern; *on your ~* till höger om dig; *keep to your ~* håll (kör) till höger; *in Sweden you keep to the ~* det är högertrafik i Sverige
IV *vb tr* **1** räta upp [*~ a car*], få på rätt köl [*~ a boat*] **2** gottgöra [*~ an injury*] **3** *things will ~ themselves* det kommer att rätta till sig
right-about ['raɪtəbaʊt], *~ turn (face)!* helt höger om!
right-angled [ˌraɪt'æŋgld, attr. '-,--] rätvinklig [*~ triangle*]; *a ~ bend* en 90-graders kurva
righteous ['raɪtʃəs] **1** rättfärdig, rättskaffens **2** rättmätig [*~ indignation*]
righteousness ['raɪtʃəsnəs] **1** rättfärdighet **2** rättmätighet **3** teol. rättfärdiggörelse
rightful ['raɪtf(ʊ)l] **1** rättmätig [*~ heir*], rätt [*~ owner*] **2** rättfärdig
right-hand ['raɪthænd] höger [*~ side*; *~ traffic*], med höger hand [*~ blow*]; *~ drive* högerstyrd
right-handed [ˌraɪt'hændɪd] högerhänt
right-hander [ˌraɪt'hændə] **1** högerhänt person; sport. högerhandsspelare **2** högerslag
rightly ['raɪtlɪ] **1** rätt; riktigt [*I don't ~ know whether...*]; *~ or wrongly* med rätt eller orätt **2** med rätta [*~ proud of its ancient buildings*]
right-minded [ˌraɪt'maɪndɪd] rättsinnad, rättänkande
righto [ˌraɪt'əʊ], *~!* O.K.!, kör för det!, ja, då säger vi det då!, gärna [för mig]!
right-of-way [ˌraɪtəv'weɪ] förkörsrätt
right-wing ['raɪtwɪŋ] polit. [som befinner sig] på högerkanten; högerorienterad
right-winger [ˌraɪt'wɪŋə] **1** högeranhängare **2** sport. högerytter
rigid ['rɪdʒɪd] **I** *adj* **1** styv; rigid äv. bildl. **2** sträng, rigorös, strikt **II** *adv* vard., *it shook me ~* jag blev helt paff
rigidity [rɪ'dʒɪdətɪ] **1** styvhet, rigiditet äv. bildl. **2** stränghet
rigmarole ['rɪgm(ə)rəʊl] **1** svammel, tjafs; harang, tirad; långrandig skrivelse **2** [omständlig] procedur [*the ~ of a formal dinner*]
rigorous ['rɪg(ə)rəs] **1** rigorös [*~ conditions, ~ discipline*], hård **2** [ytterst] noggrann **3** bister, sträng, hård [*~ climate, ~ winter*]
rigour ['rɪgə] **1** stränghet, hårdhet; pl. *~s* hårda villkor, strapatser, vedermödor **2** *the ~s of winter* den stränga vintern
rig-out ['rɪgaʊt] o. **rig-up** ['rɪgʌp] vard. rigg
rile [raɪl] vard. reta [upp]
rim [rɪm] **I** *s* **1** kant, fals, rand; infattning **2** fälg **II** *vb tr* förse med kant etc., jfr *I*; kanta
rime [raɪm] poet. **I** *s* rimfrost **II** *vb tr* [be]täcka med rimfrost
rimless ['rɪmləs], *~ spectacles* glasögon utan bågar
rind [raɪnd] **1** skal [*~ of a melon*]; svål [*bacon ~*]; kant [*cheese ~*]; ibl. skinn **2** bark
1 ring [rɪŋ] **I** (*rang rung*) *vb itr* ringa äv. tele.; klinga; *the bell (the telephone) is ~ing* äv. det ringer **II** (*rang rung*) *vb tr* **1** ringa med (i, på) klocka o.d.; ringa (telefonera) [till] [ofta *~ up*]; *~ back* ringa upp igen; *~ out* ringa ut [*~ out the Old Year*]; *~ up the curtain* bildl. börja föreställningen **2** slå [*the bell ~s the hours*] **III** *s* ringning; klingande, klang [*an aristocratic ~*]; ton[fall]; *it has a ~ of sincerity* det känns (låter) äkta; *there's a ~* [*at the bell (door, phone)*] det ringer [på klockan (på dörren, i telefonen)]
2 ring [rɪŋ] **I** *s* **1** ring; krans äv. bakverk; cirkel, krets[lopp]; *run (make) ~s round* (amer. *around*) *a p.* vard. slå (besegra) ngn hur lätt som helst; *throw one's hat [into] the ~* [förklara sig villig att] ställa upp (kandidera) [i tävlingen (striden)]; *~s of smoke* rökringar **2** [rund] bana, arena; utställningsplats för boskap o.d., boxn. el. brottn. ring **3** liga [*spy ~, a ~ of smugglers*]; klick; hand. ring **II** *vb tr* **1** göra (rita) en ring runt fåglar **2** *~* [*in (round, about)*] ringa in, omge, innesluta
ring binder ['rɪŋˌbaɪndə] ringpärm
ring finger ['rɪŋˌfɪŋgə] ringfinger
ringleader ['rɪŋˌli:də] ledare av myteri o.d.; upprorsledare
ringlet ['rɪŋlət] **1** [liten] ring (krets) **2** hårlock
ringmaster ['rɪŋˌmɑ:stə] cirkusdirektör
ring-opener ['rɪŋˌəʊp(ə)nə] rivöppnare på burk
ring ouzel ['rɪŋˌu:zl] zool. ringtrast
ring road ['rɪŋrəʊd] kringfartsled, ringled
ringworm ['rɪŋwɜ:m] med. revorm
rink [rɪŋk] **1** rink; bana för rullskridskoåkning, curling **2** ishall; hall för rullskridskoåkning, curling
rinse [rɪns] **I** *vb tr* skölja [*~ the clothes*], skölja (spola) av; *~ [out]* skölja ur (ren) **II** *s* **1** [av]sköljning; *give a th. a ~* skölja av ngt **2** sköljmedel; *hair ~* toningsvätska
riot ['raɪət] **I** *s* **1** upplopp, tumult; rabalder; pl. *~s* äv. kravaller, [gatu]oroligheter; *run ~* a) fara vilt (våldsamt) fram, härja [vilt]; bildl. skena iväg [*his imagination runs ~*] b) växa ohejdat **2** *a ~ of* en orgie i, ett överflöd (myller, hav) av **3** [våldsamt] utbrott; *a ~ of laughter* en våldsam skrattsalva **4** vard. knallsuccé; *he's a ~* han

är jätterolig (helfestlig) **II** *vb itr* **1** ställa till (deltaga i) upplopp (kravaller etc.); störa lugnet **2** fira orgier äv. bildl.; leva om

rioter ['raɪətə] upprorsmakare, bråkmakare

riotous ['raɪətəs] **1** tumultartad; upprorisk [~ *mob*] **2** tygellös, utsvävande [~ *living*]

riotously ['raɪətəslɪ] tumultartat etc., jfr *riotous*; ~ *funny* hejdlöst rolig

RIP (förk. för *requiescat* el. *requiescant in pace* lat.) [må han (hon, de)] vila i frid

1 rip [rɪp] **I** *vb tr* riva, skära, sköra; ~ [*the seams of*] *a garment* sprätta upp [sömmarna i] ett plagg **II** *vb itr* **1** rivas sönder (isär) **2** klyvas **3** vard. skjuta fart; *let it* (*her*) *~!* sätt full fart!, gasa på för fullt!; *let things* ~ låta sakerna ha sin gång **III** *s* [lång] reva (rispa)

2 rip [rɪp] tidvattenvåg

ripcord ['rɪpkɔ:d] utlösningslina på fallskärm

ripe [raɪp] mogen äv. bildl. [~ *judgement*]; färdig; *die at a ~ age* dö vid framskriden ålder

ripen ['raɪp(ə)n] **I** *vb itr* mogna; ~ *into* äv. utvecklas (övergå) till **II** *vb tr* få att (låta) mogna

ripeness ['raɪpnəs] mognad

rip-off ['rɪpɒf] sl. **1** blåsning; *it's a ~* äv. det är rena rövarpriset **2** amer. stöt

riposte [rɪ'pɒst, -'pəʊst] fäktn. **I** *s* ripost[ering] **II** *vb itr* ripostera

ripple ['rɪpl] **I** *vb itr* **1** om vattenyta o.d. krusa sig **2** porla; skvalpa **II** *vb tr* krusa; bilda ränder (räfflor) i [*the tide ~d the sand*] **III** *s* **1** krusning på vattnet; vågrörelse; rand i sanden; ~ *of muscles* muskelspel **2** porlande; [våg]skvalp; *a ~ of laughter* a) ett porlande skratt b) en skrattsalva

rise [raɪz] **I** (*rose, risen*) *vb itr* **1** resa sig, resa (ställa) sig upp; stiga upp, gå upp äv. om himlakroppar [*the sun ~s in the East*]; ~ *and shine!* upp och hoppa!, upp med dig (er)! **2** stiga; höja sig [*his voice rose in anger*]; *the glass is rising* barometern stiger **3** tillta, stiga; *the wind is rising* vinden tilltar (ökar); *his colour rose* han rodnade **4** resa sig, göra uppror **5** ~ *to the bait* nappa på kroken äv. bildl. **6** stiga [i graderna] [~ *to be* (till) *a general*]; ~ *in the world* komma upp sig här i världen **7** uppkomma [*the quarrel rose from a mere trifle*]; om flod rinna upp [*the river ~s in the mountains*] **8** uppstå [~ *from the dead*]; *Christ is ~n* Kristus är uppstånden **9** *it made his gorge* (*stomach*) ~ det äcklade (kväljde) honom **10** kok. jäsa [upp] om bröd **II** *s* **1** stigning [*a ~ in the ground*], [upp]höjning **2** stigande, höjning, ökning; [löne]förhöjning; börs. [kurs]uppgång, hausse **3** uppgång [*the ~ of the Roman Empire*]; uppkomst; *give ~ to* ge upphov till; *have* (*take*) *its ~ in* a) om flod rinna upp i, ha sin källa i b) bildl. ha sin upprinnelse (uppkomst) i **4** *get a ~* få napp

riser ['raɪzə], *be an early ~* vara morgontidig [av sig]; *be a late ~* ligga länge på morgnarna

rising ['raɪzɪŋ] **I** *adj* stigande; ~ *damp* byggn. stigande fukt [i väggar (golv)]; *the Land of the R~ Sun* den uppgående solens land Japan **II** *s* **1** resning, uppror **2** uppstigning **3** upphöjning **4** solens o.d. uppgång

risk [rɪsk] **I** *s* **1** risk; *run a ~* löpa en risk; *be at ~* stå på spel; vara i farozonen **2** försäkr. risk **II** *vb tr* riskera [~ *losing one's life*]; våga [~ *one's life*], sätta på spel

risky ['rɪskɪ] **1** riskabel **2** vågad [~ *story*]

risqué ['ri:skeɪ, 'rɪs-] vågad

rissole ['rɪsəʊl] kok. krokett; flottyrkokt risoll

rite [raɪt] rit; kyrkobruk, ceremoni; *the last ~s* relig. sista smörjelsen

ritual ['rɪtʃʊəl] **I** *adj* rituell **II** *s* ritual; ritualbok

rival ['raɪv(ə)l] **I** *s* rival **II** *attr adj* rivaliserande [~ *companies*] **III** *vb tr* o. *vb itr* tävla (rivalisera, konkurrera) [med]

rivalry ['raɪv(ə)lrɪ] rivalitet, konkurrens

river ['rɪvə] flod; ström [*a ~ of lava*]; [*small*] ~ äv. å; *~s of blood* strömmar av blod; *the R~ Thames* Temsen[floden]

rivet ['rɪvɪt] **I** *s* tekn. nit **II** *vb tr* **1** nita; nita fast äv. bildl.; *he was ~ed on the spot* han stod som fastnitad [på stället] **2** fästa; ~ *one's eyes on* fästa blicken på **3** fånga, tilldra sig [*the scene ~ed our attention*]

Riviera [ˌrɪvɪ'eərə] geogr.; *the* ~ Rivieran

RN förk. för *Royal Navy* [*Captain Smith ~*]

1 roach [rəʊtʃ] zool. mört

2 roach [rəʊtʃ] vard. kortform för *cockroach*

road [rəʊd] **1** väg äv. bildl., landsväg; körbana; *the ~* [stora] landsvägen; ~ *fund licence* ung. motsv. fordonsskatt, bilskattekvitto; i gatunamn -vägen, -gatan [*Kelross R~*]; *the royal ~ to success* kungsvägen till framgång; *one for the ~* vard. en färdknäpp, en avskedsdrink; *be on the ~* a) vara på väg b) teat. o.d. vara på turné, turnera; *on the* [*right*] *~ to being* på [god] väg att bli **2** amer. vard. järnväg

roadblock ['rəʊdblɒk] vägspärr

roadhog ['rəʊdhɒg] vard. bildrulle

roadholding ['rəʊdˌhəʊldɪŋ], ~ *ability* väghållning[sförmåga]; ~ *qualities* vägegenskaper

roadhouse ['rəʊdhaʊs] finare värdshus (hotell) vid landsvägen

roadie ['rəʊdɪ] vard. roadie, rodda

roadmap ['rəʊdmæp] vägkarta

roadside ['rəʊdsaɪd] **1** vägkant **2** vid vägen [*a ~ inn*]; ~ *repairs* nödreparation vid vägkanten

roadsign ['rəʊdsaɪn] **1** vägmärke; trafikmärke **2** vägvisare
roadster ['rəʊdstə] **1** öppen tvåsitsig sportbil **2** standardcykel
road test ['rəʊdtest] provkörning på väg av bil o.d.
roadway ['rəʊdweɪ] körbana; väg[bana]
roadworks ['rəʊdwɜ:ks] vägarbete
roadworthy ['rəʊd,wɜ:ðɪ] trafikduglig
roam [rəʊm] **I** *vb itr* ströva [omkring]; ~ *over* fara (glida) över **II** *vb tr* ströva igenom
roar [rɔ:] **I** *s* **1** rytande, tjut; *set up a* ~ ge sig till att gallskrika (tjuta), börja tjuta (vråla); ~ *of applause* bifallsstorm, stormande bifall **2** dån, larm, brus [*the* ~ *of the sea* (*the traffic*)] **II** *vb itr* **1** ryta; vråla [~ *with pain*]; tjuta, skrika, gallskrika; ~ *with laughter* gapskratta, tjuta av skratt **2** dåna; eka **III** *vb tr,* ~ *one's head off* skratta sig fördärvad
roaring ['rɔ:rɪŋ] **I** *adj* rytande etc., jfr *roar II*; stormig; vard. strålande, hejdundrande; *do a* ~ *business* (*trade*) göra glänsande (lysande) affärer **II** *s* rytande, vrål[ande] etc., jfr *roar II*
roast [rəʊst] **I** *vb tr* steka i ugn el. på spett [~ *meat,* ~ *apples*]; ugnsteka; rosta [~ *chestnuts,* ~ *coffee*]; ~ *oneself* steka sig vid elden, i solen; ~*ing pan* långpanna **II** *vb itr* stekas [~ *in the oven*]; *he was* ~*ing in the sun* han låg och stekte sig i solen **III** *s* **1** stek **2** stekning **3** amer. grillparty utomhus **IV** *adj* stekt; rostad; ~ *beef* rostbiff; oxstek; ~ *potatoes* ugnstekt potatis
rob [rɒb] plundra, råna; beröva
robber ['rɒbə] rånare, rövare
robbery ['rɒbərɪ] rån [jur. äv. ~ *with violence*]; röveri
robe [rəʊb] **I** *s* **1** ~[*s* pl.] ämbetsdräkt [*judge's* ~], skrud **2** galaklänning **3** badkappa [vanl. *bathrobe, beach* ~]; amer. morgonrock, nattrock **II** *vb tr* kläda
robin ['rɒbɪn] zool. rödhake[sångare] [äv. ~ *redbreast*]; [*American*] ~ vandringstrast, rödtrast
robot ['rəʊbɒt] robot; ~ *bomb* robotbomb; ~ *pilot* autopilot, automatisk styrinrättning
robotics [rəʊ'bɒtɪks] (konstr. ss. sg.) robotteknik
robust [rə(ʊ)'bʌst] **1** robust [*a* ~ *man,* ~ *health,* ~ *humour*]; kraftig, stark; handfast; stadig, bastant; härdig [~ *plant*]; *a* ~ *appetite* frisk aptit **2** fysiskt krävande, hård [~ *exercise*]
1 rock [rɒk] **1** klippa äv. bildl.; skär; *as firm as* [*a*] ~ el. ~ *solid* klippfast, bergfast; pålitlig [som en klippa]; [*whisky*] *on the* ~*s* ...med is[bitar]; [*their marriage*] *went on the* ~*s* ...havererade (gick i kras) **2** a) stenblock b) amer. sten [*throw* ~*s*] **3** berg, berggrund [*a house built upon* ~], hälleberg; berghäll **4** bergart **5** ung. polkagris[stång]; ung. mandelstång; *peppermint* ~ ung. polkagris **6** sl. ädelsten; isht diamant **7** sl., pl. ~*s* kulor, stålar; *pile up the* ~*s* tjäna [grova] pengar **8** vulg., pl. ~*s* ballar testiklar
2 rock [rɒk] **I** *vb tr* **1** vagga, [få att] gunga [~ *a child to sleep*] **2** skaka [*the town was* ~*ed by an earthquake*]; chocka; ~ *the boat* a) vicka [på] båten b) bildl. trassla till (fördärva) det hela **II** *vb itr* vagga, gunga; om fordon äv. kränga; ~ *with laughter* skaka av skratt **III** *s* gungning etc., jfr *I*
3 rock [rɒk] mus. **I** *s* rock; rock'n'roll **II** *vb itr* rocka; spela rock
rock-bottom [,rɒk'bɒtəm] bildl. vard. absoluta botten; ~ *prices* absoluta bottenpriser
rock cake ['rɒkkeɪk] kok., ung. hastbulle med russin
rock-climbing ['rɒk,klaɪmɪŋ] bergbestigning
rock crystal [,rɒk'krɪstl] bergkristall
rocker ['rɒkə] **1** med[e] på vagga, gungstol o.d. **2** isht amer. gungstol **3** tekn. balans, vippa; ventillyftare; ~ *arm* pendelarm, vipparm, avbrytarspak **4** sl., *off one's* ~ vrickad, knasig, knäpp **5** vard. rocksångare
rockery ['rɒkərɪ] stenparti
rocket ['rɒkɪt] **I** *s* raket äv. fyrverkeripjäs; ~ *missile* raketvapen, robot; ~ *stage* raketsteg **II** *vb itr* **1** flyga (fara [upp]) som en raket; fara med raketfart; bildl. skjuta i höjden [*prices* ~*ed after the war*]; ~ *into fame* bli berömd rekordsnabbt **2** flyga med en raket [~ *into outer space*]
rocket-assisted ['rɒkɪtə,sɪstɪd], ~ *take-off* raketstart
rock garden ['rɒk,gɑ:dn] stenparti
Rockies ['rɒkɪz] geogr. (vard.), *the* ~ pl. Klippiga bergen
rocking-chair ['rɒkɪŋtʃeə] gungstol
rocking-horse ['rɒkɪŋhɔ:s] gunghäst
rocky ['rɒkɪ] **1** klippig; *the R~ Mountains* Klippiga bergen **2** stenhård [~ *soil*]
rococo [rə(ʊ)'kəʊkəʊ] **I** *s* rokoko **II** *adj* rokoko-
rod [rɒd] **1** käpp; stång äv. av metall; *the rain came down in* ~*s* regnet stod som spön i backen **2** [met]spö **3** spö; *make a* ~ *for one's own back* binda ris åt egen rygg **4** [ämbets]stav; bildl. äv. spira; *rule with a* ~ *of iron* styra med järnhand (järnspira) **5** anat., pl. ~*s* stavar i ögat **6** tekn. vevstake **7** amer. sl., *hot* ~ hotrod upptrimmad äldre bil **8** sl. puffra revolver
rode [rəʊd] imperf. av *ride*
rodent ['rəʊd(ə)nt] **I** *s* zool. gnagare **II** *adj* gnagande, gnagar-

rodeo [rə(ʊ)'deɪəʊ, 'rəʊdɪəʊ] (pl. *~s*) amer. **1** rodeo riduppvisning av cowboys **2** samling (hopdrivning) av boskap

1 roe [rəʊ] rom, fiskrom [äv. *hard ~*]; *soft ~* mjölke

2 roe [rəʊ] rådjur

rogue [rəʊg] **1** bov; lymmel; skojare; *~s' gallery* förbrytaralbum, förbrytargalleri **2** skämts. skälm **3** vildsint djur som lever utanför flocken; *~ elephant* vildsint ensam elefant

roguish ['rəʊgɪʃ] **1** bovaktig, skurkaktig **2** skälmsk [*~ eyes*], skälmaktig

role o. **rôle** [rəʊl] roll äv. psykol.; uppgift

roll [rəʊl] **I** *s* **1** rulle **2** valk [*~s of fat*] **3** kok. **a**) småfranska **b**) rulad [*~ of pork*] **c**) ung. pirog [*meat ~*] **4** rulla, lista; *~ of honour* lista över stupade [hjältar] **5** rullande, rullning [*the ~ of the ship*], rullande gång **6** muller, rullande [*~ of thunder*]; *~ of drums* äv. trumvirvlar **II** *vb tr* **1** rulla [*~ a cigarette*]; *~ one's eyes* rulla med ögonen; *~ one's r's* rulla på r-en **2** kavla [ut] [äv. *~ out*]; välta åker, gräsplan; *~ed gold* gulddoublé **III** *vb itr* **1** rulla; rulla sig; *~ in luxury* vard. vältra sig i lyx; *he's ~ing in money* (*in it*) vard. han har pengar som gräs; *~ on* [*my holiday*]*!* vard. å, vad jag längtar efter... **2** om åska o.d. mullra **3** sjö. rulla **4** gå med rullande gång; vingla

roll call ['rəʊlkɔ:l] [namn]upprop; mil. appell

roller ['rəʊlə] **1** rulle; trissa; *~ bandage* binda, bandage; *~ towel* rullhandduk **2** vals; kavel; lantbr. o.d. vält; mål. roller **3** [hår]spole **4** [lång] dyning

roller-coaster ['rəʊlə,kəʊstə] **1** berg- och dalbana **2** berg- och dalbanevagn[ar]

roller-skate ['rəʊləskeɪt] **I** *s* rullskridsko **II** *vb itr* åka rullskridsko

rolling ['rəʊlɪŋ] **I** *adj* rullande etc., jfr *roll II* o. *III*; som går i vågor, vågformig, vågig; rull- [*a ~ collar*]; *~ country* ett böljande (kuperat) landskap **II** *s* rullning, rullande

rolling-mill ['rəʊlɪŋmɪl] valsverk

rolling-pin ['rəʊlɪŋpɪn] brödkavel

rolling-stock ['rəʊlɪŋstɒk] rullande materiel; vagnpark

roll-neck ['rəʊlnek] polo, polo- [*~ sweater*]

roll-on ['rəʊlɒn, ,rəʊl'ɒn] **1** resårgördel **2** roll-on[-flaska]

roll-on-roll-off [,rəʊlɒn'rəʊlɒf] **I** *s* roll-on-roll-off slags rationell transportmetod **II** *adj* roll-on-roll-off-

roll-top [,rəʊl'tɒp, attr. '--] **1** rulljalusi **2** jalusiskrivbord [äv. *~ desk*]

roly-poly [,rəʊlɪ'pəʊlɪ] **I** *s* **1** kok., *~* [*pudding*] ångkokt el. gräddad rulle (pudding) med syltfyllning **2** vard. liten rulta (tjockis) **II** *adj* knubbig

ROM [rɒm] (förk. för *read only memory*) data. ROM

Roman ['rəʊmən] **I** *adj* romersk; romar- [*the ~ Empire*]; romersk-katolsk; *~ candle* romerskt ljus fyrverkeripjäs; *~ law* romersk rätt; *~* (*r~*) *letter*[*s*] (*type*) typogr. antikva; *~* (*r~*) *numerals* romerska siffror **II** *s* **1** romare **2** bibl., [*the Epistle to the*] *~s* (konstr. ss. sg.) Romarbrevet **3** ibl. neds. romersk katolik

romance [rə(ʊ)'mæns] **I** *s* **1** romantik; *an air of ~* en romantisk stämning **2** romans kärlekshistoria; romantisk upplevelse **3** äventyrsroman; romantisk berättelse **II** *adj*, *R~* romansk [*R~ languages*] **III** *vb itr* **1** fabulera, skarva **2** svärma

Romanesque [,rəʊmə'nesk] **I** *adj* isht arkit. romansk; rundbåge- **II** *s* arkit. romansk stil, rundbågestil

Romania [rəʊ'meɪnjə, ru:-] Rumänien

Romanian [rəʊ'meɪnjən, ru:-] **I** *adj* rumänsk **II** *s* **1** rumän; rumänska **2** rumänska [språket]

romantic [rə(ʊ)'mæntɪk] **I** *adj* romantisk [*a ~ girl, a ~ old castle*] **II** *s* **1** romantiker **2** pl. *~s* romantiska känslor (stämningar, idéer)

romanticism [rə(ʊ)'mæntɪsɪz(ə)m] romantik

romanticize [rə(ʊ)'mæntɪsaɪz] **I** *vb tr* romantisera **II** *vb itr* vara romantisk; svärma

Romany ['rɒmənɪ] **I** *s* **1** zigenare **2** romani, zigenska [språket] **II** *attr adj* zigensk

Rome [rəʊm] Rom; *the Church of ~* romersk-katolska kyrkan

romp [rɒmp] **I** *vb itr* **1** isht om barn stoja, tumla om **2** vard., *~ in* (*home*) isht kapplöpn. 'flyga' fram till målet, vinna lätt (stort) **II** *s* **1** yrhätta, vildbasare **2** vild lek **3** isht kapplöpn., *win in a ~* vinna lätt (stort)

rondo ['rɒndəʊ] (pl. *~s*) mus. rondo

roof [ru:f] **I** *s* tak äv. bildl.; yttertak; *the ~ of a car* ett biltak; *hit* (*go through*) *the ~* vard. a) flyga (gå) i taket, bli rasande b) rusa i höjden om priser **II** *vb tr* **1** lägga tak på, täcka [äv. *~ in* (*over*); *~* [*in*] *a house*] **2** bilda tak över, täcka [äv. *~ in*] **3** ge husrum åt

roof garden ['ru:f,gɑ:dn] **1** takträdgård **2** amer. takservering

roofing ['ru:fɪŋ] **1** takläggning **2** tak **3** taktäckningsmaterial; *~ felt* takpapp

roof rack ['ru:fræk] takräcke på bil

1 rook [rʊk] **I** *s* **1** zool. råka **2** vard. falskspelare isht i kortspel; lurendrejare **II** *vb tr* vard. plocka på pengar [genom falskspel]; skinna

2 rook [rʊk] schack. torn

rookie ['rʊkɪ] sl. gröngöling; mil. färsking; sport. nykomling

room [ru:m, rʊm] **I** *s* **1** rum i hus; pl. *~s* äv.

hyresrum, [hyres]lägenhet, bostad; *ladies'* ~ damrum, damtoalett; *men's* ~ herrtoalett **2** plats, utrymme; *standing* ~ ståplats[er]; *make* ~ *for* lämna (bereda) plats för äv. bildl. **II** *vb itr* isht amer. hyra [rum], vara inneboende, bo; *they* ~ *together* de delar bostad (rum), de bor ihop

roommate ['ru:mmeɪt, 'rʊm-] **1** rumskamrat **2** sambo

room service ['ru:mˌsɜ:vɪs] rumservice

roomy ['ru:mɪ] rymlig [*a* ~ *cabin*]

roost [ru:st] **I** *s* sittpinne; hönsstång; hönshus; *rule the* ~ vard. vara herre på täppan; *his chickens have come home to* ~ bildl. hans missdåd (missgärningar etc.) har fallit tillbaka på honom själv **II** *vb itr* om fågel slå sig ner [för att sova]

rooster ['ru:stə] tupp

1 root [ru:t] **I** *s* **1** rot, bildl. äv. upphov; *the* ~ *cause* den grundläggande orsaken, grundorsaken; ~ *of a tooth* tandrot; *it has its* ~*[s] in* det har sin rot (grund) i **2** vanl. pl. ~*s* rotfrukter **3** planta **4** matem. rot; *cube* ~ kubikrot; *square* ~ kvadratrot **5** språkv. rot **II** *vb itr* slå rot, få rotfäste **III** *vb tr* **1** låta slå rot; [*deeply*] ~*ed* djupt rotad; inrotad; fast förankrad **2** nagla fast [*fear* ~*ed him to the ground*]; *stand* ~*ed to the spot* stå som fastnaglad (fastvuxen) **3** ~ *out* utrota

2 root [ru:t] **I** *vb itr* rota; ~ *about* (*around*) *among* [*one's papers*] rota om[kring] i..., rota igenom... **II** *vb tr* **1** ~ [*up*] a) rota (böka) i b) rota (böka) upp **2** ~ [*out*] rota (leta) fram

rope [rəʊp] **I** *s* **1** rep, lina, tåg; isht sjö. tross; amer. äv. lasso; ~ *of sand* bildl. löst (skört) band; *give a p. plenty of* ~ ge ngn fria (lösa) tyglar, ge ngn fritt spelrum **2** [hals]band; fläta [~ *of onions*]; ~ *of pearls* [långt] pärl[hals]band **II** *vb tr* **1** binda [ihop (fast)] med rep **2** ~ [*in*] inhägna med rep **3** vard., ~ *a p. in* a) förmå ngn att hjälpa till (vara med, medverka) b) dra in (lura in) ngn [*into* i]; fånga in ngn

rosary ['rəʊzərɪ] relig. radband; bönbok

1 rose [rəʊz] imperf. av *rise*

2 rose [rəʊz] **I** *s* **1** bot. ros; [*life is*] *not a bed of* ~*s* (*not all* ~*s*) ...ingen dans (inte bara en dans) på rosor **2** stril på vattenkanna **3** rosa[färg], rosenrött **II** *adj* **1** i sms. ros- [*rosebush*] **2** rosa, rosenröd

rosebud ['rəʊzbʌd] rosenknopp; ~ *mouth* rosenmun

rosebush ['rəʊzbʊʃ] ros[en]buske

rosehip ['rəʊzhɪp] bot. nypon

rosemary ['rəʊzm(ə)rɪ] bot. el. krydda rosmarin

rosette [rə(ʊ)'zet] rosett äv. bot. el. arkit.; bandros, bandrosett, kokard

rosewater ['rəʊzˌwɔ:tə] rosenvatten

roster ['rɒstə] **1** mil. tjänstgöringslista **2** lista, förteckning

rostr|um ['rɒstr|əm] (pl. *-a* [-ə] el. *-ums*) **1** talarstol, kateder; tribun, estrad, podium, pult **2** prispall i olympiska spel

rosy ['rəʊzɪ] **1** rosig, rödblommig **2** rosenfärgad äv. bildl.; ljus [*a* ~ *future*]; *take a* ~ *view of* se ngt i rosenrött, se ljust på; *paint everything in* ~ *colours* måla allt i rosenrött **3** i sms. rosen- [*rosy-cheeked*]

rot [rɒt] **I** *vb itr* ruttna, murkna **II** *vb tr* få att ruttna (murkna) **III** *s* **1** röta; förruttnelse **2** vard. dumheter, strunt **IV** *interj*, ~! struntprat!, dumheter!

rota ['rəʊtə] tjänstgöringsordning, tjänstgöringslista

rotary ['rəʊtərɪ] **I** *adj* roterande, rotations- **II** *s* amer. cirkulationsplats

rotate [rə(ʊ)'teɪt] **I** *vb itr* **1** rotera [~ *round* (kring) *an axis*] **2** växla [regelbundet]; gå runt **II** *vb tr* **1** bringa i rotation **2** låta växla [regelbundet]; låta cirkulera; byta successivt; ~ *crops* bedriva växelbruk

rotation [rə(ʊ)'teɪʃ(ə)n] **1** rotation; varv [*five* ~*s an hour*] **2** växelföljd [*the* ~ *of the seasons*]; turordning; [ömsesidig] avlösning i arbete; *in* (*by*) ~ i tur och ordning, växelvis, turvis **3** lantbr., ~ [*of crops*]

rote [rəʊt], *by* ~ utantill [*know a th. by* ~]; av gammal vana, mekaniskt, utan att tänka [*do a th. by* ~]

rotor ['rəʊtə] rotor

rotten ['rɒtn] **1** rutten äv. bildl.; skämd; murken; ~ *to the core* genomrutten **2** vard. urusel [~ *weather*], urdålig [*feel* ~], eländig; skamlig, taskig [*a* ~ *thing to have done that*]; om sak äv. jäklig; ~ *luck!* en sån förbaskad otur!

rotund [rə(ʊ)'tʌnd] rund [*a* ~ *face*; *a* ~ *little man*], trind

rouble ['ru:bl] rubel

rouge [ru:ʒ] **I** *s* **1** rouge, rött puder **2** putspulver för metall, glas o.d.; *jeweller's* ~ ung. silverputs[pulver] **II** *vb tr* o. *vb itr* sminka [sig] med rouge, lägga på rouge

rough [rʌf] **I** *adj* **1** grov **2** svår[forcerad] [~ *country*] **3** svår [~ *weather*]; gropig [*a* ~ *sea*] **4** hårdhänt [~ *handling*], rå; ruffig; *it was* ~ *going* det var en svår pärs; ~ *play* sport. ojust spel, ruff; *have a* ~ *time* [*of it*] vard. ha det svårt, slita ont; *it is* ~ *on her* vard. det är synd om henne **5** ohyfsad; *a* ~ *customer* en rå typ **6** *lead a* ~ *life* leva primitivt **7** obehandlad, rå [~ *diamond*] **8** grov; ~ *copy* kladd, koncept; *in* ~ *outlines* i grova drag **9** ungefärlig; *a* ~ *estimate* en ungefärlig beräkning; *at a* ~

estimate äv. uppskattningsvis; *a ~ guess* en lös gissning **II** *adv* grovt; rått; hårt; ojust; *cut up ~* börja bråka, ilskna till; *play ~* spela ojust, ruffa **III** *s* **1** *take the ~ with the smooth* bildl. ta det onda med det goda **2** *in the ~* i obearbetat tillstånd (skick) **3** buse **IV** *vb tr* **1** *~ it* slita ont; leva primitivt **2** *~ in (out)* teckna konturerna av **3** *~ up* riva upp; rufsa till

roughage [ˈrʌfɪdʒ] **1** grovfoder **2** fiberrik kost; växtfibrer

rough-and-ready [ˌrʌfndˈredɪ] **1** grov, ungefärlig [*a ~ estimate*], lättvindig **2** om pers. rättfram

roughcast [ˈrʌfkɑːst] byggn. grovputs, grovrappning; revetering

roughen [ˈrʌf(ə)n] göra (bli) grov (grövre) etc., jfr *rough I*

roughly [ˈrʌflɪ] **1** grovt etc., jfr *rough I*; *treat ~* behandla omilt (hårt, hårdhänt) **2** cirka; på en höft; något så när; *~ speaking* i stort sett, på ett ungefär, i runt tal

roughneck [ˈrʌfnek] sl. ligist

roughness [ˈrʌfnəs] grovhet etc., jfr *rough I*

roughshod [ˈrʌfʃɒd] **1** om häst broddad **2** *ride ~ over* bildl. topprida, trampa ner; behandla hänsynslöst

roulette [rʊˈlet] roulett[spel]

round [raʊnd] **I** *adj* **1** rund, [av]rundad; *~ robin* inlaga (protestskrivelse) med undertecknarnas namnteckningar i cirkel för att dölja ordningsföljden **2** a) jämn, rund, avrundad [*a ~ sum*]; hel [*a ~ dozen*] b) ungefärlig [*a ~ estimate*]; *a good ~ [sum]* en rundlig...; *in ~ figures* i runda (runt) tal **3** *scold a p. in good ~ terms* ge ngn en ordentlig (rejäl) utskällning

II *s* **1** ring; rund; klot; *theatre in the ~* arenateater **2** skiva av bröd el. korv; *a ~ of beef* a) ett lårstycke av oxkött b) en [dubbel]smörgås med oxkött **3** kretslopp; rond, tur; serie, rad; *the daily ~* de dagliga bestyren **4** omgång; *~ of ammunition* mil. a) [skott]salva b) skott [*he had three ~s of ammunition left*]; *a ~ of applause* en applåd **5** sport. o.d. rond; *a ~ of golf* en golfrunda **6** mus. kanon

III *adv* **1** runt [*show a p. ~*], [runt]omkring, runtom [*6 metres ~*]; om tillbaka [*don't turn ~!*]; *~ about* [runt]omkring, runtom; *all ~* a) runtom[kring] b) överallt c) överlag, laget runt; *all the year ~* hela året [om], året runt (om); *go a long way ~* ta en lång omväg **2** här [*when he was ~*]; hit [*he came ~ one evening*]; *ask a p. ~* be ngn hem till sig **3** *~ [about]* [så där] omkring [*~ [about] lunchtime*]

IV *prep* om[kring] [*he had a scarf ~ his neck*], runt, kring [*sit ~ the table*]; runtom; omkring (runt) i (på) [*walk ~ the town*]; *~ the clock* dygnet runt, jfr *round-the-clock*

V *vb tr* **1** göra rund; runda [*~ the lips*]; *~ed bosom* rund (fyllig) barm **2** runda [*~ a street corner*], gå (fara, segla) runt, sjö. äv. dubblera [*~ a cape*] **3** *~ up* samla (driva) ihop; mobilisera, samla [*~ up volunteers*]

VI *vb itr* **1** *~ out* bli fyllig[are] (rundare) **2** vända sig om; *~ on a p.* fara ut mot ngn

roundabout [ˈraʊndəbaʊt] **I** *adj* tillkrånglad [*~ paragraphs*]; *use ~ methods* bildl. gå omvägar; *~ way (route)* omväg **II** *s* **1** karusell **2** trafik. rondell, cirkulationsplats **3** omväg

roundly [ˈraʊndlɪ] **1** [cirkel]runt etc., jfr *round I* **2** öppet [*his methods were ~ condemned*], oförblommerat, rent ut [*I told him ~ that he was wrong*] **3** fullständigt

round-shouldered [ˌraʊndˈʃəʊldəd] kutryggig

round-table [ˌraʊndˈteɪbl] **I** *adj* rundabords- [*~ conference*] **II** *s* rundabordskonferens

round-the-clock [ˈraʊndðəklɒk, -ˈ-ˈ-] dygnslång [*a ~ attack*], som pågår (pågick) hela dygnet [*~ meetings*]; [*they have*] *~ service* ...dygnetruntservice, ...öppet (jourtjänst) dygnet runt

round-trip [ˈraʊndtrɪp] amer. turochretur- [*a ~ ticket*]

roundup [ˈraʊndʌp] **1** hopsamlande **2** [*police*] *~* [polis]razzia [*of* bland] **3** sammanfattning [*a news ~*], översikt [*a sports ~*]; *Sports ~* radio. el. TV. sportextra

rouse [raʊz] **1** väcka [upp] **2** bildl. a) väcka, sätta liv (fart) i; sätta i rörelse [*~ the imagination*]; egga [*~ a p. to action*], elda [upp] [*~ the masses*] b) reta [upp] [*~ a p. to anger*]; *~ oneself* rycka upp sig, vakna upp

rousing [ˈraʊzɪŋ] **1** väckande; *a ~ appeal* en flammande appell; *a ~ tune* en medryckande melodi **2** översvallande [*a ~ welcome*]

1 rout [raʊt] **I** *s* vild (oordnad) flykt; sammanbrott; sport. äv. skräll; *the army is in full ~* armén befinner sig i fullständig upplösning (är på vild flykt); *put to ~* driva (jaga, slå) på flykten **II** *vb tr* driva (jaga, slå) på flykten; fullständigt besegra

2 rout [raʊt] **I** *vb itr, ~ [about]* rota, böka, gräva [*for* efter] **II** *vb tr* **1** om svin böka (rota) upp **2** *~ out* gräva (leta) fram (upp)

route [ruːt, mil. o. ibl. amer. äv. raʊt] **I** *s* **1** rutt, route, [färd]väg; amer. huvudväg [*R~ 22*]; sträcka för trafik; [*the buses*] *on ~ number 50* ...på linje 50 **2** mil. marschrutt, marschruta **II** *vb tr* sända viss väg [*all mail was ~d via the Cape*]; dirigera

routine [ruːˈtiːn] **I** *s* **1** rutin, praxis; *office ~* kontorsrutiner, rutinerna (arbetsgången) på ett kontor; *it's just a matter of ~* det är bara en rutinsak (formalitet) **2** slentrian **3** teat. nummer på repertoaren [*a dance ~*] **II** *adj* **1** rutin- [*~ duties*], rutinmässig; vanemässig; vanlig [*the ~ procedure*]; [*things like this*] *are ~ these days* ...hör till regeln (vanligheten) nu för tiden **2** slentrianmässig

rove [rəʊv] **I** *vb itr* ströva [omkring]; flacka [omkring] [*~ from place to place*], irra [*his eyes ~d from one place to another*] **II** *vb tr* genomströva [*~ the woods*] **III** *s*, *be on the ~* vara ute och vandra

rover ['rəʊvə] vandrare; rastlös person; nomad

roving ['rəʊvɪŋ] kringströvande; *~ ambassador* resande ambassadör; *~ reporter* flygande reporter

1 row [rəʊ] **1** rad, räcka [*a ~ of houses*]; led; *~ house* amer. radhus **2** bänk[rad] **3** i stickning varv **4** gata isht i gatunamn

2 row [rəʊ] **I** *vb tr* **1** ro [*~ a boat*]; *~ a race* ro ikapp **2** ro mot, tävla med **II** *vb itr* ro; *the boat ~s easily* båten är lättrodd **III** *s* rodd[tur]; *be out for a ~* vara ute och ro

3 row [raʊ] **I** *s* **1** oväsen; [*the children*] *made* (*were kicking up*) *an awful ~* ...förde ett förskräckligt liv (oväsen), ...levde bus; *stop that ~!* för inte ett sånt liv! **2** gräl, spektakel; strid; *have a ~* bråka, gräla **II** *vb tr* skälla ut, gräla på **III** *vb itr* **1** väsnas, bråka **2** gräla, gruffa; *~ with a p.* gräla med ngn

rowan ['rəʊən, 'raʊ-] isht nordeng. el. skotsk. **1** rönn **2** rönnbär

rowanberry ['rəʊənˌberɪ, 'raʊən-] rönnbär

rowdy ['raʊdɪ] **I** *s* bråkmakare **II** *adj* bråkig, våldsam [*~ scenes*]

rowdyism ['raʊdɪɪz(ə)m] busliv

rower ['rəʊə] roddare

rowing-boat ['rəʊɪŋbəʊt] roddbåt

rowlock ['rɒlək, 'rʌl-, 'rəʊlɒk] årtull

royal ['rɔɪ(ə)l] **I** *adj* a) kunglig [*~ blood*; *His R~ Highness*], kunga- [*~ power*] b) bildl. kunglig, storartad [*a ~ welcome*]; strålande [*in ~ spirits*]; *R~ Commission* statlig utredning; *the ~ family* den kungliga familjen, de kungliga; kungahuset; *the ~ speech* trontalet; *have a ~ time* roa sig kungligt, stornjuta **II** *s* vard. kunglig [person] [*a ~, the ~s*]

royalist ['rɔɪəlɪst] rojalist

royalistic [ˌrɔɪə'lɪstɪk] rojalistisk

royalty ['rɔɪ(ə)ltɪ] **1** kunglighet, kungamakt **2** a) kunglig person **b**) kungligheter [*in the presence of ~*] **3** royalty

RSPCA förk. för *Royal Society for the Prevention of Cruelty to Animals*

RSVP (förk. för *répondez s'il vous plaît* fr.) på bjudningskort o.s.a (förk. för *om svar anhålles*)

rub [rʌb] **I** *vb tr* (se äv. *II*) gnida, gnugga, skava; frottera; polera; *~ shoulders* (*elbows*) *with* umgås med, neds. frottera (beblanda) sig med; *~ a p.* [*up*] *the wrong* (*right*) *way* bildl. stryka ngn mothårs (medhårs) **II** *vb tr* o. *vb itr* med adv.:

~ **along** vard.: **a**) klara sig **b**) *we manage to ~ along together* vi kommer [ganska] bra överens

~ **down** gnida (gnugga) ren; gnida slät, slipa av; frottera; rykta

~ **in**: **a**) gnida in **b**) bildl. *don't ~ it in!* du behöver inte tjata om (påminna mig om) det!

~ **off**: **a**) gnida (putsa, nöta) av (bort); sudda ren **b**) gå att gnida av (bort) osv. **c**) nötas av (bort) **d**) vulg. runka

~ **out**: **a**) sudda (stryka) ut (bort); gnida (putsa, nöta) av (bort) **b**) gå att sudda ut (bort) [*~ out easily*]; gå att gnida bort

~ **up**: **a**) putsa (polera) [upp]; gnida (putsa) av **b**) bildl. friska upp [*~ up one's French*]

III *s* **1** gnidning, frottering **2** *there's the ~* det är där problemet ligger

1 rubber ['rʌbə] kortsp. robbert; spel

2 rubber ['rʌbə] **1** kautschuk [äv. *India ~*]; radergummi; pl. *~s* isht amer. vard. galoscher; *~ solution* gummilösning **2** person (sak) som gnider (skrapar etc., jfr *rub I*); *board ~* tavelsudd **3** isht amer. sl. gummi kondom

rubber band [ˌrʌbə'bænd] gummisnodd

rubber-stamp [ˌrʌbə'stæmp] **I** *s* **1** gummistämpel; *get the ~* bildl. få [ett] godkännande (ett ja) **2** bildl. a) kliché b) nickedocka **II** *vb tr* stämpla; vard. skriva under [obesett]

rubbery ['rʌbərɪ] seg [som gummi]

rubbish ['rʌbɪʃ] **I** *s* **1** avfall; sopor; skräp; *~ chute* sopnedkast **2** bildl. a) skräp, smörja b) nonsens, goja **II** *vb tr* racka ner på **III** *interj*, *~!* struntprat!

rubbishy ['rʌbɪʃɪ] **1** skräp-, strunt- [*~ novel* (*film*)]; futtig **2** skräpig

rubble ['rʌbl] **1** stenskärv; packsten, stenflis **2** spillror; *a heap of ~* en grushög

ruble ['ru:bl] rubel myntenhet

ruby ['ru:bɪ] **I** *s* **1** rubin; i ur äv. sten **2** rubinrött **II** *adj* rubinröd; *~ lips* purpurröda läppar

rucksack ['rʌksæk, 'rʊk-] ryggsäck

rudder ['rʌdə] roder; flyg. sidoroder

ruddy ['rʌdɪ] **I** *adj* **1** rödblommig [*a ~ complexion, a ~ face*] **2** röd, rödaktig; rödbrun **3** sl. (eufem. för *bloody*) förbenad, jäkla **II** *adv* sl. (eufem. för *bloody*) förbenat, jäkla

rude [ru:d] **1** ohövlig [*~ remarks*], rå, ful [*~ words on the wall*] **2** våldsam, häftig [*a ~ reminder, a ~ shock*]; hård [*a ~ hand*; *~*

realities]; *he had a ~ awakening* bildl. det blev ett smärtsamt uppvaknande för honom

rudeness ['ru:dnəs] vard. ohövlighet

rudiment ['ru:dɪmənt] **1** rudiment, anlag, ansats **2** pl. *~s* första grunder, grund[drag], elementa

rudimentary [ˌru:dɪ'ment(ə)rɪ] **1** rudimentär; begynnelse- **2** elementär; *only a ~ knowledge of the language* endast elementära kunskaper i språket

rueful ['ru:f(ʊ)l] **1** bedrövlig, sorglig; *a ~ smile* ett beklagande leende **2** nedslagen, bedrövad

ruff [rʌf] **1** pipkrage; krås **2** zool. halskrage

ruffian ['rʌfjən] råskinn, buse

ruffianly ['rʌfjənlɪ] skurkaktig, rå

ruffle ['rʌfl] **I** *vb tr* **1** *~ [up]* rufsa till [*~ a p.'s hair*], bringa i oordning; skrynkla; burra upp [*the bird ~d up its feathers*] **2** sätta i rörelse, krusa [*a breeze ~d the surface of the lake*] **3** *~ a p.'s temper* förarga ngn **4** rynka; förse med krås (krus) **II** *s* krås; volang; spetsmanschett

rug [rʌg] **1** [liten] matta; *bedside ~* sängmatta **2** filt; vagnstäcke; [*travelling*] *~* [res]pläd

rugged ['rʌgɪd] **1** ojämn, skrovlig [*~ bark*]; oländig [*~ ground, ~ country*]; klippig [*a ~ coast, ~ mountains*] **2** fårad [*a ~ face*], oregelbunden, kraftigt markerad [*~ features*] **3** sträv, bister [*a ~ old peasant*], kantig, ohyfsad [*~ manners*] **4** otymplig, knagglig [*~ verse*] **5** kraftfull, härdad [*the pioneers were ~ people*], stark [*~ physique*]; *~ health* järnhälsa **6** bister [*~ times; ~ weather*]

rugger ['rʌgə] vard. rugby[fotboll]

ruin ['ru:ɪn] **I** *s* **1** ruin[er]; spillror **2** bildl. ruin, fall, fördärv; förfall; *this will be the ~ of us* detta blir vårt fördärv (fall) **II** *vb tr* **1** ödelägga **2** ruinera; krossa **3** fördärva [*~ one's health*]

ruination [ˌru:ɪ'neɪʃ(ə)n] **1** ödeläggelse **2** ruin

ruinous ['ru:ɪnəs] **1** förfallen; i ruiner; *be in a ~ state* ligga i ruiner; vara alldeles förfallen **2** förödande, fördärvbringande **3** ruinerande

rule [ru:l] **I** *s* **1** regel äv. gram.; norm; vana; *~ of thumb* tumregel; *the exception proves the ~* undantaget bekräftar regeln **2** regel, bestämmelse; pl. *~s* äv. stadgar [*club ~s*], reglemente; *the ~[s] of the road* trafikreglerna, körreglerna; *against (contrary to) [the] ~s* mot regeln (reglerna); *work to ~* följa reglementet till punkt och pricka med sänkt arbetstakt som följd **3** styre [*under British ~*], styrelseskick; regering; *society founded on the ~ of law* rättssamhälle **4** tumstock, måttstock **II** *vb tr* **1** regera [över], härska över; bildl. behärska; prägla **2** fastställa, stadga; avgöra; *~ out [the possibility]* utesluta (avfärda)... **3** linjera; *~d paper* linjerat papper **III** *vb itr* **1** regera; råda äv. bildl. [*silence ~d in the assembly*] **2** isht jur. meddela utslag [*the court ~d on* (i) *the case*]

ruler ['ru:lə] **1** härskare, styresman **2** linjal

ruling ['ru:lɪŋ] **I** *adj* **1** regerande etc., jfr *rule II* o. *III*; *~ prices* gällande priser (kurser); ibl. genomsnittspriser **2** dominerande; *~ passion* stor passion, allt överskuggande lidelse **II** *s* **1** isht jur. utslag **2** linjering; linjer

1 rum [rʌm] rom dryck; amer. vard. sprit

2 rum [rʌm] ngt åld. vard. konstig, underlig; *a ~ start (go)* en underlig (mystisk) historia tilldragelse

rumba ['rʌmbə] **I** *s* rumba **II** *vb itr* dansa rumba

rumble ['rʌmbl] **I** *vb itr* **1** mullra; dundra (skramla) [fram] **2** om mage kurra, knorra **3** *~ on* mala (prata) på **II** *vb tr* sl. komma underfund med [*we have ~d their game*] **III** *s* **1** mullrande, dån; radio. o.d. brummande lågfrekventa störningar **2** mummel, mumlande **3** a) på bil [reservsäte i] baklucka [äv. *~ seat*]; bagageutrymme b) betjäntsäte bakpå vagn

rumbustious [rʌm'bʌstjəs] vard. larmande, bullrande, stojande; oregerlig

ruminate ['ru:mɪneɪt] **1** idissla **2** grubbla, ruva

rummage ['rʌmɪdʒ] **I** *vb tr* söka (leta, snoka, rota) igenom [*~ a house, ~ one's pockets*] **II** *vb itr* leta; *~ for* rota igenom på jakt efter

rummy ['rʌmɪ] rummy slags kortspel

rumour ['ru:mə] **I** *s* rykte [*a false ~*] **II** *vb tr, it is ~ed that* det ryktas att, ryktet går (säger) att

rumourmonger ['ru:məˌmʌŋgə] ryktessmidare, ryktesspridare

rump [rʌmp] **1** bakdel; gump på fågel **2** slakt. (ung.) tjock fransyska

rumple ['rʌmpl] skrynkla ned [*~ one's collar*]; rufsa (tufsa) till [*~ one's hair*]

rumpsteak [ˌrʌmp'steɪk, '--] rumpstek

rumpus ['rʌmpəs] vard. bråk; gruff, uppträde; *kick up (make) a ~* ställa till bråk

run [rʌn] **I** (*ran run*) *vb itr* (se äv. *III*) **1** springa, löpa; gå; skynda **2** fly; om tid äv. gå **3** sport. o.d. löpa, springa; *Blue Peter also ran* dessutom deltog Blue Peter i loppet utan att placera sig **4** polit. o.d. (isht amer.) ställa upp **5** glida, rulla; bildl. [för]löpa [*his life has ~ smoothly* (lugnt)]; *the verses ~ smoothly* versen flyter bra **6** a) om maskin o.d. gå; *leave the engine*

~ning låta motorn gå [på tomgång] **b**) gå [i trafik] [*the buses ~ every five minutes*] **c**) segla **7** bildl. sprida sig [*the news ran like wildfire* (en löpeld)] **8** om färg o.d. fälla [*these colours won't ~*]; flyta [ut (ihop, omkring)] **9** rinna, droppa [*your nose is ~ning*], flyta, flöda; om sår vätska (vara) sig **10** bli, vara; ~ *dry* torka [ut], sina; ~ *high* a) om tidvatten, pris m.m. stiga högt; om sjö gå hög[t] b) om känslor o.d. svalla [högt] **11** om växt slingra sig, klättra **12 a**) löpa om kontrakt o.d. **b**) pågå; *the play ran for six months* pjäsen gick i sex månader **13** lyda; *it ~s as follows* det lyder på följande sätt **14** *my stocking has ~* det har gått en maska på min strumpa

II (*ran run*) *vb tr* (se äv. *III*) **1** springa [*~ a race*], löpa äv. bildl. [*~ a risk*]; ~ *errands* (*messages*) springa ärenden [*for* åt (för)] **2** springa efter [*I ran him to the corner*]; ~ *a p. close* (*hard*) a) följa ngn hack i häl b) kunna konkurrera med ngn **3** fly ur (från) [*~ the country*] **4** låta löpa [*~ a horse in the Derby*] **5** driva [*~ a business*]; leda, styra; sköta; ~ *a course* ha (leda, hålla) en kurs **6** a) köra [*I'll ~ you home in my car*] b) låta glida (löpa) [*~ one's fingers through one's hair*] c) köra [*~ a splinter into one's finger*], ränna **7 a**) köra [*~ a taxi*]; hålla (sätta) i gång; ~ *a film* köra (visa) en film **b**) segla; sätta in (i trafik) [*~ extra buses*] **8** driva på bete **9** bryta [*~ a blockade*] **10 a**) låta rinna [*~ water into a bath-tub*] **b**) strömma (rinna, flöda) av; spruta [fram]; ~ *blood* blöda, drypa av blod **11** smuggla [in] [*~ arms*] **12** dra [*~ a telephone cable*] **13** *I cannot afford to ~ a car* jag har inte råd att ha bil

III (*ran run*) *vb itr* o. *vb tr* med adv. o. prep. isht med spec. övers.:

~ **about** springa (löpa, fara) omkring

~ **across**: **a**) löpa (gå) tvärs över **b**) stöta (råka, springa, träffa) 'på

~ **against**: **a**) stöta (råka, träffa) 'på; rusa emot **b**) sport. o.d. tävla (springa) mot; polit. o.d. (isht amer.) ställa upp (kandidera mot) **c**) ~ *one's head against the wall* bildl. köra huvudet i väggen

~ **aground** gå (segla, ränna) på grund

~ **along!** vard. i väg med dig!

~ **away** springa i väg (bort)

~ **away with**: **a**) rymma (sticka) med; stjäla **b**) vinna lätt; *she ran away with the show* hon stal hela föreställningen **c**) *don't ~ away with the idea that* gå nu inte omkring och tro att **d**) rusa i väg med [*his feelings ~ away with him*]

~ **down**: **a**) springa (löpa, fara, rinna) ner (nedför, nedåt); *a cold shiver ran down my back* det gick kalla kårar efter ryggen på mig **b**) om ur o.d. [hålla på att] stanna **c**) *be* (*feel*) ~ *down* vara (känna sig) trött och nere **d**) ta slut; köra slut på; *the battery has* (*is*) ~ *down* batteriet är slut (har laddat ur sig) **e**) förfalla **f**) minska, gå tillbaka **g**) fara (resa) ut från storstad [*~ down to the country*] **h**) köra över (ner) **i**) tala illa om

~ **for**: **a**) springa till; springa efter **b**) ~ *for it* vard. skynda sig, springa fort (för livet) **c**) polit. o.d. ställa upp som (till, för, i); ~ *for the Presidency* kandidera till presidentposten **d**) löpa [i] om kontrakt o.d.; pågå; *the play ran for 200 performances* pjäsen gick (uppfördes) 200 gånger

~ **in**: **a**) rusa in **b**) *it ~s in the family* det ligger (går) i släkten; *it keeps ~ning in my head* om melodi, tanke, o.d. jag har den ständigt i huvudet **c**) vard. haffa [*the police ran him in*] **d**) köra in [*~ in a new car* (*an engine*)]; *~ning in* om bil under inkörning

~ **into**: **a**) köra (rusa) 'på ([in] i, emot), ränna in i (emot) [*~ into a wall*] **b**) stöta (råka, träffa) 'på **c**) råka [in] i; försätta i [*~ into difficulties*; ~ *into debt*] **d**) [upp]nå; [*a book that has*] *~ into six editions* ...uppnått sex upplagor

~ **off**: **a**) springa [bort (sin väg)]; rymma **b**) kasta ned [*~ off an article*], skriva ihop **c**) trycka [*the machine ~s off 500 copies a minute*]; köra [*~ off fifty copies of a stencil*] **d**) spela upp [*~ off a tape*] **e**) sport. avgöra [genom omtävling]; ~ *off the preliminary heats* avverka försöksheaten

~ **on**: **a**) gå 'på **b**) fortsätta **c**) om bokstäver hänga ihop, skrivas sammanhängande **d**) prata 'på **e**) röra sig (kretsa) kring; röra sig om **f**) gå på [*~ on petrol*]

~ **out**: **a**) springa (löpa, gå) ut; ~ *out on* vard. a) springa (löpa) ifrån [*time is ~ning out on me*] b) sticka ifrån, överge [*~ out on a p.*], lämna i sticket **b**) löpa (gå) ut [*my subscription has ~ out*]; hålla på att ta slut [*our stores are ~ning out*]; rinna ut (ur); *we are ~ning out of sugar* vi börjar få ont om socker, sockret håller på att ta slut **c**) jaga (köra) bort (ut) [*~ a p. out of* (från, ur) *town*] **d**) sport., ~ *out a winner* utgå som segrare, vinna

~ **over**: **a**) kila (titta) över [på besök] **b**) rinna (flöda) över **c**) ~ [*one's eyes* (*eye*)] *over* titta (ögna) igenom, granska [*they ran over the report*] **d**) gå igenom på nytt **e**) köra (rida) över; *he was ~ over* han blev överkörd **f**) [*I'll ask John*] *to ~ you over to my place* ...köra (skjutsa) dig över till mig **g**) ~ *over the time* dra över [tiden]

~ **round**: **a**) löpa (gå) runt **b**) kila (titta, köra) över

~ **through**: **a**) gå (löpa) igenom; genomsyra **b**) genomborra **c**) göra slut på [*~ through one's fortune*] **d**) ögna igenom; repetera

~ **to**: **a**) skynda (ila) till [~ *to his help*] **b**) uppgå till [*that will ~ to a pretty sum*] **c**) omfatta [*the story ~s to 5,000 words*], komma upp till (i) **d**) vard. ha råd med (till); *my income doesn't ~ to it* min inkomst räcker inte till det

~ **up**: **a**) springa (löpa) uppför **b**) sport. ta sats **c**) växa [upp]; gå upp; ~ *up an account with* skaffa sig konto hos **d**) om vikt, pris m.m., ~ *up to* ligga på, uppgå till, nå **e**) fara (resa) in [~ *up to town* (*London*)] **f**) ~ *up against* stöta på [~ *up against difficulties*], råka 'på (in i) **g**) smälla (smäcka) upp [~ *up a house*] **h**) summera, addera [~ *up a column of figures*]

IV *s* **1** a) löpning; språng b) språngmarsch; *have a ~ for one's money* a) få valuta för pengarna b) få en hård match **2** ansats för hopp; *take a ~* ta sats **3** sport. i kricket o.d. 'run' **4** kort färd; resa, körning; *a ~ in the car* en [liten] biltur (åktur) **5** rutt, väg, runda **6** a) tendens [*the ~ of the market*] b) riktning; sträckning c) förlopp; gång; *the daily ~ of affairs* den dagliga rutinen **7** serie, följd [*a ~ of misfortunes*], period [*a ~ of good weather*]; *have a good ~* ha framgång, gå bra; *a ~ of good* (*bad*) *luck* ständig tur (otur); *in the long ~* i längden, i det långa loppet, på lång sikt **8** plötslig (stegrad) efterfrågan [*there was a ~ on* (på) *copper*]; rusning **9** *the common* (*ordinary, general*) ~ *of mankind* (*men*) vanligt folk, vanliga människor **10** inhägnad, rastgård för djur **11** vard. fritt tillträde **12** [löp]maska på strumpa o.d.

runabout ['rʌnəbaʊt] liten lätt bil (vagn)

runaway ['rʌnəweɪ] **I** *s* **1** flykting **2** skenande häst **II** *adj* förrymd; bortsprungen; skenande [*a ~ horse*]; ~ *inflation* galopperande (skenande) inflation

run-down ['rʌndaʊn] **I** *adj* **1** slutkörd; nedgången; medtagen; trött och nere **2** nerkörd [*a ~ car*], förfallen **II** *s* vard. sammandrag, rapport

rune [ru:n] runa

1 rung [rʌŋ] perf. p. av *1 ring*

2 rung [rʌŋ] **1** pinne på stege; steg; *start on the lowest ~* [*of the ladder*] bildl. starta från botten [av samhällsstegen] **2** tvärpinne mellan stolsben **3** eker; sjö. o.d. handspak på ratt

run-in ['rʌnɪn] isht amer. **1** inflygning mot mål **2** uppvärmning; inledning **3** kapplöpn. o.d. upplopp

runner ['rʌnə] **1** sport. o.d. löpare **2** bud; mil. ordonnans **3** agent; kundvärvare; inkasserare **4** a) sjö. snällseglare b) blockadbrytare c) smugglare ofta i sms. **5** gångmatta; [*central*] ~ [bord]löpare **6** med på släde o.d.; [skridsko]skena **7** bot. a) reva, skott b) växt som förökar sig genom utlöpare

runner-up [ˌrʌnər'ʌp] (pl. *runners-up* ['rʌnəz'ʌp]); *be ~* komma på andra plats, bli tvåa

running ['rʌnɪŋ] **I** *pres p* o. *adj* **1** löpande, springande; rinnande [~ *water*], flytande etc., jfr *run I*; ~ *fight* strid under reträtt (flykt) **2** [fort]löpande; i följd (rad, sträck) [*three times* (*days*) ~]; ~ *account* löpande räkning; *keep up a ~ commentary on* fortlöpande (hela tiden) kommentera; ~ *expenses* löpande utgifter, driftskostnader **II** *s* **1** a) springande, löpande; lopp b) gång [*the smooth ~ of an engine*]; *make the ~* a) vid löpning bestämma farten, leda b) bildl. ha initiativet, leda; ange tonen; *be in the ~* vara med i leken (tävlingen); *be out of the ~* vara ur leken (spelet, räkningen), vara utan utsikt att vinna **2** kraft[er] att springa [i kapp] **3** körförhållanden o.d.; bana [*the ~ is good*]; före

running-board ['rʌnɪŋbɔ:d] fotsteg på bil, tåg o.d.

runny ['rʌnɪ] vard. rinnande [*a ~ nose*]; lös, tunn, för litet kokt [*a ~ egg*]

run-off ['rʌnɒf] **1** sport. omtävling; slutspel **2** bildl. avgörande [omgång] **3** amer., ~ *primary* nytt primärval, omval

run-of-the-mill [ˌrʌnəvðə'mɪl] ordinär, genomsnitts- [*a ~ performance*]

runt [rʌnt] vard. neds. puttefnask

run-up ['rʌnʌp] **1** sport. sats **2** bildl. inledning **3** amer. [plötslig] ökning

runway ['rʌnweɪ] **1** flyg. startbana **2** sport. ansatsbana

rupee [ru:'pi:, rʊ'p-] rupie mynt[enhet]

rupture ['rʌptʃə] **I** *s* **1** a) bristning i muskel, jordytan m.m.; ruptur b) [sönder]brytande **2** bildl. brytning **3** med. ruptur; bråck **II** *vb itr* brista **III** *vb tr* spräcka

rural ['rʊər(ə)l] lantlig [~ *idyll*]; lant- [~ *postman*], lands-; lantmanna-; lantbruks-; ~ *dean* kontraktsprost; ~ *life* lantliv[et], liv[et] på landet

ruse [ru:z] list, knep, fint

1 rush [rʌʃ] bot. säv; tåg[växt]

2 rush [rʌʃ] **I** *vb itr* **1** rusa, storma; bildl. äv. kasta sig; ~ [*and tear*] jäkta **2** forsa, välla [*a river ~es past*] **II** *vb tr* **1** störta [~ *the nation into war*], driva; rusa (jaga, störta) i väg med, föra i all hast (i ilfart) [*he was ~ed to hospital*]; forcera [äv. ~ *on* (*up*)]; ~ *a bill through* trumfa igenom (forcera behandlingen av) ett lagförslag; ~ *an order through* snabbexpediera en beställning; *don't ~ me!* jäkta mig inte! **2** mil. o. bildl. storma [~ *a platform*]; kasta sig över **3** kasta (störta) sig över [~ *a fence*, ~ *a* *stream*] **4** sl. skörta upp; skinna, pungslå; *how much did they ~ you for this?* hur mycket måste du punga ut med för det här? **III** *s* **1** rusning, rush [*on* (*to, into*) till]; anstormning, anfall; *the Christmas ~* julrushen, julbrådskan; *a ~ on the dollar* [en] livlig efterfrågan på dollarn, rusning efter dollarn; *make a ~* a) rusa fram b) skynda sig **2** jäkt [äv. *~ and tear*]; brådska; *be in a ~* ha det jäktigt, ha bråttom; *it was a bit of ~* det var lite jäktigt **3** [fram]brusande, framvällande, forsande; *there was a ~ of blood to his head* blodet rusade åt huvudet på honom **4** film., pl. *~es* arbetskopia, direktkopia

rush hour ['rʌʃˌaʊə], *the ~* rusningstid[en]

rusk [rʌsk] skorpa bakverk

russet ['rʌsɪt] **I** *adj* rödbrun; gulbrun **II** *s* rödbrunt; gulbrunt

Russia ['rʌʃə] Ryssland

Russian ['rʌʃ(ə)n] **I** *adj* rysk; *~ roulette* rysk roulett; *~ salad* legymsallad **II** *s* **1** ryss; ryska **2** ryska [språket]

rust [rʌst] **I** *s* rost på metaller o. växter **II** *vb itr* rosta; *~ away* rosta sönder **III** *vb tr* göra rostig

rustic ['rʌstɪk] **I** *adj* lantlig; rustik; *~ style* allmogestil, rustik stil **II** *s* lantbo; neds. bonde, bondtölp

rustle ['rʌsl] **I** *vb itr* **1** prassla **2** röra sig med ett prasslande (rasslande, frasande) ljud [ofta *~ along*] **3** amer. vard. hugga (ligga) 'i [äv. *~ around*]; tränga sig fram **4** amer. vard. stjäla boskap **II** *vb tr* **1** prassla (rassla, frasa) med **2** amer. vard. stjäla [*~ cattle*] **3** vard. hugga (ligga) 'i med; *~* [*up*] skaffa [fram], ordna, fixa [*~ up some food*] **III** *s* prassel, rassel; sus

rustler ['rʌslə] amer. boskapstjuv

rustproof ['rʌstpru:f] **I** *adj* rostbeständig, rostfri **II** *vb tr* göra rostbeständig (rostfri)

1 rusty ['rʌstɪ] **1** rostig; rostfläckig **2** rostfärgad **3** a) om pers. stel, ur form, otränad [*a bit ~ at tennis*], ringrostig b) försummad; *get* (*grow*) *~* ligga av sig [*she has got* (*grown*) *~ in Latin*]; komma ur form

2 rusty ['rʌstɪ] motsträvig [*~ horse*]; *cut up* (*turn*) *~* vard. ilskna till, sätta sig på tvären [*on* mot]; bli förbaskad

1 rut [rʌt] **I** *vb itr* om hjort, get m.fl. vara brunstig **II** *s* brunst[tid]

2 rut [rʌt] hjulspår äv. bildl.; slentrian; *get* (*fall*) *into a ~* fastna i slentrian, fastna (gå) i gamla hjulspår (spår)

ruthless ['ru:θləs] obarmhärtig, utan medömkan

rye [raɪ] **1** råg **2** i USA o. Canada, *~* [*whiskey*] whisky gjord på råg **3** rågbröd

Ryvita [raɪ'vi:tə] ® slags knäckebröd

S

S, s [es] (pl. *S's* el. *s's* ['esɪz]) S, s

S förk. för *Southern* (postdistrikt i London), *south*[*ern*], *Sunday*

$ = *dollar*[*s*]

's = *has* [*what's he done?*]; *is* [*it's, she's*]; *does* [*what's he want?*]; *us* [*let's see*]

SA förk. för *Salvation Army*

Sabbath ['sæbəθ] sabbat; vilodag; *~ day* sabbatsdag, vilodag

sabbatical [sə'bætɪk(ə)l] **I** *adj* sabbats-; *~ year* (*leave*) isht univ. sabbatsår **II** *s* isht univ. sabbatsår; *be on ~* ha sabbatsår

sable ['seɪbl] **I** *s* **1** zool. sobel **2** sobelskinn; sobelpäls **II** *adj* sobel-

sabotage ['sæbətɑ:ʒ] **I** *s* sabotage **II** *vb tr* sabotera [*~ a meeting*]; utsätta för sabotage **III** *vb itr* sabotera

saboteur [ˌsæbə'tɜ:] sabotör

sabre ['seɪbə] sabel

sabre-rattling ['seɪbəˌrætlɪŋ] bildl. **I** *s* sabelskrammel **II** *adj* sabelskramlande

sac [sæk] zool. el. bot. säck

saccharin ['sækərɪn, -ri:n] kem. sackarin

sachet ['sæʃeɪ] **1** doftpåse **2** [plast]kudde med schampo, badolja o.d. **3** [liten] påse för te, kaffe m.m.

1 sack [sæk] **I** *s* **1** säck äv. ss. mått; amer. äv. påse **2** vard., *get the ~* få sparken, få avsked på grått papper **3** vard., *hit the ~* krypa till kojs, gå och knyta sig **II** *vb tr* vard. sparka, avskeda

2 sack [sæk] **I** *s* plundring **II** *vb tr* plundra [och härja i]

sackcloth ['sækklɒθ] säckväv; *in ~ and ashes* i säck och aska

sacking ['sækɪŋ] säckväv

sacrament ['sækrəmənt] kyrkl. sakrament; *the Blessed* (*Holy*) *S~* [den heliga] nattvarden

sacred ['seɪkrɪd] **1** helgad; *~ to* äv. ägnad [åt]; förbehållen **2** helig [*a ~ book* (*duty*)]; okränkbar [*~ rights*]; *~ cow* vard. helig ko **3** religiös [*~ poetry*], andlig [*~ songs*], kyrklig, sakral [*~ music*]; högtidlig

sacrifice ['sækrɪfaɪs] **I** *s* **1** offer; offrande **2** uppoffring; uppoffrande; *at* (*by*) *the ~ of* på bekostnad av, med uppoffrande av **II** *vb itr* offra **III** *vb tr* **1** offra **2** uppoffra, offra

sacrilege ['sækrɪlɪdʒ] isht bildl. helgerån, vanhelgande

sacrosanct ['sækrə(ʊ)sæŋ(k)t] sakrosankt

sad [sæd] **1** ledsen **2** sorglig [*a ~ day*], tråkig; bedrövlig [*in a ~ state*]

sadden ['sædn] **I** *vb tr* göra ledsen (sorgsen) **II** *vb itr* bli ledsen (sorgsen)

saddle ['sædl] **I** *s* sadel; ~ *of mutton* kok. fårsadel **II** *vb tr* **1** sadla; ~ *up* sadla på **2** bildl. betunga, belasta; ~ *a th. on a p.* **a**) lägga (lasta) på ngn ngt **b**) skjuta (lägga) skulden för ngt på ngn; ~ *a p. with a th.* lägga (lasta) på ngn ngt
saddlebag ['sædlbæg] **1** sadelficka **2** verktygsväska på cykel; cykelväska
sadism ['seɪdɪz(ə)m] sadism äv. psykol.
sadist ['seɪdɪst] sadist
sadistic [sə'dɪstɪk] sadistisk äv. psykol.
sadly ['sædlɪ] **1** sorgset **2** ~, [*I must admit*] tråkigt nog...; *be ~ in need of* vara i stort behov av
sadness ['sædnəs] sorgsenhet
safari [sə'fɑ:rɪ] safari; ~ *park* safaripark
safe [seɪf] **I** *adj* **1** a) säker, trygg [*feel ~*], utom fara b) riskfri, ofarlig; *not ~* äv. inte [till]rådlig; *at a ~ distance* på behörigt (säkert) avstånd; ~ *sex* säker sex med skyddsmedel mot sjukdomar; *better* [*to be*] ~ *than sorry* bäst att ta det säkra för det osäkra **2** ~ [*and sound*] välbehållen, oskadd **3** säker [*a ~ method*], som man kan lita på **II** *s* **1** kassaskåp **2** [mat]skåp med nätväggar **3** sl. kondom
safe conduct [ˌseɪf'kɒndʌkt] **1** [fri] lejd **2** lejdebrev
safe-deposit ['seɪfdɪˌpɒzɪt] **1** kassavalv, bankvalv **2** ~ *box* bankfack
safeguard ['seɪfgɑ:d] **I** *s* garanti, säkerhet; säkerhetsanordning **II** *vb tr* garantera, säkra, trygga
safely ['seɪflɪ] säkert, tryggt; lyckligt och väl; i gott skick; *it may ~ be said that...* man kan lugnt (tryggt) säga att...
safety ['seɪftɪ] säkerhet; ofarlighet [*the ~ of an experiment*]; *S~ First* säkerheten framför allt; *for ~* el. *for ~'s sake* för säkerhets skull
safety belt ['seɪftɪbelt] säkerhetsbälte, bilbälte
safety catch ['seɪftɪkætʃ] säkring på vapen; [säkerhets]spärr; *release the ~* osäkra [vapnet (geväret o.d.)]
safety curtain ['seɪftɪˌkɜ:tn] teat. järnridå
safety island ['seɪftɪˌaɪlənd] trafik. (amer.) refug
safety pin ['seɪftɪpɪn] säkerhetsnål
safety razor ['seɪftɪˌreɪzə] rakhyvel
safety valve ['seɪftɪvælv] säkerhetsventil äv. bildl.; *sit on the ~* undertrycka oppositionen
saffron ['sæfr(ə)n] **I** *s* **1** saffran **2** saffransgult **II** *adj* saffransgul
sag [sæg] **I** *vb itr* **1** svikta [*the plank ~ged under his weight*]; sjunka, bågna [*the roof has ~ged*] **2 a**) hänga [ojämnt] [*her skirt is ~ging*]; hänga slappt (löst); *~ging breasts* hängbröst **b**) slutta [*~ging shoulders*] **c**) vara (bli) påsig [*her cheeks are beginning to ~*] **3** bildl. sjunka [*prices* (*our spirits*) *began to ~*]; mattas [*his novel ~s at the end*] **II** *s* **1** sjunkande; insjunkning; sänka; fördjupning **2** bildl. nedgång, [pris]fall; avmattning
saga ['sɑ:gə] **1** fornnordisk saga **2** släktkrönika, [historisk] krönika **3** vard. fantastisk historia
1 sage [seɪdʒ] bot. el. kok. salvia
2 sage [seɪdʒ] **I** *adj* vis; iron. snusförnuftig **II** *s* vis man
Sagittarius [ˌsædʒɪ'teərɪəs] astrol. Skytten; *he is* [*a*] ~ han är skytt
sago ['seɪgəʊ] sago; [äkta] sagogryn
Sahara [sə'hɑ:rə] geogr.; *the ~* Sahara[öknen]
said [sed] **I** imperf. o. perf. p. av *say* **II** *adj* isht jur. sagd, [förut] bemäld (nämnd) [*the ~ Mr. Smith*]
sail [seɪl] **I** *s* **1** segel; *make* (*set*) ~ hissa (sätta) segel; *take in ~* bärga segel **2** (pl. lika) skepp, [segel]fartyg [*a fleet of 20 ~*]; segelbåt [*there wasn't a ~ in sight*] **3** seglats [*two days' ~*], segeltur **4** [kvarn]vinge **II** *vb itr* **1** segla; om fartyg äv. gå; *be out ~ing* vara ute och segla (ute på seglats); ~ *into harbour* segla i hamn; ~ *through a th.* bildl. klara av ngt lekande lätt (som ingenting) **2** [av]segla; avgå **3** sväva, flyga, segla [*~ through the air*], skrida; *she ~ed in* hon kom inseglande **4** vard., ~ *in* a) hugga (suga) i b) sätta i gång och gräla (käfta) **III** *vb tr* **1** segla [*~ a boat*] **2** segla på, befara [*~ the seven seas*]
sailing ['seɪlɪŋ] **I** *s* **1** segling **2** avgång; *list of ~s* [båt]turlista **II** *adj* seglande; segel- [*a ~ canoe*]
sailing-boat ['seɪlɪŋbəʊt] segelbåt
sailing-ship ['seɪlɪŋʃɪp] o. **sailing-vessel** ['seɪlɪŋˌvesl] segelfartyg
sailor ['seɪlə] sjöman; matros; *~'s knot* råbandsknop, sjömansknop; *be a bad ~* ha lätt för att bli sjösjuk
saint [seɪnt, obeton. sən(t), sn(t)] **I** *adj*, *S~* framför namn (förk. *St, St.*, *S.*) Sankt[a], Helige, Heliga **II** *s* helgon äv. bildl.; *the ~s* äv. de saliga; bibl. de heliga; *~'s day* kyrkl. helgondag, helgons namnsdag
1 sake [seɪk], *for a p.'s* (*a th.'s*) ~ för ngns (ngts) skull, av hänsyn till ngn (ngt); *for old ~'s ~* för gammal vänskaps skull; *art for art's ~* konst för konstens egen skull; *~s* [*alive*]*!* isht amer. jösses!
2 sake o. **saké** ['sɑ:kɪ] saké japanskt risbrännvin
salad ['sæləd] **1** [blandad] sallad ss. rätt; *fruit ~* fruktsallad **2** [grön]sallad äv. växt
salad dressing ['sælədˌdresɪŋ] salladsdressing
salami [sə'lɑ:mɪ] **1** salami[korv] **2** polit., ~ *tactics* salamitaktik

salary ['sælərɪ] **I** *s* [månads]lön **II** *vb tr* avlöna

sale [seɪl] **1** försäljning; avsättning; *~s department* försäljningsavdelning; *~s promotion* sales promotion, säljfrämjande åtgärder, säljstöd; *~s talk (pitch)* försäljningsargument pl.; *~s tax* allmän varuskatt; ung. omsättningsskatt; *conditions of ~* försäljningsvillkor; *for ~* till salu (försäljning); *put up (offer) for ~* bjuda ut till försäljning, saluföra, salubjuda; *on ~* a) till salu, att köpa [*on ~ in most shops*] b) amer. på rea (realisation) **2** realisation, rea; *bargain ~* utförsäljning till vrakpriser **3** auktion

sales|man ['seɪlz|mən] (pl. *-men* [-mən]) **1** representant, säljare för firma **2** isht amer. försäljare; expedit, affärsbiträde

salesmanship ['seɪlzmənʃɪp] försäljningsteknik; *the art of ~* konsten att sälja

salient ['seɪljənt] **I** *adj* **1** [starkt] framträdande [*a ~ feature*] **2** utskjutande [*a ~ angle*] **II** *s* utskjutande vinkel, utbuktning isht på frontlinje

saline ['seɪlaɪn] **I** *s* saltlösning **II** *adj* salt-; saltaktig, salthaltig

saliva [sə'laɪvə] saliv

1 sallow ['sæləʊ] bot. sälg

2 sallow ['sæləʊ] isht om hy gulblek

sally ['sælɪ] **I** *s* **1** mil. utfall [*make a ~*] **2** utflykt **3** utbrott **4** infall **II** *vb itr* **1** mil. göra utfall [ofta *~ out*] **2** *~ forth (out)* fara (bege sig) ut (i väg)

salmon ['sæmən] (pl. lika) zool. lax

salmon trout ['sæməntraʊt] (pl. lika) zool. laxöring

salon ['sælɒn] salong [*literary ~*; *beauty ~*]; konstsalong

saloon [sə'lu:n] **1** salong [*billiard (shaving) ~*; sjö. *dining ~*], sal i hotell o.d.; *the ~ bar* i pub den 'finaste' avdelningen **2** amer. saloon

saloon car [sə'lu:nkɑ:] **1** bil. sedan **2** järnv. salongsvagn

SALT [sɔ:lt] (förk. för *Strategic Arms Limitation Talks*) SALT förhandlingar om begränsning av strategiska vapen

salt [sɔ:lt, sɒlt] **I** *s* **1** salt äv. kem. o. bildl.; *common ~* koksalt; *take a th. with a pinch (grain) of ~* ta ngt med en nypa salt **2** saltkar **3** pl. *~s* a) vard. luktsalt b) med. [bitter]salt [*Epsom ~[s]*] **4** vard., [*old*] *~* sjöbuss, sjöbjörn **II** *adj* salt; saltad **III** *vb tr* **1 a**) salta **b**) salta in (ned) [äv. *~ down*] **2** vard. salta [*~ a bill*]

saltcellar ['sɔ:lt,selə] saltkar; saltströare

salty ['sɔ:ltɪ] salt, salthaltig

salubrious [sə'lu:brɪəs, sə'lju:-] hälsosam

salutary ['sæljʊt(ə)rɪ] nyttig, hälsosam [*~ exercise*; *a ~ lesson* (läxa)], välgörande [*~ influence*]

salutation [,sæljʊ'teɪʃ(ə)n] **1** hälsning [*he raised his hat in* (till) *~*] **2** hälsningsfras i brev o.d.

salute [sə'lu:t, sə'lju:t] **I** *s* **1** hälsning med gest, mössa e.d. **2** mil. honnör, hälsning **3** mil. salut; *exchange ~s* salutera varandra **II** *vb tr* **1** hälsa **2** mil. göra honnör för **3** mil. salutera **III** *vb itr* **1** hälsa **2** mil. göra honnör; salutera

salvage ['sælvɪdʒ] **I** *s* **1** bärgning från skeppsbrott o.d. **2** bärgat gods [äv. *~ goods*] **3** a) återanvändning [*collect old newspapers for ~*] b) [insamling (tillvaratagande) av] avfall (skrot, lump o.d.) **II** *vb tr* **1** bärga, rädda från skeppsbrott o.d. **2** samla in (ta tillvara) [för återanvändning (återvinning)]

salvation [sæl'veɪʃ(ə)n] frälsning; friare äv. räddning [*tourism was their economic ~*]; *the S~ Army* Frälsningsarmén

salve [sælv, sɑ:v] **I** *s* **1** [sår]salva **2** bildl. balsam; botemedel **II** *vb tr* bildl. stilla; lugna [ner] [*~ one's conscience*]

salver ['sælvə] [serverings]bricka

salvo ['sælvəʊ] (pl. *~s* el. *~es*) **1** mil. a) [salut]salva; skottsalva b) bombserie **2** bildl. salva, skur [*a ~ of questions*]; *~ of laughter* skrattsalva

sal volatile [,sælvə'lætəlɪ] lat. luktsalt

Samaritan [sə'mærɪtn] **I** *adj* samaritisk **II** *s* **1** bibl. o. bildl. samarit; *the Good ~* den barmhärtige samariten **2** *the ~s* organisation av frivilliga för människor i behov av hjälp

same [seɪm] **1 a**) *the ~* samma; densamma [*she is no longer the ~*], detsamma, desamma; samma sak [*it is the ~ with me*]; likadan [*they all look the ~*]; lika, likadant, på samma sätt [*he treats everybody the ~*]; [*the*] *~ to you!* [tack] detsamma!; iron. äv. det kan du vara själv!; *he is the ~ as ever* han är sig [precis] lik, han är densamme som förr; *all the ~* a) i alla fall [*thank you all the ~*], ändå, inte desto mindre b) på samma sätt, lika[dant] [*he treats them all the ~*]; *the very ~* precis (exakt) samma, just den [*the very ~ place*] **b**) *this (that) ~ man* samme man, just den mannen **c**) *~ as* vard. precis (likaväl) som [*he has to do it ~ as everyone else*] **2** hand. el. jur., [*the*] *~* densamme, denne; dito

sameness ['seɪmnəs] **1** det att vara likadan (identisk) **2** enformighet, monotoni

sample ['sɑ:mpl] **I** *s* prov; varuprov, provbit; provexemplar; smakprov äv. bildl.; exempel; statistik. sampel; *random ~* stickprov; statistik. sampel **II** *vb tr* **1** ta prov (stickprov) på; statistik. sampla **2** smaka av, provsmaka

Samson ['sæmsn] bibl. Simson
sanatori|um [ˌsænə'tɔ:rɪ|əm] (pl. *-ums* el. *-a* [-ə]) sanatorium; kuranstalt, konvalescenthem
sanctify ['sæŋ(k)tɪfaɪ] helga, förklara (göra, hålla) helig; rättfärdiga
sanctimonious [ˌsæŋ(k)tɪ'məʊnjəs] gudsnådelig, skenhelig
sanction ['sæŋ(k)ʃ(ə)n] **I** *s* **1** bifall av myndighet o.d.; sanktion **2** vanl. pl. *~s* sanktioner [*economic ~s*] **3** [moraliskt] stöd, gillande **II** *vb tr* **1** bifalla, sanktionera; stadfästa; *~ed by usage* hävdvunnen **2** ge sitt [moraliska] stöd åt
sanctity ['sæŋ(k)tətɪ] **1** fromhet, renhet, helighet **2** okränkbarhet, helgd; *the ~ of private life* privatlivets helgd
sanctuary ['sæŋ(k)tjʊərɪ] **1** helgedom **2** kyrkl. det allra heligaste **3** asyl, asylrätt; *seek ~* söka asylrätt **4** [djur]reservat [*bird ~*]; *nature ~* naturskyddsområde
sand [sænd] **I** *s* **1** sand; med. grus; *bury one's head in the ~* sticka huvudet i busken **2** vanl. pl. *~s* sandkorn, sand **3** vanl. pl. *~s* a) sandstrand, dyner, sandslätt b) sandbank, sandrev **II** *vb tr* **1** sanda, strö sand på [*~ a road*] **2** blanda sand i **3** *~* [*down*] slipa (putsa) med sandpapper
sandal ['sændl] sandal
sandbag ['sæn(d)bæg] **I** *s* sandsäck, sandpåse **II** *vb tr* **1** barrikadera (stoppa till) med sandsäckar **2** slå till marken (drämma till) [liksom] med en sandpåse **3** amer. vard. bombardera
sandblast ['sæn(d)blɑ:st] **I** *s* sandbläster **II** *vb tr* sandblästra
sandcastle ['sæn(d)ˌkɑ:sl] barns sandslott
sand dune ['sæn(d)dju:n] sanddyn
sandpaper ['sæn(d)ˌpeɪpə] **I** *s* sandpapper **II** *vb tr* sandpappra
sandpit ['sæn(d)pɪt] **1** sandlåda för barn **2** sandtag
sandstone ['sæn(d)stəʊn] sandsten
sandwich ['sænwɪdʒ, -wɪtʃ] **I** *s* **1** engelsk lunchsmörgås; vard. sandvikare, dubbelmacka; *open ~* smörgås med pålägg; vard. macka **2** univ. o.d., *~ course* varvad kurs **II** *vb tr* skjuta (klämma) in, sticka emellan [med] [*~ a word*]
sandy ['sændɪ] **1** sandig, sand-; lik (lös som) sand; grynig **2** sandfärgad; om hår rödblond
sane [seɪn] **1** vid sina sinnens fulla bruk **2** sund, förnuftig [*~ views, a ~ proposal*]
sang [sæŋ] imperf. av *sing*
sanguine ['sæŋgwɪn] **1** sangvinisk **2** rödblommig, blomstrande [*~ complexion*] **3** blodröd, blod-
sanitary ['sænɪt(ə)rɪ] **I** *adj* sanitär [*~ conditions*], hygienisk, hälsovårds-; hygien- [*~ wrapper* (förpackning)]; renhållnings-; *~ towel* (amer. *napkin*) sanitetsbinda; *~ truck* amer. sopbil **II** *s* amer. [offentlig] toalett
sanitation [ˌsænɪ'teɪʃ(ə)n] sanitär utrustning
sanity ['sænətɪ] **1** [själslig] sundhet **2** sunt förstånd (omdöme)
sank [sæŋk] imperf. av *sink*
Santa Claus ['sæntəklɔ:z, ˌ--'-] jultomten
1 sap [sæp] **I** *s* **1** sav **2** sl. dumbom, nöt; *you poor ~!* ditt nöt! **II** *vb tr* tappa [sav (saven) ur]; torka
2 sap [sæp] **I** *s* mil. tunnel, [täckt] löpgrav **II** *vb itr* mil. gräva tunnel (löpgrav[ar]) **III** *vb tr* **1** bildl äv. undergräva [*~ a p.'s faith*] **2** bildl. tära på [*~ a p.'s energy*]
sapling ['sæplɪŋ] ungt träd
sapphire ['sæfaɪə] **1** safir **2** safirblått
sarcasm ['sɑ:kæz(ə)m] sarkasm, spydighet
sarcastic [sɑ:'kæstɪk] sarkastisk
sardine [sɑ:'di:n] zool. sardin
Sardinia [sɑ:'dɪnjə] Sardinien
Sardinian [sɑ:'dɪnjən] **I** *adj* sardisk, sardin[i]sk **II** *s* **1** sard; sardiska, sardinska **2** sardiska [språket]
sardonic [sɑ:'dɒnɪk] sardonisk, bitter
sari ['sɑ:rɪ] sari indiskt plagg
sartorial [sɑ:'tɔ:rɪəl] skräddar-; kläd-
1 sash [sæʃ] skärp; gehäng
2 sash [sæʃ] fönsterram, fönsterbåge; skjutfönster rörligt uppåt och nedåt [äv. *sliding ~*]; drivbänksfönster
sash window ['sæʃˌwɪndəʊ] skjutfönster rörligt uppåt och nedåt
sat [sæt] imperf. o. perf. p. av *sit*
Satan ['seɪt(ə)n]
satanic [sə'tænɪk] satanisk, djävulsk
satchel ['sætʃ(ə)l] [axel]väska vanl. med axelrem
satellite ['sætəlaɪt] **1** astron. satellit, måne **2** [rymd]satellit [*communications ~*]; *~ broadcast* (*transmission*) TV. satellitsändning
satiate ['seɪʃɪeɪt] mätta; *be ~d with* vara mätt (utled) på
satin ['sætɪn] **I** *s* satäng **II** *vb tr* satinera papper
satire ['sætaɪə] satir
satirical [sə'tɪrɪk(ə)l] satirisk
satirist ['sætərɪst] satiriker
satirize ['sætəraɪz] satirisera [över]
satisfaction [ˌsætɪs'fækʃ(ə)n] **1** tillfredsställelse; *give ~* a) utfalla till (vara till, väcka) belåtenhet b) räcka till, vara tillräcklig; *if you can prove it to my ~* om du kan ge mig tillräckliga bevis på det **2** tillfredsställande [*the ~ of one's hunger*]; uppfyllande [*the ~ of a p.'s hopes*] **3** hand. el. jur. uppgörelse av skuld; gottgörelse; *make ~* ge gottgörelse **4** upprättelse [*give a p. ~*]

satisfactory [ˌsætɪsˈfækt(ə)rɪ] tillfredsställande, nöjaktig [~ *result*]; fullt tillräcklig [~ *proof*]
satisfied [ˈsætɪsfaɪd] **1** tillfredsställd, belåten; mätt [*eat till one is ~*]; *be ~* vara (bli) nöjd (belåten, tillfreds) **2** övertygad
satisfy [ˈsætɪsfaɪ] **I** *vb tr* **1** tillfredsställa [~ *a p.*; ~ *one's curiosity*], tillgodose; gottgöra [~ *one's creditors*]; uppfylla [~ *a condition*]; mätta [~ *a p.*], stilla [~ *one's hunger*]; *~ one's thirst* släcka sin törst **2** övertyga **II** *vb itr* vara tillfredsställande ([fullt] tillräcklig)
satisfying [ˈsætɪsfaɪɪŋ] tillfredsställande; tillräcklig
saturate [ˈsætʃəreɪt] **1** [genom]dränka; *~d with* bildl. fylld (full, genomsyrad) av **2** mätta [*the market is ~d*]
saturation [ˌsætʃəˈreɪʃ(ə)n] mätthet; mättnad; *the market has reached ~ point* marknaden är mättad
Saturday [ˈsætədeɪ, -dɪ isht attr.] lördag; *~ night special* isht amer. liten pistol; jfr vid. *Sunday*
Saturn [ˈsætən, -tɜːn] mytol. el. astron. Saturnus
sauce [sɔːs] **I** *s* **1** sås; amer. äv. mos, sylt [*cranberry ~*]; bildl. krydda; *hunger is the best ~* hungern är den bästa kryddan **2** vard. uppkäftighet etc., jfr *saucy 1*; *none of your ~!* var inte uppkäftig! **II** *vb tr* vard. vara uppkäftig (kaxig) mot
saucepan [ˈsɔːspən] kastrull
saucer [ˈsɔːsə] tefat; *flying ~* flygande tefat
saucy [ˈsɔːsɪ] vard. **1** näsvis, näbbig, kaxig, uppkäftig **2** piffig, ärtig [*a ~ hat*]; flott
Saudi [ˈsaʊdɪ, ˈsɔːdɪ] **I** *adj* saudisk **II** *s* saudier
Saudi Arabia [ˌsaʊdɪəˈreɪbɪə, ˌsɔː-] Saudi-Arabien
Saudi Arabian [ˌsaʊdɪəˈreɪbɪən, ˌsɔː-] **I** *adj* saudisk **II** *s* saudier
sauna [ˈsɔːnə, ˈsaʊnə] sauna
saunter [ˈsɔːntə] **I** *vb itr* flanera; strosa, släntra **II** *s* **1** promenad **2** flanerande, strosande
sausage [ˈsɒsɪdʒ] **1** korv **2** vard., *not a ~* inte ett enda dugg **3** vard., till person *you silly old ~* din dumsnut; *sweet little ~* till barn lilla gosingen
sausage roll [ˌsɒsɪdʒˈrəʊl] slags korvpirog
sauté [ˈsəʊteɪ] kok. (fr.) **I** *s* sauté **II** *vb tr* sautera **III** *adj* sauterad
savage [ˈsævɪdʒ] **I** *adj* **1** vild [~ *beasts*; ~ *region*], barbarisk [~ *customs*] **2** grym [*a ~ blow*], hänsynslös [*a ~ critic*], omänsklig [*a ~ ruler*], våldsam, svidande; *a ~ dog* en bitsk (ilsken) hund **II** *s* **1** vilde **2** barbar, rå (grym) sälle **III** *vb tr* misshandla; om hund o.d. anfalla
save [seɪv] **I** *vb tr* **1** rädda äv. sport. o.d.; bärga; bevara; *God ~ the King!* Gud bevare konungen!; *~ oneself* rädda sig, komma undan; *~ one's skin* rädda sitt eget skinn **2** relig. frälsa **3** spara [~ *a sum of money*], lägga undan, spara ihop; hålla [~ *a seat for me*]; amer. äv. reservera [*I asked him to ~ me a room*]; *~ up for* spara [ihop] till, lägga undan till, spara för **4** spara [på]; *~ oneself* spara sig ([på] sina krafter) **5** spara [in]; bespara [*we've been ~d a lot of expense*]; *you may ~ your pains* (*trouble*) du kan bespara dig besväret **II** *vb itr* **1** *~ [up]* spara [pengar] **2** sport. rädda, göra en räddning **III** *s* sport. räddning; *a great ~* en paradräddning **IV** *prep* o. *konj* litt. el. poet. utom [*all ~ him (he)*]; om icke; *~ for* utom, så när som på; *~ that* konj. utom att [*I'm well ~ that I have a cold*], om det inte vore så att
saving [ˈseɪvɪŋ] **I** *adj* **1** räddande; försonande; *~ grace* (*feature, quality*) försonande drag **2** sparsam; (ss. efterled) -besparande [*labour-saving*] **3** *~ clause* undantagsklausul, reservation, förbehåll **II** *s* **1** räddning **2** sparande; besparing; pl. *~s* besparingar, sparmedel; *~s bond* sparobligation **III** *prep* litt. utom; *~ your presence* (*reverence*) med förlov sagt, med er tillåtelse
savings account [ˈseɪvɪŋzəˌkaʊnt] sparkonto; sparkasseräkning
savings bank [ˈseɪvɪŋzbæŋk] sparbank; *post-office ~* postsparbank; *~ book* sparbanksbok
saviour [ˈseɪvjə] **1** frälsare; *the S~* Frälsaren **2** räddare
savour [ˈseɪvə] **I** *s* [karakteristisk] smak; bildl. doft, krydda **II** *vb itr, ~ of* lukta, smaka, vittna om [*it ~s of impudence*] **III** *vb tr* litt. **1** smaka (lukta) på äv. bildl. **2** njuta av
savoury [ˈseɪv(ə)rɪ] **I** *adj* **1** välsmakande, aptitlig; aromatisk **2** behaglig, ljuvlig **3** om maträtt o.d. kryddad, salt **II** *s* aptitretare; entrérätt, smårätt
savvy [ˈsævɪ] sl. haja, fatta; veta
1 saw [sɔː] imperf. av *2 see*
2 saw [sɔː] **I** *s* såg **II** (*~ed ~n,* isht amer. äv. *~ed ~ed*) *vb tr* o. *vb itr* såga; *~ the air* [*with the arms*] vifta med armarna; *~n timber* [upp]sågat virke
3 saw [sɔː] ordstäv
sawdust [ˈsɔːdʌst] sågspån
sawmill [ˈsɔːmɪl] sågverk
Saxony [ˈsæksənɪ] geogr. Sachsen
saxophone [ˈsæksəfəʊn] mus. saxofon
saxophonist [ˈsæksəfəʊnɪst, sækˈsɒfənɪst] saxofonist
say [seɪ] (*said said*) **I** *vb tr* o. *vb itr* **1** säga, yttra, påstå; *he is, ~, fifty* han är sådär en (runt de) femtio; *I'll ~ he didn't like it* vard. han tyckte inte om det, det kan du skriva

upp; *to ~ nothing of...* för att [nu] inte tala om...; *strange to ~* egendomligt nog; *that is to ~* det vill säga, alltså; *just as you ~* vard. som du vill; *and so ~ all of us* [och] det tycker vi allihop; *it ~s in the paper* det står i tidningen; *you don't ~ [so]!* vad 'säger du!; *who shall I ~?* hur var namnet?, vem får jag hälsa ifrån?; *it is said* el. *they ~* de (man) säger, det sägs; *all said and done* när allt kommer omkring **2** läsa, be [*~ a prayer*] **II** *s, have (say) one's ~* säga sin mening, sjunga ut

saying ['seɪɪŋ] **1** *~ that* el. *so ~* med dessa ord; *that is ~ too much* det är för mycket sagt; *that is ~ something* det vill inte säga så litet; *that goes without ~* det säger sig självt, det är självklart **2** uttalande, yttrande **3** ordstäv; *as the ~ is (goes)* som ordspråket säger

says [sez, obeton. səz] 3 pers. sg. pres. av *say*

say-so ['seɪsəʊ] vard. **1** påstående, uttalande **2** tillåtelse

scab [skæb] **1** [sår]skorpa **2** skabb isht hos får **3** vard. a) strejkbrytare b) oorganiserad arbetare

scabbard ['skæbəd] skida för svärd o.d.

scabby ['skæbɪ] **1** [full] med sårskorpor **2** skabbig isht om får **3** svinaktig; ful [*~ trick*]

scabies ['skeɪbi:z] med. skabb

scaffold ['skæf(ə)ld] **1** [byggnads]ställning **2** schavott **3** [åskådar]läktare; estrad, podium

scaffolding ['skæf(ə)ldɪŋ] [material för] byggnadsställning; *tubular ~* a) ställningsrör b) rörställning

scald [skɔ:ld] **I** *vb tr* **1** skålla sig på [*~ one's hand*] **2** skålla [*~ tomatoes*], koka **3** hetta upp [till nära kokpunkten] [*~ milk*] **II** *vb itr* **1** skållas **2** börja sjuda [*heat the milk till it ~s*] **III** *s* skållning; [*burns and*] *~s* brännskador

1 scale [skeɪl] **I** *s* vågskål; *~[s* pl.] våg **II** *vb itr* väga [*~ 90 kg.*]

2 scale [skeɪl] **I** *s* skala; måttstock äv. bildl.; *~ of pay* lönetariff; *the ~ of F* mus. F-skalan; *sink in the social ~* sjunka socialt **II** *vb tr* **1** klättra uppför (upp på) [*~ a hill*], klättra upp i; mil. storma; *~ new heights* bildl. nå nya höjdpunkter (toppar) **2** avbilda (rita) skalenligt [*~ a map*]; ordna efter [viss] skala, gradera [*~ tests*] **3** *~ down* [för]minska skalenligt; bildl. minska, trappa ner

3 scale [skeɪl] **I** *s* **1** fjäll zool., bot. o.d. **2** flaga; blad av metall o.d.; beläggning **3** pannsten **II** *vb tr* **1** fjälla [*~ fish*] **2** rensa [från pannsten], knacka ren [*~ a boiler*]; skrapa bort [tandsten från] **3** skala [av]

scallop ['skɒləp, 'skæl-] **1** zool. kammussla **2** *~ [shell]* musselskal, snäckskal

scalp [skælp] **I** *s* **1** hårbotten **2** skalp **II** *vb tr* skalpera; bildl. hudflänga, gå hårt åt

scalpel ['skælp(ə)l] kir. skalpell operationskniv

scamp [skæmp] **I** *s* rackarunge [*you little ~!*] **II** *vb tr* fuska (slarva) med [*~ work*]

scamper ['skæmpə] **I** *vb itr* kila (kuta) i väg; hoppa och skutta [omkring] **II** *s* rusning, skuttande; galopp

scan [skæn] **I** *vb tr* **1** [noga] granska, studera [*~ a face, ~ proposals*]; spana ut över **2** ögna igenom [*~ a newspaper*] **3** metrik. skandera **4** tekn. avsöka **II** *vb itr* om vers gå att skandera [*this line does not ~*]

scandal ['skændl] **1** skandal [*grave ~s*]; *cause a ~* göra skandal **2** skam[fläck] **3** skvallerhistorier

scandalize ['skændəlaɪz] chockera; *be ~d at* bli chockerad (indignerad) över

scandalmonger ['skændl,mʌŋgə] skandalspridare; skvallerkärring

scandalous ['skændələs] **1** skandalös; skamlig **2** skandal- [*~ story*]

Scandinavia [,skændɪ'neɪvjə] Skandinavien

Scandinavian [,skændɪ'neɪvjən] **I** *adj* skandinavisk, nordisk; *the ~ languages* de nordiska språken **II** *s* skandinav; nordbo

Scania ['skeɪnɪə] geogr. Skåne

scanner ['skænə] tekn. avsökare

scant [skænt] **I** *adj* knapp [*~ measure* (mått)]; ringa [*a ~ amount*], sparsam [*~ vegetation*]; knapphändig [*~ in documentation*]; minimal [*a ~ chance*]; *pay ~ attention to* ta föga notis om; *~ of breath* andtäppt **II** *vb tr* knappa in på, snåla på (med) [*don't ~ the butter*]

scantily ['skæntəlɪ] knappt etc., jfr *scanty*; *~ clad (dressed)* lättklädd, minimalt påklädd

scanty ['skæntɪ] knapp [*~ supply*], knappt tillmätt [*~ leisure*]; ringa [*~ ability*], inskränkt [*~ knowledge*]; mager, klen, torftig [*~ fare*], sparsam; otillräcklig; knapphändig; minimal [*a ~ negligee*]

scapegoat ['skeɪpgəʊt] syndabock

scar [skɑ:] **I** *s* ärr äv. bildl. **II** *vb tr* **1** tillfoga ärr; bildl. efterlämna [ett] ärr (bestående men), märka [för livet] **2** märka, repa

scarce [skeəs] **1** otillräcklig, knapp; *food (money) is ~* det är ont om mat (pengar) **2** sällsynt [*such stamps are ~*]

scarcely ['skeəslɪ] knappt [*she is ~ twenty*]; knappast; inte gärna; *~ anybody* nästan ingen, knappt (knappast) någon; *~ ever* nästan aldrig

scarcity ['skeəsətɪ] **1** brist, knapphet **2** sällsynthet

scare [skeə] **I** *vb tr* skrämma; *~ [off (away)]* skrämma bort; bildl. äv. avskräcka; *~ a p. to death* el. *~ the life* (sl. *hell* el. vulg. *shit*) *out of a p.* skrämma slag på (livet ur) ngn **II** *vb itr* bli skrämd (rädd); ~ *easily* vara lättskrämd **III** *s* **1** skräck; panik; hot, -hot [*bomb* ~]; oro, skräck- [~ *story*]; *get (have) a* ~ bli [upp]skrämd (rädd); bildl. bli avskräckt; känna oro (panik); *war* ~ a) krigspanik b) krigshot **2** larmrapport [*food* ~]

scarecrow ['skeəkrəʊ] fågelskrämma äv. bildl.

scaremonger ['skeə,mʌŋgə] panikspridare

scar|f [skɑ:f] (pl. *-fs* el. *-ves*) **1** scarf, halsduk; sjal, sjalett **2** amer. långsmal duk, löpare

scarlet ['skɑ:lət] **I** *s* scharlakan[srött] **II** *adj* scharlakansröd; ~ *fever* med. scharlakansfeber

scarper ['skɑ:pə] sl. sticka [iväg]; sjappa

scary ['skeərɪ] vard. hemsk

scathing ['skeɪðɪŋ] skarp [~ *criticism*], bitande [~ *irony*]

scatter ['skætə] **I** *vb tr* **1** sprida [ut] [~ *light (one's troops)*]; strö ut [~ *seeds (hints)*], strö omkring; stänka [~ *mud (water)*] **2** skingra [~ *a crowd (the clouds)*] **3** beströ [~ *a road with gravel*]; *the floor was ~ed with books* det låg böcker överallt (kringströdda) på golvet **II** *vb itr* skingras, skingra sig [*the crowd ~ed*], fördela sig **III** *s* spridning

scatterbrain ['skætəbreɪn] virrig (tanklös) person

scatterbrained ['skætəbreɪnd] virrig

scattered ['skætəd] spridd, strödd, sporadisk; ~ *clouds* meteor. halvklart

scatty ['skætɪ] vard. knasig, tokig

scavenge ['skævɪn(d)ʒ] **I** *vb tr* **1** rota (söka) i avfall o.d. **2** rengöra, sopa [~ *the streets*], rensa **II** *vb itr* **1** ~ *for* rota efter **2** hålla rent

scavenger ['skævɪn(d)ʒə] **1** person som letar (rotar) bland sopor **2** zool. asätare

scenario [sɪ'nɑ:rɪəʊ] (pl. *~s*) teat., film. el. bildl. scenario

scene [si:n] **1** teat., film. o.d. scen [*Act II, S~ 1*; *a love ~*]; scen[bild] [*the ~ is* (föreställer) *a street*], fond[kuliss] [*change ~s*]; *change of ~* a) scenförändring b) bildl. miljöombyte; *the ~ of the novel (film) is laid in London* romanen (filmen) utspelar sig i London **2** skådeplats [äv. ~ *of action*]; *leave the ~ of the accident* smita [från olycksplatsen]; *the ~ of the crime* platsen för brottet, brottsplatsen; *appear (come) on the ~* bildl. dyka upp på scenen, komma in i bilden **3** scen, bild [*a domestic ~*], anblick, syn [*a lively ~*] **4** scen; *make (create) a ~* ställa till en scen (ett uppträde), ställa till skandal **5** vard. värld, kretsar [*the fashion ~*], scen, skådebana [*the political ~*]; *it's not my ~* det gillar jag inte, det är inte min likör

scenery ['si:nərɪ] **1** teat. sceneri, scenbild[er] **2** [vacker] natur [*admire the ~*]; landskap; [*natural*] ~ naturscen[eri]; *mountain ~* bergslandskap

scenic ['si:nɪk] **1** teat. scenisk [~ *effects*]; dramatisk **2** naturskön; ~ *beauty* naturskönhet; ~ *railway* a) lilleputtåg som går genom ett konstgjort landskap b) berg- och dalbana

scent [sent] **I** *vb tr* **1** vädra äv. bildl. [~ *a hare*, ~ *trouble*]; jakt. äv. spåra; ~ *a th. out* bildl. lukta sig till ngt **2** a) parfymera b) sprida [sin] doft i [*roses that ~ the air*] **II** *s* **1** doft **2** parfym **3** väderkorn; *get ~ of* få väderkorn på; bildl. äv. få nys om **4** vittringsspår äv. bildl.; *false ~* villospår

sceptic ['skeptɪk] skeptiker äv. filos.; tvivlare

sceptical ['skeptɪk(ə)l] skeptisk; tvivlande; klentrogen; *be ~ of* tvivla på

scepticism ['skeptɪsɪz(ə)m] skepsis

sceptre ['septə] spira härskarstav

schedule ['ʃedju:l, 'sked-, -dʒ-, amer. 'skedʒ(ʊ)l] **I** *s* **1** a) [tids]schema, tidtabell; program, plan b) isht amer. tågtidtabell; [*time*] ~ amer. [skol]schema; *be behind ~* vara försenad; ligga (släpa) efter [i tid] **2** lista; inventarieförteckning **3** tariff; ~ *of wages* lönetariff, löneskala **II** *vb tr* **1** a) fastställa tidpunkten för b) planera c) sätta in [~ *a new train*]; *it is ~d for tomorrow* det skall enligt planerna ske i morgon **2** föra (ta) upp på en lista, registrera

schematic [skɪ'mætɪk] schematisk

scheme [ski:m] **I** *s* **1** system, schema; ordning; *the ~ of things* tingens ordning, världsordningen **2** plan; utkast **3** intrig; pl. *~s* äv. ränker **4** schematisk (grafisk) framställning; diagram **5** horoskop **II** *vb itr* **1** göra upp planer **2** intrigera, stämpla, smida ränker

schemer ['ski:mə] intrigmakare

scheming ['ski:mɪŋ] **I** *adj* beräknande, intrigant **II** *s* **1** planerande **2** intrigerande

schism ['skɪz(ə)m, isht kyrkl. 'sɪz-] schism äv. kyrkl., söndring

schizophrenia [,skɪtsə(ʊ)'fri:njə] psykol. schizofreni

schizophrenic [,skɪtsə(ʊ)'frenɪk] psykol. schizofren [person]

scholar ['skɒlə] **1** lärd (skolad) person, forskare [*a famous Shakespeare ~*] **2** stipendiat

scholarly ['skɒləlɪ] **1** lärd [*a ~ woman*], som vittnar om lärdom **2** akademisk; utförd med vetenskaplig noggrannhet [*a ~ translation*]

scholarship ['skɒləʃɪp] **1** lärdom isht humanistisk **2** vetenskaplig noggrannhet

3 skol. el. univ. stipendium; *travelling ~* resestipendium

1 school [sku:l] **I** *s* **1 a**) skola äv. bildl. [*the hard ~ of life*]; institut [*correspondence ~*]; skolgång [*three years of ~*]; skoltid; *teach ~* amer. vara lärare [till yrket]; *go to ~* a) gå till skolan b) gå i skola[n] **b**) skol- [*~ friend*; *~ yard* (gård)]; *~ attendance* skolgång, deltagande i undervisning; *compulsory ~ attendance* skolplikt **c**) univ. fakultet [*the Medical S~*]; sektion [*the History ~*]; institution [*the S~ of* (för) *Oriental Studies*] **2** konst. o. friare skola [*the Frankfurt ~*], strömning [*the Flemish ~*]; *~ of thought* meningsinriktning **II** *vb tr* högtidl. skola [*~ one's voice*]; häst äv. dressera; öva upp

2 school [sku:l] stim, flock [*a ~ of dolphins*]

schoolboy ['sku:lbɔɪ] skolpojke

schoolfellow ['sku:lˌfeləʊ] skolkamrat

schoolgirl ['sku:lgɜ:l] skolflicka

schooling ['sku:lɪŋ] **1** bildning [*he had very little ~*] **2** skolundervisning; skolgång

schoolmaster ['sku:lˌmɑ:stə] [skol]lärare

schoolmate ['sku:lmeɪt] skolkamrat

schoolmistress ['sku:lˌmɪstrɪs] [skol]lärarinna

schoolroom ['sku:lru:m] skolsal, lärosal

schoolteacher ['sku:lˌti:tʃə] skollärare, skollärarinna

schooner ['sku:nə] sjö. skonert, skonare

sciatica [saɪ'ætɪkə] med. ischias

science ['saɪəns] **1** a) vetenskap; lära, kunskap b) vetenskaplighet, vetenskapligt arbete; [*natural*] *~* naturvetenskap; *Bachelor* (*Master*) *of ~* ung. filosofie kandidat vid naturvetenskaplig institution efter tre års studier (vid vissa universitet är Master of Arts en högre examen) **2** teknik, skicklighet; konst; *~ of fencing* fäktkonst

science fiction [ˌsaɪəns'fɪkʃ(ə)n] litt. science fiction

scientific [ˌsaɪən'tɪfɪk] **1** a) vetenskaplig [*~ books* (*methods*)] b) naturvetenskaplig **2** metodisk; tekniskt skicklig [*a ~ boxer*]

scientist ['saɪəntɪst] [natur]vetenskapsman; forskare

sci-fi [ˌsaɪ'faɪ] (vard. kortform för *science fiction*) sf

scissors ['sɪzəz] **1** (konstr. vanl. ss. pl.) sax; *a pair of ~* (ibl. *a ~*) en sax **2** (konstr. ss. sg.) **a**) brottn. sax[grepp] **b**) gymn. bensax; saxning **c**) *~ kick* sport. bicicletas

scleros|is [sklə'rəʊs|ɪs] (pl. *-es* [-i:z]) med. skleros

1 scoff [skɒf] sl. sätta (glufsa) i sig

2 scoff [skɒf] hånskratta

scold [skəʊld] **I** *vb tr* skälla på (ut); *be* (*get*) *~ed* bli utskälld **II** *vb itr* skälla om pers.

scolding ['skəʊldɪŋ] skäll, utskällning; *get a ~* få en utskällning

scone [skɒn, skəʊn] kok. scone

scoop [sku:p] **I** *s* **1** skopa; glasskopa; skovel, skyffel; sjö. öskar; med. slev; tekn. hålmejsel; [*measuring*] *~* mått, måttskopa **2** skoptag, skoveltag **3** tidn. (vard.) scoop; *pull off a ~* göra ett scoop, bli först med en toppnyhet **4** vard. kap, fångst **II** *vb tr* **1** ösa [äv. *~ up*], skyffla; skrapa, gröpa [*~ the centre out of a melon*] **2** *~ out* holka (gröpa) ur [*~ out a melon*]; gräva [*~ out a tunnel*] **3** vard. kapa åt sig; kamma (ta) hem [*~ the pool*]; *~ in* håva in, kamma hem [*~ in the profits*]

scoot [sku:t] vard. kila, sticka

scooter ['sku:tə] **1** sparkcykel **2** skoter

scope [skəʊp] **1** [räck]vidd, omfattning; ram; spännvidd; *it is beyond the ~ of a child's mind* (*understanding*) det går över ett barns horisont, det ligger utanför ett barns fattningsförmåga **2** spelrum; *have free* (*full*) *~* ha fritt spelrum

scorch [skɔ:tʃ] **I** *vb tr* sveda; kok. bränna vid; *the ~ed earth policy* den brända jordens taktik (politik) **II** *vb itr* **1** svedas, brännas; förtorkas; kok. brännas vid **2** vard. vrålköra; susa **III** *s* **1** [ytlig] brännskada; svedd ([brun]bränd) fläck **2** vard. vansinnesfärd

scorcher ['skɔ:tʃə] vard. **1** stekhet dag [*yesterday was a ~*] **2** panggrej, toppengrej; baddare

scorching ['skɔ:tʃɪŋ] **I** *adj* **1** stekhet [*a ~ day*]; *the sun is ~* solen steker **2** bitande, svidande [*~ sarcasm*] **II** *adv*, *~ hot* stekande het, stekhet

score [skɔ:] **I** *s* **1** repa, märke; streck **2** räkning; konto; *pay off* (*settle*) *old ~s* ge betalt för gammal ost **3** sport. o.d. **a**) läge, ställning [*the ~ was 2-1*]; *what's the ~?* hur är ställningen (läget)?, vad står det?; *the final ~* slutställningen, [slut]resultatet **b**) [poäng]räkning; protokoll; *keep the ~* räkna, sköta räkningen **c**) poängtal **4** skol. el. statistik. poäng; poängvärde **5** anledning [*on* (av) *what ~?*]; *you may be easy on that ~* du kan vara lugn på den punkten; *on the ~ of* [*ill health*] på grund av... **6** tjog; *a ~ of people* ett tjugotal människor **7** mus. partitur **II** *vb tr* **1** a) göra repor (märken) i (på) b) strecka (stryka) för; *~ out* stryka över [*two words were ~d out*]; *~ under* stryka under **2** föra räkning över, sport. o.d. äv. föra protokoll, räkna poäng [ofta *~ up*]; *~ a th. up against* (*to*) *a p.* sätta upp ngt på ngns räkning (nota) **3** vinna [*~ a success* (framgång)]; få [*~ five points*]; *~ a goal* göra [ett] mål **4** räknas som **5** mus. orkestrera, instrumentera **6** vard., *~ off a p.* sätta ngn på plats **III** *vb itr* **1** sport. o.d.

sköta räkningen **2** a) sport. o.d. få (ta) poäng b) vinna c) vard. göra lycka (succé); *that's where he ~s* det är det han vinner (tar hem poäng) på

scoreboard ['skɔ:bɔ:d] sport. poängtavla, resultattavla

scorer ['skɔ:rə] sport. **1** protokollförare **2** poängtagare; målgörare

scorn [skɔ:n] **I** *s* **1** förakt; hån; hånfullhet; *be put to ~* bli hånad, bli utsatt för förakt (hån) **2** föremål för förakt (hån) **II** *vb tr* försmå [*he ~ed my advice*]; håna

scornful ['skɔ:nf(ʊ)l] föraktfull; hånfull; *be ~ of* vara full av förakt för, förakta

Scorpio ['skɔ:pɪəʊ] astrol. el. astron. Skorpionen; *he is* [*a*] *~* han är Skorpion

scorpion ['skɔ:pjən] zool. skorpion

Scot [skɒt] **1** skotte; *the ~s* skottarna **2** hist., pl. *~s* skoter

Scotch [skɒtʃ] **I** *adj* skotsk; *~ fir* tall **II** *s* **1** *the ~* skottarna **2** skotska [språket] **3** skotsk whisky; *~ and soda* whisky och soda

scotch [skɒtʃ] **1** kväva, kuva [*~ a plot*], sätta stopp för, göra slut på [*~ rumours*] **2** såra [utan att döda], oskadliggöra [*~ a snake*]

scot-free [ˌskɒt'fri:] oskadd; ostraffad; *go* (*get off, escape, pass*) *~* komma (slippa) undan oskadd (ostraffad), gå skottfri

Scotland ['skɒtlənd] Skottland; [*New*] *~ Yard* Scotland Yard Londonpolisens högkvarter

Scots [skɒts] **I** *adj* skotsk **II** *s* skotska [språket]; *Lowland ~* låglandsskotsk dialekt

Scots|man ['skɒts|mən] (pl. *-men* [-mən]) skotte

Scots|woman ['skɒts|ˌwʊmən] (pl. *-women* [-ˌwɪmɪn]) skotska kvinna

Scottish ['skɒtɪʃ] **I** *adj* skotsk; *~ terrier* skotsk terrier, skotte **II** *s* skotska [språket]

scoundrel ['skaʊndr(ə)l] skurk, bov

1 scour ['skaʊə] **I** *vb tr* **1** skura [*~ a floor*], skrubba (gnugga) ren [*~ clothes*]; *~ out* skura ur **2** spola ren, rensa [*~ a channel*] **3** *~* [*out*] plöja [upp], gräva [sig] [*the torrent had ~ed* [*out*] *a channel*] **II** *s* **1** skurning **2** renspolning, sköljning; erosion

2 scour ['skaʊə] **1** söka (leta) igenom **2** genomströva [*~ the woods*]; dra fram genom [*they ~ed the streets*]

scourer ['skaʊərə] stålull

scourge [skɜ:dʒ] **I** *s* gissel, hemsökelse, plågoris; landsplåga **II** *vb tr* gissla, hemsöka; tukta; hudflänga

scout [skaʊt] **I** *s* **1** mil. a) spanare, observatör b) spaningsfartyg c) spanings[flyg]plan **2** motsv. juniorscout 11-12 år; patrullscout 13-15 år; [*cub*] *~* miniorscout **3** [*talent*] *~* talangscout **4** vägpatrullman **5** spaning; *be on the ~ for* vara [ute] på spaning (jakt) efter **II** *vb itr* spana, speja; *~ about* (*around*) *for* spana (vara på jakt) efter **III** *vb tr* **1** undersöka [*~ the enemy's defence*] **2** vard., *~ out* (*up*) a) skaffa sig, ragga upp b) leta ut (upp)

scoutmaster ['skaʊtˌmɑ:stə] scoutledare

scowl [skaʊl] **I** *vb itr* rynka ögonbrynen; se bister (hotfull) ut; *~ at* blänga på **II** *s* bister (hotfull) uppsyn (blick)

Scrabble ['skræbl] ® alfapet slags bokstavsspel

scrabble ['skræbl] krafsa, skrapa [*~ with one's nails*]; *~ about for* rota [runt] (leta) efter

scraggy ['skrægɪ] **1** mager, tanig [*a ~ neck*], skinntorr **2** skrovlig [*~ rocks*], knagglig

scram [skræm] vard. sticka, smita; *~!* stick!

scramble ['skræmbl] **I** *vb itr* **1** klättra [*~ up a cliff*]; krångla (streta) sig fram **2** rusa [*they ~d for* (till) *the door*]; slåss **3** hafsa; *~ into one's clothes* kasta på sig (kasta sig i) kläderna; *~ through* [*one's work*] hafsa (slarva) igenom... **II** *vb tr* **1** a) blanda (röra) ihop [*~ names and faces*] b) kok., *~d eggs* äggröra **2** tele. o.d. förvränga tal [*~ a message*] **3** *~ away* (*off*) rafsa undan; *~ up* (*together*) rafsa ihop **III** *s* **1** [mödosam] klättring; klättrande, stretande **2** rusning [*a ~ for* (till) *the door*] **3** rusning, riv och slit **4** virrvarr, röra **5** slags motocross

scrambler ['skræmblə] tele. o.d. talförvrängare

1 scrap [skræp] **I** *s* **1** bit; smula; fragment [*~s of a letter*], snutt; *not a ~* inte ett dugg (uns), inte en gnutta; *a ~ of paper* en papperslapp (pappersbit); iron. om traktat o.d. bara en bit papper **2** pl. *~s* a) [mat]rester, smulor b) [små]plock, smått och gott **3** avfall, skräp **4** skrot [*sell one's car for* (till, som) *~*], skrot- [*~ value*] **II** *vb tr* **1** skrota [ned] [*~ a ship*], utrangera **2** vard. kassera; slopa

2 scrap [skræp] vard. **I** *s* gräl; slagsmål **II** *vb itr* gräla; slåss

scrapbook ['skræpbʊk] **1** [urklipps]album **2** återblickar [*~ for* (på) *1989*], minnesbilder; *~ for* äv. kavalkad (krönika) över

scrape [skreɪp] **I** *vb tr* **1** skrapa; skrapa (skava) av (bort) [*~ the rust off* (*from*) *a th.*]; skrapa av (ren), hyvla väg; skrapa på (i) [*~ the floor with one's shoes*]; skrapa mot [*the ship ~d the bottom*]; *~ a living* skrapa ihop pengar till brödfödan, hanka sig fram [*by* på] **2** skrapa med [*~ one's feet*] **3** vard. gnida [på] [*~ a fiddle*]; *~ out a tune* [*on the violin*] gnida [fram] en melodi [på fiolen] **II** *vb itr* **1** skrapa; raspa

2 trassla (krångla) sig [~ *home*]; ~ *along* (*by*) vard. hanka sig fram, klara sig någotsånär [*on* på] **3** vard. gnida [~ *at a violin*] **4** skrapa med foten och buga sig; *bow and* ~ *to a p.* bildl. skrapa med foten för ngn **5** snåla, spara **III** *s* **1** skrapning **2** skrapsår, skrubbsår **3** vard., *bread and* ~ bröd med ett tunt lager smör (margarin) **4** vard. knipa [*get into a* ~]; gräl

scraper ['skreɪpə] **1** skrapa, skrapverktyg **2** fotskrapa, skrapjärn **3** vägskrapa

scrap heap ['skræphi:p] skrothög; *throw a th. on the* ~ bildl. kasta ngt på skrothögen (sophögen)

scrap metal ['skræpˌmetl] metallskrot

scrappy ['skræpɪ] hopplockad; osammanhängande

scrapyard ['skræpjɑ:d] skrotupplag

scratch [skrætʃ] **I** *vb tr* **1** a) klösa, riva b) rispa; göra repor i [~ *the paint*] c) skrapa; ~ *the surface* skrapa på ytan; bildl. äv. snudda vid ytan [*of* av], ytligt beröra; ~ *up* krafsa upp (fram) [*the dog ~ed up a bone*] **2** klia [på], riva [på]; ~ *a p.'s back* klia ngn på ryggen; bildl. stryka ngn medhårs **3** rista i [~ *glass*]; rista in [~ *one's name on glass*] **4** ~ [*out*] krafsa [upp] [~ [*out*] *a hole*] **5** ~ *up* (*together*) skrapa ihop; skrapa åt sig **6** stryka; sport. stryka från anmälningslistan [~ *a horse*]; ~ *out* a) stryka [~ *out a name from a list*] b) stryka (radera) ut **II** *vb itr* **1** klösas **2** klia sig, riva sig [*stop ~ing*] **3** krafsa, skrapa [~ *at the door*]; raspa [*the pen ~es*]; ~ *about for* [gå och] krafsa efter **III** *s* **1** skråma; repa; skrubbsår; *escape without a* ~ äv. komma helskinnad undan **2** skrap, raspande [ljud] **3** klösning etc., jfr *I*; *give oneself a good* ~ klia sig ordentligt **4** sport. a) startlinje b) scratch **5** bildl. scratch; *start from* ~ börja från scratch, börja [om] från början, starta från ingenting; *be* (*come*) *up to* ~ hålla måttet, [upp]fylla kraven, vara mogen sin uppgift **IV** *attr adj* **1** tillfälligt (provisoriskt) hopplockad [*a* ~ *team*], slumpvis hopkommen **2** sport. utan handikapp

scrawl [skrɔ:l] **I** *vb itr* klottra **II** *vb tr* klottra [ned], krafsa (rafsa) ned (ihop) [~ *a few words*] **III** *s* klotter, krafs

scrawny ['skrɔ:nɪ] mager; skinntorr

scream [skri:m] **I** *vb itr* **1** skrika [~ *with* (av) *pain*]; skria **2** ~ [*with laughter*] tjuta av skratt **3** tjuta [*the sirens ~ed*], vina **II** *vb tr* skrika [ut] **III** *s* **1** skrik [*a* ~ *of pain*], skri; tjut [*the* ~ *of* (från) *a siren*]; *~s of laughter* tjut av skratt **2** vard., *be a* ~ vara helfestlig (jätterolig)

scree [skri:] [bergssluttning täckt med] stenras

screech [skri:tʃ] **I** *vb itr* gallskrika; skrika [*the brakes ~ed*] **II** *vb tr*, ~ [*out*] skrika [ut (fram)] **III** *s* gallskrik; tjut

screen [skri:n] **I** *s* **1** a) skärm **b**) skiljevägg; kyrkl. korskrank **c**) bildl. ridå, mur [*a* ~ *of secrecy*], fasad; mask [*a* ~ *of indifference*] **2** skärm [*radar* ~], [film]duk [*cinema* ~]; [*television*] ~ bildruta; [*viewing*] ~ bildskärm **3** film. **a**) *the* ~ filmen [*go on* (in vid) *the* ~]; *adapt for the* ~ filmatisera, bearbeta för film[en] **b**) film- [~ *actor*]; *the* ~ *version* filmversionen, filmatiseringen **4** a) [grovt] såll, sikt b) filter **5** bil. vindruta **II** *vb tr* **1** skydda; bildl. äv. skyla (släta) över [~ *a p.'s faults*] **2** a) skärma [av] [~ *a light*]; bildl. kringgärda [*~ed by regulations*] b) förse med en skärm (skärmar); sätta nät för [~ *a window*]; ~ *off* skärma (skilja) av [~ *off a corner of the room*] **3** **a**) sikta, sålla **b**) bildl. sålla bort (ut) [äv. ~ *out*]; sålla fram **4** film. a) filma b) filmatisera

screenplay ['skri:npleɪ] filmmanus

screen test ['skri:ntest] **I** *s* provfilmning, provfotografering **II** *vb tr* låta provfilma

screw [skru:] **I** *s* **1** skruv; *he has a* ~ *loose* el. *there is a* ~ *loose somewhere* bildl. han har en skruv lös, han är inte riktigt klok; *put the ~s on* el. *turn the* ~ bildl. dra åt tumskruvarna, öka pressen **2** sport. skruv **3** vard. lön; *he's paid a good* ~ han får bra pröjs **4** vard. snåljåp **5** vulg. knull **II** *vb tr* **1** a) skruva äv. sport. b) skruva fast (i) c) skruva till (åt); ~ *down* skruva igen (till, åt) [~ *down a lid*]; ~ *the lid off* (*on*) *a jar* skruva av (på) locket på en burk **a**) skruva igen (till, åt) **b**) knyckla ihop **c**) skruva (skörta, trissa) upp [~ *up prices*]; ~ *up* [*one's*] *courage* ta mod till sig, samla mod **2** förvrida; ~ *up one's eyes* kisa med (knipa ihop) ögonen **3** pressa; ~ *money out of a p.* pressa ngn på pengar **4** sl. förstöra [*it ~ed up our plans*]; trassla (röra, strula) till **5** vulg. knulla **6** ~ *you!* sl. dra åt helvete! **III** *vb itr* **1** skruvas [*a lid which ~s on*] **2** sl., ~ *around* a) gå och driva, slå dank, strula [omkring] b) vänsterprassla; ligga med vem som helst **3** ~ *up* misslyckas, göra bort sig

screwball ['skru:bɔ:l] isht amer. vard. **I** *s* **1** sport. skruvboll **2** knasboll, galning **II** *adj* knasig [~ *ideas*]

screwdriver ['skru:ˌdraɪvə] **1** skruvmejsel **2** vard., drink på vodka och apelsinjuice

screwy ['skru:ɪ] sl. tokig; mysko, konstig

1 scribble ['skrɪbl] grovkarda [~ *wool* (*cotton*)]

2 scribble ['skrɪbl] **I** *vb tr* klottra, klottra (rafsa) ihop (ned) [~ *a letter*] **II** *vb itr* klottra, kladda **III** *s* klotter

scribbling-block ['skrɪblɪŋblɒk] o.

scribbling-pad ['skrɪblɪŋpæd] kladdblock

scribe [skraɪb] skämts. skribent
script [skrɪpt] **I** *s* **1** [hand]skrift [*in* (med) ~]; skrivtecken **2** boktr. skrivstil **3** jur. handskrift, originalhandling, urkund **4** film., radio. o.d. manus, manuskript; [*film*] ~ filmmanus **5** skol. skrivning, [skriftligt] examensprov **II** *vb tr* skriva [manuskript till]
scripture ['skrɪptʃə] **1** [*Holy*] *S~* el. *the* [*Holy*] *Scriptures* den heliga skrift, Skriften, Bibeln **2** bibelställe, bibelspråk **3** helig skrift (bok) [*Buddhist* ~] **4** skol. religionskunskap
scriptwriter ['skrɪptˌraɪtə] film., radio. o.d. manusförfattare
scroll [skrəʊl] **I** *s* **1** [skrift]rulle **2** a) slinga; släng på namnteckning b) isht herald. bandslinga [med devis] c) konst. snäcklinje; scrollornament **II** *vb tr* pryda med slingor; *~ed* äv. i form av slingor
scrounge [skraʊn(d)ʒ] vard. **I** *vb tr* lura till sig; tigga till sig [~ *a cigarette from a p.*] **II** *vb itr*, ~ *around for* sno (snoka) omkring efter; tigga **III** *s*, *be on the* ~ sno omkring (leta) efter; tigga
scrounger ['skraʊn(d)ʒə] vard. snyltare; tiggare
1 scrub [skrʌb] **I** *vb tr* skura, skrubba [~ *the floor*]; ~ *out* skura ur; skura (skrubba) bort **II** *vb itr* skura, skrubba **III** *s* skurning, skrubbning; *it needs a good* ~ den behöver skuras (skrubbas) ordentligt
2 scrub [skrʌb] **1** buskskog, busksnår **2** förkrympt buske (träd)
scrubbing-brush ['skrʌbɪŋbrʌʃ] skurborste
scruff [skrʌf], *take* (*seize*) *by the* ~ *of the neck* ta i nackskinnet (hampan)
scruffy ['skrʌfɪ] vard. sjaskig, sjabbig, sluskig
scrum [skrʌm] o. **scrummage** ['skrʌmɪdʒ] rugby. **I** *s* klunga; ~ *half* klunghalva **II** *vb itr* bilda klunga
scrumptious ['skrʌm(p)ʃəs] vard. smaskens; kalas- [~ *food*]; härlig; jättesnygg
scruple ['skru:pl] **I** *s* **1** ~[*s* pl.] skrupler; tvivel; *have ~s about* ha samvetsbetänkligheter mot (beträffande), dra sig för **2** skrupel medicinalvikt (= 1,296 g) **II** *vb itr* hysa samvetsbetänkligheter; *not ~ to* inte dra (genera) sig för att
scrupulous ['skru:pjʊləs] **1** nogräknad, samvetsöm **2** [mycket] samvetsgrann; sorgfällig; skrupulös [~ *cleanliness*]
scrutinize ['skru:tənaɪz] noga undersöka, syna [i sömmarna]
scrutiny ['skru:tənɪ] **1** noggrann undersökning **2** forskande blick
scud [skʌd] jaga [*the clouds ~ded across the sky*], ila, löpa
scuff [skʌf] **I** *vb itr* **1** hasa [sig fram] **2** skavas, nötas, slitas **II** *vb tr* **1** ~ *one's feet* släpa med fötterna, hasa sig fram **2** nöta (slita) ned [~ *one's shoes*] **III** *s* **1** hasande [ljud] **2** ~ *marks* märken (repor) efter skor
scuffle ['skʌfl] **I** *vb itr* **1** slåss; knuffas och bråka **2** hasa [sig fram] **II** *s* slagsmål, tumult
scull [skʌl] **I** *s* **1** [mindre] åra **2** vrickåra **II** *vb tr* o. *vb itr* ro; vricka båt
scullery ['skʌlərɪ] diskrum
sculptor ['skʌlptə] skulptör, bildhuggare
sculptress ['skʌlptrəs] skulptris
sculpture ['skʌlptʃə] **I** *s* **1** skulptur, bildhuggarkonst[en] **2** skulptur **II** *vb tr* o. *vb itr* skulptera
scum [skʌm] **I** *s* **1** skum vid kokning o. jäsning **2** [smuts]hinna på stillastående vatten **3** bildl. avskum [*the ~ of the earth*] **II** *vb tr* **1** skumma [av] **2** täcka med skum
scupper ['skʌpə] **I** *s* sjö. spygatt **II** *vb tr* **1** sänka [~ *a ship*] **2** vard. torpedera, kullkasta [~ *plans*]; *we're ~ed!* nu är det klippt!
scurf [skɜ:f] **1** skorv **2** flagor
scurrilous ['skʌrɪləs] plump; ovettig
scurry ['skʌrɪ] **I** *vb itr* kila; bildl. jaga [~ *through one's work*] **II** *s* rusning; bildl. äv. jäkt
scurvy ['skɜ:vɪ] **I** *adj* tarvlig, gemen **II** *s* med. skörbjugg
1 scuttle ['skʌtl] rusa, skutta [~ *off* (*away*)]
2 scuttle ['skʌtl] **I** *s* glugg med lucka i tak o. vägg; lucka; sjö. ventil; [ventil]lucka **II** *vb tr* **1** sjö. borra i sank [~ *a ship*] **2** torpedera, kullkasta [~ *plans*]
scythe [saɪð] **I** *s* lie **II** *vb tr* slå med lie, meja
SE förk. för *South-Eastern* (postdistrikt i London), *south-east*[*ern*]
sea [si:] **1** hav [*the Caspian S~*], sjö [*the North S~*], havs- [~ *ice*], sjö- [~ *scout*]; *the high ~s* öppna havet utanför territorialgränsen; *at ~* till sjöss (havs), på havet (sjön), i sjön; *I'm* [*all*] *at ~* vard. jag förstår inte ett dugg [av det hela]; *by ~* sjöledes, sjövägen [*go by ~*]; *on the ~* a) på havet b) vid havet (kusten) [*Brighton is* (ligger) *on the ~*]; *put to ~* a) om fartyg löpa ut, avsegla b) sjösätta, sätta i sjön **2** a) sjö [*a choppy* el. *short* (krabb) ~], sjögång b) [stört]sjö; *there is a heavy* (*high*) *~* det är hög sjö, det är svår sjögång **3** bildl. hav [*a ~ of people*], ström [*~s of blood*]; *a ~ of flame* ett eldhav
sea anemone ['si:əˌnemənɪ] zool. havsanemon
seaboard ['si:bɔ:d] strandlinje; kust[sträcka]
seaborne ['si:bɔ:n] sjöburen [~ *goods*]
sea breeze ['si:bri:z] sjöbris; havsbris

seafarer ['siː,feərə] sjöfarare; pl. *~s* äv. sjöfolk
seafaring ['siː,feərɪŋ] **I** *adj* sjöfarande; *~ life* livet till sjöss (havs) **II** *s* **1** seglats[er] **2** sjömansyrke[t]
seafood ['siːfuːd] [fisk och] skaldjur, 'havets läckerheter'; *~ restaurant* fiskrestaurang
seafront ['siːfrʌnt] sjösida av ort; strand[promenad]; *~ hotel* strandhotell
seagoing ['siː,gəʊɪŋ] **1** sjögående [*a ~ vessel*] **2** sjöfarande; *without ~ experience* utan sjövana
seagull ['siːgʌl] zool. fiskmås
1 seal [siːl] **I** *s* zool. säl; *ringed ~* ringsäl, vikare **II** *vb itr* jaga säl
2 seal [siːl] **I** *s* **1** sigill; lack[sigill]; försegling, plomb; sigillstamp; *put the ~ of one's approval on a th.* bildl. sanktionera ngt **2** beseglande [*a ~ of friendship*], bekräftelse **3** prägel, stämpel [*have the ~ of genius*]; *set one's ~ to* sätta sin prägel (stämpel) på **4** tekn. a) vattenlås; spärrventil b) packning c) förslutning **II** *vb tr* **1** sätta sigill på (under) [*~ a document*]; *~* [*down*] försegla, klistra (lacka) igen [*~ a letter*] **2** besegla [*~ friendship with a kiss*], bekräfta; avgöra [*this ~ed his fate*], bestämma **3** prägla, stämpla **4** tillsluta [hermetiskt]; täta, stoppa (täppa) till (igen) [*~ a leak*]; *~ed* äv. sluten [*~ed cooling system*], lufttät [*~ed cabins*], hermetisk **5** *~ off* spärra av
sea level ['siː,levl] vattenstånd i havet; *mean ~* medelvattenstånd; *above* (*below*) *~* över (under) havet (havsytan)
sealing wax ['siːlɪŋwæks] sigillack; buteljlack; *stick of ~* lackstång
sea lion ['siː,laɪən] zool. sjölejon
sealskin ['siːlskɪn] sälskinn
seam [siːm] **I** *s* **1** söm; *burst at the ~s* spricka (gå upp) i sömmarna; bildl. vara sprickfärdig (fullproppad) **2** fog, skarv **3** geol. flöts; skikt av kol o.d. **4** med. el. anat. sutur **II** *vb tr* **1** foga (sy) ihop; förse med en söm (sömmar) **2** göra fårad (ärrig); *~ed* fårad [*a face ~ed with* (av) *care*]; ärrig
sea|man ['siː|mən] (pl. *-men* [-mən]) sjöman
seamanlike ['siːmənlaɪk] o. **seamanly** ['siːmənlɪ] sjömansmässig; sjömans-
seamanship ['siːmənʃɪp] sjömanskap
sea mile ['siːmaɪl] sjömil
seamless ['siːmləs] sömlös
seamstress ['semstrəs] sömmerska
seamy ['siːmɪ], *~ side* avigsida av plagg o.d.; bildl. äv. frånsida, skuggsida [*the ~ side of life*]
seance ['seɪɑ̃ː(n)s, -ɑːns, -ɒns] spirit. seans
sea nymph ['siːnɪmf] mytol. havsnymf
seaplane ['siːpleɪn] sjöflygplan
seaport ['siːpɔːt] hamnstad [äv. *~ town*]
sear [sɪə] **1** bränna äv. med.; sveda **2** kok. bryna
search [sɜːtʃ] **I** *vb tr* söka (leta) igenom, leta (söka) i [*~ one's memory*]; gå skallgång; visitera [*~ a ship*], kroppsvisitera; rannsaka; se forskande (prövande) på [*~ a p.'s face*]; *~ one's heart* (*conscience*) rannsaka sitt hjärta (samvete); *~ me!* vard. inte vet jag!, ingen aning! **II** *vb itr* söka, spana; göra efterforskningar; *~ after* söka [finna] [*~ after the truth*]; *~ for a p.* efterforska (efterspana) ngn **III** *s* sökande, forskande, efterforskning[ar]; skallgång; undersökning, genomsökning; husrannsakan, husundersökning; visitation, visitering; [*personal* (*bodily*)] *~* kroppsvisitation; *right of ~* jur. visiteringsrätt; *in ~ of* på spaning (jakt) efter, som söker (letar) efter
searching ['sɜːtʃɪŋ] **I** *adj* **1** forskande, prövande [*a ~ look*] **2** grundlig [*a ~ test*] **II** *s* **1** sökande, letande; undersökning etc., jfr *search I* **2** *~s of heart* (*conscience*) självrannsakan
searchlight ['sɜːtʃlaɪt] strålkastarljus
search party ['sɜːtʃ,pɑːtɪ] spaningspatrull
search warrant ['sɜːtʃ,wɒr(ə)nt] husrannsakningsorder
seashell ['siːʃel] snäckskal
seashore ['siːʃɔː, -'-] [havs]strand
seasick ['siːsɪk] sjösjuk
seasickness ['siː,sɪknəs] sjösjuka
seaside ['siːsaɪd] **1** kust, kust- [*~ town*]; strand-; *~ place* (*resort*) badort **2** sjösida av ort
season ['siːzn] **I** *s* **1** årstid [*the four ~s*]; *the rainy* (*dry*) *~* regntiden (torrtiden) i tropikerna
2 säsong [*the football ~*], tid [*the mating ~*]; *the close ~* förbjuden (olaga) tid för jakt o. fiske; fridlysningstid
in ~: **a**) i rätt[an] tid [*a word in ~*]; *in due* (*good*) *~* i [rätt (laga)] tid, i sinom tid **b**) när det är säsong [*I only eat oysters in ~*]; *oysters are in ~* det är säsong för ostron **c**) jakt. el. fiske. lovlig [*hares are in ~*]
out of ~: **a**) i otid, opassande **b**) när det inte är säsong [*plums are hard to get out of ~*]; *oysters are out of ~* det är inte ostrontid (ostronsäsong)
3 helg, tid; *Christmas ~* julhelgen, jultiden; *~'s greetings* jul- och nyårshälsningar
II *vb tr* **1** vänja [*~ the soldiers to* (vid) *the climate*], acklimatisera; *~ed* van, härdad, garvad [*~ed soldiers* (*veterans*)]; väderbiten **2** lagra [*~ed cheese*], låta mogna; torka [*~ed timber*]; *a ~ed pipe* en inrökt pipa **3** krydda äv. bildl. [*~ food*; *~ the*

conversation with wit]; smaksätta; *highly ~ed* starkt kryddad
seasonal ['si:z(ə)nl] **1** säsong- [*~ article (work)*], säsongbetonad [*~ trade*], säsongmässig, säsongbetingad **2** årstidsmässig
seasoning ['si:z(ə)nɪŋ] **1** krydda äv. bildl.; smaktillsats; *add ~ to taste* krydda efter smak **2** kryddning **3** lagring; torkning
season ticket ['si:zn,tɪkɪt] [period]kort; säsongbiljett; *~ [for a year]* årskort; *monthly ~* månadskort
seat [si:t] **I** *s* **1** sittplats; stol, [sitt]pall; säte [*there are two ~s in the car*]; plats [*lose* (bli av med) *one's ~*]; biljett [*book four ~s for* (till) *'Hamlet'*]; *~ reservation* a) [sitt]platsbeställning b) [sitt]platsbiljett; *have a good ~* [*at the theatre*] ha bra plats..., sitta bra...; *keep one's ~* sitta kvar; *take a ~* sätta sig, sitta ned, ta plats; [*take your*] *~s, please!* järnv. tag plats! **2** sits på möbel o.d. **3** bak[del], anat. äv. säte; *the ~ of one's trousers (pants)* byxbaken **4** plats, mandat [*the party gained 100 ~s*]; säte; medlemskap; *have a ~ on the board* sitta med (ha säte) i styrelsen; *lose one's ~* förlora sitt mandat, inte bli återvald **5** säte; *~ of learning* lärdomssäte **II** *vb tr* **1** sätta, anvisa (bereda) [sitt]plats åt [*he ~ed us in the front row*]; ta plats [*please be ~ed!*]; ha sitt säte **2** installera; få in[vald] [*~ a candidate*] **3 a**) ha [sitt]plats för [*the car ~s five*] **b**) skaffa sittplats åt [*we can't ~ them all*]
seat belt ['si:tbelt] bilbälte
seater ['si:tə] ss. efterled i sms. -sitsigt fordon [*two-seater*]
seaward ['si:wəd] **I** *adj* [vänd] mot havet; mot sjösidan **II** *adv* mot (åt) havet **III** *s* sjösida
seaweed ['si:wi:d] bot. havsväxt[er]; sjögräs, alg[er], tång
seaworthy ['si:,wɜ:ðɪ] sjöduglig, sjösäker
secateurs [,sekə'tɜ:z] sekatör
secede [sɪ'si:d] utträda [*~ from* (ur) *a federation*]
secession [sɪ'seʃ(ə)n] utträde [*~ from* (ur) *the church*], utbrytning
secluded [sɪ'klu:dɪd] avskild [*a ~ spot*]; tillbakadragen [*a ~ life*]
seclusion [sɪ'klu:ʒ(ə)n] avstängdhet, ensamhet; *live in ~* äv. leva tillbakadraget
1 second ['sek(ə)nd] (jfr *fifth*) **I** *adj* **1** (äv. *räkn*) andra, andre; andra- [*~ car; ~ tenor*]; näst [*the ~ largest*]; *a ~* a) en ny (annan) [*a ~ Hitler*] b) ännu (ytterligare) en, en till [*you need a ~ bag*]; *the ~ floor* [våningen] två trappor (amer. en trappa upp); *~ name* amer. efternamn; *in the ~ place* i andra rummet (hand), för det andra; *~ sight* klärvoajans, synskhet **2** underlägsen; *be ~ to none* inte vara sämre än någon annan, kunna mäta sig med vem som helst, inte stå någon efter **3** isht hand. sekunda [*~ quality*] **II** *adv* **1** näst **2** [i] andra klass [*travel ~*] **3** som tvåa, som nummer två i ordningen [*he spoke ~*]; i andra hand [*that will have to come ~*]; *come* [*in*] (*finish*) *~* komma [in som] (bli) tvåa, komma på andra plats, få en andraplacering **III** *s* **1** sport. **a**) tvåa; *he was an easy ~* han kom som god tvåa **b**) andraplacering **2** motor. tvåans växel; *put the car in ~* lägga in tvåan **3** a) sekundant [*~ in a duel*] b) boxn. sekond **4** hand. **a**) pl. *~s* utskottsvaror, andrasortering [*these cups are ~s*] **b**) *~ of exchange* sekunda [växel] **IV** *vb tr* **1** understödja [*~ a proposal (a p.)*], instämma i; instämma med, sekundera [*~ a p.*] **2** sekundera, vara sekundant (boxn. sekond) åt
2 second ['sek(ə)nd] **1** sekund; ögonblick [*I'll be back in* (om) *a ~*]; för ex. jfr *2 minute*; *five metres per ~* sjö. fem meter i sekunden **2** sekund del av grad
secondary ['sek(ə)nd(ə)rɪ] sekundär; underordnad [*of ~ importance*]; andrahands- [*~ source*]; bi- [*~ accent (meaning)*]; *be ~ to* vara mindre viktig (väsentlig) än [*reading fast is ~ to reading well*]; *~ school* obligatorisk skola för elever mellan 11 och 16 (18) år
second-best [,sek(ə)n(d)'best, attr. '---] **I** *adj* näst bäst [*my ~ suit*] **II** *adv* näst bäst; *come off ~* bildl. dra det kortaste strået, förlora **III** *s* näst bästa alternativ
second-class [,sek(ə)n(d)'klɑ:s, attr. '---] **I** *adj* andraklass- [*a ~ ticket*]; andra klassens [*a ~ hotel*], sekunda; *~ mail* a) britt. andraklasspost, B-post b) amer. trycksaker ss. tidningar **II** *adv* [i] andra klass [*travel ~*]
seconder ['sek(ə)ndə], *a ~ of...* en som instämmer med (understöder)...
second-hand [,sek(ə)nd'hænd, attr. '---] **I** *adj* [köpt] begagnad [*~ clothes (furniture)*], antikvarisk [*~ books*], andrahands- [*~ information, ~ shop*]; lånad [*~ ideas*]; *~ bookshop* antikvariat **II** *adv* i andra hand [*get news ~*], begagnat [*buy ~*] **III** *s, at ~* i andra hand, genom hörsägner
secondly ['sek(ə)ndlɪ] för det andra
second-rate [,sek(ə)n(d)'reɪt, attr. '---] andra klassens [*a ~ hotel*], sekunda, andrarangs- [*a ~ poet*], medelmåttig
secrecy ['si:krəsɪ] tystlåtenhet; sekretess
secret ['si:krət] **I** *adj* hemlig; sekret; lönn- [*~ door (drawer)*]; avskild, dold [*a ~ place*]; *~ passage* hemlig gång, lönngång; *~*

service polit. underrättelsetjänst, säkerhetstjänst **II** *s* hemlighet [*an open* (offentlig) ~]; *keep a* ~ bevara (hålla tyst med) en hemlighet; *let* (*take*) *a p. into a* ~ inviga ngn i en hemlighet
secretarial [ˌsekrəˈteərɪəl] sekreterar- [~ *work*]
secretariat [ˌsekrəˈteərɪət] **1** sekretariat, kansli **2** sekreterarskap
secretary [ˈsekrət(ə)rɪ] **1** sekreterare **2** polit. minister; *S~ of State* a) i Storbritannien departementschef, minister b) i USA utrikesminister; *S~ of Defense* i USA försvarsminister
secretary-general [ˌsekrət(ə)rɪˈdʒen(ə)r(ə)l] (pl. *secretaries-general*) generalsekreterare
secrete [sɪˈkri:t] fysiol. avsöndra, utsöndra
secretion [sɪˈkri:ʃ(ə)n] fysiol. avsöndring, utsöndring; sekret
secretive [ˈsi:krətɪv] hemlighetsfull
secretly [ˈsi:krɪtlɪ] hemligt, i hemlighet; i sitt stilla sinne; innerst inne
sect [sekt] relig. m.m. sekt; polit. äv. falang
sectarian [sekˈteərɪən] **I** *adj* sekteristisk **II** *s* sekterist
section [ˈsekʃ(ə)n] **I** *s* **1** a) del; avsnitt; paragraf b) [bestånds]del, sektion [*a bookcase in five ~s*] c) stycke, bit [*a ~ of a cake*], klyfta [*the ~s of an orange*] d) [del]sträcka [*a ~ of a road*]; *the sports ~* [*of a newspaper*] sportsidorna... **2** område, sektor [*the industrial ~ of a country*] **3** mus. sektion, [instrument]grupp **4** [tvär]snitt **5** med. o.d. a) [in]snitt b) [mikroskop]preparat **II** *vb tr* **1** dela upp, indela i avdelningar (avsnitt etc., jfr *I*) **2** visa (framställa) i genomskärning
sectional [ˈsekʃ(ə)nl] sektions- [~ *sofa*], isärtagbar [~ *fishing-rod*]; tekn. profil- [~ *iron* (*steel*)]; ~ *furniture* kombimöbler, sektionsmöbler
sector [ˈsektə] sektor äv. matem.; område; mil. äv. [front]avsnitt; *the public ~* den offentliga (statliga) sektorn
secular [ˈsekjʊlə] *adj* världslig [*the ~ power*], profan [~ *art* (*music*)], sekulariserad [~ *education*]; utomkyrklig, icke-kyrklig [~ *marriage*]
secure [sɪˈkjʊə] **I** *adj* **1** säker; tryggad, säkrad [*a ~ future*] **2** stadig [*a ~ grasp* (*lock*)], stabil **3** i säkert förvar [*the papers are ~*; *the prisoner is ~*], säker **II** *vb tr* **1** befästa äv. bildl. [~ *a town with a wall*; ~ *one's position*]; säkra; ~ *oneself against* skydda (gardera, trygga) sig mot **2** säkra, göra (haka) fast, låsa [~ *the doors* (*windows*)]; binda [fast] [~ *a prisoner with ropes*]; fästa; sjö. surra **3** försäkra sig om, [lyckas] skaffa [~ *seats at a theatre*]; lyckas få, lägga beslag på [~ *a prize*], belägga [*he ~d the second place*] **4** skaffa **5** spärra in, sätta i säkert förvar [~ *a prisoner*] **6** hand. ställa säkerhet för [~ *a loan*]
security [sɪˈkjʊərətɪ] **1** trygghet [*the child lacks ~*], trygghetskänsla; säkerhet **2** säkerhetsåtgärd[er], säkerhets- [~ *guard* (*risk*)]; *the S~ Council* säkerhetsrådet i FN; ~ *police* säkerhetspolis, säkerhetstjänst; ~ *precautions* säkerhetsanordningar, säkerhetsåtgärder **3** hand. a) säkerhet, borgen [*lend money on* (mot) ~], garanti; hypotek b) borgensman; *become* (*stand, go*) ~ *for a p.* gå i borgen för ngn **4** värdepapper; *government ~* statsobligation
sedan [sɪˈdæn] **1** isht amer. sedan bil **2** hist. bärstol
sedate [sɪˈdeɪt] **I** *adj* stillsam, lugn **II** *vb tr* ge lugnande medel åt
sedation [sɪˈdeɪʃ(ə)n], *be under ~* a) ha fått lugnande medel b) vara nedsövd
sedative [ˈsedətɪv] **I** *adj* lugnande; med. sedativ **II** *s* [nerv]lugnande medel; med. sedativ
sedentary [ˈsednt(ə)rɪ] stillasittande [*a ~ life* (*occupation*)]
sediment [ˈsedɪmənt] sediment, avlagring
sedition [sɪˈdɪʃ(ə)n] **1** upproriskhet **2** uppvigling
seduce [sɪˈdju:s] **1** förföra **2** förleda
seduction [sɪˈdʌkʃ(ə)n] förförelse
seductive [sɪˈdʌktɪv] förförisk [*a ~ smile*], lockande [*a ~ offer*]
1 see [si:] kyrkl. [biskops]stift [*the ~ of Canterbury*]; biskopssäte, biskopsämbete; *the Holy S~* el. *the S~ of Rome* påvestolen
2 see [si:] (*saw seen*) **1 a**) se; se (titta) på, bese [~ *the sights of London*]; se (titta) efter [*I'll ~ who it is*], kolla; tänka sig [*I can't ~ him as a president*]; se till, ordna [*I'll ~ that it is done at once*]; *we'll ~* vi får [väl] se; ~ *you don't fall!* se till (akta dig så) att du inte faller!; *nobody was to* (*could*) *be ~n* ingen syntes till
b) med prep. o. adv. isht med spec. övers.:
~ **about** sköta om, ta hand om [*he promised to ~ about the matter*], sörja för, ordna [med]; *we'll ~ about that* a) det sköter vi om b) det ska vi fundera på c) det får vi allt se
~ **by** se vid (i) [*can you ~ by this light?*]; *I can ~ by your face* (*looks*) *that...* jag ser på dig att...
~ **from** se i (av, på) [*I ~ from the letter that...*]
~ **in**: ~ *the New Year in* vaka in det nya året

~ **into** titta närmare på [*I'll ~ into the matter*]
~ **off**: ~ *a p. off* vinka av (följa) ngn
~ **out**: ~ *a p. out* följa ngn ut
~ **over** se på, inspektera
~ **through** a) genomskåda [*we all saw through him*] b) slutföra [~ *a task through*], klara sig igenom c) hjälpa igenom [~ *a p. through*]; *I'll ~ you through* jag ska ordna saken åt dig
~ **to** a) ta hand om b) sköta [om], ordna; ~ *to it that...* se till att..., laga (ordna) [så] att...
2 förstå [*I ~ what you mean*], inse [*I can't ~ the use of it*]; *oh, I ~* å, jag förstår; jaså; *I was there, you ~* jag var där förstår (ser) du **3** hälsa ˈpå, besöka; gå till, söka [*you must ~ a doctor about* (för) *it*]; *can I ~ [the manager]?* kan jag få tala med...?, träffas...?; *there is a lady to ~ you* det är en dam som söker er; *I'm ~ing him tonight* jag ska träffa honom i kväll; *[I'll] be ~ing you!* el. ~ *you [later (around)]!* vard. vi ses [senare]!, hej så länge! **4** ta emot [*the manager can ~ you now*] **5** följa [*he saw me home*]; ~ *a p. off* vinka av (följa) ngn

seed [si:d] **I** *s* **1** frö; ~[*s* pl.] koll. frö, säd; *go (run) to* ~ a) gå i frö, fröa sig b) bildl. råka i förfall **2** kärna [*melon ~s*] **3** bildl. frö; upprinnelse [*be the ~ of* (till)]; *sow the ~s of dissension* så ett tvistefrö **4** sport. seedad spelare; *he is No. 1 ~* han är seedad som etta **II** *vb tr* **1** [be]så [~ *a field with wheat*] **2** kärna ur [~ *raisins*] **3** sport. seeda

seedcake [ˈsi:dkeɪk] kok. sockerkaka med kummin

seedless [ˈsi:dləs] kärnfri [~ *raisins*]

seedling [ˈsi:dlɪŋ] **I** *s* [frö]planta; späd planta **II** *attr adj* uppdragen ur frö

seedy [ˈsi:dɪ] **1** kärnig [~ *raisins*] **2** vard. luggsliten, sjaskig [~*clothes*]; avsigkommen **3** vard. krasslig [*feel ~*]

seeing [ˈsi:ɪŋ] **I** *s* **1** seende; ~ *is believing* man tror det man ser [med egna ögon] **2** syn[förmåga] **II** *adj* o. *pres p* seende; *worth ~* värd att se[s], sevärd **III** *konj*, ~ [*that*] eftersom, med tanke på att

seek [si:k] (*sought sought*) mest litt. **I** *vb tr* **1** söka [~ *one's fortune*; ~ *shelter from* (för) *the rain*]; sträva efter [~ *fame*]; ~ [*a p.'s*] *advice* be [ngn] om råd; ~ *out a p.* söka upp ngn, söka ngns sällskap **2** söka sig till [~ *the shade*] **3** ~ *to do a th.* [för]söka göra ngt **II** *vb itr* söka; *be [much] sought after* vara [mycket] eftersökt

seem [si:m] verka [*it isn't as easy as it ~s*]; verka (tyckas) vara [*he ~ed an old man*]; ~ *to* tyckas [*he ~s to know everybody*], verka, förefalla, se ut att [*this ~s to be a good idea*]; *I ~ to remember that...* jag vill minnas att...; *so it ~s* det verkar så, det ser så ut

seeming [ˈsi:mɪŋ] skenbar [~ *friendship*]

seemingly [ˈsi:mɪŋlɪ] skenbart

seemly [ˈsi:mlɪ] passande, tillbörlig

seen [si:n] perf. p. av *2 see*

seep [si:p] **1** sippra, droppa **2** bildl. smyga sig; sprida sig så sakta

seesaw [ˈsi:sɔ:, ˌ-ˈ-] **I** *s* **1** a) gungbräde b) [gungbrädes]gungning **2** bildl. pendling, kast **II** *adj* vacklande, växlande [~ *policy*]; *a ~ battle* a) en strid som böljar fram och tillbaka b) en strid med växlande framgång **III** *vb itr* **1** gunga gungbräde; gunga upp och ned **2** bildl. svänga fram och tillbaka, pendla, vackla

seethe [si:ð] *vb itr* sjuda, koka äv. bildl. [~ *with* (av) *rage*]; myllra [*the streets ~d with* (av) *people*]

see-through [ˈsi:θru:] genomskinlig [*a ~ blouse*]

segment [ss. subst. ˈsegmənt, ss. vb segˈment] **I** *s* segment äv. geom. [*the ~ of a circle*]; klyfta [*orange ~*]; del **II** *vb tr* o. *vb itr* segmentera[s]

segregate [ˈsegrɪgeɪt] **1** avskilja, isolera [~ *people with infectious diseases*] **2** segregera [~ *races*] **3** åtskilja; ~ *the sexes* hålla könen åtskilda

segregation [ˌsegrɪˈgeɪʃ(ə)n] **1** avskiljande, isolering **2** segregation; *racial ~* [ras]segregation, rasåtskillnad **3** åtskiljande

seismic [ˈsaɪzmɪk] seismisk, jordskalvs-

seismograph [ˈsaɪzməgrɑ:f, -græf] seismograf

seismological [ˌsaɪzməˈlɒdʒɪk(ə)l] seismologisk

seize [si:z] **I** *vb tr* **1** gripa [~ *a p. by* (i) *the arm*], fatta [~ *a p.'s hand*], ta tag i; rycka (slita) [till sig]; ta fast; ~ *the opportunity (occasion)* ta tillfället i akt, gripa (begagna, ta vara på) tillfället **2** sätta sig i besittning av [~ *the throne*] **3** isht jur. ta i beslag [~ *smuggled goods*], konfiskera **II** *vb itr* **1** ~ [*up*]*on* [ivrigt] gripa tag i, rycka till sig, [med våld] tillägna sig; kasta sig över, hoppa ˈpå, nappa på [~ [*up*]*on an offer*] **2** ~ [*up*] om motor skära [ihop]

seizure [ˈsi:ʒə] **1** gripande etc., jfr *seize I 1*; ~ *of power* maktövertagande **2** besittningstagande, intagande **3** jur. beslagtagande **4** om motor hopskärning

seldom [ˈseldəm] sällan

select [səˈlekt] **I** *adj* vald [~ *passages from Milton*]; utvald [*a ~ company* el. *group* (sällskap)]; utsökt, exklusiv [*a ~ club*]; ~ *bibliography* bibliografi i urval; ~ *committee (body)* särskilt utskott **II** *vb tr* **1** välja [ut], söka ut [åt sig]; *a ~ed few* några få utvalda **2** välja [~ *to* (till) *an office*]

selection [sə'lekʃ(ə)n] **1** [ut]väljande, val; isht sport. uttagning; ~ *board* antagningskommission **2** urval äv. biol. [*natural* ~]; selektion; sortiment **3** pl. ~*s* valda stycken (texter)
selective [sə'lektɪv] selektiv; ~ *strike* punktstrejk
selector [sə'lektə] sport. medlem av en uttagningskommitté
selenium [sə'li:njəm] kem. selen, selen-
self [self] (pl. *selves* [selvz]) **1** jag [*he showed his true* ~]; person [*my humble* (ringa) ~]; *he is not like his own* ~ han är sig inte riktigt lik **2** hand., [*pay*] ~ [betala till] mig själv
self-addressed [ˌselfə'drest], ~ *envelope* [adresserat] svarskuvert
self-adhesive [ˌselfəd'hi:sɪv] självhäftande
self-assertive [ˌselfə'sɜ:tɪv], *be* ~ ha ett självhävdelsebehov
self-assurance [ˌselfə'ʃʊər(ə)ns] självsäkerhet; säkerhet i uppträdandet
self-assured [ˌselfə'ʃʊəd] självsäker, självmedveten
self-catering [ˌself'keɪt(ə)rɪŋ] med självhushåll [~ *holidays*]
self-centred [ˌself'sentəd] självupptagen
self-confidence [ˌself'kɒnfɪdəns] självförtroende, tillförsikt
self-confident [ˌself'kɒnfɪd(ə)nt] full av självförtroende; säker; självsäker
self-conscious [ˌself'kɒnʃəs] förlägen, osäker; utan självförtroende
self-contained [ˌselfkən'teɪnd] som bildar en enhet (ett slutet helt), [i sig] komplett; självständig; ~ *flat* våning, lägenhet komplett med eget kök, egen ingång m.m.
self-control [ˌselfkən'trəʊl] [själv]behärskning
self-defence [ˌselfdɪ'fens] självförsvar; *the* [*noble*] *art of* ~ självförsvarets ädla konst boxningen
self-determination [ˌselfdɪˌtɜ:mɪ'neɪʃ(ə)n], [*right of*] ~ självbestämmande[rätt]
self-drive [ˌself'draɪv], ~ *car* hyrbil
self-employed [ˌselfɪm'plɔɪd], *be* ~ vara sin egen, vara egen företagare
self-esteem [ˌselfɪ'sti:m] **1** självaktning **2** egenkärlek; självöverskattning
self-evident [ˌself'evɪd(ə)nt] självklar, självfallen
self-help [ˌself'help] självhjälp
self-important [ˌselfɪm'pɔ:t(ə)nt] självtillräcklig
self-indulgent [ˌselfɪn'dʌldʒ(ə)nt] njutningslysten
self-inflicted [ˌselfɪn'flɪktɪd] självförvållad
self-interest [ˌself'ɪntrəst, -t(ə)rest] egennytta; eget intresse
selfish ['selfɪʃ] självisk, egennyttig
selfishness ['selfɪʃnəs] själviskhet, egennytta
selfless ['selfləs] osjälvisk
self-made [ˌself'meɪd, attr. '--] **1** selfmade, som själv har arbetat sig upp [*a* ~ *man*] **2** självgjord
self-pity [ˌself'pɪtɪ] självömkan
self-possessed [ˌselfpə'zest] behärskad
self-preservation ['selfˌprezə'veɪʃ(ə)n] självbevarelse; [*instinct of*] ~ självbevarelseinstinkt, självbevarelsedrift
self-raising [ˌself'reɪzɪŋ], ~ *flour* mjöl blandat med bakpulver
self-reliant [ˌselfrɪ'laɪənt] full av självförtroende (självtillit); självständig
self-respect [ˌselfrɪ'spekt] självaktning
self-respecting ['selfrɪˌspektɪŋ] med självaktning [*no* ~ *man*]
self-righteous [ˌself'raɪtʃəs] självrättfärdig
self-rule [ˌself'ru:l] självstyre
selfsame ['selfseɪm], *the* ~ precis samma
self-satisfied [ˌself'sætɪsfaɪd] självbelåten
self-service [ˌself'sɜ:vɪs] självbetjäning; snabbtank[ning]; ~ [*restaurant*] [restaurang med] självservering; ~ [*store*] snabbköp[sbutik]
self-styled [ˌself'staɪld] föregiven; *that* ~ *expert* iron. denne självutnämnde expert
self-sufficient [ˌselfsə'fɪʃ(ə)nt] **1** självförsörjande [*the nation is now* ~ *in* (med) *wheat*], självständig **2** självtillräcklig, självgod; *be* ~ äv. vara sig själv nog
self-supporting [ˌselfsə'pɔ:tɪŋ] självförsörjande; *a* ~ *enterprise* ett finansiellt självförsörjande företag
self-taught [ˌself'tɔ:t] självlärd
self-willed [ˌself'wɪld] självrådig, egensinnig
sell [sel] (*sold sold*) **I** *vb tr* (se äv. *III*) **1 a**) sälja, avyttra [~ *cheap* (*dear*) (billigt resp. dyrt)] **b**) sälja, handla med [*he* ~*s antiques*], föra, ha [*this shop* ~*s my favourite brand*] **c**) leda till försäljning av; [*his name on the cover*] ~*s the book* ...gör att boken säljs **d**) bildl. sälja [~ *oneself*; ~ *one's country*] **e**) vard. sälja [in] [~ *an idea*]; ~ *a p. on* [*an idea*] få ngn med på... **2** sl. blåsa, lura; ~ *a p. down the river* förråda ngn **II** *vb itr* (se äv. *III*) sälja[s]; *your car ought to* ~ *for* [*£500*] du borde kunna få...för din bil
III *vb tr* o. *itr* med adv.
~ **off** realisera [bort], slumpa bort; sälja av
~ **out**: **a**) sälja slut [på] **b**) sälja [alltsammans] **c**) utförsälja **d**) vard. förråda; bli förrädare
IV *s* vard. **1** besvikelse **2** skoj
seller ['selə] [för]säljare; ss. efterled i sms. -handlare [*bookseller*]; ~*'s* (~*s'*) *market* säljarens marknad

sell-out ['selaʊt] vard. **1** förräderi **2** försäljningssuccé; utsålt hus **3** utförsäljning
selves [selvz] pl. av *self*
semantics [sɪ'mæntɪks] (konstr. ss. sg.) språkv. semantik, betydelselära
semaphore ['seməfɔ:] **I** *s* **1** semafor **2** semaforering **II** *vb tr* o. *vb itr* semaforera
semblance ['sembləns] skepnad; sken; *under the (a) ~ of friendship* under sken av vänskap, under vänskapens täckmantel
semen ['si:mən] sädesvätska, säd
semester [sə'mestə] univ. el. skol. (isht amer.) termin
semibreve ['semɪbri:v] mus. helnot
semicircle ['semɪˌsɜ:kl] halvcirkel
semicircular [ˌsemɪ'sɜ:kjʊlə] halvcirkelformig
semicolon [ˌsemɪ'kəʊlən] semikolon
semiconductor [ˌsemɪkən'dʌktə] fys. halvledare
semidetached [ˌsemɪdɪ'tætʃt], *a ~ house* [ena hälften av] ett parhus, en parvilla
semifinal [ˌsemɪ'faɪnl] semifinal; *enter the ~s* gå till semifinal[en]
semifinalist [ˌsemɪ'faɪnəlɪst] semifinalist
seminar ['semɪnɑ:] seminarium; seminarieövning[ar]; examinatorium
seminary ['semɪnərɪ] rom. katol. [präst]seminarium
semiprecious [ˌsemɪ'preʃəs], *~ stone* halvädelsten
semiquaver ['semɪˌkweɪvə] mus. sextondelsnot
semiskilled [ˌsemɪ'skɪld, attr. '---], *~ worker* kvalificerad tempoarbetare
Semite ['si:maɪt, 'sem-] **I** *s* semit **II** *adj* semitisk
Semitic [sə'mɪtɪk] semitisk
semitone ['semɪtəʊn] mus. halvton, halvt tonsteg
semitropical [ˌsemɪ'trɒpɪk(ə)l] subtropisk
semolina [ˌsemə'li:nə] semolina[gryn]; mannagryn
senator ['senətə] senator
send [send] (*sent sent*) **I** *vb tr* **1** sända, skicka; kasta, slunga; driva; *~ word* skicka bud, låta meddela, lämna besked; *be sent to prison* bli satt (åka) i fängelse **2** bringa, sända **3** göra [*~ a p. mad (crazy)*] **4** sl. få att tända; *it ~s me* det tänder jag på **5** med adv. isht med spec. övers.
~ **along** eftersända [*~ along a letter*], vidarebefordra
~ **away** a) skicka (köra, driva) bort b) avvisa
~ **down** a) pressa ner [*~ prices down*] b) univ. relegera [från universitetet]
~ **in** sända (skicka, lämna) in [*~ in one's resignation* (avskedsansökan)]
~ **off** a) avsända [*~ off a letter (parcel)*], expediera b) sport. utvisa [*~ a player off*] c) avskjuta; slunga i väg d) se *~ away*; *~ a p. off* ta farväl av (vinka av) ngn [*a large crowd went to the airport to ~ him off*]
~ **on** sända vidare, eftersända
~ **round** *to a p.* skicka (låta gå) runt; skicka över [*~ it round [to me] tomorrow*]
~ **up** a) sända (skicka) upp (ut) [*~ up a rocket*] b) driva (pressa) upp [*~ prices (the temperature) up*] c) parodiera, karikera; förlöjliga
II *vb itr* **1** skicka bud [*he sent to* (för att) *warn me*]; *he sent [round] to ask if...* han hälsade och frågade om... **2** *~ for* skicka [bud] efter [*~ for a doctor*], [låta] hämta, låta avhämta; rekvirera
send-off ['sendɒf] **1** avsked[shälsning]; *they gave us a good ~ [at the station]* de tog ett hjärtligt farväl av oss... **2** [god] start
send-up ['sendʌp] vard. parodi; förlöjligande
senile ['si:naɪl] senil, ålderdomssvag; *~ dementia* med. senildemens
senility [sə'nɪlətɪ, se'n-] senilitet
senior ['si:njə] **I** *adj* **1** äldre äv. i tjänsten o.d.; den äldre [*John Smith, S~*]; senior- [*~ team*]; högre i rang; överordnad; *~ citizen* pensionär; *the ~ service* flottan i mots. till armén **2** äldre, av tidigare datum, tidigare **II** *s* **1** [person som är] äldre i tjänsten o.d. [*the ~s*]; äldre medlem; *my ~s* de som är äldre än jag [i tjänsten], mina äldre kolleger; *he is my ~ by six years* han är sex år äldre än jag; *the village ~s* byns äldste **2** isht sport. senior **3** elev i sista (högsta) årskursen
seniority [ˌsi:nɪ'ɒrətɪ] anciennitet
senna ['senə] farmakol. senna[blad]
sensation [sen'seɪʃ(ə)n] **1** förnimmelse, känsla [*a ~ of cold (pain, thirst)*], sinnesförnimmelse; sensation; känsel [*lose all ~ in one's legs*] **2** sensation, uppseende; [*just*] *a cheap ~* bara sensationsmakeri
sensational [sen'seɪʃ(ə)nl] **1** sensationell; sensations- [*a ~ novel*] **2** sinnes-
sensationalism [sen'seɪʃ(ə)nəlɪz(ə)m] sensationsmakeri
sense [sens] **I** *s* **1** sinne [*the five ~s*]; *the ~ of hearing* hörselsinnet, hörseln; *lose one's ~s* a) förlora besinningen b) förlora sansen (medvetandet); *recover one's ~s* komma till sans [igen] **2** känsla, sinne; *ball ~* bollsinne; *~ of duty* pliktkänsla **3** vett, förstånd, förnuft; *common ~* vanligt sunt (enkelt) bondförstånd, sunt förnuft; *there's a lot of ~ in what he says* det han säger är ganska vettigt **4** mening; *there is no (little) ~ in waiting* det är ingen mening att vänta **5** betydelse [*a word with several ~s*], bemärkelse [*in what ~ are you using the word?*]; mening; *it makes ~* det är

begripligt, det låter vettigt; *it makes no* (*does not make*) ~ a) det är obegripligt [för mig], jag fattar det inte b) jag blir inte klok på det, det stämmer inte; *in a legal* (*literal*) ~ i juridisk (bokstavlig) mening **6** förhärskande mening; *take the ~ of the meeting* sondera (pejla) stämningen bland mötesdeltagarna **II** *vb tr* känna; uppfatta

senseless ['sensləs] **1** meningslös, sanslös [*a ~ war*]; vansinnig [*~ killing*] **2** medvetslös; *become ~* förlora sansen (medvetandet)

sensibilit|y [ˌsensə'bɪlətɪ] mottaglighet, känslighet [*to* för], känsligt sinne, ömtålighet; pl. *-ies* känslor [*wound a p.'s -ies*]

sensible ['sensəbl] **1** förståndig [*~ advice*; *a ~ man*], vettig [*~ shoes*], resonabel **2** medveten

sensitive ['sensətɪv] **1** känslig; ömtålig [*a ~ skin*]; sensitiv, sensibel, öm [*~ hands*]; *have a ~ ear* ha fint öra, vara lyhörd **2** om instrument o.d. känslig [*a ~ thermometer*]

sensitivity [ˌsensə'tɪvətɪ] känslighet äv. kem.; mottaglighet; *~ training* psykol. sensitivitetsträning, sensiträning

sensor ['sensə] tekn. sensor; detektor

sensory ['sensərɪ] fysiol. sensorisk, sinnes- [*~ cell* (*nerve, organ*)]

sensual ['sensjʊəl, -nʃʊəl] sensuell [*~ lips*], sinnlig, vällustig

sensuality [ˌsensjʊ'ælətɪ, -nʃʊ-] sensualitet

sensuous ['sensjʊəs, -nʃʊ-] sinnes- [*~ impressions*], som påverkar (talar till) sinnena (känslan) [*~ poetry*]; känslig; skön

sent [sent] imperf. o. perf. p. av *send*

sentence ['sentəns] **I** *s* **1** jur. dom, utslag isht i brottmål; *pass ~ on* avkunna dom över; *under ~ of death* dödsdömd **2** gram. mening; sats, isht huvudsats **3** sentens **II** *vb tr* döma, avkunna dom över

sentiment ['sentɪmənt] **1** ofta pl. *~s* stämning, uppfattning, mening; tankar, åsikter **2** känsligt sinne; känslosamhet; *a man of ~* en känslomänniska **3** [inre] mening

sentimental [ˌsentɪ'mentl] **1** sentimental **2** känslo- [*~ reason*]; *~ value* affektionsvärde

sentimentality [ˌsentɪmen'tælətɪ] sentimentalitet, känslosamhet

sentinel ['sentɪnl] [vakt]post; *stand ~* stå på vakt (post)

sentry ['sentrɪ] [vakt]post; *keep* (*stand*) ~ el. *be on ~* [*duty*] stå på (hålla) vakt

sentry box ['sentrɪbɒks] [vakt]kur

separable ['sep(ə)rəbl] **1** skiljbar **2** avtagbar

separate [ss. adj. 'sep(ə)rət, ss. vb 'sepəreɪt] **I** *adj* skild, avskild [*each ~ case*], separat; åtskild; *on three ~ occasions* vid tre skilda (olika) tillfällen; *they went their ~ ways* de gick åt var sitt håll **II** *vb tr* **1** skilja [*~ the sheep from the goats*]; avskilja, frånskilja [*~ the cream*], särskilja; separera [*~ milk*]; sortera [*~ fruit*]; skilja [åt] [*~ two fighting boys*]; sära [på]; *only a few years ~d them* det var bara några år mellan dem **2** ~ [*up*] dela [upp] **III** *vb itr* **1** skiljas [åt], gå åt var sitt håll **2** separera; *she has ~d from her husband* äv. hon har flyttat ifrån sin man **3** dela [upp] sig

separately ['seprətlɪ, -pər-] separat; var för sig

separation [ˌsepə'reɪʃ(ə)n] **1** [av]skiljande, avsöndring **2** skilsmässa [*after a ~ of five years*], separation; [*judicial* (*legal*)] ~ av domstol ådömd hemskillnad **3** avstånd

September [sep'tembə] september

septic ['septɪk] septisk, infekterad [*~ wound*]

septicaemia [ˌseptɪ'si:mjə] med. septikemi, [allmän] blodförgiftning

sequel ['si:kw(ə)l] **1** följd, utgång **2** fortsättning isht på ett litterärt verk

sequence ['si:kwəns] ordningsföljd [*in rapid ~*], räcka; isht film., mus. el. data. sekvens; kortsp. svit [*a ~ of* (i) *hearts*]; *~ of events* händelseförlopp

sequin ['si:kwɪn] paljett

Serb [sɜ:b] **I** *s* **1** serb **2** serbiska [språket] **II** *adj* serbisk

Serbia ['sɜ:bjə] Serbien

Serbian ['sɜ:bjən] se *Serb*

serenade [ˌserə'neɪd] **I** *s* serenad **II** *vb tr* o. *vb itr* ge [en] serenad [för]

serene [sə'ri:n] **1** klar [*~ sky*], stilla [*~ smile*], lugn [*~ look*], ogrumlad, fridfull [*~ life*], rofylld **2** *His* (*Her*) *S~ Highness* ung. Hans (Hennes) Höghet

serenity [sə'renətɪ] klarhet, stillhet, frid, ro, jämnmod

serf [sɜ:f] livegen

serge [sɜ:dʒ] cheviot [*a blue ~ suit*]; sars

sergeant ['sɑ:dʒ(ə)nt] **1** mil. a) sergeant inom armén o. flyget b) amer. furir inom armén, korpral inom flyget; *~ first class* amer. sergeant inom armén; *flight ~* fanjunkare inom flyget **2** [*police*] ~ a) britt., ung. polisinspektör grad mellan *constable* och *inspector* b) amer., ung. polisinspektör

serial ['sɪərɪəl] **I** *adj* **1** serie-, i serie; *~ killer* seriemördare förövare av en rad [likartade] mord; *~ murder* seriemord **2** a) serie- b) som publiceras häftesvis; *~ story* följetong **II** *s* följetong; periodisk publikation; [avsnitt av en] serie i t.ex. radio

serialize ['sɪərɪəlaɪz] publicera som följetong (häftesvis); sända (ge) som serie i t.ex. radio

series ['sɪəri:z, -rɪz] (pl. lika) serie äv. matem.; rad, räcka; *in* ~ i serie, serievis, i [ordnings]följd
serious ['sɪərɪəs] **1** allvarlig [*a* ~ *attempt*], allvarsam; seriös [*a* ~ *interest*]; bildl. äv. viktig [*a* ~ *question*], betydande; riktig; ivrig; betänklig; *are you* ~? är det ditt (menar du) allvar? **2** vard. i stor skala, stor [~ *money*; *a* ~ *drinker*]
seriously ['sɪərɪəslɪ] allvarligt etc., jfr *serious*; på allvar; ~? menar du (är det ditt) allvar?; *quite* ~ på fullt allvar
seriousness ['sɪərɪəsnəs] allvar [*the* ~ *of life* (*the situation*)], allvarlighet; *in all* ~ på fullt (fullaste) allvar
sermon ['sɜ:mən] **1** predikan; *the S~ on the Mount* bergspredikan **2** straffpredikan
serpent ['sɜ:p(ə)nt] [stor] orm äv. bildl.
ser|um ['sɪər|əm] (pl. *-ums* el. *-a* [-ə]) serum
servant ['sɜ:v(ə)nt] **1** tjänare; pl. *~s* äv. tjänstefolk; [*domestic*] ~ hembiträde, hemhjälp; betjänt **2** *civil* ~ statstjänsteman (eg. tjänsteman inom civilförvaltningen)
servant girl ['sɜ:v(ə)ntgɜ:l] o. **servant maid** ['sɜ:v(ə)ntmeɪd] tjänsteflicka, hembiträde
serve [sɜ:v] **I** *vb tr* **1** tjäna, vara tjänare hos **2** stå till tjänst **3** servera; sätta fram; *dinner is ~d* middagen är serverad; *are you being ~d?* på restaurang är det beställt [här]? **4** expediera i butik; *are you being ~d?* är det tillsagt? **5** betjäna, sköta **6** förse **7** duga åt (för) [*it isn't very good but it will* ~ *me*], duga till; ~ ([*it*] *~s*) *you right!* [det var] rätt åt dig!, där fick du! **8** fullgöra [~ *one's apprenticeship* (lärotid)]; ~ *one's sentence* el. ~ [*one's*] *time* avtjäna sitt straff, sitta i fängelse **9** sport. serva [~ *a ball*] **10** jur., ~ *p. with a writ* (*summons*) el. ~ *a writ* (*summons*) *on a p.* delge ngn en stämning **II** *vb itr* **1** tjänstgöra; ~ *on* [*a committee* (*jury*)] vara medlem i (av)..., sitta i... **2 a**) fungera, passa, tjäna; *it will* ~ det duger (får duga) **b**) vara ägnad, tjäna; *an example will* ~ *to* [*illustrate the point*] ett exempel räcker för att... **3** ~ [*at table*] servera; *serving hatch* serveringslucka **4** expediera; vara expedit [*she ~s in a florist's shop*] **5** sport. serva **III** *s* sport. serve
service ['sɜ:vɪs] **I** *s* **1** tjänst; ~ *revolver* tjänstepistol **2** mil. **a**) tjänst[göring]; *on active* ~ i aktiv tjänst; [*this coat*] *has seen* [*good*] ~ ...har hängt med länge; *military* ~ militärtjänst[göring]; ~ *manual* tjänstereglemente; *fit for* ~ tjänstduglig **b**) [*fighting*] ~ försvarsgren **3** ~[*s* pl.] [samhälls]service, tjänst [*information* ~[*s*]], [samhällets] hjälpverksamhet [*dental* ~]; *health* ~ hälsovård; [*public*] *medical* ~ [allmän] sjukvård; *the postal ~s* postväsendet **4** regelbunden översyn [*take the car in for* ~]; ~ *area* rastplats vid motorväg med bensinstation, restaurang m.m.; ~ *manual* servicehandbok **5 a**) servering [*the* ~ *was poor*]; ~ *charge* serveringsavgift; expeditionsavgift **b**) servis [*dinner-service*] **6** tjänst [*you have done me a* ~]; hjälp; nytta [*it may be of* (till) *great* ~ *to you*]; bruk [*still in* ~]; *can I be of* [*any*] ~ *to you?* kan jag hjälpa dig med något? **7** trafik. förbindelse [*direct* ~], turer [*regular* ~], linje; trafik [*maintain* (upprätthålla) *the* ~ *between*]; *air ~s* trafikflyg; *out of* ~ ur trafik **8** kyrkl. a) gudstjänst [äv. *divine* ~] b) förrättning, akt **9** sport. serve; ~ *court* serveruta **10** jur. delgivning [~ *of a writ* (stämning)] **11** ekon. tjänst [*goods and ~s*] **II** *vb tr* ta in för service [~ *a car*]
serviceable ['sɜ:vɪsəbl] **1** användbar, nyttig [*a* ~ *reminder* (påminnelse)] **2** slitstark
service|man ['sɜ:vɪs|mæn] (pl. *-men* [-men]) **1** militär; *national* ~ värnpliktig **2** serviceman
serviette [ˌsɜ:vɪ'et] servett
servile ['sɜ:vaɪl, amer. äv. 'sɜ:vl] **1** servil, krypande **2** slavisk [~ *obedience*]
servitude ['sɜ:vɪtju:d] **1** träldom, slaveri **2** *penal* ~ straffarbete; fängelse
servo ['sɜ:vəʊ] tekn. vard. servo
servo-assisted [ˌsɜ:vəʊə'sɪstɪd] tekn., ~ *brake* servobroms
session ['seʃ(ə)n] **1** parl. el. jur. session; *extraordinary* ~ extra sammanträde, urtima möte **2** sammankomst; *recording* ~ inspelning[stillfälle]
set [set] **A** (*set set*) *vb* **I** *tr* **1** sätta; *he has* ~ *his mind on having* [*a bicycle*] han har satt sig i sinnet att han ska ha... **2** ~ *the table* duka [bordet] **3** lägga håret **4** trädg. sätta [~ *potatoes*], så **5** besätta [~ *with jewels*], infatta [~ *in gold*] **6** ställa [~ *a watch by* (efter) *the time signal*]; ~ *the alarm clock* [*for six o'clock*] ställa väckarklockan... **7** bestämma [~ *a time for the meeting*]; förelägga, ge [~ *a p. a task*]; ~ *an exam paper* sätta ihop en skrivning; ~ *the fashion* diktera modet; vara tongivande **8** teat. o.d., ~ *the scene* [*in France*] förlägga scenen... **9** mus., ~ *a th. to music* sätta musik till ngt, tonsätta ngt **10** boktr. sätta [upp] [~ *a page*] **11** med. återföra i rätt läge [~ *a broken bone*]
II *itr* (se äv. under *III*) **1** om himlakropp gå ner [*the sun ~s at 8*] **2** stelna [*the jelly has not* ~ *yet*]; hårdna; stadga sig [*his character has* ~]
III *tr* o. *itr* med prep. o. adv., isht med spec. övers.:
~ **about**: **a**) ta itu med [~ *about a task*] **b**) vard. gå lös på
~ **against**: **a**) väga mot [*the advantages must be* ~ *against the disadvantages*]

b) *everyone was ~ against him* alla var klart emot honom; *~ oneself against* sätta sig mot

~ aside: **a**) lägga undan [*~ aside part of one's income*], anslå **b**) bortse från; *~ting aside...* bortsett från... **c**) avvisa [*~ aside an offer*] **d**) jur. ogiltigförklara [*~ aside a will* (testamente)]

~ at: **a**) anfalla **b**) *~ at large* försätta på fri fot, frige

~ back: **a**) försena [*it ~ us back two hours*] **b**) vrida (ställa) tillbaka [*~ back the clock*] **c**) vard. kosta; *it ~ me back* [*£50*] äv. jag fick punga ut med...

~ down: **a**) sätta ner; sätta (släppa) av [*I'll ~ you down at the corner*] **b**) skriva upp (ner); sätta upp; ställa upp [*~ down rules*]; *~ down in writing* skriva ner **c**) anse

~ forth: **a**) lägga fram [*~ forth a theory*] **b**) ge sig i väg [*~ forth on a journey*]

~ in börja [på allvar] [*the rainy season has ~ in*]; inträda [*darkness ~ in*]

~ off: **a**) ge sig i väg (ut) [*~ off on a journey*], starta; sätta i väg [*~ off after a p.*] **b**) framkalla [*the explosion was ~ off by...*] **c**) sätta i gång [*~ off a chain reaction*] **d**) framhäva [*the white dress ~ off her suntan*] **e**) uppväga; balansera

~ on: **a**) överfalla [*I was ~ on by a dog*] **b**) egga [*~ on a p. to a th.*]

~ out: **a**) ge sig av (ut, i väg) [*~ out on a journey*], starta **b**) börja [sin verksamhet]; *~ out in life* (*in the world*) börja sin bana, gå ut i livet **c**) lägga fram, framföra [*~ out one's reasons*]; framställa, skildra **d**) lägga (visa) fram [*~ out merchandise*]

~ to: **a**) sätta i gång för fullt, hugga i; kasta sig över maten [*they were hungry and at once ~ to*]; *~ to work* sätta i gång **b**) sätta i gång att slåss (gräla)

~ up: **a**) sätta upp [*~ up a fence*]; ställa upp, resa [upp] [*~ up a ladder*]; slå upp [*~ up a tent*]; rigga upp; *~ up a record* sätta rekord **b**) upprätta, etablera [*~ up an institution*], anlägga [*~ up a factory*], grunda; införa [*~ up a new system*]; tillsätta [*~ up a committee*] **c**) framkalla [*~ up an irritation*] **d**) *~ up a protest* protestera högljutt **e**) göra stark och kry **f**) boktr. sätta [upp] **g**) etablera sig [*~* [*oneself*] *up in business* (som affärsman)]; hjälpa att etablera sig **h**) *~ up to be* **i**) isht amer. vard. sätta dit, gillra en fälla för

B *perf p* o. *adj* **1** fast [*~ price*]; bestämd [*~ rules*]; *a ~ battle* en regelrätt strid; *a ~ phrase* en stående fras, ett talesätt **2** stel, orörlig; *he is very ~ in his ways* han har mycket bestämda vanor **3** belägen [*a town ~ on a hill*]; *with eyes deep ~* med djupt liggande ögon **4** *be ~* [*up*]*on* **a**) vara fast besluten [*be ~ on doing it* (att göra det)]; *he is dead ~ on having* [*the job*] vard. han har gett sig katten på att han ska ha... **b**) ha slagit in på [*he is ~ on a dangerous course*] **5** vard. klar; *all ~* allt klart

C *s* **1** uppsättning [*a ~ of golf clubs*], sats; uppsats, saker [*toilet ~*]; omgång [*a ~ of underwear*]; servis [*tea set*]; serie [*~ of lectures*]; *a chess ~* ett schackspel **2** umgängeskrets; krets; *the literary ~* de litterärt intresserade [kretsarna] **3** apparat [*radio* (*TV*) *~*] **4** a) [rörelse]riktning [*the ~ of the tide*] b) bildl. inriktning, tendens **5** passform **6** i tennis o.d. set; *~ point* setboll **7** *make a dead ~ at* a) gå lös på b) lägga an på, lägga ut sina krokar för [*the girl made a dead ~ at the young man*] **8** teat. el. film. a) scenbild; kuliss[er] b) scen; *~ designer* scenograf; filmarkitekt **9** läggning av håret **10** matem. mängd; *theory of ~s* el. *~ theory* mängdlära

setback ['setbæk] bakslag, avbräck

set piece [ˌset'pi:s] **1** konventionell roman (pjäs, musik etc.); *a ~ attack* ett anfall enligt klassiskt mönster **2** teat. fristående (del av) dekor (kuliss) **3** sport. fast situation

set point [ˌset'pɔɪnt] tennis setboll

settee [se'ti:] **1** [mindre] soffa **2** långbänk [med ryggstöd] **3** *~ bed* bäddsoffa

setting ['setɪŋ] **I** *s* **1** allm. (abstr.) sättande etc., jfr *set A* **2** infattning för ädelstenar o.d. **3** a) teat. o.d. iscensättning; scenbild[er] b) bildl. ram [*a beautiful ~ for the procession*], bakgrund; miljö; *the ~ is Naples* handlingen tilldrar sig i Neapel **4** mus. tonsättning **5** himlakropps nedgång [*the ~ of the sun*] **II** *adj* nedgående [*the ~ sun*]

setting-lotion ['setɪŋˌləʊʃ(ə)n] läggningsvätska

1 settle ['setl] högryggad träsoffa ofta med sofflock o. låda

2 settle ['setl] **I** *vb tr* (se äv. *III*) **1** sätta (lägga) till rätta; *be ~d in a new house* vara installerad i ett nytt hus **2** kolonisera; slå sig ner i [*they ~d parts of the South*] **3** avgöra [*that ~s the matter* (*question*)]; göra slut på; *~ a conflict* lösa en konflikt; *that's ~d!* det är avgjort!, då säger vi det! **4** ordna, klara upp, klara [av]; *you must get it ~d* [*up*] du måste få saken ordnad **5** lugna [*these pills will ~ your nerves*] **6** *~ oneself* slå sig ner, slå sig till ro [*he ~d himself in a sofa*] **7** betala [*~ a bill*]; *~* [*up*] *accounts* göra upp **8** fastställa, avtala [*~ a date* (*day*)] **9** hjälpa att etablera sig (sätta bo) **II** *vb itr* (se äv. *III*) **1** bosätta sig [*the Dutch ~d in South Africa*]; sätta bo **2** sätta sig till rätta **3** om bevingade djur slå sig ner **4** utbreda (lägra) sig [*the fog ~d on* (över) *the town*]; lägga sig [*the dust ~d on the* *furniture*] **5** om väder stabilisera sig **6** om hus, grundval o.d. sätta sig [*the roadbed ~d*] **7** om vätskor klarna, sätta sig [*let the wine ~*]; om grums o.d. i vätska sjunka till botten **8** göra upp; ~ *with one's creditors* göra upp med sina fordringsägare

III *vb itr* o. *vb tr* med prep. o. adv., isht med spec. övers.:

~ **down**: **a**) bosätta sig [~ *down in New York*] **b**) slå sig till ro [*marry and ~ down*], slå av på takten [~ *down after a hectic life*]; ~ *down in life* äv. finna sig till rätta i tillvaron **c**) sätta sig till rätta [*they ~d down for a chat*] **d**) etablera sig [~ *down in business* (som affärsman)] **e**) stabilisera sig [*the financial situation had ~d down*], lägga sig [*the excitement ~d down*]

~ **for**: a) nöja sig med b) bestämma sig för [*we ~d for the leather sofa*]

~ **in** [flytta in och] komma i ordning [*you must come and see our new house when we've ~d in*]

~**on** bestämma (besluta) sig för; ~ *on a day for*... bestämma en dag för...

~ **up** göra upp [~ *up differences* (mellanhavanden)], betala

settled ['setld] **1** avgjord, bestämd, uppgjord; på räkning betalt **2** fast, stadig, ihållande; om väder lugn och vacker; [*a man*] *of ~ convictions* ...med fasta grundsatser **3** a) bofast; fast bosatt b) bebodd [*a thinly* (glest) ~ *area*]

settlement ['setlmənt] **1** avgörande; lösning av en konflikt; biläggande av en tvist; förlikning **2** fastställande; överenskommelse **3** hand. o.d. betalning, likvid [*in ~ of our account*] **4** jur. o.d., *marriage ~* äktenskapsförord **5 a**) bosättning [*empty lands awaiting ~*] **b**) nybygge; *penal* (*convict*) ~ straffkoloni **c**) boplats

settler ['setlə] nybyggare

set-to [ˌset'tu:] vard. slagsmål; gräl

set-up ['setʌp] **1** uppbyggnad [*the ~ of an organization*], organisation [*the ~ of a company*]; planläggning; arrangemang **2** läge, situation; *in the present ~* som läget nu är, som sakerna nu ligger till **3** vard. a) [på förhand] uppgjord match b) fälla där ngn försöker sätta dit ngn

seven ['sevn] (jfr *five* med ex. o. sms.) **I** *räkn* sju; *the S~ Seas* de sju världshaven **II** *s* sjua

seventeen [ˌsevn'ti:n, attr. '---] sjutton; jfr *fifteen* med sms.

seventeenth [ˌsevn'ti:nθ, attr. '---] sjuttonde; sjutton[de]del; jfr *fifth*

seventh ['sevnθ] (jfr *fifth*) **I** *räkn* sjunde; *in* [*the*] ~ *heaven* i sjunde himlen **II** *s* mus. septima

seventieth ['sevntɪɪθ, -tɪəθ] **1** sjuttionde **2** sjuttion[de]del

seventy ['sevntɪ] (jfr *fifty* med sms.) **I** *räkn* sjutti[o] **II** *s* sjutti[o]; sjutti[o]tal

sever ['sevə] **I** *vb tr* skilja; hugga av, klippa av, slita av [*a sudden jerk ~ed the rope*], skära av [~ *the enemy's communications*]; rycka av (loss); [av]bryta [~ *all connections with a p.*]; splittra [~ *an army*]; söndra; ~ *oneself from* [*one's party*] bryta med..., lösgöra sig från... **II** *vb itr* **1** brista [*the rope ~ed*] **2** skiljas [åt]

several ['sevr(ə)l] **1** flera [~ [*of them*] *failed*]; *a number running into ~ figures* ett flersiffrigt tal **2** enskild, särskild [*each ~ ship*]; skild

severance ['sevər(ə)ns] **1** avskiljande, avhuggande etc., jfr *sever I*; splittring, söndring **2** ~ *pay* (*payment*) avgångsvederlag

severe [sɪ'vɪə] **1** sträng [*a ~ look* (*teacher*)]; *be ~ on* (*with*) *a p.* vara sträng (hård) mot ngn **2** hård, svår [~ *competition*], sträng [~ *punishment*], kännbar; *a ~ reprimand* en skarp (allvarlig) tillrättavisning **3** om klimat o.d. sträng [*a ~ climate* (*winter*)], hård **4** om sjukdom o.d. svår [*a ~ illness* (*cold*)], häftig [~ *pain*] **5** om stil o.d. sträng [~ *beauty*], stram [~ *architecture*]

severity [sə'verətɪ] **1** stränghet, hårdhet etc., jfr *severe*; allvar; *the ~ of the winter* [*in Canada*] den stränga (bistra) vintern... **2** pl. *severities* svåra påfrestningar [*the severities of the winter campaign*]

Seville [sə'vɪl, 'sevɪl] geogr. Sevilla; ~ [*orange*] pomerans

sew [səʊ] (imperf. *sewed*, perf. p. *sewn* el. *sewed*) sy; sy i (fast) [~ *a button on* (i) *the coat*], sy in [~ *money into* (i) *a bag*]; ~ *down* sy fast

sewage ['su:ɪdʒ, 'sju:-] avloppsvatten; ~ *disposal* bortledande (rening) av avloppsvatten

sewer ['su:ə, 'sju:ə] kloak

sewing ['səʊɪŋ] sömnad, handarbete; ~ *circle* (amer. äv. *bee*) syjunta, syförening; ~ *materials* sybehör; ~ *needle* synål

sewing-machine ['səʊɪŋməʃi:n] symaskin

sewn [səʊn] perf. p. av *sew*

sex [seks] **I** *s* **1** kön, köns- [~ *hormone*]; *the fair* (*gentle, weaker, softer*) ~ det täcka (svaga) könet; *the sterner ~* det starka könet **2 a**) sex [*a film with a lot of ~ in it*], det sexuella, sex- [~ *object*; ~ *life*], sexual- [~ *instruction* (undervisning)]; ~ *drive* sexualdrift **b**) vard. sexuellt umgänge; *have ~* älska, ligga med varandra **II** *vb tr* **1** könsbestämma, fastställa könet på **2** vard., ~ *up* göra sexig

sexiness ['seksɪnəs] sexighet

sexism ['seksɪz(ə)m] sexism

sexist ['seksɪst] **I** *s* sexist **II** *adj* sexistisk, könsdiskriminerande
sex-starved ['seksstɑ:vd] sexuellt utsvulten
sextette [seks'tet] sextett mus. o. bildl.
sexual ['seksjʊəl, -kʃʊəl] sexuell, köns-; erotisk; *the ~ act* könsakten; *~ attraction* erotisk dragningskraft; *~ intercourse* samlag, sexuellt umgänge, könsumgänge; *~ offender* sexualförbrytare; *~ organs* könsorgan, sexualorgan
sexuality [ˌseksjʊ'ælətɪ, -kʃʊ-] sexualitet
sexy ['seksɪ] vard. sexig
SF (förk. för *science fiction*) sf
sh [ʃ:], *~!* sch!, hysch!
shabby ['ʃæbɪ] **1** sjabbig [*a ~ hotel*], sjaskig, ruskig; luggsliten **2** ynklig [*a ~ excuse*], tarvlig [*~ behaviour*]; usel [*a ~ performance*]; *play a ~ trick on a p.* spela ngn ett fult spratt **3** snål
shack [ʃæk] **I** *s* timmerkoja, hydda; kåk **II** *vb itr* sl., *~ up with* a) bo (flytta) ihop med, sammanbo med b) prassla (ha ihop det) med
shackle ['ʃækl] **I** *s* boja; pl. *~s* bojor, fjättrar äv. bildl. [*the ~s of convention*] **II** *vb tr* **1** sätta bojor på; bildl. klavbinda; *be ~d with* bildl. vara [upp]bunden av **2** fästa; sjö. schackla
shade [ʃeɪd] **I** *s* **1** skugga [*keep in the ~, it's cooler; 30°in the ~*]; *be in the ~* bildl. leva ett liv i skymundan (ett undanskymt liv) **2** konst., *light*[*s*] *and ~*[*s*] skuggor och dagrar, ljus och skugga **3** nyans, skiftning; anstrykning, färgton; *~ of opinion* åsiktsriktning **4** aning [*I am a ~ better today*], skymt, hårsmån **5 a**) skärm [*lamp-shade*] **b**) [skydds]kupa **c**) [*window*] *~* amer. rullgardin **d**) vard., pl. *~s* solbrillor **6** litt., pl. *~s* skymning; *the ~s of night* nattens skuggor (mörker) **II** *vb tr* **1** skugga [för] [*he ~d his eyes with his hand*], beskugga; skydda [*~ a th. from* (mot) *the sun*]; bildl. fördunkla **2** skärma av, dämpa; *a ~d lamp* en lampa med skärm **3** skugga vid teckning; schattera
shadow ['ʃædəʊ] **I** *s* **1** skugga [*the ~ of a man against* (på) *the wall*] **2** skuggbild; *he is only a ~ of his former self* han är bara en skugga av sitt forna jag **3** skugga, ständig följeslagare **4** skymt, hårsmån; *without* (*beyond*) *a ~ of doubt* (*the ~ of a doubt*) utan skuggan av ett tvivel, utan minsta spår av tvivel **II** *vb tr* skugga [*the detective ~ed him*]
shadowy ['ʃædəʊɪ] **1** skuggig **2** skugglik; *lead a ~ existence* föra ett skuggliv
shady ['ʃeɪdɪ] **1** skuggig; skuggande [*a ~ tree*]; skuggrik **2** vard. skum [*~ dealings* (*transactions*); *a ~ customer* (figur)], skumrask-, tvetydig; *the ~ side of politics* politikens skumraskspel
shaft [ʃɑ:ft] **1** skaft på spjut, vissa verktyg m.m. **2** pil äv. bildl. [*~s of satire*]; spjut **3** skakel, skalm **4** schakt i gruva m.m. **5** trumma [*lift ~*]; [*ventilating*] *~* lufttrumma **6** mek. axel **7** [ljus]stråle; *a ~ of sunlight* en solstråle
1 shag [ʃæg] shag[tobak]
2 shag [ʃæg] vulg. **I** *vb tr* **1** knulla [med] **2** trötta ut; perf. p. *~ged* tröttkörd **II** *vb itr* knulla; runka onanera **III** *s* knull; sexorgie
shaggy ['ʃægɪ] **1** raggig [*a ~ dog*]; luden; buskig [*~ eyebrows*] **2** snårbevuxen
shah [ʃɑ:] shah
shake [ʃeɪk] **A** (*shook shaken*) *vb* **I** *tr* (se äv. *III*) **1** skaka [ur]; skaka (ruska) ner [*~ fruit from a tree*]; ruska (skaka) på [*I shook the door*]; *~ the dust from* (*off*) *one's feet* bildl. skudda stoftet av sina fötter; *~ hands* skaka hand, ta varandra i hand **2** [upp]skaka, göra upprörd; *he was much ~n by* (*at, with*) *the news* han blev mycket [upp]skakad av nyheten **3** skaka, komma att skaka [*the blast shook the building*], komma att skälva (darra); komma att vackla (svikta), försvaga [*~ a p.'s alibi*]; störa [*~ a p.'s composure*]; *~ a p.'s faith* rubba ngn i hans tro
II *itr* (se äv. *III*) **1** skaka, skälva; *~ all over* darra (skaka) i hela kroppen **2** mus. drilla **3** vard. skaka hand
III *tr* o. *itr* i förb. med adv.:
~ **down**: **a**) skaka (ruska) ner **b**) prova, testa **c**) amer. sl. pressa pengar av **d**) amer. sl. [kropps]visitera; göra en razzia i (hos) **e**) vard. ordna en provisorisk bädd åt sig; slå sig ner tillfälligt [*I'll ~ down in London*]
~ **off** skaka av [sig] [*~ off the dust; he could not ~ off the beggar*]
~ **up**: **a**) skaka [till], skaka om [*~ a bottle of medicine*] **b**) *~ up a p.* rycka upp ngn [*from* ur]; ruska liv i ngn; ruska om ngn **c**) polit. m.m. möblera om [i] [*~ up the cabinet*]
B *s* **1** skakning; skälvning, darrning; *a ~ of the head* en skakning på huvudet, en huvudskakning; *give it a good ~!* skaka [av (om, på)] det ordentligt! **2** spricka i träd **3** se *milkshake* **4** mus. drill **5** shake dans **6** vard., *in* [*half*] *a ~* på nolltid (ett litet kick) **7** vard., *fair ~* chans
shaken ['ʃeɪk(ə)n] perf. p. av *shake A*
shake-up ['ʃeɪkʌp] vard. **1** omskakning **2** polit. m.m. ommöblering i t.ex. en regering; omorganisering
shaky ['ʃeɪkɪ] **1** skakig, skakande, skälvande [*speak in a ~ voice*]; *his hands are ~* han är darrhänt **2** ostadig, rankig [*a ~ old table*] **3** vacklande; osäker [*a ~ position*]; *a ~ government* en vacklande

(svag) regering **4** darrig [*feel* (*look*) ~]; svag [~ *in English grammar*; *a ~ argument*]
shale [ʃeɪl] skifferlera; skiffer
shall [ʃæl, obeton. ʃəl, ʃl] (imperf. *should*, jfr d.o.) pres. ska [~ *I come later?*]; *I ~ come tomorrow* jag kommer i morgon; *what ~ it be?* vad får det lov att vara?, vad får jag bjuda på?
shallot [ʃə'lɒt] bot. schalottenlök
shallow ['ʃæləʊ] **I** *adj* **1** grund [~ *water*]; flat [*a ~ dish*] **2** ytlig [*a ~ argument*, ~ *talk*], grund, flack **II** *s* vanl. ~*s* (konstr. ss. sg. el. pl.) grund, grunt ställe
sham [ʃæm] **I** *vb tr* simulera, låtsas ha [~ [*a*] *headache*]; ~ *illness* spela sjuk, simulera [sjukdom] **II** *vb itr* simulera [*she's only ~ming*]; spela [~ *dead* (*mad*)] **III** *s* **1** förställning, hyckleri [*his religion is all a* (bara) ~], spel, bluff, sken **2** imitation [*these pearls are all ~s*] **3** bluffmakare, skojare; hycklare; simulant **IV** *attr adj* hycklad [~ *piety*], låtsad [*a ~ attack* (*agreement, democracy*)], låtsas-; imiterad, oäkta [~ *pearls*]; ~ *battle* bildl. skenfäktning, spegelfäkteri
shambles ['ʃæmblz] (konstr. ss. sg.) vard. förödelse; röra; *her room is a ~* hennes rum ser ut som ett slagfält
shame [ʃeɪm] **I** *s* skam, blygsel; vanära; ~ [*up*]*on you!* fy skam!, fy skäms [på dig]!; *what a ~!* så (vad) tråkigt (synd, förargligt)!; så skamligt!; *he is without ~* han har ingen skam (hut) i kroppen **II** *vb tr* göra skamsen; skämma ut, dra vanära (skam) över [~ *one's family*]
shamefaced ['ʃeɪmfeɪst] **1** blyg, anspråkslös **2** skamsen [*a ~ air* (min)]
shameful ['ʃeɪmf(ʊ)l] skamlig, neslig
shameless ['ʃeɪmləs] skamlös, fräck
shammy ['ʃæmɪ], ~ [*leather*] sämskskinn
shampoo [ʃæm'pu:] **I** (pl. ~*s*) *s* **1** schampo **2** schamponering; hårtvätt; *give a p. a ~* schamponera (tvätta håret på) ngn **II** *vb tr* schamponera; tvätta håret
shamrock ['ʃæmrɒk] bot. treklöver, [tre]väppling äv. Irlands nationalemblem
shandy ['ʃændɪ] blandning av öl och sockerdricka
shan't [ʃɑ:nt] = *shall not*
1 shanty ['ʃæntɪ] skjul
2 shanty ['ʃæntɪ] shanty arbetssång för sjömän
shanty town ['ʃæntɪtaʊn] kåkstad
shape [ʃeɪp] **I** *s* **1** a) form, utformning; skapnad b) ordning; *the ~ of the nose* formen på näsan, näsans form; [*spherical*] *in ~* ...till formen; *in any ~ or form* i någon [som helst] form, på något [som helst] sätt, av något [som helst] slag; *get* (*put*) *a th. into ~* få ordning (fason) på ngt **2** tillstånd [*the old house was in bad ~*]; *in ~* i bra kondition; *he is in good ~* han är i fin (god) form **3** skepnad; *in human ~* i människogestalt **II** *vb tr* **1** forma [~ *clay into* (till) *an urn*]; staka ut [~ *one's future*]; skapa; tekn. profilera; ~*d like a pear* päronformig **2** avpassa **III** *vb itr* **1** forma (gestalta) sig; formas [*clouds shaping on the horizon*]; utveckla sig [*I don't like the way events are shaping*]; *be shaping* [*up*] *well* arta sig [bra], se lovande ut **2** ~ *up to* göra sig beredd att slåss mot, utmana
shapeless ['ʃeɪpləs] formlös, oformlig
shapeliness ['ʃeɪplɪnəs] vacker form; [*I admired*] *the ~ of her legs* ...hennes välsvarvade ben
shapely ['ʃeɪplɪ] välformad, välskapad, välväxt, välsvarvad [~ *legs*]
1 share [ʃeə] **I** *s* **1** del [~ *of* (*in*) *the profit* (*success*)]; lott; *do one's ~* göra sitt, dra sitt strå till stacken; *go ~s with a p. in a th.* dela [på] kostnaderna för ngt med ngn, dela ngt lika med ngn **2** aktie; andel; *hold ~s* ha aktier **II** *vb tr* **1** dela; ha del i; ha gemensamt; ~ *the responsibility* dela ansvaret, vara medansvarig **2** ~ [*out*] dela ut, fördela [*among* bland] **III** *vb itr* **1** dela; ~ *and ~ alike* dela broderligt (lika) **2** ~ *in* dela [*I will ~ in the cost with you*]; delta i [*he ~d in the planning of it*], ha del i, vara delaktig i, vara med i (om)
2 share [ʃeə] plogbill
shareholder ['ʃeəˌhəʊldə] aktieägare; ~*s' meeting* el. *meeting of ~s* bolagsstämma
1 shark [ʃɑ:k] zool. haj
2 shark [ʃɑ:k] **I** *s* vard. [börs]haj, svindlare, bondfångare **II** *vb itr* leva på svindelaffärer (bondfångeri)
sharp [ʃɑ:p] **I** *adj* **1** skarp [*a ~ knife*; *a ~ tongue*], spetsig [*a ~ pin* (*summit*)]; mycket smal [*a ~ ridge*] **2** skarp [~ *outlines*], markant [*a ~ difference*]; skarpskuren [~ *features*]; skarp [och tydlig] [*a ~ photo*] **3** skarp [*a ~ curve* (*turn, transition*)]; stark [*a ~ incline* (*rise*)] **4** stark [*a ~ taste*], stickande [*a ~ pang*], syrlig [*a ~ flavour*] **5** skarp [~ *eyes* (*ears*)]; lyhörd [äv. *with a ~ ear*]; intelligent [*a ~ child*], kvick; *be ~ at* [*arithmetic*] vara bra (fin) på..., vara styv (slängd) i... **6** smart [*a ~ lawyer*], slipad; ~ *practice*[*s*] vard. fula knep (trick), ogenerade metoder **7** mus.: **a**) höjd en halv ton; med #-förtecken **b**) en halv ton för hög; [lite] falsk **II** *s* mus.: a) kors, # b) ton med förtecknet # c) halvt tonsteg uppåt; ~*s and flats* svarta tangenter på t.ex. piano **III** *adv* **1** på slaget, prick [*at six* [*o'clock*] ~] **2** skarpt; tvärt [*turn* (ta av) ~ *left*]; fort [~*!*], bums; *look ~* a) se upp, se noga efter, passa på b) isht amer. vard. se bra ut; vara snyggt klädd; *look ~!* sno (raska) på!

sharpen ['ʃɑ:p(ə)n] **I** *vb tr* **1** göra skarp[are] etc., jfr *sharp I*; skärpa äv. bildl. [~ *the tone*]; vässa [~ *a pencil*]; bryna; spetsa; [skarp]slipa **2** mus. höja [ett halvt tonsteg]; sätta # för **II** *vb itr* bli skarp[are] etc., jfr *sharp I*; skärpas, bli spetsig (smal)
sharpener ['ʃɑ:pnə] pennvässare; knivslipare
sharpness ['ʃɑ:pnəs] skärpa
sharp-shooter ['ʃɑ:pʃu:tə] prickskytt
sharp-witted [ʃɑ:p'wɪtɪd, attr. '---] skarpsinnig; bitande kvick
shatter ['ʃætə] **I** *vb tr* **1** splittra, slå sönder [*ships ~ed by storms*], spränga sönder, krossa [*fifty windows were ~ed*]; ramponera **2** bryta ner [~ *one's health*]; krossa [~ *a p.'s illusions* (*power*)], tillintetgöra [~ *a p.'s hopes*] **II** *vb itr* splittras, brytas sönder, gå i kras
shattering ['ʃætərɪŋ] förödande [*a ~ defeat*]; öronbedövande [*a ~ noise*]
shave [ʃeɪv] **I** (imperf. *~d*; perf. p. *~d* el. isht ss. adj. *~n*) *vb tr* **1** raka [~ *one's beard*; ~ *a p.*]; *be* (*get*) *~d* [låta] raka sig, bli rakad **2** skrapa, skava, hyvla; ~ [*off*] skrapa (skava, hyvla, raka) av **3** [nästan] snudda (nudda) vid, [nästan] tuscha **II** (imperf. *~d*; perf. p. *~d*) *vb itr* **1** raka sig **2** ~ *past* stryka förbi [*the bullet ~d past me*] **III** *s* **1** rakning; [*a sharp razor*] *gives a good ~* ...rakar bra; *have* (*get*) *a ~* [låta] raka sig **2** vard. snudd; *it was a close* (*narrow, near*) ~ det var nära ögat, det var på håret
shaven ['ʃeɪvn] **I** perf. p. av *shave* **II** *adj* rakad [*clean-shaven*]
shaver ['ʃeɪvə] **1** rakapparat [*electric ~*] **2** vard., [*young*] ~ pojkvasker, [liten] grabb
shaving ['ʃeɪvɪŋ] **1** rakning; rak- [~ *brush* (*cream, foam*)]; ~ *stick* raktvål **2** pl. *~s* [hyvel]spån
shawl [ʃɔ:l] sjal
she [ʃi:, obeton. ʃɪ] **I** (objektsform *her*) *pron* **1** pers. hon; om tåg, bil, land m.m. den; *who is ~?* äv. vem är det? **2** determ. den om kvinnliga pers. i allm. bet. [~ *who listens learns*] **II** (pl. *~s*) *s* kvinna; hona; hon [*is the child a he or a ~?*] **III** *adj* ss. förled i sms. vid djurnamn hon- [*she-fox*]
sheaf [ʃi:f] **I** (pl. *sheaves*) *s* **1** [sädes]kärve **2** bunt [*a ~ of papers*]; knippe [*a ~ of arrows*] **II** *vb tr* **1** binda i kärvar **2** bunta
shear [ʃɪə] (imperf. *~ed*; perf. p. *shorn* el. *~ed*) **1** klippa [~ *sheep* (*wool*)]; klippa av **2** bildl. *shorn of* berövad [*shorn of his money* (*power*)]
shears [ʃɪəz] [större] sax ullsax, trädgårdssax o.d.; *a pair of ~* en sax
sheath [ʃi:θ, i pl. ʃi:ðz] **1** fodral; [*contraceptive*] ~ kondom **2** bot. slida
sheathe [ʃi:ð] **1** lägga i fodral[et] **2** beklä
sheath knife ['ʃi:θnaɪf] slidkniv
sheaves [ʃi:vz] pl. av *sheaf I*
1 shed [ʃed] skjul; bod [*tool ~*]; *engine ~* lokstall
2 shed [ʃed] (*shed shed*) **1** utgjuta [~ *blood*], gjuta; *blood will be ~* blod kommer att flyta **2 a**) fälla [~ *feathers* (*horns, leaves*)], tappa; *the snake ~s its skin* ormen byter (ömsar) skinn **b**) ta (kasta) av sig [~ *one's clothes*] **c**) lägga bort [~ *a habit*] **3** sprida [~ *warmth*], ge ifrån sig, sända ut; ~ *light on* isht bildl. sprida ljus över, belysa
she'd [ʃi:d] = *she had* o. *she would*
she-devil ['ʃi:ˌdevl] djävulsk kvinna, hondjävul
sheen [ʃi:n] glans [*the ~ of silk*], lyster
sheep [ʃi:p] (pl. lika) **1** får; *separate the ~ from the goats* bildl. skilja fåren från getterna **2** fårskinn
sheepdog ['ʃi:pdɒg] fårhund
sheepfaced ['ʃi:pfeɪst] förlägen, generad
sheepfold ['ʃi:pfəʊld] fårfålla
sheepish ['ʃi:pɪʃ] förlägen; fåraktig
sheepskin ['ʃi:pskɪn] fårskinn; fårhud; ~ *coat* fårskinnspäls
1 sheer [ʃɪə] **I** *adj* **1** ren [~ *force* (*nonsense, waste*)], idel [~ *envy*], pur [~ *surprise*]; ~ *folly* (*madness*) rena [rama] galenskapen (idiotin) **2** mycket tunn, skir [~ *material* (tyg)] **3** tvärbrant [*a ~ rock*], lodrät [*a ~ drop* (fall) *of 100 metres*], tvär **II** *adv* tvärbrant [*it rises ~ out of the sea*]
2 sheer [ʃɪə] **I** *vb itr* isht sjö. gira; ~ *off* (*away*) a) isht sjö. gira (vika) av b) ge (laga, pallra) sig i väg; ~ *off* (*away*) *from a p.* vard. undvika ngn **II** *s* sjö. gir
sheet [ʃi:t] **1** lakan **2** [tunn] plåt [~ *of metal*], platta, [tunn] skiva [~ *of glass*]; ~ *iron* bleck[plåt], valsat järn **3** ark; *some ~s of paper* några papper (pappersark); *a clean ~* bildl. ett fläckfritt förflutet **4** vidsträckt yta, lager; ~ *lightning* kornblixt[ar] **5** sjö. skot; *three ~s in the wind* (amer. äv. *to the wind*) stagad, packad berusad
sheikh [ʃeɪk, ʃi:k] schejk
shelf [ʃelf] (pl. *shelves*) **1** hylla; [*laid*] *on the ~* lagd på hyllan, skrinlagd, skjuten åt sidan **2** klipphylla; *the continental ~* kontinentalhyllan
shell [ʃel] **I** *s* **1** a) hårt skal; musselskal; snäckskal, snäcka; snigels hus b) [ärt]skida; bot. hylsa c) bildl. skal; yttre sken [*a mere ~ of religion*]; *go* (*retire*) *into one's ~* dra (sluta) sig inom sitt skal; *come out of one's ~* krypa ur sitt skal **2** [byggnads]stomme; *only the ~ of the building is left* äv. endast ytterväggarna av huset står kvar **3** mil. a) granat b) patron **II** *vb tr* **1** skala, rensa [~ *shrimps*], sprita [~ *peas*], ta ut ur skalet [~ *mussels*] **2** mil.

bombardera, beskjuta [med granater] **3** vard., ~ *out* punga ut med [~ *out money*] **III** *vb itr* **1** släppa skalet; ~ *easily* äv. vara lätt att skala **2** vard., ~ *out* punga ut med pengar

she'll [ʃi:l] = *she will* (*shall*)

shellac [ʃə'læk, 'ʃelæk] **I** *s* schellack **II** *vb tr* behandla (polera) med schellack

shellfish ['ʃelfɪʃ] skaldjur

shelter ['ʃeltə] **I** *s* **1** skydd, skyddad plats; lä; tillflykt, tillflyktsort; tak över huvudet, logi, husrum [*food, clothing, and* ~] **2** regnskydd; härbärge [*Salvation Army* ~*s*]; [*air-raid*] ~ skyddsrum; *bus* ~ busskur **II** *vb tr* skydda; ge logi (husrum, tak över huvudet); ~*ed from the wind* i skydd (i lä, skyddad) för vinden **III** *vb itr* **1** ta (finna, söka) skydd [~ *under the trees*] **2** skydda [*trees that* ~ *from* (för) *the wind*]

shelve [ʃelv] **1** ställa upp på (sätta in i) hyllan (hyllorna) [~ *books*] **2** lägga på hyllan, bordlägga

shelves [ʃelvz] pl. av *shelf*

shepherd ['ʃepəd] **I** *s* herde äv. bildl.; fåraherde **II** *vb tr* **1** vakta, valla **2** driva som en fårskock; ledsaga

shepherdess [ʃepə'des, '---] herdinna

shepherd's pie [ʃepədz'paɪ] kok., slags köttpudding [med potatismos]

sherbet ['ʃɜ:bət] **1** ~ [*powder*] tomtebrus **2** sorbet, vattenglass

sheriff ['ʃerɪf] **1** britt. sheriff ämbetsman i ett grevskap **2** amer. sheriff polischef inom ett förvaltningsområde

sherry ['ʃerɪ] sherry

she's [ʃi:z, ʃɪz] = *she is* o. *she has*

Shetland ['ʃetlənd] geogr. egenn.; ~ el. *the* ~*s* pl. el. *the* ~ *Islands* pl. Shetlandsöarna

shield [ʃi:ld] **I** *s* **1** sköld; bildl. äv. [be]skydd **2** herald. [vapen]sköld **3** på maskin skyddsplåt, skärm **4** amer. [polis]bricka **II** *vb tr* skydda, värna; ~ *the ball* sport. täcka bollen

shift [ʃɪft] **I** *vb tr* skifta [~ *wheels*], flytta [om], stuva om; flytta över; ~ *the blame* (*responsibility*) *on to a p.* skjuta (vältra) över skulden (ansvaret) på ngn; ~ *the furniture* flytta [om] möblerna, möblera om; ~ *gears* motor. växla **II** *vb itr* **1** skifta, växla [*the scene* (*weather*) ~*s*], ändra sig; ändra ställning [*he* ~*ed in his seat*], flytta [på] sig; *he* ~*ed into second gear* han lade in tvåans växel; ~ *about* svänga hit och dit; flytta omkring (runt) **2** förskjuta sig [*the cargo has* ~*ed*], förskjutas **3** klara (reda) sig; *he must* ~ *for himself* han måste klara (reda) sig själv (på egen hand) **III** *s* **1** förändring; växling; övergång; omläggning [*a* ~ *of policy*]; *a* ~ *of clothes* ett ombyte kläder; ~ *of crops* växelbruk **2** [arbets]skift [*work in three* ~*s*] **3** utväg [*my last* ~]; [hjälp]medel; nödfallsutväg; *make* [*a*] ~ *with* (*without*) *a th.* försöka klara (reda) sig så gott man kan med (utan) ngt **4** växel[spak]; [ut]växling; *automatic* ~ automatväxel

shiftless ['ʃɪftləs] hjälplös, oduglig

shifty ['ʃɪftɪ] opålitlig, lömsk [*a* ~ *customer* (figur)]; ~ *eyes* [en] ostadig blick

shilling ['ʃɪlɪŋ] hist. shilling eng. mynt = 1/20 pund

shilly-shally ['ʃɪlɪˌʃælɪ] **I** *vb itr* vela [hit och dit] **II** *s* velande [*I'm tired of all this* ~] **III** *adj* velande, tvekande [*a* ~ *attitude*]

shimmer ['ʃɪmə] **I** *vb itr* skimra; ~*ing blue* blåskimrande **II** *s* skimmer

shin [ʃɪn] **I** *s* skenben, smalben **II** *vb itr* klättra; ~ *up* [*a tree* (*a drain-pipe*)] klättra upp i (uppför)...

shinbone ['ʃɪnbəʊn] skenben

shindig ['ʃɪndɪg] sl. brakfest, jätteparty

shin|e [ʃaɪn] **I** (*shone shone*) *vb itr* skina [*the sun was -ing*], lysa [*the moon shone bright*]; glänsa äv. bildl.; vara lysande [~ *at* (i) *tennis*]; stråla; *a -ing example* ett lysande exempel (föredöme) **II** (*shone, shone,* i bet. *1* äv. ~*d* ~*d*) *vb tr* **1** vard. putsa [~ *shoes*], polera **2** lysa med; ~ *a torch in a p.'s face* lysa ngn i ansiktet med en ficklampa **III** *s* **1** glans, sken, blankhet; *give a good* ~ *to* el. *put a good* ~ *on* putsa riktigt fin (blank); *take a* ~ *to* vard. fatta tycke för; *take the* ~ *out of* a) ta (få) bort glansen från; skada glansen på b) bildl. förta glansen av, fördunkla **2** vard. solsken

1 shingle ['ʃɪŋgl] klappersten på sjöstrand o.d.

2 shingle ['ʃɪŋgl] **1** [tak]spån; [tak]platta **2** shingel frisyr

shingles ['ʃɪŋglz] (konstr. ss. sg.) med. bältros

shinguard ['ʃɪngɑ:d] o. **shinpad** ['ʃɪnpæd] sport. benskydd

shiny ['ʃaɪnɪ] **1** skinande, glänsande; skinande blank [~ *shoes*]; *my nose is* ~ jag är blank om näsan **2** blanksliten

ship [ʃɪp] **I** *s* **1** skepp; ~[*'s*] *biscuit* skeppsskorpa **2** vard. flygplan; luftskepp; rymdskepp **II** *vb tr* **1** skeppa in, ta (föra) ombord [~ *goods* (*passengers*)], ta in; ~ [*the*] *oars* ta in årorna; ~ *water* ta in vatten **2** sända, skicka [~ *goods by boat* (*rail, train*)], avlasta, skeppa

shipbuilder ['ʃɪpˌbɪldə] skeppsbyggare

shipload ['ʃɪpləʊd] skeppslast

shipmate ['ʃɪpmeɪt] skeppskamrat; medpassagerare

shipment ['ʃɪpmənt] **1** inskeppning **2** sändning; [skepps]last

shipowner ['ʃɪpˌəʊnə] [skepps]redare; [*firm of*] ~*s* [skepps]rederi

shipping ['ʃɪpɪŋ] **1** tonnage **2** sjöfart;

skeppning; ~ *agent* skeppsklarerare; ~ *company* rederi; ~ *office* rederikontor

shipshape ['ʃɪpʃeɪp] **1** sjömansmässig[t] **2** i mönstergill (god) ordning [*the room was snug and* ~], välordnad; snygg[t] och prydlig[t]; ~ *and Bristol fashion* klappat och klart; fix och färdig; i fin (mönstergill) ordning

shipwreck ['ʃɪprek] **I** *s* skeppsbrott, förlisning, haveri äv. bildl. **II** *vb tr* komma att förlisa (haverera); bildl. förstöra; ~*ed* skeppsbruten, förlist, förolyckad, havererad

shipwright ['ʃɪpraɪt] skeppsbyggare

shipyard ['ʃɪpjɑ:d] skeppsvarv

shire ['ʃaɪə] grevskap

shirk [ʃɜ:k] **I** *vb tr* [försöka] dra sig undan [~ *hard work,* ~ *a duty*] **II** *vb itr* [försöka] dra sig undan [sina skyldigheter], [försöka] smita

shirt [ʃɜ:t] **1** skjorta; sport. tröja; *keep your* ~ *on!* sl. ta't lugnt!; *put one's* ~ *on* [*a horse*] sl. sätta sitt sista öre på... **2** [skjort]blus

shirtfront ['ʃɜ:tfrʌnt] skjortbröst

shirting ['ʃɜ:tɪŋ] skjorttyg

shirtsleeve ['ʃɜ:tsli:v] **I** *s* skjortärm; *in one's* ~*s* i [bara] skjortärmarna **II** *adj* informell

shirtwaist ['ʃɜ:tweɪst] isht amer. [skjort]blus

shirty ['ʃɜ:tɪ] sl. förbannad arg; stött förnärmad

shit [ʃɪt] **I** *s* vulg. skit äv. bildl. [*he's a big* ~]; *I don't give a* ~*!* det skiter jag!, det ger jag fan i!; *scare the* ~ *out of a p.* göra ngn skiträdd **II** (*shit shit*; ibl. *shat shat* el. ~*ted* ~*ted*) *vb itr* vulg. skita **III** *interj,* ~*!* vulg. fan [också]!, skit [också]! **IV** *adj* vulg. skit-; jävla; *be up* ~ *creek* ligga taskigt till vara illa ute

1 shiver ['ʃɪvə] **I** *s* skärva, flisa **II** *vb itr* splittras, gå (flyga) i bitar; flisa sig

2 shiver ['ʃɪvə] **I** *vb itr* darra, rysa **II** *s* darrning, rysning; *a cold* ~ *ran down my back* det gick kalla kårar efter ryggen på mig

shivery ['ʃɪvərɪ] darrig; rysande

1 shoal [ʃəʊl] **1** stim [*a* ~ *of herring*] **2** massa [~*s of people*]; *in* ~*s* i massor

2 shoal [ʃəʊl] grund, [sand]rev

1 shock [ʃɒk] **1** skyl [*a* ~ *of 12 sheaves* (kärvar)] **2** *a* ~ *of hair* en massa hår, en [stor (tjock)] kalufs

2 shock [ʃɒk] **I** *s* **1** [våldsam] stöt; ~ *wave* stötvåg, chockvåg, tryckvåg **2** [*electric*] ~ [elektrisk] stöt **3** chock äv. med.; ~ *therapy* (*treatment*) chockbehandling **4** ~ *tactics* chocktaktik äv. friare; ~ *troops* stöttrupper, stormtrupper **II** *vb tr* **1** uppröra, chockera **2** med. ge en chock

shock-absorber ['ʃɒkəbˌsɔ:bə, -əbˌz-] stötdämpare

shocking ['ʃɒkɪŋ] upprörande, chockerande; vard. förskräcklig, förfärlig [*a* ~ *blunder*]

shockproof ['ʃɒkpru:f] stötsäker [*a* ~ *watch*]

shod [ʃɒd] imperf. o. perf. p. av *shoe II*

shoddy ['ʃɒdɪ] **I** *s* smörja **II** *adj* **1** falsk; humbug- [~ *methods*] **2** tarvlig [*a* ~ *trick*]; sjabbig [*a* ~ *hotel* (*suit*)]

shoe [ʃu:] **I** *s* **1** sko; isht lågsko; amer. äv. känga; pl. ~*s* äv. skodon; *I wouldn't be in your* ~*s* [*for a million pounds*] vard. jag skulle inte vilja vara i dina skor (kläder)... **2** skoning; doppsko; beslag; bromsback **II** (*shod shod*) *vb tr* sko [~ *a horse*]; sätta en sko (skor) på

shoehorn ['ʃu:hɔ:n] skohorn

shoelace ['ʃu:leɪs] skosnöre

shoemaker ['ʃu:ˌmeɪkə] skomakare

shoestring ['ʃu:strɪŋ] **I** *s* **1** amer. skosnöre **2** [*start business*] *on a* ~ ...med små medel, ...på lösa boliner **II** *adj* **1** med små (otillräckliga) medel **2** knapp [*a* ~ *majority*]

shoetree ['ʃu:tri:] skoblock

shone [ʃɒn, amer. vanl. ʃəʊn] imperf. o. perf. p. av *shine I* o. *II*

shoo [ʃu:] **I** *interj,* ~*!* schas! **II** *vb tr,* ~ *away* (*off*) schasa bort

shook [ʃʊk] imperf. av *shake A*

shoot [ʃu:t] **I** (*shot shot*) *vb itr* (se äv. *III*) **1** skjuta **2** jaga; *be* (*go*) *out* ~*ing* vara [ute] (gå [ut]) på jakt **3** [blixtsnabbt] fara [*he shot out of the door*], rusa, störta [~ *away*], susa [*he shot past me on his bike*], flyga, vina [*the arrow shot past him*], skjuta [*the thought shot through his mind* (hjärna)]; *I have* ~*ing pains in my tooth* det ilar i tanden [på mig] **4** fotografera, filma **5** ~*!* vard. ut med språket!; sätt igång!

II (*shot shot*) *vb tr* **1** skjuta; arkebusera; skjuta av [~ *an arrow*; ~ *a pistol at* (mot) *a p.*]; *you'll get shot if...* vard. du kommer att få på nöten om... **2** kasta [~ *rays*]; ~ *a hasty glance at a p.* kasta en hastig blick på ngn **3** jaga [~ *hares*] **4** fotografera; spela in [~ *a film*], ta [~ *a scene*] **5** sport. skjuta [~ *the ball against the bar*] **6** stjälpa av [~ *rubbish*], vräka [ned] **7** ~ *the rapids* fara (driva, kasta sig) utför forsarna, göra en forsfärd **8** amer. vard. spela [~ *craps* (*dice*)]

III *vb tr* o. *vb itr* m. prep. o. adv., isht med spec. övers.:

~ **down**: **a**) skjuta ned [~ *down a p.* (*a plane*)] **b**) bildl. göra (slå) ned, krossa, tillintetgöra [~ *down a p. in an argument*]

~ **forth** spira upp (fram)

~ **off**: skjuta (fyra) av [~ *off a rifle*]; skjuta bort; vard. bli av med

~ **out**: **a**) om udde o.d. skjuta ut (fram); [*the snake*] *shot its tongue out* ...sköt ut tungan **b**) vard., ~ *it out* göra upp med skjutvapen

~ **up**: skjuta (slå) upp [*flames were ~ing up*]; ränna i höjden (i vädret) [*the boy is ~ing up fast*]; rusa i höjden [*prices shot up*]; *the pain shot up his arm* det värkte till uppåt armen på honom

IV *s* **1** bot. skott **2** [timmer]ränna **3** [sop]nedkast **4** jaktsällskap; jakttur; jaktmark; jakt **5** vard., *the whole ~* hela klabbet

shooting ['ʃu:tɪŋ] **1** skjutning; skjut- [~ *position (practice)*]; skjutskicklighet; ~ *incident* skott[lossnings]intermezzo **2** jakt; jakträtt; jaktmark; jaktsällskap [äv. ~ *party*]; ~ *rights* jakträtt[igheter] **3** fotografering, filmning, skjutning

shooting-brake ['ʃu:tɪŋbreɪk] herrgårdsvagn, stationsvagn

shooting-gallery ['ʃu:tɪŋˌgælərɪ] täckt skjutbana

shooting-range ['ʃu:tɪŋreɪn(d)ʒ] skjutbana

shooting-star ['ʃu:tɪŋstɑ:] stjärnskott

shoot-out ['ʃu:taʊt] **1** [avgörande] eldstrid, väpnad uppgörelse **2** [*penalty*] ~ fotb. straffsparksläggning

shop [ʃɒp] **I** *s* **1** affär, butik; *keep ~* sköta butiken; *set up ~* öppna affär (butik, eget); *set up ~ in* [*London*] vard. slå sig ner i...; *shut up ~* vard. slå igen butiken sluta **2** verkstad **3** vard., *talk ~* prata jobb **II** *vb itr* **1** göra [sina] inköp; ~ *around* se sig omkring före köpet; *go ~ping* gå [ut] och handla (shoppa), gå i affärer **2** sl., ~ *on a p.* tjalla på ngn

shop assistant ['ʃɒpəˌsɪstənt] expedit, affärsanställd, affärsbiträde

shopfloor [ʃɒp'flɔ:, '--] verkstadsgolv [*on the ~*]; *the ~* äv. arbetarna på verkstadsgolvet

shopfront ['ʃɒpfrʌnt] **1** skyltfönster **2** bildl. fasad

shopkeeper ['ʃɒpˌki:pə] butiksinnehavare; neds. krämare

shoplifter ['ʃɒpˌlɪftə] snattare

shoplifting ['ʃɒpˌlɪftɪŋ] snatteri

shopper ['ʃɒpə] person som är ute och handlar (shoppar)

shopping ['ʃɒpɪŋ] inköp; [inhandlade] varor [*unpack the ~*]; *do some ~* göra några inköp, handla (shoppa) lite [grand]; ~ *cart (trolley)* shoppingvagn; ~ *centre* köpcentrum, shoppingcenter

shopsoiled ['ʃɒpsɔɪld] butiksskadad, lagerskadad

shop steward [ʃɒp'stjʊəd, '-,-] arbetares förtroendeman; fackföreningsrepresentant

shopwalker ['ʃɒpˌwɔ:kə] avdelningschef på varuhus

shopwindow [ʃɒp'wɪndəʊ] skyltfönster, butiksfönster; *put all one's goods in the ~* bildl. försöka visa sig från sin bästa sida

1 shore [ʃɔ:] strand; kust [*a rocky ~*]; ~ *leave* sjö. landpermission

2 shore [ʃɔ:] **I** *s* stötta **II** *vb tr* stötta

shorn [ʃɔ:n] perf. p. av *shear*

short [ʃɔ:t] **I** *adj* **1** kort, kortfattad [*a ~ speech*], kortvuxen [*a ~ man*]; ~ *for* [en] förkortning för; ~ *cut* genväg; ~ *sight* närsynthet; ~ *story* novell **2** knapp [*a ~ allowance*], för kort [*the coat was 10 centimetres ~*]; *we are £5 ~* det fattas 5 pund för oss; *fuel is in ~ supply* det är knapp tillgång på bränsle **3** ~ *of* a) otillräckligt försedd med b) så när som på, utom [*he will do everything ~ of that*]; ~ *of breath* andfådd, andtäppt **4** *be ~ of* ha ont om [*I am ~ of money*], ha brist på; *be ~ on* sakna, vara utan [*be ~ on ideas*] **5** kort, brysk **II** *adv* **1** tvärt; *bring up ~* stoppa (hejda) tvärt; *pull up (stop) ~* tvärstanna **2** otillräckligt; *come (fall) ~ of* inte gå upp mot; understiga [*fall ~ of demand by* (med) *17 per cent*]; inte motsvara, svika [*fall ~ of a p.'s expectations*] **3** ~ *of* se *I 3* **III** *s* **1** a) kort stavelse b) kort [signal] i morsealfabetet **2** *for ~* för korthetens skull **3** vard. kortfilm **4** vard. kortslutning

shortage ['ʃɔ:tɪdʒ] brist; underskott; *teacher ~* lärarbrist

shortbread ['ʃɔ:tbred] o. **shortcake** ['ʃɔ:tkeɪk] mördegskaka

shortchange ['ʃɔ:ttʃeɪn(d)ʒ] **1** ge för litet växel tillbaka **2** lura, bedra

short-circuit [ʃɔ:t'sɜ:kɪt] **I** *s* elektr. kortslutning **II** *vb tr* **1** elektr. orsaka kortslutning i **2** hindra, lägga hinder i vägen för **3** förkorta, förenkla

shortcoming [ʃɔ:t'kʌmɪŋ] brist, fel

short-crust ['ʃɔ:tkrʌst], ~ *paste* mördeg

shorten ['ʃɔ:tn] **I** *vb tr* förkorta, ta av **II** *vb itr* bli kortare [*the days are beginning to ~*], förkortas, minska[s]

shortening ['ʃɔ:tnɪŋ] **1** förkortning **2** matfett (smör, margarin o.d.) till bakning

shortfall ['ʃɔ:tfɔ:l] brist, underskott [*a ~ of £50*]; underproduktion [*a ~ of coal*]; nedgång

shorthand ['ʃɔ:thænd] stenografi, stenografisk [*~ report*]; ~ *typist* stenograf och maskinskriverska; *write ~* stenografera

short-handed [ʃɔ:t'hændɪd] isht sjö. underbemannad; *be ~* ha otillräcklig besättning, ha brist på (ont om) arbetskraft (personal)

short-list ['ʃɔ:tlɪst] **I** *s* lista över dem som är kvar i slutomgången **II** *vb tr* sätta upp (ta med) på slutlistan

short-lived [ʃɔ:t'lɪvd, attr. '--] kortlivad

shortly ['ʃɔ:tlɪ] **1** kort [~ *after*[*wards*]], strax

[~ *before noon*]; inom kort [*he is ~ to leave for Mexico*] **2** kortfattat, med få ord

shortness [ˈʃɔ:tnəs] **1** korthet [*the ~ of life*]; ringa längd [*the ~ of* (på) *a skirt*] **2** knapphet; ~ *of breath* andtäppa, andfåddhet

short-range [ˌʃɔ:tˈreɪndʒ, attr. äv. ˈ--] kortdistans- [~ *missile*], korthålls- [~ *shot*]; kortsiktig [~ *plans*]

shorts [ʃɔ:ts] shorts äv. sport.; kortbyxor; amer. boxershorts

short-sighted [ˌʃɔ:tˈsaɪtɪd, attr. ˈ-ˌ--] **1** närsynt **2** kortsynt, korttänkt

short-staffed [ˌʃɔ:tˈstɑ:ft] underbemannad

short-tempered [ˌʃɔ:tˈtempəd, attr. äv. ˈ-ˌ--] häftig, lättretad; *be ~* äv. ha kort stubin

short-term [ˈʃɔ:ttɜ:m] **1** hand. kortfristig [~ *loan*] **2** kortsiktig [~ *policy*]

short-wave [ˈʃɔ:tweɪv] radio. kortvåg; kortvågs- [~ *receiver* (*transmitter*)]

1 shot [ʃɒt] **I** imperf. o. perf. p. av *shoot* **II** *adj* **1** skiftande; vattrad [~ *silk*]; ~ *with blue* blåskiftande, skiftande i blått **2** vard., *get ~ of a th.* [kunna] spola (bli kvitt) ngt

2 shot [ʃɒt] **1** skott [*hear ~s in the distance*]; *blank ~* löst skott; *he was off like a ~* vard. han for i väg som ett skott (en pil) **2** (pl. lika) kula **3** skytt; *he is a good* (*bad*) *~* äv. han skjuter bra (dåligt) **4** a) foto [*a nice ~ of my kids*] b) tagning; scen [*exterior ~s*]; *long ~* avståndsbild, helbild **5** vard. försök; *a ~ in the dark* en lös gissning; *a long ~* en lös gissning; en vild chansning **6** sport. o.d. **a**) fotb. o.d. skott; *a ~ at goal* ett skott på mål **b**) *put the ~* stöta kula **c**) bilj. o.d. stöt **7** vard. dos[is]; spruta [*get a ~ of morphine*]; styrketår, glas [*a ~ of whisky*]; sl. sil narkotikainjektion; *give industry a ~ in the arm* stimulera (sätta fart på) industrin; *pay one's ~* betala sin andel **8** *call the ~s* sl. vara den som bestämmer, basa

shotgun [ˈʃɒtgʌn] **I** *s* hagelgevär **II** *adj* tvångs-; *it was a ~ marriage* (*wedding*) vard. de var tvungna att gifta sig [därför att hon var med barn]

should [ʃʊd, obeton. äv. ʃəd] (imperf. av *shall*) skulle; borde, bör [*you ~ see a doctor*]; torde; ska, skall [*it is surprising that he ~ be so foolish*]; *they ~ be there by now, I think* jag skulle tro att de är där nu; *how ~ I know?* hur ska (skulle) jag kunna veta det?

shoulder [ˈʃəʊldə] **I** *s* **1** skuldra [*ride on a p.'s ~s*]; på kreatur o. kok. bog[parti]; ~ *of mutton* fårbog; ~ *to ~* skuldra vid skuldra, sida vid sida äv. bildl.; *broad in the ~s* bred över axlarna (skuldrorna), bredaxlad, axelbred **2** vägkant; *hard ~* vägren, bankett **II** *vb tr* **1** lägga på (över) axeln [~ *a burden*], axla; ~ *arms!* mil. på axel gevär! **2** knuffa [med axeln] [~ *one's way* (sig fram) *through a crowd*] **3** ta på sig [~ *the blame, ~ a debt* (*task*)]

shoulder bag [ˈʃəʊldəbæg] axel[rems]väska

shoulder blade [ˈʃəʊldəbleɪd] skulderblad

shoulder strap [ˈʃəʊldəstræp] **1** mil. axelklaff **2** axelrem **3** axelband på damplagg

shouldn't [ˈʃʊdnt] = *should not*

shout [ʃaʊt] **I** *vb itr* o. *vb tr* skrika [~ *for* (av) *joy*; ~ *with* (av) *pain*], ropa [~ *for* (efter) *more*]; ropa (skrika) ut [~ *one's disapproval*]; *he ~ed with laughter* han tjöt av skratt; ~ *at* skrika åt [*don't ~ at me!*]; ~ *a p. down* överrösta ngn; bua ut ngn **II** *s* skrik; ~ *of joy* glädjeskrik, glädjerop

shouting [ˈʃaʊtɪŋ] skrik[ande]; *it's all over bar* (*but*) *the ~* vard. saken är klar (avgjord)

shove [ʃʌv] **I** *vb tr* **1** skuffa, skjuta, skjutsa **2** vard. stoppa [~ *it in the drawer*], lägga; ~ *one's clothes on* sätta på sig kläderna **II** *vb itr* knuffas, skuffas; ~ *along* knuffa (skuffa) sig fram; ~ *off* a) stöta (lägga) ut [från land] [äv. ~ *out*] b) vard. sticka [i väg] **III** *s* knuff, stöt; *give a p. a ~* a) vard. knuffa till ngn b) ge ngn en skjuts (puff)

shovel [ˈʃʌvl] **I** *s* skovel; skyffel **II** *vb itr* o. *vb tr* skovla, skotta; ~ *in* (*up*) *money* vard. kamma (raka) in pengar

show [ʃəʊ] **I** (*showed shown*, ibl. *showed*) *vb tr* (se äv. *III*) **1** visa, visa fram [~ *one's passport*], ställa ut [~ *pictures*]; *time will ~* det får framtiden utvisa; ~ *one's hand* (*cards*) bildl. bekänna färg, lägga korten på bordet; *that'll ~ them!* vard. då ska dom få se!; ~ *up* a) visa upp b) avslöja [~ *up a fraud*] **2** ange [*a barometer ~s the air pressure*] **3** visa [vägen]; följa, ledsaga [~ *a p. to the door*]; ~ *a p. the door* visa ngn på dörren **4** påvisa, bevisa [*we have ~n that the story is false*]; *it goes to ~ that...* det visar bara att...

II (*showed, shown*, ibl. *showed*) *vb itr* (se äv. *III*) **1** visa sig; *it doesn't ~* det syns inte **2** visas [*the film is ~ing at the Grand*]

III *vb tr* o. *vb itr* med spec. övers.:

~ **in** visa (föra) in [~ *him in!*]

~ **off**: a) visa upp [~ *off one's children*] **b**) [försöka] briljera [~ *off one's knowledge*]; visa sig på styva linan, stila **c**) visa, framhäva [*the tight dress ~ed off her figure*]

~ **out**: a) följa (ledsaga) ngn ut b) visa på dörren

~ **over** (**round**): *he ~ed us over* (*round*) *the house* han visade oss omkring (runt) huset

~ **up a**) visa upp **b**) avslöja [~ *up a fraud* (*an impostor*)] **c**) ~ *a p.* (*a th.*) *up to ridicule* förlöjliga ngn (ngt) **d**) synas tydligt [*her wrinkles ~ed up in the sunlight*], framträda **e**) vard. visa sig, komma [*he never ~ed up at the party*]

IV *s* **1** utställning [*flower show*]; uppvisning [*air* ~]; [teater]föreställning, show; *good ~!* ngt åld. vard. bravo!, fint!; *put up a good* ~ göra mycket bra ifrån sig; *be on* ~ vara utställd, kunna beses **2** a) anblick [*it was a beautiful* ~] b) yttre glans [*empty* ~] c) sken [*a ~ of truth*] d) skymt [*there is a ~ of reason in it*]; *he made a poor* ~ han gjorde en slät figur; *make a ~ of* [vilja] lysa (briljera) med; *make a ~ of being* [*rich*] ge sken av att vara...; *he didn't offer even a ~ of resistance* han gjorde inte ens en min av att vilja göra motstånd **3** ~ *of force* (*strength*) styrkedemonstration **4** vard. affär, historia; *give the* [*whole*] ~ *away* avslöja alltihop; *run the* ~ basa för det hela, sköta ruljangsen

show biz ['ʃəʊbɪz] vard. kortform för *show business*

show business ['ʃəʊˌbɪznəs] showbusiness, showbiz

showcase ['ʃəʊkeɪs] **1** monter; utställningsskåp **2** PR-nummer, reklamjippo

showdown ['ʃəʊdaʊn] **1** i poker uppläggning av korten på bordet **2** bildl. uppgörelse; kraftmätning; *there was a* ~ det kom till en kraftmätning [mellan dem], de lade korten på bordet

shower ['ʃaʊə] **I** *s* **1** skur [*a ~ of hail* (*stones*)]; bildl. äv. ström, regn [*a ~ of gifts*] **2** dusch; *take* (*have*) *a* ~ ta en dusch, duscha **3** amer. lysningsmottagning, lysningskalas; möhippa **4** sl. skit[stövel] **II** *vb itr* **1** falla i skurar [ofta ~ *down*]; bildl. äv. hagla **2** duscha **III** *vb tr* **1** låta regna ned; bildl. överhopa; ~ *abuse* [*up*]*on a p.* överösa ngn med ovett **2** duscha [över]

shower bath ['ʃaʊəbɑ:θ] dusch äv. duschrum; duschapparat; *take* (*have*) *a* ~ ta en dusch, duscha

showerproof ['ʃaʊəpru:f] regntät

showery ['ʃaʊərɪ] regnig; ~ *rain* regnskurar

showgirl ['ʃəʊgɜ:l] balettflicka; [kvinnlig] nattklubbsartist (revyartist)

showing ['ʃəʊɪŋ] **1** [före]visning [*the ~ of a film*]; utställning [*a ~ of flowers*] **2** [*the accounts*] *make* [*a*] *good* ~ ...ser bra ut **3** *on your own* ~ som du själv har påpekat (visat)

show-jumping ['ʃəʊˌdʒʌmpɪŋ] ridn. hinderhoppning

show|man ['ʃəʊ|mən] (pl. *-men* [-mən]) **1** utställningschef **2** cirkusdirektör **3** teaterdirektör, revyskådespelare; showman

shown [ʃəʊn] perf. p. av *show*

show-off ['ʃəʊɒf] vard. skrytmåns; *he's a* ~ äv. han vill alltid visa sig på styva linan

showpiece ['ʃəʊpi:s] **1** utställningsföremål; turistattraktion **2** paradnummer

showroom ['ʃəʊru:m] utställningslokal

showy ['ʃəʊɪ] grann; flärdfull

shrank [ʃræŋk] imperf. av *shrink*

shrapnel ['ʃræpn(ə)l] mil. granatsplitter

shred [ʃred] **I** *s* remsa, trasa; *without a ~ of clothing on him* (*her* etc.) utan en tråd på kroppen; *not a ~ of evidence* inte en tillstymmelse till (skymt av) bevis **II** *vb tr* skära (klippa, riva) i remsor (trasor); riva (slita, trasa) sönder; *~ded tobacco* finskuren tobak; *~ded wheat* slags vetekuddar som äts med mjölk till frukost

shredder ['ʃredə] **1** grovt rivjärn, råkostkvarn **2** dokumentförstörare

shrew [ʃru:] **1** argbigga, ragata **2** zool. näbbmus

shrewd [ʃru:d] skarp[sinnig] [*a ~ remark* (*reply*)]; knipslug [*a ~ old man*]; slug [*a ~ businessman*]

shrewdness ['ʃru:dnəs] skarpsinne, slughet

shriek [ʃri:k] **I** *vb itr* [gall]skrika; tjuta [~ *with* (av) *laughter*] **II** *vb tr*, ~ [*out*] skrika [ut] **III** *s* [gällt] skrik; tjut [*~s of laughter*]

shrift [ʃrɪft], *short* ~ jur. kort frist; *give a p. short* ~ göra processen kort med ngn

shrill [ʃrɪl] gäll

shrimp [ʃrɪmp] **I** *s* **1** [liten] räka **2** bildl. puttefnask; kryp **II** *vb itr* fånga räkor

shrine [ʃraɪn] **1** relikskrin; helgongrav; helgonaltare **2** helgedom

shrink [ʃrɪŋk] **I** (imperf. *shrank*, ibl. *shrunk*; perf. p. *shrunk*) *vb itr* **1** krympa [*the shirt does* (*will*) *not ~ in the wash*], krympa (krypa) ihop; bildl. äv. minska; sjunka ihop; skrumpna; bli mycket rynkig; *warranted not to* ~ hand. garanterat krympfri **2** ~ [*back*] rygga [tillbaka], skygga [*at* vid, för; *from* för] **II** (för tema se *I*) *vb tr* [få att] krympa [*hot water ~s woollen clothes*] **III** *s* **1** krympning **2** sl. hjärnskrynklare psykiater

shrinkage ['ʃrɪŋkɪdʒ] krympning; bildl. äv. minskning [*the ~ in our export trade is serious*]; *allowance for* ~ krympmån

shrinkproof ['ʃrɪŋkpru:f] o. **shrink-resistant** ['ʃrɪŋkrɪˌzɪst(ə)nt] krympfri

shrivel ['ʃrɪvl] **1** ~ *up* [få att] skrumpna [skrynkla ihop sig], bli (göra) rynkig **2** bildl. ~ [*up*] [få att] förtorka (vissna bort)

shroud [ʃraʊd] **I** *s* **1** [lik]svepning **2** bildl. hölje, slöja [*a ~ of mystery*] **3 a**) sjö. vant **b**) flyg., ~ [*line*] bärlina på fallskärm **II** *vb tr* **1** svepa lik **2** hölja [*~ed in fog*]; *~ed in mystery* höljd i dunkel

shrub [ʃrʌb] buske

shrubbery ['ʃrʌbərɪ] buskage

shrug [ʃrʌg] **I** *vb tr*, ~ *one's shoulders* rycka

på axlarna [*at* åt] **II** *s*, ~ [*of the shoulders*] axelryckning

shrunk [ʃrʌŋk] perf. p. o. ibl. imperf. av *shrink*

shrunken [ˈʃrʌŋk(ə)n] hopfallen, insjunken [~ *cheeks*], skrumpen [*a* ~ *apple*]

shudder [ˈʃʌdə] **I** *vb itr* rysa, bäva [~ *with* (av) *horror*]; skaka, huttra [~ *with* (av) *cold*]; *I* ~ *to think* jag ryser när jag tänker på det **II** *s* rysning; skakning; *give a* ~ rysa till

shuffle [ˈʃʌfl] **I** *vb itr* **1** gå släpande (släpigt), lufsa; dansa släpigt **2** kortsp. blanda **3** bildl. slingra sig; smussla, fiffla; ~ *out of* krångla sig ifrån (ur) **II** *vb tr* **1** hasa med; ~ *one's feet* släpa (skrapa) med fötterna **2 a**) blanda [~ *cards*] **b**) bildl. flytta om [*war has ~d the population*]; möblera om bland (i) [~ *the Cabinet*] **3** fösa, skuffa; smussla [~ *a p. into a firm*]; ~ *off* kasta av sig [~ *off a burden* (*one's clothes*)]; slänga ifrån sig, göra sig kvitt; skjuta ifrån sig (över) [~ *off the responsibility upon others*] **III** *s* **1** släpande rörelse (sätt att röra sig); hasande; släpig dans **2 a**) kortsp. blandande; *it's your* ~ det är din tur att blanda **b**) bildl. omflyttning; ommöblering [*a Cabinet* ~]

shun [ʃʌn] undvika [~ *publicity*], sky [~ *a p. like the plague*]

shunt [ʃʌnt] **I** *vb tr* **1** järnv. växla [~ *a train on to* (över på) *a sidetrack*], rangera [~ *railway cars*] **2** elektr. shunta **3** vard. fösa (skyffla) omkring **II** *vb itr* växla [*the train is ~ing*]

shush [ʃəʃ, ʃʊʃ, ʃʌʃ, interj. vanl. ʃ:] **I** *vb tr* hyssja ner, tysta [ner] **II** *vb itr* **1** hyssja **2** tystna **III** *interj*, *~!* sch!, [var] tyst!, hyssj!

shut [ʃʌt] **I** (*shut shut*) *vb tr* **1** stänga [~ *a door*]; stänga av; stänga in [~ *the dog in the kitchen*]; fälla ned (igen) [~ *a lid*]; slå ihop (igen) [~ *a book*]; ~ *one's ears to* bildl. sluta till sina öron för; ~ *your mouth* (*face*)! sl. håll käft! **2** klämma [~ *one's finger in a door*] **II** (*shut shut*) *vb itr* stänga[s]; gå att stänga [*the door ~s easily*]

III *vb tr* o. *vb itr* med adv. o. prep., med spec. övers.:

~ **away** isolera, stänga in [~ *oneself away*]

~ **down**: a) tr. slå igen [~ *down a lid*], bildl. äv. lägga ned [~ *down a factory*] b) itr. slå igen, läggas ner [*the factory has ~ down*]

~ **in** stänga inne; innesluta [*a plain ~ in by hills*]; ~ *oneself in* stänga (låsa) in sig

~ **off**: a) stänga av b) bildl. utestänga, utesluta

~ **out** stänga ute, hålla utestängd från äv. bildl.; utesluta; [*the trees*] ~ *out the view* ...skymmer (skymde) utsikten

~ **to** stänga till [~ *a door to*]

~ **up**: **a**) stänga (bomma) till (igen) [~ *up a house*]; ~ *up shop* vard. slå igen butiken sluta **b**) låsa in [~ *up one's valuables*] **c**) vard. tystna; tiga, hålla mun [*he* ~ *up about* (med) *it*; ~ *up!*]; ~ *a p. up* tysta ned ngn; få ngn att hålla mun (käft)

IV *perf p* o. *adj* stängd etc., jfr *I*; *keep one's eyes* ~ blunda

shutdown [ˈʃʌtdaʊn] stängning [*the temporary ~ of a factory* (*frontier*)], nedläggning

shutter [ˈʃʌtə] **I** *s* **1** [fönster]lucka; *put up the ~s* stänga (slå igen) fönsterluckorna; vard. slå igen butiken sluta **2** foto. slutare; ~ *release* utlösare **II** *vb tr* förse (stänga) med fönsterluckor

shuttle [ˈʃʌtl] **I** *s* **1** skyttel; vävn. äv. skottspole **2 a**) ~ *diplomacy* skytteldiplomati **b**) pendelbuss, pendelplan, pendelbåt; matarbuss **II** *vb itr* o. *vb tr* **1** skicka (fara, springa) fram och tillbaka (som en skottspole) **2** transportera (fara, gå) i skytteltrafik; gå i pendeltrafik **3** pendla

shuttlecock [ˈʃʌtlkɒk] **I** *s* badmintonboll; fjäderboll **II** *vb tr* bolla (jonglera) med; skicka fram och tillbaka [mellan sig] **III** *vb itr* sno som en skottspole

1 shy [ʃaɪ] **I** *adj* blyg, skygg [*a ~ look* (*smile*)]; *fight ~ of* [söka] undvika, dra sig för [*fight ~ of making a decision*], gå ur vägen för [*fight ~ of a p.*] **II** *vb itr* skygga; ~ *away* dra sig undan; ~ *away from doing a th.* dra sig för att göra ngt

2 shy [ʃaɪ] vard. **I** *vb tr* slänga, kasta [~ *stones at* (på) *a th.*] **II** *s* kast; bildl. försök; *have a ~ at a th.* försöka träffa ngt; bildl. försöka sig på ngt

shyness [ˈʃaɪnəs] blyghet, skygghet

Siamese [ˌsaɪəˈmiːz] **I** *adj* **1** hist. siamesisk **2** ~ *cat* siameskatt; ~ *twins* siamesiska tvillingar **II** *s* **1** hist. (pl. lika) siames **2** siamesiska [språket] **3** (pl. lika) siames[katt]

Siberia [saɪˈbɪərɪə] Sibirien

Siberian [saɪˈbɪərɪən] **I** *adj* sibirisk; ~ *crab* [*apple*] paradisäpple **II** *s* sibirier

Sicilian [sɪˈsɪljən] **I** *adj* siciliansk **II** *s* sicilianare

Sicily [ˈsɪsəlɪ] Sicilien

1 sick [sɪk] bussa [~ *a dog on a p.*]

2 sick [sɪk] **I** *adj* **1 a**) sjuk [*her ~ husband*]; *a ~ man* en sjuk [man]; *the ~* de sjuka **b**) illamående [*become ~*]; *be ~* a) vara (bli) illamående, må illa, ha (få) kväljningar b) kräkas, spy [*he was ~ three times*]; *be ~ at* (*to, in*) *one's stomach* amer. må illa, ha (få) kväljningar; *feel ~* känna sig illamående, må illa, ha kväljningar; *you make me ~* jag mår illa bara jag ser dig; *it's enough to make one ~* det är så

man kan må illa [åt det] **2** sjuklig [~ *thoughts*]; vard. sjuk [*a ~ joke; ~ humour*] **3** ~ [*and tired*] *of* [grundligt] led på (åt), [innerligt] trött på; *I am ~ to death of it* jag är utled på det, det står mig upp i halsen **II** *vb tr* o. *vb itr*, ~ [*up*] vard. spy [upp]
sick bay ['sɪkbeɪ] sjuk[vårds]avdelning; läkarmottagning; *the ~* äv. sjukan
sick benefit ['sɪkˌbenɪfɪt] sjukpenning
sicken ['sɪk(ə)n] **I** *vb itr* **1** [in]sjukna, [börja] bli sjuk [*the child is ~ing for* (i) *something*] **2** äcklas **II** *vb tr* göra illamående; äckla; *it ~s me to think of it* jag mår illa när jag tänker på det
sickening ['sɪk(ə)nɪŋ] **1** vämjelig, beklämmande [*a ~ sight*], äcklig; *it's ~* det är så man kan må illa, det är hopplöst **2** vard. irriterande, retsam [*a ~ mistake*]
sickle ['sɪkl] skära skördaredskap
sick leave ['sɪkli:v] sjukledighet; *be on ~* vara sjukledig (sjukskriven)
sickly ['sɪklɪ] **I** *adv* sjukligt **II** *adj* **1** sjuklig [*a ~ child*] **2** svag, matt, blek [*~ colours; a ~ smile*] **3** äcklig [*a ~ taste*], kväljande [*a ~ smell*]; sötsliskig [*~ sentimentality*]
sickness ['sɪknəs] **1** sjukdom; -sjuka [*mountain ~*]; *~ benefit* sjukpenning, sjukersättning; *there is a great deal of ~* [*in the town*] det är många sjuka… **2** kväljningar, illamående; kräkningar
sick pay ['sɪkpeɪ] sjuklön
side [saɪd] **I** *s* **1** a) sida, bildl. äv. part [*hear both ~s*] b) håll, kant c) sport. lag [*choose ~s*] d) sido- [*a ~ door*], sid-; *this ~ up* denna sida upp!; *pick ~s* välja lag; *his ~s were shaking with laughter* han skakade av skratt; *take ~s* ta parti (ställning) [*with a p.* för ngn]; *at the ~ of* bredvid; *at a p.'s ~* vid ngns sida äv. bildl.; *~ by ~* sida vid sida äv. bildl., bredvid varandra; *from all ~s* el. *from every ~* från alla sidor; ur alla synpunkter [*consider a th. from all ~s*]; *on all ~s* på (från) alla sidor; *it was agreed on all ~s that…* samtliga enades om att…; *put on one ~* lägga åt sidan; [*put a th.*] *to one ~* …åt sidan (undan) **2** ss. efterled i sms. a) sluttning [*mountainside*] b) strand [*riverside*] **3** vard., *he has no ~* han är inte mallig [av sig] **II** *vb itr*, *~ against* (*with*) *a p.* ta parti mot (för) ngn
sideboard ['saɪdbɔ:d] **1** serveringsbord, byffé, sideboard **2** pl. *~s* vard. polisonger
sideburns ['saɪdbɜ:nz] isht amer. vard. polisonger
sidecar ['saɪdkɑ:] sidvagn till motorcykel
side effect ['saɪdɪˌfekt] **1** med. biverkan **2** bildl. biverkan, sidoeffekt
side glance ['saɪdglɑ:ns] sidoblick
sidekick ['saɪdkɪk] vard. kompis
sidelight ['saɪdlaɪt] **1** sidoljus, sidobelysning **2** a) sjö. sidolanterna b) bil. sidomarkeringsljus **3** bildl. sidobelysning; vinkling
sideline ['saɪdlaɪn] **1** sport. sidlinje; pl. *~s* äv. åskådarplats; *from the ~s* a) från åskådarplats b) bildl. utifrån [sett]; *on the ~s* sport. på reservbänken; bildl. som åskådare, passivt **2** bisyssla; *a job as a ~* ett jobb vid sidan 'om, ett extraknäck
sidelong ['saɪdlɒŋ] **I** *adj* från sidan, sned; sido- [*a ~ glance*] **II** *adv* från (på) sidan, på sned
side-saddle ['saɪdˌsædl] **I** *s* damsadel **II** *adv* i damsadel [*ride ~*]
sideshow ['saɪdʃəʊ] **1** mindre attraktion (utställning) **2** stånd på nöjesfält o.d.
side-splitting ['saɪdˌsplɪtɪŋ] hejdlöst rolig [*a ~ farce*]; hejdlös [*~ laughter*]
sidestep ['saɪdstep] **I** *vb itr* ta ett steg åt sidan; boxn. sidsteppa **II** *vb tr* undvika genom ett steg åt sidan; boxn. sidsteppa för [*~ a blow*]; bildl. förbigå [*~ a p.*]; undvika
side street ['saɪdstri:t] sidogata
sidetrack ['saɪdtræk] **I** *s* sidospår **II** *vb tr* **1** växla in på ett sidospår **2** bildl. a) leda in på ett sidospår b) skjuta åt sidan, bordlägga [*~ a proposal*]
sidewalk ['saɪdwɔ:k] amer. trottoar
sideward ['saɪdwəd] **I** *adj* [som riktar sig] åt sidan [*a ~ movement*] **II** *adv* se *sidewards*
sidewards ['saɪdwədz] åt sidan [*move ~*]
sideways ['saɪdweɪz] **I** *adv* från sidan [*viewed ~*]; åt sidan [*jump ~*]; på snedden (tvären) [*carry a th. ~ through a door*]; på sidan [*lie ~*] **II** *adj* [som riktar sig] åt sidan [*a ~ movement*], sido- [*a ~ glance*]
side-whiskers ['saɪdˌwɪskəz] polisonger
siding ['saɪdɪŋ] järnv. sidospår; stickspår
sidle ['saɪdl] **1** gå (tränga sig) i sidled (på tvären) [*~ through a narrow opening*] **2** smyga sig [*~ away from a p.*]; *~ up to a p.* smyga (komma smygande) fram till ngn
siege [si:dʒ] belägring; *lay ~ to* [börja] belägra
siesta [sɪ'estə] siesta, middagsvila; *take a ~* ta siesta, sova middag
sieve [sɪv] **I** *s* såll, sikt; bildl. lösmynt person, sladdrare; *he has a memory like a ~* han har ett hönsminne, hans minne är [som] ett såll **II** *vb tr* sålla äv. bildl.; sikta
sift [sɪft] **I** *vb tr* **1** sålla; sikta [*~ flour*]; skilja [ifrån]; *~ sugar* [*on to a cake*] strö socker…; *~ out* sålla bort, skilja ifrån **2** bildl. sålla; noga pröva, granska [*~ the evidence*], noga undersöka [*~ facts*]; skilja [*~ propaganda from facts*] **II** *vb itr* sila [*the sunlight ~ed through the curtains*], sippra
sifter ['sɪftə] sikt [*flour-sifter*]; ströare [*sugar-sifter*]
sigh [saɪ] **I** *vb itr* **1** sucka [*~ with* (av)

disappointment]; susa [*trees ~ing in the wind*] **2** tråna, sucka **II** *s* suck; pl. *~s* äv. suckan

sight [saɪt] **I** *s* **1** syn[förmåga] **2** åsyn; *I'm sick of the ~ of him* jag är utled på att se honom; *catch* (*get*) *~ of* få syn på, få se; *lose ~ of* förlora ur sikte; *play* [*music*] *at ~* spela [musik] från bladet; *at first ~* vid första anblicken (påseendet); *love at first ~* kärlek vid första ögonkastet; *I only know him by ~* jag känner honom bara till utseendet **3** synhåll; sikte; *be within* (*in*) *~ of a th.* ha ngt i sikte (inom synhåll), sikta ngt [*we were within* (*in*) *~ of land*]; [*the end of the war*] *was in ~* man började skönja...; *come into* (*in*) *~* komma inom synhåll, bli synlig [*of a p.* för ngn], komma i sikte **4 a**) sevärdhet [*see the ~s of the town*]; [*our garden*] *is a wonderful ~* ...är underbar att se (en fröjd för ögat) **b**) syn [*a sad ~*]; *a ~ for sore eyes* en fröjd för ögat **c**) vard., *you look a* [*perfect* (*proper*)] *~* du ser [alldeles] förfärlig ut **5** sikte; pl. *~s* riktmedel [*the ~s of a rifle*] **6 a**) sikte, siktning; observation; *take ~ at* sikta (ta sikte) på **b**) bildl. *raise one's ~s* sikta högre (mot högre mål) **7** vard. massa; *a damned ~ better* bra mycket bättre **II** *vb tr* **1** isht sjö. sikta [*~ land*] **2** bli sedd; [*the missing woman*] *has been ~ed* ...har setts **3** rikta in [*~ a gun at* (mot)]

sighted ['saɪtɪd] ss. efterled i sms. -synt [*near-sighted*]; *partially ~* synskadad, synsvag

sight-read ['saɪtri:d] (*sight-read* [-red] *sight-read* [-red]) spela (sjunga, läsa) från bladet

sightseeing ['saɪtˌsi:ɪŋ] **I** *pres p*, *go ~* gå (åka) på sightseeing **II** *s* sightseeing; sightseeing- [*a ~ bus* (*flight*)]; *a ~ tour* en sightseeing[tur], en rundtur

sightseer ['saɪtˌsi:ə] person [som går (är)] på sightseeing

sign [saɪn] **A** *s* **1** tecken; märke, spår; symbol; *there is every ~ that* el. *all the ~s are that* allt tyder på att; *bear ~s of* bära spår av (märken efter); *make no ~* inte ge något tecken ifrån sig **2** skylt [*street ~s*], trafik. äv. märke [*warning ~s*]; *electric ~* ljusskylt

B *vb* **I** *tr* (se äv. *III*) **1** underteckna [*~ a letter*], skriva under (på) [*~ a petition*], signera [*~ a picture*]; skriva in sig i [*~ the hotel register*]; skriva [*~ your initials here*]; *~ed, sealed and delivered* bildl. klappad och klar, fix och färdig **2** engagera [*~ a new football player*] **3** a) visa med [ett] tecken b) ge tecken åt [*~ a p. to stop*] **II** *itr* (se äv. *III*) **1** skriva sitt namn [*~ here!*]; *~ for* kvittera ut [*~ for a parcel*] **2** ge tecken, teckna [*he ~ed to* (åt) *me to come*]

III *tr* o. *itr* med adv. isht med spec. övers.:

~ **in** skriva upp sin ankomsttid; stämpla in på stämpelur

~ **off**: **a**) radio. sluta sändningen **b**) vard. sluta; gå och lägga sig

~ **on**: **a**) tr. anställa [*~ on workers*], engagera [*~ on actors*], värva äv. mil.; sjö. mönstra på; itr. ta anställning [*~ on with a theatre company*]; mil. ta värvning; sjö. mönstra på **b**) anmäla sig **c**) stämpla in på stämpelur

~ **up** anmäla sig [*~ up for a course*], skriva in (upp) sig

signal ['sɪgn(ə)l] **I** *s* signal [*radio* (*traffic*) *~s*]; tecken [*policeman's ~s*]; *danger ~* varningssignal **II** *adj* märklig, märkvärdig [*a ~ achievement*], framstående [*~ service for the country*]; kapital, fullständig [*a ~ failure*] **III** *vb tr* o. *vb itr* signalera; ge signal (tecken) till [*~ the advance*]; *~ the car to stop* göra tecken att bilen ska stanna

signal box ['sɪgn(ə)lbɒks] järnv. ställverk

signal|man ['sɪgn(ə)l|mən] (pl. *-men* [-mən]) **1** järnv. ställverksskötare **2** signalist

signatory ['sɪgnət(ə)rɪ] **I** *adj* signatär-; *~ power* signatärmakt **II** *s* undertecknare [*~ to* (av) *a treaty*]; signatärmakt

signature ['sɪgnətʃə] **1** signatur; underskrift **2** *~ tune* signaturmelodi **3** mus., [*key*] *~* förtecken; *time ~* taktbeteckning

signboard ['saɪnbɔ:d] skylt; anslagstavla

signet ring ['sɪgnɪtrɪŋ] signetring, klackring

significance [sɪg'nɪfɪkəns] **1** betydelse, mening, innebörd **2** vikt

significant [sɪg'nɪfɪkənt] **1** betydelsefull [*a ~ speech*], betydande [*a ~ event*] **2** meningsfull [*~ words*]; menande [*a ~ look*] **3** *~ of* betecknande för **4** markant [*a ~ improvement*]

significantly [sɪg'nɪfɪkəntlɪ] **1** betydligt, påtagligt **2** betecknande nog, vad som är betecknande [*and ~, he refused to answer*]

signify ['sɪgnɪfaɪ] **I** *vb tr* **1** innebära; tyda på **2** uttrycka, ge uttryck för [*~ one's agreement* (*approval*)] **3** betyda [*what does this phrase ~?*] **II** *vb itr* vara av betydelse (vikt)

sign language ['saɪnˌlæŋgwɪdʒ] teckenspråk

signpost ['saɪnpəʊst] **I** *s* **1** vägvisare, [väg]skylt **2** bildl. vägledning **II** *vb tr* förse med vägskyltar; *the roads are well ~ed* vägarna är väl skyltade

silage ['saɪlɪdʒ] lantbr. ensilage

silence ['saɪləns] **I** *s* tystnad; tystlåtenhet [*on a th.* [i fråga] om ngt]; *~!* tystnad!,

[var] tyst[a]!; ~ *gives consent* den som tiger han samtycker **II** *vb tr* tysta [ned] [~ *an objection*], få (komma) att tystna; få tyst på [~ *the noise*]; ~ *one's critics* äv. få sina kritiker att förstummas

silencer ['saɪlənsə] tekn. ljuddämpare

silent ['saɪlənt] **I** *adj* tyst [~ *footsteps, a ~ prayer*], tystlåten [*she is a ~ child*]; tystgående [*a ~ car*]; *be ~* äv. tiga; *become ~* äv. tystna **II** *s* stumfilm

silhouette [ˌsɪlʊ'et] **I** *s* silhuett **II** *vb tr* avbilda i silhuett; *be ~d against the sky* avteckna sig [i silhuett] mot himlen

silicon ['sɪlɪkən] kem. kisel

silicone ['sɪlɪkəʊn] kem. silikon

silicosis [ˌsɪlɪ'kəʊsɪs] med. silikos

silk [sɪlk] silke; siden; *artificial ~* konstsilke; konstsiden

silken ['sɪlk(ə)n] silkeslen äv. bildl. [*a ~ voice*]; silkesfin [~ *hair*], [fin] som silke

silkworm ['sɪlkwɜːm] zool. silkesmask

silky ['sɪlkɪ] **1** silkeslen [~ *hair* (*skin*)], sidenglänsande [*a ~ surface*], silkes- [~ *hair*] **2** bildl. [silkes]len [*a ~ voice*]

sill [sɪl] **1** fönsterbräda [äv. *windowsill*] **2** byggn. syll, bottenbjälke **3** tröskel t.ex. i bil

silly ['sɪlɪ] **I** *adj* a) dum [*a ~ remark; don't be ~!*], enfaldig b) tokig [*a ~ idea*] c) vard. medvetslös [*beat* (*knock*) *a p. ~*]; *the ~ season* dödsäsongen för tidningar under semestertider **II** *s* vard. dumbom, dummerjöns

silo ['saɪləʊ] lantbr. el. mil. silo

silt [sɪlt] **I** *s* [botten]slam, dy **II** *vb tr, ~ up* slamma igen

silver ['sɪlvə] **I** *s* silver [*a ~ cup; ~ hair*]; silver[mynt], silverpengar [*£5 in ~*]; bordssilver; ~ *birch* vårtbjörk, masurbjörk; ~ *paper* a) stanniolpapper b) silkespapper för silver; ~ *plate* a) bordssilver b) nysilver, [silver]pläter c) silvertallrik; ~ *screen* bioduk; *the ~ screen* äv. vita duken **II** *vb tr* försilvra äv. bildl.; göra [silver]vit [*the years had ~ed her hair*] **III** *vb itr* försilvras, bli [silver]vit [*her hair had ~ed*]

silver-plated [ˌsɪlvə'pleɪtɪd, attr. '--ˌ--] försilvrad; ~ *set* pläterservis

silversmith ['sɪlvəsmɪθ] silversmed

silvery ['sɪlv(ə)rɪ] **1** silverglänsande, silver- [~*hair*] **2** silverklar [*a ~ voice*]

similar ['sɪmɪlə] lik, lika, liknande; likadan; dylik

similarity [ˌsɪmɪ'lærətɪ] likhet; *points of ~* likheter

similarly ['sɪmɪləlɪ] på liknande (lika[dant]) sätt, likadant, likaledes

simile ['sɪmɪlɪ] liknelse; liknelser [*rich in* (på) *~*]

simmer ['sɪmə] **I** *vb itr* småkoka; sjuda äv. bildl. [~ *with* (av) *anger*]; bildl. äv. gro; ~ *down* a) koka ihop; bildl. reduceras [*to* till] b) lägga sig, lugna ner sig **II** *vb tr* [låta] småkoka (sjuda) **III** *s* sakta kokning

simper ['sɪmpə] **I** *vb itr* le tillgjort (fånigt) **II** *s* tillgjort (fånigt) leende

simple ['sɪmpl] **1** enkel, osammansatt [*a ~ substance*], okomplicerad [*a ~ machine*]; ~ *equation* förstagradsekvation; ~ *fraction* enkelt bråk **2** enkel, konstlös [~ *style*] **3** enkel, anspråkslös [~ *food, a ~ life*], simpel [*a ~ soldier*] **4** enfaldig **5** a) enkel, lätt [*a ~ problem*] b) tydlig, klar [*a ~ statement*]; självklar **6** ren [~ *madness*]; *fraud pure and ~* rent bedrägeri, rena [rama] bedrägeriet

simple-minded [ˌsɪmpl'maɪndɪd] godtrogen

simpleton ['sɪmplt(ə)n] dummerjöns; tok[stolle]

simplicity [sɪm'plɪsətɪ] **1** enkelhet; enkel form (byggnad) **2** enkelhet [~ *in* (*of*) *dress*] **3** lätthet [*the ~ of a problem* (*task*)]; lättfattlighet; *it's ~ itself* vard. det är jättelätt (jätteenkelt)

simplification [ˌsɪmplɪfɪ'keɪʃ(ə)n] förenkling, simplifiering

simplify ['sɪmplɪfaɪ] förenkla

simply ['sɪmplɪ] **1** enkelt etc., jfr *simple* **2** helt enkelt [~ *awful* (*impossible*)]; rätt och slätt, bara [*he is ~ a workman*]

simulate ['sɪmjʊleɪt] **1** simulera [~ *enthusiasm*] **2** härma [efter]

simulation [ˌsɪmjʊ'leɪʃ(ə)n] **1** simulation, simulering **2** förfalskning; falsk likhet

simultaneous [ˌsɪm(ə)l'teɪnjəs, amer. vanl. ˌsaɪm-] samtidig, simultan [~ *movements*]

1 sin [sɪn] **I** *s* synd; ~ *of omission* underlåtenhetssynd; *the seven deadly ~s* de sju dödssynderna; *it is a ~* [*to stay indoors on such a fine day*] vard. det är synd...; *ugly as ~* ful som synden (stryk) **II** *vb itr* synda

2 sin [saɪn] se *sine*

since [sɪns] **I** *adv* **1** sedan dess [*I have not been there ~*]; *ever ~* alltsedan dess [*he has lived there ever ~*] **2** sedan [*how long ~ is it?*], för...sedan; *long ~* äv. för länge sedan; sedan länge (långt tillbaka) **II** *prep* [allt]sedan; ~ *a child* alltsedan barndomen; ~ *when have you had...?* hur länge har du haft...?, när fick du...? **III** *konj* **1** sedan; *ever ~* alltsedan, ända sedan [*ever ~ I left*], så långt [*ever ~ I can remember*] **2** eftersom, då [ju] [~ *you are here*], emedan

sincere [sɪn'sɪə] uppriktig [*a ~ wish*]; sann

sincerely [sɪn'sɪəlɪ] uppriktigt, verkligt [~ *grateful*]; *Yours ~* i brevslut Din (Er) tillgivne, med vänlig hälsning

sine [saɪn] matem. sinus

sinew ['sɪnjuː] **1** sena; pl. *~s* äv. muskler **2** ofta pl. *~s* styrka, kraft

sinewy ['sɪnjʊɪ] **1** senig [~ *arms*; ~ *meat*] **2** bildl. kraftig; kraftfull, kärnfull [~ *prose*]
sinful ['sɪnf(ʊ)l] syndfull; upprörande
sing [sɪŋ] **I** (*sang sung*) *vb itr* **1** sjunga; ~ *out* a) ropa, hojta [*for* efter] b) sjunga ut, säga ifrån (till) **2** susa [*a bullet sang past* (förbi) *his ear*] **II** (*sang sung*) *vb tr* sjunga; ~ *a p.'s praises* sjunga ngns lov; ~ *out* ropa (skrika) ut [~ *out an order*]
singe [sɪn(d)ʒ] **I** *vb tr* sveda [~ *hair*, ~ *a chicken*], bränna [~ *cloth with an iron* (strykjärn)]; ~ *one's wings* (*feathers*) bildl. sveda vingarna, råka illa ut **II** *vb itr* svedas **III** *s* lätt brännskada
singer ['sɪŋə] sångare; sångerska
single ['sɪŋgl] **I** *adj* **1** enda [*not a* ~ *man*], enstaka [*in* ~ *places*], ensiffrig [~ *figure*] **2** enkel; enhetlig [*a* ~ *rule*]; ~ *bed* enkelsäng, enmanssäng; ~ *combat* (*fight*) envig, tvekamp; ~ *room* enkelrum; ~ *ticket* enkel biljett **3** ensam [*in* ~ *majesty*] **4** ogift [*a* ~ *man* (*woman*)], ensamstående [~ *parent*] **5** ärlig, uppriktig [~ *devotion*] **6** ~ *cream* tunn grädde, kaffegrädde **II** *s* **1** tennis. o.d.: ~*s* (konstr. ss. sg.) singel, singelmatch; *men's* (*women's*) ~*s* (pl. lika) herrsingel (damsingel) **2** enkel [biljett] **3** mus. singel[platta] **III** *vb tr*, ~ *out* välja (ta, peka) ut; skilja ut
single-breasted [ˌsɪŋgl'brestɪd] enkelknäppt [*a* ~ *suit*]
single-handed [ˌsɪŋgl'hændɪd] **I** *adj* **1** enhänt **2** enhands- [*a* ~ *fishing-rod*] **II** *adv* på egen hand, ensam
single-minded [ˌsɪŋgl'maɪndɪd, attr. '-ˌ--] målmedveten; ensidig
single-parent ['sɪŋglˌpeər(ə)nt], ~ *family* enföräldersfamilj
singlet ['sɪŋglət] [sport]tröja; undertröja
singly ['sɪŋglɪ] **1** en åt gången, en och en [*arrive* ~] **2** på egen hand **3** ensam, utan sällskap; [som] ogift
singsong ['sɪŋsɒŋ] **I** *s* sångstund; *a* ~ äv. allsång **II** *adj* halvsjungande [*in a* (med) ~ *voice*]
singular ['sɪŋgjʊlə] **I** *adj* **1** gram. singular **2** enastående [~ *courage*] **3** [sär]egen; besynnerlig **4** ensam [i sitt slag]; enstaka **II** *s* gram. singular[form]; *the* ~ äv. singular, ental
singularity [ˌsɪŋgjʊ'lærətɪ] **1** säregenhet **2** egenhet
sinister ['sɪnɪstə] **1** olycksbådande **2** illvillig, elak; lömsk **3** ond, fördärvlig [~ *influence*]
sink [sɪŋk] **I** (*sank sunk*) *vb itr* **1** sjunka; sänka sig [ned] [*the sun was* ~*ing in the west*]; sätta sig [*the foundations have sunk*]; *it's a case of* ~ *or swim* det må bära eller brista; *it hasn't sunk in* vard. han (hon etc.) har inte riktigt fattat det **2** avta, minska[s]; sjunka, dala [*the prices have sunk*] **3** slutta [*the ground* ~*s to* ([ned] mot) *the sea*] **4** sjunka [~ *into* (ned i) *poverty*], förfalla **II** (*sank sunk*) *vb tr* **1** sänka [~ *a ship*, ~ *one's voice*], få att sjunka; låta sjunka [~ *one's head on* (ned mot) *one's chest*]; borra (segla, skjuta) i sank; *let us* ~ *our differences* låt oss glömma (bilägga) våra tvister **2** gräva ned [~ *a post into the ground*], lägga ned [~ *a drainpipe*] **3** sänka [~ *prices*]; amortera [på], betala av [~ *a debt*] **4** a) låsa fast [~ *money into a firm*] b) förlora [~ *money in an unfortunate enterprise*] **III** *s* **1** slask; diskho; amer. äv. handfat; ~ *tidy* sophink, avfallskorg; ~ *unit* diskbänk **2** a) avloppsrör b) avloppsbrunn; bildl. dypöl
sinner ['sɪnə] syndare
sinuous ['sɪnjʊəs] **1** slingrande [*a* ~ *road*] **2** smidig, mjuk, vig [~ *dancers*]
sinusitis [ˌsaɪnə'saɪtɪs] med. sinuit
sip [sɪp] **I** *vb tr* läppja (smutta) på **II** *vb itr* läppja **III** *s* smutt; *take a* ~ äv. smutta
siphon ['saɪf(ə)n] **I** *s* **1** hävert **2** ~ [*bottle*] sifon **II** *vb tr*, ~ *off* (*out*) suga upp, tappa upp
sir [sɜː, obeton. sə] **I** *s* **1** i tilltal: ~ el. *S*~ a) herrn, sir; skol. magistern; ofta utan motsv. i sv. [*yes*, ~*!*] b) iron. gunstig herrn, min bäste herre [*no* ~, *I won't put up with it!*]; [*Sergeant Jones!* -] *S*~? mil. ...ja, kapten (överste o.d.)!; *can I help you*, ~? kan jag hjälpa er (till)?; [*Dear*] *Sir*[*s*] inledning i formella brev: utan motsv. i sv. **2** *S*~ före förnamnet ss. titel åt *baronet* el. *knight* sir [*S*~ *John* [*Moore*]] **II** *vb tr* tilltala med *sir* [*don't* ~ *me!*]
sire ['saɪə] **I** *s* om djur, isht hästar fader **II** *vb tr*, *be* ~*d by* vara fallen efter
siren ['saɪərən] **1** mytol. o. bildl. siren **2** siren signalapparat; *air-raid* ~ flyglarmssiren
sirloin ['sɜːlɔɪn] kok. ländstycke; ~ *of beef* dubbelbiff; rostbiff; ~ *steak* utskuren biff
sirocco [sɪ'rɒkəʊ] (pl. ~*s*) meteor. sirocko sydostvind i Italien
sis [sɪs] vard. (kortform för *sister*) syrra[n]
sissy ['sɪsɪ] vard. **I** *s* **1** feminin typ; vekling, morsgris **2** isht amer. syrra; liten tjej **II** *adj* pjoskig, klemig; fjompig
sister ['sɪstə] **1** syster; bildl. äv. medsyster; syster- [*a* ~ *ship*]; *they are brother*[*s*] *and* ~[*s*] de är syskon **2** syster sjuksköterska el. nunna; avdelningssköterska **3** isht amer. vard. (i tilltal) tjejen, du vanl. utan motsv. i sv.
sisterhood ['sɪstəhʊd] systerskap äv. bildl.; systerförbund
sister-in-law ['sɪst(ə)rɪnlɔː] (pl. *sisters-in-law* ['sɪstəzɪnlɔː]) svägerska
sisterly ['sɪstəlɪ] systerlig
sit [sɪt] **I** (*sat sat*) *vb itr* (jfr *III*) **1** sitta; sätta sig; ~ *talking* sitta och prata **2** parl., om

domstol o.d. hålla sammanträde, sammanträda [*the House is ~ting*] **II** (*sat sat*) *vb tr* (jfr *III*); ~ *an examination* gå upp i en examen

III *vb itr* o. *vb tr* med prep. o. adv. isht med spec. övers.:

~ **back**: **a**) sätta sig till rätta **b**) vila sig **c**) sitta med armarna i kors

~ **down** sätta sig [ned]; ~ *down to dinner* sätta sig till bords [för att äta middag]

~ **in**: **a**) närvara, deltaga [~ *in on* (i, vid) *a meeting*] **b**) sittstrejka

~ **on**: **a**) vard. sätta sig på, trycka ner, platta till [*I was completely sat on*]; huta åt; ~ [*heavy*] *on a p.* tynga (trycka) ngn; ~ *on the lid* undertrycka (tysta ner) oppositionen **b**) mest jur. sitta i [~ *on the board* (*on a jury*)]; ~ *on the bench* sitta som (vara) domare; ~ *on a case* undersöka (behandla) ett fall **c**) vard. sitta (ligga) på, förhala [~ *on bad news*] **d**) isht amer. vard., ~ *on one's hands* a) låta bli att applådera b) hålla sig passiv, sitta med armarna i kors **e**) ~ *on eggs* om fåglar ligga på ägg, ruva

~ **out**: **a**) sitta ute **b**) sitta över [~ *out a dance*] **c**) sitta kvar (stanna) till slutet [av] [~ *it out*; ~ *a play out*] **d**) stanna längre än [~ *out the other guests*]; vänta ut [~ *out one's rival*]

~ **through** sitta (stanna kvar) [till slutet]

~ **up**: **a**) sitta upprätt (rak); sätta sig (sitta) upp [~ *up in bed*]; om hund sitta [vackert]; ~ *a p. up* hjälpa ngn att sitta upp, resa upp ngn **b**) sitta uppe [~ *up late*]

sitcom ['sɪtkɒm] vard. situationskomedi

sit-down ['sɪtdaʊn] **I** *s* vard., *have a pleasant* ~ [*by the fire*] ha en trevlig stund..., sitta en stund och ha det trevligt... **II** *adj* **1** ~ *strike* sittstrejk **2** sittande [*a* ~ *supper*]; sitt- [*a* ~ *bath*]

site [saɪt] **1** tomt; byggplats [äv. *building* ~] **2** plats; *the* ~ *of the murder* mordplatsen **3** läge [*the* ~ *of a city* (*house*)] **4** mil. ställning

sit-in ['sɪtɪn] sittstrejk; ockupation

sitter ['sɪtə] **1** modell isht för porträtt **2** ligghöna [*a good* (*bad*) ~], ruvande fågel **3** bildl. lätt byte (sak, uppgift); jättechans [*he missed a* ~] **4** vard. barnvakt

sitting ['sɪtɪŋ] **I** *adj* **1** sittande äv. bildl. [*the* ~ *government*]; tjänsteförrättande [*a* ~ *magistrate*] **2** ruvande [*a* ~ *bird*]; ~ *hen* ligghöna **3** bildl. ~ *target* (vard. *duck*) tacksamt offer **II** *s* **1** sittande; sittning [~ *for a painter*] **2** sammanträde [*a* ~ *of Parliament*], session, sittning [*a long* ~] **3** *at one* (*a single*) ~ i ett sträck (tag, svep) [*read a book at one* ~]; på en gång, vid en sittning [*100 people can be served at one* ~]

sitting-room ['sɪtɪŋru:m] **1** vardagsrum **2** sittplats[er], sittutrymme

situate ['sɪtjʊeɪt] placera, lägga

situated ['sɪtjʊeɪtɪd] **1** belägen **2** situerad; *comfortably* ~ välsituerad

situation [ˌsɪtjʊ'eɪʃ(ə)n] **1** läge **2** bildl. situation, läge [*the political* ~], belägenhet [*an awkward* ~], förhållande[n] **3** plats, anställning, arbete; ~*s vacant* ss. rubrik lediga platser; ~*s wanted* ss. rubrik platssökande **4** teat., ~ *comedy* situationskomedi

six [sɪks] (jfr *five* med ex. o. sms.) **I** *räkn* sex; ~ *months* äv. ett halvår; *it is* ~ *of one and half a dozen of the other* det är hugget som stucket **II** *s* **1** sexa; *at* ~*es and sevens* a) huller om buller b) villrådig **2** kricket. 'sexa' sex lopp på ett slag; *knock for* ~ bildl. a) förbluffa, göra paff b) kullkasta, stjälpa

six-footer [ˌsɪks'fʊtə] vard. sex fot (=183 cm) lång person (sak)

sixteen [ˌsɪks'ti:n, attr. '--] sexton; jfr *fifteen* med sms.

sixteenth [ˌsɪks'ti:nθ, attr. '--] sextonde; sexton[de]del; jfr *fifth*; ~ *note* amer. mus. sextondelsnot

sixth [sɪksθ] (jfr *fifth*) **I** *räkn* sjätte **II** *s* **1** sjättedel **2** mus. sext-; *major* (*minor*) ~ stor (liten) sext

sixtieth ['sɪkstɪɪθ, -tɪəθ] **1** sextionde **2** sextion[de]del

sixty ['sɪkstɪ] (jfr *fifty* med sms.) **I** *räkn* sexti[o] **II** *s* sexti[o]; sexti[o]tal

1 size [saɪz] **I** *s* a) storlek b) nummer, storlek; *that's about the* ~ *of it* vard. [ungefär] så ligger det till; *be just the right* ~ vara lagom stor; *take* ~ *7 in gloves* ha nummer (storlek) 7 i handskar; *take the* ~ *of* ta mått på, mäta **II** *vb tr*, ~ *up* vard. mäta värdera [~ *a p.* (*a th.*) *up with a look*]; bedöma [~ *up one's chances* (*the situation*)], taxera

2 size [saɪz] **I** *s* lim för papper, väv o.d.; limvatten **II** *vb tr* limma [~*d paper*], lim[vatten]behandla

sizzl|e ['sɪzl] **I** *vb itr* **1** fräsa [*sausages -ing in the pan*] **2** susa **II** *s* fräsande

1 skate [skeɪt] **I** *s* skridsko; rullskridsko; *sailing on* ~*s* el. ~ *sailing* skridskosegling **II** *vb itr* åka skridsko[r]; åka rullskridsko[r]; ~ *on* (*over*) *thin ice* bildl. vara ute (ge sig ut) på hal is; ~ *over* (*round*) [*a delicate problem*] bildl. endast snudda vid...

2 skate [skeɪt] zool. [slät]rocka

skateboard ['skeɪtbɔ:d] skateboard

skater ['skeɪtə] skridskoåkare, skrinnare; rullskridskoåkare

skating ['skeɪtɪŋ] skridskoåkning; rullskridskoåkning; skridsko- [~ *competition*]

skein [skeɪn] härva [*a ~ of wool*], garndocka
skeleton ['skelɪtn] **1** skelett; benstomme, benbyggnad; *~ at the feast* glädjedödare; *have a ~ in the cupboard* (amer. *closet*) ha ett lik i garderoben **2** vard. benrangel; levande lik; *reduced* (*worn*) *to a ~* alldeles utmärglad **3** bildl. skelett: a) stomme, ställning b) utkast, plan; *~ key* huvudnyckel; dyrk
sketch [sketʃ] **I** *s* **1** skiss; utkast **2** teat. sketch **II** *vb tr* skissera, göra [ett] utkast till **III** *vb itr* göra en skiss (skisser)
sketchy ['sketʃɪ] **1** skissartad; löst planerad **2** lös, ytlig [*~ knowledge*]
skew [skju:], *on the ~* på sned, snett, skevt
skewer [skjʊə] **I** *s* steknål; stekspett **II** *vb tr* fästa med steknål (stekspett); trä upp på spett
ski [ski:] **I** (pl. *~*[*s*]) *s* skida **II** *vb itr* åka skidor
skid [skɪd] **I** *s* **1** broms[kloss], hämsko **2** slirning, sladd[ning]; *~ marks* sladdmärken, sladdspår **3** bildl. *put the ~s under* sl. a) sätta p för, sabba b) sätta fart på; *on the ~s* vard. på väg utför [*their marriage is on the ~s*], på fallrepet (glid) **II** *vb itr* slira, sladda, kana
skier ['ski:ə] skidåkare
skiff [skɪf] eka; jolle; poet. farkost
skiing ['ski:ɪŋ] skidåkning, skidlöpning
skijumping ['ski:ˌdʒʌmpɪŋ] backhoppning
skilful ['skɪlf(ʊ)l] skicklig
skilift ['ski:lɪft] skidlift
skill [skɪl] skicklighet, händighet; färdighet [*~s in English*], teknik
skilled [skɪld] **1** skicklig, duktig, händig **2** yrkesskicklig, [yrkes]kunnig; rutinerad [*a ~ typist*]; *~ worker* yrkesarbetare
skillet ['skɪlɪt] **1** [liten] kastrull med långt skaft o. ofta med fötter **2** amer. stekpanna
skim [skɪm] **I** *vb tr* **1** skumma [*~ milk*]; *~* [*off*] skumma av **2** stryka (glida, fara) fram över [*~ the ice*] **3** [flyktigt] ögna (titta) igenom, skumma [*~ a book*] **4** singla; *~ a flat stone* [*across the pond*] kasta smörgås [med en flat sten]... **II** *vb itr* **1** *~ over* täckas av skum (ett tunt lager is o.d.) **2** stryka (glida, fara) fram [*~ along* (*over*) *the ice*] **3** läsa flyktigt, ögna igenom, skumma
skimp [skɪmp] snåla med
skimpy ['skɪmpɪ] **1** knapp, torftig **2** för liten (trång) **3** snål
skin [skɪn] **I** *s* **1** hud; skinn; pl. *~s* äv. skinnvaror; *change one's ~* ömsa skinn, förvandlas; *have a thick ~* ha tjock hud, vara tjockhudad (bildl. äv. okänslig); *next to the ~* närmast kroppen; *get under a p.'s ~* vard. irritera ngn, gå ngn på nerverna; *get a p. under one's ~* vard. bli besatt av ngn **2** skal [*banana ~*], skinn [*the ~ of* (på) *a peach, sausage ~*]; bark; *potatoes in their ~s* skalpotatis **3** hinna på vätska; skinn; *there's a ~ on the milk* det är skinn på mjölken **II** *vb tr* **1** a) flå, dra av huden (skinnet) på [*~ a rabbit*] b) skrapa [av huden på] [*fall and ~ one's knee*] c) skala [*~ a banana*]; *keep one's eyes ~ned* vard. hålla ögonen öppna; *~ alive* flå levande äv. bildl. **2** vard. skinna [*~ a p. of* (på) *all his money*], lura; *~ned* äv. pank, utblottad
skin-deep [ˌskɪn'di:p, attr. '--] ytlig äv. bildl.
skindiver ['skɪnˌdaɪvə] sportdykare
skindiving ['skɪnˌdaɪvɪŋ] sportdykning
skinflint ['skɪnflɪnt] gnidare
skinny ['skɪnɪ] skinntorr [*a ~ old spinster*], utmärglad [*a ~ horse*], [av] bara skinn och ben
skint [skɪnt] sl. ren, barskrapad
skintight [ˌskɪn'taɪt, attr. '--] [tätt] åtsittande
1 skip [skɪp] **I** *vb itr* **1** hoppa äv. bildl. [*~ from one subject to another*]; skutta; *~ about* hoppa (skutta) omkring **2** hoppa rep **II** *vb tr* **1** *~* [*over*] hoppa (skutta) över [*~* [*over*] *a brook*] **2** bildl. hoppa över, skippa [*~ the dull parts of a book*]; *~ a school class* amer. skolka från en lektion; *~ it!* vard. strunt i det!, det gör detsamma! **3** *~ stones across* (*on*) *the water* kasta smörgås **III** *s* **1** hopp, skutt **2** överhoppning vid läsning
2 skip [skɪp] byggn. [avfalls]container
skipper ['skɪpə] **I** *s* **1** skeppare; befälhavare; flygkapten **2** sport. [lag]kapten; lagledare **II** *vb tr* **1** vara skeppare etc. på [*~ a boat*] **2** vara [lag]kapten för [*~ a team*]
skipping-rope ['skɪpɪŋrəʊp] hopprep
skirmish ['skɜ:mɪʃ] **I** *s* skärmytsling **II** *vb itr* drabba samman
skirt [skɜ:t] **I** *s* **1** kjol **2** vard. kjoltyg, fruntimmer [*run after ~s*] **3** skört [*the ~s of a coat*] **4** pl. *~s* kant, bryn; utkant [*on* (i) *the ~s of the town*] **II** *vb tr* **1** kanta; gå (löpa) längs ([ut]efter, utmed) [*our road ~s the forest*], ligga utmed [*the town ~s the river*]; passera (gå) i utkanten av (runtom, förbi) [*the traffic ~s the town*] **2** bildl. kringgå
skirting-board ['skɜ:tɪŋbɔ:d] byggn. golvlist
ski run ['ski:rʌn] skidbacke; skidspår
skit [skɪt] sketch; satir; burlesk
skittle ['skɪtl] **1** kägla **2** *~s* (konstr. ss. sg.) kägelspel; *life* (*it*) *isn't all beer and ~s* bildl. livet är inte bara en dans på rosor
skulk [skʌlk] **1** smyga [omkring (i, bland)]; *~ away* smyga sig i väg **2** stå (ligga) på lur; gömma sig
skull [skʌl] skalle; huvudskål; *~ and* [*cross*]*bones* dödskalle med [två] korslagda benknotor dödssymbol
skullcap ['skʌlkæp] kalott

skunk [skʌŋk] **1** zool. skunk **2** vard. kräk, skitstövel
sky [skaɪ] **I** *s* **1** ~ el. *skies* pl. himmel [*a clear ~; clear skies*]; poet. sky; *in the ~* på himlen, i skyn; *praise (laud, extol, raise) to the skies* höja till skyarna; *under the open ~* under bar himmel **2** vanl. pl. *skies* klimat [*the sunny skies of southern Italy*] **II** *vb tr* vard. slå högt [upp i luften] [*~ a ball*]
sky-blue [ˌskaɪ'bluː, attr. '--] **I** *adj* himmelsblå **II** *s* himmelsblått
skydiving ['skaɪˌdaɪvɪŋ] fallskärmshoppning där vissa konster utförs innan fallskärmen utlöses för landning
sky-high [ˌskaɪ'haɪ] **I** *adj* skyhög [*~ prices*] **II** *adv* skyhögt [*prices went ~*]; himmelshögt; *blow a th. ~* få ngt att flyga i luften (explodera); bildl. fullständigt rasera (förinta)
skylark ['skaɪlɑːk] **I** *s* **1** zool. [sång]lärka **2** vard. stoj, skoj **II** *vb itr* vard. stoja [och leka]
skylight ['skaɪlaɪt] takfönster; sjö. skylight
skyline ['skaɪlaɪn] **1** horisont; himlarand **2** kontur [*the ~ of New York*]
skyscraper ['skaɪˌskreɪpə] skyskrapa
skywards ['skaɪwədz] mot himlen
slab [slæb] platta [*~ of stone*], häll; tjock skiva [*~ of cheese*], kaka
slack [slæk] **I** *adj* **1** slö, loj, trög **2** slapp [*~ control, ~ discipline*], slak; sjö. slack [*~ rope*] **3** sjö. långsam; *~ water* stillvatten mellan ebb o. flod **4** stilla [*~ season*]; trög [*trade is ~*]; *~ demand* svag efterfrågan **II** *s* **1** slak del (ända o.d.); slakhet; *take up the ~* a) strama till (styvhala) repet o.d. b) bildl. strama åt **2** pl. *~s* slacks, bekväma långbyxor, fritidsbyxor **III** *vb itr, ~ [off]* slappna [av], slöa [till], bli slöare (trögare)
slacken ['slæk(ə)n] **I** *vb tr* **1** minska [*~ one's efforts*], sakta [*~ the speed*]; slappa **2** släppa (lossa) på **II** *vb itr* **1** slakna, bli slak[are] **2** *~ [off]* slappna av, slöa till [*~ at (in) one's work*], bli slapp (loj, trög); gå trögt **3** minska [*the speed ~ed*], avta
slacker ['slækə] vard. slöfock; skolkare
slag [slæg] slagg
slain [sleɪn] perf. p. av *slay*
slake [sleɪk] släcka [*~ lime; ~ one's thirst*]
slalom ['slɑːləm] sport. slalom[åkning]; *giant ~* storslalom
slam [slæm] **I** *vb tr* **1** slå (smälla) igen [äv. *~ to, ~ down*]; slå, smälla; *~ the window shut* smälla igen fönstret; *~ the door on [a proposal]* förkasta...; *~ the door on a p. (in a p.'s face)* slå igen dörren mitt framför [näsan på] ngn **2** sl. göra ner, skälla ut **II** *vb itr* slå[s] igen [äv. *~ to*] **III** *s* **1** smäll, skräll **2** kortsp. slam; *grand ~* storslam **IV** *adv* med en smäll; rätt
slammer ['slæmə] sl., *the ~* kåken, finkan fängelse
slander ['slɑːndə] **I** *s* förtal, baktal[eri] **II** *vb tr* förtala, baktala
slanderer ['slɑːnd(ə)rə] förtalare
slanderous ['slɑːnd(ə)rəs] belackar-; *~ tongue* skvalleraktig (ond) tunga
slang [slæŋ] **I** *s* språkv. slang[språk]; *~ word* slangord **II** *vb tr* skälla ut
slangy ['slæŋɪ] slangartad
slant [slɑːnt] **I** *vb itr* slutta, luta **II** *vb tr* **1** göra lutande (sned) **2** vinkla [*~ the news*] **III** *s* **1** lutning; sned riktning **2** vinkling; synvinkel; *get a new ~ on a th.* få en ny syn på ngt, se ngt ur en ny synvinkel
slap [slæp] **I** *vb tr* **1** smälla (slå, daska, dänga) ['till]; *~ a p. on the back* dunka ngn i ryggen; *~ a p.'s face* **2** vard. kleta 'på, lägga 'på **II** *s* smäll; *a ~ on the back* en dunk i ryggen; *a ~ in the face (eye)* ett slag i ansiktet; *have a ~ at* vard. a) göra ett försök med b) göra ner **III** *adv* vard., se *slap-bang*
slap-bang [ˌslæp'bæŋ] vard. **1** handlöst, huvudstupa **2** rakt, rätt [*~ in the middle*], pang [på]
slapdash ['slæpdæʃ] vard. **I** *adv* hafsigt, på en höft **II** *adj* hafsig, vårdslös
slapstick ['slæpstɪk] **I** *s* **1** buskis, filmfars **2** film. [synkron]klappa **II** *adj* farsartad, tokrolig; stojig
slap-up ['slæpʌp] vard. flott [*~ dinner*], pampig
slash [slæʃ] **I** *vb tr* **1** rista (fläka) upp, skära (hugga) sönder (upp) **2** slitsa upp [*~ed sleeves*] **3** piska ['på] **4** göra (sabla) ner [fullständigt] **5** vard. sänka (skära ner) kraftigt, reducera starkt [*~ prices (salaries)*] **II** *vb itr, ~ at* a) slå (piska) på (mot); hugga in på b) vard. göra ner **III** *s* **1** [snabbt och våldsamt] hugg, slag; rapp **2** djup skåra
slat [slæt] **1** spjäla, lamell i persienn o.d. **2** tvärpinne på stol; [tvär]slå
slate [sleɪt] **I** *s* **1** skiffer **2** skifferplatta; *have a ~ loose* vard. ha en skruv lös **3** griffeltavla; *start with a clean ~* bildl. [dra ett streck över det förflutna och] börja ett nytt liv **II** *vb tr* **1** täcka med skiffer **2** vard. göra (sabla) ner
slaughter ['slɔːtə] **I** *s* slakt[ande]; blodbad, massaker **II** *vb tr* slakta; massakrera
slaughterhouse ['slɔːtəhaʊs] slakteri
Slav [slɑːv] **I** *s* slav medlem av ett folkslag **II** *adj* slavisk
slave [sleɪv] **I** *s* slav, slavinna **II** *vb itr* slava; *~ away* slita och slava [*at* med], stå och slava [*at, over* vid]
slave-driver ['sleɪvˌdraɪvə] slavdrivare

1 slaver ['sleɪvə] **1** slavhandlare **2** slavskepp
2 slaver ['slævə] **I** *vb itr* dregla **II** *s* dregel
slavery ['sleɪvərɪ] **1** slaveri **2** slavgöra
slave trade ['sleɪvtreɪd] slavhandel
slavish ['sleɪvɪʃ] slavisk äv. bildl. [*a ~ imitation*]
Slavonic [slə'vɒnɪk] **I** *adj* slavisk **II** *s* slaviska språk
slay [sleɪ] (*slew slain*) litt. dräpa, slå ihjäl
slayer ['sleɪə] vard. mördare
sleazy ['sli:zɪ] vard. **1** sjabbig, sjaskig [*~ coat*]; sliskig **2** bildl. taskig; *a ~ excuse* en dålig ursäkt
sled [sled] se *1 sledge*
1 sledge [sledʒ] **I** *s* släde; kälke **II** *vb itr* åka släde (kälke) **III** *vb tr* dra (forsla) på släde (kälke)
2 sledge [sledʒ] o. **sledge-hammer** ['sledʒˌhæmə] [smed]slägga
sleek [sli:k] **I** *adj* **1** om hår o. skinn slät; slätkammad **2** slät i hullet; skinande [av välmåga] **3** fin [*a ~ car*] **II** *vb tr* glätta
sleep [sli:p] **I** (*slept slept*) *vb itr* sova [*~ well, ~ badly*]; ligga 'över; bildl. [sitta (stå) och] sova; *~ with* vard. hoppa i säng (ligga) med ha samlag med; *~ around* vard. hoppa i säng med vem som helst **II** (*slept slept*) *vb tr* **1** sova; *~ away* sova bort [*~ away the time*] **2** ha (ordna) liggplats åt, ge nattlogi åt [*I can ~ two of you in the living-room*]; *the hotel can ~ 300 people* äv. hotellet har 300 bäddar **III** *s* sömn; *try to get a ~* försöka sova litet; *she had a good night's ~* hon sov gott hela natten; *lack of ~* sömnbrist, sömnlöshet; *go to ~* somna
sleeper ['sli:pə] **1** *the ~* den sovande **2** järnv. sovvagn; sovplats **3** järnv. sliper **4** vard. plötslig [och] oväntad succé **5** vard. sömntablett
sleeping ['sli:pɪŋ] sovande, sov-, sömn-, säng-; *~ accommodation* sovplats[er], sängplats[er]; nattlogi
sleeping-bag ['sli:pɪŋbæg] **1** sovsäck; *sheet ~* reselakan, lakanspåse **2** sovpåse; åkpåse
sleeping-car ['sli:pɪŋkɑ:] o. **sleeping-carriage** ['sli:pɪŋˌkærɪdʒ] järnv. sovvagn
sleeping-compartment ['sli:pɪŋkəmˌpɑ:tmənt] järnv. sovkupé
sleeping-partner [ˌsli:pɪŋ'pɑ:tnə] **1** hand. passiv delägare **2** vard. sängkamrat
sleeping-pill ['sli:pɪŋpɪl] sömntablett, sömnpiller
sleepless ['sli:pləs] sömnlös
sleepwalker ['sli:pˌwɔ:kə] sömngångare
sleepy ['sli:pɪ] **1** sömnig; sömnaktig; sövande **2** bildl. död; sömnig
sleet [sli:t] snöblandat regn; regn och hagel
sleeve [sli:v] **1** ärm; *laugh up one's ~* skratta i mjugg; *have a th. up one's ~* ha ngt i bakfickan (på lut) **2** tekn. muff; foder; hylsa **3** [skiv]fodral
sleeveless ['sli:vləs] ärmlös
sleigh [sleɪ] **I** *s* släde; kälke **II** *vb itr* åka släde (kälke) **III** *vb tr* dra (forsla) på släde (kälke)
slender ['slendə] **1** smärt [*~ waist*], smäcker [*~ stem*], spenslig, späd **2** bildl. klen, skral, ringa [*~ hopes*], knapp, mager [*~ income*]
slept [slept] imperf. o. perf. p. av *sleep*
sleuth [slu:θ] vard. deckare
slew [slu:] imperf. av *slay*
slice [slaɪs] **I** *s* **1** skiva [*a ~ of bread, a ~ of meat*]; *~ of bread and butter* smörgås **2** del, andel [*a ~ of the profits*], stycke; *~ of apple* äppelbit, äppelklyfta **3** stekspade; fiskspade; tårtspade **4** sport. 'slice', skruv **II** *vb tr* **1** skära upp [i skivor] [äv. *~ up*]; *~ off* skära av **2** sport., *~ a ball* 'slica' (skruva) en boll, slå en boll snett
slick [slɪk] **I** *adj* **1** a) glättad, driven [*~ style*] b) lättköpt [*~ solution*] **2** smart [*~ business deal*; *~ salesman*]; förbindlig **II** *s* slät (hal) fläck; oljefläck
slid [slɪd] imperf. o. perf. p. av *slide*
slide [slaɪd] **I** (*slid slid*) *vb itr* glida; halka; slinka; rutscha, kana; åka (slå) kana; *let things ~* bildl. strunta i allting **II** (*slid slid*) *vb tr* **1** låta glida, skjuta [fram (in osv.)] **2** sticka, smussla [*he slid a coin into my hand*] **III** *s* **1** glidning; glidande **2** isbana, kälkbacke **3** rutschbana; störtränna **4** diapositiv, dia[bild]; *~ projector* diaprojektor, diabildsprojektor; *colour ~* färgdia **5** objektglas **6** hårspänne
slide rule ['slaɪdru:l] räknesticka
sliding ['slaɪdɪŋ] glidande; glid- [*~ surface*]; skjut- [*~ door, ~ lid*]; *~ roof* soltak, skjutbart tak
slight [slaɪt] **I** *adj* **1** spenslig, spensligt byggd, späd[lemmad] [*~ figure*] **2** klen, bräcklig [*~ foundation*] **3** lätt [*~ cold*]; obetydlig, liten [*~ possibility*]; *not the ~est doubt* inte det minsta tvivel **II** *vb tr* ringakta; skymfa; *she felt ~ed* hon kände sig förbisedd **III** *s* **1** ringaktning **2** skymf
slightly ['slaɪtlɪ] lätt [*~ wounded; touch a th. ~*], lindrigt, något [*~ better*]
slim [slɪm] **I** *adj* **1** [lång och] smal **2** vard. klen; svag, liten [*~ possibility*] **II** *vb itr*, *~ [down]* banta, [försöka att] magra **III** *vb tr* göra smal (slank)
slime [slaɪm] **1** slam, dy äv. bildl.; gyttja **2** slem
slimming ['slɪmɪŋ] **I** *s* bantning; *do some ~* banta litet **II** *adj*, *~ exercises* bantningsgymnastik
slimy ['slaɪmɪ] **1** gyttjig, dyig **2** slemmig **3** vard. äcklig, inställsam; hal

sling [slɪŋ] **I** (*slung slung*) *vb tr* **1** slunga, kasta [~ *stones at* (på) *a p.*] **2** hänga upp [med rep o.d.]; *with his rifle slung* [*over his shoulder*] med geväret [hängande (i en rem)] över axeln **3** ~ *hash* amer. sl. servera på en sylta (ett billigt lunchställe) **II** *s* **1** a) slunga b) slangbåge c) kast [med slunga] **2** [axel]rem; gevärsrem **3** med. mitella; *carry* (*have*) *one's arm in a* ~ ha armen i mitella

slink [slɪŋk] (*slunk slunk*) smyga [sig] [~ *away* (*off, in, out, by* etc.)]

slip [slɪp] **I** *vb itr* **1** glida; halka [omkull]; *the ladder ~ped* stegen gled; *the opportunity ~ped through my fingers* (*hands*) tillfället gled (gick) mig ur händerna **2** smyga [sig] [~ *away* (*out, past*)]; ~ *along* (*across, round, over*) *to* vard. kila i väg (över) till **3** göra fel (ett misstag); ~ *up* vard. dabba sig, göra en tabbe **4** tappa stilen (greppet) [*he has been ~ping lately*] **II** *vb tr* **1** låta glida, sätta [~ *a ring on to a finger*], sticka [~ *a coin into a p.'s hand*]; ~ *one's clothes off* (*on*) slänga (dra) av (på) sig kläderna **2** släppa [i väg (lös)]; sjö. fira loss [~ *anchor*] **3** undkomma, undslippa [~ *one's captors*]; *the name has ~ped my memory* (*mind*) namnet har fallit mig ur minnet **4** med., ~ *a disc* (amer. *disk*) få diskbråck **III** *s* **1** glidning; halkning, slintning **2** [litet] fel [*make a* ~]; misstag; ~ *of the pen* skrivfel; ~ *of the tongue* felsägning **3** örngott **4** underklänning; underkjol; gymnastikdräkt [för flickor] **5** remsa, bit, stycke; ~ *of paper* papperslapp **6** typogr., ~ [*proof*] spaltkorrektur **7** trädg. stickling **8** *a* [*mere*] ~ *of a girl* ett litet flickebarn; *a* [*mere*] ~ *of a boy* en pojkvasker **9** teat., pl. *~s* kulisser

slip-on ['slɪpɒn] vard. sko (plagg) som man kan dra på (slinka i)

slipper ['slɪpə] a) toffel, slipper b) lätt aftonsko

slippery ['slɪpərɪ] **1** hal [*as ~ as an eel*], glatt **2** opålitlig, hal

sliproad ['slɪprəʊd] **1** påfartsväg, avfartsväg till motorväg **2** mindre förbifartsled

slipshod ['slɪpʃɒd] slarvig, vårdslös

slip-up ['slɪpʌp] vard. tabbe, fel

slipway ['slɪpweɪ] **1** sjö. slip **2** ränna, bana

slit [slɪt] **I** (*slit slit* el. *slitted slitted*) *vb tr* skära (sprätta, klippa) upp **II** *s* **1** reva, skåra **2** sprund **3** springa, öppning

slither ['slɪðə] hasa [sig fram]; glida

sliver ['slɪvə, 'slaɪvə] **I** *vb tr* klyva **II** *s* spjäla, sticka; tunn skiva; strimla

slob [slɒb] sl. tölp, luns; fårskalle

sloe [sləʊ] bot. slån[buske]; slånbär

slog [slɒg] **I** *vb itr* **1** sport. slugga; dänga (drämma) 'till **2** traska [mödosamt]; knoga; knega; ~ *away* [*at one's work*] knoga 'på (knega vidare) [med sitt arbete] **II** *vb tr* dänga (drämma) 'till [~ *a man over the head*] **III** *s* **1** hårt slag **2** hård marsch; slit

slogan ['sləʊgən] slogan; paroll

sloop [slu:p] sjö. slup enmastat segelfartyg

slop [slɒp] **I** *s* **1** pl. *~s* a) slaskvatten, diskvatten; tvättvatten b) bottensats, teblad i tekopp; *empty the ~s* tömma toaletthinken; tömma ut slaskvattnet **2** vanl. pl. *~s* a) flytande föda isht för sjuk b) om mat o. dryck tunt blask, 'diskvatten' c) svinmat d) mäsk **3** sentimental smörja **II** *vb itr* **1** spillas ut [äv. ~ *over* (*out*)] **2** plaska; ~ *about* (*around*) a) plaska [omkring], slabba b) driva (dra) omkring **III** *vb tr* spilla [ut]

slope [sləʊp] **I** *s* **1** lutning; *on the* ~ sluttande, lutande, på sned **2** sluttning; backe **II** *vb itr* slutta

sloppy ['slɒpɪ] **1** slaskig, sörjig **2** om mat o. dryck blaskig **3** vard. hafsig [*a ~ piece of work*], slarvig [~ *style*]; slafsig **4** sladdrig, säckig [~ *trousers*]; *S~ Joe* [*sweater*] vard. säckig [flick]tröja **5** vard. sentimental, pjollrig

slosh [slɒʃ] **I** *s* **1** se *slush 1* o. *2* **2** sl. snyting **3** skvalp, plask **II** *vb tr* **1** sl. klippa till **2** kladda 'på [~ *paint*]; skvätta **3** skvalpa omkring med **III** *vb itr* **1** vada, klafsa [~ *about in the water* (*mud*)] **2** skvalpa

sloshed [slɒʃt] sl. mosig, packad berusad

slot [slɒt] **I** *s* **1** springa, [smal] öppning; myntinkast; brevinkast **2** spår, fals **II** *vb tr* **1** göra en springa (springor etc.) i **2** placera, stoppa in [~ *a recital into a radio programme*]

sloth [sləʊθ] **1** tröghet, lättja **2** zool. sengångare

slot machine ['slɒtməʃi:n] **1** [varu]automat **2** spelautomat **3** amer. enarmad bandit

slouch [slaʊtʃ] **I** *s* **1** hopsjunken (slapp) hållning (gång); lutande; slokande; *walk with a* ~ hasa sig fram **2** sl. odugling; *he's no ~ at* han är inte bortkommen i (i fråga om) **II** *vb itr* **1** gå (stå, sitta) hopsjunken; ~ *about* stå (sitta) och hänga **2** sloka om hattbrätte; hänga

slouch hat [ˌslaʊtʃ'hæt] slokhatt

Slovak ['sləʊvæk] **I** *adj* slovakisk; *the ~ Republic* Slovakiska republiken **II** *s* **1** slovak; slovakiska kvinna **2** slovakiska [språket]

Slovakia [slə(ʊ)'vækɪə] geogr. Slovakien

Slovakian [slə(ʊ)'vækɪən] slovakisk

Slovene ['sləʊvi:n, slə(ʊ)'vi:n] sloven; slovenska kvinna

Slovenia [slə(ʊ)'vi:njə] geogr. Slovenien

Slovenian [slə(ʊ)'vi:njən] **I** *adj* slovensk **II** *s* slovenska [språket]

slovenly ['slʌvnlɪ] **1** ovårdad, sjabbig **2** slarvig, hafsig [~ *fellow*, ~ *work*]

slow [sləʊ] **I** *adj* **1** långsam [~ *speed*]; trög; ~ *but* (*and*) *sure* långsam men säker **2** som går för sakta [*a* ~ *clock*]; *be* ~ gå efter (för sakta) [*be ten minutes* ~] **II** *adv* långsamt [*read* (*speak*) ~]; *go* ~ a) gå (springa, köra) sakta (långsamt), sakta farten b) maska vid arbetskonflikt c) ta det lugnt, slå av på takten i arbete o.d. d) om klocka gå efter **III** *vb itr*, ~ *down* (*up*) a) sakta in, sakta farten b) sänka (slå av på) takten **IV** *vb tr*, ~ *down* (*up*) a) sakta [in] [~ *a car down*] b) fördröja, försena; hejda, hålla tillbaka

slowcoach ['sləʊkəʊtʃ] vard. slöfock, sölkorv

slowly ['sləʊlɪ] långsamt [~ *but surely*]

slow-motion [ˌsləʊ'məʊʃ(ə)n] **I** *s* slow motion, ultrarapid [*in* ~] **II** *adj*, *a* ~ *film* en film i slow motion (ultrarapid)

sludge [slʌdʒ] **1** dy, gyttja **2** slam; rötslam; bottensats **3** snösörja; issörja

1 slug [slʌg] zool. [skallös] snigel

2 slug [slʌg] **1** kula isht för luftbössa **2** metallklump **3** [spel]pollett; [falskt] mynt

3 slug [slʌg] **I** *vb tr* vard. dänga (drämma) 'till; damma (puckla) 'på **II** *vb itr* sport. slugga

sluggish ['slʌgɪʃ] **1** lat, långsam [~ *worker*], trög [~ *digestion*, ~ *temperament*] **2** trög [~ *market*]

sluice [slu:s] **I** *s* **1** a) sluss; slussport, slusslucka b) ränna, kvarnränna, vaskningsränna **2** slussningsvatten; uppdämt vatten **II** *vb tr* **1** släppa ut (spola) vatten över (genom); skölja [~ *the decks*] **2** öppna slussen ovanför **3** släppa 'på (ut) vatten o.d. **4** slussa

slum [slʌm] **I** *s* **1** slumkvarter; *turn into* (*become*) *a* ~ förslummas **2** *the* ~*s* (konstr. ss. pl.) slummen **II** *vb itr*, *go* ~*ming* ta en titt på slummen

slumber ['slʌmbə] litt. o. poet. **I** *vb itr* slumra **II** *s*, ~[*s* pl.] slummer

slummy ['slʌmɪ] förslummad

slump [slʌmp] **I** *s* **1** hand. [plötsligt] prisfall, lågkonjunktur **2** bildl. [kraftig] nedgång (tillbakagång); nedgångsperiod **II** *vb itr* **1** rasa [*prices* ~*ed*], sjunka (gå ner) plötsligt [*sales* ~*ed*] **2** sjunka ner (ihop)

slung [slʌŋ] imperf. o. perf. p. av *sling*

slunk [slʌŋk] imperf. o. perf. p. av *slink*

slur [slɜ:] **I** *vb tr* **1** uttala (skriva) otydligt (suddigt); ~ *one's words* sluddra **2** ~ *over* a) halka över, beröra flyktigt, bagatellisera b) slarva igenom **3** tala nedsättande om **II** *vb itr* tala (skriva, sjunga) fort och slarvigt **III** *s* **1** a) nedsättande anmärkning b) [skam]fläck [*a* ~ *on a p.'s good name*]; *cast* (*put*) *a* ~ [*up*]*on a p.* förtala (svärta ner) ngn **2** mus. legatobåge

slurp [slɜ:p] **I** *vb tr* sörpla (smaska) i sig **II** *vb itr* sörpla **III** *s* **1** sörplande, smaskande **2** klunk

slush [slʌʃ] **1** snösörja, snöslask; issörja **2** gyttja **3** vard. sentimentalt dravel; strunt[prat]

slushy ['slʌʃɪ] **1** slaskig; smutsig; smörjig **2** vard. sentimental

slut [slʌt] **1** slarva, subba **2** slampa **3** skämts. jänta, jäntunge

sluttish ['slʌtɪʃ] **1** slarvig, sjaskig **2** slampig

sly [slaɪ] (adv. *slyly*, äv. *slily*) **1** [knip]slug; *a* ~ *dog* vard. en lurifax, en filur; *on the* ~ i smyg (hemlighet), förstulet **2** skälmsk, spjuveraktig

1 smack [smæk] **I** *s* **1** smack [~ *of* (med) *the lips*] **2** smäll, slag, klatsch [~ *of the whip*]; *a* ~ *in the eye* (*face*) vard. ett slag i ansiktet; *have a* ~ *at* vard. försöka sig på **II** *vb tr* **1** smälla [till] [~ *a naughty child*], slå; klatscha med [~ *a whip*] **2** smacka med; ~ *one's lips* smacka med läpparna; slicka sig om munnen **III** *adv* vard. rakt, rätt [~ *in the middle*]; tvärt; bums; pladask

2 smack [smæk] sjö. [fiske]smack

3 smack [smæk] **I** *s* **1** [svag] smak, liten aning **2** smakbit, munfull; aning **II** *vb itr*, ~ *of* smaka; bildl. äv. ha en anstrykning av

smacker ['smækə] vard. pund; dollar [*fifty* ~*s*]

small [smɔ:l] **I** *adj* **1** liten; pl. små; små-; obetydlig; ~ *change* a) småpengar, växel[pengar] b) triviala anmärkningar; alldagligt prat; vardagsmat; ~ *talk* småprat, kallprat **2** tunn, svag [~ *voice*]; fin [~ *rain*]; ~ *beer* a) ngt åld. svagt öl; svagdricka b) vard. småprat, struntprat; struntsaker; *he is very* ~ *beer* han är en stor nolla **3** småsint **II** *s*, *the* ~ den smala (tunna) delen **III** *adv* smått [*cut it* ~]

small-arms ['smɔ:lɑ:mz] mil. handeldvapen; ~ *factory* gevärsfabrik, gevärsfaktori

smallholder ['smɔ:lˌhəʊldə] småbrukare

smallholding ['smɔ:lˌhəʊldɪŋ] småbruk

smallish ['smɔ:lɪʃ] ganska (rätt så) liten

small-minded [ˌsmɔ:l'maɪndɪd] småaktig

smallpox ['smɔ:lpɒks] [smitt]koppor

small-time ['smɔ:ltaɪm] vard. obetydlig, andra klassens [~ *tennis pro*], amatör- [~ *criminal*]

smarmy ['smɑ:mɪ] vard. [obehagligt] inställsam, sliskig; ~ *type* äv. smilfink

smart [smɑ:t] **I** *adj* **1** skicklig [~ *politician*]; slipad [*a* ~ *businessman*], finurlig **2** fyndig, kvick [*a* ~ *answer*]; fiffig **3** skärpt, duktig, vaken [*a* ~ *lad*]; *a* ~ *piece of work* ett gott arbete **4** stilig, tuff [~ *clothes*]; snygg **5** fashionabel; *the* ~ *set* fint folk, innefolket **6** skarp, svidande [~ *blow*] **7** rask, snabb [*at a ~ pace*]; *look ~* [*about it*]*!* raska på! **II** *vb itr* **1** göra ont, svida **2** plågas; *~ under* lida (plågas) av [*she ~ed under their criticism*] **3** *~ for* [få] sota (plikta) för

smart-aleck ['smɑ:tˌælɪk, ˌ-'--] vard. viktigpetter

smart card ['smɑ:tkɑ:d] smartcard, aktivkort

smarten ['smɑ:tn] **I** *vb tr* snygga (piffa, snofsa) upp [äv. *~ up*; *~ oneself* [*up*]] **II** *vb itr*, *~ up* göra sig fin (snygg), piffa (snofsa) upp sig

smash [smæʃ] **I** *vb tr* **1** slå sönder (i kras) [äv. *~ up*; *~ an egg*], krascha; spränga [*~ an atom*]; *~ in* (*down*) *a door* el. *~ a door open* slå in (spränga) en dörr; *~ up a car* kvadda en bil **2** i tennis o.d. smasha **3** bildl. a) krossa, slå ner [*~ all resistance*], tillintetgöra b) ruinera **II** *vb itr* **1** gå sönder (i kras, i bitar) [äv. *~ to pieces*], krascha; flyg. äv. störta **2** *~ into* rusa (köra, smälla) emot [*the car ~ed into the wall*] **3** i tennis o.d. smasha **III** *s* **1** slag [*a ~ on the jaw*] **2** brak, skräll [*fall with a ~*] **3 a**) krock; haveri **b**) konkurs **c**) katastrof; vard. stor skräll **4** i tennis o.d. smash **5** vard. jättesuccé; succémelodi **IV** *adv* vard. med ett brak; rakt; *go* (*run*) *~ into* rusa rakt (rätt) på (in i); *go ~* bildl. gå i konkurs; klappa ihop

smasher ['smæʃə] vard. a) panggrej b) snygging; toppenkille; toppentjej

smash-hit ['smæʃhɪt] vard. jättesuccé; succémelodi

smashing ['smæʃɪŋ] **1** krossande; förkrossande; *~ blow* dråpslag; *~ victory* förkrossande seger **2** vard. jättefin, fantastisk [*~ dinner*], toppen[-], kalas[-] [*~ girl*]

smattering ['smæt(ə)rɪŋ] ytlig kännedom, ytliga kunskaper

smear [smɪə] **I** *s* **1** fläck, smutsfläck **2** smutskastning **3** med. utstryk[sprov] [*cervical ~*] **II** *vb tr* **1** smeta (smutsa) [ner]; fläcka; bildl. äv. smutskasta [*~ a p.'s reputation*] **2** smörja [in] [*~ one's hands with grease*]; breda [på] **3** sudda till [*~ a blot* (*word*)] **III** *vb itr* **1** smeta [ifrån (av) sig] **2** sudda

smell [smel] **I** (*smelt smelt* el. *~ed ~ed*) *vb tr* **1** känna lukten av, vädra äv. bildl.; bildl. misstänka, ana [*~ treason*]; *I can ~ something burning* jag känner lukten av något bränt, det luktar bränt **2** lukta på [*~ a rose*] **II** (för tema se *I*) *vb itr* **1** lukta [*at* på; *~ at a flower*] **2** lukta, dofta; stinka; *~ good* (*bad*) lukta gott (illa); *~ of* lukta [*~ of brandy* (*tobacco*)]; bildl. äv. ha en anstrykning av, tyda på, verka; vard. vara snudd på [*~ of heresy*] **III** *s* lukt; luktsinne; *there's a ~ of cooking* det luktar mat

smelling-salts ['smelɪŋsɔ:lts] luktsalt

smelly ['smelɪ] vard. illaluktande

1 smelt [smelt] **1** smälta malm **2** utvinna metall

2 smelt [smelt] zool. nors

3 smelt [smelt] imperf. o. perf. p. av *smell*

smile [smaɪl] **I** *vb itr* le; *~!* se glad ut!; *~ up*[*on*] bildl. le mot, gynna **II** *vb tr* ge uttryck åt (visa) genom ett leende **III** *s* leende

smirk [smɜ:k] **I** *vb itr* [hån]flina **II** *s* flin

smith [smɪθ] smed

smithereens [ˌsmɪðə'ri:nz] vard. småbitar; *break* (*smash*) [*in*]*to ~* slå i tusen bitar

smithy ['smɪðɪ, 'smɪθɪ] smedja

smitten ['smɪtn] slagen; *~ with* (*by*) *a p.* (*a p.'s charms*) betagen (förälskad) i ngn

smock [smɒk] **1** skyddsrock **2** lekdräkt för barn

smog [smɒg] smog rökblandad dimma

smoke [sməʊk] **I** *s* **1** rök; *the* [*Big*] *S~* vard. beteckn. för London; **2** vard. rök, bloss [*long for a ~*]; *have* (*take*) *a ~* ta sig en rök (ett bloss) **3** vard. röka, tobak [äv. pl. *~s*] **II** *vb itr* **1** ryka [*the chimney ~s*], osa [*the lamp ~s*], ånga; ryka in **2** röka [*may I ~?*]; vard. röka [marijuana (hasch)] **III** *vb tr* röka [*~ bacon*; *~ tobacco*]; *~d ham* rökt skinka

smoker ['sməʊkə] **1** rökare; *a heavy ~* en storrökare **2** vard. rökkupé; vagn för rökare

smoke screen ['sməʊkskri:n] mil. rökslöja; rökridå äv. bildl.

smokestack ['sməʊkstæk] fartygsskorsten

smoking ['sməʊkɪŋ] **I** *adj* rökande; rykande **II** *s* rökning; *no ~* [*allowed*] rökning förbjuden

smoking-compartment ['sməʊkɪŋkəmˌpɑ:tmənt] rökkupé

smoking-room ['sməʊkɪŋru:m] rökrum

smoky ['sməʊkɪ] **1** rykande [*~ chimney*], osande **2** rökig [*~ room*], rökfylld **3** röklik, rök- [*~ taste*]; rökfärgad

smooth [smu:ð] **I** *adj* **1** slät, jämn [*~ road*, *~ surface*]; glatt [*~ muscle*]; blank [*~ paper*]; blanksliten [*~ tyre*]; *make things ~ for a p.* bildl. jämna vägen för ngn **2** len, fin, slät [*~ skin* (*chin*)] **3** lugn, stilla [*~ sea* (*crossing*)], jämn [*~ flight*] **4** välblandad, jämn [*~ paste* (*consistency*)] **5** bildl. [jämn]flytande, lätt[flytande], ledig [*~ motion* (*style, verse*)], lugn **6** mild, mjuk [*~ wine* (*voice, music*)] **7** a) lugn, jämn [*~ temper*], artig [*~ manners*] b) inställsam [*~ manner*], silkeslen [*~ tongue*] **II** *adv* jämnt [*run ~*]; *things have gone ~ with me* allt har gått bra (smidigt) [för mig] **III** *vb tr* **1** göra jämn (slät) äv. bildl. [*~ a p.'s path*]; släta 'till **2** *~ down* a) släta 'till [*~ down one's*

dress (*hair*)] b) jämna ut, mildra [~ *down differences*]; bilägga [~ *down a quarrel*] **3** ~ *out* a) släta ut [~ *out creases* (*a sheet*)]; jämna ut b) släta över [~ *out faults*] **4** ~ *over* släta över
smoothly ['smu:ðlɪ] jämnt etc., jfr *smooth I*; *a ~ running engine* en motor med jämn gång
smother ['smʌðə] **1** kväva äv. bildl. [~ *a yawn, ~ one's anger*] **2** täcka; [*the meat*] *was ~ed with sauce* ...var dränkt i sås **3** [över]hölja [~ *with caresses* (*gifts*; *dust*)]
smoulder ['sməʊldə] **I** *vb itr* [ligga och] ryka; pyra, glöda under askan äv. bildl. **II** *s* glöd; pyrande
smudge [smʌdʒ] **I** *s* [smuts]fläck **II** *vb tr* sudda (kludda, kladda) ner (till); bildl. fläcka; ~ *out* sudda ut **III** *vb itr* bli suddig, sudda; smeta
smug [smʌg] självbelåten; trångsynt
smuggle ['smʌgl] smuggla äv. bildl.
smuggler ['smʌglə] smugglare
smuggling ['smʌglɪŋ] smuggling
smut [smʌt] **1** sotflaga; sotfläck **2** rost på säd **3** bildl. oanständighet[er]
smutty ['smʌtɪ] **1** sotig, nersotad **2** om säd angripen av rost **3** oanständig, snuskig [~ *stories*], smuts-
snack [snæk] matbit, lätt [mellan]mål; munsbit; *~s* äv. tilltugg, snacks [*~s with the drinks*]
snack bar ['snækbɑ:] o. **snackery** ['snækərɪ] snackbar, barservering
snag [snæg] **1** avbruten (utstående) grenstump; vass knöl (sten) **2** a) uppriven tråd (maska) b) reva **3** vard., *there's* (*that's*) *the ~!* det är det som är kruxet (stötestenen)!
snail [sneɪl] snigel med skal; om pers. äv. sölkorv; *at a ~'s pace* med snigelfart
snake [sneɪk] orm äv. bildl.; ~ *in the grass* a) oanad (dold) fara b) orm i paradiset, falsk vän
snakebite ['sneɪkbaɪt] ormbett
snap [snæp] **I** *vb itr* **1** nafsa, snappa **2** fräsa, fara ut [äv. ~ *out*; *she ~ped at* (åt, mot) *him*] **3** gå av (itu) [äv. ~ *off* (*in two*); *the branch ~ped*]; *his nerves ~ped* hans nerver sviktade **4** knäppa [till]; *the lid ~ped down* (*shut*) locket smällde igen **5** vard., ~ [*in*]*to it* raskt ta itu med saken, sätta i gång omedelbart **II** *vb tr* **1** ~ *up* nafsa (nappa) åt sig, snappa [upp] **2** ~ *a p.'s head off* bita (snäsa) av ngn **3** bryta av (itu) [äv. ~ *off*]; slita av [~ *a thread*] **4** knäppa med [~ *one's fingers*], smälla med [~ *a whip*]; ~ *one's fingers at a p.* (*in a p.'s face*) bildl. strunta i ngn; visa förakt för ngn **5** knäppa igen [~ *a clasp*]; ~ *the lid down* (*shut*) smälla (slå) igen locket **6** knäppa, fotografera **III** *s* **1** nafsande **2** a) knäpp [*a ~ with one's fingers*] b) knäck; smäll [*the oar broke with a ~*] **3** [tryck]knäppe [*the ~ of a bracelet*]; tryckknapp **4** vard. fart; *put some ~ into it* sätta lite fart på det hela **5** kort period (ryck); *cold ~* köldknäpp **6** slags småkaka; *ginger ~s* ung. [hårda] pepparkakor **7** slags kortspel för barn **8** se *snapshot* **IV** *adj* **1** snabb [*a ~ decision*] **2** parl. plötslig, överrumplings- [~ *division* (*vote*) (votering)] **V** *adv, go ~* gå av med en smäll (knäpp)
snapdragon ['snæpˌdræg(ə)n] bot. lejongap
snap fastener ['snæpˌfɑ:snə] tryckknapp
snappy ['snæpɪ] **1** knäppande, smällande, knastrande [~ *sound*] **2** kvick; *make it* (*look*) *~!* vard. raska (sno) på!, lägg på en rem!
snapshot ['snæpʃɒt] foto. **I** *s* kort fotografi **II** *vb tr* knäppa
snare [sneə] **I** *s* snara; bildl. äv. försåt; *lay ~s for* lägga ut snaror för **II** *vb tr* snara
1 snarl [snɑ:l] **I** *vb itr* morra; om pers. brumma ilsket **II** *vb tr, ~ out* brumma [fram] ilsket **III** *s* morrande; brummande
2 snarl [snɑ:l] **I** *s* trassel, knut; härva [*traffic ~*]; bildl. äv. förveckling **II** *vb tr* trassla till (in, ihop); *be ~ed up* vard. vara tilltrasslad (kaotisk), ha kört ihop sig
snatch [snætʃ] **I** *vb tr* **1** rycka till sig, rafsa åt sig [äv. ~ *up*], gripa (hugga) [tag i]; ~ *away* rycka bort (undan); ~ *off* rycka (slita) av [sig] **2** stjäla [sig till] [~ *a kiss, ~ a nap*] **3** sl. **a**) kidnappa **b**) haffa; *be ~ed* torska, åka dit **c**) sno, stjäla **II** *vb itr* **1** hugga 'för sig **2** ~ *at* gripa efter **III** *s* **1** hugg, grepp, napp **2** a) kort period (stund) b) [brott]stycke; stump; bit; *~es of verse* versstumpar **3** i tyngdlyftning ryck **4** sl. a) stöld; kidnappning b) gripande [av brottsling] **5** vulg. a) fitta b) knull
sneak [sni:k] **I** (imperf. o. perf. p. *~ed*, amer. äv. *snuck snuck*) *vb itr* **1** smyga [sig]; ~ *away* smyga sig i väg, lomma av **2** skol. sl. skvallra **II** *vb tr* smyga (smussla, smuggla) in (ut) [~ *a gun into one's pocket*] **III** *s* **1** skol. sl. skvallerbytta **2** amer., pl. *~s* se *sneakers* **IV** *adj* överrasknings- [~ *raid*], smyg-; ~ *preview* film. förhandsvisning, försöksvisning
sneakers ['sni:kəz] amer. vard. gymnastikskor
sneer [snɪə] **I** *vb itr* **1** hånle, hångrina **2** ~ *at* håna, driva med, pika **II** *s* hånleende
sneeze [sni:z] **I** *vb itr* **1** nysa **2** vard., ~ *at* fnysa åt, strunta i **II** *s* nysning
snide [snaɪd] vard. spydig [~ *remarks*]
sniff [snɪf] **I** *vb itr* **1** a) vädra, snusa, sniffa b) snörvla **2** fnysa, rynka på näsan **II** *vb tr* **1** andas in; snusa (sniffa) [på]; lukta (nosa) på; ~ *up* dra upp (in) [genom

näsan] **2** känna lukten av **3** bildl. vädra [~ *a scandal*] **III** *s* **1** inandning; snörvling; fnysning **2** andetag; sniff; doft [~ *of perfume*]

sniffer ['snɪfə] vard. **1** sniffare **2** ~ *dog* narkotikahund **3** [elektronisk] avsökare **4** kran näsa

snifter ['snɪftə] **1** aromglas, konjakskupa **2** sl. sup, hutt

snigger ['snɪgə] **I** *vb itr* fnissa, flina **II** *s* fnissande, flin

snip [snɪp] **I** *vb itr* klippa **II** *vb tr* klippa (nypa, knipsa) ['av] **III** *s* **1** klipp; klippande **2** a) avklippt bit, remsa b) liten bit **3** vard. kap

snipe [snaɪp] **I** *s* **1** zool. beckasin; snäppa **2** skott från bakhåll **II** *vb itr* **1** mil. skjuta från bakhåll **2** vard., ~ *at* slå ned på, hacka på

sniper ['snaɪpə] mil. prickskytt; krypskytt

snippet ['snɪpɪt] **1** avklippt bit, remsa **2** pl. ~*s* bildl. lösryckta stycken, fragment, stumpar, småbitar, småplock

snitch [snɪtʃ] sl. **I** *s* **1** kran, snok näsa **2** angivare, tjallare **II** *vb itr* skvallra, tjalla, uppträda som angivare **III** *vb tr* knycka, sno

snivel ['snɪvl] **I** *vb itr* **1** gnälla, snyfta **2** snörvla **II** *s* gnäll

snivelling ['snɪv(ə)lɪŋ] **I** *adj* **1** gnällig **2** snorig **II** *s* **1** gnäll **2** snörvlande, snorande

snob [snɒb] snobb; *intellectual* ~ intelligenssnobb

snobbery ['snɒbərɪ] snobberi, högfärd

snobbish ['snɒbɪʃ] snobbig, struntförnäm

snog [snɒg] sl. hångla, kela

snooker ['snu:kə] **I** *s* snooker slags biljard **II** *vb tr* vard., *be ~ed* bli ställd (försatt i en besvärlig situation)

snoop [snu:p] vard. **I** *vb itr* [gå och] snoka [äv. ~ *around*] **II** *vb tr* snoka i (efter) **III** *s* snok

snooper ['snu:pə] vard. snok

snooty ['snu:tɪ] vard. snorkig, mallig; vresig

snooze [snu:z] vard. **I** *vb itr* ta sig en lur **II** *s* [tupp]lur

snore [snɔ:] **I** *vb itr* snarka **II** *s* snarkning

snorkel ['snɔ:k(ə)l] snorkel

snort [snɔ:t] **I** *vb itr* fnysa; frusta **II** *vb tr* **1** fnysa **2** sniffa [~ *cocaine*] **III** *s* **1** fnysning; frustande **2** sl. hutt **3** sl. sniff dos kokain

snot [snɒt] sl. snor

snotty ['snɒtɪ] **1** sl. snorig **2** vard. ynklig; osnuten **3** vard. arg **4** vard. snorkig

snout [snaʊt] **1** nos vard. äv. om näsa, ansikte **2** pip; utsprång **3** sl. cigg cigarett; tobak

snow [snəʊ] **I** *s* **1** snö; snöfall; pl. ~*s* a) snödrivor, snömassor b) snöfall c) snövidder; ~ *clearance* snöröjning, snöskottning; *S~ White* Snövit **2** sl. snö kokain **II** *vb itr* snöa äv. bildl.; ~ *in* bildl. strömma in **III** *vb tr, be ~ed in* (*up*) bli (vara) insnöad

snowball ['snəʊbɔ:l] **I** *s* snöboll äv. bildl.; ~ *effect* vard. snöbollseffekt **II** *vb itr* **1** kasta snöboll **2** bildl. växa (tillta) i allt snabbare takt [*opposition to the war ~ed*] **III** *vb tr* **1** kasta snöboll på **2** bildl. låta (få att) växa (tillta) i allt snabbare takt; *~ing effect* vard. snöbollseffekt

snow-bound ['snəʊbaʊnd] insnöad

snow-capped ['snəʊkæpt] snötäckt

snowdrift ['snəʊdrɪft] snödriva

snowdrop ['snəʊdrɒp] bot. snödroppe

snowfall ['snəʊfɔ:l] **1** snöfall **2** snömängd

snowflake ['snəʊfleɪk] snöflinga

snowman ['snəʊmæn] **1** snögubbe **2** *the* [*Abominable*] *S~* Snömannen i Himalaya

snowplough ['snəʊplaʊ] snöplog

snowstorm ['snəʊstɔ:m] snöstorm

snow tyre ['snəʊˌtaɪə] vinterdäck

snowy ['snəʊɪ] **1** snöig; snö- [~ *weather*] **2** snövit

Snr. o. **snr.** ['si:njə] förk. för *senior*

snub [snʌb] **I** *vb tr* snäsa [av]; stuka **II** *s* avsnäsning **III** *adj*, ~ *nose* trubbnäsa

snub-nosed ['snʌbnəʊzd] trubbnosig

1 snuff [snʌf] **I** *vb tr* andas in, vädra; snusa [~ *tobacco*] **II** *s* [torrt] snus; *take* ~ snusa

2 snuff [snʌf] **1** snoppa, snyta [~ *a candle*]; ~ *out* släcka med ljussläckare o.d. **2** ~ [*out*] bildl. kväva, undertrycka [~ [*out*] *hopes*, ~ [*out*] *a rebellion*] **3** sl. döda [*get ~ed*]; ~ *it* lämna in, kola dö

snuffbox ['snʌfbɒks] snusdosa

snug [snʌg] **1** varm och skön; trygg; *be ~ in bed* ha det varmt och skönt i sängen **2** snygg, prydlig **3** åtsittande [*a ~ jacket*], stram; tättslutande; *fit ~ around the waist* sitta tätt kring midjan

snuggle ['snʌgl] *vb itr* **1** sätta (lägga) sig bekvämt till rätta; ~ *down* kura ihop, krypa ner **2** ~ *up to* (*against*) trycka (smyga) sig intill

1 so [səʊ] **I** *adv* **1** så; [så] till den grad; *it's ~ kind of you* det är mycket vänligt av dig **2** så, sålunda, på så sätt; [*rather*] ~ ~ vard. si och så, så där; *is that ~?* jaså?, säger du det? **3** spec. förbindelser: ~ *as to* för att [*he hit the snake on the head ~ as to stun it*]; *and ~ on* (*forth*) och så vidare; ~ *to say* (*speak*) så att säga; ~ *that* a) för att [*he died ~ that we might live*] b) så att [*he tied me up ~ that I couldn't move*]; *if* ~ i så fall, om så är (vore) **4** *I'm afraid* ~ jag är rädd för det; *I believe* ~ jag tror det; *I told you ~!* det var [ju] det jag sa! **5** därför [*she is ill, and ~ cannot come to the party*] **6** ss. svar: [*It was cold yesterday.* –] *S~ it was* ...Ja, det var det **7** *he is old and ~ am I* han är gammal och det är 'jag också **II** *konj* **1** a) så [att] [*check carefully ~ any mistake will be found*] b) så, varför [*she asked me to go, ~ I went*] **2** i utrop så [*~ you're back again!*]; *~ there!* så är det!; *~ what?* än sen då?

2 so [səʊ] mus. sol

soak [səʊk] **I** *vb tr* **1** blöta, lägga i blöt **2** göra genomvåt, [genom]dränka äv. bildl.; *~ed through* genomvåt, genomblöt, genomsur **3** vard., *~ in* insupa, suga i sig (upp, åt sig) [*~ in the atmosphere*], absorbera; *~ up* suga upp (åt sig) [*~ up information*], absorbera **4** vard. skinna, köra upp [*~ the tourists*]; pressa pengar av; *~ the rich* låta de rika betala **II** *vb itr* **1** ligga i blöt **2** *~ in* sugas (tränga) in **III** *s* **1** [genom]blötning; blötläggning; *give a ~* **2** blötläggningsvatten

soaking ['səʊkɪŋ] **I** *s* [upp]blötning; blötläggning **II** *adj* genomvåt, genomblöt **III** *adv, ~ wet* genomvåt, genomblöt, genomsur

so-and-so ['səʊənsəʊ] **1** den och den; *Mr. S~* äv. herr N.N. **2** neds. (ung.) typ, fårskalle [*that old ~*]

soap [səʊp] **I** *s* tvål; såpa; *a ~* en tvål[sort]; *a cake (piece, tablet) of ~* en tvål **II** såpa [in]; såptvätta

soapflakes ['səʊpfleɪks] tvålflingor

soap opera ['səʊpˌɒpərə] vard. tvålopera

soapsuds ['səʊpsʌdz] tvållödder; tvålvatten

soapy ['səʊpɪ] **1** tvålig, tvålaktig; såpig **2** bildl. inställsam

soar [sɔː] **1** flyga (sväva) högt, höja sig **2** bildl. a) svinga sig upp till (sväva i) högre rymder b) stiga (stegras) våldsamt [*prices are ~ing*]

sob [sɒb] **I** *vb itr* **1** snyfta **2** flämta **II** *vb tr, ~ out* snyfta fram **III** *s* snyftning

sober ['səʊbə] **I** *adj* **1** nykter; måttlig; *as ~ as a judge* vard. spik nykter; *become ~ [again]* nyktra till **2** a) måttfull, sansad [*~ judgement*], behärskad, besinningsfull b) nykter, enkel [*~ facts*] c) allvarsam, saklig **3** sober, dämpad [*~ colours*] **II** *vb tr* få (göra) nykter [äv. *~ up (down)*] **III** *vb itr* nyktra till, bli nykter [vanl. *~ up (down)*]

sobriety [sə(ʊ)'braɪətɪ] **1** nykterhet; måttlighet **2** måttfullhet, sans

so-called [ˌsəʊ'kɔːld, attr. '--] mest neds. s.k., så kallad

soccer ['sɒkə] vard. (kortform för *Association football*) fotboll i motsats till rugby el. amerikansk fotboll

sociable ['səʊʃəbl] sällskaplig; *~ person* sällskapsmänniska

social ['səʊʃ(ə)l] **I** *adj* **1** social; samhällelig; *~ care* samhällsvård; *S~ Democrat* socialdemokrat; *~ science* samhällsvetenskap[erna]; *~ security* a) social trygghet b) amer. (ung.) socialförsäkring inklusive pension; *~ standing (position)* socialt anseende, social ställning; *~ welfare* socialvård; *~ welfare officer* socialkurator **2** zool. samhällsbildande **3** sällskaplig; sällskaps- [*~ talents*], umgänges- **II** *s* samkväm, tillställning

socialism ['səʊʃəlɪz(ə)m] socialism

socialist ['səʊʃəlɪst] **I** *s* socialist; ofta *S~* socialdemokrat **II** *adj* socialistisk; ofta *S~* socialdemokratisk [*the S~ Party*]

socialite ['səʊʃəlaɪt] vard. societetslejon, kändis

socialize ['səʊʃəlaɪz] **I** *vb tr* förstatliga; *~d medicine* amer. fri sjukvård genom samhällets försorg **II** *vb itr* **1** *~ with* umgås (fraternisera) med **2** delta i sällskapslivet

socially ['səʊʃ(ə)lɪ] **1** socialt **2** sällskapligt [*I have known him ~ for six years*]

society [sə'saɪətɪ] **1** samhälle[t] **2** samfund; *charitable ~* välgörenhetsförening; *learned ~* lärt (vetenskapligt) samfund **3** a) sällskap [*feminine ~*] b) krets[ar] [*musical (literary) ~*]; vänkrets, umgängeskrets **4** [*high*] *~* societet[en], sällskapslivet [ofta *S~*]

sociological [ˌsəʊʃjəʊ'lɒdʒɪk(ə)l] sociologisk

sociologist [ˌsəʊʃɪ'ɒlədʒɪst] sociolog

sociology [ˌsəʊʃɪ'ɒlədʒɪ] sociologi

1 sock [sɒk] **1** [kort]strumpa, socka; *pull one's ~s up* **2** [inläggs]sula

2 sock [sɒk] sl. **I** *s* slag; *a ~ on the jaw* ett slag på käften, en snyting **II** *vb tr* slå; *~ it to a p.* ge ngn på käften, ge ngn så han (hon) tiger

socket ['sɒkɪt] **1** hålighet; urtag; ledskål; *eye ~* ögonhåla **2** hållare [*lamp ~*]; uttag; *wall ~* vägguttag; *~ outlet* [el]uttag **3** mek. hylsa, hållare; *~ wrench* hylsnyckel

1 sod [sɒd] **1** gräsmatta, gräsmark, grästorv **2** grästorva

2 sod [sɒd] vulg. **I** *s* **1** bög **2** jävel, knöl [*you cheeky ~!*]; *poor ~!* stackars jävel (kräk)! **II** *vb tr, ~ it!* fan!; *~ that!* det skiter jag (ger jag fan) i! **III** *vb itr, ~ about* larva (drälla) omkring

soda ['səʊdə] **1** a) soda; kem. natriumkarbonat b) kaustik soda c) bikarbonat; kem. natriumvätekarbonat d) natriumoxid; *bicarbonate of ~* bikarbonat **2** sodavatten **3** amer. ice-cream soda; läsk

soda fountain ['səʊdəˌfaʊntən] **1** läskedrycksautomat **2** ung. glassbar; läskedrycksbar

sodden ['sɒdn] **1** genomblöt **2** a) om bröd o.d. degig b) svampig

sodium ['səʊdjəm] kem. natrium; ~ *chloride* natriumklorid, koksalt
sofa ['səʊfə] soffa; *on the* ~ i (på) soffan
soft [sɒft] **1** mjuk [~ *pillow*]; lös; ~ *drink* alkoholfri dryck, läskedryck; ~ *landing* mjuklandning **2** dämpad, soft [~ *colour*; ~ *light*; ~ *music*], mjuk [~ *outline* (kontur)]; ~ *focus* foto. softfokusbild; ~ *pedal* vard. sordin, hämsko **3** mild [~ *breeze* (*climate*); ~ *words* (*eyes*)], blid [~ *day* (*winter*)]; god [~ *heart*]; ~ *sell* mjuk försäljningsteknik **4** lätt, lindrig [~ *job*]; ~ *touch* vard. a) lätt[lurat] offer, person som är lätt att klå på pengar b) lätt (snabb) affär c) person som är lätt att rå på; lätt match **5** vek[lig]; ~ *spot* svag punkt **6** vard. tokig; *be* ~ *on* (*about*) *a p.* vara småkär i (svärma för) ngn
soft-boiled [ˌsɒft'bɔɪld, attr. '--] löskokt [~ *eggs*]
soften ['sɒfn] **I** *vb tr* **1** mjuka upp [bildl. ofta ~ *up*] **2** dämpa, lindra [äv. ~ *down*]; bildl. försvaga **3** stämma mildare; ~ *a p.'s heart* få ngns hjärta att vekna **II** *vb itr* mjukna, mildras; vekna alla äv. bildl.
softener ['sɒfnə] mjuk[nings]medel
soft-hearted [ˌsɒft'hɑ:tɪd] godhjärtad
software ['sɒftweə] data. mjukvara
soggy ['sɒgɪ] **1** blöt; om mark äv. uppblött, sumpig **2** om bröd degig **3** trög, tung
1 soil [sɔɪl] **1** jord, jordmån [*rich* (*poor*) ~], mull; grogrund äv. bildl. **2** mark [*on foreign* ~]
2 soil [sɔɪl] **I** *vb tr* smutsa [ner], solka [ner] [~ *one's hands* (*clothes*)]; ~*ed linen* smutskläder, smutstvätt **II** *vb itr* smutsas [*material that* ~*s easily*]
sojourn ['sɒdʒɜ:n] litt. **I** *vb itr* vistas **II** *s* vistelse
solace ['sɒləs] **I** *s* tröst, lindring **II** *vb tr* trösta; ~ *oneself* trösta sig
solar ['səʊlə] **1** sol- [~ *ray*; ~ *system*; ~ *year*; ~ *battery*; ~ *cell*], solar- [~ *constant*]; ~ *day* soldygn; ~ *energy* solenergi **2** ~ *plexus* anat. el. boxn. solarplexus; vard. äv. maggrop[en]
solari|um [sə(ʊ)'leərɪ|əm] (pl. -*ums* el. -*a* [-ə]) solarium
sold [səʊld] imperf. o. perf. p. av *sell*
solder ['sɒldə, 'səʊldə] **I** *s* lod **II** *vb tr* löda [ihop (fast)] **III** *vb itr* löda
soldier ['səʊldʒə] **I** *s* soldat; *common* (*private*) ~ menig; *come the old* ~ *over a p.* vard. [försöka] trycka ner ngn åberopande sin långa erfarenhet **II** *vb itr* tjäna som (vara) soldat; ~ *on* kämpa på, hålla stånd (ut)
1 sole [səʊl] **I** *s* **1** [sko]sula; fotsula **2** zool. [sjö]tunga; *Dover* ~ äkta sjötunga **II** *vb tr* [halv]sula
2 sole [səʊl] enda; ensam i sitt slag; ~ *agent* (*distributor*) ensamförsäljare, ensamagent; ~ *heir* universalarvinge
solecism ['sɒlɪsɪz(ə)m] språkfel
solely ['səʊllɪ] **1** ensam [~ *responsible*] **2** endast, uteslutande
solemn ['sɒləm] högtidlig
solemnity [sə'lemnətɪ] högtidlighet
solicit [sə'lɪsɪt] **I** *vb tr* **1** [enträget] be [~ *a p. for* (om) *a th.*; ~ *a p. to* ([om] att) *do a th.*] **2** [enträget] be om [~ *a favour from* (*of*) *a p.* (av ngn)]; ~ *votes* [försöka] värva röster **3** om prostituerad bjuda ut sig åt **II** *vb itr* **1** tigga, be **2** om prostituerad bjuda ut sig, antasta (ofreda) presumtiva kunder
solicitor [sə'lɪsɪtə] **1** i England advokat som förbereder mål för *barrister*, underrättsadvokat; jurist, juridiskt ombud **2** i USA stadsjurist; juridisk rådgivare **3** amer. [röst]värvare; ackvisitör; bettlare
solicitous [sə'lɪsɪtəs] ivrig
solicitude [sə'lɪsɪtju:d] **1** [överdriven] omsorg **2** oro, ängslan; bekymmer
solid ['sɒlɪd] **I** *adj* **1** fast äv. bildl. [~ *bodies*]; i fast form; ~ *food* fast föda; *packed* ~ fullproppad **2** massiv [*a* ~ *ball* (*tyre*)], solid; ~ *chocolate* ren (ofylld) choklad; ~ *gold* massivt (gediget) guld **3** bastant [*a* ~ *meal* (*pudding*)]; ~ *flesh* fast hull; ~ *ground* stadig (fast) grund **4** pålitlig, rejäl, vederhäftig [*a* ~ *man*]; säker [~ *business, a* ~ *firm*]; hållbar [~ *arguments*] **5** enhällig; ~ *majority* kompakt (säker) majoritet **6** obruten, sammanhängande [*a* ~ *row of buildings*]; heldragen [~ *line*, ~ *wire*]; *for two* ~ *hours* (*two hours* ~) två timmar i sträck, i två hela timmar **7** kubik-; rymd-; ~ *content*[*s*] kubikinnehåll; ~ *geometry* rymdgeometri **II** *adv* enhälligt [*vote* ~] **III** *s* **1** fys. fast kropp **2** geom. solid (tredimensionell) figur, kropp **3** pl. ~*s* a) fasta ämnen (beståndsdelar) b) fast föda
solidarity [ˌsɒlɪ'dærətɪ] solidaritet
solidify [sə'lɪdɪfaɪ] **I** *vb tr* överföra till fast form; göra fast (solid); konsolidera **II** *vb itr* övergå till fast form; bli fast (solid), stelna
solidity [sə'lɪdətɪ] **1** fasthet; soliditet etc., jfr *solid I* **2** kubikinnehåll
soliloquy [sə'lɪləkwɪ] samtal med sig själv; isht teat. monolog
solitaire [ˌsɒlɪ'teə] **1** solitär diamant o.d.; smycke med en solitär **2** isht amer. kortsp. patiens
solitary ['sɒlɪt(ə)rɪ] **I** *adj* **1** ensam [*a* ~ *traveller*]; som lever (bor) för sig själv; ~ *confinement* [placering i] ensamcell (isoleringscell) **2** enda [*not a* ~ *instance* (*one*)], enstaka [*a* ~ *exception*] **3** enslig, undangömd [*a* ~ *village*], ödslig **II** *s* **1** ensling; eremit **2** vard. ensamcell
solitude ['sɒlɪtju:d] **1** ensamhet, avskildhet **2** enslighet, ödslighet

sol|o ['səʊl|əʊ] **I** (pl. *-os*, mus. äv. *-i* [-i:]) *s* **1** a) mus. solo b) solouppträdande, solonummer m.m. **2** kortsp. solo **II** *adj* solo-, ensam- [*~ flight*]; *~ whist* tvåmanswhist **III** *adv* solo, ensam [*fly ~*]

soloist ['səʊləʊɪst] solist

solstice ['sɒlstɪs] solstånd [*summer* (*winter*) *~*]

soluble ['sɒljʊbl] **1** [upp]lösbar, löslig [*~ in water*] **2** lösbar [*a ~ problem*]

solution [sə'lu:ʃ(ə)n, sə'lju:-] **1** lösande, lösning [*the ~ of* (av) *an equation*; *the ~ of* el. *to* (på) *a problem* (*a p.'s troubles*)] **2** kem. lösning

solve [sɒlv] lösa [*~ a problem* (*riddle*)], klara upp

solvency ['sɒlv(ə)nsɪ] hand. solvens, betalningsförmåga

solvent ['sɒlv(ə)nt] **I** *adj* **1** kem. [upp]lösande [*~ liquid*], lösnings- **2** hand. solvent **II** *s* **1** kem. lösningsmedel **2** bildl. lösning

sombre ['sɒmbə] mörk, dyster

some [sʌm, obeton. səm] **I** *fören* o. *självst indef pron* **1** a) någon [*~ person* (*child*) *might have seen it*; *I bought ~ stamps*], en [*there is ~ man at the door*] b) viss [*it is open on ~ days*], en viss [*there is ~ truth in what you say*] c) en del [*~* [*of it*] *was spoilt*], somlig [*~ work is pleasant*] d) litet [*~ bread* (*money*); *would you like ~ more?*]; [*I have read it*] *in ~ book* [*or other*] ...i någon bok [någonstans]; *~* [*people*] somliga, en del **2** åtskillig, inte så lite [*that will take ~ courage*]; [*I shall be away*] *for ~ time* ...en längre (någon) tid **3** vard. något till [en], som heter duga; *that was ~ party!* det var en riktig fest, det! **II** *adv* **1** framför räkneord o.d. ungefär, omkring [*~ twenty minutes*]; *~ dozen people* ett dussintal människor **2** vard. rätt, ganska [så] [*he seemed annoyed ~*]; *that's going ~!* vilken fart!

somebody ['sʌmbədɪ, -ˌbɒdɪ] **I** *självst indef pron* någon; *~ or other* någon [vem det nu är (var)]; en eller annan **II** *s* betydande (framstående) person; *he thinks he is* [*a*] *~* han tror att han 'är något

somehow ['sʌmhaʊ] på något (ett eller annat) sätt [äv. *~ or other*]; i alla fall [*I managed it ~*]; så gott du (han osv.) kan (kunde) [*well, do it ~!*]; hur som helst [*~, I feel sure that...*]; av någon anledning [*she never liked me, ~*]

someone ['sʌmwʌn] någon; jfr *somebody I*

somersault ['sʌməsɔ:lt, -sɒlt] **I** *s* kullerbytta äv. bildl.; volt, saltomortal; bildl. äv. helomvändning; *do* (*turn, throw*) *a ~* slå en kullerbytta **II** *vb itr* slå en kullerbytta

something ['sʌmθɪŋ] **I** *självst indef pron* o. *s* något, någonting; *a certain ~* något visst; *~ of the kind* (*sort*) någonting ditåt (åt det hållet), någonting i den stilen (vägen); *there is ~ in that* det ligger något i det, det är något att ta fasta på; *you've got ~ there!* där sa du någonting! **II** *adv* något [*~ over forty*]; vard. något [så] [*he swears ~ awful* (förfärligt)]; [*she treated me*] *~ shocking* ...på ett upprörande sätt

sometime ['sʌmtaɪm] **I** *adv* någon gång; *we will do it ~ or other* vi ska göra det någon gång [i framtiden] **II** *adj* förra, förutvarande [[*the*] *~ sheriff*]

sometimes ['sʌmtaɪmz] ibland, då och då, stundom

somewhat ['sʌmwɒt] **I** *adv* något, rätt, ganska [*it is ~ complicated*]; *~ to his astonishment* [*they left the room*] det förvånade honom något att... **II** *självst indef pron* o. *s* litt. något, litet; *he is ~ of a liar* han är en riktig (verklig) lögnare

somewhere ['sʌmweə] någonstans; *~ else* någon annanstans, annorstädes; *~ or other* någonstans [varsomhelst]; *I've got to go ~* vard. jag måste gå nånstans (gå på ett visst ställe)

son [sʌn] **1** son; *~ and heir* son och arvinge, 'arvprins' **2** i tilltal [min] gosse

sonar ['səʊnɑ:] (förk. för *sound navigation and ranging*) ekolod; hydrofon; sonar

sonata [sə'nɑ:tə] mus. sonat; sonat- [*~ form*]

song [sɒŋ] sång; visa; *book of ~s* sångbok, visbok; *be on ~* vard. vara i toppform; fungera perfekt

sonic ['sɒnɪk] ljud-, sonisk; *~ bang* (*boom*) [ljud]bang överljudsknall

son-in-law ['sʌnɪnlɔ:] (pl. *sons-in-law* ['sʌnzɪnlɔ:]) svärson, måg

sonnet ['sɒnɪt] sonett

sonny ['sʌnɪ] vard., ss. tilltal [min] lille gosse (vän); gosse lilla [äv. *~ boy*]

sonorous ['sɒnərəs, sə'nɔ:rəs] **1** ljudande, ljudlig **2** klangfull

soon [su:n] **1** snart; tidigt [*spring came ~ this year*]; *as* (*so*) *~ as* så snart (fort) [som]; *~ after* a) kort därefter b) kort efter att **2** [*just*] *as ~* lika gärna; *I would just as ~ not go there* jag skulle helst vilja slippa gå dit

sooner ['su:nə] **1** förr, tidigare; *~ or later* förr eller senare; *the ~ the better* ju förr dess bättre; *no ~ did we sit down than* vi hade knappt satt oss förrän **2** hellre; *I would ~ stay where I am than...* jag vill hellre stanna (jag stannar hellre) där jag är än...

soot [sʊt] **I** *s* sot **II** *vb tr* **1** sota [ner] **2** strö sot på

soothe [su:ð] **1** lugna [*~ a crying baby*; *~ a*

p.'s nerves] **2** lindra [~ *pains*] **3** blidka, lirka med
soothing ['su:ðɪŋ] lugnande
sooty ['sʊtɪ] sotig, sot-; sotsvart
sop [sɒp] **I** *s* **1** doppad (uppmjukad) brödbit **2** mutor för att tysta el. lugna ngn; uppmuntran **II** *vb tr* **1** doppa, blöta [upp] **2** ~ *up* suga upp, torka upp [~ *up the water with a towel*]
sophisticated [sə'fɪstɪkeɪtɪd] **1** sofistikerad; sinnrik, avancerad [*a* ~ *system*] **2** spetsfundig
sophistication [səˌfɪstɪ'keɪʃ(ə)n] **1** raffinemang; förfining; subtiliteter **2** spetsfundigheter
sophomore ['sɒfəmɔ:] amer. univ. o.d. andraårsstuderande
soporific [ˌsɒpə'rɪfɪk] **I** *adj* sömngivande **II** *s* sömnmedel
sopping ['sɒpɪŋ], ~ *wet* genomblöt, genomvåt
soppy ['sɒpɪ] **1** blöt, plaskvåt **2** vard. fånig; blödig, sentimental
sopran|o [sə'prɑ:n|əʊ] mus. **I** (pl. *-os* el. *-i* [-i:]) *s* sopran **II** *adj* sopran-
sorbet ['sɔ:beɪ, -bət] sorbet
sorcerer ['sɔ:s(ə)rə] trollkarl, svartkonstnär
sordid ['sɔ:dɪd] **1** smutsig, eländig **2** lumpen, tarvlig
sore [sɔ:] **I** *adj* **1** öm [~ *feet*], mörbultad; *have a* ~ *throat* ha ont i halsen **2** bildl. känslig, ömtålig; *a* ~ *point* (*spot*) en öm (känslig) punkt **3** isht amer. vard. sur, förbannad **II** *s* ont (ömt) ställe; varböld äv. bildl.; *reopen old ~s* bildl. a) riva upp gamla sår b) riva upp gamla misshälligheter
sorrow ['sɒrəʊ] **I** *s* sorg; [*he said it*] *more in* ~ *than in anger* ...mera ledsen än ond **II** *vb itr* sörja
sorrowful ['sɒrəf(ʊ)l] **1** sorgsen **2** sorglig
sorry ['sɒrɪ] **1** ledsen, bedrövad; [*so*] *~!* el. *I'm* [*so*] *~!* förlåt!, ursäkta [mig]!; *I'm* (*I feel*) ~ *for you* jag tycker [det är] synd om dig, det gör mig ont om dig **2** sorglig [*a* ~ *end*; *a* ~ *truth*] **3** ynklig [*a* ~ *sight*], jämmerlig, eländig [*a* ~ *performance*], dålig [*a* ~ *excuse*]; *in a* ~ *plight* (*state*) i ett bedrövligt (sorgligt) tillstånd
sort [sɔ:t] **I** *s* sort, slag; typ; *it takes all ~s* [*to make a world*] alla [människor] kan inte vara lika; ~ *of* vard. liksom, på något vis, på sätt och vis [*I feel* ~ *of funny*; *he is very nice,* ~ *of*]; *something of the* ~ något sådant; *of a* ~ el. *of ~s* vard. någon sorts, ett slags **II** *vb tr* sortera; ~ *out* a) sortera [upp] b) sortera (gallra) ut (bort) c) vard. ordna (reda) upp [~ *out one's problems*] d) vard. ge på huden [*I'll* ~ *you out!*] **III** *vb itr* litt., ~ *well* (*ill*) *with* stämma väl (dåligt) överens med
sorter ['sɔ:tə] isht post. sorterare
sortie ['sɔ:ti:] mil. **1** utfall; utbrytningsförsök **2** flyg. flygning, uppstigning
SOS [ˌesəʊ'es] **1** SOS; ~ [*signal*] nödsignal **2** radio. personligt meddelande (telegram)
so-so ['səʊsəʊ] **I** *adj* dräglig, skaplig **II** *adv* drägligt, skapligt; inget vidare
sot [sɒt] försupen stackare
soufflé ['su:fleɪ] kok. sufflé
sought [sɔ:t] imperf. o. perf. p. av *seek*
soul [səʊl] **1** själ äv. friare [*the ship sank with 300 ~s on board*]; *an honest* (*a good*) ~ vard. en hederlig (hygglig) själ; *upon my* ~ min själ, minsann **2** soul[musik]
soul-destroying ['səʊldɪˌstrɔɪɪŋ] själsdödande [~ *work*]
soulful ['səʊlf(ʊ)l] själfull
soulless ['səʊlləs] andefattig
soul mate ['səʊlmeɪt] själsfrände
soul-searching ['səʊlˌsɜ:tʃɪŋ] självrannsakan
1 sound [saʊnd] **I** *adj* **1** a) frisk [~ *teeth*], sund b) felfri [~ *fruit*], oskadad; *as* ~ *as a nut* (*bell*) frisk som en nötkärna **2** välgrundad, klok [~ *advice*; *a* ~ *argument*], sund, riktig [*a* ~ *principle*] **3** säker, solid [*a* ~ *investment* (*position*); *a* ~ *ship*] **4** grundlig; ~ *sleep* djup (god) sömn **II** *adv* sunt [*sound-thinking citizens*]
2 sound [saʊnd] **I** *s* **1** ljud; fys. äv. ljudet; ~ *film strip* ljudbildband; [*the hall*] *is good for* ~ ...har bra akustik **2** ton; skall; *give a hollow* ~ låta ihålig **II** *vb itr* **1** ljuda [*the trumpet ~ed*], tona; ge ljud **2** låta [*the music ~s beautiful*]; *it ~s to me as if* jag tycker det låter som om **III** *vb tr* **1** a) låta ljuda [~ *a trumpet*], ringa med (på, i) [~ *a bell*], slå på [~ *a gong*] b) slå an [~ *a note* (ton)], stämma upp; spela c) uttala, ljuda [~ *each letter*]; ~ *the alarm* trycka på alarmknappen, låta larmet gå, slå larm **2** isht mil. blåsa till, beordra; ~ *an* (*the*) *alarm* slå (blåsa) alarm **3** förkunna, basunera ut; ~ *a p.'s praise*[*s*] lovorda ngn
3 sound [saʊnd] **I** *vb tr* **1** sjö. pejla [~ *the depth*] **2** med. sondera **3** bildl. sondera, pejla [~ *a p.'s views*]; ~ *a p. out* [*about* (*on*) *a th.*] söka utröna (ta reda på) hur ngn ställer sig [till ngt] **II** *vb itr* **1** sjö. loda **2** bildl. sondera terrängen **3** sjunka; om val dyka **III** *s* med. sond
4 sound [saʊnd] sund; *the S~* Sundet, Öresund
sound barrier ['saʊn(d)ˌbærɪə] ljudvall
1 sounding ['saʊndɪŋ] ljudande, klingande
2 sounding ['saʊndɪŋ] **1** sondering **2** sjö. pejling; ~ *line* lodlina; *take ~s* loda; bildl. känna sig för, sondera terrängen **3** sjö., pl. *~s* a) djupförhållanden, vattendjup b) lodbart vatten [*be in* (*on*) *~s, come into ~s*]

sounding board ['saʊndɪŋbɔ:d] **1** mus. resonansbotten, resonanskropp **2** bildl. språkrör; opinionsspridare
soundproof ['saʊn(d)pru:f] **I** *adj* ljudtät, ljudisolerande **II** *vb tr* ljudisolera
soundtrack ['saʊn(d)træk] film. **1** [inspelad] filmmusik [*a ~ album*] **2** ljudband
soundwave ['saʊn(d)weɪv] ljudvåg
soup [su:p] **I** *s* kok. soppa; *clear ~* [klar] buljong, klar soppa; *be in the ~* vard. ha råkat (sitta) i klistret (knipa), sitta illa till **II** *vb tr* sl., *~ [up]* a) trimma motor o.d. b) amer. skruva upp tempot på; liva upp, ge en kraftinjektion
soup kitchen ['su:pˌkɪtʃɪn] **1** soppkök; utspisningsställe för t.ex. katastrofoffer **2** mil. sl. kök
soup plate ['su:ppleɪt] sopptallrik
sour ['saʊə] **I** *adj* **1** sur; surnad; dålig [*~ odour*]; *~ cream* a) sur grädde b) gräddfil, crème fraiche; *go ~* surna **2** bildl. sur; bitter; *go (turn) ~* a) bli sur [*on* på] b) tappa tron, bli besviken, tröttna [*on* på] c) misslyckas, gå galet, gå snett [*on* för] **II** *vb tr* **1** göra sur; syra; bleka **2** bildl. göra bitter, förarga **III** *vb itr* **1** surna **2** bildl. bli sur (bitter); tröttna, få nog
source [sɔ:s] källa; bildl. äv. upphov, upprinnelse; *~ of energy* energikälla; *~ of information* bildl. källa, informationskälla
sourpuss ['saʊəpʊs] vard. surpuppa
souse [saʊs] **I** *s* **1** ung. sylta; inkokt fisk m.m. **2** a) saltlake; marinad b) saltläggning; marinering **3** blötning; *get a thorough ~* bli genomblöt **II** *vb tr* **1** lägga i saltlake (marinad); *~d herring* ung. inkokt sill (strömming) kokt i ättika o. vatten **2** doppa [*~ a p. in a pond*]; ösa; hälla vatten på; blöta; dränka [*he ~s everything he eats in tomato ketchup*] **3** vard. berusa; *~d* berusad, mosig
south [saʊθ] **I** *s* **1** söder; för ex. jfr *east I 1* **2** *the ~ (S~)* södern, sydliga länder; södra delen; södra halvklotet; *the S~* i USA Södern, sydstaterna **II** *adj* sydlig, södra, syd- [*on the ~ coast*], söder-, sunnan-; *S~ America* Sydamerika; *the S~ Country* södra England, Sydengland; *the S~ Pole* sydpolen **III** *adv* mot (åt) söder, söderut; söder; för ex. jfr *east III* **IV** *vb itr* segla (stäva) mot söder; om solen o. månen passera meridianen
southbound ['saʊθbaʊnd] sydgående
south-east [ˌsaʊθ'i:st] **I** *s* sydost, sydöst **II** *adj* sydostlig, sydöstlig; *South-East Asia* Sydostasien **III** *adv* mot (i) sydost (sydöst); *~ of* sydost om
south-eastern [ˌsaʊθ'i:stən] sydostlig, sydöstlig, sydöstra
southerly ['sʌðəlɪ] sydlig; mot söder; sydlig vind; jfr vid. *easterly*
southern ['sʌðən] **1** sydlig; södra [*the S~ Cross, the ~ hemisphere*], söder-, syd-; för ex., jfr *eastern 1*; *~ lights* sydsken **2** sydländsk
southerner ['sʌðənə] **1** person från södra delen av landet (södra England); i USA sydstatsbo **2** sydlänning
southernmost ['sʌðənməʊst] sydligast
southward ['saʊθwəd] **I** *adj* sydlig etc., jfr *eastward I* **II** *adv* mot (åt) söder; sjö. sydvart; *~ of* syd om
southwards ['saʊθwədz] se *southward II*
south-west [ˌsaʊθ'west] **I** *s* sydväst väderstreck **II** *adj* sydvästlig **III** *adv* mot (i) sydväst; *~ of* sydväst om
south-western [ˌsaʊθ'westən] sydvästlig
souvenir [ˌsu:v(ə)'nɪə] souvenir
sou'-wester [saʊ'westə] sjö. **1** sydväst vind **2** sydväst huvudbonad
sovereign ['sɒvrən] **I** *adj* **1** högst, högsta [*~ power*] **2** suverän [*a ~ state*], enväldig, regerande [*~ prince*] **3** ofelbar, effektiv [*a ~ remedy*] **II** *s* **1** monark, regent **2** suverän stat **3** sovereign gammalt eng. guldmynt = £1
sovereignty ['sɒvr(ə)ntɪ] **1** suveränitet **2** överhöghet
Soviet ['səʊvɪət, 'sɒv-, -vjet] hist. **I** *s, s~* sovjet, arbetarråd i Ryssland; *the Supreme ~* Högsta Sovjet **II** *adj* sovjet-; Sovjet-; sovjetisk; *the ~ Union* el. *the Union of ~ Socialist Republics* hist. Sovjetunionen, Sovjet
1 sow [səʊ] (imperf. *sowed*; perf. p. *sown* el. *sowed*) **I** *vb tr* så äv. bildl. [*~ seeds; ~ the seeds of hatred*]; [be]så [*~ a field*] **II** *vb itr* så; *as a man ~s, so shall he reap* ordspr. som man sår får man skörda
2 sow [saʊ] sugga; *you can't make a silk purse out of a ~'s ear* ung. man kan inte slipa en diamant av en gråsten
sown [səʊn] **1** se *1 sow* **2** bildl. översållad [*~ with pearls*]
soya ['sɔɪə], *~ sauce* soja[sås]
spa [spɑ:] **1** brunnsort **2** hälsobrunn
space [speɪs] **I** *s* **1** fys., filos. o.d. rymd[en]; världsrymden, rymd- [*~ research, ~ rocket*]; *time and ~* tid och rum **2** utrymme; svängrum; avstånd, mellanrum; areal; *blank ~* tomrum, lucka; *vacant ~* ledigt (tomt) utrymme, ledig plats; tomrum **3** tidrymd [äv. *~ of time*], period; *for (in) the ~ of a month* [under] en månad (en månads tid), under loppet av en månad **II** *vb tr* **1** ordna (ställa upp) med mellanrum (luckor, intervaller); göra mellanrum mellan; *~ out* placera ut; sprida [ut], fördela **2** boktr. o.d. göra mellanslag mellan; *~ out* spärra

spacecraft ['speɪskrɑ:ft] (pl. lika) rymdfarkost
space|man ['speɪs|mæn] (pl. *-men* [-mən]) rymdfarare, astronaut, kosmonaut
space probe ['speɪsprəʊb] rymdsond
space-saving ['speɪsˌseɪvɪŋ] utrymmesbesparande
spaceship ['speɪsʃɪp, 'speɪʃʃɪp] rymdskepp
space shuttle ['speɪsʃʌtl] rymdfärja
spacesuit ['speɪssu:t, -sju:t] rymddräkt
space travel ['speɪsˌtrævl] rymdfärder, rymdfart
spacious ['speɪʃəs] **1** rymlig, vidsträckt; spatiös **2** bildl. omfattande, mångsidig
1 spade [speɪd] kortsp. spaderkort; pl. *~s* spader; *a ~* äv. en spader
2 spade [speɪd] **I** *s* spade; *call a ~ a ~* nämna en sak vid dess rätta namn, tala rent ut **II** *vb tr* gräva [med en spade] [äv. *~ up*]
spadeful ['speɪdfʊl] spade ss. mått; *a ~ of earth* en spade jord
spadework ['speɪdwɜ:k] förarbete, grovarbete [*he did all the ~ for our new society*]; pionjärarbete
spaghetti [spə'getɪ] spaghetti, spagetti
Spain [speɪn] Spanien
span [spæn] **I** *s* **1** avstånd mellan tumme och lillfinger utspärrade; spann (ca 9 tum el. 23 cm) **2** [bro]spann; *~ roof* byggn. sadeltak **3** spännvidd, räckvidd; *memory ~* minnesvidd, minnesomfång **4** tid[rymd]; levnadslopp [*man's ~ is short*]; *for a short ~ of time* under en kort tidrymd **5** flyg. vingbredd **II** *vb tr* **1** om bro o.d. spänna (leda) över [*~ a river*]; bildl. omspänna, spänna (sträcka sig) över [*his life ~ned almost a century*; *~ three octaves*]; *the Thames is ~ned by many bridges* Temsen korsas av många broar **2** slå [en] bro över; bildl. äv. överbrygga [*~ a gap*] **3** ta sig över, korsa [*~ a bay*] **4** mäta med fingrarna [utspärrade]; nå (räcka) över (om) [*~ an octave*] **5** uppskatta, bedöma [*~ the distance to a star*], uppskatta bredden av
spangle ['spæŋgl] **I** *s* paljett; glittrande ting; pl. *~s* äv. glitter **II** *vb tr* paljettera; *~d with stars* stjärnbeströdd
Spaniard ['spænjəd] spanjor; spanjorska
spaniel ['spænjəl] spaniel hundras
Spanish ['spænɪʃ] **I** *adj* spansk; *~ chestnut* äkta (ätlig) kastanj; *~ cloak* slängkappa **II** *s* **1** spanska [språket] **2** *the ~* spanjorerna **3** vard. lakrits
spank [spæŋk] **I** *vb tr* ge smäll (smisk); daska (slå) till; *be ~ed* få smäll (smisk) **II** *s* smäll, dask
1 spanking ['spæŋkɪŋ] smäll, dask; *give a p. a ~* ge ngn smäll (dask)
2 spanking ['spæŋkɪŋ] **I** *adj* **1** rask, snabb [*~ trot*] **2** vard. väldig; *have a ~ time* ha jätteroligt **II** *adv* vard. väldigt; *~ new* splitterny
spanner ['spænə] skruvnyckel; *adjustable ~* skiftnyckel
1 spar [spɑ:] miner. spat
2 spar [spɑ:] sjö. mast, spira
3 spar [spɑ:] **I** *vb itr* **1** sparra; träningsboxas **2** munhuggas **II** *s* sparring; [tränings]boxning
spare [speə] **I** *adj* **1** ledig; extra[-], reserv- [*a ~ key (wheel)*], överlopps-, till övers; *~ bed* extrasäng, reservbädd; *~ cash* pengar [som blir] över; kontanter (pengar) i reserv; *~ room (bedroom)* gästrum; *~ time* fritid, lediga stunder; *~ tyre* a) reservdäck b) vard. bilring fettvalk **2** mager [*a ~ man*; *a ~ diet*]; knapp; klen **II** *vb tr* **1** avvara [*can you ~ a pound?*]; *can you ~ me a few minutes?* har du några minuter över [för mig]?; *enough and to ~* nog och övernog, så det räcker och blir över; *I have little time to ~* jag har ont om tid; jag har inte mycket tid över [för (till) det] **2** a) skona [*~ a p.'s life (feelings)*] b) bespara, förskona; *~ oneself the trouble to* bespara sig besväret att **3** spara på; använda sparsamt; *~ no pains (expense)* inte sky (spara) någon möda (några kostnader) **4** reservera **III** *s* reservdel; *I've got a ~* äv. jag har ett [däck (batteri o.d.)] i reserv
spareribs ['speərɪbz, -'-] kok. revbensspjäll
sparing ['speərɪŋ] måttlig, sparsam
sparingly ['speərɪŋlɪ] sparsamt, med måtta
1 spark [spɑ:k], *a bright ~* ofta iron. a) ett ljushuvud b) en lustigkurre, en glad lax
2 spark [spɑ:k] **I** *s* gnista äv. bildl. [*a ~ of hope*]; *not a ~ of interest* inte ett spår av (en gnutta) intresse **II** *vb itr* **1** gnistra **2** tända om motor **III** *vb tr*, *~ [off]* utlösa, sätta i gång, vara den tändande gnistan till
sparking-plug ['spɑ:kɪŋplʌg] tändstift
sparkle ['spɑ:kl] **I** *vb itr* **1** gnistra; bildl. spritta; briljera **2** om vin moussera; skumma **II** *s* **1** gnistrande, tindrande; glitter; glans; bildl. briljans **2** skum, bubblor
sparkler ['spɑ:klə] **1** tomtebloss **2** sl., pl. *~s* glitter diamanter
spark plug ['spɑ:kplʌg] tändstift
sparring-partner ['spɑ:rɪŋˌpɑ:tnə] sparring[partner]; bildl. äv. trätobroder
sparrow ['spærəʊ] zool. sparv; *house ~* gråsparv
sparse [spɑ:s] gles [*~ hair*; *a ~ population*]
Spartan ['spɑ:t(ə)n] **I** *adj* spartansk äv. bildl. **II** *s* spartan äv. bildl.
spasm ['spæz(ə)m] **1** spasm, kramp, [kramp]ryckning **2** anfall [*a ~ of coughing (grief)*]; bildl. äv. ryck

spasmodic [spæz'mɒdɪk] **1** spasmodisk, krampartad **2** bildl. stötvis

spastic ['spæstɪk] **I** *adj* spastisk **II** *s* spastiker

1 spat [spæt] imperf. o. perf. p. av *2 spit*

2 spat [spæt] vanl. pl. *~s* korta damasker för herrar

spate [speɪt] **1** översvämning av flod; högvatten; *the river is in ~* vattenståndet i floden är högt **2** bildl. ström, svall, flöde [*a ~ of words*], [stört]flod, skur

spatial ['speɪʃ(ə)l] rumslig; rymd-

spatter ['spætə] **I** *vb tr* stänka ned; stänka **II** *vb itr* stänka, skvätta; spruta **III** *s* stänkande; stänk; skur [*a ~ of rain*; *a ~ of bullets*]

spatula ['spætjʊlə] **1** spatel; spackel **2** kok. stekspade; slickepott, degskrapa

spawn [spɔ:n] **I** *vb tr* **1** lägga rom, ägg (om t.ex. fiskar) **2** producera i massor **II** *vb itr* **1** yngla, lägga rom **2** yngla av sig **III** *s* **1** rom; ägg **2** bildl. avföda, yngel

speak [spi:k] (imperf. *spoke*; perf. p. *spoken*; se äv. *speaking*) **I** *vb itr* **1** tala [*he was ~ing about* (om) *politics*]; *actions ~ louder than words* gärningar säger mer än ord; *so to ~* så att säga; *~ing!* i telefon [ja] det är jag som talar!; *relatively ~ing* relativt sett; *it ~s for itself* saken talar för sig själv; *~ of* tala om; vittna om; *not to ~ of* för att nu inte tala om (nämna); *nothing to ~ of* inget att tala om, inget nämnvärt; *~ up* a) tala högre, tala ur skägget b) tala ut; *~ up for* höja sin röst (uppträda) till försvar för, ta i försvar **2** tala, hålla tal [*~ in public* (*at a meeting*)]; uttala sig [*~ on* (i) *a question*] **II** *vb tr* **1** tala [*~ a language*, *~ English*] **2** säga; *~ the truth* säga sanningen; tala sanning

speaker ['spi:kə] **1** talare [*he is no* (*a fine*) *~*]; speaker; *the ~* äv. den talande **2** parl., *S~* talman **3** högtalare

speaking ['spi:kɪŋ] **I** *attr adj* o. *pres p* talande; tal- [*a ~ part* (roll); *a ~ choir*]; *the S~ Clock* tele. Fröken Ur **II** *s* tal, talande; *plain ~* rent språk, ord och inga visor

spear [spɪə] **I** *s* spjut; ljuster **II** *vb tr* spetsa; ljustra

spearhead ['spɪəhed] **I** *s* **1** spjutspets **2** förtrupp äv. bildl.; ledare **II** *vb tr* bilda förtrupp för; gå i spetsen för

spearmint ['spɪəmɪnt] **1** bot. grönmynta **2** tuggummi med mintsmak

1 spec [spek] vard. (kortform av *speculation*) spekulation; *on ~* på spekulation, i spekulationssyfte; *I went there on ~* jag chansade och gick dit

2 spec [spek] kortform av *specification 2*

special ['speʃ(ə)l] **I** *adj* speciell [*~ reasons*]; alldeles extra; special-; *S~ Branch* säkerhetspolisen i Storbritannien **II** *s* **1** extrapolis som kallas in vid speciella tillfällen; pl. *~s* äv. extrafolk, extramanskap, extrapersonal **2** extraupplaga, extranummer **3** *today's ~* dagens rätt på matsedel **4** *on ~* amer. till extrapris; [*lamb*] *is on ~* det är extrapris på...

specialist ['speʃəlɪst] specialist, fackman; *~ knowledge* specialkunskaper, fackkunskaper

speciality [ˌspeʃɪ'ælətɪ] **1** specialitet; specialtillverkning **2** utmärkande drag

specialize ['speʃəlaɪz] **I** *vb tr* specialisera; *~d knowledge* fackkunskaper, specialkunskaper **II** *vb itr* specialisera sig

specially ['speʃ(ə)lɪ] särskilt, speciellt

species ['spi:ʃi:z] (pl. lika) **1** art; *the* [*human*] *~* människosläktet, mänskligheten **2** slag, sort, typ

specific [spə'sɪfɪk] **1** uttrycklig [*a ~ aim* (*promise*, *statement*)], bestämd, speciell [*a ~ purpose*]; *could you be a little more ~?* kan du (ni) precisera dig (er) närmare? **2** specifik; art- [*~ name*] **3** fys. specifik

specifically [spə'sɪfɪklɪ] uttryckligen, bestämt etc., jfr *specific*

specification [ˌspesɪfɪ'keɪʃ(ə)n] **1** specificerande **2** *~*[*s* pl.] specifikation, detaljerad beskrivning

specif|y ['spesɪfaɪ] specificera [*the sum -ied*], [i detalj] ange, räkna upp, noga uppge

specimen ['spesɪmən] **1** prov; exemplar, specimen; preparat för mikroskopering; *~ copy* provnummer; provexemplar av bok **2** vard., om pers. original, typ [*what a ~!*]

speck [spek] **1** [liten] fläck äv. på frukt; prick äv. bildl. [*the ship was a ~ on the horizon*] **2** korn [*a ~ of dust*], gnutta

speckled ['spekld] fläckig; prickig

1 specs [speks] vard., kortform av *specifications*

2 specs [speks] vard. (kortform av *spectacles*) brillor

spectacle ['spektəkl] **1** bildl. skådespel **2** syn, anblick [*a charming ~*, *a sad ~*]; *make a ~ of oneself* göra sig löjlig (till ett spektakel) **3** pl. *~s* glasögon [*a pair of ~s*]

spectacular [spek'tækjʊlə] **I** *adj* effektfull; praktfull; spektakulär **II** *s* imponerande föreställning

spectator [spek'teɪtə] åskådare

spectre ['spektə] spöke äv. bildl.; gengångare

spectr|um ['spektr|əm] (pl. *-a* [-ə] el. *-ums*) **1** fys. spektrum; *in all the colours of the ~* i alla regnbågens färger **2** bildl. spektrum, skala

speculate ['spekjʊleɪt] **1** spekulera, fundera **2** hand. spekulera

speculation [ˌspekjʊ'leɪʃ(ə)n]

1 spekulation; spekulerande, fundering **2** hand. spekulation

speculative ['spekjʊlətɪv] **1** spekulativ **2** hand. spekulations-, på spekulation [~ *purchases*]

speculator ['spekjʊleɪtə] hand. spekulant

sped [sped] imperf. o. perf. p. av *speed*

speech [spi:tʃ] **1** tal; talförmåga; muntlig framställning; talarkonst; ~ *balloon* pratbubbla; ~ *therapist* talterapeut, logoped; *freedom (liberty) of* ~ yttrandefrihet **2** språk; mål; sätt att tala (uttrycka sig) [*know a p. by his* ~]; ~ *habit* språkvana **3** tal; anförande; yttrande; *make a* ~ hålla [ett] tal, hålla ett anförande **4** teat. replik

speechless ['spi:tʃləs] mållös [~ *with indignation*]

speed [spi:d] **I** *s* **1** fart, tempo; snabbhet; hastighetsgrad; ~ *restrictions* hastighetsbegränsningar; ~ *trap* hastighetskontroll, fartkontroll; *increase the* ~ öka farten **2** tekn. växel **II** (*sped sped,* i bet. *2 ~ed ~ed*) *vb itr* **1** rusa [i väg], skjuta i väg **2 a**) köra för fort; överskrida fartgränsen **b**) ~ *up* öka farten (takten), sätta full fräs **III** *vb tr* **1** skynda på [äv. ~ *up*; ~ *up production*] **2** ~ *up* öka farten (hastigheten) på (hos), accelerera, sätta full fräs på

speedboat ['spi:dbəʊt] snabb motorbåt

speeding ['spi:dɪŋ] fortkörning

speed limit ['spi:d,lɪmɪt] fartgräns; hastighetsbegränsning

speedometer [spɪ'dɒmɪtə] hastighetsmätare

speedway ['spi:dweɪ] **1** speedwaybana, motorbana; ~ [*racing*] speedway **2** amer. motorväg

speedy ['spi:dɪ] hastig; snabb [*a* ~ *answer* (*worker*)], skyndsam; snar [*a* ~ *recovery*]

1 spell [spel] (*spelt spelt* el. *~ed ~ed*) **I** *vb tr* **1** stava; bokstavera; ~ *out* a) förklara bokstav för bokstav; redogöra detaljerat för; säga rent ut (klart och tydligt) b) förstå, [ut]tyda [~ *out a p.'s meaning*] **2** bli [*c-a-t ~s cat*] **3** innebära, betyda [*it ~s ruin*], vålla **II** *vb itr* stava, stava rätt [*he cannot* ~]

2 spell [spel] **1** trollformel **2** förtrollning, förhäxning; *break the* ~ bryta förtrollningen; *put a* ~ *on a p.* förtrolla ngn

3 spell [spel] **1** skift [~ *of work*], omgång; sjö. törn; *take ~s at the wheel* turas om att köra **2** [kort] period (tid) [*a cold (warm)* ~]; *breathing* ~ andrum

spellbound ['spelbaʊnd] trollbunden

spelling ['spelɪŋ] **1** stavning; bokstavering **2** rättskrivning, rättstavning

spelling-bee ['spelɪŋbi:] stavningslek, stavningstävling

spelt [spelt] imperf. o. perf. p. av *1 spell*

spend [spend] (*spent spent*; se äv. *spent*) **I** *vb tr* **1 a**) ge (lägga) ut pengar; göra av med, ge [*he spent £150 on* (för) *the coat*]; förbruka, göra slut på; slösa [bort] **b**) använda tid, krafter m.m.; lägga ned; förbruka, uttömma [~ *one's strength*], ödsla bort; ~ *oneself* mattas, rasa ut [*the storm has spent itself*] **2** tillbringa; ~ *a whole evening over* [*a job*] tillbringa (hålla på) en hel kväll med..., använda en hel kväll till... **II** *vb itr* göra av med pengar; slösa; ~ *freely* strö pengar omkring sig

spender ['spendə] slösare; [stor]förbrukare

spending ['spendɪŋ] utgift[er]; ~ *cuts* nedskärning av utgifter[na]; ~ *money* fickpengar; ~ *power* köpkraft

spendthrift ['spen(d)θrɪft] **I** *s* slösare **II** *adj* slösaktig

spent [spent] **I** imperf. av *spend* **II** *perf p* o. *adj* utmattad [*a* ~ *horse*]; uttömd; förbi, slut; ~ *cartridge* använd patron; *time well* ~ väl använd tid

sperm [spɜ:m] **1** sperma, sperma- [~ *bank*] **2** spermie, sädescell

sperm whale ['spɜ:mweɪl] zool. spermacetival, kaskelot

spew [spju:] **I** *vb itr* spy **II** *vb tr* spy [upp] **III** *s* spya

sphere [sfɪə] **1** sfär, klot; glob **2** bildl. sfär; område; [umgänges]krets; ~ *of activity (activities)* verksamhetsområde, verksamhetsfält; ~ *of influence* intressesfär

spherical ['sferɪk(ə)l] sfärisk; klotrund

sphinx [sfɪŋks] sfinx äv. bildl.

spice [spaɪs] **I** *s* **1** krydda; koll. kryddor **2** bildl. krydda; *variety is the* ~ *of life* ombyte förnöjer **II** *vb tr* krydda äv. bildl.; ge krydda åt

spicy ['spaɪsɪ] **1** kryddad **2** bildl. pikant [*a* ~ *story*], rafflande; vågad

spider ['spaɪdə] zool. spindel; *~'s web* spindelväv, spindelnät

spiel [ʃpi:l, spi:l] vard. [övertalnings]snack

spike [spaɪk] **I** *s* **1** pigg, spets t.ex. på staket; spik under sko; dubb; ~ *heel* stilettklack **2** grov spik; rälsspik **3** pl. *~s* spikskor **4** bot. ax **II** *vb tr* **1** förse med en pigg (piggar) etc.; brodda **2** spika [fast]; genomborra [med en spik (spikar)]; spetsa **3** ~ *a p.'s guns* bildl. omintetgöra (sätta stopp för) ngns planer **4** vard. spetsa, hälla sprit i

spiky ['spaɪkɪ] **1** full av piggar etc., jfr *spike I*; piggig, taggig **2** spetsig; styv

1 spill [spɪl] **I** (*spilt spilt* el. *~ed ~ed*) *vb tr* spilla [ut], hälla [ut] [~ *gravy on the tablecloth*]; utgjuta [~ *blood*], låta flyta (strömma ut, rinna över); släppa ut; ~ *the*

beans vard. prata bredvid mun[nen], skvallra, tjalla **II** (för tema se *I*) *vb itr* **1** spilla **2** rinna över, spillas ut; ~ *over* breda ut sig, sprida sig, flyta ut, svämma över; flöda **III** *s* **1** fall till marken från häst m.m. **2** spill; utsläpp

2 spill [spɪl] tunn trästicka att tända med

spin [spɪn] **I** (*spun spun*) *vb tr* **1** spinna **2** bildl., ~ *a yarn* vard. dra en historia **3** snurra [runt], sätta i snurrning (snurr på), snurra (leka) med [~ *a top*]; skruva boll; ~ *a coin* singla slant **II** (*spun spun*) *vb itr* **1** spinna **2** snurra [runt]; råka i spinn **3** ~ [*along*] glida (flyta, susa) [fram] **III** *s* **1** snurrande; skruv på boll; *give* [*a*] ~ *to a ball* skruva en boll **2** vard. liten [åk]tur **3** flyg. spinn; *flat* ~ flatspinn

spinach ['spɪnɪdʒ, -ɪtʃ] spenat

spinal ['spaɪnl] ryggrads-; ryggmärgs- [~ *anaesthesia*]; ~ *column* ryggrad; ~ *cord* (*chord*) ryggmärg

spindle ['spɪndl] **1** textil.: a) spindel b) rulle, spole **2** tekn. spindel, axel; axeltapp

spindly ['spɪndlɪ] spinkig; skranglig

spin-drier ['spɪn,draɪə, ,-'--] centrifug för tvätt

spin-dry [,spɪn'draɪ] centrifugera tvätt

spine [spaɪn] **1** ryggrad **2** tagg; pigg; torn **3** bokrygg

spine-chilling ['spaɪn,tʃɪlɪŋ] skräck- [~ *story*], ryslig

spineless ['spaɪnləs] **1** ryggradslös **2** bildl. ryggradslös, karaktärslös

spinning-wheel ['spɪnɪŋwi:l] spinnrock

spin-off ['spɪnɒf] spin-off, biprodukt; avläggare

spinster ['spɪnstə] **1** jur. ogift kvinna **2** [gammal] fröken (ungmö); *old* ~ äv. nucka

spiral ['spaɪər(ə)l] **I** *adj* spiralformig [~ *spring*], vindel-; ~ *staircase* spiraltrappa, vindeltrappa **II** *s* **1** spiral; snäcklinje; vindel; spiralfjäder **2** ekon. spiral [*inflationary* ~] **III** *vb itr* röra sig i (gå i, bilda) en spiral

spire ['spaɪə] tornspira; spira

spirit ['spɪrɪt] **I** *s* **1** ande äv. om pers. [*one of the greatest ~s of his day*]; själ [*the leading ~s*]; *the Holy S~* den Helige Ande **2** ande; spöke [*see a ~*] **3** anda; sinnelag; *community* ~ samhällsanda **4** ~[*s* pl.] humör, [sinnes]stämning; *good ~s* gott humör (lynne, mod); *high ~s* gott humör, hög (glad, uppsluppen) stämning, uppsluppenhet **5** kraft; fart, energi; gnista; *recover one's* ~ repa mod; *put a little more ~ into it!* sätt litet [mera] fart på det hela! **6** andemening; *the ~ of the law* lagens anda; *enter into the ~ of* fatta innebörden av, leva (sätta) sig in i **7** kem. sprit [*wood* ~], alkohol; ~[*s* pl.] sprit; essens; *white* ~ lacknafta; ~[*s*] *of wine* vinsprit **8** pl. ~*s* sprit[drycker], spritvaror, spirituosa **II** *vb tr*, ~ *away* (*off*) smussla bort, trolla bort

spirited ['spɪrɪtɪd] livlig [*a ~ dialogue*], kraftfull; modig [*a ~ attack* (*attempt*), *a ~ girl*], käck; pigg, kvick [*a ~ reply*], eldig [*a ~ horse*]

spirit level ['spɪrɪt,levl] tekn. [rör]vattenpass

spiritual ['spɪrɪtjʊəl] **I** *adj* **1** andlig: **a**) själslig, själs- [~ *life*], själa- **b**) religiös [~ *songs*]; ~ *leader* andlig ledare **2** förandligad **II** *s* mus. negro spiritual [äv. *Negro* ~]

spiritualism ['spɪrɪtjʊəlɪz(ə)m] spiritualism äv. filos.; spiritism

1 spit [spɪt] **I** *s* [grill]spett; stekspett **II** *vb tr* sätta på spett

2 spit [spɪt] **I** (*spat spat*) *vb itr* **1** spotta [~ *on the floor*]; ~ *at* ([*up*]*on*) spotta på **2** spotta och fräsa [*the engine was ~ting*], [stänka och] fräsa i stekpannan **3** vard. stänka **II** (*spat spat*) *vb tr* **1** spotta ut [vanl. ~ *out* (*forth*)]; ~ *it out!* [kläm] fram med det!, ut med språket! **2** sprätta; ~ *fire* spruta eld **3** *he's the ~ting image of his dad* han är sin pappa upp i dagen **III** *s* **1** spottning **2** spott; ~ *curl* slickad lock, tjusarlock **3** *he's the ~ and image* (ibl. *the ~*) *of his dad* han är sin pappa upp i dagen

spite [spaɪt] **I** *s* ondska; motvilja, agg, groll; *in ~ of* trots, oaktat, i trots av; *in* (*from, out of*) ~ av illvilja, av elakhet **II** *vb tr* bemöta med illvilja; reta; *he is cutting off his nose to ~ his face* äv. det går bara ut över honom själv

spiteful ['spaɪtf(ʊ)l] ondskefull

spittle ['spɪtl] spott, saliv

spittoon [spɪ'tu:n] spottkopp

spiv [spɪv] sl. småskojare; dagdrivare; parasit

splash [splæʃ] **I** *vb tr* **1** stänka ned [~ *a p. with mud*], slaska ned; stänka [~ *paint all over one's clothes*], slaska; skvätta ut **2** plaska med [~ *one's toes*] **3** ~ *one's money about* vard. strö pengar omkring sig **4** vard. slå upp nyheter i tidning **II** *vb itr* plaska; skvalpa; stänka, skvätta **III** *s* **1** plaskande; plask; skvalp; *make a* ~ vard. väcka uppseende (sensation) **2** skvätt **3** [färg]stänk; ~ *of colour* bildl. färgklick **4** vard. skvätt soda från sifon [*a whisky and ~*] **IV** *adv* pladask **V** *interj*, ~*!* plask!, plums!

splashdown ['splæʃdaʊn] rymd. landning i havet; landningsplats i havet

splatter ['splætə] **I** *vb itr* plaska; stänka **II** *vb tr* **1** stänka ned **2** stänka, plaska

splay [spleɪ] **I** *vb tr* **1** snedda [av], fasa [av], vidga inåt (utåt) [~ *a window*

(*doorway*)] **2** breda ut; spreta [ut] med **II** *s* [av]sneddning
spleen [spli:n] **1** anat. mjälte **2** bildl. dåligt humör [*a fit of* ~]; *vent one's* ~ *on* utgjuta sin galla över
splendid ['splendɪd] **1** ståtlig, praktfull, härlig **2** vard. finfin, utmärkt [*a* ~ *idea*]
splendour ['splendə] glans, prakt
splice [splaɪs] **I** *vb tr* **1** splitsa rep; laska timmer; skarva [ihop] film, band m.m.; foga ihop **2** sl., *get* ~*d* gänga sig gifta sig **II** *s* splits; lask; skarv
splint [splɪnt] **I** *s* kir. spjäla, skena; *put a bone in* ~*s* spjäla (spjälka) ett ben **II** *vb tr* spjäla
splinter ['splɪntə] **I** *vb tr,* ~ [*off*] splittra **II** *vb itr,* ~ [*off*] splittras; skärva (flisa) sig **III** *s* flisa, skärva [~ *of glass*], sticka; splitter; ~ *group* utbrytargrupp
splinterproof ['splɪntəpru:f] splitterfri
split [splɪt] **I** (*split split*) *vb tr* **1** splittra äv. bildl.; klyva [~ *the atom*], spränga [sönder]; ~ *hairs* ägna sig åt hårklyverier; ~ *the vote* orsaka splittring i väljarkåren; ~ *open* gå upp, brista [*the seam has* ~ *open*], spricka; ~ *up* klyva sönder; sönderdela **2** dela upp [~ *a bottle of wine*; ~ *the expenses*; ofta ~ *up*], halvera; ~ *the difference* dela på resten **II** (*split split*) *vb itr* **1** splittras, klyvas, rämna; bildl. äv. sprängas, dela [upp] sig; *my head is* ~*ting* det sprängvärker i huvudet på mig; ~ *up* a) klyva sig, dela [upp] sig b) vard. skiljas, separera; bryta upp **2** dela [~ *equal*]; vard. dela på bytet (vinsten) **3** ~ *on* sl. tjalla på kamrat o.d. **III** *s* **1** splittring äv. bildl.; klyvning **2** bildl. splittring [*a* ~ *in the party*] **3** spricka **4** *do the* ~*s* gå ned i spagat **IV** *perf p* o. *adj* splittrad äv. bildl.; kluven; ~ *peas* [spritade och tu]delade ärter
split-level [ˌsplɪt'levl, attr. '-ˌ--] byggn. med förskjutet (förskjutna) [vånings]plan; i annat plan; ~ *house* äv. sluttningshus, souterränghus
split-second [ˌsplɪt'sek(ə)nd] **I** *adj* på sekunden [~ *timing*]; blixtsnabb **II** *s* [bråk]del av en sekund
splitting ['splɪtɪŋ], *a* ~ *headache* en blixtrande huvudvärk
splutter ['splʌtə] **I** *vb itr* **1** sluddra [på målet]; snubbla på (över) orden **2** [spotta och] fräsa **II** *s* **1** sludder **2** spottande; stänkande; fräsande
spoil [spɔɪl] **I** *s,* ~[*s* pl.] rov äv. bildl.; ~*s of war* krigsbyte **II** (*spoilt spoilt* el. ~*ed* ~*ed* [spɔɪlt el. spɔɪld]) *vb tr* **1** förstöra [~ *a p.'s pleasure* (*appetite*)], spoliera; *he* ~*t it all* han förstörde alltsammans **2** skämma bort [~ *a child*] **III** (för tema se *II*) *vb itr* **1** om frukt, fisk m.m. bli förstörd (oduglig, skämd) **2** *be* ~*ing for a fight* vara stridslysten, mucka gräl
spoilsport ['spɔɪlspɔ:t] vard. glädjedödare
spoilt [spɔɪlt] imperf. o. perf. p. av *spoil*
1 spoke [spəʊk] imperf. av *speak*
2 spoke [spəʊk] **1** eker i hjul **2** stegpinne **3** *put a* ~ *in a p.'s wheel* bildl. sätta en käpp i hjulet för ngn
spoken ['spəʊk(ə)n] **I** perf. p. av *speak* **II** *adj* talad; muntlig [*a* ~ *message*]; *he was pleasantly* ~ a) han hade en trevlig (behaglig) röst b) han var trevlig att tala med
spokes|man ['spəʊks|mən] (pl. *-men* [-mən]) talesman, språkrör [*of, for* för]; förespråkare [*for* för]
sponge [spʌn(d)ʒ] **I** *s* **1** [tvätt]svamp; svampig massa; *throw* (*chuck*) *up* (*in*) *the* ~ vard. kasta yxan i sjön, kasta in handduken, ge upp **2** kok. **a**) uppjäst deg **b**) lätt sockerkaka **3** vard. svamp **II** *vb itr* vard. snylta **III** *vb tr* **1** tvätta (torka) [av] med [en] svamp [äv. ~ *down* (*over*)]; ~ *up* suga upp med [en] svamp **2** vard. snylta sig till [~ *a dinner*]
sponge bag ['spʌn(d)ʒbæg] necessär
sponge cake ['spʌn(d)ʒkeɪk] lätt sockerkaka
sponger ['spʌn(d)ʒə] vard. snyltgäst
spongy ['spʌn(d)ʒɪ] **1** svampig; svampaktig, svampliknande; porös **2** om mark sumpig; blöt
sponsor ['spɒnsə] **I** *s* **1** sponsor; gynnare; garant **2** fadder vid dop **3** radio. el. TV. sponsor **II** *vb tr* **1** vara sponsor (garant) för; stå bakom; stå för; gynna **2** stå fadder åt **3** TV. el. sport. sponsra
sponsorship ['spɒnsəʃɪp] **1** sponsorskap **2** fadderskap
spontaneity [ˌspɒntə'ni:ətɪ] spontanitet
spontaneous [spɒn'teɪnjəs] spontan; frivillig; ~ *combustion* självantändning, självförbränning
spoof [spu:f] vard. **I** *vb tr* skoja med; lura, narra **II** *s* skoj; spratt
spook [spu:k] **I** *s* vard. spöke **II** *vb tr* vard. spöka i (på, hos); om spöke hemsöka
spooky ['spu:kɪ] vard. spöklik, kuslig; spök-
spool [spu:l] **I** *s* spole; [film]rulle; ~ *of thread* amer. trådrulle **II** *vb tr* spola
spoon [spu:n] **I** *s* **1** sked; skopa **2** fiske. skeddrag **II** *vb tr* ösa (äta) med sked [vanl. ~ *up*]; ~ *out* ösa upp [med sked], servera **III** *vb itr* fiska med skeddrag
spoonfeed ['spu:nfi:d] (*spoonfed spoonfed*) **1** mata med sked **2** dalta (pjoska) med **3** bildl. servera färdiga lösningar åt [~ *students*]
spoonful ['spu:nfʊl] (pl. ~*s* el. *spoonsful*) sked[blad] ss. mått; *a* ~ *of* en sked [med]

sporadic [spə'rædɪk] o. **sporadical** [spə'rædɪk(ə)l] sporadisk

spore [spɔ:] bot. spor

sport [spɔ:t] **I** *s* **1** sport; idrott; pl. *~s* äv. a) koll. sport; idrott b) idrottstävling[ar] [*school ~s*]; *~s ground* idrottsplats; *~s jacket* blazer, [sport]kavaj; sportjacka; *~s master* idrottslärare **2** lek; tidsfördriv **3** skämt; *in ~* på skoj (skämt) **4** vard. bra (reko) kille (karl); god förlorare; *a good ~* en trevlig (bussig) kamrat; *she's a real ~* hon är en verkligt bussig tjej (kamrat) **II** *vb itr* **1** leka, roa sig; *~ with* bildl. leka med **2** sporta; idrotta **III** *vb tr* vard. ståta med, skylta med [*~ a rose in one's buttonhole*]

sporting ['spɔ:tɪŋ] **1 a**) sportande; sportälskande; sportslig; sport- [*a ~ event*]; *~ man* sportsman; sportig typ **b**) jakt-; jaktälskande; *~ gun* jaktbössa, jaktgevär **2** sportsmannamässig **3** vard., *a ~ chance* en sportslig (rimlig, ärlig) chans

sports|man ['spɔ:ts|mən] (pl. *-men* [-mən]) **1** idrottsman; sportsman **2** renhårig (hygglig) person; god förlorare, sportsman **3** jägare, fiskare

sportsmanlike ['spɔ:tsmənlaɪk] sportsmannamässig

sportsmanship ['spɔ:tsmənʃɪp] sportsmannaanda; renhårighet

sportswear ['spɔ:tsweə] sportkläder

sporty ['spɔ:tɪ] vard. **1** sportig; hurtig; sportsmannamässig **2** grann

spot [spɒt] **I** *s* **1** fläck äv. bildl. [*without a ~ on his reputation*]; prick **2** plats [*a lovely ~*]; punkt [*the highest ~ of the mountain*]; position; *bright ~* bildl. ljuspunkt; *on the ~* a) på platsen (stället) b) på stället (fläcken), genast [*act on the ~*] **3** [hud]utslag; finne; *come out in ~s* få finnar (utslag) **4** droppe, stänk [*~s of rain*]; vard. skvätt [*~ of whisky*], tår; smula; *a ~ of bother* lite trassel **II** *vb tr* **1** fläcka ned [*~ one's fingers with ink*]; sätta prickar på; bildl. befläcka **2** få syn på; känna igen; lägga märke till [*~ mistakes*], upptäcka [*~ talent*]; *~ the winner* tippa vem som vinner

spot-check [ˌspɒt'tʃek] **I** *s* stickprov; flygande kontroll **II** *vb itr* o. *vb tr* göra ett (ta) stickprov [bland]

spotless ['spɒtləs] skinande ren, fläckfri

spotlight ['spɒtlaɪt] **I** *s* **1** spotlight; strålkastare; sökarljus på bil **2** strålkastarljus äv. bildl.; *be in* (*hold*) *the ~* stå i rampljuset **II** *vb tr* **1** belysa med strålkastare **2** bildl. ställa i strålkastarljuset (rampljuset)

spot-on [ˌspɒt'ɒn, '--] vard. perfekt

spotted ['spɒtɪd] **1** fläckig; *~ red* rödprickig **2** [ned]smutsad; bildl. äv. fläckad

spotty ['spɒtɪ] **1** fläckig, prickig **2** finnig; med utslag

spouse [spaʊs, spaʊz] **1** jur. el. litt. [äkta] make (maka) **2** relig. brud, brudgum

spout [spaʊt] **I** *vb itr* **1** spruta [ut] **2** vard. orera **II** *vb tr* **1** spruta [ut]; spy ut **2** vard. nysta (haspla) ur sig [*~ verses*] **III** *s* **1** pip [*~ of a teapot*] **2** byggn. stupränna, stuprör **3** häftig stråle av vatten, ånga m.m.; vattenpelare **4** *down* (*up*) *the ~* ruinerad, slut, helt borta; åt pipan [*the deal went down the ~*]

sprain [spreɪn] **I** *vb tr* vricka; sträcka **II** *s* vrickning; sträckning

sprang [spræŋ] imperf. av *spring*

sprat [spræt] **1** zool. skarpsill, vassbuk, brissling; *tinned ~s* ansjovis i burk **2** skämts. liten (klen) stackare

sprawl [sprɔ:l] **I** *vb itr* **1** sträcka (breda) ut sig, ligga; [ligga och] kravla; krypa omkring; spreta [utåt] [*the puppy's legs ~ed in all directions*]; *send a p. ~ing* vräka omkull ngn **2** breda ut sig; om handstil m.m. spreta åt alla håll **II** *vb tr* spreta [utåt]; (skreva) med [äv. *~ out*; *~ one's legs*], sträcka ut **III** *s* spretande; vräkig (nonchalant) ställning

1 spray [spreɪ] blomklase; liten bukett

2 spray [spreɪ] **I** *s* **1** stänk [*the ~ of a waterfall*]; yrande skum [*sea ~*]; stråle **2** sprej; besprutningsvätska, besprutningsmedel **3** sprej[flaska]; spruta **II** *vb tr* spreja; bespruta **III** *vb itr* **1** stänka [omkring]; skumma **2** spreja

spread [spred] **I** (*spread spread*) *vb tr* **1** breda ut [*~ [out] a carpet (map)*], sprida [ut] [*~ [out] manure*], lägga ut; spänna ut [*the bird ~ its wings*]; sträcka ut [*~ [out] one's arms*]; veckla ut [*~ a flag*]; *~ a cloth on* (*over*) *the table* lägga [på] en duk på bordet **2** stryka; täcka **3** bildl. sprida [*~ disease*; *~ knowledge*; *~ news*], sprida ut, föra vidare **4** platta ut **II** (*spread spread*) *vb itr* **1** breda ut sig [äv. *~ out*]; sprida sig; gripa omkring sig; sträcka sig [*a desert ~ing for hundreds of miles*] **2** vara (gå) lätt att breda [på] [*butter ~s easily*] **III** *s* **1** utbredande, spridande, spridning [*the ~ of disease*; *the ~ of education*] **2** utsträckning; vidd, omfång; *the ~ of a bird's wings* en fågels vingbredd **3** vard. kalas[måltid] **4** vard., *middle-age*[*d*] *~* gubbfläsk; gumfläsk **5** bredbart pålägg; *cheese ~* mjukost **6** flyg. vingbredd

spreadeagle [ˌspred'i:gl, '-ˌ--] **I** *vb tr* **1** sträcka ut **2** slå omkull **II** *vb itr* sträcka ut sig

spree [spri:] vard. **1 a**) glad skiva; våt skiva, fylleskiva; krogrond **b**) festande; *go* [*out*] *on the ~* gå ut och festa, gå krogrond **2** frossande; *go on a buying ~* gripas av köpraseri; *go on a spending* ~ [vara ute och] sätta sprätt på pengar

sprig [sprɪg] [liten] kvist [*a ~ of parsley*], skott

sprightly ['spraɪtlɪ] livlig, glad

spring [sprɪŋ] **I** (*sprang sprung*) *vb itr* **1** hoppa [*~ out of bed; ~ over a gate*], rusa, fara [*~ up from one's chair*]; *the doors sprang open* dörrarna flög upp; *~ to one's feet* rusa (fara) upp **2** rinna; *tears sprang to her eyes* hennes ögon fylldes av tårar **3** ~ [*up*] **a**) om växter spira, skjuta upp **b**) bildl. dyka upp; *industries sprang up* [*in the suburbs*] industrier växte upp... **4** uppstå **II** (*sprang sprung*) *vb tr* **1** få att plötsligt öppna sig; spränga [*~ a mine*], utlösa; *~ a trap* få en fälla att smälla (slå) igen [*upon* om] **2** [plötsligt] komma med [*~ a surprise on* (åt) *a p.*]; *~ a th. on a p.* överraska ngn med ngt **3** spräcka, knäcka; *~ a leak* sjö. springa läck **III** *s* **1** vår äv. bildl. [*the ~ of life*], för ex. jfr *summer* **2** språng, hopp **3** källa [*hot (mineral) ~*]; *medicinal ~* hälsobrunn **4** fjäder [*the ~ of a watch*]; resår; pl. *~s* äv. fjädring; *~ mattress (bed)* resårmadrass **5** bildl. drivfjäder

spring balance [ˌsprɪŋ'bæləns] fjädervåg

springboard ['sprɪŋbɔːd] **1** språngbräda äv. bildl. **2** trampolin, svikt

spring-clean [i bet. *I* vanl. ˌsprɪŋ'kliːn, i bet. *II* vanl. '--] **I** *vb tr* vårstäda **II** *s, a ~* en vårstädning (storstädning)

spring onion [ˌsprɪŋ'ʌnjən] bot. el. kok. salladslök

springtime ['sprɪŋtaɪm] vår äv. bildl.; vårtid

springy ['sprɪŋɪ] fjädrande; spänstig

sprinkle ['sprɪŋkl] **I** *vb tr* **1** strö [ut], stänka **2** beströ, bestänka, strila; fukta; stänka kläder; *~ a th. with a th.* äv. strö (stänka) ngt på ngt **II** *vb itr* stänka, dugga, strila **III** *s* **1** stänk [*~ of rain*], gnutta **2** amer. kok., *~s* pl. strössel

sprinkler ['sprɪŋklə] **1** [vatten]spridare; sprinkler; stril; stänkflaska **2** vattenvagn

sprinkling ['sprɪŋklɪŋ] **1** [be]stänkande **2** bildl. a) [mindre] inslag [*a ~ of Irishmen among them*], fåtal, litet antal b) stänk; smula; *a ~ of* [*pepper*] en aning...

sprint [sprɪnt] sport. **I** *vb itr* sprinta, spurta **II** *s* **1** sprinterlopp **2** spurt, slutspurt

sprite [spraɪt] vattennymf

sprocket ['sprɒkɪt] tand på kedjekrans o.d.

sprout [spraʊt] **I** *vb itr* gro, skjuta skott **II** *vb tr* **1** få att gro (skjuta skott) **2** få [*~ horns (leaves)*] **III** *s* skott; grodd

1 spruce [spruːs] **I** *adj* prydlig; piffig; sprättig **II** *vb tr* o. *vb itr, ~* [*up*] piffa upp [sig]

2 spruce [spruːs] bot. gran [äv. *~ fir, Norway ~*]

sprung [sprʌŋ] **I** perf. p. av *spring* **II** *adj, ~ bed* resårsäng

spry [spraɪ] rask; hurtig; pigg

spud [spʌd] vard. plugg potatis

spun [spʌn] **I** imperf. o. perf. p. av *spin* **II** *adj* spunnen; *~ glass* glasfibrer; *~ sugar* spunnet socker

spunk [spʌŋk] **I** *s* **1** vard. mod; fart; hetsighet **2** vulg. sats sädesvätska **II** *vb itr* vulg., *~ off* satsa, spruta ejakulera

spur [spɜː] **I** *s* **1** sporre äv. bot. el. zool.; *win one's ~s* bildl. vinna sina sporrar **2** bildl. sporre, eggelse, impuls; *on the ~ of the moment* utan närmare eftertanke, spontant; oförberett, på rak arm **II** *vb tr* **1** ~ [*on*] sporra äv. bildl.; egga [*into, to* till], driva på **2** förse med sporrar **III** *vb itr* använda sporrarna; spränga (jaga) fram[åt] [äv. *~ on (forward)*]

spurious ['spjʊərɪəs] falsk, förfalskad

spurn [spɜːn], ~ [*at*] försmå, förakta

1 spurt [spɜːt] **I** *vb itr* spurta äv. bildl. **II** *s* spurt, slutspurt äv. bildl.

2 spurt [spɜːt] **I** *vb itr* spruta [ut (fram)]; sprätta om penna **II** *vb tr* spruta [ut] **III** *s* [utsprutande] stråle

sputter ['spʌtə] se *splutter*

spy [spaɪ] **I** *vb itr* spionera; *~ into* snoka i **II** *vb tr* **1** ~ [*out*] få syn på, varsebli, se [*~ [out] the land*] **2** iaktta[ga] isht med kikare **3** spionera på **III** *s* spion; spejare

spy glass ['spaɪglɑːs] [liten] kikare

spy hole ['spaɪhəʊl] titthål

sq. ft. förk. för *square foot (feet)*

sq. in. förk. för *square inch[es]*

sq. m. förk. för *square metre[s], square mile[s]*

squabble ['skwɒbl] **I** *s* käbbel **II** *vb itr* käbbla

squad [skwɒd] **1** mil. grupp **2** [speciellt avdelad] grupp (styrka) [*bomb ~*], patrull; vanl. i sms. -rotel [*fraud (vice) ~*]; *~ car* polisbil [från spaningsroteln] **3** sport. trupp; *the England ~* engelska landslagstruppen

squadron ['skwɒdr(ə)n] **1** mil. eskader inom flottan; division inom flyget; *~ leader* major vid flyget **2** grupp, skara

squalid ['skwɒlɪd] snuskig, smutsig; eländig

squall [skwɔːl] **I** *vb itr* skrika **II** *vb tr* skrika [fram] **III** *s* **1** skrik **2** by ofta av regn el. snö; kastby **3** vard. käbbel

squalor ['skwɒlə] snusk, smuts; elände

squander ['skwɒndə] slösa [bort] [*~ money, ~ time*; äv. *~ away*]

square [skweə] **I** *s* **1** a) geom. kvadrat b) fyrkant, ruta; *we are back to ~ one* vi är tillbaka där vi började **2** torg, fyrkantig [öppen] plats; kvarter; *barrack ~* mil. kaserngård **3** matem. kvadrat[tal] **4** vinkelhake, vinkellinjal **5** sl. insnöad person **II** *adj* **1** kvadratisk, fyrkantig; *a room four metres ~* ett rum [som mäter] fyra meter i kvadrat; *~ foot* kvadratfot; *~ root* kvadratrot **2** rätvinklig, vinkelrät **3** satt, undersätsig **4** reglerad [*get one's accounts ~*]; uppgjord; jämn; *get ~ with* vard. göra upp med [*get ~ with one's creditors*]; *get things ~* vard. ordna upp det hela **5** renhårig, ärlig **6** otvetydig **7** vard. bastant, rejäl [*a ~ meal*] **8** sl. insnöad, mossig **III** *vb tr* **1** göra kvadratisk (fyrkantig); ruta [äv. *~ off*]; *~d paper* rutpapper **2** matem. upphöja i kvadrat [*~ a number*] **3** reglera [äv. *~ up*]; *~ one's conscience* freda (stilla) sitt samvete **4** avpassa **IV** *vb itr* **1** passa ihop **2** *~ up* a) göra sig beredd att slåss, inta gard[ställning] [*to* mot] b) göra upp [*it's time I ~d up with you*], betala **3** bilda en rät vinkel **V** *adv* **1** i rät vinkel, vinkelrätt **2** rakt, rätt **3** vard. renhårigt

squarely ['skweəlɪ] **1** i rät vinkel **2** rakt, rätt [*~ between the eyes*] **3** renhårigt, ärligt, schysst; *fairly and ~* öppet och ärligt **4** rakt på sak

1 squash [skwɒʃ] **I** *vb tr* **1** krama (klämma, pressa, mosa) sönder, krossa till mos; platta till [*sit on a hat and ~ it* [*flat*]]; *~ one's finger* [*in a door*] klämma fingret... **2** klämma in, pressa in **3** vard. krossa, slå ner [*~ a rebellion* (*riot*)] **4** vard. platta till **II** *vb itr* **1** kramas (klämmas, pressas) sönder, mosas [*tomatoes ~ easily*] **2** trängas; *~ into* (*through*) tränga (klämma, pressa) sig in i (in genom) **III** *s* **1** [folk]trängsel [*there was an awful ~ at the gate*] **2** mosande; mos **3** saft, lemonad [*lemon ~*] **4** sport. squash

2 squash [skwɒʃ] (pl. lika el. *~es*) bot. squash

squat [skwɒt] **I** *vb itr* **1** sitta på huk; sätta sig på huk [äv. *~ down*]; vard. sitta **2** trycka om djur **3** ockupera ett hus som står tomt **II** *vb rfl, ~ oneself* [*down*] sätta sig på huk, huka sig [ned] **III** *adj* kort och tjock, satt

squatter ['skwɒtə] **1** person som sitter på huk **2** husockupant, markockupant

squaw [skwɔ:] squaw indiankvinna

squawk [skwɔ:k] **I** *vb itr* **1** isht om fåglar skria **2** vard. klaga [högljutt], protestera **3** sl. tjalla **II** *s* **1** skri **2** vard. högljudd protest

squeak [skwi:k] **I** *vb itr* **1** pipa om t.ex. råttor; skrika [gällt]; gnissla om t.ex. gångjärn; knarra om t.ex. skor **2** sl. tjalla **II** *vb tr* pipa fram [äv. *~ out*] **III** *s* **1** pip; [gällt] skrik; gnissel, knarr[ande]; jfr *I 1* **2** vard., *it was a narrow ~* det var nära ögat (på håret)

squeal [skwi:l] **I** *vb itr* **1** skrika gällt o. utdraget; skria; *~ like a pig* skrika som en stucken gris **2** sl. tjalla **3** vard. klaga, gnälla **II** *vb tr* skrika ut (fram) **III** *s* skrik; gnissel

squealer ['skwi:lə] **1** sl. tjallare **2** vard. gnällspik

squeamish ['skwi:mɪʃ] **1** ömtålig, blödig; pryd **2** kräsen

squeeze [skwi:z] **I** *vb tr* **1** krama, klämma [på], trycka [hårt] [*~ a p.'s hand*]; *~* [*out*] a) krama ur [*~* [*out*] *a sponge*] b) pressa (klämma) fram [*~* [*out*] *a tear*] **2** klämma in (ned) [*~ things into a box*]; *I can ~ you in tomorrow* jag kan klämma in (avsätta) en tid åt dig i morgon **3** bildl. pressa, [hårt] ansätta; suga ut; *~ a th. from* (*out of*) *a p.* pressa (klämma) ngn på ngt [*~ money from* (*out of*) *a p.*] **4** krama, omfamna **II** *vb itr* **1** tränga (pressa) sig [fram]; *can you ~ in* [*a meeting tomorrow*]? kan du klämma in [en tid för]...? **2** gå att klämma ihop (krama ur) **III** *s* **1** kramning [*a ~ of the hand*], tryck, press; hopklämning, hopknipning; urkramning **2** trängsel; *it was a tight ~* det var väldigt trångt **3** droppe [*a ~ of lemon*] **4** a) press; utpressning b) provision; *put the ~ on a p.* sätta press på ngn, öka trycket på ngn **5** vard., *it was a close* (*narrow, tight*) *~* det var nära ögat **6** ekon. åtstramning [*credit ~*] **7** kram, omfamning

squeezer ['skwi:zə] [frukt]press

squelch [skwel(t)ʃ] **I** *vb itr* klafsa, slafsa; skvätta ut **II** *vb tr* **1** krossa, klämma sönder **2** vard. snäsa av, huta åt; tysta ner **III** *s* klafs

squib [skwɪb] **1** pyrotekn. svärmare **2** smädeskrift; gliring **3** *damp ~* fiasko

squid [skwɪd] zool. tioarmad bläckfisk

squiggle ['skwɪgl] **I** *vb itr* **1** snirkla sig **2** klottra **II** *s* krumelur

squint [skwɪnt] **I** *s* **1** vindögdhet; *have a ~* vara vindögd, skela **2** vard. titt; *have a ~ at* ta en titt på, kika på **II** *vb itr* **1** vara vindögd **2** vard. skela

squire ['skwaɪə] **I** *s* **1** godsägare; *country ~* äv. lantjunkare **2** vard. (i tilltal) min bäste herre; ofta utan motsv. i sv. [*what can I do for you, ~?*] **II** *vb tr* eskortera [*~ a lady*]

squirm [skwɜ:m] **I** *vb itr* vrida sig; bildl. våndas, pinas; gruva sig **II** *s* skruvande; bildl. vånda

squirrel ['skwɪr(ə)l] ekorre; *flying ~* [mindre nordamerikansk] flygekorre

squirt [skwɜ:t] **I** *vb tr* o. *vb itr* spruta [ut] med tunn stråle **II** *s* **1** [tunn] stråle [*~ of water*] **2** [liten] spruta **3** vard. puttefnask; nolla

sq. yd. förk. för *square yard*

Sr. o. **sr.** förk. för *senior*

SS förk. för *steamship*

1 St. o. **St** [sən(t), sɪn(t), sn(t)] förk. för *saint*

2 St. förk. för *Strait, Street*
stab [stæb] **I** *vb tr* **1** genomborra [~ *a p. with a th.*]; sticka ned, knivhugga; ~ *to death* knivmörda, knivhugga till döds **2** sticka, stöta, köra [~ *a weapon into*], spetsa [~ *a piece of meat on the fork*] **3** bildl., ~ *a p. in the back* falla ngn i ryggen **II** *vb itr* **1** stöta, måtta (rikta) en stöt **2** sticka 'till **III** *s* **1** stick, sting, stöt [*a ~ in the breast*]; knivhugg äv. bildl.; *a ~ in the back* bildl. en dolkstöt i ryggen **2** [plötslig] smärta [*a ~ of pain*]; stark känsla **3** vard. försök; *a ~ in the dark* en vild gissning
stability [stə'bɪlətɪ] stabilitet
stabilization [ˌsteɪbɪlaɪ'zeɪʃ(ə)n] stabilisering
stabilize ['steɪbɪlaɪz] stabilisera; göra stabil etc., jfr *1 stable*
stabilizer ['steɪbɪlaɪzə] **1** flyg. el. sjö. stabilisator **2** ~*s* stödhjul isht på barncykel
1 stable ['steɪbl] stabil [~ *currency*], fast [~ *prices*]; stadig; värdebeständig; varaktig
2 stable ['steɪbl] **1** [häst]stall äv. om uppsättning hästar; stallbyggnad; pl. ~*s* stall, stallbyggnad **2** vard. stall grupp racerförare, tennisspelare o.d. med gemensam manager
staccato [stə'kɑːtəʊ] **I** *adv* stackato äv. mus.; stötvis **II** (pl. ~*s*) *s* mus. stackato
stack [stæk] **I** *s* **1** stack av hö o.d. **2** trave [*a ~ of wood; a ~ of books*], stapel [*a ~ of boards*]; ordnad hög [*a ~ of papers*]; vard. massa, hög [*a ~ of things, ~s of work*] **3** skorsten på ångbåt, ånglok m.m. **II** *vb tr* **1** stacka; trava [upp] [äv. ~ *up*]; ~*ing chairs* stapelbara stolar **2** ~ *the cards* fiffla med korten (kortleken)
stadium ['steɪdjəm] stadion
staff [stɑːf] **I** (pl. ~*s*; i bet. *5 staves*) *s* **1** stav; bildl. stöd; *the ~ of life* brödet **2** [flagg]stång; långt skaft **3** personal [*office ~*], stab; ~ *nurse* sjuksköterska; *teaching ~* lärarkår; *be on the ~* höra till personalen (staben, kollegiet); vara fast anställd (ordinarie) **4** mil. stab; *General S~* generalstab **5** mus. notplan, notsystem **II** *vb tr* skaffa (anställa) personal till
stag [stæg] zool. kronhjort hanne
stage [steɪdʒ] **I** *s* **1** teat. scen; bildl. äv. skådeplats [*quit the political ~*]; estrad; teater [*the French ~, the comic ~*]; ~ *version* scenbearbetning; *hold the ~* a) hålla sig kvar på repertoaren b) dominera (vara centrum i) sällskapet; *on the ~* a) på scenen, på teatern b) på repertoaren; *go on the ~* bli skådespelare (skådespelerska) **2** stadium, skede [*at an early ~*]; steg **3** etapp; avstånd mellan två hållplatser; skjutshåll; *by easy ~s* i [korta] etapper; bildl. i små portioner, lite i taget **4** hållplats **II** *vb tr* **1** sätta upp [~ *a play*]; uppföra **2** iscensätta, arrangera, organisera; ~ *a comeback* göra comeback
stagecoach ['steɪdʒkəʊtʃ] hist. diligens
stage door [ˌsteɪdʒ'dɔː, '--] sceningång
stage fright ['steɪdʒfraɪt] rampfeber
stage hand ['steɪdʒhænd] scenarbetare
stage-manage ['steɪdʒˌmænɪdʒ, ˌ-'--] **1** vara inspicient (regiassistent, studioman) vid **2** iscensätta **3** dirigera
stage manager [ˌsteɪdʒ'mænɪdʒə, '-ˌ---] inspicient; TV. studioman
stage-struck ['steɪdʒstrʌk] teaterbiten
stage whisper [ˌsteɪdʒ'wɪspə] teaterviskning
stagger ['stægə] **I** *vb itr* vackla, ragla; ~ *to one's feet* resa sig på vacklande ben **II** *vb tr* **1** få att vackla äv. bildl.; *be ~ed by the news* bli [upp]skakad av nyheterna **2** sprida [~ *lunch hours*]; ~*ed hours* flextid; skift **III** *s* vacklande, raglande, vacklande (raglande) gång
staggering ['stægərɪŋ] **1** vacklande, vinglig, ostadig [*a ~ gait*] **2** *a ~ blow* ett dråpslag äv. bildl. **3** häpnadsväckande
stagnant ['stægnənt] **1** stillastående [~ *water*]; skämd **2** bildl. stagnerande
stagnate [stæg'neɪt, '--] **1** stå stilla **2** bildl. stagnera
stagnation [stæg'neɪʃ(ə)n] stagnation; stillastående; stockning
staid [steɪd] stadig, lugn, stadgad om person
stain [steɪn] **I** *vb tr* **1** fläcka [ned] [~ *one's fingers, ~ the cloth*]; missfärga **2** färga [~ *cloth*]; betsa [~ *wood*]; ~*ed glass* målat glas med inbrända färger **II** *vb itr* **1** få fläckar; missfärgas **2** fläcka ifrån sig **III** *s* **1** fläck äv. bildl. [*without a ~ on one's character*]; ~ *remover* fläckborttagningsmedel **2** färgämne; bets
stainless ['steɪnləs] **1** fläckfri [*a ~ reputation*] **2** rostfri [~ *steel*]
stair [steə] **1** trappsteg **2** vanl. ~*s* (konstr. ss. sg. el. pl.) trappa isht inomhus [*winding ~s*]; trappuppgång; *a flight of ~s* en trappa; *the foot (head) of the ~s* foten (översta delen) av trappan **3** [fisk]trappa
staircase ['steəkeɪs] trappa; trappuppgång; *corkscrew (spiral) ~* spiraltrappa
stake [steɪk] **I** *s* **1** stake, stör, påle **2** isht pl. ~*s* insats vid vad o.d.; pott; *play for high ~s* spela högt **3** intresse, andel [*have a ~ in an undertaking*] **4** pl. ~*s* a) pris[pengar] vid hästkapplöpningar m.m. b) [pris]lopp **II** *vb tr* **1** fästa vid (stödja med) en stake (stör, påle) **2** ~ [*off (out)*] a) staka ut [~ *off (out) an area*] b) sätta av; reservera **3** inhägna (stänga av) med störar (pålar, stolpar) **4** våga [~ *one's future*]; satsa [~ *a fortune*]
stalactite ['stæləktaɪt] stalaktit; hängande droppsten

stalagmite ['stæləgmaɪt] stalagmit; stående droppsten

stale [steɪl] **I** *adj* **1** gammal [~ *bread*], unken [~ *air*], avslagen [~ *beer*], instängd [~ *tobacco smoke*], fadd **2** förlegad, gammal [~ *news*], nött, [ut]sliten [~ *jokes*] **3** övertränad, överansträngd **II** *vb tr* göra gammal (unken etc., jfr *I*) **III** *vb itr* bli gammal (unken etc., jfr *I*)

stalemate ['steɪlmeɪt] **I** *s* **1** schack. pattställning **2** dödläge **II** *vb tr* **1** schack. göra patt **2** stoppa; få att gå i baklås (köra fast)

1 stalk [stɔ:k] **1** bot. stjälk; stängel **2** [hög] skorsten **3** hög fot på vinglas; skaft **4** bil. spak på rattstång (reglage för vindrutetorkare m.m.)

2 stalk [stɔ:k] **I** *vb itr* **1** gå med stolta steg **2** gå sakta och försiktigt; sprida sig långsamt [*famine ~ed through the country*] **II** *vb tr* **1** smyga sig på (efter) [~ *game* (*an enemy*)]; sprida sig långsamt genom **2** skrida fram genom (på) [~ *the streets*]

1 stall [stɔ:l] vard. slingra sig; ~ [*for time*] försöka vinna tid, maska

2 stall [stɔ:l] **I** *s* **1** spilta **2** [salu]stånd; kiosk; bord, disk för varor **3** teat. parkettplats; *orchestra ~s* främre parkett **4** kyrkl. korstol **5** [finger]tuta **6** amer. parkeringsruta **7** motor. tjuvstopp **II** *vb tr* **1** sätta in (hålla) i en spilta (spiltor, bås) **2** motor. få tjuvstopp i [~ *the engine*] **III** *vb itr* om motor o.d. tjuvstanna

stallion ['stæljən] [avels]hingst

stalwart ['stɔ:lwət] **I** *adj* **1** stor och stark **2** ståndaktig, trogen [*a ~ supporter*] **II** *s* ståndaktig (trogen) anhängare

stamen ['steɪmen] bot. ståndare

stamina ['stæmɪnə] uthållighet, [motstånds]kraft

stammer ['stæmə] **I** *vb itr* stamma **II** *vb tr*, ~ [*out*] stamma fram **III** *s* stamning, stammande

stamp [stæmp] **I** *vb itr* stampa [~ *on the floor*; ~ *with* (av) *rage*]; trampa, klampa [~ *upstairs*] **II** *vb tr* **1** stampa med [~ *one's foot*]; stampa på (i) [~ *the floor*]; ~ *the mud off one's feet* stampa av sig smutsen **2** trampa på, trampa ned [ofta ~ *down*]; ~ *out* a) trampa ut [~ *out a fire*] b) utrota [~ *out a disease*] c) krossa, slå ned, undertrycka [~ *out a rebellion*] d) göra (få) slut på **3** stämpla äv. bildl. [~ *a p. as a liar*]; stämpla på; trycka [~ *patterns on cloth*]; *he ~ed his personality on...* han satte sin personliga prägel på... **4** frankera [~ *a letter*] **5** bildl. prägla [~ *on* (i) *one's memory* (*mind*)] **III** *s* **1** stampning **2** stämpel verktyg; stamp äv. i stampverk; stans; stämpeljärn **3** stämpel; stämpling; prägel på mynt **4** frimärke; *book of ~s* frimärkshäfte **5** bildl. prägel, kännetecken **6** slag, sort, kaliber [*men of his* (*that*) ~]

stamp-collector ['stæmpkəˌlektə] frimärkssamlare

stamp duty ['stæmpˌdju:tɪ] stämpelavgift

stampede [stæm'pi:d] **I** *s* **1** vild (panikartad) flykt; rusning; panik **2** massrörelse **II** *vb itr* **1** råka i vild flykt, fly i panik **2** störta **III** *vb tr* **1** skrämma på flykten, försätta i panik **2** hetsa [~ *a p. into* [*doing*] *a th.*]

stamp pad ['stæmppæd] stämpeldyna

stance [stæns, stɑ:ns] **1** stance, slagställning i golf m.m. **2** ställning; *he took his ~ by the exit* han fattade posto vid utgången **3** inställning, attityd

stanch [stɑ:n(t)ʃ] stilla, hämma [~ *the bleeding*]; ~ *a wound* stilla blodflödet från ett sår

stand [stænd] **I** (*stood stood*) *vb itr* (se äv. *III*) **1** stå; ~ *condemned* vara dömd, ha dömts [*for* för]; ~ *to win* (*gain*) ha utsikt att (kunna) vinna; *I want to know where I ~* jag vill ha klart besked **2** stiga (stå) upp [*we stood, to see better*] **3** ligga [*the house ~s by* (vid) *a river*; *London ~s on* (vid) *the Thames*] **4** a) stå kvar, stå fast [*let the word ~*] b) hålla [*the theory ~s*], [fortfarande] gälla **5** stå; *as affairs* (*matters*) *now ~* som saken (det) nu förhåller sig **6** mäta [*he ~s six feet in his socks*]

II (*stood stood*) *vb tr* (se äv. *III*) **1** ställa [upp], resa [upp] [~ *a ladder against the wall*] **2** tåla [*I cannot ~ that fellow*], stå ut med; ~ *the test* bestå provet; [*the material*] *will ~ washing* ...tål att tvättas **3** ~ *trial for murder* stå inför rätta anklagad för mord **4** bjuda på [~ [*a p.*] *a dinner*]; ~ *treat* betala (bjuda på) kalaset, bjuda **5** ~ *off* suspendera, friställa [~ *off an employee*]

III *vb tr* o. *vb itr* med adv. el. prep. isht med spec. övers.:

~ **again** polit. ställa upp för omval

~ **apart**: **a**) stå en bit bort; hålla sig på avstånd **b**) stå utanför **c**) stå i en klass för sig

~ **aside**: **a**) [bara] stå och se på, förhålla sig passiv **b**) stiga (träda) åt sidan

~ **at** uppgå till [*the number ~s at 170*]

~ **back**: **a**) dra sig bakåt **b**) *the house ~s back from the road* huset ligger en bit från vägen **c**) förhålla sig passiv

~ **by**: **a**) stå bredvid [*how can you ~ by and let him ruin himself?*] **b**) hålla sig i närheten, stå redo; ligga i beredskap; ~ *by for further news* avvakta ytterligare nyheter **c**) bistå [~ *by one's friends*], stödja; ~ *by a p.* äv. stå vid ngns sida **d**) stå [fast] vid [~ *by one's promise*], stå för [*I ~ by what I said*]

~ **down**: **a**) träda tillbaka [~ *down in*

favour of a better candidate] **b**) träda ned från vittnesbåset

~ **for**: **a**) stå för [*what do these initials ~ for?*], betyda **b**) kämpa för [*~ for liberty*] **c**) stå som (vara) sökande till [*~ for an office*]; kandidera för **d**) vard. finna sig i [*I won't ~ for that*]

~ **on** hålla på [*~ on one's dignity* (*rights*)]

~ **out**: **a**) stiga (träda) fram **b**) stå ut, skjuta fram **c**) framträda, sticka av; *it ~s out a mile* det syns (märks) lång väg; *~ out in a crowd* skilja sig från mängden; *make a melody ~ out* framhäva en melodi **d**) utmärka sig [*his work ~s out from* (framför) *that of others*], vara framstående **e**) hålla ut (stånd), stå på sig **f**) *~ out for* a) hålla fast vid [*~ out for a demand*], hålla på [*~ out for one's rights*] b) kräva, yrka på [*~ out for more pay*]

~ **to**: isht mil. ligga (förlägga) i larmberedskap

~ **up**: **a**) stiga (stå, ställa sig) upp; *~ up against* sätta sig emot; *~ up for* försvara [*~ up for one's rights*], hålla på; ta parti för; *~ up to* trotsa, sätta sig upp mot **b**) stå [upprätt] **c**) hålla, vara [*his clothes always ~ up better than mine*]; *~ up to* stå emot, tåla, stå pall för

~ **with** ligga till hos [*how do you ~ with your boss?*]; *~ well* (*high*) *with a p.* ligga väl till hos ngn

IV *s* **1** stannande, halt; *bring to a ~* stanna, stoppa, hejda **2** [försök till] motstånd [*his last ~*]; försvar; *make a ~* hålla stånd; *make a ~ for one's principles* kämpa för sina principer **3** plats; ställning, bildl. äv. ståndpunkt; *take* [*up*] *a ~* ta ställning, fatta ståndpunkt [*on* i]; *take one's ~* a) ställa sig [*take one's ~ on the platform*], fatta posto b) ta ställning **4** ställ; fot; hållare; stativ **5** stånd; kiosk; bord; utställningsmonter **6** station [*a taxi ~*] **7** [åskådar]läktare; estrad; *winners' ~* prispall vid tävling **8** vard. uppträdande under turné **9** amer. vittnesbås; *take the ~* avlägga vittnesmål

standard ['stændəd] **I** *s* **1** standar [*the royal ~*], fana **2** likare; standard[typ] **3** a) norm [*conform to the ~s of society*], mått[stock] b) standard; kvalitet; *~ of living* levnadsstandard; *~ of reference* a) måttstock b) standardverk; *by Swedish ~s* efter svenska mått; [*measured*] *by our ~s* med våra mått mätt; *come* (*be*) *up to ~* hålla måttet, vara fullgod **4** myntfot [*gold ~*]; *monetary ~* **5** stolpe; hög fot **6** bot. fristående [frukt]träd; buske (växt, träd) i stamform **II** *adj* standard- [*~ measures* (*weights*)], normal [*the ~ yard*], norm-; fullgod; [helt] vanlig [*a ~ pencil*]; *~ deviation* statistik. standardavvikelse; *~ rate* grundtaxa; enhetstaxa; normaltaxa; *~ rate of taxation* normal skattesats

standard-bearer ['stændədˌbeərə] fanbärare äv. bildl.

standardization [ˌstændədaɪ'zeɪʃ(ə)n] standardisering; normalisering; likriktning

standardize ['stændədaɪz] standardisera; normalisera; likrikta

standard lamp ['stændədlæmp] golvlampa

standby ['stæn(d)baɪ] **1** reserv- [*~ power unit*]; flyg. standby- [*~ ticket*]; *~ duty* bakjour **2** stöd, pålitlig vän, tillflykt; säkert kort **3** reserv, ersättare; springvikarie; ersättning

stand-in ['stændɪn, ˌ-'-] stand-in; ersättare

standing ['stændɪŋ] **I** *adj* **1** stående; upprättstående; stillastående; *~ jump* sport. stående hopp, hopp utan ansats **2** bildl. stående [*a ~ army, a ~ dish, a ~ rule*]; ständig, permanent; ständigt återkommande; *a ~ joke* ett stående skämt **II** *s* **1** ståplats; *~ room* ståplats[er], utrymme för stående **2** ställning, status, position, anseende; *a man of* [*high*] *~* en ansedd man **3** *of long ~* gammal, av gammalt datum; långvarig

stand-offish [ˌstænd'ɒfɪʃ] reserverad, högdragen

standpoint ['stæn(d)pɔɪnt] ståndpunkt, ställningstagande

standstill ['stæn(d)stɪl] stillastående; *be at a ~* stå stilla, ha stannat av, ligga nere; *come to a ~* stanna [av], stoppa, bli stående; köra fast

stank [stæŋk] imperf. av *stink*

stanza ['stænzə] metrik. strof

1 staple ['steɪpl] **I** *s* **1** krampa, märla **2** häftklammer **II** *vb tr* **1** fästa (sätta fast) med krampa (märla) **2** häfta [samman]

2 staple ['steɪpl] **I** *s* **1** stapelvara **2** huvudbeståndsdel; stomme **3** råvara, råämne **II** *adj* **1** stapel-, huvud- [*~ article, ~ product*]; *~ commodity* stapelvara, basvara **2** huvudsaklig [*~ food*]

stapler ['steɪplə] häftapparat; bokb. häftmaskin

star [stɑː] **I** *s* **1** stjärna; *the Stars and Stripes* stjärnbaneret USA:s flagga; *see ~s* bildl. se [solar och] stjärnor; *thank one's lucky ~s that* tacka sin lyckliga stjärna [för] att **2** film., sport. m.m. stjärna; *~ system* stjärnkult **II** *vb tr* **1** pryda (märka) med stjärna (stjärnor); beströ med stjärnor **2** teat. o.d. presentera i huvudrollen; *be ~red* [*in a new film*] ha (få) huvudrollen..., vara (bli) stjärna...; *a film ~ring...* en film med...i huvudrollen **III** *vb itr* teat. o.d. spela (ha) huvudrollen

starboard ['stɑːbəd, -bɔːd] sjö. styrbord; *put the helm to ~* lägga rodret styrbord

starch [stɑ:tʃ] **I** *s* stärkelse **II** *vb tr* stärka med stärkelse
starchy ['stɑ:tʃɪ] **1** stärkelsehaltig **2** bildl. stel
stardom ['stɑ:dəm] film. o.d. **1** stjärnvärlden; berömdheter **2** stjärnstatus; *her rise to ~* hennes upphöjelse till stjärna
stare [steə] **I** *vb itr* stirra; glo **II** *vb tr* stirra på; glo på; *it ~d us in the face* a) det stirrade emot oss, vi stod ansikte mot ansikte med det b) vi hade det mitt framför ögonen (näsan) [på oss]; det var alldeles solklart **III** *s* [stirrande (stel)] blick; stirrande; *give a p. a rude ~* stirra ohövligt på ngn
starfish ['stɑ:fɪʃ] zool. sjöstjärna
stark [stɑ:k] **I** *adj* **1** styv, stel isht av dödsstelhet [*~ and cold (stiff)*] **2** ren, fullständig [*~ nonsense*] **3** naken, bar [*~ rocks*] **4** skarp [*~ outlines*], markerad **II** *adv* fullständigt; *~ [staring] mad* spritt [språngande] galen, helgalen; *~ naked* spritt naken
starlet ['stɑ:lət] **1** liten stjärna **2** film. o.d. ung (blivande) stjärna
starlight ['stɑ:laɪt] **I** *s* stjärnljus [*walk home by* (i) *~*] **II** *adj* stjärnklar [*a ~ night*], stjärnljus
starling ['stɑ:lɪŋ] zool. stare
starlit ['stɑ:lɪt] stjärnbelyst
starry ['stɑ:rɪ] **1** stjärnbeströdd, stjärnklar **2** glänsande som stjärnor [*~ eyes*]
star-spangled ['stɑ:ˌspæŋgld] stjärnbeströdd; *the Star-Spangled Banner* stjärnbaneret USA:s flagga o. nationalsång
star-studded ['stɑ:ˌstʌdɪd] **1** stjärnbeströdd; stjärnklar [*a ~ night*] **2** teat. o.d. stjärnspäckad, med idel stjärnor [*a ~ cast*]
start [stɑ:t] **I** *vb itr* **1** börja, starta; *don't ~!* börja inte [nu]!, sätt inte i gång!; *to ~ with* a) för det första b) till att börja med, till en början **2** starta, ge sig i väg; sätta [sig] i gång; *~ on a journey* ge sig ut på en resa **3** rycka till [*~ at* (vid) *the shot*; *~ with* (av) *horror*], haja till; *~ back* rygga tillbaka [*at* för (vid)] **4** plötsligt tränga (rusa); *the tears ~ed to* (*in*) *her eyes* hon fick tårar i ögonen **II** *vb tr* **1** börja, påbörja [*~ a meal*]; *~ a book* börja på en bok **2** starta [*~ [up] a car*], sätta i gång [med]; *~ a business* starta en affär; *let's get ~ed!* nu sätter vi i gång!; *I can't get the engine ~ed* jag kan inte få i gång (starta) motorn; *~ a fund* starta en insamling till en fond **3** hjälpa på traven; *~ a p. in life* hjälpa fram ngn **4** *~ a p. doing a th.* få (komma) ngn att [börja] göra ngt [*that ~ed us laughing*] **III** *s* **1** början, start; avfärd; *make a fresh ~* börja om från början; *for a ~* vard. för det första; *line up for the ~* ställa upp till start[en] (på startlinjen) **2** försprång [*a few metres' ~*]; *get* (*have*) *the ~ of* komma i väg före; få försprång framför **3** startplats, start **4** ryck; *give a ~* rycka (haja) till
starter ['stɑ:tə] **1** starter startledare; *~'s gun* (*pistol*) startpistol, ollonpistol **2** startande, tävlingsdeltagare **3** startkontakt; startknapp **4** förrätt; *as a ~* till förrätt; *for ~s* vard. till att börja med, som en början (inledning); för det första [*well, for ~s he's not a good choice*]
starting-block ['stɑ:tɪŋblɒk] startblock
starting-point ['stɑ:tɪŋpɔɪnt] utgångspunkt äv. bildl.; startpunkt
starting-post ['stɑ:tɪŋpəʊst] kapplöpn. startstolpe; startlinje
startle ['stɑ:tl] **1** skrämma; *be ~d* bli förskräckt (bestört, häpen), baxna [*by* över] **2** skrämma upp [*~ a herd of deer*]
startling ['stɑ:tlɪŋ] häpnadsväckande, alarmerande [*a ~ discovery*]
star turn [ˌstɑ:'tɜ:n] teat. huvudnummer
starvation [stɑ:'veɪʃ(ə)n] svält; uthungring, utsvältning; *~ diet* svältkost; svältkur
starve [stɑ:v] **I** *vb itr* svälta; *~ to death* svälta ihjäl; *I'm starving* vard. jag är utsvulten (jättehungrig) **II** *vb tr* låta svälta [*~ a p. to death* (ihjäl)], låta förgås av hunger
starved [stɑ:vd] utsvulten; *~ to death* ihjälsvulten
state [steɪt] **I** *s* **1** tillstånd; skick [*in a bad ~*]; situation; *~ of alarm* a) larmberedskap b) oro, ängslan; *~ of health* hälsotillstånd, hälsa, befinnande; *~ of mind* sinnestillstånd, mentalt (psykiskt) tillstånd; sinnesstämning; *in the present ~ of things* under nuvarande förhållanden; *what a ~ you are in!* vard. vad (så) du ser ut!; *get into a ~* vard. hetsa upp sig **2** stat; i USA m.fl. äv. delstat; stats-, delstats-, statlig; statsägd [*~ forests*]; *the S~* staten; *the States* Staterna Förenta staterna; *the S~ Department* i USA utrikesdepartementet **3** stånd, ställning; [hög] rang, värdighet; *married* (*unmarried, single*) *~* gift (ogift) stånd; *~ of life* [samhälls]ställning **4** ståt, gala, stass; *~ apartment* representationsvåning, paradvåning **II** *vb tr* **1** uppge, påstå; förklara, anföra, berätta; upplysa om; ange; *it is ~d that* det uppges att **2** framlägga [*~ one's case*], framföra [*~ one's opinion*], framställa [*~ one's position*]; meddela [*~ one's terms*] **3** konstatera; fastställa
stateless ['steɪtləs] statslös
stately ['steɪtlɪ] ståtlig, storslagen; värdig; *~ home* herresäte, herrgård
statement ['steɪtmənt] **1** uttalande;

framställning; uppgift, påstående; *make a ~* göra ett uttalande, uttala sig, lämna ett meddelande; *on his own ~* enligt [hans] egen utsago **2** rapport; *~ of account[s]* redovisning [av räkenskaper] **3** framställning

stateroom ['steɪtru:m] sjö. privat hytt, lyxhytt

states|man ['steɪts|mən] (pl. *-men* [-mən]) statsman

statesmanship ['steɪtsmənʃɪp] stats[manna]konst; statsmannaegenskaper

static ['stætɪk] **I** *adj* **1** fys. statisk [*~ electricity*] **2** stillastående **II** *s* **1** pl. *~s* (konstr. vanl. ss. sg.) fys. statik **2** statisk elektricitet

station ['steɪʃ(ə)n] **I** *s* **1** station **2** [samhälls]ställning, rang; *all ~s of life* alla samhällsklasser **3** [anvisad] plats; *take up one's ~* inta sin plats äv. bildl.; fatta posto **4** mil. bas; [*naval*] *~* flottbas, örlogsstation **II** *vb tr* **1** isht mil. stationera [*~ a regiment*]; placera ut [*~ a guard*] **2** *~ oneself* placera sig [*~ oneself at the window*]

stationary ['steɪʃn(ə)rɪ] **1** stillastående [*~ train*], orörlig **2** stationär [*~ troops*]

stationer ['steɪʃ(ə)nə] pappershandlare; *~'s* [*shop*] pappershandel

stationery ['steɪʃn(ə)rɪ] skrivmateriel, kontorsmateriel; skrivpapper

stationmaster ['steɪʃ(ə)nˌmɑ:stə] stationsinspektor, stins

station wagon ['steɪʃ(ə)nˌwægən] isht amer. herrgårdsvagn

statistical [stə'tɪstɪk(ə)l] statistisk

statistics [stə'tɪstɪks] (konstr. ss. pl.; i bet. 'statistisk vetenskap' ss. sg.) statistik[en]

statue ['stætʃu:, -tju:] staty; *the S~ of Liberty* frihetsgudinnan i New Yorks hamn

statuesque [ˌstætjʊ'esk] statylik; ståtlig

statuette [ˌstætjʊ'et] statyett

stature ['stætʃə] **1** växt, längd; gestalt; *short in* (*of*) *~* liten (kort) till växten, småvuxen **2** bildl. växt [*add something to one's ~*]; mått, format [*a man of ~*]

status ['steɪtəs, amer. äv. 'stætəs] **1** [social (medborgerlig)] ställning; *civil ~* civilstånd **2** ställning

statute ['stætju:t] [skriven] lag stiftad av parlament; författning; stadga

statutory ['stætjʊt(ə)rɪ] **1** lagstadgad; författningsenlig; *~ offense* (*crime*) amer. straffbart brott **2** stadgeenlig

1 staunch [stɑ:n(t)ʃ] se *stanch*

2 staunch [stɔ:n(t)ʃ, amer. äv. stɑ:n(t)ʃ] trofast [*~ ally, ~ supporter*]; ståndaktig

stave [steɪv] **I** *s* **1** stav i laggkärl; tunnstav **2** stegpinne **3** mus. notplan, notsystem **4** metrik. strof **II** *vb tr* **1** *~ in* slå in (sönder), slå hål på [*~ in a barrel*] **2** *~ off* avvärja [*~ off defeat* (*ruin*)]; uppehålla, hålla borta [*~ off creditors*]; uppskjuta **III** *vb itr*, *~ in* gå sönder, tryckas in, krossas [*the boat ~d in when it struck the rock*]

1 stay [steɪ] **I** *vb itr* **1** stanna, stanna kvar; *it has come* (*it is here*) *to ~* vard. det har kommit för att stanna, det kommer att stå (hålla i) sig; *~ dinner* stanna [kvar] till middagen; *~ away* stanna borta, utebli, hålla sig borta (undan), vara frånvarande [*from* från]; *~ up* stanna (vara, sitta) uppe inte lägga sig **2** tillfälligt vistas, bo [*~ at a hotel; ~ with* (hos) *a friend*], stanna; *where are you ~ing?* var bor du?, var har du tagit in? **3** fortsätta att vara [*~ calm* (*young*)]; *if the weather ~s fine* om det vackra vädret håller i sig (står sig) **4** *~ing power* uthållighet **II** *vb tr* **1** hejda [*~ the progress of a disease*], hindra, hålla tillbaka; *~ one's hunger* stilla den värsta hungern **2** jur. uppskjuta [*~ a decision, ~ the proceedings*], inställa **III** *s* **1** uppehåll; vistelse; besök [*at the end of her ~*] **2** jur. uppskov, uppskjutande; *~ of execution* uppskov med verkställigheten [av domen]

2 stay [steɪ] **1** stöd, stötta **2** pl. *~s* äv. korsett, snörliv

3 stay [steɪ] sjö. **I** *s* stag **II** *vb tr* **1** staga [*~ a mast*] **2** stagvända med

stead [sted], *in my ~* i mitt ställe, i stället för mig; *stand a p. in good ~* vara ngn till nytta (god hjälp), komma [ngn] väl till pass

steadfast ['stedfəst, -fɑ:st] stadig [*~ gaze*]; fast, orubblig [*~ faith*], ståndaktig

steady ['stedɪ] **I** *adj* **1** stadig [*a ~ table*], fast, solid, stabil [*~ foundation*]; *hold the camera ~* hålla kameran stadigt (stilla) **2** jämn [*a ~ climate, a ~ speed*], stadig [*a ~ wind;* [*a*] *~ improvement; a ~ customer*]; ständig [*a ~ fight against corruption*], oavbruten; *a ~ downpour* ihållande regn **3** lugn [*a ~ temper, a ~ horse*], stadgad [*a ~ young man*], stadig [*a ~ character*], stabil [*a ~ man*]; *~ nerves* starka nerver **II** *adv* stadigt [*stand ~*]; *go ~* vard. ha sällskap, kila stadigt **III** *interj*, *~* [*on*]*!* el. *~ does it!* sakta i backarna!, ta det lugnt! **IV** *vb tr* **1** göra stadig; stödja; ge stadga åt **2** lugna [*~ one's nerves*]; hålla stilla; stabilisera [*~ the prices*] **V** *vb itr* **1** bli stadig (stadgad); *~* [*down*] om pers. stadga sig **2** lugna sig; stabiliseras

steak [steɪk] biff; skiva [kött (fisk) för stekning]; stekt köttskiva (fiskskiva)

steakhouse ['steɪkhaʊs] stekhus restaurang

steal [sti:l] (*stole stolen*) **I** *vb tr* **1** stjäla [*~ a watch*]; stjäla sig till; *~ a glance* (*look*) *at* kasta en förstulen blick på **2** smuggla, smussla [*~ a th. into a room*] **II** *vb itr*

1 stjäla **2** smyga [sig], slinka [~ *after a p.*]; ~ *up on a p.* smyga sig på (över, inpå) ngn
stealth [stelθ], *by* ~ i smyg (hemlighet), i det tysta; på smygvägar; oförmärkt, förstulet
stealthy ['stelθɪ] förstulen [~ *glance*], oförmärkt; smygande [~ *footsteps*]; lömsk; skygg [~ *owl*]
steam [sti:m] **I** *s* **1** ånga; *full ~ ahead!* full fart framåt!; *under* (*on*) *one's own* ~ för egen maskin (kraft) **2** imma [~ *on the windows*] **II** *vb itr* **1** ånga [~ *into the station*]; ~ *along* (*ahead, away*) ånga i väg; bildl. äv. hålla god fart, gå raskt framåt **2** bildl. koka [~ *with* (av) *indignation*]; osa **III** *vb tr* **1** behandla med ånga; ångkoka; ~ *open a letter* ånga upp ett brev **2** bildl., *he gets ~ed up about nothing* han jagar (hetsar) upp sig för ingenting
steam engine ['sti:mˌen(d)ʒɪn] **1** ångmaskin **2** ånglok
steamer ['sti:mə] **1** ångare, ångfartyg **2** ångkokare
steam iron ['sti:mˌaɪən] ångstrykjärn
steamroller ['sti:mˌrəʊlə] **I** *s* ångvält äv. bildl. **II** *vb tr* **1** mosa (mala) sönder, krossa [~ *all opposition*] **2** pressa
steamship ['sti:mʃɪp] ångfartyg
steamy ['sti:mɪ] **1** ångande, ång- **2** immig **3** vard. sexig; het [~ *nights*]
steed [sti:d] poet. el. skämts. springare
steel [sti:l] **I** *s* **1** stål äv. bildl. [*muscles of* ~] **2** vapen, klinga; *cold* ~ blanka vapen; kallt stål **3** a) knivblad b) brynstål c) eldstål **II** *vb tr* bildl. härda, stålsätta [~ *one's heart* (*oneself*) *against fear*]
steelworks ['sti:lwɜ:ks] (konstr. vanl. ss. sg.; pl. *steelworks*) stålverk
steely ['sti:lɪ] stål-; stålartad; bildl. äv. obeveklig, hårdsint
1 steep [sti:p] **1** a) lägga i blöt; låta [stå och] dra [~ *tea*]; dränka in, genomdränka; vattna ur b) röta [~ *flax*]; bryggeri. stöpa c) doppa, blöta; ~ *in vinegar* lägga i ättika **2** bildl. dränka; ~ *oneself in a subject* fördjupa sig (försjunka) i ett ämne
2 steep [sti:p] **1** brant [~ *hill,* ~ *roof*]; bildl. äv. våldsam, snabb [~ *increase*] **2** vard. barock, otrolig [~ *price,* ~ *story*]; *a bit* ~ äv. väl magstark (grov)
steeple ['sti:pl] [spetsigt] kyrktorn; tornspira
steeplechase ['sti:pltʃeɪs] sport. **1** steeplechase **2** hinderlöpning
1 steer [stɪə] stut, ungtjur
2 steer [stɪə] **I** *vb tr* styra [~ *a car*], manövrera [~ *a ship*]; bildl. lotsa [~ *a bill through Parliament*]; ~ *one's way* styra kosan (sin kosa) **II** *vb itr* **1** styra; ~ *clear of* bildl. undvika, hålla undan för, gå runt [om], hålla sig ifrån **2** [*a boat that*] *~s well* (*easily*) ...är lättmanövrerad (lättstyrd)
steerage ['stɪərɪdʒ] sjö. **1** styrning **2** mellandäck, tredje klass [~ *passenger*]
steering-column ['stɪərɪŋˌkɒləm] rattstång; styrkolonn; ~ *gear-change* (*gearshift*) rattväxel; ~ [*gear-*]*lever* rattväxelspak
steering-wheel ['stɪərɪŋwi:l] ratt
stellar ['stelə] stjärn- [~ *light*], stellar-
1 stem [stem] **I** *s* **1** stam; stängel **2** skaft äv. på pipa; fot på svamp m.m.; [hög] fot på glas; mus. [not]skaft **3** stapel på bokstav **4** språkv. [ord]stam **5** sjö. a) stäv, för b) framstam **II** *vb itr,* ~ *from* stamma (härröra) från, uppstå ur
2 stem [stem] stämma, stoppa [~ *the flow of blood*], dämma upp (för) [~ *a river*]; sträva emot äv. bildl.
stench [sten(t)ʃ] stank
stencil ['stensl, -sɪl] **I** *s* stencil; *cut a* ~ skriva en stencil **II** *vb tr* stencilera
stenographer [ste'nɒgrəfə] isht amer. [stenograf och] maskinskriverska
stenography [ste'nɒgrəfɪ] stenografi
step [step] **I** *s* **1** steg [*walk with slow ~s*]; [ljudet av] steg, fotsteg; [dans]steg; *keep* ~ hålla takten, gå i takt; *keep* [*in*] ~ *with* hålla jämna steg (gå i takt) med **2** gång, sätt att gå; *go with a heavy* ~ gå med tunga steg; *quick* ~ snabb takt (marsch) **3** åtgärd; *take ~s* vidta åtgärder (mått och steg), göra något [åt saken] [*to* för att]; *what's the next ~?* vad ska ske (vi göra) nu? **4** a) trappsteg; trappa b) stegpinne c) fotsteg; pl. *~s* a) [ytter]trappa b) [trapp]stege **5** steg, pinnhål [*he rose several ~s in my opinion*] **II** *vb itr* stiga, kliva [~ *across a stream*], gå; träda; trampa [~ *on the brake*]; ~ *this way!* var så god, [kom med] den här vägen!; ~ *into a car* kliva (stiga) in i en bil; ~ *on it* vard. a) ge mera gas, gasa på b) skynda på; ~ *down* a) stiga (kliva) ner b) bildl. träda tillbaka; ~ *inside* stiga (kliva, gå) in **III** *vb tr* **1** ~ *off* (*out*) stega upp (ut) [~ *off a distance of fifty metres*] **2** ~ *down* gradvis minska, sänka [~ *down production*]; ~ *up* driva upp, öka [~ *up production*]; intensifiera [~ *up the campaign*]
stepbrother ['stepˌbrʌðə] styvbror
step|child ['step|tʃaɪld] (pl. *-children* [-ˌtʃɪldr(ə)n]) styvbarn
step dance ['stepdɑ:ns] stepp
stepdaughter ['stepˌdɔ:tə] styvdotter
stepfather ['stepˌfɑ:ðə] styvfar
stepladder ['stepˌlædə] trappstege
stepmother ['stepˌmʌðə] styvmor
steppe [step] stäpp, grässlätt
stepping-stone ['stepɪŋstəʊn] **1** klivsten över vatten o.d.; sten att kliva på **2** bildl.

trappsteg, språngbräde [~ *to fame* (*promotion*)]

stepsister ['step,sɪstə] styvsyster

stepson ['stepsʌn] styvson

stereo ['sterɪəʊ, 'stɪər-] **I** *adj* stereo-, stereofonisk; stereoskopisk **II** *s* stereo[anläggning]; stereo[foniskt ljud] [*listen to a concert in* ~]

stereophonic [,sterɪə'fɒnɪk, ,stɪər-] stereofonisk [~ *reproduction*]

stereoscope ['sterɪəskəʊp, 'stɪər-] stereoskop

stereotype ['sterɪətaɪp, 'stɪər-] **I** *s* sociol. o.d. stereotyp **II** *vb tr* göra stereotyp (klichéartad)

sterile ['steraɪl, amer. 'ster(ə)l] steril, ofruktbar äv. bildl.

sterility [ste'rɪlətɪ] sterilitet, ofruktbarhet äv. bildl.

sterilization [,sterəlaɪ'zeɪʃ(ə)n, -lɪ'z-] sterilisering

sterilize ['sterəlaɪz] sterilisera

sterling ['stɜ:lɪŋ] **I** *s* sterling benämning på brittisk valuta [*five pounds* ~]; *payable in* ~ betalbar i brittisk valuta (pund sterling) **II** *adj* **1** sterling- [~ *silver*]; fullödig **2** bildl. äkta

1 stern [stɜ:n] **1** sträng [~ *father*, ~ *look*], bister [~ *manner*]; *take a* ~ *view of a th.* se ngt med oblida ögon **2** hård [~ *discipline*]

2 stern [stɜ:n] sjö. akter

steroid ['sterɔɪd, 'stɪər-] kem. el. fysiol. steroid

stethoscope ['steθəskəʊp] med. **I** *s* stetoskop **II** *vb tr* undersöka med stetoskop

stevedore ['sti:vədɔ:] sjö. stuvare, stuveriarbetare

stew [stju:] **I** *vb tr* (se äv. *stewed*), låta småkoka (sjuda, långkoka) i kort spad **II** *vb itr* (se äv. *stewed*); småkoka; *let him* ~ *in his own juice* vard., ung. som man bäddar får man ligga **III** *s* **1** ragu [äv. *mixed* ~]; stuvning **2** bildl. *be in* (*get into*) *a* ~ vara (bli) utom sig (ifrån sig)

steward [stjʊəd] **1** hovmästare i finare hus, på restaurang o.d.; intendent, skattmästare vid klubb, college o.d.; klubbmästare **2** sjö., flyg. m.m. steward **3** marskalk vid fest o.d.; funktionär vid tävling, utställning o.d. **4** [gods]förvaltare **5** förtroendeman

stewardess [,stjʊə'des, 'stjʊədəs] sjö., flyg. m.m. kvinnlig steward; flygvärdinna, bussvärdinna osv.

stewed [stju:d] **1** kokt; ~ *beef* ung. köttgryta; kalops; *the tea is* ~ teet är beskt (har dragit för länge) **2** sl. packad berusad

1 stick [stɪk] **1** pinne, kvist [*gather dry* ~*s to make a fire*], sticka; blompinne, stör [*cut* ~*s to support the beans*]; *a few* ~*s of furniture* några få enkla möbler **2** käpp [*walk with a* (med) ~], stav [*ski* ~]; klubba [*hockey* ~]; i sms. -skaft [*broomstick*]; *get hold of* (*have*) *the wrong end of the* ~ vard. få (ha fått) alltsammans om bakfoten **3** stång, bit; i sms. -stift [*lipstick*]; ~ *of celery* selleristjälk; *a* ~ *of chalk* en krita **4** mus. a) taktpinne b) trumpinne **5** flyg. vard. [styr]spak **6** vard., *a dry old* ~ en riktig torrboll **7** mil. bombsalva [äv. ~ *of bombs*]

2 stick [stɪk] (*stuck stuck*) **I** *vb tr* **1** sticka, köra [~ *a fork into a potato*] **2** vard. sticka [~ *one's head out of the window*], stoppa [~ *one's hands into one's pockets*]; sätta, ställa [*you can* ~ *it anywhere you like*] **3** klistra; fästa; klistra (sätta) upp [~ *bills on a wall*]; ~ *no bills!* affischering förbjuden! **4** vard. stå ut med [*I can't* ~ *that fellow*]; *I can't* ~ *it* jag står inte ut (uthärdar inte längre) **5** *be stuck* a) ha fastnat [*the lift was stuck*], ha hakat upp sig [*the door was stuck*] b) ha kört fast [*when you are stuck, ask for help*]; *get stuck* fastna; köra fast, gå bet på, inte komma någon vart **6** vard. sätta (skriva) upp [~ *it on the bill*] **7** sl. dra åt helvete med [*you can* ~ *your job!*]

II *vb itr* **1** vara (sitta) instucken **2** klibba (hänga, sitta) fast [*the stamp stuck to* (vid, på) *my fingers*], klibba (sitta) ihop [äv. ~ *together*]; häfta **3 a**) fastna [*the key stuck in the lock*], haka upp sig [*the door has stuck*], kärva; bli sittande (stående, hängande) **b**) vard. komma av sig; ~ *fast* sitta fast **4** vard. stanna [~ *at home*], stanna [kvar] [~ *where you are*]

III *vb itr* o. *vb tr* med adv. o. prep. isht med spec. övers.:

~ **about** (**around**) vard. hålla sig (stanna) i närheten

~ **at**: **a**) vard. hålla på med [~ *at one's work ten hours a day*] **b**) hänga upp sig på, fästa sig vid [~ *at trifles*] **c**) ~ *at nothing* inte sky några medel

~ **by** vard.: **a**) vara (förbli) lojal mot (solidarisk med) **b**) *I'm stuck by* [*this problem*] jag går bet på..., jag kan inte klara av...

~ **down**: **a**) sätta (ställa, lägga, stoppa) [ner] **b**) klistra igen [~ *down an envelope*] **c**) vard. skriva ner

~ **for**: **a**) vard., *be stuck for* bli (vara) förbryllad (ställd); sakna, plötsligt stå där utan; *be stuck for an answer* vara (bli) svarslös, inte ha något svar att komma med **b**) sl., *what did they* ~ *you for that?* vad fick du pröjsa (ville de ha) för det?

~ **in**: **a**) sätta (skjuta, stoppa) in [~ *in a few commas*] **b**) vard., *be stuck in* sitta fast i, inte kunna lämna [*he is stuck in Paris*]; *get stuck in* [*a job*] sätta igång [på allvar] med... **c**) ~ *in a p.'s mind* fastna (fästa sig, stanna) i ngns minne; ~ *in the mud* sitta fast (fastna) i dyn, bildl. äv. sitta fast i det förgångna; stå och stampa på samma fläck **d**) ~ *one's heels in* bildl. sätta sig på tvären, spjärna emot

~ **on**: **a**) ~ *on one's spectacles* sätta (ta) på [sig] glasögonen **b**) vard., *be stuck on* [*a girl*] ha kärat ner sig i..., vara tänd på...

~ **out**: **a**) räcka ut [~ *out one's tongue*], sticka (stå, skjuta) ut (fram); puta ut [med] **b**) falla i ögonen, vara påfallande; vara tydlig; *it ~s out a mile* (*like a sore thumb*) vard. det syns (märks) lång väg, det kan man inte ta fel (miste) på **c**) vard. hålla (härda) ut; ~ *it out!* håll ut! **d**) ~ *out for* [*higher wages*] envist hålla (stå) fast vid sina krav på..., yrka på...

~ **to**: **a**) hålla sig till [~ *to the point* (*the truth*)]; hålla (stå) fast vid [~ *to one's word* (*promise*)], vara trogen [~ *to one's ideals*]; fortsätta med, stanna [kvar] på [~ *to one's work* (*post*)]; ~ *to it!* fortsätt med det!, släpp inte taget!, stå på dig! **b**) ~ *to a p.* hålla fast vid ngn, förbli ngn trogen, troget följa ngn

~ **together**: **a**) klistra (limma) ihop; klibba ihop **b**) vard. hålla ihop [som ler och långhalm]

~ **up**: **a**) sticka (skjuta) upp **b**) sätta upp [~ *up a poster*] **c**) vard., ~ *up for* försvara [~ *up for one's rights*]; ta i försvar, stödja [~ *up for a friend*] **d**) sl. råna [under vapenhot] [~ *up a p.* (*a bank*)]; ~ *'em up!* el. ~ *your hands up!* upp med händerna! **e**) vard., ~ *up to* göra motstånd (sticka upp) mot; inte låta sig hunsas av [~ *up to a bully*] **f**) sätta (skriva) upp [~ *it up to* (på) *me*]

~ **with**: **a**) vard. hålla ihop (vara tillsammans) med [*you need not ~ with me all the time*], hålla sig till, hålla fast vid **b**) vard., ~ *a p. with a th.* betunga ngn med ngt, tvinga på ngn ngt

sticker ['stɪkə] **1** gummerad (självhäftande) etikett; amer. äv. plakat, affisch **2** vard. person som inte ger sig (ger upp) i första taget; efterhängsen person

sticking-plaster ['stɪkɪŋˌplɑ:stə] häftplåster

stickleback ['stɪklbæk] zool. spigg

stickler ['stɪklə] pedant [äv. ~ *for order*]; *be a ~ for* [*details*] vara kinkig (noga) med...

stick-on ['stɪkɒn] gummerad [~ *labels*]

stick-up ['stɪkʌp] sl. väpnat rån

sticky ['stɪkɪ] **1** klibbig, kladdig [~ *fingers*, ~ *toffee*], seg; lerig [*a ~ road*, ~ *soil*]; ~ *tape* tejp; *be on a ~ wicket* bildl. vara illa ute **2** om väder tryckande **3** besvärlig, kinkig [*a ~ problem*] **4** vard. a) ovillig [*I tried to pump him, but he was rather ~*] b) nogräknad **5** vard. obehaglig [*a ~ past*]; *he'll come to a ~ end* det kommer att gå illa för honom

stiff [stɪf] **I** *adj* **1** styv [~ *collar*], stel [~ *legs*], oböjlig [*straight and ~*]; fast [*a ~ mixture*; ~ *clay* (*soil*)]; trög [*a ~ lock*]; *have a ~ neck* vara stel i nacken **2** stram, stel, formell [*a ~ bow* (bugning), *a ~ manner*], kylig [*a ~ reception*], tvungen, onaturlig; *keep a ~ upper lip* vara [likgiltig och] oberörd, inte förändra en min **3** styv [*a ~ breeze*], kraftig [*a ~ current*] **4** stark [*a ~ drink*]; *a ~ whisky* en stor (stadig) whisky **5** hård [~ *competition*, ~ *terms*], skarp [*a ~ protest*]; kraftig [*a ~ price*]; ~ *demands* hårda krav (bud) **6** vard. ansträngande, jobbig [*a ~ walk*], svår **II** *adv*, *bore a p. ~* tråka ut (ihjäl) ngn **III** *s* sl. **1** döing lik **2** *you big ~!* din fårskalle!

stiffen ['stɪfn] **I** *vb tr* **1** göra styv (stel); stärka [*~ed petticoat*] **2** stärka [~ *one's position*] **3** bildl. skärpa [~ *one's demands* (krav)] **II** *vb itr* **1 a**) styvna, hårdna **b**) om pers. bli spänd **2** bli hårdare (besvärligare); om vind friska i **3** bildl. bli fastare [*his resolution ~ed*], skärpas; stramas åt [*prices ~ed*]

stifle ['staɪfl] **I** *vb tr* **1** kväva [~ *a fire*]; *we were ~d by the heat* vi höll på att kvävas av hettan **2** bildl. kväva **II** *vb itr* kvävas

stifling ['staɪflɪŋ] kvävande [~ *heat*]

stigma ['stɪgmə] **1** bildl. stigma **2** bot. märke på pistill

stigmatize ['stɪgmətaɪz] bildl. brännmärka, stigmatisera [~ *a p. as a traitor*]

stile [staɪl] [kliv]stätta

stiletto [stɪ'letəʊ] (pl. *~s*) stilett

1 still [stɪl] **I** *adj* **1** stilla [*a ~ lake* (*night*)]; tyst; dämpad; sakta; ~ *waters run deep* i det lugnaste vattnet går de största fiskarna; *keep ~* hålla sig stilla **2** icke kolsyrad [~ *lemonade*]; ~ *wines* icke mousserande viner **II** *s* **1** poet. stillhet **2** stillbild, reklambild ur film **III** *vb tr* **1** stilla [~ *a p.'s appetite*] **2** lugna [~ *one's conscience*] **IV** *adv* **1** tyst och stilla [*sit ~*] **2** ännu, fortfarande [*he is ~ busy*]; *when* (*while*) *~ a child* redan som barn **3 a**) vid komp. ännu [~ *better* el. *better ~*] **b**) ~ *another* ännu (ytterligare) en **V** *konj* likväl [*to be rich and ~ crave more*]; men ändå [*it was futile, ~ they fought*]; *~, he is your brother* han är dock (i alla fall, trots allt) din bror

2 still [stɪl] **1** destillationsapparat **2** bränneri

stillbirth ['stɪlbɜ:θ] **1** dödfödsel **2** dödfött barn

stillborn ['stɪlbɔ:n] dödfödd äv. bildl.

still life [ˌstɪl'laɪf, '--] (pl. *~s*) stilleben

stilt [stɪlt] stylta

stilted ['stɪltɪd] om stil o.d. uppstyltad

stimulant ['stɪmjʊlənt] stimulerande (uppiggande) medel; njutningsmedel; stimulans; pl. *~s* äv. stimulantia
stimulate ['stɪmjʊleɪt] stimulera; reta, väcka [*~ a p.'s curiosity*]
stimulation [ˌstɪmjʊ'leɪʃ(ə)n] stimulering; retning
stimul|us ['stɪmjʊl|əs] (pl. *-i* [-aɪ el. -i:]) stimulans; bildl. äv. eggelse, sporre, drivfjäder [*to* till]
sting [stɪŋ] **I** *s* **1** gadd; brännhår hos nässla **2** a) stick av insekt o.d. b) stickande, sveda [*the ~ of a whip*] **3** bildl. skärpa; *take the ~ out of* bryta udden av **4** sl. blåsning **II** (*stung stung*) *vb tr* **1** sticka [*stung by a bee*]; svida i [*the blow stung his fingers*]; om nässla bränna; *the smoke began to ~ her eyes* röken började sticka (svida) i ögonen [på henne] **2** bildl. **a**) såra; plåga [*his conscience stung him*]; *be stung by remorse* ha samvetskval **b**) *~ to* (*into*) driva till [*his anger stung him to action*], reta upp till [att] **3** sl. blåsa [*I was stung for* (på) *£5*], skinna **III** (*stung stung*) *vb itr* **1** om växter, insekter m.m. stickas; brännas **2** svida [*his face stung in the wind*]
stinging-nettle ['stɪŋɪŋˌnetl] bot. brännässla
stingy ['stɪn(d)ʒɪ] **1** snål **2** njugg; ynklig
stink [stɪŋk] **I** (imperf. *stank*, el. ibl. *stunk*; perf. p. *stunk*) *vb itr* **1** stinka; *~ of* stinka av, lukta [*~ of garlic*] **2** vard. vara botten (rena pesten) [*this town ~s*] **3** vard. stinka [*the whole affair ~s*], ha dålig klang, vara ökänd **4** sl., *~ with* (*of*) vara nerlusad med [*~ with* (*of*) *money*] **II** (för tema se *I*) *vb tr*, *~ out* förpesta [luften i] [*you will ~ the place out with your cheap cigars*] **III** *s* **1** stank **2** vard. ramaskri; *raise* (*kick up, make*) *a ~* [*about a th.*] höja ett ramaskri [över ngt], ställa till rabalder [om ngt] **3** skol. sl., pl. *~s* (konstr. ss. sg.) kemi
stinker ['stɪŋkə] vard. **1** lortgris, äckel; kräk, potta **2 a**) hård nöt att knäcka; [*the exam*] *was a ~* ...var ursvår **b**) *come a ~* misslyckas, göra fiasko
stinking ['stɪŋkɪŋ] **I** *adj* **1** stinkande **2** vard. motbjudande; rutten **3** sl. **a**) dödfull, plakat **b**) *~* [*with money*] nerlusad med pengar **II** *adv* sl. ur-, as-; *~ drunk* dödfull, asfull
stint [stɪnt] **I** *vb tr* **1** spara på, snåla med [*~ the food*]; inskränka **2** missunna, vara snål mot; *~ oneself* snåla **II** *s* **1** a) inskränkning, begränsning b) snålhet; *without ~* obegränsat, utan knussel **2** [bestämd] uppgift [*do one's daily ~*]; andel
stipend ['staɪpend] fast lön, fast arvode isht till präst
stipendiary [staɪ'pendjərɪ] **I** *adj* avlönad; *~ magistrate* polisdomare i större stad, utnämnd och avlönad av staten **II** *s* se *~ magistrate* ovan
stipulate ['stɪpjʊleɪt] stipulera [*~ a price*], föreskriva; avtala
stipulation [ˌstɪpjʊ'leɪʃ(ə)n] stipulation i kontrakt o.d.
stir [stɜ:] **I** *vb tr* **1** röra, sätta i rörelse; bildl. äv. väcka [*~ a controversy*]; *he didn't ~ a finger* [*to help me*] han rörde inte ett finger (en fena)...; [*a breeze*] *~red the lake* ...krusade sjön; *~ up* a) hetsa upp, få att resa sig [*~ up the people*], väcka [*~ up interest*] b) anstifta, sätta i gång, få att blossa upp [*~ up a revolt*], ställa till [*~ up trouble* (bråk)]; [*be quiet!*] *you're ~ring up the whole house* ...du väcker hela huset **2** röra, vispa [*~ an omelette*], röra i [*~ the fire* (*porridge*)]; röra ned (i) [*~ milk into a cake mixture*]; *~ up* röra upp, virvla upp [*~ up dust*]; röra om väl **II** *vb itr* röra sig [*not a leaf ~red*], [börja] röra på sig; vakna; *be ~ring* vara i rörelse (farten); vara på benen; *he never ~red out of the house* han gick aldrig ut **III** *s* **1** omrörning; omskakning; *give the fire a ~!* rör om i elden ett tag! **2** rörelse; liv och rörelse **3** uppståndelse; *make* (*create*) *a great ~* åstadkomma stor uppståndelse
stirring ['stɜ:rɪŋ] **I** pres. p. av *stir* **II** *adj* **1** rörande [*a ~ speech*], spännande [*~ events*] **2** rörlig, livlig [*a ~ scene*]
stirrup ['stɪrəp] stigbygel äv. anat.
stitch [stɪtʃ] **I** *s* **1** a) sömnad. el. med. stygn b) söm sömnad; *a ~ in time saves nine* ung. en enkel åtgärd i tid kan spara mycket arbete senare; bättre stämma i bäcken än i ån **2** maska i stickning o.d. [*drop* (tappa) *a ~*]; slag i knyppling **3** vard., *he did not have* (*had not*) *a ~ on* han hade inte en tråd på kroppen **4** håll [i sidan]; *keep a p. in ~es* få ngn att vrida sig av skratt **II** *vb tr* sy, sticka söm; brodera; *~* [*together*] sy ihop, fästa ihop [med några stygn] **III** *vb itr* sy; brodera
stoat [stəʊt] zool. **1** hermelin (lekatt) i sommardräkt **2** vessla
stock [stɒk] **I** *s* **1** stock, stubbe **2** stam av träd o.d. **3** underlag för ympning, grundstam **4** block, stock; gevärsstock; i sms. -skaft [*whipstock*] **5** a) härstamning [*of Dutch ~*] b) ras [*Mongoloid ~*] c) språkfamilj, språkgrupp; *he comes of Irish ~* han härstammar från en irländsk familj; *horses of good ~* hästar av god ras (avel) **6** bot. lövkoja **7** a) råmaterial b) kok. buljong, spad **8** lager [*~ of butter*], förråd äv. bildl.; *take a ~* a) inventera [lagret], göra en inventering b) bildl. granska läget; göra bokslut; *be out of ~* vara slut [på lagret], vara slutsåld

9 a) [kreaturs]besättning, kretatursbestånd b) inventarier på gård; redskap c) materiel [*rolling-stock*] **10** ekon. a) statslån; statsobligation[er] b) aktiekapital [äv. *capital ~*]; grundfond; aktier [äv. bildl.: *her ~ was* (stod) *not high*], värdepapper; *~s* [*and shares*] äv. börspapper, fondpapper **11** skeppsbygg., pl. *~s* stapel; *on the ~s* på stapelbädden, under byggnad; bildl. under arbete **12** hist., pl. *~s* stock ss. straffredskap [*sit* (*put*) *in the ~s*] **II** *attr adj* **1** a) som alltid finns på lager [*~ articles*], lager- b) bildl. stereotyp [*~ situations*]; *~ example* standardexempel, typexempel; *~ jokes* utnötta kvickheter; *~ phrase* stående uttryck, talesätt **2** lantbr. avels- [*~ bull*] **III** *vb tr* **1** fylla [med lager] [*~ the shelves*], förse [*~ shop with goods*]; skaffa [kreaturs]besättning till [*~ a farm*]; *~ a pond* [*with fish*] plantera in fisk i en damm; *well ~ed with* välförsedd med, välsorterad i (med) **2** [lager]föra; lagra; *~ up* fylla på lagret av **IV** *vb itr*, *~ up* fylla på lagret; lägga upp ett förråd (lager) [*with* av]

stockade [stɒ'keɪd] **I** *s* palissad **II** *vb tr* omge (befästa) med palissader

stockbroker ['stɒkˌbrəʊkə] hand. fondmäklare

Stockholm ['stɒkhəʊm]

stockinet o. **stockinette** [ˌstɒkɪ'net] slät trikå

stocking ['stɒkɪŋ] [lång] strumpa; *~ cap* toppluva

stock-in-trade [ˌstɒkɪn'treɪd] **1** [varu]lager **2** uppsättning av redskap o.d.; utrustning **3** bildl. varumärke, yrkesknep, repertoar [*an actor's ~ on the stage*]

stockist ['stɒkɪst] återförsäljare; leverantör

stockpile ['stɒkpaɪl] **I** *s* förråd, upplag; reserv[lager]; beredskapslager; en stats vapenarsenal **II** *vb tr* lagra, lägga upp lager av; hamstra **III** *vb itr* lägga upp lager; hamstra

stock-still [ˌstɒk'stɪl] alldeles stilla (orörlig)

stocktaking ['stɒkˌteɪkɪŋ] **1** hand. m.m. [lager]inventering **2** bildl. inventering, överblick

stocky ['stɒkɪ] undersätsig

stodgy ['stɒdʒɪ] **1** om mat tung, mäktig, mastig [*a ~ pudding*], hårdsmält **2** tung, livlös, tråkig; trögläst

stoke [stəʊk] **I** *vb tr*, *~* [*up*] förse med bränsle, fylla på bränsle på (i); lägga på ved [*~* [*up*] *a fire*; *~* [*up*] *the fire*] **II** *vb itr* **1** *~ up* elda, sköta elden, fylla på bränsle [*~ up twice a day*]; vara eldare **2** vard., *~ up* sätta i sig ett skrovmål, skyffla in

stoker ['stəʊkə] eldare

1 stole [stəʊl] [päls]stola; [lång] sjal

2 stole [stəʊl] imperf. av *steal*

stolen ['stəʊl(ə)n] perf. p. av *steal*

stolid ['stɒlɪd] trög; dum [*~ resistance*]

stomach ['stʌmək] **I** *s* **1** mage; buk; magsäck; *bad* (*weak*) *~* dålig (klen) mage; *turn a p.'s ~* a) vända sig i magen på ngn, kvälja ngn b) bildl. äckla ngn, bära ngn emot; *be sick at* (*to, in*) *one's ~* amer. vara (bli) illamående, må illa, ha (få) kväljningar; *it sticks in my ~* det grämer mig **2** matlust; aptit; bildl. äv. lust; *have no ~ for* bildl. inte ha lust för (med), inte känna för **II** *vb tr* **1** kunna äta (få ner) **2** bildl. tåla [*~ an insult*; *he cannot ~ it*], fördra

stomach ache ['stʌməkeɪk] magknip, magont; *I have got* [*a*] *~* jag har ont i magen

stomach pump ['stʌməkpʌmp] magpump

stomp [stɒmp] **I** *s* vard. stampande **II** *vb itr* vard. stampa

stone [stəʊn] **I** *s* **1** sten [*built of ~*; äv. bildl. *a heart of ~*] äv. grå [*~ paint*]; [*precious*] *~* ädelsten **2** kärna i stenfrukt **3** (pl. vanl. *stone*) viktenhet a) = 14 *pounds* (6,36 kg) [*two ~ of flour*; *he weighs 11 ~*[*s*]] b) ss. köttvikt = 8 *pounds* (3,63 kg) **II** *vb tr* **1** stena; kasta sten på; *~ the crows!* el. *~ me!* jösses!, det må jag säga! **2** kärna ur stenfrukt

stone-cold [ˌstəʊn'kəʊld] iskall

stoned [stəʊnd] **1** urkärnad **2** sl. packad berusad; hög narkotikapåverkad **3** isht amer. sl. upphetsad, i extas

stone-dead [ˌstəʊn'ded] stendöd

stone-deaf [ˌstəʊn'def] stendöv

stonemason ['stəʊnˌmeɪsn] stenmurare; stenhuggare

stonewall [ˌstəʊn'wɔ:l] **1** om slagman i kricket spela defensivt; bildl. hålla sig på defensiven **2** parl. obstruera, maratontala

stoneware ['stəʊnweə] stengods

stony ['stəʊnɪ] **1** stenig [*~ road*] **2** stenhård [*~ stare*], iskall [*~ silence*]; känslolös

stood [stʊd] imperf. o. perf. p. av *stand*

stooge [stu:dʒ] **I** *s* vard. underhuggare, springpojke, hejduk; strykpojke; lakej **II** *vb itr* **1** agera (vara) springpojke (hejduk etc., jfr *I*) **2** sl., *~ about* (*around*) driva omkring

stool [stu:l] **1** stol utan ryggstöd; taburett; säte; *fall between two ~s* bildl. sätta sig mellan två stolar **2** med. avföring

stool pigeon ['stu:lˌpɪdʒən] **1** lockfågel äv. vard. **2** vard. tjallare

1 stoop [stu:p] **I** *vb itr* **1** luta (böja) sig [ner] [ofta *~ down*] **2** gå (sitta) framåtböjd (krokig) **3** bildl. nedlåta sig, sänka sig **II** *vb tr* luta, sänka [*~ one's head*] **III** *s* lutning; kutryggighet; *walk with a ~* gå framåtlutad (framåtböjd)

2 stoop [stu:p] amer. [öppen] veranda; förstukvist; yttertrappa

stop [stɒp] **I** *vb tr* **1** stoppa, stanna; hindra; uppehålla; ~ *thief!* ta fast tjuven! **2** sluta [med] [~ *that nonsense!*; ~ *talking* ([att] prata)], låta bli [~ *that!*]; inställa [~ *payment* (betalningarna)]; dra in, hålla inne [~ *a p.'s wages*]; ~ *it!* sluta!, låt bli! **3** stoppa (proppa, fylla) igen, täppa till (igen) [ofta ~ *up*; ~ *a leak*]; hämma (stoppa) blödningen från [~ *a wound*]; ~ *one's ears* hålla för öronen, bildl. slå dövörat till **4** mus. a) trycka ner sträng; trycka till hål på flöjt o.d. b) registrera orgel **II** *vb itr* **1** stanna; ~*!* stopp!, halt!; ~ *dead* (*short*) tvärstanna; ~ *off* (isht amer. *by*) *at a p.'s place* **2** om ljud, naturföreteelse m.m. sluta, avstanna **3** vard. **a**) stanna [~ *at home*], bo [~ *at a hotel*]; ~ *for* stanna och vänta på, stanna kvar till [*won't you ~ for dinner?*] **b**) ~ *the night* stanna över, ligga över **III** *s* **1** stopp; uppehåll; *be at a ~* ha stannat; *bring to a ~* hejda; *without a ~* om tåg o.d. utan [något] uppehåll **2** hållplats [*bus ~*] **3** mus. a) grepp b) tvärband på greppbräda c) hål, klaff på flöjt o.d. d) register; registerandrag; [orgel]stämma; *pull out all the ~s* bildl. sätta till alla klutar **4** skiljetecken; tele. stop punkt; *full ~* punkt

stopcock ['stɒpkɒk] [avstängnings]kran

stopgap ['stɒpgæp] **I** *s* **1** a) tillfällig ersättning (utfyllnad, åtgärd); spaltfyllnad b) mellanspel; [*emergency*] ~ nödfallsutväg **2** ersättare; vikarie **II** *adj* tillfällig, övergångs-

stoplight ['stɒplaɪt] trafik. **1** stoppljus **2** bromsljus

stop-over ['stɒpˌəʊvə] **1** avbrott, uppehåll **2** anhalt

stoppage ['stɒpɪdʒ] **1** tilltäppning **2** a) avbrytande; spärrning; stopp; stockning b) avbrott, uppehåll c) driftstörning d) arbetsnedläggelse; ~ *of payment* betalningsinställelse

stopper ['stɒpə] **I** *s* **1** propp i flaska o.d.; kork; spärr; *put a* (*the*) ~ *on* vard. sätta stopp (p) för **2** fotb. stopper defensiv mittfältare **II** *vb tr* proppa igen (till), korka igen

stop-press ['stɒppres], ~ [*news*] presstopp-nyheter, pressläggningsnytt

stopwatch ['stɒpwɒtʃ] stoppur

storage ['stɔːrɪdʒ] **1** lagring; ~ *battery* (*cell*) elektr. ackumulator; batteri; *put furniture in ~* magasinera möbler, lämna möbler till förvaring **2** magasinsutrymme, lagerutrymme; [lagrings]kapacitet **3** data. lagring; minne; ~ *device* minnesanordning; minne

store [stɔː] **I** *s* **1** förråd, lager äv. bildl.; pl. ~*s* förråd [*military ~s*], förnödenheter, proviant [*ship's ~s*]; *in ~* i förråd (reserv), på lager, i beredskap; *what has the future* (*will the future hold*) *in ~ for us?* vad har framtiden i beredskap åt oss? **2** varuhus [vanl. *department ~*]; isht amer. butik, affär; *general ~s* pl. (konstr. ss. sg. el. ibl. pl.) lanthandel, diversehandel **3** magasin, förrådshus **4** data. minne **5** *set* (*lay*) *great* (*little*) ~ *by* a) sätta stort (föga) värde på b) lägga stor (ringa) vikt vid **II** *vb tr* **1** lägga upp [lager av] [ofta ~ *away* (*up*)]; förvara, magasinera [~ *furniture*]; elektr. o.d. ackumulera **2** ha utrymme (kapacitet) för **3** data. el. elektr. lagra **4** utrusta [med proviant] [~ *a ship*]; förse

storehouse ['stɔːhaʊs] **1** magasin, lager[byggnad], förrådshus **2** bildl., *he is a ~ of information* han är en riktig guldgruva (en rik informationskälla)

storekeeper ['stɔːˌkiːpə] **1** isht mil. förrådsförvaltare **2** amer. butiksinnehavare

storeroom ['stɔːruːm] **1** förrådsrum; skräpkammare; vindskontor **2** lagerlokal

storey ['stɔːrɪ] våning; *on the first ~* en trappa upp, amer. på nedre botten

storeyed ['stɔːrɪd] ss. efterled i sms. med...våningar, -vånings- [*a three-storeyed house*]

stork [stɔːk] zool. stork

storm [stɔːm] **I** *s* **1** oväder äv. bildl. [*political ~s*]; *a ~ of applause* stormande applåder, ett orkanartat bifall; *a ~ in a teacup* en storm i ett vattenglas **2** störtskur, skur äv. bildl. [*a ~ of rain* (*hail*); *a ~ of arrows*]; *a ~ of abuse* en skur av ovett **3** isht mil. stormning; *take by ~* storma, ta med storm äv. bildl. **II** *vb itr* **1** bildl. rasa, vara ursinnig **2** a) isht mil. storma [~ *into a fort*] b) bildl. rusa häftigt (i raseri), storma [~ *out of a room*] **III** *vb tr* storma [~ [*one's way into*] *a fort*], gå till storms mot

stormy ['stɔːmɪ] **1** oväders- [*a ~ day*], stormig [*a ~ region*] **2** ~ *petrel* a) zool. stormsvala b) bildl. orosstiftare **3** bildl. stormig [*a ~ debate*; ~ *scenes*]

1 story ['stɔːrɪ] **1** a) historia [*stories of* (från) *old Greece*] b) anekdot, historia [*a good* (*funny*) ~] c) bakgrund [*get the whole ~ before commenting*]; *it's the same old ~* det är samma visa **2** [*short*] ~ novell **3** handling i bok, film o.d.; story **4** nyhetsstoff; nyhetsartikel **5** vard. osanning, påhitt isht barns; *tell a ~* el. *tell stories* narras, tala osanning

2 story ['stɔːrɪ] isht amer., se *storey*

story book ['stɔːrɪbʊk] sagobok; novellsamling

story-teller ['stɔːrɪˌtelə] **1** historieberättare; novellförfattare; sagoberättare **2** vard. lögnare

stout [staʊt] **I** *adj* **1** stark, bastant [*a ~ rope* (*stick*)]; robust **2** modig; ståndaktig, hårdnackad [~ *resistance*]; duktig **3** om pers. kraftigt byggd, fet[lagd] **II** *s* ung. porter

stove [stəʊv] [köks]spis; [bränn]ugn; kamin [*iron* ~]; spis; [*tiled* (*porcelain, Dutch*)] ~ kakelugn

stow [stəʊ] **I** *vb tr* **1** a) stuva [in] [äv. ~ *in*], packa [~ *clothes into a trunk*] b) packa [full] [~ *a trunk with clothes*] c) rymma; ~ *cargo in* [*a ship's holds*] lasta..., ta in last i... **2** sl., ~ *it!* håll käften! **II** *vb itr* **1** ~ *away* gömma sig ombord o.d.; fara som fripassagerare **2** rymmas [*the box ~s easily on the rack*]

stowaway ['stəʊəweɪ] fripassagerare

straddle ['strædl] **I** *vb itr* skreva [med benen]; sitta grensle **II** *vb tr* **1** stå (ställa sig) grensle över [~ *a ditch*]; sitta (sätta sig) grensle på (över) [~ *a horse*] **2** skreva med, spärra ut [~ *one's legs*] **III** *s* skrevande; bredbent ställning

strafe [strɑ:f, streɪf] **1** mil. beskjuta; bomba; bestryka [med eld] **2** vard. straffa

straggl|e ['strægl] **1** komma bort från vägen (de andra); sacka (bli) efter; mil. äv. lämna ledet; hålla sig undan, avvika **2** ~ [*along*] ströva omkring i spridda grupper; ~ *off* troppa av, vandra i väg i spridda grupper **3** vara (ligga, stå) [ut]spridd [*houses that ~ round the lake*], förekomma sporadiskt **4** grena (bre) ut sig [*vines -ing over the fences*]; hänga i stripor [*hair -ing over one's collar*]; spreta

straggler ['stræglə] **1** eftersläntrare **2** vildvuxen (otuktad) växt

straight [streɪt] **I** *adj* **1** rak [~ *hair*; *a ~ line*], rät; stram; *as ~ as an arrow* spikrak **2** i följd [*ten ~ wins*] **3** i ordning; *get* (*put*) ~ a) få ordning (rätsida) på, ordna upp [*get one's affairs ~*], reda upp b) städa, göra i ordning på (i) [*put a room ~*], ordna; *I'll put you ~!* jag ska lära dig, jag!; *now get this ~!* det här måste du ha klart för dig! **4** uppriktig, ärlig [*a ~ answer*]; *a ~ fight* en ärlig strid; en tvekamp **5** ärlig, rättskaffens [*a ~ businessman*]; *keep ~* föra ett hederligt liv, sköta sig **6** vard. pålitlig; *a ~ tip* ett förstahandstips (stalltips) **7** a) oblandad, ren [~ *whisky*] b) amer. genomgående [~ *A's*] **8** teat. realistisk [*a ~ performance*]; *a ~ comedy* ett rent lustspel **II** *adv* **1 a**) rakt, rätt [~ *up* (*through*)], mitt [~ *across the street*], rak[t] [*sit* (*stand, walk*) ~]; ~ *on* rakt fram **b**) rätt; logiskt [*think ~*] **2** direkt, raka vägen [*go ~ to London*], rakt [*he went ~ into...*]; genast [*I went ~ home after...*]; *come ~ to the point* bildl. komma till saken utan omsvep **3** bildl. hederligt [*live ~*]; *go ~* vard. bli hederlig, börja föra ett skötsamt (hederligt) liv **4** ~ *away* (*off*) genast, på ögonblicket; tvärt **5** ~ [*out*] direkt, rent ut [*I told him ~* [*out*] *that...*] **III** *s* rak (rät) linje; raksträcka, sport. äv. upplopp[ssida]; *keep to the ~ and narrow* vandra den smala (rätta) vägen

straightaway ['streɪtəweɪ, ˌ--'-] **I** *adv* genast **II** *adj* amer. **1** rak, direkt **2** omedelbar

straighten ['streɪtn] **I** *vb tr* räta [ut]; tekn. äv. rikta; räta på [~ *one's back*]; rätta till [~ *one's tie*]; släta ut [~ *the bedclothes*]; ~ *out* a) räta ut, sträcka ut [~ *oneself out on a bed*]; räta upp [~ *out a car*] b) ordna, reda upp c) få att bättra sig [~ *a p. out*] **II** *vb itr* räta ut sig, rakna; ~ *out* ordna (reda) upp sig [*things will ~ out*]

straightforward [ˌstreɪt'fɔ:wəd] **1** uppriktig, ärlig [*a ~ answer* (*person*)], rättfram; direkt [*a ~ question*] **2** enkel, okomplicerad [*a ~ problem*], lättfattlig [*in ~ language*] **3** vanlig

1 strain [streɪn] **I** *vb tr* **1** spänna, dra åt **2** a) anstränga, slita (fresta) på b) överanstränga; ~ *one's ears* lyssna spänt; ~ *every nerve* anstränga sig till det yttersta **3** med. sträcka [~ *a muscle*] **4** fresta [~ *a p.'s patience*] **5** hårdra, pressa [~ *the meaning of a word*] **6** sila; passera **II** *vb itr* **1** anstränga (spänna) sig; streta, slita; sträva [*plants ~ing upwards*]; krysta vid avföring; ~ *at* a) streta (slita) med [~ *at the oars*] b) slita [och dra] i [~ *at a chain*] **2 a**) silas, filtreras **b**) sila, sippra **c**) ~ *at a gnat and swallow a camel* bildl. sila mygg och svälja kameler **III** *s* **1** spänning, töjning; tekn. äv. påkänning **2 a**) ansträngning; press, stress [*the ~ of modern life*]; *mental ~* psykisk påfrestning; *it's a ~ on my nerves* det sliter på nerverna; *put a great ~ on* ta hårt på, hårt anstränga; *stand the ~* stå rycken, stå pall **b**) utmattning, överansträngning **3** med. sträckning **4** ton; stil [*and much more in the same ~*]; *in lofty ~s* i högstämda ordalag **5** vanl. pl. ~*s* toner, musik

2 strain [streɪn] **1** ätt [*she comes of a good ~*]; påbrå [*his Irish ~*], härkomst **2** biol. stam [*a ~ of bacteria*], ras; sort, art [*a new ~ of wheat*] **3** [släkt]drag [*a ~ of insanity in the family*]

strained [streɪnd] **1** spänd etc., jfr *1 strain I* **2** bildl. **a**) spänd [~ *attention*]; ~ *relations* spänt förhållande, spänning **b**) ansträngd [~ *laughter*] **c**) hårdragen, sökt [~ *interpretation*]

strainer ['streɪnə] sil; filter

strait [streɪt] **1** ~ **2** ~[*s* pl.] trångmål, knipa [*be in a ~*]

straitjacket ['streɪtˌdʒækɪt] **I** *s* tvångströja äv. bildl. **II** *vb tr* sätta tvångströja på; bildl. äv. förkväva

strait-laced [ˌstreɪtˈleɪst, attr. ˈ--] trångbröstad; pryd

1 strand [strænd] **1** a) [rep]sträng b) tråd, fiber **2** rep **3** [hår]slinga **4** pärlband **5** bildl. a) tråd, linje [*the ~s of a plot*] b) slinga [*~s of melody*]

2 strand [strænd] **I** *s* poet. strand; *the Strand* berömd gata i centrala London **II** *vb tr* driva upp på stranden; sätta på grund [*~ a ship*]; *be ~ed* stranda, sitta (köra) fast, fastna; *be [left] ~ed* bildl. vara (bli) strandsatt; vara (bli) övergiven

strange [streɪn(d)ʒ] **1** främmande, obekant **2** egendomlig, märklig, underlig; *~ to say* egendomligt (märkvärdigt) nog **3** *be ~ to* inte känna till [*he is ~ to the district*]

stranger [ˈstreɪn(d)ʒə] **1** främling; pl. *~s* äv. främmande människor, obekanta; utomstående; *say, ~!* [*can you...*] amer. vard. hör du... **2** *be a ~ to* bildl. vara obekant med, vara (stå) främmande för

strangle [ˈstræŋgl] **1** strypa **2** kväva [*~ an oath (a sob)*] **3** strypa åt [*~ trade*]; förkväva, hämma

stranglehold [ˈstræŋglhəʊld] **1** sport. strupgrepp **2** bildl. järngrepp [*be held in a ~*]; *put a ~ on* strypa åt

strangulate [ˈstræŋgjʊleɪt] **1** strypa **2** med. snöra av (åt), strypa till [*~ a vein (duct)*]

strangulation [ˌstræŋgjʊˈleɪʃ(ə)n] **1** strypning **2** med. avsnörning, åtsnörning

strap [stræp] **I** *s* **1** rem; [sko]slejf; band; packrem; armband [*watch ~*] **2** stropp **3** [byx]hälla **4** strigel **II** *vb tr* **1** fästa (spänna fast) med rem[mar]; *~ down (in)* spänna fast; *~ on* spänna (sätta) på sig **2** prygla [med rem] **3** strigla

strapping [ˈstræpɪŋ] vard. stor och kraftig

stratagem [ˈstrætədʒəm] krigslist; fint

strategic [strəˈtiːdʒɪk] o. **strategical** [strəˈtiːdʒɪk(ə)l] strategisk

strategist [ˈstrætədʒɪst] strateg

strategy [ˈstrætədʒɪ] strategi; bildl. äv. taktik; taktiskt grepp

stratosphere [ˈstrætə(ʊ)sfɪə] meteor. stratosfär

strat|um [ˈstrɑːt|əm, ˈstreɪt-] (pl. *-a* [-ə]) geol., sociol. el. bildl. stratum, skikt, lager, samhällsskikt

straw [strɔː] **I** *s* **1** strå; rö; *it was the last ~* el. *it was the ~ that broke the camel's back* bildl. det [var droppen som] kom bägaren att rinna över, det rågade måttet **2** halm; strå; *man of ~* a) halmdocka b) fingerad motståndare; skenargument c) galjonsfigur, skyltdocka **3** sugrör **4** vard. halmhatt **II** *attr adj* **1** halm- [*~ hat (mattress)*] **2** halmfärgad [*~ hair*]

strawberry [ˈstrɔːb(ə)rɪ] jordgubbe; *wild ~* [skogs]smultron

stray [streɪ] **I** *vb itr* **1** ströva; bildl. irra hit och dit; förirra sig, gå vilse; *~ from the point* bildl. avvika från ämnet **2** glida, vandra [*his hand ~ed towards his pocket*] **II** *s* vilsekommet (kringirrande) djur **III** *attr adj* **1** kringdrivande [*~ cattle*], bortsprungen [*a ~ cat (dog)*] **2** tillfällig, strö- [*a ~ customer*], strödd [*~ remarks*], sporadisk, enstaka [*~ shots*]; förlupen [*a ~ bullet*]; *a few ~ hairs* några hårstrån

streak [striːk] **I** *s* **1** strimma, rand; streck äv. miner.; ådring; *~ of lightning* blixt **2** drag, inslag [*a ~ of cruelty (humour)*]; anstrykning **3** ryck; period, serie; *he had a ~ of [good] luck* han hade tur ett tag **II** *vb tr* göra strimmig; tekn. ådra **III** *vb itr* **1** vard. susa [*the car ~ed along*]; rusa [*~ off*] **2** vard. streaka, springa näck på offentliga platser för att väcka uppseende

streaky [ˈstriːkɪ] strimmig, randig [*~ bacon*]; ådrig; melerad

stream [striːm] **I** *s* **1** ström äv. bildl. [*a ~ of blood (gas, lava)*; *~s of people*]; vattendrag; *a constant (continuous) ~* bildl. en jämn ström **2** stråle [*a ~ of water*], flöde **3** bildl. riktning [*~ of opinion (thought)*] **II** *vb itr* **1** strömma äv. bildl. [*people began to ~ in again*]; rinna, flöda [*sweat was ~ing down his face*] **2** rinna [*~ing cold* (snuva)]; *~ with* rinna (drypa) av [*his face was ~ing with sweat*] **3** fladdra [*the flag ~ed in* (för) *the wind*], vaja; veckla (bre) ut sig; sträckas ut **III** *vb tr* **1** spruta [ut] [*~ blood*] **2** ped. nivågruppera

streamer [ˈstriːmə] **1** vimpel **2** serpentin; remsa **3** flerspaltig rubrik [äv. *~ headline*]

streamline [ˈstriːmlaɪn] **I** *s* strömlinje; strömlinjeform **II** *vb tr* strömlinjeforma; bildl. äv. rationalisera

street [striːt] gata; *in* (amer. *on*) *the ~* på gatan; börs. [som företas] efter stängningsdags (på efterbörsen); *they are not in the same ~ [as (with)]* vard. de står inte i samma klass [som], de kan inte jämföras [med]; *it's just (right) up* (amer. *down*) *my ~* vard. det passar mig precis, här är jag på min mammas gata; *be ~s ahead [of a p.]* vard. ligga långt före [ngn], vara [ngn] helt överlägsen

streetcar [ˈstriːtkɑː] amer. spårvagn; trådbuss

street-sweeper [ˈstriːtˌswiːpə] **1** gatsopare, renhållningsarbetare **2** sopmaskin

street-walker [ˈstriːtˌwɔːkə] gatflicka

strength [streŋθ] **1** styrka äv. bildl. [*his ~ lay (was) in...*]; kraft [*it has weakened* (satt ner) *her ~*]; bildl. stark sida [*one of his ~s is...*]; *~ of mind* andlig styrka; *feat of ~* kraftprov **2** styrka [*the ~ of alcohol*] **3** styrka, fasthet **4** styrka [*the ~ of the enemy*]; *be below ~* vara underbemannad

strengthen ['streŋθ(ə)n] **I** *vb tr* stärka; förstärka; ~ *a p.'s hand[s]* styrka ngn, inge ngn mod **II** *vb itr* bli starkare; förstärkas

strenuous ['strenjʊəs] **1** ansträngande, påfrestande **2** energisk, nitisk [*a ~ worker*], ihärdig [*make ~ efforts*]

stress [stres] **I** *s* **1** tryck [*under the ~ of circumstances* (*poverty*)], påfrestning; psykol. stress; *the ~es and strains of everyday life* vardagslivets stress (påfrestningar); *put a p. under ~* vara stressande för ngn, stressa ngn **2** vikt, eftertryck; *lay ~ on* framhålla, betona, poängtera, ge eftertryck åt **3** fonet. betoning [*the ~ is on the first syllable*]; *even ~* jämn betoning **4** mek. spänning; tryck, påfrestning **II** *vb tr* **1** betona, understryka; *~ the point that...* betona (understryka) att... **2** fonet. betona **3** psykol. stressa

stressful ['stresf(ʊ)l] stressande [*~ days*]

stretch [stretʃ] **I** *vb tr* **1** spänna [*~ the strings of a violin*], sträcka; tänja (töja) ut [*~ a jacket at the elbows*]; sträcka (bre) ut; sträcka på [*~ one's neck*]; *~ one's legs* sträcka på benen; röra på sig **2** bildl. **a**) tänja på [*~ the law*], släppa efter på; utvidga, bredda [*~ the meaning of a word*]; *~ a point* a) göra ett undantag b) ta till i överkant, gå för långt, överdriva **b**) anstränga; *~ oneself* (*one's powers*) anstränga sig till det yttersta **3** med. sträcka [*~ a muscle*] **II** *vb itr* **1** sträcka [på] sig [*he ~ed and yawned*], sträcka på benen **2** sträcka sig [*the wood ~es for miles*], bre ut sig **3** a) tänja sig, töja [ut] sig [*the cardigan has ~ed*] b) gå att sträcka (spänna, töja ut) [*rubber ~es easily*] **III** *s* **1** a) sträckning; töjning b) elasticitet; *be at full ~* arbeta för fullt (med fullt pådrag) **2** överskridande [*a ~ of authority*]; *not by any ~ of the imagination* [*could he...*] inte [ens] i sin vildaste fantasi... **3** sträcka; trakt, område [*a ~ of meadow*]; *a ~ of road* en vägsträcka **4** period, tid [*for long ~es she forgot it*], avsnitt, stycke [*for long ~es the story is dull*] **5** *at a ~* i ett sträck [*ten miles at a ~*] **6** sport. raksträcka **7** sl. vända [på kåken]; *do a* [*five-year*] *~* sitta [fem år] på kåken, sitta inne [fem år]

stretcher ['stretʃə] [sjuk]bår

strew [stru:] (*~ed ~ed* el. *~ed ~n*) **1** strö [ut] [*~ flowers over a path*] **2** beströ; översålla

stricken ['strɪk(ə)n] (åld. perf. p. av *strike*) **1 a**) [olycks]drabbad, bedrövad; *~ in years* ålderstigen, till åren kommen; *~ with panic* gripen av panik, panikslagen **b**) ss. efterled i sms. -slagen [*panic-stricken*], -drabbad [*plague-stricken*] **2** sårad; slagen

strict [strɪkt] sträng, hård [*~ but fair*]; noggrann; strikt; absolut, exakt [*the ~ truth*]; *in a ~ sense* i egentlig mening

strictly ['strɪktlɪ] strängt [*~ forbidden*]; noggrant etc., jfr *strict*; i egentlig mening; *~ speaking* strängt taget, egentligen, noga räknat

strictness ['strɪktnəs] stränghet; noggrannhet; bestämdhet

stride [straɪd] **I** (*strode stridden*) *vb itr* gå med långa (beslutsamma) steg [*~ off* (*away*)], skrida, stega **II** (*strode stridden*) *vb tr* **1** kliva över (ta) med ett steg [*~ a ditch*] **2** mäta med långa steg [*~ the deck*] **III** *s* [långt] steg, kliv; gång [*with a vigorous* (energisk) *~*]; *make* [*great* (*rapid*)] *~s* bildl. göra [stora (snabba)] framsteg, gå framåt [med stormsteg]; *take a th. in one's ~* (amer. *in ~*) klara ngt [utan svårighet]; *throw a p. off* (*out of*) *his ~* få ngn att förlora fattningen (tappa koncepterna, komma av sig)

strident ['straɪd(ə)nt] **1** skärande, genomträngande [*a ~ sound*], gäll [*a ~ voice*]; gnisslande, knarrande [*~ hinges*]; gräll, skrikig [*~ colours*] **2** högröstad

strife [straɪf] **1** stridighet; strid [*armed ~*]; *industrial ~* ung. konflikter på arbetsmarknaden **2** tävlan

strike [straɪk] **A** (*struck struck*) *vb* **I** *tr* (se äv. *III*) **1** slå; slå till; slå på; *~ a p. a blow* ge ngn ett slag **2** a) träffa [*the blow struck him on the chin*] b) drabba [*be struck with* (av) *cholera*], hemsöka **3 a**) slå (stöta, köra) emot [*the car struck a tree*], sjö. gå (ränna, stöta) på [*the ship struck a mine*]; *~ bottom* få bottenkänning **b**) bildl. stöta på [*they struck various difficulties*] **4 a**) träffa på, upptäcka [*~ gold*]; *~* [*it*] *lucky* ha tur **b**) stöta (träffa) på; komma fram till [*~ the main road*] **5** a) stöta [*he struck his stick on* (i) *the floor*], sticka [*~ one's dagger into* (i) *a p.*] b) om orm hugga **6** a) slå, frappera [*what struck me was...*] b) förefalla [*it ~s me as* [*being*] *the best*] c) slå [*the thought struck me that...*]; *it* (*the idea*) *struck me* jag kom att tänka på det, det föll mig in; *be struck all of a heap* vard. bli alldeles paff **7** a) nå [*the sound struck my ear*] b) fånga, fängsla [*it ~s the imagination*] **8** a) slå, fylla [*the sight struck them with terror*] b) injaga [*~ fear into* (i, hos)] **9** prägla [*~ a coin* (*medal*)] **10** mus. slå an [*~ a chord* (*note*)] **11** *~ a light* (*match*) tända (stryka eld på) en tändsticka **12** stryka [*~ a name from the list*; *~ a p. off* (från, ur) *the register*] **13** sjö. stryka [*~ sail*]; *~ the* (*one's*) *flag* **14** ta ned [*~ a tent*]; *~ tents* (*camp*) bryta förläggningen **15** avsluta, göra upp, träffa [*~ a bargain with a p.*]

II *itr* (se äv. *III*) **1** slå, stöta; slå ned [*the lightning struck*]; *~ at* a) slå (hugga) efter

b) bildl. angripa; ~ *at the foundation* (*the root[s]*) *of a th.* hota att undergräva ngt **2** om klocka slå [*the clock struck*]; *his hour has struck* hans timme har slagit **3** a) mil. gå till anfall, anfalla b) slå till, sätta in [*when the epidemic struck*] **4** strejka **5** gå, ta vägen [*they struck across the field*], bege sig [~ *north*] **6** sjö. gå på grund
III *tr* o. *itr* med adv., isht med spec. övers.:
~ **back** slå igen (tillbaka)
~ **down** slå ned, fälla; knäcka [*apoplexy struck him down*]; *be struck down by* [*disease*] drabbas av..., ryckas bort av...
~ **off**: a) hugga (slå) av b) stryka [~ *off a name from the list*]
~ **out**: **a**) slå [fram] [~ *out sparks*] **b**) stryka [ut (över)] [~ *out a name* (*word*)] **c**) bryta [~ *out new paths*]; ~ *out* [*a path*] *for oneself* **d**) slå omkring sig [*he began to* ~ *out wildly*] **e**) sätta i väg [*the boys struck out across the field*]
~ **up**: **a**) inleda [~ *up a friendship*]; ~ *up an acquaintance with* råka bli bekant med **b**) stämma (spela) upp [*the band struck up* [*a waltz*]]; ~ *up the band!* spela upp!, musik! **c**) slå upp [~ *up a tent*]
B *s* **1** strejk; *general* ~ storstrejk, generalstrejk; ~ *fund* strejkkassa; *call a* ~ utlysa strejk; *go* [*out*] *on* ~ strejka, gå i strejk **2** mil., isht flyg. räd; *air* ~ flygangrepp, luftangrepp **3** fynd [av olja (malm)]

strikebreaker ['straɪkˌbreɪkə] strejkbrytare

striker ['straɪkə] **1** a) *the* ~ den som slår **b**) fotb. anfallsspelare **2** strejkare

striking ['straɪkɪŋ] **I** *adj* **1** slående, markant [*a* ~ *likeness*]; frappant [*a* ~ *beauty*], särdeles; särpräglad [*a* ~ *personality*]; effektfull; anslående **2** *within* ~ *distance* inom skotthåll; bildl. inom räckhåll [*of* för] **3** strejkande **II** *s* slående; klockas slag

strikingly ['straɪkɪŋlɪ] slående [~ *beautiful*], frappant; markant etc., jfr *striking I 1*; på ett slående (träffande) sätt

string [strɪŋ] **I** *s* **1** snöre; band; *piece of* ~ snöre, snörstump **2 a**) sträng [*the* ~*s of a violin*], sena [*the* ~*s of a tennis racket*] **b**) pl. ~*s* stråkinstrument, stråkar **c**) attr. stråk- [~ *orchestra* (*quartet*)], sträng- [~ *instruments*] **d**) bildl., *have two* (*many*) ~*s to one's bow* ha flera (många) strängar till sin båge (på sin lyra) **3** bildl., *pull the* ~*s* hålla (dra) i trådarna; [*he lent me £100*] *without* ~*s* (*with no* ~*s attached*) vard. ...utan några förbehåll **4** ~ *of pearls* pärl[hals]band; *a* ~ *of garlic* en vitlöksfläta **5** [lång] rad [*a* ~ *of cars*]; serie [*a* ~ *of events*]; kedja [*a* ~ *of hotels*] **II** (*strung strung*) *vb tr* **1** a) sätta sträng[ar] på [~ *a racket* (*violin*)] b) spänna [~ *a bow*]; stämma [~ *a violin*] **2** ~ [*up*] hänga upp [på snöre o.d.] **3** behänga [*a room strung with festoons* (girlander)] **4** trä upp [på band (snöre)] [~ *pearls*] **5** ~ *up a parcel* slå ett snöre om ett paket **6 a**) placera (ordna) i en lång rad, rada upp; ~ *out* sprida ut **b**) ~ *together* sätta (foga, länka) ihop [~ *words together*] **7** rensa, sprita [~ *beans*] **8** bildl., *be all strung up* vara på helspänn **III** (*strung strung*) *vb itr* **1** ~ *out* sprida ut sig (vara utspridd) i en lång rad **2** ~ *along with* vard. hålla ihop med **3** ~ *together* hänga ihop

string bean [ˌstrɪŋ'bi:n, '--] skärböna

stringed [strɪŋd] strängad; ~ *instrument* stränginstrument, stråkinstrument

stringent ['strɪn(d)ʒ(ə)nt] **1** sträng [~ *laws* (*rules*)]; eftertrycklig; drastisk [*take* ~ *measures against*] **2** a) strängt logisk, stringent [~ *thinking*] b) övertygande [~ *arguments*], bindande **3** tvingande [~ *necessity*] **4** ekon. stram; kärv [~ *money policy*]

stringy ['strɪŋɪ] trådig, senig [~ *meat*]

1 strip [strɪp] **I** *vb tr* **1 a**) skrapa (riva, dra, skala) av (bort); ~ *off* ta (dra) av [sig] [~ *off one's shirt*]; repa av **b**) klä av; skrapa (skala, plocka) ren; ~ *of* äv. plundra (tömma) på; ~ *a p. of a th.* beröva (ta ifrån) ngn ngt [~ *a p. of all illusions* (*possessions*)], plocka ngn på ngt, avhända ngn ngt **2** sjö. rigga av [~ *a mast*] **3 a**) ~ [*down*] ta (plocka) isär [~ *a car*], slakta **b**) ~ *a th. down to its essentials* skala av alla detaljer **II** *vb itr* klä av sig; strippa **III** *s* striptease, avklädningsscen; *do a* ~ strippa

2 strip [strɪp] **1** remsa [*a* ~ *of cloth* (*land*)], list [*a* ~ *of metal* (*wood*)]; *a mere* ~ *of a boy* en pojkvasker; ~ *farming* a) bandodling b) mångskifte; *tear a* ~ *off a p.* **2** serie; *comic* ~ skämtserie, tecknad serie **3** sport. vard. [lag]dräkt

stripe [straɪp] **I** *s* **1** rand; strimma; linje **2** randning [äv. ~ *design*]; randigt tyg; ~ *pattern* randigt mönster, randmönster **3** mil. galon; streck i gradbeteckning; *lose one's* ~*s* bli degraderad **4** amer. typ, slag [*a man of a different* ~]; inriktning **II** *vb tr* randa

striped [straɪpt] randig; strimmig

strip-lighting ['strɪpˌlaɪtɪŋ] lysrörsbelysning

stripper ['strɪpə] vard. stripteasedansös, strippa; *male* ~ striptör, manlig strippa

striptease ['strɪpti:z] **I** *s* striptease[nummer] **II** *vb itr* dansa (göra) striptease

strive [straɪv] (*strove striven*) **1** sträva, bemöda (vinnlägga) sig **2** litt. kämpa, strida, tävla

strode [strəʊd] imperf. av *stride*

1 stroke [strəʊk] **1** slag [*the* ~ *of a hammer*], hugg [*the* ~ *of an axe*], stöt; rapp **2** [klock]slag; *on the* ~ [*of two*] på slaget [två] **3** med., [*apoplectic*] ~ stroke, slag[anfall] **4** tekn. a) [kolv]slag b) slaglängd c) takt [*four-stroke engine*] **5** mus. stråk[drag] **6** i bollspel slag; i tennis äv. boll; bilj. stöt **7** simn. **a**) [sim]tag **b**) simsätt [*the crawl is a fast* ~]; *do the butterfly* ~ simma fjärilsim **8** rodd. **a**) [år]tag **b**) rodd [*a fast* (*slow*) ~] **c**) takt [*set* (bestämma) *the* ~]; *keep* ~ ro i takt; *put a p. off his* ~ bildl. störa (distrahera) ngn **d**) akterroddare **9** nedslag på skrivmaskin [*65 ~s to the* (per) *line*] **10** streck [*thin ~s*]; bråkstreck; drag [*a ~ of the brush*]; *with a ~ of the pen* med ett penndrag **11** bildl. drag, grepp [*a clever* (*masterly*) ~], schackdrag [*a diplomatic* ~], steg [*that was a bold ~ on his part*], handling; *do a* [*good*] ~ *of business* göra en god (bra) affär

2 stroke [strəʊk] **I** *vb tr* **1** stryka, smeka [~ *a cat*]; ~ *one's beard* stryka sig om skägget **2** släta [till (ut)] **II** *s* strykning [med handen]

stroll [strəʊl] **I** *vb itr* promenera, ströva, vandra, flanera **II** *vb tr* promenera (flanera) på [~ *the streets*], ströva [omkring] i (på) **III** *s* promenad [*go for* (*take*) *a* ~]

stroller ['strəʊlə] **1** promenerande, flanör, vandrare **2** isht amer. sittvagn, sulky[vagn]; paraplyvagn för barn

strong [strɒŋ] **I** *adj* **1** stark; kraftig [~ *efforts*], kraftfull; stor [*there is a ~ likelihood that...*]; fast [~ *character*], orubblig [~ *conviction*], strong **2** frisk och stark **3** stabil, solid [*a ~ economy*] **4** [numerärt] stark; ss. efterled i sms. äv. -manna- [*a 10-strong orchestra*]; ~ *in numbers* manstark **5** bestämd, utpräglad [~ *views*] **6** skarp, frän [*a ~ odour*] **7** gram. stark [*a ~ verb*] **II** *adv* starkt [*smell* ~]; *come* (*go*) *it rather* ~ vard. gå lite väl långt; ta till i överkant; *be still going* ~ vard. ännu vara i sin fulla kraft; vara i full gång

strong-arm ['strɒŋɑ:m] vard. **I** *vb tr* **1** misshandla, gå illa åt **2** råna **3** tvinga med våld **II** *attr adj* hårdhänt [~ *methods*]

strongbox ['strɒŋbɒks] kassaskrin; bankfack

stronghold ['strɒŋhəʊld] fäste; bildl. äv. högborg

strongly ['strɒŋlɪ] starkt etc., jfr *strong I*; på det bestämdaste [*I ~ advise you to go*]

strong room ['strɒŋru:m] kassavalv

strong-willed [ˌstrɒŋ'wɪld, attr. '--] viljestark

strove [strəʊv] imperf. av *strive*

struck [strʌk] **I** imperf. o. perf. p. av *strike A* **II** *adj* **1 a**) ~ *on* (*with*) vard. förtjust (kär) i **b**) ss. efterled i sms. -biten [*filmstruck*] **2** amer. jur., ~ *jury* specialjury [som godkänts av båda parterna]

structural ['strʌktʃ(ə)r(ə)l] strukturell [~ *grammar*]; struktur- [~ *analysis*; ~ *formula*]; konstruktions- [~ *part*], byggnads- [~ *material*]; biol. äv. organisk [~ *disease*]; ~ *alterations* ändring[ar] av byggnad; ombyggnad

structurally ['strʌktʃ(ə)rəlɪ] strukturellt; byggnadsmässigt

structure ['strʌktʃə] **I** *s* **1** struktur; konstruktion; sammansättning **2** byggnadsverk **II** *vb tr* strukturera

struggle ['strʌgl] **I** *vb itr* **1** kämpa äv. bildl. [~ *against* (*with*) *difficulties*; ~ *to* (för att) *get a th.*]; anstränga sig [~ *to be polite*]; ~ *on* kämpa vidare **2** streta, sprattla, kämpa [~ *to get free*], vrida (slingra) sig **3** streta, knoga [~ *up a hill*; ~ *with heavy boxes*]; kämpa (arbeta, knaggla) sig [~ *through a book*]; ~ *along* knaggla (dra) sig fram **II** *vb tr*, ~ *one's way* kämpa sig fram, bana sig väg **III** *s* **1** kamp, strid äv. bildl.; *the ~ for existence* (*life*) kampen för tillvaron **2** ansträngning, kämpande

strum [strʌm] **I** *vb itr* klinka [~ *on the piano*], knäppa [~ *on the banjo*]; trumma **II** *vb tr* **1** klinka på [~ *the piano*], knäppa på [~ *the banjo*]; trumma med [~ *one's fingers on the table*] **2** klinka, knäppa [~ *a melody*]

strung [strʌŋ] imperf. o. perf. p. av *string*

1 strut [strʌt] **I** *vb itr* svassa [~ *about* (*in*, *out*)], [gå och] stoltsera; kråma sig **II** *s* svassande [gång]

2 strut [strʌt] byggn. **I** *s* stötta, stag; [bro]balk **II** *vb tr* stötta

strychnine ['strɪkni:n] kem. stryknin

stub [stʌb] **I** *s* **1** stump; *cigar* ~ cigarrstump, cigarrfimp **2** stubbe **3** a) grov nubb; nabb; spikstump b) trubbigt [penn]stift **4** a) talong på biljetthäfte o.d. b) kontramärke del av biljett **II** *vb tr* **1** ~ *one's toe* stöta tån [*against* mot] **2** ~ [*out*] släcka, fimpa [~ *a cigarette*]

stubble ['stʌbl] stubb; ~ [*of beard*] skäggstubb

stubborn ['stʌbən] **1** envis äv. bildl. [*a ~ illness* (*stain*)]; hårdnackad [~ *resistance*] **2** besvärlig, krånglig

stubby ['stʌbɪ] **1** stubbig **2** kort och bred; knubbig [~ *fingers*], satt

stucco ['stʌkəʊ] (pl. *~es* el. *~s*) **1** stuck; gipsmurbruk **2** ~ [*work*] stuckatur, stuckarbete

stuck [stʌk] imperf. o. perf. p. av *2 stick*

stuck-up [ˌstʌk'ʌp] vard. mallig

1 stud [stʌd] **1** stall uppsättning hästar [*racing* ~] **2** stuteri **3** avelshingst; avelsdjur **4** sl. hingst sexig viril man

2 stud [stʌd] **I** *s* **1** lös [krag]knapp; [*shirt* (*dress*)] ~ skjortknapp, bröstknapp

2 a) stift b) dubb **II** *vb tr* **1** a) besätta med stift b) dubba [*~ded tyres*] **2** bildl. översålla, beströ [*~ded with stars*], späcka [*~ded with quotations*] **3** stödja

student ['stju:d(ə)nt] **a**) studerande [*medical ~*]; student [*university ~s*], elev; amer. äv. [skol]elev; *~s' union* studentkår; kårhus **b**) student- [*~ council*]; *the ~ body* studenterna, studentkåren, eleverna, elevkåren; *~ teacher* lärarkandidat

studied ['stʌdɪd] medveten [*~ insult*], utstuderad

studio ['stju:dɪəʊ] (pl. *~s*) **1** ateljé; studio; pl. *~s* filmstad **2** ateljé-; studio- [*~ camera (audience)*]; *~ apartment* amer. enrumsvåning, ungkarlsvåning

studious ['stju:djəs] **1** flitig [i sina studier] **2** lärd **3** medveten [*~ efforts*]

studiously ['stju:djəslɪ] **1** omsorgsfullt, noggrant **2** avsiktligt

study ['stʌdɪ] **I** *s* **1** studier [*fond of ~*], studerande; studium, utforskning; analys [*word ~*]; *home ~ course* korrespondenskurs; *private ~* självstudium, studier på egen hand **2 a**) studieobjekt **b**) [studie]ämne **3** studie [*a ~ for* (till) *a portrait*; *Iago is a ~ of* (i) *evil*]; [*publish*] *a ~ of* ...en studie över **4** mus. etyd **5** arbetsrum; *headmaster's ~* rektorsexpedition **6** *in a brown ~* försjunken i grubbel (drömmerier) **II** *vb tr* **1** studera [*~ medicine*], lära sig [*~ typewriting*]; studera (lära) in [*~ a part*], läsa på (över); *~ up* vard. läsa (lära, plugga) in **2** studera [*~ the map*], undersöka, försöka sätta sig in i [*~ a problem*], ta del av, utforska **3** ta hänsyn till [*~ a p.'s wishes*]; tänka på [*~ one's [own] interests*]; *~ one's own comfort* [bara] tänka på sin egen bekvämlighet **III** *vb itr* studera, bedriva studier

stuff [stʌf] **I** *s* **1** material; materia **2** bildl. stoff [*the ~ that dreams are made of*]; innehåll, väsen [*the ~ of freedom*]; [*we must find out*] *what ~ he is made of* ...vad han går för **3** material [*the cushion was filled with some soft ~*], gods; *drink some of this ~* drick lite av det här; *it's old ~* det är gammalt; *the same old ~* det gamla vanliga; *some sticky ~* något klibbigt **4** [ylle]tyg **5** vard. a) saker, prylar [*I've packed my ~*] b) sätt; grej; *that's the ~!* så ska det vara!, det är grejor det!; *he knows his ~* han kan sin sak **6** smörja; *~ and nonsense* struntprat **7** vard., *a* [*nice*] *bit of ~* en snygg tjej (brud) **8** sl. stöldgods **II** *vb tr* **1** stoppa [*~ a cushion with feathers*], stoppa (proppa) full; *~ oneself with food* proppa i sig mat **2** packa; *~ away* stoppa undan **3** *~* [*up*] täppa till **4** stoppa upp [*~ a bird*] **5** kok. fylla; späcka **6** sl., *tell him to* [*go and*] *~ himself!* säg åt honom att han kan dra åt helvete! **7** vulg. knulla **III** *vb itr* proppa i sig mat

stuffed [stʌft] **1** stoppad; fullstoppad etc., jfr *stuff II*; *~ with facts* fullproppad med fakta; faktaspäckad **2** kok. fylld [*~ turkey*], färserad; späckad; *~ cabbage rolls* kåldolmar **3** uppstoppad [*~ birds*] **4** sl., *~ shirt* stropp, uppblåst stofil **5** sl., *get ~!* dra åt helvete!, stick!

stuffing ['stʌfɪŋ] **1** stoppning; uppstoppning; stoppningsmaterial **2** kok. fyllning [*turkey ~*], färs; inkråm **3** vard., *knock (beat) the ~ out of a p.* a) göra mos av ngn b) ta knäcken på ngn

stuffy ['stʌfɪ] **1** instängd, kvalmig [*~ air (room)*] **2** täppt [*~ nose*], tjock [*~ throat*] **3** vard. långtråkig **4** vard. förstockad, inskränkt

stumble ['stʌmbl] **I** *vb itr* **1** snava, snubbla; stappla; *~ across* ([*up*]*on*) stöta (råka) på, av en slump komma på (över), ramla över **2** staka sig; stamma; *~ over one's words* staka sig på orden, snubbla över orden **II** *s* **1** snavande, snubblande, snubbling **2** fel[steg]; misstag

stumbling-block ['stʌmblɪŋblɒk] stötesten

stump [stʌmp] **I** *s* **1** stubbe; rot **2** [avskalad] stam (stjälk); stock [*cabbage ~*] **3** stump [*pencil ~*] **4** i kricket grindpinne **5** isht amer. a) valmöte b) talarstol; *go on (take) the ~* vard. ge sig ut på valturné **II** *vb tr* **1** vard. förbrylla, göra ställd; sätta på det hala; *I'm ~ed* [*for an answer*] jag vet faktiskt inte [vad jag ska svara] **2** i kricket slå ut slagman genom att slå ned en grindpinne [äv. *~ out*] **3** isht amer. hålla valtal i, agitera i [*~ a district*] **4** vard., *~ up* punga ut med, pröjsa, hosta upp **III** *vb itr* **1** stulta, linka [*~ about*] **2** isht amer. hålla valtal **3** vard., *~ up* punga ut med pengar[na], pröjsa [*for* för]

stun [stʌn] **1** bedöva [*~ a p. with a blow*]; göra döv **2** överväldiga; chocka [*the news ~ned him*]

stung [stʌŋ] imperf. o. perf. p. av *sting*

stunk [stʌŋk] imperf. o. perf. p. av *stink*

stunning ['stʌnɪŋ] **1** bedövande [*a ~ blow*] **2** chockande **3** vard. fantastisk [*a ~ performance*]; jättetjusig, jättesnygg

1 stunt [stʌnt] vard. **1** konst[nummer] [*do ~s on horseback*], trick; konststycke; *acrobatic ~s* akrobatkonster **2** jippo; trick; *advertising (publicity) ~* reklamtrick, reklamjippo, PR-grej

2 stunt [stʌnt] hämma [*~ a p.'s personality*]; hämma i växten (utvecklingen)

stunted ['stʌntɪd] förkrympt, dvärgliknande [*~ trees*], outvecklad [*a ~*

mind]; *be* ~ äv. vara hämmad (ha stannat) i växten (utvecklingen)
stunt man ['stʌntmæn] (pl. *men* [-men]) film. stuntman ersättare i farliga scener
stupefaction [ˌstju:pɪ'fækʃ(ə)n] **1** bedövning; bedövat tillstånd **2** häpnad
stupef|y ['stju:pɪfaɪ] **1** [be]döva; förslöa; göra omtöcknad [*-ied with* (av) *drink*] **2** göra häpen (bestört, mållös), förlama, överväldiga
stupendous [stjʊ'pendəs] häpnadsväckande [*a ~ achievement* (*error*)], förbluffande; kolossal [*a ~ mass*]
stupid ['stju:pɪd] **I** *adj* **1** dum **2** tråkig, usel [*a ~ party*] **II** *s* vard. dumbom [*~!*]
stupidity [stjʊ'pɪdətɪ] dumhet
stupor ['stju:pə] dvala
sturdy ['stɜ:dɪ] **1** robust [*a ~ child*], handfast; stark [*~ walls*], rejäl **2** fast, orubblig [*~ resistance*]
sturgeon ['stɜ:dʒ(ə)n] zool. stör
stutter ['stʌtə] **I** *vb itr* stamma **II** *vb tr*, ~ [*out*] stamma [fram] **III** *s* stamning
1 sty [staɪ] [svin]stia äv. bildl.
2 sty o. **stye** [staɪ] med. vagel
style [staɪl] **I** *s* **1** a) stil [*she has ~*]; stilart; språk [*written in* (på) *a delightful ~*], språkbehandling; framställningssätt; teknik b) sätt [*he has a patronizing ~*] c) typ, sort, modell, utförande, fason [*made in all sizes and ~s*], mönster d) mode [*dressed in* (efter) *the latest ~*]; [*hair*] ~ frisyr; *do things* (*it*) *in ~* slå på stort **2** titel; *assume the ~ of* [*Colonel*] anta titeln..., låta titulera sig... **II** *vb tr* **1** utforma [*carefully ~d prose*], forma; formge [*~ cars* (*dresses*)] **2** titulera [*he is ~d 'Colonel'*]; *~ oneself* titulera (kalla) sig
stylish ['staɪlɪʃ] **1** stilfull, stilig, elegant; snitsig **2** modern; moderiktig
stylist ['staɪlɪst] **1** a) [fin] stilist b) tekniskt driven konstnär c) sport. [driven] tekniker **2** formgivare; modeskapare
stylize ['staɪlaɪz] stilisera [*in ~d form*]
styl|us ['staɪl|əs] (pl. *-i* [-aɪ] el. *-uses*) [pickup]nål
styptic ['stɪptɪk] **I** *adj* blodstillande **II** *s* blodstillande medel
suave [swɑ:v] förbindlig, älskvärd, behaglig [*a ~ person*]; *~ manners* förbindligt (smidigt) sätt
sub [sʌb] vard. **I** *s* kortform av *submarine, subscription* o. *substitute*; amer., se *subway* **II** *vb itr* (kortform av *substitute*) vicka, vikariera
subcommittee ['sʌbkəˌmɪtɪ] underutskott, underkommitté
subconscious [ˌsʌb'kɒnʃəs] **I** *adj* undermedveten, omedveten **II** *s* omedvetande; *the ~* äv. det omedvetna (undermedvetna)
subcontinent [ˌsʌb'kɒntɪnənt] geogr. subkontinent [*the Indian ~*]
subcontractor [ˌsʌbkən'træktə] underleverantör
subdivide [ˌsʌbdɪ'vaɪd] *vb tr* dela in (upp) i underavdelningar; dela in [i ännu mindre enheter]
subdivision ['sʌbdɪˌvɪʒ(ə)n] **1** indelning (uppdelning) i underavdelningar **2** underavdelning
subdue [səb'dju:] **1** underkuva, lägga under sig [*~ a country*], undertrycka **2** dämpa [*~ the light* (*colours*)]
sub-editor [ˌsʌb'edɪtə] tidn. redaktör, textredigerare; *chief ~* ung. redaktionssekreterare
subject [ss. subst., adj. o. adv. 'sʌbdʒekt, ss. vb səb'dʒekt] **I** *s* **1** undersåte; *a British ~* engelsk medborgare **2** ämne i skola, för samtal o.d.; *change the ~* byta [samtals]ämne; *the ~ of the conversation* samtalsämnet; [*have you anything to say*] *on the ~?* ...i ämnet (saken)? **3** konst. el. litt. motiv **4** mus. tema **5** *~ of* (*for*) föremål för **6** gram., psykol. el. filos. subjekt **7** ~ [*for experiment*] försöksobjekt, försöksperson **II** *adj* **1** underlydande [*~ nations*], underkuvad; lyd- [*a ~ state*] **2** *~ to* **a**) lydande (som lyder) under [*~ to the Crown*] **b**) underkastad [*~ to changes* (*customs duty*)]; *be ~ to* äv. utsättas för **c**) med anlag för; *be ~ to* ha anlag för, lida av [*be ~ to headaches*] **d**) beroende (avhängig) av; *be ~ to* äv. bero av (på) **III** *adv*, *~ to* under förutsättning av [*~ to your approval* (godkännande)]; med förbehåll (reservation) för [*~ to alterations*] **IV** *vb tr* **1** underkuva; tvinga till underkastelse; *~ oneself* [*to a p.*] underkasta sig [ngn] **2** utsätta; göra till föremål för; belägga med [*~ to a fine*]; *be ~ed to* äv. vara föremål för, drabbas av
subjection [səb'dʒekʃ(ə)n] underkuvande; underkastelse; *keep* (*hold*) *in ~* behärska, bestämma över
subjective [səb'dʒektɪv, sʌb-] subjektiv
subject matter ['sʌbdʒektˌmætə] innehåll, stoff [*the ~ of the book*]; ämne
subjugate ['sʌbdʒʊgeɪt] **1** underkuva [*~ a country*] **2** bildl. betvinga [*~ one's feelings*], tygla, tämja
subjunctive [səb'dʒʌŋ(k)tɪv] gram. **I** *adj* konjunktiv-; *the ~ mood* konjunktiv **II** *s* **1** *the ~* konjunktiv **2** konjunktivform
sublet [ˌsʌb'let] (*sublet sublet*) hyra (arrendera) ut i andra hand
sublime [sə'blaɪm] storslagen [*~ scenery* (*heroism*)], sublim
sub-machine-gun [ˌsʌbmə'ʃi:ngʌn] kulsprutepistol
submarine [ˌsʌbmə'ri:n, 'sʌbməri:n] **I** *adj*

undervattens- [~ *cables*], submarin **II** *s* ubåt; ubåts- [~ *warfare*]
submerge [səb'mɜ:dʒ] **I** *vb tr* **1** doppa (sänka) ner [i vatten] **2** översvämma; dränka äv. bildl. **II** *vb itr* dyka; om ubåt äv. gå ner [under vatten]
submersion [səb'mɜ:ʃ(ə)n] nedsänkning [i vatten]; översvämning
submission [səb'mɪʃ(ə)n] **1** underkastelse; resignation **2** underdånighet **3** framläggande, föredragning; presentation; föreläggande
submissive [səb'mɪsɪv] undergiven, ödmjuk [*a ~ reply*], lydig [*~ servants*]; eftergiven
submit [səb'mɪt] **I** *vb tr* **1** *~ to* utsätta för [*~ metal to heat*] **2** framlägga, presentera [*~ one's plans to* (för) *a council*]; framställa [*~ a proposal*]; lämna in [*~ a report to a p.*] **II** *vb itr* ge efter
subnormal [ˌsʌb'nɔ:m(ə)l] [som är] under det normala [*~ temperatures*]
subordinate [ss. adj. o. subst. sə'bɔ:dənət, ss. vb sə'bɔ:dɪneɪt] **I** *adj* **1** underordnad [*a ~ position*]; lägre [*a ~ officer*], underlydande; bi- [*a ~ role; a ~ character*] **2** gram. underordnad; *~ clause* äv. bisats **II** *s* underordnad, underlydande [*his ~s*] **III** *vb tr* underordna, låta stå tillbaka; sätta (låta komma) i andra hand [*~ one's private interests*]; *be ~d to a th.* vara underordnad ngt
subplot ['sʌbplɒt] sidohandling i roman o.d.
subpoena [səb'pi:nə, sə'p-] jur. **I** *s* stämning [vid vite]; *serve a p. with a* [*writ of*] *~* delge ngn en stämning **II** *vb tr* delge en stämning; instämma [*be ~ed as a witness*]
subscribe [səb'skraɪb] **I** *vb tr* **1 a**) teckna [sig för] **b**) teckna [*~ shares*] **2** betala i medlemsavgift [*~ £5 to a club*] **3** skriva under (på), underteckna [*~ a document*] **II** *vb itr* **1** prenumerera [*~ to* (på) *a newspaper*] **2** ge (teckna) bidrag [*he ~s liberally to charity*]; *~ for* a) teckna sig för, skriva på [*~ for a large sum*] b) teckna [*~ for shares*] **3** *~ to* skriva under [*~ to an agreement*]; bildl. ansluta sig till, dela [*~ to a p.'s opinion* (*views*)]
subscriber [səb'skraɪbə] **1** prenumerant [*~ to* (på) *a newspaper*], [telefon]abonnent; *~ trunk dialling* tele. automatkoppling **2** a) bidragsgivare b) anhängare, stödjare c) [aktie]tecknare
subscription [səb'skrɪpʃ(ə)n] **1 a**) teckning [*~ for* (av) *shares*]; insamling; *start* (*raise*) *a ~* sätta i gång en insamling **b**) bidrag; insamlat belopp **2 a**) prenumeration; subskription [*~ for* (på) *a book*]; abonnemang; *~ concert* abonnemangskonsert; *take out a ~ for* [*a year*] prenumerera (teckna prenumeration) för... **b**) prenumerationsavgift; medlemsavgift [*~ to* (i) *a club*] **3 a**) undertecknande **b**) underskrift
subsequent ['sʌbsɪkwənt] följande, efterföljande, påföljande
subsequently ['sʌbsɪkwəntlɪ] därefter, sedan, senare; *~ to* efter
subservient [səb'sɜ:vjənt] **1** underordnad; *be ~ to a p.'s needs* svara mot ngns behov **2** undergiven, servil
subside [səb'saɪd] **1** sjunka [undan] [*the flood has ~d*] **2** sjunka [*the ground* (*house*) *will ~*]; geol. sänka sig **3** avta, lägga sig, dö bort [*the wind* (*his anger*) *began to ~*], lugna sig; om feber gå ned **4** sjunka (falla) till botten **5** försjunka; skämts. sjunka ner [*~ into a chair*]
subsidence [səb'saɪd(ə)ns, 'sʌbsɪd-] **1** sjunkande; sättning; geol. [land]sänkning **2** bottensats
subsidiar|y [səb'sɪdjərɪ] **I** *adj* **1** biträdande; understöds- [*~ fund*], hjälp- [*~ troops*]; stöd- [*~ farming*]; bi- [*~ roads, ~ stream*], sido- [*~ theme*], extra- [*~ details*]; *~ company* dotterbolag; *~ plot* sidohandling i roman o.d.; *~ subject* skol. tillvalsämne **2** underordnad [*to a th.* ngt] **II** *s* dotterbolag
subsidize ['sʌbsɪdaɪz] subventionera, understödja; perf. p. *~d* subventionerad [*~ lunches*]; statsunderstödd
subsidy ['sʌbsɪdɪ] subvention, anslag; subsidier
subsist [səb'sɪst] **1** livnära sig [*~ on a vegetable diet*], existera; förtjäna sitt uppehälle [*~ by* (genom, på) *work*] **2** leva kvar (vidare)
subsistence [səb'sɪst(ə)ns] **1** existens, tillvaro **2** underhåll **3** uppehälle; *~ allowance* traktamente
substance ['sʌbst(ə)ns] **1** ämne; substans [*a chalky ~*]; massa **2 a**) substans **b**) innehåll [*~ and form*]; huvudinnehåll, andemening [*give the ~ of a speech in one's own words*]; *in ~* i huvudsak, i allt väsentligt **3** fasthet, stadga äv. bildl. [*the material has some ~; there is no ~ in him*]
substandard [ˌsʌb'stændəd] **1** undermålig [*~ literature*] **2** *~ film* smalfilm under 35 mm **3** språkv. ovårdad [*~ English* (*pronunciation*)]
substantial [səb'stænʃ(ə)l] **1** verklig, reell **2** väsentlig [*~ improvement* (*contribution*)], ansenlig [*a ~ sum of money*], stor [*a ~ audience; a ~ loan*] **3** a) stabil, solid, gedigen [*a ~ house*], stark [*a ~ physique*]; fast, hållbar [*~ cloth*] b) stadig, bastant [*a ~ meal*] **4** solid [*a ~ business firm*] **5** vederhäftig [*a ~ argument*], grundad [*a ~ claim*] **6** i huvudsak riktig

substantially [səb'stænʃəlɪ] **1** stabilt [~ *built*] **2** väsentligen; i allt väsentligt [*we ~ agree*]; väsentligt, avsevärt [~ *contribute to*] **3** i påtaglig form, kroppsligen
substantiate [səb'stænʃɪeɪt] bestyrka, dokumentera; bekräfta
substantive ['sʌbst(ə)ntɪv] gram. substantiv; substantiverat ord
substitute ['sʌbstɪtju:t] **I** *s* **1** ställföreträdare, ersättare; suppleant; sport. reserv; *act as a ~* äv. vikariera; *the ~'s (~s') bench* sport. avbytarbänken **2** ersättning, substitut **II** *vb tr* **1** *~ for* använda (ta) i stället för [~ *saccharine for sugar*] **2** byta ut [~ *a player*], ersätta **3** *~ by* (*with*) ersätta med **III** *vb itr* vikariera, vara suppleant (ersättare, sport. avbytare)
substitution [ˌsʌbstɪ'tju:ʃ(ə)n] ersättande; ersättning; sport. [spelar]byte
subtenant [ˌsʌb'tenənt] hyresgäst i andra hand; *be a ~* hyra i andra hand
subterfuge ['sʌbtəfju:dʒ] undanflykt[er], svepskäl
subterranean [ˌsʌbtə'reɪnjən] underjordisk
subtitle ['sʌbˌtaɪtl] **I** *s* **1** undertitel **2** film., pl. *~s* text [*an English film with Swedish ~s*] **II** *vb tr* **1** förse med en undertitel **2** film. texta
subtle ['sʌtl] **1** subtil [*a ~ difference*]; obestämbar [*a ~ charm*], svag [*a ~ flavour*], diskret [*a ~ perfume*]; underfundig [~ *humour, a ~ smile*] **2** utstuderad [~ *methods*]; påhittig [*a ~ device*]; spetsfundig [*a ~ argument*]
subtlety ['sʌtltɪ] **1** subtilitet etc., jfr *subtle*; skärpa **2** hårklyveri, ordklyveri; spetsfundighet
subtly ['sʌtlɪ] subtilt etc., jfr *subtle*
subtract [səb'trækt] subtrahera, dra ifrån [~ *6 from 9*], dra av
subtraction [səb'trækʃ(ə)n] matem. subtraktion [*a simple ~*]; fråndragning; *~ sign* minustecken
subtropical [ˌsʌb'trɒpɪk(ə)l] subtropisk
suburb ['sʌbɜ:b, -bəb] förort, förstad; *garden ~* villaförort, villastad
suburban [sə'bɜ:b(ə)n] **I** *adj* **1** förorts-, förstads- [~ *shops* (*buses*)]; *~ area* ytterområde **2** neds. småstadsaktig; småborgerlig **II** *s* förortsbo
suburbanite [sə'bɜ:bənaɪt] förortsbo
subvention [səb'venʃ(ə)n] subvention, statsanslag
subversion [səb'vɜ:ʃ(ə)n] omstörtning
subversive [səb'vɜ:sɪv] **I** *adj* [samhälls]omstörtande, subversiv [~ *activity* (verksamhet)] **II** *s* samhällsomstörtare
subway ['sʌbweɪ] **1** a) [gång]tunnel b) underjordisk ledning, ledningstunnel **2** amer. tunnelbana, T-bana
succeed [sək'si:d] **I** *vb itr* **1** lyckas [*the attack ~ed*], ha framgång; gå bra; *not ~* äv. misslyckas **2** följa [*a long peace ~ed*]; *~ to* äv. överta, ärva **II** *vb tr* efterträda, komma efter [*who ~ed her as Prime Minister?*]
success [s(ə)k'ses] framgång [*with varying ~*], medgång; succé; *with no great ~* utan större framgång
successful [s(ə)k'sesf(ʊ)l] framgångsrik, lyckosam, lycklig; lyckad [~ *experiments*]; succé- [~ *play*]; som klarat sig (provet), godkänd [~ *candidates*]; *be ~* äv. ha framgång, göra lycka [*in* i], lyckas [*in doing* i (med) [att] göra], gå bra
successfully [s(ə)k'sesfʊlɪ] framgångsrikt
succession [s(ə)k'seʃ(ə)n] **1** följd [*a ~ of years*], serie, rad; ordning; växling [*the ~ of the seasons*]; *in ~* i följd (rad), efter varandra [*three years in ~*] **2** succession; arvföljd; tronföljd **3** arvsrätt
successive [s(ə)k'sesɪv] på varandra följande; successiv [~ *changes*]; som följer (följde) på varandra [*the ~ governments*]; *three ~ days* tre dagar efter varandra (i rad, i följd)
successor [sək'sesə] **1** efterträdare; *~* [*to the throne*] tronföljare **2** arvinge
succinct [sək'sɪŋ(k)t] koncis
succulent ['sʌkjʊlənt] saftig [~ *meat*]; bot. äv. köttig
succumb [sə'kʌm] duka under, ge efter, falla [till föga] [~ *to* (för) *flattery*]; digna; *~ to* äv. dö av [*he ~ed to his injuries*]
such [sʌtʃ] **1** a) sådan [~ *books*], dylik; liknande [*tea, coffee and ~ drinks*] b) så [~ *big books*; ~ *long hair*] c) så stor [~ *was his joy that...*] d) det [~ *was not my intention*]; [*it was not*] *the first ~ case* ...det första fallet av det slaget; *~ a* [*book*] en sådan...; *there is ~ a draught* det drar så [förfärligt]; *no ~ thing!* visst inte!, ingalunda!; *as ~* a) som sådan, i sig [*I like the work as ~*] b) i den egenskapen [*he is my trainer and as ~ can tell me what to do*] **2** *~ as*: **a**) sådan som; de som [~ *as are poor*]; som [t.ex.] [*vehicles ~ as cars*]; *~ books as these* sådana här böcker; *there is ~ a thing as loyalty* det finns något som heter lojalitet **b**) [allt] vad, det lilla [som] [*I'll give you ~ as I have*]; *~ as it is* sådan den nu är
suchlike ['sʌtʃlaɪk] sådan; *and ~* [*things*] med mera, och dylikt, o.d.; *or ~* [*things*] eller dylikt, e.d.
suck [sʌk] **I** *vb tr* **1** a) suga [~ *the juice from* (ur) *an orange*], suga i sig; insupa [~ *air*] b) suga ur [~ *an orange*]; bildl. suga ut c) suga på [~ *a sweet*]; *~ in* suga in, suga i sig; bildl. äv. insupa [~ *in knowledge*]; *~ out* suga ut [*from, of* ur] **2** *~ in* (*into*) dra (blanda) in (in i) **3** *~* [*down*] suga (dra) ned **4** vulg., *~ off a p.* suga av ngn **II** *vb itr*

1 a) suga [~ *at* (på) *one's pipe*] b) dia **2** sl., ~ *up to* ställa sig in hos, fjäska för **III** *s* **1** sugning, sug **2** sugljud **3** *give ~ to* amma
sucker ['sʌkə] **1** sugapparat, sugfot; zool. äv. sugorgan, sugskiva **2** vard. tönt, fårskalle; *be a ~ for* vara svag för, falla för
suckle ['sʌkl] **1** dia; ge di **2** amma
suction ['sʌkʃ(ə)n] [in]sugning; sug; sug- [~ *filter (system)*]; ~ *fan* utsugsfläkt, utsugningsfläkt
Sudan [sʊ'dɑ:n, -'dæn] geogr.; *the ~* Sudan
sudden ['sʌdn] **I** *adj* plötslig [*a ~ shower*], oväntad; bråd [~ *death*]; hastig, häftig [*a ~ movement*]; tvär [*a ~ turn in the road*]; ~ *death* sport. sudden death i oavgjord match beslut om att nästa mål o.d. avgör matchen **II** *s*, *all of a ~* helt plötsligt (hastigt), rätt som det är (var), med ens
suddenly ['sʌdnlɪ] plötsligt, med ens
suds [sʌdz] (konstr. ss. sg. el. pl.) såplödder, tvållödder; såpvatten
sue [sju:, su:] **I** *vb tr* **1** jur. stämma, åtala [äv. ~ *at law*]; lagsöka [~ *a p. for debt* (gäld)]; ~ *a p. for damages* begära skadestånd av ngn **2** bedja [~ *the enemy for* (om) *peace*] **II** *vb itr* **1** jur. inleda process; väcka åtal [*threaten to ~*]; ~ *for damages* begära skadestånd; ~ *for a divorce* begära skilsmässa **2** ~ *for* bedja om [~ *for peace*]
suede [sweɪd] **1** mocka[skinn]; ~ *gloves* mockahandskar **2** ~ [*cloth*] mockatyg
suet ['sʊɪt, 'sjʊɪt] [njur]talg
suffer ['sʌfə] **I** *vb tr* **1** a) lida [~ *wrong* (orätt)], [få] utstå [~ *punishment*], genomlida, uthärda; drabbas av, få vidkännas [~ *loss*] b) undergå, genomgå [~ *change*]; ~ *great pain* lida (plågas) mycket, ha svåra smärtor **2** tåla, finna sig i [~ *insolence*]; *I can't ~ him* jag tål honom inte **II** *vb itr* lida, plågas, ha ont [*the patient still ~s*]; ta (lida) skada, bli lidande, lida avbräck (förluster); ~ *heavily* lida stora förluster; ~ *from headaches* lida av huvudvärk
sufferance ['sʌf(ə)r(ə)ns] tyst medgivande
sufferer ['sʌf(ə)rə] lidande [person]; *hay-fever ~s* de som lider av hösnuva; *be the ~ by* bli lidande på, förlora på
suffering ['sʌf(ə)rɪŋ] **I** *s* lidande [*the ~s of Christ*], nöd **II** *adj* lidande
suffice [sə'faɪs] **I** *vb itr* vara nog, räcka [till], förslå; ~ *it to say that* det räcker med att säga att… **II** *vb tr* vara tillräcklig för [*one meal a day won't ~ a growing boy*]; tillfredsställa
sufficiency [sə'fɪʃ(ə)nsɪ] tillräcklig mängd; tillräcklighet
sufficient [sə'fɪʃ(ə)nt] **I** *adj* tillräcklig; *be ~* äv. räcka [*for* till, för], vara nog, räcka till **II** *s*, *he ate till he had ~* han åt tills han hade fått nog (var mätt)
sufficiently [sə'fɪʃ(ə)ntlɪ] tillräckligt, nog
suffix ['sʌfɪks, ss. vb äv. -'-] **I** *s* språkv. suffix **II** *vb tr* lägga till [~ *a syllable*]; bifoga
suffocate ['sʌfəkeɪt] **I** *vb tr* kväva äv. bildl. **II** *vb itr* kvävas; storkna [~ *with* (av) *rage*]
suffocating ['sʌfəkeɪtɪŋ] kvävande
suffocation [ˌsʌfə'keɪʃ(ə)n] kvävning; *I have a feeling of ~* det känns som om jag skulle kvävas
suffrage ['sʌfrɪdʒ] rösträtt [*universal* (allmän) ~]; *woman (women's, female) ~* kvinnlig rösträtt
suffuse [sə'fju:z] sprida sig över [*a blush ~d her face*]; fylla
sugar ['ʃʊgə] **I** *s* **1** a) socker b) sockerbit; *soft ~* strösocker **2** vard. (i tilltal) sötnos **II** *vb tr* sockra äv. bildl.; sockra i (på), söta [med socker]; *~ed almonds* dragerade mandlar
sugar basin ['ʃʊgəˌbeɪsn] sockerskål
sugar beet ['ʃʊgəbi:t] sockerbeta
sugar bowl ['ʃʊgəbəʊl] sockerskål
sugar candy ['ʃʊgəˌkændɪ] kandisocker
sugar cane ['ʃʊgəkeɪn] sockerrör
sugar-free ['ʃʊgəfri:] sockerfri [~ *chewing-gum*]
sugary ['ʃʊgərɪ] **1** sockrad, söt, sockrig; sockerhaltig **2** bildl. sötsliskig [~ *music*]
suggest [sə'dʒest, amer. səg'dʒ-] **1** föreslå [~ *a p. for* (till) *a post*]; framkasta, hemställa; ~ *a th. to a p.* föreslå ngn ngt, framkasta [ett förslag om] ngt för ngn **2** antyda, låta förstå **3** tyda på; antyda [*as the name ~s*] **4** påminna om; väcka associationer till; låta ana; *what does it ~ to you?* vad påminner det dig om? **5** a) inspirera [*a drama ~ed by an actual incident*] b) väcka [*that ~ed the idea*] **6** påstå, mena [*do you ~* (vill du påstå) *that I'm lying?*]
suggestible [sə'dʒestəbl, amer. səg'dʒ-] lättpåverkad; lättsuggererad
suggestion [sə'dʒestʃ(ə)n, amer. səg'dʒ-] **1** förslag [*~s for* (till) *improvement*], råd; *at (on) the ~ of* på förslag (inrådan) av **2** antydan, vink **3** uppslag; idé; påminnelse **4** associering; [idé]association **5** anstrykning, nyans [*a ~ of mockery in his tone*], antydan **6** suggestion
suggestive [sə'dʒestɪv, amer. səg'dʒ-] **1** tankeväckande; suggestiv; talande; stimulerande; *be ~ of* a) väcka tanken på b) tyda på, vittna om **2** tvetydig
suicidal [su:ɪ'saɪdl, sju:ɪ's-] självmords- [*a ~ attempt*]; bildl. vansinnig, halsbrytande [~ *speed*], livsfarlig [~ *policy*]
suicide ['su:ɪsaɪd, 'sju:ɪ-] **1** självmord [*commit* (begå) ~; *political ~*] **2** självmördare

suit [su:t, sju:t] **I** *s* **1** dräkt [*spacesuit*]; [*man's*] ~ [herr]kostym; *a ~ of armour* en rustning; *a ~ of clothes* en [hel] kostym **2** jur. rättegång, process [äv. ~ *at law*]; *divorce* ~ skilsmässoprocess **3** kortsp. färg; *follow* ~ bekänna (följa) färg; bildl. följa exemplet, göra likadant; *his long* (*strong*) ~ bildl. hans starka sida **II** *vb tr* **1** a) passa [*which day ~s you best?*] b) klä [*white ~s her*] c) tillfredsställa [*we try to ~ our customers*], vara (göra) till lags [*you can't ~ everybody*] d) passa (lämpa sig) för [*a climate that ~s apples*] e) passa in i, passa (gå) ihop med [*that will ~ my plans*], passa till; *will tomorrow ~ you?* passar det [dig] i morgon?, går det bra [för din del] i morgon?; *~ yourself!* gör som du [själv] vill!; välj vad du vill! **2** anpassa, avpassa [*~ the punishment to the crime*]; *~ the action to the word* omsätta ord i handling **III** *vb itr* passa, stämma överens, gå i stil; *will tomorrow ~?* passar det (går det bra) i morgon?

suitability [ˌsu:təˈbɪlətɪ, ˌsju:-] lämplighet, ändamålsenlighet

suitable [ˈsu:təbl, ˈsju:-] passande; ändamålsenlig; *be ~* äv. passa, duga, lämpa sig

suitably [ˈsu:təblɪ, ˈsju:-] lämpligt, passande, som sig bör; riktigt

suitcase [ˈsu:tkeɪs, ˈsju:t-] resväska, kappsäck

suite [swi:t] **1** svit, följe **2 a**) *a ~* [*of furniture*] ett möblemang, en möbel **b**) [soff]grupp; *a three-piece ~* en soffgrupp [i tre delar] **3** svit [*a ~ at a hotel*]; lägenhet, våning **4** uppsättning; serie **5** mus. svit

suited [ˈsu:tɪd, ˈsju:-] **1** lämplig, passande; anpassad; *be ~ for* (*to*) äv. passa (lämpa sig) för; *they are well ~ to each other* de passar bra ihop (för varandra) **2** vanl. ss. efterled i sms. -klädd [*grey-suited*]

suitor [ˈsu:tə, ˈsju:-] **1** jur. kärande[part] **2** friare **3** supplikant, ansökande

sulk [sʌlk] **I** *vb itr* [gå (sitta) och] tjura; vara sur **II** *s* surmulenhet; *be in the ~s* (*in a ~*) tjura, vara sur (butter)

sulky [ˈsʌlkɪ] **I** *adj* sur [och trumpen] **II** *s* sport. sulky

sullen [ˈsʌlən] surmulen; butter

sulphate [ˈsʌlfeɪt, -fət] kem. sulfat

sulphur [ˈsʌlfə] kem. svavel

sulphuric [sʌlˈfjʊərɪk] kem. svavel-; *~ acid* svavelsyra

sultan [ˈsʌlt(ə)n] sultan

sultana [sʌlˈtɑ:nə, i bet. *2* vanl. s(ə)lˈtɑ:nə] **1** sultans hustru **2** sultanrussin

sultry [ˈsʌltrɪ] kvav, tung, tryckande [*~ air*]; gassig [*~ sun*]

sum [sʌm] **I** *s* **1** summa äv. bildl. [*the ~ of human knowledge*] **2** [penning]summa, belopp; *~ of money* penningsumma, summa pengar; *pay in one ~* betala på en gång (en engångssumma) **3** matematikexempel; pl. *~s* äv. matematik **II** *vb tr* summera; *~ up* äv. a) sammanfatta, göra en sammanfattning (resumé) av, resumera b) bedöma, bilda sig en uppfattning om [*he ~med up the situation at a glance*]; *that ~s him up* vard. det säger allt om honom **III** *vb itr* **1** räkna **2** *~ up* göra en sammanfattning

summarize [ˈsʌməraɪz] sammanfatta

summary [ˈsʌmərɪ] **I** *adj* **1** kortfattad, summarisk [*a ~ report*]; sammanfattande; *~ view* kort översikt **2** isht jur. summarisk, förenklad [*~ justice* (rättsförfarande)]; snabb, snabbt verkställd [*a ~ sentence* (dom)]; förenklad, enkel [*~ methods*]; *~ conviction* fällande dom utan jury **II** *s* sammanfattning, sammandrag, [kort] referat; summering

summer [ˈsʌmə] sommar äv. bildl. [*the ~ of life*]; *last ~* förra sommaren, i somras; *this ~* den här sommaren, [nu] i sommar; *in* [*the*] *~* på (om) sommaren (somrarna)

summerhouse [ˈsʌməhaʊs] **1** lusthus **2** sommarhus

summertime [ˈsʌmətaɪm] sommar äv. bildl. [*the ~ of life*]; sommartid; *in* [*the*] *~* på (under) sommaren (somrarna), sommartid[en]

summer time [ˈsʌmətaɪm] sommartid framflyttad tid

summery [ˈsʌmərɪ] sommarlik

summit [ˈsʌmɪt] **1** topp [*the ~ of a mountain*]; bildl. höjd, höjdpunkt [*be at the ~ of one's power*] **2** a) toppkonferens, toppmöte b) topp- [*~ conference* (*meeting*)]

summon [ˈsʌmən] **1** kalla [på]; kalla [samman] [*~ people to a meeting*]; kalla in [*~ Parliament*]; *~ a meeting* sammankalla (kalla till) ett möte **2** jur. [in]stämma [*~ a p. as a witness*]; *~ a p.* [*before the court*] [in]stämma (kalla) ngn inför rätta **3** uppmana, uppfordra **4** ~ [*up*] **a**) samla [~ [*up*] *one's courage* (*energy*)] **b**) framkalla

summons [ˈsʌmənz] **I** (pl. *~es* [-ɪz]) *s* **1** kallelse; jur. stämning; mil. inkallelseorder; *writ of ~* jur. stämning, stämningsorder **2** uppfordran, maning **II** *vb tr* jur. [in]stämma

sump [sʌmp] **1** motor. oljetråg **2** avloppsbrunn

sumptuous [ˈsʌm(p)tjʊəs] överdådig, luxuös, storslagen [*a ~ feast*], praktfull

sum total [ˌsʌmˈtəʊtl] slutsumma

sun [sʌn] **I** *s* sol; solsken; *everything under the ~* allt mellan himmel och jord; *take the*

~ sola sig **II** *vb tr* sola; ~ *oneself* sola sig **III** *vb itr* sola sig
sunbathe ['sʌnbeɪð] solbada
sunbeam ['sʌnbi:m] solstråle
sunblind ['sʌnblaɪnd] **I** *s* markis; jalusi **II** *adj* solblind
sunburn ['sʌnbɜ:n] **1** svidande solbränna, solskador **2** se *suntan*
sunburned ['sʌnbɜ:nd] o. **sunburnt** ['sʌnbɜ:nt] solbränd; bränd (svedd) av solen
sundae ['sʌndeɪ, -dɪ] kok. sundae
Sunday ['sʌndeɪ, -dɪ isht attr.] **1** söndag; *last* ~ i söndags, förra söndagen; *on ~s* på (om) söndagarna **2** söndags- [~ *supplement* (bilaga)], fin- [*her ~ shoes*]
sundial ['sʌndaɪ(ə)l] solur
sundown ['sʌndaʊn] se *sunset*
sundry ['sʌndrɪ] flerfaldiga, åtskilliga [*on ~ occasions*], diverse [~ *items*], alla möjliga [*talk about ~ matters*]; *all and* ~ alla och envar
sunflower ['sʌnˌflaʊə] bot. solros
sung [sʌŋ] perf. p. av *sing*
sunglasses ['sʌnˌglɑ:sɪz] solglasögon
sunhelmet ['sʌnˌhelmɪt] tropikhjälm
sunk [sʌŋk] (perf. p. av *sink*), [ned]sänkt; sjunken; ~ *in* försjunken i [~ *in thought*], nedsjunken i [~ *in despair*]
sunken ['sʌŋk(ə)n] **1** sjunken [~ *ships*]; som har sjunkit (satt sig) [~ *walls*]; nedsänkt **2** infallen [~ *cheeks*]; avtärd [~ *features*]
sunlamp ['sʌnlæmp] sollampa
sunlight ['sʌnlaɪt] solljus
sunlit ['sʌnlɪt] solbelyst; solig
sunny ['sʌnɪ] solig; sol- [~ *beam* (*day*)]; solljus; *look on the ~ side* [*of things*] se allt från den ljusa sidan
sunrise ['sʌnraɪz] soluppgång; *at* ~ i (vid) soluppgången
sunroof ['sʌnru:f] soltak på bil
sunset ['sʌnset] solnedgång; *at* ~ i (vid) solnedgången; ~ *glow* aftonrodnad
sunshade ['sʌnʃeɪd] **1** parasoll **2** [fönster]markis **3** solskärm
sunshine ['sʌnʃaɪn] solsken äv. bildl.
sunspot ['sʌnspɒt] **1** astron. solfläck **2** vard. soligt ställe
sunstroke ['sʌnstrəʊk] solsting
suntan ['sʌntæn] **I** *s* solbränna; ~ *lotion* solkräm **II** *vb itr* bli solbränd (brunbränd)
sunup ['sʌnʌp] isht amer. vard. soluppgång
super ['su:pə, 'sju:-] vard. toppen[fin]; jättekul
superannuation ['su:pərˌænjʊ'eɪʃ(ə)n, 'sju:-] pension[ering]; överårighet; ~ *fund* pensionskassa
superb [sʊ'pɜ:b, sjʊ-] storartad, storslagen, enastående [*a ~ view*], ypperlig [*a ~ actress*]; superb
supercilious [ˌsu:pə'sɪlɪəs, ˌsju:-] högdragen, dryg
superficial [ˌsu:pə'fɪʃ(ə)l, ˌsju:-] ytlig äv. bildl. [*a ~ book* (*person*)]; på ytan [liggande]; yt-
superficiality ['su:pəˌfɪʃɪ'ælətɪ, ˌsju:-] ytlighet äv. bildl.; ytlig beskaffenhet
superfluous [sʊ'pɜ:flʊəs, sjʊ-] överflödig; ~ *hair*[*s*] generande hårväxt
superhuman [ˌsu:pə'hju:mən, ˌsju:-] övermänsklig
superimpose [ˌsu:p(ə)rɪm'pəʊz, ˌsju:-] **1** lägga ovanpå (över) **2** foto. kopiera in
superintend [ˌsu:p(ə)rɪn'tend, ˌsju:-] **I** *vb tr* övervaka, ha (hålla) uppsikt över; förvalta [~ *an office*], leda [~ *a firm*] **II** *vb itr* hålla uppsikt, utöva kontroll
superintendence [ˌsu:p(ə)rɪn'tendəns, ˌsju:-] överinseende, övervakning; ledning [*under the personal ~ of the manager*]
superintendent [ˌsu:p(ə)rɪn'tendənt, ˌsju:-] [över]uppsyningsman; [över]intendent; ledare, chef, direktör för ämbetsverk; [skol]inspektör; inspektor; [*police*] ~ a) [polis]kommissarie b) amer. ung. chef för en rotel
superior [sʊ'pɪərɪə, sjʊ-] **I** *adj* **1** högre i rang o.d.; överlägsen; bättre; ~ *court* överdomstol, högre domstol **2** utmärkt [~ *quality*] **3** överlägsen, högdragen [*a ~ air* (*attitude*)] **II** *s* **1** geogr.; *Lake S~* Övre sjön **2** överordnad [*my ~s* [*in rank*]], förman; bildl. överman [*Napoleon had no ~ as a general*] **3** abbot [äv. *Father S~*]; *Lady* (*Mother*) *S~* abbedissa
superiority [sʊˌpɪərɪ'ɒrətɪ, sjʊ-] överlägsenhet; förträfflighet; ~ *complex* vard. känsla av överlägsenhet, arrogans
superlative [sʊ'pɜ:lətɪv, sjʊ-] **I** *adj* **1** ypperlig; enastående [*a man of* (med) ~ *wisdom*], superlativ [~ *praise*] **2** gram., *the ~ degree* superlativ **II** *s* superlativ äv. gram.
super|man ['su:pə|mæn, 'sju:-] (pl. *-men* [-men]) **1** övermänniska **2** vard., *S~* Stålmannen seriefigur
supermarket ['su:pəˌmɑ:kɪt, 'sju:-] [stort] snabbköp
supernatural [ˌsu:pə'nætʃr(ə)l, ˌsju:-] övernaturlig
superpower ['su:pəˌpaʊə, 'sju:-, ˌ--'--] supermakt
supersede [ˌsu:pə'si:d, ˌsju:-] **1** ersätta [*CDs have ~d gramophone records*], slå ut, tränga undan (ut) **2** efterträda [~ *a p. as chairman*]
supersensitive [ˌsu:pə'sensətɪv, ˌsju:-] överkänslig
supersonic [ˌsu:pə'sɒnɪk, ˌsju:-] överljuds- [~ *aircraft* (*bang, speed*)], supersonisk
superstition [ˌsu:pə'stɪʃ(ə)n, ˌsju:-] vidskepelse, skrock[fullhet]

superstitious [ˌsu:pəˈstɪʃəs, ˌsju:-] vidskeplig, skrockfull
superstore [ˈsu:pəstɔ:, ˈsju:-] stormarknad
supervise [ˈsu:pəvaɪz, ˈsju:-, ˌ--ˈ-] övervaka, tillse, ha tillsyn över
supervision [ˌsu:pəˈvɪʒ(ə)n, ˌsju:-] överinseende, tillsyn, kontroll, uppsikt; *police* ~ polisbevakning, polisuppsikt
supervisor [ˈsu:pəvaɪzə, ˈsju:-] **1** övervakare; uppsyningsman; förman; föreståndare i varuhus o.d.; kontrollant **2** skol. handledare; amer. äv. tillsynslärare
supervisory [ˌsu:pəˈvaɪz(ə)rɪ, ˌsju:-] övervakande, övervaknings- [~ *duties*], kontrollerande, tillsyns-; handlednings-
supine [su:ˈpaɪn, sju:-] **1** liggande; ~ *position* ryggläge **2** loj, slö, trög
supper [ˈsʌpə] kvällsmat [*have cold meat for* (till) ~], kvällsvard; supé [*a good* ~]; *the Last S~* a) bibl. Jesu sista måltid b) Nattvarden da Vincis målning
supplant [səˈplɑ:nt] ersätta [*gramophone records have been ~ed by CDs*]; tränga undan (ut)
supple [ˈsʌpl] böjlig, mjuk, spänstig äv. bildl. [*a ~ mind*]; elastisk
supplement [ss. subst. ˈsʌplɪmənt, ss. vb ˈsʌplɪment, ˌ--ˈ-] **I** *s* supplement; bilaga [*The Times Literary S~*], bihang **II** *vb tr* öka [ut] [~ *one's income*], fylla ut; göra tillägg till, komplettera [~ *one's stock* (lager)]; tillägga
supplementary [ˌsʌplɪˈment(ə)rɪ] tillagd; supplement- [~ *volume* (*angle*)], tilläggs-, fyllnads- [~ *grant*], supplementär, extra; kompletterande; ~ *benefit* [statligt] socialbidrag
supplier [səˈplaɪə] leverantör
1 supply [ˈsʌplɪ] böjligt, spänstigt
2 supply [səˈplaɪ] **I** *vb tr* **1** skaffa [~ *proof*], anskaffa; erbjuda [*the trees ~ shade*], komma med [~ *an explanation*]; isht hand. leverera **2** fylla [ut] [~ *a want* (*need*)], ersätta [~ *a deficiency*]; fylla i, sätta in vad som fattas; ~ *a demand* tillfredsställa (tillgodose, fylla) ett behov; tillmötesgå ett krav **II** *s* **1** tillförsel [~ *of necessaries*], leverans [~ *of goods*]; tillgång [~ *of* (på) *food*], förråd [*a large ~ of shoes*]; fyllande av behov; pl. *supplies* mil. proviant, krigsförråd; *food* ~ livsmedel[stillgång], livsmedelsförsörjning; *medical supplies* medicinska förnödenheter **2** vikariat, förordnande isht som präst el. lärare; ~ *teacher* [lärar]vikarie **3** vikarie, tillförordnad isht som präst el. lärare
support [səˈpɔ:t] **I** *vb tr* **1** stötta, bära [upp] [*posts ~ the roof*]; uppehålla [*too little food to ~ life*]; [*the bridge is not strong enough to*] ~ *heavy vehicles* ...bära tung trafik **2** stödja äv. bildl. [*a theory ~ed by facts*; ~ *a claim*]; gynna; hålla (heja) på [~ *Arsenal*]; underbygga [~ *a statement*]; biträda [~ *a proposal*]; upprätthålla [~ *one's reputation*] **3** försörja [*can he ~ a family?*]; ~ *oneself* försörja (livnära) sig, hålla sig uppe **4** bära, bestrida, stå för [~ *the costs*] **II** *s* **1** stöd; stötta; *arch* ~ hålfotsinlägg **2** [under]stöd äv. ekonomisk; medverkan; *give ~ to* ge sitt stöd åt, stödja **3** underhåll, uppehälle; *means of* ~ utkomstmöjlighet **4** [familje]försörjare
supporter [səˈpɔ:tə] **1 a**) anhängare; *~s' club* supporterklubb **b**) [under]stödjare **2** försörjare
suppose [səˈpəʊz] anta[ga]; förmoda [*I ~ you know it*], tro [*he ~d it would be easy*]; förutsätta [*creation ~s a creator*]; *~ he comes* (*should come*)*!* tänk om han kommer (skulle komma)!; *I ~ so* jag förmodar (antar) det, förmodligen (antagligen) [är det så]; *I ~ I'd better do it* det är nog (väl) bäst att jag gör det; *I ~ you couldn't* [*come on Saturday instead?*] du skulle väl inte kunna...; *am I ~d to* [*do all this?*] är det min sak att..., skall jag...; *he is ~d to be rich* han lär (skall, anses) vara rik; *is this ~d to be me?* skall detta vara jag (föreställa mig)?
supposedly [səˈpəʊzɪdlɪ] förmodligen; förment
supposing [səˈpəʊzɪŋ] antag[et] att; ~ *he should be out* om han [nu] skulle vara ute, antag att (tänk om) han skulle vara (är) ute
supposition [ˌsʌpəˈzɪʃ(ə)n] antagande; förmodan; förutsättning; *on the ~ that* under förutsättning att; i tron att
suppository [səˈpɒzɪt(ə)rɪ] med. stolpiller
suppress [səˈpres] **1** undertrycka, kväva [~ *a rebellion*]; stävja; tysta [ned] [~ *criticism*]; dämpa [~ *one's anger*]; perf. p. *~ed* äv. återhållen [*with ~ed anger*] **2** dra in [~ *a publication*]; förbjuda [~ *a party*] **3** hemlighålla, förtiga [~ *the truth*]; psykol. [medvetet (avsiktligt)] förtränga
suppression [səˈpreʃ(ə)n] **1** undertryckande etc., jfr *suppress 1* **2** indragning av tidning o.d.; förbjudande av parti o.d. **3** hemlighållande; psykol. bortträngning
supremacy [sʊˈpreməsɪ, sjʊ-] **1** överhöghet, supremati **2** ledarställning; överlägsenhet
supreme [sʊˈpri:m, sjʊ-] **1** högst; över-; suverän; ~ *command* högsta kommando (befäl), överbefäl, överkommando; ~ *commander* överbefälhavare; *the S~ Court* [*of Judicature*] i Storbritannien ung. högsta domstolen; *the S~ Court* i USA hösta domstolen på federal o. delstatlig nivå; *S~ Headquarters* högkvarter[et]; *reign* (*rule, be*) ~ vara allenarådande, dominera,

härska **2** enastående [*a ~ artist*]; oerhörd [*~ courage*]

surcharge [ss. subst. 'sɜ:tʃɑ:dʒ, ss. vb -'-] **I** *s* tilläggsavgift, extradebitering; post. lösen **II** *vb tr* debitera extra

sure [ʃʊə, ʃɔ:] **I** *adj* **1** säker; viss; *be (feel) ~ of a th.* vara (känna sig) säker på (övertygad om) ngt, lita på ngt; *be (feel) ~ of oneself* vara självsäker; *he is ~ to succeed* han kommer säkert att lyckas; *be ~ to (be ~ you)* [*call me in good time*] se till att du...; *be ~ to* (vard. *and*) *do it!* glöm [för all del] inte bort det!; *to be ~* naturligtvis, sannerligen, mycket riktigt [*so it is, to be ~*]; visserligen, nog [*to be ~ he is clever, but...*]; [*he will succeed,*] *you may be ~* ...det kan du vara säker på (lita på), ...var så säker; [*he won't do it again,*] *you may be ~* ...det kan du vara lugn för; *make ~* förvissa (övertyga, försäkra) sig [själv] [*of* om; *that* om att], se till, kontrollera **2 a)** säker [*a ~ method*], pålitlig, tillförlitlig **b)** amer. vard., *~ thing!* [ja] visst!, naturligtvis!, absolut! **II** *adv* **1** *~ enough* alldeles säkert, bergsäkert, absolut; sannerligen, mycket riktigt [*~ enough, there he was*] **2** *as ~ as* så säkert som **3** isht amer. vard. säkert [*he will ~ fail*]; verkligen [*he ~ can play football*]; *~!* [ja] visst!, naturligtvis!, absolut!; säkert!

sure-fire ['ʃʊə,faɪə, pred. -'-] vard. bergsäker [*a ~ winner*]

sure-footed [,ʃʊə'fʊtɪd] **1** säker på foten **2** bildl. säker, pålitlig

surely ['ʃʊəlɪ, 'ʃɔ:lɪ] **1** säkert [*slowly but ~*], säkerligen, helt visst [*he will ~ fail*] **2** sannerligen, minsann [*you are ~ right*] **3** väl, nog; *~ you don't mean to go out now?* du tänker väl aldrig gå ut nu?; *you didn't want to hurt his feelings, ~!* det var väl [ändå] inte din mening att såra honom! **4** isht amer., *~!* [ja (jo)] visst!, naturligtvis!

surety ['ʃʊərətɪ, 'ʃɔ:rətɪ] **1** säkerhet, borgen **2** borgensman, borgen

surf [sɜ:f] **I** *s* bränning[ar]; baksjö **II** *vb itr* sport. surfa

surface ['sɜ:fɪs] **I** *s* yta äv. geom. o. bildl. [*glass has a smooth ~*]; utsida, ytskikt; sida [*a cube has six ~s*]; *striking ~* [tändsticks]plån; *judge by the ~ of things* döma efter det yttre; *rise to the ~* stiga (gå, dyka) upp till ytan; flyta upp **II** *adj* yt- [*~ soil (water); ~ treatment*], mark-; dag- [*~ mining*]; ytlig [*~ knowledge (likeness)*]; *~ politeness* ytlig artighet, polityr **III** *vb tr* **1** ytbehandla; slätputsa **2** belägga, täcka **IV** *vb itr* **1** stiga (gå, dyka) upp till ytan **2** bildl. dyka upp; uppdagas

surfboard ['sɜ:fbɔ:d] sport. surfingbräda

surfeit ['sɜ:fɪt] **I** *s* övermått, överflöd **II** *vb tr* överlasta [*~ one's stomach*], övermätta äv. bildl.

surfer ['sɜ:fə] sport. surfare

surfing ['sɜ:fɪŋ] sport. surfing

surfriding ['sɜ:f,raɪdɪŋ] sport. surfing

surge [sɜ:dʒ] **I** *vb itr* **1** svalla, bölja, gå högt, rulla [*the waves ~d against the shore*]; forsa [*the water ~d into the boat*], strömma [till] [*the crowds ~d out of the stadium*]; trycka på; skjuta fart [*~ forward*]; *a surging crowd* en böljande [människo]massa, ett människohav **2** elektr. plötsligt öka **II** *s* **1** brottsjö, svallvåg; [våg]svall; bildl. våg [*a ~ of anger (pity)*], svall [*a ~ of words*]; tillströmning; plötslig ökning, uppsving **2** elektr. strömökning

surgeon ['sɜ:dʒ(ə)n] **1** kirurg; *dental ~* tandläkare, tandkirurg **2** [militär]läkare; *army ~* regementsläkare, fältläkare

surgery ['sɜ:dʒ(ə)rɪ] **1** kirurgi; *it will need ~* det behöver opereras **2** a) [patient]mottagning b) mottagning; *~ hours* mottagningstid **3** operation **4** amer. operationssal

surgical ['sɜ:dʒɪk(ə)l] kirurgisk; *~ appliances* a) kirurgiska instrument, operationsinstrument b) stödbandage

surly ['sɜ:lɪ] butter, vresig, sur

surmise [ss. vb sɜ:'maɪz, '--, sə'maɪz, ss. subst. 'sɜ:maɪz, -'-] **I** *vb tr* o. *vb itr* gissa, förmoda, anta **II** *s* gissning, förmodan, antagande

surmount [sə'maʊnt] **1** övervinna [*~ a difficulty*] **2** bestiga [*~ a hill*] **3** kröna; *~ed by (with)* krönt med, täckt av (med)

surname ['sɜ:neɪm] efternamn, familjenamn; tillnamn

surpass [sə'pɑ:s] överträffa [*~ a p. in strength; it ~ed my expectations*]; överstiga [*it ~ed his skill*]; *~ all description* trotsa all beskrivning, vara obeskrivlig

surplus ['sɜ:pləs] **I** *s* **1** överskott; behållning; *~ of exports* exportöverskott **2** överskottslager [*Army ~*] **II** *adj* överskotts-, övertalig; *~ population* befolkningsöverskott

surprise [sə'praɪz] **I** *s* överraskning [*what a ~!*]; förvåning; överrumpling; *give a p. a ~* bereda ngn en överraskning; *by ~* genom överrumpling; *take by ~* överrumpla, överraska; ta på bar gärning **II** *vb tr* **1** överraska [*~ a p. with a gift*]; förvåna [*you ~ me!*]; överrumpla [*~ the enemy*], komma på [*~ a p. in the act of stealing* (med att stjäla)]; *I am ~d at you* äv. du (ditt beteende) förvånar mig [verkligen] **2** genom överrumpling få (förmå) [*~ a p. into doing* ([till] att göra) *a th.*]

surprising [sə'praɪzɪŋ] överraskande; *there*

is nothing ~ about that det är ingenting att förvåna sig över
surrealism [sə'rɪəlɪz(ə)m] konst. el. litt. surrealism[en]
surrealistic [səˌrɪə'lɪstɪk] konst. el. litt. surrealistisk
surrender [sə'rendə] **I** *vb tr* överlämna [*~ a town to* (åt) *the enemy*], ge upp [*~ a fortress*], avträda [*~ a territory*], utlämna [*~ a prisoner*], avstå [från]; *~ oneself* ge sig, överlämna sig [*they ~ed themselves to* (åt) *the police*]; kapitulera **II** *vb itr* **1** ge sig, överlämna sig [*~ to* (åt) *the enemy* (*police*)], kapitulera [*to* [in]för] **2** bildl. hänge sig [*~ to despair*] **III** *s* överlämnande etc., jfr *I*; kapitulation
surreptitious [ˌsʌrəp'tɪʃəs] **1** hemlig, förstulen [*a ~ glance*], smyg- [*~ business*] **2** falsk
surrogate ['sʌrəgət, -geɪt] surrogat; *~ mother* surrogatmamma
surround [sə'raʊnd] **I** *vb tr* omge, innesluta; omringa [*the troops were ~ed*]; omgärda; *~ed by* (*with*) omgiven av; kringgärdad av **II** *s* [golv]kant kring mjuk matta; infattning
surrounding [sə'raʊndɪŋ] omgivande; *~ country* (*countryside*) äv. omnejd
surroundings [sə'raʊndɪŋz] omgivning[ar]; miljö
surtax ['sɜːtæks] **I** *s* tilläggsskatt, extraskatt på höga inkomster **II** *vb tr* belägga med extra skatt
surveillance [sə'veɪləns, sɜː'v-] bevakning, uppsikt, övervakning [*police ~*]
survey [ss. vb sə'veɪ, ss. subst. 'sɜːveɪ] **I** *vb tr* **1** överblicka [*~ the countryside*]; ge (lämna) en översikt över (av) [*he ~ed the political situation*] **2** granska, inspektera [*~ the house*] **3** mäta [upp] [*~ a railway*], kartlägga **II** *s* **1** överblick, översikt **2** granskning, inspektion **3** [upp]mätning; lantmätning **4** undersökning [*a statistical ~*], utfrågning
surveyor [sə'veɪə] **1** besiktningsman; kontrollör **2** lantmätare; *~'s map* lantmäterikarta
survival [sə'vaɪv(ə)l] **1 a**) överlevande; [*the doctrine of*] *the ~ of the fittest* ...de mest livsdugligas överlevnad (fortbestånd) **b**) *~ equipment* (*kit*) räddningsutrustning, nödutrustning **2** kvarleva, lämning
survive [sə'vaɪv] **I** *vb tr* överleva [*~ an operation*; *~ one's children*]; *it* (*he*) *has ~d its* (*his*) *usefulness* den (han) har överlevt sig själv **II** *vb itr* överleva; leva (finnas) kvar [ännu]
survivor [sə'vaɪvə] överlevande [person] [*the sole ~ of* (från) *the shipwreck*]; isht jur. efterlevande
susceptibilit|y [səˌseptə'bɪlətɪ] **1** känslighet, mottaglighet [*~ to* (för) *hay fever*], ömtålighet **2** pl. *-ies* känsliga (ömtåliga) punkter, känslor [*wound a p.'s -ies*]
susceptible [sə'septəbl] känslig [*~ to* (för) *flattery* (*colds*)], ömtålig; *be ~ of pity* kunna känna medlidande; *be ~ of* (*to*) *various interpretations* [kunna] medge olika tolkningar
suspect [ss. vb sə'spekt, ss. subst. o. adj. 'sʌspekt] **I** *vb tr* misstänka; misstro, betvivla [*~ the truth of an account*]; ana [*~ mischief*]; *I ~ed as much* jag anade (misstänkte) [just] det **II** *vb itr* vara misstänksam **III** *s* misstänkt [person] **IV** *adj* misstänkt; tvivelaktig, tvetydig, suspekt [*his statements are ~*]
suspend [sə'spend] **1 a**) hänga [upp] [*~ a th. by* (i, på) *a thread*; *~ a th. from* (i, från) *the ceiling*]; *be ~ed* a) hänga [ned], vara upphängd b) sväva, hänga; [*lamps*] *~ed from the ceiling* ...upphängda i taket, ...som hänger (hängde) i taket **b**) spänna [*~ a rope between two posts*] **2 a**) suspendera [*~ an official*], [tills vidare] avstänga [*~ a football player*], utesluta [*~ a member from* (ur) *a club*] **b**) [tills vidare] upphäva (avskaffa) [*~ a law* (*rule*)]; [tillfälligt] dra in [*~ a bus service*]; inställa; skjuta upp, låta anstå; *~ a p.'s driving licence* dra in ngns körkort [tills vidare]
suspender [sə'spendə] **1** strumpeband; *~ belt* strumpebandshållare **2** pl. *~s* amer. hängslen [*a pair of ~s*]
suspense [sə'spens] ovisshet [*keep* (*hold*) *a p. in ~*]
suspension [sə'spenʃ(ə)n] **1** upphängning äv. tekn.; *~ bridge* hängbro **2** a) suspension, [tillfällig] avstängning från tjänstgöring o.d., äv. sport.; uteslutning b) [tillfälligt] upphävande (avskaffande); indragning; inställande; uppskov, anstånd; uppskjutande; jfr *suspend 2*; *~ of hostilities* inställande av fientligheterna
suspicion [sə'spɪʃ(ə)n] **1** misstanke; misstro, misstänksamhet [*he was looked upon with ~*]; aning; *arouse* (*create, excite, raise*) *~* [*in a p.'s mind*] väcka misstankar [hos ngn] **2** aning [*there was a ~ of irony* (*truth*) *in it*], tillstymmelse [*not a* (*the*) *~ of* (till) *a smile*]
suspicious [sə'spɪʃəs] **1** misstänksam; *be ~ of* äv. misstänka **2** misstänkt [*he has a ~ character*], skum [*a ~ affair*]
sustain [sə'steɪn] **1** a) tåla [belastningen (påfrestningen) av] b) bära [upp] [*these two posts ~ the whole roof*] **2** jur. godta [*~ a claim*; *objection ~ed!*] **3** hålla uppe, hålla vid mod [*hope ~ed him*] **4** hålla i gång [*~ a conversation*], hålla vid liv [*~ a p.'s interest*] **5** underhålla, försörja [*~ an*

army]; ~ *life* (*oneself*) uppehålla livet **6** uthärda, stå ut med; tåla **7** utstå [~ *a defeat*]; ådra[ga] sig [~ *severe injuries*]

sustained [səˈsteɪnd] **1** ihållande, oavbruten [~ *applause*]; oförminskad [~ *energy*]; konsekvent [*a* ~ *argument*]; ständig [~ *irony*] **2** mus. uthållen [*a* ~ *note*]

sustenance [ˈsʌstənəns] **1** näring [*there's more* ~ *in cocoa than in tea*], föda **2** uppehälle, levebröd; *the* ~ *of life* livsuppehället **3** bildl. stöd; styrka

suture [ˈsuːtʃə] **I** *s* anat. el. kir. sutur; kir. äv. suturtråd **II** *vb tr* sy [ihop] [~ *a wound*]

SW förk. för *short wave* (radio.), *South-Western* (postdistrikt i London), *south-west*[*ern*]

swab [swɒb] **I** *s* **1** svabb; skurtrasa **2** med. bomullstopp; tampongpinne [med bomullstopp] **3** sl. drummel **II** *vb tr* **1** svabba; våttorka; ~ *down* svabba (tvätta) [av]; ~ *up* torka upp **2** med. pensla, rengöra [~ *a wound*]; badda

swagger [ˈswæɡə] **I** *vb itr* **1** [gå och] stoltsera, kråma (fjädra) sig **2** skryta, skrävla **II** *s* **1** stoltserande [gång]; självsäkerhet; dryghet **2** skryt, skrävel

1 swallow [ˈswɒləʊ] svala; isht ladusvala

2 swallow [ˈswɒləʊ] **I** *vb tr* **1** svälja äv. bildl. [~ *one's pride*; ~ *an insult*]; tro på [*he will* ~ *anything you tell him*], godta [*he couldn't* ~ *the idea*]; *he won't* ~ *that* äv. det går han inte på; ~ *down* svälja ner **2** ~ *one's words* ta tillbaka vad man har sagt **3** fatta, begripa **II** *vb itr* svälja [*he* ~*ed hard*] **III** *s* **1** svalg **2** sväljning; klunk; [*empty a glass*] *at one* ~ ...i en enda klunk (i ett drag)

swam [swæm] imperf. av *swim*

swamp [swɒmp] **I** *s* träsk, kärr **II** *vb tr* **1 a**) översvämma, sätta under vatten; [genom]dränka **b**) fylla med vatten [*a wave* ~*ed the boat*]; *be* ~*ed* äv. sjunka **2** bildl. **a**) översvämma [*foreign goods* ~ *the market*], belägra, överfylla [*the place was* ~*ed by jazz fans*] **b**) överhopa **c**) ställa i skuggan, undantränga **d**) slå ned [~ *the opposition*]

swampy [ˈswɒmpɪ] sumpig, träskartad

swan [swɒn] **I** *s* **1** zool. svan; *mute* ~ knölsvan **2** *the S*~ *of Avon* benämning på Shakespeare **II** *vb itr* vard., ~ *about* segla (sväva) omkring; flaxa (sno) omkring

swank [swæŋk] vard. **I** *s* **1** mallighet; snobberi **2** skrytmåns, skrävlare; viktigpetter **II** *vb itr* snobba; göra sig viktig **III** *adj* se *swanky*

swanky [ˈswæŋkɪ] vard. **1** mallig, pösig, viktig **2** flott, vräkig, snofsig [*a* ~ *car*]

swansong [ˈswɒnsɒŋ] svanesång

swap [swɒp] vard. **I** *vb tr* byta [~ *stamps*]; utbyta [~ *ideas*]; ~ *blows* puckla på varandra; ~ *places* [*with a p.*] byta plats [med ngn] **II** *vb itr* byta [*will you* ~?] **III** *s* byte; bytesaffär

1 swarm [swɔːm] **I** *s* svärm; friare äv. myller, skock; hord; ~ *of bees* bisvärm **II** *vb itr* svärma; friare äv. skocka sig, trängas [*they* ~*ed round him*], kretsa; strömma [i skaror], välla [*people* ~*ed into the cinema*]; myllra [~ *with* (av) *people*] **III** *vb tr, be* ~*ed with* översvämmas av

2 swarm [swɔːm], ~ [*up*] klättra (äntra) uppför (upp i) [~ [*up*] *a mast*]

swarthy [ˈswɔːðɪ] svartaktig, mörk [*a* ~ *complexion*]; svartmuskig

swashbuckling [ˈswɒʃˌbʌklɪŋ] skrytsam; skrävlande; äventyrlig

swastika [ˈswɒstɪkə] hakkors

swat [swɒt] **I** *vb tr* smälla [till] [~ *flies*] **II** *s* **1** smäll **2** flugsmälla

swathe [sweɪð] **1** binda om, linda [in] **2** svepa [in], hölja [in] äv. bildl. [~*d in furs*; ~*d in fog*]

sway [sweɪ] **I** *vb itr* **1** svänga [~ *to and fro*], svaja, vagga; kränga [*the ship was* ~*ing*], vackla till; luta, hänga över [~ *to the left*] **2** bildl. vackla [~ *in one's opinion*] **3** styra, ha makten **II** *vb tr* **1** svänga; få att svänga (gunga) [*the wind* ~*ed the tops of the trees*]; böja [ned]; komma att luta; ~ *one's hips* vicka på (vagga med) höfterna **2** bildl. komma att vackla, påverka, inverka på [*a speech that* ~*ed the voters*] **3** ha makt (inflytande) över; bestämma [utgången av] [~ *the battle*]; *be* ~*ed* [*by one's feelings*] låta sig ledas (behärskas)... **III** *s* **1** svängning [*a* ~ *to and fro*]; krängning **2** inflytande

sway-backed [ˈsweɪbækt] svankryggig

swear [sweə] **I** (*swore sworn*) *vb tr* **1** svära [~ *to* ([på] att) *do a th.*]; svära (gå ed) på; bedyra [*he swore that he was innocent*], försäkra **2** ~ *in* låta avlägga ed [~ *in a witness*]; låta avlägga ämbetseden [~ *in the president*]; låta svära trohetsed **II** (*swore sworn*) *vb itr* **1** svära, avlägga (gå) ed; ~ *by* äv. tro blint på [*he* ~*s by that medicine*], hålla på **2** svära begagna svordomar; ~ *like a trooper* svära som en borstbindare **III** *s* svärande; svordomar

swearword [ˈsweəwɜːd] svärord, svordom

sweat [swet] **I** *s* **1** svett [*dripping with* (av) ~]; bildl. [svett och] möda, slitgöra; *by the* ~ *of one's brow* (*face*) i sitt anletes svett; *it was a bit of a* ~ det var svettigt **2** svettning, svettkur [*a good* (ordentlig) ~ *may cure a cold*]; *no* ~! isht amer. inga problem!, ingen fara! **II** *vb itr* **1** svettas [~ *at* (vid) *the thought of...*]; bildl. äv. arbeta [hårt] **2** tekn. o.d. svettas, fukta **III** *vb tr* **1** svettas [ut]; utdunsta, utsöndra [äv. ~ *out*]; ~ *blood* bildl. a) slita hund (ont)

b) svettas av nervositet (ängslan) **2** låta (få att) svettas; bildl. exploatera [~ *workers*]; *~ed labour* [hårt] arbete till svältlöner

sweatband ['swetbænd] **1** svettrem i hatt **2** svettband för t.ex. tennisspelare

sweater ['swetə] **1** sweater, ylletröja **2** utsugare, exploatör; slavdrivare

sweatshirt ['swetʃɜ:t] träningströja; sweatshirt

sweatshop ['swetʃɒp] arbetsplats med svältlöner [och dålig miljö]

sweatsuit ['swetsu:t, -sju:t] träningsoverall

sweaty ['swetɪ] **1** svettig; svett- [~ *odour*] **2** mödosam

Swede [swi:d] **1** svensk; svenska kvinna **2** *s~* [*turnip*] kålrot

Sweden ['swi:dn] Sverige

Swedish ['swi:dɪʃ] **I** *adj* svensk; ~ *punch* punsch **II** *s* svenska [språket]

sweep [swi:p] **I** (*swept swept*) *vb itr* **1** sopa; feja **2** svepa, susa, komma susande (farande), flyga **3** om kust o.d. sträcka (utbreda) sig; isht böja av **4** dragga; ~ *for mines* mil. svepa [efter] minor **II** (*swept swept*) *vb tr* **1** sopa; feja; ~ *clean* sopa [ren] **2** sota; ~ *the chimney* sota [skorstenen] **3** sopa [undan (med sig)]; ~ *along* rycka med sig **4** bildl. sopa ren [~ *a country of* (från) *enemies*] **5** svepa (dra) fram över [*the wind swept the coast*; *a wave of indignation swept the country*]; glida över **6** härja [*an epidemic swept the country*] **7** vinna [alla grenar (klasser) vid]; ta hem; ~ *the board* (*stakes*) ta hem hela vinsten (potten) **8** a) dragga b) dragga (fiska) upp; ~ *the river* dragga [i] floden, dragga **III** *s* **1** a) [ren]sopning b) sotning; *give the room a good* ~ sopa rummet ordentligt; *make a clean* ~ bildl. göra rent hus [*of* med] **2** svepande rörelse; svep [*a* ~ *of* (med) *a brush*]; om vind o. vågor [fram]svepande, framfart; bildl. äv. [lång] våg; ~ *of the oar* årtag **3** krök, båge, sväng **4** [lång] sträcka; lång sluttning i terrängen **5** räckhåll; omfång, krets, bildl. äv. spännvidd **6** sotare **7** sl. usling, lymmel **8** ~ *second-hand* centrumsekundvisare på ur

sweeper ['swi:pə] **1** sopare person [*street ~s*] **2** sotare **3** sopmaskin; mattsopare **4** fotb. sopkvast

sweeping ['swi:pɪŋ] **I** *s* **1** sopning, sopande **2** sotning **3** svepande rörelse **4** draggning; mil. [min]svepning **II** *adj* **1** bildl. [vitt]omfattande, vittgående, radikal [~ *changes* (*reforms*)], kraftig [~ *reductions in prices*]; svepande [~ *generalizations*]; överväldigande [*a* ~ *majority* (*victory*)]; ~ *statements* generaliseringar **2** svepande [*a* ~ *gesture*]; elegant svepande [*the* ~ *lines of a car*], [vackert] böjd [*a* ~ *surface*]

sweet [swi:t] **I** *adj* **1** söt [~ *wine*; *it tastes* ~] **2** färsk; ~ *milk* färsk (söt) mjölk; ~ *water* färskvatten, sötvatten **3** ren [~ *air*] **4** snygg, proper; ~ *and clean* ren och snygg **5** behaglig; mild [~ *smell*], [väl]doftande **6** välljudande [*a* ~ *tune*], vacker [*a* ~ *voice*] **7** a) söt [*a* ~ *dress*], näpen [*a* ~ *baby*], gullig b) rar; *she has a* ~ *nature* äv. hon är söt och rar [av sig] **8** ljuv; kär [*my* ~ *mother*]; *revenge is* ~ hämnden är ljuv **9** vard., *be* ~ *on* vara kär (förälskad, förtjust) i **II** *adv* sött [*sleep* ~], ljuvligt, härligt [*sing* ~] **III** *s* **1** karamell; pl. *~s* äv. snask, godis **2** [söt] efterrätt **3** pl. *~s* poet. sötma, ljuvhet, behag [*taste the ~s of success*]; vällukt **4** *my* ~! [min] älskling!, sötnos! **5** sött [~ *and sour*]

sweetbread ['swi:tbred] kok. kalvbräss; lammbräss

sweet corn [ˌswi:t'kɔ:n, '--] bot. sockermajs

sweeten ['swi:tn] **1** göra söt; sockra **2** förljuva [~ *a p.'s life*], mildra **3** vard. blidka; muta

sweetener ['swi:tnə] **1** sötningsmedel **2** tröst; tröstare **3** sl. muta

sweetheart ['swi:thɑ:t] **1** fästmö, fästman; flickvän, pojkvän; älskling, käresta; *~!* älskling!, sötnos! **2** raring

sweetie ['swi:tɪ] **1** vanl. pl. *~s* karameller, godis, snask **2** vard., ~ [*pie*] sötnos, älskling

sweetmeat ['swi:tmi:t] sötsak; karamell; pl. *~s* äv. konfekt, snask, godis

sweetness ['swi:tnəs] **1** söthet **2** vänlighet, älskvärdhet, behagligt sätt

sweet pea [ˌswi:t'pi:] bot. luktärt

sweet potato [ˌswi:tpə'teɪtəʊ] sötpotatis

sweetshop ['swi:tʃɒp] godisaffär

sweet-tempered ['swi:tˌtempəd, pred. vanl. ˌ-'--] älskvärd, vänlig

swell [swel] **I** (*~ed swollen*, ibl. *~ed*) *vb itr* **1** svälla; svullna [upp]; pösa upp (fram) **2** bildl. svälla [*his heart ~ed with* (av) *pride*] **3** bildl. stegras **II** (*~ed swollen*, ibl. *~ed*) *vb tr* **1** få (komma) att svälla etc., jfr *I 1*; utvidga; fylla [*the wind ~ed the sails*] **2** bildl. få att svälla (växa); göra mallig (uppblåst) **3** bildl. öka [~ *the ranks* (skaran) *of applicants*], stegra **III** *s* **1** a) svällande; ansvällning; uppsvälldhet b) utbuktning; konkr. äv. utväxt, knöl **2** [våg]svall; *there is a heavy* ~ [*on* (*running*)] det går hög dyning **3** ökning **4** mus. crescendo, [tilltagande] brus [*the* ~ *of an organ*] **5** vard. snobb **6** vard. pamp **7** vard. överdängare, mästare, stjärna, specialist **IV** *adj* vard. flott, stilig; förstklassig; isht amer. alla tiders

swelling ['swelɪŋ] **I** *s* svällande,

uppsvällning; konkr. äv. svullnad, svulst, bula **II** *adj* **1** svällande [~ *sails*] **2** [sakta] stigande [~ *ground* (*tide*)]

swelter ['sweltə] **I** *vb itr* försmäkta (förgås) [av värme] **II** *s* tryckande (olidlig) hetta (värme)

sweltering ['swelt(ə)rɪŋ] tryckande, kvävande, olidlig [~ *heat*]; brännhet, stekhet [*a ~ day*]

swept [swept] imperf. o. perf. p. av *sweep*

swerve [swɜ:v] **I** *vb itr* vika (böja) av [från sin kurs], svänga [åt sidan]; bildl. avvika [~ *from one's duty*]; *the car ~ed into the ditch* bilen körde i diket **II** *vb tr* komma (få) att vika av, svänga (föra) åt sidan **III** *s* vridning, sväng (kast) åt sidan

swift [swɪft] **I** *adj* **1** snabb [*a ~ glance*], rask, flink [*with ~ hands*]; strid **2** snar [*a ~ revenge*; *~ to anger*] **II** *s* tornsvala

swiftness ['swɪftnəs] [stor] snabbhet

swig [swɪg] vard. **I** *vb tr* o. *vb itr* stjälpa (bälga) i sig, halsa [~ *beer*], supa [*sit ~ging*] **II** *s* stor klunk, slurk [*take a ~ at* (ur) *a bottle*]

swill [swɪl] **I** *vb tr* **1** skölja (spola) [ur (av, över)]; ~ *down the food* [*with beer*] skölja ned maten... **2** vard. stjälpa (bälga) i sig [~ *tea*] **II** *vb itr* supa [sig full] **III** *s* **1** spolning, sköljning **2** svinmat, skulor

swim [swɪm] **I** (*swam swum*) *vb itr* **1** simma; bildl. äv. hålla sig uppe, reda (klara) sig; ~ *with the stream* (*tide*) bildl. följa (driva) med strömmen; *go ~ming* gå och bada, ta [sig] en simtur (ett bad) **2** flyta [*the boat won't ~*]; *sink or ~* det må bära eller brista **3** översvämmas, svämma över; bildl. äv. bada [*~ming in blood*] **4** gå runt; *everything swam before his eyes* allt gick runt för honom **II** (*swam swum*) *vb tr* **1** simma; simma över [~ *the English Channel*]; ~ *a p. 100 metres* simma i kapp med ngn 100 meter **2** låta simma [~ *one's horse across a river*] **III** *s* **1** simning; simtur; *go for a ~* gå (åka) och bada **2** *be in the ~* vara (hänga) med [där det händer], vara med i svängen

swimmer ['swɪmə] simmare, simmerska

swimming-bath ['swɪmɪŋbɑ:θ] simbassäng; pl. *~s* äv. simhall, simbad

swimming-costume ['swɪmɪŋˌkɒstju:m] baddräkt isht för kvinnor

swimmingly ['swɪmɪŋlɪ] bildl. lekande lätt, som smort [*everything went ~*]

swimming-pool ['swɪmɪŋpu:l] simbassäng, swimmingpool

swimsuit ['swɪmsu:t, -sju:t] baddräkt för kvinnor

swindle ['swɪndl] **I** *vb tr* **1** bedra, lura [~ *a p. out of* (på) *his money*]; *be easily ~d* vara lättlurad **2** lura [till sig] [~ *money out of* (av) *a p.*] **II** *vb itr* svindla **III** *s* svindel, skoj

swindler ['swɪndlə] svindlare, bluff[are]; falskspelare

swine [swaɪn] (pl. lika) svin äv. bildl.

swing [swɪŋ] **I** (*swung swung*) *vb itr* **1** svänga [~ *to and fro*; *the car swung round* (om, runt) *the corner*]; pendla; vagga, vippa; gunga [fram]; svaja; ~ *open* om dörr slå[s] (gå) upp **2** hänga [*the lamp ~s from* (i) *the ceiling*]; dingla **3** vard. bli hängd [*he will ~ for it*] **4** mus. vard. swinga **II** (*swung swung*) *vb tr* **1** svänga [om (runt)]; få att svänga, sätta i svängning; svänga med [*he was ~ing his arms*]; gunga [~ *a p. in a hammock*]; svinga [~ *a golf club*]; ~ *one's hips* vagga med (vicka på) höfterna **2** mus. vard. spela med swing; ~ *it* spela [med] swing **3** sl., ~ *it on a p.* blåsa ngn, lura ngn **III** *s* **1** svängning; sving; gungning; omsvängning **2** fart; rytm; *be in full ~* vara i full gång (fart) **3** gunga; *make up on the ~s what is lost* (*one loses*) *on the roundabouts* bildl. ta igen på gungorna vad man förlorar på karusellen **4** mus. swing **5** boxn. sving [*a left ~*]

swingbridge ['swɪŋbrɪdʒ] svängbro

swingdoor ['swɪŋdɔ:] svängdörr

swingeing ['swɪn(d)ʒɪŋ] väldig, skyhög [~ *taxation*]

swipe [swaɪp] **I** *vb itr*, ~ *at* slå (klippa, drämma) till [~ *at a ball*] **II** *vb tr* **1** slå (klippa, drämma) [till] **2** sl. sno stjäla **III** *s* vard. hårt slag, rökare

swirl [swɜ:l] **I** *vb itr* virvla (snurra) runt (omkring); virvla upp **II** *vb tr* virvla (snurra) runt **III** *s* virvel [*a ~ of dust* (*water*)]; virvlande

1 swish [swɪʃ] **I** *vb tr* **1** slå (klippa) till; piska **2** vifta (svänga, slå) [till] med [*the horse ~ed its tail*], snärta till med [*he ~ed his whip*]; slänga [*he ~ed it away*] **II** *vb itr* svepa (susa) fram; svischa [*the bullet* (*car*) *~ed past him*]; frasa [*her dress ~ed*] **III** *s* svep; sus; fras[ande] [*the ~ of silk*]; prassel [*the ~ of dry leaves*]; skvalp

2 swish [swɪʃ] vard. snofsig, flott

Swiss [swɪs] **I** *adj* schweizisk; schweizer- [~ *cheese*]; [*chocolate*] ~ *roll* drömtårta; [*jam*] ~ *roll* rulltårta **II** (pl. lika) *s* schweizare; schweiziska

switch [swɪtʃ] **I** *s* **1** strömbrytare; omkopplare **2** järnv. växel **3** spö [*riding ~*], [smal] käpp; vidja **4** a) lösfläta b) svanstofs **5** omställning; omsvängning; byte **II** *vb tr* **1** koppla; ~ *off* koppla av (ur), bryta [~ *off the current*]; knäppa av, släcka [~ *off the light*], stänga (slå) av [~ *off the radio*]; slå ifrån [~ *off an engine*]; *it ~es me on* vard. det tänder jag på **2** ändra [~ *methods*]; byta [*they ~ed husbands*]; leda (föra) över [~ *the talk to another subject*]; ~ *[a]round* flytta omkring [~ *the furniture* *round*]; ~ *over* ställa om [~ *over production to the manufacture of cars*] **3** järnv. växla [över] [~ *a train into a siding*] **4** piska [upp], slå (piska) till **5** svänga (vifta) med [*he ~ed his cane*; *the cow ~ed her tail*]; vrida, rycka [till sig] **III** *vb itr* **1** ~ *off* koppla (stänga) av, bryta strömmen; släcka [ljuset]; ~ *on* slå på strömmen, tända [ljuset] **2** ~ [*over*] gå över, byta; *he ~ed* [*over*] *to teaching* han sadlade om (gick över) till lärarbanan **3** kortsp. byta färg **4** piska, slå

switchback ['swɪtʃbæk] **1** serpentinväg; järnv. sicksackbana bergbana **2** berg-och-dalbana

switchboard ['swɪtʃbɔ:d] **1** tele. växel[bord]; ~ *operator* växeltelefonist **2** elektr. instrumenttavla

Switzerland ['swɪts(ə)lənd] Schweiz

swivel ['swɪvl] **I** *s* tekn. el. sjö. lekare, svivel; pivå **II** *vb tr* o. *vb itr* svänga [runt] [som] på en tapp; snurra [på]

swollen ['swəʊl(ə)n] **I** perf. p. av *swell* **II** *adj* **1** uppsvälld [*a ~ ankle*] **2** vard. uppblåst, övermodig; *he has a ~ head* han är uppblåst, han är mallig [av sig]

swoon [swu:n] **I** *vb itr* **1** svimma [~ *for* (av) *joy*; ~ *with* (av) *pain*]; ~ *away* svimma av, dåna **2** bildl. ~ [*away*] dö bort [*the noise ~ed away*] **II** *s* svimning[sanfall]; *fall into a ~* svimma av

swoop [swu:p] **I** *vb itr* slå ned [äv. ~ *down*]; överfalla [*the soldiers ~ed down on the bandits*] **II** *s* rovfågels nedslag; isht mil. [plötsligt] angrepp (anfall), blixtanfall

swop [swɒp] se *swap*

sword [sɔ:d] svärd äv. bildl.; [*cavalry*] ~ sabel; [*straight*] ~ värja

swordfish ['sɔ:dfɪʃ] zool. svärdfisk

swordplay ['sɔ:dpleɪ] svärdslek; fäktning

swore [swɔ:] imperf. av *swear*

sworn [swɔ:n] **I** perf. p. av *swear* **II** *adj* svuren äv. bildl. [*a ~ enemy* (*foe*)]; edsvuren [*a ~ jury*]; edlig [~ *evidence*]

swot [swɒt] skol. vard. **I** *vb itr* o. *vb tr* plugga; ~ *up* plugga in **II** *s* **1** plugghäst **2** plugg

swum [swʌm] perf. p. av *swim*

swung [swʌŋ] **1** imperf. o. perf. p. av *swing* **2** typogr., ~ *dash* krok, släng, tilde (~)

sycamore ['sɪkəmɔ:] bot. **1** ~ [*fig*] sykomor, mullbärsfikonträd **2** ~ [*maple*] tysk lönn, sykomorlönn **3** amer. platan

sycophant ['sɪkəfənt, 'saɪk-] smickrare

sycophantic [ˌsɪkə'fæntɪk, 'saɪk-] krypande, lismande

syllable ['sɪləbl] stavelse; *not a* ~ äv. inte ett ljud (knyst, ord)

syllab|us ['sɪləb|əs] (pl. *-uses* el. *-i* [-aɪ]) kursplan för visst ämne; studieplan; examensfordringar

symbol ['sɪmb(ə)l] symbol, tecken, sinnebild

symbolic [sɪm'bɒlɪk] o. **symbolical** [sɪm'bɒlɪk(ə)l] symbolisk, betecknande; symbol- [~ *language*]

symbolism ['sɪmbəlɪz(ə)m] **1** litt. el. konst. symbolism **2** symbolik

symbolize ['sɪmbəlaɪz] symbolisera

symmetric [sɪ'metrɪk] o. **symmetrical** [sɪm'metrɪk(ə)l] symmetrisk

symmetry ['sɪmətrɪ] symmetri; harmoni

sympathetic [ˌsɪmpə'θetɪk] **1** full av medkänsla (förståelse), förstående, välvillig [~ *words*]; välvilligt (positivt) inställd; ~ *strike* sympatistrejk **2** sympatisk [*a ~ face*], tilltalande

sympathize ['sɪmpəθaɪz] sympatisera, hysa (ha) medkänsla, ömma, hysa (ha) [full] förståelse, känna; deltaga [~ *in* (i) *a p.'s affliction*; ~ *with a p. in his afflictions*]; vara välvilligt (positivt) inställd [~ *with* (till) *a proposal*]

sympathizer ['sɪmpəθaɪzə] sympatisör, anhängare

sympathy ['sɪmpəθɪ] **1** sympati, medkänsla, förståelse, deltagande, sympati- [~ *strike*]; *you have my* ~ jag förstår hur du känner det; [*the proposal*] *met with* ~ ...vann gehör **2** överensstämmelse, harmoni; samhörighet [*feel ~ with*]

symphonic [sɪm'fɒnɪk] symfonisk

symphony ['sɪmfənɪ] **1** symfoni; symfoni- [~ *orchestra*] **2** amer. symfoniorkester

symposi|um [sɪm'pəʊzj|əm] (pl. *-ums* el. *-a* [-ə]) **1** symposium, [vetenskaplig] konferens **2** samling artiklar [och diskussionsinlägg]

symptom ['sɪm(p)təm] symtom; tecken, spår

symptomatic [ˌsɪm(p)tə'mætɪk] symtomatisk; kännetecknande; *be ~ of* äv. vara [ett] symtom på

synagogue ['sɪnəgɒg] synagoga

synchromesh ['sɪŋkrə(ʊ)meʃ] **I** *s* synkroniserad växel[låda] **II** *adj* synkroniserad [~ *gear*]

synchronization [ˌsɪŋkrənaɪ'zeɪʃ(ə)n] synkronisering

synchronize ['sɪŋkrənaɪz] **I** *vb tr* synkronisera [~ *clocks*], samordna [~ *movements*]; *~d swimming* konstsim **II** *vb itr* vara samtidig

syncopate ['sɪŋkə(ʊ)peɪt] mus. synkopera [*~d rhythm*]

syndicate [ss. subst. 'sɪndɪkət, ss. vb 'sɪndɪkeɪt] **I** *s* **1** syndikat; konsortium, kartell **2** nyhetsbyrå **II** *vb tr* kontrollera genom ett syndikat (konsortium); ombilda till ett syndikat (konsortium)

syndrome ['sɪndrəʊm, -drəmɪ] **1** med.

syndrom **2** karakteristiskt beteendemönster, syndrom
synonym ['sɪnənɪm] synonym
synonymous [sɪ'nɒnɪməs] synonym
synops|is [sɪ'nɒps|ɪs] (pl. *-es* [-i:z]) synops[is], sammanfattning, resumé
syntax ['sɪntæks] språkv. syntax, satslära
synth [sɪnθ] mus. vard. synt
synthes|is ['sɪnθəs|ɪs] (pl. *-es* [-i:z]) syntes äv. kem. el. filos.; sammanställning, sammanfattning
synthesize ['sɪnθəsaɪz] syntetisera; kem. äv. framställa på syntetisk väg
synthesizer ['sɪnθəsaɪzə] **1** mus. synthesizer **2** syntetiker
synthetic [sɪn'θetɪk] **I** *adj* syntetisk [*~ detergents* (tvättmedel); *a ~ language*]; bildl. äv. konstlad; *~ fibre* syntetfiber, konstfiber **II** *s* syntetmaterial; *~s* pl. syntetfibrer
syphilis ['sɪfɪlɪs] med. syfilis
syphon ['saɪf(ə)n] se *siphon*
Syria ['sɪrɪə] Syrien
Syrian ['sɪrɪən] **I** *adj* syrisk **II** *s* syrier
syringe ['sɪrɪn(d)ʒ, -'-] **I** *s* spruta; injektionsspruta **II** *vb tr* spruta in, bespruta [*~ plants*]; spola ren [*~ wounds*]
syrup ['sɪrəp] **1** sockerlag; saft kokt med socker; farmakol. sirap; *cough ~* hostmedicin **2** sirap
syrupy ['sɪrəpɪ] sirapslik, sirapsaktig [*~ colour*]; bildl. sockersöt, sirapslen, [söt]sliskig
system ['sɪstəm] **1** system; *the ~* äv. kroppen, organismen [*harmful to* (för) *the ~*]; *postal ~* postväsen; *prison ~* fängelseväsen **2** metod; ordning [*the old ~*; *the present ~ can't go on*]
systematic [,sɪstə'mætɪk] systematisk
systematize ['sɪstəmətaɪz] systematisera

T

T, t [ti:] (pl. *T's* el. *t's* [ti:z]) T, t; *to a T* alldeles precis, utmärkt [*that would suit me to a T*], på pricken
ta [tɑ:] vard., *~!* tack!
tab [tæb] **1** a) lapp; tabb b) slejf; hank; stropp c) rivöppnare på burk **2** a) etikett, [liten] skylt b) [kort]flik; [kort]ryttare c) rockmärke, rockkvitto **3** mil. gradbeteckning **4** *keep ~s* (*a ~*) *on* vard. hålla ögonen på, kolla **5** vard. räkning, nota; kostnad; *pick up the ~* betala notan (kalaset)
tabby ['tæbɪ] **I** *s* spräcklig (strimmig) katt **II** *adj* spräcklig, strimmig [*a ~ cat*]
tabernacle ['tæbənækl] tabernakel
table ['teɪbl] **I** *s* **1 a**) bord; taffel; *clear the ~* duka av [bordet]; *lay* (*set*) *the ~* duka [bordet]; *at ~* vid [mat]bordet; *wait at* (amer. *wait* [*on*]) *~* servera; *sit down to ~* sätta sig till bords **b**) bords-, bord- [*~ lamp*; *~ wine*] **2** bord[ssällskap] [*jokes that amused the whole ~*] **3** skiva, underlag **4** tavla [*a stone ~*] **5** tabell [*multiplication ~*]; förteckning; *~ of contents* innehållsförteckning **6** [hög]platå **7** pl. *~s*: *turn the ~s* [*on a p.*] få övertaget igen [över ngn] **II** *vb tr* **1** parl. a) lägga fram [*~ a motion*] b) isht amer. bordlägga **2** ställa upp i tabellform
tablecloth ['teɪblklɒθ] [bord]duk
table d'hôte [,tɑ:bl'dəʊt] fr. table d'hôte; *have a ~ lunch* äta lunch table d'hôte, äta dagens lunch
tableknife ['teɪblnaɪf] bordskniv, matkniv
tableland ['teɪbllænd] [hög]platå, högslätt
table linen ['teɪbl,lɪnɪn] bordslinne, dukar och servetter
table manners ['teɪbl,mænəz] bordsskick
tablemat ['teɪblmæt] tablett; liten duk; [karott]underlägg
tablespoon ['teɪblspu:n] **1** uppläggningssked **2** matsked äv. ss. mått
tablespoonful ['teɪblspu:nfʊl] (pl. *~s* el. *tablespoonsful*) matsked ss. mått; *two ~s of sugar* två matskedar [med] socker
tablet ['tæblət] **1** [minnes]tavla **2** liten platta, skiva **3** [skriv]block **4** a) tablett [*throat ~s*] b) kaka [*a ~ of chocolate*]; *a ~ of soap* en tvål
table tennis ['teɪbl,tenɪs] bordtennis
tabloid ['tæblɔɪd] sensationstidning [i litet format]
taboo [tə'bu:] **I** (pl. *~s*) *s* tabu; tabubegrepp; friare äv. förbud, bannlysning; *put* (*set*) *under ~* belägga med tabu, tabuförklara **II** *adj* tabu [*such*

words were once ~], tabuförklarad; friare äv. förbjuden **III** *vb tr* tabuförklara; friare äv. förbjuda, bannlysa [*the subject was ~ed*]
tabulate ['tæbjʊleɪt] ordna (ställa upp) i tabellform, tabellera; göra upp en tabell över
tabulator ['tæbjʊleɪtə] tabulator
tacit ['tæsɪt] underförstådd; ~ *consent* tyst medgivande
taciturn ['tæsɪtɜ:n] tystlåten, fåordig, ordkarg
1 tack [tæk] **I** *s* **1** nubb; *carpet* ~ mattspik **2** a) tråckelstygn b) tråckling **3** sjö. hals; *be on the port* (*starboard*) ~ ligga för babords (styrbords) halsar **4** kurs; metoder [*we must change our ~*]; *be on the right* (*wrong*) ~ vara inne på rätt (fel) spår **II** *vb tr* **1** spika; ~ *down* spika på (fast) [*~ down a carpet*]; ~ *a th.* [*on*] *to* sätta (spika, nubba) fast ngt på (i, vid) **2** tråckla; nästa; ~ *a th.* [*on*] *to* tråckla (nästa) fast ngt vid; bildl. lägga till (tillfoga, bifoga) ngt till; *he ~ed himself on to the queue* han hakade på kön
2 tack [tæk] vard. käk
tackle ['tækl] **I** *s* **1** sjö. tackel; tackling **2** redskap; *shaving* ~ rakgrejer, rakdon **3** fotb. tackling **II** *vb tr* **1** a) gripa sig an, angripa, ta itu med [*~ a problem*], ge sig i kast med [*~ an opponent*] b) klara av, gå i land med [*I can't ~ it*] c) sätta åt, klämma [*~ a p. about* el. *on* el. *over* (angående, om) *a th.*] **2** sport. tackla
tacky ['tækɪ] klibbig [*the paint is still ~*]
tact [tækt] takt[fullhet], finkänslighet
tactful ['tæktf(ʊ)l] taktfull, finkänslig
tactical ['tæktɪk(ə)l] mil. o. bildl. taktisk [*~ voting*]; ~ *exercise* taktisk övning, stridsövning
tactician [tæk'tɪʃ(ə)n] mil. o. bildl. taktiker
tactics ['tæktɪks] **1** (konstr. ss. sg.) taktik del av krigskonsten **2** (konstr. ss. pl.) taktik metoder, manövrer
tactless ['tæktləs] taktlös
tadpole ['tædpəʊl] grodlarv
taffeta ['tæfɪtə] taft
1 tag [tæg] **I** *s* **1** lapp äv. data.; etikett äv. data.; adresslapp; [*electronic*] ~ [elektronisk] bricka ss. stöldskydd; [*price*] ~ prislapp **2** skålla, [metall]spets på skosnöre o.d. **3** remsa, stump **4** stropp; hank, hängare **5** bihang, påhäng **6** beteckning **II** *vb tr* **1** sätta lapp på, etikettera **2** ~ *a th.* [*on*] *to* fästa ngt vid (i), lägga till (tillfoga) ngt till **III** *vb itr* vard. följa (hänga) med; ~ [*along*] *after a p.* följa ngn i hälarna
2 tag [tæg] lek tafatt, sistan [*play ~*]
tagliatelle [ˌtæljə'telɪ] kok. tagliatelle
1 tail [teɪl] **I** *s* **1** a) svans, stjärt b) slut [*the ~ of a procession*]; ända [*the ~ of a cart*]; *turn* ~ a) vända sig bort, vända ryggen till b) ta till flykten; *twist the lion's* ~ pröva [det brittiska] lejonets tålamod; *run away with one's ~ between one's legs* fly med svansen mellan benen **2** skört [*the ~ of a coat*]; pl. *~s* vard. frack; *in ~s* vard. [klädd] i frack **3** [klännings]släp **4** baksida av mynt **5** tunga på flagga **6** fläta; stångpiska **7** a) släng, understapel på bokstav b) mus. [not]fana **8** vard. deckare, spårhund; *put a ~ on a p.* låta skugga ngn **II** *vb tr* **1** skära av nederdelen (roten) på [*~ turnips*]; [*top and*] ~ snoppa bär **2** a) hänga i hälarna på b) skugga [*~ a suspect*] **3** avsluta [*~ a procession*] **III** *vb itr* **1** följa efter [i en lång rad]; ~ *after a p.* följa ngn i hälarna, följa tätt efter ngn **2** ~ *away* (*off*) a) avta, dö bort [*her voice ~ed away*]; smalna av b) sacka efter, förirra sig
2 tail [teɪl] jur. begränsning av arvsrätt[en]; *estate in* ~ fideikommiss
tailback ['teɪlbæk] [lång] bilkö
tailboard ['teɪlbɔ:d] bakläm på lastvagn
tail coat [ˌteɪl'kəʊt] **1** frack **2** jackett
tail end [ˌteɪl'end] slut, sista del [*the ~ of a speech*], sluttamp; [slut]ända
tailgate ['teɪlgeɪt] **1** nedre slussport **2** se *tailboard* **3** bil. bakdörr på halvkombi; baklucka
taillight ['teɪllaɪt] baklykta; flyg. stjärtlanterna
tailor ['teɪlə] **I** *s* skräddare; *ladies'* ~ damskräddare; *~'s dummy* a) provdocka b) [kläd]snobb **II** *vb tr* **1** [skräddar]sy; perf. p. *~ed* äv. välsittande, med god passform; strikt **2** bildl. anpassa, skräddarsy **3** sy [kläder] åt; *he is ~ed by* han syr [sina kläder] hos
tailoring ['teɪlərɪŋ] **1** skrädderi; skräddaryrke **2** skräddararbete
tailor-made ['teɪləmeɪd] **I** *adj* skräddarsydd äv. bildl.; ~ *costume* skräddarsydd promenaddräkt **II** *s* skräddarsydd promenaddräkt
tailpiece ['teɪlpi:s] slutstycke; avslutning
tailspin ['teɪlspɪn] **1** flyg. spinn **2** vard. panik
tailwind ['teɪlwɪnd] medvind
taint [teɪnt] **I** *s* **1** skamfläck [*a ~ in his character*] **2** smitta [*the meat is free from ~*], förorening; besmittelse; *there is a ~ of insanity in the family* det finns tecken till sinnessjukdom i familjen **II** *vb tr* **1** fläcka [*~ a p.'s name*] **2** göra skämd, angripa; *~ed meat* skämt (ankommet) kött **3** smitta; förorena [*~ the air*]; bildl. fördärva
Taiwan [taɪ'wɑ:n, -'wæn]
take [teɪk] **I** (*took taken*) *vb tr* **1** ta; fatta; ta tag i; ~ *a p.'s arm* ta ngn under armen **2** ta [med sig], bära **3** föra [*he was ~n to the Tower*], leda; *these stairs will ~ you to...* den här trappan leder till... **4** a) ta sig [~

a liberty]; ~ *a bath* ta [sig] ett bad **b**) göra sig [~ *a lot of trouble* (besvär)] **5 a**) göra [~ *a trip*]; vidta [~ *measures*]; ~ *notes* föra (göra) anteckningar **b**) ~ *a decision* fatta (ta) ett beslut **c**) avlägga [~ *a vow*]
6 a) ta; *this seat is ~n* den här platsen är upptagen **b**) gripa [*he was ~n by the police*] **c**) inta [~ *a fortress*] **7** a) inta [~ *one's place*] b) söka [~ *cover* (*shelter*)] **8** dra [~ *two from six*] **9** anteckna [~ *a p.'s name*]
10 a) inta [~ *one's meals*], dricka [~ *wine*]; ~ *snuff* snusa **b**) ~ *the sun* sola [sig]
11 använda [~ *sugar with* (i) *one's tea*]; ha, dra [*I ~ sevens* (nummer sju) *in gloves*]
12 ta [~ *the bus*]; ~ *a taxi* ta (åka) taxi
13 ta, åka, slå in på [~ *another road*]; ~ *the road to the right* gå (köra) åt höger
14 a) ta emot [~ *a gift*]; ~ *that!* där fick du [så du teg]! **b**) anta [~ *a bet*]
15 a) hyra [~ *a house*] **b**) prenumerera på [~ *two newspapers*] **16** behövas; dra [*the car ~s a lot of petrol*]; *he had already ~n six years over it* han hade redan lagt ner (använt) sex år på det; *it ~s a lot to make her cry* det ska mycket till för att hon ska gråta **17** ta på sig [~ *the blame*], överta [~ *the responsibility*]; ~ *it upon oneself to* a) åta sig att b) tillåta sig att, ta sig för att **18** *be ~n ill* bli sjuk **19** uppta [~ *a th. well*]; *he knows how to ~ people* han kan verkligen ta folk; ~ *it or leave it!* om du inte vill ha det så får det vara, passar det inte så låt bli!
20 tåla; *I can't ~ it any more* jag orkar inte med det längre; *I will ~ no nonsense* jag vill inte veta av några dumheter
21 a) uppfatta [*he took the hint*]; *this must be ~n to mean that* det måste uppfattas så att **b**) följa [~ *my advice*] **22 a**) tro, anse; *I ~ it that* jag antar att **b**) *you may ~ my word for it* (*may ~ it from me*) *that* du kan tro mig på mitt ord när jag säger att
23 fånga äv. bildl. [*it took my eye*]; fängsla; *be ~n with* bli intagen av (förtjust i)
24 hämta [*the quotation is ~n from Shakespeare*] **25 a**) vinna, ta [*he took the first set 6-3*] **b**) kortsp. få; schack. ta, slå **c**) sport. ta **26** anta [*the word has ~n a new meaning*] **27** fatta [~ *a liking to*], finna, ha [~ *a pleasure in*] **28** ertappa; ~ *a p. unawares* överrumpla ngn **29** rymma [*the car ~s six people*] **30** a) läsa [~ *English at the university*]; gå på [~ *a course*] b) undervisa i [~ *a class*] c) gå upp i [~ *one's exam*] **31** gram. styra
II (*took taken*) *vb itr* (se äv. *III*) **1** ta [*the vaccination didn't ~*] **2** fastna, fästa; bot. slå rot **3** ta [av] [~ *to the right*]
III (*took taken*) *vb tr* o. *vb itr* med adv. o. prep. isht med spec. övers.:
~ **along** ta med [sig]
~ **apart**: a) ta isär b) vard. slå [*the team were ~n apart*] c) göra ner [fullständigt]
~ **after** brås på, likna [*he ~s after his father*]
~ **away**: **a**) ta bort (undan); föra bort [*be ~n away to prison*] **b**) dra ifrån [~ *away six from nine*] **c**) ~ *meals away* köpa hem färdiglagade måltider
~ **back**: **a**) ta (ge, lämna) tillbaka; *I ~ back what I said* jag tar tillbaka vad jag sa **b**) föra tillbaka [i tiden] [*the stories took him back to his childhood*]
~ **down**: **a**) ta ned **b**) riva [ned] [~ *down a house*]; ~ *down one's hair* lösa [upp] (slå ut) håret **c**) skriva ned (upp); göra ett referat av [~ *down a speech*]; ta [diktamen på] [~ *down a letter*] **d**) ~ *a p. down* [*a peg or two*] sätta ngn på plats
~ **in**: **a**) ta in; ta (skaffa) in (hem) varor **b**) föra in; ~ *a lady in to dinner* föra en dam till bordet **c**) ta emot [~ *in boarders*] **d**) prenumerera på **e**) omfatta [*the map ~s in the whole of London*], inkludera **f**) vard. besöka, gå på; ~ *in a cinema* gå på bio **g**) förstå [*I didn't ~ in a word*]; överblicka [~ *in the situation*]; uppfånga [*she took in every detail*] **h**) *he ~s it all in* vard. han går på allting **i**) *be ~n in* låta lura sig **j**) vard. ta till polisstationen
~ **off**: **a**) tr. ta bort (loss); itr. vara löstagbar; ta av [sig] [~ *off one's shoes*] **b**) föra bort [*be ~n off to prison*], köra i väg med; ta (hämta) upp från, rädda från **c**) avföra från [~ *an item off the agenda*]; ~ *sugar off the ration* slopa ransoneringen av socker **d**) dra in [~ *off two trains*]; lägga ned [~ *off a play*] **e**) ~ *a day off* ta [sig] ledigt en dag **f**) dra (slå) av [~ *£10 off*] **g**) [be]ge sig i väg; flyg. starta, lyfta **h**) imitera; parodiera **i**) komma i ropet
~ **on**: **a**) åta sig, ta på sig [~ *on extra work*] **b**) ta in [~ *on new workers*] **c**) anta [~ *on a new meaning*] **d**) ställa upp mot [~ *a p. on at* (i) *golf*], fotb. o.d. utmana [~ *on opponents*] **e**) slå igenom [*that fashion hasn't ~n on*] **f**) vard. bli upprörd; *she took on something dreadful* hon härjade och hade sig
~ **out**: **a**) ta fram (upp, ut); ta ur (bort) [~ *out a stain*]; dra ut tand **b**) ta ut [~ *out a licence*], ta [~ *out an insurance policy*] **c**) ta [med] ut [~ *a p. out to* (på) *dinner*] **d**) *this ~s it out of me* det här suger musten ur mig **e**) [*when he is annoyed,*] *he ~s it out on her* ...låter han det gå ut över henne
~ **over**: **a**) tr. överta [~ *over a business*], tillträda [~ *over a new job*]; itr. ta över; ~ *over from* avlösa **b**) föra (köra) över; *we are now taking you over to...* radio. vi kopplar nu över till... **c**) lägga sig till med
~ **to**: **a**) [börja] ägna sig åt, slå sig på [~

to gardening]; sätta sig in i; hemfalla åt; ~ *to doing a th.* lägga sig till med att göra ngt; ~ *to drink* (*drinking*) börja dricka **b**) bli förtjust i [*the children took to her at once*]; [börja] trivas med; dras till **c**) fly; ~ *to flight* ta till flykten; ~ *to the lifeboats* gå i livbåtarna

~ **up**: **a**) ta upp (fram); ta med [~ *up passengers*]; lyfta [på] [~ *up the telephone receiver*]; riva upp gata; ~ *up arms* gripa till vapen **b**) suga (ta) åt sig **c**) sömnad. ta (lägga) upp **d**) ta upp [~ *up for* (till) *discussion*], föra på tal **e**) ta [upp] [*it ~s up too much room*]; fylla [upp] [*it ~s up the whole page*]; uppta, ta i anspråk [~ *up a p.'s time*]; *he is ~n up with it* han är helt sysselsatt med det, han är engagerad i det **f**) inta [~ *up an attitude*] **g**) anta [~ *up a challenge*], gå med på; ta sig an [~ *up a p.'s cause*] **h**) [börja] ägna sig åt [~ *up gardening*], börja läsa (lära sig); välja [~ *up a career*]; ~ *up golf* börja spela golf **i**) avbryta [~ *up a speaker*]; tillrättavisa **j**) *I'll ~ you up on that* a) jag tar dig på orden b) det [du säger] vill jag bestrida **k**) arrestera **l**) tillträda [~ *up one's post*]; ~ *up one's lodgings* (*quarters*) slå sig ned, inkvartera sig **m**) ~ *up with a p.* börja umgås med ngn

IV *s* **1** tagande; jfr *give B* **2** fångst [*the daily ~ of fish*], [jakt]byte **3** [biljett]intäkter **4** a) film. tagning b) inspelning

takeaway ['teɪkəweɪ] restaurang (butik) med mat för avhämtning [äv. ~ *restaurant* (*shop*)]; måltid för avhämtning [äv. ~ *meal*]

takehome ['teɪkhəʊm], ~ *pay* (*wages*) lön efter [avdrag för] skatt, nettolön

taken ['teɪk(ə)n] perf. p. av *take*

takeoff ['teɪkɒf] **1 a**) flyg. start [*a smooth ~*]; startplats **b**) sport. avstamp **2** härmning; karikatyr

takeover ['teɪk,əʊvə] **1** övertagande **2** hand. [företags]uppköp, övertagande av aktiemajoriteten i ett företag; *State ~* statligt övertagande, förstatligande; ~ *bid* anbud att överta aktiemajoriteten i ett företag

taking ['teɪkɪŋ] **I** *s* **1** tagande etc., jfr *take I*; *it's all for the ~* det är bara att ta för sig **2** fångst **3** pl. ~*s* intäkter, inkomst[er]; förtjänst **II** *adj* intagande

talc [tælk] **I** *s* **1** talk; ~ *powder* talkpuder **2** miner. glimmer **II** *vb tr* talka

tale [teɪl] **1** berättelse, saga; *nursery ~* [barn]saga; amsaga; *it tells its own ~* den talar för sig själv **2** lögn[historia] [*it's just a ~*]; *tell the ~* vard. duka upp en fantastisk (rörande) historia, dra gråtvalsen **3** skvallerhistoria; pl. *tell ~s* skvallra

talent ['tælənt] **1** talang [*a man of* (med) *great ~*], fallenhet; förmåga; bibl. pund; *have a ~ for music* vara musikbegåvad, ha fallenhet för musik **2** talang, begåvning, förmåga [*young ~s*]; ~ *scout* (*spotter*) talangscout **3** [konstnärliga] alster [*an exhibition of local ~*]

talented ['tæləntɪd] talangfull, begåvad

talk [tɔ:k] **I** *vb itr* (se äv. *III*) tala, vard. snacka; kåsera, hålla föredrag; skvallra [*he won't ~*]; *you're the one to ~!* el. *you can ~!* och det ska du säga!; ~ *big* vard. vara stor i orden (mun) **II** *vb tr* (se äv. *III*) tala; vard. snacka; ~ *shop* prata jobb (om jobbet) **III** *vb tr* o. *vb itr* med prep. o. adv. isht med spec. övers.: ~ *about* tala (prata) om; ~ *down* prata omkull; ~ *of* tala (prata) om [*he ~s of going to London*]; ~ *with* tala (prata, samtala) med **IV** *s* **1** samtal; pratstund; pl. ~*s* äv. förhandlingar [*peace ~s*], överläggningar; *small ~* småprat, kallprat **2** a) prat [*we want action, not ~*]; vard. snack b) tal [*there can be no ~ of* (om) *that*] c) rykten [*hear ~ of war*]; *there has been ~ of that* det har varit tal om det **3** föredrag; *give a ~ on a th.* hålla ett föredrag **4** språk [*baby talk*]

talkative ['tɔ:kətɪv] talför

talker ['tɔ:kə] person som talar (pratar); pratmakare [*what a ~ he is!*]

talking ['tɔ:kɪŋ] **I** *s* prat [*no ~!*]; *do the ~* föra ordet; *there was very little ~* det sas (pratades) mycket lite **II** *adj* **1** talande etc., jfr *talk I*; ~ *book* talbok; ~ *film* (*picture*) hist. talfilm **2** bildl. talande [~ *eyes*]

talking-point ['tɔ:kɪŋpɔɪnt] diskussionsämne

talking-to ['tɔ:kɪŋtu:] vard. åthutning, utskällning [*get a ~*]; *give a p. a good ~* äv. läsa lusen av ngn

tall [tɔ:l] **1** lång [*he is six foot ~, a ~ man*], stor[växt]; hög [*a ~ building* (*mast*)]; ~ *drink* långdrink [i högt glas] **2** vard., *a ~ price* ett saftigt pris

tallboy ['tɔ:lbɔɪ] byrå med höga ben

tallness ['tɔ:lnəs] längd; höjd

tallow ['tæləʊ] talg

tally ['tælɪ] **I** *s* **1 a**) [kontroll]räkning **b**) poängsumma, poängställning **c**) sjö. lasträkning; *keep ~ of* hålla räkning på, föra räkning över **2** [kontroll]märke, etikett **II** *vb tr* **1** registrera **2** [kontroll]räkna; ~ *up* räkna ihop **3** pricka av **4** få att stämma överens; avpassa [efter varandra] **III** *vb itr* stämma överens [*the lists ~*]; stämma

talon ['tælən] **1** [rovfågels]klo **2** hand. talong på kupongark **3** kortsp. talong

tambourine [,tæmbə'ri:n] mus. tamburin

tame [teɪm] **I** *adj* tam **II** *vb tr* tämja; t.ex. djur domptera; kuva

tamer ['teɪmə] [djur]tämjare, domptör
tamper ['tæmpə], ~ *with* a) fingra (peta) på, mixtra (konstra) med; manipulera (fiffla) med b) tubba, [försöka] muta [~ *with a witness*]
tampon ['tæmpən, -ɒn] **I** *s* tampong **II** *vb tr* tamponera
tan [tæn] **I** *vb tr* **1** garva **2** göra brunbränd; ~*ned* [*by the sun*] solbränd, brun[bränd] **3** vard., ~ *a p.* (*a p.'s hide*) ge ngn på huden, klå upp ngn **II** *vb itr* bli solbränd **III** *s* **1** [mellan]brunt **2** solbränna
tandem ['tændəm, -dem] **I** *adv* i tandem [*drive horses* ~] **II** *s* **1** tandem[spann]; *in* ~ i rad [efter varandra] [*swim in* ~], i tandem **2** ~ [*bicycle*] tandem[cykel]
tang [tæŋ] a) skarp smak (lukt) b) bismak; eftersmak c) anstrykning, prägel
tangent ['tæn(d)ʒ(ə)nt] tangerande; tangerings-; *be* ~ *to* tangera
tangerine [ˌtæn(d)ʒə'ri:n] tangerin; slags mandarin
tangible ['tæn(d)ʒəbl] **1** påtaglig [~ *proofs*], gripbar; verklig, faktisk **2** materiell; ~ *assets* materiella tillgångar, realtillgångar
tangle ['tæŋgl] **I** *vb tr* trassla till, göra trasslig; *get* ~*d* [*up*] trassla (tova) ihop sig **II** *vb itr* **1** bli tilltrasslad; bli insnärjd **2** vard. gräla, tampas **III** *s* **1** trassel; röra; härva [*a* ~ *of lies*]; snårskog [*a* ~ *of undergrowth*]; *be in a* ~ vara tilltrasslad, vara ett enda virrvarr; vara förvirrad **2** vard. gräl
tangled ['tæŋgld] tilltrasslad, trasslig; tovig
tango ['tæŋgəʊ] **I** (pl. ~*s*) *s* tango **II** *vb itr* dansa tango
tank [tæŋk] **I** *s* **1** a) tank; cistern b) reservoar [*rain-water* ~], damm; amer. bassäng **2** akvarium **3** mil. stridsvagn; ~ *regiment* pansarregemente **II** *vb tr* **1** tanka; förvara i en tank **2** sl., ~ *up* tanka, supa **III** *vb itr*, ~ *up* a) tanka fullt (full tank) b) sl. supa sig full [*on* på]
tankard ['tæŋkəd] [dryckes]kanna, stop; sejdel
tanker ['tæŋkə] tanker; tankbil
tank top ['tæŋktɒp] ärmlös tröja
tannic ['tænɪk] garv-; ~ *acid* garvsyra
tantalize ['tæntəlaɪz] locka; reta; gäcka; utsätta för tantalikval
tantalizing ['tæntəlaɪzɪŋ] lockande; retsam
tantamount ['tæntəmaʊnt], *be* ~ *to* vara liktydig med, vara detsamma som, innebära
tantrum ['tæntrəm] raserianfall; *fly into a* ~ få ett raserianfall
Tanzania [ˌtænzə'ni:ə, tæn'zeɪnɪə]
Tanzanian [ˌtænzə'ni:ən, tæn'zeɪnɪən] **I** *adj* tanzanisk **II** *s* tanzanier
1 tap [tæp] **I** *s* **1** kran på ledningsrör; tappkran; *on* ~ a) om öl o.d. på fat [*have beer on* ~]; klar för tappning b) bildl. till hands, redo, till ngns förfogande [*he always expects me to be on* ~] **2** plugg i tunna **II** *vb tr* **1** a) tappa [~ *a rubber tree*], tappa ur [~ *a cask*]; bildl. tappa av b) tappa av [äv. ~ *off*; ~ *a liquor*] **2** a) utnyttja, exploatera [~ *sources of energy*]; öppna [~ *a new market*] b) hämta [*material* ~*ped from new sources*] c) pumpa [~ *a p. for* (på) *information*]; ~ *a p. for money* vigga (tigga) pengar av ngn **3** tele. avlyssna [~ *a telephone conversation*]; ~ *the wires* göra telefonavlyssning
2 tap [tæp] **I** *vb tr* knacka i (på) [~ *the table*]; trumma med [~ *one's fingers*], knacka (slå) med; slå (klappa) lätt [~ *a p. on the shoulder*]; ~ *a typewriter* knacka [på] maskin **II** *vb itr* **1** knacka [~ *at* (*on*) *the door*], slå lätt; trumma [~ *with one's fingers*] **2** klappra, gå med klapprande steg **III** *s* knackning; *there was a* ~ *at the door* det knackade på dörren
tap-dance ['tæpdɑ:ns] **I** *s* step[p] **II** *vb itr* steppa
tap-dancing ['tæpˌdɑ:nsɪŋ] step[p]; *do* ~ steppa
tape [teɪp] **I** *s* **1** band [*cotton* ~; *name* ~] **2** [*adhesive* (*sticky*)] ~ tejp, klisterremsa **3 a**) [ljud]band **b**) vard. [band]inspelning **4** sport. målsnöre; *breast the* ~ spränga målsnöret **5** måttband; lantmät. mätband **6** a) [telegraf]remsa b) tekn., [*punched*] ~ [hål]remsa **II** *vb tr* **1** binda (knyta) om (fast) med band **2** linda med tejp (isoleringsband); ~ [*up*] tejpa ihop **3** spela in på band **4** mäta [med måttband] **5** vard. bedöma; *I've got him* ~*d* jag vet vad han går för
tape deck ['teɪpdek] bandspelardäck
tape head ['teɪphed] tonhuvud på bandspelare
tape measure ['teɪpˌmeʒə] måttband
taper ['teɪpə] **I** *s* **1** smalt [vax]ljus; avsmalning **2** avsmalnande; bildl. gradvis minskning **II** *vb itr*, ~ [*off*] smalna [av] [~ [*off*] *to a point*]; bildl. gradvis minska, avta **III** *vb tr*, ~ [*off*] göra spetsigare (smalare)
tape-record ['teɪprɪˌkɔ:d] **I** *vb tr* spela in (ta upp) på band, banda **II** *vb itr* göra bandinspelning[ar]
tape-recorder ['teɪprɪˌkɔ:də] bandspelare
tape-recording ['teɪprɪˌkɔ:dɪŋ] bandinspelning
tapering ['teɪpərɪŋ] spetsig; avsmalnande; [lång]smal [~ *fingers*]
tapestry ['tæpəstrɪ] gobeläng[er]; bildvävnad
tapeworm ['teɪpwɜ:m] zool. binnikemask
tapioca [ˌtæpɪ'əʊkə] bot. el. kok. tapioka
tappet ['tæpɪt] tekn. lyftarm; ventillyftare

tar [tɑː] **I** *s* tjära; asfalt **II** *vb tr* tjära; asfaltera; ~ *and feather* tjära och fjädra ss. bestraffningsform

tardy [ˈtɑːdɪ] **1** långsam, senfärdig, sen, senkommen [*a ~ apology*]; motsträvig [*a ~ reply*] **2** amer. försenad; *be ~* komma för sent

target [ˈtɑːgɪt] **I** *s* **1** måltavla; mål; isht flyg. operationsmål **2** mål[sättning]; *be on ~* träffa prick **3** bildl. skottavla; *be a ~ for* (*the ~ of*) *criticism* vara skottavla (föremål) för kritik **4** mål- [*~ analysis* (*area, language*)]; *our ~ date is next July* vi siktar på juli [månad] **II** *vb tr* **1** göra till mål[tavla]; använda som (utse till) mål **2** uppsätta (uppställa) som mål

tariff [ˈtærɪf] **1** a) tulltaxa, tulltariff b) tull c) tullsystem d) tull- [*~ policy* (*union*)]; *~ barrier* (*wall*) tullmur **2** taxa; prislista

tarnish [ˈtɑːnɪʃ] **I** *vb tr* **1** göra matt (glanslös) **2** bildl. skamfila [*his reputation is ~ed*], fläcka; grumla **II** *vb itr* bli matt (glanslös); anlöpa[s], bli anlupen [*silver ~es quickly*] **III** *s* glanslöshet; missfärgning; anlöpning

tarpaulin [tɑːˈpɔːlɪn] presenning

tarpinnium [ˌtɑːˈpɪnɪəm] *s* geol. tarpis

tarragon [ˈtærəgən] bot. dragon[ört]

1 tart [tɑːt] **I** *s* **1** mördegstårta [med frukt], tartelett; mördegsform; [frukt]paj; *jam ~* mördegsform med sylt **2** sl. fnask prostituerad **II** *vb tr* vard., *~ up* piffa till; styra ut

2 tart [tɑːt] **1** syrlig [*~ apples*], sträv [*a ~ flavour*] **2** bildl. skarp, besk [*a ~ answer*]

tartan [ˈtɑːt(ə)n] **I** *s* **1** tartan **2** pläd **II** *adj* skotskrutig; tartan-

Tartar [ˈtɑːtə] **I** *s* **1** tatar **2** *t~* hetsporre; tyrann, buse; ragata **II** *adj* **1** tatarisk **2** kok. *t~ sauce* el. *sauce t~* tartarsås

tartar [ˈtɑːtə] **1** tandsten **2** kem. vinsten

task [tɑːsk] [arbets]uppgift, uppdrag; pensum; läxa; *set a p. a ~* ge ngn en uppgift

task force [ˈtɑːskfɔːs] mil. specialtrupp, operationsstyrka

taskmaster [ˈtɑːskˌmɑːstə] [krävande] uppdragsgivare, slavdrivare; bildl. tuktomästare [ofta *hard ~*]

tassel [ˈtæs(ə)l] tofs

taste [teɪst] **I** *s* **1** a) smak [äv. *sense of ~*] b) smak; bismak [*the milk has a certain ~*]; försmak; *it leaves a bad ~ in the mouth* det ger dålig smak i munnen, det lämnar (har) en dålig (obehaglig) eftersmak äv. bildl. **2** bildl. a) smak b) smakriktning; pl. *~s* äv. smak, intressen; tycke och smak; *there is no accounting for ~s* om tycke och smak ska man inte disputera; *in bad ~* smaklös[t]; taktlös[t]; omdömeslös[t]; *it is not to my ~* det är inte i min smak, det faller mig inte i smaken **3** smakprov, smakbit; klunk, skvätt **II** *vb tr* **1** smaka; smaka ˈav, smaka (smutta) på; känna smak[en] av **2** få smaka [ˈpå], få pröva ˈpå, erfara; få smak på **III** *vb itr* smaka [*~ bitter*]; *~ good* smaka bra, ha god smak

taste bud [ˈteɪs(t)bʌd] anat. smaklök

tasteful [ˈteɪstf(ʊ)l] smakfull

tasteless [ˈteɪstləs] smaklös; osmaklig

tasty [ˈteɪstɪ] **1** välsmakande, smaklig, pikant **2** smakfull [*a ~ dress*]

tatter [ˈtætə] mest pl. *~s* trasor; paltor, lumpor [*rags and ~s*]; *tear to ~s* el. *leave in ~s* bildl. helt trasa sönder; slå hål på; kritisera sönder

tattered [ˈtætəd] trasig [*a ~ flag*; *~ clouds*], sönderliten, fransig; i trasor (paltor) [*a ~ old man*]

tattler [ˈtætlə] pratmakare; skvallerbytta

1 tattoo [təˈtuː, tæˈt-] **I** *s* **1** mil. tapto; *beat* (*sound*) *the ~* blåsa tapto **2** trummande; *beat a ~* trumma, hamra **3** militärparad, militäruppvisning **II** *vb itr* **1** trumma, hamra; trumma med fingrarna **2** blåsa tapto

2 tattoo [təˈtuː, tæˈt-] **I** *vb tr* tatuera **II** *s* tatuering

tatty [ˈtætɪ] vard. **1** sjabbig **2** tarvlig

taught [tɔːt] imperf. o. perf. p. av *teach*

1 taunt [tɔːnt] **I** *vb tr* håna, pika **II** *s* glåpord

2 taunt [tɔːnt] sjö. [mycket] hög om mast

Taurus [ˈtɔːrəs] astrol. Oxen; *he is* [*a*] *~* han är Oxe

taut [tɔːt] **1** spänd [*~ muscles, ~ nerves*], styv; stram äv. bildl. **2** fast [*a ~ figure*]

tavern [ˈtævən] värdshus; [öl]krog

tawdry [ˈtɔːdrɪ] grann [*~ jewellery*]

tawny [ˈtɔːnɪ] gulbrun; solbränd; *~ owl* kattuggla; *~ port* 'tawny', läderfärgat portvin

tax [tæks] **I** *s* **1** [statlig] skatt; i USA äv. kommunalskatt; pålaga; *~ arrears* kvarstående skatt, kvarskatt; *~ evader* (*dodger*) skattesmitare, skattefuskare; *~ exile* skatteflykting; *~ haven* skatteparadis lågskatteland; *~ rebate* el. *~ return* självdeklaration **2** bildl. börda [*~ on a p.'s health*] **II** *vb tr* **1** beskatta; taxera **2** bildl. anstränga, betunga, ta i anspråk **3** beskylla

taxable [ˈtæksəbl] beskattningsbar [*~ income*]

taxation [tækˈseɪʃ(ə)n] **1** beskattning; taxering **2** skatter [*reduce ~*]

tax-collector [ˈtækskəˌlektə] [skatte]uppbördsman

tax-free [ˌtæksˈfriː, attr. ˈ--] skattefri; *~ shop* tax-free-shop t.ex. på båt, flygplats

taxi [ˈtæksɪ] **I** *s* taxi; *air ~* taxiflyg **II** *vb itr*

1 åka (ta en) taxi **2** flyg. taxa köra på marken
taxidermist ['tæksɪdɜ:mɪst, tæk'sɪdəmɪst] [djur]konservator
taxi-driver ['tæksɪˌdraɪvə] taxichaufför
taximeter ['tæksɪˌmi:tə] taxameter
taxi rank ['tæksɪræŋk] taxihållplats; rad väntande taxi[bilar]
taxpayer ['tæksˌpeɪə] skattebetalare
1 TB [ˌti:'bi:] (vard. för *tuberculosis*) tbc
2 TB förk. för *torpedo boat*
tea [ti:] **I** *s* **1** te dryck, måltid; te[sort] [*our ~s are carefully blended*]; teblad; tebjudning; *early morning ~* morgonte; *high (meat) ~* lätt kvällsmåltid med te, tidig tesupé vanl. vid 6-tiden; *have ~* dricka te; *it's just (it's not) my cup of ~* det är (det är inte) min likör **2** infusion av olika slag **II** *vb tr* vard. bjuda på te **III** *vb itr* vard. dricka te
tea bag ['ti:bæg] tepåse
tea break ['ti:breɪk] tepaus
tea caddy ['ti:ˌkædɪ] o. **tea canister** ['ti:ˌkænɪstə] teburk
tea cake ['ti:keɪk] slags platt bulle som äts varm med smör
teach [ti:tʃ] (*taught taught*) **I** *vb tr* undervisa [*~ children*], undervisa i [*~ the violin* (fiolspelning)], lära [*he ~es us French*], ge undervisning i; *~ a p.* [*how*] *to drive* lära ngn köra **II** *vb itr* undervisa
teacher ['ti:tʃə] lärare
teaching ['ti:tʃɪŋ] **I** *s* **1** undervisning; *go in for ~* ägna sig åt (slå sig på) lärarbanan **2** vanl. pl. *~s* lära, läror [*the ~s of the Church*] **II** *adj* undervisnings- [*a ~ hospital*]; lärar- [*the ~ profession*]
tea cloth ['ti:klɒθ] **1** teduk **2** torkhandduk
tea cosy ['ti:ˌkəʊzɪ] tehuv
teacup ['ti:kʌp] tekopp; *a storm in a ~* en storm i ett vattenglas
teak [ti:k] **1** teak[trä] **2** teakträd
teal [ti:l] zool. kricka, krickand
tea leaf ['ti:li:f] (pl. *tea leaves*) **1** teblad **2** sl. tjuv [rimslang för *thief*]
team [ti:m] **I** *s* **1** team, gäng [*~ of workmen*; *football ~*]; trupp; *first ~* sport. A-lag **2** a) spann av dragare b) amer. förspänt fordon; [häst och] vagn **II** *vb tr* spänna ihop dragare **III** *vb itr* **1** *~ up* vard. slå sig ihop, arbeta i team (lag), bilda ett team (lag) [*with* med] **2** amer. köra lastbil (långtradare)
team-mate ['ti:mmeɪt] lagkamrat
team spirit ['ti:mˌspɪrɪt, ˌ-'--] laganda
teamster ['ti:mstə] **1** amer. lastbilschaufför **2** kusk som kör spann
teamwork ['ti:mwɜ:k] teamwork, lagarbete
tea party ['ti:ˌpɑ:tɪ] tebjudning
teapot ['ti:pɒt] tekanna; *a tempest in a ~* amer. en storm i ett vattenglas
1 tear [tɪə] **1** tår [*flood of ~s*]; *shed ~s* fälla tårar **2** droppe
2 tear [teə] **I** (*tore torn*) *vb tr* (se äv. *III*) **1** slita, riva; slita (riva, rycka) sönder (av); sarga; riva upp; *~ open* slita (riva) upp [*~ open a letter*] **2** bildl. a) splittra, slita sönder [*a country torn by civil war*] b) plåga [*a heart torn by anguish*] **II** (*tore torn*) *vb itr* (se äv. *III*) **1** slita, riva [och slita] **2** slitas sönder [*~ easily*] **3** rusa [*~ down the road (into a small room)*] **4** vard., *~ into* kasta sig över **III** *vb tr* o. *vb itr* med adv. isht med spec. övers.: *~ about* rusa (flänga) omkring; *~ oneself away* slita sig [lös] [*I can't ~ myself away from this book*]; *~ down* riva (slita) ned; *~ off* **a**) slita bort, riva av (lös, loss); slita av sig [*~ off one's clothes*] **b**) rusa i väg (bort) **c**) vard. kasta ned [*~ off a letter*]; *~ out* a) riva ut [*~ out a page*] b) rusa ut **IV** *s* reva, rivet hål
tearaway ['teərəweɪ] **I** *s* vard. vild sälle **II** *adj* våldsam, rasande
tear drop ['tɪədrɒp] **1** tår **2** droppe
tear duct ['tɪədʌkt] anat. tårkanal
tearful ['tɪəf(ʊ)l] **1** tårfylld **2** gråtmild; gråtfärdig
tear gas ['tɪəgæs] tårgas
tearing ['teərɪŋ] våldsam [*a ~ rage*], rasande [*a ~ pace*]
tea room ['ti:ru:m] teservering, tesalong, konditori
tease [ti:z] **I** *vb tr* **1** reta **2** karda ull o.d. **II** *vb itr* retas **III** *s* retsticka
teaser ['ti:zə] **1** retsticka; amer. äv. tjatmåns **2** vard. hård nöt [att knäcka]
teashop ['ti:ʃɒp] **1** se *tea room* **2** tehandel
teaspoon ['ti:spu:n] tesked äv. ss. mått
teaspoonful ['ti:spu:nfʊl] (pl. *~s* el. *teaspoonsful*) tesked ss. mått; *two ~s of* två teskedar [med]
tea-strainer ['ti:ˌstreɪnə] tesil
teat [ti:t] **1** spene **2** napp på flaska
teatime ['ti:taɪm] tedags
tea towel ['ti:ˌtaʊ(ə)l] torkhandduk, diskhandduk
tea tray ['ti:treɪ] tebricka
tea trolley ['ti:ˌtrɒlɪ] tevagn, rullbord
tec [tek] (kortform för *detective*) sl. krimmare
tech [tek] vard. för *technical college* o. *technology*
technical ['teknɪk(ə)l] **1** teknisk; fack- [*a ~ school*]; yrkes- [*~ skill*], facklig; *~ college* ung. yrkesinriktat gymnasium **2** formell, saklig [*for* (av, på) *~ reasons*]; jur. äv. laglig, rättsteknisk **3** *~ knock-out* boxn. teknisk knockout
technicality [ˌteknɪ'kælətɪ] **1** teknisk sida; teknik **2** teknisk term, fackuttryck **3** formalitet [*it's just a ~*], teknikalitet
technician [tek'nɪʃ(ə)n] tekniker; [teknisk] expert

technique [tek'ni:k] teknik; teknisk färdighet
technocrat ['teknə(ʊ)kræt] teknokrat
technological [ˌteknə'lɒdʒɪk(ə)l] teknologisk
technology [tek'nɒlədʒɪ] teknologi, teknik[en]; *school of ~* teknisk skola
teddy ['tedɪ] **1** nalle, teddybjörn **2** teddy damunderplagg
tedious ['ti:djəs] [lång]tråkig, ledsam
tedium ['ti:djəm] [lång]tråkighet; leda
tee [ti:] golf. **I** *s* **1** utslagsplats, tee **2** 'peg' pinne på vilken bollen placeras vid slag **II** *vb tr* lägga [upp] boll på utslagsplatsen [äv. *~ up*] **III** *vb itr, ~ up* lägga [upp] bollen på utslagsplatsen
1 teem [ti:m] vimla, myllra
2 teem [ti:m] ösa [ned]
teenage ['ti:neɪdʒ] **I** *s* tonår [äv. *teen age*] **II** *attr adj* tonårs- [*~ fashions*]
teenager ['ti:nˌeɪdʒə] tonåring
teens [ti:nz] tonår
teeny ['ti:nɪ] vard. isht barnspr. pytteliten
teeter ['ti:tə] **I** *vb itr* **1** vackla, vingla **2** bildl. vackla; *~ on the brink* (*edge*) *of* stå (vara) på gränsen till **II** *s* amer. gungbräde
teeth [ti:θ] pl. av *tooth*
teethe [ti:ð] få tänder
teething ['ti:ðɪŋ] tandsprickning; *~ ring* bitring
teetotal [ti:'təʊtl] **1** nykterhets- [*a ~ meeting* (*pledge*)] **2** amer. vard. fullständig, total
teetotaller [ti:'təʊt(ə)lə] [hel]nykterist
telecast ['telɪkɑ:st] **I** (*telecast telecast* el. *~ed ~ed*) *vb tr* sända (visa) i TV **II** *s* TV-sändning
telecom ['telɪkɒm] (förk. för *telecommunications*), *British T~* brittiska televerket
telecommunication ['telɪkəˌmju:nɪ'keɪʃ(ə)n] **1** telekommunikation, teleförbindelse **2** vanl. *~s* (konstr. ss. sg.) teleteknik; telekommunikationer
telegram ['telɪgræm] telegram
telegraph ['telɪgrɑ:f, -græf] **I** *s* telegraf; telegram; *~ form* telegramblankett **II** *vb tr* o. *vb itr* telegrafera [till]
telegraphese [ˌtelɪgrɑ:'fi:z, -græ'f-, -grə'f-] vard. telegramspråk
telegraphic [ˌtelɪ'græfɪk] telegrafisk, telegraf-, telegram-; *~ address* telegramadress
telegraphist [tə'legrəfɪst] o. **telegraph-operator** ['telɪgrɑ:fˌɒpəreɪtə, -græf-] telegrafist
telegraphy [tə'legrəfɪ] telegrafi; telegrafering
telepathic [ˌtelɪ'pæθɪk] telepatisk
telepathy [tə'lepəθɪ] telepati
telephone ['telɪfəʊn] **I** *s* telefon; *~ answering machine* telefonsvarare; *~ box* (*booth, kiosk*) telefonkiosk, telefonhytt; *~ exchange* a) telefonväxel b) telefonstation; *~ directory* (*book*) telefonkatalog; *be on the ~* a) vara (sitta) i telefon b) ha inneha telefon **II** *vb tr* telefonera till, ringa [till] **III** *vb itr* telefonera, ringa; ringa upp
telephonist [tə'lefənɪst] telefonist
telephoto [ˌtelɪ'fəʊtəʊ, attr. '--ˌ--] **I** *adj* **1** telefoto- **2** foto., *~ lens* teleobjektiv **II** *s* foto. teleobjektiv
teleprinter ['telɪˌprɪntə] teleprinter
telescope ['telɪskəʊp] **I** *s* teleskop; kikare **II** *vb tr* **1** skjuta (klämma) ihop **2** bildl. korta av; pressa in (samman)
telescopic [ˌtelɪ'skɒpɪk] **1** teleskopisk; teleskop-; *~ lens* teleobjektiv **2** teleskopisk, hopskjutbar; *~ aerial* (*antenna*) teleskopantenn
teletext ['telɪtekst] TV. text-TV, teletext
televiewer ['telɪvju:ə] TV-tittare
televise ['telɪvaɪz] sända (visa) i TV
television ['telɪˌvɪʒ(ə)n, ˌ--'--] television, TV; *~ broadcast* TV-[ut]sändning; *~ viewer* TV-tittare; *watch* (*look at*) *~* titta (se) på TV
tell [tel] **I** (*told told*) *vb tr* **1** tala 'om, säga; *~ a p. about a th.* berätta om ngt för ngn **2** säga 'till ('åt) [*~ him to sit down*]; *do as you are told* gör som man säger (som du blir tillsagd) **3** skilja; känna igen, urskilja; veta [*how do you ~ which button to press?*]; avgöra [*it's hard to ~ if he means it*]; *I can't ~ them apart* jag kan inte skilja dem åt **4** räkna [ihop] isht röster i underhuset [äv. *~ over*]; *all told* inalles, allt som allt; på det hela taget; *~ one's beads* läsa sina böner; *~ off* vard. läxa upp, skälla ut **II** (*told told*) *vb itr* (se äv. *telling*) **1** tala berätta; vittna; *~ in a p.'s favour* bildl. tala till ngns fördel **2** skvallra **3** göra verkan; *every word told* varje ord träffade [rätt] **4** vard., *~ on* ta (fresta, slita) på [*it ~s on my nerves*]; bli kännbar för
teller ['telə] **1** berättare **2** rösträknare **3** kassör i bank
telling ['telɪŋ] **I** *adj* **1** träffande, dräpande [*a ~ remark*] **2** talande **II** *pres p* o. *s* berättande etc., jfr *tell*; *there's no ~* man vet aldrig, det är omöjligt att säga
telling-off [ˌtelɪŋ'ɒf] utskällning
telltale ['telteɪl] **I** *s* skvallerbytta **II** *adj* **1** skvalleraktig; *~ tit!* skvallerbytta bingbong! **2** bildl. avslöjande, skvallrande [*a ~ blush*] **3** kontroll- [*~ lamp*]
telly ['telɪ] vard., *the ~* TV, dumburken
temerity [tə'merətɪ] dumdristighet; *he had the ~ to...* han var dumdristig nog att...
temper ['tempə] **I** *s* **1** humör, lynne [*be in* (på, vid) *a good* (*bad*) *~*];

[sinnes]stämning; sinnelag, natur **2** [sinnes]lugn; *control* (*keep*) *one's ~* bibehålla sitt lugn **3** dåligt lynne, retlighet; häftighet; *in a ~* a) på dåligt humör b) i ett anfall av vrede; *have a ~* ha humör (temperament) **4** härdning[sgrad] [*~ of steel*] **II** *vb tr* **1** blanda [till lämplig konsistens], älta [*~ clay* (*mortar*)] **2** härda stål, glas; anlöpa **3** mildra, modifiera; temperera äv. mus.

temperament ['temp(ə)rəmənt] temperament [*a cheerful ~*], läggning

temperamental [ˌtemp(ə)rə'mentl] temperamentsfull; lynnig

temperamentally [ˌtemp(ə)rə'mentəlɪ] till temperamentet; av naturen

temperance ['temp(ə)r(ə)ns] **1** måttlighet, måttfullhet **2** helnykterhet

temperate ['temp(ə)rət] **1** måttlig, nykter **2** helnykter **3** tempererad [*a ~ climate*]

temperature ['temp(ə)rətʃə] temperatur; feber; *have* (*run*) *a ~* ha feber

tempest ['tempɪst] **1** storm, oväder; *The T~* Stormen av Shakespeare **2** uppror

tempestuous [tem'pestjʊəs] stormig

tempi ['tempi:] pl. av *tempo*

template ['templeɪt, -ət] tekn. schablon, mönster; formbräde

1 temple ['templ] tempel; helgedom; amer. äv. synagoga; mormonkyrka

2 temple ['templ] anat. tinning

tempo ['tempəʊ] (pl. *~s*, i bet. *1* vanl. *tempi* ['tempi:]) **1** mus. tempo **2** tempo, fart, takt

temporal ['temp(ə)r(ə)l] **1** temporal äv. gram. **2** världslig; jordisk **3** tidsbestämd

temporarily ['temp(ə)rərəlɪ] temporärt; kortvarigt, tills vidare; för tillfället

temporary ['temp(ə)rərɪ] **1** temporär; kortvarig **2** tillförordnad

temporize ['tempəraɪz] **1** dra ut på tiden **2** vända kappan efter vinden

tempt [tem(p)t] **1** fresta **2** *~ fate* utmana ödet

temptation [tem(p)'teɪʃ(ə)n] frestelse; lockelse; *lead us not into ~* bibl. inled oss icke i frestelse

tempter ['tem(p)tə] frestare

ten [ten] **I** *räkn* tio; *~ to one he'll forget it* tio mot ett (jag slår vad om) att han glömmer det **II** *s* tia; tiotal

tenable ['tenəbl, 'ti:n-] **1** hållbar [*a ~ theory*], försvarbar; som kan försvaras [*a ~ fortress*] **2** om ämbete, stipendium o.d. som kan innehas (åtnjutas)

tenacious [tə'neɪʃəs] **1** fasthållande; fast [*a ~ grip*]; säker; sammanhållande; *a ~ memory* ett gott (säkert) minne **2** fast, ihärdig

tenacity [tə'næsətɪ] [segt] fasthållande; seghet äv. bildl.; orubblighet; fasthet; *~ of purpose* målmedvetenhet; ihärdighet

tenancy ['tenənsɪ] **1** förhyrning; arrende **2** hyrestid; arrendetid

tenant ['tenənt] **I** *s* **1** hyresgäst; arrendator [äv. *~ farmer*] **2** [besittningsrätts]innehavare **II** *vb tr* hyra; arrendera; bebo

tench [ten(t)ʃ] sutare fisk

1 tend [tend] **I** *vb tr* vårda [*~ the wounded*], se till [*~ a machine*]; vakta [*~ sheep*]; *~ store* amer. stå i affär **II** *vb itr* passa upp; *~ on* passa upp [på], betjäna

2 tend [tend] tendera, ha en benägenhet (tendens) [*to do a th.*]; *~ to* (*towards*) tendera mot (åt, till)

tendency ['tendənsɪ] tendens, riktning; benägenhet, anlag; utveckling; *he has a ~ to exaggerate* han har en benägenhet att överdriva

1 tender ['tendə] **1** mjuk [*a ~ pear*], mör [*a ~ steak*], mjäll; vek [*a ~ structure*], spröd, ömtålig [*a ~ plant*], öm [*a ~ spot*], ömmande; *a ~ subject* ett ömtåligt (känsligt) ämne **2** öm, kärleksfull [*~ care*], ömsint; kär [*~ memories*] **3** *~ age* späd ålder

2 tender ['tendə] **I** *vb tr* erbjuda [*~ one's services*]; lämna in [*~ one's resignation*]; lämna [fram]; lägga fram [*~ evidence*] **II** *vb itr* lämna offert **III** *s* **1** anbud; offert; *invite ~s for* el. *put out to ~* infordra anbud på, utbjuda på entreprenad **2** *legal ~* lagligt betalningsmedel

3 tender ['tendə] **1** skötare; ofta ss. efterled i sms. -skötare [*a machine-tender*] **2** sjö. tender; proviantbåt **3** järnv. tender

tender-hearted [ˌtendə'hɑ:tɪd] ömsint, vek

tenderize ['tendəraɪz] möra kött

tendon ['tendən] anat. sena; *the Achilles ~* hälsenan, akillessenan

tendril ['tendrəl] bot. klänge

tenement ['tenəmənt] bostadshus, hyreshus

tenet ['tenet, 'ti:n-] grundsats; lära, lärosats; *religious ~* trossats

tenfold ['tenfəʊld] **I** *adj* tiodubbel **II** *adv* tiodubbelt, tiofalt, tio gånger så mycket

tenner ['tenə] vard. tiopundssedel; amer. tiodollarssedel; *a ~* äv. tio pund (dollar) [*it cost a ~*]

tennis ['tenɪs] tennis; *~ court* tennisbana; *~ elbow* (*arm*) tennisarm

tenor ['tenə] **I** *s* **1** innehåll **2** mus. tenor; tenorstämma **II** *adj* mus. tenor-; *~ sax*[*ophone*] tenorsax[ofon]

tenpence ['tenpəns] tio pence

1 tense [tens] gram. tempus

2 tense [tens] **I** *adj* **1** spänd äv. bildl.; stram **2** spännande [*a ~ game*] **II** *vb tr* o. *vb itr* spänna[s], sträcka[s]

tension ['tenʃ(ə)n] spänning i olika bet., äv. elektr. [*high* (*low*) *~*]; sträckning; anspänning; spändhet; *relaxation of ~* polit. avspänning

tent [tent] **I** *s* tält; *pitch one's ~* a) slå upp sitt (ett) tält b) bildl. slå ned sina bopålar **II** *vb itr* tälta, bo (vara förlagd) i tält

tentacle ['tentəkl] **1** zool. tentakel; *the ~s of the law* bildl. lagens långa arm **2** bot. körtelhår

tentative ['tentətɪv] försöks-, experimentell; preliminär

tenth [tenθ] tionde; tion[de]del; kyrkl. tionde; mus. decima; jfr äv. *fifth*

tenuous ['tenjʊəs] **1** tunn, fin [*the ~ web of a spider*]; smal **2** bildl. a) fin [*a ~ distinction*], subtil b) tunn c) svag[t underbyggd] [*a ~ claim*]

tenure ['tenjʊə] **1** besittning[srätt]; innehav[ande] **2** arrende[innehav] **3** *~* [*of office*] ämbetstid, ämbetsperiod, arrendetid; arrendevillkor

tepid ['tepɪd] ljum äv. bildl. [*~ water*; *~ praise*]

term [tɜ:m] **I** *s* **1** a) tid [*a ~ of five years*] b) skol. el. univ. termin c) betalningstid; *~ of office* ämbetstid, ämbetsperiod, mandat[tid] **2** pl. *~s* a) villkor [*~s of surrender*]; bestämmelse[r] b) pris, priser; betalningsvillkor c) överenskommelse; *come to ~s with a th.* finna sig i (acceptera) ngt **3** pl. *~s* förhållande; *be on bad ~s with* vara ovän med; *be on good ~s with* stå på god fot med **4** a) term [*a scientific ~*], uttryck b) pl. *~s* ord, ordalag [*in general ~s*], vändningar, uttryckssätt; *he only thinks in ~s of...* han tänker bara på... **5** matem. el. logik. term; led **II** *vb tr* benämna, kalla

terminal ['tɜ:mɪnl] **I** *adj* **1** slut- [*~ station*], avslutande, sist; gräns-; terminal **2** termins- [*~ payments*]; *~ examinations* skol. examina i slutet av terminen **3** med. dödlig [*~ cancer*]; *~ care* terminalvård **II** *s* **1** slutstation; terminal **2** elektr. a) klämma b) pol [*battery ~s*] **3** data. terminal

terminate ['tɜ:mɪneɪt] **I** *vb tr* **1** avsluta [*~ a pregnancy*]; säga upp [*~ an agreement*] **2** avsluta **3** begränsa **II** *vb itr* sluta [*the word ~s in* (på) *a vowel*], ändas; upphöra, löpa ut

termination [ˌtɜ:mɪ'neɪʃ(ə)n] **1** slut; utgång; upphörande; avbrytande; *~ of pregnancy* abort **2** uppsägning [*~ of an agreement*]

terminology [ˌtɜ:mɪ'nɒlədʒɪ] terminologi

termin|us ['tɜ:mɪn|əs] (pl. *-i* [-aɪ] el. *-uses*) slutstation, ändstation; terminal

termite ['tɜ:maɪt] termit

tern [tɜ:n] zool. tärna; *common ~* fisktärna

terrace ['terəs, -rɪs] **I** *s* **1** terrass; avsats; platt tak; takterrass; uteplats **2** husrad på höjd el. sluttning; ofta i gatunamn [*Olympic T~*] **3** *~ house* radhus; *~ houses* äv. huslänga av småhus **4** *the ~s* ståplatsläktare; ståplatspublik **II** *vb tr* terrassera

terraced ['terəst, -rɪst] **1** terrasserad, terrassformig **2** *~ house* radhus

terracotta [ˌterə'kɒtə] terrakotta

terrain [te'reɪn, '--] terräng

terrestrial [tə'restrɪəl] **I** *adj* **1** jordisk [*~ globe, ~ magnetism*] **2** land- [*~ animals*] **3** radio. el. TV., *~ TV channel* markbunden TV-kanal **II** *s* **1** jordinvånare **2** pl. *~s* landdjur

terrible ['terəbl] förfärlig, ryslig, hemsk samtl. äv. vard. ss. förstärkning [*a ~ accident*; *~ clothes, a ~ nuisance*]

terrier ['terɪə] terrier hundras

terrific [tə'rɪfɪk] **1** fruktansvärd **2** enorm [*~ speed*] **3** jättebra, fantastisk [*the film was ~*]

terrif|y ['terɪfaɪ] förskräcka, förfära; skrämma [*a p. into a th.* (*doing a th.*) ngn till att göra ngt]; *-ied of* livrädd (förskräckt) för

territorial [ˌterɪ'tɔ:rɪəl] **I** *adj* territorial-; land- [*~ claims*]; lokal; *the T~ Army* brittiska arméreserven **II** *s* soldat i brittiska arméreserven

territor|y ['terɪt(ə)rɪ] **1** territorium; [land]område, land; mark **2** besittning [*overseas -ies*] **3** bildl. [fack]område; gebit **4** distrikt för t.ex. försäljare **5** sport. planhalva **6** zool. revir

terror ['terə] **1** skräck; *strike ~ into* sätta skräck i, injaga skräck hos **2** vard., om pers. skräck [*the boy is a real ~*] **3** terror [äv. *reign of ~*]

terrorism ['terərɪz(ə)m] terrorism; skräckvälde

terrorist ['terərɪst] terrorist

terrorize ['terəraɪz] **I** *vb tr* terrorisera **II** *vb itr, ~ over* terrorisera

terror-stricken ['terəˌstrɪk(ə)n] o. **terror-struck** ['terəstrʌk] skräckslagen

terry ['terɪ] frotté [äv. *~ cloth*]; *~ towel* frottéhandduk

terse [tɜ:s] **1** om t.ex. språk o. stil [kort och] koncis, kärnfull **2** brysk

tertiary ['tɜ:ʃərɪ] som kommer i tredje rummet (hand); *~ college* skol. yrkesskola för högre yrkesutbildning

Terylene ['terəli:n, -rɪ-] ® textil. terylen[e]

test [test] **I** *s* **1** a) prov, provning; test äv. psykol.; förhör [*an oral ~*] b) bedömningsgrund [*the ~ of a good society is...*]; *driving ~* kör[korts]prov; *stand the ~* bestå provet; *stand the ~ of time* stå sig genom tiderna **2** kem. reagens **II** *vb tr* prova; sätta på prov; vara ett prov på; testa äv. psykol.; förhöra [*will you ~ me on* *my homework?*]; prova av; prova ut, utpröva [äv. ~ *out*]; kontrollera; ~ *a car* provköra en bil

testament ['testəmənt] **1** jur., [*last will and*] ~ testamente **2** bibl., *the Old* (*New*) *T~* Gamla (Nya) testamentet

test card ['testkɑ:d] TV. testbild

test case ['testkeɪs] jur. prejudicerande rättsfall

testicle ['testɪkl] anat. testikel

testify ['testɪfaɪ] **I** *vb itr* vittna, avlägga vittnesmål (vittnesbörd) **II** *vb tr* intyga; vittna om

testimonial [ˌtestɪ'məʊnjəl] **1** [skriftligt] bevis, [tjänstgörings]betyg, intyg **2** rekommendation[sbrev] **3** [kollektiv] hedersgåva (minnesgåva)

testimony ['testɪmənɪ] **1** vittnesmål äv. relig.; uppgift, utsago **2** bevis; bevismaterial; *bear ~ to* vittna om, intyga, betyga

test match ['testmætʃ] landskamp isht i kricket

test paper ['testˌpeɪpə] **1** kem. reagenspapper **2** [prov]skrivning

test pilot ['testˌpaɪlət] testflygare

test tube ['tes(t)tju:b] provrör; *test-tube baby* provrörsbarn

testy ['testɪ] lättretlig, lättstött, snarstucken

tetanus ['tetənəs] med. stelkramp, tetanus

tetchy ['tetʃɪ] grinig, kinkig, retlig

tête-à-tête [ˌteɪtɑ:'teɪt] **I** *adv* o. *adj* mellan fyra ögon **II** *s* tätatät

tether ['teðə] **I** *s* tjuder; *be at the end of one's ~* bildl. inte förmå (orka) mer **II** *vb tr* tjudra; bildl. binda

Texas ['teksəs, -sæs]

text [tekst] **1** text; ord[alydelse]; version **2** ämne **3** a) [bibel]text b) bibelord

textbook ['teks(t)bʊk] **1** lärobok; handbok; textbok **2** mönstergill; ~ *case* typiskt fall, typfall; ~ *example* skolexempel

textile ['tekstaɪl, amer. äv. 'tekstl] **I** *adj* textil, textil- [~ *art*, ~ *industry*], vävnads-; vävd **II** *s* vävnad; textilmaterial; pl. ~*s* äv. textilier

textual ['tekstjʊəl] text- [~ *criticism*]; ~ *errors* fel i texten

texture ['tekstʃə] **1** textur, struktur; väv, vävnad [*coarse* (*fine*) ~]; konsistens **2** bildl. struktur, sammansättning, beskaffenhet

Thai [taɪ] **I** *adj* thailändsk **II** *s* **1** thailändare; thailändska kvinna **2** thailändska [språket]

Thailand ['taɪlænd, -lənd]

Thames [temz] geogr., *the ~* Themsen, Temsen; *he will never set the ~ on fire* ung. han kommer aldrig att uträtta några stordåd

than [ðæn, obeton. ðən, ðn] **1 a**) än [*he is several years older ~ me* (*I*)]; *nothing else ~* ingenting annat än, bara, endast **b**) än [vad] som [*more ~ is good for him*] **2** förrän; *no sooner* (*hardly, scarcely*) *had we sat down ~...* knappt hade vi satt oss förrän...

thank [θæŋk] **I** *vb tr* tacka; ~ *goodness* (*God*)! gudskelov! **II** *s*, pl. ~*s* tack, tacksägelse[r] [*for* för]; *I won, but small ~s to you!* iron. jag vann, men det var knappast din förtjänst!

thankful ['θæŋkf(ʊ)l] [mycket] tacksam

thankfully ['θæŋkf(ʊ)lɪ] **1** tacksamt **2** tack och lov

thankless ['θæŋkləs] otacksam [*a ~ task*]

thanksgiving ['θæŋksˌgɪvɪŋ] kyrkl. tacksägelse; *T~* [*Day*] i nordamerika tacksägelsedag[en] allmän helgdag 4:e torsdagen i november i USA; 2:a måndagen i oktober i Canada

that [ðæt, obeton. ðət] **I** (pl. *those*) *demonstr pron* **1 a**) sg. den där, det där; denne [~ *so-called general*], denna, detta; den [~ *happened long ago*]; de där [*where's ~ five pounds?*]; så [~ *is not the case*] **b**) *those* (pl.) de där, dessa; de; detta, det, det där [*those are my colleagues*] **2** spec. övers.: ~ *is* [*to say*] det vill säga, dvs., alltså; *and ~'s ~!* och därmed basta!; och hör sen!; så var det med den saken!; *what of ~?* än sen då?; *in those days* dåförtiden, på den tiden **II** (pl. *those*) *determ pron* **1 a**) sg. den [*this bread is better than ~* [*which*] *we get in town*] **b**) *those* (pl.) de [*those who agree are in majority*], dem [*throw away those* [*which are*] *unfit for use*] **2** [*the rapidity of light is greater*] *than ~ of sound* ...än ljudets **3** något visst (speciellt) [*there was ~ about him which pleased me*] **4** så mycket, så stor [*he has ~ confidence in her that...*] **III** (pl. lika) *rel pron* **1** som [*the only thing* (*person*) [~] *I can see*], vilken; *all* [~] *I heard* allt [vad] (allt det, allt som) jag hörde **2** vard. som...i, ibl. som [*he will not see things in the light* [~] *I see them*] **3** såvitt [*he has never been there ~ I know of*] **IV** *konj* **1 a**) att [*she said* [~] *she would come*] **b**) litt. för att [*she did it ~ he might be saved*]; så att [*bring it nearer ~ I may see it better*] **2** a) som [*it was there* [~] *I first saw him*] b) när [*now* [~] *I think of it, he was there*] **3** eftersom [*what have I done ~ he should insult me?*] **4** om; *I don't know ~ I do* jag vet inte om jag gör det **5** högtidl., i utrop att [~ *it should come to this* (gå så långt)*!*]; om [bara] [~ *she were here!*] **V** *adv* vard. så [pass] [~ *far* (*much*)]; *he's not* [*all*] ~ *good* a) så bra är han inte b) han är inte så värst bra

thatch [θætʃ] **I** *s* halmtak, tak av palmblad o.d. **II** *vb tr* täcka med halm (palmblad o.d.); täcka; *a ~ed cottage* en stuga med halmtak

thaw [θɔ:] **I** *vb itr* töa [*it is ~ing*]; ~ [*out*] tina [upp] äv. bildl. **II** *vb tr,* ~ [*out*] tina [upp] äv. bildl.; ~ *out the refrigerator* frosta av kylskåpet **III** *s* tö[väder] äv. bildl.; polit. töväder; *a ~ has set in* det är (har blivit) töväder

the [obeton.: ðə framför konsonantljud, ðɪ framför vokalljud; beton.: ði: (så alltid i bet. *I 5*)] **I** *best art* **1 a**) motsvaras av best. slutartikel, t.ex.: ~ *book* boken **b**) motsvaras av fristående artikel o. slutartikel, t.ex.: ~ *old man* den gamle mannen **c**) motsvaras av fristående artikel, t.ex.: ~ *deceased* den avlidna (avlidne) **2** utan motsvarighet, t.ex.: **a**) ibl. framför huvudord följt av 'of'-konstr.: *he is ~ captain of a ship* han är kapten på en båt **b**) ibl. framför adj. följt av subst.: ~ *following story* följande historia **c**) i vissa fall vid superl.: *which river is* [~] *deepest?* vilken flod är djupast? **d**) i vissa uttryck: *go to ~ cinema* gå på bio; *have ~ courage* ha mod[et] att; *listen to ~ radio* höra på radio **e**) vid vissa egennamn: ~ *Balkans* Balkan; ~ *Hague* Haag; [*I'm going to*] ~ *Dixons* ...Dixons (familjen Dixon) **3** en, ett; *to ~ amount of* till ett belopp av **4** per; [*£10*] ~ *piece* ...per styck, ...stycket **5** emfatiskt: *is he ~ Dr. Smith?* är han den kände (berömde) dr Smith?; *to him she was ~ woman* hon var kvinnan i hans liv **6** determ. den [~ *sum he paid*], det, de; *it's dreadful, ~ bills I've had to pay* vard. det är förskräckligt såna räkningar jag har måst betala **7** demonstr. den; ~ *wretch!* den uslingen!; ~ *idiots!* vilka (såna) idioter! **II** *adv,* ~...~ ju...desto (dess, ju)

theater ['θɪətə] amer., se *theatre*

theatre ['θɪətə] **1** teater [*go to* (på) *the ~*; *be at* (på) *the ~*]; teaterkonst, dramatik; *the ~* äv. scenen **2** [amfiteatralisk] hörsal (sal); [*operating*] ~ operationssal [med åskådarplatser] **3** bildl. skådeplats

theatregoer ['θɪətəˌgəʊə] teaterbesökare

theatrical [θɪ'ætrɪk(ə)l] **I** *adj* **1** teater-; ~ *company* teatersällskap, teatertrupp **2** teatralisk [~ *gestures*] **II** *s,* pl. *~s* teaterföreställningar [*they forbade ~s in churches*]; *amateur* (*private*) *~s* amatörteater

theft [θeft] stöld, tillgrepp

their [ðeə] (jfr *my*) deras [*it is ~ car*], dess [*the Government and ~ remedy for unemployment*]; sin [*they sold ~ car*]; *they came in ~ thousands* de kom i tusental

theirs [ðeəz] (jfr *1 mine*) deras [*is that house ~?*]; sin [*they* (*each*) *must take ~*]; *a friend of ~* en vän till dem

them [ðem, obeton. ðəm, ðm] **I** *pers pron* (objektsform av *they*) **1 a**) dem **b**) den [*I approached the Government and asked ~ if...*]; honom [eller henne] [*if anybody calls while I'm out, tell ~ I shall...*] **2** vard. de [*it wasn't ~*] **3** sig [*they took it with ~*] **II** *fören demonstr pron* dial. dom [där] [*I think ~ books are no good*]

theme [θi:m] **1** tema, ämne, grundtanke; ~ *park* temapark fritidsanläggning **2** isht amer. skol. uppsats; stil **3** mus. tema; ~ *song* (*tune*) a) signaturmelodi b) [huvud]refräng

themselves [ð(ə)m'selvz] (jfr *myself*) sig [*they amused ~*], sig själva [*they can take care of ~*]; varandra [*they took counsel* (rådgjorde) *with ~*]; de själva [*everybody but ~*], själva [*they made that mistake ~*], själv [*the public ~ were...*]

then [ðen] **I** *adv* **1** a) då [*I was still unmarried ~*], på den tiden, den gången b) då [*I'll see you later and will ~ tell you the facts*] c) sedan [~ *came the war*], därpå **2** så; dessutom [*and ~ there's the question of...*]; *but ~* men så...också [*but ~ he is rich*], men...ju, men å andra sidan (i gengäld, i stället) **3** alltså [*the journey, ~, could begin*]; då [~ *it is no use*]; *that's settled, ~!* el. *all right, ~!* då säger vi det då! **II** *s, before ~* innan dess, dessförinnan, förut; *until* (*till*) ~ till dess **III** *adj* dåvarande [*the ~ prime minister*]

theologian [θɪə'ləʊdʒjən, -dʒ(ə)n] teolog

theological [θɪə'lɒdʒɪk(ə)l] teologisk

theology [θɪ'ɒlədʒɪ] teologi

theorem ['θɪərəm, -rem] teorem; sats

theoretical [ˌθɪə'retɪk(ə)l] teoretisk

theorist ['θɪərɪst] teoretiker

theorize ['θɪəraɪz] teoretisera

theory ['θɪərɪ] teori; lära; *in ~* i teorin; teoretiskt [sett]; ~ *of sets*

therapeutic [ˌθerə'pju:tɪk] terapeutisk

therapist ['θerəpɪst] terapeut

therapy ['θerəpɪ] terapi behandling

there [ðeə, obeton. ðə] **I** *adv* **1** (se äv. ex. under *here*) a) där [~ *he comes*]; framme [*we'll soon be ~*] b) dit [*I hope to go ~ next year*]; fram [*we'll soon get ~*]; [*carry this for me*] *~'s a dear* (*a good boy, a good girl*) vard. ...så är du snäll (bussig) **2** det ss. formellt subjekt [~ *were* (var, fanns) *only two left*; ~ *seems to be a mistake*]; ~ *is...* vid uppräkning vi har...; [*who shall we have* (ta)? -] *now, ~'s John* ...vi har ju John till exempel; *~'s the bell* [*ringing*] nu ringer det; *what is ~ criminal about that?* vad är det för brottsligt i det? **3** i det [avseendet], på den punkten [~ *you are mistaken*] **II** *interj,* ~! så där! [~, *that will do*], så där ja!, titta vad du gjort! [~! *you've smashed it*]; ~, ~! lugnande el. tröstande såja!, seså!

thereabouts ['ðeərəbaʊt, -s, ˌðeərə'b-]

1 där i trakten, [i trakten] däromkring [*in Rye or ~*] **2** däromkring, så [ungefär]
thereafter [ˌðeər'ɑ:ftə] litt. därefter
thereby [ˌðeə'baɪ, '--] litt. därvid
therefore ['ðeəfɔ:] därför, således; *and ~* äv. varför
there's [ðeəz] = *there is* o. *there has*
thereupon [ˌðeərə'pɒn] **1** därpå isht om tid **2** litt. härom [*there is much to be said ~*]
thermal ['θɜ:m(ə)l] värme- [*~ energy*; *~ reactor*]; varm [*~ springs*], termal; *~ underwear* termounderkläder
thermodynamics [ˌθɜ:mə(ʊ)daɪ'næmɪks, -dɪ'n-] (konstr. ss. sg.) fys. termodynamik
thermometer [θə'mɒmɪtə] termometer
thermonuclear [ˌθɜ:mə(ʊ)'nju:klɪə] fys. termonukleär; *~ bomb* vätebomb
Thermos ['θɜ:mɒs, -məs] ®, *~ [flask* (ibl. *bottle*)] termos[flaska]
thermostat ['θɜ:mə(ʊ)stæt] fys. termostat
thesaur|us [θɪ'sɔ:r|əs] (pl. *-i* [-aɪ] el. *-uses*) synonymordbok; uppslagsbok, lexikon; tesaurus
these [ði:z] se *this*
thes|is ['θi:s|ɪs] (pl. *-es* [-i:z]) **1** tes, sats; teori **2** [doktors]avhandling; *defend one's ~* försvara sin avhandling, disputera
they [ðeɪ] (objektsform *them*) **1** pers. **a)** de [*~ are here*] **b)** den [*the Government* (*Cabinet*) *declared that ~* (ofta man) *had...*]; han [eller hon] [*if anybody moves ~ will be shot*] **c)** man; *~ say* [*that he is rich*] man säger..., det sägs... **2** determ. litt. de [*blessed are ~ that mourn*]
they'd [ðeɪd] = *they had* o. *they would*
they'll [ðeɪl] = *they will* (*shall*)
they're [ðeə, 'ðeɪə] = *they are*
they've [ðeɪv] = *they have*
thick [θɪk] **I** *adj* **1** tjock [*a ~ book*], grov [*a ~ log*]; *he got a ~ lip* han fick fläskläpp **2 a)** tät [*a ~ forest*]; tjock [*~ hair*] **b)** talrik **3 a)** om vätskor tjock[flytande]; kok. [av]redd **b)** om luft o.d. tät [*a ~ fog*] **c)** om röst o.d. grötig, kraftig [*a ~ German accent*]; sluddrig **4** tjockskallig **5** vard. bundis [*be ~ with a p.*]; *they're* [*as*] *~ as thieves* de håller ihop som ler och långhalm, de är såta vänner **6** vard., *a bit* [*too*] *~* lite väl mycket (magstarkt) [*three weeks of rain is a bit ~*]; *this* (*that*) *is a bit* [*too*] *~!* äv. nu går det för långt! **II** *adv* tjockt [*you spread the butter too ~*]; tätt [*the corn stands ~*], rikligt, ymnigt [*the snow fell ~*]; *~* [*and fast*] tätt [efter (på) varandra], slag i slag **III** *s* **1** *in the ~ of the crowd* mitt i trängseln, där trängseln är (var) som störst; *come right into the very ~ of it* (*of things*) hamna mitt i smeten, komma i händelsernas centrum **2** *stick together through ~ and thin* hålla ihop i vått och torrt
thicken ['θɪk(ə)n] **I** *vb tr* **1** göra tjock[are]; kok. reda [av] [*~ a sauce*] **2** göra sluddrig **II** *vb itr* **1** tjockna [*the fog has ~ed*]; mörkna **2** bli sluddrig **3** *the plot ~s* intrigen blir allt mer komplicerad; friare mystiken tätnar
thicket ['θɪkɪt] busksnår, [skogs]snår, buskage
thickness ['θɪknəs] tjocklek
thickset [ˌθɪk'set, attr. o. ss. subst. '--] **I** *adj* undersätsig **II** *s* [busk]snår
thick-skinned [ˌθɪk'skɪnd, attr. '--] tjockhudad äv. bildl.
thief [θi:f] (pl. *thieves*) tjuv; *set* (*it takes*) *a ~ to catch a ~* ung. gammal tjuv blir bra polis
thieve [θi:v] stjäla
thievery ['θi:vərɪ] stöld
thieves [θi:vz] pl. av *thief*
thievish ['θi:vɪʃ] **1** tjuvaktig **2** smygande; förstulen
thigh [θaɪ] anat. lår
thigh-bone ['θaɪbəʊn] lårben
thimble ['θɪmbl] **1** fingerborg **2** sjö. kaus
thimbleful ['θɪmblfʊl] **1** fingerborg ss. mått **2** vard. liten slurk
thin [θɪn] **I** *adj* **1** tunn [*a ~ slice of bread*] **2** mager [*rather ~ in the face*], tunn; *he has become* (*grown*) *~* han har magrat **3 a)** tunnflytande [*~ gruel* (välling)] **b)** lätt [*~ mist*] **4** gles, tunn [*~ hair*]; fåtalig [*a ~ audience*], tunnsådd **5** bildl. klen [*a ~ excuse*], tunn [*a ~ plot* (intrig)], mager [*~ evidence* (bevismaterial)] **II** *adv* tunt [*spread the butter* [*on*] *~*] **III** *vb tr*, *~* [*down*] göra tunn[are], förtunna [*~ down paint*], tunna [av (ut)], späda [ut] **IV** *vb itr*, *~* [*out*] bli tunn[are], förtunnas, tunna[s] av (ut) [*the audience was ~ning out*]; bli gles[are], glesna; magra
thing [θɪŋ] **1** sak, ting, grej; pl. *~s* äv. saker och ting [*you take ~s too seriously*]; *these ~s* [*will*] *happen* sånt händer; *it's just one of those ~s* sånt händer [tyvärr] **2** isht vard. varelse [*a sweet little ~*]; *hello, old ~* hej gamle vän!; *poor little ~!* stackars liten! **3** ss. fyllnadsord vid adj. o.d. *the chief ~* det viktigaste; *the great ~ about it* det fina med (i) det **4** pl. *~s* i spec. bet.: **a)** tillhörigheter, saker; bagage; [ytter]kläder [*take off your ~s*] **b)** redskap **c)** saker att äta o.d.; *be fond of good ~s* tycka om att äta gott **d)** det, läget, ställningen; *~s are in a bad way* det går dåligt; *how are* (vard. *how's*) *~s?* hur går det?; *that is how ~s are* så ligger det till **e)** [*this climate*] *does ~s to me* ...gör underverk med mig **f)** följt av adj.: *~s English* engelska förhållanden (realia) **5** särskilda uttryck: **a)** vard., *do one's own ~* göra sin egen grej **b)** *have a ~ about* a) vara tokig i b) fasa för **c)** *make a ~ of* göra affär av **d)** *taking one ~ with another*

när allt kommer omkring **e**) *the ~ is* saken är den; [*quite*] *the ~* a) [det] passande, det korrekta, god ton b) på modet, inne c) [just] det rätta **f**) *for one ~* för det första

think [θɪŋk] **I** (*thought thought*) *vb tr* o. *vb itr* **1** tänka; tänka sig för; tänka efter [*let me ~ a moment*]; betänka; fundera på **2** tro [*do you ~ it will rain?*]; tycka [*do you ~ we should go on?*]; anse [*do you ~ it likely?*]; *~ fit* (*proper*) anse lämpligt; *I should ~ not* [det tror (tycker) jag] visst inte; *I should jolly* (*bloody* el. *damn*[*ed*]) *well ~ so!* tacka sjutton (fan) för det!; *you are very tactful, I don't ~* iron. du är inte så taktfull så det stör; [*he's a bit lazy,*] *don't you ~?* ...eller vad tycker du?, ...eller hur? **3** tänka (föreställa) sig; ana, tro; fatta; *to ~ that she* [*is so rich*] tänk att hon...; *who the hell do you ~ you are?* vem [fan] tror du att du är egentligen? **4** *~ to* + inf. a) tänka [*I thought to go and see her*] b) vänta [sig] att [*I did not ~ to find you here*]
5 med prep. o. adv. isht med spec. övers.:
~ **about**: **a**) fundera på **b**) *what do you ~ about...?* vad tycker du om...?
~ **ahead** tänka framåt
~ **of**: **a**) tänka på [*~ of the future*]; fundera på **b**) drömma om; [*surrender is not to*] *be thought of* ...tänka på **c**) komma på [*can you ~ of his name?*]; *come to ~ of it* nu när jag kommer att tänka på det **d**) tänka sig; [*just*] *~ of that* (*of it*)*!* tänk bara!, kan du tänka dig! **e**) *what do you ~ of...?* vad tycker (säger, anser) du om...? **f**) *~ better* (*highly, much, the world*) *of* se *1 better I, highly* etc.; *~ little* (*nothing*) *of* ha en låg tanke om, sätta föga värde på
~ **out** tänka (fundera) ut [*~ out a new method*]
~ **over** tänka igenom; *~ the matter over* äv. fundera på saken
~ **up** vard. tänka ut
II *s* vard. funderare; *have a ~ about it* ta sig en funderare på saken

thinkable ['θɪŋkəbl] tänkbar

thinker ['θɪŋkə] tänkare; *he is a slow* (*loose*) *~* han tänker långsamt (osammanhängande, ologiskt)

thinking ['θɪŋkɪŋ] **I** *s* tänkande; tänkesätt; åsikt; pl. *~s* tankar; *somebody has got to do the ~* någon måste göra tankearbetet; *to my* [*way of*] *~* enligt min åsikt (uppfattning), efter mina begrepp **II** *adj* tänkande [*a ~ being*]

think tank ['θɪŋktæŋk] vard. **1** hjärntrust **2** expertmöte för att lösa problem

thinner ['θɪnə] thinner

thinness ['θɪnnəs] tunnhet etc., jfr *thin I*

third [θɜ:d] (jfr *fifth*) **I** *räkn* tredje; *~ class* tredje klass, jfr *third-class*; *the ~ floor* [våningen] tre (amer. två) trappor upp; *~ party* (*person*) tredje man, opartisk person, jfr *third-party*; *the T~ World* polit. [den] tredje världen **II** *adv* **1** *the ~ largest town* den tredje staden i storlek **2** [i] tredje klass [*travel ~*] **3** som trea, som nummer tre i ordningen [*he spoke ~*]; *come in* (*finish*) *~* komma [in som] (sluta som) trea **III** *s* **1** tredjedel **2** sport. a) trea b) tredjeplacering **3** mus. ters **4** motor. treans växel; *put the car in ~* lägga in trean

third-class [ˌθɜ:d'klɑ:s, ss. attr. adj. '--] **I** *adj* **1** tredjeklass-; tredje klassens [*a ~ hotel*] **2** amer., *~ mail* trycksaker **II** *adv* [i] tredje klass [*travel ~*]

thirdly ['θɜ:dlɪ] för det tredje

third-party [ˌθɜ:d'pɑ:tɪ], *~* [*liability*] *insurance* ansvarsförsäkring, drulleförsäkring; *~* [*motor*] *insurance* ung. trafikförsäkring

third-rate [ˌθɜ:d'reɪt, attr. '--] tredje klassens, av tredje klass, [rätt] undermålig

thirst [θɜ:st] **I** *s* törst, bildl. äv. längtan; *~ for knowledge* kunskapstörst **II** *vb itr* törsta

thirsty ['θɜ:stɪ] törstig

thirteen [ˌθɜ:'ti:n, attr. '--] tretton; jfr *fifteen* med sms.

thirteenth [ˌθɜ:'ti:nθ, attr. '--] trettonde; tretton[de]del; jfr *fifth*

thirtieth ['θɜ:tɪɪθ, -tɪəθ] **1** trettionde **2** trettion[de]del

thirty ['θɜ:tɪ] (jfr *fifty* med sms.) **I** *räkn* tretti[o]; *the T~ Years* (*Years'*) *War* trettioåriga kriget **II** *s* tretti[o]; tretti[o]tal

this [ðɪs] **I** (pl. *these*) *demonstr pron* **1** den här [*~ way, please*], det här [*~ is my brother, that* (det där) *is a cousin of mine*]; denne, denna [*at ~ moment*]; det [*they had ~ in common, that they...*]; *these* de här [*look at these fellows*], dessa; detta, det här [*these are my colleagues*]; *~ day last year* adv. i dag för ett år sedan; [*I have been waiting*] *these* (*~*) *three weeks* ...nu i tre veckor; *~ is to inform you that...* i brev härmed får vi meddela att...; *what's all ~?* vard. vad ska det här betyda (föreställa)?; [*he went to*] *~ doctor and that* ...den ena doktorn efter den andra **2** vard. (i berättande framställning) en; [*I was standing there.*] *Then ~ little fellow came up to me* ...och då kom en liten kille fram till mig [du vet]
II *adv* vard. så [här] [*not ~ late*; *~ much*]; *it is seldom ~ warm* det är sällan så här [pass] varmt

thistle ['θɪsl] bot. tistel äv. Skottlands nationalemblem

thistledown ['θɪsldaʊn] tistelfjun

thong [θɒŋ] läderrem; pisksnärt

thorn [θɔ:n] **1** [törn]tagg; *a ~ in the* (*one's*) *flesh* (*side*) en påle i köttet, en nagel i ögat **2** törnbuske; hagtorn; slån

thorny ['θɔ:nɪ] **1** törnig, taggig **2** bildl. kvistig [*a ~ problem*]

thorough ['θʌrə] grundlig, genomgripande; omsorgsfull; riktig [*a ~ nuisance* (plåga)], fullkomlig, fulländad [*a ~ gentleman*]; fullfjädrad

thoroughbred ['θʌrəbred] **I** *adj* **1** fullblods-, rasren [*a ~ horse*] **2** bildl. fullblods- **II** *s* **1** fullblod; fullblodshäst **2** 'fullblod' förstklassig bil o.d.

thoroughfare ['θʌrəfeə] **1** genomfart; *No T~* trafik. Genomfart förbjuden **2** genomfartsgata **3** farled

thoroughgoing ['θʌrə,gəʊɪŋ] **1** grundlig [*he is ~*]; genomgripande, omfattande [*~ reforms*] **2** tvättäkta [*a ~ democrat*]; fullfjädrad

thoroughly ['θʌrəlɪ] grundligt etc., jfr *thorough*; i grund och botten; helt, alldeles; genom- [*~ bad (warm)*]; väldigt mycket [*I ~ enjoyed it*]

thoroughness ['θʌrənəs] grundlighet

those [ðəʊz], se *that I* o. *II*

though [ðəʊ] **I** *konj* **1** fast; [*even*] ~ även om, om också, om än; *some improvement ~ slight* en om också liten förbättring **2** men [*he will probably agree, ~ you never know*] **3** *as ~* som [om] [*he looks as ~ he were ill*]; *it's not as ~ [I wanted to win the match at their expense]* det är inte så att... **II** *adv* ändå; verkligen [*did he ~!*]; [*I don't mind playing ~*] *I'm not much good, ~* ...fast jag är inget vidare

thought [θɔ:t] **I** *s* **1** tanke; tankar; åsikt, synpunkt; tankearbete; idé, ingivelse [*a happy ~*], infall; pl. *~s* äv. funderingar, planer; *freedom of ~* tankefrihet; *train (line, mode) of ~* tankegång; *I didn't give it a second ~* jag tänkte inte närmare (särskilt) på det; *lost (deep, wrapped up) in ~[s]* [försjunken] i sina tankar (i funderingar, i penséer) **2** tänkande [*Greek (modern) ~*], tankar **3** eftertanke; övervägande; *after much (mature, serious) ~* efter grundligt (moget, allvarligt) övervägande; *on second ~s [I will...]* vid närmare eftertanke (övervägande)... **4** omtanke [*the nurse was full of ~ for* (om) *her patient*] **II** imperf. o. perf. p. av *think*

thoughtful ['θɔ:tf(ʊ)l] **1** tankfull **2** hänsynsfull, omtänksam

thoughtless ['θɔ:tləs] tanklös; oförsiktig, lättsinnig

thousand ['θaʊz(ə)nd] tusen; tusental [*in ~s*]; *a (one) ~* [ett] tusen

thousandth ['θaʊz(ə)n(t)θ] **I** *räkn* tusende; *~ part* tusen[de]del **II** *s* tusen[de]del

thrash [θræʃ] **I** *vb tr* **1** a) slå, prygla b) vard. klå; *be ~ed* få stryk (smörj) **2** *~ out* diskutera (tröska) igenom [*~ out a problem*], klara av **3** piska [*the whale ~ed the water with its tail*] **II** *vb itr* piska [*the branches ~ed against the windows*]; *~ about* a) slå [vilt] omkring sig; plaska [vilt] b) kasta sig av och an

thrashing ['θræʃɪŋ] smörj, [kok] stryk; *get a ~* få [ordentligt med] smörj (stryk)

thread [θred] **I** *s* **1** tråd; garn; fiber; sträng; *he has not a dry ~ on him* han har inte en torr tråd på kroppen (på sig) **2** smal (tunn) strimma [*a ~ of light*]; [färg]strimma, streck; rännil **3** bildl. tråd [*lose the ~ of* (i)]; *the main ~* den röda tråden; *gather up the ~s* [*of a story*] samla (binda) ihop trådarna [i en berättelse]; *pick up (resume, take up) the ~[s]* ta upp tråden igen, återuppta berättelsen **4** [skruv]gänga **II** *vb tr* **1** trä [på (upp)]; *~ a needle* trä på en nål **2** *~* [*one's way (course) through*] slingra (sno, leta, söka) sig fram genom (längs), bana sig väg genom [*he ~ed his way through the crowd*] **3** gänga **III** *vb itr* leta sig fram

threadbare ['θredbeə] **1** luggsliten **2** bildl. utnött

threat [θret] hot, hotelse, [överhängande] fara; *make ~s against a p.* hota ngn

threaten ['θretn] hota [*danger ~ed*; *~ a p. with punishment*; *~ to do a th.*]; se hotande (hotfull) ut [*the weather ~s*]; hota med [*~ revenge*]; förebåda; *a ~ing letter* ett hotelsebrev

three [θri:] (jfr *five* med ex. o. sms.) **I** *räkn* tre; *~ pence* tre pence (förk. 3 p) **II** *s* trea

three-dimensional [,θri:daɪ'menʃənl, -dɪ'm-] tredimensionell [*~ film*]

threefold ['θri:fəʊld] **I** *adj* tredubbel, trefaldig **II** *adv* tredubbelt, trefaldigt

three-four [,θri:'fɔ:], *~ [time]* trefjärdedelstakt

three-piece ['θri:pi:s] tredelad, i tre delar; *~ suit* a) kostym med väst b) tredelad dräkt

three-ply ['θri:plaɪ, -'-] **I** *adj* tretrådig **II** *s* tredubbel plywood

thresh [θreʃ] tröska

thresher ['θreʃə] tröskare; tröskverk, tröskmaskin

threshold ['θreʃ(h)əʊld] **1** [dörr]tröskel **2** bildl. tröskel [*on the ~ of a revolution*], början [*he was on* (vid) *the ~ of his career*] **3** fysiol. el. psykol. tröskel [*the ~ of consciousness*]; *pain ~* smärtgräns

threw [θru:] imperf. av *throw*

thrice [θraɪs] litt. tre gånger, trefalt

thrift [θrɪft] **1** sparsamhet **2** bot. trift; isht strandtrift

thriftiness ['θrɪftɪnəs] sparsamhet

thrifty ['θrɪftɪ] **1** sparsam, ekonomisk **2** amer. blomstrande, framgångsrik

thrill [θrɪl] **I** *vb tr* komma (få) att rysa av spänning; *~ed to bits* stormförtjust **II** *vb itr* rysa [~ *with* (av) *delight* (*horror*)] **III** *s* **1** ilning, rysning [~ *of pleasure* (välbehag)], skälvning **2** spänning; spännande upplevelse; *what a ~!* vad (så) spännande!

thriller ['θrɪlə] rysare; raffel

thrilling ['θrɪlɪŋ] spännande, nervkittlande; gripande

thrive [θraɪv] (*~d ~d*, ibl. *throve thriven*) **1** om växter o. djur [växa och] frodas, må bra; om barn [växa och] bli frisk och stark [*children ~ on* (av) *milk*] **2** blomstra

thriving ['θraɪvɪŋ] **1** om växter o. djur som frodas **2** blomstrande [*a ~ business*], framgångsrik

throat [θrəʊt] strupe; svalg; matstrupe, luftstrupe; *clear one's ~* klara strupen, harkla sig; *cut one's* [*own*] *~* bildl. skada sig själv, förstöra för sig själv; *have a sore* (vard. *have a*) *~* ha ont i halsen; *fly* (*be*) *at each other's ~s* råka i luven (gå lös) på varandra, ryka ihop

throb [θrɒb] **I** *vb itr* **1** banka [*my heart is ~bing*]; dunka [*the ~bing sound of machinery*]; *my head is ~bing* det bultar (dunkar) i huvudet på mig **2** skälva [*~ with* (av) *excitement*]; vibrera; pulsera [*a town ~bing with* (av) *activity*] **II** *s* bankande, dunk[ande]

throe [θrəʊ] **1** mest pl. *~s* plågor, kval, ångest, vånda; *~s* [*of death*] dödskamp **2** vard., *be in the ~s of* stå (vara) mitt uppe i

thrombosis [θrɒm'bəʊsɪs] (pl. *thromboses* [θrɒm'bəʊsi:z]) med. blodpropp, trombos

throne [θrəʊn] tron; [biskops]stol; *come to the ~* komma på tronen

throng [θrɒŋ] **I** *s* **1** trängsel, [folk]vimmel **2** massa, [väldig] mängd **II** *vb itr* trängas; strömma [till] i stora skaror **III** *vb tr* fylla till trängsel, skocka sig på (i) [*people ~ed the streets* (*shops*)]

throttle ['θrɒtl] **I** *s* [gas]spjäll, trottel; strypventil; *at full ~* a) med öppet spjäll b) med gasen i botten **II** *vb tr* **1** strypa; bildl. förkväva **2** reglera, minska [på] gastillförseln o.d.; minska ngts fart **III** *vb itr* **1** hålla på (vara nära) att kvävas **2** *~ down* lätta på gasen

through [θru:] **I** *prep* **1** genom, igenom; in (ut) genom [*climb ~ a window*]; över [*a path ~ the fields*]; *he drove ~ a red light* han körde mot rött [ljus] **2** genom [*absent ~ illness*]; tack vare; *it is* [*all*] *~ him that...* det är [helt och hållet] hans fel (ibl. hans förtjänst) att... **3** om tid: [*he worked*] [*all*] *~ the night* ...hela natten [igenom] **4** amer. till och med [*Monday ~ Friday*] **II** *adv* **1** igenom; genom- [*wet ~*]; till slut[et] [*he heard the speech ~*]; *~ and ~* a) alltigenom b) igenom gång på gång [*I read the book ~ and ~*]; *wet ~ and ~* våt helt igenom **2** om tåg o.d. direkt [*the train goes ~ to Boston*] **3** tele., *be ~* ha kommit fram; *you're ~ to Rome* klart Rom **4** *be ~* vard. i spec. bet.: a) vara klar (färdig) [*he is ~ with his studies*]; *are you ~?* äv. har du slutat? b) vara slut [*he is ~ as a tennis player*] c) ha fått nog [*I'm ~ with this job*]; *we are ~* det är slut mellan oss **III** *adj* genomgående, direkt [*a ~ train*]; *~ ball* (*pass*) sport. genomskärare; *~ ticket* direkt biljett

throughout [θrʊ'aʊt] **I** *adv* **1** alltigenom [*rotten ~*], genomgående [*worse ~*]; helt och hållet, fullständigt; överallt **2** hela tiden, från början till slut **II** *prep* **1** överallt (runtom) i, genom hela [*~ the U.S.*] **2** om tid: *~ the year* [under] hela året

throughput ['θru:pʊt] **1** produktion [*the ~ of crude oil*]; kapacitet **2** data. systemkapacitet

throw [θrəʊ] **I** (*threw thrown*) *vb tr* (se äv. *III*) **1** kasta; störta [*~ oneself into*]; kasta av [*the horse threw its rider*]; kasta omkull [*he threw his opponent*]; kasta till [*~ me that rope*]; slunga (skjuta) ut [*a satellite was ~n into space*]; fiske. kasta med; *~ open* kasta (slå) upp [*the doors were ~n open*]; *~ a th. into a p.'s face* kasta (slunga) ngt i ansiktet på ngn; *~ a kiss to a p.* ge ngn en slängkyss **2** försätta; försänka [*it threw him into a deep sleep*] **3** ställa [*~ into a shade*]; lägga [*~ obstacles into the way of* (för)] **4** bygga [*~ a bridge across a river*] **5** fälla fjädrar, hår o.d.; ömsa [*the snake has ~n its skin*] **6** mek. koppla in (till) [*~ a lever* (spak)] **7** vard. a) ställa till [med] [*~ a party for a p.*] b) *~ a fit* bli rasande **8** ge upp [*~ a game*]

II (*threw thrown*) *vb itr* (se äv. *III*) kasta

III (*threw thrown*) *vb tr* o. *vb itr* med adv. isht med spec. övers.:

~ **about**: a) kasta (slänga) omkring b) *~ one's money about* strö pengar omkring sig

~ **away** kasta (hälla) bort; *it is labour ~n away* det är bortkastad möda

~ **in**: a) kasta in b) *you get that ~n in* man får det på köpet c) fotb. göra [ett] inkast

~ **off**: a) kasta av (bort); kasta av sig [*he threw off his coat*] b) bli av med [*I can't ~ off this cold*]; skaka av sig [*~ off one's pursuers*] c) vard. skaka fram, svänga ihop [*~ off a poem*]

~ **out**: a) kasta ut; köra ut (bort) b) sända ut [*~ out light*], utstråla [*~ out heat*] c) kasta fram [*~ out a remark*]; *~ out a feeler* göra en trevare d) *~ one's chest out* skjuta fram bröstet e) förkasta [*~ out a bill in Parliament*] f) distrahera, förvirra; rubba [*~ the schedule out*]

~ **over**: a) avvisa [*~ over a plan*] b) göra

slut med [*she threw over her boyfriend*], överge, ge på båten

~ **together**: **a**) smälla ihop; rafsa ihop **b**) föra samman [*chance had ~n us together*]

~ **up**: **a**) kasta (slänga) upp **b**) lyfta, höja [*she threw up her head*] **c**) kasta upp [*~ up barricades*]; smälla upp (ihop) [*~ up houses*] **d**) kräkas (kasta) upp; kräkas **e**) ge upp [*~ up one's job*]

IV *s* **1** kast äv. brottn.; *stake everything on one ~* sätta allt på ett kort (bräde) **2** *~* [*of the dice*] tärningskast

throwaway ['θrəʊəweɪ] **I** *s* a) engångsartikel b) reklamlapp; *~ leaflet* flygblad **II** *adj* **1** engångs- [*~ container*], slit-och-släng-; *at ~ prices* till vrakpriser **2** framkastad i förbigående [*~ remarks*]

throwback ['θrəʊbæk] **1** bakslag **2** biol. atavism; bildl. återgång [*a ~ to the earlier drama*]

throw-in ['θrəʊɪn] fotb. inkast

thrown [θrəʊn] perf. p. av *throw*

thru [θru:] amer., se *through*

thrum [θrʌm] **1** knäppa [på] [*~* [*on*] *a guitar*]; klinka [på] **2** trumma [på] [*~* [*on*] *the table*]

1 thrush [θrʌʃ] zool. trast; *~ nightingale* näktergal

2 thrush [θrʌʃ] **1** med. torsk **2** vet. med. strålröta

thrust [θrʌst] **I** (*thrust thrust*) *vb tr* **1** sticka [*he ~ his hands into his pockets*], köra [*she ~ a dagger into his back*]; *he ~ his fist into my face* han hötte åt mig med näven; *~ out one's tongue* räcka ut tungan **2** tvinga [*they were ~ into a civil war*], tränga [*the policemen ~ the crowd back*]; *~ one's way through the crowd* tränga sig fram genom folkmassan; *~ oneself upon a p.* tvinga (tränga) sig på ngn **3** knuffa [*~ aside*], köra [*~ out*], stöta [*~ away* (*off, down*)]; *~ aside* äv. åsidosätta **II** (*thrust thrust*) *vb itr* **1** tränga (tvinga) sig [*he ~ past me*], tränga [sig] fram [*they ~ through the crowd*] **2** skjuta ut (upp) [*a rock that ~s 200 feet above the water*] **3** göra ett utfall äv. bildl.; sticka **4** fäktn. stöta **III** *s* **1** stöt **2** framstöt; utfall äv. bildl. **3** fäktn. stöt

thud [θʌd] **I** *s* duns [*it fell with a ~*], dovt ljud (slag) **II** *vb itr* dunsa [ner]; dunka

thug [θʌg] ligist

thumb [θʌm] **I** *s* tumme; *have a p. under one's ~* hålla ngn i ledband; hålla tummen på ögat på ngn; *he turned his ~ down to the plan* han vände tummen ner för planen; *~s up!* vard. äv. fint!, bravo! **II** *vb tr* **1** tumma [på], sätta [solkiga] märken i (på) [*this dictionary will be much ~ed*]; *~* [*through*] bläddra igenom **2** *~ a lift* (*ride*) vard. [försöka] få lift, lifta **3** *~ one's nose at* räcka lång näsa åt

thumb-index ['θʌmˌɪndeks] **I** *s* tumindex **II** *vb tr* förse med tumindex

thumbnail ['θʌmneɪl] **1** tumnagel **2** *~ sketch* a) miniatyrskiss b) snabbskiss

thumbtack ['θʌmtæk] amer. häftstift

thump [θʌmp] **I** *vb tr* dunka [*~ a p. on* (i) *the back*], dunka (hamra) på [*~ the piano*], bulta (banka) på [*he ~ed the door*], slå på [*~ a drum*] **II** *vb itr* dunka [*his heart ~ed in his chest*], hamra, banka; klampa, klappra **III** *s* dunk [*a friendly ~ on the back*], smäll, duns

thunder ['θʌndə] **I** *s* åska [*there's ~ in the air*]; dunder, dån [*the ~ of horses' hoofs*], brak; *a crash* (*peal*) *of ~* en åskskräll **II** *vb itr* **1** åska [*it was ~ing and lightening*]; dundra; [*the train*] *~ed past* ...dundrade förbi **2** bildl. dundra [*he ~ed against the new law*]; *~ against* äv. fara ut mot **III** *vb tr* dundra; utslunga t.ex. hotelser; *~ out* skrika ut, ryta [*~ out orders* (*commands*)]

thunderbolt ['θʌndəbəʊlt] åskvigg; *like a ~* som ett åskslag

thunderclap ['θʌndəklæp] åskskräll; bildl. åskslag

thundering ['θʌnd(ə)rɪŋ] **I** *adj* **1** dundrande **2** vard. väldig [*a ~ amount of work*]; grov [*a ~ lie*] **II** *adv* vard. väldigt, förfärligt

thunderous ['θʌnd(ə)rəs] **1** åsk- **2** dånande [*~ applause*]

thunderstorm ['θʌndəstɔ:m] åskväder

thunderstruck ['θʌndəstrʌk] som träffad av blixten, förstenad, förstummad av häpnad

thundery ['θʌndərɪ] åsk- [*~ rain*], åskig

Thursday ['θɜ:zdeɪ, isht attr. -dɪ] torsdag; jfr *Sunday*

thus [ðʌs] **1** sålunda [*do it ~*] **2** alltså, därför [*he was not there and ~ you could not have seen him*] **3** *~ far* så långt, hittills

thwart [θwɔ:t] korsa [*~ a p.'s plans*]; *~ a p.* hindra ngn att få sin vilja fram

thyme [taɪm] bot. timjan

thyroid ['θaɪrɔɪd] anat. **I** *adj* sköld-; sköldkörtel-; *~ gland* sköldkörtel **II** *s* sköldkörtel

tiara [tɪ'ɑ:rə] tiara äv. påvekrona; diadem

Tibet [tɪ'bet]

Tibetan [tɪ'bet(ə)n] **I** *adj* tibetansk **II** *s* **1** tibetanska [språket] **2** tibetan

tic [tɪk] med. tic; *he has a* [*nervous*] *~* han har nervösa ryckningar

1 tick [tɪk] **I** *vb itr* **1** ticka **2** vard. funka; *what makes him ~?* hur är han funtad? **3** *~ over* gå på tomgång **II** *vb tr* **1** *~ away* ticka fram **2** *~* [*off*] pricka (bocka) av; markera, notera, kolla **3** vard., *~ off* **a**) läxa upp; *be* (*get*) *~ed off* äv. få påskrivet **b**) *be ~ed off* amer. bli förbannad (arg) **III** *s* **1** tickande [*the ~ of a clock*]; *in two ~s* vard. ögonaböj, på momangen **2** bock vid kollationering; *put a ~ against* pricka (bocka) för

2 tick [tɪk] zool. fästing

3 tick [tɪk] **1** bolstervar, kuddvar **2** se *ticking*

4 tick [tɪk] vard. kredit [*get ~*]; *on ~* på kredit (krita)

ticker-tape ['tɪkəteɪp] telegrafremsa; *get a ~ reception* (*welcome*) ung. få ett storslaget (hejdundrande) mottagande med utkastning av telegrafremsor o. konfetti från husfönstren

ticket ['tɪkɪt] **1** biljett [*buy ~s for* (till) *Paris* (*the opera*)]; vard. plåt **2** lapp [*price ~*]; parkeringslapp [*parking ~*], lapp på rutan [*get a ~*]; kvitto, sedel [*pawn ticket*]; etikett; *library ~* lånekort på bibliotek; *meal ~* a) matkupong b) vard. födkrok; försörjare **3** vard., *the ~* det [enda] riktiga (rätta) [*a holiday in Spain is the ~*]; *that's the ~* äv. det är så det skall vara, det är modellen **4** amer. polit. a) kandidatlista b) [parti]program **5** mil. vard. frisedel [*get one's ~*]; *work one's ~* krångla sig ifrån lumpen

ticket agency ['tɪkɪtˌeɪdʒ(ə)nsɪ] biljettkontor

ticket barrier ['tɪkɪtˌbærɪə] järnv. o.d. [biljett]spärr

ticket-collector ['tɪkɪtkəˌlektə] biljettmottagare; järnv. o.d. spärrvakt; konduktör

ticket office ['tɪkɪtˌɒfɪs] biljettagentur

ticking ['tɪkɪŋ] bolstervarstyg, kuddvarstyg

tickle ['tɪkl] **I** *vb tr* **1** kittla [*~ a p. with a feather*]; *~ the ivories* vard. klia elfenben spela piano **2** roa [*the story ~d me*], glädja [*the news will ~ you*]; tilltala [*~ a p.'s taste*]; smickra [*~ a p.'s vanity*] **II** *vb itr* **1** klia; *my nose ~s* det kittlar i näsan [på mig] **2** kittlas **III** *s* kittling; *he gave my foot a ~* han kittlade mig under (på) foten

ticklish ['tɪklɪʃ] **1** kittlig **2** kinkig [*a ~ problem*]; känslig [*a ~ situation*]

tick-tock ['tɪktɒk, -'-] **I** *s* ticktack [*the ~ of the old clock*] **II** *adv* o. *interj* ticktack

tidal ['taɪdl] tidvattens- [*~ dock* (*harbour*)]; *~ wave* a) tidvattensvåg, flodvåg, jättevåg b) bildl. [stark] våg [*a ~ wave of enthusiasm*]

tidbit ['tɪdbɪt] isht amer., se *titbit*

tiddler ['tɪdlə] vard. **1** liten fisk; isht spigg **2** a) småtting b) pytteliten grej

tiddley ['tɪdlɪ] vard. **1** plakat berusad **2** liten; futtig

tiddlywinks ['tɪdlɪwɪŋks] (konstr. ss. sg.) loppspel

tide [taɪd] **I** *s* **1** tidvatten [äv. pl. *~s*]; flod[tid]; *high ~* högvatten, flod [*at* (vid) *high ~*]; *low ~* lågvatten, ebb [*at* (vid) *low ~*]; *the ~ is in* (*up*) det är flod (högvatten) **2** bildl. ström; *the ~ of events* händelsernas förlopp; *the rising ~ of public opinion against...* den växande allmänna opinionen mot...; *the ~ has turned* vinden har vänt, det har skett en omsvängning; *go* (*swim*) *with the ~* följa (driva) med strömmen **3 a**) högtidl. tid [*Christmas-tide*]; stund **b**) *time and ~ wait for no man* tiden går obevekligt sin gång **II** *vb tr* föra (dra) med sig som tidvattnet; *~ over* hjälpa (klara) ngn över (igenom) [*~ a p. over a crisis* (*difficulty*)]

tidily ['taɪdəlɪ] snyggt etc., jfr *tidy I*

tidiness ['taɪdɪnəs] snygghet etc., jfr *tidy I*; [god] ordning

tidings ['taɪdɪŋz] (konstr. vanl. ss. pl.) litt. tidender; *glad ~* glädjebudskap

tidy ['taɪdɪ] **I** *adj* **1** snygg; städad [*a ~ room*], ordentlig, proper; *keep Britain ~* håll Storbritannien rent **2** vard. nätt [*a ~ sum*] **II** *s* förvaringslåda [med fack] o.d.; etui; [*sink*] *~* avfallskorg för vask **III** *vb tr*, *~* [*up*] städa, städa (snygga) upp [i (på)] **IV** *vb itr*, *~* [*up*] städa [upp], snygga upp, göra i ordning

tie [taɪ] **I** *vb tr* **1 a**) binda [fast] [*~ a horse to* (vid) *a tree*], knyta fast; *~ a p. hand and foot* binda ngn till händer och fötter äv. bildl. **b**) knyta [*~ one's shoelaces*] **2** med. underbinda [*~ a vein*] **3** bildl. binda [*my work ~s me to* (vid) *the office*]; klavbinda, hämma; *~d cottage* [lant]arbetarbostad som upplåts av markägaren **II** *vb itr* **1** knytas [*the sash ~s in front*], knytas fast (ihop) **2** sport. stå (komma) på samma poäng, få (nå) samma placering; spela oavgjort; *~ for first place* dela förstaplatsen

III *vb tr* o. *vb itr* med adv. o. prep. isht med spec. övers.:

~ **down** binda äv. bildl. [*~ a p. down to a contract*]; binda fast; *be ~ed down by children* (*one's job*) vara bunden av barn (sitt arbete)

~ **in** bildl. förbinda, samordna [*~ in your holiday plans with theirs*]

~ **on** binda på [*~ on a label*]

~ **up**: **a**) binda upp; binda [fast]; binda ihop (samman); binda om [*~ up a parcel*]; med. underbinda **b**) bildl. binda [*I am too ~d up with* (av) *other things*]; låsa [fast] [*~ up one's capital*]; *~d up* äv. upptagen

IV *s* **1** band **2** bildl. band; hämsko; *~s of blood* blodsband; *business ~* affärsförbindelse **3** slips; fluga, rosett **4** sport. **a**) lika poängtal; oavgjort resultat; *it ended in a ~* det slutade oavgjort, det blev dött lopp **b**) cupmatch; *play off a ~* spela 'om för att avgöra en tävling **5** polit. lika röstetal **6** mus. [binde]båge

tiebreak ['taɪbreɪk] o. **tiebreaker** ['taɪ,breɪkə] i tennis tie-break
tie-on ['taɪɒn] som går att binda på (knyta fast)
tie pants ['taɪpænts] snibb blöja
tiepin ['taɪpɪn] kråsnål
tier [tɪə] rad; [*seats*] *arranged in ~s* ...ordnade i rader ovanför varandra, ...trappstegsvis ordnade
tiff [tɪf] **I** *s* [litet] gräl **II** *vb itr* gräla
tiger ['taɪgə] tiger; *paper ~* bildl. papperstiger
tigerish ['taɪgərɪʃ] tigerlik[nande]
tight [taɪt] **I** *adj* **1** åtsittande, åtsmitande, snäv [*~ trousers*], trång [*~ shoes*]; spänd [*a ~ rope*], stram; sjö. styvhalad; *be ~* äv. strama, trycka, sitta åt [*my collar is ~*]; *be (find oneself) in a ~ corner (spot, squeeze)* ligga illa till, vara i knipa **2** fast, hård [*a ~ knot*]; sträng [*~ control*]; *a ~ drawer* en låda som kärvar **3** tät [*a ~ boat (bucket)*] **4** snål **5** knapp; tryckt [*a ~ money market*] **6** vard. packad berusad **II** *adv* tätt [*hug* (krama) *a p. ~*]; *sleep ~!* vard. sov gott!
tighten ['taɪtn] **I** *vb tr* spänna [*~ a rope*], dra åt; *~ one's belt* bildl. dra åt svångremmen; *~ [up]* dra åt [*~ [up] the screws*]; skärpa [*~ up the regulations*], effektivera **II** *vb itr* spännas; *~ [up]* dras åt; skärpas [*the regulations have ~ed up*], effektiveras
tight-fisted [,taɪt'fɪstɪd] vard. snål
tight-fitting [,taɪt'fɪtɪŋ] åtsittande [*~ clothes*]
tight-lipped [,taɪt'lɪpt] **1** med hopknipna läppar; bister **2** fåordig, tystlåten
tightrope ['taɪtrəʊp] [spänd] lina; *~ walker (dancer)* lindansare
tights [taɪts] **1** [*stretch*] *~* strumpbyxor **2** trikåer artistplagg; trikåbyxor
tigress ['taɪgrəs] tigrinna
tile [taɪl] **I** *s* tegelpanna, tegelplatta; tegel; platta; kakel[platta]; tegelrör; *have a ~ loose* vard. ha en skruv lös; *be [out] on the ~s* vard. vara ute och svira **II** *vb tr* täcka (belägga) med tegel; klä med kakel[plattor]
1 till [tɪl] **I** *prep* [ända] till [*work from morning ~ night*; *wait ~ Thursday (tomorrow)*]; *~ now* [ända] tills nu, hitintills **II** *konj* [ända] till, till dess att [*wait ~ the rain stops*]; *not ~* [*he got home did he understand*] först när (då)..., inte förrän...
2 till [tɪl] kassa äv. pengar; kassaapparat
3 till [tɪl] odla [upp] [*~ the soil*]; *~ed land* odlad jord (mark), åker[jord]
tillage ['tɪlɪdʒ] **1** odling [*the ~ of soil*] **2** odlad mark **3** skörd; gröda
tiller ['tɪlə] sjö. rorpinne
tilt [tɪlt] **I** *vb tr* luta, vippa (vicka) på [*he ~ed his chair back*]; fälla [*~ back* (upp) *a seat*] **II** *vb itr* **1** luta, vippa; välta; gunga [*birds were ~ing on the boughs*]; sjö. ha slagsida; *~ over* välta (vicka) omkull, tippa över [ända] **2** gå till angrepp (storms) [*~ at* (mot) *gambling*], kämpa; tävla **III** *s* **1** lutning; vippande, vickande **2** bildl. dust, ordväxling [*have a ~ with a p.*]; *have a ~ at* vard. ge sig på, gå illa åt **3** [*at*] *full ~* i (med) full fart
timber ['tɪmbə] **1** timmer, trä **2** isht amer. [timmer]skog; *~!, ~!* se upp! fallande träd! **3** sjö. spant; *shiver my ~s!* sl. jäklar anamma!
timberline ['tɪmbəlaɪn] trädgräns
time [taɪm] **I** *s* **1 a**) tid; tiden [*~ will show who is right*]; *~s* tider [*hard ~s*], tid [*the good old* (gamla goda) *~s*] **b**) attr. tid- [*~ wages*], tids-; *~* [*and motion*] *study* [arbets]tidsstudier **c**) *pass the ~ of day* utbyta hälsningar **d**) i förb. med *long*: *a long ~ ago* för länge sedan; *what a long ~ you have been!* så (vad) länge du har varit! **e**) i förb. med vissa pron.: [*they were laughing*] *all the ~* ...hela tiden; *at all ~s* alltid; *for all ~* för all framtid; [*the best tennis player*] *of all ~* ...genom tiderna; *any ~* när som helst; vard. utan tvekan, alla gånger; *every ~!* vard. så klart!; alla gånger!; *it was no ~ before she was back* hon var tillbaka på nolltid; *I've got no ~ for* vard. jag har ingenting till övers för; *in* [*less than*] *no ~* på nolltid; *at the same ~* a) vid samma tid[punkt], samtidigt b) å andra sidan, samtidigt [*at the same ~ one must admit that she is competent*]; *this ~ last year* i fjol vid den här tiden; *by this ~* vid det här laget; *what ~ is it?* vad (hur mycket) är klockan? **f**) i förb. med vb: *~'s up!* tiden är ute!; *it's ~ for lunch* el. *there is a ~* [*and place*] *for everything* allting har sin tid; *what's the ~?* vad (hur mycket) är klockan?; *do ~* vard. sitta inne; *have a good (nice) ~* ha roligt, ha det trevligt; *have ~ on one's hands* ha gott om tid; *keep ~* a) hålla tider[na] (tiden), vara punktlig b) ta tid med stoppur c) mus., se *3* nedan d) om ur: *take your ~!* ta [god] tid på dig!, ingen brådska!, iron. förta dig [för all del] inte! **g**) i förb. med prep. o. adv.: *about ~ too!* det var [minsann] på tiden!; *a race against ~* en kapplöpning med tiden; *be ahead of one's ~* vara före sin tid; *at one ~* a) en gång [i tiden] b) på en (samma) gång; *at the ~* vid det tillfället, på den tiden [*he was only a boy at the ~*]; *at ~s* tidvis, emellanåt; *for the ~ being* för närvarande, tills vidare; *all of the ~* hela tiden; *for the sake of old ~s* för gammal vänskaps skull; *the literature of the ~* dåtidens litteratur; *~ off* fritid; ledigt; *once upon a ~ there was...*

det var en gång... **2** gång; ~ *after* ~ el. *many a* ~ mången gång, många gånger **3** mus. takt; taktart; *beat* ~ slå takt[en]; *keep* ~ hålla takt[en]
II *vb tr* **1** välja (beräkna) tiden (tidpunkten) för [*he ~d his journey so that he arrived before dark*]; *ill* (*well*) *~d* se *ill-timed* o. *well-timed* **2** ta tid på [*~ a runner*], ta tid vid

time bomb ['taɪmbɒm] tidsinställd bomb

time-consuming ['taɪmkən,sju:mɪŋ] tidsödande

time-honoured ['taɪm,ɒnəd] [gammal och] ärevördig, hävdvunnen [*~ customs*], traditionell

timekeeper ['taɪm,ki:pə] **1** tidmätare; *this is a good* (*bad*) ~ den här klockan går bra (dåligt) **2** tidkontrollör; tidtagare; tidskrivare

timekeeping ['taɪm,ki:pɪŋ] tidtagning; tidkontroll på arbetsplats

time-killer ['taɪm,kɪlə] vard. tidsfördriv

timelag ['taɪmlæg] mellantid; tidsfördröjning [*catch up on* (ta igen) *the* ~]

timeless ['taɪmləs] litt. tidlös, oändlig; evig

time limit ['taɪm,lɪmɪt] tidsgräns; tidsbegränsning; [tids]frist [*exceed the* ~]; hand. tidslimit; *impose a ~ on* tidsbegränsa

timely ['taɪmlɪ] läglig, lämplig; i rätt[an] tid

timepiece ['taɪmpi:s] ur; kronometer; pendyl

timer ['taɪmə] **1** isht sport. tidtagare **2** tidtagarur **3** tidur; timer

timeserver ['taɪm,sɜ:və] **1** opportunist, anpassling; *be a* ~ vända kappan efter vinden **2** ögontjänare, en som maskar

timesharing ['taɪm,ʃeərɪŋ] **1** data. tiddelning **2** andelssystem för fritidslägenheter; time-sharing

time signal ['taɪm,sɪgn(ə)l] tidssignal

timetable ['taɪm,teɪbl] **1** [tåg]tidtabell; tidsschema **2** schema; skol. äv. timplan

timewasting ['taɪm,weɪstɪŋ] **I** *s* slöseri med tid [*a lot of* ~]; maskning **II** *adj* tidsödande

timid ['tɪmɪd] försagd, skygg; blyg, timid

timidity [tɪ'mɪdətɪ] o. **timidness** ['tɪmɪdnəs] försagdhet etc., jfr *timid*

timing ['taɪmɪŋ] **1** val av tidpunkt [*the President's ~ was excellent*], tajming; sport. timing [*his ~ is perfect*]; *the ~ was perfect* a) tidpunkten var utmärkt vald b) allting klaffade perfekt **2** tidtagning; tidmätning

timorous ['tɪmərəs] rädd[hågad], lättskrämd; ängslig, skygg

timothy ['tɪməθɪ] bot., ~ [*grass*] timotej

timpani ['tɪmpənɪ] (pl., konstr. ofta ss. sg.) mus. (it.) pukor; *play the* ~ spela puka

tin [tɪn] **I** *s* **1** tenn **2** bleck; plåt [*~ roof*] **3** konservburk, burk [*a ~ of peaches*], bleckburk; [plåt]dunk **4** form för bakning **II** *vb tr* (se äv. *tinned*) **1** förtenna **2** lägga in

tincture ['tɪŋ(k)tʃə] kem. el. med. tinktur; ~ *of iodine* jodsprit

tinder ['tɪndə] fnöske

tinfoil [,tɪn'fɔɪl, '--] tennfolie; foliepapper, silverpapper

tinge [tɪn(d)ʒ] **I** *vb tr* **1** ge en viss färg[ton] (skiftning, nyans) åt; blanda; prägla; *be ~d with red* skifta i rött **2** ge en bismak åt **II** *s* [lätt] skiftning; bismak, tillsats; blandning; bildl. äv. anstrykning, spår [*there was a ~ of sadness in her voice*]

tingl|e ['tɪŋgl] **I** *vb itr* **1** sticka, svida, hetta, bränna, krypa, klia **2** klinga, pingla, plinga **3** ringa; *my ears are -ing* det susar i öronen [på mig] **II** *s* **1** stickande [känsla], stickning, sveda **2** klingande [ljud], pinglande

tinker ['tɪŋkə] **I** *s* **1** åld. kittelflickare; *not worth a ~'s damn* (*cuss*) vard. inte värd ett jäkla dugg **2** *have a ~ at* pilla (mixtra, joxa) med **II** *vb itr* fuska, pillra, joxa, meka

tinkle ['tɪŋkl] **I** *vb itr* klinga; klirra; klinka [*~ on the piano*] **II** *vb tr* ringa (pingla) med [*~ a bell*], klinka på [*~ the keys of a piano*] **III** *s* **1** pinglande [*the ~ of tiny bells*]; klirr[ande]; skrammel; klink[ande] på piano; *I'll give you a* ~ vard. jag slår en signal [till dig] på telefon **2** vard., *have a* ~ slå en drill, kissa

tinned [tɪnd] **1** förtent **2** konserverad [*~ beef, ~ fruit*], på burk [*~ peas*]; *~ food* burkmat

tinny ['tɪnɪ] **1** tennhaltig; tenn- **2** tennliknande **3** bleckartad; plåt-; som smakar bleck [*~ fish*]; *it tastes* ~ den smakar bleck **4** metallisk, skrällig; *a ~ piano* ett piano med spröd (tunn) klang

tin-opener ['tɪn,əʊp(ə)nə] konservöppnare, burköppnare

tinplate ['tɪnpleɪt, ,-'-] **I** *s* **1** bleck[plåt]; plåt **2** tennplåt **II** *vb tr* förtenna

tinpot ['tɪnpɒt] vard. pluttig

tinsel ['tɪns(ə)l] **1** glitter [*a Christmas tree with* ~]; paljetter [*a dress with* ~] **2** bildl. glitter

tint [tɪnt] **I** *s* **1** [färg]ton [*~s of green*], nyans, bildl. äv. anstrykning; *autumn ~s* höstfärger **2** toningsvätska **II** *vb tr* färga [lätt] [*~ one's hair*]; schattera

tintack ['tɪntæk] [förtent] nubb

tiny ['taɪnɪ] [mycket] liten; spenslig; *~ little* pytteliten; *~ tot* [litet] pyre, [liten] pys

1 tip [tɪp] **I** *s* **1** spets, topp; ända; *I know* (*have*) *it at the ~s of my fingers* jag kan (har) det på mina fem fingrar; *the ~ of one's tongue* tungspetsen; *have a th. on* (*at*) *the ~ of one's tongue* bildl. ha ngt på tungan **2** tå[hätta]; klackjärn; doppsko [*the ~ of a*

stick], skoning **3** munstycke på cigarett **4** bladknopp på tebuske **II** *vb tr* förse (pryda) med en spets (etc., jfr *I 1-3*); beslå, sko; *~ped cigarette* filtercigarett

2 tip [tɪp] **I** *vb tr* **1** tippa [på]; tippa (stjälpa, välta) [omkull] [äv. *~ over, ~ up*]; *~ up* äv. fälla upp [*~ up the seat*] **2** *~ one's hat* lyfta på hatten [*to* för] **3** stjälpa av (ur), lasta av (ur) [äv. *~ out*] **II** *vb itr* vippa, stjälpa (välta, tippa) [över ända] [äv. *~ over*]; *~ up* vara uppfällbar [*the seat ~s up*] **III** *s* tipp

3 tip [tɪp] **I** *vb tr* **1** vard. ge dricks[pengar] till; *I ~ped him a pound* jag gav honom ett pund i dricks **2** vard. tippa [*~* [*a p. as*] *the winner*] **3** vard. ge en vink; *~ a p. off* varna ngn [i förväg], ge ngn en vink, tipsa ngn **II** *vb itr* vard. ge dricks[pengar] **III** *s* **1** dricks[pengar]; *give a p. a ~* ge ngn dricks **2** vard. vink; tips; *a ~ from the horse's mouth* ett stalltips; *take a ~ from me!* lyd mitt råd!

tipcart ['tɪpkɑ:t] tippkärra

tipping ['tɪpɪŋ] vard. **1** *~* [*has been abolished*] [systemet att ge] dricks... **2** tippning gissning **3** tipsning

tipple ['tɪpl] **I** *vb itr* [små]pimpla **II** *vb tr* pimpla i sig **III** *s* sprit[dryck]; skämts. dryck

tippler ['tɪplə] småsupare

tipster ['tɪpstə] vard. sport. yrkestippare som ger råd åt el. säljer tips till vadhållare; [professionell] tipsare

tipsy ['tɪpsɪ] [lätt] berusad

tiptoe ['tɪptəʊ] **I** *s, walk on ~*[*s*] gå på tå[spetsarna] **II** *adv* på tå[spetsarna] **III** *vb itr* gå på tå[spetsarna], tassa

tiptop [ˌtɪp'tɒp, '--] perfekt, prima [*a ~ hotel*], tiptop

tip-up ['tɪpʌp] uppfällbar [*~ seat*], tippbar

tirade [taɪ'reɪd, tɪ'reɪd] tirad

1 tire ['taɪə] **I** *vb tr* trötta; *~ out* trötta ut, utmatta **II** *vb itr* tröttna; ledsna

2 tire ['taɪə] amer., se *tyre*

tired ['taɪəd] trött; led; *~ out* uttröttad, utmattad, utpumpad, tagen, tröttkörd; utled[sen]

tiredness ['taɪədnəs] trötthet

tireless ['taɪələs] outtröttlig [*a ~ worker*]

tiresome ['taɪəsəm] **1** tröttsam; [lång]tråkig; enformig, trist **2** förarglig, besvärlig

tiring ['taɪərɪŋ] tröttande, tröttsam

tiro ['taɪərəʊ] (pl. *~s*) nybörjare

tissue ['tɪʃu:, 'tɪsju:] **1** vävnad äv. biol. o. anat. [*muscular ~*], väv; fint tyg, flor **2** bildl. väv [*a ~ of lies*] **3** mjukt papper; cellstoff; *face ~* ansiktsservett; *toilet ~* [mjukt] toalettpapper

tissue paper ['tɪʃu:ˌpeɪpə, 'tɪsju:-] silkespapper

1 tit [tɪt] zool. mes; *blue ~* blåmes

2 tit [tɪt], *~ for tat* lika för lika, betalt kvitteras

3 tit [tɪt] **1** vard. bröstvårta **2** sl., *~s* tuttar bröst

titanic [taɪ'tænɪk, tɪ't-] titanisk; jättelik

titbit ['tɪtbɪt] godbit äv. bildl.; läckerbit

titillate ['tɪtɪleɪt] kittla äv. bildl. [*~ the fancy; ~ a p.'s palate*]; locka

titivate ['tɪtɪveɪt] vard. **I** *vb tr* piffa upp; *~ oneself* se *II* **II** *vb itr* piffa (snygga) till sig

title ['taɪtl] **I** *s* **1** titel **2** jur. rätt, [rätts]anspråk, äganderätt **II** *vb tr* **1** betitla; benämna **2** titulera

titled ['taɪtld] betitlad; adlig [*a ~ lady*]

title deed ['taɪtldi:d] [åtkomst]handling; dokument; lagfartsbevis

titleholder ['taɪtlˌhəʊldə] isht sport. titelhållare

title page ['taɪtlpeɪdʒ] titelsida

title role ['taɪtlrəʊl] titelroll

titter ['tɪtə] **I** *vb itr* fnittra **II** *s* fnitter

tittle-tattle ['tɪtlˌtætl] **I** *s* skvaller, tissel och tassel **II** *vb itr* skvallra, tissla och tassla

titty ['tɪtɪ] **1** sl. bröstvårta; *~ bottle* barnspr. nappflaska **2** sl. el. barnspr. tutte bröst

titular ['tɪtjʊlə] titulär- [*~ bishop*], formell, blott till titeln (namnet); titel- [*~ character* (*roll*)]

T-junction ['ti:ˌdʒʌŋ(k)ʃ(ə)n] T-korsning

to [beton. tu:; obeton. tʊ, före konsonant tə, t] **I** *prep* **1** till uttr. riktning [*walk ~ school*] **2** till uttr. dativ [*~ whom did you give it?*] **3** för [*read ~ a p.; known* (*useful*) *~ a p.*]; *open ~ the public* öppen för allmänheten; [*a toast*] *~ the President!* [en] skål för presidenten! **4** i: **a**) uttr. riktning [*a visit ~ England; go ~ church*] **b**) andra fall: *a quarter ~ six* kvart i sex **5** på: **a**) uttr. riktning [*go ~ a concert*]; *the plane goes ~ London* planet flyger på London **b**) andra fall: [*there were no windows*] *~ the hut* ...på stugan; *a year ~ the day* ett år på dagen **6** mot: **a**) uttr. riktning el. placering mot [*with his back ~ the fire*]; *hold a th.* [*up*] *~ the light* hålla [upp] ngt mot ljuset **b**) efter ord uttr. bemötande o.d. [*good* (*grateful, polite*) *~ a p.*] **c**) i jämförelse med, vid sidan av [*you are but a child ~ him*]; *she made three jumps ~ his two* hon hoppade tre gånger mot hans två; [*he's quite rich now*] *~ what he used to be* ...mot vad han varit förut **7** mot uttr. riktning [*the balcony looks ~ the south*] **8** med [*likeness ~*]; *engaged* (*married*) *~* förlovad (gift) med **9** vid: **a**) *accustom ~* vänja vid **b**) efter ord uttr. fästande, fasthållande o.d. [*tie a th ~*] **c**) knuten till: *secretary ~* [*the British legation*] sekreterare vid... **10** hos: **a**) anställd hos: *secretary ~ the minister* sekreterare hos (till) ministern **b**) hemma hos: *I have been ~ his house* jag har varit hemma hos honom **11** enligt [*~*

my thinking] **12** om; *testify* ~ vittna om; bära vittnesbörd om **13** betecknande viss proportionalitet: *thirteen* ~ *a dozen* tretton på dussinet; [*his pulse was 140*] ~ *the minute* ...i minuten **14** ex. på andra motsvarigheter: *freeze* ~ *death* frysa ihjäl; *would* ~ *God that...* Gud give att...
II *infinitivmärke* **1** att **2** fristående med syftning på en föreg. inf.: [*we didn't want to go*] *but we had* ~ ...men vi måste [göra det] **3** för att [*he struggled* ~ *get free*]; ~ *say nothing* (*not* ~ *speak*) *of all the other things* för att inte tala om allt annat **4** [för (om m.fl.)] att [*inclined* (böjd) ~ *think*; *anxious* (angelägen) ~ *try*] **5** i satsförkortningar: **a**) *he wants us* ~ *try* han vill att vi ska försöka **b**) *he was the last* ~ *arrive* han var den siste som kom **c**) *you would be a fool* ~ *believe him* du vore dum om du trodde honom **d**) *we don't know what* ~ *do* vi vet inte vad vi ska göra **e**) ~ *hear him speak you would believe that...* när man hör honom [tala] skulle man tro att... **6** *he lived* ~ *be ninety* han levde tills han blev nittio **7** *be* ~ skola
III *adv* **1** igen [*push the door* ~]; *the door is* ~ dörren är stängd **2** ~ *and fro* fram och tillbaka, av och an, hit och dit
toad [təʊd] padda
toadstool ['təʊdstu:l] svamp; isht giftsvamp
toady ['təʊdɪ] **I** *s* inställsam parasit **II** *vb tr* krypa (fjäska) för **III** *vb itr* krypa, fjäska
toast [təʊst] **I** *s* **1** rostat bröd; *a slice* (*piece*) *of* ~ en rostad brödskiva **2** skål; *drink a* ~ *to the bride and bridegroom* skåla för brudparet; *propose a* ~ föreslå (utbringa) en skål [*to* för] **3** person som det skålas för, festföremål; *she was the* ~ *of the town* hon var stadens mest firade person (skönhet) **II** *vb tr* **1** rosta [~ *bread* (*chestnuts*)] **2** värma [~ *one's feet at the fire*], hetta upp **3** utbringa (dricka) en skål för [~ *the flag* (*bride and bridegroom*)]; skåla med
toaster ['təʊstə] **1** [bröd]rost **2** grillgaffel
toasting-fork ['təʊstɪŋfɔ:k] grillgaffel
toastmaster ['təʊst,mɑ:stə] toastmaster vid större middag
toast rack ['təʊstræk] ställ för rostat bröd
tobacco [tə'bækəʊ] (pl. ~*s* el. ibl. ~*es*) tobak; tobakssort; ~ *teabag* snus i portionspåse
tobacconist [tə'bækənɪst] tobakshandlare; ~*'s* [*shop*] tobaksaffär
tobacco pouch [tə'bækəʊpaʊtʃ] tobakspung
to-be [tə'bi:] **I** *adj* **1** blivande; *his bride* ~ äv. hans tillkommande, hans fästmö **2** framtida, kommande **II** *s* framtid
toboggan [tə'bɒg(ə)n] **I** *s* **1** toboggan; ~ *slide* (*chute*) tobogganbacke **2** kälkbacke **II** *vb itr* åka kälke
today [tə'deɪ] **I** *adv* **1** i dag; ~ *week* el. *a week* ~ i dag om en vecka **2** nu för tiden **II** *s* dagen; ~ *is Monday* i dag är det måndag, det är måndag i dag
toddle ['tɒdl] **1** tulta [omkring], stulta; ~ *along* (*round*) tulta (stulta) omkring **2** vard. gå; ~ *along* (*off*) ge (pallra) sig i väg, knalla [i väg], sticka
toddler ['tɒdlə] litet barn
toddy ['tɒdɪ] **1** [whisky]toddy **2** palmvin
to-do [tə'du:, tʊ-] vard. bråk
toe [təʊ] **I** *s* tå; *dig one's* ~*s in* vard. göra motstånd, spjärna emot; *on one's* ~*s* på sin vakt (alerten), på språng, beredd **II** *vb tr* **1** ställa sig (stå) vid (med tårna intill) [~ *the starting line*]; ~ *the line* (*mark*) äv. a) ställa upp sig b) bildl. följa partilinjerna; lyda order; hålla sig på mattan **2** sport. sparka med tån **III** *vb itr,* ~ *in* (*out*) gå inåt (utåt) med tårna
toecap ['təʊkæp] tåhätta
toehold ['təʊhəʊld] fotfäste
toenail ['təʊneɪl] tånagel
toffee ['tɒfɪ] knäck, [hård] kola, kolakaramell; *he can't play* (*paint*) *for* ~ [*nuts*] vard. han kan inte spela (måla) för fem öre
toffee apple ['tɒfɪ,æpl] äppelklubba äpple överdraget med knäck
toga ['təʊgə] antik. toga
together [tə'geðə, tʊ'g-] **1** tillsammans; tillhopa; ihop; samman; gemensamt; *be at school* ~ vara skolkamrater; *we're in this* ~ vi sitter i samma båt **2** efter varandra; *for days* ~ flera dagar i sträck, dag efter dag
togetherness [tə'geðənəs, tʊ'g-] samhörighet; [*feeling of*] ~ samhörighetskänsla
toggle switch ['tɒglswɪtʃ] vippströmbrytare
togs [tɒgz] vard. kläder
1 toil [tɔɪl] **I** *vb itr* **1** arbeta [hårt]; ~ *along* knoga 'på **2** släpa sig [fram (upp o.d.)] [äv. ~ *along*] **II** *s* [hårt] arbete, släp, möda
2 toil [tɔɪl] (pl. ~*s*) nät, snara; *he fell* (*got caught*) *in her* ~*s* han fastnade i hennes garn (nät)
toilet ['tɔɪlət] **1** toalett[rum] **2** toalett aftonklänning, påklädning o.d.
toilet paper ['tɔɪlət,peɪpə] toalettpapper
toilet roll ['tɔɪlətrəʊl] rulle toalettpapper
toilet training ['tɔɪlət,treɪnɪŋ] barns potträning
toilet water ['tɔɪlət,wɔ:tə] eau-de-toilette
token ['təʊk(ə)n] **I** *s* **1** tecken; kännetecken; symbol **2** presentkort; *book* ~ presentkort på böcker **3** pollett [*bus* ~]; jetong **4** minne, minnesgåva **5** *by the same* ~ el. *by* [*this*] ~ a) av samma skäl b) på

samma sätt; på samma gång c) likaså, dessutom; så t.ex.; för resten **II** *adj* **1** symbolisk [~ *payment,* ~ *strike*]; halvhjärtad **2** ~ *money* nödmynt, mynttecken

told [təʊld] imperf. o. perf. p. av *tell*

tolerable ['tɒlərəbl] **1** dräglig **2** skaplig, dräglig; tolerabel

tolerably ['tɒlərəblɪ] någorlunda

tolerance ['tɒlər(ə)ns] tolerans äv. fackspr.

tolerant ['tɒlər(ə)nt] tolerant

tolerate ['tɒləreɪt] **1** tolerera, tåla **2** vara tolerant mot, tolerera, stå ut med

toleration [ˌtɒlə'reɪʃ(ə)n] tolerans; fördragsamhet; motståndskraft

1 toll [təʊl] **1** avgift **2** bildl. andel; *the death* ~ antalet dödsoffer, dödssiffran **3** amer. avgift (taxa) för rikssamtal

2 toll [təʊl] **I** *vb tr* **1** ringa [långsamt] i **2** om kyrkklockor ringa ut [*the bells ~ed his death*] **3** slå klockslag [*Big Ben ~ed five*] **II** *vb itr* **1** ringa [med långsamma slag], klämta; ~ *in* ringa samman till gudstjänst **2** slå om klocka

tomahawk ['tɒməhɔ:k] tomahawk

tomato [tə'mɑ:təʊ, amer. vanl. -'meɪ-] (pl. ~*es*) tomat

tomb [tu:m] grav; gravvalv; gravvård

tombola [tɒm'bəʊlə, 'tɒmbələ] **1** slags bingo **2** tombola

tomboy ['tɒmbɔɪ] pojkflicka

tombstone ['tu:mstəʊn] gravsten

tomcat ['tɒmkæt] hankatt

tome [təʊm] [stor] bok

tomfoolery [tɒm'fu:lərɪ] dårskap; tokighet[er]; skoj

tommy-gun ['tɒmɪgʌn] kulsprutepistol, kpist

tommyrot ['tɒmɪrɒt] sl. dumheter, smörja

tomorrow [tə'mɒrəʊ] **I** *adv* i morgon; ~ *night* i morgon kväll (natt) **II** *s* morgondagen [*~'s paper*; *think of* (på) ~]; ~ *is another day* i morgon är också en dag

tomtit ['tɒmtɪt, ˌtɒm'tɪt] zool., isht [blå]mes; gärdsmyg

tomtom ['tɒmtɒm] tamtam[trumma]

ton [tʌn] **1** ton: **a)** britt., [*long*] ~ = 2 240 *lbs* = 1 016 kg **b)** amer., [*short*] ~ = 2000 *lbs.* = 907,2 kg **c)** *metric* ~ ton 1 000 kg **2** [*register*] ~ registerton = 100 *cubic feet* = 2,83 m^3 **3** vard., *~s of* massor (mängder) av (med), tonvis med [*~s of money*] **4** sl., *a* (*the*) ~ 100 'miles' i timmen, 100 knutar

tone [təʊn] **I** *s* **1** ton, tonfall [*speak in* (med) *an angry* ~]; röst [*in a low* ~ [*of voice*]]; klang [*the* ~ *of a piano*]; *set the* ~ bildl. ange tonen **2** mus. helton **3** fonet. intonation; tonfall; ton **4** mål., foto. o.d. [färg]ton, dager **5** anda, ton **6** [god] kondition, form **II** *vb tr* **1** ge den rätta tonen åt; tona **2** ~ *down* a) tona ner, dämpa, moderera äv. bildl. b) stämma ner [~ *down the pitch*]

tone-deaf [ˌtəʊn'def] tondöv

tongs [tɒŋz] tång; *a pair of* ~ en tång

tongue [tʌŋ] **I** *s* **1** tunga [*slanderous ~s*; *ox* ~]; mål, målföre; *be on every* (*everybody's*) ~ vara i var mans mun (på allas läppar); *stick* (*thrust, put*) *one's* ~ *out* räcka ut tungan **2** språk; dialekt; tungomål; *mother* ~ a) modersmål b) moderspråk, grundspråk **3** sätt att tala [*a soft* (*flattering*) ~] **4** ~ [*of land*] landtunga **5** [sko]plös **II** *vb tr* **1** mus. (i flöjtspel o.d.) spela med tungstöt **2** snick., ~ [*and groove*] sponta

tongue-tied ['tʌŋtaɪd] med (som lider av) tunghäfta äv. med.; stum

tongue-twister ['tʌŋˌtwɪstə] tungvrickningsövning

tonic ['tɒnɪk] **I** *adj* **1** stärkande [~ *air*; ~ *therapy*]; ~ *water* tonic **2** mus. tonisk, klang-; ~ *chord* grundackord **II** *s* **1** med. tonikum **2** tonic [*a gin and* ~]; *skin* ~ ansiktsvatten

tonight [tə'naɪt] **I** *adv* i kväll; i natt **II** *s* denna kväll, kvällen; denna natt [*~'s entertainment*]

tonnage ['tʌnɪdʒ] **1** tonnage i olika bet.; dräktighet **2** tonnageavgift **3** transport i ton räknat

tonne [tʌn] [metriskt] ton

tonsil ['tɒnsl, -sɪl] anat. [hals]mandel, tonsill

tonsillitis [ˌtɒnsɪ'laɪtɪs] med. inflammation i [hals]mandlarna (tonsillerna), halsfluss

too [tu:] **1** alltför; *that's* ~ *bad!* vad tråkigt (synd)!; *you're* ~ *kind* det är (var) verkligen snällt av dig **2** också, med [*I'm going. -Me ~!*], även; dessutom, därjämte, och därtill; [och] till på köpet [*he is a fool, and a great one,* ~]; *about time ~!* det var [minsann] på tiden! **3** vard. (skämts. el. tillgjort), ~ ~ alldeles, i allra högsta grad

took [tʊk] imperf. av *take*

tool [tu:l] **I** *s* **1** verktyg, instrument **2** bildl. instrument; om pers. redskap, verktyg; *he was a* ~ *in their hands* han var ett lydigt redskap i deras händer **3** vulg. apparat, kuk penis **II** *vb tr* **1** bearbeta [med verktyg]; hugga jämn [~ *a stone*] **2** ~ [*up*] förse (utrusta) med verktyg

toolbag ['tu:lbæg] verktygsväska på cykel

toolbox ['tu:lbɒks] o. **toolchest** ['tu:ltʃest] verktygslåda

toot [tu:t] **I** *vb tr* tuta i horn, trumpet o.d. **II** *vb itr* tuta; om fågel äv. ropa **III** *s* tutning; rop

tooth [tu:θ] **I** (pl. *teeth* [ti:θ]) *s* **1** tand [*the teeth of* (på) *a comb* (*saw*)]; *false* (*artificial*) *teeth* löständer; *a set of artificial teeth* löständer, tandprotes; *get one's teeth into* bildl. sätta tänderna i, bita i; *have a ~ out* (amer. *pulled*) [låta] dra ut en tand; *show one's teeth* visa tänderna äv. bildl.; *she is long in the tooth* hon är ingen duvunge längre **2** udd; kugge; [gaffel]klo; [harv]pinne **3** smak, aptit; *have a sweet ~* vara en gottgris **II** *vb tr* tanda, förse med tänder; *~ed wheel* kugghjul

toothache ['tu:θeɪk] tandvärk; *have [a] ~* ha tandvärk

toothbrush ['tu:θbrʌʃ] tandborste; *~ moustache* tandborstmustasch liten stubbig mustasch

toothless ['tu:θləs] tandlös äv. bildl. [*~ laws*]

toothpaste ['tu:θpeɪst] tandkräm

toothpick ['tu:θpɪk] tandpetare

tooth powder ['tu:θˌpaʊdə] tandpulver

toothy ['tu:θɪ] **1** med stora (utstående, en massa) tänder; *a ~ smile* ett stomatolleende **2** läcker

1 top [tɒp] snurra; *sleep like a ~* sova som en stock

2 top [tɒp] **I** *s* **1** topp, spets; övre del; krön; *blow one's ~* sl. explodera [av ilska]; *from ~ to bottom* uppifrån och ner; bildl. alltigenom; *be on ~* ha övertaget; *come out on ~* bli etta, vara bäst; *on ~ of that (this)* ovanpå det, dessutom; till råga på allt **2** top[p] klädesplagg, överdel **3** [bord]skiva; yta **4** bil. högsta växel; *in ~* på högsta växeln **5** bot., vanl. pl. *~s* blast [*turnip-tops*] **II** *attr adj* **1** översta, över- [*the ~ floor*]; topp- [*~ prices*]; *~ C* mus. höga C **2** främsta **III** *vb tr* **1** sätta topp på; täcka **2** vara (stå, ligga) överst på [*~ the list*]; *~ the bill* vara den främsta attraktionen **3** *~ off* avsluta, avrunda [*~ off the evening with a drink*] **4** *~ up* fylla till brädden, fylla på [*~ up a car battery*; *let me ~ up your glass*] **5** vara högre än; bildl. överträffa [*he ~s them all at the game*]; nå över; *to ~ it all* till råga på allt **6** hugga av

topaz ['təʊpæz] miner. topas

topboot [ˌtɒp'bu:t] kragstövel

topcoat [ˌtɒp'kəʊt] överrock

top-flight ['tɒpflaɪt] vard. i toppklass, förstklassig [*~ author*]

top hat [ˌtɒp'hæt] hög hatt

top-heavy [ˌtɒp'hevɪ] för tung upptill

topic ['tɒpɪk] [samtals]ämne [äv. *~ of conversation*], tema

topical ['tɒpɪk(ə)l] aktuell; *~ allusion* anspelning på dagshändelserna (samtida händelser); *make ~* aktualisera

topicality [ˌtɒpɪ'kælətɪ] aktualitet

topknot ['tɒpnɒt] hårknut på hjässan; håruppsättning

topless ['tɒpləs] **I** *adj* utan överdel [*a ~ swimsuit*]; om kvinna äv. barbröstad **II** *adv* topless [*sunbathe ~*]

top-level ['tɒpˌlevl], *~ conference* toppkonferens, konferens på toppnivå

topmost ['tɒpməʊst] överst

topnotch [ˌtɒp'nɒtʃ, attr. '--] vard. i toppklass, jättebra [*it's ~*; *a ~ job*], prima

topography [tə'pɒgrəfɪ] topografi

topper ['tɒpə] vard., se *top hat*

topping ['tɒpɪŋ] **1** toppning **2** kok. o.d. garnering; sås; *a ~ of ice cream on the pie* [ett lager av] glass ovanpå pajen

topple ['tɒpl] **I** *vb itr* falla [över ända], ramla [äv. *~ over (down)*; *the books ~d over (down)*]; störtas **II** *vb tr* stjälpa; störta [*the revolution ~d the president*]

top-ranking ['tɒpˌræŋkɪŋ] topprankad; förnämst [*~ star*]

top-secret [ˌtɒp'si:krɪt, '-ˌ--] hemligstämplad; topphemlig

topspin ['tɒpspɪn] i tennis o.d. överskruv, topspin

topsy-turvy [ˌtɒpsɪ'tɜ:vɪ] **I** *adv* upp och ner; huller om buller **II** *adj* uppochnervänd; bakvänd; rörig; förvirrad

torch [tɔ:tʃ] **1** bloss; fackla **2** [*electric*] *~* ficklampa **3** amer. blåslampa

torchlight ['tɔ:tʃlaɪt] fackelsken; *~ procession* fackeltåg

tore [tɔ:] imperf. av *2 tear*

toreador ['tɒrɪədɔ:] toreador

torment [ss. subst. 'tɔ:ment, -mənt, ss. vb tɔ:'ment] **I** *s* plåga; *be in ~* lida kval; *suffer ~[s]* ha svåra plågor **II** *vb tr* plåga

tormentor [tɔ:'mentə] plågoande

torn [tɔ:n] perf. p. av *2 tear*

tornado [tɔ:'neɪdəʊ] (pl. *~es*) tornado

torpedo [tɔ:'pi:dəʊ] **I** (pl. *~es*) *s* torped **II** *vb tr* torpedera

torpedo boat [tɔ:'pi:dəʊbəʊt] torpedbåt; *~ destroyer* torped[båts]jagare

torpid ['tɔ:pɪd] **1** stel; [liggande] i dvala **2** slö, overksam; loj

torpor ['tɔ:pə] **1** dvala **2** slöhetstillstånd

torrent ['tɒr(ə)nt] **1** [strid] ström, fors äv. bildl. [*a ~ of abuse*]; regnflod **2** störtregn

torrential [tə'renʃ(ə)l] **1** strid; *~ rain* skyfall, skyfallsliknande regn **2** flödande, ymnig **3** våldsam, häftig

torrid ['tɒrɪd] **1** förtorkad; [för]bränd; solstekt; het [*the ~ zone*] **2** bildl. glödande

torso ['tɔ:səʊ] (pl. *~s*) torso; bål

tortoise ['tɔ:təs] [land]sköldpadda; *slow as a ~* [långsam] som en snigel

tortoiseshell ['tɔ:təsʃel] sköldpaddskal

tortuous ['tɔ:tjʊəs] **1** krokig [*~ path*] **2** bildl. tillkrånglad [*~ negotiations*]; slingrande

torture ['tɔ:tʃə] **I** *s* tortyr; kval; smärtor; pl. *~s* äv. tortyrmetoder; *suffer the ~s of the damned* lida helvetets kval **II** *vb tr* tortera; pina

torturer ['tɔ:tʃ(ə)rə] bödel; plågoande

Tory ['tɔ:rɪ] **I** *s* tory **II** *adj* tory- [*the ~ Party*], konservativ

toss [tɒs] **I** *vb tr* **1** kasta; kasta upp (av); kasta hit och dit [*the waves ~ed the boat*]; *~ hay* vända hö; *~ the salad* vända (blanda) salladen [med dressing] **2** singla [slant med]; *~ a coin* singla slant **3** *~ down* (*back*) kasta (stjälpa) i sig **II** *vb itr* **1** om fartyg o.d. rulla **2** *~ [about]* kasta sig av och an **3** singla slant **4** *~ off* vulg. runka onanera **III** *s* **1** kastande; kast; stöt; *a ~ of the head* ett kast med huvudet **2** slantsingling [*lose* (*win*) *the ~*]; *argue the ~* vard. diskutera i det oändliga

toss-up ['tɒsʌp] **1** slantsingling; lottning; *decide a th. by ~* singla slant om ngt **2** *it is a ~* det är rena lotteriet

1 tot [tɒt] **1** [liten] pys (tös) [*a tiny ~*] **2** vard. [litet] glas konjak o.d.

2 tot [tɒt] vard. (kortform för *total*); *~ up* addera, summera, lägga ihop, räkna ihop (ut)

total ['təʊtl] **I** *adj* fullständig, total [*the ~ amount*]; fullkomlig [*he is a ~ stranger to me*]; *~ abstainer* absolutist, helnykterist **II** *s* slutsumma, totalsumma; *a ~ of [£100]* äv. sammanlagt... **III** *vb tr* **1** räkna samman [äv. *~ up*] **2** belöpa sig (uppgå) [sammanlagt] till **IV** *vb itr, ~ up to* se *III 2*

totalitarian [ˌtəʊtælɪ'teərɪən] polit. totalitär, diktatur-; diktatorisk

totalitarianism [ˌtəʊtælɪ'teərɪənɪz(ə)m] polit. totalitarism; diktatur

totalizator ['təʊt(ə)laɪzeɪtə] totalisator

1 tote [təʊt] vard. (kortform för *totalizator*) toto

2 tote [təʊt] isht amer. vard. bära [på] [*~ a gun*]

totem ['təʊtəm] totem indianstams skyddsande o.d.; symbol; *~ pole* totempåle

totter ['tɒtə] vackla äv. bildl.; stappla, ragla; svikta äv. bildl.

touch [tʌtʃ] **I** *vb tr* (se äv. *touched*) **1** röra [vid], snudda vid; nudda; ta i (på); *~ one's hat* [hälsa genom att] föra handen till hatten, hälsa [*at a p.* på ngn] **2** gränsa till [*the two estates ~ each other*]; matem. tangera **3** nå; stiga (sjunka) till [*the temperature ~ed 35°*]; *~ bottom* a) nå botten; bildl. komma till botten b) sjö. få bottenkänning c) bildl. nå botten, sätta bottenrekord **4** mest i nek. sats, vard. mäta sig med; *there's no one to ~ him* det finns ingen som kan mäta sig med (som går upp mot) honom **5** mest i nek. sats smaka [*he never ~es wine*], röra [*he didn't even ~ the food*] **6** [djupt] röra, göra ett djupt intryck på; *it ~ed me to the heart* det rörde (grep) mig ända in i själen **7** a) ha något att göra med [*I refuse to ~ that business*] b) beröra [*it ~ed his interests*] **8** angripa (skada) lätt [*~ed with frost*] **9** sjö. angöra; *~ shore* angöra (lägga i) land **10** ge en lätt touche (aning); blanda (färga) lätt; lätta upp **11** vard. låna, vigga; *he ~ed me for £5* han klämde mig på 5 pund **12** med adv.: *~ down* rugby. marksätta en boll bakom mållinjen; *~ up* a) retuschera, bättra på [*~ up a painting*]; snygga till; finputsa, hyfsa till [*~ up an article before publication*] b) vulg. kåta upp

II *vb itr* **1** röra; *don't ~!* [föremålen] får ej vidröras! **2** röra (snudda) vid varandra; stöta ihop **3** gränsa till varandra; matem. tangera varandra **4** med prep. o. adv.: *~ at* sjö. angöra, anlöpa; *~ down* a) flyg. ta mark, gå ner, [mellan]landa b) rugby. marksätta bollen bakom mållinjen; *~ [up]on* a) [flyktigt] beröra, komma in på [*~ on a subject*] b) närma sig, gränsa till

III *s* **1** beröring, snudd; lätt stöt **2** kontakt; isht mil. känning; *be* (*keep*) *in ~ with* hålla (vara i, stå i) kontakt med; *keep in ~, will you!* glöm inte att höra av dig!; *get in* (*into*) *~ with* få (komma i) kontakt med; sätta sig i förbindelse med **3** känsel[sinne], beröringssinne [äv. *sense of ~*]; *sensation of ~* känselförnimmelse **4** penseldrag **5** drag; touche, färgtouche **6** aning; stänk [*a ~ of irony* (*bitterness*)]; släng [*a ~ of flu*]; *a ~ of salt* en aning (en nypa) salt **7** [karakteristiskt] drag **8** mus. o. i maskinskrivning o.d. a) anslag; touche b) [finger]grepp; *have a light ~* a) ha ett lätt anslag b) om piano o.d. vara lättspelad; om skrivmaskin vara lättskriven; *the ~ method* (*system*) touchmetoden, kännmetoden **9** grepp; hand; manér **10** [fin] uppfattning **11** sport. **a**) fotb. område utanför sidlinjen; *be in ~* vara utanför sidlinjen, vara död **b**) rugby. touchelinje; område utanför touchelinjen

touch-and-go [ˌtʌtʃən(d)'gəʊ] osäker; vågad; prekär; *it was ~* äv. det hängde på ett hår

touchdown ['tʌtʃdaʊn] **1** flyg. landning; landningsögonblick **2** rugby. marksatt boll på el. innanför den egna mållinjen; amer. fotb. a) marksättning b) poäng för marksättning

touched [tʌtʃt] **1** rörd **2** vard. vrickad, rubbad

touching ['tʌtʃɪŋ] **I** *adj* rörande, gripande; bevekande **II** *prep* rörande

touchline ['tʌtʃlaɪn] fotb. sidlinje; rugby. touchelinje

touchstone ['tʌtʃstəʊn] probersten, bildl. äv. prövosten; kriterium

touchy ['tʌtʃɪ] [lätt]retlig, snarstucken

tough [tʌf] **I** *adj* **1** seg [*~ meat*]; träig [*~ vegetables*] **2** svår, besvärlig, dryg, slitig [*a ~ job*]; *~ luck* vard. osmak, otur **3** hård, hårdhudad, hårdför, rå; kallhamrad; ruffig; *a ~ guy (customer)* vard. en hårding, en tuffing **4** härdad [*a ~ people*], tålig **5** envis, orubblig [*a ~ defence*]; *get ~ with* ta i med hårdhandskarna mot, inta en tuff attityd mot **II** *s* hård typ; buse; bov **III** *vb itr* o. *vb tr, ~ it out* vard. hålla (härda) ut, stå rycken

toughen ['tʌfn] göra (bli) seg[are] etc., jfr *tough I*

toughness ['tʌfnəs] seghet etc., jfr *tough I*

toupee ['tu:peɪ, amer. -'-] tupé

tour [tʊə] **I** *s* [rund]resa; [rund]tur; färd; rundvandring; besök; teat. o.d. turné [*on ~*]; *~ [of inspection]* inspektionsresa; inspektionsrunda [*a ~ of* (genom, i) *the building*]; *conducted (guided) ~* sällskapsresa; rundtur med guide, guidad tur, rundvandring, visning **II** *vb itr* göra en rundresa etc., jfr *I 1*; turista; turnera **III** *vb tr* **1** resa [runt (omkring)] i, besöka [*~ a country*]; gå runt i **2** visa runt (omkring) **3** teat. o.d. a) turnera med [*~ a play*] b) turnera i [*~ the provinces*]

tourism ['tʊərɪz(ə)m] turism; turistliv

tourist ['tʊərɪst] turist; *~ agency* resebyrå, turistbyrå

tournament ['tʊənəmənt, 'tɔ:n-, 'tɜ:n-] sport. turnering

tourniquet ['tʊənɪkeɪ, 'tɔ:n-, 'tɜ:n-] med. kompressor

tousle ['taʊzl] slita (rycka) i; rufsa (tufsa) till

tout [taʊt] vard. **I** *vb itr* **1** försöka pracka på folk sina tjänster; försöka skaffa (värva) kunder **2** a) skaffa stalltips b) sälja stalltips **II** *vb tr* **1** bjuda ut; sälja svart [*~ tickets for the match*] **2** tipsa om **III** *s* **1** person som säljer biljetter svart [äv. *ticket ~*] **2** [kund]värvare, agent **3** tipsare, person som säljer stalltips

1 tow [təʊ] blånor, drev

2 tow [təʊ] **I** *vb tr* bogsera; släpa; bärga bil; *ask for the car to be ~ed* begära bärgning av bilen **II** *vb itr* bogseras **III** *s* bogsering; [*can we*] *give you a ~?* ...ta dig på släp?

towards [tə'wɔ:dz, tɔ:dz] **1** mot; åt...till [*~ the village*]; till [*he felt drawn ~ her*]; [vänd] mot (åt) [*with his back ~ the window*]; *somewhere ~ the top* någonstans i närheten av toppen **2** gentemot [*his feelings ~ us*] **3** med tanke på, för [*they are working ~ peace*], till [*save money ~ a new house*]; *that won't go far ~ paying his debts* det räcker inte långt för (när det gäller) att täcka hans skulder **4** om tid mot [*~ evening*], framåt, framemot [*there was a storm ~ evening*]

towel ['taʊəl, taʊl] handduk; *sanitary ~* sanitetsbinda, dambinda

towelling ['taʊ(ə)lɪŋ] frotté; handduksväv

towel rail ['taʊ(ə)lreɪl] handduksstång

tower ['taʊə] **I** *s* **1** torn; *~ block* punkthus, höghus **2** borg; fästning; fängelsetorn; *the T~ [of London]* Towern [i London] **3** bildl. *~ of strength* stöttepelare, klippa, kraftkälla **II** *vb itr* torna upp sig äv. bildl.; *~ above (over)* höja sig över, stå högt över

towering ['taʊərɪŋ] **1** jättehög, reslig **2** bildl. högtflygande **3** våldsam [*a ~ rage*]

towline ['təʊlaɪn] bogserlina, draglina

town [taʊn] **1 a**) stad; *the talk of the ~* det allmänna samtalsämnet; en visa i hela stan **b**) utan artikel i vissa talesätt staden [*be in ~*; *go into* (ut på) *~*]; i England ofta London; *leave ~* resa [bort] från stan, lämna stan; *he is out of ~* han är bortrest, han är inte i stan; *go to ~* sl. a) överträffa sig själv, lägga ner sin själ b) lyckas helt c) frossa, slå över d) [gå ut och] slå runt, festa om **c**) stads-; *the ~ centre* stadens centrum, city; *~ and country planning* riksplanering **2** amer. kommun mindre stad; *live on the ~* leva på kommunen (socialbidrag, det sociala)

townsfolk ['taʊnzfəʊk] (konstr. ss. pl.) stadsbor

township ['taʊnʃɪp] **1** liten stad **2** sydafr. förstad (bosättningsområde) för svarta **3** i USA o. Canada (ung.) kommun

townspeople ['taʊnz,pi:pl] (konstr. ss. pl.) stadsbor

towrope ['təʊrəʊp] bogserlina

toxic ['tɒksɪk] **1** med. giftig; förgiftnings- [*~ symptoms*] **2** *~ emission (waste)* giftutsläpp

toy [tɔɪ] **I** *s* leksak; leksaks- [*~ trumpet*; *~ train*] **II** *vb itr* [sitta och] leka [*he was ~ing with a pencil*]; *~ with one's food* [sitta och] peta i (leka med) maten

toyshop ['tɔɪʃɒp] leksaksaffär

1 trace [treɪs] **1** draglina för vagn; *in the ~s* i selen äv. bildl. **2** fiske. tafs

2 trace [treɪs] **I** *vb tr* **1** spåra [*the criminal was ~d to London*]; följa [spåren av]; spåra upp; upptäcka, finna [spår av] [*I can't ~ the letter you sent me*]; påvisa (konstatera) [förekomsten av] [*no poison could be ~d*]; skönja; *~ [back] to* spåra (föra) tillbaka till, följa [ända] till [*his descent can be ~d [back] to...*]; hänföra till **2** *~ [out]* dra upp [konturerna till], göra ett utkast till [*~ [out] the plan of a new city*] **3** kalkera **II** *s* **1** spår; märke; *without [leaving] a ~* äv. spårlöst **2** skiss; plan; ritning

tracing-paper ['treɪsɪŋ,peɪpə] kalkerpapper

track [træk] **I** *s* **1** spår äv. bildl.; fotspår; [järnvägs]spår, bana; *double (twin) ~* dubbelspår; *cover [up] one's ~s* sopa igen spåren efter sig; *keep ~ of* bildl. hålla reda på; hålla kontakten med; *lose ~ of* bildl. tappa kontakten med; tappa bort, tappa räkningen på [*I have lost ~ of how many* *they are*] **2** stig äv. bildl.; kurs äv. bildl.; bana [*the ~ of a comet* (*spacecraft*)] **3** sport. [löpar]bana [äv. *running ~*] **4** på skiva, magnetband spår; låt [*title ~*] **5** [driv]band **II** *vb tr* spåra äv. bildl.; följa spåren av; följa spår m.m.; *~ down* [försöka] spåra [upp], förfölja; ta fast, fånga in

track-and-field [ˌtrækən(d)'fi:ld] isht amer., *~ sports* friidrott

track record [ˌtræk'rekɔ:d] **1** sport. banrekord **2** bildl. [tidigare] meriter

trackshoe ['trækʃu:] spiksko

tracksuit ['træksu:t, -sju:t] träningsoverall

1 tract [trækt] **1** område, sträcka; pl. *~s* äv. vidder **2** anat. system, apparat; *the respiratory ~* respirationsapparaten, andningsorganen

2 tract [trækt] religiös el. politisk skrift

tractable ['træktəbl] medgörlig; lätthanterlig; lättarbetad

traction ['trækʃ(ə)n] **1** dragning; dragkraft **2** med. dragning, traktion

tractor ['træktə] traktor

trade [treɪd] **I** *s* **1** a) handel; kommers; [handels]utbyte b) affärsgren [*in the book ~*]; *~ cycle* konjunkturcykel, affärscykel **2** yrke, fack; hantering; *~ dispute* arbetstvist, arbetskonflikt; *~ term* fackterm, fackuttryck **3** *the ~* facket, skrået, branschfolket; återförsäljarna [*we sell only to the ~*] **4** pl. *~s* se *trade wind* **II** *vb itr* **1** handla **2** schackra, driva geschäft; spekulera; *~ on* utnyttja, ockra på [*~ on a p.'s sympathy*] **3** om fartyg gå, segla **4** isht amer. vard. handla **III** *vb tr* handla med ngt; byta; *~ in a th. for* a) ta ngt i inbyte mot b) lämna ngt i utbyte mot (som dellikvid för) [*he ~d in his old car for a new model*]

trade-in ['treɪdɪn] vard. inbyte; dellikvid; *~ car* inbytesbil

trademark ['treɪdmɑ:k] **1** varumärke, firmamärke **2** vard. visitkort [*the dog has left its ~ on the mat*]; signatur [*it bears his ~*]

trade-off ['treɪdɒf] byte; kohandel; kompromiss

trader ['treɪdə] **1** affärsman **2** handelsfartyg

trades|man ['treɪdz|mən] (pl. *-men* [-mən]) **1** [detalj]handlare **2** *-men's entrance* köksingång

tradespeople ['treɪdzˌpi:pl] (konstr. ss. pl.) handelsmän [med familjer]

trade-unionism [ˌtreɪd'ju:njənɪz(ə)m] fackföreningsrörelsen

trade-unionist [ˌtreɪd'ju:njənɪst] fackföreningsmedlem; fackföreningsman

trade wind ['treɪdwɪnd] passadvind

trading ['treɪdɪŋ] **1** handel; byteshandel **2** amer. polit. kohandel **3** handels- [*~ company, ~ vessel*]; drift[s]- [*~ capital*]; *~ stamp* rabattkupong, rabattmärke

tradition [trə'dɪʃ(ə)n] tradition; hävd

traditional [trə'dɪʃənl] traditionell; traditionsenlig; nedärvd, hävdvunnen

traditionalist [trə'dɪʃ(ə)nəlɪst] traditionalist

traffic ['træfɪk] **I** *vb itr* **1** handla **2** neds. driva olaga handel **II** *s* **1** trafik; samfärdsel; *~ circle* amer. cirkulationsplats, rondell; *~ light* trafikljus, trafiksignal; *~ sign* vägmärke, trafikmärke **2** handel; geschäft [*~ in* (med) *narcotics*] **3** [handels]förbindelse; utbyte

trafficker ['træfɪkə] mest neds. handlare; *drug ~* narkotikahaj, narkotikalangare

tragedy ['trædʒədɪ] tragedi äv. bildl.

tragic ['trædʒɪk] tragisk

tragicomedy [ˌtrædʒɪ'kɒmɪdɪ] tragikomedi

trail [treɪl] **I** *s* **1** strimma [*the engine left a ~ of smoke behind it*]; *~ of dust* dammoln **2** spår äv. bildl., *a ~ of blood* [ett] blodspår; *be hot on the ~ of a p.* vara tätt i hälarna (hack i häl) på ngn **3** [upptrampad] stig, väg **II** *vb tr* **1** släpa [i marken]; *~ one's coat* (*coat-tails*) mucka (söka) gräl [med alla] **2** spåra [upp] [*~ animals* (*criminals*)]; följa [efter] **3** vard. komma (sacka) efter **4** mil. hålla (bära) gevär i handen vågrätt med nedåtsträckt arm; *~ arms!* i handen gevär! **III** *vb itr* **1** släpa [i marken] [*her dress ~ed across the floor*]; släpa sig [fram] [äv. *~ along*]; driva [långsamt] [*smoke was ~ing from the chimneys*]; *~ [along] after* hänga 'efter **2** vard. komma (sacka) efter [äv. *~ behind*]; *~ in popularity* sjunka i popularitet; *~ by one goal* sport. ligga under med ett mål

trailer ['treɪlə] **1** släpvagn; amer. husvagn; *caravan ~* bil med husvagn **2** krypväxt **3** film. trailer

train [treɪn] **I** *vb tr* **1** öva, öva in (upp); utbilda, lära upp, skola; dressera [*~ [up] animals*]; sport. träna; mil. exercera [med]; *~ oneself to become a nurse* utbilda sig till sjuksköterska **2** trädg. forma **3** rikta [in] pistol, kikare m.m. **II** *vb itr* **1** utbilda sig; sport. träna [sig]; mil. exercera; *~ as* (*to be, to become*) *a nurse* utbilda sig till sjuksköterska **2** vard. åka tåg, ta tåg[et] **III** *s* **1** järnv. tåg, tågsätt; *fast ~* snälltåg; *special ~* extratåg; *change ~s* byta tåg **2** följe; tåg [*a long ~ of camels*]; rad, följd [*a whole ~ of events*], kedja; svans [*a whole ~ of admirers*]; *~ of thought* tankegång **3** [klännings]släp **4** tekn. hjulverk, löpverk [äv. *~ of gears* (*wheels*)]

trained [treɪnd] tränad; van; utbildad [*a ~ nurse*]; skolad; dresserad

trainee [treɪ'ni:] **1** praktikant; *~ teacher* lärarkandidat **2** mil. rekryt

trainer ['treɪnə] **1** tränare; instruktör;

lagledare; handledare **2** dressör **3** pl. *~s* gymnastikskor, träningsskor

training ['treɪnɪŋ] [ut]bildning; träning; fostran, skolning; dressyr; mil. exercis; *in ~* i god kondition, [väl]tränad; *be out of ~* ha dålig kondition, vara otränad

training-cycle ['treɪnɪŋˌsaɪkl] motionscykel

traipse [treɪps] traska [*~ up the stairs*]

trait [treɪ, treɪt] [karakteristiskt (kännetecknande)] drag; karaktärsdrag

traitor ['treɪtə] förrädare

trajectory [trə'dʒektərɪ] **1** projektils, rakets m.m. bana; rymdfarkosts kurs **2** geom. trajektoria

tram [træm] **I** *s* spårvagn; *go by ~* åka spårvagn, ta spårvagn[en] **II** *vb itr* åka spårvagn

tramcar ['træmkɑː] spårvagn

tramline ['træmlaɪn] **1** spårvagnslinje **2** spårvägsskena; pl. *~s* äv. spårvagnsspår

tramp [træmp] **I** *vb itr* **1** trampa; klampa; stampa **2** traska, ströva [omkring]; luffa omkring **II** *vb tr* **1** trampa [på] **2** ströva igenom (omkring i), vandra (luffa) omkring i **III** *s* **1** tramp **2** [fot]vandring, strövtåg **3** luffare; landstrykare **4** trampfartyg; *~ trade* trampfart **5** isht amer. vard. slampa

trample ['træmpl] **I** *vb tr* trampa [ned], trampa på; *~ to death* trampa ihjäl **II** *vb itr* trampa; *~ about* trampa (klampa) omkring

tramway ['træmweɪ] spårväg

trance [trɑːns] **1** trans; *send a p. (fall, go) into a ~* försätta ngn (falla) i trans **2** dvala

tranquil ['træŋkwɪl] lugn

tranquillity [træŋ'kwɪlətɪ] lugn

tranquilliz|e ['træŋkwəlaɪz] lugna, stilla; *-ing drug* lugnande medel

tranquillizer ['træŋkwəlaɪzə] lugnande medel

transact [træn'zækt, trɑːn-, -n'sækt] bedriva [*~ business*], föra [*~ negotiations*]; göra upp, avtala; slutföra, avsluta; verkställa, förrätta

transaction [træn'zækʃ(ə)n, trɑːn-, -'sæk-] **1** transaktion [*the ~s of a firm*]; [affärs]uppgörelse; pl. *~s* börs. transaktioner, omsättning **2** bedrivande etc., jfr *transact*

transatlantic [ˌtrænzət'læntɪk, ˌtrɑːnz-] transatlantisk; atlant- [*a ~ steamer*]

transcend [træn'send, trɑːn-] **1** överstiga, överskrida [*~ a limit*], övergå [*~ the ordinary experience of Man*] **2** överträffa, överglänsa [*~ a p. in talent*]

transcendental [ˌtrænsen'dentl, ˌtrɑːn-] **1** upphöjd **2** filos. el. teol. transcendent; transcendental [*~ meditation*]

transcribe [træn'skraɪb, trɑːn-] **1** skriva av **2** transkribera äv. mus.

transcript ['trænskrɪpt, 'trɑːn-] avskrift; utskrift

transcription [træn'skrɪpʃ(ə)n, trɑːn-] **1** avskrivning **2** avskrift; utskrift **3** transkription äv. mus.

transept ['trænsept, 'trɑːn-] tvärskepp i kyrka

transfer [ss. vb træns'fɜː, trɑːns-, ss. subst. 'trænsfə, 'trɑːn-] **I** *vb tr* **1** flytta; flytta över, föra över; placera om; transportera; *~ed charge call* tele. ba-samtal; *in a ~red sense* i överförd bemärkelse **2** överlåta **3** överföra bilder m.m.; kalkera **4** girera; ekon. transferera [*~ to the reserve fund*] **5** sport. sälja, transferera spelare **II** *vb itr* flytta; flyttas **III** *s* **1** flyttning; överflyttning; omplacering; transfer; *~ fee* sport. transfersumma, övergångssumma för spelare **2** a) överlåtelse b) överlåtelsehandling **3** kalkering; [av]tryck av mönster m.m.; kopia; dekal [äv. *~ picture*] **4** övergång; *~ [ticket]* övergångsbiljett **5** girering; ekon. transferering, transfer

transferable [træns'fɜːrəbl, trɑːns-] överflyttbar; överlåtbar; transferabel; *not ~* får ej överlåtas om biljett m.m.

transfix [træns'fɪks, trɑːns-] **1** genomborra; spetsa **2** perf. p. *~ed* fastnaglad, förstenad; lamslagen, stel [*~ed with* (av) *terror*]

transform [træns'fɔːm, trɑːns-] **I** *vb tr* förvandla; omvandla; omdana, ombilda, omgestalta; [helt] förändra; transformera äv. språkv. el. matem. **II** *vb itr* förvandlas etc., jfr *I*

transformation [ˌtrænsfə'meɪʃ(ə)n, ˌtrɑːns-] förvandling; omvandling; omgestaltning; [total] förändring; transformation

transformer [træns'fɔːmə, trɑːns-] **1** omskapare **2** elektr. transformator

transfusion [træns'fjuːʒ(ə)n, trɑːns-] **1** transfusion **2** bildl. överföring

transgress [træns'gres, trɑːns-] **I** *vb tr* överträda lag m.m.; överskrida [*~ the bounds of decency*] **II** *vb itr* överträda en förordning (lag m.m.); synda

transgressor [træns'gresə, trɑːns-] överträdare; syndare

transient ['trænzɪənt, 'trɑːn-] kortvarig, förgänglig; flyktig

transistor [træn'zɪstə, trɑːn-, -'sɪ-] **1** transistor **2** vard. transistor[radio] **3** transistor-

transit ['trænzɪt, 'trɑːn-, -sɪt] **1** genomresa, överresa; *~ visa* transitvisum, genomresevisum **2** isht hand. transport av varor, passagerare; transit[o]; transitering; [*goods lost*] *in ~* ...under transporten **3** amer. allmänna kommunikationsmedel; kollektivtrafik **4** övergång [*~ from autumn to winter*]

transition [træn'zɪʒ(ə)n, trɑ:n-, -'sɪʃ(ə)n] övergång
transitional [træn'zɪʒənl, trɑ:n-, -'sɪʃənl] övergångs-, mellan- [*a ~ period*]
transitory ['trænsɪt(ə)rɪ, 'trɑ:n-] övergående; obeständig; förgänglig
translate [træns'leɪt, trɑ:ns-, -nz'l-] **I** *vb tr* **1** a) översätta, tolka b) överföra, skriva om **2** förvandla, omvandla; omsätta [*~ into* (i) *action*] **II** *vb itr* **1** kunna översättas **2** vara översättare; översätta
translation [træns'leɪʃ(ə)n, trɑ:ns-, -nz'l-] översättning [*do* (*make*) *a ~*], tolkning
translator [træns'leɪtə, trɑ:ns-, -nz'l-] översättare, translator
translucent [trænz'lu:snt, trɑ:nz-, -ns'l-, -'lju:-] [halv]genomskinlig; bildl. kristallklar
transmission [trænz'mɪʃ(ə)n, trɑ:nz-, -ns'm-] **1** vidarebefordran; översändande, överlämnande; överlåtelse; spridning [*~ of disease*] **2** fortplantning av egenskaper m.m.; nedärvning **3 a**) mek. transmission; kraftöverföring [äv. *~ of power*]; *~* [*case*] växellåda **b**) fys. genomsläppande av ljus m.m. **4** radio. sändning
transmit [trænz'mɪt, trɑ:nz-, -ns'm-] **1** vidarebefordra [*~ a document*; *~ news*]; sända över, befordra; överlämna, överlåta; överföra; *~ a disease* överföra en sjukdom **2** fortplanta [*~ characteristics*] **3** a) mek. överföra b) fys. släppa igenom ljus m.m. **4** radio. sända [ut], överföra; *~ting station* sändarstation
transmitter [trænz'mɪtə, trɑ:nz-, -ns'm-] [radio]sändare; transmitter
transparency [træn'spær(ə)nsɪ, trɑ:n-, -nz'p-, -'peər-] **1** genomsynlighet etc., jfr *transparent* **2** transparang; diapositiv, diabild, ljusbild
transparent [træn'spær(ə)nt, trɑ:n-, -nz'p-, -'peər-] **1** genomsynlig; genomskinlig äv. bildl. [*a ~ excuse*]; transparent **2** klar
transpire [træn'spaɪə, trɑ:n-] **I** *vb tr* avdunsta äv. bot.; avsöndra fuktighet m.m. **II** *vb itr* **1** avdunsta; avgå **2** bildl. läcka ut, sippra ut; komma fram **3** vard. hända
transplant [ss. vb træn'splɑ:nt, trɑ:n-, ss. subst. '--] **I** *vb tr* **1** plantera om [*~ trees*], skola **2** förflytta, flytta över, plantera om; plantera in **3** kir. transplantera **II** *s* kir. **1** transplantation [*a heart ~*] **2** transplantat
transplantation [ˌtrænsplɑ:n'teɪʃ(ə)n, ˌtrɑ:ns-] **1** omplantering **2** förflyttning, omplantering **3** kir. transplantation
transport [ss. vb træn'spɔ:t, trɑ:n-, ss. subst. '--] **I** *vb tr* **1** transportera, förflytta **2** *be ~ed* bli (vara) hänryckt (hänförd), ryckas med; *~ed with joy* vild (utom sig) av glädje **II** *s* **1** transport, frakt; *~ café* långtradarkafé **2** transportmedel; *means of ~* el. *public ~* allmänna kommunikationer, kollektivtrafik **3** hänförelse, extas; anfall [*in a ~ of rage*]; *be in ~s of joy* vara vild (utom sig) av glädje
transportation [ˌtrænspɔ:'teɪʃ(ə)n, ˌtrɑ:n-] **1** transport, förflyttning **2** transportmedel; transportväsen, [allmänna] kommunikationer
transpose [træn'spəʊz, trɑ:n-] flytta om ordning, ord m.m.; låta byta plats
transposition [ˌtrænspə'zɪʃ(ə)n, ˌtrɑ:n-] omkastning, omflyttning
transverse ['trænzvɜ:s, 'trɑ:n-, ˌ-'-] tvärgående [*~ engine*]; *~ section* tvärsnitt
transvestism [trænz'vestɪz(ə)m, trɑ:nz-] transvestism
trap [træp] **I** *s* **1** fälla äv. bildl.; [räv]sax; ryssja; *fall into the ~* gå i fällan; *set* (*lay*) *a ~ for* sätta ut en fälla (snara) för, gillra en fälla för **2** tekn. vattenlås **3** fallucka i golvet el. taket; klaff **4** sl. **a**) käft, mun **b**) pl. *~s* slagverk **II** *vb tr* **1** snara, snärja, bildl. äv. ertappa; *~ped* [*in a burning building*] instängd... **2** sätta ut fällor (snaror) på (i) **3** *~ a ball* fotb. dämpa en boll
trapdoor [ˌtræp'dɔ:] se *trap I 3*
trapeze [trə'pi:z] gymn. trapets
trapper ['træpə] pälsjägare
trappings ['træpɪŋz] **1** tillbehör [*the ~ of power*]; [grann] utstyrsel; glitter, prål **2** [häst]mundering; schabrak
trash [træʃ] **1** skräp; bildl. äv. struntprat **2** amer. avfall **3** vard. slödder; stackare; *white ~* i USA den vita underklassen, de fattiga vita i Södern
trash can ['træʃkæn] amer. soptunna
trashy ['træʃɪ] värdelös [*~ novels*], strunt-
trauma ['trɔ:mə, 'traʊmə] (pl. *~ta* [-tə] el. *~s*) med. el. psykol. trauma; skada; chock
traumatic [trɔ:'mætɪk, traʊ-] med. el. psykol. traumatisk; chockartad
travel ['trævl] **I** *vb itr* **1** resa [*~ all over the world, ~ for several weeks*], färdas; flytta om fåglar **2** resa, vara handelsresande [*~ for a company*; *~ in cosmetics*] **3** om t.ex. ljus, ljud röra sig [*light ~s faster than sound*] **4** vard. susa fram, hålla hög fart, röra sig snabbt; *that car certainly ~s!* ung. den där bilen är ett riktigt krutpaket! **5** vard., *~ in* (*with*) umgås i (med), röra sig i [*~ in wealthy circles*] **II** *vb tr* **1** resa igenom **2** tillryggalägga [*~ great distances*]; *the car has ~led* [*10,000 miles*] bilen har gått... **III** *s* **1** resande [*enrich one's mind by ~*]; amer. äv. trafik [*~ is heavy on holidays*], rese-; pl. *~s* a) resor [*in* (*during*) *my ~s*] b) reseskildring[ar]; *~ document* färdhandling **2** tekn. o.d. rörelse; [kolv]slag; slaglängd; takt
travel agency ['trævlˌeɪdʒənsɪ] resebyrå

travel agent ['trævl,eɪdʒənt] resebyrå[tjänste]man

travelled ['trævld] **1** [vitt]berest [*a ~ person*] **2** trafikerad [*a ~ route*]

traveller ['træv(ə)lə] resande, resenär; passagerare; vandrare; [*commercial*] ~ handelsresande; *~'s cheque* resecheck

travelling ['træv(ə)lɪŋ] **I** *s* **1** resande, att resa **2** rese-, res-; *~ companion* reskamrat; *~ scholarship* (*bursary*) resestipendium **II** *adj* resande [*~ circus*]; *~ library* a) vandringsbibliotek b) bokbuss

travelogue ['trævəlɒg] reseskildring; dokumentärfilm

traverse ['trævəs, trə'vɜ:s] **I** *adj* tvärgående **II** *s* **1** tvärstycke, tvärslå **2** mil. travers **III** *vb tr* **1** korsa [*ships ~ the ocean*]; fara över (genom); genomkorsa **2** korsa, skära [*the railway line ~d the road*]

travesty ['trævəstɪ] **I** *vb tr* travestera **II** *s* travesti; *a ~ of justice* en ren parodi på rättvisa

trawler ['trɔ:lə] **1** trålare **2** trålfiskare

tray [treɪ] **1** [serverings]bricka; [penn]fat; [brev]korg **2** löst [låd]fack i skrivbord m.m.

treacherous ['tretʃ(ə)rəs] förrädisk [*the ice is ~*], bedräglig [*a ~ action*]; opålitlig [*~ weather*; *my memory is ~*]; falsk

treachery ['tretʃ(ə)rɪ] förräderi; svek; trolöshet

treacle ['tri:kl] sirap; melass

tread [tred] **I** (*trod trodden* el. ibl. *trod*) *vb itr* trampa, träda; gå; *I felt I was ~ing on air* jag svävade på små moln **II** (*trod trodden* el. ibl. *trod*; i bet. *3 ~ed ~ed*) *vb tr* **1** trampa [*~ grapes*], trampa på; trampa (stampa) till; trampa upp; *~ water* trampa vatten **2** gå [*~ a path*], vandra på (i, genom, över); bildl. äv. beträda [*~ a dangerous path*] **3** förse med slitbana, lägga slitbana på [*~ tyres*] **III** *s* **1** steg; gång; tramp **2** trampyta på fot el. sko **3** slitbana; slitbanemönster, däckmönster [äv. *~ pattern*]

treadle ['tredl] **I** *s* trampa **II** *vb itr* o. *vb tr* trampa [på pedalen]

treadmill ['tredmɪl] trampkvarn, bildl. äv. ekorrhjul

treason ['tri:zn] [hög]förräderi; landsförräderi; *high ~* högförräderi

treasure ['treʒə] **I** *s* skatt, klenod; bildl. äv. pärla [*she's a ~*]; koll. skatter, dyrbarheter [*all kinds of ~*]; *T~ Island* Skattkammarön roman av R.L. Stevenson **II** *vb tr* **1** *~* [*up*] a) samla [på], lägga på hög, gömma [på] b) bildl. bevara [*~ a th. up in one's memory*] **2** [upp]skatta

treasure hunt ['treʒəhʌnt] **1** lek skattjakt **2** skattsökning

treasurer ['treʒ(ə)rə] kassör i förening o.d.; skattmästare; i kommun (ung.) finanssekreterare

treasury ['treʒ(ə)rɪ] **1** *the T~* a) finansdepartementet b) statskassan; *Secretary of the T~* i USA finansminister **2** skattkammare äv. bildl. [*the ~ of literature*]; bildl. äv. guldgruva

treat [tri:t] **I** *vb tr* **1** behandla; *how is the world ~ing you?* hur lever världen med dig?, hur har du det [nuförtiden]? **2** ta [*he ~s it as a joke*] **3** bjuda, traktera, undfägna; *~ oneself to a th.* kosta på sig ngt, unna sig ngt **II** *vb itr* **1** underhandla, förhandla [*with a p. for* (om) *a th.*] **2** *~ of* avhandla, behandla, handla om **3** bjuda [*whose turn is it to ~ next?*] **III** *s* **1** [barn]kalas, bjudning; fest; *it's my ~* det är min tur att bjuda, jag bjuder **2** nöje, glädje, upplevelse [*it was a real ~*]; begivenhet; något extra gott [*you'll get pineapple as a ~*]; *you look a ~* [*in that dress*] vard. du är ursnygg...

treatise ['tri:tɪz, -tɪs] avhandling

treatment ['tri:tmənt] behandling, med. äv. kur

treaty ['tri:tɪ] fördrag, traktat [*commercial* (*peace*) *~*]; *conclude* (*enter into*) *a ~* sluta (ingå) ett fördrag

treble ['trebl] **I** *adj* **1** tredubbel, trefaldig; *~ chance* [*pool*] poängtips; *he earns ~ my salary* han tjänar tre gånger så mycket som jag **2** mus. diskant- **II** *s* mus. diskant **III** *vb tr* tredubbla [*he has ~d his earnings*] **IV** *vb itr* tredubblas

tree [tri:] **1** träd; *the ~ of knowledge* kunskapens träd **2** [sko]block, läst

treeline ['tri:laɪn] trädgräns

trefoil ['trefɔɪl, 'tri:f-] **1** bot. klöver **2** klöverblad ss. ornament; arkit. trepass

trek [trek] **I** *vb itr* resa; dra ut (i väg) **II** *vb tr* **1** tillryggalägga, åka [*~ a long distance*] **2** sydafr. dra [*the ox could not ~ the heavy wagon*] **III** *s* lång och mödosam resa

trellis ['trelɪs] **I** *s* spaljé; galler[verk] **II** *vb tr* förse med spaljé (galler); spaljera

tremble ['trembl] **I** *vb itr* **1** darra, skaka [*he ~d at* (vid) *the sound*; *~ with* (av) *anger*]; skälva; *~ in the balance* bildl. hänga på en tråd, stå och väga **2** bäva, vara orolig; *with a trembling heart* med bävande hjärta **II** *s* skakning, skälvning; *be all of* (*in*) *a ~* vard. skaka (darra) i hela kroppen

tremendous [trə'mendəs, trɪ'm-] **1** vard. kolossal [*a ~ house*], våldsam [*a ~ explosion*] **2** vard. fantastisk, väldig

tremor ['tremə] **1** skälvning; rysning **2** jordskalv [äv. *earth ~*]

trench [tren(t)ʃ] **I** *s* **1** dike; dräneringsdike; grävd ränna; fåra **2** mil. skyttegrav, löpgrav; *~ coat* trenchcoat; mil. fältkappa **II** *vb tr* dika [ut]

trenchant ['tren(t)ʃ(ə)nt] bildl. bitande
trend [trend] **I** *s* bildl. [in]riktning; tendens; utveckling; strömning; *set the ~* skapa (diktera) ett mode (en trend) **II** *vb itr* bildl. tendera [*prices have ~ed upward*]
trendsetter ['trendˌsetə] trendsättare
trendy ['trendɪ] vard. trendig; inne-
trepidation [ˌtrepɪ'deɪʃ(ə)n] förvirring, bestörtning; [nervös] oro, bävan
trespass ['trespəs] **I** *vb itr* **1** inkräkta, göra intrång [*~* [*up*]*on a p.'s private property*] **2** bildl., *~* [*up*]*on* inkräkta på, göra intrång i [*~ upon a p.'s rights*]; ta ngt alltför mycket i anspråk **3** bibl. el. åld. synda, försynda sig; *...as we forgive them that ~ against us* bibl. ...såsom ock vi förlåta dem oss skyldiga äro **II** *vb tr* bildl. överskrida [*~ the bounds of good taste*] **III** *s* **1** [lag]överträdelse; intrång; åverkan **2** bibl. el. åld. synd, fel; skuld [*forgive us our ~es*]
trespasser ['trespəsə] **1** inkräktare **2** lagbrytare; *~s will be prosecuted* tillträde vid vite förbjudet, överträdelse beivras
trespassing ['trespəsɪŋ] intrång; *no ~!* förbjudet område!, tillträde förbjudet!
tress [tres] poet. lock; pl. *~es* äv. hår
trestle ['tresl] [trä]bock ss. stöd
trestle table ['treslˌteɪbl] bord med lösa benbockar
trial ['traɪ(ə)l] **1** prov; provning; provtur; *~ flight* provflygning; *~ offer* hand. introduktionserbjudande; *~ period* provperiod, försöksperiod; *give a p. a ~* sätta ngn på prov, låta ngn visa vad han kan (duger till); *on ~* a) på prov [*buy a th. on ~*] b) efter prov (en prövotid) **2** jur. rättslig behandling (prövning) [*undergo a ~*]; rättegång; process; mål; *stand* (*be on*) *~* stå (vara ställd) inför rätta, vara åtalad [*for* för]; *bring a p. to* (*up for*) *~* ställa (dra) ngn inför rätta **3** prövning; hemsökelse **4** sport. försök; i motorsport o. kapplöpn. vanl. trial; *~ heat* försöksheat
triangle ['traɪæŋgl] triangel
triangular [traɪ'æŋgjʊlə] triangulär
tribal ['traɪb(ə)l] stam- [*~ feuds*], släkt-
tribe [traɪb] **1** [folk]stam [*the Indian ~s of America*]; släkt; rom. antik. tribus **2** ofta neds. följe [*a ~ of parasites*]; skämts. klan, släkt
tribes|man ['traɪbz|mən] (pl. *-men* [-mən]) stammedlem; stamfrände
tribulation [ˌtrɪbjʊ'leɪʃ(ə)n] bedrövelse, motgång[ar]
tribunal [traɪ'bju:nl, trɪ'b-] **1** domstol; *industrial ~* arbetsdomstol **2** domarsäte; [domar]tribun
tributary ['trɪbjʊt(ə)rɪ] **I** *adj* **1** skattskyldig, tributskyldig; beroende, underlydande [*a ~ king*] **2** bi- [*a ~ river*] **II** *s* **1** skattskyldig; lydrike **2** tillflöde
tribute ['trɪbju:t] **1** a) tribut [*pay ~ to a conqueror*] b) skattskyldighet **2** bildl. bevis [*a ~ of gratitude* (*respect*)], hyllning, tribut [*a ~ to his bravery*]; *floral ~s* blomsterhyllning[ar]
trice [traɪs], *in a ~* i en handvändning (blink), innan man vet (visste) ordet av
trick [trɪk] **I** *s* **1** a) knep b) påhitt c) konst[er], konstgrepp; trick[s]; *the ~s of the trade* yrkesknepen; hemligheten [med det hela]; *a dirty* (*mean, shabby*) *~* ett fult (nedrigt) spratt; *~ or treat* amer. vard., ung. dörrknackning när barn går runt och tigger godis under hot om att annars ställa till ofog under 'Hallowe'en'; *that will do* (amer. *turn*) *the ~* vard. det kommer att göra susen; *I know a ~ worth two of that* jag vet ett mycket bättre (dubbelt så bra) knep (sätt); *he never misses a ~* vard. han har ögonen med sig, han kan alla knep **2** egenhet [*he has a ~ of repeating himself*] **3** kortsp. trick, spel [*win* (*take*) *the ~*] **II** *vb tr* **1** lura [*~ a p. into doing* ([till] att göra) *a th.*]; *~ a p. out of a th.* lura av ngn ngt **2** *~* [*out* (*up*)] styra (pynta) ut; spöka ut **III** *vb itr* använda list (knep)
trickery ['trɪkərɪ] knep; bedrägeri; humbug
trickle ['trɪkl] **I** *vb itr* droppa, drypa, sippra [*blood ~d from the wound*], tillra [*the tears ~d down her cheeks*] **II** *s* droppande; droppe; bildl. äv. obetydlighet; *there was a ~ of blood from the wound* det droppade (sipprade) lite blod från såret
trickster ['trɪkstə] skojare, bedragare
tricky ['trɪkɪ] **1** bedräglig, slipad [*a ~ politician*] **2** kinkig [*a ~ problem*]
tricolour ['trɪkələ, 'traɪˌkʌlə] trikolor
tricycle ['traɪsɪkl] trehjulig cykel
tried [traɪd] beprövad [*a ~ friend* (*remedy*)]
trifle ['traɪfl] **I** *s* **1** bagatell [*stick at ~s*], obetydlighet; strunt[sak] **2** struntsumma **3** *a ~* ss. adv. en smula (aning) [*this dress is a ~ too short*] **4** 'trifle' slags dessert med lager av sockerkaka, frukt, sylt m.m. o. täckt med vaniljkräm el. vispgrädde **II** *vb itr* **1** *~ with* leka (skämta) med **2** [sitta och] leka, peta [*~ with* (i) *the food*], fingra **III** *vb tr, ~ away* plottra (slarva, slösa) bort
trifling ['traɪflɪŋ] **I** *adj* **1** obetydlig [*a ~ error*], ringa [*of ~ value*], oväsentlig; lumpen, futtig, värdelös [*a ~ gift*]; *it's no ~ matter* det är ingen bagatell, det är inget att leka med **2** lättsinnig, ytlig, tanklös [*~ talk*] **II** *s* **1** [lättsinnig] lek, skämt[ande] **2** lättja
trigger ['trɪgə] **I** *s* avtryckare på skjutvapen; bildl. utlösare; *cock the ~* spänna hanen, osäkra vapnet (geväret m.m.) **II** *vb tr, ~* [*off*] starta, utlösa, sätta igång

trigger-happy ['trɪgə,hæpɪ] vard. skjutglad
trigonometry [,trɪgə'nɒmətrɪ] geom. trigonometri
trilby ['trɪlbɪ] vard., ~ [*hat*] trilbyhatt mjuk filthatt
trill [trɪl] **I** *s* drill äv. mus. **II** *vb tr* o. *vb itr* drilla äv. mus.; slå [sina] drillar; fonet. rulla [på] [~ *one's r's*]
trilogy ['trɪlədʒɪ] trilogi
trim [trɪm] **I** *adj* **1** välordnad; välutrustad **2** snygg, prydlig [~ *clothes*]; välbehållen [*a ~ figure*] **II** *vb tr* **1** klippa, tukta [~ *a hedge*; ~ *one's beard*]; skära ner [~ *the budget*]; ~ *one's nails* klippa (putsa) naglarna; ~ *a wick* putsa en veke **2** dekorera; ~ *the Christmas tree* klä julgranen; ~ *a dress with ribbons* garnera (kanta) en klänning med band **3** vard. klå örfila, besegra **4** sjö. a) trimma b) sätta (hålla) på rätt köl; trimma [~ *a ship*; ~ *the cargo*], lämpa [om] [~ *coal*] **5** bildl. anpassa, rätta [~ *one's opinions* [*according*] *to* (efter)...]; ~ *one's sails to the* (*every*) *wind* vända kappan efter vinden **III** *vb itr* gå en medelväg; vända kappan efter vinden **IV** *s* **1** skick [*be in good* ~]; *get into* ~ a) sätta i [gott] skick, trimma b) sport. få (komma) i form **2** sjö. a) trimning; om segel äv. kantsättning; [om]stuvning b) trim; segelfärdigt skick **3** klippning [*the ~ of one's beard* (*hair*), *the ~ of a hedge*], trimning [*the ~ of a dog*]; *the barber gave me a* ~ frisören putsade håret på mig **4 a**) utstyrsel **b**) lister; inredning [*the ~ inside a car*]; skyltning; *the chrome ~ of a car* kromlisterna (kromdetaljerna, kromet) på en bil
trimmer ['trɪmə] **1** klippningsmaskin; trimningssax, trimkam; *nail* ~ nagelklippare **2** bildl. vindflöjel, opportunist
trimming ['trɪmɪŋ] **1** [av]klippning **2** dekorering; garnering **3** isht pl. *~s* a) dekoration[er], pynt; utsmyckning[ar] äv. bildl.; bildl. tillägg, tillbehör b) isht kok. [extra] tillbehör, garnityr c) galoner, beslag **4** pl. *~s* [bortskurna] kanter, rester, rens, spill, avfall **5** sjö. trimning; [kol]lämpning **6** bildl. balansering[skonst], opportunism **7** vard. a) [ordentligt] kok stryk b) stryk nederlag
trinket ['trɪŋkɪt] [billigt] smycke; [billig] prydnadssak; pl. *~s* äv. grannlåt, nipper
trio ['tri:əʊ] **1** trio äv. mus. **2** kortsp. tretal
trip [trɪp] **I** *vb itr* **1** trippa [lätt], gå (springa, dansa) med lätta steg **2** a) snubbla äv. bildl. [äv. ~ *up*]; snava, tappa fotfästet b) göra (ta) fel, göra ett misstag c) försäga sig **II** *vb tr*, ~ [*up*] a) få att snubbla, sätta krokben för, fälla; vippa (stjälpa) omkull b) snärja, överlista c) ertappa, avslöja **III** *s* **1** tripp [*a ~ to Paris*], tur [*a ~ to the seaside*]; ~ *meter* el. ~ *mileage counter* bil. trippmätare **2** lätt[a] steg; trippande **3** snubblande, snavande **4** krokben; brottn. äv. grepp **5** tekn. a) utlösning b) utlösare **6** sl. tripp LSD o.d. samt rus; *bad* ~ snedtändning
tripartite [,traɪ'pɑ:taɪt] **1** tredelad; trefaldig **2** tresidig [*a ~ agreement*]
tripe [traɪp] **1** kok. komage **2** sl., pl. *~s* tarmar; buk **3** sl. skit, smörja [*talk* ~]
triple ['trɪpl] **I** *adj* trefaldig, tredubbel; trippel- [~ *alliance*], tre- [*triple-headed*]; ~ *glazing* koll. treglasfönster; tredubbla fönster; ~ *jump* sport. trestegshopp **II** *vb tr* tredubbla [*he ~d his income*] **III** *vb itr* tredubblas
triplet ['trɪplət] **1** trilling **2** mus. triol
triplicate [ss. adj. o. subst. 'trɪplɪkət, ss. vb 'trɪplɪkeɪt] **I** *adj* tredubbel, trefaldig; om avskrift i tre exemplar **II** *s* triplett, tredje exemplar (avskrift, utskrift); *in* ~ i tre exemplar **III** *vb tr* tredubbla; utfärda (skriva ut) i tre exemplar
tripod ['traɪpɒd] **1** trefot; tripod äv. grek. mytol. **2** [trebens]stativ; mil. trefotslavett
tripper ['trɪpə] **1** nöjesresenär; person på utflykt **2** tekn. utlösare
trip-recorder ['trɪprɪ,kɔ:də] bil. trippmätare
tripwire ['trɪp,waɪə] mil. snubbeltråd
trite [traɪt] sliten, trivial
triumph ['traɪəmf] **I** *s* triumf [*return home in* ~], segerglädje; seger [*win a* ~]; *in* ~ äv. triumferande, jublande **II** *vb itr* triumfera; segra; jubla; ~ *over* äv. besegra
triumphal [traɪ'ʌmf(ə)l] triumf- [~ *arch*]; ~ *car* triumfvagn
triumphant [traɪ'ʌmfənt] triumferande; segerrik [~ *armies*]; segerstolt; [seger]jublande; *be* ~ vara segerrik, triumfera, segra
trivial ['trɪvɪəl] obetydlig [*a ~ detail* (*loss*)], ringa [*of ~ importance*], betydelselös [~ *circumstances*]; futtig [*a ~ gift*]; trivial [~ *jokes*]; ~ *matters* bagateller, struntsaker
triviality [,trɪvɪ'ælətɪ] **1** obetydlighet; bagatell [*a mere* ~]; strunt **2** banalitet
trivialize ['trɪvɪəlaɪz] bagatellisera; banalisera; förflacka
trod [trɒd] imperf. o. ibl. perf. p. av *tread*
trodden ['trɒdn] perf. p. av *tread*
trolley ['trɒlɪ] **1** [drag]kärra, pirra **2** lastvagn; tralla; järnv. äv. dressin **3** rullbord, tevagn; serveringsvagn **4** kundvagn på snabbköp **5** amer. spårvagn
trolleybus ['trɒlɪbʌs] trådbuss, trolleybuss
trolley car ['trɒlɪkɑ:] amer. spårvagn
trollop ['trɒləp] slampa, [gat]slinka
trombone [trɒm'bəʊn, '--] trombon; *slide* ~ dragbasun; *valve* ~ ventilbasun
troop [tru:p] **I** *s* **1** skara; flock [*a ~ of antelopes*]; mängd [*he has ~s of friends*]

2 mil. trupp **3** mil. [kavalleri]skvadron **4** [scout]avdelning **II** *vb itr* **1** gå (komma) i skaror (skockvis, flockvis); ~ *in* (*out*) myllra (strömma) in (ut) **2** marschera **III** *vb tr* mil., ~ *the colour*[*s*] göra parad för (troppa) fanan

trooper ['tru:pə] **1** [menig] kavallerist; *swear like a* ~ svära som en borstbindare **2** amer. a) ridande polis[man] b) radiopolis[man]

troopship ['tru:pʃɪp] trupptransportfartyg

trophy ['trəʊfɪ] **1** trofé **2** segertecken; sport. pris

tropic ['trɒpɪk] **I** *s* **1** tropik [*the T~ of Cancer* (*Capricorn*)] **2** *the ~s* (*Tropics*) tropikerna **II** *adj* tropisk [*the ~ zone*]

tropical ['trɒpɪk(ə)l] tropisk [*~ climate*]

trot [trɒt] **I** *vb itr* **1** trava, gå i trav; rida i trav; ~ *along* trava på (i väg) **2** lunka, knalla; jogga; ~ *along* lunka osv. på (i väg); *you ~ along!* kila i väg [nu]!; *I must be ~ting* [*off* (*along*)] jag måste ge mig av, jag måste kila **II** *vb tr* **1** sätta i trav [*~ a horse*], köra [*~ a racehorse*] **2** ~ *out* a) rida fram [med], låta paradera [*~ out a horse*] b) vard. komma dragande med, briljera (skryta) med [*~ out one's knowledge*]; köra med [*~ out the same old jokes*] **3** vard. låta trava; dra **III** *s* trav; lunk[ande]; sport. joggning; *at a steady ~* i lugnt (jämnt) trav; i jämn fart; *on the ~* vard. i rad [*three wins on the ~*]; *be on the ~* a) vard. vara i farten (i gång) b) sl. vara på rymmen

trotter ['trɒtə] **1** travare, travhäst **2** kok., [*pig's* (*pigs'*)] *~s* grisfötter

troubadour ['tru:bəˌdʊə, -dɔ:] trubadur

trouble ['trʌbl] **I** *vb tr* **1** oroa [*be ~d by bad news*], bekymra [*what ~s me is that...*], plåga, besvära; ~ *oneself* a) oroa sig b) göra sig besvär **2** besvära; *sorry to ~ you!* förlåt att jag besvärar!; *may I ~ you to pass* [*the mustard*]? får jag besvära (be) om...? **II** *vb itr* **1** besvära sig **2** oroa sig **III** *s* **1** a) oro b) besvär, möda [*take* (göra sig) *the ~ to write*] c) svårighet[er], knipa [*financial ~*]; trassel [*family ~*[*s*]] d) motgång [*life is full of ~s*]; *~s never come singly* en olycka kommer sällan ensam; *what's the ~?* hur är det fatt?; vad gäller saken?; *no ~ at all!* ingen orsak [alls]!; *my car has been giving me ~ lately* min bil har krånglat på sista tiden **2** åkomma, besvär [*stomach ~*[*s*]]; *my stomach has been giving me ~ lately* äv. min mage har krånglat på sista tiden **3** oro [*political ~*]; isht pl. *~s* oroligheter [*~s in Southern Africa*]; förvecklingar, konflikter [*labour ~s*] **4** tekn. fel [*engine ~*]

troubled ['trʌbld] **1** upprörd [*a ~ sea*]; orolig [*a ~ period*]; *fish in ~ waters* fiska i grumligt vatten **2** orolig

troublemaker ['trʌblˌmeɪkə] orosstiftare

troubleshooter ['trʌblˌʃu:tə] **1** medlare [*a diplomatic ~*] **2** tekn. felsökare

troublesome ['trʌblsəm] besvärlig [*a ~ headache*]; bråkig [*a ~ child*]; mödosam [*a ~ task*], krånglig

trouble spot ['trʌblspɒt] oroscentrum plats där bråk ofta förekommer

trough [trɒf] **1** tråg, ho; kar; matskål för husdjur **2** baktråg **3** fördjupning; [dal]sänka; vågdal äv. bildl. **4** meteor., ~ [*of low pressure*] lågtrycksområde

trounce [traʊns] slå äv. sport. o.d.; klå upp

troupe [tru:p] [skådespelar]trupp; cirkustrupp

trousers ['traʊzəz] [lång]byxor [*a pair of ~*]; *~ pocket* byxficka

trouser suit ['traʊzəsu:t, -sju:t] byxdress

trousseau ['tru:səʊ] (pl. *~s* el. *~x* [-z]) [brud]utstyrsel; brudkista

trout [traʊt] **1** (pl. lika) zool. forell; [*salmon*] ~ laxöring **2** sl., [*old*] ~ [gammal] käring (skräcködla)

trowel ['traʊ(ə)l] **1** murslev; *lay it on with a ~* bildl. bre på [tjockt], smickra grovt **2** trädg. planteringsspade

truant ['tru:ənt] skolkare; dagdrivare; *play ~* skolka [från skolan]

truce [tru:s] [vapen]stillestånd; [*party*] ~ polit. borgfred

1 truck [trʌk] **1** [öppen] godsvagn **2** isht amer. lastbil; *long distance ~* långtradare **3** a) truck b) transportvagn; skjutvagn; dragkärra, handkärra [äv. *hand ~*]; bagagevagn, bagagekärra c) amer. rullbord

2 truck [trʌk] **1** byteshandel; köp; affär **2** vard. affärer; samröre; *I'll have no ~ with him* jag vill inte ha [något] med honom att göra

truculent ['trʌkjʊlənt] stridslysten

trudge [trʌdʒ] **I** *vb itr* traska (lunka, kliva) [mödosamt] **II** *vb tr* traska (lunka, släpa sig) fram på **III** *s* [mödosamt] traskande

true [tru:] **I** *adj* **1** a) sann b) riktig, rätt, exakt c) egentlig [*the frog is not a ~ reptile*]; äkta [*a ~ diamond*], verklig, uppriktig, sann [*a ~ friend, ~ love*]; *how ~!* el. *quite ~!* alldeles riktigt!, det är så sant som det är sagt!; *come* (*prove*) ~ bli verklighet, slå in, besannas [*his suspicions* (*words*) *came ~*]; *hold* (*be*) ~ hålla streck, gälla, vara giltig, äga giltighet [*of* i fråga om, beträffande, för] **2** trogen, lojal; *be ~ to a p.* (*a th.*) äv. vara ngn (ngt) trogen, vara trogen ngn (ngt); *be* (*run*) *~ to form* (*type*) vara typisk (karakteristisk, normal) **3** isht tekn. rät; rätt (noga) avpassad (inpassad) **II** *adv* **1** sant **2** fullkomligt; precis; rätt [*aim ~*] **III** *s* tekn., *out of ~* felaktig; vind, sned; ur led (läge)

truffle ['trʌfl] kok. tryffel

truly ['tru:lɪ] **1** sant [~ *human*], verkligt [*a ~ beautiful picture*], riktigt [~ *good*]; uppriktigt [~ *grateful*]; verkligen [~, *she is beautiful*] **2** riktigt [~ *correct*] **3** troget **4 a**) i brev *Yours ~* Högaktningsfullt **b**) *that won't do for yours ~* skämts. det gillar inte undertecknad, det duger (räcker) inte åt en annan **5** litt. i sanning

trump [trʌmp] **I** *s* **1** kortsp. trumf äv. bildl.; trumfkort; trumffärg; ~ *card* trumf[kort] äv. bildl.; *hearts are ~s* hjärter är trumf; *hold ~s* ha (sitta med) trumf på hand äv. bildl.; *ace of ~s* trumfäss äv. bildl. **2** vard. hedersknyffel **II** *vb tr* **1** kortsp. trumfa över **2** bildl., ~ *up* duka upp, koka ihop [~ *up a lie* (*story*)], konstruera [~ *up evidence*]

trumpet ['trʌmpɪt] **I** *s* **1** trumpet; signalhorn; *blow* (*play*) *the ~* blåsa (spela) trumpet **2** hörlur för lomhörd **3** [tal]tratt **4** trumpet[are] i orkester **II** *vb tr* trumpeta [ut]; isht bildl. basunera ut, förkunna [äv. ~ *forth*] **III** *vb itr* blåsa trumpet; trumpeta

trumpeter ['trʌmpɪtə] trumpetare

truncate [trʌŋ'keɪt] stympa äv. geom.; skära (hugga, klippa) av (bort), korta av äv. bildl.; stubba

truncheon ['trʌn(t)ʃ(ə)n] batong

trundle ['trʌndl] rulla [~ *a hoop*], trilla

trunk [trʌŋk] **1** [träd]stam **2** bål kroppsdel **3** koffert; amer. äv. bagageutrymme i bil; ~ *murder* koffertmord **4** a) zool. snabel b) sl. kran näsa **5** pl. *~s* a) idrottsbyxor, shorts b) badbyxor c) kalsonger **6** amer. tele., pl. *~s* riksstation[en]

trunk call ['trʌŋkkɔ:l] tele. (ngt åld.) rikssamtal

trunk road ['trʌŋkrəʊd] riksväg

truss [trʌs] **I** *vb tr* **1** byggn., ~ [*up*] förstärka, armera, staga, stötta **2** ~ [*up*] a) binda [~ *hay*; ~ *up a p. with rope*] b) kok. binda upp före tillredning [~ *up a chicken*] **II** *s* **1** byggn. spännverk, hängverk; fackverk; taklag; stötta, konsol; [bjälk]förbindning **2** bunt; [hö]knippa av viss vikt **3** med., [*hernial*] ~ bråckband

trust [trʌst] **I** *s* **1** förtroende, förtröstan, tillit, tilltro; *put* (*place*) *one's ~ in* sätta sin lit till **2** hand. kredit [*obtain goods on* (på) ~] **3** ansvar; omvårdnad; jur. el. hand. förvaltning; förvaltarskap; ~ *company* förvaltningsbolag, investeringsbolag; *hold a th. in ~* [*for a p.*] förvalta ngt åt ngn; *be under ~* stå under förvaltning, förvaltas **4** a) förtroendeuppdrag b) plikt **5** jur. anförtrott gods; fideikomiss **6** a) hand. trust [*steel ~*] b) sammanslutning; stiftelse; *the National T~* i Storbritannien, ung. riksantikvarieämbetet **II** *vb tr* **1** a) lita på, hysa (ha) förtroende för b) sätta tro till, tro på **2** a) tro [fullt och fast] b) hoppas [uppriktigt (innerligt)] [*I ~ you're well*]; ~ *me to do that!* jag lovar att jag gör det! **3** ~ *a p. with a th.* anförtro ngn ngt (ngt åt ngn); ~ *a p. to do a th.* överlåta åt ngn att göra ngt; *I couldn't ~ myself to do it* jag skulle aldrig våga göra det **4** hand., ~ *a p.* [*for a th.*] ge (lämna) ngn kredit [på ngt] **III** *vb itr* lita, sätta sin lit; ~ *in God* förtrösta på Gud

trustee [ˌtrʌ'sti:] **1** jur. förtroendeman; förvaltare; god man, förmyndare **2** styrelsemedlem; pl. *~s* äv. styrelse **3** polit. förvaltande myndighet (stat) under FN:s förvaltarskapsråd

trustful ['trʌstf(ʊ)l] förtroendefull

trustworthy ['trʌstˌwɜ:ðɪ] pålitlig [*a ~ person*], tillförlitlig [*a ~ dictionary*], vederhäftig

trusty ['trʌstɪ] åld. el. skämts. trogen; *my ~ sword* äv. mitt goda svärd

truth [tru:θ, i pl. tru:ðz, tru:θs] **1** sanning; sannfärdighet, sanningshalt; verklighet; ~ *is stranger than fiction* verkligheten överträffar dikten **2** riktighet, exakthet; isht tekn. precision **3** verklighetstrohet hos konstverk o.d.

truthful ['tru:θf(ʊ)l] **1** sannfärdig [*a ~ person*] **2** sann [*a ~ statement*]; riktig **3** om konst o.d. verklighetstrogen

try [traɪ] **I** *vb tr* **1** försöka **2** a) försöka med [~ *knocking* (att knacka) *at the door*], prova [*have you tried this new recipe?*], pröva 'på b) göra försök med, prova; *he tried his best* [*to beat me*] han gjorde sitt bästa (yttersta)... **3** sätta på prov [~ *a p.'s patience*], pröva; anstränga [*bad light tries the eyes*] **4** jur. a) behandla; döma i [*which judge will ~ the case?*] b) anklaga [*be tried for murder*], ställa inför rätta **5** med adv.: ~ *on* **a**) prova [~ *on a new suit*] **b**) vard., *don't ~ it* (*your tricks*) *on with me!* försök inte [några knep] med mig!; ~ *over* dra (gå, sjunga, spela) igenom **II** *vb itr* försöka, försöka sig; ~ *as I would* (*might*) el. ~ *for* försöka [upp]nå; söka [~ *for a position*], ansöka om **III** *s* **1** försök; *have a ~* [*at a th.*] göra ett försök [med ngt], pröva [ngt] **2** rugby. försök, try tre poäng

trying ['traɪɪŋ] ansträngande, krävande [~ *work*], besvärlig [*a ~ boy*]

tsar [zɑ:, tsɑ:] m.fl., se *czar* m.fl.

T-shirt ['ti:ʃɜ:t] T-shirt

T-square ['ti:skweə] vinkellinjal

tub [tʌb] **1** balja [*a ~ of butter*], tunna [*a rain-water ~*]; tråg; [stor] kruka; ss. mått äv. fat **2** vard. a) [bad]kar b) ngt åld. [kar]bad **3** [glass]bägare

tuba ['tju:bə] mus. tuba

tubby ['tʌbɪ] rund[lagd], trind

tube [tju:b] **1** rör [*steel ~*]; tekn. äv. tub; slang [*rubber ~*]; mil. eldrör; ~ *sock* tubsocka, tubstrumpa; *go down the ~*[*s*] vard. gå åt pipan (skogen) **2** tub [*a ~ of toothpaste* (*paint*)] **3** a) vard. T-bana [*take the ~*; *go by ~*] b) tunnel för T-bana; *~ train* T-banetåg **4** radio., TV. m.m. **a**) amer. rör **b**) [*picture*] *~* bildrör **c**) amer. vard., *the ~* burken, TV **5** anat. el. biol. rör; bot. äv. pip

tubeless ['tju:bləs] slanglös [*a ~ tyre*]

tuber ['tju:bə] bot. knöl; rotknöl

tubercular [tjʊ'bɜ:kjʊlə] med. tuberkulös

tuberculosis [tjʊˌbɜ:kjʊ'ləʊsɪs] med. tuberkulos

tubing ['tju:bɪŋ] rör [*a piece of copper ~*], slang [*a piece of rubber ~*]

tubular ['tju:bjʊlə] rörformig [*~ skate*], tub-; *~ bridge* rörbro; *~* [*steel*] *furniture* stålrörsmöbler

TUC [ˌti:ju:'si:] (förk. för *Trades Union Congress*), *the ~* brittiska LO

1 tuck [tʌk] **I** *vb tr* **1** stoppa [in (ner)] [*~ the money into your wallet*], sticka [*the bird ~ed its head under its wing*]; *~ away* stoppa (gömma) undan; *he ~ed himself up in bed* han drog (svepte) täcket om sig **2** *~* [*up*] kavla (vika) upp [*he ~ed up his shirtsleeves*], fästa (dra) upp [*she ~ed up her skirt*] **3** sömnad. rynka; *~ up* lägga upp **4** vard., *~* [*away* (*in*)] glufsa (stoppa) i sig [*he ~ed away a big meal*], lägga in **II** *vb itr* vard., *~ in* hugga för sig [av maten], lägga in **III** *s* **1** sömnad. o.d. veck **2** skol. vard. kakor och godis

2 tuck [tʌk] amer. vard., se *tuxedo*

tuck shop ['tʌkʃɒp] vard. kondis, godisaffär i el. nära en skola

Tuesday ['tju:zdeɪ, -dɪ isht attr.; amer. äv. 'tu:-] tisdag; jfr *Sunday*

tuft [tʌft] **I** *s* **1** tofs; tott, test; *~ of wool* ulltapp, ulltott **2** tuva [*a ~ of grass*] **II** *vb tr* pryda med en tofs (tofsar)

tug [tʌg] **I** *vb tr* **1** dra; släpa [på]; rycka (slita) i **2** bogsera **II** *vb itr* dra, rycka [*the dog ~ged at the leash* (i kopplet)] **III** *s* **1** ryck, ryckning, tag, drag; *give a ~ at a th.* el. *give a th. a ~* dra (rycka) kraftigt i ngt **2** kraftansträngning, kraftprov; svårighet; kamp **3** bogserbåt

tugboat ['tʌgbəʊt] bogserbåt

tug-of-war [ˌtʌgə(v)'wɔ:] dragkamp; bildl. kraftmätning

tuition [tjʊ'ɪʃ(ə)n] undervisning [*private ~*], handledning

tulip ['tju:lɪp] tulpan

tumble ['tʌmbl] **I** *vb itr* **1 a**) ramla; *~ down* (*over*) ramla etc. ner (omkull), tumla omkull **b**) om byggnad o.d., *~* [*down*] störta samman, rasa; [*the old barn*] *is tumbling to pieces* ...är fallfärdig **c**) om priser o.d. rasa **d**) om makthavare o.d. falla **2** tumla [*the boys ~d out of the classroom*], ramla; rulla [*the coins ~d out on* [*to*] *the table*]; *~ into bed* stupa (ramla) i säng **3 a**) *~* [*about*] tumla runt [*they ~d in the grass*]; bildl. virvla (snurra) runt **b**) om vågor vältra sig **4** göra akrobatkonster (volter) **5** bildl., *~ on* (*upon, across*) *a p.* [oförmodat] stöta ihop med ngn **II** *vb tr* **1** vräka, kasta [*~ down* (*out, into*)], vräka etc. omkull **2** kasta (slänga) omkring **3** vard. komma underfund med **III** *s* **1** fall äv. bildl.; störtning; om priser äv. ras; *he had a nasty ~* han ramlade omkull och slog sig illa **2** kullerbytta **3** röra, villervalla

tumbledown ['tʌmbldaʊn] fallfärdig, förfallen, rucklig; *a ~ old building* (*shack*) äv. ett gammalt ruckel

tumble-drier ['tʌmblˌdraɪə] torktumlare

tumbler ['tʌmblə] **1** [dricks]glas utan fot; tumlare **2** tillhållare i lås **3** [tork]tumlare **4** [golv]akrobat

tummy ['tʌmɪ] vard., mest barnspr. mage

tumour ['tju:mə] tumör

tumult ['tju:mʌlt] **1** tumult; kalabalik **2** bildl. utbrott [*~ of joy*]; upprördhet; förvirring; *be in a ~* vara i uppror

tumultuous [tjʊ'mʌltjʊəs] **1** tumultartad [*a ~ reception*]; stormande [*~ applause*]; bråkig [*a ~ political meeting*] **2** våldsam

tuna ['tju:nə, 'tu:nə] zool. [stor] tonfisk [äv. *~ fish*]

tundra ['tʌndrə] tundra

tune [tju:n] **I** *s* **1** melodi; låt; *call the ~* bildl. ange tonen, bestämma; [*when he heard that,*] *he changed his ~* äv. ...blev det ett annat ljud i skällan; *dance to a p.'s ~* bildl. dansa efter ngns pipa **2** [riktig] stämning hos instrument; [*the piano*] *is in ~* (*out of ~*) ...är stämt (ostämt); *sing* (*play*) *in ~* (*out of ~*) sjunga (spela) rent (orent, falskt) **3** bildl. harmoni, samklang; *be in ~* (*out of ~*) *with* stå i (inte stå i) samklang med, hålla (inte hålla) med om [*be in ~* (*out of ~*) *with current ideas*] **4** *to the ~ of* till ett belopp av [inte mindre än]

II *vb tr* **1** stämma [*~ a piano*] **2** radio. avstämma; ställa in [äv. *~ in*]; *~ in another station* ta in en annan station; *the radio is not properly ~d in* radion är inte riktigt inställd; *stay ~d* uppmaning i radio fortsätt lyssna (TV. titta) på den här stationen (det här programmet) **3** *~ up* finjustera, trimma motor o.d. **4** bildl. avstämma, avpassa; *be ~d* [*in*] *to* a) passa ihop med, harmoniera med b) vara lyhörd (mottaglig) för [*he is well ~d in to his surroundings*]

III *vb itr* **1** *~ up* a) stämma [instrumenten] b) stämma upp, börja spela (sjunga) **2** radio., *~ in* ställa in [radion] [*~ in to* (på) *the BBC*]

tuneful ['tju:nf(ʊ)l] melodisk

tuner ['tju:nə] **1** stämmare [*piano-tuner*]

2 radio. o.d. tuner mottagare utan effektförstärkare
tungsten ['tʌŋstən, -sten] kem. volfram
tunic ['tju:nɪk] **1** vapenrock; för t.ex. polis uniformskavaj **2** tunika äv. antik.; tunik **3** [*gym*] ~ flickas gymnastikdräkt
tuning-fork ['tju:nɪŋfɔ:k] mus. stämgaffel
Tunisia [tjʊ'nɪzɪə, -ɪsɪə] Tunisien
Tunisian [tjʊ'nɪzɪən, -ɪsɪən] **I** *adj* tunisisk **II** *s* tunisier
tunnel ['tʌnl] **I** *s* tunnel; underjordisk gång; *see the light at the end of the* ~ bildl. se ljuset vid tunnelns slut **II** *vb tr* **1** bygga (gräva, spränga) en tunnel genom (under) [~ *a mountain*]; bygga (gräva, spränga) i form av en tunnel [~ *a passage under a river*] **2** *the river ~led its way* [*through the mountain*] floden flöt [som] i en tunnel... **3** borra igenom; underminera **III** *vb itr* bygga (gräva, spränga) en tunnel (tunnlar) [~ *through the Alps*]
tunny ['tʌnɪ] o. **tunny fish** ['tʌnɪfɪʃ] zool. tonfisk
tuppence ['tʌp(ə)ns] vard., se *twopence*; *not worth* ~ inte värd ett rött öre
tuppenny ['tʌp(ə)nɪ] vard., se *twopenny*
turban ['tɜ:bən] turban
turbine ['tɜ:baɪn, -bɪn] turbin [*steam* ~]
turbo-jet ['tɜ:bəʊdʒet] **I** *s* **1** turbojetmotor **2** turbojetplan **II** *adj* turbojet- [~ *engine*]
turbo-prop ['tɜ:bəʊprɒp] **I** *s* **1** turbopropmotor **2** turbopropplan **II** *adj* turboprop- [~ *engine*]
turbot ['tɜ:bət] zool. piggvar
turbulence ['tɜ:bjʊləns] oro
turbulent ['tɜ:bjʊlənt] orolig [*the ~ years of the revolutionary period*], upprörd [~ *waves* (*feelings*)], häftig
tureen [tə'ri:n, tʊ'r-, tjʊ'r-] soppskål, terrin
turf [tɜ:f] **I** (pl. *turfs* el. *turves*) *s* **1** a) [gräs]torv b) [gräs]torva **2** kapplöpn., *the* ~ a) kapplöpningsbanan, turfen b) hästsporten, hästkapplöpningarna, turfen **II** *vb tr* **1** torvtäcka **2** ~ [*out*] sl. slänga (kasta) ut; sparka [*he was ~ed out of the club*]
turgid ['tɜ:dʒɪd] **1** svullen, uppsvälld **2** svulstig
Turk [tɜ:k] turk; *the* ~ äv. koll. turken, turkarna
Turkey ['tɜ:kɪ] geogr. Turkiet; ~ *carpet* turkisk matta
turkey ['tɜ:kɪ] **1** kalkon **2** amer. vard., *cold* ~ a) rent språk, ord och inga visor b) snabbavtändning [*a cold ~ cure*], tvärstopp [med knark] **3** isht amer. vard., *talk* ~ tala allvar, komma till saken **4** isht amer. sl. fiasko, flopp; urusel pjäs; kalkonfilm
Turkish ['tɜ:kɪʃ] **I** *adj* turkisk; ~ *bath* turkiskt bad, turk; ~ *delight* slags konfekt marmelad med pudersocker; ~ *towel* frottéhandduk **II** *s* turkiska [språket]
turmeric ['tɜ:mərɪk] bot., farmakol. el. kok. gurkmeja
turmoil ['tɜ:mɔɪl] vild oordning [*the town was in a* ~], kaos, tumult; villervalla, virrvarr; förvirring [*mental* ~], oro, jäsning
turn [tɜ:n] **I** *vb tr* (se äv. *III*) **1** vända [~ *one's head*]; ~ *one's back* [*up*]*on a p.* bildl. vända ngn ryggen; ~ *a* (*one's*) *hand to* ta itu med, ägna sig åt [*he ~ed his hand to gardening*] **2 a**) vrida [på] [~ *the key in the lock*]; skruva [på], snurra [på], sno, veva; ~ *a p.'s head* stiga ngn åt huvudet [*success had not ~ed his head*] **b**) svarva [till]; dreja **c**) formulera [*neatly ~ed compliments*] **3 a**) vika (vända) om [~ *a corner*], runda [~ *Cape Horn*] **b**) mil. kringgå **4** rikta [~ *the hose on* (mot) *the fire*] **5 a**) göra [~ *grey*]; *it's enough to ~ my hair grey* det ger mig gråa hår **b**) komma att surna [*hot weather may ~ milk*] **c**) ~ *into* göra till, förvandla (göra om) till [~ *a bedroom into a study*] **6** fylla år; *he has* (*is*) *~ed fifty* han har fyllt femtio **7** *it has* (*is*) *just ~ed three* [*o'clock*] klockan är lite över tre **8** skicka [bort]; visa (köra) bort [~ *a p. from one's door*]; ~ *loose* släppa; släppa ut
II *vb itr* (se äv. *III*) **1** vända [om] [~ *to* (mot) *the wall*; ~ *on one's side*]; *it makes my stomach* ~ [det är så att] det vänder sig i magen på mig **2 a**) svänga [runt], snurra [runt]; ~ *on one's heel*[*s*] vända på klacken **b**) svarva; dreja **3** vika av, svänga; ~ [*to the*] *right* ta (vika) av till höger, svänga [av] åt höger **4 a**) bli [~ *pale* (*sour*); ~ *Catholic* (*traitor*)]; ~ *pale* (*sour*) äv. blekna (surna) **b**) bli sur, surna [*the milk has ~ed*] **c**) ~ *into* (*to*) bli till [*the water had ~ed* [*in*]*to ice*], förvandlas till [*the prince ~ed into a frog*], övergå till (i)
III *vb tr* o. *vb itr* med adv. o. prep.:
~ **about** vända [med] [~ *a car about*]; [vrida och] vända på; vända sig om; *about ~!* helt om!; *right* (*left*) *about ~!* [helt] höger (vänster) om!
~ **against** vända sig mot
~ **around** isht amer., se ~ *round*
~ **aside**: **a**) gå (stiga, dra sig) åt sidan, vika undan; vända sig bort **b**) avvika [~ *aside from one's subject*] **c**) avvända
~ **away**: **a**) vända sig bort; vända (vrida) bort [~ *one's head away*] **b**) köra bort; avvisa
~ **back**: **a**) driva (slå) tillbaka [~ *back the enemy*]; avvisa **b**) vända [och gå] tillbaka, återvända, komma tillbaka; *there is no ~ing back* det finns ingen återvändo **c**) vika undan (tillbaka) [~ *back the coverlet* (täcket)]

~ **down**: **a**) vika (slå, fälla) ner **b**) skruva ner [~ *down the gas*] **c**) avvisa [~ *down an offer*], avslå [*his request was ~ed down*]; *he was ~ed down* han fick avslag (korgen) **d**) ~ *down* [*into*] svänga (vika) in på **e**) vända upp och ner på
~ **in**: **a**) vika (vända, böja, kröka) [sig] inåt, vara vänd etc. inåt **b**) lämna (skicka) in (tillbaka) [*he ~ed in his membership card*]; ~ *in one's car for a new one* byta till en ny bil **c**) åstadkomma [~ *in a bad piece of work*] **d**) ange [*somebody had ~ed him in*]; ~ *oneself in* anmäla sig; ~ *a p. in to the police* överlämna ngn till polisen **e**) vard. sluta upp med; ge upp; ~ *it in!* lägg av [med det där]!
~ **into**: **a**) svänga (vika, slå) in på **b**) göra (göra om) till; bli till
~ **off**: **a**) vrida (skruva, stänga) av [~ *off the water* (*radio*)]; ~ *off the light* äv. släcka [ljuset] **b**) vika (svänga, ta) av [~ *off to the left*] **c**) vard. stöta [*his manner ~s me off*], avskräcka; ~ *a p. off a th.* få ngn att tappa lusten för ngt
~ **on**: **a**) vrida (skruva, sätta) på [~ *on the radio*]; ~ *on the electricity* släppa på strömmen **b**) röra sig om (kring) [*the conversation ~ed on politics*] **c**) bero (hänga) på [*everything ~s on your answer*] **d**) vända sig mot, gå lös på [*the dog ~ed on his master*]; ge sig på **e**) vard., *it* (*he*) *~s me on* jag tänder på det (honom)
~ **out**: **a**) vika (vända, böja, kröka) [sig] utåt, vara vänd etc. utåt **b**) släcka [~ *out the light*] **c**) producera [*the factory ~s out 5,000 cars a week*] **d**) om skola o.d. utbilda [~ *out pupils* (*trained nurses*)], släppa ut **e**) köra (kasta) ut; köra bort [~ *a p. out of* (från) *his job*]; utesluta [~ *a p. out of* (ur) *a club*]; ~ *a p. out* [*of doors*] köra ngn på porten **f**) ~ *out* [*to grass*] släppa ut [på bete] **g**) röja ur [~ *out the drawers in one's desk*]; ~ *out one's pockets* tömma fickorna **h**) kok. stjälpa upp **i**) möta (ställa) upp [*everybody ~ed out to greet him*]; ~ *out to a man* gå man ur huse **j**) utfalla, avlöpa, sluta [*I don't know how it will ~ out*]; ~ *out well* (*badly*) äv. slå väl (illa) ut **k**) arta sig till, bli [*she has ~ed out a pretty girl*] **l**) ekipera; *she was beautifully ~ed out* hon var elegant klädd
~ **over**: **a**) vända [på]; vända [på] sig **b**) ~ *over the page* vända på bladet, vända blad; *please ~ over!* [var god] vänd! **c**) välta (stjälpa) [omkull], kasta (få) omkull **d**) överlåta [*the job was ~ed over to* (till, på) *another man*], överlämna [~ *a p. over to the police*] **e**) hand. omsätta [*they ~ over £10,000 a week*] **f**) ~ *a problem over* [*in one's mind*] vända och vrida på ett problem
~ **round**: **a**) vända [med]; vända (vrida) på [~ *one's head round*]; vända sig om **b**) svänga (snurra, vrida [sig]) runt; *his head ~ed round* det snurrade i huvudet på honom
~ **to**: **a**) vända sig [om] mot; vända sig till [~ *to a p. for* (föra att få) *help*], hänvända sig till; gå till, slå upp i [*please ~ to the end of the book*]; ~ *to page 10* slå upp sidan 10 **b**) övergå till [*the speaker now ~ed to the 19th century*]; *the conversation ~ed to politics* samtalet kom in på politik
~ **up**: **a**) vika (slå, fälla) upp [~ *up one's collar*], kavla upp; vika (vända, böja) sig uppåt etc. **b**) skruva upp [~ *up the gas*]; tända [~ *up the lights*]; ~ *up the volume* skruva upp volymen (ljudet) **c**) slå upp [~ *up a th. in a book*] **d**) lägga ett spelkort med framsidan uppåt **e**) dyka upp [*he has not ~ed up yet*; *I expect something to ~ up*], komma till rätta; yppa sig [*an opportunity will ~ up*], uppstå [*if any difficulties should ~ up*]
IV *s* **1** vändning; svängning [*left ~*]; varv, slag; ~ *of the scale*[*s*] på våg utslag; ~ *of the screw* skärpning, intensifiering, se äv. ex. under *screw I 1*; *done to a ~* lagom stekt (kokt) **2** [väg]krök [*the road takes* (gör) *a sudden ~ to the left*], krok; *at every ~* vid varje steg, vart man vänder sig **3 a**) [om]svängning; *a ~ for the worse* (*better*) en vändning till det sämre (bättre); ~ *of the tide* tidvattensskifte, bildl. strömkantring, omsvängning **b**) *the ~ of the century* sekelskiftet **4 a**) tur; *it's my ~* det är min tur; *take ~s in* (*at*) *doing a th.* el. *by ~s* i tur och ordning; i omgångar; växelvis; *in ~* a) i tur och ordning [*we were examined in ~*]; växelvis b) i sin tur, åter[igen] [*and this, in ~, means...*]; *speak out of* [*one's*] ~ a) tala när man inte står i tur b) uttala sig taktlöst **b**) *take a ~ at* hjälpa till ett tag vid (med) **5** tjänst; *one good ~ deserves another* den ena tjänsten är den andra värd; *do a p. a good ~* göra ngn en stor tjänst; *a bad ~* en otjänst, en björntjänst **6 a**) läggning; ~ *of mind* sinnelag; tänkesätt **b**) ~ *of speed* snabbhet **7** *serve a p.'s ~* tjäna (passa) ngns syfte, komma ngn väl till pass; *it serves its ~* det tjänar sitt syfte **8** liten tur; *take a ~* [*round the garden*] gå en sväng (ett varv)..., göra en vända... **9** nummer på varieté o.d. **10** vard. chock; *it gave me a terrible ~* äv. jag blev alldeles förskräckt **11** formulering [*the ~ of a phrase*] **12** form [*the ~ of an ankle*]
turnabout ['tɜ:nəbaʊt] vändning, helomvändning
turncoat ['tɜ:nkəʊt] överlöpare; *be a ~* vända kappan efter vinden

turned-up ['tɜ:ndʌp], ~ *nose* uppnäsa
turner ['tɜ:nə] **1** svarvare; drejare **2** stekspade
turning ['tɜ:nɪŋ] **I** *s* **1** vändning; vridning etc., jfr *turn I* o. *II*; ~ *circle* vändradie **2** a) kurva b) avtagsväg [*stop at the next* ~; *take the first* ~ *to* (*on*) *the right*] **3** bildl. helomvändning; omslag; vändpunkt **4** svarvning; ~ *lathe* svarvstol; ~ *tool* svarvstål **II** *adj* roterande; svängande etc., jfr *turn I* o. *II*; slingrande [*a* ~ *path*]; mil. kringgående [*a* ~ *movement*]; ~ *bridge* svängbro
turning-point ['tɜ:nɪŋpɔɪnt] vändpunkt, kritisk punkt
turnip ['tɜ:nɪp] **1** bot. rova; *Swedish* ~ kålrot **2** vard. rova fickur
turn-off ['tɜ:nɒf] **1** amer. a) avfart[sväg] från motorväg b) vägskäl äv. bildl. **2** vard., [*the film*] *is a* ~ ...är osmaklig (motbjudande)
turn-out ['tɜ:naʊt] **1** mil. utryckning **2** a) anslutning [*they had a large* ~ *at the meeting*], deltagande; samling, uppbåd b) parl. valdeltagande **3** produktion[smängd] **4** a) järnv. mötesspår b) amer. mötesplats på väg **5** urröjning; utflyttning av möbler; storstädning; *have a good* ~ *of one's desk* städa upp (gallra) ordentligt i skrivbordet **6** utstyrsel; kläder
turnover ['tɜ:nˌəʊvə] **1** hand. o.d. omsättning **2** omorganisering [*a* ~ *of the staff*] **3** omsvängning [*a considerable* ~ *of votes*] **4** ~ [*collar*] dubbelvikt (nedvikbar) krage **5** kok. risoll; *apple* ~ ung. äppelknyte
turnpike ['tɜ:npaɪk] amer., ~ [*road*] [avgiftsbelagd] motorväg, expressväg
turnstile ['tɜ:nstaɪl] vändkors; spärr i t.ex. T-banestation; ~ *guard* spärrvakt
turntable ['tɜ:nˌteɪbl] **1** järnv. vändskiva **2** skivtallrik på skivspelare; [*transcription*] ~ skivspelare av avancerad typ
turn-up ['tɜ:nʌp] **I** *s* **1** slag på t.ex. byxa **2** vard. skräll; *what a* ~ [*for the book* (*books*)]*!* vilken sensation (skräll)! **II** *adj* uppvikbar; ~ *nose* uppnäsa
turpentine ['tɜ:p(ə)ntaɪn] terpentin
turps [tɜ:ps] (konstr. vanl. ss. sg.) vard. terpentin[olja]
turquoise ['tɜ:kwɔɪz, -kwɑ:z] **I** *s* **1** miner. turkos **2** färg turkos **II** *adj* turkos[färgad]
turret ['tʌrət] **1** [litet] torn; [*ridge*] ~ takryttare **2** stridstorn, manövertorn på krigsfartyg; torn på stridsvagn
turtle ['tɜ:tl] **1** [havs]sköldpadda; amer. äv. landsköldpadda **2** *turn* ~ a) sjö. kapsejsa, kantra b) köra omkull, välta, slå runt **3** *T*~ serie- o. TV. figur [*Teenage Mutant Ninja* ['nɪnjə] (britt. *Hero*) *T*~]
turtle dove ['tɜ:tldʌv] turturduva äv. bildl.
turtle neck ['tɜ:tlnek] turtleneck, halvpolokrage; amer. polokrage; ~ [*sweater*] tröja med turtleneck, halvpolotröja; amer. polotröja
turves [tɜ:vz] pl. av *turf*
tusk [tʌsk] bete, huggtand; *elephant's* ~ elefantbete
tussle ['tʌsl] **I** *s* strid, dust äv. bildl., **II** *vb itr* strida, kämpa äv. bildl.
tut [tʌt] *interj*, ~ [~]*!* usch!, fy!, äsch!
tutor ['tju:tə] **I** *s* **1** [*private*] ~ privatlärare, informator [*to* åt, för] **2** univ. a) [personlig] handledare b) amer., ung. biträdande lärare **II** *vb tr* ge privatlektioner, undervisa [~ *a boy in French*]; handleda (vägleda) [i studierna]
tutorial [tjʊ'tɔ:rɪəl] **I** *adj* [privat]lärar-, informators-; univ. handledar- [*the* ~ *system*] **II** *s* lektion; möte (samtal) med en (sin) handledare [*attend* (ha) *a* ~]
tuxedo [tʌk'si:dəʊ] isht amer. smoking
TV [ˌti:'vi:] TV; för ex. se *television*
twaddle ['twɒdl] **I** *vb itr* svamla, tramsa **II** *s* svammel, trams
1 twang [twæŋ] **I** *vb itr* **1** om sträng o.d. sjunga; *the bow ~ed* det sjöng i bågen **2** knäppa [~ *at a banjo*] **3** tala i näsan **II** *vb tr* knäppa på [~ *a banjo*] **III** *s* **1** sjungande (dallrande) ton; knäpp; klang, ljud **2** [*nasal*] ~ näston
2 twang [twæŋ] bismak; anstrykning
tweak [twi:k] **I** *vb tr* nypa; vrida [om]; rycka (dra) i; ~ *a p. by the ear* el. ~ *a p.'s ear* dra ngn i örat **II** *s* nyp; vridning; ryck
tweed [twi:d] tweed; pl. ~*s* tweed[kläder], tweedkostym, tweeddräkt
tweet [twi:t] **I** *s* kvitter; pip **II** *vb itr* kvittra; pipa **III** *interj*, ~ [~]*!* kvitt, kvitt!
tweeter ['twi:tə] diskanthögtalare
tweezers ['twi:zəz] pincett; *a pair of* ~ en pincett
twelfth [twelfθ] tolfte; tolftedel; jfr *fifth*; *T*~ *Day* trettondagen; *T*~ *Night* trettondagsafton
twelve [twelv] (jfr *fifteen* med ex. o. sms.) **I** *räkn* tolv **II** *s* tolv
twentieth ['twentɪɪθ, -tɪəθ] (jfr *fifth*) **1** tjugonde **2** tjugon[de]del
twenty ['twentɪ] **I** *räkn* tjugo **II** *s* tjugo; tjugotal, tjugutal; jfr *fifty* med sms.
twerp [twɜ:p] sl. fåntratt; nolla
twice [twaɪs] två gånger [~ *3 is 6*]; ~ *a day* (*week*) två gånger om dagen (i veckan)
twiddle ['twɪdl] **I** *vb tr* **1** sno [mellan fingrarna], fingra (snurra, vrida) på **2** ~ *one's thumbs* (*fingers*) [sitta och] rulla tummarna, sitta med armarna (händerna) i kors **II** *s* **1** snurrande, vridning **2** släng, krumelur i skrift o.d.
1 twig [twɪg] **1** kvist, liten gren; spö **2** slagruta

2 twig [twɪg] vard. **I** *vb tr* fatta, haja, förstå **II** *vb itr* haja

twilight ['twaɪlaɪt] **I** *s* skymning; ibl. gryning; halvdager, halvmörker; bildl. äv. dunkel; *the ~ of the gods* mytol. ragnarök **II** *attr adj* skymnings-; *the ~ hour* skymningen, blå timmen

twill [twɪl] vävn. **I** *s* **1** ~ [*weave*] kypert[bindning] **2** twills **II** *vb tr* kypra

twin [twɪn] **I** *s* **1** tvilling; tvillingsyskon **2** pendang **II** *adj* tvilling- [*~ brother* (*sister*)]; dubbel-; exakt likadan; *~ beds* två [likadana] enmanssängar; *~ towns* vänorter **III** *vb tr* para ihop, koppla samman

twine [twaɪn] **I** *s* segelgarn; [tvinnad] tråd; snöre; garn **II** *vb tr* **1** tvinna [ihop]; spinna ihop; fläta (väva) samman äv. bildl. **2** a) linda, vira, sno b) vira (linda) 'om; *~ a cord round a th.* slå (knyta) ett snöre om ngt, linda om ngt med ett snöre

twinge [twɪn(d)ʒ] **I** *vb itr* sticka, göra ont **II** *s* stickande smärta, hugg; *a ~ of conscience* samvetsagg

twinkle ['twɪŋkl] **I** *vb itr* **1** tindra, blinka [*stars that ~ in the sky*], blänka; gnistra; *~ ~ little star* sång blinka lilla stjärna där **2** röra sig [blixt]snabbt; fladdra **II** *s* tindrande [*the ~ of the stars*], blinkande, blinkning; glimt [i ögat] [*with a humorous ~* [*in his eye*]]

twinkling ['twɪŋklɪŋ] tindrande

twirl [twɜ:l] **I** *vb itr* snurra [runt] **II** *vb tr* snurra, sno [*~ one's moustaches*], vrida; svänga [med] **III** *s* **1** snurr[ande]; piruett; *with a ~ of his moustache* medan han tvinnade sin mustasch **2** släng i skrift o.d.

twist [twɪst] **I** *s* **1** vridning; tvinning; [samman]flätning; *he gave my arm a ~* han vred om armen på mig **2 a**) [tvinnad] tråd **b**) [*bread*] ~ snodd [vete]längd, fläta **c**) *a ~ of chewing tobacco* en rulle (fläta) tuggtobak **d**) strut [*a ~ of paper*] **3** [tvär] krök [*a ~ in the road*], sväng; *~s and turns* krökar och svängar, krokvägar **4** [led]vrickning **5** förvrängning, förvanskning **6** snedvridning [*mental ~*] **7** twist dans **8** sport. skruv **II** *vb tr* **1 a**) sno; vrida ur [*~ a wet cloth*]; vrida till; *~ a p.'s arm* vrida om armen på ngn; bildl. utöva tryck på ngn **b**) tvinna [ihop]; sno ihop [*she ~ed her hair into a knot*]; *~ tobacco* spinna tobak **c**) vira **2** vrida ur led; *I have ~ed my ankle* jag har vrickat foten **3** förvrida [*his features were ~ed with* (av) *pain*] **4** förvränga [betydelsen av] **III** *vb itr* **1** sno (slingra) sig, vrida sig [*he ~ed* [*round*] *in his chair*]; ~ [*and turn*] slingra sig [fram] **2** twista

twisted ['twɪstɪd] snodd; vriden [*a ~ column*]; tvinnad; snedvriden; invecklad; *get ~* äv. sno sig, trassla ihop sig

twister ['twɪstə] **1** sport. skruvad boll **2** vard. bedragare; ordvrängare

twit [twɪt] **I** *vb tr* reta, håna **II** *s* sl. dumskalle

twitch [twɪtʃ] **I** *vb tr* **1** ha (få) [kramp]ryckningar i; knipa ihop; *~ one's ears* om djur klippa med öronen; *~ one's eyelids* (*mouth*) ha ryckningar i ögonlocken (kring munnen) **2** rycka (dra) i [*the rider ~ed the reins*] **II** *vb itr* **1** rycka till; [krampaktigt] dras ihop; *his face ~es* han har ryckningar i ansiktet **2** rycka, dra, nypa **III** *s* **1** [kramp]ryckning, [muskel]sammandragning; *there was a ~ round the corners of his mouth* det ryckte i mungiporna på honom **2** ryck [*I felt a ~ at my sleeve*]; nyp

twitter ['twɪtə] **I** *vb itr* **1** kvittra **2** pladdra **3** fnittra nervöst **II** *s* **1** kvitter **2** snatter **3** vard., *be* [*all*] *in* (*be all of*) *a ~* ha stora skälvan, vara hispig

two [tu:] (jfr *five* med ex. o. sms.) **I** *räkn* två; båda; *~ bits* amer. vard. 25 cent; *the first ~ days* de båda (bägge, två) första dagarna; *~'s company three's a crowd* tre är en för mycket; *put ~ and ~ together* bildl. lägga ihop två och två, dra sina slutsatser **II** *s* tvåa; *by* (*in*) *~s* två och två, två i taget, parvis; på två led

two-dimensional [ˌtu:daɪ'menʃənl, -dɪ'm-] **1** tvådimensionell **2** bildl. ytlig

two-faced [ˌtu:'feɪst, attr. '--] **1** med två ansikten **2** bildl. falsk

twofold ['tu:fəʊld] **I** *adj* dubbel **II** *adv* dubbelt, tvåfaldigt

twopence ['tʌp(ə)ns, i nuvarande myntsystem vanl. ˌtu:'pens] **1** två pence **2** *not care ~ for* inte bry sig ett dugg (dyft) om

twopenny [isht i bet 2 'tʌp(ə)nɪ, i nuvarande myntsystem vanl. ˌtu:'penɪ, '-ˌ--] **1** tvåpence- [*a ~ stamp*] **2** bildl. billig; *I don't care a ~ damn if...* vard. jag bryr mig inte ett jäkla (förbaskat) dugg om ifall...

two-piece ['tu:pi:s] **I** *adj* tudelad; tvådelad [*a ~ bathing-suit*], i två delar; *~ suit* a) kostym [utan väst] b) tvådelad dräkt (klänning) **II** *s* se *~ suit* under *I*; tvådelad baddräkt

two-seater [ˌtu:'si:tə] tvåsitsig bil; tvåsitsigt flygplan; tvåsitsig [*a ~ car*]

two-sided [ˌtu:'saɪdɪd] tvåsidig

twosome ['tu:səm] **I** *adj* utförd av två; par- [*~ dance*] **II** *s* spel (parti) där två spelar mot varandra; pardans; golf. tvåspel

two-way ['tu:weɪ] **1** tvåvägs- [*a ~ cock* (kran)]; *~ switch* tvåvägsströmbrytare **2** dubbelriktad [*~ traffic*]; *~ street* gata med dubbelriktad trafik

tycoon [taɪ'ku:n] vard. magnat [*oil ~s*], [stor]pamp [*newspaper ~*]
type [taɪp] **I** *s* **1 a**) typ **b**) ss. efterled i sms. av...-typ [*Cheddar-type cheese*] **2** vard. individ [*that awful ~*] **3** boktr. typ; stil[sort]; typer **II** *vb tr* **1** skriva på maskin (ordbehandlare etc.); *a ~d letter* ett maskinskrivet brev; *~ out* skriva ut [på maskin etc.] **2** typbestämma; *~ a p.'s blood* göra en blodgruppsbestämning på ngn **III** *vb itr* skriva [på] maskin (ordbehandlare etc.)
typecast ['taɪpkɑ:st] (*typecast typecast*) teat., *~* [*an actor*] a) ge...en roll som passar hans typ b) alltid ge...samma typ av roller; allm. placera i viss kategori
typeface ['taɪpfeɪs] boktr. typsnitt
typescript ['taɪpskrɪpt] maskinskrivet manuskript
typesetter ['taɪpˌsetə] boktr. **1** sättare **2** sättmaskin
typewrite ['taɪpraɪt] (*typewrote typewritten*) skriva [på] maskin; *a typewritten letter* ett maskinskrivet brev
typewriter ['taɪpˌraɪtə] skrivmaskin; *~ ribbon* färgband
typewriting ['taɪpˌraɪtɪŋ] maskinskrivning
typhoid ['taɪfɔɪd] med. **I** *adj* tyfus-; *~ fever* se *II* **II** *s* tyfus
typhoon [taɪ'fu:n] meteor. tyfon
typhus ['taɪfəs] med., *~* [*fever*] fläckfeber, fläcktyfus
typical ['tɪpɪk(ə)l] **1** typisk, representativ **2** symbolisk; *be ~ of* äv. symbolisera, representera
typify ['tɪpɪfaɪ] vara ett typiskt exempel på, exemplifiera
typing ['taɪpɪŋ] maskinskrivning; *~ bureau* skrivbyrå
typist ['taɪpɪst] maskinskrivare
typographer [taɪ'pɒgrəfə] typograf
typographic [ˌtaɪpə'græfɪk] o.
typographical [ˌtaɪpə'græfɪk(ə)l] typografisk; tryck- [*a ~ error*]
typography [taɪ'pɒgrəfɪ] **1** typografi; typografisk utformning **2** boktryckarkonsten
tyrannical [tɪ'rænɪk(ə)l] tyrannisk
tyrannize ['tɪrənaɪz] **I** *vb itr* regera tyranniskt; *~ over* tyrannisera, förtrycka **II** *vb tr* tyrannisera
tyrannous ['tɪrənəs] tyrannisk, despotisk
tyranny ['tɪrənɪ] tyranni, despoti, förtryck
tyrant ['taɪər(ə)nt] tyrann, förtryckare
tyre ['taɪə] däck till bil, cykel o.d.; sl. bilring kring magen; *~ chain* snökedja; *~ cover* däckskydd
tyro ['taɪərəʊ] (pl. *~s*) nybörjare, novis
Tyrol [tɪ'rəʊl, 'tɪr(ə)l] geogr.; [*the*] *~* Tyrolen
Tyrolean [ˌtɪrə'li:ən, tɪ'rəʊlɪən], *~* [*hat*] tyrolerhatt

tzar [zɑ:, tsɑ:] m.fl., se *czar* m.fl.

U

U, u [ju:] (pl. *U's* el. *u's* [ju:z]) U, u
U [ju:] (förk. för *universal*) barntillåten [film]
ubiquitous [jʊ'bɪkwɪtəs] allestädes närvarande; överallt förekommande
U-boat ['ju:bəʊt] [tysk] ubåt
udder ['ʌdə] juver
UEFA [jʊ'eɪfə, -'i:fə, 'ju:fə] (förk. för *Union of European Football Associations*) Europeiska fotbollsunionen
UFO o. **ufo** ['ju:fəʊ] (pl. *~s*) (förk. för *unidentified flying object*) oidentifierat flygande föremål, ufo
Uganda [jʊ'gændə]
Ugandan [jʊ'gændən] **I** *adj* ugandisk **II** *s* ugandier
ugh [ʊh, u:x], *~!* hu!, usch!, fy!
ugly ['ʌglɪ] **1** ful äv. bildl. [*an ~ person (trick)*]; oskön; otäck [*an ~ crime; ~ weather*]; elakartad [*an ~ wound*]; elak [*an ~ rumour*]; *an ~ customer* vard. en otrevlig typ **2** otrevlig, besvärlig, pinsam [*an ~ situation*]; oroväckande [*~ news*], hotande **3** vard. sur [*an ~ mood*]
UHF förk. för *ultrahigh frequency*
UK [ju:'keɪ] (förk. för *United Kingdom*); *the ~* Förenade kungariket Storbritannien och Nordirland
Ukraine [jʊ'kreɪn, -'kraɪn] geogr.; *the ~* Ukraina
Ukrainian [jʊ'kreɪnjən] **I** *s* ukrainare **II** *adj* ukrainsk
ukulele [ju:kə'leɪlɪ] ukulele stränginstrument
ulcer ['ʌlsə] **1** med. sår; *gastric ~* magsår **2** bildl. kräftsvulst; skamfläck
ulcerate ['ʌlsəreɪt] bli sårig
ulterior [ʌl'tɪərɪə] **1** avlägsnare **2** senare, framtida **3** hemlig [*~ plans (motives)*]; *without an ~ motive* utan någon baktanke
ultimate ['ʌltɪmət] **I** *adj* **1** slutlig [*the ~ aim (result)*], sista; yttersta [*the ~ consequences*] **2** slutgiltig, avgörande [*the ~ weapon*], definitiv **3** grundläggande, grund- [*~ principles (truth)*], ursprunglig; yttersta [*the ~ cause*] **II** *s* höjd[punkt]; *the ~ in luxury* höjden av lyx
ultimately ['ʌltɪmətlɪ] till sist (slut)
ultimat|um [,ʌltɪ'meɪt|əm] (pl. *-ums* el. *-a* [-ə]) **1** ultimatum **2** slutmål
ultramarine [,ʌltrəmə'ri:n] **I** *s* ultramarin; *~ blue* ultramarinblått **II** *adj* ultramarin[färgad]
ultrasonic [,ʌltrə'sɒnɪk] ultraljud[s]- [*~ waves*]; *~ sound* ultraljud
ultrasound ['ʌltrəsaʊnd] ultraljud
ultraviolet [,ʌltrə'vaɪələt] ultraviolett [*~ rays*]; *~ lamp* kvartslampa
umbilical [ʌm'bɪlɪk(ə)l] navel-; *~ cord* navelsträng
umbrage ['ʌmbrɪdʒ] missnöje, ovilja; *give ~* väcka anstöt (ont blod) [*to* hos, bland]; *take ~ at* bli kränkt (sårad) över (av), ta anstöt av
umbrella [ʌm'brelə] **I** *s* **1** paraply; *garden ~* [trädgårds]parasoll **2** bildl. beskydd, skydd **II** *adj* sammanfattande [*~ term (word)*]; övergripande, paraply- [*~ organization*]
umpire ['ʌmpaɪə] **I** *s* **1** [skilje]domare; förlikningsman **2** sport. domare i t.ex. baseboll, kricket o. tennis **II** *vb tr* **1** avgöra [genom skiljedom] **2** sport. döma [*~ a cricket match*] **III** *vb itr* **1** döma [*~ in a dispute*]; fungera som skiljedomare **2** sport. vara domare
umpteen ['ʌm(p)ti:n] vard. femtielva
umpteenth ['ʌm(p)ti:nθ] o. **umptieth** ['ʌm(p)tɪɪθ, -tɪəθ] båda vard. femtielfte [*for the ~ time*]
UN [ju:'en] (förk. för *United Nations*); *the ~* FN Förenta nationerna
'un [ən] vard. = *one* [*a little ~*]
unable [,ʌn'eɪbl], *be ~ to do a th.* inte kunna (lyckas) göra ngt
unacceptable [,ʌnək'septəbl] oacceptabel, oantaglig
unaccompanied [,ʌnə'kʌmp(ə)nɪd] **1** ensam; *~ by* utan **2** mus. oackompanjerad, solo- **3** *~ luggage* obeledsagat bagage; *~ minor* obeledsagat barn
unaccountable [,ʌnə'kaʊntəbl] **1** oförklarlig [*some ~ reason*] **2** oansvarig
unaccustomed [,ʌnə'kʌstəmd] **1** ovan **2** ovanlig [*his ~ silence*], osedvanlig
unacquainted [,ʌnə'kweɪntɪd] obekant; ovan; *be ~ with* äv. vara okunnig om, inte känna till, inte vara insatt i
unadulterated [,ʌnə'dʌltəreɪtɪd] oförfalskad [*~ beauty*], oblandad, äkta, ren [*~ water*]
1 unaffected [,ʌnə'fektɪd] **1** opåverkad, oberörd **2** med. inte angripen
2 unaffected [,ʌnə'fektɪd] okonstlad [*~ manners (style)*]
unaided [,ʌn'eɪdɪd] utan hjälp; ensam, på egen hand [*he did it ~*]
unambiguous [,ʌnæm'bɪgjʊəs] entydig, otvetydig
unanimity [ju:nə'nɪmətɪ] enhällighet, enighet
unanimous [jʊ'nænɪməs] enhällig, enig [*a ~ opinion*]; enhälligt antagen [*a ~ report*]; *be elected by a ~ vote* bli enhälligt vald
unanswerable [,ʌn'ɑ:ns(ə)rəbl] **1** a) obesvarbar, som är omöjlig att

besvara [*an ~ question*] b) oemotsäglig [*an ~ argument*] **2** oansvarig [*~ for one's acts*]
unarmed [ˌʌn'ɑ:md] **1** avväpnad **2** obeväpnad; vapenlös, utan vapen; *~ combat* mil. handgemäng
unashamed [ˌʌnə'ʃeɪmd] **1** oblyg; utan skamkänsla **2** ohöljd, öppen
unasked [ˌʌn'ɑ:skt] **1** oombedd **2** otillfrågad, utan att vara tillfrågad **3** objuden
unassuming [ˌʌnə'sju:mɪŋ, -'su:m-] anspråkslös, blygsam; försynt [*a quiet, ~ person*]
unattached [ˌʌnə'tætʃt] **1** lös **2** fri, obunden
unattended [ˌʌnə'tendɪd] **1** utan uppvaktning (sällskap) **2 a**) utan tillsyn [*leave children ~*], obevakad [*leave a vehicle ~*] **b**) *~* [*to*] inte [ordentligt] skött, försummad, vanskött **3** obesökt [*an ~ meeting*] **4** bildl. *~ by* (*with*) inte förenad (förknippad) med, utan
unattractive [ˌʌnə'træktɪv] charmlös, oattraktiv; osympatisk
unauthorized [ˌʌn'ɔ:θəraɪzd] inte auktoriserad; obehörig
unavailable [ˌʌnə'veɪləbl] **1** inte tillgänglig (disponibel) **2** oanträffbar
unavailing [ˌʌnə'veɪlɪŋ] fåfäng [*~ efforts*]
unavoidable [ˌʌnə'vɔɪdəbl] oundviklig; *an ~ accident* en olyckshändelse som ingen rår för
unaware [ˌʌnə'weə] *pred adj* omedveten
unawares [ˌʌnə'weəz] **1** a) omedvetet, utan att veta om det b) oavsiktligt **2** oväntat; *take* (*catch*) *a p. ~* överrumpla (överraska) ngn
unbalanced [ˌʌn'bælənst] **1** a) obalanserad b) sinnesförvirrad; *have an ~ mind* vara sinnesförvirrad **2** som inte befinner sig i balans (jämvikt), ostadig; ojämn; *an ~ diet* en ensidig kost **3** hand. inte balanserad [*an ~ budget*]
unbearable [ˌʌn'beərəbl] outhärdlig
unbeatable [ˌʌn'bi:təbl] oöverträffbar; oslagbar [*an ~ team*]
unbeaten [ˌʌn'bi:tn] obesegrad [*an ~ team*]; oslagen [*an ~ record*], oöverträffad
unbecoming [ˌʌnbɪ'kʌmɪŋ] missklädsam [*an ~ hat*]; opassande [*an ~ joke*]; *be ~ to a p.* missklä ngn äv. bildl.
unbelief [ˌʌnbə'li:f] isht relig. otro
unbelievable [ˌʌnbə'li:vəbl] otrolig
unbend [ˌʌn'bend] (*unbent unbent*) **I** *vb tr* böja (räta) ut [*~ a wire*] **II** *vb itr* **1** rätas ut **2** bildl. bli mera tillgänglig, tina upp; slå sig lös
unbending [ˌʌn'bendɪŋ] oböjlig; bildl. äv. obeveklig [*an ~ attitude*], hårdnackad
unbiassed [ˌʌn'baɪəst] fördomsfri; förutsättningslös; opartisk, objektiv
unbidden [ˌʌn'bɪdn] **1** objuden [*~ guests*] **2** oombedd; [*he did it*] *~* äv. ...självmant
unbosom [ˌʌn'bʊzəm], *~* [*oneself*] lätta sitt hjärta [*to* för], anförtro sig [*to* åt]
unbounded [ˌʌn'baʊndɪd] obegränsad; bildl. äv. oinskränkt [*~ confidence*], gränslös [*~ admiration*]; ohämmad [*~ optimism*], hejdlös
unbreakable [ˌʌn'breɪkəbl] obrytbar; okrossbar
unbroken [ˌʌn'brəʊk(ə)n] **1** obruten äv. bildl.; hel [*~ dishes*]; fullständig [*~ control*]; *~ line* heldragen linje **2** oavbruten [*~ silence*], ostörd [*~ sleep*] **3** oöverträffad [*an ~ record*] **4** otämjd; om häst äv. oinriden
unbuckle [ˌʌn'bʌkl] **1** spänna (knäppa) upp **2** spänna av sig [*~ one's skis*]
unburden [ˌʌn'bɜ:dn] **1** avbörda [*~ one's conscience*]; befria; *~ oneself* (*one's mind*) utgjuta (lätta) sitt hjärta [*to a p.* för ngn] **2** avbörda sig, erkänna
unbusinesslike [ˌʌn'bɪznɪslaɪk] föga (allt annat än) affärsmässig, oproffsig; osystematisk
unbutton [ˌʌn'bʌtn] knäppa upp; *come ~ed* gå upp
uncalled-for [ˌʌn'kɔ:ldfɔ:] **1** opåkallad, omotiverad [*~ measures*], obefogad **2** malplacerad, taktlös [*an ~ remark*], oförskämd
uncanny [ˌʌn'kænɪ] **1** kuslig, hemsk [*~ sounds* (*shapes*)] **2** förunderlig [*an ~ power*], otrolig, häpnadsväckande [*~ skill*]
unceasing [ˌʌn'si:sɪŋ] oavbruten, oupphörlig
unceremonious ['ʌnˌserɪ'məʊnjəs] oceremoniell, enkel, otvungen
uncertain [ˌʌn'sɜ:tn] **1** osäker, oviss; otrygg; oklar **2** ostadig [*~ weather, an ~ temper*] **3** svävande, obestämd [*an ~ answer*]; *in no ~ terms* i otvetydiga ordalag
uncertainty [ˌʌn'sɜ:tntɪ] **1** osäkerhet etc., jfr *uncertain* **2** *the ~ of* det osäkra (ovissa) i
unchallenged [ˌʌn'tʃælən(d)ʒd] **1** obestridd; opåtald; *allow a th. to pass ~* låta ngt ske opåtalt (utan protester) **2** jur. ojävad
uncharitable [ˌʌn'tʃærɪtəbl] kärlekslös, obarmhärtig, hård
uncharted [ˌʌn'tʃɑ:tɪd] **1** som inte är utsatt på kartan (sjökortet) [*an ~ island*] **2** som inte är kartlagd [*an ~ sea*]
unchecked [ˌʌn'tʃekt] okontrollerad [*~ figures* (*anger*)], ohämmad; bildl. äv. otyglad [*~ anger*]
uncivilized [ˌʌn'sɪvəlaɪzd]襲ociviliserad; okultiverad
uncle ['ʌŋkl] **1** farbror vard. äv. ss. tilltalsord till icke släkting; morbror; onkel; *U~ Sam* Onkel Sam personifikation av USA **2** vard.

pantlånare; [*my watch is*] *at my ~'s* ...på stampen (hos farbror)
unclean [ˌʌnˈkliːn] smutsig
uncoil [ˌʌnˈkɔɪl] **I** *vb tr* rulla upp (ut) [*~ a rope*]; rulla (vira) av **II** *vb itr* rulla upp (ut) sig; räta ut sig
uncomfortable [ˌʌnˈkʌmf(ə)təbl] **1** a) obekväm b) obehaglig **2** obehaglig (illa) till mods, olustig [*feel ~*]; osäker
uncommitted [ˌʌnkəˈmɪtɪd] **1** obegången [*~ crimes*] **2** a) oengagerad [*~ writers (literature)*] b) alliansfri, neutral [*the ~ countries*] c) opartisk
uncommon [ˌʌnˈkɒmən] ovanlig
uncommonly [ˌʌnˈkɒmənlɪ] **1** ovanligt [*an ~ intelligent boy*] **2** *not ~* inte sällan
uncompromising [ˌʌnˈkɒmprəmaɪzɪŋ] principfast, obeveklig, oböjlig; kompromisslös
unconcern [ˌʌnkənˈsɜːn] likgiltighet, ointresse
unconcerned [ˌʌnkənˈsɜːnd] **1** obekymrad [*~ about* (om) *the future*], likgiltig, oberörd **2** inte inblandad (delaktig)
unconditional [ˌʌnkənˈdɪʃ(ə)nl] **1** villkorslös, utan villkor; *~ surrender* kapitulation utan villkor **2** obetingad; absolut
unconditioned [ˌʌnkənˈdɪʃ(ə)nd] **1** psykol. obetingad [*~ reflex*] **2** filos. absolut
unconfirmed [ˌʌnkənˈfɜːmd] **1** obekräftad **2** kyrkl. okonfirmerad
uncongenial [ˌʌnkənˈdʒiːnjəl] **1** osympatisk **2** olämplig; *it is ~ to him* äv. det passar honom inte, det är inte i hans smak
unconnected [ˌʌnkəˈnektɪd] **1** osammanhörande; utan samband (förbindelse); lös [*an ~ wire*] **2** osammanhängande [*~ phrases*], löslig
unconquerable [ˌʌnˈkɒŋk(ə)rəbl] oövervinnlig, obetvinglig; okuvlig [*his ~ will*]
unconscious [ˌʌnˈkɒnʃəs] **I** *adj* **1** omedveten [*~ humour*]; *be ~ of* vara omedveten (okunnig, ovetande) om **2** medvetslös **3** psykol. undermedveten **II** *s* psykol., *the ~* det undermedvetna
unconstitutional [ˈʌnˌkɒnstɪˈtjuːʃənl] grundlagsstridig, författningsstridig
uncontrollable [ˌʌnkənˈtrəʊləbl] okontrollerbar, omöjlig att kontrollera
unconventional [ˌʌnkənˈvenʃ(ə)nl] okonventionell, [fördoms]fri; originell
unconvincing [ˌʌnkənˈvɪnsɪŋ] föga övertygande; osannolik [*an ~ explanation*]
uncooperative [ˌʌnkəʊˈɒp(ə)rətɪv] samarbetsovillig; föga tillmötesgående
uncork [ˌʌnˈkɔːk] dra korken ur, korka (dra) upp [*~ a bottle*]
uncountable [ˌʌnˈkaʊntəbl] **I** *adj* **1** oräknelig, otalig **2** som inte kan räknas; gram. äv. inte pluralbildande **II** *s* gram. oräknebart (inte pluralbildande) substantiv
uncouple [ˌʌnˈkʌpl] koppla av (från) [*~ the locomotive*]; koppla lös [*~ a dog*]
uncouth [ˌʌnˈkuːθ] **1** okultiverad [*~ behaviour, an ~ young man*]; rå [*~ laughter*], grov **2** klumpig [*~ appearance*]
uncover [ˌʌnˈkʌvə] **1** täcka (hölja) av; blotta [*~ one's head*]; blottlägga; ta av täcket (höljet, locket etc., jfr *cover III*) på (från) **2** bildl. avslöja [*~ a plot*]
unctuous [ˈʌŋ(k)tjʊəs] salvelsefull; inställsam
uncut [ˌʌnˈkʌt] oskuren etc., jfr *cut A I*; om ädelsten oslipad [*an ~ diamond*]; om text m.m. oavkortad [*an ~ version*]
undecided [ˌʌndɪˈsaɪdɪd] **1** oavgjord, obestämd, inte bestämd **2** obeslutsam, tveksam; vet ej vid opinionsundersökning
undefeated [ˌʌndɪˈfiːtɪd] obesegrad
undelivered [ˌʌndɪˈlɪvəd] **1** inte avlämnad (utlämnad); kvarliggande; post. obeställd **2** inte befriad
undemocratic [ˈʌnˌdeməˈkrætɪk] odemokratisk
undemonstrative [ˌʌndɪˈmɒnstrətɪv] reserverad
undeniable [ˌʌndɪˈnaɪəbl] obestridlig
undeniably [ˌʌndɪˈnaɪəblɪ] obestridligen, onekligen
undependable [ˌʌndɪˈpendəbl] opålitlig
under [ˈʌndə] **I** *prep* **1** a) under b) mindre än [*I can do it in ~ a week*]; *~ Queen Victoria* under drottning Victorias regering **2** nedanför, vid foten av [*the village lies ~ the hill*], i skydd av **3** enligt, i enlighet med [*~ the terms of the treaty*] **4** lantbr. besådd med [*a field ~ wheat*] **5** (motsvaras i sv. av annan prep. el. annan konstr.); *the question ~ debate was* frågan som diskuterades var; *be ~ the delusion that...* sväva i den villfarelsen att...; *~ a p.'s very nose* (*eyes*) mitt framför näsan (ögonen) på ngn; *~ one's own steam* för egen maskin **II** *adv* **1** a) [in]under; därunder [*children of seven and ~*]; längre ned, [här]nedan [*as ~*] b) under vatten [*he stayed ~ for two minutes*] **2** under; nere; **III** *adj* **1** under- [*the ~ jaw*]; lägre **2** för liten [*an ~ dose*]
under-age [ˌʌndərˈeɪdʒ] omyndig, minderårig; underårig, inte gammal nog
underarm [ss. adj. o. subst. ˈʌndərɑːm, ss. adv. --ˈ-] **I** *adj* sport. underhands- [*an ~ ball*] **II** *adv* sport. underifrån [*serve ~*] **III** *s* armhåla
underbid [ss. vb ˌʌndəˈbɪd, ss. subst. ˈ---] **I** (*underbid underbid*) *vb tr* o. *vb itr* bjuda under; *~* [*one's hand*] kortsp. bjuda för lågt

[på sina kort] **II** *s* underbud; kortsp. äv. för lågt bud
undercarriage ['ʌndəˌkærɪdʒ] **1** flyg. land[nings]ställ **2** underrede på fordon
undercharge [ˌʌndə'tʃɑːdʒ] **I** *vb tr* debitera för lågt [*~ a p.*]; begära för lite [*they ~d several pounds for it*] **II** *s* **1** för låg debitering; för lågt pris **2** otillräcklig (för svag) laddning
underclothes ['ʌndəkləʊðz] o. **underclothing** ['ʌndəˌkləʊðɪŋ] underkläder
undercoat ['ʌndəkəʊt] mål. a) mellanstrykning b) mellanstrykningsfärg
undercover ['ʌndəˌkʌvə] hemlig [*~ operations*]; under täckmantel; *~ agent* polis (agent) som jobbar under täckmantel, infiltratör
undercurrent ['ʌndəˌkʌr(ə)nt] underström äv. bildl.
undercut [ˌʌndə'kʌt] (*undercut undercut*) **1** skära ut (karva ur) underifrån **2** hand. a) bjuda under [*~ one's competitors*] b) sälja billigare än konkurrenterna [*~ goods*] **3** sport., *~ a ball* skära en boll
underdeveloped [ˌʌndədɪ'veləpt] underutvecklad [*~ countries* (*muscles*)]
underdog ['ʌndədɒg], *the ~* den svagare [parten], den som är i underläge [*side with the ~*]
underdone [ˌʌndə'dʌn, attr. '---] kok. för lite stekt (kokt); lättstekt, blodig
underestimate [ss. vb ˌʌndər'estɪmeɪt, ss. subst. -mət] **I** *vb tr* underskatta; beräkna för lågt **II** *s* underskattning
underexpose [ˌʌnd(ə)rɪk'spəʊz] foto. underexponera
underexposure [ˌʌnd(ə)rɪk'spəʊʒə] foto. underexponering
underfed [ˌʌndə'fed] undernärd
underfoot [ˌʌndə'fʊt] **I** *adv* under fötterna (foten, fotsulorna); undertill; på marken; *it is dry ~* det är torrt på marken (torrt väglag) **II** *adj* **1** som är (finns) under fötterna (på marken) **2** som ligger i vägen (framför fötterna [på en])
undergarment ['ʌndəˌgɑːmənt] underplagg
undergo [ˌʌndə'gəʊ] (*underwent undergone*) **1** undergå, genomgå [*~ a change*]; gå igenom, underkasta sig [*~ an operation*], underkastas **2** [få] utstå [*~ hardships*]
undergraduate [ˌʌndə'grædjʊət] univ. student; *~ studies* universitetsstudier [för grundexamen]
underground [ss. adv. ˌʌndə'graʊnd, ss. adj. o. subst. 'ʌndəgraʊnd] **I** *adv* under jorden äv. bildl. [*go ~*] **II** *adj* **1** a) underjordisk; som ligger under markytan b) tunnelbane- [*~ station*]; *~ railway* tunnelbana, T-bana **2** bildl. a) underjordisk, hemlig b) underground-kulturradikal [*~ literature*]; *~ movement* polit. underjordisk [motstånds]rörelse **III** *s* **1** tunnelbana **2** bildl. a) underjordisk grupp; polit. underjordisk [motstånds]rörelse b) underground kulturradikal rörelse
undergrowth ['ʌndəgrəʊθ] **1** undervegetation; småskog **2** småvuxenhet
underhand [ss. adj. 'ʌndəhænd, ss. adv. ʌndə'hænd] **I** *adj* **1** a) lömsk; bedräglig [*~ methods*] b) hemlig [*an ~ deal*]; *use ~ means* (*methods*) gå smygvägar (bakvägar) **2** i kricket o. baseball underhands- [*an ~ ball*] **II** *adv* **1** a) lömskt; bedrägligt b) i hemlighet **2** i kricket o. baseball underifrån [*serve ~*]; *bowl* (*pitch*) *~* göra ett underhandskast
1 underlay [ss. vb ˌʌndə'leɪ, ss. subst. 'ʌndəleɪ] **I** (*underlaid underlaid*) *vb tr* förse med underlag; stötta [underifrån]; *~ a carpet with felt* lägga filt [som underlag] under en matta **II** *s* underlag; *~ felt* underlagsfilt
2 underlay [ˌʌndə'leɪ] imperf. av *underlie*
underlie [ˌʌndə'laɪ] (*underlay underlain*) **1** ligga under, bilda underlaget till; bära upp **2** bildl. bära upp; ligga i botten på; ligga bakom (under)
underline [ˌʌndə'laɪn] **1** stryka under **2** bildl. understryka, betona; framhäva
underling ['ʌndəlɪŋ] hantlangare
underlying [ˌʌndə'laɪɪŋ] **1** underliggande, som ligger under **2** bildl. a) bakomliggande [*the ~ causes* (*ideas*)], djupare [liggande] b) grundläggande [*the ~ principles*]
undermanned [ˌʌndə'mænd] underbemannad
undermine [ˌʌndə'maɪn] underminera; bildl. äv. undergräva [*~ a p.'s authority*; *~ one's health*]
underneath [ˌʌndə'niːθ] **I** *prep* under; nedanför; på undersidan av **II** *adv* under [*wear wool ~*]; undertill, nertill; på undersidan; bildl. under ytan **III** *adj* undre; lägre **IV** *s* undersida; underdel
undernourished [ˌʌndə'nʌrɪʃt] undernärd
undernourishment [ˌʌndə'nʌrɪʃmənt] undernäring
underpants ['ʌndəpænts] isht amer. underbyxor; kalsonger
underpass ['ʌndəpɑːs] **1** a) planskild korsning b) vägtunnel **2** amer. [gång]tunnel
underpay [ˌʌndə'peɪ] (*underpaid underpaid*) **1** underbetala [*~ a p.*] **2** betala för litet på [*~ a bill*]
underpin [ˌʌndə'pɪn] **1** stötta [under], bygga under **2** bildl. stödja, bekräfta

underprivileged [ˌʌndəˈprɪvɪlɪdʒd] missgynnad, tillbakasatt [~ *minorities*], sämre lottad, underprivilegierad [~ *classes*]
underrate [ˌʌndəˈreɪt] undervärdera; värdera (beräkna) för lågt
underseal [ˈʌndəsiːl] bil. m.m. **I** *vb tr* underredsbehandla **II** *s* underredsbehandling
undersecretary [ˌʌndəˈsekrət(ə)rɪ] **1** polit., *U~ [of State]* motsv. ung. statssekreterare **2** biträdande sekreterare, andresekreterare
undersell [ˌʌndəˈsel] (*undersold undersold*) **1** sälja billigare än [~ *a p.*] **2** sälja till underpris
undershirt [ˈʌndəʃɜːt] isht amer. undertröja
underside [ˈʌndəsaɪd] undersida
undersigned [ˈʌndəsaɪnd] (pl. lika) undertecknad; *we, the ~, hereby certify* undertecknade intygar härmed
undersize [ˈʌndəsaɪz] o. **undersized** [ˈʌndəsaɪzd] [som är] under medelstorlek (medellängd); undersätsig; underdimensionerad
understaffed [ˌʌndəˈstɑːft] underbemannad; *be ~* äv. ha för liten personal, ha ont om folk
understand [ˌʌndəˈstænd] (*understood understood*) **I** *vb tr* (se äv. *understood*) **1** förstå, begripa; fatta, inse; *he must be made to ~ that...* han måste få klart för sig att... **2** ha förståelse för [*I quite ~ your difficulties*] **3** a) förstå sig på [~ *children*]; vara insatt i, förstå [*he ~s his job*]; känna [till] [~ *the market*] b) veta, vara medveten om [~ *one's duties*] **4** ha hört; *he is, I ~, not alone* såvitt jag har hört (förstått) är han inte ensam **5** a) fatta [saken så] [*I understood that he didn't want to come*] b) [upp]fatta, tolka; *I understood that...* äv. jag hade fått den uppfattningen att... **6 a**) ~ *by* förstå (mena) med; *what do you ~ by that word?* äv. vad lägger du in [för betydelse] i det ordet? **b**) ~ *from* förstå (fatta, läsa ut) av [*I ~ from his letter that...*]; förstå på [*I understood from him that...*] **II** *vb itr* **1** förstå; *I quite ~* jag förstår precis **2** ~ *about* förstå sig på
understandable [ˌʌndəˈstændəbl] förståelig, begriplig
understandably [ˌʌndəˈstændəblɪ] förståeligt (begripligt) [nog]
understanding [ˌʌndəˈstændɪŋ] **I** *s* **1** förstånd; fattningsförmåga; klokhet **2** a) insikt, kännedom, kunskap, förståelse b) uppfattning **3** förståelse [*the ~ between the nations*], förstående inställning **4** överenskommelse [*a tacit ~*], avtal; samförstånd; *come to* (*reach*) *an ~* nå samförstånd, komma överens; *on the ~ that* på det villkoret att, under förutsättning att **II** *adj* **1** förstående [*an ~ smile*]; *be ~* äv. ha förståelse **2** förståndig
understate [ˌʌndəˈsteɪt] **1** ange (beräkna) för lågt [~ *figures*] **2** underskatta [~ *problems*]
understatement [ˌʌndəˈsteɪtmənt] **1** alltför låg beräkning; underskattning **2** underdrift
understood [ˌʌndəˈstʊd] **I** imperf. av *understand* **II** *adj* o. *perf p* (av *understand*) **1** förstådd; [*is that*] *~?* [är det] uppfattat? **2** a) överenskommen b) självklar; *it is ~ that* a) man räknar med att, det tas för givet att b) det är överenskommet att; [*the police*] *are ~ to have ...*har enligt uppgift **3** underförstådd; *the verb is* [*to be*] *~* verbet är underförstått
understudy [ss. subst. ˈʌndəˌstʌdɪ, ss. vb ˌ--ˈ--] **I** *s* **1** teat. [roll]ersättare **2** a) assistent b) ställföreträdare **II** *vb tr* **1** teat. **a**) ~ *a part* lära in en roll för att kunna hoppa in som ersättare **b**) ~ *an actor* fungera som ersättare för en skådespelare **2** a) assistera b) vikariera för **III** *vb itr* **1** teat. fungera som [roll]ersättare **2** a) assistera b) vikariera
undertake [ˌʌndəˈteɪk] (*undertook undertaken*) **1** företa [~ *a journey*]; sätta i gång med **2** a) åta[ga] sig [~ *a task*; ~ *to do a th.*], förbinda (förplikta) sig [~ *to do a th.*]; ta sig an [~ *a cause*]; ta på sig [~ *a responsibility*] b) garantera
undertaker [i bet. *1* ˈʌndəˌteɪkə, i bet. *2* o. *3* ˌ--ˈ--] **1** begravningsentreprenör **2** *an ~ of a th.* en som företar (åtar sig, garanterar) ngt **3** amer. entreprenör
undertaking [ˌʌndəˈteɪkɪŋ] **1** företag; arbete **2** a) åtagande; förbindelse b) garanti; *on an* (*the*) *~ that* mot löfte att
under-the-counter [ˌʌndəðəˈkaʊntə] vard. som säljs under disken (svart) [~ *goods*], svart [~ *petrol*]
under-the-table [ˌʌndəðəˈteɪbl] vard. under bordet, i smyg; svart [~ *dealings*]
underthings [ˈʌndəθɪŋz] vard. underkläder
undertone [ˈʌndətəʊn] **1** *in an ~* el. *in ~s* med dämpad (halvhög) röst, lågmält **2** bildl. underton
undervalue [ˌʌndəˈvæljuː] undervärdera; bildl. äv. underskatta; värdera för lågt
underwater [ss. adj. ˈʌndəwɔːtə, ss. adv. ˌ--ˈ--] **I** *adj* **1** undervattens- [~ *explosion*] **2** [som är] under vattenlinjen på en båt **II** *adv* under vattnet
underwear [ˈʌndəweə] underkläder
underweight [ˈʌndəweɪt, ss. pred. adj. ˌ--ˈ-] **I** *s* undervikt **II** *adj* underviktig
underworld [ˈʌndəwɜːld] **1** undre värld **2** dödsrike; *the ~* äv. underjorden
underwrite [ˌʌndəˈraɪt] (*underwrote*

underwritten) **1** a) skriva under äv. bildl.; garantera b) skriva på [~ *a loan*] **2** hand. a) teckna sig för [~ *1,000 shares*] b) åta sig att betala [~ *the cost*] **3** försäkr. a) försäkra [~ *a ship*] b) teckna [~ *an insurance policy*]
underwriter [ˈʌndəˌraɪtə] **1** försäkr. [sjö]försäkringsgivare, assuradör **2** hand. garant
undeserved [ˌʌndɪˈzɜːvd] oförtjänt
undeserving [ˌʌndɪˈzɜːvɪŋ] ovärdig; som inte förtjänar beaktande; *be ~ of* inte förtjäna
undesirable [ˌʌndɪˈzaɪərəbl] **I** *adj* icke önskvärd [~ *effects (persons)*], misshaglig; ovälkommen [~ *visitors*] **II** *s* icke önskvärd person (sak)
undeveloped [ˌʌndɪˈveləpt] **1** outvecklad; outnyttjad [~ *natural resources*], oexploaterad **2** foto. oframkallad
undies [ˈʌndɪz] vard. [dam]underkläder
undignified [ˌʌnˈdɪɡnɪfaɪd] föga värdig [*in an ~ manner*], opassande
undiluted [ˌʌndaɪˈljuːtɪd, -dɪˈl-] outspädd; oblandad äv. bildl. [~ *pleasure*]
undiminished [ˌʌndɪˈmɪnɪʃt] oförminskad [~ *energy (interest)*]
undiscovered [ˌʌndɪˈskʌvəd] oupptäckt
undiscriminating [ˌʌndɪˈskrɪmɪneɪtɪŋ] urskillningslös
undisputed [ˌʌndɪˈspjuːtɪd] obestridd
undistinguished [ˌʌndɪˈstɪŋɡwɪʃt] slätstruken [*an ~ performance*], ointressant; konturlös, som saknar karaktär (särprägel) [~ *style*]
undisturb|ed [ˌʌndɪˈstɜːb|d] (adv. *-edly* [-ɪdlɪ]) **1** ostörd, lugn **2** orörd
undivided [ˌʌndɪˈvaɪdɪd] **1** odelad [~ *attention*], full och hel **2** enad [~ *front*]
undo [ˌʌnˈduː] (*undid undone*) **1** knäppa upp [~ *the buttons (one's coat)*], lösa (knyta) upp [~ *a knot*], lossa [på] [~ *the bands*]; spänna loss [~ *straps*]; ta (packa, veckla) upp [~ *a parcel*]; *come undone* gå upp [*my shoelace has come undone*]; lossna **2** a) göra ogjord b) göra om intet
undoing [ˌʌnˈduːɪŋ] fördärv, olycka, undergång
undone [ˌʌnˈdʌn] **I** perf. p. av *undo* **II** *adj* **1** uppknäppt etc., jfr *undo 1* **2** ogjord
undoubted [ˌʌnˈdaʊtɪd] otvivelaktig; avgjord [*an ~ victory*]
undoubtedly [ˌʌnˈdaʊtɪdlɪ] otvivelaktigt
undress [ˌʌnˈdres] **I** *vb tr* **1** klä av **2** ta bort förbandet från [~ *a wound*] **II** *vb itr* klä av sig **III** *s* **1** a) vardagsklädsel b) negligé; morgonrock; lätt klädsel; *in a state of ~* halvklädd **2** mil. arbetsmundering
undressed [ˌʌnˈdrest] **1** a) avklädd b) oklädd **2** obehandlad [~ *leather (stones)*]; oputsad; osmyckad **3** som inte är omlagd [*an ~ wound*]
undrinkable [ˌʌnˈdrɪŋkəbl] odrickbar
undue [ˌʌnˈdjuː] **1** otillbörlig; orättmätig; obehörig [~ *use of authority*] **2** onödig [~ *haste (risks)*], opåkallad; överdriven
unduly [ˌʌnˈdjuːlɪ] **1** otillbörligt **2** oskäligt; onödigt, i onödan; överdrivet
undying [ˌʌnˈdaɪɪŋ] odödlig; evig; oförgänglig; som aldrig dör [~ *hatred*]
unearned [ˌʌnˈɜːnd] **1** ~ *income* arbetsfri inkomst, inkomst av kapital **2** oförtjänt [~ *praise*]
unearth [ˌʌnˈɜːθ] **1** gräva upp (fram); bildl. äv. upptäcka **2** jakt. driva ut ur grytet [~ *a fox*]
unearthly [ˌʌnˈɜːθlɪ] **1** överjordisk, himmelsk **2** övernaturlig; mystisk; hemsk **3** vard. orimlig; *at an ~ hour* okristligt tidigt (sent)
unease [ˌʌnˈiːz] se *uneasiness*
uneasiness [ˌʌnˈiːzɪnəs] oro; [känsla av] olust
uneasy [ˌʌnˈiːzɪ] orolig; olustig; *he had an ~ conscience* han hade en smula dåligt samvete
uneatable [ˌʌnˈiːtəbl] oätbar, oätlig
uneconomic [ˈʌnˌiːkəˈnɒmɪk] dyr
uneconomical [ˈʌnˌiːkəˈnɒmɪk(ə)l] slösaktig; odryg
uneducated [ˌʌnˈedjʊkeɪtɪd] obildad; okultiverad
unemotional [ˌʌnɪˈməʊʃənl] oberörd; likgiltig, känslolös
unemployed [ˌʌnɪmˈplɔɪd] **1** arbetslös, sysslolös; *the ~* de arbetslösa **2** outnyttjad; *~ capital* ledigt kapital
unemployment [ˌʌnɪmˈplɔɪmənt] arbetslöshet; *~ benefit (pay*, amer. *compensation)* arbetslöshetsunderstöd; *~ insurance* arbetslöshetsförsäkring
unending [ˌʌnˈendɪŋ] **1** ändlös **2** vard. evig
un-English [ˌʌnˈɪŋɡlɪʃ] oengelsk
unenviable [ˌʌnˈenvɪəbl] föga (inte) avundsvärd [*an ~ task*]
unequal [ˌʌnˈiːkw(ə)l] **1** olika; inte likvärdig (jämlik, jämställd o.d.); omaka **2** ojämn äv. bildl. [*an ~ contest*]; oenhetlig **3** udda [~ *number*] **4** *be ~ to* inte motsvara [*the supply is ~ to the demand*]
unequalled [ˌʌnˈiːkw(ə)ld] oupphunnen, utan motstycke (like)
unequivocal [ˌʌnɪˈkwɪvək(ə)l] otvetydig
unerring [ˌʌnˈɜːrɪŋ] ofelbar; träffsäker; *an ~ eye for* en säker blick för
UNESCO o. **Unesco** [jʊˈneskəʊ] (förk. för *United Nations Educational, Scientific, & Cultural Organization*) UNESCO
uneven [ˌʌnˈiːv(ə)n] **1** ojämn äv. bildl. [~ *road*; ~ *performance*]; skrovlig; om mark

kuperad **2** udda [~ *number*] **3** olika, olika lång; inte parallell
uneventful [ˌʌnɪ'ventf(ʊ)l] händelsefattig; enformig; *the journey was ~* det hände inte särskilt mycket på resan
unexpected [ˌʌnɪk'spektɪd] oväntad, oanad
unexpectedly [ˌʌnɪk'spektɪdlɪ] oväntat
unexplained [ˌʌnɪk'spleɪnd] oförklarad, ouppklarad
unfailing [ˌʌn'feɪlɪŋ] **1** aldrig svikande, osviklig [~ *accuracy*], ofelbar [*an ~ remedy*], säker **2** outtömlig **3** ständig
unfair [ˌʌn'feə] orättvis; ojust, ohederlig; otillåten; *take an ~ advantage of a p.* skaffa sig fördelar på ngns bekostnad
unfairly [ˌʌn'feəlɪ] orättvist etc., jfr *unfair*; med orätt
unfaithful [ˌʌn'feɪθf(ʊ)l] **1** otrogen, trolös **2** otillförlitlig, inte trogen [*an ~ translation*]
unfamiliar [ˌʌnfə'mɪljə] **1** obekant, ovan, främmande **2** okänd, främmande; ovan [*an ~ sight*]
unfamiliarity ['ʌnfəˌmɪlɪ'ærətɪ] obekantskap, bristande förtrogenhet, ovana
unfashionable [ˌʌn'fæʃ(ə)nəbl] omodern, urmodig
unfasten [ˌʌn'fɑ:sn] lossa; lösa (knyta) upp; låsa upp; knäppa upp
unfathomable [ˌʌn'fæðəməbl] **1** bottenlös [~ *lake*] **2** outgrundlig [~ *mystery*]
unfavourable [ˌʌn'feɪv(ə)rəbl] ogynnsam, ofördelaktig
unfeeling [ˌʌn'fi:lɪŋ] okänslig; känslolös; hjärtlös
unfinished [ˌʌn'fɪnɪʃt] oavslutad, ofullbordad, inte färdig
unfit [ˌʌn'fɪt] **I** *adj* olämplig, otjänlig, oförmögen; ovärdig; i dålig kondition; *~ for human consumption* otjänlig som människoföda **II** *vb tr* göra olämplig etc., jfr *I*
unfitted [ˌʌn'fɪtɪd] olämplig
unflagging [ˌʌn'flægɪŋ] outtröttlig [~ *energy*]
unflappable [ˌʌn'flæpəbl] vard. orubbligt lugn
unflinching [ˌʌn'flɪn(t)ʃɪŋ] ståndaktig, orubblig, oböjlig
unfold [ˌʌn'fəʊld] **I** *vb tr* **1 a**) veckla ut (upp) [~ *a newspaper*], vika ut (upp); breda ut [~ *one's arms*] **b**) m. refl. konstr.: a) veckla ut sig [*the buds began to ~ themselves*], slå ut i blom b) breda ut sig [*the landscape ~ed itself before me*] **2 a**) utveckla, avslöja [*she ~ed her plans*] **b**) m. refl. konstr. utveckla sig [*the story ~s itself*], avslöjas **II** *vb itr* **1** veckla ut sig, breda ut sig; öppna sig **2** utveckla sig, uppenbaras, rullas upp [*the story ~s*], avslöjas
unforeseeable [ˌʌnfɔ:'si:əbl] oförutsebar, omöjlig att förutse
unforgettable [ˌʌnfə'getəbl] oförglömlig
unforgivable [ˌʌnfə'gɪvəbl] oförlåtlig
unfortunate [ˌʌn'fɔ:tʃ(ə)nət] **I** *adj* **1** olyckligt lottad; *be ~* äv. ha otur **2** olycksalig [*an ~ development*] **II** *s* olycksfågel; olyckligt (sämst) lottad person
unfortunately [ˌʌn'fɔ:tʃ(ə)nətlɪ] **1** tyvärr, olyckligtvis **2** olyckligt
unfounded [ˌʌn'faʊndɪd] isht bildl. ogrundad [~ *suspicion*], grundlös [~ *rumour*], ohållbar
unfriendly [ˌʌn'frendlɪ] **1** ovänlig **2** (ss. efterled i sms.) -farlig [*environment-unfriendly*]
unfurl [ˌʌn'fɜ:l] **I** *vb tr* veckla ut [~ *a flag*]; sjö. göra loss [~ *a sail*]; *~ed flags* flygande fanor **II** *vb itr* om flagga o.d. veckla (breda) ut sig
ungainly [ˌʌn'geɪnlɪ] klumpig
ungodly [ˌʌn'gɒdlɪ] gudlös; *at an ~ hour* okristligt tidigt
ungovernable [ˌʌn'gʌv(ə)nəbl] omöjlig att styra (tygla); obändig [~ *temper*]; oregerlig
ungrateful [ˌʌn'greɪtf(ʊ)l] otacksam [*an ~ task*]
unguarded [ˌʌn'gɑ:dɪd] **1** obevakad; utan skydd **2** ovarsam, tanklös
unhappily [ˌʌn'hæpəlɪ] **1** olyckligt **2** olyckligtvis
unhappiness [ˌʌn'hæpɪnəs] olycka; elände
unhappy [ˌʌn'hæpɪ] olycklig; olycksalig; misslyckad [~ *choice of words* (ordval)]; *be ~ about* äv. inte vara nöjd med
unharmed [ˌʌn'hɑ:md] oskadd
unhealthy [ˌʌn'helθɪ] **1** sjuklig **2** ohälsosam [~ *ideas*]
unheard [ˌʌn'hɜ:d] **1** ohörd; *go ~* bildl. förklinga ohörd **2** *~ of* exempellös, utan motstycke
unheard-of [ˌʌn'hɜ:dɒv] **1** [förut] okänd **2** exempellös, utan motstycke
unhesitating [ˌʌn'hezɪteɪtɪŋ] beslutsam; oförbehållsam; beredvillig
unhinge [ˌʌn'hɪn(d)ʒ] **1** haka (lyfta) av [~ *a door*]; få (dra) ur led **2** förrycka; bringa ur fattningen (gängorna); riva upp [*his nerves were ~d*]; *mentally ~d* sinnesrubbad
unholy [ˌʌn'həʊlɪ] ohelig; syndig
unhook [ˌʌn'hʊk] häkta (haka, kroka) av; knäppa upp; koppla loss
unhurt [ˌʌn'hɜ:t] oskadad, oskadd
UNICEF ['ju:nɪsef] (förk. för *United Nations Children's Fund*) UNICEF
unicorn ['ju:nɪkɔ:n] enhörning

unidentified [ˌʌnaɪˈdentɪfaɪd] oidentifierad [~ *flying object*], icke identifierad
unification [ˌju:nɪfɪˈkeɪʃ(ə)n] enande
uniform [ˈju:nɪfɔ:m] **I** *adj* **1** likformig; enhetlig; enformig; likalydande; *planks of ~ length* lika långa plankor **2** jämn [~ *speed, ~ temperature*], oförändrad **II** *s* uniform; *in ~* i uniform, uniformsklädd
uniformity [ˌju:nɪˈfɔ:mətɪ] **1** likformighet **2** enformighet
unify [ˈju:nɪfaɪ] ena
unilateral [ˌju:nɪˈlæt(ə)r(ə)l] ensidig
unimaginable [ˌʌnɪˈmædʒɪnəbl] otänkbar; ofattbar
unimaginative [ˌʌnɪˈmædʒɪnətɪv] fantasilös
unimpaired [ˌʌnɪmˈpeəd] oförminskad, obruten [~ *health*]; ofördärvad
unimportant [ˌʌnɪmˈpɔ:t(ə)nt] obetydlig, av mindre vikt, oväsentlig
uninformed [ˌʌnɪnˈfɔ:md] inte underrättad (informerad) [*of* (*on, as to*) om]; ovederhäftig [~ *criticism*]
uninhabited [ˌʌnɪnˈhæbɪtɪd] obebodd
uninhibited [ˌʌnɪnˈhɪbɪtɪd] hämningslös; lössläppt
unintelligible [ˌʌnɪnˈtelɪdʒəbl] obegriplig, oförståelig
unintentional [ˌʌnɪnˈtenʃənl] oavsiktlig
uninterrupted [ˈʌnˌɪntəˈrʌptɪd] oavbruten
uninviting [ˌʌnɪnˈvaɪtɪŋ] föga inbjudande (attraktiv); ogemytlig
union [ˈju:njən] **1** förening, sammanslutning **2** union [*customs ~, postal ~*], förbund; *students' ~* studentkår; kårhus **3** [*trade* (*trades*)] ~ fackförening **4** [äktenskaplig] förbindelse; äktenskap [*a happy ~*] **5** enighet; *~ is strength* enighet ger styrka **6** a) unionsmärke i flagga b) unionsflagga; *the U~ Jack* Union Jack Storbritanniens flagga
unique [ju:ˈni:k] **I** *adj* unik, enastående, ensam i sitt slag **II** *s, a ~* ett unikum pl.
unisex [ˈju:nɪseks] unisex- [~ *fashions*]
unison [ˈju:nɪsn, -ɪzn] **1** mus. samklang; *in ~* a) unisont b) bildl. i fullkomlig harmoni (samklang) [*with* med] **2** endräkt, enighet [*we acted in perfect ~*]
unit [ˈju:nɪt] **1** enhet [*form a ~*; *monetary ~*]; *~ furniture* kombimöbler **2** avdelning, enhet [*production ~*]; mil. äv. förband; grupp **3** apparat; inredning[sdetalj], enhet; aggregat [*heating ~*]
unite [ju:ˈnaɪt] **I** *vb tr* förena, samla, ena **II** *vb itr* förena sig, samla sig, samlas, samverka
united [ju:ˈnaɪtɪd] förenad; gemensam, samlad [~ *action*]; bildl. äv. enig [*present a ~ front*]; *the U~ Arab Emirates* Förenade arabemiraten; *the U~ Kingdom* Förenade kungariket Storbritannien och Nordirland; *the U~ Nations* [*Organization*] Förenta nationerna; *the U~ States* [*of America*] Förenta staterna
unity [ˈju:nətɪ] **1** enhet **2** helhet **3** endräkt; *~ is strength* enighet ger styrka
universal [ˌju:nɪˈvɜ:s(ə)l] **1** allmän [~ *belief* (*opinion*)]; allsidig; allmängiltig [*the rule is not ~*], universell; världs-; allmännelig [*a ~ church*]; all-, universal- [~ *pliers* (tång)]; hel [*the ~ world*]; *the ~ church* katolska kyrkan; *the U~ Postal Union* Världspostunionen; *~ time* universaltid Greenwichtid **2** om film barntillåten; *~ certificate* tillstånd att visas för alla åldrar, ung. barntillåten **3** mångkunnig, mångsidig, universal- [~ *genius*]
universally [ˌju:nɪˈvɜ:səlɪ] allmänt
universe [ˈju:nɪvɜ:s] universum; *the ~* äv. a) världsalltet b) mänskligheten
university [ˌju:nɪˈvɜ:sətɪ] universitet, högskola; *~ education* akademisk [ut]bildning; *be at* (*go to*) [*the*] ~ gå på (studera vid) universitetet
unjust [ˌʌnˈdʒʌst] orättfärdig
unjustifiable [ˈʌnˌdʒʌstɪˈfaɪəbl] oförsvarlig; otillbörlig, otillständig; orättvis
unjustified [ˌʌnˈdʒʌstɪfaɪd] oberättigad
unjustly [ˌʌnˈdʒʌstlɪ] orättfärdigt
unkempt [ˌʌnˈkem(p)t] **1** okammad **2** ovårdad, vanskött
unkind [ˌʌnˈkaɪnd] ovänlig; hård [~ *to* (mot) *the skin*]
unknown [ˌʌnˈnəʊn] **I** *adj* okänd **II** *adv, ~ to us* oss ovetande, utan vår vetskap, utan att vi visste om det [*he did it ~ to us*] **III** *s* **1** *the ~* det okända, den okända faktorn **2** okänd [person] **3** matem. obekant
unlawful [ˌʌnˈlɔ:f(ʊ)l] olaglig; orättmätig; olovlig
unleash [ˌʌnˈli:ʃ] koppla lös (loss) [~ *a dog*; *he ~ed his fury*]
unleavened [ˌʌnˈlevnd] osyrad [~ *bread*]
unless [ənˈles, ʌn-] om inte; med mindre [än att]; utan att
unlike [ˌʌnˈlaɪk] **I** *adj* olik [*he is ~ his brothers*] **II** *prep* olikt; olika mot; i olikhet med, till skillnad från, i motsats till [~ *most other people, he is...*]; *this is ~ you* det är [så] olikt dig
unlikely [ˌʌnˈlaɪklɪ] osannolik, orimlig; föga lovande [*it looked so ~ at first glance*]; *he is ~ to come* han kommer troligen inte
unlimited [ˌʌnˈlɪmɪtɪd] **1** obegränsad [~ *confidence*], oinskränkt [~ *power*]; *~ company* handelsbolag med obegränsat personligt ansvar **2** gränslös, oändlig
unlisted [ˌʌnˈlɪstɪd], *~ telephone number* hemligt telefonnummer
unload [ˌʌnˈləʊd] **I** *vb tr* **1** lasta av [~ *a cargo*; *~ a truck*] **2** befria, frigöra; *~ one's heart* lätta sitt hjärta **3** ta ut patronen

(laddningen) ur [~ *the gun*] **II** *vb itr* lossa[s] [*the ship is ~ing*]
unlock [ˌʌn'lɒk] **I** *vb tr* låsa upp **II** *vb itr* låsas upp
unlooked-for [ˌʌn'lʊktfɔ:] oväntad, oförutsedd
unloose [ˌʌn'lu:s] o. **unloosen** [ˌʌn'lu:sn] lossa; släppa [lös]; befria; knyta upp
unluckily [ˌʌn'lʌkəlɪ] **1** olyckligtvis **2** olyckligt
unlucky [ˌʌn'lʌkɪ] olycklig; olycksdiger; fatal; olycks-; *be ~* ha otur [*at* i]; *~ at cards, lucky in love* otur i spel, tur i kärlek
unmanageable [ˌʌn'mænɪdʒəbl] ohanterlig; oregerlig
unmanly [ˌʌn'mænlɪ] omanlig
unmanned [ˌʌn'mænd] obemannad
unmannerly [ˌʌn'mænəlɪ] obelevad, ohyfsad
unmarried [ˌʌn'mærɪd] ogift
unmask [ˌʌn'mɑ:sk] **I** *vb tr* demaskera; bildl. äv. avslöja [~ *a traitor*] **II** *vb itr* demaskera sig
unmentionable [ˌʌn'menʃnəbl] **I** *adj* onämnbar; opassande **II** *s* åld. el. skämts., pl. *~s* onämnbara underbyxor
unmistakable [ˌʌnmɪ'steɪkəbl] omisskännlig [*an ~ hint*]; otvetydig [*an ~ sign*]
unmitigated [ˌʌn'mɪtɪgeɪtɪd] **1** onyanserad; oförminskad; *~ by* utan några förmildrande (försonande) drag (inslag) av **2** oblandad; renodlad; *an ~ scoundrel* en ärkeskurk
unmoved [ˌʌn'mu:vd] **1** oberörd, kall **2** orörd; orörlig
unnatural [ˌʌn'nætʃr(ə)l] onaturlig
unnecessarily [ˌʌn'nesəs(ə)rəlɪ] **1** onödigt **2** onödigtvis
unnecessary [ˌʌn'nesəs(ə)rɪ] onödig
unnerve [ˌʌn'nɜ:v] **1** försvaga; förslappa **2** få att tappa koncepterna
unnoticed [ˌʌn'nəʊtɪst] obemärkt
UNO ['ju:nəʊ] (förk. för *United Nations Organization*) FN
unobtainable [ˌʌnəb'teɪnəbl] oåtkomlig, oanskaffbar
unobtrusive [ˌʌnəb'tru:sɪv] tillbakadragen, inte påträngande (påflugen)
unoccupied [ˌʌn'ɒkjʊpaɪd] **1** inte ockuperad **2** obebodd [~ *territory*] **3** ledig [~ *flat*; ~ *seat*], inte upptagen **4** sysslolös [~ *person*]
unofficial [ˌʌnə'fɪʃ(ə)l] inofficiell [~ *statement*], inte officiell; *~ strike* vild strejk
unorthodox [ˌʌn'ɔ:θədɒks] oortodox, kättersk, inte renlärig; okonventionell, inte vedertagen
unpack [ˌʌn'pæk] packa upp (ur)
unpaid [ˌʌn'peɪd] obetald; ofrankerad [~ *letter*]; oavlönad [~ *position*]
unpalatable [ˌʌn'pælətəbl] oaptitlig; bildl. obehaglig [~ *truth*], motbjudande
unparalleled [ˌʌn'pærəleld, -ləld] makalös, enastående
unplanned [ˌʌn'plænd] **1** inte planerad (planlagd); oväntad **2** illa planerad [~ *economy*]
unplayable [ˌʌn'pleɪəbl] ospelbar [~ *tape*; ~ *football pitch*]; om boll o.d. äv. omöjlig
unpleasant [ˌʌn'pleznt] otrevlig [~ *situation*], olustig; obehaglig [~ *taste*; ~ *truth*], oangenäm; osympatisk [*an ~ fellow*]
unpleasantness [ˌʌn'plezntnəs] obehag; otrevlighet[er]; tråkighet[er] [*try to avoid ~*]
unplug [ˌʌn'plʌg] **1** dra ur proppen (tappen) ur [~ *the sink*] **2** dra ur [sladden till] [~ *the refrigerator*]; *~ the telephone* dra ur [telefon]jacket
unpolished [ˌʌn'pɒlɪʃt] opolerad [~ *rice*; ~ *manners*]; matt; oputsad [~ *shoes*]; oslipad [~ *diamond*; ~ *style*]; bildl. ohyvlad, okultiverad
unpopular [ˌʌn'pɒpjʊlə] impopulär, illa (inte) omtyckt
unpractised [ˌʌn'præktɪst] **1** oövad, oerfaren **2** inte tillämpad, oprövad
unprecedented [ˌʌn'presɪd(ə)ntɪd] exempellös, utan motstycke
unprejudiced [ˌʌn'predʒʊdɪst] fördomsfri, opartisk
unprepossessing ['ʌnˌpri:pə'zesɪŋ] föga intagande
unpretentious [ˌʌnprɪ'tenʃəs] anspråkslös
unprincipled [ˌʌn'prɪnsəpld] principlös; omoralisk
unprintable [ˌʌn'prɪntəbl] otryckbar, som inte kan återges i tryck
unproductive [ˌʌnprə'dʌktɪv] improduktiv; ofruktbar; föga lönande
unprofessional [ˌʌnprə'feʃənl] **1** inte professionell (yrkesmässig, fackutbildad); inte akademiskt utbildad **2** amatörmässig [~ *work*] **3** ovärdig yrkeskåren (en yrkesman) [~ *conduct*]
unprofitable [ˌʌn'prɒfɪtəbl] **1** onyttig, föga givande [~ *discussions*] **2** föga vinstgivande (lönande), olönsam
unpromising [ˌʌn'prɒmɪsɪŋ] föga lovande
unprovided [ˌʌnprə'vaɪdɪd] **1** inte försedd (utrustad) **2** oförsörjd; *leave one's family ~ for* ställa familjen på bar backe **3** oförberedd
unpunished [ˌʌn'pʌnɪʃt] ostraffad; *let a p. go ~* underlåta att straffa ngn
unqualified [ˌʌn'kwɒlɪfaɪd] **1** okvalificerad; inte behörig, omeriterad **2** oförbehållsam [~ *approval*], oblandad [~ *joy*]
unquestionable [ˌʌn'kwestʃənəbl] **1** obestridlig **2** vederhäftig

unquestioned [ˌʌn'kwestʃ(ə)nd] **1** obestridd; oemotsagd **2** obestridlig
unquestioning [ˌʌn'kwestʃənɪŋ] obetingad, blind [~ *obedience*]
unquote [ˌʌn'kwəʊt], [*he said, quote, we shall never give in*] ~ ...slut på citatet, ...slut citat
unravel [ˌʌn'ræv(ə)l] **I** *vb tr* **1** riva upp; reda ut, trassla upp **2** bildl. reda ut (upp) [~ *a mystery*] **II** *vb itr* repa upp sig
unreadable [ˌʌn'ri:dəbl] **1** oläsbar [*an ~ book*] **2** oläslig [~ *handwriting*]
unreal [ˌʌn'rɪəl] overklig; inbillad
unreasonable [ˌʌn'ri:z(ə)nəbl] **1** oförnuftig; omedgörlig **2** oskälig, orimlig
unreasoning [ˌʌn'ri:z(ə)nɪŋ] oförnuftig; okritisk; oreflekterad
unrecognizable [ˌʌn'rekəgnaɪzəbl, '-ˌ--'---] oigenkännlig
unrelated [ˌʌnrɪ'leɪtɪd] obesläktad äv. bildl.; inte relaterad; utan samband med varandra [~ *crimes*]
unrelenting [ˌʌnrɪ'lentɪŋ] **1** oböjlig; obeveklig **2** ständig [~ *progress*; ~ *pressure*]
unreliable [ˌʌnrɪ'laɪəbl] opålitlig [*an ~ witness*]; ovederhäftig, otillförlitlig [~ *information*]
unremitting [ˌʌnrɪ'mɪtɪŋ] outtröttlig; odelad [~ *attention*]
unrepeatable [ˌʌnrɪ'pi:təbl] **1** som inte kan återges (upprepas) [~ *remarks*] **2** unik; som inte återkommer [*an ~ offer* (erbjudande)]
unrepentant [ˌʌnrɪ'pentənt] o. **unrepenting** [ˌʌnrɪ'pentɪŋ] obotfärdig, förhärdad
unrequited [ˌʌnrɪ'kwaɪtɪd] obesvarad [~ *love*]
unreserved [ˌʌnrɪ'zɜ:vd] **1** oförbehållsam, öppenhjärtig **2** inte reserverad [~ *seats*]
unrest [ˌʌn'rest] oro
unrestrained [ˌʌnrɪ'streɪnd] **1** ohämmad, hämningslös, otyglad; obehärskad **2** otvungen, obunden
unrestricted [ˌʌnrɪ'strɪktɪd] **1** oinskränkt [~ *power*] **2** med fri fart [*an ~ road*]
unrewarding [ˌʌnrɪ'wɔ:dɪŋ] föga givande [~ *labour*]; otacksam [*an ~ part* (roll)]
unripe [ˌʌn'raɪp] omogen äv. bildl.
unrivalled [ˌʌn'raɪv(ə)ld] makalös, utan like
unroll [ˌʌn'rəʊl] **I** *vb tr* rulla (veckla) upp; rulla ut **II** *vb itr* rulla (veckla) upp sig, rullas upp
unruffled [ˌʌn'rʌfld] **1** oberörd; ostörd **2** stilla [*an ~ lake*], orörlig; slät [*an ~ brow*], jämn **3** okrusad
unruly [ˌʌn'ru:lɪ] ostyrig [~ *children*, ~ *locks of hair*], oregerlig
unsaddle [ˌʌn'sædl] **1** sadla av [~ *a horse*] **2** kasta av (ur sadeln) [~ *a rider*]
unsafe [ˌʌn'seɪf] osäker; farlig
unsaid [ˌʌn'sed] osagd
unsatisfactory ['ʌnˌsætɪs'fækt(ə)rɪ] otillfredsställande; otillräcklig [~ *proof*]
unsavoury [ˌʌn'seɪv(ə)rɪ] **1** smaklös [*an ~ meal*], fadd; oaptitlig **2** motbjudande, osmaklig [*an ~ affair*]
unscathed [ˌʌn'skeɪðd] oskadd; helskinnad
unscrupulous [ˌʌn'skru:pjʊləs] samvetslös
unseemly [ˌʌn'si:mlɪ] **1** opassande, otillständig, otillbörlig **2** ful
unseen [ˌʌn'si:n] **I** *adj* **1** osynlig [~ *danger*, ~ *forces*]; osedd **2 a**) okänd; ~ *translation* översättning av okänd text **b**) från bladet, a prima vista **II** *s*, *the ~* den osynliga världen
unselfish [ˌʌn'selfɪʃ] osjälvisk
unsettle [ˌʌn'setl] **1** lösgöra **2** komma att vackla, skaka [*strikes ~d the economy of the country*]; förrycka **3** göra osäker (nervös), förvirra
unsettled [ˌʌn'setld] **1** a) orolig [~ *times*], osäker [~ *weather*], instabil [*an ~ market*] b) ur balans **2** kringflackande [*an ~ life*]; hemlös; *be ~* [*in one's new home*] inte ha kommit i ordning... **3** inte avgjord [*an ~ case*], ouppklarad [~ *questions*]; inte uppordnad (avklarad) [*an ~ matter*], oordnad **4** obetald, inte avvecklad [~ *debts*]
unshakable [ˌʌn'ʃeɪkəbl] orubblig [~ *faith*]
unshaved [ˌʌn'ʃeɪvd] o. **unshaven** [ˌʌn'ʃeɪvn] orakad
unsightly [ˌʌn'saɪtlɪ] ful, anskrämlig
unskilled [ˌʌn'skɪld] oerfaren; outbildad; *~ labour* a) outbildad arbetskraft b) grovarbete; *~ labourer* grovarbetare; *~ worker* (*workman*) arbetare utan yrkesutbildning; tempoarbetare
unsociable [ˌʌn'səʊʃəbl] osällskaplig
unsocial [ˌʌn'səʊʃ(ə)l] **1** osällskaplig **2** asocial **3** ~ [*working*] *hours* obekväm arbetstid
unsolicited [ˌʌnsə'lɪsɪtɪd] oombedd
unsophisticated [ˌʌnsə'fɪstɪkeɪtɪd] osofistikerad, okonstlad; naiv
unsound [ˌʌn'saʊnd] **1** inte frisk, sjuk; dålig [~ *teeth*]; *of ~ mind* sinnesförvirrad, otillräknelig **2** osund [~ *principles*] **3** oriktig, felaktig [*an ~ argument*], oklok [~ *advice*]; *~ doctrine* falsk lära, villolära **4** orolig [~ *sleep*] **5** [ekonomiskt] osäker, riskfylld
unsparing [ˌʌn'speərɪŋ] **1** slösande, rundhänt; outtröttlig [*with ~ energy*]; *be ~ in one's efforts* inte spara (sky) någon möda **2** skoningslös
unspeakable [ˌʌn'spi:kəbl] **1** outsäglig [~ *joy*], namnlös [~ *sorrow*], obeskrivlig [~ *wickedness*] **2** usel [*an ~ scoundrel*]
unspoken [ˌʌn'spəʊk(ə)n] outtalad; osagd
unstable [ˌʌn'steɪbl] instabil [*an ~*

foundation], labil; obeständig; oregelbunden [*an ~ heartbeat*]; vankelmodig, oberäknelig
unsteady [ˌʌnˈstedɪ] **I** *adj* **1** ostadig [*an ~ walk*]; bildl. vankelmodig; skiftande; oberäknelig **2** oregelbunden [*~ habits*; *an ~ pulse*], ojämn [*an ~ climate*] **II** *vb tr* göra ostadig; rubba
unstuck [ˌʌnˈstʌk], *come ~* a) lossna, gå upp [i fogen (limningen)] b) vard. gå i stöpet, slå fel; falla sönder; råka illa ut [*he'll come ~ one day*]
unsuccessful [ˌʌnsəkˈsesf(ʊ)l] misslyckad, olycklig; *be ~* äv. misslyckas, inte ha någon framgång
unsuited [ˌʌnˈsu:tɪd, -ˈsju:-] olämplig; opassande; inte avpassad; *~ for (to)* äv. [som] inte passar (lämpar sig) för
unsure [ˌʌnˈʃʊə] osäker; otrygg; oviss
unsurpassed [ˌʌnsəˈpɑ:st] oöverträffad
unsuspecting [ˌʌnsəˈspektɪŋ] omisstänksam, godtrogen; intet ont anande
unswerving [ˌʌnˈswɜ:vɪŋ] orubblig [*~ fidelity*], osviklig; rak
unsympathetic [ˈʌnˌsɪmpəˈθetɪk] **1** oförstående, likgiltig; avvisande **2** osympatisk
untangle [ˌʌnˈtæŋgl] lösa [upp] [*~ a knot*], reda upp (ut); klara upp [*~ a problem*]; göra loss (fri)
untarnished [ˌʌnˈtɑ:nɪʃt] **1** fläckfri [*an ~ reputation*], ren **2** glänsande, blank [*~ silver*]
unthinkable [ˌʌnˈθɪŋkəbl] otänkbar; inte att tänka på [*such a suggestion is ~*]
untidy [ˌʌnˈtaɪdɪ] ovårdad
untie [ˌʌnˈtaɪ] knyta upp; lossa; öppna; släppa lös; *come (get) ~d* gå upp; lossna
until [ənˈtɪl, ʌnˈtɪl] [ända] till
untimely [ˌʌnˈtaɪmlɪ] **1** för tidig [*an ~ death*] **2** olämplig, malplacerad [*~ remarks*]; oläglig
untiring [ˌʌnˈtaɪərɪŋ] outtröttlig [*~ energy*], oförtruten [*~ efforts*]
untold [ˌʌnˈtəʊld] omätlig [*~ wealth*], oändlig [*~ joy (suffering)*]
untouchable [ˌʌnˈtʌtʃəbl] **I** *adj* **1** kastlös, oberörbar **2** bildl. oangriplig **II** *s* kastlös [person]
untoward [ˌʌntəˈwɔ:d] olycklig, ogynnsam [*~ conditions*]
untried [ˌʌnˈtraɪd] **1** oprövad **2** jur. orannsakad **3** oerfaren
untrieved [ˌʌnˈtri:vd] *adj* otranerad
untrue [ˌʌnˈtru:] **1** osann, falsk **2** trolös, falsk; orättvis; illojal **3** felaktig; sned
untruth [ˌʌnˈtru:θ, i pl. ˌʌnˈtru:ðz, -tru:θs] osanning, lögn; *tell an ~* tala osanning
untruthful [ˌʌnˈtru:θf(ʊ)l] osann, falsk; lögnaktig
untutored [ˌʌnˈtju:təd] obildad, okunnig; otränad [*an ~ ear*]
unused [i bet. *1* ˌʌnˈju:zd, i bet. *2* ˌʌnˈju:st] **1** obegagnad, oanvänd; *~ stamp* ostämplat frimärke **2** ovan [*he is ~ to* (vid) *city life*]
unusual [ˌʌnˈju:ʒʊəl] ovanlig; sällsynt; osedvanlig
unvarnished [ˌʌnˈvɑ:nɪʃt] **1** osminkad [*the ~ truth*], oförblommerad, enkel **2** ofernissad
unveil [ˌʌnˈveɪl] **I** *vb tr* **1** ta slöjan från [*~ one's face*]; avtäcka, låta täckelset falla från [*~ a statue*] **2** bildl. avslöja [*~ a secret*], blotta **II** *vb itr* ta av sig slöjan
unvoiced [ˌʌnˈvɔɪst] fonet. tonlös
unwanted [ˌʌnˈwɒntɪd] inte önskad (önskvärd), oönskad, ovälkommen
unwarranted [ˌʌnˈwɒr(ə)ntɪd] obefogad; omotiverad; oförsvarlig
unwavering [ˌʌnˈweɪv(ə)rɪŋ] orubblig [*~ loyalty*]; fast
unwell [ˌʌnˈwel] dålig, sjuk; *be taken ~* bli dålig (sjuk)
unwieldy [ˌʌnˈwi:ldɪ] klumpig; svårhanterlig, tungrodd [*~ organization*]
unwilling [ˌʌnˈwɪlɪŋ] **1** ovillig; motvillig; *he was an ~ witness [to the scene]* han var (blev) ofrivilligt (mot sin vilja) vittne... **2** motspänstig
unwillingly [ˌʌnˈwɪlɪŋlɪ] ogärna
unwind [ˌʌnˈwaɪnd] (*unwound unwound*) **I** *vb tr* nysta (linda, vira, rulla, veckla) av (upp); veckla (rulla) ut; lösgöra **II** *vb itr* nystas upp, nysta upp sig etc., jfr *I*
unwise [ˌʌnˈwaɪz] oklok
unwitting [ˌʌnˈwɪtɪŋ] **1** oavsiktlig, omedveten **2** omedveten, ovetande [*~ that he had hurt her*]; aningslös
unwittingly [ˌʌnˈwɪtɪŋlɪ] **1** oavsiktligt, omedvetet **2** ovetande[s]; aningslöst
unworkable [ˌʌnˈwɜ:kəbl] **1** outförbar, ogenomförbar [*an ~ plan*] **2** ohanterlig; motspänstig [*~ material*]
unworldly [ˌʌnˈwɜ:ldlɪ] ovärldslig; världsfrämmande
unworthy [ˌʌnˈwɜ:ðɪ] ovärdig [*an ~ successor*]; oförtjänt; [*behaviour*] *~ of a gentleman* ...ovärdigt en gentleman
unwound [ˌʌnˈwaʊnd] **I** imperf. o. perf. p. av *unwind* **II** *adj* ouppdragen [*an ~ clock*]
unwrap [ˌʌnˈræp] veckla upp (ut); öppna [*~ a parcel*]; bildl. avslöja
unwritten [ˌʌnˈrɪtn] oskriven [*an ~ page*]; *an ~ law* en oskriven lag
unyielding [ˌʌnˈji:ldɪŋ] oböjlig
unzip [ˌʌnˈzɪp] **I** *vb tr* dra ner (öppna) [blixtlåset på]; *can you ~ me?* kan du hjälpa mig med [att öppna] blixtlåset? **II** *vb itr* öppnas med blixtlås
up [ʌp] **I** *adv* o. *pred adj* **1** a) upp; uppåt b) fram [*he came ~ to me*] c) upp, ned

norrut el. i förhållande till storstad, isht London [~ *to London*]; uppåt (inåt) [landet] i förhållande till kusten [*travel ~ from the coast*]; *hands ~!* upp med händerna!; ~ *there* dit upp; ~ *and down* fram och tillbaka **2** a) uppe [*stay ~ all night*] b) uppe, nere norrut el. i förhållande till storstad [~ *in London*]; uppåt (inåt) [landet] i förhållande till kusten [*two miles ~ from the coast*]; *be ~ and about* vara uppe [och i full gång], vara på benen; ~ *there* däruppe; ~ *north* norröver, norrut **3** a) över, slut [*my leave was nearly ~*] b) bildl. ute; *the game is ~* spelet är förlorat **4** sport. o.d. plus; *be one [goal] ~* leda med ett mål **5** specialbet. i förb. med verb **a**) ihop [*add ~; fold ~*], igen, till [*shut ~ a house*] **b**) fast [*chain ~*]; in [*lock a th. ~*] **c**) sönder [*tear ~*] **d**) *hurry ~!* skynda på!; utan motsvarighet i sv. [*wake ~*] **e**) *be ~* a) vara uppe (uppstigen), ha gått upp [*he (the moon) is not ~ yet*] b) vara [upp]rest (uppförd) [*the house is ~*]; vara uppfälld [*his collar was ~*]; vara uppdragen [*the blinds were ~*] c) ha stigit (gått upp) [*the price of meat is ~*] d) sitta till häst e) vara [uppe] i luften; flyga på viss höjd [*the plane is five thousand feet ~*] f) vara uppriven (uppgrävd) [*the street is ~*] **f**) *what's ~?* vad står på?; *there's something ~* det är något på gång **6** *be ~ against* stå (ställas) inför, kämpa med (mot) **7** *be ~ for* vara uppe till [*be ~ for debate*]; ställa upp till [*be ~ for re-election*]; *be well ~ on [a subject]* vara insatt i... **8** ~ *to* **a**) [ända] upp till [*count from one ~ to ten*], [ända] fram till, [ända] tills; ~ *to now* [ända] tills nu, hittills **b**) i nivå med [*this book isn't ~ to his last*]; *he (it) isn't ~ too much* det är inte mycket bevänt med honom (det) **c**) *he isn't ~ to [the job]* han duger inte till...; *I don't feel (I'm not) ~ to it* jag känner mig inte i form, jag har ingen lust **d**) efter [*act ~ to one's principles*] **e**) *be ~ to a p.* vara ngns sak **f**) *be ~ to something* ha något [fuffens] för sig **II** *prep* uppför [~ *the hill*]; uppe på (i) [~ *the tree*]; uppåt; [upp] längs [med] [~ *the street*]; *walk ~ the street* äv. gå gatan fram[åt]; ~ *your arse* (amer. *ass*)*!* el. ~ *yours!* ta dig i häcken! **III** *s*, *~s and downs* höjningar och sänkningar; växlingar, svängningar [*the ~s and downs of the market*]; med- och motgång; *he has his ~s and downs* det går upp och ned för honom

up-and-coming [ˌʌpən'kʌmɪŋ] lovande [*an ~ author (pianist)*], uppåtgående; *an ~ man* äv. en påläggskalv

upbeat ['ʌpbi:t] **I** *s* **1** mus. upptakt; uppslag **2** vard. optimistisk (glad) stämning **II** *adj* vard. optimistisk, utåtriktad; glad [*an ~ mood*]; uppåt

upbraid [ʌp'breɪd] förebrå, läxa upp

upbringing ['ʌpˌbrɪŋɪŋ] uppfostran, fostran

update [ss. vb ʌp'deɪt, ss. subst. '--] **I** *vb tr* uppdatera; modernisera **II** *s* uppdatering

upend [ʌp'end] **1** välta [omkull] [~ *the table*]; vända upp och ned på **2** bildl. kullkasta **3** slå

upgrade [ss. subst. 'ʌpgreɪd, ss. vb -'-] **I** *s* **1** stigning; *be on the ~* bildl. stiga, öka, gå uppåt; vara på uppåtgående **2** amer. uppförsbacke **II** *vb tr* **1** befordra [~ *to a higher position*] **2** förbättra; höja värdet (kvaliteten) på; uppvärdera

upheaval [ʌp'hi:v(ə)l] **1** geol. höjdförskjutning **2** bildl. omvälvning [*social (political) ~s*], omstörtning; kaos

uphill [ss. adv. ˌʌp'hɪl, ss. adj. '--] **I** *adv* uppåt, uppför [backen] **II** *adj* **1** stigande; uppförs- [*an ~ slope*]; *it's ~ all the time* a) det bär uppför hela vägen (tiden) b) det är motigt (är tungt, tar emot) hela tiden **2** bildl. besvärlig

uphold [ʌp'həʊld] (*upheld upheld*) **1** upprätthålla, vidmakthålla [~ *discipline*]; hävda **2** godkänna, gilla [~ *a verdict*]; ~ *old traditions* hålla fast vid (värna om) gamla traditioner

upholster [ʌp'həʊlstə] **1** stoppa; klä [~ *a sofa*], madrassera **2** inreda rum med textilier ss. gardiner **3** vard., *well ~ed* fyllig, rund, mullig

upholsterer [ʌp'həʊlst(ə)rə] tapetserare

upholstery [ʌp'həʊlst(ə)rɪ] **1** [möbel]stoppning; heminredning med textilier **2** a) hemtextil b) stoppning konkr.; klädsel c) [stoppade] möbler **3** tapetseraryrke[t]

upkeep ['ʌpki:p] underhåll; underhållskostnad[er]

upland ['ʌplənd] **I** *s* **1** vanl. pl. *~s* högland **2** inland; uppland **II** *adj* höglänt; höglands-

uplift [ss. vb ʌp'lɪft, ss. subst. o. adj. '--] **I** *vb tr* lyfta [upp]; bildl. äv. verka upplyftande (uppbyggande) på **II** *s* **1** höjning, höjande **2** vard. a) uppryckning; uppmuntran b) uppiggande verkan **III** *adj*, *~ bra* stödbehå

upon [ə'pɒn] på; *once ~ a time there was* det var en gång

upper ['ʌpə] **I** *adj* övre [*the ~ end (limit)*; ~ *Manhattan*], högre; över- [*the ~ jaw (lip)*]; överst; *the ~ class (classes)* överklassen **II** *s* **1** vanl. pl. *~s* ovanläder **2** *be [down] on one's ~s* vard. vara barskrapad (utfattig)

upper-class [ˌʌpə'klɑ:s, attr. '---] överklass-; överklassig; *be ~* vara överklass

uppercut ['ʌpəkʌt] boxn. uppercut

uppermost ['ʌpəməʊst] **I** *adj* [allra] överst; [allra] högst; främst; mest framträdande;

närmast [liggande]; *be* ~ äv. ha överhand (övertaget) **II** *adv* [allra] överst; [allra] högst

upright ['ʌpraɪt] **I** *adj* **1** upprätt; *put* (*set*) ~ resa (räta) upp, ställa [rakt] upp (på ända) **2** hederlig, rättskaffens **II** *s* **1** stolpe, pelare; pl. *~s* äv. målstolpar **2** ~ [*piano*] piano, pianino **III** *adv* upprätt, rakt [upp]

uprising ['ʌpˌraɪzɪŋ, ˌ-'--] resning, uppror

uproar ['ʌprɔ:] tumult [*the meeting ended in* [*an*] ~], förvirring; rabalder, liv, oväsen; *the town is in an* ~ staden är i uppror

uproarious [ʌp'rɔ:rɪəs] **1** tumultartad **2** larmande; överväldigande [*an* ~ *welcome*], stormande [~ *applause*]; skallande [~ *laughter*] **3** vard. helfestlig [*an* ~ *comedy*]

uproot [ʌp'ru:t] **1** rycka (dra) upp med rötterna (roten); bildl. äv. göra rotlös **2** utrota

upset [ss. vb o. adj. ʌp'set, ss. subst. 'ʌpset] **I** (*upset upset*) *vb tr* **1** stjälpa (välta) [omkull] [~ *a table*], slå omkull; stjälpa (välta) ut [~ *a glass of milk*]; komma att kantra [~ *the boat*] **2** a) bringa oordning i [~ *a room*] b) kullkasta [~ *a p.'s plans*] c) göra upprörd (uppskakad) [*the incident* ~ *her*] d) störa isht matsmältningen; göra illamående; ~ *a p.'s nerves* göra ngn uppriven (nervös) **II** *s* **1** [kull]stjälpning; kantring; fall; kullkastande; etc., jfr *I* **2** fysisk el. psykisk rubbning; chock [*she had a terrible* ~]; depression; *have a stomach* ~ ha krångel med magen, ha magbesvär **3** oreda, röra **4** sport. skräll **III** *perf p* o. *adj* (jfr äv. *I*) **1** [kull]stjälpt etc. **2** a) i oordning etc. b) kullkastad etc. c) upprörd etc.; uppriven; *be* ~ *that...* vara (bli) upprörd över att...

upsetting [ʌp'setɪŋ] upprörande, [upp]skakande; förarglig

upshot ['ʌpʃɒt] **1** resultat; slut; *the* ~ *of the matter was...* det hela slutade med..., summan av kardemumman var (blev)... **2** slutsats

upside-down [ˌʌpsaɪ(d)'daʊn] **I** *adv* upp och ned; huller om buller; bildl. äv. bakvänt; *turn* ~ vända upp och ned [på] **II** *adj* uppochnedvänd; bildl. äv. bakvänd; ~ *cake* upp-och-ner-kaka

upstage [ʌp'steɪdʒ] **I** *adv* i (mot) bakgrunden, i fonden **II** *adj* **1** bakgrunds-, i bakgrunden (fonden) **2** vard. överlägsen, mallig; snobbig **III** *vb tr* **1** teat. tvinga medspelare att hålla sig i bakgrunden **2** bildl. dra uppmärksamheten från **3** vard. sätta på plats

upstairs [ˌʌp'steəz] uppför trappan (trapporna) [*go* ~]; i övervåningen

upstanding [ʌp'stændɪŋ] uppstående [*an* ~ *collar*]; upprättstående; rak; välväxt [*a fine* ~ *boy*]

upstart ['ʌpstɑ:t] uppkomling

upstream [ˌʌp'stri:m, ss. attr. adj. '--] [som går] uppför (mot) strömmen; uppåt floden

upsurge ['ʌpsɜ:dʒ] **1** framvällande; våg [*an* ~ *of indignation*] **2** [snabb] ökning [*an* ~ *of wage claims*]; uppsving **3** resning, uppror

upswing ['ʌpswɪŋ] uppsving; uppåtgående trend; *be on the* ~ vara på uppåtgående

uptake ['ʌpteɪk], *be quick* (*slow*) *on* (*in*) *the* ~ ha lätt (svårt) [för] att fatta, fatta snabbt (långsamt)

uptight ['ʌptaɪt] vard. **1** spänd; nervös, skärrad; irriterad **2** uppsträckt; formell

up-to-date [ˌʌptə'deɪt] à jour; fullt modern

uptown [ss. adv. o. subst. ˌʌp'taʊn, ss. adj. '--] amer. **I** *adv* o. *adj* till (uppåt, i, från) norra (övre) delen av stan; till (i, från) stans utkant[er] (bostadskvarter) **II** *s* norra (övre) delen av stan; stans utkant[er]

upturn [ss. vb ʌp'tɜ:n, ss. subst. 'ʌptɜ:n] **I** *vb tr* vända [på]; vända upp och ned på äv. bildl. **II** *s* uppåtgående trend

upturned [ˌʌp'tɜ:nd, '--] **1** uppåtvänd; uppåtböjd; ~ *nose* uppnäsa **2** uppochnedvänd

upward ['ʌpwəd] uppåtriktad, uppåtvänd; uppåtgående, stigande [*prices show an* ~ *tendency*]

uranium [jʊ'reɪnjəm] kem. uran

Uranus [jʊ(ə)'reɪnəs, 'jʊərənəs] **1** mytol. Uranos **2** astron. Uranus

urban ['ɜ:bən] stads- [~ *population*], tätorts-; stadsmässig; urbaniserad; ~ *area* tätort

urbane [ɜ:'beɪn] belevad, världsvan, urban

urbanity [ɜ:'bænətɪ] **1** belevenhet, världsvana **2** stadsprägel, stadskaraktär

urbanization [ˌɜ:bənaɪ'zeɪʃ(ə)n] urbanisering

urbanize ['ɜ:bənaɪz] urbanisera; ge stadsprägel åt

urchin ['ɜ:tʃɪn] buspojke; [*street*] ~ gatpojke, gatunge, rännstensunge

urge [ɜ:dʒ] **I** *vb tr* **1 a**) ~ *on* (*onward, forward, along*) driva på, mana på [*he ~d his horse on* (*onward*)], skynda på, påskynda **b**) pressa, driva [~ *a p. to action*] **2** försöka övertala, anmoda [*he ~d me to come*], ligga efter, mana **3** yrka på, kräva [~ *a measure*]; framhålla, understryka **II** *vb itr* **1** sträva **2** yrka, ivra **III** *s* stark längtan [*feel an* ~ *to travel*]

urgency ['ɜ:dʒ(ə)nsɪ] **1** vikt, angelägenhet, brådskande natur; *the* ~ *of the situation* det allvarliga i situationen **2** enträgenhet; enträgen bön

urgent ['ɜ:dʒ(ə)nt] **1** a) brådskande,

angelägen, viktig; allvarlig [*an ~ situation*] b) påskrift på brev m.m. angeläget, brådskande; *the matter is ~* äv. saken brådskar; ~ *telegram* iltelegram **2** enträgen, envis

urgently ['ɜ:dʒ(ə)ntlɪ] **1** [*supplies*] *are ~ needed* (*required*) det finns ett trängande behov av... **2** enträget

urinal [ˌjʊə'raɪnl, 'jʊərɪnl, amer. 'jʊrənl] **1** [*bed*] ~ uringlas; urinal **2** [*public*] ~ pissoar, urinoar

urinate ['jʊərɪneɪt] kasta vatten

urine ['jʊərɪn] urin

urn [ɜ:n] **1** urna **2** tekokare, kaffekokare

Uruguay ['jʊərəgwaɪ, 'ʊr-]

Uruguayan [ˌjʊərə'gwaɪən, ˌʊr-] **I** *adj* uruguaysk **II** *s* uruguayare

US [ˌju:'es] **I** (förk. för *United States*) *s* **1** *the ~* USA **2** Förenta Staternas, USA:s **II** förk. för *Uncle Sam*

us [ʌs, obeton. əs, s] (objektsform av *we*) **1** oss **2** vard. vi [*it wasn't ~*] **3** vard. för *our*; *she likes ~ singing* [*her to sleep*] hon tycker om att vi sjunger... **4** vard. mig [*give ~ a piece*]

USA [ju:es'eɪ] **I** (förk. för *United States of America*) *s*, *the ~* USA **II** förk. för *United States Army*

usable ['ju:zəbl] användbar

usage ['ju:sɪdʒ, 'ju:zɪdʒ] **1** behandling, hantering [*harsh* (*rough*) *~*] **2** språkbruk [*Modern English U~*] **3** [vedertaget] bruk, sed

use [ss. subst. ju:s; ss. vb.: i bet. *II* ju:z, i bet. *III* ju:s] **I** *s* **1** användning, begagnande; *make ~ of* använda, begagna sig av, utnyttja; ta till vara; *directions for ~* bruksanvisning **2** användning, nytta; funktion; *peaceful ~s of nuclear power* fredligt utnyttjande av atomkraft[en] **3** nytta; användbarhet; *what's the ~?* vad tjänar det till?, vad ska det tjäna till?; *be of ~* vara (komma) till nytta (användning), vara användbar [*to a p.* för ngn; *for a th.* till ngt]; *be* [*of*] *no ~* inte gå att använda, vara till ingen nytta [*the information was* [*of*] *no ~*]; *it is no ~ trying* el. *there is no ~* [*in*] *trying* det tjänar ingenting till (det är ingen idé) att försöka **4 a**) *lose the ~ of one eye* bli blind på ena ögat **b**) *room with ~ of kitchen* rum med tillgång till (del i) kök **5** bruk, sed **II** *vb tr* **1** använda, begagna, anlita; utnyttja [*he ~s people*]; *~ force* bruka våld **2** ~ [*up*] förbruka, göra slut på, uttömma **3** visa [*~ discretion* (*tact*)] **III** *vb itr* (end. i imperf.): **a**) *~d to* ['ju:stə, -tʊ] brukade; *there ~d to be...* förr fanns det... **b**) i nekande satser: *he ~d not* (*~dn't*, *~n't*, *didn't ~*) *to be like that* han brukade inte vara sådan, förr var han inte sådan

used [i bet. *I 1* ju:zd, i bet. *I 2* o. *II* ju:st] **I** *adj* o. *perf p* **1** använd, begagnad [*~ cars*]; *hardly ~* nästan [som] ny, nästan oanvänd **2** *~ to* van vid **II** imperf., se *use III*

useful ['ju:sf(ʊ)l] **1** nyttig [*~ work*]; användbar, bra; *~ article* nyttoföremål; *this is not very ~* detta är inte till mycket nytta, detta hjälper inte mycket **2** vard. rätt bra, skaplig

usefulness ['ju:sf(ʊ)lnəs] nytta; nyttighet; användbarhet

useless ['ju:sləs] **1** onyttig, oduglig; oanvändbar; värdelös **2** lönlös, meningslös

user ['ju:zə] användare; *road ~* vägtrafikant

user-friendly ['ju:zəˌfrendlɪ] användarvänlig

usher ['ʌʃə] **I** *s* **1** vaktmästare på bio, teater o.d.; rättstjänare i rättslokal **2** isht amer. marskalk vid fest o.d. **II** *vb tr* **1** föra, ledsaga, visa; *~ in* äv. anmäla; *I was ~ed into his presence* jag fick företräde hos (visades in till) honom **2** *~ in* bildl. inleda, inviga [*the play ~ed in the new season*], bebåda **3** gå före vid procession

usherette [ˌʌʃə'ret] [kvinnlig] vaktmästare, plats[an]viserska på bio, teater o.d.

USSR [ˌju:eses'ɑ:] (förk. för *Union of Soviet Socialist Republics*) geogr. hist., *the ~* Sovjet[unionen]

usual ['ju:ʒʊəl] vanlig, bruklig, gängse; [*he came late,*] *as ~* ...som vanligt; *as is ~* [*in our family*] som det brukas..., som vanligt [är]...; [*Stockholm is*] *its ~ self* ...sig likt; [*can I have*] *a glass of the ~?* ...ett glas av det vanliga (det jag brukar dricka)?

usually ['ju:ʒʊəlɪ] vanligtvis; vanligt; *more than ~ hot* varmare än vanligt

usurer ['ju:ʒ(ə)rə] ockrare

usurp [ju:'zɜ:p] tillskansa sig, bemäktiga sig [*~ power*], usurpera

usurper [ju:'zɜ:pə] usurpator; troninkräktare; inkräktare

usury ['ju:ʒərɪ] **1** ocker; *practise ~* bedriva ocker, ockra **2** ockerränta

utensil [ju:'tensl] redskap, verktyg; pl. *~s* äv. utensilier; *cooking ~s* kokkärl

utilitarian [ˌju:tɪlɪ'teərɪən] **I** *adj* **1** nytto- [*~ morality*], nyttighets-; filos. utilitaristisk **2** ändamålsenlig **II** *s* anhängare av nyttomoralen; filos. utilitarist, utilist

utilit|y [ju:'tɪlətɪ] **1** [praktisk] nytta, användbarhet; nyttighet **2** [*public*] ~ a) affärsdrivande verk, statligt (kommunalt) affärsverk, allmännyttigt (samhällsnyttigt) företag b) samhällsservice, allmän nyttighet; *-ies* amer. a) gas, vatten, el b) teletjänster c) kommunikationer, kommunikationsväsende; *public ~ company* allmännyttigt (samhällsnyttigt) företag **3** attr. nytto-, bruks-; nyttig, praktisk, funktionell; universal-, som kan

användas till mycket [*a ~ vehicle*]; nyttobetonad; ~ *plant* nyttoväxt
utilization [ˌju:tɪlaɪ'zeɪʃ(ə)n] utnyttjande; tillvaratagande
utilize ['ju:tɪlaɪz] utnyttja; tillvarata
utmost ['ʌtməʊst, -məst] **I** *adj* **1** ytterst [*the ~ limits*] **2** bildl. ytterst, största [*with the ~ care*], högst **II** *s, the ~* det yttersta, det allra mesta (bästa), det bästa möjliga; *do one's ~* göra sitt bästa (yttersta), göra allt
Utopia [ju:'təʊpɪə] **1** Utopien, Utopia efter Thomas Mores bok 'Utopia'; idealstat **2** utopi [äv. *u~*]
Utopian o. **utopian** [ju:'təʊpɪən] **I** *adj* utopisk, verklighetsfrämmande; *it is ~* [*to think that...*] äv. det är en utopi... **II** *s* utopist
1 utter ['ʌtə] fullständig [*an ~ denial*], fullkomlig, absolut [*~ darkness*], yttersta [*~ misery*]; komplett [*an ~ fool*]
2 utter ['ʌtə] **1** ge ifrån sig [*~ a sigh*], ge upp, utstöta [*~ a cry*]; få fram; uttala [*~ sounds*] **2** yttra, uttala [*the last words he ~ed*]
utterance ['ʌt(ə)r(ə)ns] **1** artikulering; tal **2** uttalande, yttrande; uttryck **3** *give ~ to* ge uttryck åt, uttrycka
utterly ['ʌtəlɪ] fullständigt etc., jfr *1 utter*; ytterst, ytterligt
U-turn ['ju:tɜ:n] **1** U-sväng; *no ~s* U-sväng förbjuden **2** bildl. helomvändning, kovändning

V

V, v [vi:] (pl. *V's* el. *v's* [vi:z]) V, v; *V sign* V-tecken
V (förk. för *volt*[*s*])
vac [væk] vard. kortform för *vacation I*
vacancy ['veɪk(ə)nsɪ] **1** tomrum **2** a) vakans; ledig plats b) ledigt rum o.d.
vacant ['veɪk(ə)nt] **1** tom [*~ seat*], ledig [*~ room; ~ situation* (plats)], vakant [*apply for a ~ post* (tjänst)]; *fall* (*become*) ~ om tjänst bli ledig (vakant) **2** tom [*a ~ expression on her face*], innehållslös; frånvarande [*a ~ smile*]
vacantly ['veɪk(ə)ntlɪ], *stare ~* stirra frånvarande [framför sig]
vacate [və'keɪt, veɪ'k-, amer. 'veɪkeɪt] **I** *vb tr* **1** flytta ifrån (ur) [*~ a house*], överge **2** avgå ifrån [*~ an office* (ämbete)] **II** *vb itr* **1** flytta från bostad o.d. **2** sluta sin plats **3** amer. vard. ta semester
vacation [və'keɪʃ(ə)n, veɪ'k-] **I** *s* **1** a) ferier [*the Christmas ~*] b) isht amer. semester; *the long* (*summer*) ~ sommarlovet; *be on ~* a) ha ferier (lov) b) isht amer. ha semester **2** utrymning, övergivande av bostad o.d.; utflyttning **3** frånträdande av tjänst o.d.; avgång **II** *vb itr* amer. **1** semestra **2** ta semester
vacationer [və'keɪʃ(ə)nə, veɪ'k-] o. **vacationist** [və'keɪʃ(ə)nɪst] amer. semesterfirare
vaccinate ['væksɪneɪt, -s(ə)n-] vaccinera
vaccination [ˌvæksɪ'neɪʃ(ə)n, -s(ə)'neɪ-] vaccinering
vaccine ['væksi:n, -sɪn, væk'si:n] **I** *s* med. vaccin **II** *adj* **1** vaccin- **2** ko-
vacillate ['væsɪleɪt] vackla, tveka; svänga
vacillation [ˌvæsɪ'leɪʃ(ə)n] vacklan; tvekan
vacuous ['vækjʊəs] **1** tom; uttryckslös **2** enfaldig
vacuum ['vækjʊ(ə)m] **I** *s* **1** vakuum, tomrum; [luft]tomt rum; *~ cleaner* dammsugare **2** vard. dammsugare **II** *vb tr* o. *vb itr* dammsuga
vacuum-packed ['vækjʊəmpækt] vakuumförpackad
vagabond ['vægəbɒnd, -bənd] **I** *adj* kringflackande [*~ life*]; vagabond- **II** *s* **1** vagabond; landstrykare **2** skojare, odåga
vagina [və'dʒaɪnə] anat. slida
vagrancy ['veɪgr(ə)nsɪ] kringflackande; vagabondliv; jur. lösdriveri
vagrant ['veɪgr(ə)nt] **I** *adj* kringflackande [*a ~ musician*] **II** *s* vagabond; jur. lösdrivare
vague [veɪg] vag, oklar, obestämd [*~ outlines*]; *I haven't the ~st* [*idea*] jag har

inte den blekaste aning; *a ~ recollection* ett dunkelt (svagt) minne

vaguely ['veɪglɪ] vagt etc., jfr *vague*; *the name is ~ familiar* namnet låter [på något vis] bekant

vain [veɪn] **1** fåfäng **2** gagnlös **3** *in ~* **a**) förgäves **b**) *take the name of God in ~* missbruka Guds namn

vainglorious [ˌveɪn'glɔ:rɪəs] inbilsk

vainness ['veɪnnəs] **1** fåfänglighet; fruktlöshet **2** fåfänga

valance ['væləns] [gardin]kappa; kornisch

valedictory [ˌvælɪ'dɪktərɪ] avskeds- [*~ speech*]

Valentine ['væləntaɪn] **I** mansnamn; *St. ~'s Day* Valentindagen 14 febr.; Alla hjärtans dag **II** *s, v~* valentinkort; valentingåva

valerian [və'lɪərɪən] bot. el. farmakol. valeriana; vände[l]rot

valet ['vælɪt, -leɪ] **I** *s* **1** kammartjänare **2** hotellvaktmästare som ansvarar för tvätt, bilparkering m.m. åt gästerna **3** *~ [stand]* herrbetjänt möbel **II** *vb tr* **1** passa upp **2** sköta om [kläderna åt]

valiant ['væljənt] tapper

valid ['vælɪd] **1** jur. [rätts]giltig, lagenlig; *~ period* giltighetstid **2** giltig [*~ evidence, ~ excuse*], stark, bindande, meningsfull [*~ reasons*]

validate ['vælɪdeɪt] lagfästa, stadfästa; bekräfta; godkänna

validity [və'lɪdətɪ] **1** giltighet; jur. äv. laga kraft; bildl. värde **2** validitet äv. psykol.

valise [və'li:z, -i:s] **1** [liten] resväska **2** mil. packning; ränsel

valley ['vælɪ] dal, dalgång; *the ~ [of the shadow] of death* bibl. dödsskuggans dal

valour ['vælə] litt. tapperhet, mod

valuable ['væljʊəbl] **I** *adj* värdefull; värde- [*~ paper*]; inbringande; bildl. högt skattad, värderad [*a ~ friend*] **II** *s*, vanl. pl. *~s* värdesaker, dyrbarheter

valuation [ˌvæljʊ'eɪʃ(ə)n] **1** värdering [*~ of a property*], uppskattning **2** värde, värderingsbelopp

value ['vælju:] **I** *s* **1** värde [*the ~ of the pound*]; valör; *ratable ~* taxeringsvärde; *learn the ~ of* [lära sig att] uppskatta [värdet av] **2** valuta; utdelning; *good ~* full valuta [*for* för]; *it is good ~ [for money]* den är prisvärd, den ger god valuta för pengarna **3 a**) valör [*the ~ of a word*] **b**) *~ [of a note]* mus. [not]värde, [nots] tidsvärde **4** pl. *~s* sociol. o.d. normer, värderingar [*moral (ethical) ~s*] **5** matem. värde [*the ~ of x*] **II** *vb tr* värdera, taxera; bildl. äv. sätta värde på; *~ highly (dearly)* sätta stort värde på, skatta högt; högakta

value-added ['væljʊˌædɪd], *~ tax* mervärdesskatt, moms

valued ['vælju:d] värderad, [högt] skattad, ärad

valueless ['væljʊləs] värdelös

valuer ['væljʊə] **1** värderingsman **2** uppskattare

valve [vælv] **1** tekn. ventil, klaff; [*key*] *~* mus. klaff **2** anat. [hjärt]klaff **3** [*radio*] *~* [radio]rör

1 vamp [væmp] **I** *s* **1** ovanläder **2** mus. improviserat ackompanjemang **II** *vb tr* **1** försko sätta nytt ovanläder på [*~ a shoe*] **2** lappa [äv. *~ up*] **3** mus. improvisera [*~ an accompaniment*] **III** *vb itr* mus. improvisera ett ackompanjemang

2 vamp [væmp] vard. **I** *s* vamp **II** *vb itr* spela vamp

vampire ['væmpaɪə] **1** vampyr, blodsugare **2** vamp **3** zool., *~ [bat]* [stor] blodsugare, vampyr slags fladdermus

1 van [væn] **1** [täckt] transportbil, varubil [äv. *delivery ~*]; flyttbil [äv. *furniture ~*]; van; mindre buss; järnv. godsvagn [äv. *luggage ~*]; *guard's ~* konduktörskupé; *police ~* transitbuss, piket **2** husvagn

2 van [væn] se *vanguard*

3 van [væn] i tennis fördel

vandalism ['vændəlɪz(ə)m] vandalism

vandalize ['vændəlaɪz] vandalisera

vane [veɪn] **1** vindflöjel **2** [kvarn]vinge; styrvinge på robot o.d.; styrfjäder på pil

vanguard ['vængɑ:d] mil. förtrupp; bildl. äv. främsta led; *be in the ~ of* gå i spetsen (täten) för

vanilla [və'nɪlə] bot. el. kok. vanilj; *~ custard* vaniljkräm; vaniljsås

vanish ['vænɪʃ] försvinna; dö (blekna) bort; falla bort; *~ from (out of) a p.'s sight (view)* försvinna ur ngns åsyn (synhåll)

vanishing ['vænɪʃɪŋ] försvinnande; bortdöende, förbleknande; *~ act (trick)* borttrollningsnummer

vanity ['vænətɪ] **1** fåfänga [*injure (wound) a p.'s ~*] **2** fåfänglighet; meningslöshet; *~ of vanities* fåfängligheters fåfänglighet **3** *~ [bag (case)]* a) sminkväska, liten necessär b) aftonväska

vanquish ['væŋkwɪʃ] litt. övervinna, besegra

vantage ['vɑ:ntɪdʒ] **1** i tennis fördel **2** *~ point* strategisk ställning

vapid ['væpɪd] fadd; avslagen [*~ beer*]; bildl. andefattig [*a ~ conversation*], innehållslös [*~ speeches*]

vaporize ['veɪpəraɪz] **I** *vb tr* förvandla till ånga; vaporisera **II** *vb itr* avdunsta, förångas

vaporizer ['veɪpəraɪzə] avdunstningsapparat; sprej apparat; spridare

vapour ['veɪpə] ånga; dimma; imma; utdunstning; *~ trail* kondensstrimma från flygplan

variable ['veərɪəbl] **I** *adj* växlande [~ *winds*], varierande [~ *standards*], föränderlig; avvikande; ombytlig [~ *mood*], ostadig [~ *weather*] **II** *s* matem., statistik. el. astron. variabel
variance ['veərɪəns] **1** skillnad [~*s in temperature*] **2** *be at* ~ a) om pers. vara oense (oeniga), bekämpa varandra b) om åsikter o.d. motsäga varandra, gå isär; vara oförenliga
variant ['veərɪənt] **I** *adj* **1** skiljaktig; olika; avvikande; ~ *pronunciation* uttalsvariant, variantuttal **2** föränderlig; varierande **II** *s* variant[form]
variation [ˌveərɪ'eɪʃ(ə)n] **1** variation; avvikelse; skiftning **2** variant **3** mus. variation [~ *on* (över) *a theme*]
varicose ['værɪkəʊs, -kəs] med. åderbråcks-; varikös; ~ *veins* åderbråck
varied ['veərɪd] [om]växlande; olikartad
variety [və'raɪətɪ] **1** omväxling, variation; ~ *is the spice of life* ombyte förnöjer **2** mångfald, mängd; *for a ~ of reasons* av en mängd olika skäl **3** sort **4** hand. [stor] sortering; ~ *store* amer. billighetsaffär, basar **5** ~ [*entertainment* (*show*)] varieté[underhållning], varietéföreställning
various ['veərɪəs] **1** olika [~ *types*], olikartad[e]; [om]växlande **2** åtskilliga [*for ~ reasons*], flerfaldiga
varnish ['vɑːnɪʃ] **I** *s* fernissa; lack [*nail* ~]; lackering; glans **II** *vb tr* **1** fernissa [äv. ~ *over*]; lacka, lackera [~ *one's nails*] **2** bildl. skyla över
vary ['veərɪ] **I** *vb itr* **1** variera, växla, skifta [*his mood varies from day to day*], ändra sig **2** vara olik; skilja sig, avvika **II** *vb tr* **1** variera, ändra, anpassa **2** mus. variera [~ *a theme*]
varying ['veərɪɪŋ] växlande, varierande, skiftande, olika
vase [vɑːz, amer. veɪs, veɪz] vas
vasectomy [væ'sektəmɪ] med. vasektomi [sterilisering genom] utskärning av en del av sädesledaren
vast [vɑːst] vidsträckt [~ *plains*], omfattande, [oerhört] stor [*a ~ depth* (*height*)]; *the ~ majority* det stora flertalet, de allra flesta
vastly ['vɑːstlɪ] oerhört; vard. kolossalt; *be ~ superior to* vara långt bättre än, stå skyhögt över
vastness ['vɑːstnəs] vidsträckthet; omätlig rymd (vidd)
VAT [i bet. I ˌviːeɪ'tiː, i bet. I o. II væt] **I** *s* (förk. för *value-added tax*) moms **II** *vb tr* (*VAT'd VAT'd*) momsbelägga
vat [væt] **1** [stort] fat [*a wine* ~]; kar [*a ~ for brewing beer; a tan* ~]; behållare; [lager]tank **2** vid textilfärgning kyp; färgkar
Vatican ['vætɪkən], *the* ~ Vatikanen
vaudeville ['vəʊdəvɪl] **1** isht amer., ~ [*show*] varieté, varietéföreställning, revy **2** vådevill
1 vault [vɔːlt] **I** *s* valv; källarvalv, källare; kassavalv; gravvalv, grav; *family* ~ familjegrav **II** *vb tr* **1** bygga [ett] valv (välvt tak) över; välva; perf. p. ~*ed* välvd [*a ~ed roof*]; med välvt tak [*a ~ed chamber*] **2** välva sig över; bilda [ett] valv över
2 vault [vɔːlt] **I** *vb itr* **1** hoppa [upp] [~ *into* (upp i) *the saddle*]; hoppa stav **2** voltigera **II** *vb tr* hoppa (svinga sig) över **III** *s* **1** språng; stavhopp **2** voltige
vaulting-horse ['vɔːltɪŋhɔːs] gymn. [bygel]häst
vaulting-pole ['vɔːltɪŋpəʊl] stav till stavhopp
VC [ˌviː'siː] förk. för *Vice-Chairman*
VCR [ˌviːsiː'ɑː] **I** förk. för *videocassette recorder* **II** *vb tr* (*VCR'd VCR'd*) spela in på videobandspelare
VD [ˌviː'diː] (förk. för *venereal disease*) VS
've [v] = *have* [*I've, they've, we've, you've*]
veal [viːl] kalvkött; *roast* ~ kalvstek
veer [vɪə] **I** *vb itr* **1** om vind ändra riktning, svänga (slå) om isht medsols [äv. ~ *round*] **2** om fartyg ändra kurs **3** svänga, vika [av] [~ *aside*] **4** bildl. svänga, slå om; ändra mening **II** *vb tr* vända [~ *a ship*]; ändra [~ *the direction*]
veg [vedʒ] (pl. lika) vard. kortform för *vegetable II*
vegetable ['vedʒ(ə)təbl] **I** *adj* **1** vegetabilisk [~ *food*]; grönsaks- [*a ~ diet*]; växtartad; som tillhör växtriket; växt- [~ *fibre*; ~ *poison*]; *the ~ kingdom* växtriket **2** vegeterande; händelselös **II** *s* **1** grönsak; köksväxt; växt; pl. ~*s* äv. vegetabilier **2** vard. a) slö och oföretagsam person b) [hjälplöst] kolli
vegetarian [ˌvedʒɪ'teərɪən] **I** *s* **1** vegetarian **2** zool. växtätare **II** *adj* vegetarisk
vegetate ['vedʒɪteɪt] **1** om växt växa, utveckla sig **2** vegetera, föra ett enformigt (overksamt) liv, slöa
vegetation [ˌvedʒɪ'teɪʃ(ə)n] **1** vegetation äv. med.; växtliv **2** bildl. vegeterande; vegeterande tillvaro
vehemence ['viːəməns] häftighet, våldsamhet
vehement ['viːəmənt] om pers., känslor m.m. häftig, våldsam [~ *passions*]
vehicle ['viːɪkl, 'vɪək-] **1** fordon; vagn; fortskaffningsmedel; farkost [*space* ~]; ~ [*excise*] *licence* ung. motsv. fordonsskatt, bilskattekvitto **2** bildl. [uttrycks]medel; förmedlare; medium; *a ~ for* (*of*) *propaganda* ett propagandamedel
vehicular [vɪ'hɪkjʊlə] fordons-; trafik- [~ *tunnel*]; ~ *traffic* fordonstrafik
veil [veɪl] **I** *s* **1** slöja äv. bildl.; [nunne]dok;

draw a ~ over bildl. dra en slöja över, förbigå med tystnad **2** bildl. täckmantel [*under the ~ of religion*] **II** *vb tr* beslöja, dölja; bildl. äv. överskyla; perf. p. *~ed* äv. dold, inlindad, förstucken, förtäckt [*a ~ed threat*]
vein [veɪn] **I** *s* **1** anat. ven **2** åder äv. bildl.; geol. [malm]gång; malmåder **3** nerv i blad o.d. **4** ådra i trä, sten o.d.; strimma **5** stämning; läggning; *be in the* [*right*] *~* vara upplagd, vara i den rätta stämningen **6** drag, inslag, anstrykning, underström [*a ~ of melancholy*] **7** stil [*all his remarks were in the same ~*] **II** *vb tr* tekn. ådra, marmorera
Velcro ['velkrəʊ] **I** *s* ® kardborrband, kardborr[e]knäppning **II** *vb tr* knäppa (fästa) med kardborrband
vellum ['veləm] **1** veläng[pergament] **2** *~* [*paper*] veläng[papper]; slags glättat papper
velocity [və'lɒsətɪ] hastighet [*the ~ of light*]
velour o. **velours** [və'lʊə] velour; plysch; bomullssammet; *~ hat* velourhatt
velvet ['velvət] **I** *s* **1** sammet **2** [sammets]mjukhet, lenhet **II** *adj* sammets-; sammetslen; *an iron hand* (*fist*) *in a ~ glove* en järnhand under silkesvanten
velvety ['velvətɪ] sammetslen
vendetta [ven'detə] vendetta
vendor ['vendə] **1** a) isht jur. säljare b) gatuförsäljare **2** [varu]automat
veneer [və'nɪə] **I** *vb tr* **1** snick. fanera [*~ with walnut*] **2** bildl. piffa upp; maskera **II** *s* **1** snick. faner; fanerskiva **2** bildl. fasad, [yttre] fernissa; yta, yttre sken
venerable ['ven(ə)rəbl] **1** vördnadsvärd **2** *V~* om ärkediakon högvördig
venerate ['venəreɪt] ära, vörda
veneration [ˌvenə'reɪʃ(ə)n] vördande; vördnad; *hold* (*have*) *in ~* hålla i ära, vörda
venereal [vɪ'nɪərɪəl] **1** venerisk, köns- [*~ disease*] **2** sexuell [*~ desire*]
Venetian [və'ni:ʃ(ə)n] **I** *adj* venetiansk [*~ glass*]; *~ blind* persienn **II** *s* **1** venetianare **2** *v~* persienn
Venezuela [ˌvene'zweɪlə, ˌvenɪ'z-]
Venezuelan [ˌvene'zweɪlən, ˌvenɪ'z-] **I** *adj* venezuelansk **II** *s* venezuelan
vengeance ['ven(d)ʒ(ə)ns] **1** hämnd **2** *with a ~* vard. så det förslår (förslog), riktigt ordentligt
vengeful ['ven(d)ʒf(ʊ)l] hämndlysten; hämnande
Venice ['venɪs] geogr. Venedig
venison ['venɪsn, -ɪzn, 'venzn] kok. rådjurskött; rådjursstek, hjortstek
venom ['venəm] gift isht av djur; bildl. äv. bitterhet, ondska
venomous ['venəməs] giftig [*a ~ snake*; *~ criticism*]
1 vent [vent] **I** *s* **1** a) [luft]hål b) öppning c) rökgång **2** bildl. utlopp, fritt lopp [*give* [*free*] *~ to one's feelings*] **II** *vb tr* ge utlopp (fritt lopp) åt [*~ one's bad temper*]; ösa ut [*~ one's anger on* (över) *a p.*]; låta höra, sjunga ut med [*~ one's opinions*], vädra, lufta [*she ~ed her grievance*]
2 vent [vent] slits på plagg
ventilate ['ventɪleɪt] **1** ventilera, diskutera **2** bildl. ventilera [*~ a matter*]
ventilating ['ventɪleɪtɪŋ] ventilations-; *~ pane* ventilationsruta på bil
ventilation [ˌventɪ'leɪʃ(ə)n] **1** ventilation, luftväxling **2** bildl. ventilering, diskussion
ventilator ['ventɪleɪtə] [rums]ventil; ventilationsanordning
ventriloquism [ven'trɪləkwɪz(ə)m] buktaleri
ventriloquist [ven'trɪləkwɪst] buktalare; *~'s dummy* buktalardocka
venture ['ventʃə] **I** *s* **1** vågstycke, [riskabelt] företag; äventyr; *a bold ~* en djärv satsning **2** hand. spekulation; spekulationsaffär; insats; *~ capital* riskvilligt kapital **3** försök **II** *vb tr* **1** våga, satsa; *nothing ~, nothing gain* (*have, win*) ordspr. den som vågar han vinner, friskt vågat är hälften vunnet **2** våga [sig på] [*~ a guess* (*remark*)], våga sig [*I won't ~ a step further*] **3** *~ to* våga, drista sig att **III** *vb itr* våga; ta en risk (risker); *~ at* försöka [med (sig på)]; gissa på
venue ['venju:] mötesplats för konferens, konsert o.d.; sport. tävlingsplats; fotb. o.d. matcharena
Venus ['vi:nəs] mytol. el. astron.; *the Mount of ~* anat. Venusberget
veracity [və'ræsətɪ] sannfärdighet; sanningsenlighet; trovärdighet
verandah [və'rændə] veranda
verb [vɜ:b] verb
verbal ['vɜ:b(ə)l] **1** ord-; [uttryckt] i ord; verbal [*~ ability*]; formell [*~ error*] **2** muntlig [*a ~ agreement*] **3** ordagrann **4** gram. verbal[-]; *~ noun* verbalsubstantiv
verbally ['vɜ:bəlɪ] **1** muntligt **2** ordagrant
verbatim [vɜ:'beɪtɪm] lat. **I** *adj* ordagrann [*a ~ report*] **II** *adv* ord för ord
verbiage ['vɜ:bɪɪdʒ] ordflöde, svada
verbose [vɜ:'bəʊs] mångordig, ordrik
verbosity [vɜ:'bɒsətɪ] mångordighet
verdict ['vɜ:dɪkt] **1** jurys utslag; *~ of acquittal* frikännande, friande dom **2** bildl. dom [*the ~ of posterity*]; omdöme, mening; utlåtande
verdigris ['vɜ:dɪgri:, -gri:s] ärg
1 verge [vɜ:dʒ] **I** *s* **1** kant, rand [*the ~ of a cliff*], [skogs]bryn; gräns **2** bildl. brant [*on the ~ of ruin*], rand; *be on the ~ of* äv. vara

(stå) på gränsen till; *on the ~ of tears* gråtfärdig **3** gräskant; vägkant **II** *vb itr, ~ on (upon)* gränsa till äv. bildl.; vara (stå) på gränsen till, närma sig

2 verge [vɜ:dʒ] luta; böja sig, vrida [*the road ~s southwards*]; sänka sig, sjunka [*the verging sun*]; sträva; *~ on* luta åt; stöta i [*~ on blue*]

verger [ˈvɜ:dʒə] kyrkvaktmästare; kyrkotjänare

verifiable [ˈverɪfaɪəbl, --ˈ---] bevislig, som kan bevisas; möjlig att verifiera; kontrollerbar

verification [ˌverɪfɪˈkeɪʃ(ə)n] bekräftande, bekräftelse, verifikation, verifiering, bevis

verify [ˈverɪfaɪ] bekräfta, verifiera

veritable [ˈverɪtəbl] **1** formlig, ren [*a ~ rascal*] **2** verklig

vermicelli [ˌvɜ:mɪˈselɪ] kok. (it.) vermicelli

vermin [ˈvɜ:mɪn] (pl. lika; konstr. vanl. ss. pl.) **1** skadedjur, ohyra **2** bildl. ohyra, pack

vermouth [ˈvɜ:məθ] vermouth

vernacular [vəˈnækjʊlə] **I** *adj* inhemsk, lokal[-]; folklig [*a ~ expression*] **II** *s* **1** a) modersmål, språk b) lokal dialekt c) lokalt ord (uttryck); *in the ~* på vanligt vardagsspråk **2** [yrkes]jargong

vernal [ˈvɜ:nl] litt. vårlig; *~ equinox* vårdagjämning

versatile [ˈvɜ:sətaɪl, amer. -tl] **1** mångsidig [*a ~ writer*], mångkunnig **2** med många användningsområden [*a ~ tool*]

versatility [ˌvɜ:səˈtɪlətɪ] **1** mångsidighet **2** stor (mångsidig) användbarhet

verse [vɜ:s] **1** vers [*prose and ~*]; *in ~* på vers **2** strof [*a poem of five ~s*] **3** vers[rad] **4** [bibel]vers

versed [vɜ:st], *~ in* bevandrad (hemma[stadd], förfaren, skicklig, kunnig) i, förtrogen med

versify [ˈvɜ:sɪfaɪ] **I** *vb tr* versifiera, göra vers av **II** *vb itr* skriva vers (poesi), dikta

version [ˈvɜ:ʃ(ə)n] **1** version, tolkning **2** version, variant [*a modern ~ of the car*]; *a film ~ of a novel* äv. en filmatisering av en roman; *stage ~* scenbearbetning **3** översättning; *the Authorized V~* [*of the Bible*] den auktoriserade bibelöversättningen av 1611

versus [ˈvɜ:səs] lat. **1** sport. mot [*Arsenal ~ (v.) Spurs*] **2** jur. kontra [*Jones ~ (v.) Smith*]

vertebr|a [ˈvɜ:tɪbr|ə] (pl. *-ae* [-i:, -eɪ el. -aɪ]) anat. (lat.) ryggkota; pl. *-ae* äv. ryggrad

vertebrate [ˈvɜ:tɪbrət, -breɪt] anat. **I** *adj* vertebrerad **II** *s* ryggradsdjur

vertical [ˈvɜ:tɪk(ə)l] **I** *adj* vertikal äv. ekon.; vertikal- [*~ angle*], lodrät **II** *s* lodlinje, lodrät (vertikal) linje; *out of the ~* inte vertikal (lodrät)

vertigo [ˈvɜ:tɪgəʊ] med. svindel[anfall]

verve [vɜ:v, veəv] schvung, verv; kraft

very [ˈverɪ] **I** *adv* **1** mycket, synnerligen [*~ interesting*], riktigt [*~ tired*]; *not ~* inte så [värst], inte [så] vidare, inte särskilt [*not ~ interesting*]; *V~ Important Person* VIP, betydande (högt uppsatt) person **2** *the ~ next day* redan nästa dag (dagen därpå); *the ~ same place* precis (exakt) samma plats, just den platsen; [*I want to have it*] *for my ~ own* ...helt (alldeles) för mig själv **3** framför superl. allra [*the ~ first day*]; *at the ~ least* allra minst; åtminstone

II *attr adj* **1** efter *the* (*this, that, his* osv.) **a**) själva [*the ~ king*], blotta [*the ~ name is odious*]; *in the ~ centre* i själva centrum **b**) *this ~ day* redan i dag, just (redan) denna dag; *this ~ minute* på minuten, genast, ögonblickligen **c**) *at the ~ beginning* redan i början **2** ren [och skär] [*for* (av) *~ pity*]; allra [*I did my ~ utmost*]; *the ~ truth* rena rama sanningen

vessel [ˈvesl] **1** kärl äv. anat. [*blood ~*]; *empty ~s make the greatest noise (sound)* ordspr. tomma tunnor skramlar mest **2** fartyg, skepp

vest [vest] **I** *s* **1** undertröja **2** amer. väst **II** *vb tr* (se äv. *vested*) **1** bekläda, utrusta **2** överlåta [*the rights in the estate are ~ed in* (på) *him*]; ligga (finnas) hos, utövas av [*power is ~ed in the people*]

vested [ˈvestɪd] **1** hand., *~ interest* kapitalintresse **2** bildl. *~ interest* egenintresse, eget intresse

vestibule [ˈvestɪbju:l] **1** vestibul **2** amer. [inbyggd] plattform på järnvägsvagn; *~ train* genomgångståg

vestige [ˈvestɪdʒ] spår [*no ~s of* (av, efter) *an earlier civilization*]

vestment [ˈves(t)mənt] isht kyrkl. skrud; kyrkl. mässhake

vestry [ˈvestrɪ] **1** sakristia **2** kyrksal i t.ex. frikyrka

1 vet [vet] vard. **I** *s* (kortform för *veterinary* [*surgeon*] o. amer. *veterinarian*) veterinär **II** *vb tr* **1** undersöka [*~ a patient*]; behandla [*~ the cow*] **2** undersöka [*~ a report*], [kritiskt] granska [*~ the MS*], [grundligt] pröva

2 vet [vet] isht amer. vard. (kortform för *veteran*) veteran [*old ~s*]

veteran [ˈvet(ə)r(ə)n] **I** *s* **1** veteran [*~s of* (från) *two World Wars*], [gammal] beprövad krigare (soldat); *Veterans Day* **2** sport. oldboy **II** *adj* [gammal och] erfaren [*a ~ teacher (warrior)*], grånad [i tjänsten]; *~ car* veteranbil

veterinarian [ˌvet(ə)rɪˈneərɪən] amer. veterinär

veterinary [ˈvet(ə)rɪn(ə)rɪ, ˈvetnrɪ] **I** *adj* veterinär- [*~ science*]; *~ college* veterinärhögskola; ~ *surgeon* veterinär **II** *s* veterinär

veto ['vi:təʊ] **I** (pl. *~es*) *s* veto [*exercise one's* (*the*) *~*]; förbud; [*right of*] ~ vetorätt **II** *vb tr* inlägga [sitt] veto mot; förbjuda

vex [veks] (se äv. *vexed*) förarga; irritera [*the noise ~es me*]

vexation [vek'seɪʃ(ə)n] förargelse, irritation; förtret[lighet]

vexatious [vek'seɪʃəs] förarglig; besvärlig

vexed [vekst] (adv. *vexedly* ['veksɪdlɪ]) **1** förargad, förtretad **2** [om]debatterad [*a ~ question*]

VHF [ˌvi:eɪtʃ'ef] (förk. för *very high frequency*) ultrakortvåg

via ['vaɪə, 'vi:ə] lat. via [*travel ~ Dover*], genom [*~ the Panama Canal*; *~ the back door*]

viability [ˌvaɪə'bɪlətɪ] **1** livsduglighet **2** genomförbarhet

viable ['vaɪəbl] **1** livsduglig **2** genomförbar [*a ~ plan*], praktisk

viaduct ['vaɪədʌkt, -dəkt] viadukt

vibrant ['vaɪbr(ə)nt] **1** vibrerande [*~ tones* (*strings*)] **2** pulserande [*cities ~ with* (av) *life*]; livfull [*a ~ personality*]

vibraphone ['vaɪbrəfəʊn] vibrafon

vibrate [vaɪ'breɪt] *vb itr* **1** vibrera, dallra; darra [*~ with* (av) *anger*]; skaka [*the house ~s whenever a truck passes*]; isht fys. svänga **2** om pendel svänga

vibration [vaɪ'breɪʃ(ə)n] **1** vibration, vibrering etc., jfr *vibrate 1* **2** pendels svängning **3** ~[*s*] vard. atmosfär

vibrator [vaɪ'breɪtə] massageapparat, vibrator

vicar ['vɪkə] **1** kyrkoherde **2** katol. kyrkl. ställföreträdare

vicarage ['vɪkərɪdʒ] **1** prästgård **2** kyrkoherdebefattning, pastorat

vicarious [vɪ'keərɪəs, vaɪ'k-] ställföreträdande [*~ suffering*]; delegerad [*~ authority*]; *the ~ joy of parents* den glädje föräldrar känner på sina barns vägnar

1 vice [vaɪs] last [*virtues and ~s*]; synd; *~ squad* sedlighetsrotel

2 vice [vaɪs] skruvstäd

3 vice [vaɪs] vard. vice ordförande o.d.; vicepresident

vice-chairman [ˌvaɪs'tʃeəmən] vice ordförande

vice-president [ˌvaɪs'prezɪd(ə)nt] **1** a) vicepresident b) vice ordförande **2** amer. vice verkställande direktör

vice versa [ˌvaɪsɪ'vɜ:sə] lat. vice versa; *and* (*or*) *~* äv. och (eller) omvänt (tvärtom)

vicinity [vɪ'sɪnətɪ, vaɪ's-] närhet [*the ~ to the capital*]; grannskap [*there isn't a school in the ~*]; *in the ~ of* i närheten (trakten) av

vicious ['vɪʃəs] **1** illvillig [*~ gossip*]; elak, brutal [*a ~ blow*] **2** ilsken [*a ~ temper*]; folkilsken [*a ~ dog*]; bångstyrig [*a ~ horse*] **3** lastbar **4** usel; *~ habit* ful vana **5** *~ circle* a) ond cirkel b) logik. cirkelbevis

viciousness ['vɪʃəsnəs] illvilja etc., jfr *vicious*

vicissitude [vɪ'sɪsɪtju:d, vaɪ's-] växling; *the ~s of life* äv. livets skiften (olika skeden)

victim ['vɪktɪm] **1** offer; *be a* (*the*) *~ of* falla offer för, bli utsatt för **2** offerlamm äv. bildl.

victimization [ˌvɪktɪmaɪ'zeɪʃ(ə)n] **1** offrande **2** bestraffning; diskriminering **3** trakasserande; mobbning

victimize ['vɪktɪmaɪz] **1** göra till [sitt] offer **2** klämma åt, bestraffa; sätta i strykklass **3** plåga; trakassera; mobba

victor ['vɪktə] **I** *s* segrare; *come off ~*[*s*] avgå med seger[n] **II** *attr adj* segerrik

Victorian [vɪk'tɔ:rɪən] **I** *adj* **1** viktoriansk från (karakteristisk för) drottning Viktorias tid 1837—1901 [*the ~ age* (*period*)] **2** neds. hycklande **II** *s* viktorian

victorious [vɪk'tɔ:rɪəs] segrande; seger-; *be ~* segra

victory ['vɪkt(ə)rɪ] seger; *gain* (*win*) *a ~* [*over*] äv. segra [över]

victual ['vɪtl]; vanl. pl. *~s* livsmedel, mat[varor], föda, proviant

video ['vɪdɪəʊ] **I** *s* **1** video **2** amer. vard. TV **II** *adj* **1** video- **2** amer. vard. TV- [*a ~ star*], televisions- [*~ transmission*] **III** *vb tr* spela in på video

video camera ['vɪdɪəʊˌkæmərə] videokamera

videocassette [ˌvɪdɪəʊkə'set] videokassett; *~ recorder* videobandspelare

video game ['vɪdɪəʊgeɪm] TV-spel

video nasty ['vɪdɪəʊˌnɑ:stɪ] vard., ung. videovåldsfilm

videotape ['vɪdɪəʊteɪp] **I** *s* video[ljud]band; *~ recorder* videobandspelare **II** *vb tr* spela in på video

vie [vaɪ] litt. tävla

Vienna [vɪ'enə] **I** geogr. Wien **II** *attr adj* wien[er]-

Viennese [ˌvɪə'ni:z] **I** *adj* wiensk; *~ waltz* wienervals **II** (pl. lika) *s* wienare

Vietnamese [ˌvjetnə'mi:z] **I** *adj* vietnamesisk **II** *s* **1** (pl. lika) vietnames **2** vietnamesiska [språket]

view [vju:] **I** *s* **1** syn, anblick; synhåll; sikte; sikt [*block* (skymma) *the ~*]; *get a closer ~ of a th.* betrakta ngt på närmare håll; *have a clear ~ of the road* [*when driving a car*] ha fri sikt [över vägen]...; *take a long ~ of the matter* betrakta saken på lång sikt **2** [förhands]visning vid auktion o.d. [*private ~*] **3** a) utsikt [*a delightful ~ of* (över) *the village*], vy b) bild, foto[grafi]; *aerial ~* flygfoto[grafi] **4** översikt [*a ~ of* (över, av) *the world crisis*], överblick **5 a**) synpunkt, uppfattning, åsikt; syn, sätt att se; *take a [very] dim (poor) ~ of a th.* vard. ogilla ngt [skarpt] **b)** *point of ~* synpunkt, synvinkel; ståndpunkt **6** efter prep.: *in ~* i sikte; *come into ~* komma inom synhåll (i sikte); *out of ~* utom synhåll, ur sikte **II** *vb tr* bese; betrakta [*~ the matter in the right light*], anse [*~ a th. as a menace*]; *~ TV* se (titta på) TV

viewer ['vju:ə] **1** betraktare; [TV-]tittare **2** foto. betraktningsapparat isht för diabilder

view-finder ['vju:ˌfaɪndə] foto. sökare

viewing ['vju:ɪŋ] **1** betraktande; TV-tittande; *~ hours (time)* TV. sändningstid; *~ screen* TV. bildruta, bildskärm **2** granskning

viewpoint ['vju:pɔɪnt] **1** synpunkt; synvinkel [*from* (ur) *this ~*]; ståndpunkt [*take up* (inta) *a ~*] **2** utsiktspunkt

vigil ['vɪdʒɪl, -dʒ(ə)l] vaka; *keep [a] ~ over [a sick child]* vaka hos...

vigilance ['vɪdʒɪləns] vaksamhet; försiktighet

vigilant ['vɪdʒɪlənt] vaksam; försiktig

vigilante [ˌvɪdʒɪ'læntɪ] isht i USA medlem av ett olagligt medborgargarde

vigorous ['vɪg(ə)rəs] kraftig, kraftfull; spänstig; energisk; livskraftig; *make a ~ effort* göra en kraftansträngning, ta ett krafttag

vigour ['vɪgə] kraft, styrka; spänst[ighet], vigör; energi

Viking o. **viking** ['vaɪkɪŋ] viking

vile [vaɪl] usel [*a ~ novel (performance)*]; simpel [*~ conduct*]; avskyvärd; [*~ language*], lumpen [*~ slander*]; vidrig [*a ~ crime*]; vard. hemsk[t dålig], urusel

vilify ['vɪlɪfaɪ] förtala, baktala

villa ['vɪlə] villa isht i förort el. på kontinenten; sommarvilla; parhus

village ['vɪlɪdʒ] by; by- [*~ school*]; *~ idiot* byfåne

villager ['vɪlɪdʒə] bybo, byinvånare

villain ['vɪlən] **1** bov äv. teat. [*play the ~'s part*]; usling; *the ~ of the piece* bildl. boven i dramat, den skyldige **2** vard. rackare

villainous ['vɪlənəs] **1** skurkaktig; ondskefull [*a ~ look*] **2** vard. urusel [*~ handwriting*]

villainy ['vɪlənɪ] skurkaktighet; ondskefullhet, ondska

vim [vɪm] vard. kraft; fart [och kläm]

vindicate ['vɪndɪkeɪt] **1** försvara [*~ a p.'s conduct*], rättfärdiga [*~ a p.'s belief in a th.*]; bevisa riktigheten av [*subsequent events ~d his policy*] **2** frita[ga], fria [*~ a p. from a charge*] **3** hävda [*~ a right*]

vindication [ˌvɪndɪ'keɪʃ(ə)n] försvar etc., jfr *vindicate*

vindictive [vɪn'dɪktɪv] hämndlysten

vindictiveness [vɪn'dɪktɪvnəs] hämndlystnad

vine [vaɪn] **1** vin växt; vinranka **2** ranka [*hop ~*], reva; [*clinging*] ~ bot. slingerväxt, klängväxt, klätterväxt; *clinging ~* bildl. (om person) klängranka

vinegar ['vɪnɪgə] ättika; ättik[s]-; isht bildl. ättikssur [*a ~ countenance*]; [*wine*] ~ vinäger

vinegary ['vɪnɪgərɪ] mest bildl. ättikssur

vineyard ['vɪnjəd, -jɑ:d] vingård äv. bildl. el. bibl.; vinodling, vinberg

vintage ['vɪntɪdʒ] **I** *s* **1** vinskörd, druvskörd **2** [god] årgång av vin el. bildl. **II** *adj* **1** av [gammal] fin (god) årgång [*~ brandy*]; *~ wine* vin av [gammal] god årgång, årgångsvin **2** bildl. *~ car* veteranbil

vinyl ['vaɪnɪl] kem. vinyl; vinylplast

1 viola [vɪ'əʊlə, vaɪ-] mus. altfiol

2 viola ['vaɪə(ʊ)lə, -'--] [odlad] viol

violate ['vaɪəleɪt] **1** kränka [*~ a treaty*], bryta mot [*~ a principle*], överträda [*~ the law*]; *~ a promise* bryta (inte uppfylla) ett löfte **2** störa, inkräkta på [*~ a p.'s privacy*] **3** vanhelga **4** våldta[ga]

violation [ˌvaɪə'leɪʃ(ə)n] **1** kränkning [*the ~ of the treaty*], brott, överträdelse **2** störande intrång [*~ of* (i) *a p.'s privacy*] **3** vanhelgande **4** våldtäkt

violence ['vaɪələns] **1** våldsamhet, häftighet [*the ~ of the storm*], våldsam kraft **2** våld [*I had to use ~*]; yttre våld [*no marks* (spår) *of ~*]; våldsamheter, oroligheter; *do ~ to* förgripa (våldföra) sig på; *crimes of ~* våldsbrott

violent ['vaɪələnt] våldsam, häftig [*a ~ storm (attack), ~ passions*], stark [*a ~ headache*]; *have a ~ temper* ha ett häftigt temperament

violently ['vaɪələntlɪ] våldsamt, häftigt; med våld; *~ resist* göra våldsamt motstånd mot

violet ['vaɪələt] **I** *s* **1** bot. viol; *African ~* saintpaulia **2** violett [*dressed in ~*] **II** *adj* violett

violin [ˌvaɪə'lɪn] fiol; violinist; *play the ~* spela fiol (violin)

violinist [ˌvaɪə'lɪnɪst, '----] violinist

violoncellist [ˌvaɪələn'tʃelɪst] violoncellist

violoncello [ˌvaɪələn'tʃeləʊ] (pl. *~s*) violoncell

VIP [ˌvi:aɪ'pi:, vɪp] (vard. förk. för *Very Important Person*) VIP, höjdare

viper ['vaɪpə] huggorm; bildl. orm, skurk; *common ~* vanlig huggorm

virgin ['vɜ:dʒɪn] **I** *s* jungfru, oskuld; *the [Blessed] V~ [Mary]* jungfru Maria **II** *adj* jungfrulig äv. bildl.; jungfru- äv. bildl. [*a ~ speech (voyage)*]; ren, kysk; orörd; outforskad; ny; *the V~ Queen* jungfrudrottningen Elisabet I

virginity [vəˈdʒɪnətɪ] jungfrulighet, mödom; kyskhet
Virgo [ˈvɜːɡəʊ] astrol. Jungfrun; *he is* [*a*] ~ han är Jungfru
virile [ˈvɪraɪl, amer. ˈvɪr(ə)l] manlig, viril; kraftfull
virility [vɪˈrɪlətɪ] manlighet, virilitet
virtual [ˈvɜːtʃʊəl, -tjʊ-] verklig [*he is the ~ ruler of the country*], egentlig; *it was a ~ defeat* det var i själva verket (i realiteten) ett nederlag
virtually [ˈvɜːtʃʊəlɪ, -tjʊ-] faktiskt, i realiteten; praktiskt taget, så gott som [*he is ~ unknown*]
virtue [ˈvɜːtjuː, -tʃuː] **1** dygd; *make a ~ of* göra till en dygd **2** fördel [*the great ~ of the scheme is that it's simple*] **3** [inneboende] kraft [*the healing ~ of a medicine*], verkan; *by* (*in*) *~ of* i kraft av, på grund av
virtuosity [ˌvɜːtjʊˈɒsətɪ] virtuositet
virtuos|o [ˌvɜːtjʊˈəʊz|əʊ] (pl. *-os* el. *-i* [-iː]) it. virtuos
virtuous [ˈvɜːtʃʊəs, -tjʊ-] dygdig
virulent [ˈvɪrʊlənt, -rjʊ-] giftig; stark, kraftig [*~ poison*]; elakartad [*a ~ disease*]
virus [ˈvaɪərəs] **1** med. virus; virussjukdom [*recover from a ~*]; smittämne **2** data., [*computer*] ~ datavirus
visa [ˈviːzə] **I** *s* visum; *entrance* (*entry*) ~ inresevisum; *exit* ~ utresevisum **II** *vb tr* visera [*get one's passport ~ed*]
vis-à-vis [ˌvɪzəˈviː] **1** a) visavi, gentemot [*her feelings ~ her husband*] b) mittemot [*be* (*stand*) *~ a th.*] **2** i jämförelse med
viscount [ˈvaɪkaʊnt] viscount näst lägsta rangen inom engelska högadeln
viscous [ˈvɪskəs] viskös, trögflytande
visibility [ˌvɪzɪˈbɪlətɪ] **1** synlighet **2** meteor. sikt [*poor* (dålig) *~*]; *improved ~* siktförbättring; *reduced ~* siktförsämring
visible [ˈvɪzəbl] **1** synlig; *~ exports* (*imports*) hand. synlig export (import) **2** tydlig
vision [ˈvɪʒ(ə)n] **1** syn [*it has impaired his ~*]; synförmåga, synsinne [äv. *faculty of ~*]; seende; *defect of ~* synfel **2** syn, drömsyn; *have ~s* se syner, ha visioner; drömma, fantisera [*of* om] **3** TV-bild[en]; *sound and ~* ljud och bild **4** klarsyn [äv. *clarity of ~*]; vidsyn, vidsynthet [äv. *breadth of ~*]; framsynthet; *a man of ~* en man med visioner, en klarsynt man
visionary [ˈvɪʒ(ə)nərɪ] **I** *adj* **1** visionär [*a ~ leader* (*statesman*)] **2** orealistisk, ogenomförbar [*~ plans* (*schemes*)] **3** drömmande; inbillad [*~ scenes*] **II** *s* visionär; drömmare, svärmare
visit [ˈvɪzɪt] **I** *vb tr* **1** besöka; göra (vara på) besök hos, hälsa ˈpå; vara på besök i (på); gästa **2** a) gå till [*~ a doctor* (*solicitor*)] b) [besöka och] se ˈtill, göra [sjuk]besök hos [*the doctor ~s his patients*] **3** hemsöka [*the plague ~ed London in 1665*]; [be]straffa **II** *vb itr* vara på besök [*she was ~ing in Paris*], vara gäst [*~ at* (på) *a hotel*]; litt. umgås [*we do not ~*] **III** *s* **1** besök, visit; *pay* (*make*) *a ~ to a p.* (*to a place, to a town*) göra [ett] besök hos ngn (på en plats, i en stad), besöka ngn (en plats, en stad); *I paid him a ~* jag besökte honom; *be on a ~* vara på besök [*to a p.* hos ngn; *to* (i) *Italy*]; *go on a ~ to the seaside* fara till kusten (en badort) **2** läkares [sjuk]besök **3** visitation, inspektion
visitation [ˌvɪzɪˈteɪʃ(ə)n] visitation; undersökning
visiting [ˈvɪzɪtɪŋ] **I** *s* besök[ande]; visit[er]; *~ hours* besökstid **II** *adj* **1** besökande; främmande; *~ lecturer* gästföreläsare; *~ team* sport. gästande lag, bortalag **2** visiterande
visiting-card [ˈvɪzɪtɪŋkɑːd] visitkort
visitor [ˈvɪzɪtə] **1** besökare; gäst [*summer ~s*]; resande; pl. *~s* äv. främmande [*have ~s*]; *~s' book* hotelliggare; gästbok **2** visitationsförrättare, inspektör
visor [ˈvaɪzə] **1** skärm på mössa o.d.; visir på motorcykelhjälm o.d. **2** solskydd i bil **3** hist. [hjälm]visir
vista [ˈvɪstə] **1** utsikt, vy genom trädallé, korridor, från höjd o.d.; panorama, perspektiv **2** [framtids]perspektiv [*a discovery that opens up new ~s*], utsikt
visual [ˈvɪzjʊəl, -ɪʒj-] **1** syn- [*the ~ nerve*; *~ power* (förmåga)]; visuell [*~ aids* (hjälpmedel) *in teaching*]; *the ~ arts* bildkonsten **2** synlig [*~ objects*]
visualization [ˌvɪzjʊəlaɪˈzeɪʃ(ə)n, -ɪʒj-] åskådliggörande, visualisering
visualize [ˈvɪzjʊəlaɪz, -ɪʒj-] åskådliggöra [*~ a scheme*], visualisera; [tydligt] föreställa sig
vital [ˈvaɪtl] **1** livs- [*the ~ process*]; livsnödvändig, livsviktig [*~ organs*]; livskraftig; *~ force* livskraft; *~ statistics* a) vitalstatistik, befolkningsstatistik b) vard. (skämts.) byst-, midje- och höftmått på skönhetsdrottning o.d.; former **2** väsentlig [*secrecy is ~ to* (för) *the success of the scheme*], vital
vitality [vaɪˈtælətɪ] vitalitet
vitalize [ˈvaɪtəlaɪz] **1** vitalisera, ge liv åt **2** levandegöra [*~ a subject*]
vitamin [ˈvɪtəmɪn, ˈvaɪt-] vitamin
vitaminize [ˈvɪtəmɪnaɪz, ˈvaɪt-] vitaminera
vitiate [ˈvɪʃɪeɪt] **1** fördärva [*~d air*], skämma; förvanska, förvränga [*~ a text*] **2** demoralisera
vitreous [ˈvɪtrɪəs] glasaktig
vitriolic [ˌvɪtrɪˈɒlɪk] **1** kem. vitriol- **2** mycket skarp, frän [*a ~ attack*], bitande [*~ remarks*]

viva ['vaɪvə] univ. vard. (lat.) munta; *have a ~* ha en munta, gå upp i muntan
vivacious [vɪ'veɪʃəs, vaɪ'v-] livlig
vivacity [vɪ'væsətɪ, vaɪ'v-] livlighet
vivid ['vɪvɪd] livlig [*a ~ imagination* (*impression*)], levande [*a ~ description* (*personality*)]; om färg äv. ljus, klar
vivisection [ˌvɪvɪ'sekʃ(ə)n] **1** vivisektion **2** bildl. dissekering, minutiös analys
vixen ['vɪksn] **1** rävhona **2** ragata
V-neck ['vi:nek] v-ringning på klädesplagg; *~ [sweater]* v-ringad tröja
vocabulary [və(ʊ)'kæbjʊlərɪ] **1** ordlista; vokabelsamling; vokabulär; *~ [notebook]* glosbok att skriva i **2** vokabulär [*the scientific ~*]; ordförråd
vocal ['vəʊkl] **1** röst- [*the ~ apparatus*], stäm- [*~ cords*]; sång- [*~ exercise*]; mus. vokal [*~ music*]; *~ organ* röstorgan, talorgan; *~ part* mus. sångstämma, sångparti **2** högljudd [*~ protests*] **3** muntlig [*~ communication*], uttalad
vocalist ['vəʊkəlɪst] vokalist
vocalize ['vəʊkəlaɪz] **I** *vb tr* artikulera, uttala; sjunga **II** *vb itr* artikulera; sjunga; gnola
vocation [və(ʊ)'keɪʃ(ə)n] **1** kallelse [*follow one's ~*]; håg **2** kall; yrke, sysselsättning
vocational [və(ʊ)'keɪʃ(ə)nl] yrkesmässig; yrkes- [*a ~ school* (*teacher*)]; *~ guidance* yrkesvägledning
vociferous [və(ʊ)'sɪf(ə)rəs] högljudd
vodka ['vɒdkə] vodka
vogue [vəʊg] mode; popularitet; *it's all the ~* det är högsta mode, det är sista skriket; *be [quite] the* (*be in*) *~* vara modern (på modet, i ropet, aktuell)
voice [vɔɪs] **I** *s* **1** röst [*the ~ of conscience*; *an angry ~*; *I did not recognize his ~*], stämma; [sång]röst [*she has a sweet ~*]; talförmåga; klang, ljud; *~ production* ung. talteknik; *raise one's ~* a) höja rösten b) häva upp sin röst **2** talan, [med]bestämmanderätt; *have a ~ in the matter* ha något att säga till om, ha (få) ett ord med i laget; *I have no ~ in this matter* jag har ingenting att säga till om (ingen talan) i den här saken **3** mus. stämma [*a song for three ~s*] **II** *vb tr* uttala; uttrycka [*he seemed to ~ the general sentiment*], göra sig till tolk (talesman) för
voiced [vɔɪst] **1** fonet. tonande [*~ consonants*] **2** ss. efterled i sms. -röstad [*loud-voiced*], med...röst
voiceless ['vɔɪsləs] fonet. tonlös [*~ consonants*]
void [vɔɪd] **I** *adj* **1** tom; *~ space* tomrum **2** *~ of* blottad på, i avsaknad av, utan [*~ of interest*], fri från [*his style is ~ of affectation*] **3** ledig, vakant [*the bishopric fell* (blev) *~*] **4** isht jur. ogiltig **II** *s* tomrum äv. bildl.; vakuum; [tom] rymd; lucka i ett sammanhang
voile [vɔɪl] textil. voile
volatile ['vɒlətaɪl, amer. -tl] **1** fys. flyktig [*~ oil*]; *~ salt* luktsalt; kem. ammoniumkarbonat **2** bildl. flyktig [*a ~ woman*]; impulsiv; labil [*a ~ situation*; *the market is ~*]
volcanic [vɒl'kænɪk] vulkanisk; bildl. äv. våldsam[t uppbrusande] [*a ~ temper*]
volcano [vɒl'keɪnəʊ] (pl. *~es* el. *~s*) vulkan
vole [vəʊl] zool. sork; åkersork
volition [və(ʊ)'lɪʃ(ə)n] isht filos. vilja; viljekraft; *of one's own ~* av [egen] fri vilja, frivilligt
volley ['vɒlɪ] **I** *s* **1** mil. el. bildl. salva [*fire a ~*], skur [*a ~ of arrows* (*taunts*)]; *a ~ of applause* en applådåska, stormande applåder **2** sport. volley; volleyretur **II** *vb tr* **1** avlossa en salva (skur) [av]; bildl. avfyra **2** sport. spela volley på [*~ a ball*] **III** *vb itr* **1** avlossas i en salva (salvor); avfyra en salva (salvor) **2** sport. spela volley
volleyball ['vɒlɪbɔ:l] volleyboll
1 volt [vəʊlt] elektr. volt
2 volt [vɒlt] **1** fäktn. sidosprång **2** ridn. volt
voltage ['vəʊltɪdʒ] elektr. spänning i volt
volte-face [ˌvɒlt'fɑ:s] helomvändning; bildl. äv. kovändning, [total] frontförändring
voluble ['vɒljʊbl] talför, munvig, pratsjuk
volume ['vɒlju:m, -ljəm] **1** volym, band [*a work in five ~s*]; *speak* (*express*) *~s* bildl. tala sitt tydliga språk, säga en hel del **2 a**) volym; kubikinnehåll; omfång; mängd; *~ of orders* orderstock **b**) pl. *~s* kolossalt [mycket], massor **3** radio. el. mus. volym; [ton]omfång; *~ control* volymkontroll
voluminous [və'lju:mɪnəs, -'lu:-] voluminös, omfångsrik [*a ~ bundle of papers*], [mycket] vid [*~ skirts*]; omfattande
voluntarily ['vɒlənt(ə)rəlɪ] frivilligt; av fri vilja; självmant
voluntary ['vɒlənt(ə)rɪ] **1** frivillig [*a ~ army* (*confession, contribution*); *~ workers*]; *~ organization* frivilligorganisation **2** finansierad genom frivilliga bidrag; *~ hospital* privatsjukhus
volunteer [ˌvɒlən'tɪə] **I** *s* frivillig [*an army of ~s*]; volontär **II** *adj* frivillig [*~ fire brigades*]; volontär- **III** *vb itr* **1** frivilligt anmäla (erbjuda) sig **2** ingå (gå med, anmäla sig) som frivillig **IV** *vb tr* frivilligt erbjuda [*~ one's services*], frivilligt ge (lämna) [*~ contributions* (*information*)]; frivilligt (självmant) åta sig [*he ~ed to help*]
voluptuous [və'lʌptjʊəs] **1** vällustig [*a ~ life* (*person*)] **2** yppig [*~ curves* (former)], fyllig [*a ~ figure*] **3** härlig

vomit ['vɒmɪt] **I** *vb tr*, ~ [*forth* (*out, up*)] kräkas upp, kasta upp, spy; om vulkan, skorsten o.d. spy [ut] **II** *vb itr* kräkas; om rök o.d. spys ut **III** *s* **1** kräkning **2** uppkastning[ar]

voracious [və'reɪʃəs] glupsk äv. bildl.; rovgirig

vort|ex ['vɔ:t|eks] (pl. *-ices* [-ɪsi:z] el. *-exes*) virvel[rörelse]; strömvirvel, virvelström

votary ['vəʊtərɪ] **1** relig. trogen tjänare (lärjunge), tillbedjare, dyrkare **2** bildl. [hängiven] anhängare; entusiastisk utövare, [ivrig] förkämpe [*a ~ of* (för) *peace*]

vote [vəʊt] **I** *s* **1** röst vid votering o.d.; *cast* (*give, record*) *one's* ~ avge (avlämna) sin röst, rösta; *the number of ~s cast* (*recorded*) antalet avgivna röster; *majority of ~s* röstövervikt, majoritet **2** röster [*the young people's ~ was decisive*] **3** röstetal, antal röster; *the* [*total*] ~ [hela] antalet avgivna röster **4** omröstning, votering; *popular ~* folkomröstning; *come to the* (*a*) ~ a) komma till (under) omröstning b) gå (skrida) till votering; *go to the ~* gå till votering (omröstning) **5** [*right of*] ~ rösträtt **6** beslut efter omröstning [*the ~ was unanimous*]; *pass* (*carry*) *a ~* fatta ett beslut [efter votering] **7** votum; *~ of censure* (*of no confidence*) misstroendevotum [*on* mot] **8** anslag [*a ~ of £500,000 for a new building was passed* (beviljades)], bevillning **9** röstsedel **10** röstande **II** *vb itr* rösta [*old enough to ~*], votera; *right to ~* äv. rösträtt **III** *vb tr* **1** rösta (votera) för [*Parliament ~d to impose a tax on...*]; anta **2** bevilja [*~ a grant* (anslag); *~ a p. a sum of money*], anslå [*~ an amount for* (för, till) *a th.*], votera **3** *~ Liberal* (*Republican* etc.) rösta på liberalerna (republikanerna etc.), rösta liberalt (republikanskt etc.) **4** vard. välja till [*she was ~d singer of the year*] **5** vard. allmänt anse som (vara) [*the new boss was ~d a decent sort*] **6** vard. föreslå, rösta för [*I ~* [*that*] *we go to bed*] **7** *~ down* rösta ned (omkull)

vote-catching ['vəʊt,kætʃɪŋ] röstfiske

voter ['vəʊtə] röstande, röstberättigad; väljare

voting ['vəʊtɪŋ] **I** *s* [om]röstning; *~ by ballot* sluten omröstning; *right of ~* rösträtt, valrätt; *~ age* rösträttsålder; *~ station* vallokal **II** *adj*, *~ member* röstberättigad medlem

vouch [vaʊtʃ], *~ for* garantera, svara för, ansvara för, gå i god (borgen) för

voucher ['vaʊtʃə] kupong [*luncheon* (*meal*) ~], voucher [*hotel ~*]; rabattkupong; [*gift*] ~ presentkort

vow [vaʊ] **I** *s* [högtidligt] löfte; *~ of chastity* kyskhetslöfte; *take* [*the*] *~s* avlägga klosterlöfte[t], gå i kloster **II** *vb tr* lova [högtidligt], utlova

vowel ['vaʊ(ə)l] vokal

voyage ['vɔɪɪdʒ] **I** *s* [sjö]resa; färd i rymden [*a ~ to the moon*] **II** *vb itr* resa till sjöss; färdas i rymden o.d. **III** *vb tr* resa (färdas) på (över)

voyager ['vɔɪədʒə] resande till sjöss; sjöfarare; [*space*] ~ rymdfarare

voyeur [vwɑ:'jɜ:] voyeur, fönstertittare

V-sign ['vi:saɪn] (förk. för *victory-sign*) v-tecken segertecken

VSOP (förk. för *Very Superior Old Pale*) VSOP beteckning för finare cognac

vulcanize ['vʌlkənaɪz] vulkanisera

vulgar ['vʌlgə] **1** vulgär [*a ~ expression*]; tarvlig [*~ features*], rå; obildad; grovt (rått) oanständig [*a ~ gesture*] **2** a) vanlig; folklig b) på folkspråket [*a ~ translation of the Bible*] **3** matem., *~ fraction* allmänt (vanligt) bråk

vulgarity [vʌl'gærətɪ] vulgaritet; tarvlighet

vulnerability [,vʌln(ə)rə'bɪlətɪ] sårbarhet

vulnerable ['vʌln(ə)rəbl] sårbar; bildl. äv. ömtålig, svag [*a ~ spot*; *~ to* (för) *criticism*]; utsatt [*the city has a very ~ position*]

vulture ['vʌltʃə] **1** zool. gam **2** bildl. hyena

W, w ['dʌblju:] (pl. *W's* el. *w's* ['dʌblju:z]) W, w

W förk. för *Western* (postdistrikt i London), *west*[*ern*]

wacky ['wækɪ] isht amer. sl. knasig

wad [wɒd] **I** *s* **1** tuss [*a ~ of paper*], vaddtuss **2** vard. a) bunt, packe b) massa, mängd c) sedelbunt [äv. *~ of banknotes*] **II** *vb tr* vaddera, stoppa; *~ded quilt* vadderat täcke

wadding ['wɒdɪŋ] **1** vaddering; förpackningsmaterial **2** vadd; cellstoff

waddle ['wɒdl] **I** *vb itr* gå och vagga [fram som en anka] **II** *s* vaggande gång, vaggande

wade [weɪd] **1** vada; pulsa (traska, sträva) [fram] **2** vard., *~ in* a) sätta i gång [*he got the tools and ~d in*], hugga i b) ingripa, gå emellan [*he ~d in and stopped the fighting*]; *~ into* a) ta itu med, ge sig i kast med, hugga i med [*~ into the morning's mail*] b) gå lös på, kasta sig över [*~ into one's opponent*]

wafer ['weɪfə] **1** rån; *thin as a ~* tunn som papper, lövtunn **2** oblat, hostia **3** sigillmärke

1 waffle ['wɒfl] våffla

2 waffle ['wɒfl] vard. **I** *vb itr* svamla, dilla **II** *s* svammel

waffle iron ['wɒfl,aɪən] våffeljärn

waft [wɑ:ft, wɒft] **I** *vb tr* **1** om vind el. vågor föra, bära **2** sända genom luften; *~ kisses to* kasta slängkyssar till **II** *vb itr* föras (bäras) [av vinden], komma svävande [*the music ~ed across the lake*] **III** *s* **1** vindfläkt **2** doft

wag [wæg] **I** *vb tr* vifta på (med) [*the dog ~ged its tail*], vippa på (med) [*the bird ~ged its tail*], vicka på (med) [*~ one's foot*], vagga med, ruska på [*~ one's head*], höta med [*~ one's finger at* (åt) *a p.*] **II** *vb itr* vifta [*the dog's tail ~ged*], svänga [hit och dit], vicka, vagga; *let one's tongue ~* bildl. a) prata strunt b) vara lösmynt; *set tongues ~ging* bildl. sätta fart på skvallret (pratet) **III** *s* **1** viftning [*a ~ of* (på) *the tail*], vippande, vaggande **2** skämtare

wage [weɪdʒ] **I** *s* **1 a)** vanl. pl. *~s* lön, avlöning isht veckolön för arbetare; sjö. hyra; *weekly ~s* veckolön **b)** *~s* (konstr. vanl. ss. pl.) ekon. löner[na] [*when ~s are high, prices are high*] **c)** löne-; *~ bracket* ung. lönegrad; *~ earner* (amer. äv. *worker*) löntagare; familjeförsörjare; *~ freeze* lönestopp **2** bibl., *the ~s of sin is death* syndens lön är döden **II** *vb tr* utkämpa [*~ a battle*]; driva [*~ a campaign*]; *~ war* föra krig

wager ['weɪdʒə] **I** *s* vad; insats; *lay* (*make*) *a ~* hålla (slå) vad [*on* om; *that* om att] **II** *vb tr* slå (hålla) vad om; satsa, sätta [*~ a pound on a horse*]; våga; riskera **III** *vb itr* slå (hålla) vad

waggle ['wægl] **I** *vb tr* vifta (vippa, vicka) på (med); jfr *wag I* **II** *vb itr* svänga **III** *s* viftning, viftande [*with a ~ of the hips*]

wagon ['wægən] **1** vagn; lastvagn, transportvagn; [hö]skrinda; järnv. [öppen] godsvagn; *covered ~* a) täckt godsvagn b) prärievagn; zigenarvagn **2** amer. vard. polispiket; *the ~* äv. Svarta Maja fångtransportvagn **3** vard., *be on the* [*water*] *~* vara torr[lagd], ha slutat dricka alkohol

wagon-lit [,vægən'li:] (pl. *wagons-lit* [utt. som sing.] el. *~s* [-z]) fr. sovvagn; sovkupé

wagtail ['wægteɪl] zool. [sädes]ärla

waif [weɪf] föräldralöst (hemlöst) barn; *~s and strays* föräldralösa (hemlösa, kringdrivande) barn

wail [weɪl] **I** *vb itr* **1** klaga [högljutt (bittert)]; kvida, skrika, tjuta [*~ with* (av) *pain*] **2** om vind o.d. tjuta [*the sirens were ~ing*], vina **II** *vb tr* litt. klaga [högljutt (bittert)] över **III** *s* [högljudd (bitter)] klagan

wainscot ['weɪnskət, -skɒt] **I** *s* panel[ning]; brädfodring **II** *vb tr* panela, boasera

waist [weɪst] **1** midja, liv **2** amer. a) [skjort]blus b) klänningsliv c) livstycke för barn

waistband ['weɪs(t)bænd] **1** linning; kjollinning, byxlinning; midjeband **2** gördel

waistcoat ['weɪs(t)kəʊt] väst

waist-deep [,weɪst'di:p] midjedjup [*he stood ~ in the water*]; *the water was ~* vattnet gick (nådde upp) till midjan

waistline ['weɪs(t)laɪn] midja; midjelinje; midjevidd; *keep one's ~ down* hålla sig slank

wait [weɪt] **I** *vb itr* **1** vänta; dröja; stanna [kvar]; *you ~!* vänta [du] bara! ss. hotelse; *keep a p. ~ing* el. *make a p. ~* låta ngn vänta; *that can ~* det är inte så bråttom med det; *I can't ~!* jag längtar verkligen!; *he couldn't ~ to get there* han kunde inte komma dit snabbt nog **2** passa upp, servera **3** med adv. o. prep.: *~ at table* passa upp vid bordet, servera; *~ behind* stanna kvar; *~ for* vänta på, avvakta; lura på [*~ for an opportunity*] **II** *vb tr* **1** vänta på; *~ one's opportunity* avvakta (vänta på) ett lämpligt tillfälle **2** vänta med; *don't ~ dinner for me* vänta inte på mig med middagen **3** amer., *~ table* passa upp vid bordet, servera **III** *s* **1** väntan, väntetid, paus; *we had a long ~ for the bus* vi fick

vänta länge på bussen **2** *lie in ~ for* ligga i bakhåll för, ligga och [lur]passa på
wait-and-see [ˌweɪt(ə)n'si:] avvaktande; *pursue a ~ policy* inta en avvaktande hållning
waiter ['weɪtə] kypare, uppassare, servitör; *~!* hovmästarn!
waiting ['weɪtɪŋ] **1** väntan; *play a ~ game* inta en avvaktande hållning, vänta och se tiden an **2** trafik., *No W~!* Förbud att stanna fordon stoppförbud
waiting-list ['weɪtɪŋlɪst] väntelista
waiting-room ['weɪtɪŋru:m, -rʊm] väntrum, väntsal
waitress ['weɪtrəs] servitris; *~!* fröken!
waive [weɪv] **1** avstå från [*~ one's right*], ge upp [*~ one's claim*] **2** a) lägga åt sidan, bortse från [*let's ~ this matter for the present*] b) sätta sig över [*~ formalities*], nonchalera **3** ~ [*aside* (*away*)] vifta (slå) bort, avfärda, bagatellisera
1 wake [weɪk] **I** (imperf. *woke* el. *waked*; perf. p. *woken* el. *waked* el. *woke*) *vb itr, ~* [*up*] vakna [*what time do you usually ~* [*up*]*?*], vakna upp; bildl. vakna [upp] [*~ from one's daydreams*] **II** (för tema se *I*) *vb tr* **1** ~ [*up*] väcka [*the noise woke me* [*up*]], väcka upp; bildl. väcka [upp], sätta liv i [*he needs someone* (*something*) *to ~ him up*]; ~ [*up*] *to* bildl. väcka till medvetande (insikt) om **2** åld. el. dial. vaka hos (över); hålla [lik]vaka vid
2 wake [weɪk] **1** sjö. kölvatten [*in the ~ of a ship*] **2** bildl. *in the ~ of a p.* el. *in a p.'s ~* i ngns kölvatten (släptåg, spår)
wakeful ['weɪkf(ʊ)l] **1** vaken; sömnlös; genomvakad; *~ night* äv. vaknatt **2** vaksam, vaken
waken ['weɪk(ə)n] litt. **I** *vb tr, ~* [*up*] väcka äv. bildl.; ~ [*up*] *to* bildl. väcka till medvetande (insikt) om **II** *vb itr, ~* [*up*] vakna
Wales [weɪlz] geogr. egenn.; *the Prince of ~* prinsen av Wales titel för den brittiske tronföljaren
walk [wɔ:k] **I** *vb itr* (se äv. *III*) **1** gå [till fots]; promenera; *~ on all fours* gå på alla fyra **2** om spöken o.d. gå igen, spöka **II** *vb tr* (se äv. *III*) **1** gå (promenera, vandra, flanera) på (i); vandra (ströva) igenom; gå etc. av och an (fram och tillbaka) i (på) [*~ the deck*]; gå etc. igenom (över); *~ it* a) vard. gå [till fots], traska [och gå] [*he had to ~ it*] b) sl. vinna en promenadseger; *~ the streets* a) gå (promenera etc.) på gatorna b) om prostituerad gå på gatan **2** vard. följa [*~ a girl home*] **III** *vb itr* o. *vb tr* med prep. o. adv., isht med spec. övers.:
~ **about** gå (promenera etc.) omkring [i (på)]
~ **away**: **a**) gå [sin väg] **b**) *~ away with* vard. knycka [*~ away with the silver*]; [med lätthet] vinna (ta hem) [*he ~ed away with the first prize*]
~ **in**: **a**) gå (träda) in **b**) *~ in on a p.* komma oanmäld till ngn
~ **into**: **a**) gå etc. in (ner, upp) i **b**) vard. gå lös på
~ **off**: **a**) se *~ away* ovan; *~ off with* se *~ away with* ovan **b**) föra bort
~ **on**: a) gå 'på **b**) teat. spela en statistroll **c**) *I felt I was ~ing on air* det kändes som om jag vandrade på små moln
~ **out**: **a**) gå ut; gå ut och gå **b**) gå i strejk **c**) *~ out on* vard. gå ifrån, lämna [*they ~ed out on the meeting*], överge [*he has ~ed out on his girlfriend*], lämna i sticket **d**) *~ out with* mest dial. hålla ihop (sällskapa) med [*she's ~ing out with her boss*]
~ **over**: **a**) föra (visa) omkring på (i) **b**) bildl. ~ [*all*] *over* topprida, trampa på, hunsa [*don't let him ~* [*all*] *over you*] **c**) sport. vinna på walk-over [över]; vinna en promenadseger [över]
~ **up**: **a**) gå (sticka) upp (uppför) **b**) gå (stiga) fram
IV *s* **1** promenad; [fot]vandring; *it is only ten minutes' ~* det tar bara tio minuter att gå; *go* [*out*] *for* (*take*) *a ~* gå ut och gå (promenera); *take* [*out*] *the dog for a ~* gå ut med hunden, rasta hunden **2** sport. gångtävling; *20 km. ~* 20 km gång **3** [*I know him*] *by his ~* ...på hans sätt att gå **4** promenadtakt; *at a ~* i skritt; gående **5** promenadväg **6** bildl. område [*other ~s of science*], gebit **7** ~ [*of life*] a) samhällsställning, samhällsgrupp, samhällsklass [äv. *~ of society*; *men of* (*in*, *from*) *all ~s of life*] b) yrkes[område]
walker ['wɔ:kə] **1** [fot]vandrare; fotgängare; flanör; *he is a fast ~* han går fort **2** sport. gångare
walkie-talkie [ˌwɔ:kɪ'tɔ:kɪ] walkie-talkie
walking ['wɔ:kɪŋ] **I** *s* **1** gående; gång; fotvandring[ar]; *~ is good exercise* att gå är bra motion; *~ distance* gångavstånd, gångväg **2** sport. gång[sport]; *~ race* gångtävling **3** väglag; *it is bad ~* äv. det är tungt att gå **II** *adj* gående; promenerande; *a ~ dictionary* (*encyclopedia*) ett levande lexikon
walking-shoe ['wɔ:kɪŋʃu:] promenadsko
walking-stick ['wɔ:kɪŋstɪk] promenadkäpp
Walkman ['wɔ:kmən] (pl. *~s*) ® freestyle kassettbandspelare i fickformat
walk-on ['wɔ:kɒn] teat. **I** *s* **1** statistroll **2** statist **II** *adj* statist- [*a ~ part*]
walkout ['wɔ:kaʊt] **1** strejk **2** uttåg i protest, demonstrativ frånvaro från sammanträde o.d.
walkover ['wɔ:kˌəʊvə] **1** sport. a) walkover

b) promenadseger **2** bildl. enkel match (sak)
walkway ['wɔ:kweɪ] **1** gång, trädgårdsgång, uppfartsväg; gångbana, trottoar **2** gångbräda, gångbord isht i maskinrum
wall [wɔ:l] **I** *s* mur äv. bildl.; vägg; befästningsmur; [skydds]vall; spaljévägg; ~ *newspaper* väggtidning; *~s have ears* väggarna har öron; *come (be) up against a [brick (stone, blank)]* ~ bildl. köra (ha kört) [ohjälpligt] fast; *put (stand) a p. up against a* ~ bildl. ställa ngn mot väggen; *it is like talking to a brick* ~ det är som att tala till en vägg **II** *vb tr* **1** ~ *[in (about, round)]* omge (förse) med en mur (murar etc., jfr *I*), [låta] bygga en mur etc. kring **2** ~ *[up]* a) mura igen [~ *a window*] b) mura in; stänga (spärra) in
wallet ['wɒlɪt] plånbok
wallflower ['wɔ:lˌflaʊə] **1** bot. lackviol **2** vard. panelhöna
wallop ['wɒləp] **I** *vb tr* vard. klå [upp], ge stryk; sport. klå **II** *s* **1** vard. slag; duns [*with a* ~] **2** vard. slagkraft; genomslagskraft; *he packs a* ~ han har krut i näven **3** sl. öl
wallow ['wɒləʊ] **1** vältra (rulla) sig [*pigs ~ing in the mire*]; om t.ex. skepp rulla **2** bildl. ~ *in* vältra (vräka) sig i [~ *in luxury*], vada (simma) i [~ *in money*], frossa i [*some newspapers ~ in scandal*]
wall-painting ['wɔ:lˌpeɪntɪŋ] väggmålning, fresk
wallpaper ['wɔ:lˌpeɪpə] **I** *s* tapet[er]; ~ *music* skvalmusik, bakgrundsmusik **II** *vb tr* tapetsera
Wall Street ['wɔ:lstri:t] **I** gata i New York, där börsen o. ett antal banker är belägna; *on* ~ äv. på den amerikanska börsen **II** *s* bildl. den amerikanska storfinansen
wall-to-wall [ˌwɔ:ltʊ'wɔ:l] **1** ~ *carpet* heltäckningsmatta **2** vard., ~ *sales* total utförsäljning
wally ['wɔ:lɪ] vard. dumskalle
walnut ['wɔ:lnʌt, -nət] bot. valnöt; valnötsträ; valnötsträd
walrus ['wɔ:lrəs, -rʌs] zool. valross
waltz [wɔ:ls, wɒls, wɔ:lts, wɒlts] **I** *s* vals dans; vals[melodi] **II** *vb itr* **1** dansa vals **2** vard. ranta, ränna [*I don't like strangers ~ing about here*]; dansa [*she ~ed into the room and out again*]; *he ~ed off with the first prize* han promenerade hem (tog lätt hem) första priset **III** *vb tr* **1** dansa vals (valsa) med **2** vard. lotsa [kvickt] [*he ~ed us right into the governor's office*]
wan [wɒn] **1** glåmig [*pale and* ~], [sjukligt] blek **2** matt, lam [~ *attempts*]; *a ~ smile* ett blekt (svagt) leende
wand [wɒnd], [*magic (magician's)*] ~ trollstav, trollspö
wander ['wɒndə] **I** *vb itr* **1 a)** eg. ~ [*about*] vandra (irra, ströva) omkring [*we ~ed for miles and miles in the mist*], vanka omkring; föra ett kringflackande liv **b)** om blick, hand, penna o.d. glida, gå; *his attention ~ed* hans tankar började vandra **2** ~ [*away (off)*] gå vilse, komma bort; avvika [*from* från]; förirra sig [*into* in i]; komma på villovägar; ~ *from the subject (point)* gå (komma) ifrån ämnet **3** ~ [*off (in one's mind)*] tala osammanhängande, yra, fantisera **II** *vb tr* vandra (ströva, vanka) omkring på (i) [~ *the streets (the town)*]
wanderer ['wɒndərə] vandrare; vagabond
wandering ['wɒnd(ə)rɪŋ] **I** *s* **1** vandring; pl. *~s* vandringar, långa resor, irrfärder; kringflackande **2** ofta pl.: *~s* avvikande, avvikelse [*from* från] **II** *adj* **1** [kring]vandrande, kringresande; kringflackande [*lead a ~ life*]; vandrings-, nomadisk [~ *tribes*]; *the W~ Jew* den vandrande juden **2** vilsekommen; förlupen [*a ~ bullet*]
wan|e [weɪn] **I** *vb itr* **1** avta [*his strength is -ing*], minska[s], försvagas **2** om månen o.d. avta, vara i avtagande **II** *s* **1** avtagande; *on the* ~ i avtagande, på retur, på tillbakagång; på upphällningen **2** nedan; *the moon is on the* ~ månen är i nedan (i avtagande)
wangle ['wæŋgl] vard. **I** *vb tr* fiffla med [~ *the accounts*]; mygla till sig [~ *an invitation to a party*] **II** *vb itr* fiffla; mygla **III** *s* fiffel, mygel
wank [wæŋk] sl. **I** *vb itr,* ~ [*off*] runka onanera **II** *s* runk onanerande
want [wɒnt] **I** *s* **1** brist; ~ *of* brist på, bristande [~ *of attention*] **2** isht pl.: *~s* behov; önskningar **3** nöd [*freedom from* ~]; *be in* ~ lida nöd **II** *vb tr* **1** vilja; vilja ha [*do you ~ some bread?*], önska [sig] [*what do you ~ for Christmas?*]; begära; söka [*we ~ information*]; *~ed* i annons önskas hyra [*furnished room ~ed*], önskas köpa, köpes [*bungalow ~ed*], sökes [*cook ~ed*]; *I don't ~ it said that...* jag vill inte att man ska säga att...; *what do you ~ of (from) me?* vad begär du av mig?, vad vill du mig? **2** behöva; *it ~s doing* det behöver göras **3** sakna [*he ~s the will to do it*] **4** opers., *it ~s very little* det fattas mycket litet **5** vilja tala med; *you are ~ed on the phone* det är telefon till dig; *~ed* [*by the police*] efterlyst [av polisen]; *he is ~ed by the police* han är efterspanad av polisen; *much ~ed* mycket eftersökt (efterfrågad) **III** *vb itr* **1** vilja [*we can stay at home if you* ~] **2** amer. vard., ~ *in (out)* vilja [gå (komma)] in (ut) [*the cat ~s out*] **3** lida nöd; *he ~ed for nothing* han saknade ingenting, han hade allt han behövde **4** saknas [*all that ~s is signature*]
wanting ['wɒntɪŋ] **I** *adj* o. *pres p* saknande,

som saknar; *be* ~ saknas, fattas, vara borta [*a few pages of this book are* ~], felas; *be found* ~ visa sig inte vara bra nog (bristfällig) **II** *prep* utan, i avsaknad av

wanton ['wɒntən] **I** *adj* **1** godtycklig; meningslös [~ *destruction*]; hänsynslös [*a ~ attack*] **2** lättfärdig [*a ~ woman*], lättsinnig [~ *thoughts*] **II** *s* lättfärdig kvinna, slinka

war [wɔ:] **I** *s* krig; bildl. äv. kamp [*the ~ against disease*], strid [~ *to* (på) *the knife*]; *civil* ~ inbördeskrig; *the cold* ~ det kalla kriget; *declare* ~ förklara krig [*on, against* mot]; *he has been in the ~s* vard. han har råkat ut för en hel del [olyckor], han har blivit illa tilltygad; *go to* ~ börja krig [*against, with* mot, med], bryta freden **II** *vb itr* kriga äv. bildl. [*against* mot]

warble ['wɔ:bl] **I** *vb tr* o. *vb itr* isht om fåglar sjunga, kvittra **II** *s* fågels sång; trastens slag

warbler ['wɔ:blə] zool. sångare; *marsh* ~ kärrsångare

war cry ['wɔ:kraɪ] **1** stridsrop **2** bildl. [politiskt] slagord, lösen

ward [wɔ:d] **I** *s* **1** administrativt [stads]distrikt; *electoral* ~ valdistrikt **2** avdelning på sjukhus o.d.; *maternity* ~ BB-avdelning, förlossningsavdelning; *private* ~ enskilt rum **3** isht jur. förmynderskap; ~ [*of court*] myndling, omyndig [person] **II** *vb tr* **1** ~ *off* avvärja, parera [~ *off a blow*]; avvända [~ *off a danger*], avstyra; hålla på avstånd (ifrån sig) **2** a) lägga in [på sjuksal] b) härbärgera

war dance ['wɔ:dɑ:ns] krigsdans

warden ['wɔ:dn] **1** a) föreståndare [*the ~ of a youth hostel*] b) rektor vid vissa eng. colleges [*the W~ of Merton College, Oxford*] **2** uppsyningsman; *traffic* ~ trafikvakt; lapplisa **3** kyrkvärd

warder ['wɔ:də] **1** fångvaktare **2** vakt

wardrobe ['wɔ:drəʊb] **1** a) garderob [äv. *built-in* ~], klädkammare b) klädskåp **2** koll. garderob [*renew one's* ~], kläder **3** teat. kostymateljé

ware [weə], ~[*s* pl.] varor [*advertise one's ~s*], [små]artiklar; koll. (ss. efterled i sms.) -varor [*ironware*], -gods [*stoneware*], -artiklar [*silverware*]

warehouse [ss. subst. 'weəhaʊs, ss. vb 'weəhaʊz] **I** *s* **1** lager[lokal]; [tull]packhus; ~ *party* jätteparty i lagerlokal o.d.; raveparty **2** möbelmagasin [äv. *furniture* ~] **II** *vb tr* magasinera

warfare ['wɔ:feə] **1** krig; stridsmetoder; *chemical* ~ kemisk krigföring **2** krig; kamp; *act of* ~ krigshandling

wargame ['wɔ:geɪm] krigsspel

warhead ['wɔ:hed] mil. stridsdel i robot [*nuclear* ~]; stridsladdning

warhorse ['wɔ:hɔ:s] **1** vard. [gammal] veteran (kämpe) **2** vard., om teaterpjäs el. musikstycke gammalt pålitligt paradnummer (bravurnummer)

warily ['weərəlɪ] varsamt, försiktigt

wariness ['weərɪnəs] varsamhet, försiktighet

warlike ['wɔ:laɪk] **1** krigisk, stridslysten **2** krigs- [~ *preparations*]

warm [wɔ:m] **I** *adj* **1** varm, värmande [*a ~ fire*]; ljum; *keep a seat* (*place*) ~ *for me* [*till I come*] håll en plats åt mig... **2** bildl. a) varm [*a ~ admirer*]; hjärtlig, innerlig; ivrig [*a ~ supporter*] b) hetsig, häftig [*a ~ protest*], våldsam, lidelsefull c) varmblodig, sinnlig **3** bildl. obehaglig; besvärlig; *give a p. a ~ reception* (*welcome*) äv. ge ngn ett varmt (hett) mottagande, ta emot ngn med varma servetter **II** *vb tr* värma äv. bildl. [*it ~ed my heart*]; värma upp [~ *the milk*]; ~ *over* amer. värma upp [~ *over cold coffee*]; ~ *up* värma upp äv. sport. **III** *vb itr* bli varm[are]; värmas [upp]; värma sig; ~ *to* (*towards*) *a p.* tycka mer och mer om ngn, bli vänligare stämd mot ngn; ~ *to one's subject* gå upp i sitt ämne, tala sig varm [för sin sak]; ~ *up* a) värmas upp, bli varm [*the engine is ~ing up*] b) bildl. bli varm i kläderna, tala sig varm [*he ~ed up as he went on with his speech*]; tina upp c) sport. värma upp sig **IV** *s* uppvärmning; värme; *give one's hands a* ~ värma händerna [ett tag]; *have* (*get*) *a* ~ värma sig [litet]

warm-blooded [ˌwɔ:m'blʌdɪd, attr. äv. '-ˌ--] varmblodig äv. bildl.

warm-hearted [ˌwɔ:m'hɑ:tɪd, attr. äv. '-ˌ--] varmhjärtad

warmonger ['wɔ:ˌmʌŋgə] krigshetsare

warmth [wɔ:mθ] **1** värme **2** bildl. **a**) värme; iver, entusiasm **b**) hetta; [*he answered*] *with some* ~ ...med en viss hetta (irritation), ...något hetsigt (irriterat)

warm-up ['wɔ:mʌp] sport. el. bildl. uppvärmning; ~ *band* mus. förband

warn [wɔ:n] **I** *vb tr* **1** varna; avråda; *he ~ed me against going* el. *he ~ed me not to go* han varnade mig för (avrådde mig från) att gå **2** varsla, förvarna **3** påminna om, göra uppmärksam på **4** [upp]mana [*he ~ed us to be on time*]; förmana **5** ~ *a p. off* [*a th.*] avvisa ngn [från ngt] [*they were ~ed off* [*the premises*]]; uppmana ngn att hålla sig undan [från ngt] **II** *vb itr*, ~ *against* (*about, of*) varna för, slå larm om

warning ['wɔ:nɪŋ] **1** varning; varnande (avskräckande) exempel [*as a ~ to* (för) *others*], varnagel; *gale* ~ stormvarning; *let this be a ~ to you* låt detta bli dig en varning (ett varnande exempel för dig)

2 förvarning; *be a ~ of* äv. varsla om, tyda på
warp [wɔ:p] **I** *vb tr* **1** göra skev (vind, buktig) **2** bildl. a) snedvrida, förvanska [*~ a report*] b) förvända; påverka [*~ a p.'s judgement*] **II** *vb itr* **1** bli skev (vind, buktig), slå sig [*the door has ~ed*] **2** bildl. förvanskas **III** *s* **1** vävn. varp, ränning **2** skevhet, buktighet hos trä
warpaint ['wɔ:peɪnt] krigsmålning äv. bildl.
warpath ['wɔ:pɑ:θ], *on the ~* på krigsstigen, på stridshumör
warped [wɔ:pt] **1** skev, buktig **2** bildl. skev; förvänd, depraverad [*he has got a ~ mind*]
warplane ['wɔ:pleɪn] krigsflygplan
warrant ['wɒr(ə)nt] **I** *s* **1** isht jur. a) fullmakt, bemyndigande, tillstånd b) skriven order; *~ [of arrest]* häktningsorder, häktningsbeslut **2** moralisk rätt [*he had no ~ for saying so*], stöd; berättigande **3** garanti, säkerhet; bevis **4** mil., *~ officer* förvaltare; amer. fanjunkare **II** *vb tr* **1** a) berättiga, rättfärdiga [*nothing can ~ such insolence*]; motivera b) sanktionera [*the law ~s this procedure*]; *be ~ed to* ha [full] rätt att **2** garantera [*I ~ it to be* (att det är) *true*; *~ed 22 carat gold*]; ansvara (stå) för; försäkra; *I (I'll) ~!* det kan jag försäkra!
warranty ['wɒr(ə)ntɪ] garanti för fullgod vara
warren ['wɒr(ə)n] **1** a) kaningård b) kaninrikt område **2** bildl. tättbebyggt bostadsområde
warrior ['wɒrɪə] litt. krigare, krigsman, stridsman; krigisk [*a ~ nation*]; *the Unknown W~* den okände soldaten
Warsaw ['wɔ:sɔ:] Warszawa
warship ['wɔ:ʃɪp] krigsfartyg, örlogsfartyg
wart [wɔ:t] vårta; utväxt; *~s and all* bildl. med alla fel och brister, utan försköning
wart hog ['wɔ:thɒg] zool. vårtsvin
wartime ['wɔ:taɪm] krigstid
wary ['weərɪ] varsam, försiktig; på sin vakt; vaksam; *be ~ of* äv. akta sig för
was [wɒz, obeton. wəz, wz] imperf. ind. (1 o. 3 pers. samt dial. 2 pers. sg.) av *be*
wash [wɒʃ] **I** *vb tr* (jfr äv. *III*) **1** tvätta; skölja; diska [vanl. *~ up*]; vaska; *~ the dishes* diska **2** om vågor o.d. a) skölja [mot], slå upp över b) spola, kasta [*~ overboard*] **II** *vb itr* (jfr äv. *III*) **1** tvätta sig; tvätta av sig **2** tvätta; skölja, spola **3** om tyg o.d. gå att tvätta, tåla tvätt; *guaranteed to ~* garanterat tvättäkta **4** vard., *it won't ~* det håller inte; den gubben går inte **5** om vatten m.m. skölja, strömma
III *vb tr* o. *vb itr* i spec. förb. med adv. el. prep.:
~ **ashore** spola[s] i land
~ **away**: **a**) tvätta (spola, skölja) bort **b**) urholka, urgröpa
~ **down**: **a**) tvätta [av] [*~ down a car*] **b**) skölja ned [*~ down the food with beer*]
~ **off**: **a**) tvätta bort (av) [*~ off stains*] **b**) gå bort i tvätten **c**) sköljas (spolas) bort
~ **out**: **a**) tvätta (skölja) ur; tvätta (skölja) upp [*~ out clothes*]; *~ed out* urtvättad **b**) [*our match*] *was ~ed out* ...regnade bort **c**) vard. stryka [ett streck över] [*~ out a p.'s debts*], utesluta, bortse från
~ **up**: **a**) diska [upp]; tr. äv. diska av **b**) amer. tvätta [av] sig **c**) om vågor skölja (spola, kasta) upp **d**) vard., *~ed up* slut, färdig [*he was ~ed up as a boxer*]
IV *s* **1** tvättning; *give the car a [good] ~* tvätta (spola) av bilen [ordentligt]; *have a ~* tvätta [av] sig **2** a) tvätt[ning] av kläder b) tvätt[kläder] c) tvätt[inrättning]; *it will come out in the ~* a) det går bort i tvätten b) bildl. det kommer att ordna upp sig **3** svall[våg] isht efter båt, skvalp; kölvatten äv. bildl. **4** farmakol. o.d. lotion; isht ss. efterled i sms. -vatten [*mouthwash*], -bad [*eyewash*]
washable ['wɒʃəbl] tvättbar, tvättäkta
washbasin ['wɒʃˌbeɪsn] handfat, tvättställ
washboard ['wɒʃbɔ:d] **1** tvättbräde **2** bildl. knagglig väg
washcloth ['wɒʃklɒθ] disktrasa; isht amer. tvättlapp
washdown ['wɒʃdaʊn] **1** översköljning; *give the car a ~* tvätta (spola) av bilen **2** [kall] avrivning
washer ['wɒʃə] **1** tvättmaskin; diskmaskin [äv. *dishwasher*] **2** tekn. a) packning till kran o.d. b) [underläggs]bricka
wash-house ['wɒʃhaʊs] tvättstuga uthus; brygghus
washing ['wɒʃɪŋ] **1** tvätt[ning]; sköljning; diskning etc., jfr *wash I* o. *II* **2** tvätt[kläder] **3** pl.: *~s* använt tvättvatten, sköljvatten **4** uppslamning
washing-machine ['wɒʃɪŋməˌʃi:n] tvättmaskin
washing-powder ['wɒʃɪŋˌpaʊdə] tvättmedel
washing-soda ['wɒʃɪŋˌsəʊdə] kristallsoda
Washington ['wɒʃɪŋtən]
washing-up [ˌwɒʃɪŋ'ʌp] disk; rengöring; *~ bowl* diskbalja; *~ liquid* [flytande] diskmedel; *~ sink* diskho
wash leather ['wɒʃˌleðə] tvättskinn
washout ['wɒʃaʊt] **1** spolning **2** vard. fiasko; om pers. odugling, nolla
washroom ['wɒʃru:m, -rʊm] isht amer. toalett[rum]
washstand ['wɒʃstænd] tvättställ; kommod
washtub ['wɒʃtʌb] tvättbalja
wasn't ['wɒznt] = *was not*
wasp [wɒsp] geting; *~'s nest* getingbo
waspish ['wɒspɪʃ] **1** retlig; giftig **2** smal, med getingmidja
wastage ['weɪstɪdʒ] **1** slöseri **2** spill;

bortfall; förlust av vikt o.d.; *natural ~* naturlig avgång
waste [weɪst] **I** *adj* **1** öde, ödslig; ödelagd; ofruktbar; *lay ~* ödelägga, förhärja, skövla **2** avfalls- [*~ products*]; spill- [*~ oil*; *~ water*]; förlorad [*~ energy*], förspilld; *~ bin* soplår, soptunna; *~ paper* pappersavfall, pappersskräp; makulatur, avfallspapper; *~ paper basket* papperskorg **II** *vb tr* **1** a) slösa [bort], förslösa, förnöta, [för]spilla b) slösa (misshushålla) med, låta förfaras (gå till spillo); *~ one's breath* (*words*) tala för döva öron (förgäves); *~ one's breath* ([*one's*] *words*) [*up*]*on* spilla ord på **2** försumma [*~ an opportunity*] **3** ödelägga, föröda, förhärja äv. bildl. **4** tära [på], försvaga [äv. *~ away*]; [*a body*] *~d by disease* ...tärd (härjad, utmärglad) av sjukdom **III** *vb itr* **1** förslösas, förfaras **2** slösa; *~ not, want not* ung. den som spar han har **3** *~ away* om pers. tyna av, avtäras; magra **IV** *s* **1** slöseri, misshushållning; *it's a ~ of breath* (*words*) det är att tala för döva öron; *a ~ of time* bortkastad tid, slöseri med tid, tidsspillan **2** avfall; sopor, rester; utskott; [*cotton*] *~* trassel **3** ödemark; ödejord; [öde] vidd (sträcka, rymd)
wastebasket ['weɪs(t)ˌbɑ:skɪt] amer. papperskorg
waste-disposer ['weɪs(t)dɪsˌpəʊzə] avfallskvarn
wasteful ['weɪstf(ʊ)l] **1** slösaktig [*~ habits*]; oekonomisk [*~ methods*]; *be ~ with* äv. slösa (ödsla) med **2** ödeläggande
wasteland ['weɪstlænd] ödejord; ofruktbar (ouppodlad) mark; öken äv. bildl.
waster ['weɪstə] **1** slösare **2** vard. odåga
watch [wɒtʃ] **I** *s* **1** vakt, vakthållning; uppsikt; utkik; *keep* [*a*] *~ for* hålla utkik efter **2** om pers. vakt; koll. [natt]vakt **3** sjö. vakt: a) vaktmanskap b) vakthållning c) vaktpass **4** klocka; *set one's ~* ställa klockan (sin klocka) [*by* efter] **5** vaka; likvaka **II** *vb itr* **1** se 'på; se upp [*~ when you cross the street*]; *~ for* a) hålla utkik (spana) efter; vänta (vakta) på [*~ for a signal*] b) avvakta, passa [på] [*~ for an opportunity*]; *~ out* se upp [*~ out when you cross the road*]; *~ out for* äv. hålla utkik efter; ge akt på **2** vakta, hålla vakt **3** vaka **III** *vb tr* **1** se på [*~ television*]; ge akt på, hålla ögonen på, betrakta; vara noga (se upp) med [*~ one's weight*]; *~ it* (*yourself*)*!* se upp!, akta dig!; hotfullt passa dig [noga]!; *~ what you do!* ge akt (tänk) på vad du gör! **2** bevaka [*~ one's interests*]; vaka över [*~ one's sheep*]
watchdog ['wɒtʃdɒg] vakthund
watcher ['wɒtʃə] bevakare; iakttagare; *bird ~* fågelskådare
watchful ['wɒtʃf(ʊ)l] vaksam, uppmärksam, påpasslig, alert; *keep a ~ eye on* (*over*) hålla ett vakande (vaksamt) öga på
watchmaker ['wɒtʃˌmeɪkə] urmakare; klocktillverkare
watch|man ['wɒtʃ|mən] (pl. *-men* [-mən]) nattvakt, väktare
watchstrap ['wɒtʃstræp] klockarmband
watchtower ['wɒtʃˌtaʊə] vakttorn
watchword ['wɒtʃwɜ:d] paroll, lösen, motto
water ['wɔ:tə] **I** *s* **1** vatten; vattendjup; pl. *~s* a) vatten, vattenmassor; böljor b) farvatten [*in British ~s*]; *body of ~* vattenmassa; *table ~* bordsvatten; *spend money like ~* ösa ut pengar, låta pengarna rinna mellan fingrarna; *keep out the ~* hålla ute vattnet; sjö. hålla läns **2** *the ~s* (pl.) fostervatten; *the ~s broke* vattnet gick **II** *vb tr* **1** vattna [*~ the horses*]; fukta (blöta) [med vatten]; bevattna **2** *~* [*down*] spä, spä ut [med vatten] **3** förse med vatten **4** vattra [*~ed silk*] **III** *vb itr* **1** vattna sig; *his mouth ~ed* el. *it made his mouth ~* det vattnades i munnen på honom **2** rinna, tåras [*the smoke made my eyes ~*]
watercan ['wɔ:təkæn] vattenkanna
water cannon ['wɔ:təˌkænən] vattenkanon
water chestnut ['wɔ:təˌtʃesnʌt] bot. el. kok. vattenkastanj
water closet ['wɔ:təˌklɒzɪt] vattenklosett, wc
watercolour ['wɔ:təˌkʌlə] **1** vattenfärg, akvarellfärg; *in ~s* i akvarell **2** *~* [*painting*] akvarell[målning], målning i vattenfärg **3** *~ painting* akvarellmålning[en] måleri
water-cooled ['wɔ:təku:ld] vattenkyld
watercress ['wɔ:təkres] bot. källkrasse
water-diviner ['wɔ:tədɪˌvaɪnə] slagruteman
waterfall ['wɔ:təfɔ:l] vattenfall, fors
waterfowl ['wɔ:təfaʊl] vanl. koll. vattenfågel
waterfront ['wɔ:təfrʌnt] strand; sjösida av stad; hamnområde; *along the ~* längs (vid) vattnet (stranden)
water-heater ['wɔ:təˌhi:tə] varmvattenberedare
waterhole ['wɔ:təhəʊl] vattenhål
water ice ['wɔ:təraɪs] vattenglass
watering-can ['wɔ:t(ə)rɪŋkæn] vattenkanna
watering-place ['wɔ:t(ə)rɪŋpleɪs] **1** vattningsställe **2** hälsobrunn **3** badort
water jug ['wɔ:tədʒʌg] vattentillbringare
water jump ['wɔ:tədʒʌmp] sport. vattengrav
water level ['wɔ:təˌlevl] **1** vattenstånd, vattenhöjd **2** sjö. vattenlinje **3** tekn. vattenpass **4** grundvattennivå
water lily ['wɔ:təˌlɪlɪ] bot. näckros
waterline ['wɔ:təlaɪn] **1** sjö. vattenlinje; vattengång **2** vattenlinje i papper

waterlogged ['wɔ:təlɒgd] **1** sjö. vattenfylld **2** vattensjuk, vattendränkt; vattenmättad
water main ['wɔ:təmeɪn] huvud[vatten]ledning
watermark ['wɔ:təmɑ:k] **I** *s* **1** vattenmärke; vattenstämpel **2** vattenståndsmärke **II** *vb tr* förse med vattenmärke (vattenstämpel), vattenstämpla
watermelon ['wɔ:təˌmelən] vattenmelon
water polo ['wɔ:təˌpəʊləʊ] vattenpolo
water power ['wɔ:təˌpaʊə] vattenkraft
waterproof ['wɔ:təpru:f] **I** *adj* vattentät; impregnerad [~ *material*]; ~ *hat* regnhatt, regnmössa **II** *s* regnrock; vattentätt (impregnerat) tyg **III** *vb tr* göra vattentät; impregnera
water rate ['wɔ:təreɪt] vattenavgift
water-resistant [ˌwɔ:tərɪ'zɪst(ə)nt] vattenbeständig; vattentät
watershed ['wɔ:təʃed] **1** vattendelare **2** avrinningsområde **3** bildl. vattendelare
water-ski ['wɔ:təski:] **I** *vb itr* åka vattenskidor **II** *s* vattenskida
water-softener ['wɔ:təˌsɒfnə] avhärdningsmedel; vattenavhärdare
water supply ['wɔ:təsəˌplaɪ] **1** vattenförsörjning; vattentillförsel **2** vattentillgång
watertight ['wɔ:tətaɪt] vattentät [~ *compartments*; *a* ~ *alibi*], tät; bildl. äv. hållbar
waterway ['wɔ:təweɪ] **1** farled, segelled; [segel]ränna; [hamn]inlopp; kanal **2** vattenväg
water wings ['wɔ:təwɪŋz] armkuddar slags simdynor
waterworks ['wɔ:təwɜ:ks] (konstr. ss. sg. el. pl.; pl. *waterworks*) **1** vatten[lednings]verk **2** vard., *turn on the* ~ ta till lipen, börja tjuta (lipa)
watery ['wɔ:tərɪ] **1** vattnig; vattenrik, vattenfylld; regnrik [~ *summer*]; vattenhaltig; vatten- [~ *vapour*]; vattenaktig **2** vattnig [~ *soup*; ~ *colours*]; tunn; utspädd; urvattnad äv. bildl. [~ *style*]; fadd **3** vattnig [~ *eyes*]
watt [wɒt] elektr. watt
wattage ['wɒtɪdʒ] elektr. wattal; wattförbrukning
1 wattle ['wɒtl] [ris]flätverk; ~[*s* pl.] ribbor, ris till flätning
2 wattle ['wɒtl] zool. **1** slör **2** skäggtöm
wave [weɪv] **I** *s* **1** våg i olika bet. [*high* ~*s*; *a* ~ *of disgust, crime* ~; *long* (*medium, short*) ~]; bölja; *heat* ~ värmebölja; ~ *of strikes* strejkvåg **2** vågighet, våglinje; böljande form; vattring, flammighet på tyg **3** vinkning; vink; viftning; svängning **4** våg i hår; *permanent* ~ permanent[ning] [*cold* ~]; *she has a natural* ~ *in her hair* hon har självfall **II** *vb itr* **1** bölja; vaja, vagga; fladdra **2** vara vågigt, våga sig [*her hair* ~*s naturally*] **3** vinka **III** *vb tr* **1** vinka med [~ *one's hand*], vifta med [*he* ~*d his handkerchief*]; vifta [~ *goodbye*]; svänga [med] [~ *a sword*]; få att vaja (vagga, fladdra); ~ *down* stoppa t.ex. bilist genom att vinka med handen, göra tecken åt t.ex. bilist att stanna **2** göra vågig (vågor i) [~ *one's hair*]; *she has had her hair permanently* ~*d* hon har permanentat sig
waveband ['weɪvbænd] radio. våglängdsområde
wavelength ['weɪvleŋθ] radio. våglängd äv. bildl.
waver ['weɪvə] **1** fladdra, flämta [*the candle* ~*ed*]; skälva [*her voice* ~*ed*]; irra [*his glance* ~*ed*]; sväva **2** vackla [*his courage* ~*ed*]; [börja] ge vika **3** växla [~ *between two opinions*]; tveka
wavy ['weɪvɪ] vågig, vågformig; böljande; slingrig
1 wax [wæks] isht om månen tillta, växa, komma; ~ *and wane* bildl. tillta och avta [i styrka], växa och krympa, växla, skifta
2 wax [wæks] **I** *s* **1** vax; bivax; öronvax; vax-; ~ *model* vaxdocka, modelldocka; *be* ~ *in a p.'s hands* vara som vax i ngns händer **2** [*cobbler's*] ~ beck, skomakarbeck **3** [skid]valla **II** *vb tr* **1** vaxa; bona [~ *floors*]; polera [~ *furniture*]; ~*ed paper* smörpapper, smörgåspapper **2** valla skidor
waxen ['wæks(ə)n] **1** [gjord] av vax, vax- [~ *image*] **2** vaxlik; vaxblek
waxwork ['wækswɜ:k] **1** a) vaxfigur b) vaxarbeten **2** ~*s* (konstr. vanl. ss. sg.; pl. ~*s*) vaxkabinett, panoptikon
waxy ['wæksɪ] **1** vaxartad; vaxig; mjuk som vax **2** vaxblek
way [weɪ] **I** *s* **1** väg i abstr. bet. [*they went the same* ~], håll, riktning; [väg]sträcka, bit [*I can only run a little* (kort) ~] **2** konkr. väg [*a* ~ *across the field*]; gång **3** utväg **4** sätt [*the right* ~ *of doing* (*to do*) *a th.*], vis **5** sätt [*in several* ~*s*] **6** ~ el. pl. ~*s*: a) sätt, uppträdande, beteende b) vana [*he has his little* ~*s*] **7** ~*s and means* a) [tillgängliga] medel, resurser; möjligheter, utvägar; metoder b) parl. anskaffning av erforderliga medel åt statskassan; ~ *of life* livsföring, livsstil **8** *that is always the* ~ så är det alltid; *that's the* ~ *it is* så är det, sånt är livet
9 i förb. med pron.: *I'm with you all the* ~ jag håller med dig helt; jag är helt och hållet på sin sida; [*the carpet is ten feet*] *each* ~ ...på vardera ledden; [*it was wrong*] *either* ~ ...hur man än vände och vred på saken, ...i alla fall; *it is not his* ~ *to be mean* snålhet ligger inte för honom; *no* ~*!* vard. aldrig i livet!, sällan!, inte en chans!; *this* ~ *and that* hit och dit, åt alla håll

10 i förb. med verb: *ask the* (*one's*) ~ fråga efter vägen; *are you going my ~?* ska du åt mitt håll?; *everything was going my* ~ allt gick vägen för mig; *go a long* (*great*) ~ *to* (*towards*) bidra starkt till; *have* [*it all*] *one's own* ~ få sin vilja fram; *have it your own ~!* [gör] som du vill!; *he has a ~ with him* han har sitt speciella sätt; *know the* (*one's*) ~ hitta, känna till vägen; *lose one's* (*the*) ~ komma (gå, köra, råka o.d.) vilse; *pay one's* [*own*] ~ a) betala för sig [själv] b) vara lönande, bära sig

11 i förb. med prep.: *across the* ~ på andra sidan vägen (gatan); *by the* ~ a) nära (vid, intill) vägen [*he lives by the* ~] b) i förbifarten; för övrigt c) ovidkommande; *by the ~, do you know...?* förresten (apropå det), vet du...?; *by ~ of introduction* inledningsvis; *in a* ~ på sätt och vis, på ett sätt; *in no* ~ på intet sätt, ingalunda [*in no ~ inferior*]; *be well on one's* ~ ha kommit en bra (god) bit på väg; bildl. vara på god väg; *see a p. on his* ~ följa ngn [på vägen]; *out of the* ~ a) ur vägen [*be out of the* ~], undan, borta b) avsides [belägen], avlägsen c) ovanlig, originell; *get a p. out of the* ~ göra sig av med ngn, bli kvitt ngn; *go out of one's* ~ a) ta (göra, köra o.d.) en omväg, göra en avstickare b) göra sig extra besvär [*he went out of his ~ to help me*], lägga an på [*he went out of his ~ to be rude*]; *be under* ~ a) ha kommit i gång; vara under uppsegling b) sjö. ha [god] fart, vara under gång

12 i förb. med adv.: ~ *about* (*round*) omväg [*go* (göra, ta) *a long ~ about* (*round*)]; ~ *out* a) utgång, väg ut, utfart; utväg b) bildl. utväg, råd

II *adv* vard. långt; *your demands are ~ above* [*what I can accept*] dina krav ligger skyhögt över...; ~ *back in the eighties* redan på 80-talet

wayfarer [ˈweɪˌfeərə] vägfarande

waylay [weɪˈleɪ] (*waylaid waylaid*) ligga (lägga sig) i bakhåll för, lurpassa på

way-out [ˌweɪˈaʊt] vard. extrem; excentrisk

wayside [ˈweɪsaɪd] vägkant; ~ *inn* värdshus vid (efter) vägen

wayward [ˈweɪwəd] **1** egensinnig **2** nyckfull [*a ~ impulse*]

WC [ˌdʌbljuːˈsiː] **1** (förk. för *West Central*) postdistrikt i London **2** (förk. för *water closet*) wc

we [wiː, obeton. wɪ] (objektsform *us*) **1** vi **2** man [~ *usually say 'please' in English*] **3** vard., *how are ~ feeling today?* hur mås det i dag?, hur mår vi (man) i dag?

weak [wiːk] **1** svag [*a ~ character* (*rope, sight, team*), ~ *resistance*]; klen, skröplig; dålig; bristfällig; matt; *the* ~[*er*] *sex* det svaga[re] könet; ~ *in the head* dum i huvudet **2** tunn, svag [~ *coffee*] **3** gram. svag [*a ~ verb*]

weaken [ˈwiːk(ə)n] försvaga[s], förvekliga[s], förslappa[s]

weak-kneed [ˌwiːkˈniːd, attr. ˈ--] **1** knäsvag **2** vek; karaktärslös

weakling [ˈwiːklɪŋ] vekling, stackare

weakness [ˈwiːknəs] svaghet; klenhet etc., jfr *weak 1*; svag sida, brist; *have a ~ for* vara svag för, ha en svaghet för [*Vincent has a ~ for chocolate*]

weak-willed [ˌwiːkˈwɪld, attr. ˈ--] viljelös

1 weal [wiːl] litt. väl, välgång; *the public* (*common, general*) ~ det allmännas (samhällets) väl, det allmänna bästa

2 weal [wiːl] strimma märke på huden efter slag

wealth [welθ] **1** rikedom[ar]; välstånd; ekon. äv. tillgångar; ~ *tax* förmögenhetsskatt **2** bildl. *a ~ of* en rikedom på, överflöd på [*a ~ of fruit*], en stor mängd [av] [*a ~ of examples*], uppsjö på

wealthy [ˈwelθɪ] **1** rik [*a ~ country* (*person*)] **2** bildl. ~ *in* rik på

wean [wiːn] **1** avvänja [~ *a baby*] **2** ~ *from* avvänja från **3** *be ~ed on* uppfostras med [*be ~ed on the classics at school*]; matas med [*be ~ed on TV*]

weapon [ˈwepən] vapen; tillhygge; stridsmedel [*biological* (*conventional*) ~]; *beat a p. at* (*with*) *his own* ~[*s*] isht bildl. slå ngn med hans egna vapen

weaponry [ˈwepənrɪ] **1** vapen koll. [*nuclear* ~] **2** vapenframställning

wear [weə] **A** (*wore worn*) *vb* **I** *tr* (se äv. *III*) **1** ha på sig, vara klädd i, bära [~ *a ring on one's finger*], klä sig i [*she always ~s blue*], använda [~ *spectacles*], gå med; ~ *one's hair long* (*short*) ha långt (kort) hår; ~ *a beard* ha (bära) skägg; ~ *lipstick* använda läppstift **2** a) nöta (slita) [på] [*hard use has worn the gloves*]; bildl. äv. tära på b) nöta (trampa, köra) upp [~ *a path. across the field*], gräva [sig] [*the water had worn a channel in the rock*]; ~ *a hole* (*holes*) *in* nöta (slita) hål på (i) **3** vard. finna sig i, gå med på; *he told me a lie but I wouldn't ~ it* han ljög för mig men det gick jag inte på **II** *itr* (se äv. *III*) **1 a**) nötas, bli nött (sliten) [*a cheap coat will ~ soon*]; ~ *thin* a) bli tunnsliten b) bildl. [börja] bli genomskinlig [*his excuses are ~ing thin*]; [börja] ta slut [*my patience wore thin*] **b**) ~ *on a p.* gå ngn på nerverna **2 a**) hålla [att slita på] [*this material will ~ for years*]; stå sig; ~ *well* a) hålla bra, vara hållbar (slitstark) b) vara väl bibehållen [*she ~s well*] **b**) vard. hålla [streck]; [*the argument*] *won't* ~ ...håller inte

III *tr* o. *itr* med adv. isht med spec. övers.:

~ **away**: **a**) nöta[s] bort (ut) **b**) försvinna, ge med sig [*the pain wore away*]
~ **down**: **a**) nöta[s] (slita[s]) ned (ut); *worn down* [ned]sliten, [ut]nött **b**) trötta ut [*he ~s me down*] **c**) bryta ned [*~ down the enemy's resistance*]; brytas ned
~ **off**: **a**) nöta[s] av (bort) **b**) gå över (bort) [*his fatigue had worn off*]; minska, avta
~ **on** om tid o.d. lida
~ **out**: **a**) slita[s] (nöta[s]) ut; göra slut på; urholka [*~ out a stone*]; förslitas; ta slut **b**) trötta ut [*he ~s me out*], utmatta; *be worn out* äv. vara utarbetad (slut[körd])
B *s* **1** bruk [*clothes for everyday ~*], användning **2** kläder [*travel ~*]; klädsel, klädstil [*casual ~*]; isht i sms. -beklädnad [*footwear*]; *men's ~* herrkläder, herrkonfektion **3** nötning; *~ [and tear]* slitage, förslitning, bildl. påfrestning[ar]

wearable ['weərəbl] om kläder o.d. användbar

wearisome ['wɪərɪs(ə)m] **1** tröttsam, odräglig [*a ~ person*] **2** tröttande, ansträngande [*a ~ march*]

weary ['wɪərɪ] **I** *adj* **1** trött, uttröttad [*a ~ brain*]; missmodig; kraftlös **2** tröttsam [*a ~ journey*]; trist, ledsam [*a ~ wait*] **II** *vb tr* trötta [ut]; bildl. äv. besvära, plåga, tråka ut **III** *vb itr* **1** tröttna; *~ of* äv. ledsna på, bli trött (led) på **2** förtröttas

weasel ['wi:zl] **1** zool. vessla **2** vessla motorfordon **3** isht amer. vard. filur

weather ['weðə] **I** *s* **1** väder, väderlek; *fine ~* vackert (fint) väder; *~ permitting* om vädret tillåter [det]; *make heavy ~ of* [*the simplest task*] bildl. göra mycket väsen (ett berg) av...; *in all ~s* el. *in any ~* i alla väder, i ur och skur; *under the ~* vard. a) vissen, krasslig b) amer. äv. bakfull; onykter **2** väder- [*a ~ satellite*] **II** *vb tr* **1 a**) [luft]torka [*~ wood*]; utsätta för väder och vind **b**) komma att vittra [sönder]; perf. p. *~ed* förvittrad, [sönder]vittrad [*~ed limestone*], som har vittrat (nötts) **2** sjö., bildl. rida ut [*~ a storm*]; bildl. äv. klara [sig igenom], komma igenom [*~ a crisis*] **III** *vb itr* **1** vittra [sönder]; nötas av väder och vind **2** stå (bibehålla) sig, stå emot [*~ better (well)*]

weather-beaten ['weðəˌbi:tn] väderbiten [*a ~ face*]; härjad av väder och vind

weatherbound ['weðəbaʊnd] uppehållen (hindrad, försenad) på grund av vädret

weathercock ['weðəkɒk] **1** vindflöjel **2** bildl. vindböjtel

weatherman ['weðəmæn] vard. **1** meteorolog **2** väderspåman

weatherproof ['weðəpru:f] **I** *adj* väderbeständig; *~ jacket* vindtygsjacka **II** *vb tr* göra väderbeständig

weathervane ['weðəveɪn] vindflöjel, väderflöjel

1 weave [wi:v] **I** (*wove woven*) *vb tr* **1 a**) väva [*~ cloth*; *a cloth woven from (of) silk*]; väva av [*~ wool*]; *~ wool into cloth* väva tyg av ull **b**) *~ [in]* väva in [*~ a pattern into (i) a th.*] **2** fläta [*~ a basket*], binda [*~ a garland of flowers*]; fläta in **3** bildl. **a**) väva (sätta) ihop [*~ a plot (a story)*]; spinna [*~ a romance around an event*] **b**) *~ [in]* fläta (väva) in **II** (*wove woven*) *vb itr* **1** väva **2** gå att väva av **III** *s* väv; bindning

2 weave [wi:v] **1** a) slingra sig, gå i sicksack [*the road ~s through the valley*], åla [sig] [*he ~d through the traffic*] b) flyg. flyga i sicksack, göra undanmanövrer **2** *get weaving* sl. sätta fart [*on* med], sno sig

weaver ['wi:və] vävare, väverska

web [web] **1** väv **2** [*spider's*] *~* spindelväv, spindelnät **3** bildl. väv; nätverk; *a ~ of deceit (lies)* en härva av bedrägerier (lögner) **4** zool. simhud **5** typogr., [*paper*] *~* a) pappersbana b) pappersrulle i rullpress

webbed [webd] zool. [försedd] med simhud; *~ feet* simfötter

webbing ['webɪŋ] zool. simhud

wed [wed] (*wedded wedded* el. *wed wed*) **I** *vb tr* **1** äkta, gifta sig med **2** gifta [bort]; viga **3** bildl., *~ to* förena (para) med [*~ simplicity to beauty*] **II** *vb itr* gifta sig

we'd [wi:d] = *we had, we would* o. *we should*

wedded ['wedɪd] **1** gift, vigd; äkta [*the ~ couple*]; *his lawful ~ wife* hans äkta (lagvigda) maka **2** *~ life* äktenskap[et], äktenskapligt samliv **3** bildl. *be ~ by* [*common interests*] vara [intimt] förenade av (genom)...

wedding ['wedɪŋ] **1** bröllop; vigsel[akt] **2** bröllops- [*~ day (march)*], brud- [*~ bouquet (dress)*]

wedding cake ['wedɪŋkeɪk] bröllopstårta fruktkaka i våningar täckt med marsipan och glasyr

wedding ring ['wedɪŋrɪŋ] vigselring

wedge [wedʒ] **I** *s* kil; bildl. äv. sprängkil [*drive a ~ into an organization*]; *~ heel* kilklack **II** *vb tr* **1** a) kila; kila fast [äv. *~ up*] b) kila (driva, klämma) in [äv. *~ in*]; *be ~d [in]* vara (sitta) inkilad (inklämd, fastklämd); *~ together* tränga (klämma) ihop **2** klyva [med en kil]

wedlock ['wedlɒk] litt. el. jur. äktenskap; *holy ~* det heliga äkta ståndet; *born out of ~* född utom äktenskapet

Wednesday ['wenzdeɪ, -dɪ isht attr.] onsdag; jfr *Sunday*

wee [wi:] mycket liten [*just a ~ drop*]; ~ *little* pytteliten, jätteliten
weed [wi:d] **I** *s* **1** ogräs[planta]; bildl. ogräs; pl. ~*s* ogräs **2** vard. spinkig person; vekling **3** sl. marijuanacigarett **II** *vb tr* **1** rensa [från ogräs], rensa i [~ *the garden*]; bildl. gallra [i] [~ *a collection*]; ~ *of* rensa från; bildl. äv. befria från; ~ *out* gallra ut i **2** ~ *out* rensa bort; bildl. rensa ut, gallra bort (ut), avlägsna, utesluta, eliminera [*from* från] **III** *vb itr* rensa [ogräs]
weed-killer ['wi:dˌkɪlə] ogräsmedel
weeds [wi:dz], [*widow's*] ~ [änkas] sorgdräkt
weedy ['wi:dɪ] **1** full (övervuxen) av ogräs **2** vard. [lång och] spinkig [*a ~ young man*]
week [wi:k] vecka; *a* ~ äv. åtta dagar; *last* ~ [i] förra veckan; *last Sunday* ~ i söndags för en vecka sedan; *by the* ~ per vecka, veckovis; *not know what day of the ~ it is* inte veta vilken [vecko]dag det är; bildl. veta varken ut eller in; *never* (*not once*) *in a ~ of Sundays* vard. aldrig någonsin, aldrig i livet
weekday ['wi:kdeɪ] **1** vardag, söckendag **2** [som äger rum] på vardagarna [~ *services in the church*]
weekend [ˌwi:k'end, isht attr. '--] **I** *s* **1** [vecko]helg; veckoskifte; *over the* ~ äv. över lördag och söndag; *at* (*on* amer.) *the ~s* vid [vecko]helgerna **2** veckohelgs- [~ *traffic*], veckosluts- [*a ~ ticket*], weekend- [*a ~ visit*]; söndags- [~ *motorists*] **II** *vb itr* tillbringa (fira) [vecko]helgen (weekenden) [~ *at Brighton*]
weekly ['wi:klɪ] **I** *adj* vecko- [*a ~ publication*]; [återkommande] varje vecka [~ *visits*]; *a ~ wage of* [*£350*] en veckolön på... **II** *adv* en gång i veckan; varje vecka; per vecka **III** *s* veckotidning, veckotidskrift; *the weeklies* äv. veckopressen
1 weeny ['wi:nɪ] vard. pytteliten
2 weeny ['wi:nɪ] amer. vard. wienerkorv
weep [wi:p] **I** (*wept wept*) *vb itr* **1** gråta [~ *for* (av) *joy*; ~ *with* (av) *rage*]; ~ *for a p.* a) gråta över (sörja) ngn b) gråta för ngns skull, gråta av medlidande med ngn **2** a) droppa, drypa; läcka b) avsöndra vätska; avge fuktighet; om sår vätska sig **II** (*wept wept*) *vb tr* **1** gråta; ~ *bitter tears* äv. fälla bittra tårar; ~ *one's eyes out* gråta ögonen ur sig **2** utsöndra droppvis, drypa **III** *s* gråtanfall; *have a good* ~ gråta ut [ordentligt]
weeping ['wi:pɪŋ] **I** *s* **1** gråt[ande] **2** dropp[ande], drypande; vätskning **II** *adj* **1** gråtande; tårdränkt [~ *eyes*] **2** droppande, drypande; vätskande **3** ~ *willow* tårpil
weft [weft] **1** vävn. inslag, väft **2** väv
weigh [weɪ] **I** *vb tr* (se äv. *III*) **1** väga [~ *the luggage* (*oneself*)]; bildl. äv. överväga [~ *a proposal*]; ~ *the chances* väga möjligheterna för och emot **2** förse med en tyngd (tyngder); göra tyngre **3** sjö. lyfta (dra) upp [~ *the anchor*]; ~ *anchor* lätta (lyfta) ankar **II** *vb itr* (se äv. *III*) a) väga [*it ~s nothing* (*a ton*)] b) bildl. vara viktig (av vikt), spela en roll [*the point that ~s with* (för) *me*]; ~ *against* a) motväga, uppväga b) tala (vittna) mot, vara till nackdel för [*those pieces of evidence will ~ against her*]; ~ *heavily* [*with*] bildl. väga tungt [hos], betyda mycket [för], spela en avgörande roll [för]; *it ~ed lightly upon her* (*her mind*) hon tog det ganska lätt
III *vb tr* o. *vb itr* med adv.
~ **down**: **a**) tynga (trycka) ned äv. bildl.; komma att digna; *~ed down with* [*cares*] [ned]tyngd av... **b**) väga ned [~ *down the scale*]
~ **in**: **a**) sport. väga[s] in om boxare före match, om jockey efter lopp **b**) vard. hoppa in; ställa upp
~ **out**: a) väga upp [~ *out butter*] b) sport. väga[s] ut om jockey före lopp
~ **together** bildl. väga mot varandra
~ **up**: **a**) bedöma [~ *up one's chances*], beräkna; överväga; ~ *a p. up* se vad ngn går för **b**) uppväga äv. bildl.
weighbridge ['weɪbrɪdʒ] bryggvåg; fordonsvåg; järnv. vagnvåg
weigh-in ['weɪɪn] sport. invägning
weighing-machine ['weɪɪŋməʃi:n] större våg; personvåg
weight [weɪt] **I** *s* **1** vikt äv. konkr. [*net* ~; *a kilo* ~]; tyngd [*the pillars support the ~ of the roof*]; *~s and measures* mått och vikt; *loss of* ~ viktförlust; *he is twice my* ~ han väger dubbelt så mycket som jag; *give short* ~ väga knappt (snålt); *lose* ~ gå ned [i vikt], magra; *pull one's* ~ a) ro av alla krafter b) göra sin del (insats) **2** börda [*a heavy ~ to carry*]; [*she is not allowed to*] *lift* [*heavy*] *~s* ...lyfta tunga saker **3** [klock]lod **4** brevpress [äv. *paperweight*] **5** bildl.: **a**) tyngd; tryck [*a ~ on* (över) *the chest*]; *it is a ~ on* [*my conscience*] det tynger [hårt] på...; *that was a ~ off my mind* (*heart*) en sten föll från mitt bröst **b**) vikt [*a matter of* ~]; inflytande [*he has great ~ with* (hos) *the people*], auktoritet; *arguments of* [*great*] ~ [tungt] vägande argument **c**) tyngdpunkt **6** sport.: **a**) kula; *put the* ~ stöta kula **b**) boxn. viktklass **c**) kapplöpn. handikappvikt **II** *vb tr* **1** göra tyngre **2** [be]lasta; tynga [ned] äv. bildl.; ~ *down* överlasta **3** bildl. vinkla [~ *an argument*]
weightless ['weɪtləs] tyngdlös, viktlös
weightlifter ['weɪtˌlɪftə] sport. tyngdlyftare

weightlifting ['weɪtˌlɪftɪŋ] sport. tyngdlyftning
weightwatcher ['weɪtˌwɒtʃə] viktväktare
weighty ['weɪtɪ] **1** tung; bildl. äv. tyngande [*~ cares*] **2** viktig, betydelsefull [*~ negotiations*]
weir [wɪə] **1** damm[byggnad] **2** fisk. katsa, katse, sprötgård
weird [wɪəd] **1** spöklik, kuslig [*~ sounds*]; trolsk **2** vard. konstig [*what ~ shoes!*]
weirdo ['wɪədəʊ] (pl. *~s*) **weirdy** ['wɪədɪ] konstig typ
welcome ['welkəm] **I** *adj* **1** välkommen [*a ~ guest* (*opportunity*)], kärkommen; uppskattad; glädjande [*a ~ sign*]; *make a p. ~* få ngn att känna sig välkommen **2** *you're ~!* svar på tack, isht amer. ingen orsak!, för all del!, [det var] ingenting att tacka för!; [*if you think you can do it better*] *you are ~ to try* ...så försök själv får du se **3** ss. interj. *W~ to* [*Cornwall*]! Välkommen till...! **II** *s* **1** välkomnande [*we received a hearty ~*]; välkomsthälsning; *give a p. a hearty ~* önska ngn hjärtligt välkommen, ta hjärtligt emot ngn **2** välkomst- [*a ~ party*] **III** (*~d ~d*) *vb tr* välkomna [*~ a p.* (*a change*)], hälsa (önska) välkommen [*~ a p. back*; *~ a friend to one's home*]; ta gästfritt emot [*~ students into one's home*]; hälsa med glädje [*~ the return of a p.*]; hälsa
weld [weld] **I** *vb tr* svetsa, välla; svetsa fast; svetsa ihop (samman) äv. bildl.; *~ together* svetsa ihop **II** *vb itr* **1** gå att svetsa, kunna svetsas **2** svetsas [ihop] **III** *s* svets[ning]; svetsfog
welder ['weldə] **1** svetsare **2** svetsmaskin
welfare ['welfeə] **1** välfärd [*the ~ of the country* (*nation*)], välgång; *the W~ State* välfärdsstaten, välfärdssamhället **2 a**) socialarbete [*interested in the local ~*]; [*social*] *~* socialvård; *child ~* barnomsorg; *maternity ~* mödravård **b**) social-; [*social*] *~* socialvårds-; [*social*] *~ officer* [social]kurator; socialvårdstjänsteman; mil. personalvårdsofficer; [*social*] *~ worker* socialarbetare, socialvårdare **3** amer., *be on ~* leva på understöd (det sociala); *~ mother* ensamstående mor med socialunderstöd
1 well [wel] **I** *s* **1 a**) brunn [*drive* (borra) *a ~*] **b**) [borrad] källa [*oil-well*] **2** mineralkälla; pl. *~s* [hälso]brunn [isht i ortnamn: *Tunbridge Wells*] **3** trapphus; hisschakt; lufttrumma **4** fördjupning, hål; utrymme för småsaker **II** *vb itr*, *~* [*forth* (*out, up*)] välla (strömma, rinna) [fram] [*from* ur, från]; [*strong feelings*] *~ed up in him* ...vällde upp inom honom; *tears ~ed up in her eyes* hennes ögon fylldes av tårar
2 well [wel] **I** (*better best*) *adv* **1** a) väl; lyckligt och väl [*it all went ~*] b) noga c) mycket väl [*it may ~ be said that...*]; *~ and truly* ordentligt, med besked [*he was ~ and truly beaten*]; *not very ~* inte så bra; *think ~ of* ha höga tankar om, tro gott om; *he doesn't know when he's ~ off* han vet inte hur bra han har det **2** betydligt; *~ away* på god väg; *~ on* (*advanced*) *in years* el. *~ on in life* till åren [kommen]; *~ past* (*over*) *sixty* en bra bit över sextio [år] **3** *as ~* a) också, dessutom [*he gave me clothes as ~*] b) [lika] gärna, lika[så]väl [*you may* (*might*) *as ~ stay*] **II** (*better best*) *adj* **1** a) frisk, kry, bra b) ibl. attr. frisk [*a ~ man*]; *I don't feel quite ~ today* jag mår inte riktigt bra i dag **2 a**) bra [*all is ~ with us*]; lämpligt; [*if you can manage it,*] *~ and good* ...så är allt gott och väl; *all's ~* mil. el. sjö. allt väl; *all's ~ that ends ~* slutet gott, allting gott **b**) om pers. *he is all very ~ in his way but...* han kan nog vara bra på sitt sätt men...; *be ~ in with* ligga bra till hos **III** *s* väl [*I wish him ~*] **IV** *interj* nå!; seså!; så!, så där [ja]! [*~, here we are at last!*]; nja! [*~, you may be right!*]; *~ I never!* el. *~, I declare!* jag har aldrig hört (sett) [på] maken!; *~ then!* nå!, alltså!; *~, who would have thought it?* vem kunde väl ha trott det?
we'll [wi:l] = *we will* o. *we shall*
well-adjusted [ˌweləˈdʒʌstɪd] välanpassad
well-advised [ˌwelədˈvaɪzd] välbetänkt, klok [*a ~ step*]; *he would be ~ to...* det vore klokt av honom att...
well-attended [ˌweləˈtendɪd] välbesökt [*a ~ meeting*]
well-balanced [ˌwelˈbælənst] **1** välbalanserad, sansad **2** [väl] balanserad [*a ~ economy*], väl avvägd; allsidig [*a ~ diet* (kost)]
well-behaved [ˌwelbɪˈheɪvd] väluppfostrad
well-being [ˌwelˈbi:ɪŋ] välbefinnande; väl [*the ~ of the nation*], välfärd; trevnad; *sense of ~* [känsla av] välbefinnande
well-bred [ˌwelˈbred, attr. ˈ--] **1** väluppfostrad, belevad [*a ~ man* (*woman*)] **2** av god (fin) ras [*a ~ animal*], ädel
well-built [ˌwelˈbɪlt, attr. ˈ--] välbyggd
well-chosen [ˌwelˈtʃəʊzn] väl vald [*a few ~ words*]
well-cooked [ˌwelˈkʊkt, attr. ˈ--] välkokt
well-disposed [ˌweldɪˈspəʊzd] **1** välvilligt inställd, vänligt sinnad, välsinnad **2** väldisponerad
well-done [ˌwelˈdʌn, attr. ˈ--] **1** välgjord **2** genomstekt [*a ~ steak*], genomkokt
well-earned [ˌwelˈɜ:nd, attr. ˈ--] välförtjänt [*a ~ holiday*]
well-heeled [ˌwelˈhi:ld, attr. ˈ--] vard. tät, rik

wellhung [ˌwelˈhʌŋ, attr. ˈ--] **1** kok. välhängd **2** sl. med stor apparat penis
wellies [ˈwelɪz] vard. gummistövlar
well-informed [ˌwelɪnˈfɔ:md] **1** kunnig **2** välinformerad
well-intentioned [ˌwelɪnˈtenʃ(ə)nd] **1** välmenande **2** välment
well-kept [ˌwelˈkept, attr. ˈ--] **1** välskött **2** väl bevarad [*a ~ secret*]
well-knit [ˌwelˈnɪt, attr. ˈ--] **1** välbyggd [*a ~ body*] **2** väl (fast) sammanhållen [*a ~ play*]; fast sammansvetsad
well known [ˌwelˈnəʊn, attr. ˈ--] [väl] känd [*the place is ~; a well-known place*]
well-made [ˌwelˈmeɪd, attr. ˈ--] **1** välgjord, välkonstruerad; väl uppbyggd **2** välskapad
well-mannered [ˌwelˈmænəd] väluppfostrad
well-meaning [ˌwelˈmi:nɪŋ] **1** välmenande; *she was ~ but tactless* hon menade väl men var taktlös **2** välment
well-meant [ˌwelˈment, attr. ˈ--] välment
well-nigh [ˈwelnaɪ] nära nog, nästan
well-off [ˌwelˈɒf, attr. ˈ--] välbärgad; utan bekymmer
well-read [ˌwelˈred, attr. ˈ--] beläst, allmänbildad
well-spoken [ˌwelˈspəʊk(ə)n] **1** vältalig; kultiverad, belevad **2** träffande
well-timed [ˌwelˈtaɪmd] läglig; väl beräknad
well-to-do [ˌweltəˈdu:] **1** välbärgad, välsituerad, förmögen **2** lycklig [*~ circumstances*]
well-wisher [ˈwelˌwɪʃə, ˌ-ˈ--] vän, sympatisör; välgångsönskande [person]
well-worn [ˌwelˈwɔ:n, attr. ˈ--] [ut]sliten, [ut]nött; bildl. äv. banal
Welsh [welʃ] **I** *adj* walesisk, från Wales; i Wales; *~ corgi* welsh corgi hundras **II** *s* **1** *the ~* walesarna **2** walesiska [språket]
Welsh|man [ˈwelʃ|mən] (pl. *-men* [-mən]) walesare
Welsh|woman [ˈwelʃˌwʊmən] (pl. *-women*) walesiska
welt [welt] **I** *s* **1** skom. rand **2** strimma märke på huden efter slag **II** *vb tr* skom. randsy; perf. p. *~ed* äv. rand-
welter [ˈweltə] **I** *vb itr* **1** om vågor, sjön o.d. rulla, svalla **2** vräkas (kastas) hit och dit [*a ship ~ing on the waves*] **3** vältra sig äv. bildl. [*~ in the mud; ~ in vice*]; rulla sig; *~ in* äv. bada i, simma i [*~ in blood*] **II** *s* virrvarr, villervalla; förvirring; [förvirrad] massa
welterweight [ˈweltəweɪt] **1** sport. a) weltervikt b) welterviktare **2** kapplöpn. a) handikappvikt b) tungviktsryttare
wench [wen(t)ʃ] **I** *s* **1** vard. (skämts.) tjej, brud **2** vard. el. dial. bondtös **II** *vb itr* bedriva otukt
wend [wend] (*~ed ~ed*) poet., *~ one's way* styra sina steg (kosan), bege sig [*to* mot, till]
Wendy [ˈwendɪ] kvinnonamn; *~ house* lekstuga
went [went] imperf. av *go*
wept [wept] imperf. o. perf. p. av *weep*
were [wɜ:, weə, obeton. wə] imperf. ind. (2 pers. sg. samt pl.) o. imperf. konj. av *be*; *if I ~ you I should...* [om jag vore] i ditt ställe skulle jag...
we're [wɪə] = *we are*
weren't [wɜ:nt, weənt] = *were not*
werewol|f [ˈwɪəwʊlf, ˈwɜ:-] (pl. *-ves*) mytol. varulv
west [west] **I** *s* **1** väster [*the sun sets in the ~*], väst; för ex. jfr *east I 1* **2** *the W~* a) Västerlandet b) i USA Västern, väststaterna c) västra delen av landet **3** västan[vind] **II** *adj* västlig [*on the ~ coast*], väster-; *W~ Africa* Västafrika; *the W~ End* [ˌwestˈend] West End den fashionabla västra delen av London; *W~ Indian* a) subst. västindier b) adj. västindisk; *the W~ Indies* pl. Västindien **III** *adv* mot (åt) väster; sjö. västvart; väst; för ex. jfr *east III*; *go W~* resa (fara) västerut isht till (i) USA; *go ~* sl. a) kola [av] b) gå åt helsike
westbound [ˈwestbaʊnd] västgående
westerly [ˈwestəlɪ] västlig; mot väster, från väster; västlig vind; jfr vid. *easterly*
western [ˈwestən] **I** *adj* **1** västlig, väst- [*the ~ coast*]; *~ Europe* Västeuropa; *the W~ Powers* västmakterna **2** *W~* västerländsk **II** *s* **1** västerlänning **2** *W~* västern, vildavästernfilm, vildavästernroman
westerner [ˈwestənə] västerlänning; person från västra delen av landet; i USA väststatsbo
westward [ˈwestwəd] **I** *adj* västlig etc., jfr *eastward I* **II** *adv* mot (åt) väster; sjö. västvart; *~ of* väster om **III** *s, the ~* väster [*from the ~; to the ~*]; västra delen
westwards [ˈwestwədz] se *westward II*
wet [wet] **I** *adj* **1** våt, fuktig, sur; regnig [*a ~ day*]; *get ~ feet* el. *get one's feet ~* bli våt (blöta ner sig) om fötterna; *W~ Paint!* Nymålat!; *~ behind the ears* vard. inte torr bakom öronen; *~ to the skin* våt in på bara kroppen (skinnet); *get ~* bli våt (blöt); blöta ner sig **2** sl. mesig; fjantig **II** *s* **1** a) regn [*don't go out in the ~*], regnväder b) väta; blöta **2** vard. drink, styrketår **3** sl. mes, fjant, tönt **III** (*wet wet* el. *~ted ~ted*) *vb tr* **1** väta [*~ one's lips*]; blöta [ner]; *~ one's whistle* fukta strupen, ta sig ett glas; *~ through* göra genomblöt **2** väta (kissa) i (på) [*~ the bed*]; *~ one's pants* kissa i byxorna (på sig)
wet-nurse [ˈwetnɜ:s] **I** *s* amma **II** *vb tr* **1** amma **2** dalta med, klema med (bort)

wet suit ['wetsu:t] våtdräkt
we've [wi:v] = *we have*
whack [wæk] vard. **I** *vb tr* **1** dunka på (i), smälla (slå) på (i), dänga i [*he ~ed his desk with a ruler* (linjal)] **2** *~ed* [*out*] slutkörd, utpumpad **3** ~ [*up*] dela [på] **II** *vb itr,* ~ *off* isht amer. sl. runka onanera **III** *s* **1** slag; hurril **2** försök; *have* (*take*) *a* ~ *at* ge sig i kast med, försöka (ge) sig på **3** del, andel; *go ~s* dela lika
whacking ['wækɪŋ] **I** *s* kok stryk **II** *adj* vard. väldig; *a* ~ *lie* en grov lögn **III** *adv* vard. väldigt, jätte- [~ *big* (*great*)]
whale [weɪl] **I** *s* **1** zool. val; ~ *factory ship* valkokeri; *bull* ~ valhane **2** vard., *have a* ~ *of a* [*good*] *time* ha jättekul **II** *vb itr* bedriva valfångst; *go whaling* vara ute på valfångst
whalebone ['weɪlbəʊn] [val]bard; planschett [av fiskben]; ~ *whale* bardval
whale-fishing ['weɪlˌfɪʃɪŋ] valfångst
whaler ['weɪlə] **1** valfångare **2** valfångstfartyg; val[fångst]båt
whaling ['weɪlɪŋ] valfångst, valjakt
wham [wæm] **I** *s* dunk[ande] **II** *vb tr* drämma till [~ *a p. with a broom*]; slå på [~ *a drum*], slå **III** *interj,* ~*!* pang!, duns!
whar|f [wɔ:f] **I** (pl. *-fs* el. *-ves*) *s* kaj, lastkaj, lastageplats, hamnplats, båtbrygga, lastbrygga **II** *vb tr* förtöja [vid kajen]
what [wɒt] **I** *interr pron* **1** självst. vad [~ *do you mean?*], vilken, vilket, vilka [~ *is your reason* (*are your reasons*)*?*]; vad som [*he asked me* ~ *happened*]; ~ *ever can it mean?* vard. vad i all världen kan det betyda?; ~ *did you do that for?* varför gjorde du det?, vad gjorde du det för?; *I gave him* ~ *for* vard. jag gav honom så han teg; *~s yours?* vad vill du ha [att dricka]?, vad får jag bjuda dig på?; *so ~?* än sen då? **2** fören. **a**) vilken, vilket, vilka [~ *country do you come from?*]; vad för en (någon, något, några), vad för [slags] [~ *tobacco do you smoke?*]; hur stor [~ *salary do you get?*]; vilken etc. som [*I don't know* ~ *people live here*]; ~ *age is he?* hur gammal är han? **b**) i utrop vilken [~ *weather!*; ~ *fools!*]; så [~ *beautiful weather!*]; ~ *a*[*n*] vilken, en sådan [~ *a fool!*], det var då också en [~ *a question!*]; ~ *a pity!* så synd (tråkigt)!, vad tråkigt!
II *rel pron* **1** självst. vad [*I'll do* ~ *I can*]; vad (det) som [~ *followed was unpleasant*]; ~ *is interesting about this is...* det intressanta med det här är...; *come* ~ *may* hända vad som hända vill; *the food,* ~ *there was of it*[*, was rotten*] den lilla mat som fanns [kvar]... **2** fören. [all] den...[som] [*I will give you* ~ *help I can*]; [*wear*] ~ *clothes you like!* ...vilka kläder du vill!
III *adv* **1** vad, i vad mån **2** ~ *with...and* [~ *with*] dels på grund av...och dels på grund av [~ *with drink and* [~ *with*] *tiredness, he could not...*]
whatever [wɒt'evə] **I** *rel pron* **1** självst. vad...än [~ *you do, do not forget...*], vad som...än; allt vad [~ *I have is yours*], allt som [*do* ~ *is necessary*]; ss. predf. äv. vilken...än [~ *his lot may be*], hurdan...än; ~ *his faults* [*may be*] [*, he is honest*] vilka (hur stora) fel han än må ha...; *come,* ~ *you do* vad du än gör så kom!, kom för all del!; *do* ~ *you like* gör som (vad) du vill, gör vad som helst; *or* ~ vard. eller vad det nu kan vara, eller nåt sånt **2** fören. vilken...än, vilka...än [~ *steps he may take*], hurdan...än, hur stor (liten)...än; i nek. sammanhang alls; *no doubt* ~ inte något som helst tvivel, inget tvivel alls **II** *interr pron* se *what ever* under *what I 1*
what's-his-name ['wɒtsɪzneɪm] vard. vad är det han heter [nu igen]; *Mr. W*~ Herr den och den
whatsoever [ˌwɒtsəʊ'evə] se *whatever I*
wheat [wi:t] vete
wheatear ['wi:tɪə] zool. stenskvätta
wheat germ ['wi:tdʒɜ:m] vetegrodd
wheatmeal ['wi:tmi:l] grahamsmjöl
wheedle ['wi:dl] **I** *vb tr* lirka med, tala snällt med [~ *a p. into doing a th.*]; ~ *a th. out of a p.* el. ~ *a p. out of a th.* lirka (locka, lura) av ngn ngt **II** *vb itr* använda lämpor
wheel [wi:l] **I** *s* **1** hjul äv. bildl. [*Fortune's* ~; *the ~s of social progress have turned slowly*]; ~ *alignment* bil. hjulinställning; *free* ~ frihjul **2** ratt, styrratt; ~ *glove* rattmuff; *take the* ~ ta över [ratten] **3** skiva, trissa **4** gymn. varv i hjulning; *turn ~s* hjula **II** *vb tr* **1** rulla [~ [*a child in*] *a pram*]; ~ *a cycle* leda (dra) en cykel **2** svänga [runt], snurra [på] **3** mil., ~ [*round*] låta en trupp göra en riktningsändring **III** *vb itr* **1** ~ [*round*] svänga [runt], snurra [runt], gå runt, rotera; [plötsligt] vända sig om; om t.ex. fåglar kretsa, cirkla [runt] **2** mil. göra en riktningsändring **3** rulla [*the car ~ed along the highway*]; vard. cykla **4** bildl. ~ [*about* (*round*)] svänga (kasta, slå) om [*she ~ed round and argued for the opposition*] **5** amer. vard., ~ *and deal* handla smart, fixa, mygla, tricksa
wheelbarrow ['wi:lˌbærəʊ] skottkärra
wheelbase ['wi:lbeɪs] hjulbas
wheelchair ['wi:ltʃeə] rullstol
wheeler-dealer [ˌwi:lə'di:lə] vard. fixare; smart affärsman (politiker)
wheeze [wi:z] **I** *vb itr* andas med ett pipande (väsande, rosslande) ljud; pipa, rossla **II** *s* **1** pipande, rosslande, väsljud, rossling **2** vard. trick; skämt
wheezy ['wi:zɪ] pipande, väsande, rosslig
whelp [welp] **I** *s* **1** valp **2** pojkvalp, spoling **II** *vb itr* valpa; föda ungar **III** *vb tr* föda

when [wen] **I** *interr adv* när [*~ did it happen?*], hur dags; *~ ever?* vard. när i all världen?; *say ~!* säg stopp! isht vid påfyllning av glas **II** *konj* o. *rel adv* då; varvid, och då [*the Queen will visit the town, ~ she will open the new hospital*]; som [*~ young*]; *~ he had left* då (när, sedan) han hade rest **III** *s* tid[punkt]; *know the ~ and [the] where* veta när och var

whence [wens] åld. el. litt. varifrån [*do you know ~ she comes?*]; varav [*~ comes it* (kommer det sig) *that...?*]; varför; [och] därav [*~ his surprise*]; *return ~ you came* återvänd dit varifrån du kommit

whenever [wen'evə] **I** *konj* när...än, så ofta [*~ I see him*]; *~ you like* när du vill, när som helst; *or ~* vard. eller när som helst [*on Monday, or Friday, or ~*] **II** *interr adv* se *when ever* under *when I*

where [weə] **I** *interr adv* **1** var [*~ is he?*]; i vilket avseende [*~ does this affect us?*]; *~ ever?* vard. var i all världen?; *~ would (should) we be, if...?* hur skulle det gå (bli) med oss om...? **2** vart [*~ are you going?*]; *~ ever?* vard. vart i all världen? **II** *rel adv* **1** där [*in a country ~ it never snows, skiers must go abroad*]; [den plats] där [*two miles from ~ I live*]; dit (till någon plats) där [*send him ~ he will be taken care of*]; var [*sit ~ you like*]; då, när [*they are rude ~ they should be polite*] **2** dit [*the place ~ I went next was Highbury*]; vart [*go ~ you like*] **III** *s* [skåde]plats

whereabouts [ss. adv. ˌweərə'baʊts, ss. subst. '---] **I** *adv* var ungefär **II** (konstr. ss. sg. el. pl.) *s* uppehållsort, vistelseort; [ungefärlig] plats, [ungefärligt] läge; [*nobody knows*] *his ~* ...var han befinner sig (håller hus)

whereas [weər'æz] **1** då däremot, medan [däremot] **2** jur. alldenstund, eftersom

whereby [weə'baɪ] varigenom [*the means ~ such a purpose is effected*], varmed

whereupon [ˌweərə'pɒn] varpå

wherever [weər'evə] **1** varhelst; varthelst; överallt där; överallt dit; *~ he comes from* varifrån han än kommer **2** se *where ever* under *where I 1* o. *2*

wherewithal ['weəwɪðɔːl], *the ~* medel, möjlighet[er], [ekonomiska] resurser, [de ekonomiska] resurserna [*he has not the ~*]

whet [wet] **1** bryna, slipa, vässa **2** bildl. skärpa, reta [*~ one's curiosity*]

whether ['weðə] **1** om [*I don't know ~ he is here or not*], huruvida; *he did not know ~ to cry or laugh* han visste inte om han skulle gråta eller skratta; *the question [as to] ~...* frågan om..., frågan [om] huruvida... **2** *~...or* antingen (vare sig)...eller; *you must, ~ you want to or not (no)* du måste, antingen du vill eller inte

whetstone ['wetstəʊn] **1** bryne, brynsten **2** bildl. stimulans

whew [hjuː], *~!* puh! [*~, it's hot in here!*]; usch!, brr!; du store tid! [*~, what an idiot!*]

whey [weɪ] vassla

which [wɪtʃ] **I** *interr pron* vilken, vilket, vilka [*~ boy is it?*; *~ of the boys is it?*], vem [*~ of you did it?*]; vilkendera; vilken (vilket, vilka, vem) som [*I don't know ~ [of them] came first*]; *~ one?* vilken [då]?, vilkendera?

II *rel pron* som, vilken, vilka; något (en sak) som, vilket [*he is very old, ~ ought to be remembered*], och det [*I lost my way, ~ delayed me considerably*], men det [*he said he was there, ~ was a lie*]; [*he told me to leave,*] *~ I did* ...vilket jag också gjorde, ...och det gjorde jag också; *these books, all of ~ are...* dessa böcker vilka alla är...; *added to ~ he is...* vartill (och därtill) kommer att han är...

whichever [wɪtʃ'evə] vilken...än [*~ road you take, you will go wrong*], vilkendera...än; vilken [*take ~ road you like*]; vilken (vilket)...som än; den [som] [*take ~ you like best*]

whiff [wɪf] **I** *s* **1** pust [*~ of wind*], fläkt; *a ~ of fresh air* en nypa frisk luft **2** lukt; stank **3 a**) bloss; [*we stopped work*] *to have a few ~s* äv. ...för att ta oss en rök **b**) inandning [*at the first ~ of ether*] **4** vard. [liten] cigarill **II** *vb itr* **1** pusta; vina; fnysa **2** lukta [illa] **III** *vb tr* **1** blåsa **2** bolma (blossa, puffa) på [*~ one's pipe*] **3** andas in; lukta på; känna [lukten av]

whiffleball ['wɪflbɔːl] golf. m.m. träningsboll med hål i

while [waɪl] **I** *s* **1** stund [*a good (short) ~*; *a short ~ ago*]; tid; *it will be a long ~ before...* det kommer att dröja [rätt] länge (ett bra slag) innan...; *the ~* a) adv. under tiden, så länge [*I shall stay here the ~*]; därvid b) konj., poet. medan; *all that ~* [under] hela [den] tiden; *all the ~* [under] hela tiden; *all this ~* [under] hela denna tid, hela tiden; *after a ~* efter en stund, efter en (någon) tid; *in a little ~* om en liten stund, om ett litet tag (slag), inom kort; [*every*] *once in a ~* någon [enda (enstaka)] gång, då och då, en och annan gång; *for once in a ~* för en gångs skull, för ovanlighet[en]s skull; *quite a ~* ganska länge, ett bra slag (tag) **2** *worth [one's] ~* mödan värt; *it is not worth ~* det är inte mödan värt (värt besväret), det lönar sig inte **II** *konj* **1** medan, under det att; så länge [*I shall stay ~ my money lasts*]; *~ there is life there is hope* så länge det finns liv, finns det hopp; *~ speaking* [*he wrote...*] medan han talade... **2** medan (då)

däremot [*Jane was dressed in brown, ~ Mary was dressed in blue*]; på samma gång (samtidigt) som [*~ I admit his good points, I can see his bad*] **III** *vb tr, ~ away* fördriva
whilst [waɪlst] se *while II* isht *2*
whim [wɪm] nyck, hugskott; idé
whimper ['wɪmpə] **I** *vb itr* gnälla **II** *vb tr* gnälla över (om); gnälla fram **III** *s* gnäll[ande]
whimsical ['wɪmzɪk(ə)l] **1** nyckfull; oberäknelig **2** besynnerlig, egen[domlig], fantastisk; bisarr
whimsicality [ˌwɪmzɪ'kælətɪ] **1** nyckfullhet etc., jfr *whimsical* **2** nyck
whimsy ['wɪmzɪ] **I** *s* **1** bisarr humor; stollighet[er]; griller **2** nyck, förflugen idé **II** *adj* se *whimsical*
whinchat ['wɪn-tʃæt] zool. buskskvätta
whine [waɪn] **I** *vb itr* gnälla; pipa; yla; vina [*the bullets ~d through the air*] **II** *s* gnäll[ande]; pip[ande]; ylande; vinande
whinny ['wɪnɪ] **I** *vb itr* gnägga [belåtet] **II** *s* [belåten] gnäggning
whip [wɪp] **I** *vb tr* (se äv. *III*) **1** piska [*~ a horse*]; spöa [upp] **2** vispa [*~ cream*] **3** vard. slå ut, utklassa **II** *vb itr* (se äv. *III*) rusa, kila [*he ~ped upstairs*]
III *vb tr* o. *vb itr* med adv. o. prep. (isht i speciella, oftast vard. bet.):
~ **across** kila över [*he ~ped across the road*]
~ **back** rusa (kila) tillbaka
~ **down** rusa (flänga, kila) ner (nedför)
~ **in**: a) rusa (kila) in b) slänga (stoppa) in
~ **into**: a) rusa (kila) in [*he ~ped into the shop*] b) kasta på sig [*she ~ped into her clothes*] c) slänga (kasta, köra) in (ner) i [*he ~ped the packet into the drawer*]; *~ into shape* få fason (hyfs) på
~ **off**: **a**) rusa bort [*they ~ped off on a holiday*] **b**) plötsligt dra i väg med [*he ~ped her off to France*] **c**) *he ~ped off his coat* han kastade (slet) av sig rocken
~ **out**: **a**) rusa (störta, kila) ut (fram); *~ out of one's bed* rusa upp ur sängen **b**) blixtsnabbt rycka (dra) upp [*the policeman ~ped out his notebook*]
~ **round**: **a**) sticka (kila) runt [*he ~ped round the corner*]; [blixtsnabbt] göra helt om [*he ~ped round*] **b**) *~ round to a p.'s place* kila över till ngn **c**) *~ round* [*for a subscription*] sätta i gång en insamling
~ **up**: a) rusa (flänga) upp (uppför) b) kvickt rycka upp; rafsa till (åt) sig c) vispa upp d) kvickt samla [ihop] [*~ up one's friends*]; fixa till [*~ up a meal*] e) piska upp; väcka [*~ up enthusiasm*]
IV *s* **1 a**) piska; gissel; *have the ~ hand* se *whip-hand* **b**) piskrapp **2** [stål]visp **3** kok.: slags mousse
whipcord ['wɪpkɔ:d] **I** *s* **1** pisksnärt **2** textil. whipcord **II** *adj* senig
whip-hand [ˌwɪp'hænd], *have the ~* ha övertaget (makt) [*over (of) a p.* över ngn]
whiplash ['wɪplæʃ] pisksnärt; *~* [*injury*] med. pisksnärtskada
whipped [wɪpt] **1** piskad; kuvad **2** [upp]vispad; *~ cream* [ˌ-'-] vispgrädde
whippersnapper ['wɪpəˌsnæpə] [pojk]spoling, snorvalp; viktigpetter
whippet ['wɪpɪt] whippet hundras
whipping ['wɪpɪŋ] **1** piskning; *a ~* [ett kok] stryk **2** vispning; sömnad. kastsöm
whip-round ['wɪpraʊnd] vard. insamling
whiptop ['wɪptɒp] pisksnurra
whirl [wɜ:l] **I** *vb itr* **1** virvla [*the leaves ~ed in the air*]; snurra; svänga runt [*he ~ed and faced his pursuers*]; *~ round (about)* virvla (snurra) omkring (runt), virvla runt i [*the dancers ~ed round the room*] **2** rusa [*she came ~ing into the room*] **3** *his head (brain) ~ed* det gick runt för honom, han blev yr i huvudet **II** *vb tr* **1** komma att virvla; svänga [*he ~ed his hat in farewell*]; *they were ~ed away in the car* bilen susade i väg med dem **2** slunga, kasta **III** *s* **1** virvel [*a ~ of water*]; virvlande; snurr[ande] [*a ~ of the wheel*], rotation; *a ~ of dust* ett virvlande dammoln; *his brain was in a ~* det gick runt för honom, han var yr i huvudet **2** bildl. virvel [*a ~ of meetings and conferences*]; *the social ~* den sociala svängen
whirlpool ['wɜ:lpu:l] strömvirvel äv. bildl.; *~* [*bath*] bubbelpool
whirlwind ['wɜ:lwɪnd] **1** virvelvind; bildl. virvel [*a ~ of meetings and conferences*] **2** blixtsnabb [*a ~ tour*]
whirr [wɜ:] surra
whisk [wɪsk] **I** *s* **1** viska, borste **2** [*fly*] *~* flugviska, flugsmälla **3** visp **4** tott; knippe **5** svepande (piskande) rörelse [*a ~ of* (med) *the tail*]; svep [*a ~ of* (med) *the broom*], tag **II** *vb tr* **1** vifta [*~ the flies away (off)*]; borsta (sopa) [bort] [*~ crumbs from the table*] **2** svänga (vifta, piska) med [*the cow ~ed her tail*] **3** föra i flygande fläng [*they ~ed me off to London*]; *he was ~ed off to bed* han åkte (kördes) i säng illa kvickt; *~ up* skjuta (slänga) upp **4** vispa [*~ eggs*] **III** *vb itr* kila, smita [*the cat ~ed round the corner*], rusa [*we ~ed through the village*]
whisker ['wɪskə] **1** vanl. pl. *~s* polisonger **2** morrhår
whiskey ['wɪskɪ] amer. el. irl., se *whisky*
whisky ['wɪskɪ] whisky; *~ and soda* whiskygrogg, whisky och soda
whisper ['wɪspə] **I** *vb itr* **1** viska; tissla och tassla **2** susa [*the wind was ~ing in the pines*], viska **II** *vb tr* viska [*~ a th. to a p. (in a p.'s ear)*]; *~ abroad* sprida rykte **III** *s*

1 viskning; rykte; *talk in a ~* (*in ~s*) tala i viskande ton, tala viskande, viska **2** sus [*the ~ of the wind*], viskning
whispering ['wɪsp(ə)rɪŋ] **I** *s* viskande; tissel och tassel; *~ campaign* viskningskampanj, [tyst] förtalskampanj **II** *adj* viskande
whist [wɪst] kortsp. whist; *a game of ~* ett parti whist
whistle ['wɪsl] **I** *vb itr* vissla, vina [*the wind ~d through the trees*], pipa; drilla [*the birds were whistling*]; om ångbåt o.d. blåsa; *the policeman* (*the referee*) *~d* polisen (domaren) blåste i visselpipan; *~ in the dark* försöka spela modig **II** *vb tr* vissla [*~ a tune*]; vissla på (till) **III** *s* **1** vissling, pip[ande], drill, [vissel]signal; *give a ~* vissla, vissla till **2** [vissel]pipa; vissla [*factory* (*steam*) *~*]; *penny* (*tin*) *~* leksaksflöjt; *blow the ~ for offside* sport. blåsa [av] för offside; *blow the ~ on* vard. a) sätta p (stopp) för, avblåsa [*the Government blew the ~ on the project*] b) tjalla på ngn c) slå larm om **3** *wet one's ~* vard. fukta strupen, ta sig ett glas
whistle-stop ['wɪslstɒp] isht amer. vard. liten [järnvägs]station; småstad
Whit [wɪt] se *Whit Monday* o. *Whit Sunday*
whit [wɪt] uns, dugg
white [waɪt] **I** *adj* vit; vitblek, blek; bildl. äv. ren [*~ hands*], oskyldig; *~ coffee* kaffe med mjölk (grädde); *~ goods* hand. vitvaror hushållsmaskiner o. hushållstextilier; *her anger was at ~ heat* hon var vit (kokade) av vrede; *~ horses* vita gäss på sjön; *the W~ House* Vita huset den amerikanske presidentens residens i Washington; *W~ Russia* Vitryssland; *turn a whiter shade of pale* vard. bli likblek **II** *s* **1** vitt; vithet **2** vita kläder [*dressed in ~*]; vitt tyg; pl. *~s* vit dräkt, vita byxor **3** vit; *the ~s* de vita, den vita rasen **4** schack. o.d. vit **5** vita: **a**) *~ of egg* äggvita [*there is too much ~ of egg in this mixture*] **b**) *the ~ of the eye* ögonvitan, vitögat **6** med. (vard.), *the ~s* flytningar
whitebait ['waɪtbeɪt] zool. småsill, skarpsill
white-collar ['waɪt,kɒlə], *~ job* manschettyrke
whitefish ['waɪtfɪʃ] zool. **1** sik **2** fisk med vitt kött t.ex. torsk, kolja, vitling **3** vitval, beluga
Whitehall ['waɪthɔ:l] **I** geogr. gata i London med flera departement **II** *s* bildl. brittiska regeringen [och dess politik]
white-hot [,waɪt'hɒt, attr. '--] **1** vitglödgad **2** bildl. glödande
whiten ['waɪtn] **I** *vb tr* göra vit, vitfärga [*~ a pair of shoes*]; bleka **II** *vb itr* bli vit, blekna
whitener ['waɪtnə] vitmedel; blekmedel
whiteness ['waɪtnəs] **1** vithet; blekhet **2** renhet, oförvitlighet
white-slave [,waɪt'sleɪv] vit slav-; *~ traffic* (*trade*) vit slavhandel
white-tie [,waɪt'taɪ] frack- [*~ dinner*]; *~ affair* (*occasion*) fracktillställning
whitewash ['waɪtwɒʃ] **I** *s* **1** limfärg, kalkfärg **2** bildl. rentvående; skönmålning **3** amer. vard. utklassning **II** *vb tr* **1** limstryka, kalka **2** bildl. rentvå [*~ a p.*, *~ a p.'s reputation*]; skönmåla **3** amer. vard. sopa banan (mattan) med
whitewood ['waɪtwʊd] **I** *s* **1** träd med vitt virke; isht tulpanträd **2** hand. gran[virke] **3** trävitt **II** *adj* trävit
whither ['wɪðə] litt. **I** *interr adv* varthän **II** *rel adv* dit; vart [än] [*they might go ~ they pleased*]
whiting ['waɪtɪŋ] **1** [slammad] krita; kritpulver **2** zool. vitling; i amer. fiskevatten: slags kummel
whitlow ['wɪtləʊ] med. nagelböld
Whit Monday [,wɪt'mʌndɪ] annandag pingst
Whitsun ['wɪtsn] **I** *attr adj* pingst- [*~ week*] **II** *s* pingst[en]
Whit Sunday o. **Whitsunday** [,wɪt'sʌndɪ] pingstdag[en]
Whitsuntide ['wɪtsntaɪd] pingst[en]
whittle ['wɪtl] **1** tälja (karva) på [*~ a stick*]; spetsa, vässa; tälja [till] **2** bildl., *~ away* slösa bort [*~ away a large sum of money*]; äta upp, reducera, minska [*the Republican majority was gradually ~d away*]; *~ down* reducera, skära ner [*~ down expenses*]
whiz [wɪz] **I** *vb itr* vina, vissla [*the bullet ~zed past him*], susa [*he ~zed downhill on his bike*]; surra **II** (pl. *~zes*) *s* **1** vinande; surr **2** förmånlig affär **3** amer. sl. fenomen; *he is a ~ at* [*mathematics*] han är fenomenal (helsäker) i...; *it's a ~* om t.ex. bil den är fantastisk (toppen, jättebra)
whiz-kid ['wɪzkɪd] vard. underbarn
WHO förk. för *World Health Organization*
who [hu:, obeton. hʊ] (gen. *whose* se d.o.; objektsform *whom*, informellt *who*) **I** *interr pron* **1** vem [*~ is he?*; *~ are they?*; *~ do you think she is?*; *I wonder ~ they are*; objektsform: *~* (*whom*) *do you mean?*]; *you saw ~* (*whom*)*?* vem var det du såg[, sa du]?; *~ but he* vem om inte han, vilken annan än han; *~ ever?* vard. vem i all världen, se äv. *whoever* **2** vem som, vilka som [*he wondered ~ came*; *he asked me ~ did it*; *I know ~ did it*] **II** *rel pron* **1** som; vilken [*the man* (*the men*) *~ wanted to see you*; objektsform: *the man whom we met*, informellt *the man* [~] *we met*]; *the tourist ~ knows the language* [*will soon find his way around*] den turist som kan språket...; *all of whom* vilka alla **2** isht litt. den [som]; *let ~ will come* låt vem som vill komma

3 vard. vem [än] [*he would invite ~ he pleased*]
whodunnit [ˌhuːˈdʌnɪt] (av *who* [*has*] *done it?*) vard. deckare detektivroman o.d.
whoever [huːˈevə] **I** *rel pron* vem som än [*~ did it, I didn't* (så inte var det jag)], vem (vilka)...än [*~ he (they) may be*]; vem (vilka) som helst som, den som [*~ says that is wrong*], alla (de) som [*~ does that will be punished*]; vem [*she can choose ~ she wants*]; [*give it to*] *~ you like* ...vem du vill, ...vem som helst **II** *interr pron* se *who ever* under *who I 1*
whole [həʊl] **I** *adj* hel [*a ~ half-hour; the ~ truth*]; [*it went on*] *for five ~ days* ...[i] fem hela dagar, ...fem dagar i sträck; *~ note* amer. mus. helnot; *~ numbers* hela tal; *the ~ thing* alltsammans, alltihop [*I'm fed up with the ~ thing*] **II** *s* helhet; *a ~* ett helt, en helhet [*form a ~*]; det hela [*a ~ is greater than any of its parts*]; en hel [*four quarters make a ~*]; *the ~ of his income* hela hans inkomst, alla hans inkomster; [*taken*] *as a ~* som helhet betraktad, i sin helhet; *on the ~* på det hela taget, överhuvud[taget]
whole-hearted [ˌhəʊlˈhɑːtɪd] helhjärtad [*~ support*], oförbehållsam; uppriktig [*a ~ friend*]
wholemeal [ˈhəʊlmiːl] **I** *s* osiktat (sammalet) mjöl; grahamsmjöl **II** *adj* osiktad, sammalen; fullkorns- [*~ bread*]; grahams-
wholesale [ˈhəʊlseɪl] **I** *s, by* (amer. *at*) *~* en gros [*sell by ~*]; *by ~ and by retail* i parti och minut **II** *adj* **1** grosshandels-, engros- [*~ price*]; *~ dealer* (*merchant*) grosshandlare, grossist **2** bildl. mass- [*~ arrests*] **III** *adv* **1** en gros, i parti [*sell ~*] **2** bildl. i klump; i stor skala; utan åtskillnad, över en kam **IV** *vb tr* o. *vb itr* sälja en gros (i parti)
wholesaler [ˈhəʊlˌseɪlə] grosshandlare
wholesome [ˈhəʊls(ə)m] hälsosam [*~ food* (*air*)], sund; nyttig [*~ exercise*]; välgörande [*~ effect*]; frisk [*a ~ appearance*]
wholly [ˈhəʊllɪ, ˈhəʊlɪ] helt och hållet, helt [*I ~ agree with you*], fullt; fullständigt; helt igenom; alldeles; uteslutande
whom [huːm, obeton. hʊm] objektsform av *who*
whoop [huːp, wuːp] **I** *vb itr* **1** ropa, skrika [*~ with* (av) *joy*], hojta **2** kikna vid kikhosta **II** *vb tr* amer., *~ up* haussa upp, höja, trissa upp; *~ it up* sl. a) festa [om], slå runt b) slå på stora trumman [*for* för] **III** *s* **1** rop [*~s of joy*], hojtande **2** kikningsanfall **IV** *interj, ~!* hejsan!
whoopee [ˈwʊpiː, ss. interj. äv. wʊˈpiː] **I** *s* vard., *make ~* festa [om], slå runt **II** *interj, ~!* hurra!, heja!
whooping cough [ˈhuːpɪŋkɒf] kikhosta
whoops [huːps], *~!* hoppsan!
whoopsadaisy [ˈhuːpsəˌdeɪzɪ, ˈwuː-], *~!* hoppsan!
whopper [ˈwɒpə] vard. **1** baddare, hejare **2** jättelögn
whopping [ˈwɒpɪŋ] vard. **I** *adj* jättestor, jätte-; *a ~ lie* en jättelögn, lögn och förbannad dikt **II** *adv* jätte- [*a ~ big fish*]
whore [hɔː] **I** *s* hora, luder **II** *vb itr* hora; bedriva hor
whorehouse [ˈhɔːhaʊs] bordell, horhus
whortleberry [ˈwɜːtlˌberɪ, -lb(ə)rɪ] blåbär; *red ~* lingon
who's [huːz] = *who is* o. *who has*
whose [huːz] (gen. av *who* o. *which II*) **I** *interr pron* vems [*~ book is it?*], vilkens **II** *rel pron* vars [*is that the boy ~ father died?; the house ~ roof had been repaired*], vilkens
whosoever [ˌhuːsəʊˈevə] litt., se *whoever I*
why [waɪ] **I** *adv* **1** fråg. varför; *~ don't I come and pick you up?* ska jag inte komma och hämta dig?; *~ is it that...?* hur kommer det sig att...? **2** rel. varför [*~ I mention this is because...*]; därför [som] [*that's ~ I like him*]; till att [*the reason ~ he did it*]; *so that is ~* jaså, det är därför **II** (pl. *~s*) *s* skäl [*explaining the ~s and wherefores*] **III** *interj* **1** förvånat, indignerat, protesterande o.d. men...ju [*don't you know? ~, it's in today's paper*], nej men [*~, I believe I've been asleep*], ja men [*~, it's quite easy* (lätt gjort)]; *~, a child knows that!* det vet ju minsta barn!; *~, what's the harm?* vad gör det då? **2** tvekande jaa; [*is it true?* -] *~, yes I think so* ...jaa, det tror jag **3** bedyrande, bekräftande o.d. ja [*~, of course!*]; *~, no!* nej då!, nej visst inte!; *~ yes* (*sure*)*!* oh ja!, ja (jo) visst! **4** inledande eftersats ja då [...naturligtvis] [*if that won't do, ~* [*then*], *we must try something else*]
wick [wɪk] **1** veke **2** sl., *it* (*he*) *gets on my ~* det (han) går mig på nerverna
wicked [ˈwɪkɪd] **1** ond [*~ thoughts*], elak [*a ~ tongue*], ondskefull; syndig [*lead a ~ life*], gudlös; orättfärdig [*a ~ law*]; skändlig [*a ~ deed*]; illvillig [*~ gossip*]; *no peace* (*rest*) *for the ~* skämts. aldrig får man någon ro, det har man fått för sina synder **2** vard. a) elak [*it was ~ of you to torment the poor cat*] b) skälmaktig, retsam [*she gave me a ~ look*] **3** vard. otäck [*the weather is ~*]
wicker [ˈwɪkə] **I** *s* **1** vidja **2** flätverk [av vidjor] **3** videkorg **II** *adj* korg- [*~ chair*], vide- [*~ basket*]; *~ bottle* korgflätad flaska
wickerwork [ˈwɪkəwɜːk] korgarbete; korg- [*~ furniture*]

wicket ['wɪkɪt] **1** [sido]grind; liten [sido]dörr **2** lucka t.ex. över bankdisk **3** i kricket: a) grind b) plan mellan grindarna [*a soft ~ helps the bowler*]; *keep ~* vara grindvakt; *five ~s fell* fem spelare blev utslagna

wicketkeeper ['wɪkɪtˌki:pə] i kricket grindvakt

wide [waɪd] **I** *adj* **1** vid [*a ~ skirt*]; vidsträckt [*~ plains; ~ influence*], vittomfattande [*~ interests*]; stor [*~ experience, a ~ difference*], rik [*a ~ selection of new books*]; *at ~ intervals* med långa (stora) mellanrum; *~ screen* vidfilmsduk **2** bred [*a ~ river; 5 metres long by* (och) *2 metres ~*] **3** långt ifrån målet; felriktad; *~ of the mark* alldeles fel, orimlig, alldeles uppåt väggarna [*your answer was ~ of the mark*] **4** sl. **a**) smart **b**) vidlyftig **II** *adv* vida omkring; vitt; långt; långt bredvid (förbi) [målet]; *fall* (*go*) *~* [*of the mark*] a) falla [ned] (gå) långt vid sidan [av målet], gå fel, missa [*the shot went ~*] b) vara (bli) ett slag i luften; *~ awake* klarvaken, jfr *wide-awake*; *~ open* vidöppen, på vid gavel [*the door was* (stod) *~ open*], uppspärrad [*with eyes ~ open*] **III** *s* **1** i kricket sned boll som slagmannen inte kan nå **2** vard., *broke to the ~* luspank; *dead to the ~* alldeles medvetslös

wide-angle ['waɪdˌæŋgl] foto., *~ lens* vidvinkelobjektiv

wide-awake [ˌwaɪdə'weɪk] vaken, skärpt, på alerten; jfr *wide awake* under *wide II*

widely ['waɪdlɪ] vitt [*~ different*], vida; vitt och brett; vitt omkring [*~ scattered*]; allmänt [*~ used*], i vida kretsar; i stor utsträckning [*differ ~*]; *~ known* allmänt känd, känd i vida kretsar, vittbekant

widen ['waɪdn] **I** *vb tr* [ut]vidga, bredda [*~ the road*], göra vidare (bredare); *~ the gap* (*breach, gulf*) bildl. vidga klyftan **II** *vb itr* [ut]vidgas, [ut]vidga sig, bli vidare (bredare)

wide-ranging ['waɪdˌreɪn(d)ʒɪŋ] [vitt]omfattande

widespread [ˌwaɪd'spred, attr. '--] vidsträckt; omfattande [*~ search*]; [allmänt (vitt)] utbredd [*~ dissatisfaction* (*opinion*)]

widgeon ['wɪdʒən] zool. bläsand

widow ['wɪdəʊ] **I** *s* änka; *~'s weeds* änkedräkt, änkas sorgdräkt **II** *vb tr* göra till änka (ibl. änkling)

widower ['wɪdəʊə] änkling

width [wɪdθ, wɪtθ] **1** bredd [*a ~ of 10 metres; curtain material of various ~s*]; vidd [*~ round the waist*] **2** våd; *~ of cloth* tygvåd **3** vidd, bredd [*the ~ and depth of a p.'s knowledge*], spännvidd; omfattning; *~ of views* vidsyn

wield [wi:ld] **1** hantera [*~ an axe*], sköta, svinga [*~ a weapon*]; *~ the pen* föra pennan **2** [ut]öva [*~ control, ~ great influence over*]; *~ power* utöva makt

wiener ['wi:nə] **1** amer. wienerkorv **2** *W~ schnitzel* [ˌvi:nə'ʃnɪtsəl, ˌwi:-] wienerschnitzel

wife [waɪf] (pl. *wives*) fru, hustru [*husband and ~*], maka; *the ~* vard. min fru, frugan

wig [wɪg] **I** *s* peruk **II** *vb tr* vard. skälla ut, läxa upp

wiggle ['wɪgl] **I** *vb itr* vrida sig [*~ like a worm*], slingra (åla) sig [fram] [*~ through a crowd*]; vicka [fram]; krumbukta **II** *vb tr* vicka med [*~ one's toes*]; vifta med [*~ one's ears*] **III** *s* vridning; vickning; vickande [rörelse]

wiggly ['wɪglɪ] slingrande; vågformig; *~ line* våglinje

wigwam ['wɪgwæm] wigwam indianhydda

wild [waɪld] **I** *adj* (se äv. *II*) **1** vild [*~ animals* (*flowers, tribes*)], vild- [*~ honey*]; förvildad; *~ boar* vildsvin; *~ horses could* (*would*) *not drag me there* vilda hästar skulle inte kunna få mig dit; *~ men* bildl. extremister, rabiata människor; vettvillingar, vildhjärnor; *~ rose* vildros **2** vild [*~ mountainous areas*], öde [*~ land*] **3** stormig [*a ~ night*]; *~ weather* våldsamt (häftigt) oväder **4** ursinnig, rasande; upphetsad, uppjagad **5** vild [av sig] [*he was a bit ~ when he was young*], lössläppt; lättsinnig, utsvävande; *lead a ~ life* föra ett vilt liv **6** bråkig [*bars full of ~ youths*], uppsluppen, vild [*a ~ party*]; oregerlig, uppstudsig [*a ~ crew*] **7** oordnad; [*a room*] *in ~ disorder* ...i vild oordning **8** vettlös [*~ talk*], förryckt, befängd, vanvettig, förflugen [*a ~ idea*]; fantastisk [*a ~ project*], vild [*~ schemes* (*rumours*)]; *in my ~est dreams* i mina vildaste (djärvaste) drömmar **9** vard. [alldeles] galen (tokig) [*the girls are ~ about him*]; vild [*~ with joy* (*rage*)] **10** olaglig, vild [*a ~ strike*] **II** *adv* o. *adj* i förb. med vissa vb vilt [*grow ~*]; *get ~* a) bli ursinnig, bli alldeles ifrån (utom) sig, tappa besinningen b) bli oregerlig (upprorisk); *go ~* a) växa vilt (hejdlöst); förvildas b) bli vild (tokig) [*with* av]; *shoot ~* a) skjuta vilt omkring sig b) bomma; *talk ~* fantisera, yra **III** *s,* pl. *~s* vildmark, obygd[er]

wildcat ['waɪldkæt] **I** *s* **1** zool. vildkatt **2** bildl. vildkatt[a]; markatta **II** *attr adj* vard. **1** svindel-, skojar- [*a ~ company*]; *a ~ strike* en vild strejk **2** vanvettig, fantastisk [*~ plans*]

wilderness ['wɪldənəs] **1** vildmark, ödemark; ödslig trakt, ödsliga vidder; öken; *stone ~* stenöken om stad **2** virrvarr, gytter [*from his window he could see a ~ of roofs*]

wildfire ['waɪldˌfaɪə] löpeld; *run* (*spread*) *like* ~ sprida sig som en löpeld

wild goose ['waɪldgu:s] **I** (pl. *wild geese* ['waɪldgi:s]) *s* vildgås: spec. a) grågås b) kanadagås **II** *attr adj, a wild-goose chase* [ˌ-'--] ett lönlöst (hopplöst) företag, förspilld möda

wildlife ['waɪldlaɪf] vilda djur [och växter]; naturliv, naturens liv, djurliv[et]; *the World W~ Fund* Världsnaturfonden

wildly ['waɪldlɪ] vilt etc., jfr *wild I*; *talk* ~ fantisera, yra, prata i nattmössan

wile [waɪl] vanl. pl. *~s* list [*the ~s of the Devil*], knep

wilful ['wɪlf(ʊ)l] **1** egensinnig, oresonlig **2** avsiktlig, uppsåtlig [*~ murder*], medveten

will [wɪl, ss. hjälpvb obeton. l, wəl, əl] **I** (imperf. *would*) *hjälpvb* pres. (ofta hopdraget till *'ll*; nek. äv. *won't*) **1** kommer att [*you ~ never manage it*]; ska [*how ~ it end?*]; *she ~ be eighteen* [*next week*] hon fyller (blir) 18 år... **2** ska, skall ämnar o.d. [*I'll do it at once*]; *~ do* vard. det ska jag göra **3** vill [*he ~ not* (*won't*) *do as he is told*]; *won't you sit down?* var så god och sitt!; *the door won't shut* dörren går inte att stänga; *shut that door, ~ you?* [ta och] stäng dörren är du snäll! **4** ska, skall (vill) [absolut]; *she ~ have her own way* hon ska nödvändigt ha sin vilja fram **5** brukar, kan [*she ~ sit for hours doing nothing*]; *meat won't keep* [*in hot weather*] kött brukar inte hålla sig... **6** torde [*you ~ understand that...*]; *this'll be the book* [*you're looking for*] det är nog den här boken...; *that ~ do* det får räcka (duga) **7** uttr. order, direktiv: *you ~ do as I say!* nu gör du som jag säger; *that'll do!* nu räcker det!, sluta med det! **II** *vb tr* **1** vilja; *God ~ing* om Gud vill **2** förmå (få) [genom en viljeansträngning] **3** testamentera [*~ a th. to a p.*; *~ a p. a th.*]; *~ away* testamentera bort **III** *s* **1** vilja; *good ~* god vilja, välvilja etc., jfr *goodwill 2*; *ill ~* illvilja, agg etc., jfr *ill-will*; *at ~* efter behag, fritt; [*you may come and go*] *at ~* ...som du vill, ...som det passar dig **2** testamente; *my last ~ and testament* min sista vilja, mitt testamente

willing ['wɪlɪŋ] **I** *adj* **1** villig; beredvillig, tjänstvillig; *I am quite ~* det vill (gör) jag gärna; *~ or unwilling* med eller mot sin vilja **2** frivillig [*~ exile*] **II** *s* **1** viljande; *show ~* visa god vilja **2** testamenterande

willingly ['wɪlɪŋlɪ] **1** gärna, med nöje **2** frivilligt

willingness ['wɪlɪŋnəs] **1** villighet, tjänstvillighet **2** frivillighet

will-o'-the-wisp [ˌwɪləðə'wɪsp, '----] **1** irrbloss; bländverk **2** spelevink; hoppetossa

willow ['wɪləʊ] **I** *s* **1** bot. pil; *weeping ~* tårpil **2** vard. slagträ i kricket, vanl. gjort av pilträ **II** *vb tr* textil. plysa ull

willowy ['wɪləʊɪ] **1** bevuxen (kantad) med pilar (vide) **2** smärt, slank; *she has a ~ figure* hon är smal som en vidja

willpower ['wɪlˌpaʊə] viljekraft

willy-nilly [ˌwɪlɪ'nɪlɪ] **I** *adv* med eller mot sin vilja, nolens volens; [*he must go*] *~* ...vare sig (antingen) han vill eller inte **II** *adj* viljelös, velig

wilt [wɪlt] **I** *vb itr* **1** vissna, torka [bort] **2** börja mattas; tyna bort **II** *vb tr* **1** komma att vissna **2** komma att svikta (försvagas)

Wilton ['wɪlt(ə)n] **I** geogr. egenn. **II** *s*, *~* [*carpet* (*rug*)] wiltonmatta

wily ['waɪlɪ] illistig; förslagen, finurlig; *he is a ~ bird* han har en räv bakom örat

win [wɪn] **I** (*won won*) *vb tr* **1** vinna [*~ a bet* (*prize, victory*)], vinna i (vid) [*~ the election* (*toss*)]; ta [hem] äv. kortsp. [*~ a trick*]; skaffa sig; tillvinna sig; *~ the day* vinna slaget, hemföra segern, segra; *~ a prize in a lottery* vinna [en vinst] på [ett] lotteri **2** utvinna [*~ metal from* (ur) *ore*]; bryta [*~ coal*] **3** *~ a p. over* vinna ngn för sin sak, få ngn med sig [*he soon won the audience over*], [lyckas] övertala ngn; *~ a p. over to* få ngn [att gå] över till [*he won them over to his own standpoint*], vinna ngn för [*he won them over to the idea*] **4** *~ a p. a th.* komma ngn att vinna ngt, göra att ngn vinner ngt **II** (*won won*) *vb itr* **1** vinna [*~ by* (med) *3 - 1*]; *you ~!* äv. jag ger mig! **2** lyckas komma (ta sig) [*~ across*]; *~ out* a) lyckas komma (ta sig) ut b) vard. segra [till sist] [*his finer nature won out*]; klara sig, lyckas; *~ through* a) lyckas komma (ta sig) igenom äv. bildl. [*~ through difficulties*] b) vard. klara sig, lyckas; slå igenom **III** *s* vard. **1** sport. seger [*our team has had* (vunnit) *three ~s this summer*] **2** vinst [*a big ~ on the pools*]

wince [wɪns] **I** *vb itr* rycka (rysa) till [*~ at* (vid) *an insult* (*a touch*); *~ with* (av) *pain*]; rygga (fara) tillbaka, krypa ihop [*she ~d under the blow*]; *without wincing* utan att darra (röra en min) **II** *s* ryckning; *without a ~* utan att darra (röra en min)

winch [wɪn(t)ʃ] **I** *s* **1** vinsch **2** vev, vevslång **3** rulle på metspö **II** *vb tr* vinscha [upp]

1 wind [wɪnd, i poesi äv. waɪnd] **I** *s* **1** vind [*warm ~s*], blåst; *gust of ~* kastby, vindstöt; *raise the ~* vard. skrapa ihop (skaffa) pengar; *take the ~ out of a p.'s sails* bildl. ta loven av ngn; förekomma ngn; *there is something in the ~* bildl. det är något under uppsegling **2** andning [*smoking affected his ~*]; *break the ~ of a horse* spränga en häst; *get one's second ~* a) [börja] andas igen, hämta andan b) bildl. återvinna sina krafter, hämta sig; *short of ~* el. *out of ~* andfådd **3** väderkorn; *get ~ of* få väderkorn på, vädra; bildl. äv. få nys om, få korn på **4** vänderspänning[ar] från magen; *break a ~* a) rapa b) släppa sig; *bring up ~* rapa; *put the ~ up a p.* vard. göra ngn byxis (skraj) **5** munväder, [tomt] prat **6** mus., *the ~* blåsinstrumenten, blåsarna i orkester **II** *vb tr* **1** vädra, få väderkorn (vittring) **2** göra andfådd

2 wind [wɪnd] (*~ed ~ed* el. *wound wound*) blåsa [i] [*~ a trumpet*], stöta i [*~ a horn*]

3 wind [waɪnd] (*wound wound*) **I** *vb tr* **1** linda [*~ a scarf round one's neck*], sno, slå [*~ a rope round a package*] **2** nysta [*~ yarn*]; spola [*~ thread*; *~ a film on to* (på) *a spool*]; *~ [up] wool into a ball* nysta [upp] garn till ett nystan **3 a**) veva [*~ back* (tillbaka) *a film*; *~ down* (*up*) *a window*]; veva (vrida) på [*~ a handle* (vev)] **b**) *~ [up]* vinda (veva, hissa) upp **4** *~ [up]* vrida (dra) upp [*~ [up] a watch*] **5 a**) *~ one's way* slingra sig [fram] **b**) *~ one's way into a p.'s affections* nästla (ställa) sig in hos ngn **II** *vb itr* **1** slingra [sig] [*the path ~s up the hill*]; ringla sig **2** vridas (dras) upp [*the toy ~s at the back*] **III** *vb tr* o. *vb itr, ~ up* bildl.: **a**) sluta [*he wound up [his speech] by saying*], avsluta [*~ up a meeting*]; hamna [till slut] [*~ up in hospital*]; *to ~ up [the dinner]* som avslutning på...; *we wound up at a restaurant* vi gick på restaurang efteråt [som avslutning] **b**) hand. avveckla [*~ up a company*]; avsluta [*~ up the accounts*]; *~ up an estate* jur. utreda ett dödsbo, bodela **c**) skruva (driva) upp [*~ up expectations*] **IV** *s* vridning; varv

windbag ['wɪndbæg] **1** vard. pratmakare **2** luftsäck på säckpipa

windbreak ['wɪndbreɪk] vindskydd t.ex. häck

windcheater ['wɪnd,tʃi:tə] vind[tygs]jacka

winder ['waɪndə] **1** härvel; spole; nystvinda **2** nyckel till ur **3** vinsch; vindspel; vev; gruv. uppfordringsanordning **4** uppvindare, uppvinschare

windfall ['wɪndfɔ:l] **1** fallfrukt **2** vindfälle **3** bildl. skänk [från ovan]

wind gauge ['wɪndgeɪdʒ] meteor. vindmätare

winding ['waɪndɪŋ] **I** *adj* slingrande, slingrig [*a ~ path*] **II** *s* **1** slingrande, vridning; krök[ning], kurva; pl. *~s* bildl. krokvägar, krumbukter **2** vevning; uppdragning av klocka; [upp]hissning **3** tekn. lindning äv. konkr.; spolning; varv

winding-sheet ['waɪndɪŋʃi:t] [lik]svepning, sveplakan

wind instrument ['wɪnd,ɪnstrʊmənt] blåsinstrument

windlass ['wɪndləs] tekn. vindspel; gruv. äv. haspel; sjö. ankarspel

windmill ['wɪn(d)mɪl] **1** väderkvarn; *tilt at (fight) ~s* bildl. slåss (kämpa) mot väderkvarnar **2** vindsnurra leksak

window ['wɪndəʊ] **1** fönster äv. på kuvert; skyltfönster; *a ~ on the world* bildl. ett fönster mot världen; *[sit] at the ~* ...vid (i) fönstret; *come in by the ~* bildl. smyga sig in **2** i fråga om tid a) lucka, ledig tid (stund) b) lämplig tidpunkt (period)

window box ['wɪndəʊbɒks] fönsterlåda för växter

window-cleaner ['wɪndəʊ,kli:nə] fönsterputsare

window display ['wɪndəʊdɪ,spleɪ] [fönster]skyltning

window-dressing ['wɪndəʊ,dresɪŋ] **1** [fönster]skyltning **2** bildl. a) skyltande, uppvisning; [tom] fasad b) reklam, propaganda **3** hand. [balans]frisering, fiffel med siffror[na] i t.ex. balansräkning

window frame ['wɪndəʊfreɪm] fönsterkarm

window ledge ['wɪndəʊledʒ] fönsterbleck

windowpane ['wɪndəʊpeɪn] fönsterruta

window sash ['wɪndəʊsæʃ] fönsterbåge, fönsterram

window-shop ['wɪndəʊʃɒp] [gå och] titta i skyltfönster, fönstershoppa [*go ~ping*]

windowsill ['wɪndəʊsɪl] fönsterbräda

windpipe ['wɪndpaɪp] anat. luftstrupe; vard. luftrör

windscreen ['wɪndskri:n] vindruta på bil; *~ washer* vindrutespolare

windshield ['wɪndʃi:ld] **1** amer., se *windscreen* **2** vindskydd

windswept ['wɪndswept] vindpinad

windward ['wɪndwəd] sjö. **I** *adv* [i] lovart **II** *adj* lovarts-; [som går] mot vinden **III** *s* lovart[s]sida; *to ~* mot vinden, i lovart

windy ['wɪndɪ] **1** blåsig [*a ~ day*; *a ~ situation* (läge)], utsatt för vinden (väder och vind) [*a ~ hilltop*]; *the W~ City* beteckn. för Chicago **2** vard. byxis, skraj

wine [waɪn] **I** *s* **1** vin [*a bottle of ~*; *French ~s*]; *good ~ needs no bush* ordspr. god sak talar för sig själv; [*the reform is just*] *new ~ in old bottles* ...nytt vin i gamla läglar **2** vinröd färg **II** *vb itr* vard. dricka (pimpla) vin; *~ and dine* äta och dricka, festa **III** *vb tr* vard. bjuda på vin; *~ and dine a p.* bjuda ngn på en god middag (goda middagar) [med goda viner]

wine cellar ['waɪn,selə] vinkällare

wineglass ['waɪnglɑ:s] vinglas äv. ss. mått

wing [wɪŋ] **I** *s* **1** vinge; flyg. äv. bärplan; *clip a p.'s ~s* bildl. vingklippa ngn; *take ~* a) flyga [upp], lyfta b) bildl. ge sig av; försvinna, flyga sin kos; *on the ~* i flykten [*shoot a bird on the ~*], flygande; *be on the ~* bildl. vara i gång (i farten) [*he is always on the ~*]; stå på språng, stå i begrepp att ge sig i väg **2** flygel äv. mil. el. polit. [*the right ~ of...*]; sidodel; [hus]länga **3** flygel på bil **4** [krag]snibb **5** öronlapp på fåtölj **6** sport. ytterkant; *play on the ~* spela ytter (på ytterkanten) **7** teat., isht pl. *~s* kulisser **8** mil. [flyg]flottilj; amer. [flyg]eskader **9** flyg. flygemblem på uniform; *get one's ~s* vard. få sina [pilot]vingar, bli flygare **II** *vb tr* **1** vingskjuta [*~ a bird*]; skjuta ned; *~ a p.* såra (skjuta) ngn i armen (axeln) **2** förse med flygel (flyglar) [*~ a house*]

wing commander ['wɪŋkəˌmɑ:ndə] mil. överstelöjtnant vid flygvapnet

winger ['wɪŋə] sport. ytter

wing nut ['wɪŋnʌt] vingmutter

wingspan ['wɪŋspæn] flyg. el. zool. vingbredd

wink [wɪŋk] **I** *vb itr* **1** blinka; *~ at a p.* blinka åt ngn; [ögon]flörta med ngn; *~ at a th.* bildl. blunda för ngt, se genom fingrarna med ngt **2** blinka [*a lighthouse was ~ing in the far distance*], blänka 'till [*a light suddenly ~ed*] **II** *vb tr* blinka med; bildl. blunda för [*~ the fact that...*]; *~ the other eye* vard. blunda för det [hela] **III** *s* **1** blink; blinkning; *in a ~* på ett ögonblick, i en handvändning, i ett huj **2** bildl. vink; *get the ~* få en vink (ett tips) **3** blund; *I couldn't get a ~ of sleep* jag fick inte en blund i ögonen

winkle ['wɪŋkl] **I** *s* ätbar strandsnäcka **II** *vb tr, ~ out* tvinga ut; pilla (peta) fram (ut)

winner ['wɪnə] **1** vinnare, segrare; *~'s stand* sport. prispall **2** vard. [pang]succé, fullträff; [*this idea*] *is a real ~* ...kommer att göra lycka (bli en verklig fullträff)

winning ['wɪnɪŋ] **I** *adj* **1** vinnande [*the ~ horse*], segrande; vinnar- [*he is a ~ type*]; vinst- [*a ~ number*] **2** bildl. vinnande [*a ~ smile*], intagande, förtjusande [*a ~ child*]; *he has very ~ ways with him* han har ett mycket vinnande sätt **II** *s* vinnande; förvärv[ande]; utvinning etc., jfr *win I*

winning-post ['wɪnɪŋpəʊst] kapplöpn. målstolpe

wino ['waɪnəʊ] (pl. *~s*) isht amer. sl. alkis

winsome ['wɪnsəm] behaglig, sympatisk

winter ['wɪntə] **I** *s* vinter; vinter- [*~ garden (quarters, sports)*]; *last ~* förra vintern, i vintras; *in the ~ of 2004* [på] vintern 2004 **II** *vb itr* övervintra; tillbringa vintern [*~ in the south*]; [*this plant*] *will ~ outdoors* ...kan stå ute hela vintern **III** *vb tr* **1** hålla boskap över vintern, vinterföda; förvara över vintern, vinterförvara **2** isa, kyla

wintry ['wɪntrɪ] vintrig, vinterlik [*a ~ day (landscape)*]; bildl. kall

wipe [waɪp] **I** *vb tr* (se äv. *III*) **1** torka [av]; torka (stryka) bort; *~ one's eyes* torka tårarna; *~ one's feet* torka [sig om] fötterna; *~ the floor with a p.* vard. sopa golvet med ngn **2** torka med [*~ a cloth over the table*] **3** bildl. sudda ut [*~ a memory from one's mind*] **4** radera [*~ a tape*] **5** avläsa [betalkort o.d.] elektroniskt **II** *vb itr* torka; gnida

III *vb tr* o. *vb itr* med adv. el. prep.:

~ **away** torka bort

~ **down** torka ren (av)

~ **off**: **a**) torka bort; torka av; stryka (sudda) ut **b**) utplåna; *~ off a debt* göra sig kvitt en skuld; *~ a th. off the face of the earth (off the map)* totalförstöra ngt, radera ut ngt

~ **out**: **a**) torka ur; torka bort [*~ out a stain*], stryka (sudda) ut **b**) utplåna, rentvå sig från [*~ out an insult*]; *~ out a debt* göra sig kvitt en skuld **c**) tillintetgöra, förinta [*the whole army was ~d out*], utplåna; utrota [*~ out crimes*]

~ **up** torka upp [*~ up spilt milk*]; torka [*~ up the dishes*]

IV *s* [av]torkning; *give a ~* torka [av]

wiper ['waɪpə] **1** torkare [*windscreen ~*] **2** torktrasa **3** tekn. lyftarm, lyftkam

wire ['waɪə] **I** *s* **1** tråd av metall [*copper ~; telegraph ~*]; ledningstråd; [tunn] kabel; lina; [tunn] vajer (wire); [*barbed*] *~* taggtråd; *~ entanglement* mil. taggtrådshinder; *pull the ~s* hålla (dra) i trådarna, dirigera det hela; *pull ~s* använda sitt inflytande, mygla; *be on the ~* amer. vard. vara på tråden (i telefon[en]) **2** kapplöpn. målsnöre; *under the ~* amer. vard. i sista stund, i grevens tid, nätt och jämnt **3** vard. telegram; telegraf; *by ~* per telegram, telegrafiskt; *give a p. the ~* sl. ge ngn en vink (ett tips) **4** mus. [metall]sträng **5** jakt. snara [av metalltråd] **II** *vb tr* **1** linda om (fästa, binda, förstärka) med ståltråd; *~ [in]* inhägna med taggtråd (ståltråd) **2** dra in ledningar i; *~ a house [for electricity]* installera (dra in) elektricitet i ett hus **3** vard. telegrafera till **4** trä upp på [en] metalltråd [*~ pearls*] **III** *vb itr* vard. telegrafera, skicka [ett] telegram

wirebrush ['waɪəbrʌʃ] stålborste

wirecutter ['waɪəˌkʌtə] slags avbitartång

wirehaired ['waɪəheəd] strävhårig [*a ~ terrier*]

wireless ['waɪələs] **I** *adj* trådlös; *~ telegraphy* trådlös telegrafi, radiotelegrafi **II** *s* åld. radio[apparat]; radio- [*a ~ receiver (set)*] **III** *vb itr* o. *vb tr* åld. telegrafera trådlöst; sända per (via) radio

wire-netting [ˌwaɪə'netɪŋ] metalltrådsnät, ståltrådsnät; ståltrådsstängsel

wirepulling ['waɪəˌpʊlɪŋ] [hemlig] dirigering; intrigerande; mygel
wiretapping ['waɪəˌtæpɪŋ] telefonavlyssning
wire wool ['waɪəwʊl] stålull för rengöring
wiring ['waɪərɪŋ] **1** omlindning; elinstallation; telegrafering etc., jfr *wire II* **2** metalltrådsnät, trådgaller
wiry ['waɪərɪ] **1** [gjord] av metalltråd (ståltråd) [*a ~ cage*], tråd- **2** lik ståltråd; stripig [*~ hair*] **3** seg; uthållig; senig; fast [*~ muscles*] **4** gänglig
wisdom ['wɪzd(ə)m] visdom; förstånd
wisdom tooth ['wɪzdəmtu:θ] (pl. *wisdom teeth* ['wɪzdəmti:θ]) visdomstand; *he has not cut his wisdom teeth yet* han har inte fått visdomständerna än; bildl. han är inte torr bakom öronen än
1 wise [waɪz] **I** *adj* vis; förtänksam, försiktig, förutseende; *~ guy* amer. vard. a) stöddig (kaxig) kille b) förståsigpåare, besserwisser; *be ~ after the event* vara efterklok; *get ~ to a th.* vard. komma på det klara med ngt, få nys om ngt **II** *vb itr* isht amer. sl., *~ up* haja förstå
2 wise [waɪz] litt. vis, sätt [*in* (på) *any ~*]; [*in*] *no ~* på intet vis (sätt), ingalunda
wiseacre ['waɪzˌeɪkə] snusförnuftig människa; besserwisser; [politisk] kannstöpare
wisecrack ['waɪzkræk] vard. **I** *s* kvickhet; spydighet **II** *vb itr* komma med träffande anmärkningar; vara spydig
wish [wɪʃ] **I** *vb tr* **1** önska [*I ~ it were* (*was*) *true*]; vilja ha; *I ~ to* [*say a few words*] jag skulle vilja...; *I ~ you would be quiet* om du ändå ville vara tyst **2** tillönska [*~ a p. a Happy New Year*]; *~ a p. joy* lyckönska ngn; *I ~ you well!* lycka till! **II** *vb itr* önska, önska [sig] ngt [*close your eyes and ~!*]; *as you ~* som du vill; *~* [*up*]*on a star* se på en stjärna och önska [sig] något **III** *s* önskan, önskemål; längtan, lust, vilja; pl. *~es* a) önskningar, önskemål [*for* om] b) hälsningar [*best ~es from Mary*]
wishful ['wɪʃf(ʊ)l] längtansfull [*a ~ glance* (*look, sigh*)], längtande; ivrig [*to do a th.*]; *~ thinker* människa som hänger sig åt önsketänkande; *~ thinking* önsketänkande
wishing-well ['wɪʃɪŋwel] önskebrunn
wishy-washy ['wɪʃɪˌwɒʃɪ] **1** blaskig [*~ soup* (*tea*), *~ colours*], lankig, vattnig **2** svamlig [*~ talk*]; urvattnad, blek [*a ~ description*]; slafsig [*a ~ person*]
wisp [wɪsp] **1** [hö]tapp [*a ~ of hay*], knippa; strimma; [litet] stycke; *~ of hair* hårtest, hårtott; *a ~ of a fellow* en [liten] knatte **2** viska, [liten] kvast
wispy ['wɪspɪ] **1** tovig [*a ~ beard*], stripig [*~ hair*] **2** liten, tunn, spinkig
wistaria [wɪ'steərɪə] o. **wisteria** [wɪ'stɪərɪə] bot. blåregn
wistful ['wɪstf(ʊ)l] längtande, längtansfull, trånsjuk; grubblande
wit [wɪt] **I** *s* **1** *~* el. pl. *~s* vett; pl. *~s* äv. själsförmögenheter; *a man of quick ~* en man med snabb uppfattningsförmåga, en snabbtänkt (slagfärdig) man; *lose one's ~s* tappa huvudet (besinningen) **2** kvickhet; spiritualitet [*his conversation is full of ~*] **3** kvickhuvud; spirituell (humoristisk) människa **II** (imperf. o. perf. p. *wist*; pres. ind. 2 pers. sg. *wottest*; övriga pers. *wot*) *vb tr* o. *vb itr* **1** åld. veta; *God wot* Gud skall veta **2** isht jur., *to ~* nämligen
witch [wɪtʃ] **I** *s* **1** häxa; trollkäring; *~es' brew* (*broth*) häxbrygd **2** vard. häxa, [gammal] käring [*she is a real* (*an ugly*) *old ~*] **3** förtrollande kvinna, troll [*she is a pretty little ~*] **4** zool. rödtunga, mareflundra **II** *vb tr* förhäxa; bildl. äv. tjusa
witchcraft ['wɪtʃkrɑ:ft] trolldom, trolltyg; trolleri, trollkonster
witch-doctor ['wɪtʃˌdɒktə] medicinman
witch-hunt ['wɪtʃhʌnt] häxjakt; bildl. äv. klappjakt [*~ for* (på, efter) *political opponents*]
witching ['wɪtʃɪŋ] förhäxande, häx-; spök-; *the ~ hour* [*of night*] spöktimmen
with [wɪð, framför tonlös konsonant äv. wɪθ] **1** uttr. medel, innehav, sätt o.d. med [*cut ~ a knife*; *a girl ~ blue eyes*]; med hjälp av; för [*I bought it ~ my own money*]; [*sleep*] *~ the window open* ...för öppet fönster **2** uttr. samhörighet, samtidighet o.d.: **a**) [tillsammans (i sällskap)] med [*come ~ us!*]; [*the Prime Minister*] *~ his wife* ...med fru **b**) tillsammans med, till, i [*take sugar ~ one's coffee*]; *go ~* gå (passa) till [*the jumper goes well ~ the skirt*] **c**) [i takt] med [*his greed increased ~ his wealth*] **d**) [i och] med [*~ this defeat everything was lost*] **e**) vard., *be ~ it* a) vara inne modern, hänga med, vara med i svängen b) vara med på noterna; vara på alerten, hänga med **3** uttr. närvaro o.d. hos [*he is staying* (bor) *~ the Browns*], där hos; bland [*popular ~*]; *have a job ~* ha arbete hos (vid, på); *I'll be ~ you in a moment* jag kommer om ett ögonblick **4** uttr. samtycke, medhåll o.d.: *I'm quite ~ you there* det håller jag helt med dig om **5** uttr. orsak o.d. av [*stiff ~ cold*; *tremble ~ fear*]; *be laid up* (*be down*) *~ flu* ligga till sängs i influensa **6** uttr. strid, kontrast o.d. mot, ibl. äv. med [*fight ~*; *contrast ~*] **7** uttr. attityd, bemötande o.d.: a) mot [*be frank* (*honest*) *~ a p.*] b) på [*be angry ~ a p.*] **8** uttr. i vilket avseende något gäller: *what's ~ him* (*her*)? vard. vad är det med honom (henne)?; *it's OK ~ me* vard.

gärna för mig **9** uttr. motsats trots, med [*I like him, ~ all his faults*]

withdraw [wɪð'drɔː, wɪθ'd-] (*withdrew withdrawn*) **I** *vb tr* **1** a) dra tillbaka [*~ troops from a position*], dra bort (undan, ifrån) [*~ the curtains*], dra till sig [*~ one's hand*] b) avlägsna, ta ut [*~ money from* (från, på) *the bank*]; dra in [*~ dirty banknotes*]; *~ one's name from a list* stryka sitt namn på (från) en lista **2** upphäva [*~ a prohibition*], återkalla [*~ an order*], återta, ta tillbaka [*~ a statement*] **II** *vb itr* dra sig tillbaka äv. bildl. [*our troops had to ~; ~ to one's room*]; avlägsna (isolera) sig, gå avsides, gå ut; dra sig undan äv. bildl.; dra sig ur [det] [*you cannot ~ now*]; ta tillbaka det (vad man sagt) [*he refused to ~*]

withdrawal [wɪð'drɔː(ə)l, wɪθ'd-] **1** tillbakadragande etc., jfr *withdraw I 1* **2** upphävande etc., jfr *withdraw I 2* **3** utträde [*~ from* (ur) *an association*], tillbakaträdande; försvinnande [*~ from public* (*social*) *life*]; mil. återtåg **4** [penning]uttag **5** med., *~ symptom* abstinenssymtom

withdrawn [wɪð'drɔːn, wɪθ'd-] **I** perf. p. av *withdraw* **II** *adj* bildl. tillbakadragen, inåtvänd, reserverad [*a ~ manner* (*person*)]; isolerad, avskild [*a ~ community*]; *a ~ life* ett tillbakadraget (isolerat) liv

wither ['wɪðə] **I** *vb tr* **1** *~* [*up*] förtorka, förbränna, göra vissen, komma (få) att vissna [*the hot summer ~ed* [*up*] *the grass*] **2** bildl. förinta, tillintetgöra [*~ a p. with a scornful look*], förlama **II** *vb itr, ~* [*away*] vissna [bort] äv. bildl. [*her beauty ~ed* [*away*]]; förtorka, tyna bort, förtvina, skrumpna

withhold [wɪð'həʊld, wɪθ'h-] (imperf. *withheld*; perf. p. *withheld*, åld. äv. *withholden*) **1** hålla inne [*~ a p.'s wages*], hålla inne med [*~ one's opinion*]; vägra att ge [*~ one's consent*]; *~ a th. from a p.* undanhålla ngn ngt **2** *~ a p. from doing a th.* hindra (avhålla) ngn från att göra ngt

within [wɪ'ðɪn, wɪð'ɪn] **I** *prep* **1** i rumsuttr. el. bildl. inom, inuti, inne i, i [*~ the house* (*room*)], innanför; på...när [*exactly weighed ~ a gramme*]; *be ~ doors* vara inomhus (inne); *~ a kilometre* på [mindre än] en kilometers avstånd, inom en kilometers omkrets [*of* från]; *~ the law* inom lagen[s gränser (råmärken)]; *~ oneself* a) inom sig, i sitt inre, inombords; i sitt stilla sinne b) utan att överanstränga (förta, ta ut) sig **2** i tidsuttr.: *~* [*the space of*] inom [loppet av], innan...förflutit; *well ~ a year* inom (på) långt mindre än ett år **II** *adv* mest litt. **1** inuti; därinne; [*house to let,*] *inquire ~* ...förfrågningar inne i fastigheten **2** bildl. inom sig, inombords

with-it ['wɪðɪt] vard. inne- modern [*~ clothes*], se äv. *with 2*

without [wɪð'aʊt] **I** *prep* **1** utan; *~ cause* utan orsak; i onödan; [*he came*] *~ my* (vard. *me*) *seeing him* ...utan att jag såg honom **2** mest litt. utanför [*~ the gates*]; utom [*negotiations within* (inom) *and ~ the House of Commons*]; [*I heard a noise*] *from ~ the house* ...[från en plats] utanför huset **II** *adv* **1** mest litt. utanför, utanpå; utomhus; *those* [*that are*] *~* bildl. de som står utanför, de oinvigda **2** [*there's no bread*] *so you'll have to do ~* ...så du får klara dig utan **III** *konj* dial. el. vard. utan att; såvida inte [*I can't work ~ I get my lunch*]

withstand [wɪð'stænd, wɪθ's-] (*withstood withstood*) motstå [*~ an attack, ~ temptation*], tåla [*~ hard wear*], uthärda [*~ heat* (*pain*)]; trotsa [*~ danger* (*the storm*)]

witness ['wɪtnəs] **I** *s* **1** [ögon]vittne äv. jur.; *be* [*a*] *~ of* (*to*) vara vittne till, bevittna; *before ~es* inför vittnen, i vittnens närvaro **2** bevittnare [*~ of a signature* (*document*)] **3** a) vittnesbörd äv. relig.; vittnesmål b) tecken, bevis; *be a ~ to* äv. vittna om, bära vittne om, [be]visa; *bear ~ to* (*of*) a) bära vittne[sbörd] om, vittna om b) styrka, intyga; *give ~* vittna **II** *vb tr* **1** vara [åsyna] vittne till, bevittna [*~ an accident*], uppleva [*the town has ~ed many important events*], vara med om; närvara [som vittne] vid [*~ a transaction*]; *he did not live to ~...* han fick aldrig uppleva (vara med om)... **2** bevittna [*~ a document* (*signature*)] **3** a) bära vittne[sbörd] om b) vittna, intyga **III** *vb itr* **1** vittna, vara vittne **2** *~ my hand and seal* av mig underskrivet och med sigill bekräftat

witness box ['wɪtnəsbɒks] vittnesbås, vittnesbänk; *be in the ~* befinna sig i vittnesbåset, höras som vittne; *put a p. in the ~* placera ngn i vittnesbåset, höra ngn som vittne

witticism ['wɪtɪsɪz(ə)m] kvickhet

witty ['wɪtɪ] kvick, slagfärdig; vitsig

wives [waɪvz] pl. av *wife*

wizard ['wɪzəd] **I** *s* **1** trollkarl; häxmästare; medicinman **2** vard. mästare [*a financial ~*], snille **II** *adj* vard. fantastisk, fantastiskt duktig (bra); *it's* (*that's*) *~!* toppen!, alla tiders!

wizardry ['wɪzədrɪ] **1** trolldom **2** otrolig skicklighet; genialitet **3** koll. otroliga bedrifter

wizened ['wɪznd] [hop]skrumpen [*~ apples*], skrynklig, rynkig [*a ~ face*]

wobble ['wɒbl] **I** *vb itr* **1** vackla [*the bicycle ~d*]; gunga [*the table ~s*] **2** bildl. vackla, tveka **II** *vb tr* få (bringa) att vackla (gunga); gunga (vagga) [på], vicka på [*don't ~ the table!*]; svänga [på] **III** *s* krängning; gungning; slingring; skakning, darr[ning]

wobbly ['wɒblɪ] vinglig [*a ~ table*]; ostadig [*~ on his legs after the illness*], vacklande; *I felt ~ at the knees* jag kände mig knäsvag

woe [wəʊ] poet. el. skämts. ve, sorg; olycka, lidande [*poverty, illness and other ~s*]; *~ betide you!* a) ve dig! b) vard. akta dig [för att göra det]!, gud nåde dig [om du gör det]!

woebegone ['wəʊbɪˌgɒn] olycklig [*a ~ expression on his face*]

woeful ['wəʊf(ʊ)l] **1** bedrövad, sorgsen, olycklig **2** dyster [*a ~ day (place)*] **3** bedrövlig

wok [wɒk] **I** *s* wok **II** *vb tr* o. *vb itr* woka

woke [wəʊk] imperf. o. perf. p. av *1 wake*

woken ['wəʊk(ə)n] perf. p. av *1 wake*

wolf [wʊlf] **I** (pl. *wolves*) *s* **a**) varg **b**) i bildl. uttr.: *a ~ in sheep's clothing* en ulv i fårakläder; *the ~ is at the door* nöden står för dörren **II** *vb tr*, *~ [down]* sluka, glupa (glufsa) i sig **III** *vb itr* jaga varg

wolf cub ['wʊlfkʌb] vargunge

wolf hound ['wʊlfhaʊnd] varghund

wolfram ['wʊlfrəm] kem. el. miner. wolfram

wolf-whistle ['wʊlfˌwɪsl] **I** *s* gillande [bus]vissling **II** *vb itr* [bus]vissla gillande

wolves [wʊlvz] pl. av *wolf*

woman ['wʊmən] (pl. *women* ['wɪmɪn]) **1 a**) kvinna; dam [*we were two men* (herrar) *and three women*]; kvinnfolk; *an English ~* en engelsk kvinna, en engelska; *my good ~!* min bästa fru!, frun [lilla]!; *my (the) old ~* vard., om hustru min gumma, gumman, tanten **b**) i allm. bet. kvinnan [*~ is often braver than man*]; kvinnor **c**) bildl. *the ~ in her* kvinnan i henne, [hela] hennes kvinnliga natur (väsen) **2 a**) isht framför yrkesbeteckning kvinnlig; *~ author (writer)* kvinnlig författare, författarinna; *~ doctor* kvinnlig läkare **b**) *~'s* el. *women's* ofta kvinno-, kvinnlig; *the Women's Army Corps* (i USA) ung. arméns lottakår, armélottakåren; *women's doubles* damdubbel i tennis o.d.; *women's libber* vard. a) kvinnosakskvinna, kvinnokämpe b) gynnare av kvinnosaken; *~'s man* kvinnokarl, fruntimmerskarl; *~'s paper* damtidning; *women's studies* kvinnovetenskap

womanhood ['wʊmənhʊd] **1** kvinnlighet **2** kvinnor[na] **3** vuxen (mogen) ålder [*reach ~*]

womanize ['wʊmənaɪz] **I** *vb itr* jaga kvinnor (fruntimmer, flickor) **II** *vb tr* förkvinnliga; förvekliga

womanizer ['wʊmənaɪzə] kvinnojägare; kvinnotjusare

womankind [ˌwʊmən'kaɪnd, '---] kvinnosläktet

womanly ['wʊmənlɪ] kvinnlig [*~ modesty*]

womb [wu:m] anat. livmoder; moderliv; isht bildl. sköte; *from [the] ~ to [the] tomb* bildl. från vaggan till graven

women ['wɪmɪn] pl. av *woman*

womenfolk ['wɪmɪnfəʊk], *~[s]* (konstr. ss. pl.) kvinnfolk, kvinnor

won [wʌn] imperf. o. perf. p. av *win*

wonder ['wʌndə] **I** *s* **1** under [*the seven ~s of the world*], underbar händelse (sak, syn, bragd); om pers. äv. fenomen [*he is a veritable ~*], underbarn [äv. *~ child*]; *~ drug* undermedel, undermedicin, undergörande medel (medicin); *[it is] no (little, small) ~* det är inte [så] underligt (konstigt), det är inte att undra på [*he refused, and no ~*] **2** [för]undran, häpnad; *look at a p. in (with) ~* se undrande (med förundran) på ngn **3** undran, ovisshet [*my ~ as to what will happen*] **II** *vb itr* o. *vb tr* **1** förundra (förvåna) sig, vara (bli) förvånad, häpna; *I ~ at you* du förvånar mig [verkligen], du gör mig förvånad **2** undra [*I was just ~ing*]; *I ~!* det undrar jag!, det tror jag knappast!; *~ about a th.* undra (fundera) över ngt

wonderful ['wʌndəf(ʊ)l] **1** underbar [*~ weather*], fantastisk, strålande **2** förunderlig

wonderland ['wʌndəlænd] underland; underbart (fantastiskt) land, eldorado; *W~* underlandet [*'Alice's Adventures in W~'*]

wonky ['wɒŋkɪ] vard. ostadig [*~ on one's legs*], vinglig [*a ~ chair*]

wont [wəʊnt, amer. äv. wɒnt] van; *he was ~ to say* han brukade säga, han hade för vana att säga

won't [wəʊnt] = *will not*

woo [wu:] litt. **I** *vb tr* **1** fria till; uppvakta **2** a) söka vinna [*~ fame (fortune, success)*] b) bildl. fria till [*an author trying to ~ his readers*] **II** *vb itr* **1** fria; *go ~ing* gå på friarstråt **2** be[dja], bönfalla

wood [wʊd] **1** trä; ved äv. bot.; virke; träslag [*teak is a hard ~*], trä- [*~ industry, ~ tar*]; *~ chips* träflisor; *piece of ~* träbit, trästycke; *touch* (amer. *knock [on]*) *~!* ta i trä!; peppar, peppar! **2** *~* el. pl. *~s* [liten] skog; *one (you) cannot see the ~ for the trees* man ser inte skogen för bara träd; *be out of the ~* (amer. *~s*) bildl. vara utom fara (ur knipan, i säkerhet); *take to the ~s* bege sig (rymma) till skogs; bildl. smita [från ansvaret] **3** mus., *the ~* träblåsinstrumenten, träblåsarna i en orkester **4** golf. trä[klubba]

wood anemone [ˌwʊdə'nemənɪ] bot. vitsippa
woodbine ['wʊdbaɪn] bot. **1** vildkaprifol[ium] **2** amer. vildvin
wood-carver ['wʊdˌkɑːvə] träsnidare
wood-carving ['wʊdˌkɑːvɪŋ] träsnideri; träskulptur
woodcock ['wʊdkɒk] zool. morkulla
woodcut ['wʊdkʌt] träsnitt
wood-cutter ['wʊdˌkʌtə] **1** skogshuggare; vedhuggare **2** träsnidare **3** typogr. träsnittare
wooded ['wʊdɪd] skogig [*a ~ country (landscape)*], skogbevuxen, skogklädd [*a ~ hill*]; trädbevuxen; *~ district* skogsbygd; *thickly ~* skogrik
wooden ['wʊdn] **1** av trä [*a ~ house (leg)*]; *the W~ Horse* grek. mytol. trähästen, [den] trojanska hästen; *~ pavement* träbeläggning **2** bildl. a) träaktig [*~ manners*], träig; stel b) torr
woodland ['wʊdlənd] skogsbygd, skogsmark; skogs- [*~ air, ~ birds, a ~ path*]; *~ scenery* skogsnatur, skogslandskap
wood louse ['wʊdlaʊs] (pl. *wood lice* ['wʊdlaɪs]) zool. gråsugga
woodpecker ['wʊdˌpekə] zool. hackspett; *Woody W~* Hacke Hackspett seriefigur
wood pigeon ['wʊdˌpɪdʒən] zool. skogsduva; ringduva
woodshed ['wʊdʃed] vedbod
woodwind ['wʊdwɪnd], *the ~[s]* träblåsinstrumenten, träblåsarna i en orkester
woodwork ['wʊdwɜːk] **1** a) byggn. träverk b) snickerier [*paint the ~ in a kitchen*], träarbeten **2** snickeri; isht skol. träslöjd **3** *~s* (konstr. vanl. ss. sg.; pl. *~s*) snickerifabrik
woodworm ['wʊdwɜːm] **1** zool. trämask **2** trämaskskada
1 woof [wuːf] **1** vävn. väft; inslag **2** väv **3** bildl. stomme
2 woof [wuːf] **I** *vb itr* brumma; morra **II** *s* **1** brum[ning]; morrning **2** radio. [låg] baston
woofer ['wuːfə] bashögtalare
wool [wʊl] **1** a) ull b) ullgarn; *carding (short) ~* kardull, kard[ulls]garn; *dyed in the ~* bildl. tvättäkta, fullfjädrad; *ball of ~* ullgarnsnystan **2** ylle [*wear ~ next to the skin*], ylletyg, yllekläder; *all (pure) ~* helylle **3** råbomull **4** vard. [ulligt (krulligt)] hår
woollen ['wʊlən] **I** *attr adj* **1** ull- [*~ yarn*], av ull **2** ylle- [*a ~ blanket*], av ylle; *~ goods* yllevaror **II** *s* ylle; vanl. pl. *~s* ylletyger, yllevaror; ylle[tyg]; ylllekläder, ylleplagg
woolly ['wʊlɪ] **I** *adj* **1** ullig; ullbeklädd; ulliknande; dunig; ullhårig; *~ hair* ulligt (krulligt) hår, ullhår **2** ylle- [*~ clothes, a ~ coat*], av ylle **3** bildl. dunkel [*a ~ memory*], oklar [*a ~ voice*], vag [*~ ideas*]; vard. luddig, flummig **4** vard., *wild and ~* vild och galen, laglös **II** *s* vard. ylleplagg; ylletröja; vanl. pl. *woollies* ylllekläder, ylleplagg; ylleunderkläder
woozy ['wuːzɪ] sl. **1** vimsig **2** vissen **3** på snusen halvfull
wop [wɒp] sl., neds. dego, spagge isht italienare
word [wɜːd] **I** *s* **1** ord; pl. *~s* äv. a) ordalag [*in well chosen ~s*]; ordalydelse, formulering b) yttrande, uttalande [*the Prime Minister's ~s on TV*]; *~s fail me!* jag saknar ord [för det]!, det var det värsta [jag hört]!; *have a ~ with a p.* tala (växla) ett par ord med ngn; *I'd like a ~ with you* a) jag skulle vilja tala med dig ett ögonblick b) jag har ett par [sanningens] ord att säga dig **2** pl. *~s* [text]ord, text, sångtext **3** lösenord [*give the ~*]; paroll, motto; *money is the ~* pengar är tidens lösen **4** [heders]ord, löfte [*break (give, keep) one's ~*]; *take my ~ for it!* tro mig [på mitt ord]!, sanna mina ord! **5** bud, besked; *~ came of (that)...* det kom ett bud etc. om ([om] att)...; *have (get, receive) ~* få bud (meddelande) [*that* [om] att], få veta [*that* att] **6** isht mil. befallning; signal, kommando; *give the ~ to do a th.* ge order om att göra ngt; *pass the ~* ge order, säga 'till **7** efter prep.: *at a (one) ~* genast; *by ~ of mouth* muntligen; från mun till mun; *in a (one) ~* med ett ord, kort sagt; *play upon ~s* a) leka med ord, vitsa b) lek med ord, ordlek; *upon my ~!* förvånat minsann!, ser man på! **II** uttrycka [i ord] [*a sharply ~ed protest*], avfatta [*a carefully ~ed letter*]
word-for-word [ˌwɜːdfə'wɜːd] ordagrann [*a ~ translation*]
wording ['wɜːdɪŋ] **1** formulering; [orda]lydelse **2** form, stil; ordval
word-perfect [ˌwɜːd'pɜːfɪkt], *be ~ in a th.* vara [absolut] säker på (i) ngt, kunna ngt perfekt (utantill) [*he is ~ in his part (role)*]
word processor ['wɜːdˌprəʊsesə] data. ordbehandlare
wordy ['wɜːdɪ] ordrik, mångordig; vidlyftig [*~ style*]; långrandig [*a ~ speech*]
wore [wɔː] imperf. av *wear*
work [wɜːk] **A** *s* **1** arbete, gärning, insats[er] [*his scientific ~*]; uppgift [*that is his life's ~*]; verk; pl. *~s* relig. o.d. gärningar [*faith without ~s*]; *a piece of ~* ett arbete; *he is a nasty piece of ~* vard. han är en ful fisk; *I had my ~ cut out to [keep the place in order]* jag hade fullt sjå med att...; *many hands make light ~* ju fler som hjälper till, dess lättare går det; *make short ~ of* göra

processen kort med; göra av med (äta upp) på nolltid; *at* ~ a) på arbetet (jobbet) [*don't phone him at* ~] b) i arbete, i drift, i gång [*we saw the machine at* ~]; *be at* ~ *at* ([*up*]*on*) arbeta på, hålla på med; *out of* ~ utan arbete, arbetslös; *fall* (*go*) *to* ~ a) gå till verket b) börja arbeta; *set* (*get*) *to* ~ *at* (*on*) *a th.* (*to do a th.*) ta itu (sätta i gång) med ngt (med att göra ngt) **2** verk [*the ~s of Shakespeare*], arbete [*a new* ~ *on* (om) *modern art*], opus; arbeten [*the villagers sell their* ~ *to tourists*]; [hand]arbete; *a* ~ *of art* ett konstverk **3** *~s* fabrik [*a new ~s*], bruk, verk **4** pl. *~s* verk [*the ~s of a clock*], mekanism **5** mil., vanl. pl. *~s* befästningar, [be]fästningsverk **6** sl., *the ~s* rubbet, hela klabbet; *give a p. the ~s* a) knäppa (skjuta ner) ngn b) misshandla ngn

B (*~ed ~ed;* i spec. fall *wrought wrought*) *vb*

I *itr* (se äv. *III*) **1** arbeta [*he ~s as a teacher*]; *music while you* ~ radio. musik under arbetet **2** fungera [*the pump ~s*], arbeta [*it ~s smoothly*], drivas [*this machine ~s by electricity*]; vara i funktion, vara i gång **3** göra verkan [*the drug ~ed*]; lyckas [*will the new plan ~?*], klaffa **4** om anletsdrag o.d. förvridas **5** arbeta i silver, trä o.d. **6** med adj.: ~ *free* slita sig loss, lossna

II *tr* (se äv. *III*) **1 a**) bearbeta [~ *silver*], förarbeta, förädla; bereda; forma **b**) bearbeta [~ *a mine*]; bryta [~ *coal*]; ~ *the soil* bruka jorden **2** sköta [~ *a machine*], manövrera; driva [*this machine is ~ed by electricity*] **3** låta arbeta [*he ~ed his boys hard*]; ~ *a p. to death* låta ngn arbeta ihjäl sig **4** åstadkomma [*time had wrought great changes*], vålla, orsaka; vard. ordna, fixa [*how did you* ~ *it?*] **5** flytta [på], skjuta [in] [~ *a rock into* (på) *place*] **6** leda, böja på [~ *one's arm backwards and forwards*] **7** sy, brodera [*she ~ed* (*wrought*) *her initials on the blankets*] **8** arbeta (verka) i, bearbeta [*the insurance agent ~s the North Wales area*] **9** betala med sitt arbete; ~ *one's passage* [*to America*] arbeta (jobba) sig över... **10** ~ *one's way* arbeta sig fram; ~ *one's way* [*up*] bildl. arbeta sig upp **11** med adj.: ~ *loose* lossa [på], få loss (lös), lösgöra

III *itr* o. *tr* med. prep. o. adv., isht med spec. övers.:

~ **against** arbeta emot; *we are ~ing against time* det är en kapplöpning med tiden

~ **at** arbeta på (med)

~ **away** arbeta vidare, arbeta (jobba) undan (på)

~ **for** arbeta för (åt) [~ *for a p.*]; ~ *for one's exam* arbeta på sin examen

~ **into**: **a**) arbeta sig (tränga) in i **b**) arbeta (foga, stoppa) in i [*can you* ~ *a few jokes into your speech?*] **c**) lirka in i [~ *a key into a lock*] **d**) ~ *oneself into a rage* hetsa upp sig till raseri

~ **off**: **a**) lossna **b**) arbeta bort; arbeta av [*he ~ed off his debt by doing odd jobs*]; arbeta (jobba, få) undan

~ **on**: **a**) arbeta på (med) **b**) [försöka] påverka; bearbeta [~ *on a p.'s feelings*]

~ **out**: **a**) utarbeta, utforma; arbeta fram [~ *out a theory*] **b**) räkna ut (fram); få ut [~ *out a problem*], tyda **c**) utfalla [*if the plan ~s out satisfactorily*], avlöpa; utvecklas, gå [*let us see how it ~s out*]; lyckas [*he hoped the plan would* ~ *out*]; *it may* ~ *out all right* det kommer nog att gå bra; det kanske stämmer till sist **d**) ~ *out at* (*to*) uppgå till, gå på [*the total ~s out at* (*to*) *£10*]

~ **through** arbeta sig igenom

~ **to** hålla sig till [~ *to schedule*]

~ **together** arbeta tillsammans

~ **towards** arbeta för [att nå] [~ *towards a peaceful settlement*]

~ **up**: **a**) arbeta (driva) upp [~ *up a business*]; [*he went for a walk*] *to* ~ *up an appetite* ...för att få aptit **b**) bearbeta; arbeta upp **c**) driva (arbeta) upp [*I can't* ~ *up sufficient interest in...*]; stegra [~ *up excitement*]; agitera upp [~ *up an opinion*] **d**) egga (hetsa) upp [~ *up people*]; driva [~ *up a p. to do a th.*]; ~ *oneself up* hetsa (jaga) upp sig **e**) arbeta sig upp äv. bildl.

workable ['wɜːkəbl] **1** [som är] möjlig (lätt, värd) att bearbeta; förädlingsbar [~ *timber*]; formbar [~ *plastic* (*clay*)]; brukbar [~ *soil*]; brytvärd [~ *coal*] **2** [som är] möjlig att genomföra (utföra, förverkliga) [*a* ~ *plan*]

workaday ['wɜːkədeɪ] **1** arbets- [~ *clothes*] **2** alldaglig, prosaisk, trist; arbetsfylld

work addict ['wɜːkˌædɪkt] o. **workaholic** [ˌwɜːkə'hɒlɪk] vard. arbetsnarkoman

workbench ['wɜːkben(t)ʃ] arbetsbänk; hyvelbänk

worker ['wɜːkə] **1** arbetare; arbetstagare; *~s of the world, unite!* proletärer i alla länder, förenen eder!; *he is a hard* ~ han arbetar hårt (flitigt), han är en riktig arbetsmyra **2** zool. a) arbetare, arbetsbi [äv. ~ *bee*] b) arbetare, arbetsmyra [äv. ~ *ant*]

workforce ['wɜːkfɔːs] arbetsstyrka

working ['wɜːkɪŋ] **I** *s* **1** arbete [*laws to prevent* ~ *on Sundays*]; verksamhet; pl. *~s* verk [*the ~s of Providence*] **2** funktion[ssätt]; gång [*the smooth* ~ *of the machine*] **3** bearbetande; exploatering [*the* ~ *of a mine*]; skötsel; *continuous* ~ kontinuerlig drift **4** uträkning, lösning [*the* ~ *of a mathematical problem*] **II** *adj* o. *attr s* **1** arbetande [*the* ~ *masses*], arbetar-;

arbets- [~ *conditions are not too good here*]; drifts-; ~ *capital* rörelsekapital, driftskapital; omsättningstillgångar; ~ *class* arbetarklass; ~ *clothes* arbetskläder; ~ *day* arbetsdag, vardag; ~ *hours* arbetstid; ~ *instructions* driftsanvisningar; arbetsföreskrifter; ~ *model* arbetsmodell; ~ *wives* yrkesarbetande gifta kvinnor **2** funktionsduglig; praktisk; provisorisk [*a ~ draft was submitted for discussion*]; *he has a ~ knowledge of French* han kan franska till husbehov; *in ~ order* i användbart (gott) skick, funktionsduglig

working-class [ˌwɜːkɪŋˈklɑːs, attr. ˈ---] arbetar- [*~ family* (*population*)]; *he is ~* han tillhör arbetarklassen

workload [ˈwɜːkləʊd] arbetsbörda; arbetsprestation

work|man [ˈwɜːk|mən] (pl. *-men* [-mən]) arbetare; hantverkare

workmanlike [ˈwɜːkmənlaɪk] o. **workmanly** [ˈwɜːkmənlɪ] väl utförd; habilt gjord; skicklig

workmanship [ˈwɜːkmənʃɪp] **1** yrkesskicklighet **2** utförande [*articles of* (i) *excellent ~*], arbete

workmate [ˈwɜːkmeɪt] arbetskamrat

work-out [ˈwɜːkaʊt] **1** träningspass; workout[pass]; *he went there for a ~* han gick dit för att träna (för ett workout-pass) **2** genomgång, test

worksheet [ˈwɜːkʃiːt] arbetssedel

workshop [ˈwɜːkʃɒp] **1** verkstad **2** studiegrupp; studiecirkel **3** *Theatre W~* slags folkteater, teaterverkstad

workshy [ˈwɜːkʃaɪ] arbetsskygg

worktop [ˈwɜːktɒp] arbetsbänk

world [wɜːld] **1** värld; jord [*go on a journey round the ~*]; *~ champion* världsmästare; *W~ War I* (*II*) el. *the First* (*Second*) *W~ War* första (andra) världskriget; *the ~ of letters* den litterära världen; *citizen of the ~* världsmedborgare; *experience of the ~* världserfarenhet; *a man of the ~* en världsman, en man av värld; *woman of the ~* världsdam, dam av värld; *the animal ~* djurens värld, djurriket; *the fashionable ~* den fina världen; *the literary ~* den litterära världen; *the ~ to come* (*be*) livet efter detta; *how is the ~ using you?* vard. hur lever världen (hur står det till) med dig?; *for all the ~ like* på pricken lik, precis som; *bring a child into the ~* sätta ett barn till världen; [*the food*] *is out of this ~* vard. ...är inte av denna världen; *all over the ~* över (i) hela världen; *sail round the ~* segla jorden runt; *dead to the ~* död för världen **2** massa; *a ~ of* en [oändlig] massa (mängd); *it will do you a* (*the*) *~ of good* det kommer att göra dig oändligt gott; [*the two books*] *are ~s apart* det är en enorm skillnad mellan...; *think the ~ of a p.* uppskatta ngn enormt; avguda ngn

world-beater [ˈwɜːldˌbiːtə], *be a ~* vara i världsklass

world-famous [ˌwɜːldˈfeɪməs] världsberömd; *~ artist* världsartist

worldliness [ˈwɜːldlɪnəs] världslighet; världsligt sinnelag

worldly [ˈwɜːldlɪ] världslig [*~ matters* (*pleasures*)], jordisk; världsligt sinnad; *experience in ~ affairs* världserfarenhet; *~ goods* världsliga ägodelar, denna världens goda

world-shaking [ˈwɜːldˌʃeɪkɪŋ] som skakar (skakade) hela världen, världsomskakande

world-weary [ˈwɜːldˌwɪərɪ] trött på allt världsligt; levnadstrött

worldwide [ˌwɜːldˈwaɪd] **I** *adj* världsomfattande; *~ fame* världsrykte **II** *adv* över hela världen [*be famous ~*]

worm [wɜːm] **I** *s* **1** mask; [små]kryp; bildl. stackare; *can of ~s* bildl. trasslig härva, ormbo **2** [inälvs]mask; *have ~s* ha mask [i magen] **3** tekn. o.d. a) gänga b) snäcka; ändlös skruv, evighetsskruv **II** *vb tr* **1** **a**) *~ oneself* (*~ one's way*) *in* (*into, through*) orma (åla, slingra, smyga) sig in (in i, genom); *~ oneself into a p.'s favour* nästla (ställa) sig in hos ngn; *~ one's way round a p.* ställa sig in hos (fjäska för) ngn **b**) *~ a th. out of a p.* locka (lura, lirka) ur ngn ngt **2** a) avmaska [*the dog has been ~ed*] b) rensa växter från mask **III** *vb itr* orma (åla, slingra, smyga) sig

worm-eaten [ˈwɜːmˌiːtn] **1** maskäten **2** uråldrig [*~ methods*]; maläten [*a ~ appearance*]

wormwood [ˈwɜːmwʊd] bot. el. bildl. malört

worn [wɔːn] (av *wear*), nött; bildl. äv. tärd; avlagd [*~ clothes*]; *look ~ and haggard* se härjad (förstörd) ut

worried [ˈwʌrɪd] **1** orolig [*his ~ parents called the police*], ängslig, bekymrad; *be ~* [*about a p.*] äv. ha bekymmer [för ngn]; *be ~ to death* [*about a p.*] vara förfärligt orolig [för ngn] **2** plågad, besvärad

worrier [ˈwʌrɪə] **1** plågoande **2** *he is a ~* han oroar sig alltid, han kan inte låta bli att oroa sig

worrisome [ˈwʌrɪsəm] **1** besvärlig [*a ~ problem*], irriterande [*a ~ cough*] **2** orolig **3** tjatig

worry [ˈwʌrɪ] **I** *vb tr* **1** oroa, bekymra, göra orolig (ängslig, bekymrad), plåga [*it is ~ing me to see...*; *I have a bad tooth that is ~ing me*], pina; *~ oneself unnecessarily* oroa sig i onödan **2** ansätta [*~ a p. with foolish questions*], trakassera; tjata på [*~ a p. for* (om, för att få) *a th.*] **3** ständigt attackera, oroa [*~ the enemy*]; förfölja, jaga;

hemsöka **4** bita tag i; bita ihjäl; förfölja, hetsa; ~ *him!* till hund buss på honom! **II** *vb itr* **1** oroa (bekymra) sig, ängslas, vara orolig (bekymrad, ängslig, nervös); grubbla; ~ *about* äv. bry sig om [*don't ~ about it if you are busy*], hänga upp sig på [*it's nothing to ~ about*]; *I should ~!* vard. det struntar jag blankt i, det rör mig inte i ryggen; *I'll* (*we'll*) *~ when the time comes* den tiden, den sorgen; *don't* [*you*] *~!* oroa dig inte!, var inte orolig (ängslig)!, ta det lugnt! **2** bita **III** *s* oro, bekymmer [*financial worries, that's the least of my worries*], ängslan; plåga [*what a ~ that child is!*], besvär[lighet]; huvudbry [*it causes him ~*]; *the cares and worries of life* livets sorger och bekymmer

worrying ['wʌrɪɪŋ] plågsam

worse [wɜːs] **I** *adj* o. *adv* (komp. av *bad, badly, ill*) värre, sämre; mer [*she hates me ~ than before*]; *get* (*grow, become*) ~ bli värre (sämre), förvärras, försämras; [*I stayed up all night*] *without being the ~ for it* ...utan att må illa (ta någon skada) av det **II** *s* värre saker [*I have ~ to tell*]; *or ~* eller något ännu (ändå) värre

worsen ['wɜːsn] **I** *vb tr* förvärra, försämra **II** *vb itr* förvärras; försämras; om pris, kurs o.d. falla

worship ['wɜːʃɪp] **I** *s* **1** dyrkan, tillbedjan; gudstjänst; andakt[sövning]; *public ~* allmän gudstjänst, den allmänna gudstjänsten; *freedom* (*liberty*) *of ~* fri religionsutövning **2** *Your W~* Ers nåd, herr domare **II** *vb tr* dyrka; bildl. äv. avguda [*she simply ~ped him*] **III** *vb itr* delta i gudstjänsten; förrätta sin andakt; tillbedja [Gud]

worshipper ['wɜːʃɪpə] **1** dyrkare; bildl. äv. beundrare **2** gudstjänstdeltagare; *the ~s* äv. kyrkfolket, menigheten

worst [wɜːst] **I** *adj* o. *adv* (superl. av *bad, badly, ill*) värst; *be ~ off* ha det sämst [ställt] (svårast) **II** *s, the ~* den värsta, de värsta, det värsta [*the ~ is yet to come* (återstår)], den (det, de) sämsta; *the ~* [*of it*] *is that...* det värsta (sämsta) [av allt] är att...; *do one's ~* göra det värsta (göra all den skada) man kan; *get the ~ of the bargain* förlora på affären; *think the ~ of a p.* tro ngn om det värsta; *if the ~ comes to the ~* i värsta (sämsta) fall, om det värsta skulle hända **III** *vb tr* besegra; göra ner

worsted ['wʊstɪd] **I** *s* **1** kamgarn **2** kamgarnstyg **II** *adj* kamgarns- [*~ suit*]; *~ yarn* kamgarn

worth [wɜːθ] **I** *adj* värd [*it's ~ £50; it is ~ the trouble; well ~ a visit*]; *~ little* (poet. *little ~*) inte mycket värd; *~ much* mycket värd, värd mycket; *property ~ millions of* [*dollars*] äv. värden för miljontals...; *show what one is ~* visa vad man duger till (går för); *~ doing* värd att göra[s]; *if a thing is ~ doing, it is ~ doing well* om man ändå gör något kan man lika gärna göra det ordentligt; *for all one is ~* av alla krafter, allt vad man orkar (kan) **II** *s* **1** värde; *know one's ~* känna sitt eget värde **2** *a dollar's ~ of stamps* frimärken för en dollar; *get* (*have*) *one's money's ~* få valuta för pengarna (sina pengar) **3** förmögenhet

worthless ['wɜːθləs] **1** värdelös [*a ~ contract*]; oanvändbar; meningslös **2** dålig [*a ~ detective*]

worthwhile ['wɜːθwaɪl] som är värd att göra [*a ~ experiment*], värd besväret; givande, värdefull [*~ discussions*]; lönande; *a ~ book* en läsvärd bok

worthy ['wɜːðɪ] **I** *adj* **1** värdig [*a ~ successor* (*foe*)] **2** aktningsvärd **3** värd; *be ~ to* äv. förtjäna att; *~ of respect* aktningsvärd; *I am not ~ of her* jag är henne inte värdig **II** *s* **1** storman, storhet [*an Elizabethan ~*]; i antiken hjälte; skämts. pamp [*gamblers, racketeers, and other worthies*] **2** skämts. el. iron. hedersman

would [wʊd, obeton. wəd, əd, d] (imp. av *will*) **1** skulle [*I* (*you, he*) *~ do it if I* (*you, he*) *could; he was afraid something ~ happen*]; *that ~ have been* [*marvellous*] äv. det hade varit...; *that ~ be nice* äv. det vore trevligt; *how ~ I know?* hur skulle jag kunna veta det? **2** ville [*he ~n't do it; I could if I ~*]; *I wish you ~ stay* jag önskar du ville stanna, jag skulle vilja att du stannade **3** skulle [absolut]; [*he dropped the cup -*] *of course he ~* ...typiskt för honom! **4** skulle vilja [*~ you do me a favour?*]; *we ~ further point out* äv. (högtidl.) vi vill vidare påpeka **5** brukade [*he ~ sit for hours doing nothing*] **6** torde; *he ~ be your uncle, I suppose* han är väl din farbror?; *it ~ be about four o'clock* klockan var väl ungefär fyra; *it ~ seem* (*appear*) *that...* det kan synas som om...

would-be ['wʊdbiː] **I** *adj* **1** tilltänkt [*the ~ victim*]; blivande [*~ authors*]; *~ buyers* eventuella köpare, spekulanter **2** så kallad [*this ~ pianist, a ~ philosopher*], påstådd **3** hycklad [*this ~ manifestation of joy*] **II** *adv* ansträngt; förment [*~ poetical phrases*]

wouldn't ['wʊdnt] = *would not*

1 wound [waʊnd] imperf. o. perf. p. av *2 wind* o. *3 wind*

2 wound [wuːnd] **I** *s* sår; på t.ex. trädstam äv. skada; bildl. äv. kränkning; *a bullet ~* en skottskada; *it was a ~ to his vanity* (*pride*) det sårade hans fåfänga (stolthet) **II** *vb tr* såra; t.ex. trädstam äv. skada; bildl. äv. kränka; skadskjuta; *badly ~ed* svårt sårad (skadad)

wove [wəʊv] imperf. o. ibl. (tekn.) perf. p. av *1 weave*

woven ['wəʊv(ə)n] perf. p. av *1 weave*; ~ *fabric* vävt tyg, väv, vävnad

1 wow [waʊ] **I** *interj*, ~*!* [va'] häftigt!, schysst! **II** *s* sl. braksuccé; *it was a* ~ äv. det var kanon (toppen)

2 wow [waʊ] **1** vov-vov, [hund]skall **2** långsamt svaj i ljudåtergivningen på ett tonband

WPC [ˌdʌblju:pi:'si:] förk. för *woman police constable*

WRAC förk. för *Women's Royal Army Corps*

WRAF förk. för *Women's Royal Air Force*

wrangle ['ræŋgl] **I** *vb itr* gräla, munhuggas **II** *s* gräl, käbbel

wrap [ræp] **I** *vb tr* **1 a)** ~ *[up]* svepa, svepa in [*in* i]; svepa om [*in* med]; linda (veckla, vira) in, slå in, packa in [*in* i]; hölja [in], täcka **b)** ~ *a th. round (around, about)* svepa (linda, vira) ngt kring (runt, om), slå ngt kring (runt, om) [~ *paper round it*] **2** bildl. ~ *[up]* dölja, hölja, linda in, svepa in **3** vard., ~ *up* a) avsluta, greja, fixa b) göra slut på **4** sl., ~ *it up!* lägg av!, sluta! **II** *vb itr*, ~ *up [well]* klä på sig ordentligt **III** *s* **1 a)** sjal; [res]filt **b)** pl. ~*s* ytterplagg, ytterkläder **c)** badkappa; *evening* ~ aftonkappa **2** *keep under* ~*s* hålla hemlig

wrapper ['ræpə] **I** *s* **1** omslag; skyddsomslag på bok; [tidnings]banderoll; konvolut **2** a) lätt morgonrock b) sjal **3** packare, packkarl **4** täckblad på cigarr **II** *vb tr* slå (packa) in, vira in; täcka över

wrapping ['ræpɪŋ] **1** ofta pl. ~*s* a) omslag, hölje; emballage, förpackning; kapsel b) kläder; svepning **2** [omslags]papper

wrapping-paper ['ræpɪŋˌpeɪpə] omslagspapper

wrath [rɒθ, amer. ræθ] isht poet. vrede [*the* ~ *of God*]; bildl. äv. raseri [*the* ~ *of the waves*]; *in* ~ i vredesmod

wratting-iron ['rætiŋˌaɪən] *s* tekn. tillförnobare

wreak [ri:k] **1** utösa, utgjuta [~ *one's rage on (upon)* (över) *a p.*], ge utlopp (fritt lopp) åt **2** utkräva [~ *vengeance on (upon) a p.*] **3** tillfoga, vålla, anställa; ~ *havoc on (upon)* anställa förödelse på, förstöra

wreath [ri:θ, i pl. ri:ðz -θs] **1** krans av blommor m.m.; girland **2** vindling, slinga [*a* ~ *of smoke*], ring, snirkel; pl. ~*s* äv. ringlar

wreathe [ri:ð] **I** *vb tr* **1** pryda (smycka) [med en krans (kransar)]; *be* ~*d in* bekransas (omges) av **2** vira, linda, binda; ~ *oneself* linda sig, ringla sig, slingra sig [*the snake* ~*d itself round the branch*] **3** binda [ihop]; bildl. väva samman **II** *vb itr* ringla sig; virvla; kröka sig

wreck [rek] **I** *s* **1** skeppsbrott; haveri **2** ödeläggelse; fördärvande **3** a) vrak b) [hus]ruin c) pl. ~*s* vrakspillror, vrakdelar [*the shores were strewn with* ~*s*] **4** bildl. vrak, ruin; spillra; *he is but a* ~ *of his former self* han är blott en skugga av sitt forna jag **II** *vb tr* **1** komma att förlisa (stranda, haverera); göra till [ett] vrak; krascha [med], kvadda; *be* ~*ed* lida skeppsbrott, stranda, haverera äv. bildl.; förlisa [*the ship was* ~*ed*], totalförstöras [*the train was* ~*ed*]; bli kvaddad **2** ödelägga, undergräva [*his health was* ~*ed*], spoliera; amer. skrota [ned] [~ *houses*]

wreckage ['rekɪdʒ] **1** a) vrakspillror; vrakgods b) ruin[er] **2** skeppsbrott; haveri **3** ödeläggelse, förstörelse; omintetgörande

wrecker ['rekə] **1** vrakbärgare; bärgningsbåt **2** vrakplundrare; strandtjuv **3** förstörare **4** amer. husrivare **5** amer. bärgningsbil **6** amer., vid tågolycka a) röjningsarbetare b) hjälptåg **7** amer. bilskrotare

wren [ren] **1** zool. gärdsmyg [vard. äv. *jenny* ~]; *golden-crested* ~ kungsfågel **2** amer. sl. tjej

wrench [ren(t)ʃ] **I** *s* **1** [häftigt] ryck, vridning, bändning; *give a* ~ *at* vrida om (till) **2** vrickning, sträckning **3** bildl. [hårt] slag, [svår] förlust [*her death was a great* ~ *to him*]; smärta [*the* ~ *of parting is over*] **4** [*torque*] ~ skiftnyckel i allm.; amer. äv. skruvnyckel med ställbara käftar **II** *vb tr* **1** [häftigt] rycka [loss (av)] [~ *a gun (knife) from a p.*], slita [loss (av)] [~ *the door off* (från) *its hinges*], vrida; ~ *oneself from...* slita (vrida) sig ur...; ~ *a door open* rycka (slita, bända) upp en dörr **2** vricka [~ *one's ankle* (foten)], sträcka **3** förvanska [~ *the meaning of the text*]; förrycka **4** plåga, smärta

wrest [rest] **I** *vb tr* [häftigt] vrida, rycka; ~ *a th. from a p.* bildl. pressa (tvinga) fram ngt ur ngn, pressa ur ngn ngt **II** *s* [häftig] vridning

wrestle ['resl] **I** *vb itr* brottas äv. bildl. **II** *vb tr* **1** brottas med **2** ~ *down* fälla, besegra i brottning; ~ *to the ground* fälla till marken, slå ned **III** *s* **1** brottning; brottningsmatch **2** bildl. kamp; *a* ~ *for life or death* en kamp på liv och död

wrestler ['reslə] brottare

wrestling ['reslɪŋ] brottning

wretch [retʃ] **1** stackare, eländig varelse **2** usling **3** skämts. skojare

wretched ['retʃɪd] **1** [djupt] olycklig, eländig [*feel* ~], jämmerlig [*a* ~ *existence*]; stackars [*the* ~ *woman*] **2** lumpen **3** bedrövlig, jämmerlig, eländig [*a* ~

house], usel [*a ~ job, ~ weather*], ynklig **4** vard. förbaskad, jäkla [*a ~ cold*]

wretchedness ['retʃɪdnəs] **1** olycka, förtvivlan; elände **2** lumpenhet **3** uselt (uruselt) skick; uselhet

wriggl|e ['rɪgl] **I** *vb itr* **1** slingra sig, vrida sig, sno sig, skruva sig, åla sig; vicka; *the boy kept -ing in his chair* pojken satt inte stilla ett ögonblick i stolen; *~ out of* åla sig ur; slingra sig ur (från) äv. bildl. [*he tried to ~ out of his promise*] **2** skruva [på] sig, känna sig obehaglig till mods [*my criticism made him ~*] **II** *vb tr* vrida på, skruva på, vicka på [*~ one's hips*]; *~ oneself* slingra sig, vrida sig, sno sig, skruva sig; *~ oneself free* vrida sig loss, frigöra sig; *~ oneself into a p.'s favour* nästla (ställa) sig in hos ngn **III** *s* **1** slingrande (ålande) rörelse, slingring, vridning; vickning; svängande; *give a little ~* vrida [på] sig lite **2** sväng, snirkel; krök [*of* på]

wring [rɪŋ] **I** (*wrung wrung*) *vb tr* **1** a) vrida [*~ one's hands in despair*] b) vrida (krama) ur [*~ wet clothes*] c) krama, trycka [*he wrung my hand hard*]; *~ a p.'s neck* vrida nacken av ngn **2** pina; *it ~s my heart to hear...* det är hjärtskärande (beklämmande) att höra... **3** förvrida, förvanska **II** *s* vridning, kramning; *give a p.'s hand a ~* trycka ngns hand

wringer ['rɪŋə] **1** liten mangel **2** amer. pärs, eldprov; *put a p. through the ~* sätta ngn på prov, utsätta ngn för en prövning (pärs); vara en svår pärs för ngn

wringing ['rɪŋɪŋ] **I** *s* vridande **II** *adj* vard., se *III* **III** *adv, ~ wet* drypande våt, dyblöt, [alldeles] genomsur (genomvåt)

wrinkle ['rɪŋkl] **I** *s* **1** rynka, veck; rynkning [*a ~ of* (på) *the nose*] **2** vard. [bra] tips **II** *vb tr* rynka, rynka på [*she ~d her nose*]; skrynkla, göra rynkig (skrynklig) [äv. *~ up*; *he ~d* [*up*] *his forehead*] **III** *vb itr* bli rynkig (skrynklig)

wrinkled ['rɪŋkld] rynkig

wrist [rɪst] **1** handled **2** manschett[del] på klädesplagg; krage på handske

wristband ['rɪstbænd] **1** handlinning **2** armband

wristwatch ['rɪstwɒtʃ] armbandsur

1 writ [rɪt] **1** jur. skrivelse, handling; [kungligt] beslut; dekret; [skriftlig] kallelse; *serve a ~ on a p.* delge ngn stämning **2** *Holy* (*Sacred*) *W~* den heliga skrift **3** åld. skrift

2 writ [rɪt] (perf. p. av *write*); litt., bildl. *~ large* i större format (skala)

write [raɪt] (*wrote written*) **I** *vb tr* (se äv. *III*) skriva; hand. el. vard. skriva till [*I wrote him last week*] **II** *vb itr* (se äv. *III*) **1** skriva; *~ for* a) skriva för (i) [*~ for a newspaper*] b) skriva efter, rekvirera; *~ for a living* leva (försörja sig) på att skriva **2** skriva; vara författare **3** gå [att skriva med]; *the pen won't ~* äv. pennan fungerar inte

III *vb tr* o. *vb itr* med adv. isht med spec. övers.:

~ **back** svara [per brev]

~ **down**: **a**) skriva upp (ner), anteckna [*~ it down*], nedteckna **b**) hand. skriva ner [*~ down capital* (*an asset*)] **c**) *~ down to the public* skriva alltför publikfriande

~ **in**: **a**) skriva in (till), tillfoga [*~ in an amendment to the law*] **b**) 'skriva om, skicka in [*~ in one's requests*]; *~ in for* skriva efter, beställa, rekvirera [*~ in for our catalogue*]

~ **off**: **a**) avskriva äv. bildl. [*~ off a debt*]; avfärda [*it was written off as a failure*] **b**) *~ off for* skriva efter, rekvirera, beställa; *~ off to* skriva [brev] till

~ **out** skriva (ställa) ut [*~ out a cheque*]

~ **up**: **a**) föra à jour [*~ up a diary*] **b**) utarbeta [*~ up a report*] **c**) slå upp [stort] [*an affair written up by the press*] **d**) lovorda [*the critics wrote up the play*] **e**) hand. skriva upp **f**) *~ up about a th.* skriva en insändare om ngt

writer ['raɪtə] **1** författare **2** skrivare, skrivande [person]; *~'s cramp* skrivkramp

write-up ['raɪtʌp] vard. [utförlig] redogörelse, rapport; [fin] recension; *a bad ~* en dålig recension, dålig kritik

writhe [raɪð] **I** *vb itr* **1** vrida sig [*~ with* el. *under* (av) *pain*; *~ in* (i) *agony*]; slingra sig [*the snake ~d up the tree*]; bildl. våndas **2** förvridas [*his mouth ~d*] **II** *vb tr* **1** vrida, sno **2** förvrida [*~ one's face*] **III** *s* **1** vridning **2** förvridning av ansikte

writing ['raɪtɪŋ] **I** *s* **1** skrift; *in ~* äv. skriftlig; skriftligt, skriftligen **2** skrivande; komponerande; skrivkonst **3** författarverksamhet, författarskap; skriveri; *he turned to ~* [*at an early age*] han började skriva (författa)... **4** [hand]stil; *it is not my ~* äv. det är inte jag som har skrivit det **5** inskrift, inskription; skrift; *the ~ on the wall* ett dåligt omen **6** stil [*narrative ~*]; språk **7** skrift [*his collected ~s*]; *a fine piece of ~* ett utmärkt arbete (stycke litteratur), en utmärkt bok **8** jur. dokument, handling, skrivelse **9** text, ord **10** [minnes]anteckning **II** *attr adj* skriv-; *~ materials* skrivmateriel, skrivdon

writing-desk ['raɪtɪŋdesk] **1** skrivbord **2** skrivetui

writing-pad ['raɪtɪŋpæd] **1** skrivunderlägg **2** skrivblock

writing-paper ['raɪtɪŋˌpeɪpə] skrivpapper, brevpapper

written ['rɪtn] (av *write*) skriven; skriftlig; *~ language* skriftspråk

wrong [rɒŋ] **I** *adj* **1** orätt [*it is ~ to steal*], orättfärdig; orättvis: vrång **2** fel [*he got into the* (kom på) *~ train*], felaktig; *sorry, ~ number!* förlåt, jag (ni) har slagit fel nummer (kommit fel)!; *be on the ~ road* ha råkat på avvägar; *be on the ~ side of fifty* vara över femtio [år]; *the ~ way round* bakvänd; bakvänt, bakfram; *be ~* ha fel, ta fel (miste); *be ~ in the (one's) head* vard. vara dum [i huvudet]; *it's all ~* det är uppåt väggarna [galet]; *there is nothing ~ in asking* ung. det gör väl inget om man frågar **II** *adv* orätt [*act ~*]; fel [*guess ~*]; vilse; *do ~* handla (göra) orätt (fel); *go ~* a) gå (komma) fel (vilse); komma på villovägar; göra fel b) misslyckas [*our marriage went ~*], gå snett c) vard. gå sönder, paja **III** *s* orätt [*right and ~*]; orättfärdighet; oförrätt; missförhållande; *two ~s do not make a right* man kan inte utplåna en orätt genom att begå en ny; *I had done no ~* jag hade inget ont gjort; *be in the ~* a) ha orätt (fel) b) vara skyldig; *put a p. in the ~* lägga skulden på ngn **IV** *vb tr* **1** förorätta **2** vara orättvis mot
wrongdoer ['rɒŋˌduə, ˌ-'--] **1** syndare **2** ogärningsman
wrongdoing [ˌrɒŋ'du:ɪŋ] ond gärning; oförrätt; synd, förseelse
wrongful ['rɒŋf(ʊ)l] **1** orättvis, orättfärdig **2** olaglig; *~ dismissal* uppsägning utan saklig grund
wrongly ['rɒŋlɪ] **1** fel, fel- [*~ spelt*], orätt, oriktigt **2** orättvist [*~ accused*]; med orätt
wrote [rəʊt] imperf. av *write*
wrought [rɔ:t] **I** imperf. o. perf. p. av *work,* se *work B* **II** *adj* **1** formad, förarbetad, [färdig]behandlad; smidd [*made of ~ copper*]; [jämn]huggen [*~ beams of oak*]; spunnen [*~ silk*]; *~ iron* smidesjärn **2** prydd, utsirad
wrung [rʌŋ] imperf. o. perf. p. av *wring*
wry [raɪ] (adv. *wryly*) **1** sned, skev, krokig **2** ironisk, spydig, syrlig; *make (pull) a ~ face (mouth)* göra en [ful] grimas (en sur min), grina illa; *~ smile* tvunget leende **3** vrång, förvänd; förvrängd

X, x [eks] **I** (pl. *X's* el. *x's* ['eksɪz]) *s* **1** X, x **2** matem. o.d. X beteckning för okänd faktor, person m.m. [*x = y; Mr. X*] **3** kryss; äv. symbol för kyss i brev o.d. **4** *X* amer. sl. 10-dollarsedel **II** *vb tr* **1** kryssa för **2** *~ [out]* x-a (kryssa) över
xenon ['zenɒn] kem. xenon
xenophobia [ˌzenə(ʊ)'fəʊbjə] främlingshat
Xerox ['zɪərɒks] ® **I** *s* **1** Xerox[system]; Xeroxapparat kopiator **2** Xeroxkopia, fotokopia **II** *vb tr* o. *vb itr, x~* xeroxkopiera, [foto]kopiera
XL (förk. för *extra large*) beteckning för extra stor i klädesplagg
Xmas ['krɪsməs, 'eksməs] kortform för *Christmas*
X-ray ['eksreɪ] **I** *s* **1** röntgenstråle; ~ el. pl. *~s* röntgen; *~ [examination]* röntgenundersökning **2** röntgenapparat **II** *vb tr* **1** röntga **2** röntgenbehandla
xylophone ['zaɪləfəʊn, 'zɪl-] mus. xylofon

Y, y [waɪ] (pl. *Y's* el. *y's* [waɪz]) **1** Y, y **2** matem. o.d. Y beteckning för bl. a. okänd faktor

yacht [jɒt] sjö. **I** *s* [lust]jakt, yacht; [motor]kryssare; kappseglingsbåt **II** *vb itr* segla; ägna sig åt segelsport (båtsport); kappsegla

yacht club ['jɒtklʌb] segelsällskap

yachting ['jɒtɪŋ] **I** *s* segling **II** *adj* o. *attr s* [lust]jakt-, båt- [*~ tour*]

yachts|man ['jɒts|mən] (pl. *-men* [-mən]) seglare, kappseglare; yachtägare

yak [jæk] zool. jak

yam [jæm] **1** jams[rot] **2** amer. dial. sötpotatis

Yank [jæŋk] vard. för *Yankee*

yank [jæŋk] vard. **I** *vb tr* o. *vb itr* rycka [i]; *they ~ed me off* de drog i väg med mig **II** *s* ryck

Yankee ['jæŋkɪ] **I** *s* **1** vard. yankee, jänkare **2** amer. a) nordstatsamerikan b) New Englandsbo c) hist. nordstatssoldat **3** amerikanska[n]; New Englandsdialekt[en] **II** *adj* vard. yankee-; amer. nordstats-

yap [jæp] **I** *vb itr* **1** gläfsa **2** sl. snacka; tjafsa; käfta (bjäbba) emot **II** *s* **1** gläfs[ande] **2** sl. snack; tjafs **3** sl. mun

1 yard [jɑ:d] **1** yard (= 3 *feet* = 0, 9144 m) [*a ~ and a half of cloth*]; *by the ~* a) yardvis b) bildl. i långa banor, i det oändliga **2** sjö. rå; *topsail ~* märsrå

2 yard [jɑ:d] **1** a) [inhägnad] gård, gårdsplan b) amer. trädgård **2** område; upplagsplats **3** varv [äv. *dockyard* el. *shipyard*] **4** stationsplan; [*railway*] ~ bangård **5** *the Y~* vard. för [*New*] *Scotland Y~*

yardarm ['jɑ:dɑ:m] sjö. rånock

yardstick ['jɑ:dstɪk] yardmått[stock]; bildl. måttstock

yarn [jɑ:n] **I** *s* **1** garn; tråd; sjö. kabelgarn **2** vard. [skeppar]historia; *spin a ~* berätta (dra) en [skeppar]historia **II** *vb itr* vard. dra [skeppar]historier

yawn [jɔ:n] **I** *vb itr* **1** gäspa **2** gapa, öppna sig [*an abyss ~ed before his eyes*] **II** *vb tr* gäspa [fram] [*he ~ed goodnight*]; *~ one's head off* gäspa käkarna ur led **III** *s* **1** gäspning **2** avgrund

yawning ['jɔ:nɪŋ] **I** *adj* **1** gäspande [*a ~ audience*] **2** gapande [*a ~ abyss*] **II** *s* gäspande

yeah [jeə, je] vard. ja; *oh ~?* jaså?, säger du det?, verkligen?

year [jɪə] år; årtal; årgång; skol. o.d. årskull; *~ of birth* födelseår; *~s and ~s* många herrans år; *last ~* i fjol, förra året; *this ~* i år; *he has been dead these two ~s* han har varit död nu i två år; *put ~s on a p.* få ngn att åldras (se äldre ut); *a ~ or two ago* för ett par år sedan; *~s ago* för flera (många) år sedan; *~s and ~s ago* för många herrans år sedan; *by next ~* till (senast) nästa år; *for* (isht amer. *in*) *~s* i (på) åratal (många år); *for ~s to come* under (i) kommande år; *in the year 2000* år 2000; [*I haven't seen him*] *in ~s* se *for ~s* ovan; *in two ~s* på (om) två år; *Footballer of the Y~* årets fotbollsspelare; *of late* (*recent*) *~s* på (under) senare år

yearbook ['jɪəbʊk] årsbok; [års]kalender

yearling ['jɪəlɪŋ] **I** *s* **1** årsgammal unge, ettåring **2** fjolårsväxt **II** *adj* ettårig, årsgammal

yearlong ['jɪəlɒŋ] årslång

yearly ['jɪəlɪ] **I** *adj* årlig, års [*~ income, ~ meeting*] **II** *adv* årligen

yearn [jɜ:n] längta, tråna

yearning ['jɜ:nɪŋ] **I** *s* [stark] längtan, trånad **II** *adj* längtansfull, trånande

yeast [ji:st] **1** jäst **2** fradga, skum **3** bildl. kraftkälla, [driv]kraft

yell [jel] **I** *vb itr* [gall]skrika, vråla; skräna; amer. skol. heja **II** *vb tr* skrika [ut] [äv. *~ out* (*forth*)]; tjuta [fram] **III** *s* skrik, tjut; amer. skol. hejaramsa, hejarop

yellow ['jeləʊ] **I** *adj* **1** gul; *get the ~ card* i fotb. få gult kort; *~ fever* gula febern; *~ journalism* sensationsjournalistik, skandaljournalistik; *the ~ pages* gula sidorna i telefonkatalogen **2** vard. feg; *he has a ~ streak in him* han är lite feg av sig **II** *s* **1** gult; gul färg **2** äggula **III** *vb itr* gulna **IV** *vb tr* göra (färga) gul

yellowish ['jeləʊɪʃ] gulaktig; i sms. gul- [*yellowish-green*]

yelp [jelp] **I** *vb itr* gläfsa; skrika **II** *s* gläfs; skrik

1 yen [jen] (pl. vanl. *yen*) yen japanskt mynt

2 yen [jen] vard. **I** *s* het längtan, begär; lust; *have a ~ for* [*apple-pie*] vara jättesugen på..., längta så man kan dö efter... **II** *vb itr* längta intensivt

yeo|man ['jəʊ|mən] (pl. *-men* [-mən]) **1** hist. [självägande] bonde, hemmansägare, odalbonde **2** *Y~ of the Guard* livgardist, livdrabant isht i Towern **3** i flottan intendent; signalstyrman [äv. *~ of signals*]; i USA a) ung. expeditionsofficer på fartyg b) skrivbiträde

yes [jes, vard. jeə, je] **I** *adv* ja; jo; *~?* verkligen?, och sedan? **II** *s* ja; *say ~* äv. samtycka

yes-|man ['jes|mæn] (pl. *-men* [-men]) jasägare, eftersägare, medlöpare

yesterday ['jestədɪ, -deɪ] **I** *adv* i går; *I was*

not born ~ jag är inte född i går **II** *s* gårdagen; ~*'s paper* äv. gårdagstidningen; ~ *night* a) i går kväll; i natt b) gårdagskvällen; natten till i dag

yet [jet] **I** *adv* (se äv. *II*) **1** temporalt ännu; nu [*you needn't do it just* ~], redan nu [*need you go* ~*?*]; till sist, förr eller senare [*the thief will be caught* ~]; *not just* ~ inte riktigt än; [*as*] ~ än så länge, hittills [*his as* ~ *unfinished task*]; *you ain't seen nothing* ~ vard. det här är bara början **2** förstärkande, isht vid komp. ännu [*more important* ~]; ytterligare [~ *others*]; ~ *again* el. ~ *once* [*more*] ännu en gång, en gång till, återigen; ~ *another* ännu en; ~ *awhile* ännu en stund; fortfarande **II** *adv* o. *konj* ändå [*strange and* ~ *true*], i alla fall; men (och) ändå [*a kind* ~ *demanding teacher*]

yew [ju:] **1** bot. idegran [äv. *yew-tree*] **2** idegran[strä]

YHA förk. för *Youth Hostels Association*

yid [jɪd] sl. (neds.) jude

Yiddish ['jɪdɪʃ] **I** *s* jiddisch **II** *adj* jiddisch-

yield [ji:ld] **I** *vb tr* **1** ge [~ *good crops*; ~ *a good profit*], ge (lämna) i avkastning (vinst) [*investments ~ing 10 per cent*], inbringa; producera **2** lämna ifrån sig, avstå från [ibl. ~ *up*], överge; ~ *up* äv. uppenbara, avslöja [*the caves ~ed up their secrets*] **II** *vb itr* **1** ge avkastning **2** ge efter [*to* för; ~ *to threats*; *the door ~ed to the pressure*], ge sig; svikta; bildl. äv. falla undan, falla till föga, kapitulera [~ *to force*]; ~ *to despair* hemfalla åt förtvivlan **3** ~ *to* lämna plats för (åt), efterträdas av **4** lämna företräde i trafiken **III** *s* **1** ekon. o. allm. avkastning; utbyte; behållning; produktion **2** lantbr. skörd, avkastning

yielding ['ji:ldɪŋ] **1** foglig [*a* ~ *person*] **2** böjlig

yippee [jɪ'pi:], ~*!* hurra!, jippi!

YMCA [ˌwaɪ'emˌsi:'eɪ] KFUM

yob [jɒb] o. **yob[b]o** ['jɒbəʊ] sl. drummel; buse

yodel ['jəʊdl, 'jɒdl] **I** *vb tr* o. *vb itr* joddla **II** *s* joddlande

yoga ['jəʊgə] yoga

yoke [jəʊk] **I** *s* **1** ok äv. bildl.; *shake* (*throw*) *off the* ~ kasta av oket **2** (pl. lika) par [*five* ~ *of oxen*] **II** *vb tr* **1** oka, lägga ok[et] på; spänna [~ *oxen to* (för) *a plough*]; spänna för [~ *a wagon*] **2** oka ihop [äv. ~ *together*]; bildl. koppla samman, förena, para

yokel ['jəʊk(ə)l] [enfaldig] lantis

yolk [jəʊk] äggula; *the ~s of three eggs* äv. tre äggulor

yon [jɒn] åld. el. dial., se *yonder*

yonder ['jɒndə] litt. el. dial. **I** *pron* den där; ~ *group of trees* trädgruppen där borta **II** *adv* där borta; dit bort

yore [jɔ:] litt., *of* ~ fordom, förr [i världen]

Yorkshire ['jɔ:kʃɪə, -ʃə] geogr. egenn.; ~ *pudding* yorkshirepudding slags ugnspannkaka som vanligen äts till rostbiff; ~ *relish* slags pikant [biffsteks]sås

you [ju:; obeton. jʊ, ibl. jə] **1 a**) du; ni; ss. obj. o.d. dig; er; *fool that* ~ *are!* el. ~ *fool!* din dumbom! **b**) man; isht ss. obj. en; reflexivt sig; [*looking to the left*] ~ *have the castle in front of* ~ ...har man slottet framför sig **2** utan motsv. i sv.: *don't* ~ *do that again!* gör inte om det [där]!; *there's friendship for* ~*!* vard. det kan man kalla vänskap!; iron. och det skall kallas vänskap!

you'd [ju:d] = *you had* el. *you would*

you'll [ju:l] = *you will* el. *you shall*

young [jʌŋ] **I** *adj* **1** ung; liten [*a* ~ *child*]; späd [~ *shoots*]; bildl. äv. ny, oerfaren [~ *to* (i) *the business*], färsk; *my* ~ *brother* min lillebror; ~ *lady!* [min] unga dam!, min [unga] fröken!; *his* ~ *lady* vard. (åld.) hans flickvän (flicka, fästmö); *her* ~ *man* vard. (åld.) hennes pojkvän (pojke, fästman); ~ *moon* nymåne; ~ *ones* ungar; ~ *people* (*folks*) unga människor, ungdom[ar], de unga; *you* ~ *rascal!* din lilla rackarunge!; ~ *'un* vard. a) unge b) grabb; *I am not so* ~ *as I used to be* jag är inte så ung (någon ungdom) längre **2** ungdomlig [*a* ~ *voice* (*style*); ~ *for one's age*] **II** *s pl* ungar; *bring forth* ~ få (föda) ungar

youngish ['jʌŋɪʃ, 'jʌŋgɪʃ] rätt så ung

youngster ['jʌŋstə] [barn]unge, pojke

your [jɔ:, obeton. äv. jə] **1** (jfr *my*) **a**) din; er, Eder; *Y~ Majesty* Ers Majestät **b**) motsv. *you* i bet. 'man' sin [*you* (man) *cannot alter* ~ *nature*]; ens [~ *own ideas aren't always the best*] **2** neds. den här (där) [s.k.], en sån där [s.k.] [*he was one of* ~ *'experts'*] **3** vard., ~ *average reader* [*probably wouldn't understand*] den genomsnittlige läsaren...

you're [jɔ:, jʊə] = *you are*; ~ *another!* det är du också (med)!, det kan du vara själv!

yours [jɔ:z, jʊəz] **1** (jfr *1 mine*) din; er; ~ *is a difficult situation* det är en besvärlig situation du befinner dig i; *what's* ~*?* vard. vad vill du ha [att dricka]? **2** hand. Ert (Edert) brev [~ *of the 11th inst.*] **3** i brevslut *Y~ faithfully* (*truly*) Högaktningsfullt

yoursel|f [jɔ:'sel|f, jʊə's-, jə's-] (pl. *-ves* [-vz]) dig, er, sig [*you* (du, ni, man) *may hurt* ~], dig (er, sig) själv [*you are not* ~ *today*]; en själv; du (ni, man) själv [*nobody but* ~], själv [*you* ~ *said so, you said so* ~; *do it* ~]; *your father and* ~ din (er) far och du (ni) [själv]; *how's* ~*?* vard. a) hur mås?, hur har du det? b) hur mår du själv?

youth [ju:θ, i pl. ju:ðz] **1** abstr. ungdom[en] [*~ is a happy age*]; *from ~ onwards* (*upwards*) alltifrån ungdomen **2** (med verbet vanl. i pl.) ungdom[en] [*the ~ of the nation are (is)...*; *for ~ nothing is impossible*], det unga släktet; *~ hostel* vandrarhem **3** yngling; *as a ~* som yngling, som ung **4** ungdomlighet **5** barndom [*even in its ~ the business was...*]
youthful ['ju:θf(ʊ)l] **1** ungdomlig [*a ~ octogenarian*; *a ~ audience*] **2** ungdoms- [*~ days*]
youthfulness ['ju:θf(ʊ)lnəs] ungdomlighet
you've [ju:v, obeton. äv. jʊv, jəv] = *you have*
yowl [jaʊl] **I** *vb itr* tjuta, gnälla **II** *s* tjut, gnällande
yo-yo ['jəʊjəʊ] **I** *s* **1** jojo leksak **2** sl. dumskalle **II** *adj* jojo- [*a ~ effect*], hastigt svängande **III** *vb itr* åka jojo (upp och ner); vackla
Yugoslav [ˌju:gə(ʊ)'slɑ:v] hist. **I** *s* jugoslav **II** *adj* jugoslavisk
Yugoslavia [ˌju:gə(ʊ)'slɑ:vjə] geogr. (hist.) Jugoslavien
Yule [ju:l] dial. el. litt. jul[en]: *at ~* vid julen, i juletid
yummy ['jʌmɪ] vard. jättegod, smaskens, mumsig
yum-yum [ˌjʌm'jʌm] vard. **I** *interj*, *~!* mums!, smaskens!, namnam! **II** *adj* mumsig; mums[mums]; härlig
YWCA [ˌwaɪ'dʌblju:ˌsi:'eɪ] KFUK

Z

Z, z [zed, amer. vanl. zi:] (pl. *Z's* el. *z's* [zedz, amer. vanl. zi:z]) Z, z
Zaire [zɑ:'ɪə, zaɪ-]
Zairean o. **Zairian** [zɑ:'ɪərɪən, zaɪ-] **I** *adj* zairisk **II** *s* zairier
Zambia ['zæmbɪə]
Zambian ['zæmbɪən] **I** *adj* zambisk **II** *s* zambier
zany ['zeɪnɪ] pajas, dåre
zap [zæp] sl. **I** *vb tr* **1** knäppa, skjuta; pricka **2** göra slut på **3** kugga; knäcka [*feel ~ped*] **4** skjuta iväg **5** data. radera **II** *vb itr* **1** *~ off* susa i väg **2** TV. växla med fjärrkontroll mellan kanaler, zappa **III** *s* **1** kraft, energi; stuns, fart **2** demonstration **IV** *interj*, *~!* svisch!, pang!
zeal [zi:l] iver, nit; glöd [*revolutionary ~*]; *misguided ~* missriktat nit
zealot ['zelət] **1** nitisk person **2** fanatiker; trosivrare
zealous ['zeləs] ivrig; nitälskande; full av brinnande iver (nit)
zebra ['zebrə, 'zi:b-] **I** *s* zool. sebra **II** *adj* [sebra]randig; *~ crossing* övergångsställe med vita streck
zed [zed] bokstaven z
zee [zi:] amer., bokstaven z
zenith ['zenɪθ, 'zi:n-] astron. zenit [*at the* (i) *~*], bildl. äv. höjdpunkt [*at the ~ of one's career*]
zero ['zɪərəʊ] **I** (pl. *~s* el. *~es*) *s* **1** noll; *~ growth* nolltillväxt; *~ visibility* meteor. sikt [lika med] noll, ingen sikt **2** nollpunkt; fryspunkt; *absolute ~* absoluta nollpunkten; *10 degrees below ~* äv. 10 minusgrader; *it is below ~* äv. det är under noll, det är minusgrader **II** *vb itr*, *~ in on* a) ta sikte på, rikta elden mot; omringa b) bildl. inrikta sig på, skjuta in sig på
zest [zest] **1** iver, entusiasm [*with ~*]; aptit, smak; *~ for life* aptit på livet, livsglädje, livslust **2** [extra] krydda, tillsats; pikant smak, piff; *add* (*give, lend*) [*a*] *~ to* ge en extra krydda åt, sätta piff på
zigzag ['zɪgzæg] **I** *adj* sicksackformig [*a ~ line*] **II** *s* sicksack äv. på symaskin; sicksacklinje; sicksackkurva; sicksackväg **III** *adv* i sicksack **IV** *vb itr* gå (löpa) i sicksack; slingra sig; bildl. svänga
zilch [zɪltʃ] isht amer. sl. **1** noll, ingenting **2** nolla; torrboll, torris
Zimbabwe [zɪm'bɑ:bwɪ]
Zimbabwean [zɪm'bɑ:bwɪən] **I** *adj* zimbabwisk **II** *s* zimbabwier
zinc [zɪŋk] **I** *s* miner. zink; *~ ointment*

zinksalva **II** (imperf. o. perf. p. äv. *zinked* el. *zincked*) *vb tr* förzinka
zing [zɪŋ] **I** *s* **1** skarpt vinande ljud; vissling; gnisslande **2** vard. energi; stuns, fart **II** *vb itr* vina [*the cars ~ed down the road*]
Zionism ['zaɪənɪz(ə)m] sionism
Zionist ['zaɪənɪst] sionist
zip [zɪp] **I** *s* **1** vinande, visslande [*the ~ of a bullet*]; ritsch[ljud] **2** vard. kraft, fart [*full of ~*] **3** blixtlås **II** *vb tr* **1 a**) ~ [*up* (*shut*)] dra igen blixtlåset på, stänga [med blixtlås]; *will you ~ me up* (*~ up my dress*)*?* vill du dra igen (upp) blixtlåset på min klänning? **b**) ~ *open* öppna [blixtlåset] på [*she ~ped her bag open*]; ~ *me out of my dress* [hjälp mig att] dra ner blixtlåset på min klänning **2** vard. skjutsa, köra [*I'll ~ you to town in no time*] **III** *vb itr* **1** vara försedd med (ha) blixtlås **2 a**) stänga blixtlåset (ett blixtlås); ~ *up* vard. hålla klaffen, knipa käft **b**) öppna blixtlåset (ett blixtlås) **3** vina, susa, vissla **4** vard. kila [*~ upstairs*], susa; sno på
zip code ['zɪpkəʊd] amer. postnummer
zip-fastener ['zɪpˌfɑ:snə] blixtlås
zippy ['zɪpɪ] vard. **1** fartig **2** pigg, klatschig [*a ~ tune* (melodi)]
zither ['zɪðə] mus. cittra
zodiac ['zəʊdɪæk] **1** astron., *the ~* zodiaken [*the signs of the ~*], djurkretsen **2** bildl. kretslopp
zombi o. **zombie** ['zɒmbɪ] zombie; vard. äv. levande död
zone [zəʊn] **I** *s* **1** zon [*neutral ~*; *the puck was in his own defensive ~*]; amer. äv. taxezon; bälte isht biogeografiskt [*the alpine ~, the forest ~*]; *the danger ~* riskzonen, farozonen; *the frigid ~s* [de] kalla zonerna (bältena) **2** *the Z~* astron. Orions bälte **II** *vb tr* **1** indela [i zoner] **2** zonplanera; lokalisera
zoological [ˌzəʊə'lɒdʒɪk(ə)l, i 'zoological garden[s]': zʊ'lɒdʒɪk(ə)l, zʊə'l-] zoologisk, djur-; ~ *garden*[*s*] zoologisk trädgård, djurpark
zoologist [zəʊ'ɒlədʒɪst, zʊ'ɒ-] zoolog
zoology [zəʊ'ɒlədʒɪ, zʊ'ɒ-] zoologi
zoom [zu:m] **I** *s* **1** a) flyg. brant stigning b) bildl. brant (stark, hastig) uppgång **2** brummande **3** ~ *lens* zoomobjektiv, zoomlins **II** *vb itr* **1** brumma; *he ~ed along in his new car* han susade fram i sin nya bil **2** a) flyg. stiga brant b) bildl. stiga hastigt [*prices ~ed*] **3** film. el. TV. zooma [*~ in* (*out*)]; om bildmotiv zoomas in (ut) **III** *vb tr* flyg. **1** låta stiga brant **2** stiga brant över [*~ the mountains*]
zucchini [tsʊ'ki:nɪ] (pl. lika el. *~s*) bot. el. kok. zucchini, courgette, squash
Zulu ['zu:lu:] **I** *s* **1** zulu **2** zuluspråket **II** *adj* zulu- [*the ~ language*]
zzz [z:], *~!* zzz beteckn. för sömn el. snarkning

A

a bokstav a [utt. eɪ]; *har man sagt ~, får man säga b* ung. in for a penny, in for a pound
à 1 at; *2 biljetter ~ 40 kronor* 2 tickets at 40 kronor **2** or; *5 ~ 6 gånger* 5 or 6 times
AB bolagsbeteckning ung. Ltd.; amer. Inc., Corp.; jfr *aktiebolag*
abborre perch
abc ABC
abc-bok primer
abdikation abdication
abdikera abdicate
aber but; *ett ~* a snag (catch); *ett stort ~* a big drawback
abessinier Abyssinian äv. kattras
abnorm abnormal
abonnemang subscription; *ha ~ på operan* have a season ticket for the Opera
abonnemangsavgift subscription (subscriber's) charges; tele. telephone rental
abonnent subscriber; teat. season ticket holder
abonnera subscribe; *~d* om buss o.d. hired
abort abortion; *göra ~* have an abortion
abortera med. abort
abortmotståndare anti-abortionist
abortrådgivning guidance on abortion
abrakadabra abracadabra; nonsens mumbo jumbo
abrupt abrupt, curt
absolut I *adj* absolute; *[en] ~ majoritet* äv. a clear majority **II** *adv* absolutely; helt och hållet utterly; obetingat unconditionally; helt säkert certainly, vard. sure thing; helt enkelt simply; *~!* äv. most definitely!; *~ inte* certainly not, not on any account
absolutism helnykterhet teetotalism
absolutist helnykterist teetotaller
absorbera absorb
absorption absorption
absorptionsförmåga tekn. power of absorption
abstinensbesvär med. withdrawal symptom
abstrahera abstract
abstrakt I *adj* abstract **II** *adv* abstractly
abstraktion abstraction
absurd absurd
a capella mus. a cappella
acceleration acceleration
accelerera accelerate; *~nde hastighet* increasing speed
accent accent; tonvikt stress
accenttecken accent, stress mark
accentuera accentuate
accept hand. acceptance
acceptabel acceptable; nöjaktig passable
acceptera accept; *~s* på växel accepted
accessionskatalog bibliot. accessions book (register)
accessoarer accessories
accis excise [duty]; *~ på bilar* purchase tax on cars
aceton acetone
acetylsalicylsyra acetylsalicylic acid
ack oh!, uttr. obehag oh dear!; i högre stil alas!; *~ nej!* oh no!; *~ om jag vore...!* äv. if only I were...!
ackja 'ackja'
acklamation, vald *med ~* ...by (with) acclamation
acklimatisera I *tr* acclimatize; amer. äv. acclimate **II** *rfl, ~ sig* become (get) acclimatized; friare get to feel at home
acklimatisering acclimatization
ackompanjatris o. **ackompanjatör** accompanist
ackompanjemang accompaniment; *till ~ av* en känd pianist accompanied by...
ackompanjera accompany
ackord 1 mus. chord **2** överenskommelse **a)** allm. agreement **b)** med kreditorer composition **c)** vid konkurs deed of arrangement
ackordera 1 allm. negotiate; bargain **2** hand. *~ med sina fordringsägare* compound with one's creditors
ackordsarbete piecework
ackordslön piece wages, piece rate
ackreditera accredit äv. dipl.
ackumulator accumulator, storage battery (cell)
ackumulera accumulate
ackusativ gram. *~[en]* the accusative
ackusativobjekt gram. accusative (direct) object
ackvisition anskaffning canvassing; förvärv acquisition
acne med. acne
adamsdräkt, *i ~* in one's birthday suit, in the altogether
adamsäpple anat. Adam's apple
adapter adaptor
addera add; lägga ihop add up
addition addition
adekvat adequate; träffande apt
adel börd noble birth; ädelhet nobility; *~n* klass the nobility, om icke eng. förhållanden äv. the noblesse
adelsdam noblewoman
adelskalender book of noble families
adelsman nobleman
adelsmärke hallmark
adelssläkt noble family
adept elev disciple; i t.ex. sport protégé
aderton se *arton*
adjektiv adjective

adjunkt 1 skol. ung. secondary school teacher **2** pastors~ curate
adjutant aide-de-camp (pl. aides-de-camp), ADC (pl. ADC's), aide
adjö I *interj* goodbye!; i högre stil farewell!; mera formellt good day (morning osv.)!; ~ [*med dig*]*!* bye-bye! **II** *s* i högre stil farewell; *säga ~ åt* (*ta ~ av*) *ngn* say goodbye to a p.; högtidligare bid a p. goodbye
adla raise...to the nobility; i Engl.: till lågadel make...a baronet el. knight (kvinna lady); bildl. ennoble
adlig noble; av adlig börd ...of noble birth; *~t namn* aristocratic name
administration administration
administrativ administrative
administratör administrator
administrera administer, manage
adoptera adopt
adoption adoption
adoptivbarn adopted child
adoptivföräldrar adoptive parents
adrenalin fysiol. adrenaline; amer. vanl. epinephrine
adress address äv. hyllnings~ o.d.
adressat addressee
adressera I *tr* address äv. data. **II** *rfl, ~ sig till ngn* address oneself to a p.
adresskalender street directory
adresskort post. address form
adresslapp address label; som knyts fast tag
adressort [place of] destination
adressändring change of address
Adriatiska havet the Adriatic [Sea]
advent Advent; *första ~* Advent Sunday
adverb adverb
adverbial adverbial [modifier]
advokat allm. lawyer; amer. vanl. attorney; i Skottl. advocate; juridiskt ombud vanl. solicitor; sakförare vid domstol vanl. barrister; som biträder part vid rättegång counsel (pl. counsel)
advokatbyrå kontor lawyer's office, firm of lawyers (etc., jfr *advokat*)
aerodynamisk aerodynamic
afasi med. aphasia
affekt [strong] emotion; psykol. affect
affekterad affected
affektfri unemotional
affektion affection
affektionsvärde sentimental value
affisch bill; större placard; teat. playbill
affischera I *tr* placard; friare advertise **II** *itr* post bills
affischering, *~ förbjuden!* post (stick) no bills!
affischpelare advertising (advertisement) pillar
affär 1 hand. **a)** allm. business; butik vanl. shop, isht amer. store; transaktion [business] transaction, vard. deal; *hur går ~erna?* how's business?; *en* [*dålig*] *~* transaktion a [poor] piece of business, a [bad] bargain (vard. deal); *göra ~er* do (transact, carry on) business; *gå i ~er* [go and] look round the shops (amer. stores) **b)** *~er* ekonomisk ställning o.d. affairs **2** angelägenhet affair; av allvarligare art concern; sak business; *sköt dina egna ~er!* mind your own business! **3** kärleks~ affair **4** väsen *göra stor ~ av ngt* make a big business out of (a great fuss about) a th. **5** jur. el. polit. case
affärsbank commercial bank
affärsbiträde expedit shop assistant; amer. [sales]clerk
affärsbrev business letter
affärscentrum business (butikscentrum shopping) centre
affärsförbindelse business connection; *stå i ~ med* have business relations with
affärsgata shopping street
affärsinnehavare shopkeeper; amer. storekeeper
affärskorrespondens commercial (business) correspondence
affärskvinna business woman, businesswoman
affärslokal, ~[*er*] business (shop, amer. store) premises pl.
affärsman businessman; *bli ~* äv. go into business
affärsmoral business ethics (sg. el. pl.)
affärsmässig businesslike
affärsresa business journey (trip)
affärsrörelse business
affärstid, ~[*er*] business hours pl.
affärstransaktion o. **affärsuppgörelse** business deal (transaction)
affärsvärld, *~en* the business (commercial) world
afghan Afghan äv. hundras
Afghanistan Afghanistan
afghansk Afghan
aforism aphorism
Afrika Africa
afrikan African
afrikansk African
afton 1 evening äv. bildl.; senare night; *god ~!* good evening, vid avsked äv. good night; se vid. *kväll* **2** före helgdag e.d. eve
aftonbön evening prayers; *läsa* [*sin*] *~* äv. say one's prayers [at bedtime]
aftondräkt evening dress
aftonklänning evening gown (dress)
aftonstjärna astron. evening star
aftonsång evensong, evening service (prayer)
aga I *s* corporal punishment, caning **II** *tr* administer corporal punishment (a beating) to; *den man älskar den ~r man* we chastise those whom we love
agat miner. agate

agenda dagordning agenda
agent agent äv. polit.; gram. el. hand. äv. representative
agentur agency
agera act; ~ [*som*] fungera som act as
agerande, *hans ~ i frågan* verkar något underligt his actions pl. (the part he is playing resp. he [has] played) in the matter...
agg grudge; *hysa ~ mot* (*till*) *ngn* have a grudge against a p.
aggregat aggregate; tekn. vanl. unit
aggression aggression
aggressiv aggressive
aggressivitet aggressiveness; vard. aggro
agitation agitation; propaganda propaganda; vid val canvassing
agitator agitator; propagandist propagandist; vid val canvasser
agitera agitate; propagera carry on propaganda work; vid val canvass, do canvassing
1 agn, *~ar* tröskavfall husks, chaff sg.; *skilja ~arna från vetet* sift the wheat from the chaff
2 agn vid fiske bait
agna bait
agnostiker agnostic
agrar agrarian
agronom agronomist
ah oh!
aha aha!; ha, ha!; oho!
aha-upplevelse psykol. aha reaction
aids o. **AIDS** med. Aids (förk. för acquired immune deficiency syndrome)
aj oh!, ow!; ~, *~!* varnande now! now!; nä, nä no! no!
à jour, *hålla sig ~ med* keep up to date with
ajournera, *~ sig* adjourn
akademi academy; *Svenska Akademien* the Swedish Academy
akademiker med examen university graduate; *vara ~* akademiskt bildad have a university education
akademisk academic[al]; *~ examen* (*grad*) university (academic) degree
A-kassa se *arbetslöshetskassa*
akilleshäl Achilles' heel
akne med. acne
akrobat acrobat
akrobatik acrobatics
akryl acrylic
1 akt 1 handling act **2** urkund document **3** högtidlig förrättning ceremony **4** teat. act **5** nakenstudie nude
2 akt uppmärksamhet o.d. *ge ~ på* **a)** observera, lägga märke till o.d. observe, watch, notice, see **b)** hålla ögonen på keep an eye on; *ge* [*noga*] *~ på* ägna uppmärksamhet åt pay [careful] attention to, mind
akta I *tr* **1** vara aktsam om be careful with; ta vård om take care of; skydda guard; *~ huvudet!* mind your head! **2** värdera esteem; respektera respect **II** *rfl, ~ sig* take care, be careful [*för att göra det* not to do that]; vara på sin vakt guard, be on one's guard [*för* against]; se upp look out [*för* for]
aktad respected, esteemed
akter sjö. **I** *adv, ~ ifrån* from the stern; *~ om* astern of, abaft; *~ ut* astern, aft, by the stern **II** *s* stern; *från fören till ~n* from stem to stern
akterdäck sjö. afterdeck; halvdäck quarterdeck; upphöjt poop
akterlanterna sjö. stern light; flyg. tail light
akterseglad, *han blev ~* blev kvarlämnad he was left astern (behind); hann inte med he missed his ship
aktersnurra outboard motor; båt outboard motorboat
aktie share; amer. stock; *~r* koll. stock sg.; *ha* (*äga*) *~r i* hold shares in
aktiebolag joint-stock company, med begränsad ansvarighet limited [liability] company; börsnoterat public limited company (förk. PLC), ej börsnoterat private [limited] company; amer. corporation; *~et* (förk. *AB*) *Investia* Investia PLC; ej börsnoterat Investia Ltd (förk. för Limited), amer. Investia Inc. (förk. för Incorporated)
aktiebrev share certificate; amer. stock certificate
aktieinnehav holding of shares (amer. stock), share (amer. stock) holding
aktiekapital share capital; amer. capital stock
aktiekurs share price (quotation), price of shares
aktiemarknad share (amer. stock) market
aktieportfölj ekon. shareholdings
aktiepost block of shares, [share]holding
aktiesparklubb investors' club
aktieägare shareholder; isht amer. stockholder
aktion action äv. mil.; för insamling m.m. drive
aktionsgrupp action group
aktiv active; *~ form* språkv. the active [voice]
aktivera make...active, activate
aktivist activist
aktivitet activity
aktning respect, allmän esteem; hänsyn regard; deference
aktningsfull respectful
aktningsvärd ...worthy of respect; betydlig considerable
aktris actress
aktsam careful; försiktig prudent; *vara ~ om*

sitt rykte (*sina kläder*) take care of one's reputation (clothes)
aktsamhet care
aktualisera bring...to the fore; [*åter*] ~ bring up...again, bring...to life, update, bring...up-to-date
aktualitet intresse just nu current (immediate) interest, topicality, stark. urgency; tidsenlighet up-to-dateness; aktuell fråga topic of the day
aktuell av intresse för dagen ...of immediate (present, current) interest, in the news (limelight); dagsfärsk current; nu rådande present; säsong- ...of the season; lämplig nu suitable; ifrågavarande ...in question; på modet in fashion (vogue); *det ~a läget* the way things stand (are) at present
aktör skådespelare actor; person som agerar main figure, participant
akupunktur med. acupuncture
akupunktör med. acupuncturist
akustik acoustics pl.; läran om ljudet acoustics sg.
akut I *adj* acute **II** *s, ~en* vard., se *akutmottagning*
akutfall emergency case
akutmottagning på sjukhus emergency ward
akvamarin aquamarine
akvarell watercolour; *i ~* in watercolours
akvarellfärg watercolour
akvarium aquari|um (pl. äv. -a)
akvavit aquavit, snaps (pl. lika)
akvedukt aqueduct
al 1 träd alder **2** virke alder[wood]; *...av ~* äv. alder[wood]...; jfr äv. *björk* m. sms.
alabaster alabaster; *...av ~* äv. alabaster...
à la carte à la carte fr.
aladåb aspic; *~ på lax* salmon in aspic
A-lag 1 sport. first team **2** vard. *~et* the local winos pl.
alarm alarm; *slå ~* sound the (an) alarm
alarmberedskap state of emergency
alarmera alarm; *~ brandkåren* (*polisen*) call the fire brigade (police)
alban Albanian
Albanien Albania
albansk Albanian
albanska 1 kvinna Albanian woman **2** språk Albanian
albatross zool. albatross
album album; urklipps~ scrapbook
aldrig 1 temporalt never; *~ mer* never again (any more), no more; *~ någonsin* allm. förstärkande never [...in my life] **2** förstärkt negation never; *~ i livet!* not on your life!, no way! **3** koncessivt *de må vara ~ så vänliga* however kind they may be
alert I *adj* alert **II** *s, vara på ~en* be alert
alf elf (pl. elves)
alfabet alphabet
alfabetisk alphabetical
Alfapet ® sällskapsspel Scrabble
alg alga (pl. algae)
algebra algebra
Alger Algiers
algerier Algerian
Algeriet Algeria
algerisk Algerian
alias alias
alibi alibi; *ha ~* have an alibi
alkalisk alkaline
alkemi alchemy
alkemist alchemist
alkohol alcohol
alkoholfri non-alcoholic; *~ dryck* non-alcoholic beverage, soft drink
alkoholhalt alcoholic content; procentdel percentage of alcohol
alkoholhaltig alcoholic, ...containing alcohol; *~a drycker* äv. spirituous (amer. hard) liquors (drinks)
alkoholiserad, *vara ~* be an alcoholic
alkoholism alcoholism
alkoholist alcoholic
alkoholmissbruk addiction to (abuse of) alcohol
alkoholproblem, *ha ~* have a drink (drinking) problem
alkoholtest för bilförare breathalyser test
alkotest vard. breathalyser test
alkov alcove
all I *pron* **1** med följ. subst. ord all; varje every; *~t annat* everything else; *~t annat än* anything but; *~t möjligt* all sorts of things; *hur i ~ världen* (*~ sin dar*)*...?* how in [all] the world (how on earth)...?; *~a böckerna* all the books **2** fristående, se *allt II 2; det är icke ~om givet* it is not given to everybody, it is not everybody's lot (good fortune) **II** *adj* slut over
alla I *s* i tärningsspel doublet **II** *pron* **1** med följ. subst. ord., se *all I 1* **2** fristående all; varenda en everybody
allaredan already
allbekant well-known (pred. well known), familiar
alldaglig everyday vanl. attr.; vanlig ordinary; banal commonplace; om utseende plain, amer. äv. homely
alldeles allm. quite; stark.: absolut absolutely; fullkomligt perfectly; grundligt thoroughly; fullständigt completely, all; helt och hållet entirely; totalt utterly; precis exactly; *~ ensam* all (quite) alone; *~ intill väggen* right [up] against the wall; *~ nyss* just (amer. right) now, only (not) a moment ago; det här är *något ~ särskilt* ...something quite (very) special
allé avenue
allegori litt. allegory
allegorisk allegorical

allehanda *adj* ...of all sorts (kinds), a variety of, miscellaneous
allemansrätt ung. legal right of access to private land (open country)
allena *adj* o. *adv* alone
allenarådande ...in sole control; friare, om smakriktning o.d. universally prevailing
allergi allergy
allergiframkallande allergenic
allergiker allergic person, allergy sufferer
allergisk allergic
allesammans all of us (you etc.); *adjö ~!* goodbye everybody!
allestädes, ~ *närvarande* omnipresent, ubiquitous
allfarväg, *vid sidan om ~en* off the beaten track
allhelgonadag, ~*[en]* All Saints' Day
allians alliance
alliansfri non-aligned
alliansfrihet [policy of] non-alignment
alliansring eternity ring
allierad I *adj* allied; ~ *med* friare connected (in league) with **II** *s* ally; friare confederate; *de ~e* the allies
allihopa se *allesammans*
allmoge country people (folk)
allmogedräkt peasant costume
allmogestil ung. rustic (rural, peasant) style
allmos|a alms (pl. lika); *-or* äv. charity sg.
allmän I *adj* vanligt förekommande common; gällande för de flesta el. alla general; för alla utan undantag universal; gängse current; offentlig, tillhörande samhället public; ~ *helgdag* public holiday; *[den] ~na meningen* a) allm. public opinion b) bland de närvarande e.d. the general opinion; *i ~na ordalag* in general terms **II** *subst adj, det ~na* the community [at large]
allmänbelysning main lighting
allmänbildad, *vara* ~ have a good all-round education, be well-read
allmänbildande educative; boken *är* ~ ...broadens the mind
allmänbildning all-round (general) education; general knowledge
allmängiltig generally (universally) applicable
allmängiltighet universal applicability
allmänhet 1 *i* ~ in general, generally [speaking], as a rule **2** publik *~en* the public; *den stora ~en* the public at large, the general public
allmänmänsklig common to all mankind, human
allmänning common land
allmännyttig ...for the benefit of everyone; *~a företag* public utilities, public utility undertakings (services)
allmänpraktiserande, ~ *läkare* general practitioner
allmänt commonly, universally, jfr *allmän;* ~ *känd* widely (generally) known; *en ~ känd sak* a matter of common knowledge
allmäntillstånd general condition
allra av allt (alla) of all; ~ *högst 20* 20 at the very most
allraheligast, *det ~e* bibl. el. friare the Holy of Holies
allrakäresta, *~n min* my dearest (sweetheart)
allriskförsäkring comprehensive (all-risks) insurance
allrådande omnipotent, all-powerful
alls, *inte* ~ not at all, by no means; vard. not a bit
allsidig all-round; omfattande comprehensive; isht om pers. versatile; *[en]* ~ *kost* a balanced diet
allsköns 1 allehanda all manner (kinds, sorts) of, sundry **2** *i* ~ *ro* in peace and quiet
allsmäktig almighty; *den Allsmäktige* God Almighty, the Almighty
allström elektr. AC/DC current
allsvenskan the Premier Division of the Swedish Football League
allsång, *sjunga* ~ do some (a bit of) community singing, have a singsong
allt I *s* **1** *~et* världsalltet the universe, the world **2** *hela ~et* vard. the whole lot **II** *pron* **1** med följ. subst. ord, se *all I 1* **2** fristående all; everything; ~ *eller intet* all or nothing; ~ *har sin tid* there is a time for everything; *när* ~ *kommer omkring* after all, when all is said and done; *inte för* ~ *i världen* not for anything in the world **III** *adv* **1** framför komp. ~ *bättre* better and better **2** i andra förb. ~ *efter,* ~ *för,* ~ *igenom,* ~ *som oftast* m.fl., se *alltefter* osv. **3** nog *det vore* ~ *bra* om... it would certainly be fine (good)...
alltefter [all] according to
alltefterssom efter hand som as; beroende på om (hur) according as
alltemellanåt from time to time
alltför too, far (all, altogether) too
alltiallo, *hans* ~ his right hand, his factotum
alltid 1 ständigt always; isht högtidl. ever; *för* ~ for ever, for good **2** i alla fall anyway
allt-i-ett-pris all-in price
alltifrån om tid ever since; ~ *den dagen* from that very day
alltigenom ...through and through; ~ *hederlig* thoroughly honest
alltihop se *alltsammans*
allting everything; jfr *allt II 2*
alltjämt fortfarande still; ständigt constantly
alltmera more and more
alltnog in short
alltsammans all [of it resp. them]; *det bästa av* ~ var... the best thing of all..., iron. the

best of it all...; *jag är trött på* ~ I am fed up with the whole thing
alltsedan ever since; ~ *dess* ever since that (then)
alltsomoftast pretty (fairly) often
alltså följaktligen accordingly, thus; det vill säga in other words; vard., i slutet av en mening see!, you know!
allusion allusion
allvar isht mots. skämt, sorglöshet seriousness, stark. gravity; isht mots. likgiltighet earnestness; stränghet sternness; *situationens* ~ the gravity of the situation; *tala* ~ *med ngn* have a serious talk with (to) a p.; *på [fullt]* ~ in [real] earnest; *ta...på* ~ take...seriously
allvarlig serious; earnest; jfr *allvar; i* ~ *fara* in grave danger; *en* ~ farlig *sjukdom* a serious illness
allvarligt seriously; ~ *sinnad* serious-minded
allvarsam se *allvarlig*
allvarsamhet seriousness
allvarsord, *säga ngn ett (några)* ~ have a serious word with a p.
allvetare ung. walking encyclop[a]edia
allätare zool. omnivore äv. bildl. om pers.
alm 1 träd elm **2** virke elm[wood]; ...*av* ~ äv. elmwood...; jfr äv. *björk* m. sms.
almanack[a] almanac; vägg~ o.d. calendar; fick~ o.d. diary
alp alp; *Alperna* the Alps
alpacka 1 får el. tyg alpaca **2** nysilver [electroplated] nickel silver (förk. EPNS), German silver
alpin alpine
alpinism alpinism
alpinist alpinist
alruna bot. el. mytol. mandrake
alster product; isht friare production; pl. produce
alstra produce, generate; t.ex. hat engender
alstring production, generation
alstringsförmåga o. **alstringskraft** generative (productive) power
alt mus. alto (pl. -s); kvinnl. contralto (pl. -s)
altan terrace; på tak roof terrace; balkong balcony
altarduk altar cloth, antependium
altare altar äv. bildl.
altarskåp altar screen; triptyk triptych; altarskärm reredos
altartavla altarpiece
alternativ alternative
alternera alternate
altfiol mus. viola
althorn tenor horn; amer. althorn
altruism altruism
altsaxofon alto sax[ophone]
aluminium aluminium; amer. aluminum
aluminiumfolie aluminium foil
aluminiumkärl aluminium vessel
alunskiffer alum shale
amalgam tandläk. amalgam
amanuens univ., ung. [research] assistant; biblioteks~ assistant librarian
amaryllis bot. amaryllis
amason Amazon; manhaftig kvinna amazon
Amasonfloden the [River] Amazon
amatör amateur; neds. dilettant|e (pl. -i)
amatörfotograf amateur photographer
amatöridrott amateur athletics
amatörmässig amateurish, unprofessional
amatörteater ss. verksamhet amateur (private) theatricals
ambassad embassy
ambassadris ambassadress
ambassadråd counsellor [of embassy]
ambassadör ambassador
ambition framåtanda ambition; pliktkänsla conscientiousness; *han har inga* ~*er* he lacks ambition
ambitionsnivå level of ambition
ambitiös 'framåt' ambitious; plikttrogen conscientious
ambra ambergris
ambrosia ambrosia
ambulans ambulance äv. mil.
ambulerande, ~ *cirkus* travelling circus
amen ofta anv. ss. subst. amen; *säga ja och* ~ *till allt* agree to everything
Amerika America; ~*s förenta stater* the United States of America sg.; vard. the States pl.
amerikan o. **amerikanare** American
amerikanisera Americanize; ~*d engelska* Americanized English, Americanese
amerikansk American attr.
amerikanska 1 kvinna American woman **2** språk American
amfetamin amphetamine
amfibie amphibian
amfibieplan amphibious plane
amfiteater amphitheatre
amiral admiral
amiralsskepp flagship
amma I *s* wet-nurse **II** *tr* breast-feed
ammoniak kem. ammonia
ammunition ammunition
amnesti amnesty; *bevilja* ngn ~ el. *ge* ~ *åt* ngn grant...an amnesty, amnesty
amning breast-feeding
amok, *löpa* ~ run amuck (amok)
Amor Cupid; ~*s pilar* Cupid's arrows
amorbåge Cupid's bow
amortera lån pay off [...by instalments]; statsskuld amortize
amortering belopp instalment; amortization payment; jfr *amortera*
amorteringsfri, ~*tt lån* loan payable in full at maturity
amorteringsvillkor instalment plan

1 ampel, *ampla lovord* unstinted praise sg.
2 ampel för växter hanging flowerpot
ampere ampere
ampull ampoule; liten flaska phial
amputation amputation
amputera amputate
AMS förk., se *Arbetsmarknadsstyrelsen*
amsaga old wives' tale
AMU förk., se *arbetsmarknadsutbildning*
AMU-center Vocational Training Centre
amulett amulet; talisman
amöba amoeba (pl. äv. amoebae)
an, *av och ~* se *av II 2*
ana ha en förkänsla have a feeling (a presentiment osv., jfr *aning*); misstänka suspect; förutse anticipate; gissa divine; tro think; *~ oråd* (*argan list*) suspect mischief, vard. smell a rat; *jag ~de det* el. *det ante mig* I suspected (thought) as much
anabol med. *~a steroider* anabolic steroids
anagram anagram
anakronism anachronism
analfabet, *vara ~* be illiterate (an illiterate)
analfabetism illiteracy
analog 1 likartad analogous **2** data. o.d. analogue
analogi analogy
analogisk analogical
analys analysis (pl. analyses); isht statistisk breakdown
analysera analyse; amer. analyze
analytiker analyst, analyser; amer. analyzer
analytisk analytic[al]
analöppning anat. anus
anamma mottaga receive; upptaga accept; tillägna sig, t.ex. seder adopt, take over; vard., knycka pinch; *fan* (*djävlar*) *~!* damn it!, hell!
ananas pineapple
anarki anarchy
anarkist anarchist
anarkistisk anarchic[al]
anatomi anatomy
anatomiker *s* anatomist
anatomisk anatomical
anbefall|a 1 ålägga enjoin; *han -des vila* he was ordered rest **2** rekommendera recommend
anbelanga, *vad...~r* se *beträffa*
anblick sight; *vid första ~en* at first sight
anbringa allm. fix, affix; applicera apply; passa in fit; sätta upp put up; placera place; föra in introduce
anbud offer; amer. bid; prisuppgift quotation; *få ~* have an offer [*på* att köpa of, att sälja for]; *inlämna ~* tender [for a contract]
anciennitet seniority; *efter ~* by seniority
and [wild] duck
anda 1 andedräkt breath; *hämta ~n* recover one's breath, catch one's wind; *tappa ~n* lose one's breath **2** stämning spirit; *en ~ av samförstånd* a spirit of understanding
andakt devotion; friare, aktning reverence; andaktsövning devotions pl.
andaktsfull devotional; andäktig devout
andaktsstund hour of devotion (worship)
andas breathe äv. bildl.; respire; *~ djupt* breathe deeply (deep); dra ett djupt andetag draw a deep breath
and|e 1 själ spirit; *~ och materia* mind and matter; *~n är villig, men köttet är svagt* the spirit is willing, but the flesh is weak **2** okroppsligt väsen spirit; skyddsande genius (pl. äv. genii); sagoväsen genie (pl. genii); *ond ~* evil spirit, demon; *den Helige Ande* the Holy Ghost (Spirit) **3** personlighet spirit
andedrag breath; *i ett ~* [all] in one breath, in a single breath; *i samma ~* in the same breath; *till sista ~et* to one's last breath (gasp)
andedräkt breath; *dålig ~* bad breath
andefattig dull
andel share; *~ i vinsten* share of (in) the profit
andelsbevis share certificate, scrip
andelsförening co-operative society
andelsföretag co-operative undertaking
andelslägenhet ung. condominium; vard. condo
andemening spirit, essence
Anderna the Andes
andetag breath; för ex. jfr *andedrag*
andevärld spiritual world
andeväsen spirit
andfådd breathless, out of breath, vard. puffed [out]
andfåddhet breathlessness
andhämtning breathing, respiration
andjakt jagande duck-shooting
andlig 1 mots.: kroppslig: **a)** själslig spiritual **b)** intellektuell mental **2** mots.: världslig: **a)** spiritual; *~ ledare* (*makt*) spiritual leader (power) **b)** from, religiös religious; *~ musik* sacred music **c)** kyrklig ecclesiastical; prästerlig clerical
andlös breathless; *~ tystnad* dead silence
andning breathing; *konstgjord ~* artificial respiration
andningsorgan anat. respiratory organ
andningspaus pause for breath; bildl. breathing-space
andnöd shortness of breath
andra (*andre*) **I** *räkn* second (förk. 2nd); *den ~ från slutet* the last but one; *hyra ut i ~ hand* sublet; *det får komma i ~ hand* it will have to come second (friare later); *~ klassens* (*rangens*) second-rate, second-class; *komma på ~ plats* come second, be runner-up **II** *pron* se *annan*
andrabas mus. second bass äv. stämma
andrabil second car

andragradsekvation matem. equation of the second (2nd) degree
andrahandsuppgift, ~*[er]* second-hand information sg. [*om, på* about, on]
andrahandsuthyrning subletting
andrahandsvärde second-hand value; inbytesvaras trade-in value
andraklassbiljett second-class ticket
andraklasskupé second-class compartment
andrarangsförfattare second-rate author
andre I *räkn* se *andra* **II** *pron* se *annan* o. *3 en III 1*
andrum frist breathing-space
andtäppa shortness of breath
andtäppt ...short of breath; vard. short-winded
andäktig devout; uppmärksam [extremely] attentive
andäktighet devoutness; uppmärksamhet attentiveness
anekdot anecdote
anemon bot. anemone
anestesi anaesthesia; amer. anesthesia
anfall allm. attack äv. sport.; isht mil. äv. assault, charge, stark. onslaught; *ett hysteriskt* ~ a fit of hysterics; *ett* ~ *av gikt* an attack (a fit) of gout
anfalla allm. attack, assault
anfallskrig war of aggression, aggressive war
anfallsspelare sport. forward, striker
anfallsvapen offensive weapon (koll. weaponry)
anfordran, att betalas *vid* ~ ...on demand
anfrätt corroded, eroded; bildl. corrupt
anfäkta plåga harass; hemsöka haunt; ansätta assail; fresta tempt; *~s av svartsjuka* be a prey to jealousy
anfäktelse [trials and] tribulations pl.; frestelse temptation
anföra 1 föra befäl över be in command of; leda lead; visa vägen för guide; isht mus. conduct **2** yttra state; t.ex. som ursäkt allege; t.ex. bevis adduce; t.ex. skäl give; ~ *klagomål* [*mot*] lodge a complaint [against] **3** citera quote
anförande yttrande statement; tal speech, address
anförare commander; isht mus. conductor; friare captain, head
anföring språkv. quotation; *direkt* ~ direct speech; *indirekt* ~ indirect (reported) speech
anföringstecken quotation mark
anförtro I *tr* **1** överlämna ~ *ngn ngt* (*ngt åt ngn*) entrust a th. to a p., entrust a p. with a th.; i ngns vård äv. commit a th. to a p.'s keeping (charge) **2** delge ~ *ngn en hemlighet* confide a secret to a p. **II** *rfl,* ~ *sig åt* a) överlämna entrust (commit) oneself to b) ge sitt förtroende confide in
anförvant relation; *~er* äv. kinsfolk koll.
ange 1 uppge state, mention; utvisa indicate; utsätta note; på karta mark **2** anmäla ~ *ngn* report (inform against) a p.; ~ *sig själv* vanl. give oneself up **3** anslå ~ *takten* mus. mark time
angelägen 1 om sak: brådskande urgent; viktig important **2** om pers. ~ *om ngt* anxious el. eager for a th.; högad för keen on a th.
angelägenhet 1 ärende affair; sak matter; *inre ~er* internal affairs; *sköta sina egna ~er* mind one's own business (affairs) **2** vikt urgency
angenäm pleasant, pleasing
angiva se *ange*
angivare informer
angivelse denunciation, accusation
anglicism Anglicism
anglikansk Anglican
angloamerikan Anglo-American
anglosaxare Anglo-Saxon
anglosaxisk Anglo-Saxon
anglosaxiska språk Anglo-Saxon
Angola Angola
angolan Angolan
angolansk Angolan
angoragarn angora
angorakatt Angora [cat]
angrepp attack; *gå till* ~ [*mot ngn*] attack [a p.]
angripa allm. attack; anfalla äv. assault
angripare attacker, assailant; isht polit. el. mil. aggressor
angripen skadad affected; om tänder decayed; ankommen tainted
angränsande adjacent [*till* to], adjoining
angå concern; avse have reference to; *det ~r mig inte* it doesn't concern me, it's no concern (business) of mine
angående concerning, regarding, about
angöra sjö. **1** anlöpa: hamn touch (call) at; kaj approach **2** fastgöra make...fast
angöringshamn port of call
anhalt halt
anhang following; *A. och hans* ~ vard. A. and his crew (mob, lot)
anhopa I *tr* heap (pile) up **II** *rfl,* ~ *sig* accumulate
anhopning piling up, heaping up
anhåll|a I *tr* ta i fängsligt förvar take...into custody; arrestera arrest; amer. vard. book **II** *itr* ask; ~ [*hos ngn*] *om ngt* ask [a p.] for a th.; *jag -er om* svar I would appreciate your...; *om svar -es* (*o.s.a.*) an answer will (would) oblige, please reply, RSVP (förk. för répondez s'il vous plaît fr.)
anhållan request; petition; application

anhållande, göra motstånd *vid ~t* ...when (on being) arrested
anhängare supporter; adherent [*av, till* of]
anhörig relative, relation; *mina ~a* äv. the members of my family
anilinpenna indelible pencil
animalisk animal
animera 1 animate; *en ~d diskussion* an animated discussion **2** *~d film* tecknad film animated cartoon
aning 1 förkänsla feeling; isht av ngt ont presentiment; misstanke suspicion; vard. hunch [*om att* i samtl. fall that]; *onda ~ar* misgivings, apprehensions; *en svag (dunkel) ~* a vague suspicion **2** begrepp idea; *det har jag ingen (inte den ringaste) ~ om!* I have no (not the slightest) idea!, vard. I haven't a clue!, I wouldn't know! **3** smula *en ~ trött* a bit tired
aningslös unsuspecting; naiv naive
anis anise; krydda aniseed
anka 1 zool. [tame] duck **2** tidnings~ hoax
ankarboj [anchor] buoy
ankare 1 sjö. anchor äv. bildl.; *ligga för ankar* sjö. ride (lie) at anchor **2** byggn. brace **3** i ur lever escapement **4** till magnet armature **5** sport. anchorman
ankdamm duck pond; *i* den svenska *~en* bildl. round the...parish pump
ankel ankle
ankellång ankle-length
ankelsocka ankle sock
anklaga accuse; *~ ngn för* äv. charge a p. with
anklagelse accusation; ~akt indictment; *rikta en ~ mot ngn för...* accuse a p. of..., charge a p. with...
anklang bifall approval; *vinna ~* win (meet with) approval
anknyta I *tr* attach, unite; connect, connect (join, link) up **II** *itr, ~ till* link up with, connect on to; referera till comment on, refer to
anknytning connection, attachment; konkr. connecting link; tele. extension; *tåget har ~ till* äv. the train connects with...
ankomm|a 1 anlända arrive; vara bestämd att komma be due **2** *~ på* **a)** bero depend on **b)** tillkomma *det -er på honom* it's his business, it's up to him
ankommande arriving; om post, trafik incoming; på skylt, om tåg o.d. arrivals
ankomm|en skämd: om kött tainted; köttet *var -et* äv. ...had gone (was a bit) off
ankomst arrival [*till* at, i vissa fall in]; *vårens ~* äv. the coming (advent) of spring
ankomstdag day of arrival
ankomsthall t.ex. på flygplats arrival hall (lounge)
ankomsttid time (hour) of arrival; *beräknad ~* estimated time of arrival (förk. ETA)
ankra anchor
ankringsplats anchorage, berth
ankunge duckling
anlag medfött natural ability (capacity), aptitude; begåvning gift; disposition tendency; *ärftliga ~* hereditary disposition sg.; *ha goda ~* allm. have good mental powers
anlagd built osv., jfr *anlägga*
anlagsbärare biol. carrier
anlagsprov o. **anlagstest** ped. aptitude test
anledning skäl reason; orsak cause; isht yttre el. tillfällig occasion; grund ground; motiv motive; *~ till ngt* reason osv. for a th.; *jag ser ingen ~ att* inf. I see no reason (occasion) to inf. (for ing-form); *av vilken ~?* for what reason?; *med (i) ~ av* on account of, owing to
anlete face, visage; *i sitt ~s svett* by the sweat of one's brow
anletsdrag features
anlita, *~ ngn* vända sig till turn (apply) to a p. [*för [att få]...* for...]; engagera engage (tillkalla call in) a p.
anlopp 1 ansats run **2** anfall onset, attack
anlupen om metall oxidized; *~ av* tarnished by
anlägga 1 uppföra build, erect; bygga construct; grunda found, establish **2** iordningställa *~ gator (en trädgård)* lay out streets (a garden); *~ mordbrand* commit arson **3** planera plan, design **4** sorg, stil o.d. put on; *~ skägg* grow a beard
anläggning 1 abstr., anläggande erection; foundation; laying out; design[ing]; jfr *anlägga 1-3* **2** konkr.: allm. establishment; byggnad structure; fabrik o.d. works (pl. lika); maskin~ plant; t.ex. värme~ installation; t.ex. stereo~ equipment; park*~ar* [park] grounds pl.
anlända arrive [*till* at, i vissa fall in]; *~ till* komma fram till äv. reach
anlöpa I *tr* sjö. call at, touch (put in) at **II** *itr* om metall oxidize
anmodan request; *göra ngt på ~ av* do a th. at the request (invitation) of
anmäla I *tr* **1** tillkännage announce; rapportera, meddela: allm. report, förlust, skada äv. notify, t.ex. avflyttning give notice of, till förtullning declare **2** recensera review **II** *rfl, ~ sig* report [*för, hos* to]; *~* ange *sig själv* give oneself up; *~ sig som sökande till...* apply for...; *~ sig till* en examen, tävling m. m. enter [one's name] for...; *~ sig till en kurs* register for a course
anmälan 1 a) meddelande announcement, report; *göra en ~ om saken* report the matter **b)** ansökan application, entry **2** recension review

anmälare recensent reviewer
anmälningsavgift entry (application) fee
anmälningsblankett application form
anmälningsdag, *första* (*sista*) ~ opening (closing) date for entries
anmälningstid, *~en utgår* den 15 juni the last day for entries (applications) is...
anmärka I *tr* påpeka, yttra remark **II** *itr* kritisera m.m. criticize; find fault; pass unfavourable comments
anmärkning påpekande, yttrande remark; förklaring note; klander adverse remark; klagomål complaint; skol. bad mark (amer. grade)
anmärkningsvärd märklig remarkable; beaktansvärd notable; noteworthy; märkbar noticeable
annalkande I *s, vara i* ~ be approaching (at hand) **II** *adj* approaching; *ett* ~ *oväder* äv. a gathering storm
annan (*annat, andre, andra*) **1** allm. other, jfr *3 en III 1; en* ~ another; självst. another [one], någon annan äv. somebody (osv., jfr *2*) else; *annat* självst. other things pl., något annat something (resp. anything) else, jfr *2; andra* självst. others; utan syftning vanl. other people; *i annat fall* otherwise osv., jfr *annars* **2** efter isht vissa indef. o. interr. självst. pron. else; gen. else's; jfr dock *3; någon* ~ om pers. somebody (someone) else resp. anybody (anyone) else **3** ~ *än* but, other but, other than, jfr ex.; *någon* ~ *än* a) fören. some other...than (besides) resp. any other...but b) självst. somebody (someone) other than resp. anybody (anyone) but; *ingen* ~ *än* a) fören. no other...than (but) b) självst. nobody (no one) [else] but, none but (except); ingen mindre än no (none) other than, no less a person than; *allt annat än* frisk anything but... **4** 'helt annan', 'inte lik' different **5** vard., 'riktig' regular; 'vanlig' common; *som en* ~ *tjuv* just like a common thief
annandag, ~ *jul* the day after Christmas Day; i Engl. vanl. Boxing Day (utom om dagen är en söndag); ~ *pingst* (*påsk*) Whit (Easter) Monday
annanstans, *någon* ~ elsewhere, somewhere (resp. anywhere) else; på annat ställe äv. in some (resp. any) other place; på andra ställen äv. in other places
annars 1 i annat fall otherwise; ty annars, annars så or [else]; efter frågeord else; *tröttare än* ~ more tired than usual **2** för övrigt, i förbigående sagt by the way
annat se *annan*
annons advertisement (förk. advt.); vard. ad; dödsannons o.d. announcement, notice
annonsbilaga i tidning advertisement supplement
annonsera i tidning advertise; på förhand meddela announce; ~ *om ngt* till salu advertise a th.
annonskampanj advertising (publicity) campaign (drive)
annonspelare advertising pillar
annonsör advertiser
annorlunda I *adv* otherwise; [*helt*] ~ *än* [quite] differently from **II** *adj* different
annullera annul, cancel
annullering annulment
anonym anonymous
anonymitet anonymity
anonymitetsskydd [individual's] legal right to anonymity
anor ancestry, ancestors; isht bildl. progenitors; *ha fina* ~ be of high lineage (birth)
anorak anorak
anordna 1 ställa till med get (set) up; organisera organize **2** placera arrange **3** utanordna order...to be paid
anordning arrangement; *~ar* hjälpmedel, bekvämligheter o.d. facilities
anorexi med. anorexia
anpassa I *tr* suit, adjust **II** *rfl,* ~ *sig* suit (adjust, adapt) oneself [*efter* to]
anpassbar adaptable, adjustable
anpassning adaptation, adjustment
anpassningsförmåga adaptability
anpassningssvårighet, *ha ~er* have difficulty in adapting (adjusting) oneself
anrik attr. ...with its fine old traditions
anrika enrich; tekn. äv. concentrate; *~t uran* enriched uranium
anrikning enrichment; tekn. äv. dressing, concentration
anrop call äv. tele.; mil. challenge; sjö. hail
anropa call; tele. call up; mil. challenge; sjö. hail
anrätta prepare; laga cook
anrättning 1 tillredning preparation **2** maträtt dish; måltid meal
ansa tend; grönsaker clean; jord dress; häst groom; träd, rosor prune
ansamling accumulation
ansats 1 sport. run; mil. advance; *hopp med* (*utan*) ~ running (standing) jump **2** försök attempt; anfall impulse, prompting; början start, beginning; tecken sign; *hon gjorde en* ~ *att resa sig* she made an effort to rise **3** tekn. projection, lug **4** mus. attack; om blåsinstrument embouchure
ansatt se under *ansätta*
anse 1 mena, tycka think, consider, feel; *vad ~r du om saken?* what do you think (how do you feel) about it?, what is your opinion? **2** betrakta, hålla för consider; regard; *han ~s vara expert* he is considered to be an expert
ansedd aktad respected, esteemed; eminent; distinguished; ibl. noted; *en* ~

familj a respected family; *en ~ firma* (*tidning*) a respectable (reputable) firm (paper), a firm (paper) of high standing
anseende rykte reputation, good name; status standing; prestige prestige; aktning esteem; *stå högt i ~ hos ngn* stand high in a p.'s estimation
ansenlig considerable
ansikte face äv. min; högtidl. countenance; *kända ~n* personer well-known personalities; *förlora ~t* lose face; *stå ~ mot ~ med* stand face to face with, face
ansiktsdrag features
ansiktsfärg colouring [of the face], complexion
ansiktskräm face cream
ansiktslyftning face lifting äv. bildl.; *genomgå [en] ~* have one's face lifted; have a face-lift äv. bildl.
ansiktsmask mask
ansiktsskydd allm. face protection; sport. faceguard; tekn. faceshield; mot damm dust mask
ansiktsuttryck [facial] expression
ansiktsvatten [skin] toner, skin tonic
ansjovis konserverad skarpsill: ung. tinned sprat; koll. tinned sprats, brisling anchovy style
anskrämlig ugly
anslag 1 kungörelse notice **2** penningmedel grant; parl. supplies, vote; understöd subsidy **3** på tangent touch **4** tekn., projektils impact **5** stämpling design; plot
anslagstavla notice board; amer. bulletin board
ansluta I *tr* connect **II** *itr* o. *rfl, ~ sig till* a) personer join, attach oneself to; särsk. i åsikt äv. side (concur) with b) en åsikt (riktning) adopt; ett uttalande äv. concur in, agree with c) t.ex. tullunion enter; t.ex. fördrag enter into
ansluten connected; affiliated
anslutning 1 förbindelse connection; associering association **2** understöd, samtycke adherence, support
anslutningsflyg connection flight
anslå 1 anvisa allow, earmark, set aside (apart); *~* tid *till* devote...to, set aside...for **2** uppskatta estimate **3** mus., se *slå [an]; ~ den rätta tonen* bildl. strike the right note
anslående tilltalande pleasing; gripande impressive
anspela allude, hint
anspelning allusion
anspråk allm. claim; fordran demand; förväntningar expectations; *~ på ett arv* claim to an inheritance; *göra ~ på ngt* lay claim to a th., claim (demand) a th.
anspråksfull pretentious; krävande demanding
anspråkslös unpretentious; unassuming; om måltid o. d. simple; i sin klädsel quiet; i sina priser moderate
anstalt inrättning institution; för nervklena mental home (hospital)
anstifta cause, instigate, raise; t.ex. myteri stir up; *~ mordbrand* commit arson
anstiftan, *på ~ av* at the instigation of
anstiftare instigator; av myteri o.d. ringleader
anstrykning 1 färgnyans tinge **2** antydan, prägel touch; *en ironisk ~* a touch (trace) of irony **3** grundmålning priming
anstränga I *tr* allm. strain; trötta, t.ex. ögonen tire; uppbjuda exert; sätta på prov tax **II** *rfl, ~ sig* exert oneself, make an effort
ansträngande strenuous, taxing, hard; om marsch o.d. stiff; *det är ~ för ögonen* it is a strain on the eyes
ansträngd strained; om stil laboured; om leende, sätt forced; *personalen är hårt ~* the staff is (are) overworked
ansträngning effort; exertion; påfrestning strain; *med gemensamma ~ar* by united efforts
ansträngt in a forced manner
anstå 1 uppskjutas wait, be deferred; *låta ~ med* t.ex. betalningen let...stand over **2** passa become, be becoming (proper) for
anstånd respite, grace
anställa 1 i sin tjänst employ, take...into one's employ (service); amer. äv. hire; utnämna appoint **2** åstadkomma bring about; *~ förödelse* play (work) havoc
anställd I *adj, bli* (*vara*) *~* become (be) employed [*hos ngn* by a p.; *vid* at, in], vard. have a job [*vid* at, in]; *fast ~ vid* företaget on the permanent staff of... **II** *subst adj, en ~* an employee
anställning anställande, förhållandet att vara anställd employment; befattning appointment; enklare situation; isht tillfällig engagement
anställningsavtal employment (service) agreement
anställningsförmån emolument; extraförmån perquisite, vard. perk; fringe benefit
anställningsintervju [employment] interview
anställningsstopp employment (job) freeze
anställningstrygghet security of employment
anställningsvillkor terms of employment
anständig aktningsvärd respectable; korrekt decorous; hygglig el. i motsats t. opassande decent
anständighet respectability; decency; propriety; jfr *anständig; för ~ens skull* for decency's sake

anstöt offence; *ta ~ av* take offence at, take exception to
anstötlig offensive; svag. objectionable; oanständig indecent
ansvar allm. responsibility; ansvarsskyldighet liability; *bära* (*ha*) *~et för* be responsible for; *stå till ~* be held responsible (answerable, accountable); *på eget ~* on one's own responsibility; på egen risk at one's own risk
ansvara be responsible (answerable, accountable); *för ytterkläder ~s icke* coats and hats etc. left at owner's risk
ansvarig allm. responsible; för skuld o.d. liable; *göra ngn ~* make (hold) a p. responsible
ansvarighet responsibility
ansvarsfull responsible, ...of (involving) great responsibility
ansvarsförsäkring third party [liability] insurance; jfr *försäkring 2*
ansvarskännande ...conscious of one's responsibility (responsibilities)
ansvarslös irresponsible
ansvarslöshet irresponsibility; bristande ansvarskänsla lack of responsibility
ansätta sätta åt beset; besvära harass; *~s av fienden* (*hunger*) be beset by the enemy (by hunger); *vara ansatt av gikt* be afflicted with (be a victim to) gout
ansöka, *~ om* apply for
ansökan application; *~ om nåd* petition for mercy; *lämna in en ~* hand (send) in an application
ansökningsblankett application form
ansökningshandling application paper
ansökningstid, *~en utgår den 15 juni* applications must be [sent] in by (before) the 15th June
antaga o. **anta 1** med personobj.: anställa engage; utse appoint; välja åt sig adopt; intaga som elev o.d. admit, rekryt enrol; godkänna approve **2** gå med på accept; lagförslag pass **3** förutsätta assume; formellare presume; förmoda suppose; vard. expect **4** göra till sin, tillägna sig, t.ex. idé adopt; *~ namnet* (*titeln*)... take (assume) the name (title) of... **5** ta på sig, t.ex. en min take (put) on, assume **6** få assume; *~ oroväckande proportioner* attain (assume) alarming proportions
antagande 1 godkännande av t.ex. förslag acceptance, adoption; anställande engagement; som t.ex. elev admission **2** förmodan o.d. assumption, supposition; förutsättning premise
antagbar acceptable
antagligen förmodligen presumably; sannolikt probably, in all probability
antagning admission
antagonism antagonism
antagonistisk antagonistic
antal number; *ett stort ~människor var där* a large (great) number of people were there; *tio till ~et* ten in number
Antarktis the Antarctic
antarktisk Antarctic
antasta vara närgången mot accost, molest
anteckna I *tr* note (take, write, put) down; införa, t.ex. beställning, i bok o.d. enter, book; uppteckna, konstatera record; *få det ~t till protokollet* have it recorded (taken down, put) in the minutes **II** *rfl, ~ sig* put one's name down [*för* for; *som* as]
anteckning note, memo (pl. -s)
anteckningsblock [note] pad; amer. scratch pad
anteckningsbok notebook
antenn 1 zool. antenn|a (pl. -ae), feeler **2** radio. aerial; amer. vanl. antenna; radar scanner
antennansluten ...connected on to an (resp. the) aerial (amer. antenna)
antibiotikum med. antibiotic
antik I *adj* antique, ancient; gammal[modig] old[-fashioned]; *ett ~t föremål* an antique, a curio **II** *s, ~en* [classical] antiquity
antikbehandla give an antique finish to
antiklimax anticlimax; litt. bathos
antikommunistisk anti-Communist
antikvariat second-hand (finare antiquarian) bookshop
antikvarie antiquarian; bokhandlare second-hand (finare antiquarian) bookseller
antikvitet antikt föremål antique (pl. -s)
antikvitetsaffär antique shop, [antique and] second-hand furniture-shop (furniture-dealer's)
antikvitetshandlare antique dealer
antikvitetssamlare collector of antiques
antikvärde antique value
Antillerna the Antilles; *Stora* (*Små*) *~* the Greater (Lesser) Antilles
antingen 1 either; *~ du eller jag* either you or I (vard. me) **2** vare sig whether; *~ du vill eller inte* whether you like it (want to) or not
antipati antipathy; *ha* (*hysa*) *~* feel an antipathy [*för* towards; *mot* to]
antirobotvapen antimissile weapon
antisemitism anti-Semitism
antiseptisk antiseptic; *~t medel* antiseptic
antistatisk antistatic
antistatmedel antistatic agent
antologi anthology
antropologi ung. anthropology
anträda set out (off) on, begin
anträffa find
anträffbar available; *han var inte ~ på telefon* he could not be reached by phone
Antwerpen Antwerp

antyd|a 1 låta påskina (förstå) hint, intimate **2** [i förbigående] beröra touch [up]on; förebåda foreshadow **3** tyda på indicate; *som namnet -er* as the name implies (suggests)
antydan fingervisning hint; ansats suggestion, suspicion; spår vestige
antydningsvis kortfattat in rough outline; som en antydan as a hint
antågande, *vara i ~* be approaching (on the way); om t. ex. oväder el. obehag be brewing
antändbar [in]flammable
antändning ignition
anvisa tilldela o.d. allot
anvisning, ~[*ar*] upplysning, föreskrift directions pl., instructions pl.; vink tip sg.
använd|a 1 allm. use; högtidl. el. i bet. anlita employ; göra bruk av make use of; bära wear; käpp o.d. carry; ta take; *~ tiden (sin tid) väl* make good use of one's time **2** tillämpa apply; metod adopt; sin auktoritet exercise **3** lägga ned spend; *han -er all sin tid till att läsa* he devotes all his time to reading; *det var väl -a pengar* the money was well spent **4** förbruka use up
användare user
användarvänlig user-friendly
användbar allm. usable; motsats: oanvändbar ...fit for use; nyttig useful; om t. ex. kläder serviceable; om t. ex. metod practicable; tillämplig applicable; *den är ~ till många ändamål* it can be used for many purposes; *i ~t skick* in working order, in serviceable condition
användning use; av pers., högtidl. employment; behandling usage; tillämpning application; *jag skulle ha stor ~ för...* I would have great use of...; äv. ...would be of great use to me
användningssätt method of application; *dess ~* ofta the way it is used
apa I *s* **1** zool. monkey; isht utan svans ape **2** neds., om kvinna bitch; *det luktar ~* vard. it stinks like hell **II** *tr, ~ efter ngn* ape (mimic) a p.
apache indian Apache Indian
apanage appanage
apatisk apathetic, listless
apel apple tree
apelsin orange
apelsinjuice orange juice
apelsinklyfta orange segment; i dagligt tal piece of orange
apelsinmarmelad [orange] marmalade
apelsinsaft orange juice; sockrad, för spädning orange squash, jfr äv. *saft*
apelsinskal orange peel äv. koll.
Apenninerna the Apennines
aperitif aperitif
aplik ape-like
apokalyps apocalypse
A-post first-class mail
apostel apostle äv. friare
apostlahästar, *använda ~na* go on Shanks's pony (mare)
apostrof apostrophe
apotek pharmacy; i Engl. chemist's [shop]; amer. äv. drugstore; på fartyg dispensary
apotekare pharmacist; i Engl. dispensing (pharmaceutical) chemist, chemist and druggist; amer. äv. druggist
apparat 1 instrument apparatus; anordning device, appliance; radio~ set; telefon~ instrument; t.ex. bandspelare machine; elektrisk ~ appliance; *alla nödvändiga ~er* all the necessary apparatus (equipment) **2** utrustning apparatus **3** bildl. resources; maskineri machinery; *sätta i gång en stor ~* vard. make great (extensive) preparations; göra stor affär av make a big business [out] of
apparatur equipment; apparatus
appell 1 jur. el. allm. appeal; *rikta en ~ till* make an appeal to, appeal to **2** mil. call
applikation application äv. data.; sömnad. appliqué
applåd, ~[*er*] applause sg.; handklappning[ar] clapping sg.; *en stark ~* loud applause; *riva ned ~er* bring the house down
applådera applaud
applådåska storm (volley) of applause
apportera fetch; jakt. retrieve
aprikos apricot
april April (förk. Apr.); *~, ~!* April fool!
aprilskämt, *ett ~* an April fools' joke
aprilväder April weather
apropå I *prep* apropos [of]; *~ det* äv. talking of that, by the way (by), that reminds me **II** *adv* by the way; [*helt*] ~ incidentally, casually
aptit appetite äv. bildl.; *för att få ~* to work up an appetite; *förstöra ~en för ngn* take away a p.'s appetite; *äta med god ~* äv. eat with great relish
aptitlig appetizing; lockande inviting; läcker tasty; för ögat dainty
aptitlöshet loss (brist på aptit lack) of appetite
aptitretande I *adj* appetizing; ~ dryck ...that stimulates the appetite, aperitif **II** *adv, verka ~* whet (excite, tickle, stimulate) the appetite
aptitretare appetizer
arab Arab, Arabian
Arabien Arabia
arabisk Arab, Arabian; *~ arkitektur* Arabian architecture; *~a siffror* Arabic numerals
arabiska 1 kvinna Arab woman **2** språk Arabic
arbeta I *itr* o. *tr* allm. work; vara sysselsatt be at work; mödosamt el. tungt äv. (isht i högre

stil) labour; ~ *fort* (*långsamt*) äv. be a quick (slow) worker; ~ *för* (*på*) *att* inf. work (friare strive) to inf.

II med beton. part.

~ **av** work off

~ **bort** get rid of; stamning o.d. äv. [gradually] get the better of

~ **sig fram** eg. el. bildl. work one's way up (along); vinna framgång make one's way [in the world]

~ **ihjäl sig** work oneself to death

~ **ihop a)** tr.: ~ *ihop en förmögenhet* manage to amass a fortune **b)** itr. work together

~ **in** eg. work in (...into); ~ *in* handelsvara create (work up) a market for...; ~ *in extra ledighet* i förväg work overtime in order to get some days (resp. hours) off

~ **över** på övertid work (put in) overtime, work late

arbetare a) allm.: worker; i högre stil äv. labourer; isht hantverkare working man; ss. mots. till arbetsgivare employee **b)** spec.: jordbruks~ el. grov~ labourer; schaktnings~ navvy; fabriks~ hand, operative; verkstads~ mechanic

arbetarfamilj working-class family

arbetarklass working-class; *~en* vanl. the working classes pl.

arbetarkvarter working-class district (quarter)

arbetarparti Labour party; *~et* i Engl. äv. Labour

arbetarrörelse working-class movement; *~n* äv. the Labour Movement

arbetarskyddslag Occupational Safety and Health Act; i Engl. Health and Safety at Work Act

arbete allm. work; abstr. labour; möda toil; plats, isht vard. job; åliggande task; prestation äv. performance; *ett* ~ a) abstr. a piece of work, a job b) konkr.: isht konstnärligt el. litterärt a work; handarbete, slöjd o.d. a piece of work; *att gräva diken är ett hårt* (*tungt*) ~ digging ditches is hard work; *skriftliga ~n* written work sg.; *ha ~ hos...* be in the employ of..., be employed by...; *han har gått till ~t* he has gone off to [his] work; *huset är under* ~ the house is under construction; *musik under ~t* music while you work

arbetsam flitig hard-working; mödosam laborious

arbetsavtal labour agreement (contract)

arbetsbeskrivning job description; föreskrifter working (operational) instructions; instruktioner instructions

arbetsbesparande labour-saving

arbetsbord worktable; skrivbord [writing-]desk, writing-table

arbetsbrist scarcity (shortage) of work

arbetsbänk workbench; i t.ex. kök worktop

arbetsbörda burden of work; *hans* ~ the [amount of] work he has to do

arbetsdag working-day; vardag workday; *åtta timmars* ~ eight-hour [working-]day

arbetsdelning job sharing

arbetsdomstol labour court; *Arbetsdomstolen* (förk. *AD*) the [Swedish] Labour Court

arbetsfred industrial peace

arbetsför ...fit for work; *den ~a befolkningen* the working population

arbetsfördelning, *~en* the distribution of [the] work; ekon. [the] division of labour

arbetsförhållanden working (labour) conditions

arbetsförmedling employment office (agency)

arbetsförmåga working capacity

arbetsgivaravgift payroll tax

arbetsgivare employer

arbetsgivarförening employers' association; *Svenska Arbetsgivareföreningen* the Swedish Employers' Confederation

arbetsglädje, *hans* ~ the pleasure he takes in his work

arbetsgrupp working team (party); kommitté working party

arbetskamrat fellow worker; kollega colleague

arbetskläder working-clothes, work clothes

arbetskraft folk labour, manpower

arbetslag grupp working party; skift shift

arbetsledare på fabrik o.d. foreman; övervakare supervisor

arbetsliv working life; *komma* (*gå*) *ut i ~et* go out to work

arbetslivserfarenhet job (work) experience

arbetslivsorientering, *praktisk* ~ (förk. *PRAO*) skol. practical occupational experience [for 'grundskola' pupils]

arbetslust, *jag har ingen* ~ I dont feel like working, Im not in the mood for work

arbetsläger work camp; tvångs~ labour camp

arbetslös unemployed; *en* ~ subst. adj. a person who is out of work (unemployed)

arbetslöshet unemployment; *stor* ~ massive (large-scale) unemployment

arbetslöshetskassa unemployment benefit fund (society)

arbetslöshetsunderstöd unemployment benefit (amer. compensation); *få* ~ vard. be on the dole

arbetsmarknad labour market

arbetsmarknadsminister Minister of Labour; motsv. i Engl. Secretary of State for Employment

arbetsmarknadspolitik labour-market (employment) policy

Arbetsmarknadsstyrelsen (förk. *AMS*) the [Swedish] Labour Market Board
arbetsmarknadsutbildning (förk. *AMU*) vocational training courses pl. [for the unemployed and the handicapped]
arbetsmyra worker [ant]; bildl. busy bee; *en* ~ äv. an eager beaver
arbetsnarkoman vard. workaholic, work addict
arbetsnedläggelse stoppage (cessation) of work; strejk strike
arbetsoförmögen incapacitated
arbetsplats allm. place of work; bygg~ o.d. [working] site; kontor o.d. office
arbetsro, vi behöver ~ ...peace and quiet [so that we can work]
arbetsrum workroom; studierum study
arbetsrätt jur. labour legislation
arbetsskada occupational injury
arbetsskygg work-shy
arbetsstyrka labour (work) force; på fabrik o.d. number of hands
arbetssätt way (method) of working
arbetssökande ...in search of work
arbetstag, *vara i ~en* be hard at work
arbetstagare employee
arbetsterapi occupational therapy
arbetstid working hours, hours [of work]; *efter ~en[s slut]* after working hours
arbetstillstånd labour (work) permit
arbetstvist labour dispute (conflict)
arbetsuppgift task
arbetsutskott working (executive) committee
arbetsvecka working week; amer. äv. work week
arbetsvillig ...willing (ready) to work
arbetsvillkor working conditions
ardennerhäst Ardennes [horse]
Ardennerna the Ardennes
area area
areal area; jordegendoms acreage
arena arena äv. bildl.; idrotts~ [sports] ground; *den politiska ~n* äv. the political scene
arg 1 ond angry; vard. (isht amer.) mad; ilsken, vard. el. om djur savage, wild; rasande furious; *bli ~ på ngt (ngn)* get angry (wild) at a th. (with a p.), get cross over a th. (with a p.) **2** *ana ~an list* se under *ana*
argbigga shrew
Argentina the Argentine [Republic], Argentina
argentinare Argentine; neds. Argie
argentinsk Argentine
argentinska kvinna Argentine woman
argsint I *adj* ill-tempered **II** *adv* irascibly
argsinthet irascibility, ill temper
argument argument; *anföra som ~ att* bring forward the argument that, argue that
argumentera argue
aristokrat aristocrat
aristokrati aristocracy
aristokratisk aristocratic
aritmetik arithmetic
1 ark ark; *Noaks ~* Noah's Ark
2 ark pappers~ el. typogr. sheet
arkad arcade
arkebusera shoot, execute...by a firing squad
arkebusering execution by a firing squad; *döma ngn till ~* sentence a p. to be shot
arkeolog archaeologist
arkeologi archaeology
arkeologisk archaeological
arkitekt architect
arkitektbyrå o. **arkitektkontor** architect's office
arkitektur [style of] architecture
arkiv allm. archives, äv. lokal; dokumentsamling records, files; bild~, film~ library
arkivera file [away]
arkivexemplar library (file) copy; lagstadgat deposit copy
Arktis the Arctic
arktisk Arctic
arla early; *i ~ morgonstund* early in the morning
1 arm stackars poor; usel wretched
2 arm arm; av flod branch; *lagens ~* the arm of the law; *ta ngn i sina ~ar* take a p. in one's arms, embrace a p.; *med ~arna i sidan* with [one's] arms akimbo; *med öppna ~ar* with open arms; *ta ngn under ~en* hold (take) a p.'s arm
armatur 1 elektr. a) koll.: belysnings~ electric fittings b) ankare, rotor med m. armature **2** armering armour
armband bracelet; på t.ex. armbandsur strap
armbandsur wristwatch
armbindel ss. igenkänningstecken e.d. armlet
armbrytning arm-wrestling; amer. Indian wrestling
armbåga, *~ sig* elbow one's way (oneself) [*fram* along]
armbåge elbow
armé army äv. bildl.
armékår army corps
Armenien Armenia
armenier Armenian
armenisk Armenian
armhåla armpit
armhävning från golvet press-up; amer. push-up; från t.ex. trapets pull-up
armkrok, *gå [i] ~* walk arm-in-arm
armlängd arm's length; *[på] en ~s avstånd* at arm's length
armod poverty
armring enklare bangle; finare bracelet
armstöd armrest
armsvett perspiration of the armpit

armtag brottn. arm lock; simn. stroke
armveck bend (crook) of the arm
arom aroma
aromatisk aromatic
aromglas balloon [glass], snifter
aromsmör kok. savoury butter
arrak arrack
arrangemang arrangement äv. mus.; *~en* the organization sg.
arrangera arrange äv. mus.; organisera organize
arrangör arranger äv. mus.; organisatör organizer
arrendator leaseholder; isht jur. lessee
arrende tenancy, leasehold; arrendering leasing; kontrakt lease; avgift rent
arrendera lease; *~ bort* (*ut*) lease [out]
arrest custody; mil. arrest; lokal cell, lock-up; mil. guardroom, guardhouse
arrestera arrest; *hålla ~d* detain...in custody; *vara ~d* be under arrest
arrestering arrest
arresteringsorder se *häktningsorder*
arrogans arrogance
arrogant I *adj* arrogant **II** *adv* arrogantly, haughtily
arsenal arsenal äv. bildl.; armoury
arsenik kem. arsenic
arsenikförgiftning arsenic poisoning
arsle vulg. arse, amer. ass; ss. skällsord arsehole, amer. asshole
art slag kind, sort; vetensk. species (pl. lika); natur nature; *av en annan ~* typ äv. of a different type
arta, *~ sig* shape; utvecklas turn out, develop
artig polite; förekommande courteous; hövlig civil; uppmärksam attentive
artighet (jfr *artig*) politeness, civility; attention; *av ~* out of politeness
artighetsbetygelse, *under ~r* with an exchange of courtesies
artighetsvisit courtesy call, formal visit
artikel article äv. gram.
artikulera fonet. el. mus. articulate
artilleri artillery; sjö. el. ss. vetenskap gunnery
artilleripjäs gun
artilleriregemente artillery regiment
artist artist; teat. el. friare vanl. artiste
artistisk artistic
artistnamn stage name
arton eighteen; jfr *fem*[*ton*] o. sms.
artonde eighteenth; jfr *femte*
artonhundratalet, *på ~* in the nineteenth century
artär anat. artery
arv inheritance äv. biol.; isht andligt heritage; legat legacy; *~ och miljö* biol. heredity and environment; *få ett litet ~* äv. come into (be left) a little money (property); *gå i ~* a) om egendom be handed down, descend, be passed on b) vara ärftlig be hereditary
arvfurste hereditary prince
arving|e heir; kvinnl. heiress; laglig heir-at-law (pl. heirs-at-law); *utan -ar* äv. ...without issue, heirless
arvlös disinherited; *göra ngn ~* disinherit a p., cut a p. out of one's will
arvode remuneration; läkares o. d. fee
arvprins hereditary prince
arvsanlag allm. hereditary character (disposition); biol. gene
arvsanspråk claim to an (resp. the) inheritance (om tronföljd o.d. the succession)
arvsberättigad, *vara ~* be entitled to [a share of] the inheritance; om tronföljd o.d. be in the line of succession
arvsfond, *allmänna ~en* the [Swedish] State Inheritance Fund
arvskifte distribution (division) of an (resp. the) estate
arvslott part (share, portion) of an (resp. the) inheritance
arvsskatt inheritance tax, death duty
arvstvist dispute about an (resp. the) inheritance; *ligga i ~ med...* contest an inheritance at law with...
arvsynd original sin
arvtagare heir; jur. heir male, inheritor
arvtagerska heiress; jur. heir female
1 as 1 kadaver [animal] carcass, carrion **2** skällsord skunk
2 as mytol. As (pl. Æsir)
asaläran mytol. the Æsir cult
asbest asbestos
asch oh!
asfalt asphalt
asfaltbeläggning abstr. asphalting; konkr. asphalt surface
asfaltera asphalt
asfull vard. pissed, dead drunk
asiat 1 pers. Asiatic, Asian **2** *~en* vard., influensa Asian flu
asiatisk Asiatic, Asian
Asien Asia
1 ask 1 träd ash [tree] **2** virke ash[wood]; *...av ~* äv. ash[wood]..., för sms. jfr *björk-*
2 ask box; bleck~ tin[box]; *en ~ tändstickor* a box of matches; *~ cigaretter* packet (isht amer. pack) of cigarettes
aska I *s* ashes; cigarr~ o.d. ash; *lägga...i ~* lay...in (reduce...to) ashes **II** *tr* o. *itr*, *~ av* vid rökning knock the ash off
A-skatt tax deducted from income at source
askblond ash-blond; om kvinna ash-blonde
asket ascetic
askfat ashtray
askgrå ashen, ash-grey
askkopp ashtray

Askungen sagofigur Cinderella
asocial asocial; mera allm. anti-social
asp 1 träd aspen **2** virke aspen wood; *...av ~* äv. aspen[wood]..., för sms. jfr *björk-*
aspekt aspect äv. språkv. el. astron.
aspirant sökande applicant, candidate; under utbildning learner, probationer
aspiration aspiration äv. språkv.
aspirera, *~ på* aspire to, aim at; göra anspråk på pretend to
aspirin farmakol. aspirin
asplöv aspen leaf; *darra (skälva) som ett ~* tremble (quiver, shake) like a leaf
ass assurerat brev insured letter; paket insured parcel
Ass-dur mus. A flat major
assiett tallrik side (small) plate; maträtt hors-d'œuvre fr.
assimilation assimilation äv. språkv.
assimilera assimilate äv. språkv.
assistans assistance
assistent allm. assistant; forskar~ demonstrator
assistera I *itr* assist, act as [an] assistant **II** *tr* assist; *~ ngn* äv. go (come) to a p.'s assistance
association idé~ el. sammanslutning association; *väcka ~er* arouse (awake) associations
associera I *tr* associate; *~ sig med...* associate (hand. enter into partnership) with...; *~d medlem* associate member **II** *itr, ~ till* komma att tänka på form associations with
assurera insure; sjö. underwrite; *~s för...* som påskrift to be insured for...
Assyrien Assyria
assyrier Assyrian
assyrisk Assyrian
aster bot. aster
astma asthma; *ha (lida av) ~* äv. be asthmatic
astmatiker asthmatic
astrakan 1 lammskinn astrakhan **2** äpple astrakhan apple
astrolog astrologer
astrologi astrology
astronaut astronaut
astronom astronomer
astronomi astronomy
asyl asylum; *begära politisk ~* seek (ask for) political asylum
asylrätt right of asylum
asylsökande asylum seeker
asymmetrisk asymmetrical
ateism atheism
ateist atheist
ateljé studio; sy~ o.d. workroom
Aten Athens
Atlanten the Atlantic [Ocean]
Atlantpakten atlantpaktsorganisationen the North Atlantic Treaty Organization (förk. NATO)
atlantångare transatlantic liner
atlas kartbok atlas
atlet stark karl strong man
atletisk om kroppsbyggnad o.d. athletic; om pers. athletic-looking
atmosfär atmosphere äv. bildl.
atmosfärisk atmospheric[al]; *~a störningar* radio. el. TV. atmospherics pl.
atom atom, för sms. jfr äv. *kärn-*
atombomb atom[ic] bomb
atomdriven nuclear-powered
atomenergi atomic (nuclear) energy
atomkrig atomic (nuclear) war
atomsopor nuclear waste
atomvapen atomic (nuclear) weapon
atomåldern the Nuclear Age
ATP förk., se under *tilläggspension*
att I *infinitivmärke* **1** to; *det fanns ingenting för honom ~ göra* there was nothing for him to do; *~* hur man gör för att *tjäna pengar* how to earn (make) money **2** utan motsvarighet i eng. (ren inf.), spec. efter vissa vb o. talesätt *allt du behöver göra är ~ komma hit* all you have to do is [to] come here; *det kom mig ~ tveka* it made me hesitate **3** *att* + inf. motsvaras av: **a)** ing-form, spec. efter prep. o. vissa vb, ibl. vid sidan av to + inf.; *~ se är ~ tro* seeing is believing, to see is to believe; *boken är värd ~ läsa[s]* the book is worth reading; *efter ~ ha ätit frukost gick han* after having (having had) breakfast he went **b)** of (äv. andra prep.) + ing-form; *konsten ~ sjunga* the art of singing **II** *konj* **1** that; *~ jag kunde vara så dum!* [to think] that I could be (have been) such a fool! **2** it (det faktum the fact) that; *frånsett ~ han...* disregarding (apart from) the fact that he...; *du kan lita på ~ jag gör det* you may depend (rely) on it that I will do it **3** *att* + sats motsvaras av: **a)** inf.-konstruktion *vad vill du ~ jag ska göra?* what do you want me to do?; *jag väntar på ~ han ska komma* I am waiting for (expecting) him to come **b)** ing-konstruktion (isht efter prep.) *ursäkta ~ jag stör [Er]!* excuse my (vard. me) disturbing you!; *jag gjorde det utan ~ jag visste om det* I did it without knowing it
attachéväska attaché case
attack attack; jfr *anfall*
attackera attack; bildl. pester; antasta molest
attackflygplan fighter-bomber
attentat attack; mordförsök attempted assassination; *göra ett ~ mot ngn* äv. make an attempt on a p.'s life
attentatsman would-be assassin
attestera belopp authorize...for payment; handling certify

attiralj, ~[*er*] utrustning equipment; don kit, tackle, gear (samtl. sg.); grejor paraphernalia pl.
attityd attitude mest bildl.; kroppsställning posture; pose pose
attitydförändring change of attitude
attrahera attract; *verka ~nde* be attractive
attraktion attraction
attraktiv attractive
attrapp dummy
attribut attribute äv. gram.
audiens audience
augusti August (förk. Aug.); jfr *april* o. *femte*
auktion sale [by auction]; *köpa ngt på ~* buy a th. at an auction; *sälja ngt på ~* sell a th. by auction
auktionera, ~ *bort* auction [off], dispose of (sell)...by auction
auktionskammare auctioneer's office; auktionslokal auction rooms
auktorisera authorize; *~d revisor* chartered (certified) accountant
auktoritativ authoritative; *på ~t håll* in authoritative circles
auktoritet authority
auktoritär authoritarian
aula assembly hall; i universitet lecture hall
au pair I *adv* au pair **II** *s, en ~* an au pair [girl]
Australien Australia
australiensare o. **australier** Australian
australiensisk o. **australisk** Australian
autenticitet authenticity
autentisk authentic
autograf autograph
autografjägare autograph hunter
automat automatic machine; med myntinkast slot machine; *lägga* en krona *i ~en* place...in the slot
automatgevär automatic rifle
automatik automatic system (function); tekn. automatic control devices
automatisera automate
automatisering automation
automatisk automatic
automatlåda bil. automatic gearbox
automattelefon dial (automatic) telephone
automatvapen automatic weapon
automatväxel bil. automatic gearchange; tele. automatic exchange
autopilot autopilot
av I *prep* **1** prep.-uttr. betecknar: a) partitivförhållande b) ämnet o.d. c) div. andra betydelseförhållanden **a)** *en del ~ tiden* part of the time; *hälften ~ arbetet* half the work **b)** *ett bord ~ ek* a table of oak, an oak table; *vad har det blivit ~ honom?* what has become of him? **c)** *ett tal ~ Palme* a speech of Palme's (jfr *2*); *Ert brev ~ i går* your letter of yesterday['s date] **2** prep.-uttr. är någon form av agent vanl. by; *huset är byggt ~ A.* the house was built by A.; *ett tal [hållet] ~ Palme* a speech made by Palme (jfr *1 c*) **3** prep.-uttr. betecknar orsaken **a)** till en ofrivillig handling el. ett tillstånd with; ibl. for; *trädet är vitt (översållat) ~ blommor* the tree is white (covered) with blossoms; *huttra ~ köld* shiver with cold **b)** till en mer el. mindre frivillig handling out of; *han gjorde det ~ nyfikenhet* he did it out of curiosity **c)** i vissa stående uttryck for; ibl. on; *~ brist på* for want (lack) of; *~ fruktan för* for fear of; *~ princip* on principle **4** *~ sig själv: han gjorde det ~ sig själv* he did it by himself (självmant of his own accord); *det faller (följer) ~ sig självt* it is (it follows as) a matter of course **5** 'genom' vanl. by; *~ erfarenhet* by (from) experience; *jag gjorde det ~ misstag* I did it by (in) mistake **6** 'från' **a)** allm. from; *en gåva ~ min fru* a present from my wife; *inkomst ~ kapital* income [derived] from capital **b)** 'bort (ned) från' off; *stiga ~ tåget* get off the train **II** *adv* **1** beton. part. vid vb: **a)** 'bort[a]', 'i väg': vanl. off; *locket är ~* the lid is off (not on) **b)** *svimma ~* faint [away] **c)** *klä ~* ngn undress... **d)** *rita ~* copy, make a drawing of **e)** 'itu' in two; '[av]bruten' broken; *repet gick [mitt] ~* the rope snapped in two **2** *~ och an [på golvet]* to and fro [on the floor], up and down [the floor]; *~ och till* då och då off and on
avancemang promotion
avancera advance
avancerad advanced äv. i bet. 'vågad'
avart försämrad form degenerate species (pl. lika); biform variety
avbasning stryk beating
avbeställa cancel; *~ en biljett (ett hotellrum)* cancel a booking (reservation)
avbeställning cancellation
avbetalning belopp instalment (amer. -ll-); system the hire-purchase (instalment) system (plan); skämts. the never-never system; *göra en ~* pay an instalment [*på* bilen on...; *på* 5000 kr of...]
avbetalningsköp koll. hire-purchase; amer. installment buying; enstaka purchase on the instalment system
avbild representation; *sin fars ~* the very image of his (her osv.) father
avbilda reproduce, depict; rita draw; måla paint
avbitartång cutting nippers (pliers)
avbländning bil. [the] dimming (dipping) of the headlights; foto. stopping down the lens
avboka cancel
avbokning cancellation
avbrott 1 uppehåll: störning interruption; tillfälligt upphörande, kontinuitetsbrott break; paus pause; frivilligt uppehåll intermission;

definitivt slut cessation, stoppage, discontinuance; *ett ~ i sändningen* TV. el. radio. a breakdown in transmission; *utan ~* without stopping (a break, any interruption, intermission), continuously **2** kontrast contrast; *ett angenämt ~ i arbetet* mitt arbete a pleasant break from my work

avbryta I *tr* göra avbrott i (slut på) break off; förorsaka [ett] avbrott i interrupt; störa break; plötsligt o. störande break in [up]on; resa break; vänskap, förbindelser o.d. sever; visit cut short; avsiktligt upphöra med discontinue; tillfälligt avbryta leave off; t.v. inställa, t.ex. betalningar suspend; *~ ett havandeskap* terminate a pregnancy; *vårt samtal blev avbrutet* our conversation was interrupted, om telefonsamtal äv. we were cut off **II** *rfl, ~ sig [i sitt tal]* break off, stop speaking

avbräck motgång setback; ekonomisk [financial] loss

avbytarbänk, *~en* the substitutes' (vard. subs') bench

avbytare substitute, vard. sub båda äv. sport.; reserve, replacer; för chaufför driver's mate; vid tävlingar co-driver

avböja avvisa decline

avbön [humble] apology; *göra ~* äv. apologize

avdelning 1 avdelande dividing; [sub]division **2** i ämbetsverk department; i affär[shus] department; på sjukhus vanl. ward; del part; avsnitt, 'sida' i tidning section; i skåp compartment; mil. detachment

avdelningschef i ämbetsverk head of a (resp. the) department (division); i varuhus o.d. departmental head (manager), manager of a (resp. the) department

avdelningskontor branch [office]

avdelningssköterska ward sister; amer. head nurse

avdrag allm. deduction; beviljat allowance, *göra [ett] ~* äv. vid deklaration make a deduction *[för* for]; *yrka ~ med* visst belopp claim a deduction of...

avdragsgill [tax] deductible; *~t belopp* allowable deduction, permissible allowance

avdramatisera play down

avdunsta evaporate, vaporize

avdunstning evaporation

avec, *kaffe [med] ~* coffee with brandy (cognac, liqueur)

avel uppfödning breeding, rearing; fortplantning reproduction; ras stock, breed; avkomma progeny

avelsdjur breeder; isht om häst stud; koll. breeding stock

avelsduglig ...fit for breeding purposes

avelshingst studhorse

avelssto brood-mare

avelstjur bull [kept] for breeding

aveny avenue

avfall 1 sopor: allm. refuse; köks~ o.d. garbage; slakt. offal; *radioaktivt ~* radioactive waste **2** övergivande falling away; från parti o.d. defection

avfallshantering waste disposal (management)

avfallskvarn disposer

avfallsprodukt waste product

avfart trafik. exit, turn-off

avfatta brev o.d. word, skämts. indite; avtal draw up; regler frame; lagförslag draft; karta draw; *kort ~d* briefly worded, brief

avflyttning removal; *han är uppsagd till ~* he has been given notice to quit

avflöde outflow

avfolka depopulate

avfolkning depopulation; *landsbygdens ~* the depopulation of the countryside (drift to towns)

avfrosta defrost

avfrostning defrosting

avfälling renegade; polit. defector; från religion apostate; vard. backslider

avfärd departure, going away

avfärda 1 klara av: ärende finish; fråga el. person dismiss; *~ ngn* äv. send a p. packing (about his business); *~ ngn (ngt) kort* make short work of (deal summarily with) a p. (a th.) **2** skicka dispatch, send off

avföda offspring, progeny

avföra stryka cancel; *~ från dagordningen (från en förteckning)* remove from the agenda (a list)

avföring med., abstr. evacuation [of the bowels]; exkrementer motions pl.; *ha ~* pass a motion

avföringsmedel laxative

avgas, *~er* exhaust [gas]

avgasrenare bil. exhaust emission control device

avgasrör exhaust pipe

avge 1 avsöndra emit **2** ge: allm., t.ex. svar give; löfte give, make; om sakkunnig: inkomma med bring in, anbud hand in; avkunna award

avgift allm. charge; t.ex. anmälnings~ fee; färd~, taxa fare; års~, medlems~ subscription; post~ postage; tull~ duty; hamn~, tonnage~ dues

avgifta detoxicate, detoxify

avgiftning detoxication

avgiftsbelagd ...subject (liable) to a charge (resp. to a fee, to duty, jfr *avgift*); *~ bro* toll-bridge

avgiftsfri free, ...free of charge (resp. duty), jfr *avgift; inträdet är ~tt* no charge for admission, admission free [of charge]

avgjord decided osv., jfr *avgöra;* tydlig[t

märkbar] distinct; utpräglad declared, stark. definite; *en ~ förbättring* a marked (decided) improvement
avgjutning casting; konkr. cast
avgrund 1 allm. abyss; klyfta chasm; svalg gulf samtl. äv. bildl. *stå vid ~ens rand* be on the edge of the precipice **2** *~en* helvetet the bottomless pit, hell
avgrundsdjup *adj* abysmal, unfathomable
avgrundskval pains of hell
avgränsa demarcate; *klart ~d från omgivningen* sharply marked off from its surroundings
avgränsning demarcation, delimitation, definition
avgud idol äv. bildl.
avguda idolize äv. bildl.
avgå 1 eg. **a)** om tåg etc. leave, depart; *~ från S.* leave S., depart from S. **b)** avsändas, t.ex. om brev be sent off; *låta ~* send off, dispatch **2** bildl.: dra sig tillbaka retire; ta avsked resign; *~ med pension* retire with (on) a pension; *~ med seger* come off (be) victorious, be the winner
avgående om fartyg, regering outgoing; *~ tåg (flyg)* departing trains (flights), train (flight) departures
avgång 1 eg. departure **2** persons retirement, resignation; *genom naturlig ~* av arbetskraft through natural wastage
avgångsbetyg [school-]leaving certificate
avgångsbidrag o. **avgångsersättning** severance (terminal) payment (grant)
avgångshall t.ex. på flygplats departure hall (lounge)
avgångsklass last class, top form
avgångstid time (hour) of departure
avgöra decide; vara avgörande för äv. determine
avgörande I *adj* om t.ex. steg, skede decisive; om t.ex. skäl conclusive; om fråga, prov crucial; *~ faktor* determining factor **II** *s* deciding; beslut decision; fastställelse, lösning av t.ex. fråga settlement; *i ~ts stund* at the crucial (critical) moment
avhandla 1 *~ [om]* förhandla om discuss, go into **2** utreda, behandla deal with
avhjälpa t.ex. fel, missbruk, brist remedy; en skada repair; oförrätt redress; t.ex. nöd relieve; avlägsna, t.ex. svårighet remove
avhopp polit. defection
avhoppare polit. defector, person seeking political asylum; t.ex. från studier drop-out
avhysa evict
avhysning eviction
avhyvling bildl. *ge ngn en ~* give a p. a dressing-down
avhålla I *tr* **1** hindra keep, stop, prevent **2** möte hold **II** *rfl, ~ sig från* refrain from; isht sprit äv. abstain from; undvika, t.ex. dåligt sällskap shun, avoid
avhållen beloved; cherished äv. om sak; allmänt omtyckt popular
avhållsam i fråga om mat o. dryck etc. abstinent, abstemious; sexuellt continent
avhållsamhet abstinence äv. helnykterhet; abstemiousness; sexuell continence
avhämtning, *till ~* att avhämtas to be called for; att medtagas to take away
avhängig dependent [*av* on]; *vara ~ av* äv. depend on
avhängighet dependence
avhärdningsmedel [water] softener
avi advice; *~ om försändelse* dispatch note
avig 1 eg. wrong; *två ~a* i stickbeskrivning two purl **2** tafatt awkward **3** vard., ovänligt stämd unfriendly
aviga wrong side, reverse
avigsida 1 eg. wrong side, reverse; *handens ~* the back of the hand **2** bildl.: allm. unpleasant side; nackdel disadvantage
avigt 1 ta på en strumpa *~* ...inside out **2** tafatt awkwardly
avindustrialisera deindustrialize
avisera announce, notify, advise; *~ sin ankomst* announce (give notice of) one's arrival
A-vitamin vitamin A
avkall, *ge (göra) ~ på* t.ex. rättigheter renounce; t.ex. krav waive
avkastning yield; årlig return[s pl.]; vinst profit; *ge god (dålig) ~* yield a good (bad) return, be (not be) remunerative
avklädd undressed
avklädningshytt vid strand bathing hut; inomhus cubicle
avkok decoction
avkomma offspring, progeny; isht jur. issue
avkoppling 1 tekn. uncoupling, disconnection **2** vila relaxation; i hårt arbete letup
avkortning 1 se *förkortning* **2** minskning reduction, diminution; på lön o.d. cut
avkrok out-of-the-way (remote) spot (corner)
avkräva, *~ ngn ngt* demand a th. from a p., call upon a p. for (to give up) a th.
avkunna jur. *~ dom* pronounce (pass) sentence, deliver judgement; *~ utslag* return a verdict
avkylning cooling; tekn. refrigeration; *ställa till ~* allow to cool, put in a cold place
avkönad emasculated äv. bildl.
avla beget; bildl. breed; *~ barn* get (högtidl. beget) children
avlagd 1 *~a kläder* cast-offs, cast-off (discarded) clothes (clothing), jfr äv. *lägga [av]* **2** om bekännelse m.m., se *avlägga 1*
avlagring abstr. stratification; konkr. deposit; geol. strat|um (pl. -a)
avlasta bildl. relieve the pressure on; se vid. *lasta [av]*

avlastning 1 urlastning unloading, discharge **2** bildl. relief
avlastningsbord extra (supplementary) table
avleda leda bort, t.ex. misstankar, uppmärksamhet divert
avlelse relig. conception; *den obefläckade ~n* the Immaculate Conception
avlida die
avliden deceased; *den avlidne* the deceased; [*den numera*] *avlidne...* the late...
avliva put...to death; sjuka djur destroy, put down; lögn, rykte o.d. (vard.) scotch
avlopp abstr. drainage; utlopp outlet; geogr. outfall; konkr. drain; t.ex. i badkar o. handfat plughole
avloppsdike drainage ditch
avloppsledning kloak sewer
avloppsrör sewage pipe; ledning sewer
avloppssystem sewage [disposal] system, sewerage
avloppsvatten sewage; hushållsspillvatten soil water; industriellt waste water
avlossa avskjuta fire [off], discharge
avlusa delouse
avlysa ställa in, t.ex. fest call off
avlyssna höra på listen to; i radio listen [in] to; ofrivilligt overhear; avsiktligt listen in to; t.ex. radiomeddelande monitor; *~ ett meddelande* i spanings- el. spioneringssyfte intercept a message; *~ ett telefonsamtal* tap a telephone conversation
avlyssning listening in to; monitoring; wiretapping; bugging, jfr *avlyssna*
avlång om fyrkantiga föremål oblong, rectangular; oval oval, elliptical
avlägga avge: bekännelse make; vittnesmål give; *~ examen* pass (get through) an (one's) examination; akademisk take a [university] degree, graduate
avlägsen isht om uppgivet avstånd distant äv. bildl.; äv. avsides belägen remote, out-of-the-way; ytterst långt bort belägen far-off; *i en ~ framtid* in the distant (remote) future
avlägset distantly, jfr *avlägsen; ~ liggande* remotely situated, remote, out-of-the-way, far-off
avlägsna I *tr* remove; göra främmande estrange; utesluta banish **II** *rfl, ~ sig* go away, leave; dra sig tillbaka withdraw, retire; isht synbart recede; *~ sig från platsen* leave the spot
avlämnande o. **avlämning** delivering osv., jfr *lämna* [*av*]*;* delivery; av t.ex. rapport handing in; *mot ~ av* on delivery (presentation) of
avläsning av mätare o.d. reading [off]
avlöna pay
avlönad salaried
avlöning allm. el. sjö. pay; ämbetsmans månadslön salary; isht prästs stipend; kroppsarbetares el. tjänstefolks veckolön wages
avlöningsdag payday
avlöningskuvert pay packet
avlöpa försiggå pass off; sluta end; utfalla turn out; *~ väl* (*illa*) pass (go) off well (badly)
avlösa vakt, i arbete relieve; följa på succeed; ersätta replace; uttränga supersede
avlösning relieving osv., jfr *avlösa;* mil. relief äv. konkr.
avlöva strip...of [its resp. their] leaves
avlövning defoliation
avmagnetisera demagnetize; fartyg degauss
avmagringsmedel reducing (slimming) preparation (medicine); metod method of slimming
avmarsch marching (march) off; friare start
1 avmaskning med. deworming
2 avmaskning i stickning casting off
avmattning flagging
avmätt measured; försiktig deliberate; om hållning reserved
avmönstring sjö. paying-off etc., jfr *mönstra* [*av*]
avnjuta enjoy
avog, *vara ~ mot* a) ngn be unfavourably disposed towards..., have an aversion to (a prejudice against)... b) ngt äv. be averse to...
avoghet averseness; aversion; antipathy
avogt unkindly
avpassa fit, match; *~ längden efter höjden* proportion the length to the height; *väl ~ tiden för besöket* choose the right time (moment) for one's visit, time one's visit well (just right)
avpolitisera depoliticize
avpollettera se *avskeda*
avprickad, *bli ~d* be ticked (checked) off
avprovning testing osv., jfr *prova* [*av*]
avreagera psykol. *~ sig* relieve (give vent to) one's feelings, work off one's anger (annoyance); vard. let off steam; *~ sig på ngn* take it out on a p.
avreda kok. thicken; *avredd soppa* äv. thick soup
avredning thickening äv. konkr.
avregistrera cross...off a (resp. the) register; bil. deregister
avregistrering crossing off a (resp. the) register; bil. deregistration
avreglera deregulate
avreglering deregulation
avresa I *itr* depart **II** *s* departure
avresedag day of departure
avrivning, *en kall ~* a cold rubdown, sponging with cold water
avrunda round off; *~d* summa, siffra round...
avrundning 1 avrundande rounding-off; *som*

~ *på kvällen* to round off the evening **2** avrundad del rounded[-off] part
avråda, ~ *ngn från ngt* advise (warn) a p. against a th.; dissuade a p. from a th.
avrådan dissuasion; *mot min* ~ against my advice [to the contrary]
avräkning 1 avdrag deduction **2** hand., avslutning settlement [of accounts]
avrätta execute; bildl. assassinate; han blev *dömd att ~s genom hängning* ...condemned (sentenced) to be hanged [till he was dead]
avrättning execution; bildl. assassination
avsaknad loss, want; saknad regret; *vara i ~ av* be without, lack
avsats på mur ledge; i trappa landing; terrass platform; geogr. terrace; större plateau (pl. äv. -x)
avse 1 ha avseende på bear upon **2** ha i sikte have...in view, aim at, be directed towards **3** vara avsedd be intended (designed); *valet ~r tre år* the election is for three years **4** ha för avsikt, ämna mean
avsedd intended
avseende 1 syftning reference **2** hänsyn respect, regard; beaktande o.d. consideration; *fästa ~ vid* take notice of, take...into account, pay heed (attention) to; attach importance to; *i detta (varje, intet, ett)* ~ in this (every, no, one) respect
avsevärd considerable; appreciable; ~ *förbättring* äv. decided improvement
avsides I *adv* aside; *ligga* ~ lie apart **II** *adj* distant
avsigkommen broken-down; *se ~ ut* äv. look shabby (seedy, out-at-elbows), be shabby-looking
avsikt allm. intention; syfte, ändamål purpose; slutmål end; plan design; motiv motive; jur., ofta intent; *ha för ~ att gå* have the intention of going, intend (mean, propose) to go; *i bästa ~, med de [allra] bästa ~er* with the best possible intentions; *med [full]* ~ on purpose, deliberately
avsiktligen o. **avsiktligt** intentionally, purposely, on purpose
avskaffa abolish; missbruk put an end to; upphäva repeal
avskaffande abolishing, abolition; repeal, abrogation; *slaveriets* ~ the abolition of slavery
avsked 1 ur tjänst dismissal; [anmälan om] tillbakaträdande resignation, retirement; *anhålla om (begära)* ~ hand (give in, send in, tender) one's resignation, give in one's notice **2** farväl leave-taking; i högre stil farewell; uppbrott parting; *ta* ~ say goodbye (i högre stil farewell) [*av* to]; take leave [*av* of]
avskeda dismiss, discharge; vard. fire
avskedande dismissal
avskedsansökan resignation; *lämna in sin* ~ se *anhålla om avsked* under *avsked*
avskedsfest farewell party
avskedsord parting word
avskedsstund hour of parting
avskedstal farewell address (speech)
avskild secluded; isolerad isolated; *leva ~ från...* live apart from...
avskildhet retirement; isolering isolation
avskilja *tr* separate; lösgöra detach; hugga av sever; t.ex. rum partition [off]; avsöndra partition; avgränsa delimit; isolera segregate
avskjutningsramp för raketer launching pad (platform)
avskrap avfall scrapings, refuse; bildl.: slödder dregs, scum
avskrift copy; isht jur. transcript; jur. äv. exemplification; *bevittnad ~* attested (certified) copy
avskriva 1 hand., förlust write off **2** jur. ~ *ett mål* remove a cause from the cause list
avskrivning 1 hand. writing off; enskild post sum (amount, item) written off; för värdeminskning depreciation **2** jur. removal from the cause list **3** avskrivande transcription
avskräcka deter, scare; svag. dishearten; *regnet avskräckte många* äv. the rain kept many away
avskräckande I *adj* om t. ex. verkan deterrent; om t. ex. straff exemplary; frånstötande repellent, repulsive; *som ~ exempel* as a terrible warning **II** *adv,* ~ *ful* repellent, forbiddingly ugly
avskrädeshög rubbish-heap; soptipp dump
avskum bildl. scoundrel; koll. scum
avsky I *tr* loathe, abhor, abominate **II** *s* loathing, detestation; vedervilja disgust; [ngns] fasa abomination, horror
avskyvärd abominable, loathsome; om brott el. förbrytare heinous
avslag 1 på förslag rejection, rebuff; avvisande svar refusal; *få ~* have one's application turned down **2** vard. ~ *på priset* reduction of the price
avslagen om dryck flat
avslappnad relaxed
avslappning relaxation, slackening
avslipning grinding; *en sista ~* a finishing touch, a final polish
avsluta 1 slutföra, fullborda finish [off]; göra slut på end, close; bilda avslutning på finish (end) off; *~s* äv. conclude, come to an end **2** göra upp conclude; avtal enter into; räkenskaper close
avslutad finished osv., jfr *avsluta;* done, over; *förklara* sammanträdet *avslutat* declare...closed
avslutning 1 avslutande finishing off; av köp o.d. concluding, conclusion; sport.

finishing **2** avslutande del conclusion, finish; slut end; skol~ breaking-up; ceremoni ung. prize-giving; skol*~en äger rum 6 juni* school breaks up on June 6th
avslutningsvis in (by way of) conclusion, to conclude
avslå vägra att anta, t.ex. begäran refuse, decline; lagförslag o.d. reject; ibl. defeat; *han fick sin begäran avslagen* his request was rejected (turned down)
avslöja I *tr* bildl. expose; vard. debunk; yppa disclose, uncover **II** *rfl*, ~ *sig* [*som*] reveal oneself [as]
avslöjande bildl. exposure; yppande disclosing
avsmak dislike; distaste; stark. aversion; disgust; *få ~ för* take a dislike to
avsmakning tasting; provning sampling
avsnitt sector äv. mil.; av bok o.d. part; av t.ex. följetong instalment (amer. -ll-); av t.ex. TV-serie episode; tids~ period
avsomna dö depart this life, pass away
avspark sport. kick-off
avspegla I *tr* reflect **II** *rfl*, ~ *sig* be reflected (mirrored)
avspisa put...off; vard. fob...off
avspänd bildl. relaxed
avspänning 1 avslappning relaxation **2** polit. détente fr.; easing (relaxation) of tension
avspärrning avspärrande blocking osv., jfr *spärra* [*av*]; avspärrat område roped-off area; spärr barrier; polis~ cordon; blockad blockade
avstamp sport. takeoff; bildl. start
avstavning division
avsteg departure; från t.ex. regel deviation; från t. ex. det rätta lapse
avstickare utflykt detour; från ämnet digression
avstigning trafik. alighting, getting off (out); *endast ~* alighting only
avstjälpningsplats tip, dump
avstressad relaxed
avstyckning av tomt division
avstyra förhindra prevent; t.ex. olycka avert; t.ex. planer put a stop to
avstyrkande *s*, ~ *av* ett förslag o.d. objection to..., rejection of...
avstå I *itr*, ~ *från* allm. give up [*att gå* going]; uppge abandon, relinquish; försaka forgo, deny oneself; avsäga sig renounce; isht jur. waive; låta bli refrain (desist) from; undvara dispense with, do without; ~ *från att rösta* abstain from voting; *jag ~r* i tävling I withdraw (retire) **II** *tr* lämna, överlåta give up, hand over; relinquish
avstånd allm. distance; mellanrum space (interval) [between]; vid målskjutning el. för radar range; *hålla rätt ~* keep the right distance; *ta ~ från* allm. dissociate oneself from; avvisa repudiate; frisäga sig från disclaim; ogilla take exception to; *på ett ~ av...* at (resp. from) a distance of...
avståndstagande dissociation, repudiation
avställning av bil temporary deregistration, av reaktor o.d. shutdown
avstämplingsdag post. date of postmark
avstängdhet isolation
avstängning allm. shutting off osv., jfr *stänga* [*av*]; från tjänst el. sport. suspension; inhägnad enclosure
avstötning med., vid transplantation rejection
avsvimmad unconscious; *falla ~ till marken* fall fainting to the ground
avsvärja, ~ *sig* t.ex. tro abjure, forswear; t.ex. ovana renounce
avsyna inspect [and certify]
avsyning official inspection
avsågad eg. sawn-off; bildl. *bli* ~ avstängd be cut off, nedgjord be pulled to pieces
avsågning vard.: avsked sacking; besegrande licking, beating
avsäga, ~ *sig* t.ex. befattning, uppdrag resign, give up; avböja decline; t.ex. ansvar disclaim; t.ex. anspråk relinquish; ~ *sig kronan* (*tronen*) abdicate
avsändare pers. sender; hand., av gods consignor; av postanvisning remitter; på brevs baksida (förk. *avs.*) from
avsätta 1 ämbetsman remove [...from office]; kung dethrone; regent depose **2** avyttra sell; *...är lätt* (*svår*) *att ~* äv. ...sells well (badly) **3** se *sätta* [*av*]
avsättbar o. **avsättlig 1** om pers. dismissible **2** hand. marketable, sal[e]able
avsättning 1 ämbetsmans removal [from office]; kungs dethronement; regents deposition **2** av varor sale, marketing; *finna ~ för* find a market (an outlet) for, dispose of **3** av pengar provision, appropriation
avsöndra fysiol., t.ex. vätska secrete
avsöndring fysiol. secretion äv. konkr.
avta se *avtaga*
avtacklad, *se ganska ~ ut* look rather a wreck
avtaga *itr* minska decrease, grow less (om dagar shorter); om månen wane äv. allm.; om hälsa decline, fall off
avtagande I *s*, *vara i ~* be on the decrease (decline, isht om månen wane), be declining (diminishing, failing) **II** *adj* decreasing osv.; ~ *syn* failing eyesight
avtagsväg turning; sidoväg side road
avtal agreement; kontrakt contract; fördrag treaty; isht polit. convention; *bindande ~* binding agreement; *enligt ~* according to (as per) agreement (contract), as agreed [up]on
avtala I *itr* agree **II** *tr* agree [up]on; *ett ~t möte* an appointment, an arranged meeting; *vid den ~de tiden* at the time appointed (fixed)

avtalsbrott breach of an (resp. the) agreement (a resp. the contract)
avtalsenlig ...as stipulated (agreed upon), ...according to the agreement (the contract)
avtalsrörelse förhandlingar round of wage negotiations, wage negotiations, pay talks
avteckna *rfl, ~ sig [skarpt] mot* stand out [in bold relief] against
avtjäna, *~ ett straff* serve a sentence, serve (do) time
avtryck avformning imprint; avgjutning cast; *ta ett ~ av* take an impression of
avtryckare på gevär trigger; på kamera shutter release
avträda I *itr* withdraw; *~ från* äv. leave; befattning äv. resign **II** *tr* give up; t.ex. landområde cede
avtvinga, *~ ngn ngt* t.ex. pengar, löfte, bekännelse extort (wring, exact) a th. from a p.
avtynande I *s* decline **II** *adj* languishing
avtåg departure; friare decampment
avtåga march off (out); decamp
avtäckning 1 uncovering; av konstverk o.d. unveiling **2** ceremoni unveiling ceremony
avtärd wasted, haggard
avund envy; ibl. jealousy; *grön av ~ över ngt* green with envy at a th.
avundas, *~ ngn ngt* envy a p. a th.
avundsjuk envious
avundsjuka enviousness, jealousy
avundsvärd enviable
avvakta ankomst await; händelsernas gång wait and see; vänta (lura på) wait (watch) for
avvaktan, *i ~ på* while awaiting (waiting for)
avvaktande expectant; *inta en ~ hållning* el. *ställa sig ~* play a waiting game, adopt (pursue) a wait-and-see policy; vard. sit on the fence
avvara spare
avveckla isht affärsrörelse wind up; friare settle
avveckling isht av affärsrörelse winding up osv., jfr *avveckla;* liquidation; *~ av kärnkraften* nuclear phase-out
avverka 1 träd fell; isht amer. cut; skog clear...of trees **2** tillryggalägga cover **3** förbruka use [up]
avverkning felling osv., jfr *avverka 1*
avvika 1 ej överensstämma diverge; skilja sig differ; från t.ex. ämne digress; från t.ex. sanningen deviate; *~ från* dygdens stig stray from... **2** rymma abscond, run away; *~ [ur riket]* flee the country
avvikande (jfr *avvika*) divergent; differing; deviating; isht naturv. aberrant; *~ beteende* deviant (abnormal) behaviour
avvikelse divergence, deviation; från åsikt el. från ämnet digression; olikhet discrepancy
avvisa 1 ngn turn away; *han lät sig inte ~[s]* he would not take no for an answer, he was not to be rebuffed (put off) **2** ngt: t.ex. förslag, anbud reject, turn down; t.ex. anfall repel; isht jur., ngt ss. obefogat dismiss
avvisande I *adj* negative; unsympathetic; *ställa sig ~ mot (till) ngt* adopt a negative attitude towards a th. **II** *adv* negatively osv., jfr *I*
avvisning, *~ av en utlänning* refusal of entry to an alien
avväg bildl. *han har råkat (kommit) på ~ar* he has gone astray, he is on the wrong road
avväga 1 avpassa adjust; överväga weigh [in one's mind], balance; *väl avvägd* attr. om t.ex. yttrande, svar well-balanced, well-poised; om t.ex. slag well-timed, well-judged **2** lantmät. level
avvägningsfråga, *det är en ~* it is a question which needs careful weighing up, the pros and cons will have to be weighed up carefully
avvänja spädbarn wean; t.ex. rökare detoxify, detoxicate, vard. detox
avvänjningskur aversion (withdrawal) treatment
avväpna disarm äv. bildl.
avväpnande disarming; *ett ~ leende* a disarming (reassuring) smile
avvärja 1 t.ex. slag ward (fend) off **2** t.ex. fara avert
avyttra dispose of, sell, part with; egendomen *får ej ~s* ...is inalienable (entailed)
avyttring disposal
ax 1 bot., blomställning spike; sädesax ear; *plocka ~* gather ears, glean; *stå i ~* be in the ear; *utan ~* uneared **2** på nyckel [key-]bit, web
1 axel geom. el. geogr. el. polit. axis (pl. axes); hjulaxel axle, ibl. axletree; maskinaxel shaft, mindre spindle
2 axel skuldra shoulder; *bära ngt på ~n* carry a th. on one's shoulder; *se ngn över ~n* look down on a p.
axelband på damkläder o. barnplagg [shoulder] strap
axelbred broad-shouldered
axelhöjd, *en hylla i ~* a shoulder-high shelf
axelklaff mil. shoulder strap
axelrem shoulder strap
axelremsväska shoulder bag
axelryckning shrug [of the shoulders]
axelvadd shoulder pad
axla put on; t.ex. ränsel shoulder äv. bildl.; *~ en börda* bildl. shoulder a burden
axplock bildl. *ett litet ~ [från]* a small selection [from]

azalea bot. azalea
Azerbajdzjan Azerbaijan
azerbajdzjansk Azerbaijan
azerier Azeri
azerisk Azeri
aztek Aztec
aztekisk Aztec[an]
azur azure
azurblå azure[blue]

B

b 1 bokstav b [utt. bi:] **2** mus. a) ton B flat b) sänkningstecken flat
babbel vard. babble; babblande babbling
babbla vard. babble
babian zool. baboon äv. neds., om pers.
babord sjö. **I** *s* port **II** *adv* aport; [*dikt*] ~ *med rodret!* helm [hard] aport!
baby baby
babylift carrycot
babysim water-training for babies (infants)
babysitter stol bouncing cradle
babysäng spjälsäng cot; amer. crib
bacill germ; vetensk. bacillus (pl. bacilli); vard. bug
bacillskräck, *ha* ~ have a morbid fear (be afraid) of germs (catching diseases)
1 back 1 slags flat låda tray; tråg hod; öl~ o.d. crate **2** sjö., del av fördäck forecastle
2 back I *s* sport. back **II** *adv* back; sjö. astern; om segel aback; *gå* ~ a) sjö. go astern b) vard., gå med förlust run at a loss
backa I *tr* back äv. sjö.; reverse; ~ *en bil* reverse a car **II** *itr* back; sjö. go astern; på skrivmaskin backspace
III med beton. part.
~ **in** (**ut**) *en bil* back a car in (out)
~ **upp** understödja back [up]
~ **ur** bildl. back out
back|e 1 höjd hill; sluttning hillside; uppförs~ uphill slope; nedförs~ downhill slope, descent; skid~, se *skidbacke; sakta i ~arna!* ta det lugnt steady!, easy!, take it (go) easy! **2** mark ground; *regnet står som spön i ~n* it's pouring down (vard. raining cats and dogs)
backhand tennis o.d. backhand
backhoppning skijumping
backig hilly; böljande undulating
backkrön top of a (resp. the) hill
backljus bil. reversing (amer. back-up) light
backspegel driving (rear-view) mirror
bacon bacon
baconskiva slice of bacon
bad 1 badning: a) kar~ bath äv. med. el. kem.; vard. tub b) ute~, sim~ bathe; swim isht amer.; dopp dip; *ta* [*sig*] *ett* [*varmt*] ~ have a [hot] bath **2** se *badhus* o. *badrum* o. *badställe*
bada I *itr* sim~ el. bildl. bathe; kar~ have (take) a bath; ibl. bath **II** *tr* tvätta bath; isht bildl. el. amer. bathe
badboll beach ball
badborste bath brush
badbyxor bathing trunks
badda fukta bathe, dab
baddare vard. **1** stort exemplar *det var en*

[*riktig*] ~ *till gädda!* that pike is a [real] whopper! **2** överdängare ace
baddräkt swimsuit
badförbud bathing ban; ss. skylt Bathing Prohibited
badhus public baths (pl. lika)
badkappa bathrobe; för strand bathing wrap
badkar bath
badkläder beachwear
badlakan large bath towel; för strand beach towel
badminton sport. badminton
badmintonboll shuttlecock
badort seaside resort (town)
badrock se *badkappa*
badrum bathroom
badrumsskåp bathroom cabinet
badsalt bath salts
badsemester holiday by the sea
badstrand beach, bathing beach
badställe bathing place; strand [bathing] beach
badsäsong bathing season
badtvål bath soap
badvakt swimming-pool attendant; på badstrand lifeguard
badvatten bathwater; *kasta ut barnet med badvattnet* throw the baby out with the bathwater
bagage luggage, baggage; vard. things
bagagehylla luggage (baggage) rack
bagageinlämning lokal left-luggage office; amer. checkroom
bagagekärra luggage (baggage) cart (trolley)
bagagelucka utrymme [luggage] boot; amer. trunk; dörr boot (amer. trunk) lid
bagare baker
bagatell trifle; *en ren* ~ a mere trifle (detail)
bagatellisera make light of
bageri bakery
bagge zool. ram
Bahamas the Bahamas
bajonett bayonet
bajs barnspr. poo-poo
bajsa barnspr. do a poo-poo, do number two
1 bak bakning baking; sats bakat bröd batch
2 bak I *s* **1** vard., säte behind, backside; byx~ seat; *få eld i ~en* step on it, move double-quick **2** ytbräde slab **3** sport. *2-0 i ~en* 2-0 down **II** *adv* behind, at the back; ~ *i* boken se *baki; för långt* ~ too far back
baka bake; ~ *bröd* bake (make) bread; ~ *ut* degen mould... [*till* into]: *~d potatis* baked potatoes
bakben djurs hind leg; *sitta på ~en* sit on one's haunches
bakbinda pinion
bakbord pastry board
bakdel på ett föremål back [part], rear; människas buttocks, vard. behind, bottom; djurs hind quarters, rump
bakdörr back door; på bil rear door; baklucka på halvkombi tailgate
bakefter behind
bakelse [piece of] pastry; med frukt, sylt tart; *~r* äv. pastry sg.
bakersta rear; *de* ~ those at the back
bakficka på byxor hip pocket; *ha ngt i ~n* bildl. have a th. up one's sleeve
bakfot, *få saken* (*det*) *om ~en* get hold of the wrong end of the stick
bakfram back to front; *han resonerar helt* ~ his reasoning is quite topsy-turvy (upside-down)
bakfull vard. *vara* ~ se [*ha*] *baksmälla*
bakgata back street
bakgrund background äv. bildl.; miljö setting; *i ~en* i fjärran in the distance
bakgrundsmusik background music
bakgård backyard
bakhas, *sätta sig på ~orna* bildl. rear up [on one's hind legs], be pigheaded
bakhjulsdriven bil. rear-wheel driven
bakhåll ambush; mil. äv. ambuscade; *ligga* (*lägga sig*) *i* ~ *för ngn* lie (place oneself) in ambush for a p., waylay a p.
baki *prep* behind in, at (in) the back of
bakifrån from behind; *börja* ~ begin at the back (end)
bakjour, *ha* ~ om läkare be on call, be on standby duty
baklucka se *bagagelucka*
baklykta rear (tail) light (lamp)
baklås, *dörren har gått i* ~ the lock has jammed
baklänges backward[s]
bakläxa 1 *få* ~ [*på geografin*] be told to do one's [geography] homework again **2** bildl. rebuff; stark. reprimand; *få* ~ avslag meet with a rebuff
bakom behind; i rum äv.: a) prep. at the back (rear) of; amer. [in] back of b) adv. at (in) the rear; jag undrar vad som *ligger* ~ (vem som *står* ~) ...is at the bottom of (is behind) it
bakplåt baking plate, baking sheet
bakplåtspapper oven paper
bakpulver baking powder
bakpå *prep* t.ex. vagnen at (t.ex. kuvertet on) the back of
bakre t.ex. bänk back; t.ex. ben hind
bakrus hangover
bakruta bil. rear window
baksida back; på grammofonskiva flipside; på mynt o.d. reverse; *medaljens* ~ bildl. the reverse of the medal
bakslug underhand[ed]
baksmälla 1 vard., bakrus hangover; *ha* (*få*) ~ have (get) a hangover **2** bildl. unpleasant shock (surprise)

bakstycke på skjorta, jacka o.d. back; på t.ex. byxor back [piece]; på vapen breech
baksäte back (rear) seat
baktala slander
baktalare slanderer, vilifier
baktanke ulterior motive
bakterie bacteri|um (pl. -a); friare germ
baktill behind
baktrappa backstairs
bakttråg kneading-trough
baktung ...heavy at the back; flyg. tail-heavy
bakut backward[s]; *slå (sparka)* ~ kick [out behind], lash out
bakverk ofta pastry; jfr *bakelse* o. *kaka*
bakväg back way; bakdörr back door; *gå ~ar* bildl. use underhand means (methods)
bakvänd eg. ...the wrong (other) way round; tafatt awkward; galen preposterous; *i ~ ordning* in reverse order
bakvänt the wrong way round osv., se *bakvänd* o. *bakfram; bära sig ~ åt* be clumsy (awkward)
bakåt backward[s]; tillbaka back
bakåtböjd ...bent back
bakåtlutad om pers. ...leaning back
bakåtlutande om sak ...sloping backward[s]; ~ *[hand]stil* äv. backhand[ed] writing
bakåtsträvare reactionary
bakända se *bakdel*
1 bal dans ball; mindre dance
2 bal packe bale
balans 1 jämvikt balance; *hålla (tappa) ~en* keep (lose) one's balance **2** tekn. balance[-beam]; i ur balance **3** hand., saldo balance (jfr *saldo*); kassabrist deficit
balansera 1 balance äv. hjul **2** hand. balance; överföra carry over
balanserad harmonisk balanced
balansgång balancing; *gå ~* balance [oneself]; bildl. walk a tightrope, [try to] strike a balance
balansrubbning med. disturbance of balance
balansräkning hand. balance sheet
balanssinne sense of balance
baldakin canopy, baldachin
Balearerna the Balearic Islands
balett ballet; *hela ~en* vard. the whole lot (bag of tricks)
balettflicka chorus girl
1 balja kärl tub; mindre bowl
2 balja fodral sheath; bot. pod
balk 1 bjälke: trä~ beam; isht järn~ girder **2** lag~ section, code
Balkan halvön the Balkan Peninsula; länderna the Balkans
balkong balcony äv. på bio
balkonglåda flowerbox
balkongräcke balcony parapet
ballad visa ballad; poem el. musikstycke ballade
ballast se *barlast*
ballong balloon; sjö., segel balloon sail; *blåsa i ~en* alkotestapparat, vard. blow into a [breathalyser] bag
balsam balsam; isht bildl. balm
balt Balt
Baltikum the Baltic States
baltisk Baltic
bamsing vard. whopper
ban|a I *s* **1** väg path; lopp course; omlopps~, t.ex. planets, satellits orbit; projektils trajectory; levnads~ career; *brottets ~* the path of crime **2** sport.: löpar~ track; galopp~ racecourse; skridsko~ rink; tennis~ court; **3** järnv. line **4** tekn.: pappers~ roll; *...i långa -or* bildl. lots (no end, great quantities) of... **II** *tr, ~ väg* eg. clear the way *[för* for]; bildl. pave (prepare) the way *[för* for]; *~ sig väg* make (med våld force) one's way
banal commonplace; isht om ord, fras hackneyed
banalitet egenskap triteness; banalt ord e.d. commonplace
banan banana
bananskal banana skin (amer. peel)
banbrytande vägröjande pioneer[ing]; epokgörande epoch-making
banbrytare pioneer
band 1 knyt~ m.m. **a)** konkr.: allm. band äv. remsa, ring; snöre string; smalt bomulls~, plast~ m.m. samt i bandspelare tape; prydnads~ isht av siden, hår~ ribbon; garnerings~ braid; bindel sling; tunn~ hoop; transport~ conveyor belt; *ha (gå med) armen i ~* carry oneś arm in a sling; *löpande ~* conveyor belt, assembly (production) line **b)** abstr. el. bildl.: förenande el. hämmande tie; bond vanl. starkare; tvång äv. restraint, constraint **2** bok~ binding; volym volume; *en roman i tre ~* a three-volume novel **3** trupp, följe band; jazz~ o.d. band
banda 1 ta upp på band record [...on tape] **2** tunnor o.d. hoop
bandage bandage; *det blev hårda ~* vard., ung. we (they osv.) had a tough struggle
bandinspelning tape-recording
bandit bandit; gangster gangster; desperado desperado (pl. -s); ss. skällsord ruffian
bandspelare tape-recorder
bandsåg bandsaw
bandtraktor caterpillar [tractor]
bandupptagning på bandspelare tape-recording
bandy sport. bandy
bandyklubba bandy stick
baner banner
bangolf miniature golf
bangård [railway] station; amer. railroad station, depot

banjo banjo (pl. -s el. -es)
1 bank 1 vall embankment **2** grund, sandbank sandbank
2 bank penning~ bank äv. spel~; *gå på ~en* go to the bank; *spränga ~en* break the bank
banka bulta knock [loudly]; *mitt hjärta ~r* my heart is pounding (throbbing)
bankaffär banking transaction
bankautomat cash dispenser, ATM
bankbok bankbook
bankdirektör bank director; amer. vice-president [of a resp. the bank]; vid större filial bank manager
bankett fest banquet
bankfack safe-deposit box
bankgiro bank giro service (konto account)
bankkassör [bank] cashier
bankkonto bank account
bankkontor bank; filial branch office [of a resp. the bank]
bankman banktjänsteman bank official; bankir banker
bankomat ® se *bankautomat*
bankomatkort cash card
bankrutt I *s* bankruptcy **II** *adj* vanl. bankrupt; ruinerad ruined; *bli ~* become (go) bankrupt
bankrån bank robbery
bankränta inlåningsränta interest on deposits; diskonto bank rate
banktid banking hours
bankvalv strong room
bankör spel. banker
banna gräla på scold
bann|lysa 1 kyrkl. excommunicate, put...under a ban **2** bildl. ban, prohibit; svordomar *är -lysta* äv. ...are taboo
bannor, *få ~* get a scolding, be scolded
banrekord sport. track record
banta reduce, slim; *~ bort* (*ned sig*) flera kilo [manage to] go down...in weight
bantamvikt sport. bantam weight
bantning reducing, slimming; av t.ex. utgifter reduction
bantningskur reducing (slimming) cure
banvall [railway] embankment, roadbed
1 bar bare; naked äv. om t.ex. kvist; t. ex. om nerv exposed; *~a ben* bare legs; *bli tagen på ~ gärning* be caught red-handed (in the [very] act); *sova under ~ himmel* sleep out; *inpå ~a kroppen* to the [very] skin
2 bar cocktail~ o.d. bar; matställe snack-bar
bara I *adv* only; merely; just; han sprang *som ~ den* vard. ...like anything; hur mår du? - Tack, [*det är*] *~ bra* ...pretty well, ...I'm all right; *vänta ~!* just you wait! **II** *konj* om blott if only; såvida provided; *~ jag tänker på det blir jag glad* just thinking (the mere thought) of it makes me happy
barack barracks (pl. lika); ibl. barrack; mil. äv. hut; ruckel shack
bararmad bare-armed
baraxlad bare-shouldered
barbacka bareback
Barbados Barbados
barbar barbarian
barbarisk ociviliserad, grym el. om smak barbarous
barbent bare-legged
barberare barber
bardisk bar [counter]
barfota barefoot[ed]
barfrost black frost
barhuvad bare-headed
bark bot. bark; vetensk. cort|ex (pl. -ices)
1 barka 1 ~ [*av*] träd bark, strip; decorticate **2** hudar tan
2 barka, *det ~r åt skogen* it is going to pot (to the dogs, to pieces)
barlast ballast äv. bildl.
barm bosom; *nära en orm vid sin ~* nourish (cherish) a viper in one's bosom
barmark, *det är ~* there is no snow on the ground
barmhärtig nådig merciful; medlidsam compassionate; välgörande charitable; *den ~e samariten* the Good Samaritan
barmhärtighet mercy; compassion; charity; jfr *barmhärtig*
barn child (pl. children); vard. kid; spädbarn baby, infant; poet. babe; *Barnens Dag* Children's Day; *lika ~ leka bäst* ordspr. birds of a feather flock together; han är *ett ~ av sin tid* ...a child (product) of his time (age); *bli med ~* become pregnant
barnadödlighet infant mortality [rate]
barnamord infanticide
barnarbete child labour; jur. employment of children [and young persons]
barnarov kidnapping; bildl. baby-snatching
barnasinne childlike mind; *han har ~t kvar* he is still a child at heart
barnavårdscentral child welfare centre; amer. child-health station
barnavårdsman child welfare officer
barnbarn grandchild
barnbarnsbarn great grandchild
barnbegränsning birth control, family planning
barnbidrag child allowance, child benefit
barnbiljett child's ticket (fare), half ticket (fare)
barnbok children's book
barndaghem daycare centre
bàrndom, ~[*en*] childhood; späd infancy, babyhood; [*redan*] *i ~en* som liten [even] as a child, when [quite] a child
barndomsvän friend of one's childhood; *vi är ~ner* we knew each other as children
barnfamilj family [with children]
barnflicka nursemaid
barnförbjuden om film ...for adults only

barnhem children's home; för föräldralösa orphanage
barnhusbarn orphanage child
barnkalas children's party; vard. bun fight
barnkammare nursery
barnkläder children's (resp. baby) clothes (clothing sg.); children's wear, babywear
barnkoloni [children's] holiday camp
barnkär ...fond of children
barnledighet maternity leave
barnlek, *det är en ingen ~* it is no child's play
barnläkare specialist in children's diseases, pediatrician
barnlöshet childlessness
barnmat baby food
barnmisshandel child abuse (battering)
barnmorska midwife
barnomsorg child-care [system]
barnparkering vard., på varuhus children's playroom [at a store]
barnpassning se *barntillsyn*
barnpsykolog child psychologist
barnrik, *~ familj* large family
barnsben, *från ~* from childhood
barnsjukdom children's disease; bildl., t.ex. hos en bil teething problems (troubles)
barnsjukhus children's hospital
barnsko child's shoe (pl. children's shoes); *han har inte trampat ur ~rna än* ung. he is still a baby (is not out of the cradle yet)
barnskötare child minder
barnsköterska children's nurse
barnslig childlike; isht neds. childish, puerile; *var inte så ~ !* don't be so childish!, don't be such a baby!
barnstol high chair
barnsäker childproof
barnsäng 1 med. childbed, childbirth; *dö i ~* die in childbirth **2** säng för barn cot; amer. crib
barntillsyn looking after (taking care of) children, child-minding
barntillåten om film universal...; i annons o.d. for universal showing; i Engl. [cert.] U; *den här filmen är ~* this is a U film
barnunge child, kid; neds. brat; *hon är ingen ~ [längre]* she is no chicken
barnvagn perambulator; vard. pram; isht amer. baby carriage (buggy)
barnvakt baby sitter, vard. sitter; *sitta ~* baby-sit
barnvisa children's song; barnkammarrim nursery rhyme
barnvänlig ...suitable for children
barometer barometer äv. bildl.; vard. glass; *~n faller (stiger)* the barometer (the glass) is falling (rising)
baron baron; ss. eng. titel äv. Lord...
baronessa baroness; ss. eng. titel äv. Lady...
barr bot. needle; *mycket ~* a lot of needles
barra, granen *~r [av sig]* ...is shedding its needles
barrikad barricade
barrikadera barricade; *~ sig* barricade oneself
barriär barrier äv. bildl.
barrskog pine (fir) forest
barsk harsh; om stämma gruff; om leende, lynne grim
barskrapad destitute; vard. broke, ...on the rocks
barskåp cocktail cabinet
barstol bar stool
bartender bartender; kvinnlig barmaid
1 bas grund[val] base äv. mil.; kem. el. matem.; bildl. vanl. basis (pl. bases), foundation
2 bas mus.: pers. o. basgitarr bass
3 bas förman foreman; vard. boss
basa vard., vara förman be the boss
ba-samtal tele. reverse[d]-charge call, amer. collect call
basar bazaar
baseboll sport. baseball
basera base äv. mil.; found; *~ sig på* med pers. subj. base (found) one's statements (arguments etc.) [up]on
basfiol double bass
basilika 1 kyrka basilica **2** bot. [sweet] basil
basis basis (pl. bases); *på ~ av* detta fördrag on the basis (strength) of...
basist bass player, isht jazz~ bassist
bask folk Basque
basker mössa beret
basket o. **basketboll** basket ball
baskiska språk Basque
baslinje baseline äv. tennis el. lantmät.
baslivsmedel staple food
basröst mus. bass voice; äv. friare bass
bassäng basin äv. geol.; sim~ swimming-bath
1 bast bast; rafia~ raffia
2 bast vard. *han är femtio ~* he's fifty
1 basta, *och därmed ~!* and that's that (flat)!, and that's enough!
2 basta vard., bada bastu take a sauna
bastant stadig substantial, solid; tjock, stark stout; grundlig good; *ett ~ mål* a solid (hearty, vard. square) meal
bastmatta bast mat
bastu finsk sauna; *bada ~* take a sauna
basun mus. trombone; friare trumpet; *stöta i ~ för sig själv* blow one's own trumpet
basunera, *~ ut ngt* blazon (noise) a th. abroad
batalj battle
bataljon mil. battalion
batik metod el. tyg batik
batong truncheon, [police] baton; amer. club, billy
batteri 1 mil. el. fys. battery äv. bildl.; *ladda*

~*erna* bildl. recharge one's batteries **2** i jazzorkester o.d. rhythm section
batteridriven battery-operated, battery-powered
batterihjärta pacemaker
batteriladdare [battery] charger
batterist mus. drummer
baxna be dumbfounded; *det är så man ~r* it is enough to take your (one's) breath away
Bayern Bavaria
BB maternity hospital (avdelning ward)
be 1 relig., se *bedja 1* **2** anhålla, uppmana: **a)** allm. ask; enträget beg; hövligt request; bönfalla entreat; ~ *[ngn] om ngt* ask (beg) [a p.] for a th.; ~ *ngn om en tjänst* ask a p. a favour; ~ *för sitt liv* plead for one's life **b)** i hövlighetsfraser *jag ~r [att] få meddela Er* I should (would) like to inform you, I beg to inform you; *får jag ~ om brödet?* may I trouble you for the bread?, would you mind passing me the bread?; *får jag ~ om notan?* [may I have] the bill (amer. check), please! **3** bjuda ask
beakta uppmärksamma pay attention to; fästa avseende vid pay regard to, heed; ta i beräkning take...into consideration (account)
beaktande consideration; om förslaget *vinner ~* ...is [seriously] entertained
beaktansvärd värd att beakta ...worth (worthy of) attention (notice, consideration), noteworthy; avsevärd considerable
bearbeta 1 mera eg.: a) upparbeta: t.ex. gruva work; jord cultivate; deg work, knead b) förarbeta: råvaror work [up] c) bulta [på] o. illa tilltyga pound; med knytnävarna belabour **2** friare: **a)** genomarbeta work up; en vetenskap work at, cultivate **b)** söka inverka på try to influence, work [up]on; agitera bland canvass **c)** omarbeta: teat. el. radio. adapt; mus. arrange
bearbetning bearbetande working osv., jfr *bearbeta;* adaptation; revision; utgåva revised edition (version); data. processing
bearnaisesås kok. Béarnaise sauce
beblanda, ~ *sig med* umgås med mix with
bebo inhabit; hus vanl. occupy; ~*dda trakter* inhabited areas
bebygga med hus build [up]on; kolonisera colonize; *bebyggt område* built-up area; *glest (tätt) bebyggt område* thinly (densely) populated area
bebyggelse bosättning settlement
beckmörk pitch-dark
becksvart pitch-black
bedagad ...past one's prime; *en ~ skönhet* a faded beauty
bedarra calm (die) down, lull; *vinden (det) ~r* äv. the wind is abating
bedja 1 relig. pray; ~ *en bön* say a prayer, offer [up] a prayer **2** se *be 2-3*
bedjande 1 om t.ex. blick imploring; om t.ex. röst pleading **2** relig. praying
bedra[ga] I *tr* allm. deceive; svika play...false; på pengar o.d. defraud, cheat; vara otrogen mot be unfaithful to; *skenet bedrar* appearances are deceptive **II** *rfl,* ~ *sig* be mistaken [*på ngn* in a p.; *på ngt* about a th.]; [*låta*] ~ *sig* [let oneself] be deceived
bedragare o. **bedragerska** deceiver; jfr *bedra[ga]*
bedrift bragd exploit; prestation achievement
bedriva carry on, prosecute; t.ex. studier pursue; ~ *hotellrörelse* run (keep) a hotel
bedrägeri deceit; brott [wilful] deception; skoj swindle; villa illusion; ~*er* frauds, impostures; i affärslivet sharp practices
bedräglig allm. fraudulent; oärlig isht om pers. deceitful; vilseledande: om t. ex. sken deceptive; om t.ex. hopp illusory
bedröva distress, grieve
bedrövad distressed, sorrowful
bedrövelse distress, grief
bedrövlig deplorable, lamentable; om min melancholy; usel miserable; *det är för ~t* it is really too bad
bedyra protest, asseverate, aver; *han ~de att...* äv. he swore that...
bedårande fascinating; *alldeles* ~ simply delightful; pred. äv. too sweet for words
bedöma judge; bilda sig en uppfattning om form an opinion of; vard. size up; betygsätta mark; amer. grade; uppskatta assess, estimate; utvärdera evalute; en bok criticize; anmäla review; ~ *värdet av* äv. appraise
bedömare (jfr *bedöma*) judge; marker; amer. grader; criticizer; anmälare reviewer; *politisk* ~ political commentator (analyst)
bedömning judgement, marking; amer. grading; assessment; estimate; criticism; vid tävling classification
bedöv|a 1 allm. make (render)...unconscious; vard. dope; ~ [*med ett slag*] äv. knock...unconscious, stun...[with a blow]; [*som*] *-ad av* meddelandet stunned (stupefied) by... **2** med. give...an anaesthetic, anaesthetize; med bedövningsvätska give an injection to; gm frysning freeze
bedövning med. anaesthesia; *få* ~ vanl. have an anaesthetic (med spruta injection)
befall|a I *tr* allm. order; stark. command; högtidl. bid; föreskriva direct; ålägga prescribe; *som ni -er!* as you choose (please, wish)! **II** *itr* command; ~ *över* command, control, exercise authority over
befallande commanding, imperative

befallning order; *på hans ~* at his command, by his orders
befara frukta fear; *man kan ~* el. *det kan ~s* it is to be feared
befatta, *~ sig med* concern oneself with; *det ~r jag mig inte med* that is no business (concern) of mine
befattning syssla post, appointment; ämbete office
befattningshavare employee; ämbetsman official; *~ i offentlig tjänst* holder of an official position
befinn|a I *tr, ~s vara* turn out [to be], prove [to be], be found to be **II** *rfl, ~ sig* vara be; känna sig äv. feel; upptäcka sig vara find oneself; mor och barn *-er sig väl ...*are doing well
befinnande [state of] health
befintlig existing; tillgänglig available; *det ~a lagret* äv. the stock in hand; *i ~t skick* in its existing (present) condition
befogad 1 om sak justified; grundad well-founded; *det ~e i...* the justness (legitimacy) of... **2** om pers.: *vara ~ att* be authorized to inf.
befogenhet 1 persons authority, right; behörighet competence; jur. title **2** saks justice, legitimacy
befolka populate, people; bebo inhabit; *glest ~d* sparsely populated; *~de trakter* inhabited regions
befolkning population; *~en* invånarna äv. the inhabitants (people) pl. [*i* of]
befolkningsöverskott surplus population
befordra 1 skicka forward; transportera convey **2** främja promote; *~ matsmältningen* aid (assist) [the] digestion **3** upphöja promote; raise
befordran 1 forwarding, conveyance, transport; *för vidare ~* (förk. *f.v.b.*) to be forwarded (sent on) **2** främjande promotion, encouragement **3** avancemang promotion; preferment
befria I *tr* göra fri set...free; rädda deliver; *~ från* äv.: lösa från, t.ex. löfte release from; avbörda relieve of; rensa från rid of; låta slippa, t.ex. militärtjänst exempt from; t.ex. examensprov äv. excuse from **II** *rfl, ~ sig* free (liberate) oneself
befriare liberator; deliverer äv. friare, t.ex. om döden; räddare rescuer
befrielse liberation; deliverance; lättnad relief; frikallelse exemption; befriande freeing
befrielsekrig war of liberation
befrielserörelse liberation movement
befrukta fertilize, fecundate; bildl. inspire
befruktning fertilization; avlelse conception; *konstgjord ~* artificial insemination
befäl 1 kommando command; *ha* (*föra*) *~[et] över* be in command of, command **2** pers.: a) koll. [commissioned and non-commissioned] officers b) befälsperson person (officer) in command
befälhavare 1 mil. commander **2** sjö. master
befängd absurd
befästa I *tr* fortify, secure; bildl. strengthen, confirm **II** *rfl, ~ sig* fortify oneself
befästning fortification
begagna I *tr* allm. use; se vid. *använda* **II** *rfl, ~ sig av* a) se *använda* b) dra nytta av profit (benefit) by, take advantage of, avail oneself of; otillbörligt äv. exploit, [try to] practise upon
begagnad used; 'inte ny' vanl. second-hand
bege, *~ sig* **1** go, proceed; *~ sig till* äv. make for **2** opers. *det begav sig inte bättre än att han...* as ill-luck would have it he...
begeistrad enthusiastic; *vara* (*bli*) *~* be enthusiastic, be in (go into) raptures [*över* about]
begeistring enthusiasm, rapture
begiven, *~ på* addicted (given) to; svag. fond of, keen on
begivenhet 1 böjelse addictedness; förkärlek fondness **2** stor händelse event
begonia bot. begonia
begrava bury äv. bildl.; inter; *~ i glömska* consign to (bury in) oblivion
begravning burial; sorgehögtid funeral; *gå på ~* go to (attend) a funeral
begravningsakt funeral ceremony
begravningsbyrå undertakers, funeral directors; amer. äv. morticians, firm of undertakers etc.; lokal funeral parlour (amer. home)
begravningsplats burial ground, graveyard; större cemetery
begrepp 1 föreställning m.m. conception, concept; *efter nutida ~* by modern standards **2** *stå* (*vara*) *i ~ att gå* be [just] on the point of going, be about (just going) to go
begreppsförvirring confusion of ideas
begripa I *tr* understand; vard. get; inse see; *jag begrep inte riktigt* I didnt quite get it (catch on) **II** *rfl, ~ sig på* se *förstå II*
begriplig intelligible; *göra ngt ~t* [*för ngn*] friare äv. make a th. clear [to a p.]; *av lätt ~a skäl* vanl. for obvious reasons
begriplighet intelligibility
begrunda ponder over ([up]on), meditate [up]on, think over
begränsa I *tr* **1** eg.: allm. bound; matem. enclose; kanta border; minska shut in, block **2** bildl.: avgränsa define; inskränka limit, restrict; hejda spridningen av t.ex. eld check, keep...within bounds; sätta en gräns för set bounds (limits) to; hålla inom viss gräns confine, keep down; *~ till* ett minimum confine (reduce) to... **II** *rfl, ~ sig* inskränka sig limit (restrict) oneself [*till* to

ing-form]; koncentrera sig keep within reasonable bounds; ~ koncentrera *sig till* confine oneself to ing-form

begränsad limited; *en ~ horisont* bildl. a narrow outlook

begränsning limitation; ofullkomlighet limitations; begränsad omfattning limited scope; koncentrering keeping within reasonable bounds

begynna begin; högtidl. commence; *~nde* om t. ex. sjukdom incipient

begynnelse beginning

begynnelselön commencing salary

begå föröva: t.ex. ett mord commit; t.ex. ett misstag make; ~ *en orättvisa mot* commit an [act of] injustice to (towards); ~ *en synd* commit a sin

begåvad gifted; vard. brainy; *vara språkligt ~* have a gift for languages

begåvning 1 talent[s pl.], gift[s pl.]; *ha ~ för* have a gift (talent) for **2** pers. gifted (talented) person; *en av våra största ~ar* one of our greatest (most brilliant) minds

begär allm. desire; stark. craving; åtrå lust

begära allm. ask, ask for; nåd, skadestånd sue for; fordra require; stark. demand; göra anspråk på claim; vänta sig expect; önska sig wish for; åtrå, bibl. covet

begäran anhållan request; mera formellt petition; ansökan application; fordran demand; *på [allmän] ~* by [general] request

begärlig eftersökt ...much sought after; desirable; tilltalande attractive; omtyckt popular

behag 1 välbehag pleasure; tillfredsställelse satisfaction; *finna ~ i* take pleasure ([a] delight) in, delight in **2** gottfinnande *efter ~* at pleasure; som man vill at will (discretion), ad lib; alltefter smak [according] to taste **3** tjusning charm; *lantlivets ~* the amenities of country life **4** konkr. *kvinnliga ~* feminine charms

behaga 1 tilltala please; verka tilldragande på attract **2** önska like, wish; *gör som ni ~r* (*som det ~r er*) do just as you like (please, see fit), please (suit) yourself

behagfull graceful; intagande charming

behaglig angenäm pleasant, agreeable; tilltalande pleasing, attractive, stark. delightful; *mjuk och ~* om sak nice and soft

behandla allm. treat; förfara med deal with; handla om deal with, treat of; hantera handle; sköta manipulate; bearbeta prepare; dryfta discuss; ansökan o.d. consider; jur. hear; parl. read

behandling (jfr *behandla*) treatment; handling, manipulation; preparation; discussion; jur. hearing; parl. reading; *hans ~ av ämnet* his handling of (way of dealing with) the subject

behandlingsmetod method (mode) of treatment

behjärtansvärd värd hjälp deserving

behov 1 need; isht brist want; nödvändighet necessity; vad som behövs requirements; *ett stort (växande, ökande) ~ av* a great (growing, increasing) demand for; *efter ~* as (when) required; according to requirements (need); *för eget ~* for one's own use; *vid ~* when necessary, if required **2** naturbehov *förrätta sina ~* relieve oneself

behå brassiere; vard. bra

behåll, *undkomma med livet i ~* escape with one's life intact, escape alive

behålla allm. keep; bibehålla, olovandes stick to; ~ *för sig själv* tiga med keep to oneself, keep quiet about; för egen del keep for oneself

behållare container; vätske~ reservoir; större tank; för t.ex. gas receiver

behållning 1 återstod remainder, surplus; saldo balance [in hand]; förråd store **2** vinst, utbyte profit; intäkter av t.ex. konsert proceeds; avkastning yield; *ge...i ren ~* yield...clear profit (...net)

behändig bekväm handy; flink deft; vig agile; smånäpen natty

behärska I *tr* **1** råda över control; vara herre över be master (om kvinna be mistress) of; isht mil. command; dominera dominate; ~ *situationen* have the situation under control (well in hand), be master of the situation **2** kunna master; be master (om kvinna mistress) of **II** *rfl,* ~ *sig* control (restrain) oneself, keep one's temper

behärskad self-controlled; måttfull moderate; sansad self-restrained, self-contained, self-possessed

behärskning control; själv~ self-control, self-command

behörig 1 vederbörlig due; lämplig proper; *på ~t avstånd* at a safe distance **2** kompetent qualified, competent; om t.ex. lärare certificated

behörighet kompetens qualification; myndighets authority; *han har ~ att* är kvalificerad att he is qualified to

behöva ha behov av need, require; vara tvungen need, have [got] to; *jag behöver den inte längre* äv. I have no more use for it; *motorn behöver lagas* the engine wants (needs) repairing; *han sade att jag inte behövde komma* he said I need not come

behövande [poor and] needy, ...in great need

behövas be needed (wanted, required); *det behövs* det är nödvändigt it is necessary; det fordras it takes (needs)

behövlig necessary

beige beige

beivra, *överträdelse ~s* på anslag o.d. offenders (vid förbud att beträda område trespassers) will be prosecuted
bejaka svara ja på answer...in the affirmative; erkänna förekomsten av accept; *~ livet* have a positive outlook on life
bejublad, *...blev mycket ~* ...was a popular (great) success
bekant I *adj* **1** känd **a)** som man vet om known; *som ~* as we (you) [all] know, as everyone knows, as is well known **b)** välkänd well-known (pred. well known); omtalad noted; beryktad notorious; välbekant familiar **2** *~ [med]* acquainted [with]; förtrogen äv. familiar [with]; *bli ~ med ngn* get to know (become acquainted with) a p. **II** *subst adj* acquaintance; ofta friend; *en ~ till mig* a friend (an acquaintance) of mine; *~as ~a* till mig friends of friends of mine **III** *adv* familiarly
bekantskap abstr. el. konkr. acquaintance; kännedom knowledge; *göra ~ med* become (get) acquainted with, get to know; *~ [önskas]* avdelning i tidning the personal (vard. lonely hearts) column
bekantskapskrets [circle (set) of] acquaintances
beklaga I *tr* **1** ngn: tycka synd om be (feel) sorry for; ömka pity **2** ngt: vara ledsen över regret; sörja feel sorry about; ogilla deprecate **II** *rfl, ~ sig* complain *[över* about; *för, hos* to]
beklagande I *s* [expression of] regret (sorrow); *uttrycka sitt ~* express one's regret *[över att* that; *över ngt* at a th.] **II** *adj* regretful
beklaglig regrettable; sorglig deplorable; *det är ~t* it is to be regretted
beklagligtvis unfortunately; to my (his etc.) regret
beklädnadsindustri clothing industry
beklämd depressed, distressed; oppressed; *göra ~* äv. depress; *känna sig ~* feel heavy at heart
beklämmande depressing; sorglig deplorable; *det är ~* äv. it makes you sick
bekomma 1 *~ ngn väl (illa)* göra ngn gott (skada) do a p. good (harm); om t.ex. mat agree (disagree) with a p. **2** röra *det bekommer mig ingenting* it has no effect [up]on me, it doesn't worry (bother) me
bekosta pay (find the money) for
bekostnad, *på ngns ~* at a p's expense äv. bildl.; *på ~ av* at the expense (cost, sacrifice) of
bekräfta allm. confirm; erkänna acknowledge; stadfästa ratify; bevittna certify; *~ mottagandet av* acknowledge [the] receipt of
bekräftelse (jfr *bekräfta*) confirmation; acknowledgement, ratification
bekväm 1 comfortable; vard. comfy; praktisk convenient; lätt easy; *gör det ~t åt dig!* make yourself comfortable! **2** om pers. *~ [av sig]* easy-going, lazy, indolent
bekvämlighet 1 convenience; trevnad comfort; lätthet ease **2** maklighet easy-goingness
bekvämlighetsinrättning public convenience
bekvämt 1 comfortably; conveniently; *ha det ~* be comfortable **2** utan svårighet easily
bekymmer worry, trouble; stark. anxiety; omsorg care; *ekonomiska ~* financial worries; *det är inte mitt ~* that's not my concern (problem, vard. headache)
bekymmersam brydsam distressing; mödosam ...full of care; om t.ex. tider troubled; *det ser ~t ut för honom* things look bad for him
bekymmerslös carefree; *en ~ tillvaro* a carefree existence, a life of ease
bekymra I *tr* trouble **II** *rfl, ~ sig* trouble (worry) [oneself] *[för, över, om* about]
bekymrad distressed, concerned; *vara ~ för ngns skull* be concerned on a p.'s account
bekämpa fight [against]; motstå resist; i debatt oppose; försöka utrota control
bekämpningsmedel biocide; mot skadeinsekter o.d. insecticide; mot ogräs weedkiller
bekänna I *tr* erkänna confess; öppet tillstå avow; förklara sin tro på profess; *~ [sig skyldig]* confess; jur. äv. plead guilty; *~ färg (kort)* kortsp. follow suit; bildl. show one's hand **II** *rfl, ~ sig till* t.ex. en religion profess; t.ex. ett parti profess oneself an adherent of
bekännelse allm. confession; troslära creed; *avlägga en ~* make a confession
belackare slanderer
belamra clutter up
belasta load isht tekn.; betunga: t.ex. med skatt burden; t.ex. med inteckning encumber; bildl. saddle; anstränga put a load on, overload
belastning load[ing], charge; bildl. disadvantage; isht sport. handicap; *ärftlig ~* hereditary taint, family weakness; *hans förflutna är en stor ~ för honom* his past is a great handicap (encumbrance) to him
beledsaga accompany äv. mus.; uppvakta attend; följa follow
belevad well-bred, mannerly; artig courteous; världsvan urbane
belgare Belgian
Belgien Belgium
belgisk Belgian
belgiska kvinna Belgian woman
belopp amount; *hela ~et* the total (whole) amount
belysa t.ex. en gata light [up]; allm. illuminate; klarlägga elucidate; *detta*

exempel belyser riskerna this example illustrates the risks

belysning allm. lighting; [festlig] upplysning illumination; dager light äv. bildl.; förklaring illustration; *dämpad* ~ subdued (soft) light

belåna 1 inteckna mortgage; låna pengar på raise money (a loan) on, borrow [money] on; pantsätta pledge, pawn; *huset är högt ~t* the house is heavily mortgaged **2** ge lån på lend [money] on

belåten satisfied, pleased; content end. pred.; happy; förnöjd contented; *vara ~ med* trivas med like, be pleased with

belåtenhet satisfaction; contentment

belägen liggande situated; placerad located; *vara* ~ äv.: om t.ex. stad lie, be; om t.ex. hus stand; ~ *mot norr* facing north

belägenhet läge situation; plats location; bildl. situation; svår plight

belägg exempel instance, example; bevis evidence; *ge ~ för* t.ex. teori äv. confirm, bear out, support

belägga 1 betäcka cover **2** ~ sjukhus *med patienter* admit patients to..., fill...with patients **3** pålägga ~ *ngt med* t.ex. straff, skatt impose...on a th. **4** bevisa medelst exempel support (bear out, substantiate)...with examples; *ordet är inte belagt* före 1400 there is no instance (record) of the word...

beläggning 1 covering; konkr. cover; lager layer; gatu~ paving, pavement; på tunga fur, coating; på tänder film **2** *sjukhusets* ~ the number of occupied beds (of patients) in the hospital; *hotellet har full* ~ the hotel is fully booked up

belägra besiege äv. bildl.

belägring siege; *upphäva ~en* raise the siege

belägringstillstånd state of siege

beläst well-read; *en mycket ~ man* äv. a man of extensive (wide) reading

belöna reward; gottgöra recompense; ~*...med ett pris* award a prize to...

belöning reward; gottgörelse recompense; utmärkelse award; *som* (*till*) ~ as a reward osv.

belöpa, ~ *sig till* amount (come, run [up]) to

bemanning bemannande manning; av t.ex. företag staffing; besättning crew; personal staff

bemedlad, *de mindre ~e* people of small means

bemyndiga authorize, empower

bemyndigande authorization; befogenhet authority, sanction

bemäktiga, ~ *sig* take possession of, seize; tillägna sig äv. possess oneself of

bemärkelse sense; *i bildlig* ~ in a figurative sense, figuratively

bemärkelsedag märkesdag red-letter day; högtidsdag great (important, special) day (occasion)

bemärkt noted; attr. well-known; pred. well known; framstående prominent

bemöda, ~ *sig* take pains, try hard [[*om*] *att* inf. to inf.]

bemödande ansträngning effort; strävan endeavour

bemöta 1 behandla treat; motta receive **2** besvara answer; vederlägga refute

bemötande 1 treatment; *röna ett vänligt* ~ meet with kind treatment (a kind reception) **2** reply; refutation

ben 1 skelett~ el. ss. ämne bone **2** lem leg; *bryta ~et* [*av sig*] break one's leg; *hjälpa ngn på ~en* att resa sig help a p. to his (her osv.) feet; *hålla sig* (*stå*) *på ~en* stand on one's legs, stand [up]; *inte veta på vilket ~ man ska stå* be at one's wits' end, not know which leg to stand on; *sätta* (*ta*) *det långa ~et före* put one's best foot forward; *vara på ~en* be up and about; tillfrisknad äv. be on one's feet

1 bena, ~ [*ur*] fisk bone

2 bena I *tr*, ~ *håret* part one's hair **II** *s* parting; *kamma* (*lägga*) [*en*] ~ make a parting

benbrott fractured (broken) leg; fracture

benfri boneless

bengal Bengalese (pl. lika), Bengali (pl. lika el. -s)

Bengalen Bengal

bengalisk Bengalese; ~ *eld* (*tiger*) Bengal light (tiger)

benget vard. bag of bones

benhård bildl. rigid, strict; orubblig adamant; ~ *konservatism* diehard conservatism

benig 1 bony **2** kinkig tricky, puzzling

benpipa anat. shaft [of the (resp. a) bone]

benrangel skeleton

bensin motorbränsle petrol; amer. gasoline; vard. gas; kem., till rengöring benzine

bensinbomb petrol (amer. gasoline) bomb, Molotov cocktail

bensindunk petrol can; flat jerrycan

bensinmack se *bensinstation*

bensinmätare petrol (fuel) gauge

bensinpump petrol pump; på bil fuel pump

bensinskatt petrol tax

bensinsnål om bil economical to run; *bilen är* ~ the car has a low petrol (amer. gasoline) consumption

bensinstation petrol (filling, service; amer. gas[oline]) station; med verkstad ofta garage

bensintank petrol (fuel) tank

benskydd sport. shinguard

benstomme skeleton; *ha kraftig* ~ have a sturdy frame, be big-boned

benstump stump

benvit ivory-coloured
benåda pardon; dödsdömd reprieve; konungen har rätt *att* ~ ...to grant amnesty (a pardon)
benådning pardon; vid dödsdom reprieve; amnesti amnesty
benägen böjd inclined; villig willing, ready; *vara* ~ *att* äv. tend to
benägenhet fallenhet tendency; inclination; disposition; begivenhet propensity; villighet readiness
benämna call; beteckna designate
benämning name, appellation; beteckning designation
beordra order; tillsäga instruct; ~ *ngn till tjänstgöring* detail a p. for duty
beprövad [well-]tried, tested, reliable; erfaren experienced
bereda I *tr* **1** förbereda prepare; göra i ordning get...ready; bearbeta: allm. dress; tillverka make; ~ *väg för* make way for; bildl. pave (smooth, prepare) the way for **2** förorsaka cause; skänka give, afford; ~ *plats för* make room for **II** *rfl,* ~ *sig* göra sig beredd prepare [oneself]; göra sig i ordning get [oneself] (make) ready; ~ *sig på* vänta sig expect; *man får* (*måste*) ~ *sig på det värsta* vanl. one must be prepared for the worst
beredd prepared; villig willing; besluten resolved; *vara* ~ *på* äv. a) vänta expect, anticipate b) frukta fear
beredning 1 förberedande preparation; tillverkning manufacture, making; bearbetning dressing **2** utskott drafting (working) committee
beredskap preparedness; mil. military preparedness; *ha i* ~ have in readiness (färdig ready, på lager in store)
beredskapsarbete public relief work, temporary employment
beredvillig ready [and willing]
berest widely-travelled...; *hon är mycket* ~ she has travelled a great deal
berg 1 mountain äv. bildl.; mindre hill; klippa rock **2** geol. el. gruv. rock
bergbana mountain railway, funicular
bergfast ...[as] firm as a rock; *en* ~ *tro* an unshakable (a steadfast) belief
berggrund bedrock
bergig mountainous; hilly; rocky; jfr *berg*
1 bergis bröd poppy-seed loaf
2 bergis vard., se *bergsäker*
bergkristall miner. rock crystal
berg-och-dalbana roller coaster, isht britt. eng. switchback; bildl. *livets* ~ life's ups and downs pl.
bergsbestigare mountaineer
bergsbestigning alpinism mountaineering; tur [mountain] climb
bergskedja mountain chain
bergsluttning mountain slope, mountain side
bergspass mountain pass; trångt defile
bergsprängare rock-blaster; mus. ghetto blaster
bergstopp mountain peak
bergsäker, *det är ~t* it's absolutely certain (a dead cert[ainty])
bergtagen, *bli* ~ be spirited away [into the mountain]; friare be enchanted
beriden mounted
berika enrich äv. fys.
berlock charm
bermudas o. **bermudashorts** Bermudas, Bermuda shorts
Bermudaöarna the Bermudas, Bermuda
bero 1 ~ *på* **a)** ha sin grund i be due (owing) to [*att* the fact that] **b)** komma an (hänga) på depend on; vara en fråga om be a question (matter) of; *det ~r på dig, om...* it depends on (is up to) you whether... **2** *låta saken* ~ anstå let the matter rest there
beroende I *adj* avhängig dependent; *vara* ~ *av läkemedel* be dependent on (stark. addicted to) medicines (pharmaceutical preparations) **II** ~ *på* prep. a) på grund av owing (vard. due) to [*att* the fact that] b) avhängigt av depending on [*om* whether] **III** *s* dependence; stark. addiction
beroendeframkallande habit-forming; stark. addictive
berså arbour
berusa I *tr* intoxicate; *låta sig ~s av* bildl. have one's head turned by **II** *rfl,* ~ *sig* intoxicate oneself, get intoxicated (drunk, vard. tipsy) [*med* on]
berusad intoxicated äv. bildl.; inebriated; tipsy; *en* ~ [*karl*] a drunken (tipsy) man
berusande intoxicating äv. bildl.
berusningsmedel intoxicant
beryktad ökänd notorious
berått, *med* ~ *mod* deliberately, in cold blood; jur. with malice aforethought
beräkna 1 allm. calculate; uppskatta estimate; genom beräkning fastställa determine; räkna ut compute; anslå allow; *~...per person* i matrecept allow...per person; *när ~r du vara färdig?* when do you expect to be finished?; *räntan ~s från* [*och med*] *1 januari* interest is calculated as from January 1st **2** ta med i beräkningen take...into account
beräkning calculation; uppskattning estimate; *efter mina ~ar* according to my calculations (reckoning); *han gjorde det med* ~ he did it with calculation (med någon speciell baktanke from ulterior motives)
berätta tell; ~ *ngt* skildra, förtälja äv. relate (narrate) a th.; redogöra för äv. recount a

th. [*för ngn* to a p.]; ~ [*historier*] tell stories
berättare story-teller, narrator
berättelse saga tale; skildring narrative; redogörelse report; account
berättiga entitle
berättigad om pers. entitled; justified; rättmätig just, legitimate; välgrundad well-founded; *det ~e i...* the justness (justice, legitimacy) of...
berättigande bemyndigande authorization; befogenhet right, claim, eligibility; rättfärdigande justification; förbudet *har* [*ett visst*] *~...*is [to a certain extent] justified
beröm lovord praise
berömd famous; friare: well-known (pred. well known); *vida ~* renowned
berömdhet celebrity äv. pers.
berömma I *tr* praise; stark. laud, extol **II** *rfl, ~ sig av* skryta över boast of; känna sig stolt över pride oneself [up]on
berömmelse ryktbarhet fame; heder credit
berömvärd praiseworthy, commendable
beröra 1 eg. el. friare touch; komma i beröring med come into contact with; snudda vid graze **2** omnämna touch [up]on **3** handla om be about **4** påverka affect
beröring contact äv. bildl.; förbindelse connection; *vid minsta ~* at the slightest touch; *komma i ~ med* come into contact with
beröva, *~ ngn ngt* deprive (avhända dispossess) a p. of a th.
besanna I *tr* **1** erfara sanningen av [live to] see the truth of **2** bekräfta verify; *~s* se *II* **II** *rfl, ~ sig* be verified (confirmed); om dröm, spådom äv. come true
besatt 1 occupied osv., jfr *besätta* **2** *~* [*av en ond ande*] possessed [by a devil]; *han var* [*som*] *~ av henne* he was infatuated (obsessed) by her
bese see, have a look at
besegra defeat, beat; litt. vanquish; övervinna overcome
besiktiga inspect; granska survey, view; *bli ~d* äv. undergo inspection, be tested äv. om bil
besiktning inspection, examination, survey; bil~, se *kontrollbesiktning*
besiktningsinstrument för motorfordon, se *registreringsbevis*
besiktningsman inspector; avsynare surveyor; vid körkortsprov driving examiner
besinna I *tr* consider, bear...in mind **II** *rfl, ~ sig* **1** betänka sig consider; innan man talar stop to think **2** ändra mening change (alter) one's mind
besinning besinnande consideration; sinnesnärvaro presence of mind; behärskning self-control; *förlora ~en* tappa huvudet lose oneś head
besinningslös rash; hejdlös reckless
besittning possession äv. landområde; occupation; *ta...i ~* take possession of...; bemäktiga sig seize...; besätta occupy...
besk I *adj* bitter äv. bildl. **II** *s* bitters; *en ~* a glass of bitters
beskaffad skapad constituted; konstruerad constructed; *så ~* skapad äv. ...of such a nature
beskaffenhet nature; varas quality; tillstånd state
beskatta tax, impose taxes (resp. a tax) [up]on
beskattning beskattande taxation; kommunal rating; fastställande av skatt assessment
beskattningsår fiscal (tax) year
besked 1 svar answer; upplysning information; anvisning instructions; *jag fick det ~et att...* I was informed (told) that..., I got word that...; *han vet ~* he knows [all about it] **2** *med ~* properly; så det förslår with a vengeance
beskedlig meek and mild, medgörlig, snäll obliging, good-natured; tam tame
beskickning mission; ambassad embassy; legation legation
beskjuta fire at; bombardera shell, bombard
beskjutning firing; bombardemang shelling; *under ~* under fire
beskriva 1 describe; *...låter sig inte ~s* ...cannot be described (is indescribable) **2** röra sig i describe
beskrivande descriptive
beskrivning 1 description; redogörelse account; *trotsa all ~* defy description **2** anvisning directions
beskydd protection äv. ss. kriminell verksamhet
beskydda protect, shield; gynna patronize
beskyddande *adj* nedlåtande patronizing
beskyddare allm. protector; mecenat patron
beskylla accuse [*för* of]
beskyllning accusation, imputation, charge
beskådan o. **beskådande** inspection; *utställd till allmän beskådan* (*allmänt beskådande*) placed on [public] view, publicly exhibited
beskäftig meddlesome; *en ~ människa* äv. a busybody
1 beskära förunna vouchsafe; *få sin beskärda del* receive one's [allotted (due)] share
2 beskära trädg. prune; tekn. trim; reducera cut down
beslag 1 till skydd, prydnad: allm. mount[ing]; järn~, mässings~ osv. ofta piece of ironwork (brasswork osv.); pl. ironwork (osv.); dörr~, fönster~, kist~ osv. (koll.) furniture **2** fys. el. kem., beläggning coating **3** kvarstad confiscation, seizure, sequestration; *lägga ~ på* requisition; för

statens ändamål äv. commandeer; friare el. bildl. appropriate, take, lay hands [up]on; *ta i ~* konfiskera confiscate, seize
beslagta commandeer; jfr äv. [*ta i*] *beslag*
beslut avgörande decision; jur. äv. verdict; föresats determination; *fatta ett* (*sitt*) *~* come to (arrive at) a decision; om rådplägande församling pass a resolution
besluta I *tr* o. *itr* decide; stadga decree **II** *rfl*, *~ sig* bestämma sig make up one's mind [*att* inf. to inf.]; decide [*för ngt* [up]on a th.; *att* inf. to inf. el. [up]on ing-form]; föresätta sig determine, resolve [*att* inf. to inf. el. [up]on ing-form]
besluten resolved
beslutsam resolute
beslutsamhet resolution, resolve
besläktad related; *vara nära ~ med* be closely related (akin) to
beslöja cover...with a veil, veil äv. bildl.; friare obscure
bespara inbespara save; skona spare; *~ ngn besvär* save a p. trouble; *det kunde du ha ~t dig* iron. you might have spared yourself the trouble
besparing 1 inbesparing saving äv. konkr.; *göra ~ar* effect economies **2** sömnad. yoke
besparingsåtgärd economy measure
bespisning bespisande feeding; skol.: matsal dining hall
bespruta syringe, spray
besprutning syringing, spraying
besprutningsmedel spray; pesticid pesticide
besserwisser know-all, wiseacre; isht amer. äv. wise guy
best beast, brute
bestialisk bestial
bestick 1 mat~ [set of] knife, fork and spoon; koll. cutlery; sallads~ o.d. servers; rit~ case (set) of instruments **2** sjö. dead reckoning
besticka bribe; *låta sig ~s* take (accept) bribes (a bribe)
bestickande *adj* insidious; *det låter ~* it sounds attractive enough
bestickning bestickande bribery, corruption; mutor bribes
bestiga berg climb; tron ascend; häst mount; *~ talarstolen* mount the platform
bestjäla rob; *~ ngn på ngt* äv. steal a th. from a p.
bestorma bildl. assail; *~ ngn med frågor* bombard a p. with questions
bestraffa punish
bestraffning punishment
bestrida 1 förneka deny; opponera sig emot contest; isht jur. äv. traverse; tillbakavisa repudiate; *~ ngn rätten till ngt* (*rätten att* inf.) contest (dispute, deny) a p.'s right to a th. (right to inf.) **2** stå för defray, bear **3** inneha hold
bestrålning radiation; *~ med ultravioletta strålar* exposure to ultraviolet rays
beströ t.ex. med rosor strew; t.ex. med socker sprinkle
bestsellerförfattare author (writer) of best sellers, best seller
bestyr göromål work, business; uppdrag task; besvär cares, trouble; skötsel, anordnande management; *jag hade ett fasligt ~ med att* inf. I had a tough job to inf.
bestyra göra do; *~* [*med*] ordna [med] manage, arrange
bestyrka allm. confirm; stärka bear out; intyga certify; bevisa prove
bestå I *tr* **1** genomgå: t.ex. prövningar go (pass) through; examen o.d. pass, get through; *~ provet* stand (pass) the test **2** bekosta pay for; tillhandahålla provide; skänka give **II** *itr* **1** äga bestånd exist; trots svårigheter subsist; fortfara last **2** *~ av* (*i*) consist of, be composed (made up) of
bestående existerade existing; varaktig lasting
beståndsdel constituent (component) [part]; isht om mat ingredient; *vara en väsentlig ~ av* be part and parcel of, be an essential part of
beställa rekvirera a) sak order; boka book b) pers. engage; friare send for; *~ tid* [*hos...*] make an appointment [with...]; *det är illa* (*dåligt*) *beställt med honom* he is in a bad way
beställning (jfr *beställa*) order; booking, reservation
beställningsarbete commissioned work; *ett ~* stöld o.d. a put-up job
bestämd fastställd m.m. fixed, settled osv., jfr *bestämma;* viss angiven definite; exakt precise; tydlig clear; säker positiv, definite; fast, orubblig determined; resolut, beslutsam resolute; som inte medger några invändningar peremptory
bestämdhet, *veta med ~* know with certainty (for certain, for sure)
bestämma I *tr* allm. determine äv. begränsa, utröna; besluta, fixera decide [up]on; [närmare] ange state; definiera define; klassificera classify; gram. modify; *det får du ~* [*själv*] that's (it's) for you to decide, I leave it to you, that's up to you **II** *rfl*, *~ sig* decide [*för* [up]on; *för att* inf. to inf. el. [up]on ing-form]; make up one's mind [*för att* inf. to inf.]; come to a decision [*angående* [up]on (as to)]
bestämmelse 1 föreskrift direction; regel regulation; stadgande i t.ex. kontrakt stipulation; villkor condition; i t.ex. lag provision **2** uppgift mission; öde destiny
bestämmelseort [place of] destination
bestämt 1 absolut definitely; tydligt distinctly; avgjort decidedly; eftertryckligt

firmly, flatly; uttryckligen positively; *veta ~* know for certain **2** [högst] sannolikt certainly; *det har ~ hänt något* something must have happened

beständig 1 stadigvarande constant, se f.ö. *ständig* **2** *~ mot* t.ex. syror impervious (resistant) to

beständighet constancy; hos material durability

bestörtning dismay, perplexity

besutten propertied; *de besuttna* subst. adj. the propertied classes, the landed gentry

besvara 1 svara answer; reply to äv. bemöta; högtidl. respond to **2** hälsning, besök o.d. return

besvikelse disappointment

besviken disappointed

besvär 1 allm. trouble; möda [hard] work, pains; svårighet[er] difficulties; *göra sig ~ att* inf. take the trouble to inf.; *jag hade mycket ~ med att övertala honom* I had a very hard job to persuade (job persuading) him **2** jur. appeal, protest

besvära I *tr* trouble; *förlåt att jag ~r!* excuse my troubling you! **II** *rfl, ~ sig* **1** trouble (bother) oneself **2** jur. lodge an appeal, appeal

besvärad generad embarrassed; förlägen self-conscious

besvärande troublesome, annoying; generande embarrassing

besvärlig allm. troublesome; svår hard; ansträngande trying; mödosam laborious; tröttande tiresome; generande awkward; *han kan vara ~ ibland* he can be difficult (tiresome) at times; *det är ~t att behöva...* inf. it is a nuisance having to... inf.

besvärlighet troublesomeness; difficulty; *~er* difficulties, troubles, hardships

besynnerlig allm. strange; egendomlig peculiar, odd; underlig queer; märkvärdig curious; *så (vad) ~t!* how odd!

besynnerlighet strangeness; jfr *besynnerlig; ~er* peculiarities, oddities

besätta 1 mil. occupy **2** tillsätta fill **3** teat. o.d., roller cast **4** *besatt* **a)** betäckt, garnerad set; med spetsar trimmed **b)** *salongen var glest (väl) besatt* the theatre was sparsely (well) filled

besättning 1 garnison garrison; sjö. el. flyg. crew; *fulltalig ~* sjö. complement **2** teat. o.d., roll~ casting **3** mus., instrument~ number (complement) of instruments; *en orkester med full ~* a full-size orchestra **4** boskap stock **5** garnering trimming

besättningsman, *en ~* one of the crew (hands) [*på* of]

besök visit; kortare call; vistelse stay; *avlägga (göra) ~ hos ngn* pay a visit to (a call on) a p.; *få (ha) ~* have (have [got]) a caller el. visitor (resp. callers el. visitors); *hon är bara här på ~* she's only here on a visit (only visiting)

besök|a hälsa på el. bese visit, jfr *hälsa på* under *2 hälsa;* bevista attend; ofta frequent; *~ ngn* visit (call on) a p., pay a p. a visit; *jag har aldrig -t* besett... I have never been to see...; *ett talrikt -t möte* a well-attended meeting

besökare visitor; attender; caller; frequenter; jfr *besöka*

besökstid på t.ex. sjukhus visiting hours

bet, *bli (gå) ~* i spel ung. lose the game; *han gick ~ på uppgiften* the task was too much

1 beta I *tr* aväta el. valla graze; livnära sig på feed on; *~ av* gräs o.d. graze; bildl. go (browse) through, deal with **II** *itr* graze

2 beta bot. beet

betablockerare med. beta-blocker

betagande bedårande charming; överväldigande captivating

betagen overcome; *lyssna ~* listen spellbound

betal|a I *tr* o. *itr* pay; varor, arbete pay for; *får jag (jag skall be att få) ~!* på restaurang o.d. will you let me (can I) have the bill [, please]!; *få bra -t för ngt* äv. get a good price for a th. **II** *rfl, ~ sig* pay

III med beton. part.

~ **av** 1000 kr *på bilen (skulden)* pay an instalment of...on the car (the debt); *jag har ~t av* slutbetalat *bilen* I have paid off the car

~ **igen** (**tillbaka**) pay back

~ **in** pay [in]; *~ in ett belopp på* ett konto o.d. pay an amount into...

~ **ut** pay [out (down)]

betalbar payable

betalkort charge card

betalning payment; avlöning pay; ersättning remuneration; *mot (vid) ~ av* on payment of

betalningsförmåga capacity (ability) to pay; solvens solvency

betalningsmedel medel att betala med means of payment; *lagligt ~* legal tender; amer. tender

betalningspåminnelse reminder [to pay]

betalningsskyldig, *~ person* person liable for payment

betalningstermin term (period) of payment

betalningsvillkor terms [of payment]

betal-TV pay-TV

1 bete boskaps~ pasturage

2 bete fiske. bait

3 bete huggtand tusk

4 bete, *~ sig* uppföra sig behave; bära sig åt äv. act

beteckna vara uttryck för represent; betyda denote; ange indicate, designate; markera

mark; känneteckna characterize; ~ *ngn* (*ngt*) *som* describe (characterize) a th. (a p.) as
betecknande I *adj* characteristic, significant **II** *adv*, ~ *nog* significantly (characteristically) [enough]
beteende behaviour äv. psykol.; conduct; *ett* ~ *som*... behaviour (conduct) of a kind that...
beteendemönster pattern of behaviour; vetensk. behavioural pattern
betesmark pasture, pastureland
betinga 1 t.ex. extra avgift involve **2** förutsätta condition; *~s* (*vara ~d*) *av* a) vara beroende av be dependent (conditional) on b) ha sin grund i be conditioned by c) bestämmas av be determined by **3** ~ *ett* [*högt*] *pris* command (fetch) a [high] price
betjäna I *tr* serve äv. om samfärdsmedel; uppassa attend [on]; vid bordet wait [up]on; *det är jag föga betjänt av* that is of little use to me **II** *rfl*, ~ *sig av* make use (avail oneself) of, employ
betjäning 1 serving osv., jfr *betjäna;* service; uppassning [på hotell] attendance **2** personal staff
betjänt manservant (pl. menservants); livrékladd footman; kammartjänare valet; föraktligt flunkey
betona 1 framhäva emphasize **2** fonet. stress
betong concrete; *armerad* ~ reinforced concrete
betongblandare concrete mixer
betoning emphasis äv. fonet.
betrakta 1 se på look at, contemplate, regard äv. friare; bese view **2** ~ *ngn* (*ngt*) *med förakt* (*misstro*) regard a p. (a th.) with contempt (suspicion), look with contempt (suspicion) [up]on a p. (a th.) **3** anse ~ *ngn* (*ngt*) *som*... regard (look [up]on) a p. (a th.) as..., consider a p. (a th.)...
betraktande, *i* ~ *av* in consideration (view) of [*att* the fact that]; ofta considering [*att* that]; *komma* (*ta*) *i* ~ come (take) into consideration (account)
betrodd pålitlig trusted
betryckt nedslagen dejected; deprimerad low-spirited; *en* ~ *situation* a depressing situation
betryggande tillfredsställande satisfactory; säker safe; *på* ~ *avstånd* at a safe distance
beträffa, *vad mig* (*det*) *~r* as far as I am (that is) concerned, as regards (vard. as for) me el. myself (that)
beträffande concerning
bets 1 snick. stain **2** garv. lye
betsa snick. stain
betsel bit; remtyg bridle
betsla, ~ [*på*] bridle, bit; ~ *av* unbridle
bett 1 hugg, insekts~ bite; *vara på ~et* vard. be in great form, be in the mood; amer. äv. be on the ball **2** tandgård set of teeth **3** på betsel bit **4** egg edge
bettleri begging, mendicancy
betungande heavy äv. om t.ex. skatt; *vara* ~ be a great burden [*för* to]
betuttad vard. *vara* ~ *i ngn* have a crush on a p.
betvivla doubt, call...in question
betyda mean, signify; ~ *mycket* signify (mean) a great deal; vara av stor betydelse be of great importance, make a great (all the) difference [*för ngn* to a p.]
betydande important; stor considerable
betydelse meaning, import; vikt significance
betydelsefull significant; viktig important
betydelselös meaningless; oviktig insignificant
betydlig considerable; *en* ~ *skillnad* äv. a great (a big) difference
betydligt considerably; mycket a good (great) deal
betyg 1 handling: officiellt intyg el. examens~ certificate; avgångs~ [school-]leaving certificate; skol~ [school] report; arbetsgivares testimonial; för tjänstefolk character **2** betygsgrad mark; amer. grade; *vad fick du för* ~ *i engelska* (*på din uppsats*)*?* what mark (amer. grade) did you get in English (for your composition)?
betyga 1 intyga certify; bekräfta vouch for; *härmed ~s att*... I hereby certify that... **2** tillkännage declare, profess; uttrycka express
betygshets skol. mad scramble (scrambling) for [higher] marks (amer. grades)
betygsätta skol. mark; amer. grade; friare pass judgement on
betäcka cover äv. göra dräktig
betänka I *tr* consider; *man måste* ~ *att*... one must bear in mind that... **II** *rfl*, ~ *sig* think it (the matter) over; tveka hesitate
betänkande 1 utlåtande report **2** *utan* ~ without hesitation, unhesitatingly
betänketid time for consideration (reflection); *en dags* ~ a day to think it (the matter) over
betänklighet tvekan hesitation; tvivel doubt; *~er* farhågor apprehensions [*mot* about], misgivings [*mot* as to]
betänksam besinningsfull deliberate; försiktig cautious, wary; tveksam hesitant; *vara* ~ äv. have misgivings
beundra admire
beundran admiration
beundransvärd admirable; friare wonderful
beundrare admirer; vard. fan
bevaka 1 eg. guard; misstroget watch **2** tillvarata look after **3** nyhet m.m. cover
bevakning 1 guard äv. konkr.; transporteras

under ~ ...under guard (escort) **2** ~ *av ngns intressen* looking after a p.'s interests **3** av nyheter coverage; *massiv* ~ massive coverage

bevakningsföretag security company

bevandrad acquainted [*i* with], at home [*i* in]

bevara 1 bibehålla preserve; upprätthålla maintain; förvara keep; ~ *en hemlighet* keep a secret **2** skydda protect; *bevare mig väl!* dear me!, goodness gracious!; *Gud bevare konungen!* God save the King!

bevars oh dear!, goodness!; *ja* ~ *!* [yes,] to be sure!

bevattna med kanaler irrigate; vattna el. geogr. water

bevattning irrigation; watering; jfr *bevattna*

beveka move; *han lät sig inte ~s* he was not to be moved, he was inflexible

bevekande I *adj* moving **II** *adv* movingly; vädjande appealingly

bevekelsegrund motive, reason

bevilja grant; tilldela award; tillerkänna allow; riksdagen *har ~t 50 000 kronor till* vanl. ...has voted (appropriated) 50,000 kronor for

bevis allm. proof; vittnesbörd: evidence äv. indicium; testimony äv. tecken; tydligt bevis demonstration; intyg certificate; *ett bindande* (*slående*) ~ conclusive (striking) proof, a conclusive (striking) piece of evidence

bevisa 1 styrka prove; leda i bevis demonstrate **2** tydligt visa show, manifest

bevisföring demonstration; argumentation argumentation; jur., framläggande av bevis submission of evidence

bevisligen demonstrably; *han är* ~ sjuk he is unquestionably...

bevismaterial [body of] evidence

bevista attend; närvara vid be present at

bevittna 1 bestyrka attest; *~s:...* witnessed (witnesses):...; *~d kopia* attested (certified) copy **2** vara vittne till witness

bevuxen overgrown; friare covered

bevåg, *på eget* ~ on one's own responsibility (authority)

bevågen, *vara ngn* ~ be favourably (kindly) disposed towards a p.

bevänt, *det är inte mycket* ~ *med det* (*honom, arbetet*) it (he, the work) is not up to much

beväpna arm; ~ *sig* arm oneself

beväpnad armed; om fartyg gunned; ~ försedd *med* equipped with

bevärdiga, ~ *ngn med ett svar* (*en blick*) condescend to give a p. an answer (a look)

bevärina värnpliktig conscript [soldier], recruit

bh se *behå*

Bhutan Bhutan

bi zool. bee; *arg som ett* ~ fuming, in a rage, hopping mad

biavsikt subsidiary motive

bibehålla ha i behåll retain; bevara keep; upprätthålla keep up; ~ *figuren* keep one's figure; *en väl bibehållen byggnad* a well-preserved building, a building in good repair

bibel bible äv. bildl.; *Bibeln* the [Holy] Bible; *svära på ~n* swear on the Book

bibelcitat o. **bibelord** biblical quotation

bibeltext [sacred] text; vid gudstjänst lesson

bibetydelse secondary meaning

bibliotek library

bibliotekarie librarian

bibringa, ~ *ngn* idéer, en uppfattning o.d. impress a p. with..., convey...to a p.; gradvis instil...into a p.['s mind]

biceps anat. biceps (pl. lika)

bida bide; ~ *sin tid* bide one's time

bidé bidet

bidra contribute; ~ *med* pengar, en artikel, idéer contribute...; ~ *till* vara bidragande orsak till äv. conduce (be conducive) to, help to, go some way to; främja make for, promote; öka add to; medverka till combine to

bidrag tillskott contribution; tecknat belopp subscription; understöd allowance; stats~ grant; *minsta* (*alla*) ~ *mottas tacksamt* all contributions gratefully received; ibl. every little counts

bidrottning queen bee

bifall 1 samtycke assent; godkännande approval; myndighets sanction; *röna* (*vinna*) ~ meet with (win) approval **2** applåder applause; rop cheers, shouts pl. of applause

bifalla assent (consent) to; ~ *en anhållan* grant a request

biff [beef]steak

biffko beef cow; *~r* äv. beef cattle

biffstek beefsteak; ~ *med lök* steak and onions

bifftomat beefsteak tomato

bifoga vidfästa attach, annex; vid slutet tillägga append isht i skrift; subjoin; närsluta enclose; *härmed ~s* räkningen we enclose..., we are enclosing...

bifokalglas optik. bifocal glass

bigami bigamy

bigamist bigamist

bigarrå bot. whiteheart [cherry], cherry

bigata sidestreet

bihang appendage; i bok append|ix (pl. -ixes el. -ices)

bihåleinflammation med. sinusitis

biinkomst extra (additional) income; *~er* äv. incidental earnings, perquisites; vard. perks

bijouterier jewellery; nipper trinkets
bikarbonat kem. bicarbonate [of soda]
bikini baddräkt bikini
bikt confession
bikta, ~ *sig* confess
bikupa [bee]hive
bil car; isht amer. automobile, vard. auto; taxibil taxi[cab]; *köra* ~ drive [a car]
1 bila I *itr* go (travel) by car; ~ *[omkring] i Europa* go motoring (go by car) round Europe **II** *tr* drive
2 bila broad axe
bilaga närsluten handling enclosure; tidnings~ supplement; reklamlapp o.d. insert; bihang till bok append|ix (pl. -ixes el. -ices)
bilavgaser exhaust [gas]
bilbarnstol car safety seat
bilbatteri car battery
bilburen motorized
bilbälte seat [safety] belt
bild 1 picture äv. TV.; diabild slide; inre bild image; optik. image; spegel~ reflection; på mynt o.d. effigy; bildligt uttryck metaphor; *komma in i ~en* come (enter) into the picture, come into it, come on the scene; *har du ~en klar för dig?* bildl. do you get the picture? **2** skol. art
bilda I *tr* **1** åstadkomma o.d.: allm. form **2** bibringa bildning educate **II** *rfl,* ~ *sig* **1** ~s, uppstå form **2** skaffa sig bildning educate oneself, improve oneself (one's mind) **3** skapa sig ~ *sig en uppfattning [om]* form an opinion [of]
bildad kultiverad educated, civilized, refined
bildband filmstrip
bilderbok picture book
bildhuggare sculptor
bildkonst, *~en* the visual arts pl.; måleriet pictorial art
bildligt, ~ *talat* figuratively (metaphorically) speaking
bildlärare art teacher
bildmaterial illustrations, pictures
bildning 1 skol~ o.d. education; [själs]kultur culture; belevenhet [good] manners, breeding **2** formation el. bildande formation
bildordbok illustrated (pictorial) dictionary
bildrik om språk ...full of imagery, metaphorical; blomstersmyckad flowery
bildrulle vårdslös förare road hog
bildruta TV. [viewing] screen; på film frame
bildrör TV. picture tube; amer. kinescope
bildskärm TV. [viewing] screen; data. display [screen (unit)]
bildskärpa TV. el. foto. [picture] definition
bildskön strikingly beautiful
bildsnidare [wood-]carver
bildstod statue
bildtext caption
bildtidning pictorial [magazine]
bildverk bok illustrated work
bildyta TV. picture
bildäck 1 på hjul [car] tyre (amer. tire) **2** sjö. car deck
bilersättning [car] mileage allowance
bilfabrik car factory (pl. lika)
bilfirma car firm (dealer)
bilfärja car ferry
bilförare [car] driver
bilförsäkring motorcar insurance
bilindustri car (motor, automobile) industry
bilism motoring
bilist motorist
biljard spel billiards; bord billiard table
biljardsalong billiard hall (saloon); amer. äv. poolhall
biljardspelare billiard-player
biljett 1 ticket; *halv* ~ taxa half fare; *köpa* ~ take (buy) a ticket; för resa äv. book [*till* to]; teat. o.d. äv. book (take) a seat [*till* for] **2** litet brev note
biljettautomat ticket machine
biljettförsäljning sale of tickets
biljetthäfte book of tickets
biljettkontor booking-office; amer. ticket office; teat. o.d. äv. box office
bilkarta road map
bilkrock car crash (smash)
bilkyrkogård used (old) car dump
bilkö line (queue) of cars (vehicles); isht efter olycka tailback
bilkörning motoring
billig 1 ej dyr cheap; ej alltför dyr inexpensive; *för en* ~ *penning* cheap, for a mere song **2** dålig cheap; vulgär common **3** rättvis, rimlig fair, reasonable
billigt cheaply äv. tarvligt; cheap, inexpensively; *köpa (sälja)* ~ buy (sell) cheap
billykta [car] headlight (headlamp)
bilmekaniker car (motor) mechanic
bilmärke make of car
bilnummer car (registration) number
bilparkering plats car park
bilradio car radio
bilring 1 däck tyre, amer. tire; innerslang tube **2** skämts., fettvalk spare tyre (amer. tire)
bilsjuk car-sick
bilskola driving school; isht som rubrik school of motoring
bilskollärare driving instructor
bilsport motor sport
bilstöld car theft
biltelefon carphone
biltull toll; *väg med* ~ tollway
biltur drive, ride; vard. spin [by car]
biltvätt anläggning car wash
biltåg biltransport per tåg motorail
biluthyrning [self-drive] car hire (rental) service; t.ex. i annons car hirers
bilverkstad car repair shop

bilvrak [car] wreck
bilägga 1 tvist o.d. settle; gräl make up; vard. patch up **2** bifoga enclose; *bilagd handling* enclosure
biläggande av tvist o.d. settlement
binda I *s* kir. roller [bandage]; *elastisk* ~ elastic bandage **II** *tr* o. *itr* samman~, fast~ bind; isht [linda o.] knyta tie båda äv. bildl.; ~ *böcker* bind books; *stå bunden* t.ex. om hund be tied up **III** *rfl,* ~ *sig* bind oneself, commit (pledge) oneself [*att* inf. to ing-form]
IV med beton. part.
~ **fast** tie...on (up)
~ **för** *ögonen på ngn* tie something in front of a p.'s eyes
~ **ihop** hopfoga tie...together; t.ex. tidningar till paket tie up
~ **om** a) böcker rebind b) paket o.d. tie up; sår bind up; ~ *om ngt med* ett snöre e.d. tie...round a th.
~ **upp** tie up äv. bildl.; kok. truss
bindande förpliktande, om t.ex. avtal binding; avgörande, om t.ex. bevis conclusive
bindel ögon~ bandage; ~ *om armen* t.ex. ss. igenkänningstecken armlet, armband
bindemedel binder; lim o.d. adhesive; mål. vehicle
bindestreck hyphen
bindning 1 av böcker, kärvar binding; av kransar making **2** skid~ binding
bindsle fastening
binge 1 lår bin **2** hop heap; hö~ mow
bingo bingo äv. ss. utrop
binjure anat. adrenal (suprarenal) gland
binnikemask tapeworm
binäring lands ancillary (subsidiary) industry; bisyssla sideline
bio cinema; vard. (isht amer.) movie, jfr äv. *biograf 1; gå på* ~ go to the cinema (the pictures, isht amer. the movies)
biobesökare filmgoer
biobiljett cinema ticket
biobränsle biofuel
biodling bee-keeping
bioduk screen
biodynamisk biodynamic; ~*a* livsmedel organically grown...
bioföreställning cinema (movie, film) show
biograf 1 bio cinema; amer. motion picture theater; vard. movie [theater (house)]; för sms. se *bio-* **2** levnadstecknare biographer
biografi biography
biografisk biographical
biolog biologist, naturalist
biologi biology
biologisk biological; ~*a föräldrar* natural (genetic) parents; ~ *klocka* biological clock; ~*a stridsmedel* biological weapons (weaponry koll. sg.)
biopublik cinema audience; biobesökare filmgoers
biprodukt by-product, spin-off; avfalls~ waste product
bisak side issue; betrakta ngt *som en* ~ ...as [a matter] of secondary importance
bisamråtta muskrat
bisarr bizarre
Biscayabukten the Bay of Biscay
bisexuell bisexual
biskop bishop
biskvi mandel~ ung. macaroon
bismak [slight] flavour (taste); obehaglig funny taste; isht bildl. tinge
bison o. **bisonoxe** bison (pl. lika el. -s)
bister om min o.d. grim; sträng stern; om klimat severe, hard, inclement; ~ *kritik* severe criticism; *det är ~t* bitande kallt *ikväll* it is bitterly (bitter) cold tonight
bistå aid
bistånd aid; *juridiskt* ~ legal advice
biståndsarbetare development assistance worker
biståndspolitik development assistance policy
bisvärm swarm of bees
bisyssla sideline, spare-time job (occupation)
bit stycke: allm. piece; del part; brottstycke fragment; av socker lump, knob; matbit bite, morsel; munsbit mouthful; vägsträcka distance; musikstycke piece [of music]; låt tune; *en* ~ *bröd* a piece (a morsel, skiva a slice) of bread; *gå en bra* ~ walk quite a long way
bita I *tr* bite; ~ *sig i läppen* bite one's lip **II** *itr* bite; om kniv, egg cut; om köld, blåst bite, cut, jfr *bitande; kniven biter inte* the knife does not cut; ~ *på naglarna* bite one's finger-nails
III med beton. part.
~ **av** bort bite off; itu bite...in two; ~ *av en tand* break a tooth
~ **sig fast vid** bildl. stick (cling) to
~ **ifrån sig** ge igen give as good as one gets
~ **ihop** (**samman**) *tänderna* clench (grit) one's teeth; bildl. äv. keep a stiff upper lip
~ **till** bite hard
bitande *adj* biting; ~ *anmärkning* caustic (cutting) remark
bitas bite; varandra bite one another
bitring [baby's] teething ring; vard. teether
biträda assistera assist; ~ *ngn* [*inför rätten*] appear (plead) for a p.
biträde medhjälpare assistant; affärs~ shop assistant; amer. [sales]clerk; sjukvårds~ assistant nurse; jur. counsel (pl. lika)
bitsk om t.ex. kommentar cutting, sarcastic; om hund fierce
bitsocker lump sugar

bitter bitter äv. bildl.; hård hard, harsh
bitterhet bitterness; hätskhet acrimony
bitterljuv bitter-sweet
bittermandel bitter almond
bitti o. **bittida** early; *i morgon bitti[da]* [early] tomorrow morning; *[både] bittida och sent* at all hours, early and late
bitvis på sina ställen in [some] places, here and there, occasionally; bit för bit bit by bit, piecemeal
bivax beeswax
biverkan side-effect, secondary effect
biverkningar med. side-effects
bjuda I *tr* o. *itr* **1** erbjuda offer; servera serve; undfägna entertain; *vad kan jag ~ er (får jag ~) på?* what can el. may I offer you?, what will you have? **2** inbjuda ask, invite **3** betala treat; *låt mig ~ [på det här]* let me treat you [to this] **4** tillönska *~ farväl* bid farewell **5** påbjuda bid, order; *samvetet bjuder mig att* inf. my conscience prompts me to inf. **6** göra anbud offer; på auktion bid, make a bid; kortsp. bid
II med beton. part.
~ **emot:** *det bjuder [mig] emot* I hate the idea [of doing it], it goes against the grain
~ **igen** invite...back
~ **in** att stiga in ask...[to come] in
~ **omkring** serve
~ **till** anstränga sig try
~ **upp ngn** *[till dans]* ask a p. for a dance
~ **ut** *[till salu]* offer [for sale]; *~ ut ngn* på restaurang o.d. take a p. out
~ **över** a) eg. outbid äv. kortsp. b) se *överbjuda*
bjudning kalas party; middags~ dinner [party]; *ha ~* give (vard. throw) a party
bjäfs finery; krimskrams gewgaws, knick-knacks
bjälke beam; större balk, baulk; bär~ girder; tvär~ joist; taksparre rafter; tekn. äv. square timber; inte se *~n i sitt eget öga* ...the beam in one's own eye
bjällerklang, *~[en]* [the] sound of bells (resp. a bell)
bjällra [little] bell
bjärt gaudy; *stå i ~ kontrast mot (till)* be in glaring contrast to
bjässe stor karl big strapping fellow
björk 1 träd [silver] birch **2** virke birch[wood]; *...av ~* attr. äv. birch...
björkmöbel möblemang birch suite; enstaka piece of birch furniture
björkris 1 koll. birch twigs **2** till aga birch
björn zool. bear; koll. bears; *väck inte den ~ som sover!* ung. let sleeping dogs lie!
björnbär blackberry
björnfäll bearskin
björnskinnsmössa till uniform bearskin; vard. busby
björntjänst, *göra ngn en ~* do a p. a disservice
björntråd bear cotton thread
bl.a. förk., se *bland [annat (andra)]*
black bildl. *en ~ om foten [för ngn]* a drag [on a p.], an impediment [to a p.]
blackout blackout; *få (drabbas av) en ~* have a blackout
blad 1 bot. leaf (pl. leaves); kron~ petal; *ta ~et från munnen* speak out, speak one's mind, not mince matters **2** pappers~ sheet; i bok leaf (pl. leaves); vard., tidning paper; *ett oskrivet ~* a blank page, a clean sheet **3** på kniv, åra, propeller o.d. blade
bladgrönt chlorophyll
bladguld gold leaf
bladlus plant louse
bladverk foliage
B-lag sport. reserve (second) team; bildl. el. neds. äv. second-raters
blamage faux pas fr. (pl. lika); gaffe
blamera, *~ sig* commit a faux pas, put one's foot in it
blanchera kok. blanch
bland among; i partitiv bet. of; jfr äv. ex.; *~ andra* (förk. *bl.a.*) among others; *~ annat* (förk. *bl.a.*) among other things; isht i formellt språk inter alia lat.; *omtyckt ~* ungdom popular with...
blanda I *tr* mix; isht bildl. mingle; isht olika kvaliteter av t.ex. te el. bildl. blend; metaller alloy; kem. el. farmakol. compound; spelkort shuffle **II** *rfl, ~ sig* mix, mingle; sammansmälta blend; *~ sig i* andras affärer interfere with...
III med beton. part.
~ **bort:** *~ bort begreppen* confuse the issue, cause confusion
~ **i ngt i** maten mix a th. in..., add a th. to...; under omröring äv. stir in a th. in...
~ **ihop** förväxla mix up, confuse; blanda tillsammans mix *~ till*
~ **in ngn i ngt** mix a p. up in a th.; isht ngt brottsligt involve (implicate) a p. in a th.
~ **samman** mix; förväxla mix up
~ **till** tillreda mix; medicin äv. compound
~ **upp ngt med** ngt mix a th. with...
blandad mixed, mingled, blended, jfr *blanda I;* diverse miscellaneous; *~e karameller* assorted sweets; *~e känslor* mixed feelings
blandekonomi mixed economy
blandning 1 mixture; av olika kvaliteter av t.ex. te el. bildl. blend; av konfekt o.d. assortment; legering alloy; kem. compound; brokig medley; röra mess **2** blandade mixing osv., jfr *blanda I*
blandskog mixed forest
blandäktenskap mixed marriage
blank eg. bright; oskriven, tom blank; *~ som en spegel* smooth as a mirror

blankett form; amer. äv. blank; *fylla i en ~* fill in (up) a form
blankpolera o. **blankputsa** polish
blanksliten om tyg shiny
blankt brightly; *dra ~* draw one's sword [*mot* on]; *rösta ~* return a blank ballot-paper
blasé o. **blaserad** blasé fr.; jaded
blasfemi blasphemy
blask 1 usel dryck etc. slops, dishwater **2** slaskväder, snö~ slush
blaska vard., tidning paper; neds. [local] rag
blaskig om dryck, färg wishy-washy; om väderlek slushy
blazer [sports] jacket; klubbjacka, vanl. av flanell blazer
bleck tinplate; *ett ~* a sheet of tinplate
blek pale; stark. pallid; sjukligt wan; glåmig, gulblek sallow; svag faint; *inte den ~aste aning* not the faintest (foggiest) [idea]; *bli ~ [av fasa]* turn pale [with terror]
bleka kem. bleach; t.ex. jeans prefade; färger fade; *~s* om färger fade, become discoloured
blekfet pasty[-faced], flabby
blekhet paleness; isht ansikts~ pallor; sjuklig wanness
blekmedel bleaching agent; pulver bleaching powder; vätska bleaching solution
blekna om pers. turn pale; om färg o.d. el. bildl., t.ex. om minne fade
bleknos, *din lilla ~* you pale little thing
blekströmming *s* paled herring
blemma finne pimple, pustule
blessyr wound
bli I passivbildande *hjälpvb* be; vard. get; uttr. gradvist skeende become; *~ avrättad* be executed **II** *itr* **1** uttr. förändring become; ledigare get; långsamt grow; uttr. plötslig el. oväntad övergång turn; i förb. med vissa adj. go; angivande sinnesstämning o.d. samt i bet. 'vara' oftast be; äga rum take place; visa sig vara turn out; *tre och två ~r fem* three and two make[s] five; *det ~r regn* it is going to rain, it will rain; *det börjar ~ mörkt* it is getting dark; *~ katolik* become a (oväntat turn) Catholic; *~ kär* fall in love; *~ sjuk* fall (be taken, get) ill **2** förbli remain; *~ hemma* stay (remain) at home **3** *låta ~* ngn (ngt) leave (let)...alone, keep one's hands off...; *låta ~ att* inf. a) avstå från refrain from (avoid) ing-form b) sluta med leave off (give up, stop) ing-form; *jag kan inte låta ~ att skratta* I can't help laughing
III med beton. part. (här ej upptagna uttryck söks under partikeln, t.ex. [*bli*] *fast*)
~ **av a)** komma till stånd take place; *~r det något av* dina planer? will...come to anything? **b)** ta vägen osv. *var blev han av?* where has he got to? **c)** *~ av med* förlora lose; få sälja dispose of; bli kvitt get rid of
~ **borta** utebli stay away; *jag ~r inte borta länge* I won't be [away] long
~ **efter** get (lag, drop) behind äv. bildl.
~ **ifrån sig** be beside oneself; stark. go frantic
~ **kvar a)** stanna remain; *~ kvar* längre än de andra stay on (behind) **b)** se *~ över*
~ **till** come into existence (being); födas be born; *~ till sig* get excited, be [quite] upset
~ **utan** lottlös [have to] go without, come away empty-handed
~ **utom sig** se *~ ifrån sig*
~ **över** be over
blick ögonkast look; hastig glance; dröjande gaze; öga eye; *ha (sakna) ~ för* have an (have no) eye for; *kasta en ~ på* have (take) a look (glance) at; *sänka ~en* lower one's eyes (gaze), look down
blicka look; hastigt glance; dröjande gaze
blickfång eye-catcher
blickpunkt visual point; *i ~en* bildl. in the limelight (public eye)
blickstilla om t.ex. vattenyta dead calm; *han stod ~* he stood dead still (stock-still)
blid om t.ex. röst soft; om t.ex. väsen gentle; om t. ex. väder mild; *inte se ngt med ~a ögon* look [up]on a th. with disapproval, frown on a th.
blidka appease; vrede mollify
blidvinter mild (open) winter
blidväder, *det är (har blivit) ~* a thaw has set in
bliga stirra stare; drömmande gaze; ilsket glare
blind blind äv. bildl.
blindbock, *leka ~* play blindman's buff
blindgångare mil. unexploded bomb (shell)
blindhet blindness äv. bildl.
blindhund guide dog; amer. äv. seeing-eye dog
blindo, *i ~* blindly
blindskrift Braille
blindskär sunken (hidden) rock; bildl. pitfall
blindtarm, *ta ~en* opereras have oneś appendix removed
blindtarmsinflammation appendicitis
blinka om ljus twinkle; med ögonen: blink; som tecken wink; *utan att ~* bildl. calmly, without batting an eyelid; inför smärta without flinching
blinker bil. [flashing] indicator, flasher
blint blindly
bliva se *bli*
blivande framtida future; tilltänkt prospective; *~ advokater* those who intend to be...; *min ~ fru* äv. my wife [that is] to be

blixt *s* **1** åskslag lightning; *en ~* a flash of lightning **2** konstgjord el. bildl. flash; foto. äv. flashlight; *~en slog ned i huset* the house was struck by lightning; *med ~ens hastighet* with lightning speed
blixtanfall o. **blixtangrepp** lightning attack
blixthalka, *det var ~ på vägarna* the roads were treacherously icy
blixtkub flashcube
blixtkär ...madly in love
blixtljus foto. flashlight
blixtlås zip[-fastener]; vard. zipper
blixtra 1 *det ~r* [*till*] there is [a flash of] lightning, it is lightening **2** bildl.: om t.ex. ögon flash; *~nde huvudvärk* splitting headache
blixtsnabb ...[as] quick as lightning, lightning
blixtvisit flying visit
block 1 massivt stycke, äv. hus~ block; geol. äv. boulder; för skor shoetree **2** skriv~ pad **3** lyft~ pulley; isht sjö. block **4** polit. bloc
blockad sjö. blockade; av t.ex. arbetsplats boycott
blockchoklad cooking chocolate
blockera blockade; t.ex. arbetsplats boycott; *~ linjen* tele. block the line
blockering eg. el. psykol.: det som blockerar blockage; det att blockera blocking äv. sport.
blockflöjt recorder
blockämne skol. block of interrelated subjects
blod blood; *~ är tjockare än vatten* blood is thicker than water; *med kallt ~* in cold blood
bloda, *få ~d tand* taste blood
blodapelsin blood orange
blodbad blood bath, carnage
blodbrist anaemia; amer. anemia
bloddrypande ...dripping with blood; bildl. gory, blood-curdling
blodfattig anaemic; bildl. bloodless
blodfläck bloodstain
blodfull bildl. full-blooded
blodförgiftning blood-poisoning
blodförlust loss of blood
blodgivarcentral blood donor centre
blodgivare blood donor
blodgivning blood donation
blodgrupp blood group
blodhund bloodhound
blodig blodfläckad blood-stained; nedblodad ...all bloody; blodblandad ...mingled with blood; som kostar mångas liv bloody; lätt stekt rare, underdone; bildl.: om t.ex. förolämpning deadly; om t.ex. ironi scathing; om t. ex. orätt cruel; *på ~t allvar* in dead earnest
blodigel leech äv. bildl.
blodkärl blood-vessel
blodomlopp circulation of the blood; *~et* äv. the circulatory system
blodpropp konkr. clot of blood, vetensk. thromb|us (pl. -i), lössliten embol|us (pl. -i); sjukdom thrombos|is (pl. -es), embolism
blodprov bloodtest; preparat sample (specimen) of blood; *ta ~* take a bloodtest
blodpudding black pudding; amer. blood sausage
blodröd blood-red; *bli alldeles ~* turn crimson
blodsband blood-relationship; *~* pl. ties of kinship
blodsdroppe, *till sista ~n* to the last drop of blood, to the bitter end
blodshämnd blood feud
blodsocker blood sugar
blodsprängd bloodshot
blodstockning stagnation of the blood
blodstörtning haemorrhage of the lungs
blodsutgjutelse bloodshed
blodtillförsel blood supply
blodtransfusion blood transfusion
blodtryck blood pressure; *högt ~* high blood pressure
blodtörstig bloodthirsty
blodutgjutning gm yttre skada bruise; blödning bleeding
blodvite, *~ uppstod* there was bloodshed
blodvärde blood count
blodåder vein
blom blomning *gå* (*slå ut*) *i ~* blossom, bloom, flower, come into flower; *stå i ~* be in bloom (flower, isht om fruktträd blossom), be blooming (flowering resp. blossoming)
blomblad petal
blombord flowerstand
blombukett bouquet; mindre nosegay
blomkruka flowerpot
blomkål cauliflower
blomlåda flowerbox
blomm|a I *s* allm. flower äv. bildl.; isht på fruktträd blossom; *-or* koll. äv. bloom; *i ~n av sin ålder* in one's prime (the prime of life) **II** *itr* flower; isht om fruktträd blossom; den sorten *-ar sent* ...is a late flowerer
blommig flowery, flowered
blommografera send flowers by Interflora
blomningstid flowering season
blomsteraffär flower shop; ss. skylt florist
blomsterförmedling, *Blomsterförmedlingen* Interflora
blomsterhandlare florist
blomsterkrans wreath of flowers
blomsterrabatt flowerbed; långsmal flower (herbaceous) border
blomsteruppsats flower arrangement
blomsterutställning flower show
blomstjälk [flower] stalk
blomstra blossom; frodas prosper, thrive

blomstrande flourishing; om t.ex. hy fresh; frisk fine and healthy
blomstringstid bildl. time of prosperity; *i sin ~* in its heyday
blomvas [flower] vase
blond om pers. fair[-haired], blond (om kvinna blonde); om hår fair, light, blond
blondera bleach
blondin blonde
bloss 1 fackla torch; sjö. flare **2** vid rökning puff, drag, whiff; *ta ett ~* vard. have a fag
blossa 1 flare, blaze; bildl. glöda glow; *~ upp* flamma upp äv. bildl. flare (blaze) up; om kärlek be kindled; rodna flush **2** sjö., ge nödsignal burn flares **3** röka puff
blossande rodnande glowing; glödande burning; *bli ~ röd* turn (flush) crimson (scarlet)
blott I *adj* mere; *vid ~a åsynen* at the mere sight; *med ~a ögat* with the naked eye **II** *adv* only; merely; *~ och bart* simply and solely, merely
blotta I *s* gap [in one's defence]; *ge en ~ på sig* relax one's guard; bildl. lay oneself open to criticism **II** *tr* expose äv. bildl., mil. el. sport. o.d.; t.ex. malmåder unearth; röja: t.ex. en hemlighet disclose; blottlägga äv. bildl. lay bare; *~ huvudet* bare one's head, uncover [one's head] **III** *rfl, ~ sig* **1** förråda sig betray oneself **2** visa könsorganen expose oneself indecently [*för ngn* to a p.]; vard. flash
blottare exhibitionist; vard. flasher
blottlägga lay bare äv. bildl.
blottställa *rfl, ~ sig* expose oneself, lay oneself open [*för* to]
blottställd exposed; utblottad destitute
bluff humbug humbug; om pers. vanl. bluffer; bedrägeri fraud
bluffa bluff
bluffmakare bluffer, humbug
blund, *jag fick inte en ~ i ögonen* (*sov inte en ~*) *i natt* I did not get a wink of sleep (not sleep a wink) last night
blunda sluta ögonen shut one's eyes; hålla ögonen slutna keep one's eyes shut
blunddocka sleeping doll
blunder blunder
blus blouse, amer. waist; skjort~ shirt, amer. äv. shirtwaist; arbets~ smock
bly lead; *...av ~* äv. lead[en]...
blyerts 1 ämne blacklead; miner. graphite; i pennor lead **2** se *blyertspenna; skriva med ~* write in pencil
blyertspenna pencil
blyfri, *~ bensin* unleaded (lead-free) petrol (amer. gasoline)
blyförgiftning lead poisoning
blyg shy; förlägen bashful; försagd timid; pryd coy
blygdben anat. pubic bone
blygdläppar anat. labia lat.
blyghet shyness, bashfulness, timidity, jfr *blyg*
blygsam modest
blygsamhet modesty; *falsk ~* false modesty
blygsel shame; *känna ~ över* feel shame at
blyhaltig ...containing lead; plumbiferous
blytung ...[as] heavy as lead
blå blue
blåaktig bluish
blåblommig ...with blue flowers; växten *är ~* ...has blue flowers
blåbär bilberry; amerikansk art blueberry
blåbärssoppa bilberry soup
blådåre vard. madman
blåfrusen ...blue with cold
blåfärgad blue; ...dyed blue
blågrå bluish-grey, blue-grey
blågul blå och gul blue and yellow; *de ~a* sport. the Swedish [international] team
blåklint bot. cornflower
blåklocka bot. [*liten*] *~* harebell; i Skottl. bluebell
blåklädd ...[dressed] in blue
blåkläder [blue] overalls
blåmåla paint...blue; *~d* attr. blue[-painted]; pred. [painted] blue
blåmärke bruise; *ha ~n överallt* be black and blue (be bruised) all over
blåneka se *bondneka*
blåpenna blue pencil
blåprickig blue-spotted, spotted [with] blue; *den är ~* vanl. it has blue spots
blårandig blue-striped, striped [with] blue; *den är ~* vanl. it has blue stripes
blårutig blue-chequered; *den är ~* vanl. it has blue checks
blåröd purple; av t.ex. köld blue
1 blåsa 1 anat., isht urin~ el. luftbehållare bladder; vetensk. äv. vesica **2** i huden, glas blister **3** bubbla bubble **4** vard., festklänning party dress
2 blåsa I *itr* o. *tr* **1** allm. blow; mus. äv. play; föna blow-wave, blow-dry; *det blåser* it is windy, there is a wind [blowing] **2** vard., lura fool; *bli blåst på* be swindled (cheated, diddled) out of
II med beton. part.
~ **av a)** tr.: eg. blow off; avsluta bring...to an end; sport. el. t.ex. strid äv. call off; amer. call time [out]; *domaren -te av matchen* gav slutsignalen the referee blew the final whistle **b)** itr. blow (be blown) off
~ **bort** a) tr. blow away; skingra drive (chase) away b) itr. blow (be blown) away
~ **igen** stängas blow (be blown) to; *dörren blåste igen* äv. the wind banged the door to
~ **ned** blow (itr. äv. be blown) down
~ **omkull** blow (itr. äv. be blown) over (down)
~ **upp a)** tr. inflate; t.ex. kinder blow (puff)

out; öppna blow open; virvla upp blow (kick) up; förstora bildl. magnify **b)** itr.: virvla upp blow up; öppnas blow (be blown) open; *det blåser upp* the wind is rising ~ **ur** tömma blow; rensa blow out
blåsare mus. wind player; glas~ blower; *blåsarna* ss. orkestergrupp the wind sg.
blåsig om väder windy
blåsinstrument mus. wind instrument
blåsippa hepatica
blåskatarr inflammation of the bladder
blåslagen, *vara* ~ be black and blue (be bruised) all over
blåslampa blowlamp; amer. blowtorch
blåsning vard. *åka på en* ~ bli lurad be swindled (cheated, diddled)
blåsorkester brass band
blåst I *s* wind; stark. gale; *det blir* ~ there will be a wind [blowing] **II** *adj* vard. *vara* ~ dum be stupid (daft, amer. äv. dumb)
blåställ dungarees; *ett* ~ a pair of dungarees (overalls)
blåsvart blue-black
blåsväder windy (stormy) weather; *vara ute i* ~ bildl. be under fire
blåtira vard. *få [en]* ~ blått öga get a black eye
blått blue; *klädd i* ~ dressed in blue
blåögd blue-eyed
blåögdhet bildl. naiveté
bläck ink; skrivet *med* ~ ...in ink
bläcka vard. *ta sig en* ~ have a booze (booze-up)
bläckfisk cuttlefish; vanl. (åttaarmad) octopus
bläckpenna pen; reservoarpenna fountain pen
blädderblock flipchart
bläddra turn over the leaves (pages); ~ *i* äv. dip into, browse through; ~ *igenom* look through; ytligt skim [through]
blända 1 göra blind blind; bildl.: förtrolla dazzle; förvilla deceive **2** ~ *[av] vid möte* bil. dip (amer. dim) the headlights when meeting other vehicles
bländande *adj* dazzling äv. bildl., blinding; ~ *ljus* dazzling light, glare
bländare foto.: diaphragm; öppning aperture; inställning stop; *minska ~n* stop down
bländskydd anti-glare device
bländverk delusion, illusion
bländvit dazzlingly white
blänga, ~ *[ilsket]* glare, glower *[på* at]
blänka shine, glisten, gleam, glitter; ~ *till* flash, flare up
blästra blast
blöda bleed äv. bildl.; *du blöder i ansiktet* your face is bleeding
blödig sensitive
blödighet sensitivity, weakness
blödning bleeding
blöja napkin, vard. nappy, amer. diaper
blöjbarn ung. toddler, infant
blöjbyxor [plastic] baby pants
blöjsnibb tie pants
blöt I *adj* våt wet; vattnig watery; vard., blödig soft, wet **II** *s, ligga i* ~ be in soak
blöta I *s* rot~ downpour; väta wet **II** *tr* soak; göra våt wet
blötdjur 1 zool. mollusc **2** vard., vekling softie, sloppy person
blötläggning soak
blötsnö watery (wet) snow
bo I *itr* live; tillfälligt stay; ss. inneboende lodge, amer. äv. room; ha sin hemvist reside; i högre stil dwell; ~ *hos ngn* stay (resp. live) at a p.'s house (with a p.); ~ *på hotell* stay el. stop (långvarigt live) at a hotel; ~ *billigt* pay a low rent **II** *s* **1** fågels nest; däggdjurs lair; bildl. home; *bygga* ~ build a nest, nest **2** egendom, kvarlåtenskap [personal] estate (property); bohag furniture; *sätta* ~ settle, set up house
boa zool. el. pälskrage boa
bob[b] 1 kälke bobsleigh **2** sportgren bobsleighing
bock 1 get he-goat; råbock m.fl. buck; *han är en gammal* ~ he is an old goat (lecher) **2** stöd trestle, stand; tekn. horse **3** gymn. buck; *hoppa* ~ play leapfrog **4** fel mistake; grovt fel howler; tecknet tick; *sätta* ~ *för* ngt mark...as wrong
1 bocka, ~ *sig* buga bow *[för* to]
2 bocka, ~ *av* pricka för tick off
bockskägg eg. goat's beard; hakskägg goatee
bocksprång caper; *göra* ~ caper, gambol, cut capers
bod 1 butik shop; marknads~ booth **2** skjul shed; lagerlokal storehouse, warehouse
bodelning division of the joint property of husband and wife [[up]on their separation]
boendekostnader housing costs, the costs pl. of housing
boendemiljö housing (home, living) environment
boendeparkering local residents' parking
bofast resident, friare settled; *vara* ~ be domiciled
bofink chaffinch
bog 1 på djur shoulder äv. kok. **2** sjö. bow[s pl.] **3** bildl. *slå in på fel* ~ take the wrong tack (line)
bogfläsk shoulder of pork
bogsera tow; ta på släp take...in tow
bogsering tow; bogserande towage
bogserlina towline
bohag household goods, household furniture
bohem Bohemian
bohemliv Bohemian life, Bohemianism

boj sjö. buoy; *lägga ut en* ~ put down (place) a buoy
boja fetter, shackle
bojkott boycott
bojkotta boycott
1 bok 1 träd beech **2** virke beech [wood]; ...*av* ~ äv. beech[en]...
2 bok book; *böckernas* ~ the Book of Books
boka bokföra book; beställa reserve; ~ *om* a) bokf. reverse an entry b) ändra biljett etc. change a booking (reservation)
bokanmälan book review
bokbindare bookbinder
bokbuss mobile library; amer. bookmobile
bokcirkel book club
bokflod flood of books
bokföra enter [...in the books]; *det bokförda värdet* the book value
bokföring redovisning bookkeeping, accountancy
bokförlag publishing house (firm)
bokförläggare publisher
bokhandel butik bookshop; amer. bookstore
bokhandlare bookseller
bokhylla bokskåp bookcase; enstaka hylla bookshelf
bokhållare bookkeeper; kontorist clerk
bokklubb book club (society)
boklåda bokhandel bookshop
bokmal bookworm äv. om pers.
bokmärke bookmark
bokmässa book fair
bokrea vard. book sale (bargain)
bokslut closing (balancing) of the books (accounts); ~*et visar* the accounts show; *göra* ~ close (make up, balance) the books, make up a (the) balance sheet
bokstav letter; *liten* ~ small letter; *stor* ~ capital [letter]
bokstavera spell; tele. o.d. spell...using the phonetic alphabet
bokstavlig literal
bokstavsordning alphabetical order
boktitel book title
boktryckare printer; tryckeriägare master printer
boktryckeri printing office (house)
bolag 1 company; amer. äv. corporation; *ingå* ~ *med ngn* enter into partnership with a p. **2** vard. ~*et* se *systembutik*
bolagsstyrelse board of directors
bolagsstämma shareholders' (general) meeting
bolin 1 sjö. bowline **2** bildl. *låta det gå på (för) lösa* ~*er* let things go as they please
Bolivia Bolivia
bolivian Bolivian
boliviansk Bolivian
boll 1 ball; slag i tennis stroke; skott i fotboll shot; passning pass; *en fin (bra)* ~ slagväxling a fine rally; *AIK har* ~*en* AIK are in (have) possession; *kasta* ~ play catch; *sparka* ~ vard. play football; *spela* ~ play ball **2** sl., huvud nut; *vara tom i* ~*en* be empty-headed (stupid)
bolla play ball; träningsslå knock up; ~ *med ord (begrepp)* bildl. bandy words (ideas)
bollkalle o. **bollpojke** ball boy
bollsinne ball sense (control), timing
bollspel ball game
bollträ bat
bolma utspy rök belch out smoke; om pers. puff; röken ~*r ut* ...billows forth
bolster feather bed
1 bom stång bar; järnv. [level crossing] gate; gymn. horizontal (high) bar; sjö. el. skog. boom; på vävstol beam; *inom lås och* ~ under lock and key
2 bom I *s* felskott miss **II** *interj* boom!
bomb 1 bomb **2** kok. bombe fr. **3** sl. ~*er* kvinnobröst tits, boobs
bomba bomb
bombanfall bombing attack
bombardera bombard äv. med t.ex. frågor; mil. äv. shell; från luften bomb; med t.ex. stenar assail
bombastisk bombastic
bombattentat bomb attack (outrage), bombing
bombflyg bombers; vapenslag bomber command
bombhot bomb scare (threat)
bombnedslag bomb hit äv. bildl.; *ett blont* ~ a blonde bombshell
bombning bombing
bombplan bomber
bombsäker eg. bomb-proof; bildl. *det är* ~*t* it is a dead cert
1 bomma, ~ *för (igen, till)* bar
2 bomma missa miss
bomull cotton; råbomull, vadd cotton wool, amer. absorbent cotton; ...*av* ~ äv. cotton...
bomullsband [cotton] tape
bomullsgarn cotton
bomullstråd cotton thread
bomullstuss wad (pad) of cotton wool
bomullstyg cotton cloth (fabric); ~*er* äv. cotton textiles
bona vaxa wax
bonad tapestry
bondbröllop peasant (country) wedding
bondböna broad bean
bonde 1 allm. farmer; lantbo peasant; *bönderna* som samhällsgrupp äv. the peasantry **2** i schack pawn
bondflicka peasant (country) girl
bondfångare confidence (vard. con) man (trickster)
bondförnuft common sense
bondgård farm
bondkatt huskatt av blandras alley cat

bondkomik slapstick
bondland, *på rena* [*rama*] *~et* out in the wilds (sticks, amer. boondocks)
bondmora farmer's wife
bondneka, *han ~de* [*till det*] he flatly denied it
bondpermission vard. French leave
bondpojke peasant (country) lad (boy)
bondsk rustic
bondtur the luck of the devil; *det var ren ~* it was sheer luck
bong voucher; amer. check; totalisator~ ticket
boningshus dwelling-house
bonus bonus; på bilförsäkringspremie no-claim bonus
bonvax floor polish
boplats settlement; arkeol. äv. village
bopålar, *slå ner sina ~* settle down
bord 1 table; skriv~ desk; *duka ~et* lay the table; *det är inte mitt ~* bildl. it's not my pigeon; *föra ngn till ~et* take a p. in to dinner; betala...kr *under ~et* ...under the table **2** sjö., planka plank, board; *om ~* on board
borda board
bordduk tablecloth
bordell brothel
bordlägga uppskjuta postpone, table
bordlöpare [table] runner
bordsbeställning på restaurang reservation
bordsbön grace; *läsa ~* say grace
bordsdam dinner partner, [lady] partner at table; *vem hade du till ~ ?* äv. who sat on your right at dinner?
bordskavaljer dinner partner; *vem hade du till ~ ?* äv. who sat on your left at dinner?
bordskniv tableknife
bordslampa table lamp
bordssalt table salt
bordssilver bestick table silver
bordsskick table manners
bordsskiva table top; lös table leaf
bordsända end of the (resp. a) table; *vid övre* (*nedre*) *~n* at the head (foot) of the table
bordtennis table tennis; vard. ping-pong
bordtennisracket table tennis (vard. ping-pong) bat
borg slott castle; fäste stronghold äv. bildl.
borgar|e 1 medelklassare bourgeois (pl. lika) fr.; icke-socialist non-Socialist; *-na* medelklassarna äv. the bourgeoisie, fr.; icke-socialisterna äv. the right wing sg. **2** hist.: a) stadsbo citizen b) medlem av borgarståndet burgher; om eng. förhållanden burgess
borgarklass middle class, bourgeoisie fr.
borgen 1 säkerhet security; guarantee äv. bildl.; surety äv. borgensman; *ställa ~* find security; *gå i ~ för ngn* stand surety for a p.; *jag går i ~ för att* I guarantee that... **2** garanti för anhållens inställelse inför rätta o.d. bail; *frige mot ~* release on bail
borgensman guarantor, surety
borgenär creditor
borgerlig 1 av medelklass middle class; neds. bourgeois fr. **2** statlig, profan civil; *~ vigsel* civil marriage **3** icke-socialistisk non-Socialist; *de ~a* [*partierna*] the non-Socialist parties
borgerligt 1 *rösta ~* vote non-Socialist **2** *de har gift sig ~* they were married before the registrar
borgerskap citizens, townspeople; medelklassen middle classes
borggård courtyard
borr drill; liten hand~ gimlet; större auger; tandläkar~ drill; som fästs i t.ex. borrsväng bit
borra bore; metall drill; tunnel cut; *~ huvudet i kudden* bury one's face in the pillow; *~ i sank* scuttle
borrhål bore (drill) hole
borrmaskin drill, drilling machine, drill press
borrplattform drilling (offshore) platform
borst bristle äv. bot.; koll. bristles; *resa ~* bristle [up] äv. bildl.
borsta brush; *~ skorna* (*tänderna*) brush one's shoes (teeth)
borstbindare brushmaker; *svära som en ~* swear like a trooper
borste brush; med långt skaft broom
borsyra boracic acid
bort away; *det* (*han*) *måste ~!* it (he) must go!; *vi ska ~* är bortbjudna *ikväll* we are invited out this evening; *långt ~* a long way off, far away (off); *~ med fingrarna* (vard. *tassarna*)*!* hands off!
borta för tillfället away; för alltid gone; som inte går att finna missing, lost; inte hemma away from home, out; vard. up in the clouds; bortkommen confused; medvetslös unconscious; död dead; *där ~* over there (yonder); *~ bra men hemma bäst* East, West, home is best
bortalag sport. away team (side)
bortaplan sport. away ground; *spela på ~* play away
bortblåst, *...är som ~* ...has (resp. have) completely vanished, ...has (resp. have) vanished into thin air
bortdömd sport. disallowed
bortersta furthest; *på ~ bänken* in the back row
bortfall statistik. o.d. falling (dropping) off, decline; t.ex. inkomst~ reduction
bortförklara explain...away
bortförklaring excuse
bortgjord vard. *bli ~* a) lurad be fooled b) utskämd be disgraced, be put to shame
bortgång död decease

bortifrån *adv, där* ~ from that direction, from over there
bortkastad, ~ *tid* (*~e pengar*) a waste of time (money)
bortkollrad, *bli* ~ have one's head turned
bortkommen 1 förkommen lost **2** förvirrad confused; försagd timid; främmande strange; opraktisk unpractical; *han är inte* ~ vard. he has got his head screwed on the right way
bortom beyond; förbi past
bortre further; *i* ~ *delen av* at the far end of
bortrest, *han är* ~ he has gone away
bortse, ~ *från* disregard, ignore; *~tt från* apart from, irrespective of [[*det faktum*] *att* the fact that]
bortskämd spoilt
bortsprungen, *en* ~ *hund* a dog that has run away (has been lost); herrelös äv. a stray dog
bortåt *adv* om rum *där* ~ [somewhere] in that direction
bosatt resident, residing, domiciled
boskap cattle, livestock
boskapsskötsel stockraising [industry]
boskillnad jur. judicial division of the joint estate of husband and wife [upon their separation]
Bosnien Bosnia
boss chef boss
bostad hem place [to live]; privat hus house; våning flat, isht större el. amer. apartment; hyrda rum rooms, lodgings, möblerade apartments; statistik., bostadsenhet dwelling; jur., fast ~ domicile; boning residence; högtidl. habitation; *söka* ~ look for a place to live, go house-hunting (våning flat-hunting)
bostadsadress permanent (home) address
bostadsbidrag accommodation (housing) allowance
bostadsbrist housing shortage
bostadsförmedling myndighet local housing authority, housing department; privat accomodation agency
bostadshus dwelling-house; större residential block
bostadskö housing queue
bostadslån housing (home) loan
bostadslös homeless
bostadsområde housing area (estate)
bostadsrätt o. **bostadsrättslägenhet** ung. co-operative (tenant-owner) flat (apartment), amer. condominium
bostadsstandard housing standard
bostadsyta living (dwelling) space
bosätta, ~ *sig* settle [down], take up one's residence (abode)
bosättning 1 bebyggande settling, settlement **2** bildande av eget hushåll setting up house
bosättningsaffär household stores
bot 1 botemedel remedy, cure; *finna* ~ *för* find a remedy (cure) for **2** botgöring penance; *göra* ~ *och bättring* do penance; friare mend one's ways
bota 1 läka cure **2** avhjälpa remedy
botanik botany
botanisera botanize; ~ *bland* bildl. browse (have a browse) among (through)
botanisk botanical; ~ *trädgård* botanical gardens pl.
botemedel remedy
botfärdig penitent
Botswana Botswana
botten 1 allm. bottom; sjö~ ground; på fiol back; tårt~ sponge cake; *det är* ~ *att göra så!* it's a rotten (lousy) thing to do!; *köra* t.ex. företag *i* ~ drain...completely [of its resources]; *gå till* ~ go (bildl. äv. get) to the bottom [*med en sak* of a thing (matter)]; om fartyg äv. sink, founder, go down **2** mark soil **3** våning *på nedre* ~ on the ground (amer. first) floor **4** på tyg, tapet ground
bottenfärg 1 se *botten 4* **2** grundningsfärg first coat
Bottenhavet [the southern part of] the Gulf of Bothnia
bottenkurs på värdepapper o.d. bottom rate (price, quotation)
bottenkänning, *ha* ~ touch bottom
bottenlån first mortgage loan
bottenläge, *vara* (*befinna sig*) *i* ~ be at the lowest point (position, level)
bottenlös bottomless; bildl.: ofattbar unfathomable, avgrundsdjup abysmal
bottenpris rock-bottom price
bottenrekord, *det här är* ~[*et*] this is a new low, this is the lowest (sämst worst) yet
bottensats sediment
bottenskrapa bildl. drain, deplete
Bottenviken [the northern part of] the Gulf of Bothnia
bottenvåning i markplanet ground (amer. first) floor
bottna 1 nå botten touch bottom; i simbassäng be within one's depth **2** ~ *i* ha sin grund i originate in, have its origins in, be the result of
Bottniska viken the Gulf of Bothnia
bouppteckning lista estate inventory [deed]; förrättning estate inventory proceedings
boutredning administration (winding up) of the estate [of a (resp. the) deceased]
boutredningsman [estate] administrator
bov villain; skurk scoundrel; svag. rascal samtliga äv. skämts.; förbrytare criminal
Boverket the National Housing Board
bowla vard. bowl
bowling [tenpin] bowling

bowlingbana bowling alley
boxare boxer
boxas box
boxhandske boxing glove
boxning idrottsgren boxing
boxningsring boxing ring
boyta living (dwelling) space
B-post second-class mail
bra (jfr *bättre, bäst*) **I** *adj* **1** allm. good; hygglig decent; utmärkt excellent, first-rate, vard. capital; som det ska vara [all] right; tillfredsställande satisfactory; *det är (var) ~!* äv. that's just right!, that's it (the way)!; *vara ~* användbar *att ha* be (come in) useful (handy); *vad ska det vara ~ för?* what is the good (use) of that?; *han är ~ i engelska* he is good at English **2** frisk well **3** ganska lång good, longish; vard. goodish; ganska stor large, largish
II *adv* **1** allm. well; decently; vard. first-rate; *tack, [mycket] ~* fine (very well), thanks; *hon dansar ~* she is a good dancer; *ha det [så] ~!* have a good time!; *se ~ ut* a) om pers. be good-looking b) om sak look all right **2** mycket quite; vard. jolly; ordentligt, med besked properly, thoroughly; ganska, alltför rather [too]; *~ mycket bättre* far better; *ta ~ betalt* charge a lot (the earth)
bragd bedrift exploit
brak crash; jfr *dunder*
braka crash; knaka crack; *~ ihop* om t.ex. maskiner, system break down, collapse
brakmiddag vard. slap-up dinner
brakseger vard. overwhelming victory
braksuccé vard. terrific (tremendous) success; smash hit
brand eld[svåda] fire; större conflagration; *råka i ~* take (catch) fire; *stå i ~* be on fire; *sätta...i ~* eg. set fire to..., set...on fire
brandalarm fire alarm
brandbil motorspruta fire engine
brandbomb incendiary (fire) bomb
branddörr fireproof door
brandfara danger of fire, fire risk (hazard)
brandförsäkring fire-insurance
brandgata fire-break
brandgul orange-coloured
brandkår fire brigade; amer. fire department
brandlarm fire alarm
brandlukt smell of fire (burning)
brandman fireman; isht amer. el. vid skogsbränder firefighter
brandmur fireproof (fire) wall (mellan hus party wall)
brandplats scene of a (resp. the) fire
brandpost fire hydrant, fireplug
brandrök smoke from a (resp. the) fire
brandsegel jumping sheet (net); isht amer. life net
brandskadad fire-damaged
brandskåp fire alarm box
brandsläckare apparat fire extinguisher
brandspruta fire pump
brandstation fire station
brandstege enklare el. fastmurad fire ladder, fire escape; mekanisk extension ladder
brandsäker fireproof; om t.ex. film nonflammable
brandtal inflammatory speech
brandvarnare automatic fire alarm; brandskåp fire alarm box
bransch line of business (trade); *mångårig erfarenhet i ~en* many years of experience in the business (trade)
branschvana experience of the (resp. a) business (trade)
brant I *adj* steep; tvär~ precipitous **II** *s* **1** stup precipice **2** rand verge äv. bildl.; *på undergångens (ruinens) ~* on the verge of ruin
brasa fire; *tända en ~* light (make) a fire; *vid (kring) ~n* at (round) the fireside
brasilianare Brazilian
brasiliansk Brazilian
brasilianska kvinna Brazilian woman
Brasilien Brazil
braskande uppseendeväckande showy; om t.ex. rubrik, annons flaming, blazing
brass 1 *~et* mässingsblåsarna the brass **2** sl., hasch hash
braständare firelighter
bravad exploit; *~er* äv. doings, adventures
bravera boast
bravur käckhet dash; teknisk skicklighet brilliancy of execution; *med ~* äv. brilliantly
bravurnummer mus. bravura piece; bildl. star turn
bred avseende massa el. utsträckning broad; i bet. vidöppen el. vanl. vid måttuppgifter wide; om panna broad; om mun wide; *tre meter lång och fyra meter ~* three metres long by four metres broad; *~ last* wide load; *den ~a vägen* bildl. the primrose path (way)
bre[da], *~ en smörgås* make a sandwich: *~ på* a) lägga på spread, put on; stryka på spread (put)...on b) vard., överdriva lay it on thick; *~ ut* spread out (hö o.d. about); något hopvikt unfold; något hoprullat unroll; *~ ut sig* spread; sträcka ut sig stretch [oneself] out; *~ ut sig över ngt* tala omständligt expatiate [up]on a th.
bredaxlad broad-shouldered, square-shouldered
bredbar om t.ex. margarin easy-to-spread; *~ ost* cheese-spread
bredd allm. breadth; *enkel (dubbel) ~* single (double) width; den är en meter *på ~en* ...broad (in breadth); klänningen *är randig på ~en* ...has horizontal stripes

bredda broaden, make...broader (wider)
breddgrad [degree of] latitude; *49:e ~en* the 49th parallel
bredrandig broad-striped
bredsida sjö. el. mil. el. bildl. broadside
bredvid I *prep* beside; gränsande intill adjacent (next) to; om hus o.d. next [door] to; vid sidan om alongside [of]; förutom in addition to; *~ ngn* äv. at a p.'s side; *~ mig* äv. by me **II** *adv* close by; *här ~* close by here, close to (at hand); *rummet ~* the adjoining (adjacent) room
Bretagne Brittany
brev letter; kortare note; skrivelse communication; bibl. el. friare epistle; *tack för ~et* thanks for your letter
brevbomb letter bomb
brevbärare postman; amer. mailman
brevinkast [letter] slit (slot); amer. mail drop
brevkorg letter tray
brevledes by letter
brevlåda letterbox; amer. [mail]box, jfr *brevinkast;* i Engl. pillar box
brevpapper notepaper; koll. ~ o. kuvert stationery
brevporto [letter] postage
brevskola correspondence school (college)
brevskrivning correspondence
brevvåg letter scales; *en ~* a letter balance (scale)
brevvän pen friend, vard. pen pal
brevväxla correspond
brevväxling correspondence; *stå i ~ med ngn* correspond with a p.
bricka 1 serverings~ tray; rund salver; *servera ngt på en ~* bildl. serve a th. on a plate **2** underlägg tablemat; av glas under karaff stand **3** tekn. washer **4** identitets~, polis~ badge; märke, plåt plate; nummer~ check **5** spel~ counter; i brädspel man (pl. men); i domino domino; i damspel draughtsman; amer. checker; *en ~ i spelet* bildl. a pawn in the game
bricklunch lunch on a tray
brigad brigade
briljant I *adj* brilliant **II** *adv* brilliantly **III** *s* brilliant
briljantring diamond (brilliant) ring
briljera show off, shine; *~ med* sin engelska show off (air, parade)...
brillor vard. specs, glasses
1 bringa breast; isht kok. brisket
2 bringa bring äv. medföra; föra bort convey; *~ olycka över* bring down ruin on, bring disaster to; *~ ngn till förtvivlan* reduce (drive) a p. to despair
brinna I *itr* allm. burn äv. bildl.; flamma blaze; *~ av iver* be filled with fervour; *det brinner* lyser *i hallen* the light is on in the hall; *det brinner i spisen* there's a fire in the kitchen range
II med beton. part.
~ **av** gå av go off; om sprängskott, bomb explode
~ **ned** om hus o.d. be burnt down; om ljus burn itself out; om brasa o.d. burn (get) low
~ **upp** be destroyed by fire; om t.ex. hus äv. be burnt out
~ **ut** burn itself (om brasa äv. go) out
brinnande allm. burning äv. bildl.; i lågor ...in flames; om t.ex. bön, iver fervent; om t.ex. hängivenhet ardent; om t.ex. lidelse consuming; om huvudvärk splitting; *ett ~ ljus* a lighted candle; *mitt under ~ krig* just while the war is (resp. was) raging
bris breeze; *frisk ~* fresh breeze
brisera burst
brist 1 avsaknad lack; avsaknad av något väsentligt want; frånvaro absence; knapphet vanl. scarcity; stark. dearth **2** bristfällighet deficiency; ofullkomlighet shortcoming; skavank defect; moraliskt fel failing **3** hand., underskott deficit
brista 1 sprängas burst; slitas (brytas) av break; ge vika give way; om tyg split; *brusten blindtarm* perforated appendix; *~ [ut] i skratt* burst out laughing **2** fattas fall short, be deficient (wanting, lacking)
bristande otillräcklig deficient, insufficient; bristfällig defective; *~ betalningsförmåga* inability to pay, insolvency; *~ kunskaper* lack of knowledge, insufficient knowledge
bristning bursting osv., jfr *brista 1;* burst, break; med. rupture
bristningsgräns breaking-point; *till ~en* äv. to [the point of] bursting
bristvara article (commodity) in short supply
brits bunk; mil. [wooden] barrack-bed
britt Briton äv. hist.; vard. Brit; isht amer. Britisher; *~erna* som nation el. lag o.d. the British
brittisk British; *Brittiska öarna* the British Isles
brittsommar Indian summer
bro bridge; *slå en ~ över* bridge [over], throw a bridge across
broccoli broccoli
broder brother (pl. äv. 'brethren', dock end. friare, isht om medlemmar av samfund o.d.)
brodera embroider äv. bildl.; *~ ut* bildl. embroider, embellish
broderfolk sister nation
brodergarn embroidery cotton (resp. wool)
broderi embroidery
broderlig brotherly
broderskap brotherhood, fraternity
brokad brocade
brokig 1 mångfärgad parti-coloured, motley;

variegated, neds. gaudy **2** bildl.: om t.ex. blandning miscellaneous; om t.ex. sällskap motley; om t.ex. liv varied
1 broms zool. horsefly, gadfly
2 broms 1 tekn. brake; *dra till ~en* handbromsen apply (put on) the handbrake **2** bildl. check
bromsa I *itr* brake; bildl. put a brake (check) on; *~ in* brake; långsamt slow down **II** *tr* **1** eg. brake **2** bildl. check, curb
bromsförmåga brake power
bromskloss brake block
bromsljus brake light
bromsning 1 eg. braking **2** bildl. checking
bromsolja brake fluid
bromspedal brake pedal
bromssträcka braking distance
bronkit med. bronchitis
brons 1 bronze **2** sport., tredje plats bronze medal
bronsmedalj sport. bronze medal
bronsmedaljör sport. bronze medallist
bronsmärke sport. bronze badge
bronsåldern the Bronze Age
bror brother; *Bäste ~ (B.B.)!* i brev Dear (My dear) + namn
brorsa vard. brother
brorsbarn brother's child; *mina ~* my brother's (resp. brothers') children, my nephews and nieces
brorsdotter niece; ibl. brother's daughter
brorson nephew; ibl. brother's son
brosch brooch
broschyr brochure; häfte pamphlet; reklam~ leaflet, prospectus
brospann span of a (resp. the) bridge
brott 1 brutet ställe: allm. break; ben~, ~yta på metall fracture **2** sten~ quarry **3** förbrytelse crime; lindrigare offence; grövre felony; mindre förseelse misdemeanour **4** kränkning: av t.ex. lagen violation, infringement; av allmän ordning, etikett breach
brottare wrestler
brottas wrestle; ta livtag grapple båda äv. bildl.
brottning wrestle; kamp struggle; idrottsgren wrestling alla äv. bildl.
brottningsmatch wrestling-match
brottsjö breaker
brottslig criminal; jur. stark. felonious; straffbar punishable; straffvärd culpable
brottslighet crime; mera abstr. criminality; skuld culpability; guilt; *~en* ökar crime...; *organiserad ~* organized crime
brottsling förbrytare criminal, stark. felon; gärningsman culprit, svag. offender
brottsoffer victim [of a resp. the crime]
brottsplats, *~en* the scene of the crime
brottstycke fragment
brud bride; sl., kvinna dame, isht amer. broad; *stå ~* be married
brudgum bridegroom
brudklänning wedding (bridal) dress (gown)
brudkrona av metall bridal crown; krans bridal wreath
brudnäbb ung.: pojke page; flicka bridesmaid
brudpar bridal couple; *~et* äv. the bride and bridegroom pl., the newly-weds pl.
bruk 1 användning use, jfr *användning;* av ord usage; *göra ~ av* make use of; *ha ~ för* have (find) a use for; *färdig att tas i ~* ready to be used (for use, om bostad for occupation) **2** sed: medvetet practice; härskande el. stadgat för många gemensamt, kutym usage; mode fashion, vogue **3** av jorden cultivation; av hel gård management **4** fabrik: järn~ works (pl. lika); pappers~ mill **5** murbruk mortar
bruka 1 begagna [sig av] use, se vid. *använda* **2** odla cultivate; gård farm **3** pläga, ha för vana återges ofta gm omskrivn. m. usually osv.; äv. (dock end. om pers.) be in the habit of ing-form; *~de* vanligast used to; *han ~r (~de) komma* vid 3-tiden he usually (generally, ofta frequently) comes (came)..., he is (was) in the habit of coming...; regelbundet as a rule he comes (came)..., he comes (came) regularly...
brukas, *det ~ inte* it is not the fashion (custom)
brukbar 1 användbar usable, se vid. *användbar; i ~t skick* in [good] working order **2** odlingsbar cultivable
bruklig customary
bruksanvisning directions pl. [for use]; för t.ex. TV-apparat, bandspelare operating instructions
bruksföremål article for everyday use
brukssamhälle industrial community
brumbjörn bildl. [perpetual] grumbler (grouser)
brumma om björn el. bildl. growl; om insekt el. radio. hum
brun brown; *~a bönor* maträtt brown beans; jfr äv. *blå* o. sms.
brunaktig brownish
brunbränd av eld scorched; av sol tanned, bronzed
brunett brunette
brunhyad o. **brunhyllt** brown-hued, brown-complexioned
brunn well äv. sjö.; hälso~ [mineral] spring; spring~ el. bildl. fountain; *dricka ~* drink (take) the waters
brunnsort health resort
brunst honas heat; hanes rut
brunstig om hona ...on (in) heat; om hane rutting
brunsttid mating season
brunt brown
brunögd brown-eyed

brus 1 havets roar[ing]; vattnets rush[ing]; från orgel peal; från grammofonskiva hiss; radio. noise; i öronen buzz[ing] **2** dryck fizz
brusa roar etc., jfr *brus 1;* om kolsyrad dryck fizz; ~ *upp* bildl. flare up, lose one's temper
brushuvud hothead
brutal brutal; *~a metoder* äv. ruthless methods
brutalitet brutality
bruten broken äv. om pers. o. språk el. om arm
brutto gross
bruttopris gross price
bruttovikt gross weight
bruttovinst gross profit
bry I *tr, ~ sin hjärna (sitt huvud) med ngt (med att* inf.) cudgel (rack) one's brains (puzzle one's head) over a th. (to inf.)
II *rfl, ~ sig om* a) ta notis om, fästa sig vid pay attention to..., take notice of... b) tycka om care for; ~ *dig inte om det!* don't bother (worry) about it!, never mind!; *han ~r sig inte* vard. he couldn't care less, he [just] doesn't care
brydd puzzled; förlägen embarrassed
bryderi perplexity; embarrassment
brygd 1 bryggande brew[ing] **2** det bryggda brew
1 brygga allm. bridge äv. tandläk.; landnings~ landing-stage
2 brygga brew; kaffe: vanl. make
bryggeri brewery
brylépudding caramel custard, crème caramel
bryn edge
bryna göra brun brown; kok. brown, fry...till browned
brysk brusque; häftig abrupt
brysselkål Brussels sprouts
brysselspets, ~*[ar]* Brussels lace
bryta I *tr* allm. break; kol mine, win; sten quarry; brev open; färg modify; förbindelse break off; förlovning break off; ljus refract, diffract; ~ *arm* arm-wrestle, do Indian wrestling; ~ *armen* break (med. fracture) one's arm; ~ *ett samtal* tele. disconnect (cut off) a call **II** *itr* **1** break äv. om vågor; ~ *med ngn* break with a p.; ~ *mot* lag, regel break; svag. infringe; lag äv. violate; regel äv. offend against **2** i uttal speak with an (a foreign) accent
III med beton. part.
~ **av** break (knäcka snap) [off]
~ **fram** break out; om t.ex. solen break through
~ **igenom** break through äv. mil.
~ **ihop** om pers. el. system etc. break down
~ **in** set in; om fienden, havet break in; ~ *sig in i ett hus (hos ngn)* break into (burgle) a house (resp. flat, a p.'s home)
~ **lös** loss break off (away); *ovädret bröt (bryter) lös[t]* the storm broke (is coming on)
~ **ned** break down; förstöra äv. demolish; fys. äv. decompose; bildl., krossa shatter
~ **samman** break down
~ **upp a)** tr. ~ *upp golvet* take up the floor; ~ *upp ett lås* break open a lock **b)** itr. ~ *upp* från bordet make a move; från sällskap break up; bege sig av leave, depart, start; mil. decamp, strike (break) camp
~ **ut a)** tr. ~ *ut...ur sammanhanget* detach (isolate)...from the context **b)** itr., krig, epidemi break out; om åskväder come on **c)** rfl. ~ *sig ut* force one's way out; ~ *sig ut ur fängelset* break out of (escape from) prison (jail)
brytböna French (string) bean
brytning 1 lösbrytning breaking [off]; av kol mining; av sten quarrying **2** ljusets refraction **3** i uttal accent **4** skiftning: i färg tinge; i smak [extra] flavour **5** oenighet breach; avbrott break
brytningstid time of unrest [and upheaval]; övergångstid transition period
bråck rupture
brådå brådskande busy; plötslig sudden; *en ~ död* a sudden death
bråddjup I *adj* precipitous; *det är ~t här* i vattnet it gets deep suddenly here **II** *s* precipice
brådmogen prematurely ripe; bildl. precocious
brådrasket, *i ~* all at once
brådska I *s* hurry, haste; jäkt bustle **II** *itr* behöva utföras fort be urgent (pressing); skynda sig hurry; *det ~r inte* there is no hurry about it, it is not urgent
brådskande som måste uträttas fort urgent, pressing; på brev o.d. urgent; hastig hasty
brådstörtad precipitate; *en ~ flykt* äv. a headlong flight
1 bråk matem. fraction; *räkna med ~* do fractions
2 bråk 1 buller noise, din; vard. rumpus; gräl row; uppståndelse fuss, trouble; *ställa till ~ om ngt* make (vard. kick up) a row (fuss) about a th. **2** besvär trouble
bråka 1 bullra be noisy, cause (make) a disturbance; gräla quarrel; retas tease **2** krångla make (kick up) a fuss (row)
bråkdel fraction; *~en av en sekund* a split second
bråkig bullersam noisy; besvärlig troublesome; krånglig fussy; oregerlig disorderly; motspänstig restive
bråkstake en som stör rowdy; orosstiftare troublemaker; upprorsmakare rioter; barn pest
brås, ~ *på ngn* take after a p.
bråte skräp rubbish, junk
brått o. **bråttom,** *ha [mycket] ~* be in a

[great] hurry [*med* about (with, over); *med att* inf. to inf.]; be [very much] pressed for time

1 bräck|a I *s* spricka flaw **II** *tr* **1** bryta break; knäcka, krossa crack **2** övertrumfa outdo

2 bräcka steka fry

bräckkorv smoked sausage [for frying]

bräcklig 1 eg. fragile; skör **2** skröplig, svag frail

bräckt, ~ *vatten* brackish water

bräda I *s* **1** board **2** slags surfingbräda sailboard **II** *tr* besegra cut out

brädd edge, brim; *fylla till ~en* fill to the brim

bräde 1 board **2** spel backgammon **3** bildl. *sätta allt på ett* ~ put all one's eggs in one basket

brädfodra board; yttervägg weather-board, amer. clapboard

brädgård timberyard, amer. lumberyard

brädsegling sailboarding, windsurfing

brädskjul av bräder wooden shed

bräka bleat äv. om pers.; baa

bränna I *tr* **1** allm. burn; i förbränningsugn incinerate; kremera cremate; sveda scorch; om frost nip; *bli bränd* bildl. get one's fingers burnt; *det luktar bränt* there is a smell of burning **2** brännmärka brand; med. cauterize; frisera crimp, curl **3** i bollspel hit...out; ~ *en straffspark* miss (muff) a penalty **II** *itr* hetta, svida burn; *marken brände under hans fötter* bildl. the place was getting too hot for him; *brännande smärta* acute pain; *brännande törst* parching thirst **III** *rfl,* ~ *sig* burn (scald) oneself; ~ *sig på nässlor* get stung by nettles; *jag brände mig på soppan* the soup scalded my tongue, I burnt my mouth on the soup

IV med beton. part.

~ **av** burn [down]; ~ *av ett fyrverkeri* let off fireworks

~ **bort** burn off (away); ~ *bort en vårta* cauterize (remove) a wart

~ **in** *ett märke på ngt* brand a th.

~ **ned** burn down

~ **upp** burn [up]

~ **vid** *såsen* burn the sauce, let the sauce burn

brännare allm. burner

brännas burn; om nässlor sting; *det bränns!* i lek you are getting warm!

brännblåsa blister

brännboll ung. rounders

bränneri distillery

brännglas burning glass

brännhet burning (glowing) hot

bränning brottsjö breaker; *~arna* äv. the surf sg.

brännmärke brännsår burn-mark; på boskap brand

brännolja eldningsolja fuel (heating) oil; drivmedel combustible oil

brännpunkt foc|us (pl. äv. -i) äv. bildl.; *stå i ~en för* intresset be the focal point of...

brännskada burn [injury]; *första gradens* ~ first-degree burn

brännvin schnap[p]s; vodka vodka; *kryddat* (*okryddat*) ~ spiced (unspiced) schnapps

brännässla stinging nettle

bränsle fuel; *flytande* (*fast*) ~ liquid (solid) fuel

bränslesnål fuel-efficient; bilen *är* ~ vanl. ...has a low fuel consumption

bränsletank fuel tank

bräsch breach; *gå i ~en för* stand up for, take up the cudgels for

brätte brim; *en hatt med breda ~n* a broad-brimmed hat

bröa breadcrumb

bröd bread; limpa loaf [of bread]; frukost~ roll; bulle bun; kaffe~ koll. buns and (or) cakes; *hårt* ~ crispbread; amer. äv. rye crisp; *den enes död, den andres* ~ one man's loss is another man's gain; *förtjäna sitt* ~ earn one's living (bread and butter); *ta ~et ur munnen på ngn* take the bread out of a p.'s mouth

brödbit piece of bread

brödburk breadbin, amer. bread box

brödföda bread and butter; *slita* [*hårt*] *för ~n* struggle hard to make a living (for one's bread and butter)

brödkaka round loaf; hårt bröd [round of] crispbread

brödkant crust [of bread]

brödkavel rolling-pin

brödkorg breadbasket

brödrafolk sister nations

brödrost toaster

brödskiva slice of bread

brödsmulor [bread]crumbs

bröllop wedding; poet. nuptials; *fira* ~ be (get) married, marry

bröllopsdag wedding day (årsdag anniversary)

bröllopsmarsch wedding march

bröllopsmiddag wedding dinner

bröllopsnatt wedding night

bröllopsresa honeymoon [trip]; *de for på ~ till Italien* they went to Italy for their honeymoon

bröst allm. breast äv. bildl.; barm bosom; byst bust; bröstkorg chest; på klädesplagg bust; *ge ett barn ~et* give a baby the breast, breast-feed a baby

brösta, ~ *sig över* yvas plume oneself on, brag about

bröstarvinge direct heir; *bröstarvingar* äv. heirs, issue sg.

bröstben anat. breastbone

bröstbild half-length portrait; byst bust

bröstcancer breast cancer, cancer of the breast
bröstficka breastpocket
brösthöjd breast height; *i ~* breast-high
bröstkaramell cough lozenge
bröstkorg anat. chest
bröstmjölk breast milk; *uppfödd på ~* breast-fed
bröstsim breaststroke [swimming]; *simma ~* do the breast stroke
bröstvidd chest measurement
bröstvårta nipple
bröstvärn 1 byggn. parapet **2** mil. breastwork
bröt jam of floating logs
B-skatt tax not deducted from income at source
B-språk skol. second foreign language
bua boo; *~ ut* boo
bubbelpool whirlpool bath, Jacuzzi®
bubbla I *s* bubble **II** *itr* bubble
buckla I *s* **1** inbuktning dent **2** upphöjning boss **3** vard., idrottspris cup **II** *tr, ~* [*till*] dent **III** *rfl, ~ sig* buckle
bucklig 1 inbuktad dented **2** utbuktad embossed
bud 1 befallning command, order; bibl. commandment; *det är* (*var*) *hårda ~* that's pretty tough (stiff) **2** anbud offer; på auktion bid; i kortspel bid, call; *ge* (*göra*) *ett ~ på* tusen kronor make an offer (a bid) of... **3** budskap message; *få* (*skicka*) *~ att...* receive (send) word that...; *skicka ~ efter ngn* send for a p. **4** budbärare messenger; springpojke errand boy; *sänt med ~* sent by hand **5** *stå till ~s* be at hand, be available; *med alla till ~s stående medel* by every means available
budbyrå delivery firm (i t.ex. annonsrubrik service)
budbärare messenger; poet. harbinger
buddism Buddhism
budget budget; *~en* riksstaten the Estimates pl.
budgetproposition budget [proposals pl.]
budgetunderskott budget deficit
budgivning spel. bidding
budkavle 1 hist., ung. fiery cross **2** sport. relay
budord commandment; friare dictate
budskap meddelande message; polit. address; nyhet news; litt. tidings; manifest manifesto
buffé 1 möbel sideboard **2** bord (resp. rum) för förfriskningar buffet
buffel buffalo; bildl.: drulle boor
buffert tekn. buffer äv. bildl.; bumper; *fungera som ~* act as a cushion (buffer)
buga, *~ sig* bow [*för* to]
bugg dans. jitterbug; *dansa ~* do the jitterbug
1 bugga vard., dansa bugg jitterbug
2 bugga placera dolda mikrofoner i bug
buggning med dolda mikrofoner bugging
bugning bow; underdånig obeisance
buk belly äv. på segel, flaska o.d.; vard., 'isterbuk' paunch; anat. abdomen; *fylla ~en* eat one's fill
bukett bouquet; liten nosegay; *plocka en ~* pick a bunch of flowers
bukhinneinflammation med. peritonitis
buklanda belly-land
bukspottkörtel anat. pancreas
bukt 1 krökning curve, bend, winding; ringformig fake **2** på kust bay; större gulf; svagt krökt bight; liten ~ creek **3** *få ~ med* get the better of, overcome, manage, master
bukta *itr* o. *rfl, ~ sig* wind, curve, bend; slingra sig, om flod meander; om segel belly
buktalare ventriloquist
bula 1 knöl bump **2** buckla dent
bulgar Bulgarian
Bulgarien Bulgaria
bulgarisk Bulgarian
bulgariska 1 kvinna Bulgarian woman **2** språk Bulgarian
buljong clear soup; för sjuka beef tea; spad gravy
buljongtärning stock cube
bulla, *~ upp allt vad huset förmår* make a great spread
bull|e bun; amer. äv. biscuit; frukostbröd roll; i limpform loaf (pl. loaves); *nu ska du få se på andra -ar!* there are going to be some changes made here!
buller noise, din; dovt rumbling; stoj racket; *med ~ och bång* with a [great] hullabaloo
bullermatta noise-abatement zone
bullersam noisy; högröstad boisterous
bullerskada hearing impairment [resulting from exposure to high noise levels]
bullerskydd noise protection
bullra make a noise; mullra rumble
bulnad gathering, abscess
bult bolt, pin; gängad screwbolt
bulta I *tr* bearbeta beat; *~ kött* pound meat **II** *itr* knacka knock; dunka pound; om puls throb; *med ~nde hjärta* with a pounding (palpitating) heart
bulvan 1 jakt. decoy **2** bildl. front, dummy
bumerang boomerang äv. bildl.
bums vard. right away
bundsförvant ally
bunke skål av metall pan; av porslin o.d. bowl
bunker sjö. el. mil. bunker; betongfort pillbox
bunt 1 t.ex. kort packet; brev, garn bundle; papper sheaf (pl. sheaves); rädisor o.d. bunch **2** bildl. *hela ~en* the whole bunch (lot)
bunta, *~* [*ihop*] make...up into (tie up...in) bundles etc., jfr *bunt;* pack...together
bur cage; för höns coop; som emballage crate;

sport., mål~ goal; använd vid frågesport o.d. i TV isolation booth
bura, ~ *in* vard., sätta i fängelse put...in quod (clink)
burdus abrupt, brusque; grov rough
burk pot; kruka jar; bleck~ tin; isht amer. can; apoteks~ gallipot; vard., TV the [goggle-]box; amer. the [boob] tube; *en ~ piller* a bottle of pills
burkmat tinned (canned) food
burköl canned beer
burköppnare tin (can) opener
burlesk burlesque
Burma Burma
burman Burmese (pl. lika)
burra, ~ *upp* ruffle up
burrig frizzy, fuzzy; ruffled
burspråk arkit. bay; oriel
Burundi Burundi
bus mischief; stark. rowdyism
busa leva bus be up to mischief; stark. be rowdy
buse rå människa rough, ruffian; hooligan; bråkstake pest
busfrö vard. little devil (rascal, monkey)
busig bråkig noisy; oregerlig disorderly; svag. mischievous
buskablyg, *han är inte ~* [*av sig*] he is a bit forward, he is not backward in coming forward
buskage shrubbery; snår copse
buske bush; större shrub
buskig bushy; *~a ögonbryn* bushy (shaggy) eyebrows
buskis vard. slapstick, ham
busksnår thicket
busliv mischief; stark. rowdyism
1 buss trafik~ bus (pl. bus[s]es); turist~ coach, amer. bus
2 buss tugg~ plug (quid) of tobacco
3 buss, ~ *på honom!* worry him!, at him!
1 bussa, ~ *hunden på ngn* set the dog on [to] a p.
2 bussa transportera bus
busschaufför bus (turistbuss coach) driver
bussfil bus lane, busway
bussförbindelse bus (turistbuss coach) connection
busshållplats bus (turistbuss coach) stop
bussig vard. nice, decent; hjälp mig, *är du ~!* ...,will you?, ..., there's a dear!
busslinje bus (turistbuss coach) service (line)
bussresa bus journey; i turistbuss coach journey
bussterminal bus terminal
busvissla whistle [shrilly]; ogillande catcall
busvissling [shrill] whistle; ogillande catcall
busväder filthy (awful) weather
butelj bottle
buteljera bottle
butik shop; isht amer. store; isht matvaru~ market; *sköta ~en* keep (mind) [the] shop (amer. store); *öppna ~* set up (open a) shop
butiksbiträde shop assistant; amer. salesclerk
butikskedja multiple (chain) stores
butikskontrollant shopwalker; amer. floorwalker
butiksråtta o. **butikssnattare** shoplifter
butiksägare shopkeeper
butter sullen, morose
B-vitamin vitamin B
1 by vindil squall
2 by litet samhälle village; liten hamlet
byffé se *buffé*
byfåne vard. village idiot
bygata village street
bygd bebyggd trakt settled country; nejd district; *ute i ~erna* out in the country [districts]
bygel ögla loop; ring hoop; på handväska frame; på hänglås shackle
bygga I *tr* o. *itr* allm. build äv. bildl.; anlägga *det bygger* grundar sig *på...* it is founded (based, built) on...
II med beton. part.
~ **för** en öppning build (wall, block) up...
~ **in** omge med väggar wall in
~ **om** rebuild
~ **till** utvidga enlarge
~ **upp** uppföra erect, raise; friare build up; ~ *upp en marknad* develop (work up) a market; ~ *upp ngt på nytt* rebuild (restore) a th.
~ **ut** enlarge; förbättra develop
~ **över** build over; täcka cover [in]
byggbranschen the building trade (line)
bygge building [under construction]
bygglov vard. building permit (licence)
byggmästare ledare av bygge master builder; entreprenör building contractor
byggnad 1 hus building **2** huset *är under ~* ...is under (in course of) construction, ...is being built **3** byggnadssätt build; *kroppens ~* the build (frame) of the body
byggnadsarbetare building (construction) worker
byggnadsentreprenör building contractor
byggnadslov building permit
byggnadsnämnd local housing (building) committee
byggnadsställning scaffold[ing]; amer. äv. staging
byggplats tomt [building] site
byggsats construction kit, do-it-yourself (förk. DIY) kit
byggvaruhus DIY (förk. för do-it-yourself) store; som annonsrubrik builders merchants (suppliers)
byig squally; flyg. bumpy

byk 1 tvätt wash; *han har en trasa med i den ~en* bildl. he has a finger in that pie too **2** tvättkläder laundry
bylta, ~ *på ngn* muffle a p. up
bylte bundle
byracka mongrel
byrå 1 möbel chest of drawers; amer. äv. bureau (pl. äv. -x); hög ~ tallboy; amer. äv. highboy **2** kontor office; avdelning division; isht amer. bureau (pl. äv. -x)
byråkrat bureaucrat, mandarin
byråkrati 1 ämbetsmannavälde o.d. bureaucracy **2** byråkratiskt system officialism; vard. red tape
byråkratisk bureaucratic; *~a metoder* äv. red-tape methods
byrålåda drawer
byst bust
bysthållare brassiere
byta I *tr* ömsa change; ömsesidigt exchange, jfr *utbyta 1;* vid byteshandel barter, trade; vard. swap; *jag skulle inte vilja ~ med honom* I wouldn't like to change places with him; ~ *bil* trade (turn) in one's old car for a new one; ~ *[kläder]* change [one's clothes]
II med beton. part.
~ **av** relieve
~ **bort** exchange
~ **in** t.ex. bil trade in
~ **om** change
~ **upp sig:** *han bytte upp sig till en nyare bil* he traded in his car for a newer model
~ **ut** exchange
byte 1 utbyte exchange; vid byteshandel barter **2** rov booty, plunder, loot, spoils pl. äv. bildl.; jakt. quarry; rovdjurs el. bildl. prey; tjuvs, vard. haul
bytesrätt, *med full* ~ goods exchanged if [you are] not satisfied
bytta tub
byxa, *en* ~ a pair of trousers osv., se *byxor*
byxdress o. **byxdräkt** trouser suit; isht. amer. pantsuit
byxkjol culottes, divided skirt
byxlinning waistband
byxor 1 ytter~ trousers; amer. vanl. pants; lättare fritidsbyxor slacks; *[ett par] nya ~* new (a new pair of) trousers **2** se *underbyxor*
byxångest vard. [blue] funk; *ha ~* be in a [blue] funk
1 båda 1 be~ announce; före~ betoken; något ont bode; *det ~r gott* it's a good omen **2** kalla summon; ~ *upp* manskap, mil. summon...to arms, call out, levy
2 båda both; obeton. two; ~ *[två] är...* both [of them] are (they are both)...; ~ *bröderna* both [the] brothers; *de ~ andra* the two others, the other two
bådadera both
både, ~...*och* both...and end. om två led
båg vard. trickery
båge 1 kroklinje curve; matem. el. elektr. arc; mus.: legato~ slur, bind~ tie; pil~ bow; byggn. arch; sy~ frame; krocket~ hoop **2** vard., motorcykel motorbike
bågfil hacksaw
bågna böja sig, svikta bend; ge vika sag; bukta ut bulge
bågskytte archery
1 bål anat. trunk, body
2 bål skål bowl; dryck punch
3 bål ved~ bonfire; lik~ [funeral] pyre; *brännas på ~* be burnt at the stake
bålverk bulwark
bångstyrig refractory, unruly; isht om häst restive
bår sjuk~ stretcher; lik~ bier
bård border; isht på tyg edging
bårhus mortuary, morgue
bås stall, crib; friare compartment; avskärmad plats booth; i t.ex. ishockey box
båt boat; större ship; *sitta i samma ~* bildl. be in the same boat
båtflyktingar boat people
båtförbindelse boat connection
båthus boathouse
båtluffa vard. go island hopping
båtlägenhet, *med första* ~ by the first [available] ship
båtmotor boat (marine) engine
båtmössa forage cap
båtplats för fritidsbåt berth
båtresa [sea] voyage; kryssning cruise
bäck brook; amer. creek; poet. rill; *många ~ar små gör en stor å* many a little makes a mickle, every little helps
bäcken 1 anat. pelvis (pl. pelvises el. pelves) **2** skål el. geogr. basin; säng~ bedpan **3** mus. cymbals
bäckenben anat. bones of the pelvis
bädd allm. bed; geol. äv. layer; tekn. bedding
bädda, ~ *sin säng (sängen)* make one's (the) bed; *det är ~t för succé* för mig, dig etc. I am (you are etc.) heading for [a] success; *som man ~r får man ligga* as you make (you've made) your bed, so you must lie on it
bäddsoffa sofa bed
bägare cup; pokal goblet; kyrkl. chalice; isht laboratorie~ beaker; *det [var droppen som] kom ~n att rinna över* it was the last straw; vard. that put the lid on it
bägge se *2 båda*
bälga, ~ *i sig* swill, gulp down
bälte belt; geogr. äv. zone; gördel girdle; *ett slag under ~t* eg. el. bildl. a blow below the belt
bälteskudde car booster seat (cushion)
bända bryta prize; ~ *på locket* prize at the lid; ~ *loss* prize (pry)...loose
bänk allm. bench äv. i riksdagen; seat; med

högt ryggstöd settle; kyrk~ pew; skol.: pulpet desk, lång form; teater~ o.d. row; *sista ~en* the back row

bänka, ~ *sig* seat oneself

bänkrad row

bär berry; för ätbara bär anv. vanl. namnet på resp. bär; *plocka ~* pick (go picking) berries (lingon etc. lingonberries etc., jfr ovan); *lika som ~* as like as two peas

bära I *tr* a) allm. carry; mera valt (ofta med värdighet) el. bildl. bear b) vara klädd i wear c) komma med (till den talande) bring; ta med sig (från den talande) take; ~ *frukt* äv. bildl. bear fruit; ~ *huvudet högt* carry one's head high; ~ *uniform (ringar)* wear a uniform (rings); ~ *vapen* carry (bildl.: vara soldat bear) arms **II** *itr* **1** bear; *isen bär inte* the ice doesn't bear; *det må ~ eller brista* it's neck or nothing (sink or swim) **2** om väg lead **III** *rfl,* ~ *sig* **1** löna sig pay; *företaget bär sig* the business pays its way **2** falla sig happen, come about; *det bar sig inte bättre än att han...* as ill luck would have it, he...

IV med beton. part.

~ **av a)** opers. *i morgon bär det av* för mig, honom etc.*!* I am (he is etc.) off tomorrow!; *vart bär det av* vart ska du*?* where are you going [to]? **b)** sjö. bear off

~ **bort** carry (take) away

~ **emot:** *det bär mig emot att* inf. it goes against the grain for me to inf.

~ **fram** eg. carry (bring, resp. take) [up]; budskap convey; skvaller pass...on

~ **hem** carry (bring, resp. take) home

~ **in** carry (bring, resp. take) in

~ **på sig** carry...about (have...on) one

~ **upp a)** eg. carry (bring, resp. take) up (uppför trappan upstairs) **b)** stödja carry; ~ *upp en föreställning* carry off a performance

~ **ut** carry (bring, resp. take) out; ~ *ut post* deliver the post (mail)

~ **utför:** *det bär utför med honom* bildl. he is going downhill

~ **sig åt a)** bete sig behave; ~ *sig illa (dumt) åt* behave badly (like a fool) **b)** gå till väga manage, set about it; *hur bär du dig åt för att* hålla dig så ung*?* how do you manage to inf....?

bärbar portable

bärbuske vinbärsbuske etc. currant etc. bush

bärga I *tr* pers. el. bildl. save, rescue; sjö. salve, salvage; bil tow; segel take in; skörd gather (garner) in **II** *rfl,* ~ *sig* behärska sig contain oneself; ge sig till tåls wait; *han kunde inte ~ sig för skratt* he could not help laughing

bärgning sjö. salvage; av segel taking in; skörd harvest; *begära ~ av bilen* ask for the car to be towed

bärgningsbil breakdown lorry (van); amer. wrecking car (truck); flyg. crash waggon

bärkasse isht av plast el. papper carrier (amer. carry) bag; av nät string (net) bag; för spädbarn carrycot

bärnsten miner. amber

bärsele baby (kiddy) carrier

bärsärkagång, *gå ~* go berserk, run amok

bäst I *adj* allm. best; utmärkt excellent; hand., prima prime; *första ~a* se under *första; det blir ~* that will be best (the best thing); *det är ~ att du går* you had better go; *hoppas [på] det ~a* hope for the best **II** *adv* best; *tycka ~ om* like...best, prefer; *han får klara sig ~ han kan* he must manage as best he can **III** *konj,* ~ *som han gick där* just as (while) he was walking along

bästa good, benefit, advantage; welfare

bästis vard. best pal (friend)

bättra I *tr* improve [upon]; brister amend; ~ *på* t.ex. målningen touch up **II** *rfl,* ~ *sig* mend, improve; i sitt leverne amend, reform

bättre I *adj* better; absol.: om familj, folk better-class; om varor better-quality; om middag splendid; hygglig, om t.ex. hotell decent **II** *adv* better; *ha det ~ [ställt]* be better off

bättringsvägen, *vara på ~* be on the road to recovery, be recovering (getting better, vard. on the mend)

bäva tremble äv. bildl.; darra shake, quiver; rysa shudder

bäver beaver

böckling smoked Baltic herring

bög sl., homosexuell gay

böja I *tr* (ibl. *itr*) kröka bend; sänka bow; kuva bend, gram. inflect; subst. el. adj. äv. decline **II** *rfl,* ~ *sig* bend down, stoop [down]; luta sig äv. lean; om saker, krökas bend; ge vika yield, give in, surrender [*för* i samtl. fall to]; buga (underkasta) sig bow [*för, inför to*]

III med beton. part.

~ **av:** vägen *böjer av åt öster* ...swings (turns) to the east

~ **ned** bend down; ~ *sig ned efter ngt* bend down to pick up a th.

~ **till** bend; förfärdiga make

~ **sig ut** lean out

böjd 1 eg. bent, jfr *böja;* om hållning stooping; ~ *av ålder* bent with age **2** gram. inflected **3** benägen, hågad inclined

böjelse inclination; benägenhet, tycke fancy

böjning 1 böjande bending osv., jfr *böja* **2** bukt bend, curve; krökning flexure, curvature **3** på huvudet bend **4** gram. inflection

böka root

bökig stökig untidy; besvärlig tiresome, trying, awkward; om t.ex. språklig framställning muddled

böla råma low; ilsket, t.ex. om tjur bellow; om t.ex. siren wail; vard., gråta howl
böld boil; svårare abscess
bölja I *s* billow, wave **II** *itr* om hav o. sädesfält billow; om folkhop o.d. surge; om hår flow
böljande billowing osv., jfr *bölja II*
bön 1 anhållan request; enträgen appeal; ödmjuk supplication; skriftlig petition **2** relig. prayer
1 böna, ~ *för ngn* plead for a p.
2 böna 1 bot. bean **2** flicka bird
bönfalla plead; högtidl. supplicate
bönhöra, ~ *ngn* grant (hear) a p.'s prayer
böra 1 uttr. plikt **a)** *bör, man bör inte prata med munnen full* you should not (stark. ought not to) talk... **b)** *böra, han hade bort lyda* (*borde ha lytt*) he ought to have obeyed **2** uttr. förmodan: *hon bör* (*borde*) måste *vara 17 år* she must be 17; *han bör* torde *vara framme nu* he should (will) be there by now
börd birth; *av* [*ädel*] ~ of noble descent (lineage)
börda burden äv. bildl.; weight isht bildl.; *digna under ~n* äv. bildl. succumb under the load
1 bördig härstammande *han är ~ från...* he was born in..., he is a native of...
2 bördig fruktbar fertile
börja allm. begin; högtidl. commence; ~ [*att* el. *på att*] inf. begin (etc.) to inf.; isht om avsiktlig handling el. vid opers. vb äv. begin (etc.), + ing-form; ~ *dricka* supa begin (take to) drinking; vard. take to the bottle; *det ~r bli mörkt* (*kallt*) it is getting dark (cold); *till att ~ med* to begin (start) with; först [...men] at first; ~ *på ngt* start on (t.ex. ett arbete set about) a th.
början allm. beginning; högtidl. commencement; ursprung origin; [*redan*] *från första* ~ from the [very] beginning (outset); *i ~ av maj* at the beginning of May, in the early days of May
börs 1 portmonnä purse **2** hand. exchange; på kontinenten bourse fr.; *på ~en* on the Exchange; i börshuset at (in) the Exchange
börsmäklare stockbroker
börsnoterad ...quoted (listed) on the stock exchange
börsspekulant stockjobber
börsspekulation speculation on the stock exchange
bössa 1 gevär gun; hagel~ shotgun; räfflad rifle **2** spar~ money box; insamlings~ collecting (collection) box
bösspipa gunbarrel
böta I *itr* pay a fine, be fined; ~ *för ngt* umgälla pay (suffer) for a th. **II** *tr, få ~ 500 kronor* be fined 500 kronor
böter o. **bötesbelopp** fine
böteslapp för felparkering parking ticket; för fortkörning speeding ticket
bötfälla, ~ *ngn* fine a p., impose a fine on a p.

C

c 1 bokstav c [utt. si:] **2** mus. C
ca (förk. för *cirka*) c[a]., approx., se äv. *cirka*
cabriolet bil convertible
café café, se vid. *kafé*
cafeteria cafeteria
camouflage camouflage
camouflera camouflage
campa allm. camp [out]; med husvagn caravan, amer. trail
campare allm. camper; med husvagn caravanner; amer. trailerite
camping camping; med husvagn caravanning; amer. trailing, jfr äv. *campingplats*
campingplats camping ground (site), amer. campground; för husvagnar caravan site, amer. trailer camp
Canada Canada
cancer cancer
cape plagg cape
cardigan cardigan
CD[-skiva] CD, compact disc
CD-spelare CD (compact disc) player
C-dur mus. C major
celeber distinguished, celebrated; *ett ~t bröllop* a fashionable wedding
celebritet celebrity
celibat celibacy; *leva i ~* be a celibate, live a celibate life
cell cell
cellgift med. cytotoxin
cello cello (pl. -s)
cellofan cellophane
cellskräck psykol. claustrophobia äv. friare
cellstoff wadding
cellulosa cellulose; pappersmassa wood pulp
Celsius, *30 grader ~, 30Č* 30 degrees Celsius (centigrade), 30°C
cement cement äv. tandläk.
cementera cement äv. tandläk.
cendré o. **cendréfärgad** ash-blond
censor censor; hist., i skola external examiner
censur censorship
censurera censor
center centre; *~n* polit. the centre; centerpartiet the Centre [Party]
centerpartiet polit. the Centre Party
centiliter centilitre
centilong height code, unit for children's clothes based on height in centimetres
centimeter centimetre
central I *s* hand. central agency (office); friare centre; huvudbangård central station; tele. exchange **II** *adj* central; *~t prov* skol. standardized national test; *det ~a* väsentliga *i...* the essential thing about...
Centralamerika Central America
centralantenn communal aerial (amer. antenna) [system]
centralbank central (national, state) bank
centralisera centralize
centralisering centralization
centralort chief town [in the (resp. a) municipality]
centralstimulerande, *~ medel* drug that stimulates the central nervous system
centralstyrd centrally controlled (managed)
centralt, *~ belägen* centrally situated
centralvärme central heating
centrifug tekn. centrifuge; tvätt~ spin-drier
centrifugalkraft centrifugal force
centrifugera tekn. centrifugalize; tvätt spin-dry
centrum centre; stads~, amer. äv. downtown; vetensk. centr|um (pl. äv. -a), focus (pl. äv. foci); *stå i ~ för intresset* be the centre of attraction
cerat lipsalve
ceremoni ceremony
ceremonimästare master of ceremonies (förk. MC)
cerise cerise
cerit *s* ceritium
certifikat certificate
Ceylon Ceylon
champagne champagne
champinjon mushroom, champignon
chans chance; *han har goda ~er* his chances are good
chansa take a chance, chance it
chanslös, *han är ~* he hasn't an earthly [chance], he doesn't stand a chance
chansning, *det var bara en ~* it was just a long shot (a shot in the dark)
charad, *[levande] ~* charade
charkuterivaror cured (cooked) meats and provisions
charlatan charlatan
charm charm
charma charm
charmfull o. **charmig** charming
charmlös charmless
charmoffensiv, *starta en ~ mot* ung. make overtures to
charmtroll vard. bundle of charm
charmör charmer
charterflyg flygning charter flight; verksamhet chartered air service
charterresa charter trip (tour)
chartra charter
chassi chassis (pl. lika)
chaufför driver; privat~ chauffeur
chauvinist chauvinist

check cheque; amer. check; *betala med [en] ~* pay by cheque
checka, *~ in* flyg. el. på hotel register, check in
checkbedrägeri cheque forgery (fraud)
checkhäfte cheque book; amer. checkbook
checklön wages pl. (resp. salary, jfr *lön*) paid into a (one's) cheque account
chef head; arbetsgivare employer; direktör manager; vard. boss; mil.: för stab chief; för förband commander; sjö. captain
chefredaktör chief editor (pl. editors-in-chief)
cherokes Cherokee (pl. lika el. -s)
chevaleresk chivalrous
chiffer cipher; kryptogram cryptograph; *i (med) ~* in cipher, in code
chiffonjé escritoire
Chile Chile
chilen o. **chilenare** Chilean
chilensk Chilean
chips potatis~ potato crisps; amer. chips
chock 1 stöt shock **2** mil. *göra ~ mot* charge [down on]
chocka shock
chockbehandling shock treatment (therapy)
chockera shock; *bli ~d över ngt* be shocked at (by) a th.
chockerande shocking
chockhöjning, *[en] ~ av priserna* a drastic rise in prices
chockskadad, *bli ~* get a shock
chocktillstånd state of shock
chockverkan, *ha ~* have a shock effect
choka motor. use the choke
choke choke
choklad chocolate; *en kopp ~* kakao a cup of cocoa (finare sort chocolate)
chokladask med praliner box of chocolates; tom chocolate box
chokladbit pralin chocolate; med krämfyllning chocolate cream
chokladkaka kaka choklad bar of chocolate
chokladpralin se *chokladbit*
chokladsås chocolate sauce
chosefri natural, unaffected, unsophisticated
choser affectation
ciceron ciceron|e (pl. äv. -i), guide
cider cider
cigarett cigarette; vard. fag
cigarettfimp cigarette end; vard. fag-end
cigarettpaket med innehåll packet of cigarettes
cigarettpapper cigarette paper
cigarettändare lighter
cigarill cheroot, cigarillo (pl.-s); amer. äv. stogie
cigarr cigar
cigarrcigarett se *cigarill*
cigarrlåda tom cigar box; låda cigarrer box of cigars
cigarrsnoppare cigar-cutter
cirka about; isht vid årtal circa, circiter båda lat. (förk. c[a]. el. circ.)
cirkapris hand. recommended retail price
cirkel geom. circle äv. friare; *rubba ngns cirklar* put a p. out, upset a p.'s calculations
cirkelformig o. **cirkelrund** circular
cirkelsåg circular saw
cirkla kretsa circle
cirkulation circulation
cirkulationsrubbning med. circulatory disturbance
cirkulera circulate; *låta ~* circulate, send round
cirkus circus; *full ~* villervalla a proper racket; *rena ~en* löjlig tillställning a proper circus (farce)
cirkusartist circus performer
cistern tank; för vatten cistern
citat quotation
citationstecken quotation mark
citera quote; anföra som exempel cite; skrift quote from
citron lemon
citrongul lemon-yellow, lemon
citronpeppar lemon pepper
citronsaft lemon juice (sockrad, för spädning squash); amer. äv. lemonade
citronskal lemon-peel
citronskiva slice of lemon
citrusfrukt citrous (citrus) fruit
cittra mus. zither
city [affärs]centrum [business and shopping] centre; amer. downtown
civil civil; isht mots. militär civilian; *en ~* subst. adj. a civilian; *i det ~a* in civilian life
civilbefolkning civilian population
civildepartement Ministry of Public Administration
civilekonom graduate from a [Scandinavian] School of Economics, eng. motsv. ung. Bachelor of Science (Econ.); amer. motsv. ung. Master of Business Administration
civilförsvar civil defence
civilisation, *~[en]* civilization
civilisera civilize
civilklädd ...in plain (civilian) clothes, ...in mufti; vard. in civvies
civilkurage courage to stand up for one's beliefs
civilminister Minister of Public Administration
civilmål civil case (suit)
civilrätt civil law
civilstånd civil status
clinch, *gå i ~* boxn. go (fall) into a clinch äv. friare

clip o. **clips** öron~ earclip; dräktspänne e.d. clip
clitoris anat. clitoris
clown clown
c-moll mus. C minor
cockerspaniel cocker spaniel
cockpit flyg. cockpit
cocktail cocktail
cocktailbar cocktail lounge
cocktailparty cocktail party
cognac brandy; isht äkta finare cognac
Colombia Colombia
colombian Colombian
colombiansk Colombian
comeback reappearance; *göra* ~ make a comeback
commandosoldat commando
container container; för avfall skip
Costa Rica Costa Rica
costarican Costa Rican
costaricansk Costa Rican
crawl simn. crawl [stroke]
crawla simn. do the crawl
crème fraiche crème fraiche fr.; slightly soured thick cream
crêpe kok. el. textil. crepe
cricket cricket
cricketspelare cricketer
C-språk skol. third foreign language
cup sport. cup
cupfinal cup final
cupmatch cup tie
curling curling
curry curry [powder]
C-vitamin vitamin C
cykel 1 serie cycle **2** fordon [bi]cycle; vard. bike; mots. motor~ pedal cycle **3** sport. cycling
cykelbana väg cycleway; tävlingsbana cycle-racing track
cykelbud ung. messenger
cykelkorg handlebar basket
cykelslang cycle [inner] tube
cykelsport cycling
cykelställ cycle stand
cykeltur längre cycling tour; kortare cycle ride
cykeltävling cycle race
cykelverkstad cycle repair shop
cykelåkning cycling
cykla 1 cycle; vard. bike; ride a [bi]cycle (vard. bike); göra en cykeltur go cycling **2** vard. *nu är du* [*allt*] *ute och ~r* you're talking through your hat, you don't know what you're talking about
cyklist cyclist
cyklon meteor. cyclone
cyklopöga för dykare [skindiver's] mask
cylinder 1 tekn. cylinder **2** hatt top hat; vard. topper
cyniker cynic
cynisk cynical; rå coarse; skamlös shameless; fräck impudent
cynism cynicism, coarseness; jfr *cynisk*
Cypern Cyprus
cypress bot. cypress
cypriot Cypriot
cypriotisk Cypriot
cysta med. cyst

D

d 1 bokstav d [utt. di:] **2** mus. D
dadel date
dag (vard.: best. form äv. *dan,* pl. *dar*) **1** allm. day; ~ *och natt* night and day; ~ *ut och* ~ *in* day in, day out; *en* [*vacker* viss] ~ a) avseende förfluten tid one [fine] day b) avseende framtid some (one) [fine] day, one of these [fine] days; *god* ~ [*god* ~]*!* good morning (resp. afternoon, evening)!; vard. hallo!, hello!; vid presentation how do you do?; *åtta ~ar* a week; *vara ~en efter* have a hangover, feel like the morning after [the night before]; *hela ~arna* all day long **2** med föreg. prep.: ~ *för* ~ day by day, every day; *för ~en* for the day; *i* ~ today; *i* ~ *på morgonen* this morning; *vad är det för* ~ *i* ~*?* what day [of the week] is it?; *vad i all sin dar* (*dag*) gör du här? what on earth...?; *om* (*på*) *~en* (*~arna*) in the daytime, by day; *en gång* (*tre gånger*) *om ~en* once a day (per diem lat., every twenty-four hours); *om ett par ~ar* in a day or two, in a few (couple of) days; *på ~en* a) se *om ~en* ovan b) punktligt to the day; *mitt på ljusa ~en* in broad daylight; *bli kvar över ~en hos ngn* stay (spend) the day with a p.
dagas dawn; *det* ~ it is growing light, the day is dawning
dagbarn child in the care of a childminder; *ha* ~ take care of a small child (of small children), be a childminder
dagbarnvårdare childminder
dagbok diary; *föra* ~ keep a diary (journal)
dagdrivare idler
dagdröm daydream
dager [dags]ljus daylight, light; bildl.: belysning light; *ställa* ngt *i en gynnsam* (*fördelaktig*) ~ put (place)...in a favourable light
dagg dew
daggdroppe dewdrop
daggkåpa bot. lady's-mantle
daggmask earthworm
daghem day nursery, daycare centre
dagis se *daghem*
daglig daily; ~ *tidning* daily [paper]
dagligen daily, every day
dagligvar|a everyday commodity; *-or* äv. perishables, non-durables
daglön wages pl. by the day
dagmamma childminder, baby-minder
dagning dawn, daybreak; *i ~en* at dawn (daybreak)
dagordning föredragningslista agenda; *stå på ~en* be on the agenda
dagpenning bidrag daily allowance
dagrum sällskapsrum day room
dags, *hur* ~*?* [at] what time?, when?; *det är så* ~ för sent *nu!* it is a bit late now!
dagsbehov daily requirement
dagsbot o. **dagsböter** fine sg. [proportional to one's daily income]
dagsfärsk absolutely fresh; *en* ~ *händelse* a quite recent event
dagskassa butiks day's takings
dagsljus daylight; *vid* ~ by daylight
dagslång day-long
dagsläge, *~t* the present situation
dagslända zool. mayfly; bildl. fad; *vara en* ~ äv. be ephemeral
dagsmeja midday thaw
dagsnyheter radio. news
dagspress daily press
dagsres|a day's journey; *två -or* two days' journey
dagstidning daily [paper]
dagsverke arbete mot daglön daywork
dagtid, studera *på* ~ ...in the daytime
dagtrafik day services
dagtraktamente daily allowance [for expenses]
dahlia bot. dahlia
dakapo I *s* encore **II** *adv* once more; mus. da capo it.
dal valley
dala sink, descend, fall; spec. bildl. decline
Dalarna Dalarna, Dalecarlia
dalgång long[ish] valley
dallra quiver; vibrera vibrate
dalta, ~ *med ngn* klema [molly]coddle (pamper) a p.
dam 1 lady; 100 meter bröstsim *för ~er* the women's... **2** bordsdam [lady] partner [at table]; *~ernas* [*dans*] ladies' invitation (excuse-me) [dance] **3** kortsp. el. schack. queen
damask, *~er* gaiters; för herrar vanl. spats
damast tyg damask
dambinda sanitary towel (amer. napkin)
dambyxor långbyxor ladies' trousers (slacks); underbyxor knickers; trosor briefs
damcykel lady's [bi]cycle
damdubbel sport. women's doubles (pl. lika); match women's doubles match
damfrisering lokal ladies' hairdressing saloon
damfrisör o. **damfrisörska** ladies' hairdresser
damkonfektion ladies' [ready-made] clothing, women's wear
1 damm 1 fördämning dam, barrage; skydds~ vid hav dike, dyke, sea wall **2** vattensamling pond; större, vid kraftverk o.d. pool
2 damm dust
damma I *tr* dust; ~ *av* t.ex. bordet dust, remove the dust from; ~ *av i ett rum* dust

a room; ~ *ned* make...[all] dusty **II** *itr* röra upp damm raise a great deal of dust; ge ifrån sig damm make a lot of dust; *vad det ~r!* what a dust there is!
dammig dusty, dust-laden
dammkorn grain (speck) of dust
dammode fashion for women; *~t* har växlat fashions for women...
dammoln cloud of dust
dammsuga vacuum, ® hoover
dammsugare vacuum cleaner
dammtorka dust, jfr *damma I*
dammtrasa duster, dustrag
damrum ladies' [cloak]room (amer. rest room)
damsingel sport. women's singles (pl. lika); match women's singles match
damsko lady's shoe; *~r* isht hand. ladies' footwear sg.
damskräddare ladies' tailor
damspel konkr. draughts (amer. checkers) set
damstrumpa lady's stocking (pl. ladies' stockings)
damsällskap, *i ~* a) in female company b) bland damer among ladies
damtidning ladies' magazine
damtoalett lokal ladies' (women's) lavatory (cloakroom); *~en* vard. the ladies
damunderkläder ladies' underwear, lingerie fr., sg.
damur ladies' watch
damväska [lady's] handbag
1 dank spelkula av metall [metal] ball
2 dank, *slå ~* idle, loaf [about]
Danmark Denmark
dans dance; dansande dancing; bal ball; *det går som en ~* it goes like clockwork, it is as easy as A B C (pie)
dansa allm. dance; skutta trip; *gå och ~* ta danslektioner take dancing-lessons
dansare dancer
dansbana [open air] dance floor; under tak dance-pavilion
dansgolv dance floor
dansk I *adj* Danish **II** *s* Dane
danska (jfr äv. *svenska*) **1** kvinna Danish woman **2** språk Danish
danskonst art of dancing
danslektion dancing-lesson
danslokal [public] dance hall
danslärare dancing-teacher
dansmusik dance music
dansorkester dance band
dansrestaurang dance restaurant
dansskola dancing-school
danssteg dance step
dansör dancer
dansös [professional female] dancer; balettflicka dancing-girl; klassisk ballet girl; i revy chorus girl
Dardanellerna the Dardanelles
darr, *med ~ på rösten* with a shake (tremble) in one's voice
darra allm. tremble; huttra shiver; skälva, dallra quiver; dallra, vibrera quaver, vibrate; skaka shake; *~ av köld* shiver with cold
darrande trembling etc., jfr *darra;* om t.ex. händer äv. shaky; om röst el. handstil tremulous
darrhänt, *han är så ~* his hands are so shaky
darrig se *darrande;* vard.: svag shaky, out of sorts
darrning trembling etc., jfr *darra;* tremor, shake
daska vard., slå *~ [till] ngn* slap (spank) a p.
dass vard. *gå på ~* go to the lav (loo amer. john)
1 data 1 årtal dates **2** fakta data
2 data computer; *ligga (lägga) på ~* be (put) on computer
dataanläggning data processing equipment
databas data base (bank)
databehandling data processing; datorisering computerization
databrott computer crime
Datainspektionen the [Swedish] Data Inspection Board
datamaskin se *dator*
dataskärm monitor; vard. display
dataspel computer game
dataterminal data terminal
datavirus computer virus (pl. viruses)
datera date; *Ert brev ~t 2 maj* your letter of May 2nd; fyndet *kan ~s till 1200-talet* ...can be dated back to the 13th century
datering dating
dativ gram. *~[en]* the dative
dativobjekt gram. dative (indirect) object
dato date; *till [dags] ~* up to the present, to date
dator [electronic] computer; för sms. jfr äv. *data-*
datorisering computerization
datorspel computer game
datum date; *poststämpelns ~* hand. date of postmark; *av senare ~* of [a] later (more recent) date
datumgräns date line
datummärkning av t.ex. mat open-dating
datumparkering ung. night parking on alternate sides of the street [on even resp. odd dates]
datumstämpel date stamp, dater
DDR hist. GDR (förk. för the German Democratic Republic)
D-dur mus. D major
de se *den*
debatt debate isht parl.; diskussion discussion; överläggning deliberation

debattera debate; diskutera discuss; ~ *om ngt* debate [on] a th., discuss a th.
debattör debater
debet hand. debit; bokföringsrubrik Debtor (förk. Dr.); ~ *och kredit* debits and credits
debetsedel ung. [income-tax] demand note
debetsida hand. debit side
debitera hand. debit; ta betalt charge
debitering hand. debiting; debetpost debit item (entry)
debut debut
debutant singer osv. making his (resp. her) debut
debutbok first book
debutera make one's debut
december December (förk. Dec.); jfr *april* o. *femte*
decennium decade
decentralisering decentralization
dechiffrera decipher; kod decode
decibel fys. decibel
deciliter decilitre
decimal decimal
decimalbråk decimal [fraction]
decimalkomma decimal point
decimera decimate
decimeter decimetre
deckare vard. **1** roman detective story **2** detektiv private eye, sleuth
dedicera dedicate
dedikation dedication
defekt I *s* fel, skada defect; ofullkomlighet, bristfällighet imperfection **II** *adj* defective; felaktig faulty; ofullständig imperfect; skadad damaged
defensiv I *s* defensive; *hålla sig på ~en* be on the defensive **II** *adj* defensive
defilera, ~ [*förbi*] march (file) past
defilering march past
definiera define
definierbar definable
definition definition
definitiv bestämd definite; oåterkallelig definitive
deformera deform; förstöra utseendet av disfigure
defroster bil. defroster
deg dough; paj~, kak~ pastry; smör~ paste; *en* ~ a piece of dough (resp. pastry resp. paste)
dega, *gå omkring och* ~ hang around doing nothing
degel crucible
degeneration degeneration
degenererad degenerate
degig 1 degartad doughy **2** vard., vissen *känna sig* ~ feel under the weather (out of sorts)
degradera degrade; mil. äv. demote; sjö. äv. disrate; bildl. reduce
degradering degradation, demotion, reduction; jfr *degradera*
deka, ~ *ner sig* vard. go to the dogs
dekadent decadent
dekal sticker
dekantera decant
deklamation utantill recitation; från bladet reading
deklamera utantill recite; från bladet read [aloud]
deklarant som gör sin självdeklaration person making (filing) an income-tax return
deklaration 1 declaration **2** ss. rubrik på varuförpackning ingredients **3** se *självdeklaration*
deklarationsblankett income-tax return form
deklarera 1 declare; proklamera proclaim **2** själv~ make one's return of income; tull~ declare; ~ *falskt* make a fraudulent income-tax return
deklination gram. declension
dekoder elektr. decoder
dekokt decoction
dekor décor fr.; teat. äv. scenery
dekoration decoration äv. orden; föremål ornament; *~er* teat. scenery, décor fr. (båda sg.)
dekorativ decorative
dekoratör decorator; tapetserare interior decorator; teat. stage designer
dekorera decorate äv. med orden
dekret decree
del 1 allm. part, portion; avdelning section; band volume; komponent component; bråkdel fraction; ...blandas med *en ~ vatten* ...one part of water **2** 'en [hel] del [av]' o. likn. *en* ~ somligt something, [some] part of it; somliga some; *en ~ av befolkningen* part of the population; *en hel* ~ åtskilligt a great (good) deal, plenty; vard. [quite] a lot; *större ~en av klassen* (*eleverna*) most of the class (of the pupils); *till största ~en* for the most part, mostly; *till en viss* ~ to some extent **3** 'sak' *ta båda ~arna!* bägge två take both (the two) [of them] **4** [*å,*] *för all ~!* ingen orsak! don't mention it!, [oh,] that's [quite] all right!; isht amer. you're welcome! **5** andel share; beskärd del lot; *ta* [*verksam*] ~ *i ngt* take [an active] part in a th.; *jag för min ~ tror...* as for me (as far as I am concerned, for my part), I think...
6 kännedom *få ~ av* be informed (notified) of (about)
dela I *tr* **1** särdela divide; dela upp divide (split) up, partition; stycka cut up [*i* into]; ~ *med 5* divide by 5 **2** dela i lika delar share; ~ *lika* share and share alike; om två äv. go fifty-fifty **II** *rfl,* ~ *sig* divide; dela upp sig divide up, separate; förgrena sig äv. branch

[off]; om t.ex. väg fork; klyva sig äv. split up [*i* into]

III med beton. part.

~ **av** dela [upp] divide [up]; avskilja partition off

~ **in** se *indela*

~ **med sig [åt andra]** share with other people

~ **upp** indela divide up; fördela distribute; sinsemellan share; ~ *upp sig* divide (split) up

~ **ut** distribute, deal (give) out; i småportioner dole out; fördela äv. portion (share) out

delad divided osv., jfr *dela; därom råder ~e meningar* opinions differ (are divided) about that

delaktig 1 i beslut o.d. *vara ~ i* participate in **2** i brott o.d. *vara ~ i* be implicated (mixed up) in

delaktighet 1 i beslut o.d. participation **2** i brott o.d complicity

delbar divisible

delegat delegate

delegation delegation

delegera delegate

delegerad delegated; *en ~* a delegate

delfin zool. dolphin

delge o. **delgiva,** ~ *ngn ngt* inform a p. of a th., communicate a th. to a p.

delikat delicate äv. kinkig; om mat o.d. delicious

delikatess delicacy; *~er* hand. äv. delicatessen

delikatessaffär delicatessen [shop, isht amer. store]

delirium, ~ *tremens* delirium tremens; vard. the d.t.'s

delning division; biol. fission osv., jfr *dela*

delpension partial pension

dels, ~...~... partly..., partly...; å ena sidan... å andra sidan... on [the] one hand..., on the other...

delstat federal (constituent) state

1 delta geogr. o. bokstav delta

2 delta se *deltaga*

deltaga 1 medverka m.m. take part; mera litterärt participate; som medarbetare collaborate; ~ *i* ansluta sig till, instämma i äv. join, join in; vara medlem[mar] av äv. be a member (resp. members) of; ~ *i arbetet* äv. share (join) in the work **2** närvara be present; ~ *i* bevista attend **3** ~ *i ngns sorg* sympathize with a p. in his sorrow

deltagande I *adj* medkännande sympathetic, sympathizing... **II** *subst adj* medverkande *de ~* those taking part **III** *s* **1** taking part; participation; medverkan co-operation; bevistande attendance; anslutning turn-out **2** medkänsla sympathy; *hysa ~ med* sympathize with

deltagar|e participator, member äv. i kurs; attender; *-na* ofta äv. those taking part; i tävling the competitors (entrants)

deltid, *arbeta [på] ~* have a part-time job, work part-time

deltidsanställd, *vara ~* be employed part-time

deltidsarbete part-time job (work)

delvis I *adv* partially, partly **II** *adj* partial

delägare joint owner; i firma partner

dem se *den*

demagog demagogue

demagogisk demagogic

demaskera, [*~sig*] unmask äv. bildl.

dementera deny

dementi [official] denial

demilitarisera demilitarize

demobilisering demobilization

demokrat democrat

demokrati democracy

demokratisk democratic

demon demon

demonstrant demonstrator

demonstration i div. bet. demonstration

demonstrationståg procession of demonstrators

demonstrera demonstrate

demontera fabrik take down, dismantle, dismount

demoralisera demoralize

demoralisering demoralization

den (*det; de, dem,* vard. *dom; dens; deras*)

A *best art* the; ~ *allmänna opinionen* public opinion; *det medeltida Sverige* medieval Sweden

B *pron* **I** pers. **1** *den, det* (jfr *2*) it; syftande på kollektiver då individerna avses they (ss. obj. them); *pengarna? de ligger på bordet* the money? it is on the table **2** *det* spec. fall **a)** it; *det regnar* it is raining; *vem är det som knackar?* who's [it (that)] knocking? **b)** there; *det var mycket folk där* there were many people there; *det är ingenting kvar* there is nothing left **c)** so; *det 'gör han också (med)* so he does; kommer han? - *jag antar (hoppas, tror) det* ...I suppose (hope, think) so, ...I suppose etc. he will **d)** that, this; *det duger* that will do **e)** utan motsvarighet i eng. *varför frågar du det?* why do you ask?; är du sjuk? - *ja, det är jag* ...yes, I am **f)** annan konstr. i eng., *det gör ont i foten* my foot hurts me **g)** *hon har 'det* charm o.d. she has 'it

II demonstr. *den, den (det) där* (resp. *här*) allm. that resp. this [självst., isht vid motsättning, vanl. one]; *det har du så rätt i!* you are perfectly right there!; *är det här mina handskar (min sax)? - ja, det är det* are these my gloves (scissors)? — yes, they are; *har du sett ~ där [killen]* (*dom där* [*killarna*]) *förut?* have you seen that fellow (those [fellows]) before?

III determ., den som the person who, the one who; sak the one that; vem som helst som anyone that; i ordspråk he who; *saken är ~ att...* the fact is that...; *han är inte ~ som klagar* he is not one to complain; *allt det som...* everything that...

denim textil. denim

denne (*denna, detta, dessa*) den här this, pl. these; den där that, pl. those; syftande på förut nämnd person (nämnda personer) he resp. she, pl. they; den (de) senare the latter; *denna gång* lyckas han säkert this time...; *jag frågade läraren, men ~...* I asked the teacher, but he (the latter)...

densamme (*densamma, detsamma, desamma*) the same; med förbleknad betydelse = 'den', 'det', 'de' it; pl. they, ss. obj. them; [*tack,*] *detsamma!* the same to you!; *med detsamma som* directly

dental I *s* dental **II** *adj* dental

deodorant deodorant

departement 1 ministerium ministry; amer. department **2** franskt distrikt department

departementschef head of a department, secretary of state

deponera deposit

deportation deportation

deportera deport

deposition konkr. deposit; abstr. depositing

deppa vard. feel low

deppad o. **deppig** vard. *vara ~* se *deppa*

depression depression; ekon. äv. slump

deprimerad depressed

deputation deputation

depå depot; upplagt förråd dump; hand. safe custody

deras poss.: fören. their; självst. theirs

derby sport. **1** hästkapplöpning Derby **2** lokal~ [local] Derby

derivat kem. derivative

desamma se *densamme*

desertera desert

desertör deserter

design design, designing; utförande styling

designer [industrial] designer

desillusionerad disillusioned

desinfektionsmedel disinfectant

desinficera disinfect; *~nde* äv. disinfectant

deskriptiv descriptive

desorienterad confused

desperado desperado (pl. -es el. -s)

desperat förtvivlad desperate; ursinnig furious

desperation desperation

despot despot

despotisk despotic

1 dess mus. D flat

2 dess I *poss pron* **1** its **2** i adv. uttr. *innan ~* . dessförinnan before then; *sedan ~* since then; *till ~* [*att*] konj. till, until **II** *adv* se *desto*

dessa se *denne*

dessbättre lyckligtvis fortunately

Dess-dur mus. D flat major

dessemellan in between, at intervals

dessert sweet, dessert; vard. afters

dessertost soft cheese

dessertsked dessertspoon; ss. mått dessertspoonful

dessertvin dessert-wine

dessförinnan before then; förut beforehand

dessutom besides; vidare furthermore; ytterligare moreover, in addition

dessvärre tyvärr unfortunately

destillera distil; amer. distill

destillering distillation

destination destination

destinationsort [place of] destination

desto the; *~ bättre!* all (so much) the better!; *ju förr ~ bättre* the sooner the better

destruktiv destructive

det se *den*

detalj 1 detail; maskindel part; *gå in på ~er* go (enter) into detail[s] **2** hand. *sälja i ~* retail, sell [by] retail

detaljerad detailed

detaljhandel retail trade; handlande retailing

detektiv detective

detektivbyrå detective agency

detektivroman detective story (novel)

detektor tekn. detector

detonation detonation

detonera detonate

detsamma se *densamme*

detta se *denne*

devalvera devalue

devalvering devaluation

devis motto (pl. -es el. -s)

di, *ge* [*ett barn*] *~* suckle

1 dia om djur, barn suck; ge di suckle

2 dia se *diabild*

diabetes diabetes

diabetiker diabetic

diabild transparency; ramad [film] slide

diadem tiara

diafragma anat. el. tekn. diaphragm

diagnos diagnos|is (pl. -es); *ställa ~* make a diagnosis [*på* of]

diagnostik diagnostics sg.

diagnostisk diagnostic; *~t prov* diagnostic test

diagonal I *s* matem. diagonal **II** *adj* diagonal

diagram schematisk figur diagram; isht med kurvor graph; isht med siffror i kolumner chart

diakon lay [welfare] worker

diakonissa lay [welfare] worker

dialekt dialect; *han talar ~* he speaks a dialect (with a regional accent)

dialektal dialectal
dialog dialogue
dialys kem. el. med. dialys|is (pl. -es)
diamant diamond
diameter diameter
diapositiv transparency; ramat [film] slide
diarium diary
diarré diarrhoea
didaktisk didactic
diesel se *dieselolja*
dieselmotor diesel engine
dieselolja diesel oil (fuel)
diet diet; *hålla ~* be on a diet
dietist dietician
dietmat diet[etic] food
differens difference
differentiera differentiate; skol. stream
diffus diffuse; friare blurred
difteri med. diphtheria
diftong språkv. diphthong
dig se under *du*
diger thick; mycket stor huge; voluminös bulky
digital data. digital
digitalis bot. el. med. digitalis
digitalur digital watch, jfr *1 ur*
digna segna ned sink down; tyngas ned be weighed down
dike ditch
dikeskant edge of a (resp. the) ditch
dikesren ditch bank
dikning ditching
1 dikt sjö. close; *hålla ~ babord* steer hard aport
2 dikt 1 poem poem **2** diktning m.m. fiction; poesi poetry; *~ och verklighet* fact and fiction; jfr *diktning* **3** påhitt *rena ~en* pure fiction
dikta författa write, compose; *~ [ihop]* hitta på invent, fabricate, make up
diktamen diktering dictation
diktare writer; poet poet
diktator dictator
diktatorisk dictatorial
diktatur dictatorship
diktaturstat dictatorship
diktera dictate
diktning diktande writing; vers~ writing of poetry; diktkonst, poesi poetry
diktsamling collection of poems
dilemma dilemma, quandary
dilettant amateur; isht neds. dilettant|e (pl. -i)
dilettantisk dilettantish, amateurish
diligens hist. stagecoach
dill dill
dilla vard. drivel, babble, talk nonsense
dille mani *ha ~ på* have a mania (craze) for
dillumera *itr* prave
dimbank bank of fog (mist)
dimension dimension; *~er* proportioner äv. proportions
dimfigur vague (dim, indistinct) shape
dimhöljd ...shrouded (enveloped) in fog (mist); bildl. dim, obscure
diminuendo mus. diminuendo it.
dimljus bil. fog light (lamp)
dimma fog; lättare mist; dis haze; *tät (tjock) ~* dense (thick, heavy) fog
dimmig foggy; lättare misty; disig hazy äv. bildl.
dimpa fall (plötsligt tumble, mjukt flop) down; *~ ner* drop down
dimridå smoke screen
din *(ditt, dina)* fören. your, åld., poet. el. relig. thy; självst. yours, åld., poet. el. relig. thine; *~ dumbom!* you fool (idiot)!; *D~ tillgivne E.* i brevslut Yours ever (sincerely), E.
dingla dangle
dinosaurie dinosaur
diplom diploma
diplomat diplomat; isht bildl. diplomatist
diplomatisk diplomatic
diplomerad diplomaed
dipmix dip mix
direkt I *adj* direct; immediate isht omedelbar; genomgående through; *en ~ lögn* a downright lie **II** *adv* raka vägen direct; genast o. på ett direkt sätt directly; omedelbart immediately; *~* rent ut sagt *oförskämd* downright insolent; *svara ~ på* en fråga answer...straight away; rättframt give a direct (straight) answer to...
direktflyg non-stop plane (flygning flight)
direktförbindelse flyg. o.d. direct service
direktion styrelse [board of] management
direktiv terms pl. of reference, directive; *ge ngn ~* give a p. instructions, brief a p.
direktreklam direct [mail] advertising
direktsändning radio. el. TV. live broadcast
direktör director; amer. vice-president; för ämbetsverk superintendent; *verkställande ~* managing director; amer. president *[för* of]
dirigent conductor
dirigera direct; mus. conduct; *~ om* redirect, re-route, divert
dis haze
disciplin lydnad o.d. discipline
discjockey se *diskjockey*
disco vard. disco (pl. -s); *gå på ~* go to a (resp. the) disco
disharmonisk disharmonious äv. bildl.; skärande discordant
disig hazy
1 disk 1 butiks~, bank~ counter; bar~ bar **2** anat. disc **3** data. disc, isht amer. disk
2 disk 1 abstr. washing-up **2** konkr.: [odiskad dirty] dishes; det blir *en stor ~* ...a lot of washing-up to do; *torka ~en* do the drying-up
1 diska rengöra *~ [av]* wash up; ett enda

föremål wash; itr. do the washing-up, wash up the dishes, isht amer. do (wash) the dishes
2 diska sport. vard. disqualify
diskant mus. treble
diskare dishwasher
diskbalja washing-up bowl, amer. dishpan
diskborste dishbrush
diskbråck, *ha* ~ have a slipped disc
diskbänk [kitchen] sink
diskett data. floppy disk, diskette
diskho washing-up sink
diskjockey disc jockey; vard. deejay
diskmaskin dishwasher
diskmedel washing-up (till diskmaskin dishwasher) detergent
1 diskning washing-up etc., jfr *1 diska*
2 diskning sport. vard. disqualification
diskontera ekon. discount
diskonto bank~ minimum lending rate; privat~ market rate
diskotek danslokal discotheque; vard. disco (pl. -s)
diskplockare table clearer, waiter's assistant; amer. bus boy (kvinnl. girl)
diskret I *adj* discreet; dämpad quiet äv. om färg **II** *adv* discreetly etc., jfr *I*
diskretion discretion
diskriminera, ~ *ngn* (*ngt*) discriminate against a p. (against a th.)
diskriminering discrimination
diskställ i kök plate rack; amer. dish drainer
disktrasa dishcloth
diskus sport. **1** i skiva disc|us (pl. -uses el. -i); *kasta* ~ throw the discus **2** ss. sportgren [throwing the] discus
diskuskastare discus-thrower
diskussion discussion; isht parl. debate; överläggning deliberation
diskussionsämne subject (topic) of (for) discussion
diskutabel debatable; tvivelaktig questionable
diskutera discuss; mera intensivt argue; debattera debate
diskvalificera disqualify
diskvalificering o. **diskvalifikation** disqualification
diskvatten dishwater
dispens exemption; isht kyrkl. dispensation; *få* ~ be granted an exemption, be exempted
disponent bruks~ managing director; amer. president
disponera 1 ~ [*över*] ha till sitt förfogande have...at one's disposal (command); ha tillgång till have access to **2** planera arrange, plan
disponibel available, disposable; ~ *inkomst* disposable income
disposition 1 förfogande disposal; *stå* (*ställa ngt*) *till ngns* ~ be (place a th.) at a p.'s disposal **2** av en uppsats o.d. plan; av stoffet disposition, arrangement **3** ~*er* åtgärder arrangements, dispositions; förberedelser preparations **4** mottaglighet predisposition äv. med.
disputation univ. disputation
disputera 1 tvista dispute **2** univ. [publicly] defend a (one's) doctor's thesis
dispyt dispute, controversy; *råka* (*komma*) *i* ~ get involved in a dispute
diss mus. D sharp
dissekera dissect äv. bildl.
diss-moll mus. D sharp minor
dissonans mus. dissonance; discord äv. bildl.
distans distance; *hålla* ~[*en*] keep one's (keep at a) distance
distansminut nautical mile
distansundervisning distance teaching
distingerad distinguished
distinkt I *adj* distinct **II** *adv* distinctly
distinktion distinction
distrahera, ~ *ngn* distract a p., distract (divert) a p.'s attention, put a p. out; störa disturb a p., put a p. off
distraktion tankspriddhet absent-mindedness; förströelse distraction
distribuera distribute
distribution distribution
distributör distributor
distrikt district
distriktsläkare district medical officer
distriktsmästerskap district championship
distriktssköterska district nurse
distrå absent-minded
dit *adv* **1** demonstr. there; ~ *bort* (*in, ned* etc.) away (in, down etc.) there; *det är långt* ~ rumsbet. it's a long way there **2** rel. where; varthelst wherever; *den plats* ~ *han kom* the place he came to
dithörande ...belonging to it (resp. them), ...belonging there; hörande till saken relevant, related; ~ *fall* cases belonging to that category
ditintills se *dittills*
dito ditto (förk. do.)
ditresa, *på* ~*n* on the (my etc.) journey there
1 ditt se *din*
2 ditt, prata om ~ *och datt*... this and that
dittills up to then; så där långt so (thus) far
ditvägen, *på* ~ on the (my etc.) way there
ditåt in that direction, that way; *något* ~ something like that
diva diva
divan couch, divan
divergera diverge äv. fys.; matem. differ
diverse sundry; ~ *saker* äv. sundries, odds and ends
diversearbetare casual labourer

diversehandel butik general store
dividera I *tr* divide **II** *itr* vard., resonera argue [the toss]
division 1 matem. division **2** mil.: fördelning division; flyg., fartygsförband squadron; artilleri~ artillery battalion **3** sport. division
djungel jungle
djungeltelegraf isht skämts. bush telegraph; *på ~n* on the grapevine
djup I *adj* deep; isht i högre stil el. bildl. profound; friare: fullständig complete; stor great; *[försänkt] i ~a tankar* deep in thought; *i ~a[ste] skogen* in the depths of the forest **II** *s* depth; högtidl. äv. depths; poet. deep; avgrund abyss; *komma ut på ~et* get out into deep water
djupdykning deep-sea diving
djupfryst, *~a livsmedel* [deep-]frozen foods
djupgående I *adj* deep[-going]; bildl. profound; sjö. deep-draught **II** *s* sjö. draught
djuphavsforskning deep-sea exploration (research), oceanography
djupna deepen; eg. vanl. get deeper
djupsinnig profound, deep
djupsinnighet yttrande profound remark
djupt isht eg. deep; isht bildl. deeply, jfr *djup I; ~ allvarlig* very serious (grave); *~ rotad* deep-rooted; *buga sig ~* bow low; *titta för ~ i glaset* take a drop too much; *sova ~* sleep deeply; *han sov ~* he was fast asleep
djur animal; större fyrfota el. bildl. äv. beast
djurart species (pl. lika) of animal
djurförsök experiment on (with) animals
djurisk allm. animal; bestialisk bestial; köttslig, sinnlig carnal; rå, brutal brutal
djurkretsen astrol. the zodiac
djurliv animal life
djurpark zoo zoological park
djurplågeri cruelty to animals
djurriket the animal kingdom
djursjukhus animal (veterinary) hospital
djurskyddsförening society for the prevention of cruelty to animals
djurskötare på zoo [zoo] keeper; lantbr. cattleman
djurtämjare animal trainer (tamer)
djurvän lover of animals
djurvärld animal world; fauna fauna
djärv allm. bold; oförvägen intrepid, audacious; vågsam, vågad venturesome, risky
djärvhet boldness, intrepidity, bravery; jfr *djärv*
djävel devil; stark. bastard; vulg. bugger, fucker; *djävlar!* vulg. bugger (fuck) [it]!
djävla bloody; damn[ed]; amer. äv. goddamn[ed]; *[din] ~ drulle* you bloody (damn[ed], amer. goddamned) fool; vulg. you fucking idiot
djävlas, *~ med ngn* be bloody-minded towards a p.
djävlig om person bloody (amer. goddamn[ed]) nasty; om sak vanl. bloody (amer. goddamn[ed]) rotten (awful)
djävligt 1 devilishly osv., jfr *djävulsk* **2** i kraftuttr. bloody, damn[ed]; amer. goddamn[ed], goddam; vulg. fucking
djävul devil; jfr äv. *1 fan*
djävulsk devilish; ondskefull fiendish; diabolisk diabolic[al]; infernalisk infernal
djävulskap devilry
d-moll mus. D minor
DNA (förk. för *deoxiribonukleinsyra*) DNA
docent vid universitet docent; motsv. i Engl. av reader, amer. associate professor
dock likväl yet; emellertid however; ändå for all that
1 docka sjö. **I** *s* dock **II** *tr* o. *itr* dock äv. rymd.
2 docka 1 leksak doll äv. bildl.; barnspr. dolly; led~ puppet; prov~, buktalar~ etc. dummy **2** garn~ o.d. skein
dockansikte doll's face
dockning sjö. el. rymd. docking
dockskåp doll's house; amer. dollhouse
dockteater puppet theatre (föreställning show)
dockvagn doll's pram
doft scent, perfume; fragrance äv. bildl.
dofta smell; *det ~r [av] rosor* there is a scent of roses
doftande sweet-scented; fragrant; redolent
dogm dogma
dogmatisk dogmatic
doja vard. shoe
dok slöja veil; friare pall
doktor doctor (förk. Dr., Dr)
doktorand candidate for the doctorate, doctoral candidate, postgraduate student
doktorera study for (avlägga examen take) one's doctor's degree
doktorsavhandling thesis [for a doctorate]
doktorsgrad doctor's degree; *ta ~en* take a doctor's degree
doktrin doctrine
dokument document; jur. äv. deed, instrument
dokumentation documentation äv. vetensk. verksamhet; substantiation
dokumentera eg. document; ådagalägga give (produce) evidence of
dokumentportfölj [document] briefcase
dokumentär I *adj* documentary **II** *s* documentary [film]
dokumentärfilm documentary [film]
dold hidden, concealed; hemlig secret; *~a kameran* candid camera
doldis vard. unperson
dolk dagger

dolkstöt dagger thrust; *en ~ i ryggen* bildl. a stab in the back
dollar myntenhet dollar; amer. vard. buck; *5 ~* five dollars ($5)
dollarkurs dollar rate [of exchange]
dollarsedel dollar note; amer. dollar bill; vard. greenback
dolsk se *lömsk*
1 dom se *den*
2 dom kyrka cathedral
3 dom judg[e]ment; i brottmål sentence; jurys utslag verdict; *en friande ~* a verdict of acquittal (of not guilty); *fälla [en] ~ över* pass (pronounce) judg[e]ment (resp. sentence) [up]on
domare 1 allm. judge; vid högre rätt justice **2** sport.: allmän idrott judge; tennis m.m. umpire; fotb. el. boxn. samt tennis överdomare referee, vard. ref
domdera go on, shout and swear
domedag judg[e]ment day
domherre zool. bullfinch
dominans dominance äv. biol.
dominant dominant äv. mus. el. biol.
dominera dominate; spela herre domineer; vara förhärskande be predominant (uppermost)
dominikan relig. Dominican [friar]
Dominikanska republiken the Dominican Republic
domino spel dominoes
dominospel [game of] dominoes
domkraft tekn. jack
domkyrka cathedral
domna, *~ [av]* go numb, get benumbed; om värk o.d. abate, subside
domning numbness; p.g.a. värk o.d. abatement
domptera tame
domptör tamer
domslut jur. judg[e]ment; sport. decision
domssöndagen the Sunday before Advent
domstol lawcourt; isht hist. el. bildl. tribunal; *dra ngt inför ~* bring (take) a th. into court, go to court about a th.
domstolsförhandling, *~[ar]* court proceedings pl.
domän domain
don verktyg tool; *~* pl., grejor gear, tackle (end. sg.)
donation donation; testamentarisk bequest
donator donor
Donau flod the Danube
donera donate
dop baptism; barn~ vanl. christening; fartygs~ o.d. naming, christening
dopa sport. dope; *~ sig* take drugs
dopattest certificate of baptism
dopfunt baptismal (christening) font
doping tagande av dopingpreparat drug-taking, drug use (abuse)
dopingprov sport. drug testing; *ett ~* a drug test
dopklänning christening robe
dopnamn baptismal (first, Christian) name
dopp 1 bad *ta sig ett ~* have a dip (plunge) **2** *kaffe med ~* ung. coffee and buns (cakes)
doppa I *tr* allm. dip; ivrigt plunge; helt o. hållet immerse; *~ ngn* vid badning duck a p. **II** *rfl, ~ sig* have a dip (plunge)
dopping zool. grebe
doppvärmare immersion heater
dopvittne sponsor
dos dose; dosering dosage
dosa box äv. tekn. el. elektr.; bleck~ tin
dosera med. dose
dosering med. dosage
dossié o. **dossier** dossier
dotter daughter
dotterbolag subsidiary [company]
dotterdotter granddaughter
dotterson grandson
doublé guld~ rolled gold
dov allm. dull; kvalmig sultry; undertryckt stifled
dovhjort zool. fallow-deer; hanne buck
dra I *tr* o. *itr* **1** eg. el. friare draw; kraftigare pull; hala haul; släpa drag; streta med tug; bogsera tow; *~!* pull!; *~ kniv [mot ngn]* draw a knife [on a p.] **2** tänja [ut] *~ lakan[en]* stretch (pull) the sheets; *~ på orden (svaret)* speak (answer) in a hesitating manner **3** locka attract; *ett stycke som ~r [folk (fullt hus)]* a play that draws [people (full houses)] **4** ta bort, subtrahera take [away] **5** erfordra take; förbruka use [up]; konsumera consume; *hon ~r storlek 40* i kläder she takes size 40... **6** berätta, t.ex. en historia reel off; rabbla upp, t.ex. siffror go through
II *itr* **1** om te m.m. draw **2** tåga march; gå go, pass; bege sig betake oneself; röra sig move; flytta (om fåglar) migrate; vard., se *sticka III 3; gå och ~* sysslolöst lounge (hang) about **3** opers. *det ~r [förskräckligt]* there is a [terrible] draught
III *rfl, ~ sig* **1** mera eg.: förflytta sig move; bege sig repair; *molnen ~r sig norrut* the clouds are passing to the north **2** vara lättjefull *ligga och ~ sig i sängen* be lounging (lie lolling) in bed, be having a lie-in **3** *[inte] ~ sig för ngt* [not] be afraid of a th.
IV med beton. part.
~ **av a)** klä av pull (take) off; avlägsna pull away **b)** dra itu pull...in two **c)** dra ifrån deduct; *~ av sig* pull (take) off
~ **bort** itr. move off, go away; *~ sig bort* go away
~ **fram a)** tr.: taga (släpa) fram draw (pull) out; bildl. bring up (forward, out) **b)** itr.

advance **c)** ~ *sig fram* [*i världen*] get on [in the world], get along

~ **för** gardin draw..., pull...across

~ **förbi** go past

~ **ifrån** gardin o.d. draw (pull) aside (back); ta bort take away; ta (räkna) ifrån deduct; *han drog ifrån* [*de andra*] sport. he drew away [from the rest]

~ **igen** dörr o.d. shut, close

~ **igenom** tr. go (work, hastigt run, ytligt skim) through...

~ **ihop** samla gather...together; trupper concentrate; ~ *ihop sig* eg. contract; sluta sig close; *det ~r ihop* [*sig*] *till oväder* a storm is gathering

~ **in a)** tr. draw in äv. bildl.; dra tillbaka, återkalla withdraw; inställa discontinue; på viss tid suspend; avskaffa abolish, do away with; konfiskera confiscate; ~ *in ett körkort* take away (på viss tid suspend) a driving licence **b)** itr. ~ *in på...* inskränka cut down...

~ **isär** draw...apart (asunder)

~ **med** drag...along [with one]; ~ *med sig* bildl. bring...with it (resp. them); innebära mean, involve

~ **ned** eg. draw (pull) down; smutsa ned make...dirty

~ **på** a) tr.: t.ex. maskin, motor start b) itr: fortsätta go (push) on; vard., öka farten step on it; ~ *på* [*sig*] put (pull) on; ~ *på sig en förkylning* catch a cold

~ **till a)** tr.: t.ex. dörr pull (draw)...to; dra åt [hårdare] pull (tie)...tighter; ~ *till bromsen* apply the brake **b)** itr.: ~ *till med att...* vard., hitta på hit on the excuse that...

~ **tillbaka** draw back; ~ *tillbaka handen* (*trupperna*) äv. withdraw one's hand (the troops)

~ **undan** draw (pull, move)...aside (out of the way); ~ *sig undan* move (draw) aside (out of the way); tillbaka fall (draw) back

~ **upp** tr. draw (pull, lift, med spel wind, haul) up; odla raise; öppna open; klocka wind up; ~ *upp ngt ur fickan* pull (vard. fish) a th. out of one's pocket

~ **ur** tr. draw (pull, drag) out; ~ *sig ur spelet* (*leken*) quit the game; friare back out, give up; vard. chuck it up

~ **ut a)** tr.: eg. draw (pull, drag, ta take) out; förlänga draw out; tänja ut stretch out; [*låta*] ~ *ut en tand* have a tooth extracted **b)** itr. go off; march out; *det ~r ut på tiden* blir sent it is getting rather late

~ **vidare** move on

~ **åt** draw (pull)...tight[er], tighten

~ **över:** ~ *över* [*tiden*] run over the time [*med* 15 min. by...]; ~ *över på* konto overdraw...

drabba I *tr* träffa hit; falla på [ngns lott] fall upon; hända [ngn] happen to; beröra affect; *~s av en sjukdom* contract an illness **II** *itr,* ~ *samman* (*ihop*) come to blows (vid dispyt loggerheads), cross (measure) swords

drabbning slag battle; stridshandling action; isht friare encounter

drag 1 dragning pull **2** med stråke stroke; *i korta* ~ i korthet briefly, in brief **3** spel. move äv. bildl.; *ett mycket skickligt* ~ a very clever move, a masterly stroke **4** särdrag feature; karaktärs~ trait; släkt~ strain **5** nyans, anstrykning touch, strain **6** luft~ draught; amer. draft; vard., fart och fläkt go; *han tömde glaset i ett* ~ he emptied (drained) the glass at a (one) draught (gulp)

draga se *dra*

dragare dragdjur draught (amer. draft) animal; beast of draught (amer. draft)

dragas se *dras*

dragdjur se *dragare*

dragé dragée; med. [sugar-coated] pill

dragen berusad tipsy

dragga drag äv. sjö.

draghjälp sport. pacemaker; *få* ~ sport. be paced, be given a pacemaker; bildl. be helped along

dragig draughty; amer. drafty; *det är ~t här* äv. there is a draught (amer. draft) here

dragkamp tug-of-war

dragkedja se *blixtlås*

dragkrok på bil towing hook

dragkärra handcart

dragning 1 lotteri~ draw **2** attraktion attraction **3** nyans *en* ~ *åt blått* a tinge of blue **4** genomgång general run-through

dragningskraft attractive force; [power of] attraction; *ha stor* ~ äv. be very attractive

dragningslista lottery prize list, list of lottery prizes

dragon bot. tarragon

dragplåster bildl. draw[ing-card], strong attraction

dragrem på seldon trace; amer. draft; maskin~ belt; på vagnsfönster strap

dragspel accordion; concertina concertina

drake dragon äv. ragata; pappers~ kite

drakflygning 1 med pappersdrakar kite-flying **2** flygsport hang-gliding

drama drama; uppskakande händelse tragedy

dramatik drama äv. bildl.

dramatiker dramatist

dramatisera dramatize

dramatisk dramatic

drapera drape

draperi [piece of] drapery, hanging

dras (*dragas*), [*få*] ~ *med* a) sjukdom be afflicted with, suffer from b) skulder, bekymmer be harassed by, be encumbered with

drastisk drastic

dregla dribble
dreja **I** *tr* lergods turn **II** *itr* sjö. ~ *bi* heave (bring) to
drejskiva potter's wheel
dress klädsel dress, attire; byxdress o.d. suit, costume
dressera train; friare school, drill
dressing [salad] dressing
dressyr training osv., jfr *dressera;* häst~ dressage
drev **1** tekn. pinion **2** blånor [packing] tow, stuffing, oakum **3** jakt. drive, beat
dribbla sport. dribble; ~ *bort ngn* bildl. bamboozle (hoodwink) a p.
dribbling sport. dribbling; *en* ~ a dribble
dricka **I** *tr* o. *itr* drink äv. supa; ~ *en kopp kaffe* have a cup of coffee; ~ *[en skål] för någon* drink a p.'s health, drink to (toast) a p.; *han har druckit* är berusad he has been drinking; ~ *upp* finish, drink up; ~ *'ur flaskan (sitt glas)* empty the bottle (one's glass) **II** *s* **1** vard., dryckesvaror drinks **2** *en* ~ läskedryck a lemonade (two lemonades)
drickbar drinkable, ...fit to drink
dricks tip, gratuity; *ge* ~ tip; *är ~en inräknad?* is service (the tip) included?
dricksglas drinking-glass, glass, tumbler
drickspengar tip, gratuity; gratuities
dricksvatten drinking-water
drift **1** begär urge; *lägre ~er* baser instincts **2** verksamhet operation; igånghållande running; skötsel management; *elektrisk* ~ [the use of] electric power; *stoppa (inställa) ~en* stop production **3** *vara på* ~ om båt be adrift **4** gyckel joking
driftig företagsam enterprising; verksam active; drivande go-ahead
driftstopp vid fabrik o.d. stoppage of production; järnv. suspension of traffic
driftsäker dependable
1 drill mus. trill; fågels warble, warbling; *slå en* ~ om fågel warble
2 drill mil. drilling, drill
1 drilla mus. trill; om fågel warble
2 drilla mil. drill
drillborr [spiral] drill
drink drink
drista, ~ *sig till att* o. inf. venture to inf.; make so bold as to inf.
dristig bold
driva **I** *s* drift; snödriva snowdrift, drift of snow **II** *tr* **1** eg. el. friare allm. drive; förmå impel **2** trädg. force **3** bedriva ~ *handel* carry on trade; ~ *en politik* pursue a policy **III** *itr* **1** eg. drive; sjö. el. om moln, sand el. snö drift; få avdrift make leeway **2** *[gå och]* ~ ströva, stryka omkring loaf (walk aimlessly) about; flanera roam about **3** ~ *med ngn* skoja pull a p.'s leg; göra narr av make fun of a p.; vard. take the mickey (Mike) out of a p.
IV med beton. part
~ **igenom** tr. force (carry) through; ~ *sin vilja igenom* have (get) ones own way
~ **in** tr.: eg. drive in; ~ *in...i* drive...into; jfr *indriva*
~ **omkring** itr. drift (walk aimlessly) about
~ **på** tr. press (urge, push) on
~ **upp** tr.: mera eg. drive up; pris o.d. run (force) up; bildl. äv. raise
drivande, *den ~ kraften* the driving force; motivet the motive power
drivbänk hotbed
driven skicklig clever; erfaren practised; *en ~ [hand]stil* ung. a flowing hand
drivhjul driving wheel
drivhus hothouse äv. bildl.
drivhuseffekt greenhouse (glasshouse) effect
drivkraft motive (propelling) force (power); bildl. driving force
drivmedel fuel, propellant
drog drug
droga drug
drogfri ...without drugs
drogmissbruk drug abuse
dromedar zool. dromedary
dropp **1** droppande drip[ping] **2** med. drip
droppa **I** *itr* **1** drip, fall in drops; *det ~r från taket* the roof is dripping (leaking) **2** vard. ~ *av* leave **II** *tr* **1** distil **2** vard., överge drop
droppe allm. drop; av kåda e.d. tear; liten droplet; *en ~ blod (vatten)* a drop of blood (water)
dropptorka drip-dry
droska cab; för sms., jfr äv. *taxi-*
drottning queen äv. bildl. el. schack.
drucken berusad drunken, drunk; intoxicated, inebriated äv. bildl.
drulle vard. clodhopper; tölp boor; bil~ roadhog
drullig vard. clumsy, awkward; fumlig bungling
drumla, ~ *i (i sjön)* stumble into the sea (water)
drummel lout, oaf, lubber; lymmel rascal
drunkna be (get) drowned, drown äv. bildl.; ~ *i...* bildl. be snowed under (swamped) with...
drunkningsolycka [fatal] drowning-accident
druva grape
druvsaft grape-juice
druvsocker dextrose
dryck drink; tillagad beverage; gift~ potion; *starka ~er* strong drinks, alcoholic (amer. äv. hard) liquors (koll. liquor)
dryckesvisa drinking-song

dryfta discuss; debattera debate; friare go into, argue
dryg 1 om pers.: högfärdig, inbilsk haughty, high-and-mighty, proud; 'viktig' self-important **2** om sak: a) som förslår lasting, economical [in use] b) väl tilltagen liberal, ample c) mödosam hard, heavy; tröttande weary; *det är en ~ kilometer dit* it is quite a kilometre there; *en ~ timme* just over an hour
dryga, *~ ut* make...last [longer]
dryghet hos person, jfr *dryg 1* haughtiness, overbearingness; self-importance
drygt gott och väl *~ 300* fully 300, slightly more than 300
drypa I *tr* put a few drops of... **II** *itr* drip; droppvis rinna ned trickle
dråp manslaughter; *ett ~* a case of manslaughter
dråplig screamingly funny
dråpslag deathblow
dråsa, en massa snö *~de ned från taket* ...came tumbling down off the roof
drägg dregs
dräglig tolerable; om pers. ...easy to put up with; *ganska ~* äv. not at all bad
dräkt 1 allm. dress; bildl. el. friare, isht poet. attire; national~ costume; fjäder~ plumage **2** jacka o. kjol suit
dräktig som bär foster pregnant, ...with young
dräktighet hos djur pregnancy
drälla vard. **I** *tr* spill **II** *itr* **1** *[gå och] ~* slå dank loaf about; *~ omkring* hang (ligga lie) about **2** vimla swarm
drämma, *~ näven i* bordet bang one's fist on...; *~ till ngn* wallop (clump, isht amer. slug) a p.
dränera täckdika el. med. drain
dränering drainage
dräng farmhand; åld. hind; hantlangare tool, henchman
dränka eg. el. bildl. drown; översvämma (äv. om solen) flood; *[gå och] ~ sig* drown oneself
dräpa kill; isht amer. slay
dräpande, *~ replik* crushing reply
dröj|a 1 låta vänta på sig be late; söla loiter **2** låta anstå o.d. *~ med ngt* delay a th., be long about (uppskjuta put off, tveka med hesitate about) a th. **3** vänta wait; stanna stop, stay; *~ [kvar]* stanna kvar linger; *~ sig kvar* i stan stay on...; *var god och dröj!* i telefon äv. hold on (hold the line), please! **4** opers. *det -de inte länge, förrän (innan)* han bad mig... it was not long before...
dröjande, *en ~ blick* a lingering gaze
dröjsmål delay; *utan ~* without [any] delay; friare promptly
dröm dream
drömlik dreamlike
dröm|ma dream; *det hade jag aldrig -t om* I would never have dreamt of that (have thought that possible)
drömmande dreamy
drömmare dreamer
drömprins dream prince
drömtydning [the] interpretation of dreams
dröna slå dank idle; dåsa drowse; *gå och ~* hang about, idle around
drönare 1 bi drone [bee] **2** pers. sluggard
du you, åld., poet. el. relig. thou; *dig* you (resp. thee); rfl. yourself (resp. thyself); *kära ~!* my dear [fellow, girl m.m.]!
dua, *~ ngn* address a p. as 'du'; friare be on familiar terms with a p.
dubb stud äv. på fotbollsskor; knob, boss; plugg [wooden] nail (pin); is~ ice prod; på däck stud
1 dubba, *~ ngn till riddare* knight a p.
2 dubba film dub; *~ till svenska* dub into Swedish
3 dubba däck provide (fit)...with studs (resp. spikes, jfr *dubb*); *ett ~t däck* a studded tyre (amer. tire)
dubbdäck studded tyre (amer. tire)
dubbel I *adj* double äv. om blomma **II** *s* tennis o.d. doubles (pl. lika); match doubles match; *spela ~ (en ~)* play doubles (a game of doubles)
dubbelarbete 1 samma arbete utfört två gånger duplication of work **2** *kvinnor med ~* housewives who work outside the home (go out to work)
dubbelbeskattning double taxation
dubbelbottnad dubbeltydig ambiguous; *en ~ människa* a man with a complex character
dubbeldäckare double-decker [buss bus, smörgås sandwich]
dubbelexponering double exposure
dubbelfel i tennis double fault
dubbelfönster double-glazed window
dubbelgångare double; vard. look-alike
dubbelhaka double chin
dubbelknäppt double-breasted
dubbelliv double life; *leva ett ~* lead a double life
dubbelmatch tennis o.d. doubles match
dubbelmoral double standard [of morality]
dubbelnamn double-barrelled name
dubbelnatur, *vara en ~* have a split (dual) personality, be a Jekyll and Hyde
dubbelrum double room
dubbelspel 1 sport. doubles game **2** bedrägeri double-dealing; *spela ~* play a double game
dubbelspårig double-tracked
dubbelsäng double bed
dubbelt i dubbelt mått doubly; två gånger twice; *~ så gammal [som]* twice as old [as], as old again [as]; *~ så gammal som*

han äv. twice his age; ~ *upp* as much again; *se* ~ see double
dubbeltydig ambiguous; friare equivocal
dubbelvikt doubled
dubbla kortsp. double
dubblera double; sjö. äv. round
dubblett 1 duplicate **2** två rum two-roomed flat (amer. apartment) [without a kitchen]
ducka duck; ~ *för* duck
duell duel
duellera duel; fight duels
duett mus. duet
dug|a allm. do; vara lämplig be suitable (fit); gå an be fitting (becoming); vara god nog be good enough; vara utmärkt be fine (splendid); *det -er* that will do (be all right)
dugg 1 regn drizzle **2** dyft *inte ett* ~ not a thing (bit)
dugga drizzle; *det ~r* äv. there is a drizzle
duggregn drizzle
duggregna se *dugga*
duglig capable, efficient
duglighet capability, efficiency
duk cloth; stycke tyg piece of cloth; segel~, oljemålning canvas; [*den*] *vita ~en* the screen
1 duka, ~ [*bordet*] lay (spread) the table; ~ *av* [*bordet*] clear the table
2 duka, ~ *under* succumb [*för* to]
duktig bra o.d.: allm. good; kunnig proficient; kompetent competent; begåvad gifted; *det var ~t!* that's fine!, well done!; ~ *i matematik* clever (good) at (strong in) mathematics
duktigt 1 well osv., jfr *duktig; det var ~ gjort!* well done! **2** med besked with a vengeance; kraftigt powerfully; *arbeta* ~ work hard; *ljuga* ~ tell a pack of lies; *äta* ~ eat heartily
dum allm. stupid; isht amer. vard. dumb; enfaldig silly; trögtänkt dull; tjockskallig dense; förarglig annoying; barnspr., 'elak' nasty; *inte* [*så*] ~ oäven not bad; *var inte* ~ [*nu*]*!* don't be a fool; *så ~t* förargligt*!* what a nuisance!
dumbom fool, blockhead; *din ~!* you fool!
dumdristig foolhardy
dumhet egenskap stupidity osv., jfr *dum;* handling act of folly, stupid thing, blunder; yttrande stupid remark; *prata ~er* talk nonsense (rubbish)
dumma, ~ *sig* uppföra sig dumt make a fool (an ass) of oneself; begå en dumhet make a blunder
dumpa I *tr* **1** stjälpa av dump **2** ekon. dump **II** *itr* ekon. practise dumping
dumskalle vard. blockhead, nitwit
dumsnut vard. silly idiot, dope
dumt stupidly osv., jfr *dum; bära sig ~ åt* be silly (stupid), act like a fool; bära sig tafatt åt be awkward
dun koll. down
dunder ljud rumble; *med ~ och brak* with a crash
dundra thunder; om åska rumble; *åskan* (*det*) *~de* äv. there was a clap of thunder
dundrande thundering; *ett ~ fiasko* a colossal fiasco
dunge group (clump) of trees; lund grove
dunjacka quilted down jacket
1 dunk behållare can
2 dunk 1 dunkande thumping; regelbundet upprepat throb[bing] **2** slag, knuff thump
dunka I *itr* thump; om puls, maskin o.d. throb; ~ *i bordet* äv. bang (hammer) on the table **II** *tr,* ~ *ngn i ryggen* slap (thump) a p. on the back
dunkel I *adj* skum dusky, obscure; mörk dark; rätt mörk darkish; mörk o. dyster gloomy; oklar, otydlig dim; obestämd, vag vague; svårbegriplig abstruse; svårfattlig o. oklar obscure; hemlighetsfull mysterious; *ha ett ~t minne av ngt* have a dim (vague) recollection of a th. **II** *s* dusk; dystert gloom; oklarhet dimness, obscurity; *höljd i* ~ bildl. wrapped in mystery
dunkudde down pillow
duns thud
dunsa, ~ [*ned*] thud [down]
dunst ånga vapour; utdunstning exhalation; *slå blå ~er i ögonen på ngn* pull the wool over (throw dust in) a p.'s eyes
dunsta *itr,* ~ [*av, bort*] förflyktigas evaporate; ~ [*av*] vard., smita make oneself scarce, hop it
duntäcke down (continental) quilt, duvet
duo mus. duet äv. bildl.
dupera take in, dupe; *låta ~ sig* (*sig ~s*) allow oneself to be taken in (duped)
duplicera duplicate
duplicering duplication
dur mus. major; *gå i* ~ be in the major key äv. bildl.
durk 1 golv floor **2** ammunitions~ magazine
durkslag colander
durskala mus. major scale
dusch shower[bath] äv. ~rum; hand~ hand shower
duscha I *itr* have a shower **II** *tr* give...a shower[bath]; växter o.d. spray
duschhytt o. **duschkabin** shower cabin
duschrum shower room
dussin dozen (förk. doz.)
dussintals [dozens and] dozens
dust kamp fight, tussle; sammandrabbning clash
duva pigeon; mindre dove äv. bildl. el. polit.
duvhök zool. goshawk
duvning 1 tillrättavisning o.d. dressing-down **2** träning *ge ngn en* ~ [*i*] coach a p. [in]
duvslag dovecot[e], pigeon house
dvala tung sömn lethargy båda äv. bildl.;

onaturlig trance; lättare drowse; zool. hibernation; *ligga i ~* lie dormant; zool. hibernate
D-vitamin vitamin D
dvs. (förk. för *det vill säga*) i.e., that is [to say]
dvärg allm. dwarf; på cirkus o.d. midget
dvärgbjörk dwarf (Arctic) birch
dy mud; isht bildl. mire, slough
dyblöt soaking wet, wet through
dyft se *dugg 2*
dygd virtue
dygdig virtuous
dygn day [and night]; *ett* (*två*) ~ äv. twenty-four (forty-eight) hours; *~et runt* round the clock, day and night; *en gång per ~* (*om ~et*) once a day, once every twenty-four hours
dyig muddy, sludgy, miry
dyka dive; ~ och snabbt komma upp igen duck; ~ *ned i* bassängen äv. plunge into...; ~ *på ngn* vard. pounce [up]on a p.; ~ *upp* emerge [*ur* out of]; eg. äv. come up (to the surface)
dykardräkt diving-suit
dykare diver
dykarsjuka caisson disease; vard. the bends
dykning dykande diving; enstaka dive
dylik ...of that (the) sort (kind); liknande similar; *eller ~t* (förk. *e.d.* el. *e.dyl.*) or the like, or suchlike [things]; *och ~t* (förk. *o.d.* el. *o.dyl.*) friare, osv. et cetera (förk. etc.)
dyn dune
dyna cushion; stämpel~ pad
dynamik dynamics (sg. ss. fys. term, pl. ss. mus. term)
dynamisk dynamic äv. bildl.; dynamical
dynamit dynamite äv. bildl.
dynamo dynamo (pl. -s)
dynasti dynasty
dynga dung; muck äv. bildl.; *prata ~* talk a lot of rubbish
dyning, ~[*ar*] swell, ground swell (båda sg.)
dyr som kostar mycket, vanl. expensive; som kostar mer än det är värt, vanl. dear; *för ~a pengar* at great expense; *~a priser* high prices
dyrbar 1 dear **2** värdefull valuable; som man är rädd om, som har högt värde i sig själv precious; *~a* praktfulla *kläder* sumptuous clothes
dyrbarhet konkr. article of [great] value; *~er* äv. valuables
dyrgrip article (thing) of great value
dyrk skeleton key
1 dyrka, ~ *upp* lås pick...; dörr open...with a skeleton key
2 dyrka tillbedja worship
dyrkan tillbedjan worship; beundran adoration; hängivenhet devotion
dyrköpt dearly-bought
dyrort locality with a high cost of living; friare expensive place
dyrt 1 expensively; *sälja* (*köpa*) ~ sell (buy) dear **2** högtidligt solemnly; *lova ~ och heligt* promise solemnly
dyscha couch
dysenteri med. dysentery
dyster gloomy, dreary, sombre; glädjelös cheerless; beklämmande depressing; svårmodig sad; trumpen glum; ~ *min* gloomy air
dysterhet gloom; gloominess osv.; depression; melancholy; jfr *dyster*
dyvåt se *dyblöt*
då I *adv* allm. then; den gången at that time, in those days (times); som obeton. fyllnadsord vanl. utan [direkt] motsv. i eng.; [*just*] ~ [just] at the time; *~ och ~* now and then (again), occasionally, on and off, from time to time
II *konj* **1** om tid when; just som [just] as; samtidigt med att as; medan while; då däremot whereas; så snart som as soon as, directly; närhelst whenever; *den dag ~...* ss. adv. on the day when (that)...; *~ jag var barn* when (medan while) I was a child
2 eftersom as, seeing [that]; ~ *ju* since
dåd illgärning outrage; brott crime; bragd deed
dålig 1 bad; sämre sorts inferior; [ur]usel, vard. rotten; svag, klen weak; *~a betyg* skol. bad (low) marks; ~ *sikt* poor visibility; [*ett*] *~t rykte* a bad reputation; tala ~ *svenska* ...poor Swedish; *~t uppförande* äv. misbehaviour, misconduct; *det var inte ~t, det!* that's not bad (not half good)!; *han är ~ i engelska* he is poor (bad) at English
2 krasslig poorly, ill; vard. bad; inte riktigt kry out of sorts; illamående sick; *bli ~* be taken ill
dåligt badly, jfr *illa;* ~ *betald* poorly (badly) paid, ill-paid; *affärerna går ~* business is bad; *ha ~ med pengar* be short of money
dån roar[ing]; av åska roll[ing], rumbling; av kanoner o. kyrkklockor boom[ing]
1 dåna dundra roar; roll; jfr *dån*
2 dåna svimma ~ [*av*] faint, swoon
dåraktig foolish; stark. idiotic, mad, insane; absurd absurd
dåre fool, idiot, nitwit; tokstolle loony; åld., sinnessjuk lunatic, madman; kvinnl. madwoman
dårhus madhouse; *det här är ju rena* [*rama*] *~et* this is like a madhouse
dårskap folly
dåsa doze, drowse; lata sig laze
dåsig drowsy
dåtida, ~ *seder* the customs of that time (day)
dåvarande, [*den*] ~ *ägaren* till huset the then

owner...; *under ~ förhållanden* vanl. as things were then
däck 1 sjö. deck; *alle man på ~!* all hands on deck! **2** på hjul tyre, amer. tire; fackspr. cover **3** kassett~ deck
däggdjur mammal
dämma, ~ *[för, till, upp]* dam [up]
dämpa mera eg. moderate; stark. subdue; bildl.: iver, hänförelse m.m. damp [down], moderate, cool; glädje check, dampen; lidelse subdue; vrede mitigate; smärta alleviate; *~ farten* reduce (slacken) speed
dämpad subdued; *~ belysning* äv. soft light
dän away, off
där 1 demonstr. there; *den (så) ~* se under *den B II* o. *2 så; ~ bak (borta* m.fl.) ss. adv. *~ bakom mig* there behind me; *~ i huset (trakten)* in that house (neighbourhood); *~ under* bordet under...there **2** rel. where; varhelst wherever; *det var ~ [som]* de fann honom that was where..., it was there [that]...
däran, *vara illa ~* sjuk be in a bad way; illa ute be in a fix
därav av denna (den, dessa, dem m.fl.) of (el. annan prep., jfr *av*) that (resp. it, those, them m.fl.); *på grund ~* for that reason
därborta over there
därefter 1 om tid: efter detta after that; sedan then; därnäst next; *kort ~* shortly after[wards] **2** i enlighet därmed accordingly; *resultatet blev också ~* the result was as might be (might have been) expected
däremellan om två between (om flera among) them; dessemellan in between; *någonting ~* mitt emellan something in between
däremot emellertid however; å andra sidan on the other hand; tvärtom on the contrary; i jämförelse därmed compared to it
därför fördenskull so, therefore; av den orsaken for that (this) reason; följaktligen consequently; *~ att* because
därhemma at home
däri in that (osv., jfr *därav*) i detta avseende in that respect; *~ ligger svårigheten* that is where the difficulty comes in
däribland among them (those)
därifrån lokalt from there; från denna osv. from that (it, them osv.); *[bort, borta] ~* away [from there]; *han reste ~ igår* he left [there] yesterday
därigenom därmed, på så sätt by that, på grund därav owing to that, by reason of that; tack vare detta thanks to that; *~ genom* att göra det *kunde han...* by doing so he could...
därinne in there; *~ i* rummet there in...
därmed with that, (osv., jfr *därav*) i och med det thereby; by that (those) means; *~ var saken avgjord* that settled the matter
därnere down (below) there
därnäst next; sedan after that
därom angående detta about that
däromkring runtomkring [all] round there; Stockholm *och trakten ~* ...and environs, ...and the surrounding area
därpå 1 om tid: efter detta after that; sedan then; därnäst next; *strax ~* immediately afterwards; *året ~* [the] next (the following) year, the year after [that] **2** på denna (detta, dessa) on it (that, them)
därtill 1 *med hänsyn ~* in view of that (dessa fakta those facts) **2** dessutom besides osv., jfr *dessutom*
därunder under där under there; *och ~* mindre än detta and less
däruppe up there; i himlen on high
därute out there
därutöver ytterligare in addition [to that]; mer more; 100 kronor *och ~* ...and upwards
därvid at that (osv., jfr *därav*); vid det tillfället on that occasion; då then; i det sammanhanget in that connection; 'därvid' motsv. ofta av omskrivning, *~ blev det* there the matter rested
därvidlag i detta avseende in that respect; i detta fall in that case
däråt 1 åt det hållet in that direction, that way; *någonting ~* something like that **2** åt denna osv. at that (osv., jfr *därav*)
däröver 1 over that (osv., jfr *därav*); *förvånad ~* surprised at it (this) **2** se *därutöver*
däst bloated; *känna sig ~* äv. feel absolutely full up
dö *itr* (ibl. *tr*) die; *~ en naturlig död* die a natural death; *hålla på (vara nära) att ~ av nyfikenhet* be dying of curiosity; *det ~r han inte av* bildl. that won't kill him; *~ ut* die out; om ätt äv. die off, become extinct; om eld äv. die down; om ord äv. become obsolete
död I *adj* dead äv. bildl.; livlös inanimate, lifeless; bollen är ~ sport. ...out of play; *dött lopp* dead heat; *~ vinkel* blind spot; *Döda* rubrik för dödsannonser Deaths; *den ~e* subst. adj. the dead man; den avlidne the deceased **II** *s* death; frånfälle (isht jur.) decease; *~en* vanl. death; personifierad Death; *ligga för ~en* be at death's door, be on one's deathbed; misshandla ngn *till ~s* ...to death
döda kill äv. bildl.; amer. äv. slay; *~ tiden* kill time
Döda havet the Dead Sea
dödande I *s* killing **II** *adj* se *dödlig; ett långsamt ~ gift* a deadly poison that acts slowly
dödfull dead drunk, sloshed

dödfödd stillborn; *planen var ~* the plan never had a chance
dödförklara officially declare...dead
dödgrävare grave-digger äv. bildl.
dödlig mortal; *en ~ dos* a lethal dose
dödlighet mortality; *~en i* smittkoppor mortality from...
dödläge bildl. deadlock, stalemate
dödsannons i tidning announcement in the deaths column; *hans ~* the announcement of his death
dödsattest death certificate
dödsblek deathly pale; friare livid
dödsbo estate [of a deceased person]
dödsbricka mil. identification tag
dödsbud, *~et* budet om hans död the news of his death
dödsbädd deathbed; *ligga på ~en* (*sin ~*) be on one's deathbed
dödsdag, *hans ~* el. *~en* the day (årsdagen anniversary) of his death
dödsdom death sentence; friare death warrant; *avkunna en ~* pass a sentence of death
dödsdömd ...sentenced (condemned) to death
dödsfall death; affären överlåtes *på grund av ~* ...owing to the decease of the owner
dödsfara, *han var i ~* he was in danger of his life (in mortal danger)
dödsfiende mortal (deadly) enemy
dödsförakt contempt of (for) death
dödshjälp med. euthanasia
dödskalle death's-head
dödskamp death struggle
dödsoffer vid olycka victim; *antalet ~* the death toll, the number of fatal casualties
dödsolycka fatal accident
dödsorsak cause of death
dödsryckningar death throes äv.bildl.
dödssjuk dying
dödsstraff capital punishment; *avskaffa ~et* abolish capital punishment (the death penalty)
dödsstöt deathblow
dödssynd relig. mortal sin; bildl. crime
dödstrött, *vara ~* be dead tired (all in); vard. be dead beat (dog-tired)
dödstyst dead silent
dödsångest agony [of death]; bildl. mortal dread (fear)
dödvikt deadweight
dölja I *tr* conceal; *jag har inget att ~* I have nothing to hide; *hålla sig dold* be [in] hiding, keep under cover; jfr *dold* **II** *rfl, ~ sig* hide [oneself], conceal oneself [*för* i båda fallen from]
döma 1 allm. judge; isht i brottmål sentence; *döm själv!* judge for yourself; *av* (*efter*) *allt att ~* to all (judging by) appearances; *~ ngn för stöld* (*till två månaders fängelse*) sentence (condemn) a p. for larceny (to two months' imprisonment); *~ ut* se *utdöma*
2 sport.: allmän idrott, kapplöpning m.m. act as judge; tennis m.m. umpire; fotb. el. boxn. referee; *~ bort* disallow; *~ straffspark* award a penalty [kick]
döpa baptize; fartyg name, christen
dörja fiske. fish...by hand line
dörr door; *öppna ~en för* open the door for (t.ex. för förhandlingar to); släppa in admit; *för* (*inom*) *stängda* (*lyckta*) *~ar* jur. el. parl. behind closed doors; *slå in öppna ~ar* bildl. batter at an open door; nyckeln *sitter i ~en* ...is in the lock; *följa ngn till ~en* see a p. out
dörrhandtag doorhandle; runt doorknob
dörrkarm doorframe
dörrklocka doorbell; med ding-dong doorchime
dörrknackare door-to-door salesman; hawker; tiggare beggar
dörrknackning utfrågning door-to-door (house-to-house) search (röstvärvning campaigning)
dörrmatta doormat
dörrnyckel doorkey, latchkey
dörrpost doorpost
dörrskylt doorplate
dörrspringa chink [of the door]
dörrvakt doorkeeper; på t.ex. biograf commissionaire
dörröppning doorway
döv deaf; *vara ~* lomhörd be hard of hearing
döva lindra deaden; *~ hungern* still one's hunger; *~ samvetet* silence one's conscience
dövhet deafness; lomhördhet hardness of hearing
dövstum deaf and dumb; *en ~* subst. adj. a deaf mute
dövörat, *slå ~ till för* turn a deaf ear to

E

e 1 bokstav e [utt. i:] **2** mus. E
eau-de-cologne eau-de-Cologne
ebb ebb[tide]; ~ *och flod* the tides pl., ebb and flow
ebba, ~ *ut* bildl. ebb [away], peter out
ebenholts ebony; handtag *av* ~ äv. ebony...
ecu myntenhet ecu (förk. för European currency unit)
Ecuador Ecuador
ed oath; *avlägga* (*svära*) *en* ~ take (swear) an oath; *gå ~ på det* take an oath on it, swear to it
edamerost Edam [cheese]
Eden Eden; *~s lustgård* the Garden of Eden
eder se *er*
E-dur mus. E major
EES EES (förk. för European Economic System)
effekt 1 verkan, [detalj som gör] intryck effect; resultat result; *göra* (*ha*) *god* ~ produce (have) a good effect **2** tekn. el. fys. power **3** *~er* bagage luggage sg.; tillhörigheter property sg., effects
effektfull striking, effective
effektförvaring lokal left-luggage office; amer. checkroom
effektiv 1 om pers. efficient **2** om sak vanl. effective; högpresterande efficient; 'som gör susen' effectual; ~ *arbetstid* actual working-hours; *~t botemedel* effective (efficacious, stark. effectual) remedy
effektivisera render...[more] effective
effektivitet (jfr *effektiv*) efficiency äv. verkningsgrad; effectiveness, efficac[it]y
effektökning power increase
EFTA (förk. för *European Free Trade Association*) EFTA
efter I *prep* **1** allm. after; *närmast* (*näst*) ~ next to; *vissla* (*ropa*) ~ *ngn* whistle (shout) after (för att tillkalla for) a p. **2** räknat från of; alltsedan since; ~ *faderns död* (*den dagen*) har han varit since his father's death (since that day)... **3** för att få tag i for; *böja sig ~ ngt* stoop to pick up a th.; *springa ~ hjälp* (*läkaren*) run for help (the doctor) **4** enligt according to; segla ~ *kompass* ...by the compass; ~ *vad han säger* according to him; ~ *vad som* är känt as far as...; *ställa klockan ~ radion* set one's watch by the radio **5** längs efter along; nedför down; uppför up; *han gick ~ stranden* he was walking along the shore **6** [i riktning] mot at; *gripa* ~ catch at; *kasta sten ~ ngn* throw stones at a p. **7** [efterlämnad] av of; *märket ~ ett slag* the mark of a blow **8** från from; *arv* (*ärva, få, få i arv*) ~ inheritance (inherit) from; *det har han ~ sin far* he got that from his father **9** ~ *hand* småningom gradually, by degrees, little by little; med tiden as time goes (resp. went) on; steg för steg step by step
II *adv* **1** om tid after; *kort* ~ shortly after[wards] **2** bakom, kvar, på efterkälken behind; jag gick före och *hon kom* ~ ...she came after (behind) me; *vara ~ med* be behind with
efterapa ape, mimic; i bedrägligt syfte counterfeit
efterapning imitating, copying; konkr. imitation; i bedrägligt syfte counterfeit
efterarbete kompletterande arbete supplementary work; avslutande granskning [final] revision
efterbehandling med. el. tekn. after-treatment, follow-up
efterbesiktning supplementary (final) inspection
efterbeställning additional (repeat) order
efterbilda imitate
efterbildning imitation
efterbliven efter i utvecklingen backward; *vara* ~ efter sin tid be behind the times
efterdatera hand. postdate
efterdyning, *~ar* bildl. repercussions, consequences; efterverkningar aftermath sg., after-effects
efterforska söka utröna inquire into; söka efter look for
efterforskning undersökning investigation
efterfrågan hand. demand; *det är stor* (*liten*) ~ there is a great (is little) demand for... el. ...is in great (little) demand
efterföljande, [*den*] ~ the following; sedermera följande [the] subsequent
efterföljd, *vinna* ~ be followed; *exemplet manar till* ~ the example is worthy of imitation (worth following)
eftergift concession; av skatt, skuld o.d. remission; *göra ~er* make concessions
eftergiven indulgent, yielding, compliant, lax; *han är ~ för påtryckningar* he yields (gives way) to pressure
eftergivenhet indulgence
eftergranskning scrutiny; förnyad kontroll recheck
1 efterhand se *efter I 9*
2 efterhand, *i* ~ efter de andra last, after the others; efteråt afterwards
efterhängsen persistent
efterklang lingering note; bildl. [faint] echo
efterklok ...wise after the event
efterkommande I *adj* framtida future **II** *s, våra* ~ our descendants; våra efterträdare our successors; eftervärlden posterity sg.
efterkonstruktion reconstruction (explanation) after the event; efterrationalisering rationalization

efterkontroll t.ex. medicinsk check-up; t.ex. av tillverkad produkt inspection
efterkrav cash on delivery (förk. COD); *sända varor mot ~* send goods COD
efterkravsförsändelse COD consignment
efterkrigstiden the postwar period (era); *~s* litteratur postwar...
efterleva lag obey; föreskrift observe
efterlevande I *adj* surviving **II** *s, de ~* the surviving relatives, the deceased's family, the survivors; du måste tänka på *dina ~* ...those who will be left behind when you die
efterlevnad, *lagarnas ~* the observance of the laws
efterlikna imitate; *söka ~* vara lika bra som try to emulate (equal) [*i* in]
efterlysa sända ut signalement på issue a description of; vilja komma i kontakt med wish to get into touch with; t.ex. släkting till sjuk person, i radio broadcast an S.O.S. for; *han är efterlyst* [*av polisen*] he is wanted [by the police]
efterlysning som rubrik Wanted [by the Police]; i radio police (S.O.S) message
efterlämna leave; *hans ~de förmögenhet* the fortune he left [at his death]; *~de skrifter* posthumous works
efterlängtad [much] longed-for...; *en ~ premiär* a première that has (resp. had) been eagerly awaited
eftermiddag afternoon; *kl. 3 på ~en* (förk. *e.m.*) at 3 o'clock in the afternoon (förk. at 3 p.m.); *i går* (*i morgon*) *~* yesterday (tomorrow) afternoon
efternamn surname, family name; amer. äv. last name
efterrationalisering rationalization
efterräkning, *~ar* påföljder [unpleasant] consequences
efterrätt sweet; vard. afters; amer. dessert
eftersatt 1 förföljd pursued **2** försummad neglected
efterskickad, *du kommer som ~* you are the very one we want
efterskott, *i ~* in arrears; efter leverans after delivery; efter fullgjort arbete after carrying out (the performance of) the undertaking
efterskrift postscript
efterskänka remit; *~ ngn skulden* remit a p.'s debt, let a p. off the debt
efterskänkning remission
efterskörd aftercrop; bildl. gleanings
eftersläckning 1 eg. final extinction of a fire (resp. of fires) **2** efter fest ung. follow-up party
efterslängt, *en ~ av influensa* another slight bout of influenza
eftersläntrare straggler; senkomling latecomer
eftersläpning lagging (falling) behind; om arbete backlog
eftersmak aftertaste; *det lämnar en obehaglig ~* it leaves a bad (nasty) taste [in the mouth] äv. bildl.
eftersnack vard. discussion (chat) after a (resp. the) party (match etc.); follow-up discussion
eftersom då ju since; då as; i betraktande av att seeing [that]; *allt ~* se *alltefterom*
eftersommar late summer; brittsommar Indian summer
efterspana search for; söka uppspåra [try to] trace; *~d av polisen* wanted [by the police]
efterspaning, *~[ar]* search sg.
efterspel bildl. sequel; *få rättsligt ~* have legal consequences
efterstråva söka åstadkomma [try to] aim at; söka skaffa sig try to obtain; söka nå try to attain; *~ fullkomlighet* seek [to attain] perfection
eftersträvansvärd desirable
eftersända vidarebefordra forward, send on [...to the addressee]; *eftersändes* på brev to be forwarded, please forward
eftersätta försumma neglect
eftersökt, [*mycket*] *~* anlitad, efterfrågad ...in [great] demand; omtyckt [much] sought-after..., [very] popular
eftertanke eftersinnande reflection; övervägande consideration; *vid närmare ~* on second thoughts
eftertrakta covet, set one's heart on
eftertraktad coveted; *mycket ~* much coveted (sought after)
eftertryck 1 [särskild] tonvikt emphasis; kraft force; *ge ~ åt* lay stress on, emphasize, stress **2** *~ förbjudes* all rights reserved, copyright reserved
eftertrycklig emphatic; allvarlig earnest; sträng severe
efterträda succeed; *~...på tronen* follow...on the throne
efterträdare successor; *A. Eks Eftr.* Successor (resp. Successors) to A. Ek
eftertänksam eftersinnande thoughtful, pensive; klok o. försiktig circumspect
eftertänksamhet thoughtfulness; circumspection; jfr *eftertänksam*
efterverkan o. **efterverkning** aftereffect
eftervård aftercare
eftervärlden posterity; *gå till ~* go (om sak äv. be handed) down to posterity
efteråt om tid afterwards; senare later; *någon tid ~* some time afterwards (later); *flera dar ~* several days later (afterwards)
EG (förk. för *Europeiska gemenskaperna*) EC (förk. för the European Communities)
egal, *det är mig ~t* it is all the same (all one) to me
eg|en 1 own; *det var hans -na ord* those

were his very words; *vara sin* ~ be one's own master; *det -na landet* one's (my etc.) own country; *för* ~ *del* vill jag for my [own] part...; *har han -na barn?* has he any children of his own? **2** säregen, karakteristisk peculiar; characteristic; besynnerlig strange, peculiar
egenart distinctive character, individuality
egenartad distinctive
egendom 1 tillhörighet[er] property; *andras* ~ the property of others; *fast* ~ real property (estate); *gemensam* ~ joint property; *lös* ~ personal property (estate) **2** jord~, lant~ estate; mindre property
egendomlig sällsam, underlig strange, odd, singular; märkvärdig curious, remarkable, extraordinary; *han är lite* ~ he is a bit odd (peculiar)
egendomlighet strangeness, oddity; curious (remarkable) thing; jfr *egendomlig;* utmärkande drag peculiarity
egenföretagare self-employed person; *vara* ~ äv. be self-employed, run one's own business
egenhet peculiarity, oddity; han har *sina ~er* ...certain (some) idiosyncracies (peculiarities etc.,ways) of his own
egenhändig ~t skriven ...in one's own hand[writing]; ~ *namnteckning* signature, autograph
egenkär conceited; fåfäng vain; självbelåten [self-]complacent
egenmäktig arbitrary; *~t förfarande* jur. taking the law into one's own hands, arbitrary conduct
egennamn gram. proper noun (name)
egennytta self-interest
egennyttig self-interested
egensinnig self-willed; envis obstinate
egenskap 1 allm. quality; utmärkande ~ characteristic; *järnets ~er* the properties of iron **2** ställning, roll capacity; *i [min]* ~ *av...* in my capacity as...
egentlig faktisk, verklig real, true; riktig, äkta proper; *i ordets ~a bemärkelse* in the proper (real, true, strict, literal) sense of the word
egentligen verkligen, i själva verket really; strängt taget strictly (properly) speaking; närmare bestämt, precis exactly; ibl. utan motsv. i eng. *hon är* ~ *ganska söt* she is rather pretty, really; *vad menar du* ~ *med det?* what exactly do you mean by that?
egenvärde inneboende värde intrinsic value
egg [cutting] edge
egga, ~ *[upp]* incite, instigate; uppmuntra stimulate, spur; driva på egg...on, urge [*till* i samtl. fall to; *till att* inf. to inf.]
eggande inciting; stimulating; jfr *egga;* erotiskt ~ seductive
eggelse incitement; stimul|us (pl. -i), spur
egocentriker egocentric, egotist
egocentrisk egocentric
egoism egoism
egoist egoist
egoistisk egoistic[al]
egotripp vard. ego trip
egotrippad vard. ego-tripped
Egypten Egypt
egyptier Egyptian
egyptisk Egyptian
egyptiska 1 kvinna Egyptian woman **2** forntida språk Egyptian
ehuru [al]though; om också even if (though)
eiss mus. E sharp
ej not m.m., se *inte*
ejakulation fysiol. ejaculation
ejder zool. [common] eider [duck]
ejderdun eiderdown
ek 1 träd oak [tree] **2** virke oak [wood]; möbler *av* ~ äv. oak...
1 eka [flat-bottomed] rowing-boat
2 eka echo; återskalla re-echo, reverberate; *det ~r här* there is an echo here
eker spoke
EKG (förk. för *elektrokardiogram*) ECG
ekipage 1 horse and carriage **2** sport.: ridn. horse [and rider]; bil. car [and driver]; motorcykel motor cycle [and rider]
ekipera equip
ekipering equipment
eko echo; *ge* ~ echo, make an echo; bildl. resound
ekobrott vard., ekonomisk brottslighet economic crime
ekollon acorn
ekolod radar. echo-sounder, sonar
ekolog ecologist
ekologi ecology
ekologisk ecological; ~ *jämvikt* ecological balance
ekonom economist
ekonomi economy; ss. vetenskap economics; ekonomisk ställning, finanser finances, financial position
ekonomibiträde på t.ex. sjukhus catering assistant
ekonomibyggnad farm building; *~er* äv. [estate] offices
ekonomiförpackning paket (påse osv.) economy-size packet (bag etc.); *i* ~ [in] economy size
ekonomiklass flyg. economy class
ekonomisk 1 economic; finansiell, penning- financial; ~ *brottslighet* economic crime **2** sparsam, besparande economical
ekorre squirrel
ekorrhjul bildl. treadmill
ekosystem biol. ecosystem
ekoxe zool. stag beetle
e.Kr. (förk. för *efter Kristus*) AD (förk. för Anno Domini lat.)

eksem med. eczema
ekumenisk kyrkl. ecumenical
ekvation matem. equation
ekvator, *~n* the equator
ekvivalent I *s* equivalent **II** *adj* equivalent
el- ss. förled i sms. electricity, ...of electricity; jfr sms. nedan o. *elektrisk*
elak stygg naughty; nasty; ond, ondskefull evil; illvillig spiteful, malevolent; ovänlig unkind; *ett ~t skämt* a cruel joke
elakartad om sjukdom o.d. malignant; svag. bad; friare serious
elakhet egenskap naughtiness, nastiness etc.; malice, virulence, jfr *elak;* yttrande spiteful remark
elaking vard. nasty (spiteful) person; *din ~!* you naughty (nasty) boy (resp. girl etc.)!
elakt spitefully; *det var ~ gjort av honom* it was nasty (spiteful) of him to do that
elastisk elastic
elavbrott power failure
elbil electric car
elchock med. electroshock
eld 1 allm. fire äv. mil.; hetta, glöd ardour, hänförelse enthusiasm; *bli ~ och lågor för* become very enthusiastic about; *sätta (tända) ~ på* set fire to, set...on fire; *öppna ~* mil. open fire [*mot* (*på*) on] **2** medelst tändstickor el. tändare light
elda I *itr* heat; tända en eld make a fire; *~ med ved* (*olja*) use wood (oil) for heating **II** *tr* **1** *~* [*upp*] a) värma upp: t.ex. rum, ugn heat, get...hot; t.ex. ångpanna stoke b) bränna [upp] burn [up] c) egga rouse, stir, inspire; *~ upp sig* get [more and more] excited (worked up) **2** *~ en brasa* tända light (ha have) a fire
elddop friare first real test
eldfara danger (risk) of fire; *vid ~* in case of fire
eldfarlig [in]flammable
eldfast fireproof; ugns~ ovenproof
eldgaffel poker
eldhav sea of fire
eldhärd seat of the (resp. a) fire
eldig fiery, passionate; *~ springare* fiery steed
eldning heating; [the] lighting of fires etc.; jfr *elda*
eldningsolja fuel (heating) oil
eldorado eldorado (pl. -s)
eldprov bildl. ordeal; prövosten acid test
eldrift, *~*[*en*] the use of electric power
eldriven ...driven by electricity
eldröd ...red as fire; *bli ~* turn crimson
eldsjäl real enthusiast; *han är ~en i* företaget he is the driving force of...
eldslukare fire-eater
eldslåga flame of fire
eldsläckare m.fl. sms., se *brandsläckare* m.fl. sms.
eldstad fireplace
eldstrid mil. firing end. sg.
eldsvåda fire; stor conflagration; *vid ~* in case of fire
eldupphör, *ge order om ~* give orders for cease-fire
eldvapen firearm
elefant elephant
elefantbete elephant's tusk
elegans smartness; *vilken ~!* what style (elegance)!, how smart!
elegant I *adj* smart; *~* och modern fashionable; väl utförd neat; vard., flott posh, isht amer. swell **II** *adv* smartly etc.; *de har det mycket ~* vard. everything is very posh there
elegi elegy
elektor elector
elektricitet electricity
elektrifiera electrify
elektrifiering electrifying
elektriker electrician
elektrisk eldriven, elektriskt laddad o.d. vanl. electric; friare electrical; *~ affär* electric outfitter's [shop]; *~ energi* electrical energy; *~t ljus* (*värmeelement*) electric light (fire el. heater)
elektrod electrode
elektrodynamisk electrodynamic
elektrokardiogram (förk. *EKG*) electrocardiogram (förk. ECG)
elektrolys fys. el. tekn. electrolys|is (pl. -es)
elektromagnet electromagnet
elektromagnetisk electromagnetic
elektron electron
elektronblixt electronic flash
elektronik electronics
elektronisk electronic
elektroteknik electrotechnics, electrotechnology
element 1 allm. element; *kriminella ~* criminal elements **2** värmelednings~ radiator
elementär elementary; *det ~a* grunddragen *av ngt* the elements pl. of a th.
elenergi electrical energy
elev allm. pupil; vid högre läroanstalter student
elevhem ung. [school] boarding house
elevråd pupils' (resp. students') council
elfbär *s* cromberry
elfenben ivory; kula *av ~* äv. ivory...
Elfenbenskusten the Ivory Coast
elfirma firm of electricians
elfte eleventh; *i ~ timmen* at the eleventh hour; jfr *femte*
elftedel eleventh [part]; jfr *femtedel*
elförbrukning electricity (power) consumption, consumption of electricity
elförsörjning electricity (power) supply
elgitarr electric guitar

eliminera eliminate
eliminering elimination
elision fonet. elision
elit élite fr.; *~en av...* the pick (flower) of...
elitidrott sport at top (élite) level
elixir elixir
eljest otherwise; ty annars or [else]; i motsatt fall if not, failing that
elkraft electric power
eller or; *varken...~* neither...nor; *~ också* ty annars, annars så or [else]; *~ hur?* a) efter nekande sats, t.ex.: 'hon röker inte' ...does she? b) efter jakande sats, t.ex.: 'John röker [ju]' ...doesn't he?; 'hon har läst engelska' ...hasn't she?
ellips geom. ellipse
elljus electric lighting
elljusspår skidspår illuminated ski (skiing) track
elmotor electric motor
elmätare electricity meter
eloge, *ge ngn en ~* praise a p.
elransonering rationing of electricity
elreparatör electrician
elräkning electricity bill
El Salvador El Salvador
Elsass Alsace
elspis electric cooker
elström electric current
eltaxa electricity rate (charges pl., tabell tariff)
eluppvärmning electric heating
eluttag power point
elva I *räkn* eleven; **II** *s* eleven äv. sport.; jfr *femma*
elverk ung. electricity board; för produktion power station
elvisp electric [hand]mixer
elvärme uppvärmning electric heating
elände misery; wretched (miserable) state of things; otur, besvär nuisance; *till råga på ~t* (*allt ~*) to make matters worse, on top of it all
eländig wretched, miserable; [ur]usel, vard. rotten, lousy
emalj enamel
emaljera enamel
emancipation emancipation
emballage packing; omslag wrapping
emballera pack; slå in wrap [up]
embargo embargo (pl. -es)
emblem emblem
embryo embryo (pl. -s)
emedan because; eftersom as; då...ju since
emellan I *prep* isht mellan två between; mellan flera, 'bland' among[st]; *oss ~ sagt* between ourselves (you and me) **II** *adv* between; ge *200 kronor ~* ...200 kronor into the bargain; se f.ö. beton. part. under resp. vb
emellanåt occasionally, at times, at intervals; *allt ~* se *alltemellanåt*
emellertid however
emfas emphasis
emigrant emigrant
emigration emigration
emigrera emigrate
eminent eminent
emission ekon. issue; *~ av aktier* (*obligationer*) share (bond) issue
emmentalerost Emmenthal[er]
e-moll mus. E minor
emot I *prep* se *mot* o. sms. ss. *tvärtemot; mitt ~* opposite [to], facing **II** *adv, mitt ~* opposite; *stöta* (*gå, springa* etc.) *~* med underförstått subst. i sv. knock into el. against med substantivet utsatt i eng.
emotionell emotional; känslomässig emotive
emotse, *~ende Edert snara svar* awaiting (looking forward to) your early reply; se vid. *motse*
empir o. **empire** Empire style; stol *i ~* Empire...
1 en träd [common] juniper; virke juniper [wood]
2 en omkring some, about; *för ~* [*nio*] *tio år sedan* some (about) [nine or] ten years ago
3 en (*ett*) **I** *räkn* one; *~ gång* once; det tog *~ och ~ halv timme* ...an (one) hour and a half; *i ett* [*kör* (*sträck*)] without a break, at a stretch; *~ gång till* once more; *~ kopp kaffe till* another (resp. one more) cup of coffee
II *obest art* a, framför vokalljud an; *~ sax* a pair of scissors; *~ söndag* (*sommar*) blev jag sjuk one Sunday (summer)...
III *pron* **1** 'den ena [...den andra]', 'en och annan' o.d. [*den*] *~a systern* one sister; *från det ~a till det andra* from one thing to another (the other); *~ och* (*eller*) *annan* subst. somebody [or other], a few, one or two [persons], one here or there; vi talade om *ett och annat* ...one thing and another; *ett eller annat* kan yppa sig something or other...; *~ eller annan av...* one or other of... **2** *en sån ~!* what a man (fellow resp. girl) [you are (vid omtal he resp. she is)]!; *såna ~a!* what fellows (resp. girls) [you (vid omtal they) are]!; *vad är ni för ~a* (*du för ~*)*?* who are you?; jfr *3 vad*
1 ena se *3 en III*
2 ena I *tr* unite; göra till enhet unify; förlika conciliate **II** *rfl, ~ sig* agree [*om* on, as to, about; *om att* + inf. resp. sats to resp. that]; come to an understanding (to an agreement)
enahanda *adj* the same; enformig monotonous, humdrum
enaktare one-act play
enarmad one-armed; *~ bandit* vard., spelautomat one-armed bandit, fruit machine

enas 1 förenas become united **2** se *2 ena II*
enastående I *adj* unique, unparalleled, unprecedented, matchless, exceptional; *jag hade en ~ tur* I had exceptional (extraordinary) luck **II** *adv* exceptionally, uniquely
enbart uteslutande solely, entirely, exclusively; *~ i Stockholm* finns det... in Stockholm alone...
enbent one-legged
enbuske juniper shrub (mindre bush)
enbär juniper berry
encellig bot. unicellular
encyklopedi encyclopedia, encyclopaedia
enda *(ende)* only, sole, one; förstärkande single; *~ (ende) arvinge till* sole heir to; *[den] ~ möjligheten* the only possibility (chance); *den (det) ~* fören. the only; självst. the only one el. person (resp. thing); *en (ett) ~* just one; *en ~ sak* äv. one thing only; *en ~ lång rad av...* a [long] succession of...; *med ett ~ slag* at a [single] blow; *inte en (ingen, inte ett, inget) ~* not a single [självst. one]
endast only
ende se *enda*
endera *(ettdera)* **1** av två *~ [av dem]* one [or other] of the two; vilken som helst either; du måste göra *~ delen (ettdera)* ...one thing or the other **2** *~ dagen* in the next day or two, any day now
endiv chicory; amer. endive
endräkt harmony, concord, unity
1 ene virke juniper [wood]
2 ene se *3 en III*
energi energy äv. fys.; *med stor ~* very energetically
energiförbrukning energy consumption
energiförsörjning energy supply
energikris energy cris|is (pl. -es)
energikälla source of energy
energisk full av energi energetic; kraftig vigorous; ihärdig strenuous
energiskatt energy tax
energiskog energy forest
energisnål ...that has (have etc.) a low energy consumption; friare economical
energiverk energy authority; *Statens ~* the [Swedish] National Energy Administration
enervera göra nervös *~ ngn* get on a p.'s nerves
enfald dumhet o.d. silliness; godtrogenhet o.d. simplicity
enfaldig dum o.d. silly, foolish, stupid; godtrogen o.d. simple[-minded]
enfamiljshus self-contained house, single-family house
enformig monotonous, humdrum; grå och enformig drab
enfärgad ...of one (of uniform, of a single) colour; utan mönster plain; om ljus monochromatic
engagemang 1 anställning engagement; *erbjuda ngn ~* offer a p. a contract **2** finansiellt el. politiskt åtagande commitment **3** känslo~ o.d. devotion
engagera I *tr* **1** anställa engage **2** ta helt i anspråk absorb **II** *rfl, ~ sig* bli absorberad become absorbed *[i (för)* in]
engagerad 1 anställd engaged **2** invecklad [i t.ex. tvister, affärer] involved; *vara för starkt ~ för att* inf. be too seriously committed to inf. **3** absorberad absorbed; känslomässigt committed; *politiskt ~* politically committed
engelsk English; brittisk ofta British; *Engelska kanalen* the [English] Channel; *~ mil* mile
engelska 1 kvinna Englishwoman; *hon är ~* vanl. she is English (British) **2** språk English; jfr *svenska 2*
engelskfödd English-born
engelskspråkig 1 English-speaking...; *vara ~* speak English **2** om t.ex. litteratur English, ...in English; *~ tidning* English-language newspaper **3** där engelska talas ...where English is spoken
engelsk-svensk English-Swedish, Anglo-Swedish; *~ ordbok* English-Swedish dictionary
engelsktalande English-speaking...; *vara ~* speak English
engels|man Englishman; amer. Britisher; *-männen* som nation el. lag o.d. the English, the British
England England; Storbritannien ofta [Great] Britain
engångsartikel disposable (throwaway, single use) article; *engångsartiklar* äv. disposables
engångsbelopp single payment
engångsföreteelse isolated case (phenomenon); vard. one-off [affair]; *jag hoppas att det här bara är en ~* vanl. I hope this won't happen again
engångsförpackning disposable (throwaway) package
engångsglas flaska non-returnable (disposable) bottle
engångskostnad once-for-all cost
enhet 1 odelat helt unity; inom ett företag division, unit **2** matem., mil. el. sjö. m.m. unit
enhetlig uniform; homogen homogeneous; sammanfogad till en enhet, integrerad integrated
enhetlighet uniformity
enhetspris standard (uniform) price
enhetstaxa standard rate
enhällig unanimous
enhörning mytol. unicorn

enig enhällig unanimous; enad united; *bli (vara)* ~[*a*] agree [*med ngn om ngt* with a p. about (on) a th.; *om att* + inf. resp. sats to resp. that]
enighet samförstånd agreement; *nationell* ~ national unity
enkammarsystem polit. single-chamber (unicameral) system
enkel 1 allm. simple; [*bara*] *en vanlig* ~ *människa* [just] an ordinary person; *med några enkla ord* in a few simple words **2** inte dubbel el. flerfaldig single; *en* ~ *2:a klass* [*biljett*] a single (amer. one-way) second-class [ticket]
enkelhet simplicity; *i all* ~ quite informally
enkelknäppt single-breasted
enkelrikta, ~ *trafiken* introduce one-way traffic
enkelrum single room
enkelspårig, ~ *järnväg* single-track railway
enkelt simply; *helt* ~ simply
enkom endast och allenast solely; särskilt purposely
enkrona one-krona piece (coin)
enkät rundfråga inquiry; frågeformulär questionnaire
enlevering abduction
enlighet, *i* ~ *med* in accordance (compliance) with; *i* ~ *därmed* accordingly
enligt according to; ~ *lag* by law
enmansteater one-man show äv. friare
enmotorig single-engined
enorm enormous, immense
enormt enormously; ~ *billig* tremendously cheap
enplansvilla one-storeyed house, bungalow
enprocentig one-per-cent...; jfr *femprocentig*
enris bot., koll. juniper twigs
enrum, *i* ~ utan vittnen privately, in private
enrummare o. **enrumslägenhet** one-room flat (amer. apartment)
1 ens vard., se *ense*
2 ens 1 en gång, över huvud even; *har du* ~ *försökt?* have you tried at all?; *om* ~ *då* if then **2** *med* ~ all at once, all of a sudden
ensak, det är *min* ~ ...my [own] business (affair)
ensam allena alone; enstaka solitary; endast en, ensamstående single; enda sole; enslig, som känner sig ensam lonely; ~ *i sitt slag* unique; *vara* ~ *hemma* be alone at home
ensamhet solitude; övergivenhet loneliness
ensamrätt sole right
ensamstående utan anhöriga single
ensamt 1 blott *detta* ~ that alone **2** ~ *belägen* isolated
ensamvarg lone wolf
ense, *bli* (*vara*) ~ agree osv., jfr under *enig*
ensemble mus. ensemble; teat. cast
ensidig eg. el. bildl. one-sided; trångsynt narrow-minded; motsats till ömsesidig unilateral; ~ *framställning* one-sided account
ensidighet one-sidedness; jfr *ensidig*
ensiffrig, ~*t tal* digit
ensitsig, ~*t flygplan* single-seater
enskild privat private; personlig personal; särskild individual; ~ *firma* private firm (business); ~*t mål* jur. private (civil) case (lawsuit); *den* ~*a människan* the individual
enskildhet detalj detail, particular
enskilt privately, in private
enslig solitary
ensligt se *ensamt 2*
ensling se *enstöring*
enspråkig one-language..., unilingual; *ett* ~*t lexikon* a monolingual dictionary
enstaka enskild separate; sporadisk occasional; ensam solitary; vi såg bara *några* ~ *bilar* ...a few stray cars; *någon* ~ *gång* once in a while, very occasionally
enstavig monosyllabic
enstämmig unanimous; mus. unison
enstämmigt unanimously; mus. in unison
enstöring recluse
enstöringsliv, *leva ett* ~ be a recluse
ental 1 singular; jfr *singular*[*is*] **2** matem. unit; ~ *och tiotal* units and tens
entlediga dismiss
entonig monotonous
entonighet monotony
entré 1 ingång entrance; förrum entrance hall **2** [rätt till] inträde admission **3** inträdande på scenen entry; *göra sin* ~ äv. make one's appearance **4** ~avgift, se *entréavgift*
entréavgift entrance fee
entrébiljett admission ticket
entrecote kok. entrecôte fr.
entreprenad contract; utföra...*på* ~ ...on contract
entreprenör contractor; idérik företagare entrepreneur
entrérätt first course
enträgen urgent; ihärdig insistent; påträngande importunate; *på hans enträgna begäran* at his urgent request
enträgenhet urgency; insistence; importunity; earnestness; seriousness; jfr *enträgen*
enträget urgently osv., jfr *enträgen*
entusiasm enthusiasm
entusiasmera fill...with enthusiasm, arouse enthusiasm in
entusiast enthusiast
entusiastisk enthusiastic; ~ *för* keen on
entydig med en enda betydelse unambiguous; otvetydig unequivocal; *ett* ~*t beslut* a clear-cut decision
envar var man everybody; *alla och* ~ each and everyone

envis obstinate; ståndaktig, trilsk mulish; ihållande persistent; *~t motstånd* stubborn (segt dogged) resistance
envisas be obstinate (osv., jfr *envis*), persist
envishet (jfr *envis*) obstinacy, headstrongness, mulishness
envist obstinately osv., jfr *envis; ~ neka till* allt persist in denying...
envåldshärskare autocrat; diktator dictator
envälde autocracy
enväldig absolute; *vara ~* om härskare be an absolute ruler
enzym kem. enzyme
enäggstvilling identical twin
enögd one-eyed
epidemi epidemic
epidemisk epidemic
epik epic poetry
epikuré epicurean äv. bildl.
epilepsi med. epilepsy
epileptiker epileptic
epilog epilogue
episk epic
episod episode; intermezzo incident
epistel långt brev, dikt, bibeltext epistle
epitet epithet
epok epoch; *bilda ~* mark an (a new) epoch
epokgörande epoch-making
epos litt. epic, epos
er 1 pers., se *ni* **2** poss.: fören. your, självst. yours; *Er tillgivne E.* Yours ever (sincerely), E.; *~a stackare!* you poor fellows!
era era
erbarmlig eländig wretched; mycket dålig (svag) very poor; ömkansvärd pitiable
erbjuda I *tr* **1** ge anbud [om] o.d. offer; isht självmant volunteer; *~ ngn sina tjänster* offer (proffer, tender) a p. one's services; *~ ngn att* inf. offer a p. a chance to inf. **2** förete, medföra present; skänka afford; *~ svårigheter* present (be attended by) difficulties **II** *rfl, ~ sig* **1** förklara sig villig offer one's services, come forward; isht självmant volunteer; *~ sig att* inf. offer (resp. volunteer) to inf. **2** yppa sig present itself
erbjudande offer; *få ~ att* inf. be offered a chance to inf.
erektion fysiol. erection
eremit hermit
erfara få veta learn; röna experience
erfaren experienced; *en gammal ~* lärare a veteran...
erfarenhet experience vanl. end. sg.; *~en visar* experience shows; *ha stor ~* have a great deal of experience, be very experienced; *av [egen] ~* from [personal] experience
erfarenhetsmässigt, *~* vet vi att... from experience...
erforderlig requisite, necessary
erfordra require; nödvändiggöra call for
erfordras be required; jfr vid. *behövas*
ergonomi arbetsvetenskap ergonomics; isht amer. biotechnology
erhålla passivt mottaga receive; [för]skaffa sig, utvinna obtain
erinra I *tr* påminna *~ [ngn] om ngt* (resp. *om att...*) remind a p. of a th. (resp. [of the fact] that...) **II** *rfl, ~ sig* remember; med större ansträngning recollect, recall
erinran påminnelse reminder
erkänd acknowledged; om t.ex. organisation [officially] approved (recognized); *allmänt ~ som* en duglig lärare universally recognized as...
erkänna I *tr* allm. acknowledge; bekänna confess [to]; acceptera recognize, accept; *~ sina brister* admit one's deficiencies; *~ ngns förtjänster* acknowledge a p.'s merits **II** *rfl, ~ sig besegrad* acknowledge defeat, acknowledge (admit, own) that one has been defeated
erkännande acknowledgement, recognition
erlägga pay; *~ betalning* make payment, pay [*för* vara for...]
erläggande payment; *mot ~ av* on payment of
erodera geol. erode
erogen, *~ zon* fysiol. erogenous zone
erosion geol. erosion
erotik sex
erotisk sexual, erotic
ersätta 1 gottgöra o.d.: **a)** *~ ngn* compensate a p. [*för* for]; *~ ngn för ngt* äv. make up to a p. for a th. **b)** *~ ngt* compensate (make up) for a th., make good a th. **2** träda i stället för replace
ersättare substitute; vi har inte funnit *någon ~ för honom* äv. ...anyone to take his place
ersättning 1 gottgörelse compensation; för kostnader reimbursement; för arbete remuneration, recompense; skadestånd damages; understöd benefit **2** utbyte replacement **3** surrogat substitute
ersättningsanspråk jur. claim for compensation (skadestånd damages)
ersättningsmedel surrogat substitute
ersättningsskyldig jur. ...liable to pay compensation; skadeståndsskyldig ...liable for damages
ertappa catch; *~ ngn [i färd] med att* inf. catch a p. ing-form
erövra inta (t.ex. stad, fästning), ta som byte capture; lägga under sig (t.ex. ett land, hela världen) conquer; vinna win
erövrare conqueror
erövring conquest äv. bildl.; intagande capture; *göra en ~* make a conquest
eskader sjö. squadron; flyg. group, amer. air division

eskapad adventure
eskimå Eskimo (pl. -s el. lika)
eskort escort; *under ~ av* under the escort of, escorted by
eskortera escort
esplanad avenue fr.
espresso o. **espressokaffe** espresso [coffee]; kopp ~ espresso
1 ess kortsp. ace
2 ess mus. E flat
Ess-dur mus. E flat major
esse, *vara i sitt ~* be in one's element
essens essence
ess-moll mus. E flat minor
essä essay
essäist essayist
est Estonian
estet aesthete
estetisk aesthetic[al]; *~a ämnen* art, music and drama
Estland Estonia
estländare Estonian
estländsk o. **estnisk** Estonian
estniska 1 kvinna Estonian woman **2** språk Estonian
estrad platform, rostrum; musik~ bandstand
etablera I *tr* inrätta establish; åstadkomma bring about; *~ ett samarbete mellan* bring about co-operation between **II** *rfl, ~ sig* establish o.s.; slå sig ned settle down
etablissemang establishment
etagevåning tvåplanslägenhet maisonette; amer. duplex apartment
etanol kem. ethanol
etapp stage; lap isht sport.; *i [korta] ~er* by easy stages
etappvis by stages; *avveckla ~* äv. phase out
etc. förk. etc.
eter ether; *i ~n* radio. on the air
eternell bot. immortelle
etik ethics sg.; i bet. 'principer' pl.
etikett 1 umgängesformer etiquette; *hålla på ~en* be a stickler for etiquette **2** lapp label äv. bildl.; *förse ngt med ~* label a th.
Etiopien Ethiopia
etisk ethical
etnisk ethnic[al]
etnografi ethnography
etnologi ethnology
etnologisk ethnological
etsa etch; *~ in* etch in
etsning abstr. el. konkr. etching
ett se *3 en*
etta (jfr äv. *femma*) **1** one; *~n[s växel]* first, [the] first gear **2** vard. *en ~* enrumslägenhet a one-room flat (apartment)
ettrig bildl.: hetsig hot-tempered; argsint irascible; giftig vitriolic; ilsket envis violent
ettstruken mus. once-accented; *ettstrukna C* middle C
ettårig (jfr *femårig*) **1** ett år gammal one-year-old..., one [year old] **2** som varar (varat) i ett år one-year...; *en ~ växt* an annual [plant]
ettåring om barn one-year-old child; om häst yearling
etui case
etyd mus. étude fr.; study
etymologi etymology
etymologisk etymological
EU (förk. för *Europeiska unionen*) EU (förk. för the European Union)
eufemism euphemism
euforisk euphoric
eukalyptus eucalyptus
Europa geogr. Europe; mytol. Europa
europamarknaden, *på ~* on the European market
europamästare European champion
europamästarinna European [woman] champion
europamästerskap European championship
Europarådet the Council of Europe
Europaväg European highway
europé pers. European
europeisk European; *Europeiska gemenskaperna* (förk. *EG*) the European Communities (förk. EC)
eurovision TV. Eurovision
Eva bibl. el. friare Eve
evakuera evacuate; *en ~d* an evacuee
evakuering evacuation
evangelisk evangelical
evangelist evangelist
evangelium gospel äv. bildl.; *Matteus' ~* the Gospel according to St. Matthew
evenemang [great] event (occasion); större function
eventualitet eventuality, contingency; möjlighet possibility; *för alla ~er[s skull]* in order to provide against emergencies
eventuell möjlig possible; om det finns (blir m.m.) någon ...if any; *~a (ett ~t) fel* any faults (fault) that may occur; *en ~ fiende* a potential (possible) enemy; *~a köpare* prospective buyers
eventuellt möjligen possibly; om så behövs if necessary
evig eternal äv. vard. ('evinnerlig'); *för ~ tid (~a tider)* for ever
evighet eternity; *det är ~er sedan...* it is ages (quite an age) since...
evighetsgöra never-ending job
evigt eternally; alltid ever; *för ~* for ever [and ever]
evinnerlig eternal; jfr *evig*
E-vitamin vitamin E
evolution evolution

exakt I *adj* exact **II** *adv* exactly
exakthet exactness
exalterad uppjagad over-excited; överspänd highly-strung
examen 1 själva prövningen examination; vard. exam; *klara sin ~* pass one's examination **2** [utbildnings]betyg: akademisk degree; lärar~ certificate; ibl. diploma; *ta (avlägga) [en] ~* obtain one's degree etc.
examination examensförhör examination
examinator examiner
examinera 1 förhöra examine; utan objekt do the examining **2** växt determine [the species of]
examinering av växter determination [of species]
excellens Excellency; *Ers ~* Your Excellency
excentrisk eccentric
exceptionell exceptional
excess excess; *~er* äv. a) övergrepp outrages b) utsvävningar orgies
exekution execution
exekutiv *adj* **1** verkställande executive; *~ myndighet* executive (executory) authority **2** utmätnings- *~ auktion* auction under a writ of execution
exempel example; [inträffat] fall instance; räkne~, tal problem; enklare sum; *tjäna som ~* serve as an example; *jag följde hans ~* I followed his example (lead); gjorde likadant som han äv. I followed suit; *till ~* (förk. *t.ex.*) for example (instance); låt oss säga äv. say; vid uppräkningar o.d. i skrift e.g.
exempellös unprecedented, unparalleled; friare exceptional
exempelvis, ~ kan jag nämna as an (by way of) example..., se äv. *[till] exempel*
exemplar av bok, skrift o.d. copy; av en art specimen; *i två (tre) ~* om handlingar äv. in duplicate (triplicate)
exemplarisk exemplary; *en ~ äkta man* äv. a model husband
exemplifiera exemplify
exemplifiering exemplification, exemplifying
exercera fullgöra sin värnplikt do one's military service
exhibitionism exhibitionism
exhibitionist exhibitionist
exil exile
existens 1 tillvaro existence; utkomst livelihood **2** individ character; *en misslyckad ~* a failure in life
existensberättigande raison d'être fr.; *systemets ~* the justification of the system
existensminimum subsistence level
existentialism filos. existentialism
existentialist filos. existentialist
existera exist; fortleva subsist; *~nde* existing
exklusiv exclusive
exklusive excluding
exkrementer excrement; vetensk. faeces
exkursion excursion; isht amer. field trip
exlibris ex-libris (pl. lika), bookplate
exorcism exorcism
exotisk exotic
expandera expand
expansion expansion
expansiv expansive
expediera 1 sända send [off]; hand. äv. ship **2** betjäna serve; *~ [en kund]* serve a customer **3** utföra: beställning execute; telefonsamtal put through
expediering 1 sändning sending [off], shipment **2** *~ [av kunder]* serving customers **3** av beställning carrying out; av telefonsamtal putting through
expedit [shop] assistant; amer. [sales] clerk
expedition 1 lokal office **2** resa expedition **3** se *expediering*
expeditionsavgift service charge
expeditionstid office hours
experiment experiment
experimentell experimental; *på ~ väg* experimentally, by means of experiments
experimentera experiment; *~ ut* discover (find out) [...by means of experiments]
expert expert; authority
expertgrupp group of experts; vard. think tank
expertis 1 sakkunniga experts **2** experternas uppfattning expert opinion; sakkunskap expertise
expertutlåtande expert's (resp. experts') report
exploatera exploit äv. utsuga; gruva, patent work; mark develop
exploaterande o. **exploatering** exploitation; av t.ex. mark development; jfr *exploatera*
explodera explode; om något uppumpat burst; *~ av skratt* explode with laughter
explosion explosion, detonation; spec. om tryckvågorna blast
explosionsartad explosive
explosiv explosive; fonet. plosive; *~a ämnen* explosives
expo exhibition; vard. expo
exponera I *tr* utställa expose **II** *rfl, ~ sig* expose oneself [*för* to]
exponering isht foto. exposure
exponeringsmätare foto. exposure meter
exponeringstid foto. time of exposure
export exporterande export[ation]; varor exports
exportartikel export article (commodity); *exportartiklar* äv. exports
exportera export
exportförbud, ~ *på* en vara a ban on the export of...
exportföretag export company

exporthandel export trade
exportindustri export industry
exportmarknad export market
exportvara export commodity (product); *exportvaror* äv. export goods, exports
exportör exporter
exposé survey; summary, exposition
express I *s* se *expressbyrå* o. *expresståg; med ~* by express **II** *adv* express; *skicka ~* send by (per) express
expressbrev express (special delivery) letter
expressbyrå removal firm; amer. express [company]; i annonser removals
expressgods koll. express goods; *sända ngt som ~* send a th. by express, express a th.
expressionism konst. expressionism
expressionist konst. expressionist
expresståg express [train]
extas ecstasy; *råka i ~* fall into an ecstasy; bildl. go into ecstasies (raptures) [*över* over]
extatisk ecstatic
extensiv extensive
exteriör exterior
extern external
extra I *adj* tilläggs- extra, supplementary; särskild special; *~ erbjudande* special offer; i dag blir det *någonting* [*alldeles*] *~* ...something [extra] special **II** *adv* extra; ovanligt exceptionally; *få ~ betalt* get extra pay
extraförtjänst se *biinkomst*
extraknäck vard., bisyssla job on the side; extraknäckande moonlighting
extraknäcka earn money (do a job) on the side
extrakt extract
extraktion extraction
extranummer 1 tidnings special [edition] **2** uppträdandes encore
extraordinarie extraordinary; ej fast anställd temporary, non-permanent
extraordinär extraordinary, exceptional
extrapris special offer; reapris bargain price; *det är ~ på...* ...is (resp. are) on special offer (specially cheap)
extratåg special (dubblerat relief) train
extravagans extravagance
extravagant extravagant
extrem extreme; polit. extremist
extremist extremist
extremitet extremity

F

f 1 bokstav f [utt. ef] **2** mus. F
fabel fable äv. bildl.; handling i roman o.d. plot
fabricera manufacture; bildl. fabricate
fabrik factory; bruk, verk works (pl. lika), amer. äv. plant; textil~ mill
fabrikant tillverkare manufacturer; av bestämt varuparti maker
fabrikat 1 vara manufacture; isht textil~ fabric **2** tillverkning make; *av svenskt ~* made in Sweden
fabrikationsfel manufacturing defect (flaw, fault)
fabriksarbetare factory hand (worker); på t.ex. textilfabrik mill hand
fabriksny ...fresh from the factory, ...straight from the works
fabrikssamhälle industrial community
fabrikstillverkad factory-made
fabriksvara factory-made article (product); *fabriksvaror* äv. manufactured goods, manufactures
fabulera romance; give one's imagination [a] free rein
fabulös fabulous
facit 1 key, answers; ~bok answer book **2** lösning answer, total; result; resultat final result
fack 1 i hylla o.d. compartment; post~ post office box **2** gren inom industri o. hantverk branch, trade; *hans ~ är* invärtes medicin he specializes in... **3** *~et* fackföreningen the union
fackeltåg torchlight procession
fackförbund sammanslutning av fackföreningar federation of trade (amer. labor) unions, national trade (amer. labor) union
fackförening [trade] union
fackföreningsledare [trade-]union leader
fackföreningsmedlem trade-unionist
fackföreningsrörelse [trade-]union movement
fackidiot vard. narrow specialist
fackkunnig expert
fackla torch
facklig professional; hörande till fackföreningsrörelsen [trade-]union...; *en ~ fråga* a trade-union matter
fackligt, *han är ~ organiserad* he belongs to a [trade-]union
facklitteratur specialist (technical) literature; i mots. till skönlitteratur non-fiction
fackman yrkesman professional; sakkunnig expert; *~ på området* expert in the matter (field)

fackmässig professional, technical, specialist
fackordbok technical dictionary
fackspråk technical language (terminology, jargon)
fackterm technical (inom handel, industri trade) term
facktidskrift professional journal
fadd jolmig flat, stale, vapid; banal vapid, insipid
fadder godfather, godmother, godparent; friare sponsor
fadderbarn godchild; krigsbarn o.d. sponsored (adopted) child
faddhet flatness
fader father; poet. el. om djur sire
faderlig fatherly äv. ~t öm; som tillkommer en far paternal
faderlös fatherless
faderskap fatherhood; isht jur. paternity
faderskapsmål paternity suit
fadervår bönen: prot. the Lord's Prayer; isht katol. [the] Our Father
fadäs dumhet faux pas (pl. lika) fr.; *begå (göra) en* ~ commit a faux pas, put one's foot in it, drop a brick
fager fair
faggorna, *vara i* ~ be coming (approaching, ahead)
fagott instrument bassoon
Fahrenheit Fahrenheit
fajans [glazed] earthenware
fakir fakir
faksimil o. **faksimile** facsimile
faktisk actual, real, factual; egentlig virtual
faktiskt as a matter of fact, in fact; verkligen really; *jag vet* ~ *inte* I really don't know
faktor allm. el. matem. factor; *den mänskliga ~n* the human factor (equation, element)
faktum fact; *fakta* äv. data
faktura invoice, account; *enligt* ~ as per invoice
fakturera skriva faktura invoice; prissätta price
fakultet univ. faculty; *juridiska (medicinska) ~en* the faculty of law (medicine)
falang polit. wing
falk isht jakt~ falcon; kortvingad hawk
fall 1 eg. fall; *regeringens* ~ the [down]fall (overthrow) of the Government
2 förhållande, rättsfall m.m. case; *i alla* ~ a) i alla händelser in any case, anyhow b) trots det nevertheless, all the same; *i så* ~ in that case, if so; *i varje* ~ se *i alla* ~ ovan; *i vilket* ~ *som helst* in any case (event); om två alternativ in either case; *i värsta* ~ if the worst comes to the worst
falla I *itr* **1** eg. fall; *han föll och gjorde sig illa* he had a bad fall **2** bildl. fall; *låta förslaget* ~ drop the proposal; ~ *för* frestelsen yield (give way) to... **II** *rfl, när det faller sig lägligt* when an opportunity offers, when convenient; *det faller sig svårt [för mig]* att lita på honom I find it difficult...
III med beton. part.
~ **av** allm. fall off; om hår äv. come (fall) out; magra grow thin
~ **bort** drop (fall) [off]; t.ex. ur minnet äv. drop out; försvinna be dropped, lapse
~ **i** fall in; genom is fall through
~ **ifrån** dö pass away; avfalla drop off
~ **igenom** i examen fail; om lagförslag o.d. be defeated
~ **ihop** fall in (down); bryta samman break down
~ **in** fall in; stämma upp strike up; stämma in join in (äv. i samtal); *det föll mig in* it (the idea) occurred to (struck) me
~ **ned** fall (drop) down; ~ *ned död* drop dead
~ **omkull** fall [over]
~ **samman** se ~ *ihop* o. *sammanfalla*
~ **sönder** fall (drop, crumble) to pieces; isht bildl. break up; jfr *sönderfalla*
~ **tillbaka:** *ha något att* ~ *tillbaka på* ekonomiskt have something [put by] to fall back on; vard. have a nest-egg
~ **undan** fall (slide) away; bildl. yield; vard. climb down
~ **ut:** *han föll ut genom fönstret* he fell out of the window; jfr äv. *utfalla*
fallenhet begåvning, förmåga aptitude, gift; ung man *med* ~ *för mekanik* ...of a mechanical turn, mechanically inclined...
fallfrukt koll. windfalls pl.
fallfärdig ramshackle
fallgrop pitfall äv. bildl.
fallhöjd drop; vattens height of fall
fallrep sjö. gangway; *vara på ~et* ekonomiskt be on the brink of ruin
fallskärm parachute; *hoppa med (ut i)* ~ make a parachute jump, parachute; rädda sig bale out
fallskärmshoppare parachute jumper
fallskärmsjägare parachutist, paratrooper; amer. äv. parachuter
fallskärmstrupper parachute troops
fallucka trapdoor
falna die down; vissna fade
fals tekn. fold, seam; snick. rabbet; spont groove; bokb. fold
falsett mus. falsetto (pl. -s); *gå upp i* ~ rise to falsetto
falsifikat falsification; vara spurious article
falsk false; förfalskad forged; *~t alarm* false alarm; *~a förhoppningar* vain hopes; *under ~t namn* under a false (an assumed) name; *~a pengar* bad (counterfeit) money (mynt coins)
falskdeklarant tax evader
falskdeklaration falskdeklarerande tax

evasion; falsk självdeklaration fraudulent income-tax return
falskhet allm. falseness; oriktighet erroneousness
falskskyltad om bil ...provided with false [number (amer. vanl. license)] plates
falskspelare cheat; yrkesmässig cardsharper
falskt falsely etc., jfr *falsk;* mus. out of tune; *spela* ~ a) mus.: t.ex. på fiol play out of tune b) kortsp. cheat [at cards]; *vittna* ~ testify falsely, give false evidence (testimony)
familj family; *~en Brown* the Brown family, the Browns pl.
familjeband family ties
familjebiljett family [discount] ticket
familjedaghem registered childminding home
familjefader father (head) of a (resp. the) family
familjeföretag family business
familjeförhållanden family affairs (levnadsomständigheter circumstances)
familjeförpackning family size packet (package)
familjeförsörjare breadwinner; jur. head of a (resp. the) household
familjegrav family grave (burial place, vault)
familjekrets family circle; *i den trängre ~en* in one's immediate family
familjeliv family (home) life
familjemedlem member of a (resp. the) family
familjeplanering family planning, planned parenthood
familjerådgivning family guidance (counselling)
familjär familiar
famla grope [*efter* for, after]
famlande groping; bildl. tentative; ~ *försök* hesitant attempt
famn 1 armar arms; fång armful; *stora ~en* a big hug; *ta ngn i* ~ embrace a p., hug a p. **2** mått fathom
famntag embrace; vard. hug
famös beryktad notorious
1 fan 1 den Onde the Devil **2** vard. el. sl. *fy ~!* hell!; *springa som (av bara)* ~ run like hell; *det var [som] ~!* well, I'll be damned!; *vad (var, vem)* ~ what (where, who) the devil; *det ger jag ~ i* I don't care (give) a damn (vulg. fuck) about that; *tacka ~ för det!* I should bloody (svag. damn) well think so!
2 fan beundrare fan; ~ *club* fan club
fana flag, banner båda äv. bildl.
fanatiker fanatic, zealot
fanatisk fanatic[al]
faner veneer
fanfar flourish, fanfare; *blåsa en* ~ sound a flourish
fanjunkare warrant officer [class II]
fanskap vard., *hela ~et* the whole damn[ed] (bloody) lot
fantasi inbillningsförmåga imagination; inbillning, infall fancy, fantasy; *rena ~er* påhitt pure inventions
fantasifoster figment [of the imagination]
fantasifull imaginative
fantasilös unimaginative
fantasivärld world of make-believe (of the imagination)
fantast entusiast enthusiast, vard. fan; drömmare visionary
fantastisk fantastic; vard. äv. terrific, fabulous
fantisera drömma fantasize, dream; fabla talk wildly
fantom phantom
far father; vard. dad, jfr äv. *fader* o. *pappa; ~s dag* Father's Day
1 fara danger; stor el. hotande peril; risk risk; *ingen ~ på taket!* there's no fear of that!, you (we etc.) needn't worry!, it will all sort itself out!; *utsätta sig för ~n att* inf. expose oneself to (incur) the risk of ing-form; *det är förenat med stor ~ att* it involves considerable risks to, it is very dangerous (perilous, risky) to
2 fara I *itr* **1** färdas, isht till en plats go; avresa leave; go off (away); vara på resa travel; ~ *söderut* go [to the] south; ~ *med järnväg (tåg* etc.) go (travel) by rail (train etc.); ~ *till staden* go in (om storstad up) to town **2** ~ *i luften* explodera go (blow) up, be blown up **3** bildl. ~ *illa* fare badly, be badly treated; *bilen far illa av att* inf. it is bad for the car to inf.
II med beton. part.
~ **av:** hatten *for av* ...flew off
~ **fram** a) eg.: komma farande go (köra drive) ahead b) bildl.: husera carry (go) on; ~ *varligt fram med* ngt treat...gently, be careful with...
~ **i:** jag undrar *vad som har farit i honom* ...what has taken possession of (got into) him
~ **ifrån:** lämna ngn go (köra drive) away from a p.; *hon for ifrån* sin väska she left (forgot)...
~ **igen** om dörr o.d. shut
~ **in:** ~ *in i* enter, go into; ~ *in till staden* go in (om storstad up) to town
~ **i väg** start, go off; rusa go (rush) off
~ **omkring** go (travel, köra drive) about; om sak run (rulla roll) about; ~ *omkring [som ett torrt skinn]* bustle about
~ **upp** a) rusa upp jump up b) öppna sig fly open, open; ~ *upp ur sängen* jump out of bed
~ **ur:** *det for ur mig* I blurted it out
~ **ut** eg. go (köra drive) out; ~ *ut och åka*

go for (take) a drive; ~ *ut mot ngn* let fly at (skälla på rail at) a p.
~ **vilse** lose one's way, go astray
farao Pharaoh
farbar om väg passable, negotiable; om farvatten navigable
farbroder se *farbror*
farbror allm. [paternal] uncle; friare [nice old] gentleman; ~ *John* Uncle John
farfader se *farfar*
farfar [paternal] grandfather; vard. grandpa; father's father
farföräldrar, *mina* ~ my grandparents [on my father's side]
farhåga oro fear, apprehension; *mina farhågor besannades* my misgivings turned out to be justified
farinsocker brown sugar
farkost boat, craft (pl. craft)
farled [navigable] channel; rutt route
farlig dangerous; äventyrlig hazardous, risky; *~a följder* grave consequences; *ett ~t företag* a perilous (hazardous, risky) undertaking
farlighet danger; dangerousness; *inlåta sig på ~er* expose oneself to danger
farm farm
farmaceut dispensing chemist's assistant; student pharmacological student
farmakolog pharmacologist
farmakologi pharmacology
farmare farmer
farmor [paternal] grandmother; vard. grandma, gran; father's mother
farozon danger zone (area); *vara i ~en* bildl. be at risk (in jeopardy)
fars farce
farsa vard. ~[*n*] dad, pa; isht amer. pop
farsartad farcical
farsot epidemic
farstu [entrance] hall; trappavsats landing
fart 1 hastighet speed; takt, tempo pace; *tappa ~en* lose speed (sjö. headway); *öka ~en* speed up, increase (put on) speed, accelerate; *i* (*med*) *full* ~ at full (top) speed **2** gång *medan du ändå är i ~en* while you are at it; *i ~en* sedan klockan sju up and about... **3** hast, 'kläm' verve; impetus, push; go; vard. pep; *det är ingen ~ i honom* he is without any go (dash, vard. pep); *sätta ~ på ngt* give an impetus to a th.; blåsa liv i put life into a th.; *försäljningen har tagit* ~ [the] sales have received an impetus (have boomed) **4** sjöfart *gå i inrikes* (*utrikes*) ~ be engaged in coastal (foreign) trade
fartbegränsning speed limit (restriction)
fartblind, *vara* ~ fail to adjust to a slower speed
fartdåre vard. speeder
fartgräns speed limit
fartkontroll speed check (fälla trap)
fartsyndare speeder
fartyg vessel, ship, craft (pl. craft)
farvatten vattenområde waters; farled channel; *i egna* (*svenska*) ~ in home (Swedish) waters
farväl I *interj*, *~!* farewell!, goodbye! **II** *s* farewell; *bjuda* (*säga*) ~ bid farewell, say goodbye
fas skede phase
fasa I *s* horror; skräck terror; bävan dread; *krigets fasor* the horrors of war **II** *itr* frukta shudder; ~ *för att* inf. dread ing-form
fasad front; tandläk. facing; *med ~en mot...* facing (fronting)...
fasadbelysning abstr. floodlighting; konkr. floodlights
fasan pheasant
fasanhöna hen pheasant
fasansfull förfärlig horrible; ohygglig ghastly; vard. awful
fasantupp cock pheasant
fascinera fascinate
fascinerande fascinating
fascism Fascism
fascist Fascist
fascistisk Fascist
fasett facet
fashionabel fashionable
faslig dreadful, frightful; awful; *ett ~t besvär* an awful bother
fason 1 form shape; snitt cut; *förlora ~en* lose its (get out of) shape; *sätta* (*få*) ~ *på...* put (pers. lick)...into shape **2** sätt way **3** beteende manners; *vad är det för ~er?* what do you mean by behaving like that?, where are your manners?
1 fast I *adj* firm; fastsatt fixed; ej flyttbar stationary; mots. flytande solid; stadigvarande fixed; *ha ~ anställning* have a permanent job (om högre tjänst an established post); *i ~ form* in solid form; *med ~ hand* bildl. with a firm hand; ~ *karaktär* strong (firm) character; ~ *lön* fixed (utom provision basic) salary, regular pay; *ha ~ mark under fötterna* äv. bildl. be on firm ground; *ha ~a principer* have fixed (firm) principles; ~ *pris* fixed price **II** *adv* **1** firmly etc., jfr *I; vara ~ anställd* be permanently employed **2** fasttagen *bli* ~ be (get) caught
2 fast *konj* though
1 fasta, *ta ~ på* ngns ord el. löfte make a mental note of...; komma ihåg bear...in mind; utgå från take...as one's starting-point
2 fasta I *s* **1** fastande fasting; tid då man fastar fast; *tre dagars* ~ a fast of three days **2** fastlag *~n* Lent **II** *itr* fast; *på ~nde mage* on an empty stomach, fasting
fastedag fast day
faster [paternal] aunt

fasthet beslutsamhet firmness; varaktighet steadfastness; ~ *i karaktären* firmness (consistency) of character
fastighet house (jordagods landed) property; fast egendom real estate (property)
fastighetsmäklare estate (house) agent; amer. real estate agent
fastighetsskötare caretaker
fastighetsägare house-owner; hyresvärd landlord
fastkedjad chained fast (on)
fastklistrad, *sitta* [*som*] ~ *vid TV:n* be glued to the TV
fastlagen Lent; veckan t.o.m. fettisdagen Shrovetide
fastlagsris twigs pl. with coloured feathers [used as a decoration during Lent]
fastland mainland; världsdel continent; *det europeiska ~et* the Continent, Continental Europe
fastlandsklimat continental climate
fastlåst bildl. deadlocked; *en ~ situation* äv. a situation which has come to a deadlock
fastna get caught; sätta sig fast, klibba stick [fast], get stuck [fast]; komma i kläm jam; *jag ~de* bestämde mig *för...* I decided on...; ~ *i gyttjan* stick (get stuck) in the mud; ~ *på kroken* be (get) hooked; ~ *på ett tal* ej lyckas lösa get stuck over (on) an arithmetic sum (a sum)
fastnaglad, *stå som* ~ stand rooted to the spot; *stå som ~ av skräck* äv. be transfixed with fear
fastslå konstatera establish; bestämma settle, fix
fastställa 1 bestämma appoint, stipulate; ~ *dag* appoint (fix) a day **2** konstatera establish
fastställande appointment, fixing
fastvuxen firmly (fast) rooted
fastän though
fat 1 uppläggnings~ dish; bunke basin, **2** tefat saucer; tallrik plate **3** tunna barrel, mindre cask; butt äv. ss. mått; kar vat; *ett ~ olja* a drum (barrel) of oil **4** bildl. *det ligger honom i ~et att...* he is handicapped by the fact that...
fatal olycklig unlucky, unfortunate; ödesdiger fatal, regrettable; förarglig annoying
fatalist fatalist
fatalistisk fatalistic
1 fatt, *hur är det ~ ?* what's the matter?; vard. what's up?
2 fatt 1 se *ifatt* **2** *få ~ i* get hold of, find; komma över äv. come across (by), pick up, lay hands upon
fatta I *tr* o. *itr* **1** gripa catch; hugga tag i seize; ~ *ngns hand* grasp a p.'s hand **2** börja hysa o.d. conceive; jfr ex.; ~ *ett beslut* come to (make, arrive at) a decision; vid möte pass a resolution; ~ *misstankar mot ngn* conceive a suspicion of a p.; ~ *mod* take courage **3** begripa understand; *ha lätt* (*svårt*) *att* ~ be quick (slow) on the uptake **II** *rfl*, *för att ~ mig kort* to be brief, to put it briefly (shortly), to make a long story short
fattad lugn composed
fattas finnas i otillräcklig mängd be wanting (lacking); saknas be missing; behövas be needed; *det ~ 50 kronor* i kassan I am (you are etc.) 50 kronor short, there is a deficit of 50 kronor; *det ~ bara* (*skulle bara ~*)*!* I should jolly well think so!
fattbar comprehensible
fattig 1 poor; behövande needy; *~a* (*~t folk*) poor people; *en* ~ a poor man **2** ringa, ynklig paltry; *~a tio kronor* a paltry (wretched) ten kronor; *mina ~a slantar* my little bit of money
fattigdom poverty
fattiglapp down-and-out; *en* ~ som jag, vard. a poverty-stricken devil...
fattigvård hist. poor relief
fattning 1 grepp grip **2** för glödlampa socket, lamp holder; för t.ex. ädelsten setting **3** behärskning composure; *behålla ~en* keep one's head, maintain one's composure; *förlora* (*tappa*) *~en* lose one's head (composure)
fattningsförmåga apprehension; *ha dålig* (*god*) ~ be slow (quick) on the uptake
fatöl draught beer
fauna fauna (pl. äv. faunae)
favorisera favour
favorit favourite
favoriträtt favourite dish
favör favour; fördel advantage
fax fax
faxa fax
f.d. förk., se under *före I 2*
F-dur mus. F major
fe fairy; poet. fay
feber fever äv. bildl.; *hög* ~ a high temperature (fever); *ha* ~ have (run) a temperature, be feverish
feberaktig feverish, febrile båda äv. bildl.
feberfri ...free from fever
feberkurva temperature curve (papper chart)
febernedsättande ...that reduce (resp. reduces) fever; ~ *medel* äv. antipyretic, febrifuge
febertermometer clinical thermometer
febrig feverish
febril bildl. feverish
februari February (förk. Feb.); jfr *april* o. *femte*
federal federal
federation federation
feg cowardly; vard. yellow

feghet cowardice, timidity
fegis vard. funk
fejd feud; *leva (ligga) i ständig ~ med ngn* be in a perpetual state of feud with a p.
fel I *s* **1** skavank fault; kroppsligt ~ defect, infirmity; karaktärs~ el. missförhållande trouble; *det är [något] ~ på...* there is something wrong (something the matter) with... **2** misstag mistake; *begå (göra) ett ~* make a mistake (mindre slip), commit a fault (an error, 'tabbe' a blunder) **3** skuld fault; *det är hans eget ~ att* sats it is his own fault that sats; he has only himself to blame for ing-form; *vems är ~et?* whose fault is it?, who is to blame? **II** *adj* [attr. vanl. the] wrong; *uppge ~ adress* give the (a) wrong address **III** *adv* wrong; isht före perf. ptc. wrongly; ibl. mis-; *gå ~* go the wrong way, lose one's (miss the) way; *min klocka går ~* my watch is wrong; *skörden slog ~* the crops failed; *ta ~* make a mistake; vard. get it wrong
1 fela 1 fattas be wanting **2** begå fel make a mistake (resp. mistakes); handla orätt do wrong
2 fela vard. fiddle
felaktig oriktig wrong, erroneous; behäftad med fel faulty, defective; *~ användning* wrong use, misapplication
felaktighet det felaktiga incorrectness; fel error
felande 1 som fattas missing; *den ~ länken* the missing link **2** som begår fel erring; *den ~* the culprit (offender)
felas se *fattas*
felbedömning miscalculation
felbehandling wrong treatment
felfri faultless; correct; oklanderlig impeccable
felgrepp error
felmarginal margin of error
felparkerad, *vara (stå) ~* be wrongly parked
felparkering förseelse parking offence
felräkning miscalculation
felskrivning, *en ~* a slip of the pen, an error in writing; med skrivmaskin a typing error
felslag|en ej lyckad unsuccessful; *-na förhoppningar* disappointed hopes
felstavad wrongly spelt
felsteg eg. el. bildl. slip, lapse
felsägning slip of the tongue
feltolka misconstrue
feltolkning misconstruction; vid läsning av text misreading
felunderrättad misinformed
felvänd turned the wrong way
felöversättning mistranslation
fem five; *vi ~* the five of us; *~ och ~* fem åt gången five at a time; *de går ~ och ~* they walk in fives; han kom *klockan halv ~* ...at half past four, four-thirty; vard. half four
femcylindrig five-cylinder...; *motorn är ~* it is a five-cylinder engine, the engine has five cylinders
femdagarsvecka five-day week
femdubbel fivefold
femdubbla multiply...by five, increase...fivefold (five times); *~s* increase fivefold (five times)
femdygnsprognos meteor. five-day [weather] forecast
femetta fullträff direct hit
femföreställning five-o'clock performance
femgradig om skala ...divided into five degrees; om vatten five degrees [centigrade] above freezing-point
femhundra five hundred
femhundrade five hundredth
femhundradedel five hundredth [part]; jfr *femtedel*
femhundratal, *~et* århundrade the sixth century; *på ~et* in the sixth century
femhundraårsjubileum five-hundredth (500th) anniversary
femhörning pentagon
feminin feminine äv. gram.
femininum genus the feminine [gender]; ord feminine [noun]; *i ~* in the feminine
feminist feminist
feministisk feministic
femkamp sport. pentathlon; *modern ~* modern pentathlon
femkampare sport. pentathlete
femkrona o. **femkronorsmynt** five-krona piece
femma 1 five; vid tärnings- el. mynt five-krona piece; *en ~* belopp five kronor; *~n* a) om hus, rum, buss o.d. No. 5, number Five, om buss äv. the [No.] 5 b) skol. the fifth class (form), Class No. 5, Class V **2** vard., femrumslägenhet five-room[ed] flat (apartment)
femprocentig five-per-cent...
femrummare o. **femrumslägenhet** five-room[ed] flat (apartment)
femsidig five-sided
femsiffrig five-figure...
femsnåret, *vid ~* [at] about five [o'clock]
femstämmig ...for five voices, five-voice
femtal five; *ett ~* some (about) five
femte fifth (förk. 5th); *Gustaf den ~ (V)* Gustaf the Fifth, Gustavus V; *den ~ (5) april* ss. adverbial on the fifth of April, on April 5th; *på ~ våningen* 4 tr. upp on the fourth (amer. fifth) floor
femtedel fifth [part]; *två ~ar* two fifths
femteplacering, *få en ~* come [in] fifth
femti o. sms., se *femtio* o. sms.
femtiden, *vid ~* [at] about five [o'clock], round about five [o'clock]

femtielfte, *för ~ gången* for the umpteenth time
femtilapp hist. fifty-krona note
femtio fifty; jfr *fem* o. sms.
femtiofem fifty-five
femtiofemte fifty-fifth
femtiokronorssedel hist. fifty-krona note
femtionde fiftieth
femtiondedel fiftieth [part]; jfr *femtedel*
femtiotal fifty; *~et* åren 50—59 the fifties; *i början* (*sent* el. *i slutet*) *på ~et* in the early (late) fifties
femtioårig fifty-year-old... etc., jfr *femårig*
femtioåring fifty-year-old man (resp. woman), quinquagenarian
femtioårsdag fiftieth anniversary; födelsedag fiftieth birthday
femtioårsjubileum fiftieth anniversary
femtioårsåldern, *en man i ~* a man aged (of the age of) about fifty; jfr vid. *femårsåldern*
femtioöring fifty-öre piece
femton fifteen; *klockan 15* at 3 o'clock in the afternoon, at 3 [o'clock] p.m.; jfr *fem* o. sms.
femtonde fifteenth; *för det ~* in the fifteenth place; jfr *femte*
femtondedel fifteenth [part]; jfr *femtedel*
femtonhundra fifteen hundred
femtonhundratalet the sixteenth century; *på ~* in the sixteenth century
femtonårig fifteen-year-old... etc., jfr *femårig*
femtonåring fifteen-year-old
femtusen five thousand
femtåget the five (five-o'clock) train
femvåningshus femplanshus five-storeyed (five-storied) house
femväxlad om växellåda five-speed...; *den är ~* it has five forward speeds
femårig 1 fem år gammal five-year-old... **2** som varar (varat) i fem år five-year; avtalet *är ~t* ...is for five years
femåring five-year-old
femårsdag fifth anniversary; födelsedag fifth birthday
femårsjubileum fifth anniversary
femårsåldern, *i ~* at the age of about five, at about five years of age; *vara i ~* be about five
femöring hist. five-öre piece
fena fin äv. flyg.; sjö. *utan att röra en ~* without moving (stirring) a limb
fenomen phenomen|on (pl. -a)
fenomenal phenomenal, extraordinary
feodalväsen feudal system
ferie se *ferier*
feriearbete holiday work
feriekurs holiday (isht amer. vacation) course
ferier holidays; isht univ. el. amer. vacation, vard. vac; *han har ~* he is having a holiday (vacation)
fernissa I *s* varnish; bildl. veneer **II** *tr* varnish
fertil fertile
fertilitet fertility
fest 1 bjudning party; för att fira ngt celebration; ~måltid feast; festival festival; *en ~ för ögat* a feast for the eyes, a sight for sore eyes **2** festlighet festivity; högtidlighet ceremony
festa 1 kalasa feast **2** ~ [*om*] roa sig have a good time; dricka booze
festdag festival day; glädjedag day of rejoicing
festföreställning gala performance
festival festival
festklädd festively-dressed; i aftondräkt ...in evening dress
festkommitté organizing (entertainment) committee
festlig 1 fest- festival...; glad festive; storartad grand, splendid; *vid ~a tillfällen* on ceremonious (festive, friare special) occasions **2** komisk comical, amusing
festlighet festivity; *~er* äv. festive entertainments
festmiddag o. **festmåltid** banquet
festprisse bon vivant fr.
festspel festival
festtåg procession
festvåning assembly (banqueting) rooms
fet fat äv. bildl.; abnormt obese; flottig oily; *~ hy* greasy skin
fetisch fetish, fetich
fetknopp vard., om pers. fatty
fetlagd [somewhat] stout (corpulent)
fetma I *s* fatness; hos pers. vanl. stoutness, corpulence, abnorm obesity **II** *itr* put on fat (flesh)
fett fat äv. kem.; smörj~ grease; flott lard
fettbildande fattening
fettfläck grease spot; *få en ~ på...* get a spot of grease on...
fetthalt fat[ty] content; fettprocent percentage of fat
fettisdag, *~en* första tisdagen efter fastlagssöndagen Shrove Tuesday
fettisdagsbulle se *semla*
fettvalk roll of fat
fia spel ludo
fiasko fiasco (pl. -s); *göra ~* be a fiasco
fiber fibre äv. i kost
fiberrik, *~ kost* diet containing plenty of roughage
ficka pocket; *stoppa ngt i ~n* put a th. in one's pocket
fickalmanacka pocket diary
fickformat pocket size; kamera *i ~* pocket-size...
fickkniv pocketknife

ficklampa [electric] torch; isht amer. flashlight
fickordbok pocket dictionary
fickparkera, ~ *[bilen]* ung. squeeze the car in between two other cars [when parking]
fickpengar pocket money
fickspegel pocket mirror
fickstöld, *en* ~ a case of pocket-picking
ficktjuv pickpocket
fickur [pocket] watch
fiende enemy
fiendskap enmity; *leva i* ~ be at enmity
fientlig hostile; mil. äv. enemy...
fientlighet hostility
fiffel vard. cheating; handlingar crooked dealings, double-dealing
fiffig vard., fyndig clever, ingenious
fiffla vard. cheat; ~ *med böckerna* cook (fake) the books
figur figure; individ isht neds. individual; ha *[en] bra* ~ ...a good figure; *en löjlig* ~ a ridiculous figure (character), a figure of fun
figurativ konst. figurative
figurera appear
figuråkning figure-skating
fik vard. café
1 fika vard. **I** *itr* have some (a cup of) coffee (java) **II** *s* [a cup of] coffee (java)
2 fika, ~ *efter* hanker after
fikon fig
fikonlöv 1 fig leaf äv. bildl. **2** strippas o.d. cache-sex
fikonträd fig tree
fiktion fiction
fiktiv fictitious
fikus 1 bot. india-rubber tree **2** vard., homosexuell gay, homo
1 fil 1 rad row; *en* ~ *av* rum a suite of... **2** körfält lane; *byta* ~ change lanes
2 fil surmjölk sour[ed] milk
3 fil verktyg file
4 fil data. file
fila file; ~ *på ngt* bildl. polish up a th., give the finishing touches to a th.
filantrop philanthropist
filatelist philatelist
filbunke kok. [bowl of] soured (sour) whole milk; *lugn som en* ~ [as] cool as a cucumber
filé 1 kok. fillet **2** textil. netting
filharmoniker mus. *Filharmonikerna* the Philharmonic (sg. el. pl.)
filial branch
Filippinerna the Philippines
filkörning driving in traffic lanes
film 1 film; ~*[en]* ~konst[en] the cinema; *en tecknad* ~ a (an animated) cartoon; *sätta in* ~ *i kameran* load the camera **2** hinna film
filma I *tr* o. *itr* göra film [av] film; take (make) a film; isht enstaka scen shoot **II** *itr* medverka i film act in films (resp. a film)
filmateljé film studio
filmatisera adapt...for the screen, make a screen version of
filmatisering adaptation for the screen
filmbolag film company
filmbranschen the film (movie) industry
filmcensur film (cinema) censorship; myndighet board of film censors
filmduk [film] screen
filmfestival film festival
filmfotograf cameraman
filmföreställning film (cinema) performance
filmindustri film (movie) industry
filminspelning filming
filmjölk soured (sour) milk
filmkamera film camera; för smalfilm cine (amer. movie) camera
filmmanuskript [film] script, screenplay
filmproducent film producer
filmregissör film director
filmroll film role
filmrulle foto. roll of film; för filmprojektor reel [of film]
filmskådespelare film (screen, movie) actor
filmstjärna film (movie) star
filologi philology
filosof philosopher
filosofera philosophize
filosofi philosophy
filosofie, ~ *doktor* (förk. *fil.dr.*) Doctor of Philosophy (förk. Ph.D. efter namnet); ~ *kandidat* (förk. *fil. kand.*) ung. Bachelor of Arts (förk. BA), i naturvetenskap Bachelor of Science (förk. B.Sc.) båda efter namnet
filosofisk philosophic; isht friare philosophical
filt 1 säng~ blanket **2** tyg felt
filter filter äv. foto.; strainer, screen; på cigarett filter tip
filtercigarett filter-tipped cigarette
filterpåse till [kaffe]bryggare filter bag, paper filter
filthatt felt [hat]
filtpenna felt pen
filtrera filter, filtrate, strain
filur sly dog; *en [riktig] liten* ~ a cunning little devil
fimp cigarette end; vard. fag-end
fimpa 1 cigarett stub [out] **2** vard., slopa chuck out; överge chuck up
fin fine; elegant smart; bra äv. very good; av god kvalitet choice, select, superior; noggrann, om t.ex. mätning accurate; ~*a betyg* high marks; *min* ~*a* (~*aste*) *klänning* my best (vard. party) dress; *en* ~ *middag* god äv. a first-rate dinner; *ha* ~ *näsa för* have a keen nose for; *i* ~*t* bildat *sällskap* in

polite society; *~t!* fine!, good!; *det är inte ~t* [*att* inf.] it is not good manners (good form) [to inf.]; *det var ~t att du kom* it's a good thing you came
final 1 sport. final; *gå upp i* (*gå till*) *~en* get to (go to, enter) the finals **2** mus. finale äv. bildl.
finalist finalist
finans, *~er* finances; *ha dåliga ~er* be in financial difficulty
finansdepartement ministry of finance; *~et* i Engl. the Treasury; i Amer. the Department of Treasury
finansiell financial
finansiera finance, provide capital for
finansiering financing
finansman financier
finansminister minister of finance; i Engl. Chancellor of the Exchequer; i Amer. Secretary of the Treasury
finanspolitik financial policy
finansvärlden the financial world (world of finance)
finansväsen finance, public finance[s pl.]
finbageri fancy bakery
finess 1 förfining refinement; *~en med* apparaten är a special (very good) point about... **2** *~er* fiffiga detaljer [exclusive] features, gadgets
finfördela pulvrisera grind...into fine particles, atomize; sprida scatter (sprinkle)...finely
fing|er finger; *inte lyfta* (*röra*) *ett ~ för att...* not lift (raise, stir) a finger to; *sätta -ret på...* lay (put) one's finger on...
fingerad fictitious, imaginary; *fingerat namn* assumed (false) name
fingeravtryck fingerprint
fingerborg thimble; *en ~* [*vin*] a thimbleful [of wine]
fingerfärdig dexterous
fingerspets fingertip; *ända ut i ~arna* to the (his osv.) fingertips
fingertopp se *fingerspets*
fingervante [fabric (woollen)] glove
fingervisning hint, pointer
fingra, *~ på* finger; friare vanl.: tanklöst fiddle about with; klåfingrigt tamper (meddle) with
fingranska go through (examine)...thoroughly
finhackad finely chopped; kok. äv. finely minced
fininställning av t.ex motor trimming
fink zool. finch
finka *s* vard., arrest clink; [*sätta*] *i ~n* [put] in clink (the cooler, the slammer)
finkamma fine-comb, comb...with a [fine-]tooth comb
finklädd dressed up
finkläder Sunday best, finery
finkornig fine-grained; foto. fine-grain
finkänslig taktfull tactful; diskret discreet
Finland Finland
finlandssvensk I *adj* Finland-Swedish, Finno-Swedish **II** *s* Finland-Swede
finländare Finlander
finländsk Finnish
finländska kvinna Finnish woman
finmalen finely ground (minced)
finmaskig fine-meshed, small-meshed
finmekanisk, *~ verkstad* precision-tool workshop
finn|a I *tr* find; oförmodat come across; inse, anse think, consider; röna meet with; *jag -er av* Ert brev I see (observe, notice, perceive) from...; *~ varandra* bildl. find one another **II** *rfl*, *~ sig* [*vara*] find oneself; *han -er sig alltid* he is never at a loss; *han fann sig snart* igen he soon collected his wits; *~ sig i* a) tåla stand, put up with b) foga sig i submit to
finn|as vara be; existera exist; stå att finna be found; *det -s* opers. there is (resp. are); *det bästa kaffe som -s* the best coffee there is (vard. coffee going); den *-s kvar* [*att få*] ...is still to be had; ordet *-s med* ...is included
1 finne person Finn
2 finne med. pimple
finnig pimply
finsk Finnish
finska (jfr *svenska*) **1** kvinna Finnish woman **2** språk Finnish
finsmakare epicure, gourmet; kännare connoisseur
finstilt, *det ~a* the text in small print (type)
1 fint 1 sport. feint, sidestep **2** bildl. trick
2 fint finely osv., jfr *fin;* bra vanl. [very] well
finta 1 sport. feint; *~ bort ngn* sell a p. the dummy **2** bildl. dodge the issue, shuffle
fintvätt tvättande [the] washing of delicate fabrics; tvättgods delicate fabrics; ss. tvättmärkning cold wash
finurlig slug shrewd; sinnrik clever; knepig smart
fiol violin; vard. fiddle; *spela ~* play the violin
fiolspelare violinist; vard. fiddler
1 fira, *~* [*på*] sjö. ease off, slack[en]
2 fira I *tr* högtidlighålla celebrate; tillbringa spend; hylla fête; *~ minnet av* commemorate; *vi ~de honom* [*på hans födelsedag*] we celebrated his birthday **II** *itr* ta ledigt take a day (resp. some days) off
firande celebrating osv., jfr *2 fira*
firma firm; ~namn vanl. style; *~n* I. Ek & Co. the firm of...; i affärskorrespondens Messrs[.]...
firmabil company car
firmafest office (staff) party, party for the employees

firmamärke trade mark
firmanamn firm name
fisa vard. fart
fisk 1 fish (pl. fish el. fishes); koll. fish; fånga *några ~ar* (*mycket ~*) ...a few fish (a lot of fish); *stum som en ~* as dumb as a statue; *vara som en ~ i vattnet* be in one's element **2** *Fiskarna* astrol. Pisces
fiska fish; *vara ute och ~* be out fishing
fiskaffär fishmonger's [shop]; amer. fish market
fiskare fisherman
fiskben 1 av fisk fishbone **2** av val whalebone
fiskbulle fishball, fish quenelle
fiskdamm eg. fishpond; bildl. lucky dip; amer. grab bag
fiske fishing; fiskeri fishery; ss. näringsgren fisheries; *vara ute på ~* be out fishing
fiskebåt fishing-boat
fiskefartyg fishing-vessel
fiskeflotta fishing-fleet
fiskegräns fishing-limits, limit of the fishing zone
fiskekort fishing licence (permit)
fiskelycka, *ha god ~* have good luck in one's fishing
fiskeläge fishing village (hamlet)
fisketur fishing trip (expedition)
fiskevatten fishing-grounds, fishing-waters
fiskfilé fillet of fish
fiskfjäll [fish] scale
fiskgjuse zool. osprey
fiskgratäng fish au gratin
fiskhandlare i minut fishmonger; amer. fish dealer
fiskhåv landing net, bag net
fiskmås [common] gull
fisknät fishing-net
fiskodling abstr. fish culture, pisciculture
fiskpinne kok. fish finger (stick)
fiskredskap piece of fishing tackle; koll. fishing-tackle
fiskrom [hard] roe
fiskrätt fish course (dish)
fiskstim shoal of fish
fiskyngel koll. fry
fiss mus. F sharp
Fiss-dur mus. F sharp major
fiss-moll mus. F sharp minor
fistel med. fistula
fitta vulg. cunt äv. som skällsord; pussy
fix 1 fixed; *~ idé* fixed idea, idée fixe fr.; friare monomania **2** *~ och färdig* all ready
fixa vard. fix, arrange; ~ skaffa *ngt åt ngn* fix a p. up with a th.; *det ~r sig* it will be all right
fixare vard. fixer
fixera fix äv. foto.; precisera define; *~ sig på* psykol. have a fixation on
fixerad fixed; psykol. fixated
fixering psykol. el. med. el. med blick fixation; foto. el. konst. fixing
fixersalt foto. fixing-salt, hypo
fjant person busybody; narr conceited fool
fjanta, *~ för ngn* suck up to a p., butter a p. up, fawn on a p.; *~ omkring* fuss (be fussing) about
fjantig beskäftig fussy; narraktig foolish, silly
fjol, *i ~* last year
fjolla foolish (silly) woman (resp. girl)
fjollig foolish
fjompig vard. silly, wet, sloppy
fjord isht i Norge fiord, fjord; i Skottl. firth
fjorton fourteen; *~ dagar* vanl. a fortnight; amer. äv. two weeks; *~ dagars* ledighet a fortnight's...; jfr *fem*[*ton*] o. sms.
fjortonde fourteenth; [*en gång*] *var ~ dag* [once] every (once a) fortnight; jfr *femte*
fjun koll. down
fjunig downy
fjäder 1 fågel~ feather; isht prydnads~ plume; koll. feathers **2** tekn. spring
fjäderdräkt plumage
fjäderfä koll. poultry; *ett ~* a fowl
fjädermoln cirrus (pl. cirri), cirrus cloud
fjädervikt o. **fjäderviktare** boxn. featherweight
fjädra I *itr* vara elastisk be elastic (springy, resilient) **II** *rfl, ~ sig* kråma sig strut, swagger; göra sig till show off [*för* to]
fjädrande springy äv. om t.ex. gång; elastic
fjädring spring system; bil~ suspension; elasticitet elasticity
1 fjäll mountain; hög~ alp; fara *till ~en* (*~s*) ...to (up into) the mountains; för sms. jfr *berg-* o. *bergs-*
2 fjäll zool. o.d. scale
fjälla I *tr* fisk scale **II** *itr* peel; med., om pers. desquamate; *~* [*av sig*] peel (scale) off
fjällandskap mountain (alpine) scenery
fjällbjörk mountain birch
fjällräv arctic fox
fjällskivling bot. *stolt ~* parasol mushroom
fjällvandring mountain tour (kortare walk); *ge sig ut på en ~* go on a walking tour in the mountains
fjällämmel zool. lemming
fjärd ung. bay
fjärde fourth; *vara ~ man* kortsp. make a fourth; jfr *femte* o. sms.
fjärdedel quarter; *tre ~ar* three quarters (fourths)
fjärdedelsnot mus. crotchet; amer. quarter note
fjärdedelspaus mus. crotchet (amer. quarter-note) rest
fjäril butterfly; natt~ moth; *ha ~ar i magen* bildl. have butterflies in one's stomach
fjärilshåv butterfly net
fjärilsim butterfly [stroke]; *simma ~* do the butterfly stroke

fjärilslarv caterpillar
fjärma I *tr,* ~ *från* bildl. estrange (alienate) from **II** *rfl,* ~ *sig från* retreat (bildl. become alienated) from
fjärmare more distant (remote), remoter
fjärran I *adj* distant, far-off; *i* ~ *land* äv. far away **II** *adv* far [away (off)]; *när och* ~ far and near **III** *s* distance; *i* ~ in the distance
fjärrkontroll remote control
fjärrljus på bil main (amer. high) beam
fjärrstyrd remote-controlled; ~ *robot* guided missile
fjärrtrafik long-distance traffic
fjärrtåg long-distance train
fjärrvärme district heating
fjärrvärmeverk district heating power plant
fjärt vard. fart
fjärta vard. fart
fjäsk kryperi fawning; eftergivenhet fussing
fjäska, ~ *för* krypa för *ngn* fawn on a p., suck up to a p., chat a p. up; krusa för make a fuss of a p.
fjäskig krypande fawning; överdrivet artig officious
fjättra fetter, shackle, chain
f.Kr. (förk. för *före Kristus*) BC (förk. för before Christ)
flabb skratt guffaw, cackle
flabba guffaw, cackle
flack 1 eg. flat äv. om kulbana; level **2** grund shallow; ytlig superficial
flacka rove; ~ *och fara* be on the move; ~ *omkring* [*i*] roam (wander, vard. knock) about
flackande I *s* wanderings **II** *adj, en* ~ *blick* a shifting gaze, shifty eyes pl.
fladder flutter
fladdermus bat
fladdra flutter äv. bildl.; flaxa flit; om hår el. flagga stream
flaga I *s* flake; av slagg el. hud~ scale **II** *itr* o. *rfl,* ~ *sig* flake [off], scale (peel) off; ~ *av* [*sig*] come off in flakes
flagg flag; ibl. colours; *föra svensk* ~ carry (fly) the Swedish flag (colours); *segla under främmande* ~ sail under a foreign flag
flagga I *s* flag; *flaggor* koll. äv. bunting sg. **II** *itr* fly (display) a flag (resp. flags), put out flags; sjö. fly the colours; ~ *på halv stång* fly the flag at half-mast
flaggdag, *allmän* ~ official flag-flying day, day on which the national flag should be flown
flagglina flag halyard
flaggskepp flagship äv. bildl.
flaggspel 1 flaggor ung. [row of] bunting **2** sjö., flaggstång flagstaff
flaggstång flagstaff, flagpole
flagna flake [off], scale (peel) off
flagrant flagrant; friare obvious
flak 1 is~ floe **2** last~ platform [body]
flakvagn open-sided waggon
flambera flambé[e]
flamingo zool. flamingo (pl. -s el. -es)
flamländare Fleming
flamländsk Flemish
flamländska 1 kvinna Flemish woman **2** dialekt Flemish
flamma I *s* flame äv. om kvinna **II** *itr* blaze; ~ *till* (*upp*) blaze (flare, flame) up äv. bildl.
flammig [röd]fläckig blotchy; om färg patchy; vattrad waved; ådrig om trä wavy[-grained]
flams ung. silly behaviour; fnitter silly giggles
flamsa fool (monkey) about
flamsig silly; fnittrig giggly
Flandern Flanders
flanell flannel; byxor *av* ~ äv. flannel...
flanera, *vara ute och* ~ be out for a stroll
flank flank äv. mil.
flankera flank; mil.
flanör stroller
flarn kok. thin biscuit (amer. cookie)
flaska 1 bottle; napp~ [feeding] bottle; till bordställ cruet; t.ex. bastomspunnen flask; *en* ~ vin a bottle of... **2** av metall can
flaskborste bottle brush
flaskhals bottleneck isht bildl.
flaskpost message enclosed in a bottle [thrown into the sea]
flasköppnare bottle-opener
flat 1 eg. flat; ej djup shallow; ~ *tallrik* flat (ordinary) plate **2** bildl.: a) häpen taken aback; förlägen abashed b) eftergiven weak; indulgent
flatbottnad flat-bottomed
flathet eftergivenhet weakness; slapphet softness
flatlus zool. crab louse
flatskratt guffaw
flax vard. luck; *ha* ~ be lucky
flaxa flutter; vaja flap; ~ *med vingarna* flap (flutter) its (resp. their) wings
flegmatiker phlegmatic person
flegmatisk phlegmatic; friare impassive
flera I *adj* talrikare more; *är vi inte* ~*?* aren't there any more of us? **II** *pron* åtskilliga several; ~ [*olika*] various, different; *på* ~*s begäran* at the request of several people
flerdubbel multiple; *flerdubbla* varv several...
flerdubbla multiply
flerfaldig, ~*a* pl. many, numerous; ~*a gånger* many times [over], time and again, frequently
flerfamiljshus block of flats, apartment block
fleromättad polyunsaturated; ~ *fettsyra* polyunsaturate, polyunsaturated fatty acid
flersidig geom. polygonal

flersiffrig, *~t tal* ...running into several figures
flerspråkig polyglot...; *han är ~* he speaks several languages, he is a polyglot
flerstämmig mus. polyphonic; *~ sång* sjungande part-singing; sångstycke part-song
flertal 1 *~et* majoriteten the majority; *det stora ~et* the great (vast) majority; *i ~et fall* in most (the majority of) cases **2** *ett ~* flera... [quite] a number of..., several...
flesta, *de ~ pojkar* most boys; *de ~ tycker att...* the majority think that...
flexa vard. be on (tillämpa apply) flexitime
flexibel flexible; *~ arbetstid* flexible working hours
flextid flexitime, flexible time
flick|a girl; känslobeton. lass; poet. maid[en]; *-orna Ek* the Ek girls (sisters)
flickaktig girlish
flickjägare vard. skirt-chaser
flicknamn girl's name; tillnamn ss. ogift maiden name
flickscout guide, amer. girl scout
flicktycke, *ha ~* be popular with the girls
flickvän girlfriend
flik t.ex. på kuvert flap; hörn av plagg corner
flimmer flicker; hjärt~ fibrillation
flimra flicker; *det ~r för ögonen på mig* everything is swimming before my eyes
flin grin; hånleende sneer; skratt snigger
flina grin; hånle sneer; skratta snigger, cackle
fling|a flake; *-or* majsflingor ss. maträtt cornflakes
flink quick; *vara ~ i fingrarna* have deft fingers
flint se äv. *flintskalle; han har början till ~* he is balding (beginning to go bald)
flinta flint
flintporslin koll. flintware, flint-clay china (porcelain)
flintskalle bald head (pate)
flintskallig bald, bald-headed
flintyxa flint axe
flipperspel pinball machine
flirt osv., se *flört* osv.
flisa skärva chip; splittra splinter; tunn bit flake
flit 1 allm. diligence **2** *med ~* avsiktligt on purpose, purposely
flitig diligent; arbetsam hard-working; om t.ex. biobesökare regular, habitual; ofta upprepad frequent; *göra ~t bruk av* make frequent (diligent) use of; *~a händer* busy hands
flock 1 flock; av vargar o.d. pack **2** bot. umbel
flocka, *~ sig* flock [together] [*kring* round]
flockinstinkt herd instinct
flod 1 river; bildl. flood; staden ligger *vid ~en Avon* ...on the river Avon **2** högvatten high (rising) tide; *det är ~* the tide is in; *vid ~* at high tide (water)
flodbädd riverbed
flodhäst hippopotam|us (pl. -uses el. -i); vard. hippo
flodmynning mouth of a (resp. the) river; bred, påverkad av tidvattnet estuary
flodstrand riverbank
flodvåg tidal wave; i flodmynning [tidal] bore
flop 1 vard., fiasko flop **2** sport. [Fosbury] flop
flopp se *flop 1*
1 flor tyg gauze; slöja veil
2 flor, *stå i* [*sitt*] *~* blomma be in bloom; blomstra be flourishing
flora flora äv. bok; *en rik ~* mångfald *av...* a great variety of...
Florens Florence
florera grassera be prevalent (rife, rampant); blomstra flourish
florett sport. foil
florsocker icing (amer. confectioner's) sugar
floskler tomt prat empty (high-sounding, high-flown) phrases, flummery
1 flott I *adj* stilig smart, stylish, vard. posh; påkostad luxurious; frikostig generous; *en ~*[*are*] middag a grand (vard. slap-up)... **II** *adv* smartly, luxuriously osv., jfr *I; leva ~* live in great style
2 flott grease; stek~ dripping; ister~ lard; fett fat
1 flotta 1 ett lands samtl. örlogs- o. handelsfartyg marine **2** sjövapen navy **3** samling fartyg fleet
2 flotta, *~ ned* med flott make...greasy
3 flotta float; med flotte raft
flottare floater; på flotte rafter
flottbas naval base
flotte raft
flottig greasy
flottilj sjö. flotilla; flyg. wing
flottist seaman
flottyr deep fat
flottyrkoka deep-fry, fry (cook)...in deep fat; *flottyrkokt* deep-fried
flottör float äv. flyg.
flox bot. phlox
fluffig fluffy
flug|a 1 fly; fiske. äv. artificial fly; dille craze; *slå två -or i en smäll* kill two birds with one stone **2** kravatt bow tie
flugfiske fly-fishing
flugfångare flycatcher äv. bot.; fly-trap
flugsmälla [fly-]swatter
flugsnappare zool. *grå* (*svartvit*) *~* spotted (pied) flycatcher
flugsvamp, *vanlig* (*röd*) *~* fly agaric
flugvikt o. **flugviktare** sport. flyweight
fluktuation fluctuation

fluktuera fluctuate
flummig narkotikapåverkad high; suddig muddled; svamlig woolly
flundra flounder
fluor kem., grundämne fluorine
fluorsköljning fluoride rinse
fly ge sig på flykt fly, flee [*för* before]; ta till flykten run away; undkomma escape; *lyckas* ~ escape
flyende på flykt fleeing, fugitive...; *de* ~ the fugitives
flyg 1 ~väsen aviation, flying; *~et* flygbolagen the airlines pl.; flygningarna the flights pl. **2** ~plan plane; koll. planes; *med* (*per*) ~ by air **3** ~vapen air force
flyga I *itr* fly; ~ *i luften* explodera blow up, explode; tiden *flög* [*i väg*] ...flew **II** *tr* fly; via luftbro airlift
III med beton. part.
~ **av** blåsa av fly off; lossna come off [suddenly]
~ **omkring** fly (flit, rush, dash) about (around); virvla äv. whirl round
~ **på** rusa på [let] fly at, set upon
~ **upp** fly up; rusa upp start (spring) up; öppnas fly open
flygande flying; *i* ~ *fläng* in a terrific hurry, in double quick time; ~ *tefat* flying saucer
flyganfall air raid
flygare aviator; pilot pilot, isht mil. airman, kvinnl. airwoman
flygbas air base
flygbiljett air (plane) ticket
flygblad leaflet
flygbolag airline, airway, airline company
flygbuss flygplanstyp airbus; buss till flygplatsen airport bus (coach)
flygcertifikat pilot's certificate (licence)
flygel 1 wing äv. mil., polit. el. sport.; på bil wing, amer. fender **2** mus. grand [piano]
flygelbyggnad [detached] wing
flygfisk flying fish
flygfoto bild air (aerial) photograph
flygfrakt air freight
flygfä winged insect
flygfält airfield
flygfärdig om fågel [fully] fledged
flygförbindelse plane (air) connection; flygtrafik air service
flygkapare aircraft hijacker; vard. skyjacker
flygkapning aircraft hijacking; vard. skyjacking; *en* ~ an aircraft hijack; vard. a skyjack
flygkapten captain [of an (resp. the) aircraft (airliner)]
flyglarm air-raid warning (alarm), alert
flygledare air-traffic controller (control officer)
flyglinje airline
flygmaskin se *flygplan*
flygmekaniker air (aircraft) mechanic, aeromechanic
flygmyra winged ant
flygning 1 flygande flying; *avancerad* ~ aerobatics sg. **2** flygfärd flight
flygolycka air crash; mindre flying accident
flygpassagerare air passenger
flygpersonal air personnel
flygplan aeroplane (amer. airplane), vard. plane; aircraft (pl. lika); stort trafik~ airliner
flygplanskapare se *flygkapare*
flygplanskapning se *flygkapning*
flygplats airport
flygpost airmail
flygrädd, *vara* ~ be afraid of flying, have a fear of flying (going by air)
flygsjuka airsickness
flygsäkerhet air (flight) safety
flygtid flying (flight) time
flygtrafik air traffic (service)
flygtur flight
flygvapen mil. air force
flygvärdinna air hostess, flight attendant
1 flykt flygande flight äv. bildl.; schvung verve; *gripa tillfället i ~en* take time by the forelock
2 flykt flyende flight; rymning escape; *vild* ~ headlong flight; isht mil. rout; panikartad stampede
flyktförsök attempted escape
flyktig 1 kortvarig fleeting; övergående passing; *en* (*vid en*) ~ *bekantskap* a casual (on a passing el. cursory) acquaintance **2** kem. volatile
flyktighet 1 ombytlighet inconstancy **2** kem. volatility
flykting refugee; flyende fugitive
flyktingläger refugee camp
flyktväg escape route
flyt vard. *det är bra* ~ *i arbetet* the work is running smoothly
flyta I *itr* **1** float; rinna flow; ngt *har flutit i land* ...has been washed (has floated) ashore **2** ha vätskeform be fluid; om t.ex. bläck run **3** ekon., ha obestämt värde float; *låta* dollarn ~ float...
II med beton. part.
~ **fram** rinna flow along (forward)
~ **i:** färgerna *flyter i varandra* ...run into each other
~ **ihop a)** om floder meet **b)** bli suddig become blurred
~ **in** inbetalas be paid in; skänkas come in
~ **ovanpå:** *vilja* ~ *ovanpå* try to be superior
~ **upp** come (rise) to the surface
flytande I *adj* **1** på ytan floating; *hålla det hela* ~ keep things going **2** rinnande flowing äv. bildl.; t.ex. om stil running; *tala* ~ *engelska* speak fluent English **3** i vätskeform liquid; ej fast fluid; ~ *föda* liquid

food **4** vag vague; *gränserna är ~* the limits are fluid (indefinite, shifting) **II** *adv* obehindrat fluently; *tala engelska ~* speak English fluently
flytning med. discharge; *~ar* från underlivet the whites
flytta I *tr* **1** ~ på move **2** förlägga till annan plats transfer; ~ bort remove **3** i spel move; *det är din tur att ~* äv. it is your move **II** *itr* **1** byta bostad move; lämna en ort (anställning) leave; om fåglar migrate; *~ från* staden leave... **2** ~ *på* move **III** *rfl, ~ [på] sig* move; ändra läge shift one's position; maka åt sig make way (room)
IV med beton. part.
~ **fram a)** tr. move...forward; *~ fram stolen till* brasan draw (bring) the chair up to...; *~ fram klockan en timme* put the clock on (forward) an hour **b)** itr. move up
~ **ihop a)** tr. put (move)...together **b)** itr. [go to] live together; *~ ihop med ngn* move (live) in with a p.
~ **in** itr. move in; *~ in i* ett hus move into...
~ **om** omplacera move (shift)...about
~ **ut a)** tr.: omplacera move...out **b)** itr. move out; utvandra emigrate; *~ ut på landet* move out into the country
~ **över** tr. move, shift; föra över äv. transfer äv. bildl.; frakta över convey
flyttbar movable; bärbar portable; ställbar adjustable
flyttbil removal (furniture, amer. moving) van
flyttfirma removal firm
flyttfågel bird of passage
flyttkalas house-warming party
flyttkarl [furniture] remover; amer. mover
flyttlass vanful (vanload äv. fordon) of furniture
flyttning byte av bostad removal; vi förlorade den *under ~en* ...when we moved (were moving)
flyttningsanmälan notification of change of address
flytväst life jacket; amer. äv. life vest
flå skin; *~ skinnet av* djur skin...
flåsa puff [and blow], breathe hard (heavily); flämta pant
fläck spot; av något kladdigt smear; av blod, bläck etc. samt bildl. stain; *en bar ~* a bare patch (spot); *vi står på samma ~* bildl. we are still where we were, we are not getting anywhere
fläcka stain; *~ ned* ngt stain...all over
fläckfri spotless äv. bildl.; oförvitlig immaculate
fläckig 1 nedfläckad, smutsig spotted, soiled **2** med fläckar spotted; spräcklig speckled
fläckurtagning spot (stain) removal
fläckurtagningsmedel spot (stain) remover
fläckvis in patches (places)
fläder elder
fläka split; *~ upp* split (med t.ex. kniv slit)...open
fläkt 1 vindpust breeze, breath [of air]; schvung verve; *en ~ av* romantik an air of... **2** fläktapparat fan
fläkta I *tr* fan **II** *itr, det ~r [litet]* there is a light breeze **III** *rfl, ~ sig* fan oneself
fläktrem fan belt
flämta 1 andas häftigt pant; *~ [av* t.ex. utmattning] gasp [with...] **2** ~ fladdra *[till]* flicker
flämtning (jfr *flämta*) **1** pant **2** flicker
fläng, *i flygande ~* in a terrific hurry, in double quick time
flänga, *[fara och] ~* be dashing (rushing) about
fläns tekn. flange; i kragform collar
flärd fåfänglighet vanity; ytlighet frivolity; prål luxury, show
flärdfri natural, unaffected; anspråkslös modest
flärdfull fåfäng vain; nöjeslysten frivolous; prålsjuk showy
fläsk färskt pork; saltat el. rökt sid~ o. rygg~ bacon
fläskfilé fillet (amer. tenderloin) of pork
fläskig flabby, fleshy
fläskkarré loin of pork
fläskkorv pork sausage
fläskkotlett pork chop
fläsklägg fram hand (bak knuckle) of pork; tillagad ung. boiled pickled pork
fläskläpp, *ha (få) ~* have (get) a thick (swollen) lip
fläskpannkaka [diced] pork pancake
fläsksvål bacon rind
flästärningar diced pork (resp. bacon)
fläta I *s* plait, braid; bakverk twist; *hon har flätor* she wears [her hair in] plaits (braids) **II** *tr* plait, braid; krans o.d. twine; *~ korgar* plait (make) baskets
flöda flow äv. bildl.; ymnigt stream äv. om ljus; pour; vinet *~de* ...flowed freely (like water)
flöde flow, flux
flöjt flute
flöjtist flutist, flautist
flört 1 flirtation äv. bildl. **2** pers. flirt
flörta flirt äv. bildl.
flörtig flirtatious
flöte float; *bakom ~t* vard. stupid, daft
FM (förk. för *frekvensmodulering)* radio. FM
f.m. förk. a.m., se vid. *förmiddag[en]*
f-moll mus. F minor
FN (förk. för *Förenta Nationerna)* UN
fnask gatflicka prostitute; amer. äv. hooker
fnatt, *få ~* vard. go crazy (potty)
fnissa giggle
fnittra giggle

fnoskig vard. dotty, dippy
fnurra, *det har kommit (blivit) en ~ på tråden mellan dem* they have fallen out [with each other]
fnysa snort; ~ *åt* föraktfull sniff at
fnysning snort
fnöske tinder, touchwood
foajé foyer fr.; lobby; artist~ greenroom
fobi psykol. phobia
fock sjö. foresail
1 foder i kläder el. friare lining; *sätta ~ i* line; *med ~ av...* lined with...
2 foder ~medel feedstuff; isht torrt fodder; *ge korna ~* feed the cows, give the cows a feed
foderblad bot. sepal
foderväxt forage plant, fodder plant
1 fodra 1 sätta foder i line; *~de kuvert* lined envelopes **2** med bräder, se *brädfodra*
2 fodra mata feed, isht med grovt foder fodder
fodral 1 case; av tyg o.d. cover; t.ex. skyddsdel på maskin box **2** vard. klänning sheath
1 fog, *ha [fullt] ~ för ngt* have every reason for a th.; *antagandet har ~ för sig* the assumption is reasonable
2 fog joint, seam; *knaka (lossna) i ~arna* bildl. be shaken to its (resp. their) foundations
foga I *tr* förena med fog join; friare el. bildl. add; bilaga o.d. attach; *~ in* m.fl., se *infoga* osv. **II** *rfl, ~ sig* give in, yield; *~ sig efter omständigheterna* accommodate (suit) oneself to circumstances; *~ sig i sitt öde* resign oneself (yield, submit) to one's fate
fogde hist. ung. sheriff
foglig medgörlig accommodating; eftergiven, undfallande compliant
fokus foc|us (pl. -i el. -uses)
fokusera focus
folder folder
folie foil
folk 1 medborgare people; nation nation; *hela ~et* the entire population, the whole nation **2** människor people, vard. el. isht amer. äv. folk[s]; *mycket ~* many people; *vanligt ~* ordinary people; vem som helst äv. the man in the street; *~ säger att...* äv. they say (it is said) that...
folkbildning 1 undervisning adult education **2** bildningsgrad standard of general education
folkbokföring national registration
folkdans folk dance; dansande folk dancing
folkdemokrati people's democracy
folkdräkt folk (national, traditional) costume
folketymologi popular etymology
folkgrupp ethnic group; som tillhör den *tyska ~en* ...ethnic Germans
folkhälsa public health
folkhögskola folk high school
folkilsken vicious; friare savage
folkkär very popular; om t.ex. kunglighet ...loved by the people; *vara ~* äv. be a great popular favourite
folkledare leader of the people
folklig nationell national; populär popular; demokratisk democratic; folkvänlig folksy
folkliv gatuliv street life; *han betraktade ~et [på gatan]* he looked at the crowds [in the street]
folklivsforskning, *[jämförande] ~* ethnology
folklore folklore
folkmassa crowd [of people]
folkminskning decrease in (of) [the] population
folkmord genocide
folkmusik folk music
folkmängd 1 antal invånare population **2** folkmassa crowd [of people]
folkmöte public (popular) meeting
folknöje popular entertainment (amusement)
folkomröstning popular vote, referendum
folkopinion, *~[en]* public (popular) opinion
folkpark people's [amusement] park
folkpartiet ung. the Liberal Party
folkpartist member of the Liberal Party
folkpension state [retirement] pension
folkrepublik people's republic
folkräkning census [of population]
folkrörelse popular (nationell national) movement
folksaga folk tale
folksamling crowd, gathering of people; *det blev (uppstod) [en] ~* a crowd of people collected
folksjukdom national (friare widespread) disease
folkskola hist. elementary school
folkskygg unsociable; shy äv. om djur
folkslag nation
folkstorm public outcry (uproar)
folkstyre democracy
folksägen folksaga popular legend
folktandvård national dental service
folktom om gata deserted, ...empty of people; om trakt o.d. sparsely inhabited, avfolkad depopulated
folktro popular belief
folkträngsel crowd[s pl.] [of people]
folktäthet density of population
folkvald popularly elected
folkvandring [general] migration
folkvett [good] manners
folkvimmel throng
folkvisa folk song
folkökning increase in (of) [the] population
folköl ung. medium-strong beer
1 fond bakgrund background, teat. äv. back [of the stage]

2 fond kapital fund
fondbörs stock exchange
fondkuliss teat. backdrop
fondmäklare stockbroker
fonduegryta fondue pot
fonetik phonetics sg.
fonetisk phonetic; ~ *skrift* phonetic transcription (notation)
fontanell anat. fontanel[le]
fontän fountain
forcera force; påskynda speed up; *~d* intensifierad äv. intensified
forcerad ansträngd forced, strained; överdriven overdone; konstlad affected
fordom in times past; högtidl. in days of yore
fordon vehicle
fordra begära demand; yrka på insist on; göra anspråk på claim; *han ~r mycket* he demands (expects) a great deal; är mycket fordrande äv. he is very exacting; *det ~r mycket tid* it requires (demands) a lot of time
fordran demand; penning~ claim, debt
fordrande exacting; anspråksfull pretentious
fordras behövas be needed osv., jfr *behövas*
fordringar 1 demands; anspråk claims; vad som erfordras requirements; *ha stora (för stora) ~ på livet* ask a lot (too much) of life **2** penning~ claims; debts; jfr *fordran*
fordringsägare creditor
forehand tennis o.d. forehand äv. slag
forell trout (pl. lika)
form 1 form, *hennes runda (yppiga) ~er* her ample curves; *i ~ av* a) t.ex. ett ägg in the shape of b) t.ex. en dagbok in the form of **2** sport. el. friare form; *inte vara i (vara ur) ~* be out of (not be in [good]) form; friare äv. be [a little] out of sorts (off colour) **3** gjut~ o. bildl. mould, amer. mold; kok.: porslins~ dish; eldfast casserole; bak~ baking tin; *stöpt i samma ~* made after the same pattern
forma form, shape; *~ sig* form (shape, mould) itself (resp. themselves) [*till* into]
formalistisk formalistic
formalitet formality, form; *det är en ren ~* it is a mere formality (merely a matter of form)
format size; data. el. om bok vanl. format; *i stort ~* äv. large-sized
formation mil. el. geol. formation
formbar formable, amer. moldable; plastic
formbröd tin loaf
formel formul|a (pl. äv. -ae)
formell formal; *ett ~t fel* an error of form, a technical error
formfulländad ...perfect in form
formge design, style
formgivare designer
formgivning designing; modell, mönster design
formlära språkv. accidence
formlös mera eg. formless; friare vague, indistinct, ill-defined
formsak matter of form; *en ren ~* a pure (mere) formality
formulera I *tr* formulate; t.ex. text word; t.ex. kontrakt draw up; t.ex. plan frame **II** *rfl*, *~ sig* express oneself, put one's thoughts into words
formulering formulation; wording, framing; jfr *formulera*
formulär blankett form, amer. äv. blank
forn förutvarande former; forntida ancient
fornengelska Old English
fornfynd ancient (förhistoriskt prehistoric, arkeologiskt archaeological) find
forngrav ancient grave
fornminne relic (monument) of antiquity (of the past); skylt ancient monument
fornnordisk Old Norse
forntid förhistorisk tid prehistoric times; *~en* före medeltiden antiquity; *~ och nutid* past and present
forntida ancient
fors rapids pl.; vattenfallsliknande cataract; friare o. bildl. stream
forsa rush; friare gush; *blod ~de ur såret* blood gushed from the wound; *regnet ~r ned* the rain is coming down in torrents (buckets)
forska search; vetenskapa carry on (do) research[-work]; *~ i* inquire into, investigate
forskarassistent univ. junior research fellow
forskare lärd scholar; naturvetenskapsman scientist; expert expert; med spec. uppgift research-worker
forskning vetenskaplig research; study; undersökning investigation; inquiry
forskningsresande explorer
forsla transport, carry; *~ bort* carry away, remove
forsythia bot. forsythia
1 fort mil. fort
2 fort i snabbt tempo fast; på kort tid quickly, vard. quick; raskt rapidly, speedily; snart soon; *~ast möjligt* as fast (osv.) as possible; *det gick ~ för honom att...* it didn't take him long to...; *låt det gå ~!* mind you are quick about it!, and be snappy about it!
forta, [*vilja*] *~ sig* om klocka [be inclined to] gain
fortbildning further education (training); *~ på arbetsplatsen* in-service (in-company) training
fortbildningskurs continuation course
forte mus. **I** *s* forte it. **II** *adv* forte it.
fortfarande still

fortgå go on
fortkörare speeding offender
fortkörning trafikförseelse speeding offence; *få böta för* ~ vanl. be fined for speeding
fortleva live on, survive
fortlöpande continuous; rullande rolling; om kommentar o.d. running; om serie consecutive
fortplanta, ~ *sig* breed, propagate; sprida sig spread; ~ *sig* genom delning reproduce oneself...
fortplantning breeding, propagation
fortplantningsförmåga biol. capacity for (power of) reproduction
fortplantningsorgan reproductive (sexual) organ
fortsatt *adj* fortlöpande continuous; återupptagen resumed; ytterligare further; senare subsequent; *få* ~ *hjälp* continue to receive assistance
fortskaffningsmedel [means (pl. lika) of] conveyance
fortskrida proceed; framskrida advance
fortskridande progressive
fortsätta continue, go (keep) on; ~ *med* övergå till *att spela* Mozart go on to play...; *fortsätt* [*bara*]*!* go (carry) on!, go ahead!; ~ *den här vägen* keep on along this road
fortsättning continuation; ~ [*följer*] [to be] continued
forum forum; *rätt* ~ the proper forum (quarter, place)
forumnär *adj* grully
forward sport. forward, striker
fosfat kem. phosphate
fosfor kem. phosphorus
fossil I *s* fossil **II** *adj* fossil
foster foetus; amer. vanl. fetus; bildl. creation
fosterbarn foster-child, fosterling
fosterdotter foster-daughter
fosterförälder foster-parent
fosterhem foster-home
fosterhinna anat. membrane of the foetus (amer. vanl. fetus)
fosterland [native] country; *försvara ~et* defend one's country
fosterlandskärlek patriotism, love of one's country
fosterljud med. foetal (amer. vanl. fetal) souffle
fosterländsk patriotic
fosterrörelser med. foetal (amer. vanl. fetal) movements
fosterson foster-son
fosterutveckling development of the foetus (amer. vanl. fetus)
fostervatten anat. amniotic fluid
fostra bring up; isht amer. raise; alstra foster, breed
fostran bringing up osv., jfr *fostra;* fosterage; *fysisk* ~ physical training
fostrare fosterer äv. bildl.
fot foot äv. friare; på bord stand; *sätta sin* ~ [*hos ngn*] set foot [in a p.'s house]; *hela världen ligger för hans fötter* the whole world is at his feet; *försätta på fri* ~ set free (at liberty); *stå på god* (*förtrolig, vänskaplig*) ~ *med ngn* be on excellent (intimate, friendly) terms with a p; *till ~s* on foot
fota vard., fotografera **I** *tr* take a shot (photo) of **II** *itr* take photos
fotbad footbath
fotboll 1 bollen football **2** spelet [association] football; vard. el. amer. soccer
fotbollförbund football association
fotbollslag football (soccer) team (side)
fotbollsmatch football (soccer) match
fotbollsplan football ground; spelplanen vanl. football field (pitch); *~en* vard. äv. the park
fotbollsspelare footballer, football (soccer) player
fotbroms footbrake; på cykel coaster (back-pedal) brake
fotfäste foothold äv. bildl.; *få* ~ get (gain, secure) a foothold (footing) äv. bildl.
fotgängare pedestrian
fotknöl ankle
fotled ankle joint
fotnot footnote
foto photo (pl. -s)
fotoaffär camera shop
fotoalbum photo album
fotoateljé photographer's studio
fotoautomat photo booth
fotocell photocell, photoelectric cell
fotogen paraffin [oil]; isht amer. kerosine
fotogenkök paraffin (amer. kerosine) [cooking] stove
fotogenlampa paraffin (amer. kerosine) lamp; ibl. oil lamp
fotograf photographer
fotografera I *tr* photograph; [*låta*] ~ *sig* have one's photo taken **II** *itr* photograph, take photographs (photos)
fotografering fotograferande photographing
fotografi 1 konkr. photograph; **2** ss. konst photography
fotografisk photographic
fotokopia av handling o.d. photocopy
fotokopiera photocopy
fotomodell photographer's model
fotpall footstool
fotsid, ~ klänning ...that reaches [down] to the (one's) feet, ankle-length...
fotspår footprint; *gå* (*följa*) *i ngns* ~ follow (walk, tread) in a p.'s footsteps
fotsteg 1 steg step; *höra* [*ljudet av*] ~ hear

footsteps **2** på vagn footboard; på bil running-board
fotsula sole of a (resp. the) foot
fotsvett, *ha ~* have sweaty (perspiring) feet pl.
fotvandring vandrande walking, vard. hiking; utflykt walking-tour, vard. hike
fotvård care of the feet; med. chiropody; pedikur pedicure
fotvårdsspecialist chiropodist
fotända foot [end]
foxterrier fox terrier
foxtrot foxtrot; *dansa ~* do (dance) the foxtrot
frack tail coat; vard. tails, white tie; ~kostym dress suit; *klädd i ~* in [full] evening dress; vard. in a white tie, in tails
frackskjorta dress shirt
fradga I *s* froth, foam; *tugga ~* om häst foam, be champing foam **II** *itr* o. *rfl, ~ sig* foam, froth
fragment fragment
frakt 1 last: sjö. freight; järnvägs~ el. flyg~ goods; amer. äv. freight **2** avgift: sjö. el. flyg. freight; järnvägs~ carriage, amer. äv. freight; *~ betald* freight (carriage) paid
frakta sjö. freight; med järnväg, bil carry; amer. äv. freight; *~ bort* forsla undan remove
fraktfritt frakt betald carriage (freight) paid (prepaid)
fraktgods koll. *som ~* järnv. by goods train
fraktion grupp section
fraktsedel hand. consignment note; sjö. bill of lading
fraktur med. fracture
fram 1 rum: **a)** om rörelse: framåt on m.m.; ut out; till platsen (målet) there; *jag måste ~!* I must get through!; *sätta ~ en stol åt ngn* bring [up] a chair for a p.; *ta ~* take out **b)** om läge: framtill forward, in front; på framsidan in front; *sitta långt ~* sit far forward (well in front) **2** tid: *längre ~* later on; *långt ~ på dagen* late in the day; *till långt ~ på natten* until well (far) [on] into the night; *ända ~ till...* right up to...
framaxel tekn. front axle
framben foreleg
frambringa bring forth; skapa create; alstra produce; fys. generate; *~ ett ljud* produce (bring forth) a sound
framdel front [part], forepart
framdäck bil. front tyre (amer. tire)
framemot, *~ kvällen* (*sjutiden*) towards evening (seven o'clock)
framfart, [*våldsam*] ~ härjning[ar] harrying[s pl.], ravaging[s pl.]; *hans* [*vilda* (*våldsamma*)] *~* his rampaging[s pl.]; körning his reckless driving
framfot forefoot; *visa framfötterna* bildl. show one's paces; briljera show off
framfusig påträngande pushing; gåpåaraktig aggressive; oblyg unblushing
framför I *prep* **1** eg. before; *driva...~ sig* drive...before one **2** bildl.: före before; över above; *~ allt* above all; *föredra te ~ kaffe* prefer tea to coffee **II** *adv* in front; *han är långt ~* he is far ahead
framföra 1 överbringa convey äv. uttala; *framför min hälsning till...!* give (present) my compliments (my kind regards) to...!, please remember me to...!; *~ ett önskemål* (*sitt tack*) express a wish (one's thanks) **2** uppföra, förevisa present, put on; musik perform; sjunga sing; spela play **3** fordon drive
framförallt above all
framförande sätt att framföra (föredrag o.d.) delivery; av musik performance
framförhållning planering long-term planning, planning in advance
framgå märkas be clear (evident); *som ~r av exemplen* as will be seen (is evident) from the examples...
framgång success; *ha ~ i...* be successful (succeed, prosper) in...
framgångsrik successful
framhjul front wheel
framhjulsdriven bil. front-wheel driven
framhålla påpeka point out; call attention to; betona emphasize, stress; särskilt understryka give prominence to; *~...som ett mönster* (*en förebild*) hold...up as a model
framhärda persist, persevere; *~ i att* inf. persist in ing-form
framhäv|a låta framträda bring out; *klänningen -de hennes figur* the dress showed off her figure
framifrån from the front
framkalla 1 frambringa call (draw) forth; åstadkomma bring about; förorsaka occasion, cause; *~ cancer* cause (induce, give rise to) cancer **2** foto. develop
framkallning foto., framkallande development, developing
framkasta se *kasta* [*fram*]
framkomlig om väg accessible, passable, trafficable; om vatten navigable; friare practicable
framkomst ankomst arrival; *vid ~en* on arrival, when he arrives (arrived etc.)
framliden, *framlidne...* the late...
framlägga se *lägga* [*fram*]
framlänges forward[s]; *åka ~* på tåg ride (sit) facing the engine
frammana frambesvärja conjure up
frammarsch advance äv. bildl.; *vara på ~* be advancing (on the march); bildl. be gaining ground
framme 1 i förgrunden in front; *han står här ~* he is standing [up] here **2** framtagen, framlagd osv. out; *maten står ~* the meal is

on the table **3** framkommen there; *vara ~* äv. be at one's destination, have reached one's destination; *när är vi ~?* vanl. when do we get there? **4** i spec. bet.: *hålla sig ~* keep oneself [well] to the fore; skaffa sig fördelar be on the look-out for what one can get [hold of]; *nu har han varit ~ igen* now he has been at it again
framryckning advance
framsida front [side]; på mynt obverse; på tyg right side
framskjuten advanced äv. mil.; bildl. prominent
framskrida fortgå progress
framskrid|en advanced; *i ett -et stadium* at an advanced stage
framskymta be discernible (distinguishable); *låta ~ att...* let it appear that..., give an intimation that...
framskärm på bil front wing; front mudguard äv. på cykel; amer. front fender
framsteg progress (end. sg.); *ett ~* a step forward, an improvement; *göra stora ~* make much (great) progress (great headway, great strides)
framstupa flat [on one's face]; *falla ~* äv. fall prone
framstå visa sig [vara] stand out; *detta ~r som omöjligt* this appears impossible
framstående bemärkt prominent; högt ansedd eminent
framställa *tr* **1** skildra describe, relate; livligt skildra portray; *~ ngn som en hjälte* skildra represent a p. as a hero **2** tillverka produce, make; kem. o.d. prepare
framställan se *framställning 2*
framställning 1 beskrivning description, representation **2** förslag proposal; proposition; *på ~ av...* at the instance (on the recommendation) of... **3** tillverkning production; kem. o.d. preparation
framstöt mil. [forward] thrust, drive; bildl. energetic (strong) move
framsynt förutseende far-seeing; förtänksam far-sighted; *~a människor* people with foresight
framsynthet förutseende foresight
framsäte front seat
framtand front tooth
framtid future; *det får ~en utvisa* time will show; *någon gång i ~en* at some future date; *i en nära ~* el. *inom den närmaste ~en* in the near future
framtida future
framtidstro belief in the future
framtidsutsikter future prospects
framtill in front; i främre delen in the front part
framtoning sätt att framträda image; *en folklig ~* a popular image
framträda 1 uppträda appear; *~ i radio* broadcast [on the radio]; *~ i TV* appear on TV **2** avteckna sig stand out
framträdande I *s* uppträdande appearance **II** *adj* viktig prominent, distinguished; påfallande conspicuous; *ett ~ inslag* i debatten a salient feature...
framtung ...heavy at the front; flyg. nose-heavy
framvagn bil. front of a (resp. the) car
framåt I *adv* ahead äv. bildl.; vidare onward[s]; *ett steg ~* a (one) step forward; *se (titta) [rakt] ~* look straight forward (on) **II** *prep* fram emot [on] toward[s]; *~ kvällen* towards evening **III** *adj* vard. *vara ~ [av sig]* be very go-ahead
framåtanda enterprise, go-ahead spirit
framåtböjd ...bent forward; *gå ~* walk with a stoop
framåtsträvande bildl. go-ahead
framöver *adv* forward; *för (under) flera år ~* for several years ahead (to come)
franc myntenhet franc
frank frank
frankera sätta frimärke på stamp
Frankrike France
frans fringe; *~ar* slitet ställe på t.ex. kläder frays
fransig trasig frayed
fransk French
franska 1 språk French; jfr *svenska 2* **2** se *franskbröd*
franskbröd vitt bröd white bread; småfranska [French] roll; långfranska French loaf
fransktalande French-speaking; *vara ~* speak French
fransman Frenchman; *fransmännen* som nation el. lag o.d. the French
fransysk French; *~ visit* flying visit (call)
fransyska 1 kvinna Frenchwoman; jfr *svenska 1* **2** slakt., oxkött rumpsteak piece
frapperande slående striking; förvånande astonishing
fras uttryck phrase äv. mus.
frasa rustle
fraseologi phraseology
frasig crisp
fred peace; *sluta ~* conclude, make peace; *lämna ngn i ~* leave a p. alone (in peace); *låt mig vara i ~!* do give me a little peace!
freda protect; *~ sitt samvete* appease one's conscience; *~ sig* protect oneself
fredag Friday; *~en den 8 maj* adv. on Friday, May 8th; *i ~ens tidning* in Friday's paper; vi träffas *på ~* ...next Friday
fredagskväll Friday evening (senare night); *en ~* a (ss. adv. one, on a) Friday evening (night)
fredlig peaceful; fridsam peaceable; *på ~ väg* in a peaceful way, by peaceful means, pacifically
fredlös outlawed; *en ~* an outlaw

fredsaktivist peace activist
fredsfördrag peace treaty
fredsförhandlingar peace negotiations (talks)
fredsmäklare peace mediator
fredspipa pipe of peace
fredsplikt embargo on strikes and lockouts
fredspris, *~et* Nobels the [Nobel] Peace Prize
fredsrörelse peace movement
fredstid, *i (under) ~* in time[s] of peace
fredsvillkor peace terms
freestyle kassettbandspelare i fickformat Walkman®
frekvens frequency äv. radio.
frekvent frequent
frekventera nöjeslokal o.d. frequent
frenetisk om t.ex. bifall frenzied, frantic; om iver frenetic
freon Freon®
fresia bot. freesia
fresk konst. fresco (pl. -s el. -es)
fresta I *tr* **1** söka förleda tempt; *känna sig (vara) ~d att* inf. feel tempted (svag. inclined) to inf. **2** *~ lyckan* try one's fortune **II** *~ 'på* vara påfrestande be a strain [*ngt* on a th.]
frestande tempting
frestelse temptation; *falla för en ~ (för ~r)* yield (give way) to temptation
fri free; öppen open; *~tt inträde!* entrance (admission) free; *i ~a luften* in the open [air], out of doors; *bli ~* a) lössläppt be set free, be set at liberty b) oransonerad come off the ration; *bli ~ från ngt* befriad från, av med get rid of a th.; *ordet är ~tt* the meeting (floor) is open for discussion, everyone is now free to speak
1 fria frikänna acquit; *hellre ~ än fälla* one should always give people the benefit of the doubt
2 fria eg. *~ [till ngn]* propose [to a p.]
friare suitor
fribiljett [free] pass; teat. o.d. äv. free (complimentary) ticket
fribrottning sport. all-in wrestling
frid peace; fridfullhet serenity; lugn tranquillity; *allt är ~ och fröjd* everything in the garden is lovely, everything is all right
fridag free day
fridfull peaceful
fridlysa djur, växt o.d. place...under protection; *fridlyst område* naturskyddsområde nature reserve
fridsam peaceable, placid
frieri proposal
frige släppa lös free; *~ ngn* skänka friheten give a p. his freedom
frigid frigid
frigiditet frigidity
frigivning setting free, emancipation
frigjord fördomsfri open-minded; emanciperad emancipated, liberated
frigjordhet fördomsfrihet open-mindedness; emancipation emancipation
frigång permission parole
frigöra I *tr* bildl. liberate **II** *rfl, ~ sig* bildl., befria sig free (liberate) oneself, make (set) oneself free, emancipate oneself
frigörelse befrielse liberation, release; emancipation emancipation
frihandel free trade
friherre baron
frihet freedom; isht ss. mots. till fångenskap liberty; oberoende independence; *ha full ~ att välja* enjoy full liberty of choice
frihetskamp fight (struggle) for freedom (liberty)
frihetskrig war of independence
frihetsstraff imprisonment
frihjul free wheel; *åka (köra) på ~* free-wheel, coast
friidrott athletics, track and field sports
frikadell forcemeat ball, quenelle
frikalla från plikt o.d. exempt äv. mil.; från löfte o.d. release; *~d från värnplikt* exempt from military service
frikast sport. free throw
frikoppla I *tr* motor disengage; bildl. release **II** *itr* trampa ur kopplingen disengage the clutch
frikort [free] pass
frikostig liberal
frikostighet liberality
friktion friction
friktionsfri frictionless, ...without friction
frikyrka Free Church
frikyrklig Free Church; jfr *frireligiös*
frikänna acquit; find...not guilty
frikännande acquittal
frilans freelance
frilansa free-lance
friluftsdag ung. sports day
friluftsliv outdoor life
friluftsmänniska outdoor type
friluftsteater open-air theatre
friläge, *lägga växeln i ~* put (slip) the gear into neutral
frimodig käck frank, open; oförsagd candid; rättfram outspoken
frimurare freemason, mason
frimärke stamp; *sätta ett ~* på ett brev put (vard. stick) a stamp...
frimärksaffär butik stamp-dealer's
frimärksalbum stamp album
frimärksautomat stamp machine
frimärkshäfte book of stamps
frimärkssamlare stamp collector
frimärkssamling stamp collection
fripassagerare stowaway

friplats t.ex. i skola free place; på teater o.d. free seat
frireligiös nonconformist, unorthodox; *vara ~* be a nonconformist
1 fris arkit. frieze
2 fris folkslag Frisian
frisbee frisbee
frisedel mil. exemption warrant
frisera 1 eg. *~ ngn* do (dress) a p.'s hair **2** bildl. cook
frisersalong hairdressing saloon
frisim freestyle [swimming]
frisinnad liberal
frisk 1 kry well mest pred.; vid god hälsa healthy; återställd recovered; *~ och kry* hale and hearty **2** övriga bet. fresh; *[en] ~ aptit* a keen (hearty) appetite; *~a krafter* renewed (fresh) strength sg. (vigour sg.); *hämta lite ~ luft* get some [fresh] air, take the air
friska I *tr, ~ upp* freshen up äv. bildl. **II** *itr, det (vinden) ~r 'i* the wind is getting up (rising)
friskhet fräschhet freshness
friskintyg certificate of health
friskna, *~ till* recover
frisksportare vard. keep-fit type, health freak (nut)
friskus, *han är en riktig ~* he's always ready (game) for anything, he's a real lad
friskvård keep-fit measures
frispark sport. free kick; *lägga en (döma) ~* take (award) a free kick
frispråkig outspoken
frispråkighet outspokenness
frissa vard. [ladies'] hairdresser
frist anstånd respite; föreskriven tidrymd time (period) assigned
fristad skyddad uppehållsort sanctuary
fristående eg. free-standing; om t.ex. hus detached; separat separate, self-contained
friställa, *~ arbetskraft* release (permittera lay off) manpower (labour)
friställd redundant
frisyr hair style; kamning style of hairdressing; coiffure (fr.), äv. konkr.
frisyrgelé hair-styling gel
frisör hairdresser
frisörska hairdresser
fritaga I *tr* **1** med våld rescue **2** från skyldighet o.d. release; från ansvar relieve **II** *rfl, ~ sig från ansvar* disclaim responsibility *[för* for]
fritera deep-fry
fritid spare time, leisure; ledig tid time off; *på ~en* in leisure (off-duty) hours, in one's leisure time (spare time, time off)
fritidsbåt pleasure boat, pleasure craft
fritidsgård [youth] recreation centre
fritidshem after-school recreation centre
fritidshus ung. holiday (weekend) cottage, summer house
fritidskläder leisure (casual) wear, sportswear
fritidsledare recreation leader
fritidsområde recreation area (ground)
fritidspedagog recreation instructor (leader)
fritidssysselsättning leisure (spare-time) pursuit (occupation)
fritt freely; obehindrat unobstructedly; utan tvång unconstrainedly; efter behag at will; öppet openly, unreservedly; avgifts~ free [of charge]
frivillig I *adj* voluntary **II** *subst adj* mil. volunteer; *gå med som ~* volunteer
frivillighet voluntariness
frivilligt voluntarily, of one's own free will
frivol lösaktig loose; oanständig indelicate
frivolt gymn. somersault
frodas thrive
frodig luxuriant äv. bildl.; isht om gräs lush; om pers. el. djur fat
frodighet luxuriance etc.; jfr *frodig*
from gudfruktig pious; *en ~ önskan* a pious hope, an idle wish
fr.o.m. förk., se *från [och med]*
fromage kok., ung. [cold] mousse
fromhet piety; gentleness
fromsint meek, good-natured
front front äv. bildl.; meteor. el. mil. äv. front line; *göra ~ mot* bildl. face; *vid ~en* mil. at the front
frontalkrock head-on collision
1 frossa, *ha ~* köldrysningar have the shivers
2 frossa 1 guzzle; gorge (glut, stuff) oneself **2** bildl.: *~ i...* revel (luxuriate) in...; otyglat hänge sig åt wallow in...
frossare 1 eg. glutton, guzzler **2** bildl. reveller
frossbrytning fit of shivering (ague)
frosseri 1 eg. gormandizing, guzzling **2** bildl. revelling, revelry
frosskakning fit of shivering (ague)
frost frost; rim~ hoarfrost
frosta, *~ av* defrost
frostbiten frostbitten
frostig frosty
frostnatt frosty night
frostskadad ...damaged by frost
frostskyddsvätska antifreeze
frotté terry [cloth]
frottéhandduk terry (Turkish) towel
frottera, *~ [sig]* rub [oneself]
fru gift kvinna married woman (lady); hustru wife; *~ Ek* Mrs. Ek
frukost morgonmål breakfast; *äta ~* have (isht amer. eat) breakfast; för fler ex. jfr *middag 2*
frukostbord breakfast table; *vid ~et* vid frukosten at breakfast
frukostmiddag early dinner
frukostrum breakfast room

frukt bot. el. friare fruit; koll. fruit[s pl.]; *färsk* ~ fresh fruit[s]
frukta I *tr* fear; fasa för dread; ledigare be afraid; ~ *det värsta* fear the worst **II** *itr*, ~ *för sitt liv* be in fear of one's life
fruktaffär butik fruit shop, fruiterer's
fruktan rädsla fear; stark. dread; respektfylld awe; *av ~ för att* de skulle upptäcka honom for fear [that]...
fruktansvärd terrible, awful, dreadful samtl. äv. friare; *en ~ röra* an awful mess
fruktansvärt terribly osv., jfr *fruktansvärd*
fruktbar bördig fertile; givande o.d. fruitful, profitable; *~t samarbete* fruitful co-operation
fruktbarhet fertility; fruitfulness; jfr *fruktbar*
fruktkniv fruit knife
fruktkräm ung. stewed fruit purée [thickened with potato flour]
fruktkött pulp
fruktlös unavailing, futile
fruktodling odlande fruit growing; konkr. fruit farm
fruktsaft fruit juice
fruktsallad fruit salad
fruktsam om kvinna fertile
fruktskål fruit dish
fruktsocker fruit sugar
fruktträd fruit tree
fruktträdgård orchard
fruntimmer neds. female (pl. women); isht amer. dame
fruntimmerskarl ladies' man
frusen 1 om saker frozen; frostskadad frost-bitten; *fruset kött* frozen (refrigerated, mindre starkt chilled) meat **2** om pers. *känna sig* ~ feel chilly (frozen)
frusta snort
frustrera frustrate
fryntlig vänlig genial; jovialisk jovial
frys freezer
frys|a I *itr* **1** till is freeze; *vattnet* (*rören*) *har frusit* the water is (the pipes are el. have) frozen **2** bli frostskadad get frost-bitten; *potatisen har frusit* the potatoes are frost-bitten **3** om pers. be (feel) cold; stark. be freezing; *jag -er om händerna* my hands are cold **II** *tr* **1** matvaror freeze **2** t.ex. löner, priser freeze; ~ *en bild* i t.ex. TV freeze a picture
III med beton. part.
~ **fast** freeze
~ **igen** freeze, get frozen; sjön *har frusit igen* ...has frozen over
~ **ihjäl** freeze to death
~ **in** o. ~ **ned** t.ex. matvaror freeze, refrigerate
~ **sönder:** *rören har frusit sönder* the frost has burst the pipes
~ **till** freeze over; jfr ~ *igen*
~ **ut ngn** freeze a p. out, send a p. to Coventry
frysbox [chest] freezer
frysdisk frozen-food display, refrigerated counter (cabinet)
frysfack freezing-compartment
fryspunkt freezing-point
frysskåp [upright cabinet] freezer
frystorka freeze-dry
fråga I *s* question; sak matter; ss. ämne för diskussion issue; *~n är om* vi har råd the question is whether...; *det är* [*just*] *det ~n gäller* that is [just] the point; boken *i ~* ...in question, ...concerned, ...referred to; ofta this...; *han kan inte komma i ~* he is out of the question (is ruled out)
II *tr* o. *itr* ask; utfråga interrogate; söka svar i (hos) question; *får jag ~ dig om en sak?* may I ask you a question?; ~ *efter ngn* ask (för att hämta call) for a p.; intresserat ask after a p. (a p.'s health); ~ *ngn om vägen* ask a p. the way
III *rfl*, ~ *sig* ask oneself, wonder; *det kan man* [*verkligen*] ~ *sig!* you may well ask!
IV med beton. part.
~ **sig fram** ask one's way
~ **sig för** inquire
~ **om** på nytt ask again
~ **ut ngn** question a p., interrogate a p.
frågeformulär questionnaire
frågespalt i tidning Readers' Queries
frågesport quiz
frågetecken question mark äv. bildl., mark of interrogation
frågvis inquisitive
frågvishet inquisitiveness
från 1 allm. from; *bort* (*ned*) ~ off; ~ *och med* (förk. *f.o.m.* el. *fr.o.m.*) *den 1 maj* as from (amer. as of) May 1st; ~ *och med den dagen* var han... from that very day...; ~ *och med nu* skall jag from now on...; ~ *det ena till det andra* from one thing to another; apropå by the way, incidentally **2** i prep.-uttr. of; *hr A. ~ Stockholm* Mr A. of Stockholm; *undantaget ~ regeln* the exception to the rule; *en kyrka ~ 1100-talet* a 12th century church
frånfälle decease, death
frånkänna, ~ *ngn* auktoritet (originalitet) deny a p.'s...
frånsett, ~ *att* apart from the fact that
frånsida på mynt reverse
frånskild om makar divorced; *en* ~ subst. adj. a divorced person, a divorcee
frånstötande repellent, forbidding; vämjelig repugnant; *verka ~ på ngn* repel a p.
frånsäga, ~ *sig* t.ex. ett uppdrag decline; t.ex. ansvar disclaim; världen[s nöjen] renounce
fråntaga se *ta* [*ifrån*]
frånträda avgå från retire from, relinquish; ~

ämbetet äv. vacate the post, retire [from the post]

frånvarande 1 eg. absent; *de* ~ subst. adj. those absent; vid möte o.d. äv. the absentees **2** tankspridd absent[-minded]; upptagen av sina tankar preoccupied; om blick vacant

frånvaro absence; *lysa med sin* ~ be conspicuous by one's (its) absence

fräck 1 oförskämd impudent, insolent; vard. cheeky; amer. äv. fresh; vågad, om t.ex. historia risqué fr.; indecent; ~ *i mun* rude, coarse; *han var* ~ *nog att* inf. he was so impudent as to inf. **2** vard., klatschig o.d. striking, bold

fräckhet impudence, audacity; vard. cheek; *hans ~er* yttranden his impudent remarks (uppförande behaviour sg.); *ha ~en att* inf. have the impudence (etc. cheek vard.) to inf.; be so impudent as to inf.

fräckis fräck historia smutty (dirty) story (joke)

fräken bot. horsetail

fräkn|e freckle; *få -ar* freckle, become freckled

fräknig freckled

frälsa save, redeem

frälsare saviour; *Frälsaren* our Saviour

frälsning salvation

Frälsningsarmén the Salvation Army

frälsningssoldat Salvationist

frälst 1 i frikyrkan *bli* ~ find salvation, see the light **2** vard. *vara* ~ *på ngt* be gone (sold) on a th., have a yen for a th.

främja promote, further

främjande I *s* promotion; encouragement **II** *adv, verka* ~ *för* promote, encourage

främling stranger; utlänning foreigner; jur. alien

främlingshat hostility towards foreigners

främlingskap om utlänning alien status; bildl. estrangement

främlingspass alien's passport

främmande I *adj* obekant strange, unfamiliar; utländsk foreign; ~ *ansikte* strange (unfamiliar) face; [*fullkomligt*] ~ *människor* [perfect] strangers; tanken *är mig* ~ obekant ...is unfamiliar to me; strider mot min natur ...is alien to me (to my nature) **II** *s* gäster guests, visitors, company; *vi fick* (*det kom*) ~ some people came to see us; *de har ofta* (*mycket*) ~ they entertain a great deal

främre front

främst först first; längst fram in front; om rang, ställning foremost; huvudsakligen principally; *gå* ~ go first, walk in front

främ|sta förnämsta foremost; viktigaste chief; ledande leading; första first, front; *vår -ste nu levande* författare our foremost living...

frän 1 om lukt, smak rank; härsken rancid; skarp pungent äv. bildl.; sarkastisk caustic; ~ *kritik* pungent (biting) criticism **2** vard., tuff, flott snazzy

frändskap kinship; kem. el. bildl. affinity

1 fräs tekn. [milling] cutter, mill; jordfräs

2 fräs fart *för full* ~ at full speed

1 fräsa tekn. mill

2 fräsa I *itr* hiss; brusa fizz; vid stekning sizzle, frizzle; om katt spit **II** *tr* hastigt steka fry; ~ *smör* heat butter; ~ *upp* värma upp fry up

fräsch fresh; obegagnad new; ren clean

fräscha, ~ *upp* freshen up; bildl. refresh, brush up

fräschhet o. **fräschör** freshness; newness

fräta I *tr* o. *itr,* ~ [*på*] ngt, om syra o.d. corrode, eat into, erode; *~nde syra* corrosive acid

II med beton. part.

~ **bort** eat away, corrode away; erode

~ **sönder** corrode, eat holes (a hole) in

~ **upp** eat away, corrode [...completely]

frö seed; koll. seed[s pl.]

fröa, ~ *sig* run (go) to seed, seed

fröjd glädje joy; lust delight; *en* ~ *för ögat* (*örat*) a delight to the eye (the ear)

fröjdas rejoice, delight

frök|en ogift kvinna unmarried woman; ung dam young lady; lärarinna teacher; ss. titel Miss (Ms); *Fröken!* a) i butik etc. Miss!; till uppasserska Waitress!; vard. Miss! b) till lärarinna Miss!; *-narna Ek* the Miss Eks; *Fröken Ur* the speaking clock

frömjöl bot. pollen

fuchsia bot. fuchsia

fuffens hanky-panky; *ha något* ~ *för sig* be up to some trick (to mischief)

fuga mus. fugue

fukt damp; väta moisture; fuktighet[sgrad] humidity

fukta moisten, damp; ~ *läpparna* wet (moisten) one's lips

fuktfläck damp stain

fuktfri torr ...free from damp

fuktig damp; isht ständigt moist; råkall damp, dank; klibbig clammy; *~a händer* clammy (moist) hands; *~t klimat* moist (damp) climate

fuktighet 1 dampness; moistness; jfr *fuktig* **2** fukt moisture

fuktskada damage sg. due to damp; om fläck damp stain

ful ugly; alldaglig plain; amer. äv. homely; i moralisk bem. bad; ~ *fisk* bildl. ugly customer; *~a ord* bad language sg.; ~ [*o*]*vana* nasty habit

fuling otäcking nasty customer, rotter; ful person fright, ugly face

full 1 fylld o.d. full; isht bildl. filled; *en korg* ~ *med* frukt äv. a basketful of...; *det var ~t där* i rummet (kupén etc.) the room

(compartment etc.) was full, there was no more room there **2** hel full; complete; *på ~t allvar* quite seriously, in real (dead) earnest; *~t förtroende* complete confidence; *i ~ gång* in full swing, at full blast; *ha ~ tjänst* be a full-time employee (i skola teacher); *till ~o* in full, to the full, fully; se äv. ex. under resp. huvudord samt *fullt* **3** onykter drunk vanl. pred.; intoxicated; vard. tipsy, *supa sig ~* get drunk
fullastad fully loaded
fullbelagd full, full up; *det är fullbelagt [hos oss]* we are fully booked (booked up)
fullblodshäst thoroughbred [horse]
fullbokad fully booked, booked up
fullborda slutföra complete; utföra accomplish, perform; *ett ~t faktum* a fait accompli fr.; an accomplished fact
fullfjädrad bildl. full-fledged, accomplished; isht neds. thorough-paced...
fullfölja slutföra complete; genomföra follow out; fortsätta [med] pursue
fullgod perfectly satisfactory; tillräcklig adequate; utmärkt perfect; *i fullgott skick* in perfect (excellent) condition
fullgången fully developed
fullgöra plikt o.d. perform, do, discharge; åtagande o.d. fulfil, meet; *~ sina förpliktelser* fulfil one's obligations, meet one's engagements
fullklottrad, ett *fullklottrat* papper ...which has (had) been scribbled all over; *väggen var ~ med* slagord the wall had...scribbled all over it
fullkomlig 1 utan brist perfect **2** fullständig, absolut complete, entire, utter; verklig *en ~ brist på logik* an entire want of logic
fullkomlighet perfection
fullkomligt perfectly; completely; jfr *fullkomlig;* wholly; till fullo fully; alldeles quite; *behärska ett språk ~* have a complete (perfect) command of a language
fullkornsbröd wholemeal bread
fullmakt bemyndigande authorization; befogenhet power of attorney; isht vid röstning proxy; dokument power (letter) of attorney; *ge ngn ~ att* inf. authorize a p. to inf.
fullmatad om spannmål full-eared; om skaldjur meaty
fullmåne full moon
fullmäktig valt ombud delegate
fullo, *till ~* se *full 2*
fullpackad o. **fullproppad** crammed, chock-full
fullsatt full; stark. crowded, packed; *det är ~ [här]* we are full up (utsålt sold out)
fullständig komplett o.d. complete. entire; absolut o.d. perfect, total; *skriva ut ~a namnet* write one's name in full
fullständighet completeness
fullständigt completely etc., jfr *fullständig*
fullt completely, quite; *det är ~ förståeligt att...* it is quite understandable that..., it is easy to (one can readily) understand that...; *~ medveten om att...* fully aware that...; *gå för ~* go full speed (steam)
fulltalig [numerically] complete
fulltecknad, *listan är ~* the list is filled [with signatures]
fullträff direct hit; pjäsen *blev en verklig ~* ...was a real hit (complete success)
fullvuxen full-grown; *bli ~* grow up
fullvärdig se *fullgod*
fulländа fullkomna perfect, accomplish; *~d skönhet* perfect beauty
fulländning perfection
fullärd skilled
fullödig eg. el. bildl. sterling; bildl.: äkta genuine; gedigen thorough; fulländad consummate
fumla fumble
fumlig fumbling
fumlighet fumblingness
fundament foundation[s pl.]
fundamental fundamental
fundamentalism relig. fundamentalism
fundera tänka think; grubbla ponder; tveka hesitate; *~ på* överväga *att* inf. think of (think about, consider, ha för avsikt contemplate) ing-form; *jag skall ~ på saken* I will think the matter over (consider the matter)
fundering, *~ar* tankar thoughts; idéer ideas; teorier speculations; *ha ~ar* planer *på att* inf. be thinking of ing-form
fundersam tankfull thoughtful, meditative; drömmande musing; betänksam hesitant
fungera 1 gå riktigt work, function; hissen *~r inte* ...is out of order, ...is not working **2** tjänstgöra act; adverbet *~r som adjektiv* ...functions as an adjective
funka vard. work; *det ~r bra mellan dem* they get on very well
funktion function äv. matem. el. språkv.; maskins o.d. arbetssätt functioning, working; *ha en ~ att fylla* el. *fylla en ~* serve a [useful] purpose
funktionsduglig som fungerar working; i gott skick ...in [good] working order; tjänlig serviceable
funktionär official; vid tävling steward
funtad vard. *jag är inte så ~ att jag kan...* I am not so constituted that I can...
fura [long-boled] pine
furir inom armén el. flyget sergeant; inom flottan petty officer
furste prince
furstendöme principality
furstinna princess
furstlig princely

furu virke pine[wood]; bord *av* ~ deal...
fusion fusion; hand. äv. amalgamation
fusk 1 skol. el. i spel cheating; skol. (gm att skriva av) äv. cribbing; val~ rigging **2** klåperi botched (bungled, shoddy, hafsverk scamped) work
fuska 1 skol. el. i spel cheat; skol. (gm att skriva av) äv. crib **2** klåpa dabble; ~ *med ngt* slarva make a mess of a th.; hafsa scamp a th.
fusklapp crib
fuskverk, *ett* ~ a botched (bungled) piece of work
futtig ynklig paltry; småaktig petty; lumpen mean; *~a* tio kronor a paltry...
futtighet paltriness; pettiness; meanness; jfr *futtig; ~er* trivialiteter trifles
futurism futurism
futurum the future [tense]
fux häst bay [horse]
fy phew!; svagare oh!; tillrop till talare shame!; ~ *på dig!* shame on you!; till barn naughty, naughty!
fyll|a I *tr* **1** a) fill; stoppa full stuff äv. kok.; fylla på refill; fylla upp (helt) fill up; bildl.: behov supply b) hälla pour [out]; ~ *sin funktion* (*sitt ändamål*) serve (fulfil) one's (its) purpose; ~ *vin i* glasen pour [out] wine into... **2** *när -er du* [*år*]*?* when is your birthday?
II med beton. part.
~ **i** a) kärl fill [up] b) vätska pour in c) ngt som fattas, t.ex. namnet fill in; ~ *i en blankett* fill in (up) a form; amer. fill out a blank
~ **igen** t.ex. hål fill up; med det innehåll som funnits där förut fill in
~ **på** a) kärl: slå fullt fill [up]; åter fylla refill, replenish b) vätska pour in; ~ *på mera vatten i* kannan pour some more water into...
III *s, ta sig en redig* ~ have a good booze
fyllbult vard. boozer; amer. äv. wino
fylld filled etc., jfr *fylla I* o. *II;* kok. stuffed; full; ~ *choklad* chocolates [with hard (resp. soft) centres]; ~ *till sista plats* full up
fylleri drunkenness
fyllerist drunk
fyllhicka hiccup [through drinking]; jfr *hicka I*
fyllig 1 om person plump; frodig, om kvinna buxom; om figur full, ample isht om barm; *~a läppar* full lips **2** bildl.: a) om framställning o.d. full; detaljerad detailed; om urval o.d. rich b) om vin full-bodied
fyllighet plumpness; etc.; jfr *fyllig;* hos vin body
fyllna, ~ *till* vard. get tipsy
fyllnadsval by-election
fyllning allm. filling äv. tand~; i kudde o.d. stuffing; kok. stuffing; i bakverk filling; i pralin o.d. centre
fyllo vard. drunk
fyllsjuk, *vara* ~ be sick [after drinking]
fylltratt vard. boozer; amer. äv. wino
fynd 1 det funna find äv. bildl.; *göra ett* ~ gott köp make a bargain **2** finnande finding; upptäckt discovery
fynda make a real bargain (resp. bargains)
fyndig om pers. inventive; om sak ingenious; rådig resourceful; slagfärdig quick-witted; kvick witty; träffande apt
fyndighet 1 bildl. inventiveness, ingenuity; resourcefulness; quick-wittedness, readiness of wit **2** malm~ [ore] deposit
fyndort o. **fyndplats** finding-place; förekomstort locality; biol. habitat
fyndpris bargain price
1 fyr, *en glad* ~ a jolly (cheerful) fellow
2 fyr 1 fyrtorn lighthouse; mindre kustfyr el. flygfyr beacon; fyrljus light **2** eld fire; *få* ~ *i* t.ex. spisen light
1 fyra, ~ *av* fire, let off, discharge
2 fyra I *räkn* four; *inom* ~ *väggar* between four walls **II** *s* four äv. i roddsport; *~n*[*s växel*] fourth, [the] fourth gear; jfr *femma*
fyrbent four-legged äv. om stol o.d.
fyrdubbel fourfold; jfr *femdubbel*
fyrdubbla multiply...by four
fyrfaldig fourfold; *ett ~t leve för* four (eng. motsv. three) cheers for...
fyrfotadjur o. **fyrfoting** quadruped
fyrfärgstryck abstr. four-colour printing
fyrhjulig four-wheeled
fyrhändigt mus. *spela* ~ play a duet (resp. duets)
fyrhörning quadrangle
fyrkant square; isht geom. quadrangle; *tio meter i* ~ ten metres square
fyrkantig 1 square; geom. o.d. äv. quadrangular **2** vard., fantasilös, klumpig o.d. square
fyrklöver four-leaf (four-leaved) clover; bildl. quartet
fyrling quadruplet; vard. quad
fyrmotorig four-engined, four-engine...
fyrsidig 1 four-sided, quadrilateral **2** om broschyr o.d. four-page...
fyrspann four-in-hand äv. vagn
fyrtakt mus. quadruple time
fyrtaktsmotor four-stroke (four-cycle) engine
fyrti o. **fyrtio** forty
fyrtionde fortieth
fyrtiotalist 1 litt.hist. writer [belonging to the literary movement] of the forties **2** person born in the forties
fyrverkeri, ~[*er*] fireworks pl.; *ett* ~ a firework (pyrotechnic) display
fyrverkeripjäs firework
fysik 1 vetenskap physics sg. **2** kroppskonstitution physique
fysikalisk physical

fysiker physicist
fysiologi physiology
fysionomi physiognomy
fysisk physical
1 få I *hjälpvb* **1** få tillåtelse att be allowed to; *Får jag gå nu? - Nej, det ~r du inte* May (Can) I go now? — No, you may not (can't, resp. mustn't); *vi ber att ~ meddela* att... we wish to (we would like to) inform you...; lite gladare *om jag ~r be* ...[if you] please; *~r jag be om brödet?* vid bordet may I trouble you for the bread?; *~r jag fråga...* may (hövligare el. iron. might) I ask...; *jag ~r (ber att ~) tacka så mycket* [I should like to] thank you very much **2** ha tillfälle el. möjlighet att be able to; *då ~r det vara* lämnas därhän [we'll] leave it at that, then; gör dig inte besvär don't bother; då får du vara utan then you'll have to go without; *~ höra, ~se, ~ veta* etc., se resp. verb **3** vara tvungen att have to; *det ~r duga (räcka)* that will have to do; *du ~r ta (lov att ta)* en större väska you want..., you [will] need..., you must have...
II *tr* **1** erhålla o.d. get, obtain, receive, have; *~ arbete* get a job; *~ en fråga* be asked a question; *~ ro* find peace; *~ tid* get (find) [the] time; *~ tillträde* be admitted; *jag ska be att ~ (kan jag ~, ~r jag) lite frukt* i butik I would like (please give me) some fruit; some fruit, please; *~r jag* boken där, *är du snäll* will you [please] pass me...; *där fick han!* det var rätt åt honom! serves him right! **2** *han har ~tt det bra [ekonomiskt]* he is comfortably (well) off **3** förmå *~ ngn till [att göra] ngt* make a p. do a th., get a p. to do a th.; *~ ngn i säng* get a p. to bed
III med beton. part.
~ **av** t.ex. lock get...off; *~ av sig kläderna* get one's clothes off
~ **bort** (**dän**) avlägsna remove; bli kvitt get rid of
~ **ngn fast** get hold of a p., catch a p.
~ **fram** ta fram get...out, produce; [lyckas] anskaffa procure; [lyckas] framställa produce; *jag kunde inte ~ fram ett ord* I could not utter (get out) a word
~ **för sig** att... a) sätta sig i sinnet get it into one's head... b) inbilla sig imagine...
~ **i**: *~ i ngt i...* get a th. into...
~ **igen** [lyckas] stänga close; återfå get...back; återfinna äv. retrieve; *det skall du ~ igen!* I'll pay you back for that, you'll see!, I'll get even with you!
~ **ihop** stänga close; samla get...together; isht pengar collect
~ **in** get...in; radio. get; *~ in pengar* tjäna make money; samla ihop collect money
~ **loss** get...off; få ur get...out
~ **med** [**sig**] bring...[along]; *har du ~tt med allt?* have you got everything?
~ **ned** get...down; svälja äv. swallow
~ **på** [**sig**] get...on
~ **tillbaka** get...back; *~ tillbaka på* 100 kr get change for..., jfr *~ igen*
~ **undan** ur vägen get...out of the way; överstökad get...over
~ **upp** t.ex. dörr get...open; t.ex. lock get...off; ögonen open; bildl. have...opened; knut untie; kork get...out; kunna lyfta raise, lift; *~ upp farten* komma i gång get up speed
~ **ur ngn ngt** get a th. out of a p.
~ **ut** eg. get...out; pengar draw; t.ex. lön obtain; lösa solve; *~ ut det mesta möjliga av...* utnyttja äv. make the most of...
~ **över** få kvar have [got]...left (to spare)
2 få few; *alltför ~* [all] too few; *de ~* som the few..., the minority...; *några ~* a few, some few; *ytterst ~ [elever]* very few [pupils], a very small number [of pupils]
fåfäng 1 flärdfull vain; inbilsk conceited **2** gagnlös vain; fruktlös fruitless, in vain; *~ möda* futile efforts pl.
fåfänga flärd vanity; inbilskhet conceitedness
fåfänglighet vanity
fågel bird; koll.: a) jakt. [game] birds, wildfowl b) kok.: tam~ poultry; vild~ game birds
fågelbo bird's nest (pl. vanl. birds' nests)
fågelbur birdcage
fågelfrö birdseed
fågelholk nesting box
fågelliv bird life
fågelperspektiv, *se* staden *i ~* have a bird's-eye view of...
fågelskrämma scarecrow
fågelskådare ornitolog bird-watcher
fågelsång [the] singing of birds
fågelunge young bird; ej flygfärdig nestling
fågelväg, två mil *~en* adv. ...as the crow flies
fågelägg bird's egg (pl. vanl. birds' eggs)
fåll sömnad. hem
1 fålla sömnad. hem; *~ upp* hem up
2 fålla pen, fold; *släppa (stänga) in får i ~n* pen (fold) sheep
fåna, *~ sig* bete sig fånigt (larvigt) fool [about], be silly, play the fool; i tal talk nonsense, drivel
fåne fool
fåneri foolery; silliness; *~er* dumt prat nonsense sg., drivel sg.
fång famnfull armful; *ett ~ ved* an armful of wood
fånga I *s, ta...till ~* take...prisoner, capture; *ta sitt förnuft till ~* listen to reason, be sensible (reasonable) **II** *tr* catch äv. bildl.; i fälla trap; i nät net; i snara snare; *~ ngns uppmärksamhet* arrest (catch) a p.'s attention

fånge prisoner, captive äv. bildl.; straffånge convict
fången fängslad captured; *hålla* ~ keep...in captivity, hold...prisoner
fångenskap captivity; fängelsevistelse imprisonment; befria ngn, fly *ur ~en* ...from captivity
fångläger prison (prisoners') camp; mil. POW (förk. för Prisoner of War) camp
fångst byte catch äv. bildl.; vid jakt bag
fångstredskap fiske., koll. fishing (val~ whaling) tackle
fångtransport konkr. convoy of prisoners
fångvaktare warder, jailer; amer. prison guard, jailer
fångvård se *kriminalvård*
fånig dum silly; löjlig ridiculous
fåntratt vard. fool, blockhead
fåordig taciturn, silent, ...of few words
får sheep (pl. lika) äv. bildl.; kött mutton
fåra I *s* furrow; ränna groove **II** *tr* furrow; *ett ~t ansikte* a furrowed (lined) face
fåraherde shepherd äv. bildl.
fåraktig neds. sheepish
fåravel sheep breeding
fårhjord flock of sheep
fårkött mutton
fårskalle blockhead, muttonhead, bonehead
fårskinn sheepskin
fårskinnspäls sheepskin coat
fårskock flock of sheep
fårstek leg of mutton; tillagad roast mutton
fårticka ung. pore fungus (mushroom)
fårull sheep's wool
fåtal minority; *endast ett ~ [medlemmar]* only a few [members], only a small number [of members]
fåtalig few [in number]; *en ~ församling* a small assembly
fåtölj armchair, easy chair
fä 1 *folk och ~* man and beast **2** lymmel blackguard, rotter; drummel oaf (pl. -s el. oaves), dolt
fäbod ung. chalet
fädernearv patrimony
fädernesland [native] country; poet. native land; äv. fatherland; *försvara ~et* defend one's country
fägring poet. beauty; blomning bloom
fähund lymmel blackguard, rotter
fäkta 1 mil. el. sport. fence; friare fight **2** bildl. *~ med armarna* gesticulate [violently]
fäktare fencer, swordsman
fäktning fencing; strid fight
fälg på hjul rim
fäll fell; täcke o.d. skin rug
fälla I *s* trap; isht bildl. pitfall; i t.ex. fråga catch; *lägga ut en ~ för* set a trap for **II** *tr* **1** få att falla fell; 'golva' floor; isht jakt. bring down; låta falla drop; sänka lower; *~ ett förslag* defeat a proposal **2** förlora, t.ex. blad, horn shed; *färgen fäller* the colour runs (resp. is running) **3** avge *~ en dom* i brottmål pass (pronounce) a sentence; i civilmål pass (give) judgement **4** jur., förklara skyldig convict
III med beton. part.
~ igen (**ihop**) lock o.d shut; fällstol o.d. fold up; paraply o.d. close, put down
~ ned lock o.d. shut; bom, sufflett o.d. lower; krage turn down; paraply o.d. close, put down
~ upp lock o.d. open; krage turn up; paraply open
fällande, *ett ~ bevis* a damning piece of evidence, damning evidence
fällbar folding; hopfällbar collapsible
fällbord folding (drop-leaf) table
fällkniv clasp knife
fällning 1 av träd o.d. felling **2** kem. precipitate
fällstol folding chair; utan ryggstöd camp stool; vilstol deckchair
fält field äv. sport., elektr. el. bildl.; arkit., på vägg el. dörr panel; *lämna ~et fritt* (*öppet*) leave the field open [*för* gissningar to...]
fältarbete field work
fältbiolog field biologist (naturalist)
fältherre commander, general
fältkikare dubbel field glasses, binoculars
fältkök field kitchen
fältläkare army surgeon
fältpräst army chaplain; vard. padre
fältsjukhus field hospital
fältslag pitched battle
fältspat miner. feldspar, felspar
fälttjänst mil. field (active) service
fälttåg campaign
fängelse prison; isht amer. jail; fängsligt förvar imprisonment; *få livstids ~* get a life sentence, be imprisoned for life; *sitta* (*sätta ngn*) *i ~* be (put a p.) in prison (gaol, jail)
fängelsecell prison cell
fängelsedirektör governor (amer. warden) [of a (resp. the) prison]
fängelsekund gaolbird, jailbird
fängelsepräst prison chaplain
fängelsestraff [term of] imprisonment; *avtjäna ett ~* serve a prison sentence, serve [one's] time
fängsla 1 sätta i fängelse imprison; arrestera arrest **2** intaga, tjusa captivate, fascinate; *~nde* tjusande captivating, fascinating; spännande, intressant absorbing, thrilling, engrossing
fängslig, *hålla* (*taga*) *i ~t förvar* keep in (take into) custody
fänkål bot. fennel; krydda fennel seed
fänrik inom armén second lieutenant; inom

flyget pilot officer; amer.: inom armén o. flyget second lieutenant
färd resa journey; till sjöss voyage; bildl. *vara i [full] ~ med att* inf. be busy ing-form
färdas travel
färdbevis o. **färdbiljett** ticket
färdhandling, *~ar* travel documents
färdig 1 avslutad finished, completed; undangjord done; klar ready; *~ att användas* ready for use; *skriva brevet ~t* finish [writing] the letter; *bli ~ med ngt* finish a th.; vard. get through with a th. **2** *vara ~* nära *att* inf. be on the point of ing-form; *vara ~ att spricka av nyfikenhet* be bursting with curiosity
färdighet skicklighet skill; gott handlag dexterity; talang accomplishment
färdigklädd dressed; *jag är inte ~ än* I have not finished dressing yet
färdiglagad, *~ mat* ready-cooked (convenience) food
färdigställa prepare
färdigt, *äta ~* finish eating
färdknäpp vard. *en ~* one for the road
färdled highway
färdledare guide
färdriktning direction of travel
färdskrivare bil. tachograph, vard. tacho; flyg. flight recorder; vard. black box
färdsätt means (pl. lika) (mode) of travel (conveyance)
färdtjänst mobility service, transportation service for old (disabled) persons
färdväg route
färg colour äv. bildl.; målar~ paint; till färgning dye; nyans shade; ton hue; kortsp. suit; *ge ~ åt tillvaron* give zest to life; *skifta ~* change colour; *gå (passa) i ~ med* match [...in colour]
färga colour; tyg dye; glas o.d. stain; måla paint; bildl.: ge en viss prägel åt colour, tinge; *duken har ~t [av sig]* the dye has come off the cloth; *~ om* re-dye
färgad coloured etc., jfr *färga; [starkt] ~* bildl. [highly] coloured; *de ~e* som grupp [the] coloured people, blacks
färgbad dye-bath
färgband för skrivmaskin [typewriter] ribbon
färgbild colour picture; för projicering colour transparency (slide)
färgblind colour-blind
färgblindhet colour-blindness
färgfilm colour film
färgfotografi bild colour photo[graph] (picture)
färgglad brightly (richly) coloured
färggrann richly (brightly) coloured; neds. gaudy
färghandel butik ung. paint dealer [and chemist]
färghandlare paint dealer [and chemist]
färgkarta colour chart
färgklick splash (daub) of colour (konkr. paint)
färgkrita coloured chalk; vax~ [coloured] crayon
färglåda paintbox
färglägga colour; foto. tint
färglära chromatics, chromatology
färglös colourless äv. bildl.
färgning dyeing
färgpenna coloured pencil
färgrik richly coloured, ...rich in colour; colourful äv. bildl.
färgrikedom rich colouring (colours pl.), variety of colours
färgsinne sense of colour, colour sense
färgskala range of colours; konkr. colour chart (guide)
färgstark colourful äv. bildl. o. om pers.; richly (brilliantly) coloured
färgsättning colour scheme, colouring
färgtub paint tube
färg-TV colour TV (television) äv. konkr.
färgäkta colour-fast, unfadable; tvättäkta wash-proof
färgämne pigment; för färgning: av tyg o.d. dyestuff; av drycker colouring matter
färja I *s* ferry; isht mindre ferryboat; tåg~ train ferry **II** *tr, ~ över ngn* ferry a p. across
färjförbindelse ferry service
färjläge ferry berth
färre fewer; *~ [till antalet] än...* äv. less numerous than...; *mycket ~ fel* far fewer mistakes
färs beredd, till fyllning forcemeat, stuffing; ss. rätt på fisk o.d. mousse; kött~ ss. råvara minced meat
färsk frisk, ej konserverad el. bildl. fresh; ej gammal new; *~t bröd* fresh (new) bread; *av ~t datum* of recent date; *~ potatis* new potatoes; *~a spår* fresh (recent) tracks
färska metall fine; *~ upp* bröd make...fresh [in the oven]
färskvaror perishables
färskvatten fresh water
Färöarna the Faeroe Islands
fäst bildl. *[mycket] ~ vid* [very much] attached to, [very] fond of
fästa I *tr* **1** eg.: fastgöra fasten; isht med lim o.d. affix; *~ ihop* tillsammans fasten etc....together; *~ upp* put (med nålar pin) up äv. t.ex. hår; binda upp tie up **2** bildl. *~ avseende vid* pay attention to **II** *itr* fastna adhere; *spiken fäster inte* the nail won't hold **III** *rfl, det är ingenting att ~ sig vid* it is not worth bothering about, you (we etc.) must not mind that
fäste 1 stöd, tag hold; fot~ foothold båda äv. bildl.; *få ~* find (get) a hold (a foothold) **2** hållare, handtag holder **3** fästpunkt: bro~ o.d. abutment **4** befästning stronghold äv.

bildl.; fort, fortress; *ett konservatismens* ~ a stronghold of conservatism
fästing tick
fästman fiancé; vard. young man
fästmö fiancée; vard. young lady
fästning mil. fortress
föda I *s* food; uppehälle living, bread; *fast* ~ solid food (nourishment) **II** *tr* **1** sätta till världen give birth to; ~ *[barn]* bear a child (resp. children) **2** alstra breed **3** ge föda åt feed; försörja support; ~ *upp* djur breed, rear, raise; barn bring up
född born; *Födda* rubrik Births; *Fru A.,* ~ *B.* Mrs. A., née B.; Mrs. A., formerly Miss B.
födelse birth; *alltifrån ~n* from [one's] birth, since one's birth
födelseannons announcement in the births column
födelseattest birth certificate
födelsedag birthday; *fira sin* ~ celebrate one's birthday
födelsedagskalas birthday party
födelsedagspresent birthday present
födelsedatum date of birth
födelsekontroll birth control, contraception
födelsemärke birthmark
födelsenummer birth registration number
födelseort birthplace; i formulär place of birth
födelsestad native town
födelseår year of birth; *hans* ~ the year of his birth
födgeni, *ha* ~ have an eye to the main chance
födkrok means (pl. lika) of livelihood; vard. meal ticket
födoämne food; foodstuff, article of food; *~n* äv. provisions, eatables, comestibles
födsel birth; förlossning delivery; *från ~n* from [one's] birth
födslovånd|a, *-or* labour pains pl., äv. bildl.
1 föga I *adj* [very] little; *av* ~ *värde* of little value **II** *adv* [very] little; inte särskilt not very (resp. much); ~ *anade jag…* little did I imagine… **III** *s* [very] little
2 föga, *falla till* ~ yield, submit, give in; vard. climb down *[för* to]
fögderi skattedistrikt tax collection district (kontor department)
föl foal; unghäst colt; ungsto filly
följa I *tr* **1** follow; efterträda succeed; ~ *modet* follow the fashion; ~ *en plan* pursue a plan **2** ledsaga accompany äv. bildl.; vard. come (dit go) with; ~ *ngn till tåget (båten* etc.) see a p. off; *jag följer dig en bit på väg* I will come with you part of the way **II** *itr* follow; ss. konsekvens el. lyder *som följer* …as follows; *fortsättning följer* to be continued
III med beton. part.
~ **efter** follow; förfölja äv. pursue
~ **ngn hem** see a p. home
~ **med a)** komma med come (dit go) along; ~ *med ngn* äv. accompany a p. **b)** hänga med o.d. ~ *med sin tid* keep up (move) with the times **c)** vara uppmärksam be attentive
~ **upp** fullfölja follow up
följaktligen consequently, in consequence; this being so; A. är sjuk *och kan* ~ *inte komma* äv. …so he cannot come
följande following; *[den]* ~ the following; ~ *dag* adv. [the] next day, [on] the following day
följas, ~ *åt* go together, accompany each other; uppträda samtidigt occur at the same time, synchronize; t.ex. om symptom be concomitant
följd 1 räcka o.d. succession, sequence; serie series äv. t.ex. av tidskrift; *en* ~ *av olyckor* a series of accidents **2** konsekvens consequence; resultat result; *ha (få)* ngt *till* ~ result in…
följdriktig logical; konsekvent consistent
följe 1 *ha ngn i* ~ be accompanied by a p. **2** svit suite, train; skara band; neds., pack o.d. gang, crew
följebrev covering (accompanying) letter
följebåt sport. escort (accompanying) boat
följesedel delivery note; i emballage packing slip, shipping note
följeslagare o. **följeslagerska** companion; uppvaktande attendant
följetong serial story
följsam foglig docile; smidig pliable, flexible
fön hårtork blow-drier
föna hår blow-wave
fönster window
fönsterbleck window ledge
fönsterbräda windowsill
fönsterglas window glass
fönsterhake o. **fönsterhasp** window catch
fönsterkarm window frame
fönsterlucka shutter
fönsternisch window recess; isht konisk embrasure
fönsterputsare window-cleaner
fönsterruta windowpane
fönstertittare peeping Tom, voyeur fr.
1 för sjö. **I** *s* stem, bow[s pl.] **II** *adv,* ~ *och akter* fore and aft; ~ *om…* ahead (inombords forward) of…
2 för I *prep* **1** for **a)** 'i utbyte mot' o.d.: *det har du ingenting* ~ you won't get paid for that; *betala* ~ pay for; *vad tar ni* ~ vad kostar…? what do you charge for…? **b)** 'i stället för' o.d.: *en gång* ~ *alla* once [and] for all **c)** 'på grund av' o.d.: *berömd* ~ famous for; *det blir inte bättre* ~ *det* that won't make it any

better **d)** 'med hänsyn till': *han är lång ~ sin ålder* he is tall for [a boy of] his age; rocken är alltför varm *~ årstiden* ...for this time of the year **e)** i tidsuttryck: *~ [en] lång tid framåt* for a long time to come; *~...sedan* ...ago **f)** 'till förmån för', 'avsedd för' o.d. samt i div. förb.: *arbeta ~ ngn (ngt)* work for a p. (a th.); *dö (kämpa) ~ sitt land* die (fight) for one's country; vad kan jag *göra ~ dig?* ...do for you?; jag har ingen *användning ~ det* ...use for it **2** to; *berätta ngt ~ ngn* tell a th. to a p., tell a p. a th.; *det är nytt ~ mig* it is new to me, I am new to it; *viktig ~* important to; *öppen (stängd) ~* open (closed) to **3** uttr. ett genitivförhållande of; *chef ~* head of; *tidningen ~ i går* yesterday's paper **4** from; *dölja (gömma) ngt ~ ngn* conceal (hide) a th. from a p. **5** 'medelst', vanl. by; skriva *~ hand* ...by hand **6** 'till [ett pris av]' at; köpa tyg *~ 100 kronor metern* ...at 100 kronor a metre **7** by; *dag ~ dag* day by day, every day; *punkt ~ punkt* point by point **8** 'framför' before; *gardiner ~ fönstren* curtains before the windows; knyta en näsduk *~ ögonen på ngn* ...over a p.'s eyes **9** *~...sedan* ...ago **10** *~ sig själv* by oneself, to oneself **11** i uppräkningar *~ det femte* in the fifth place, fifthly **12** i vissa förb. *intressera sig ~* take an interest in; *typisk ~* typical of **13** *~ att* to; *han har gått ut ~ att handla* he has gone out shopping; *~ att inte tala om...* not to mention..., let alone...; han reste sin väg *~ att aldrig återvända* ...never to return; *för stor ~ att* inf. too big (big enough) to inf.; han talar bra *~ att vara utlänning* ...for a foreigner; *misstänkt ~ att ha...* suspected of having...

II *konj* **1** ty for **2** *~ [att]* därför att because

III *adv* **1** alltför too; *~ litet* too little, not enough **2** rumsbet. gardinen *är ~* ...is drawn; *stå ~* skymma *ngn* stand in a p.'s way **3** motsats 'emot' for; jag är *~ förslaget* äv. ...in favour of the proposal; är du *~ eller emot* ...for or against

föra I *tr* **1** convey; bära carry; forsla transport; ta med sig: hit bring; dit take; *~ glaset* till munnen raise the (i sällskap one's) glass... **2** leda lead, guide; ledsaga conduct; dit take; hit bring **3** synligt bära carry; *~ svensk flagg* carry (fly) the Swedish flag (colours) **4** hand., handla med deal in; ha i lager stock **5** *~ dagbok* keep a diary **II** *itr* lead; *det skulle ~* oss *för långt* it would carry (take) us too far **III** *rfl, ~ sig* carry oneself

IV med beton. part.

~ bort take (carry) away (undan off), remove

~ fram carry etc....forward; *~ fram* en idé, förstärkningar m.m. bring up

~ in a) eg. introduce, take (hitåt bring)...in; högtidl., pers. äv. usher in **b)** friare el. bildl.: ofta introduce

~ med sig carry (take) along with one; hitåt bring with one

~ samman saker bring...together; äv. put...together

~ upp skriva upp enter, post; *för upp det på mitt konto (på mig)* put it down to my account

~ ut convey etc....out; *~ ut* pengar take [...with one]; *~ ut* en post i en kolumn, hand. enter

~ vidare skvaller o.d. pass on

~ över eg. convey etc....across; *~ över pengar* till konto o.d. transfer money

förakt contempt; överlägset disdain; hånfullt scorn; *hysa ~ för ngn* feel contempt for a p., hold a p. in contempt

förakta ringakta despise; försmå disdain, scorn

föraktfull contemptuous; disdainful, scornful; jfr *förakta*

föraktlig värd förakt contemptible; despicable; futtig paltry, mean

föraning presentiment, premonition; vard. hunch

förankra anchor äv. bildl.; *fast ~d* djupt rotad deeply rooted, firmly established

förankring anchorage äv. bildl.

föranleda 1 förorsaka bring about; ge upphov till occasion, give rise to; *saken föranleder ingen åtgärd* no action will be taken in the matter **2** förmå *~ ngn att* inf. cause (induce, lead) a p. to inf.; make a p. ren inf.

föranmälan o. **föranmälning** till tävling preliminary (advance) entry (till kurs application)

förarbete preparatory (preliminary) work; utkast study

förare av fordon driver; av motorcykel o.d. rider; av flygplan pilot

förarga I *tr* annoy; vard. rile **II** *rfl, ~ sig* get annoyed [*över* at (with)]

förargad annoyed; *bli ~* be annoyed etc. [*på ngn* with a p.; *över ngt* at a th.]

förargelse 1 förtrytelse vexation, mortification; vard. aggravation; förtret annoyance **2** anstöt offence

förargelseväckande anstötlig offensive; chockerande shocking, scandalous; *~ beteende* disorderly conduct (behaviour)

förarglig 1 förtretlig annoying, tiresome; *så ~t!* how [very] annoying! **2** retsam irritating; vard. aggravating

förarhytt driver's cab (på tåg compartment); på flygplan cockpit

förarplats driver's seat

förband 1 med. bandage; kompress o.d.

dressing; *första* ~ first-aid bandage **2** mil. unit; flyg. formation
förbandslåda first-aid kit
förbanna curse
förbannad cursed; i kraftuttr. vanl. bloody; amer. goddam[n]; svag. confounded; *bli* ~ arg get [stark. damned] furious (angry) [*på* with]
förbannat bloody, damn[ed]; amer. goddam[n]; svag. confounded, darned
förbannelse curse
förbarma, ~ *sig* take pity; isht relig. have mercy [*över* on]
förbarmande mercy; *utan* ~ adv. äv. pitilessly, mercilessly, ruthlessly
förbaskad confounded etc., jfr *förbannad*
förbehåll reserve, reservation; klausul proviso (pl. -s), [saving] clause; inskränkning restriction; villkor condition
förbehålla I *tr,* ~ *ngn ngt* reserve a th. for (to) a p.; ~ *ngn* [*rätten*] *att...* reserve a p. the right to inf. (of ing-form) **II** *rfl,* ~ *sig* reserve...to (for) oneself; fordra demand, require
förbehållslös unreserved; villkorslös unconditional
förbereda I *tr* prepare **II** *rfl,* ~ *sig* prepare oneself [*för* (*på*) *ngt* for a th.]; göra sig i ordning get [oneself] ready [*för, till* for]
förberedande preparatory, preliminary; ~ *arbete* (*förhandlingar*) preliminary work (negotiations); ~ *skola* preparatory school
förberedelse preparation; ~*r* inledande åtgärder preliminaries
förbi I *prep* past; *gå* (*fara* etc.) ~ ngn (ngt) äv. pass [by]... **II** *adv* **1** eg. past **2** slut over, at an end; högkonjunkturen *är* ~ ...is at an end **3** trött done up
förbifart 1 provisorisk diversion; amer. detour **2** *i* ~*en* on one's way past, in passing; bildl. incidentally, in passing
förbigå pass...over (by); strunta i ignore; ~ *ngt med tystnad* pass a th. over (by) in silence
förbigående, *i* ~ in passing; bildl. äv. incidentally, casually
förbigången, *bli* ~ vid befordran be passed over
förbinda I *tr* **1** sår bandage **2** förena join, attach; connect; isht bildl. combine; *det är förbundet med stor risk* it involves [a] considerable risk **II** *rfl,* ~ *sig* förplikta sig bind (pledge) oneself
förbindelse 1 connection; mellan pers. el. kommunikation communication[s pl.] äv. mil.; service; kärleks~ liaison; kortare love affair; *daglig* (*direkt*) ~ daily (direct) service; *stå i* ~ *med* ha kontakt be in communication (touch, contact) with **2** förpliktelse engagement; revers bond; skuld liability
förbindlig courteous; ytligare suave
förbipasserande I *adj* passing, ...passing by **II** *subst adj* passer-by; *de* ~ [the] passers-by
förbise overlook; avsiktligt disregard
förbiseende oversight, omission; *av* ~ through an oversight
förbistring confusion
förbittrad bitter; ursinnig furious; ~ *stämning* atmosphere [full] of resentment
förbittring bitterness; ursinne rage
förbjuda allm. forbid; om myndighet o.d. prohibit
förbjuden forbidden; av myndighet o.d. prohibited; *Parkering* (*Rökning*) ~ No Parking (No Smoking)
förblekna fade
förbli remain; ~ *ung* äv. keep young
förblinda blind äv. bildl.; blända dazzle; bedåra infatuate
förbliva se *förbli*
förbluffa amaze; stark. dumbfound; vard. flabbergast; *bli* [*alldeles*] ~*d* be [quite] taken aback
förbluffande I *adj* amazing, astounding **II** *adv* amazingly
förblöda bleed to death, die from loss of blood
förbruka allm. consume; göra slut på use up; krafter exhaust; pengar spend
förbrukare consumer
förbrukning consumption; av pengar expenditure
förbrukningsartikel article of consumption
förbrukningsdag, *sista* ~ jan 15 (på förpackning) must be consumed by..., last day of consumption...
förbrylla bewilder, perplex; svag. puzzle
förbryta, ~ *sig* offend [*mot* against]
förbrytare criminal; grövre felon; dömd convict
förbrytelse crime; grövre felony
förbränning burning; kem. el. fys. combustion
förbränningsmotor internal-combustion engine
förbrödring, ~*en mellan folken* the establishment of good relations between peoples
förbud prohibition; mera officiellt ban
förbund 1 mellan stater alliance; mellan partier pact; stats~ [con]federation; *ingå* (*sluta*) ~ *med* enter into an alliance with **2** fördrag compact; isht bibl. covenant
förbund|en, *med -na ögon* blindfold[ed] äv. bildl.
förbundskapten sport. national team manager
förbundsrepublik federal republic
förbytas change
förbytt, *vara som* ~ be changed beyond recognition

förbättra *tr* improve; moraliskt reform; standard ameliorate; införa förbättringar på improve [up]on
förbättras improve
förbättring improvement; i standard amelioration
förbön intercession; *hålla ~ för ngn* pray (offer up prayers) for a p.
fördel 1 allm. advantage; *dra (ha) ~ av* benefit (profit) by, derive advantage from; *med ~* with advantage; *visa sig (vara) till sin ~* appear to advantage; utseendemässigt look one's best **2** tennis advantage, vantage; vard. van
fördela distribute; uppdela divide; skifta ut allocate; utsprida spread
fördelaktig advantageous; vinstgivande profitable; gynnsam favourable; friare expedient; *i en ~ dager* in a favourable light
fördelardosa bil. distributor [housing]
fördelning 1 distribution; division; allocation; jfr *fördela* **2** mil. division
fördjupa I *tr* deepen, make...deeper; *~d i* en bok o.d. absorbed (engrossed, buried, deep) in **II** *rfl, ~ sig* tränga in enter deeply [*i* into]
fördjupning 1 eg. depression; mindre dent; i vägg recess **2** abstr. deepening; intensifying
fördold hidden; hemlig secret; *i det ~a* in secret, secretly
fördom, ~[*ar*] prejudice, bias
fördomsfri unprejudiced, unbias[s]ed; skrupelfri unscrupulous
fördomsfull prejudiced
fördra bear; tåla, uthärda äv. endure
fördrag 1 avtal treaty **2** *ha ~ med* show tolerance (forbearance) with
fördraga se *fördra*
fördragsam tolerant
fördragsamhet tolerance, forbearance
fördriva, *~ tiden* while away (pass, kill) [the] time
fördröja *tr* delay, retard; uppehålla detain
fördubbla *tr* eg. double; *~ sina ansträngningar* redouble one's efforts
fördubblas double; redouble
fördubbling doubling; duplication; ökning redoubling
fördumma make...stupid; *verka ~nde* blunt (dull) the intellect
fördunkla förmörka darken; obscure äv. bildl.; överträffa overshadow
fördystra make...gloomy; liv o.d. cast a gloom over
fördäck sjö. foredeck
fördärv 1 olycka ruin; undergång destruction; stark. perdition; *det kommer att bli hans ~* it will be his undoing (stark. ruin) **2** sede-corruption; depravity
fördärva 1 mera eg.: i grund ruin; skada damage; spoliera spoil; förvanska corrupt **2** bildl.: skämma taint, vitiate; ngns rykte el. utsikter blight
fördärvad 1 ruined etc., jfr *fördärva 1;* bragt i oordning deranged; *arbeta sig ~* work oneself to the bone; *slå ngn ~* beat a p. to a jelly **2** skämd tainted
fördärvas be ruined etc., jfr *fördärva;* om mat go bad, become tainted
fördärvlig pernicious; skadlig injurious, destructive; *~t inflytande* demoralizing influence
fördöma condemn; ogilla blame, censure; bibl. damn
fördömelse condemnation; *evig ~* damnation
fördömlig reprehensible
före I *prep* **1** before; framför ahead (in advance) of äv. bildl.; *inte ~* kl. 7 not before (earlier than)... **2** *~ detta* (förk. *f.d.*): *den ~ detta presidenten* the former president (ex-president); *~ detta världsmästare* ex-champion **II** *adv* before; *med fötterna (huvudet) ~* feet (head) foremost (first)
förebild urtyp prototype; mönster pattern, model; *tjäna som ~ för* serve as a model to
förebildlig föredömlig exemplary
förebrå reproach; klandra blame
förebråelse reproach; *få ~r* vanl. be reproached (blamed)
förebrående reproachful
förebud varsel presage; yttre tecken omen, portent
förebygga förhindra prevent; förekomma forestall; *~ missförstånd* preclude misunderstanding
förebyggande preventive; *~ åtgärder* preventive measures
förebåda herald; varsla promise; något ont portend, forebode
föredra 1 ge företräde åt prefer; *...är att ~* ...is preferable **2** framsäga deliver, recite; mus. execute **3** redogöra för present
föredrag anförande talk; föreläsning lecture; polit. o.d. address; *hålla [ett] ~* give (deliver) a talk etc.; lecture
föredraga se *föredra*
föredragningslista agenda; domstols cause list
föredöme example; mönster model; *vara ett gott ~ [för ngn]* set [a p.] a good example
föredömlig ...worthy of imitation; model...
förefall|a synas seem, appear; *det -er mig* it seems (appears) to me
föregripa forestall, anticipate
föregå *tr* **1** komma före precede **2** *~ [ngn] med gott exempel* set [a p.] a good example
föregående previous; *~ dag* [adv. on] the previous day, the day before; *~ talare* the last (previous) speaker

föregångare precursor; företrädare predecessor
föregångsman pioneer
förehavande, *hans ~n* his doings (activities)
förekomma I *tr* **1** hinna före forestall; anticipate; *~ ngns önskan* anticipate a p.'s wish **2** se *förebygga* **II** *itr* **1** anträffas occur, be met with, be found, exist **2** hända occur
förekommande *adj* **1** occurring; *ofta ~* frequent, ...of frequent occurrence **2** tillmötesgående obliging; artig courteous
förekomst occurrence; *~en av malm i...* the presence of ore in...
föreligga finnas till exist, be; finnas tillgänglig be available; *här måste ~ ett misstag* there must be some mistake here
förelägga 1 *~ ngn ngt* till påseende, underskrift o.d. put (place, lay) a th. before a p.; underställa submit a th. to a p. **2** föreskriva prescribe; befalla order
föreläggande jur. injunction
föreläsa hålla föreläsning lecture
föreläsare föredragshållare lecturer
föreläsning föredrag lecture; *gå på [en] ~* go to (attend) a lecture
föreläsningssal lecture room (hall, theatre)
föremål 1 ting object; article, thing **2** objekt object; ämne, anledning subject; *bli (vara) ~ för* experiment, förhandlingar o.d. be the subject of...; kritik o.d. äv. be subjected to...
förena unite; sammanföra bring...together; förbinda join; isht bildl. associate; kombinera combine; *vara ~d med* medföra, t.ex. fara involve, entail; *med ~de krafter* with united efforts
förening 1 förbindelse association, union, junction; kem. compound **2** sällskap association; society, club; polit. union
föreningslokal club (association, society) premises, club rooms
förenkla simplify; *ge en ~d bild av ngt* give a simplified (simplistic) picture of a th.
förenkling simplification
förenlig consistent; *inte ~ med* inconsistent (incompatible) with
Förenta Nationerna (förk. *FN*) the United Nations [Organization] (förk. UN[O])
Förenta Staterna the United States [of America]
föresats avsikt intention, purpose; *ha goda ~er* have good intentions
föreskrift anvisning direction[s pl.]; bestämmelse regulation; åläggande order; *enligt ~* according to directions (instructions, regulations), as directed
föreskriva prescribe; beordra direct; diktera dictate; ålägga enjoin; *~ ngn* diet o.d. prescribe...for a p.
föreslå propose, put forward; vard. vote; vid sammanträde move; *~ ngn att* inf. propose (suggest) that a p. should inf.
förespegla, *~ ngn* ngt hold out to a p. the prospect (promise) of...
förespråka advocate; recommend
förespråkare förkämpe advocate; spokesman; *vara en ivrig ~ för* be an ardent (a keen) advocate of
förestå *tr* be at the head of; *hon ~r* affären, huset o.d. she is in charge of (she manages)...
förestående stundande approaching; kommande coming, at hand; isht om något hotande imminent; *vara nära ~* be close at hand, be imminent
föreståndare manager; för institution superintendent; för skola head
föreståndarinna på anstalt o.d. matron
föreställa I *tr* **1** återge represent; *vad skall det ~?* what is this supposed to be? **2** se *presentera 1* **II** *rfl, ~ sig* **1** imagine; think of **2** se *presentera 1*
föreställning 1 begrepp idea **2** teat. o.d. performance
föresväva, den tanken *har ~t mig* ...has sometimes crossed my mind
föresätta, *~ sig* besluta make up oneś mind [[*att göra*] *ngt* to do a th.]; sätta sig i sinnet set one's mind [*att* inf. on ing-form]
företa undertake, make; *~ sig* set about
företag 1 affärs~ o.d. company, firm, business; concern äv. koncern **2** allm. undertaking; isht svårt enterprise; mil. operation
företaga se *företa*
företagare ledare el. ägare av företag leader (owner) of a business enterprise; storföretagare industrialist; arbetsgivare employer; *han är egen ~* vanl. he runs his own business, he is self-employed
företagsam enterprising
företagsamhet enterprise; *fri (privat) ~* free (private) enterprise
företagsekonomi business economics sg. [and management]
företagsledare [business] executive
företagsledning industrial management; *~en* the management
företagsläkare company doctor (physician)
förete 1 framvisa show up; ta fram produce **2** erbjuda, t.ex. anblick present
företeelse phenomen|on (pl. -a); friare fact; *en vanlig ~* an everyday occurrence
företräda 1 representera represent; *~ ngn* äv. act in a p.'s place, be a p.'s proxy **2** *~ ngn* i ämbete be a p.'s predecessor
företrädare 1 föregångare predecessor; *hans ~ på posten* the one who held the post before him (preceded him) **2** för idé o.d. advocate **3** ombud representative

företräde 1 förmånsställning preference; *lämna ~ åt trafik från höger* give way to traffic coming [in] from the right **2** förtjänst advantage; superiority
företrädesrätt förtursrätt [right of] precedence, priority; vid teckning av aktier preferential right
företrädesvis preferably; isynnerhet especially
förevisa show, demonstrate; offentligt exhibit (show) [to the public]
förevisning showing, demonstration, exhibition; föreställning performance
förevändning pretext; ursäkt excuse; undanflykt evasion; *under ~ av (att)* on the pretext (pretence) of (that)
förfader ancestor
förfall 1 decay; tillbakagång decline; urartning degeneration **2** förhinder *utan giltigt ~* without due cause (a valid reason)
förfalla 1 fördärvas fall into decay (om byggnad o.d. disrepair); om pers. go downhill; moraliskt el. friare degenerate **2** hand. *~ [till betalning]* be (fall, become) due, mature
förfallen 1 decayed; *han är ~* he has gone downhill (gone to the dogs) **2** hand. *vara ~ [till betalning]* be due
förfallodag due day (date), day (date) of payment (i fackspråk maturity)
förfalska falsify; t.ex. tavla fake; namn forge; pengar counterfeit; *~de* om pengar äv. counterfeit...
förfalskare falsifier, faker; jfr *förfalska*
förfalskning förfalskande falsification, forgery, counterfeiting; jfr *förfalska;* konkr. imitation
förfarande procedure, proceeding[s pl.]
förfaras be wasted; go bad
förfaringssätt procedure; tekn. process
förfasa, *~ sig* be horrified (shocked) [*över* at]
författa write
författare author, writer [*av (till)* of]
författarinna author[ess]
författarskap 1 authorship **2** alster [literary] work[s pl.], writings
författning 1 statsskick constitution **2** stadga statute
författningsenlig constitutional; enligt stadga statutory
författningssamling statute book
förfela miss; *det har ~t sitt syfte* it has not fulfilled its purpose, it has missed the mark
förfelad utan verkan ineffective; misslyckad abortive
förfina refine
förfining refinement, polish
förflugen random...; oöverlagd wild; *förfluget ord* unguarded (rash) word
förfluten past; förra last; *det tillhör en ~ tid* it belongs to the past
förflyktigas volatilize
förflyta pass, elapse
förflytta I *tr* move; t.ex. tjänsteman transfer **II** *rfl, ~ sig* move; isht bildl. transport oneself
förflyttning removal; transplantation
förfoga *itr, ~ över* se *disponera 1*
förfriska, *~ sig* refresh oneself
förfriskning refreshment; *inta ~ar* have (take) some refreshments
förfrusen frost-bitten
förfrysa I *tr, han förfrös fötterna* he got his feet frost-bitten **II** *itr* get frost-bitten; frysa ihjäl get frozen to death
förfrågan o. **förfrågning** inquiry; *göra en förfrågan* make an inquiry, inquire
förfång detriment; isht jur. prejudice; *vara till ~ för* be to the detriment of
förfära terrify, dismay, appal; *~d över* terrified etc. at
förfäran terror; fasa horror; svag. dismay; *till stor ~n för* to the great horror of
förfäras be terror-struck (horror-struck)
förfärlig skrämmande terrible, frightful, dreadful; hemsk appalling samtl. äv. friare; vard. äv. awful
förfölja eg. pursue; t.ex. folkgrupp persecute; om tanke o.d. haunt; *förföljd av otur* dogged by bad luck (misfortune)
förföljare pursuer; av t.ex. folkgrupp persecutor
förföljelse pursuit; trakasseri persecution, victimization
förföljelsemani persecution mania
förföra seduce
förförare seducer
förfördela wrong; förolämpa offend
förförelse seduction
förförerska seducer, seductress
förförisk seductive
förförra, *~ året* the year before last
förgasare carburettor
förgifta poison
förgiftning poisoning
förgjord, *det (allting) är som förgjort* nothing seems to go right, everything seems to be going wrong
förglömma forget; *...icke (inte) att ~* not forgetting..., [and] last but not least...
förgrening ramification; underavdelning subdivision; friare offshoot
förgripa, *~ sig på* ngn do violence to, violate, outrage; begå sedlighetsbrott mot äv. assault
förgrund foreground; *stå (träda) i ~en* be in (come to) the forefront
förgrundsfigur o. **förgrundsgestalt** prominent figure
förgråten om ögon ...red (swollen) with

weeping; *hon var alldeles* ~ she had been crying her eyes out
förgrämd grieved
förgylla gild; ~ *om* regild
förgyllning gilding
förgå *itr* om tid pass [away (by)]; försvinna disappear, vanish
förgången past; *det tillhör en* ~ *tid* (*det förgångna*) it belongs to the past (an age long since past)
förgås omkomma perish; förolyckas be lost; om världen come to an end; [*vara nära att*] ~ *av* nyfikenhet be dying with...
förgängelse corruption
förgänglig perishable; dödlig mortal; kortvarig transient
förgätmigej bot. forget-me-not
förgäves in vain
förgöra destroy
förhala dra ut på delay; förhandlingar protract; ~ *tiden* play for time, use delaying tactics; vard. stall
förhand t.ex. veta *på* ~ beforehand; t.ex. betala, tacka in advance
förhandla I *itr* negotiate **II** *tr* överlägga om deliberate on
förhandlare negotiator
förhandling underhandling negotiation; överläggning deliberation; ~*ar* äv. talks
förhandlingsbar negotiable
förhandlingsrätt right to negotiate
förhandsbeställning advance order (av biljetter, rum m.m. booking, isht amer. reservation)
förhandstips advance information, tip [in advance]
förhandsvisning [sneak] preview
förhasta, ~ *sig* be rash, be too hasty, be precipitate
förhastad överilad rash, precipitate; förtidig premature
förhatlig hateful, odious
förhinder, *få* ~ vara förhindrad att gå (komma etc.) be prevented from going (coming etc.)
förhindra prevent
förhistorisk prehistoric
förhoppning hope; förväntning expectation; ~*ar* utsikter prospects
förhoppningsfull hopeful; lovande promising
förhoppningsvis hopefully; ~ *kan vi...* äv. it is to be hoped that we can...
förhud anat. foreskin; vetensk. prepuce
förhålla, ~ *sig* bete sig behave, conduct oneself, act; förbli keep, remain; vara be
förhållande 1 sakläge state [of things]; fall case; ~*n* omständigheter circumstances; [*det verkliga*] ~*t är det att...* the fact [of the matter] is that...; *under sådana* ~*n* in (under) the (such) circumstances
2 förbindelse relations; inbördes ~ relationship; kärleks~ [love] affair
3 proportion proportion; *i* ~ *till* in proportion to, proportionate[ly] to; i jämförelse med in relation to, compared with
förhållandevis proportionately
förhållningsorder orders, instructions
förhårdnad callus; med. induration
förhänge curtain
förhärdad hardened; obdurate; okänslig callous
förhärliga glorify
förhärskande predominant; gängse prevalent; *vara* ~ äv. predominate, prevail
förhäva, ~ *sig* brösta sig plume oneself [*över* on]
förhäxa bewitch; tjusa enchant
förhöja bildl. heighten, enhance; *förhöjt pris* increased price
förhör allm. examination; utfrågning interrogation; rättsligt inquiry; skol~ test; *ta ngn i* ~ cross-examine a p.
förhöra I *tr* cross-examine, interrogate, question; ~ [*ngn på*] *läxan* test [a p. on] the homework **II** *rfl,* ~ *sig* inquire [*om* about; *hos* of]
förhörsledare interrogator
förinta allm. annihilate, destroy
förintelse annihilation, destruction; stor förödelse, katastrof holocaust
förirra, ~ *sig* eg. go astray, get lost
förivra, ~ *sig* get carried away, rush things
förjaga chase (drive)...away; expel
förkasta *tr* allm. reject
förkastelse allm. rejection
förkastlig objectionable; klandervärd reprehensible; fördömlig ...to be condemned
förklara I *tr* **1** förtydliga explain; ge förklaring på account for; *det* ~*r saken* that accounts for it **2** tillkännage declare; uppge state; ~ *krig mot* declare war on **II** *rfl,* ~ *sig* explain oneself
förklarande explanatory; belysande illustrative
förklaring 1 förtydligande explanation; utläggning exposition; *som* ~ in explanation
2 uttalande declaration, statement
förklarlig explicable; begriplig understandable; naturlig natural; *av lätt* ~*a skäl* for obvious reasons
förkläda disguise; vara *förklädd* äv. ...in disguise
förkläde 1 plagg apron; barns pinafore
2 pers. chaperon; *vara* ~ *åt* chaperon, act as a chaperon to (for)
förklädnad disguise; *skyddande* ~ biol. mimicry
förknippa associate
förkolna get charred; ~*de* rester charred...
förkommen 1 förlorad missing

2 avsigkommen ...down at heel; stark. disreputable
förkorta shorten; avkorta abridge; t.ex. ord abbreviate
förkortning shortening, abridg[e]ment, abbreviation; jfr *förkorta*
förkovra, ~ *sig* improve; ~ *sig i engelska* improve one's English
förkovran improvement
förkrigstiden the prewar period; *England under* ~ äv. prewar England
förkristen pre-Christian
förkroppsliga embody; jfr *personifiera*
förkrossad broken-hearted; ångerfull contrite
förkrossande crushing; heart-breaking; ~ *majoritet* overwhelming majority
förkrympt liten stunted; fysiol. abortive
förkunna 1 försöka utbreda preach **2** tillkännage announce; utropa proclaim; förebåda foreshadow, herald; ~ *en dom* jur. pronounce (pass) sentence
förkunnelse preaching
förkunskaper previous knowledge (training); grundkunskaper grounding
förkyla, ~ *sig* catch [a] cold
förkyld 1 *bli* ~ catch [a] cold **2** *nu är det förkylt!* that's torn (done) it!
förkylning sjukdom cold
förkämpe advocate, champion
förkänning feeling
förkänsla presentiment
förkärlek predilection; *med* ~ preferably
förköp av biljett advance booking [avgift fee]; *köpa i* ~ book...in advance
förköpa, ~ *sig* spend too much
förköpsrätt jur. el. ekon. pre-emptive right, option; *ha* ~ have an option [on goods]
förkörsrätt trafik. right of way
förlag bok~ publishing firm (house), publisher[s pl.]
förlaga original, master; model; *filmens* ~ *är...* the film is based on...
förlagsredaktör editor [at a publishing firm]
förlagsverksamhet, *~en* publishing, the publishing business
förlama paralyse (amer. paralyze) äv. bildl.; bedöva stun; *som ~d av skräck* as if paralysed with fear
förlamning paralys|is (pl. -es) äv. bildl.
förleda locka entice, beguile; leda på avvägar lead...astray; ~ *ngn att tro att...* delude (lead) a p. into believing that...
förlegad antiquated
förliden 1 förra last **2** till ända past
förlika, ~ *sig* become reconciled, reconcile oneself [*med* to]; come to terms [*med* with]; fördra put up [*med* with]
förlikas 1 försonas be reconciled **2** vara förenlig be consistent (compatible)
förlikning försoning reconciliation; i arbetstvist o.d. conciliation, mediation; uppgörelse (isht ekon.) [amicable] settlement
förlikningsman [official] conciliator
förlisa be lost, be [ship]wrecked
förlisning shipwreck, loss
förlita, ~ *sig på* a) ngn trust in b) ngt trust to, rely on
förljugen dishonest, false, mendacious
förlopp 1 tids lapse; *efter flera års* ~ after [the lapse of] several years **2** händelse~ course of events; skeende course
förlora *tr* o. *itr* lose; ~ *i* intresse, smak o.d. lose some of its...; ~ *på affären* lose on the bargain
förlorad lost; *den ~e sonen* the Prodigal Son; *~e ägg* poached eggs
förlorare loser
förlossning 1 med. delivery **2** bibl. redemption
förlossningsavdelning delivery (labour) ward
förlova, ~ *sig* become engaged [*med* to]
förlovad engaged [to be married]; *Förlovade* tidningsrubrik Engagements
förlovning engagement
förlovningsannons announcement in the engagements column
förlovningsring engagement ring
förlupen runaway; om kula stray
förlust allm. loss; av t.ex. livet forfeiture...; *lida stora ~er* sustain heavy losses (mil. äv. casualties); *sälja (gå) med* ~ sell (be run) at a loss
förlustelse amusement; offentlig entertainment
förlyfta, ~ *sig* overstrain oneself by lifting [*på ngt* a th.]
förlåta forgive; ursäkta excuse; *förlåt!* ss. ursäkt I'm [awfully] sorry!; *förlåt att jag...* excuse my ing-form; *förlåt, jag hörde inte* [I] beg your pardon [I didn't catch what you said], what did you say?
förlåtelse forgiveness; *be* [*ngn*] *om* ~ ask (beg) a p.'s forgiveness; *få* ~ be pardoned (forgiven)
förlåtlig pardonable
förlägen generad embarrassed, abashed, awkward; försagd self-conscious; förvirrad confused
förlägenhet känsla embarrassment, confusion
förlägga 1 placera: lokalisera locate; trupper o.d. station; flytta remove, transfer; handlingen *är förlagd till medeltiden* ...takes place in the Middle Ages **2** slarva bort mislay **3** böcker publish
förläggare bok~ publisher
förläggning location; mil., konkr. station
förlänga lengthen; utsträcka extend

förlängning prolongation; utsträckning extension; sport. extra time
förlängningssladd extension flex (amer. cord)
förläst ...too wrapped up in one's books
förlöjliga ridicule
förlöpa förflyta pass; avlöpa pass off; fortgå go, proceed; sjukdomen *förlöper normalt* ...is taking a (its) normal course
förlösa, ~ *en kvinna* deliver a woman of a child; *hon blev förlöst* she was delivered of a child
förlösande, *ett* ~ *ord* a timely word
förmak 1 salong drawing-room **2** anat. atrium
förman arbetsledare foreman, supervisor; överordnad superior
förmana tillhålla exhort; tillrättavisa admonish; varna warn
förmaning exhortation
förmaningstal admonitory speech; vard. talking-to, lecture
förmedla fungera som mellanhand vid mediate; åvägabringa procure, bring about; ~ *ett budskap* convey a message
förmedlare mellanhand intermediary
förmedling mediation, agency äv. byrå; anskaffning procurement; *genom hans* ~ through him (his agency)
förmena förvägra deny
förmera, *vara* ~ *än* be superior to
förmiddag morning; *kl. 11 på* ~*en* (förk. *f.m.*) at 11 o'clock in the morning (förk. at 11 a.m.)
förmildrande, ~ *omständigheter* extenuating circumstances
förminska, *i* ~*d skala* on a reduced scale
förminskning 1 se *minskning* **2** foto. reduction
förmoda anta suppose; med större visshet presume; vard. reckon; amer. guess
förmodan supposition; *mot* [*all*] ~ contrary to expectation
förmodligen presumably
förmultna moulder [away], decay
förmyndare jur. guardian
förmyndarskap o. **förmynderskap** guardianship; bildl. authority
förmå 1 kunna, orka ~ [*att*] inf. be able to inf.; be capable of ing-form; det här är *allt vad huset* ~*r* ...all I (resp. we) can offer you **2** ~ *ngn* [*till*] *att* inf. induce (prevail upon, get, bring, övertala persuade) a p. to inf.; ~ *sig till att* inf. bring (induce) oneself to inf.; besluta sig make up one's mind to inf.
förmåga 1 fysisk el. andlig kraft power; prestations~ capacity; fallenhet o.d. faculty; duglighet ability; capability; *ha* (*sakna*) ~ *att* koncentrera sig vanl. be able (be unable) to... **2** pers. *han är en verklig* ~ he is a man of great ability
förmån fördel advantage; särskild rättighet benefit; *sociala* ~*er* social benefits; *till* ~ *för* för att gynna in favour of
förmånlig allm. advantageous; gynnsam favourable; vinstgivande profitable; köp *på* ~*a villkor* ...on easy terms
förmånserbjudande special offer (bargain)
förmånstagare beneficiary
förmäten presumptuous; djärv bold; *vara* ~ *nog att* make bold (so bold as) to
förmögen 1 rik wealthy, well off; amer. äv. well fixed; *en* ~ *man* äv. a man of means (property, fortune) **2** i stånd capable [*att* inf. of ing-form]
förmögenhet större penningsumma fortune; kapital capital
förmögenhetsskatt capital (wealth, property) tax
förmörka darken äv. fördystra; obscure; bildl. cloud; himlakropp eclipse
förmörkelse astron. eclipse
förnamn first (isht amer. äv. Christian, given) name
förnedra I *tr* degrade **II** *rfl,* ~ *sig* demean (degrade) oneself
förnedrande degrading
förnedring degradation
förneka I *tr* bestrida deny; icke kännas vid disown, renounce; *jag kan inte* ~ *att...* vanl. I must admit that... **II** *rfl, han* ~*r sig aldrig* he is always the same, that's just him
förnekande o. **förnekelse** denying osv., jfr *förneka I;* denial; disavowal; renunciation
förnimbar perceptible
förnimma perceive; känna feel, be sensible of
förnimmelse sinnes~ sensation; filos. perception
förnuft, ~[*et*] reason
förnuftig sensible
förnumstig would-be-wise; *vara* ~ be a know-all
förnya renew; upprepa repeat; fylla på, t.ex. förråd replenish; ~ *sig* renew oneself
förnyelse renewal; repetition; replenishing, replenishment; jfr *förnya*
förnäm distinguished; högättad high-born; värdig dignified; högdragen lofty; förnämlig excellent
förnämlig ypperlig excellent
förnämst främst foremost; ypperligast finest; viktigast principal, chief
förnärma offend; *bli* ~*d över* äv. take offence at
förnödenheter necessities; livs~ necessaries
förnöja amuse, please; *ombyte förnöjer* variety is the spice of life, there's nothing like a change
förnöjd glad happy; belåten contented, satisfied

förnöjsam contented
förnöjsamhet contentedness
förolycka|s eg.: allm. be lost; *de -de* the victims [of the accident], the casualties
förolämpa insult; svag. offend; *bli ~d över* be very much offended at
förolämpning insult, affront
förord företal preface
förorda recommend
förordna 1 bestämma ordain, decree; t.ex. testamentariskt provide **2** utse appoint; bemyndiga commission
förordnande tjänste~ appointment; *få ~ som rektor* be appointed headteacher
förordning ordinance; stadga regulation
förorena *tr* contaminate, pollute; foul
förorening förorenande contamination; förorenande ämne pollutant; *~ar* t.ex. i vatten a lot of contamination (pollution) sg.
förorsaka cause; föranleda occasion
förort suburb; *~erna* äv. suburbia sg.
förortsbo suburban [dweller]
förorätta wrong; *~d* injured
förpacka pack; emballera wrap [up]; *~d* t.ex. om vara i snabbköp prepacked
förpackning konkr. pack; emballage packing; t.ex. i snabbköp prepack[age]; abstr. packaging
förpassa skicka iväg send [off]; *~ ngn ur landet (riket)* order a p. to leave the country, deport a p.
förpesta poison äv. bildl.; ~ rummet poison the air in...; *~ tillvaron för ngn* make life a misery for a p.
förplikta, *~ ngn till att* o. inf. put (lay) a p. under an obligation to inf.; bind (oblige) a p. to inf.; *~nde [för ngn]* binding [on a p.]
förpliktelse åtagande obligation; isht ekonomisk liability; skyldighet duty
förpliktiga se *förplikta*
förplägnad food; mil. äv. rations; entertainment; förplägande feeding
förr 1 förut before **2** fordom *~ i tiden (världen)* formerly, in former times (days) **3** tidigare sooner; *~ eller senare* sooner or later **4** hellre rather
förra *(förre)* **1** förutvarande former; tidigare earlier; *den förre...den senare* the former...the latter **2** närmast föregående last; *[i] ~ veckan* last week
förresten se *för resten* under *rest*
förrförra, *~ året* the year before last
förrgår, *i ~* the day before yesterday
förringa undervärdera minimize; t.ex. ngns förtjänst detract from; t.ex. värdet av depreciate
förrinna bildl.: försvinna ebb away; förflyta pass [away]
förruttnelse putrefaction; förmultning decay
förrycka rubba dislocate; snedvrida distort
förryckt tokig crazy; *han är som ~* he is quite crazy (mad), he is out of his mind
förrymd runaway...; om t.ex. fånge escaped...
förråd store äv. bildl.; stock; mil. stores; lokal storeroom; resurser resources; ha *i ~* ...in store (reserve)
förråda allm. betray; vard. give away; *~ sig* röja sig give oneself away
förrädare traitor
förräderi treachery; lands~ treason; *ett ~* an act of treachery (resp. treason)
förrädisk treacherous äv. bildl.; lands~ treasonable
förrän innan before; *knappt hade han...~* hardly (scarcely) had he...when, no sooner had he...than
förränta ekon. *~ sig* yield interest [*med* at]
förrätt kok. first course; *till (som) ~* as a first course, as a starter, for starters
förrätta tjänstgöra vid officiate at; leda conduct; t.ex. sin andakt perform; ärende accomplish; vigseln *~des* ...was conducted; *efter väl ~t ärende (värv)* after having satisfactorily performed one's duties (one's task, what one set out to do)
förrättning tjänste~ function, [official] duty; kyrkl. äv. ceremony; resa trip on official business; uppdrag assignment
försagd timid
försagdhet timidity, diffidence
försaka go without, deny oneself; avsäga sig give up
försakelse umbärande privation
församla assemble
församlas assemble
församling 1 församlade pers. assembly **2** kyrkl.: menighet congregation; kyrkosamfund church; frireligiös el. ej kristen community; socken parish
församlingsbo parishioner
församlingsfrihet freedom of assembly
församlingshem ung. parish house
förse I *tr* provide; *~dd med* om sak vanl. equipped (fitted) with **II** *rfl, ~ sig* skaffa sig provide oneself [*med* with]; ta för sig help oneself [*med* to]
förseelse fault; brott offence
försegel sjö. headsail
försegla seal äv. bildl.; t.ex. låda seal up
försena delay; förhala retard
försenad delayed; *vara ~* be late (behind time)
försening delay
försiggå äga rum take place äv. teat. o.d.; pågå, ske go (be going) on; avlöpa pass (go) off
försigkommen advanced; neds. forward; brådmogen precocious
försiktig aktsam careful; förtänksam cautious, prudent; vaksam wary

försiktighet care[fulness]; caution, prudence; wariness; jfr *försiktig*
försiktighetsåtgärd precautionary measure; *vidta alla ~er* take every precaution
försiktigt carefully osv., jfr *försiktig; gå ~ till väga* proceed cautiously (with caution); kör ~*!* ...carefully!
försilvra silver-plate
försitta t.ex. tillfälle miss; sin rätt forfeit
försjunka, ~ *i* hänge sig åt lose oneself (become absorbed) in; *försjunken i tankar* absorbed (lost, deep) in thought
förskaffa procure, jfr *skaffa;* rendera bring; *vad ~r mig nöjet* av ditt besök? to what do I owe the pleasure [of your visit]?
förskingra jur. embezzle; han har *~t* ...embezzled money
förskingrare embezzler
förskingring 1 jur. embezzlement, peculation **2** svenskar *i ~en* ...scattered abroad
förskjuta I *tr* ej längre vidkännas: hustru cast off; barn disown **II** *rfl, ~ sig* rubbas get displaced; om last el. friare shift
förskjutning displacement äv. psykol.; shifting; jfr *förskjuta*
förskola preschool
förskoleålder preschool age
förskollärare nursery-school (preschool) teacher
förskona, ~ *ngn från (för) ngt* spare a p. a th.
förskoning nåd mercy
förskott advance; *be om ~ på* lönen ask for an advance on...
förskottera advance; vard. up-front
förskottsbetalning advance (vard. upfront) payment
förskräck|a frighten, scare; *bli -t* be (get) frightened osv. [*över* at]; bli bestört get a shock
förskräckelse fright; bestörtning consternation; *komma (slippa) undan med blotta ~n* escape by the skin of one's teeth
förskräcklig frightful, dreadful; vard. äv. awful; förfärlig terrible
förskrämd frightened, scared; skygg timid
förskärare o. **förskärarkniv** carving-knife
försköna make...look more beautiful, beautify; skönmåla make...look better than it is
förslag proposal; råd suggestion; plan scheme; utkast draft; *väcka ~ om ngt* propose (parl. o.d. move) a th.; *på mitt ~* on (at) my suggestion
förslagen cunning, artful
förslagsvis as a suggestion; försöksvis tentatively; ungefärligen roughly; låta oss säga [let us] say
förslappa försvaga weaken; göra kraftlös enervate; t.ex. moralen relax
förslappas försvagas weaken; bli kraftlös become enervated; om t.ex. moral grow lax; om t.ex. intresse relax
förslappning weakening; kraftlöshet enervation
förslitning abstr. wear; *~en av...* the wearing out of...
förslummas turn into (become) a slum
förslumning deterioration (turning) into a slum
försluta seal
förslå suffice; *så det ~r* ordentligt with a vengeance; övermåttan like anything
förslöa make...apathetic osv., jfr *förslöad*
förslöad apathetic; trög dull; håglös listless
förslöas grow (get) apathetic osv., jfr *förslöad*
förslösa squander; dissipate
försmak foretaste
försmå avvisa reject; förakta despise
försmädlig 1 hånfull sneering **2** se *förarglig 1*
försmäkta languish
försnilla med avledningar, se *förskingra* med avledningar
försoffas se *förslöas*
försommar early summer, early part of [the] summer
försona I *tr* förlika reconcile; *ett ~nde drag* a redeeming feature **II** *rfl, ~ sig med* bli vän med become reconciled (make it up) with; finna sig i reconcile oneself (become reconciled) to
försonas make it up
försoning förlikning reconciliation; isht relig. atonement
försonlig conciliatory
försonlighet conciliatory spirit
försorg 1 *genom ngns ~* through a p., through (by) the agency of a p. **2** *dra ~ om* a) ngn provide for... b) ngt see (attend) to...
försova, ~ *sig* oversleep [oneself]
förspel mus. prelude; före samlag foreplay
förspill|a waste; *det är -d kraft (möda)* it is a waste of energy
försprång start; försteg lead; *få ~ före ngn* get the start of a p.; gå om gain the lead (bildl. äv. an advantage) over a p.
först 1 först [...och sedan] first; först [...men] at first; vid uppräkning first[ly]; *allra ~* first of all; *~ och främst* till att börja med first of all, to begin with; framför allt above all **2** inte förrän not until; *~ då såg han...* only (not until) then did he see...
första (*förste*) first (förk. 1st); begynnelse- initial; tidigaste, isht i titlar principal, head; *förste bibliotekarie* principal librarian; *på ~ bänk* i sal o.d. in the front row; *de ~ (de två ~) dagarna* var vackrare the first few (the

first two) days...; *på ~ våningen* bottenvåningen on the ground (amer. first) floor; en trappa upp on the first (amer. second) floor; *han var den förste som kom* he was the first to come; *förste bäste* vem som helst the first that comes (resp. came) along
förstad suburb
förstadium preliminary stage
förstaklassbiljett first-class ticket
förstaplats sport. first place
förstatliga nationalize
förstatligande nationalization
förste se *första*
förstenad petrified
förstfödd first-born
förstklassig first-class, first-rate; vard. tip-top, A 1
förstnämnd first-mentioned
förstockad förhärdad hardened; inbiten confirmed; trångsynt hidebound
förstone, *i ~* at first, to start (begin) with
förstoppning constipation; *ha ~* be constipated
förstora eg. el. foto. enlarge; vard. blow up; bildl. äv. exaggerate
förstoring foto. enlargement; *i stark ~* greatly magnified (enlarged)
förstoringsglas magnifying glass
förströ divert; roa entertain; *~ sig* divert (amuse) oneself [*med* with; *med att* inf. by ing-form]
förströdd absent-minded
förströelse diversion
förstuga se *farstu*
förstukvist porch; amer. stoop; utan tak front-door landing
förstulen furtive, stealthy; *kasta en ~ blick på* steal (take, cast) a furtive glance (look) at
förstumma silence; bildl. strike...dumb
förstummas become (fall) silent; *~ av* häpnad be struck dumb with...
förstå I *tr* understand; vard. get; få klart för sig realize; inse see; *låta ngn ~ att...* give a p. to understand that...; *låta [ngn] ~* antyda intimate (hint) [to a p.]; du stannar här! *~r du* (*har du ~tt*)? ofta ...see!, ...is that clear?; *göra sig ~dd* make oneself understood **II** *rfl*, *~ sig på att* inf. know (understand) how to inf.
förståelig understandable
förståelse understanding; *ha full ~ för* sympathize with, quite understand
förstående understanding
förstånd begåvning intelligence; vard. brains; förnuft reason; vett sense; klokhet wisdom; tankeförmåga intellect; fattningsförmåga understanding; *förlora ~et* go out of one's senses; bli sinnessjuk lose one's reason; *ha ~ [nog] att...* have sense enough (the [good] sense) to...; *han borde haft bättre ~* he ought to have known better (to have had more sense)
förståndig förnuftig sensible äv. om sak; klok wise; förtänksam prudent; begåvad med förstånd intelligent; *vara ~ nog att...* have the intelligence (sense) to...
förståndshandikappad mentally retarded
förståndsmässig rational
förstås of course
förståsigpåare expert; skämts. pundit
förställa disguise; *~ sig* dissemble, dissimulate
förställning dissemblance, dissimulation
förstämd nedslagen dejected
förstämning förstämdhet dejection, depression; tryckt stämning gloom
förstärka strengthen; isht tekn., elektr. el. radio. amplify; t.ex. kassa replenish
förstärkare radio., ljud~ amplifier
förstärkning strengthening osv., jfr *förstärka;* reinforcement; amplification, replenishment; *få ~ar* mil. receive reinforcements, be reinforced
förstäv sjö. stem
förstöra förinta destroy; tillintetgöra annihilate; undanröja dispose of; fördärva ruin äv. bildl.; *~ sin hälsa* ruin one's health [*genom* by]; *se förstörd* härjad *ut* look worn and haggard
förstöras be destroyed osv., jfr *förstöra;* långsamt decay; totalt perish
förstörelse destruction; *vålla ~* cause (wreak) destruction (havoc)
försumbar negligible
försumlig vårdslös negligent, remiss; pliktförgäten neglectful; om betalare defaulting, dilatory
försumlighet negligence; neglectfulness; *visa ~* be negligent
försumma vårdslösa neglect; underlåta leave...undone; utebli från, försitta miss; *~ att* inf. fail (omit) to inf.; underlåta äv. neglect ing-form el. to inf.
försummelse neglect; underlåtenhet omission
försupen, *han är ~* he is a (an habitual) drunkard
försuras be acified
försurning acidification
försvaga weaken; göra kraftlös enervate; försämra impair
försvagas grow (become) weak[er], weaken; försämras become impaired; om t.ex. synen ...is failing
försvagning weakening; försämring impairment
försvar allm. defence, amer. defense båda äv. sport.; rättfärdigande justification; *det svenska ~et* the Swedish national defence; konkr.: stridskrafterna the Swedish armed

forces pl.; försvarsanordningarna the Swedish defences (fighting services) (båda pl.); *ta...i* ~ defend (stand up for)...
försvara I *tr* defend; rättfärdiga justify; förfäkta vindicate; hävda maintain **II** *rfl,* ~ *sig* defend oneself
försvarare defender äv. sport.; förfäktare vindicator
försvarbar defensible
försvarlig 1 ansenlig considerable, respectable **2** förvarbar defensible
försvarsadvokat counsel (pl. lika) for the defence
försvarsdepartement ministry of defence; amer. department of defense
försvarsförbund defensive alliance
försvarslös defenceless
försvarsminister minister of defence; *~n* i Engl. the Secretary of State for Defence; i Amer. the Secretary of Defense, the Defense Secretary
försvarsstab defence staff
försvarstal jur. speech for the defence; friare speech in one's defence
försvarsåtgärd defensive measure
försvenska make...Swedish; *bli ~d* el. *~s* become [rather] Swedish
försvinna disappear; plötsligt vanish; komma bort be lost; gradvis fade [away]; avlägsnas be taken away (removed); *försvinn!* go away!, get lost!, scram!; gå ut! get out!; *han är försvunnen* he has disappeared; saknas he is missing; boken *är försvunnen* (*har försvunnit*) ...is missing (lost), ...has gone
försvinnande *s* disappearance
försvåra make (render)...[more] difficult; förvärra make...worse; lägga hinder i vägen för obstruct; *~nde omständigheter* aggravating circumstances
försyn, *~en* Providence
försynda, ~ *sig* offend, sin [*mot* i båda fallen against]
försyndelse offence, sin; breach
försynt hänsynsfull considerate; delicate äv. om t.ex. fråga; tillbakadragen unobtrusive; blygsam modest
försåtlig treacherous; t.ex. fråga tricky
försäga, ~ *sig* förråda sig give oneself away, say too much; förråda ngt let the cat out of the bag
försäkra I *tr* **1** assure; *han ~de att...* he assured me (her osv.) that... **2** om liv, egendom o.d. insure; isht liv~ äv. assure **II** *rfl,* ~ *sig om* ngt make sure of...; tillförsäkra (bemäktiga) sig äv. secure...; ~ *sig om att...* make sure that...
försäkran assurance; jur. affirmation
försäkring 1 se *försäkran* **2** om liv, egendom o.d. insurance; brev policy; *teckna en* ~ a) ta take out (effect) an insurance [policy] [*på* ngt on...; *på*...kr for...] b) ge underwrite an insurance
försäkringsbedrägeri insurance fraud
försäkringsbelopp amount (sum) insured
försäkringsbesked från allmän försäkringskassa [social] insurance card
försäkringsbolag insurance company
försäkringsbrev [insurance] policy
försäkringskassa, *allmän* ~ expedition, ung. regional social insurance office
försäkringspremie insurance premium
försäkringstagare policy-holder; *~n* äv. the insured; om livförsäkrad äv. the assured
försäkringsvillkor terms of insurance
försäljare salesman, salesperson; säljare seller
försäljning sale, sales; *lämna till* ~ put up for sale
försäljningspris sales (selling) price
försäljningsvillkor terms of sale
försämra allm. deteriorate; försvaga impair; förvärra make...worse
försämras deteriorate; get (grow, become) worse; om t.ex. hälsotillstånd change for the worse; gå tillbaka fall off
försämring deterioration; impairment; change for the worse; falling off; jfr *försämra* o. *försämras*
försändelse konkr.: varu~ consignment; post~: allm. item of mail; brev letter; paket parcel
försänka bildl. *försänkt i bön* deep in prayer
försänkning, [*goda*] *~ar* good connections, useful contacts
försätta sätta set; i visst tillstånd put; ~ *i frihet* set free (at liberty); ~ *ngn i en brydsam situation* put a p. in an awkward situation
försök ansats attempt; bemödande effort; experiment experiment; prov trial; *göra ett* ~ make an attempt, have a try (vard. a go, a shot) [at it]; *det är värt ett* ~ it's worth trying (a try), there's no harm [in] trying
försöka I *tr* o. *itr* try; bjuda till attempt; bemöda sig endeavour; *jag ska* ~ I'll try; *försök!* vanl. have a try (vard. a go, a shot)!; ~ pröva *med vatten* (*med att vattna*) try water (watering); *försök inte* [*med mig*]*!* don't try that on (with) me!, don't give me that! **II** *rfl,* ~ *sig på ngt* (*att* inf.) try one's hand at a th. (at ing-form); våga sig på venture [on] a th. (ing-form)
försöksdjur laboratory animal
försöksheat sport. trial (preliminary) heat
försökskanin bildl. guinea pig
försöksverksamhet experimental work, research
försörja I *tr* sörja för provide for; underhålla support, keep, maintain; förse supply **II** *rfl,* ~ *sig* earn one's living [*med, genom* by]
försörjning support; ~ *med livsmedel* food supply

förtaga I *tr* t.ex. verkan take away; t.ex. ljud deaden **II** *rfl*, ~ *sig* overdo it
förtal slander, backbiting; ärekränkning defamation
förtala slander; ärekränka defame
förtappad lost; *en ~ syndare* an impenitent
förtappelse perdition
förtecken 1 mus., fast key signature; tillfälligt accidental **2** bildl. *med politiska ~* with political overtones
förteckning list, catalogue
förtegen reticent
förtid, *i ~* prematurely; *gammal i ~* old before one's time
förtidig premature; *~ död* untimely death
förtidspension early retirement pension
förtiga keep...secret
förtjusande charming; härlig delightful; isht amer. swell; söt, vacker lovely; utsökt exquisite; *så ~!* how perfectly charming osv.!
förtjusning glädje delight; entusiasm enthusiasm; hänförelse enchantment
förtjust glad delighted; stark. enchanted; charmed; *bli ~* intagen *i* become fond of, take quite a fancy to; *vara ~ i* vara kär i be in love with; tycka om, t.ex. barn, mat be fond of
förtjäna I *tr* vara värd deserve; *det ~r att anmärkas* it is worth noticing; *han fick vad han ~de* äv. he got his deserts **II** *tr* o. *itr* se *tjäna I 1*
förtjänst 1 inkomst earnings; vinst profit[s pl.]; *dela ~en* share the profits **2** merit merit; plus good point; förskyllan deserts; *det är inte din ~ att...* it is no (small) thanks to you that...
förtjänstfull meritorious; betydande considerable
förtjänt, *göra sig (vara) ~ av* deserve
förtorkad torr dry; uttorkad parched; skrumpen wizened
förtrampa bildl. trample...underfoot
förtret förargelse annoyance; obehag trouble; *svälja ~en* swallow one's annoyance (vexation); *till sin [stora] ~* såg han [much] to his chagrin...
förtroende 1 confidence; *ha (hysa) ~ för* have confidence (faith) in; *missbruka ngns ~* abuse a p.'s confidence; *mista ~t för* lose confidence (one's trust) in; säga ngt *i [största] ~* ...in [the strictest] confidence **2** förtroligt meddelande confidence; *utbyta ~n* exchange confidences
förtroendefråga, *göra ngt till en ~* put a th. to a vote of confidence
förtroendefull trustful
förtroendeingivande confidence-inspiring; *vara ~* inspire confidence
förtroendepost position of trust; hederspost honorary office
förtroendeuppdrag commission of trust
förtroendevald, *vara ~* be an elected representative
förtrogen I *adj* **1** förtrolig intimate **2** bekant *~ med* familiar (conversant) with, versed in **II** *subst adj* confidant; om kvinna vanl. confidante; *göra ngn till sin förtrogne* vanl. take a p. into one's confidence
förtrogenhet, *~ med* familiarity with, intimate knowledge of
förtrolig 1 konfidentiell confidential **2** intim intimate; *ett ~t samtal* a heart-to-heart (an intimate) talk
förtrolighet familiarity äv. närgångenhet; intimacy
förtrolla förhäxa enchant; förvandla transform; tjusa bewitch, fascinate
förtrollning enchantment; bewitchment, fascination; jfr *förtrolla;* trollmakt spell; *bryta ~en* break the spell
förtrupp mil. advance guard
förtryck oppression, repression; tyranni tyranny
förtrycka oppress; friare tyrannize over
förtryckare oppressor
förtrytelse resentment; stark. indignation
förträfflig excellent; friare splendid
förtränga 1 constrict **2** psykol. repress
förträngning 1 constriction **2** psykol. repression
förtröstan trust; tillförsikt confidence
förtröstansfull hopeful
förtulla tullbehandla clear...[through the Customs]; betala tull för pay duty on (for); har ni något *att ~?* ...to declare?
förtullning tullbehandling [customs] clearance; betalning av tull payment of duty; tullformaliteter customs formalities
förtunning vätska thinner
förtursrätt priority
förtvina vissna wither [away]; med. atrophy
förtvivla despair
förtvivlad olycklig extremely unhappy; otröstlig disconsolate, heartbroken; utom sig ...in despair; desperat desperate
förtvivlan despair; desperation desperation; missmod despondency
förtvivlat desperat desperately; utan hopp despairingly; enormt terribly
förtvätt prewash
förtydliga förklara make...clear (resp. clearer)
förtydligande elucidation
förtäckt veiled, covert; *i ~a ordalag* indirectly, in a roundabout way
förtälja tell
förtära äta eat; dricka drink; förbruka el. bildl. consume; *farligt att ~!* på flaska o.d. vanl. poison!
förtäring 1 förtärande consumption **2** mat [och dryck] food [and drink], refreshments

förtäta condense; koncentrera concentrate; *~d stämning* tense atmosphere
förtöja moor; berth; göra fast make...fast
förtöjning mooring
förunderlig underbar wonderful; underlig strange
förundersökning preliminary investigation (inquiry) äv. jur.; pilot study
förundra se *förvåna*
förundran wonder
förunna grant; ett långt liv *har ~ts mig* ...has been given to me
förut om tid before; förr formerly; tidigare previously
förutan, *mig ~* without me
förutbestämd predetermined
förutfattad preconceived; *~ mening* prejudice
förutom se *utom 2*
förutsatt, *~ att* provided [that]
förutse foresee, anticipate; vänta expect
förutseende I *adj* foresighted; klok wise **II** *s* foresight; förtänksamhet forethought
förutsäga predict; isht meteor. forecast; förespå prophesy
förutsägelse prediction; forecast; prophecy; jfr *förutsäga*
förutsätta presuppose; anta presume; kräva imply; *~* ta för givet *att* take it for granted that
förutsättning villkor condition; vad som erfordras requirement; grundval bas|is (pl. -es); antagande assumption; kvalifikation qualification; chans chance; *ha alla ~ar att lyckas* have every chance of succeeding; *sakna ~ar för ngt* lack the necessary qualifications for a th.; *under ~ att...* på villkor att on condition that...
förutsättningslös unbiassed
förutvarande förre former; jfr vid. *före [detta]*
förvalta t.ex. kassa administer; jur. hold...in trust; förestå manage; t.ex. ämbete discharge [the duties of...]
förvaltare administrator; jur. trustee; manager; lantbr. steward
förvaltning administration; management; konkr. stats~ public administration
förvandla transform; *~ till* äv.: omskapa, göra om turn into; till något mindre el. sämre reduce to
förvandlas, *~ till* övergå till turn (change) into; omskapas till be transformed into
förvandling transformation; reduction; jfr *förvandla*
förvanska distort; t.ex. telegram garble; *~d* text corrupt...
förvanskning distortion, garbling; corruption; jfr *förvanska*
förvar 1 jur., se ex. under *fängslig* **2** keeping, charge; hand. [safe] custody; *i gott (säkert) ~* in safe keeping
förvara allm. keep; hand. keep...in safe custody; *[bör] ~s torrt (kallt)* keep in a dry (cool) place
förvaring 1 abstr. keeping; lagring storage; av pengar o.d. safe-keeping; jur. preventive detention (custody) **2** konkr., se *effektförvaring*
förvaringsbox safe-deposit box
förvaringsfack allm. locker; banks safe-deposit box
förvaringsutrymme storage space, storage room
förvarna forewarn
förvarning premonition, forewarning; *utan ~* without notice (previous warning)
förveckling complication
förverka forfeit
förverkliga I *tr* realize; t.ex. plan carry...into effect **II** *rfl, ~ sig själv* fulfil (amer. fulfill) oneself
förverkligande realization
förvildad om t.ex. ungdom uncivilized; om t.ex. seder demoralized
förvildas (jfr *förvildad*) become uncivilized (demoralized)
förvilla I *tr* vilseleda mislead; förvirra confuse; *~nde* likhet deceptive... **II** *rfl, ~ sig* lose one's way (oneself)
förvillelse aberration, error
förvirra confuse; förbrylla bewilder; svag. puzzle; bringa ur fattningen put...out; *göra ngn ~d* confuse osv. a p.
förvirring confusion; oreda disorder; *i första ~en* in the first moment of confusion; *ställa till ~ i...* throw...into confusion (disorder)
förvisa banish; lands~ äv. exile; relegera expel; bildl. relegate; jur. deport
förvisning banishment; exile; expulsion; relegation; deportation; jfr *förvisa*
förvissa I *tr, ni kan vara ~d om att...* you may rest assured that... **II** *rfl, ~ sig om ngt (om att...)* make sure of a th. (that...)
förvissning assurance; *i fast ~ om ngt (om att...)* in full assurance of a th. (that...)
förvisso assuredly, certainly
förvrida distort, twist; *~ huvudet på ngn* turn a p.'s head
förvränga distort, twist, misrepresent
förvrängning distortion, misrepresentation
förvuxen overgrown; missbildad deformed; förvildad ...overgrown with weeds
förvållande, *det skedde genom [hans] eget ~* it was through his [own] negligence, it was all his [own] doing
förvåna surprise; stark. amaze; *det ~r mig* vanl. I am surprised osv., jfr ovan; *bli ~d [över ngt]* be surprised osv. [at a th.]; hon frågade *~d* ...in surprise (astonishment)
förvånande o. **förvånansvärd** surprising; stark. amazing

förvåning surprise, astonishment; stark. amazement
förväg, *i* ~ om tid in advance, beforehand; om rum ahead
förvälla parboil
förvända förställa disguise; ~ *synen på ngn* throw dust in a p.'s eyes
förvänta, ~ [*sig*] expect
förväntan expectation; lyckas *över* [*all*] ~ ...beyond [all] expectation[s]
förväntansfull expectant; *vara* ~ äv. be full of expectation
förväntning expectation; *motsvara ~arna* come up to expectations
förvärra make...worse
förvärras grow worse, become aggravated; försämras deteriorate
förvärv acquisition
förvärva acquire; *surt ~de slantar* (*pengar*) hard-earned cash (money)
förvärvsarbeta be gainfully employed
förvärvsarbete gainful employment (occupation)
förvärvsliv professional life
förväxla mix up; ~ *med* äv. mistake for
förväxling confusion; misstag mistake
föryngra rejuvenate
föryngras rejuvenate
föryngring rejuvenation
föråldrad antiquated; om ord obsolete; gammalmodig out-of-date; *bli* ~ become antiquated osv.
förädla 1 allm. ennoble; t.ex. smak refine **2** tekn. work up; isht metaller refine; process **3** djur improve [...by breeding]
förädlas become ennobled (om smak refined)
förädling (jfr *förädla*) **1** ennobling; refinement **2** tekn. working up **3** av djur, växter improvement [by breeding]
föräktenskaplig premarital
förälder parent
föräldrafri ...free from (without) parents
föräldrahem [parental] home; *mitt* ~ vanl. my parents' home
föräldraledighet parental leave
föräldralös orphan, ...without parents; hon är ~ ...an orphan
föräldramöte skol. parent-teacher (med enbart föräldrar parents') meeting
föräldrapenning parental allowance
föräldrar parents
förälska, ~ *sig* fall in love [*i* with]
förälskad ...in love; *bli* ~ [*i*] fall in love [with]
förälskelse kärlek love; kärleksaffär love affair
föränderlig variable; om väderlek changeable; om t.ex. lycka fickle
föränderlighet variability; changeableness; fickleness; *föränderlig*
förändra I *tr* byta change; ändra på alter; förvandla transform; variera vary; *det ~r saken* that alters matters (totalt makes all the difference) **II** *rfl,* ~ *sig* se *förändras*
förändras change; delvis alter; *tiderna* ~ times are changing
förändring change; nyhet innovation; *vidta ~ar* make alterations
förära, ~ *ngn ngt* make a p. a present of a th., present a p. with a th.
föräta, ~ *sig* overeat [oneself]; ~ *sig på* ngt eat too much (resp. many)...
förödande devastating
förödelse devastation; *anställa stor* ~ make (wreak) great havoc
förödmjuka humiliate; ~ *sig* humiliate (humble) oneself; *~nde* humiliating [*för ngn* (*för ngn att* inf.) to a p. (for a p. to inf.)]
förödmjukelse humiliation
föröka I *tr* fortplanta propagate **II** *rfl,* ~ *sig* breed, propagate, multiply
förökas se *föröka II*
förökning fortplantning propagation
föröva commit
förövande, *vid ~t av...* when committing...
förövare perpetrator
fösa driva drive; skjuta shove

G

g 1 bokstav g [utt. dʒi:] **2** (förk. för *gram*) g
gabardin tyg gabardine
gadd sting
gadda, *~ sig samman* (*ihop sig*) gang up [*mot* on (against)]; plot [*mot* against]
gaffel fork; sjö. gaff
gaffelformig forked
gaffeltruck forklift truck
gage fee; t.ex. boxares share of the purse
gagga vard. babble
gaggig vard. *vara ~* be gaga (senile)
gagn nytta use; fördel advantage; vinst profit; *till ~ för* vårt land for the benefit of...
gagna, *~ ngn* (*ngt*) be of use (advantage) to a p. (to a th.), benefit a p. (a th.)
gagnlös useless
1 gala crow; om gök call
2 gala gala; *i* [*full*] *~* galadräkt in gala [dress], in full dress
galaföreställning gala performance
galamiddag gala banquet
galant I *adj* artig o.d. gallant **II** *adv* **1** artigt o.d. gallantly **2** förträffligt capitally; *det gick ~* it went off fine
galanteri artighet o.d. gallantry
galauniform full-dress uniform
galavagn state coach
galax astron. galaxy
galej ngt åld. el. vard. i kväll *skall vi ut på ~* ...we're going [out] on a spree (binge)
galen 1 sinnesrubbad samt friare mad, crazy; vard. nuts end. pred.; nutty, potty; uppsluppen wild; *~* förtjust *i* crazy (mad, vard. nuts) about; *bli ~* go mad; *det är* (*var*) *inte så galet* dumt it isn't (wasn't) too bad **2** oriktig wrong; orimlig o.d. absurd
galenpanna madcap; våghals daredevil
galenskap vansinne madness; dårskap folly; *göra ~er* do crazy things
galet wrong; *bära sig ~ åt* bakvänt be awkward; oriktigt set about the thing (it) [in] the wrong way; dumt do a foolish thing
galge 1 för avrättning gallows (pl. lika) **2** klädhängare clothes hanger
galghumor gallows (macabre) humour
galjonsfigur sjö. el. bildl. figure head
galla vätska bile; hos djur el. bildl. gall; *utgjuta sin ~ över* vent one's spite (spleen) [up]on
gallblåsa anat. gall bladder
galler skyddsgaller o.d. grating; i bur bars; spjälverk lattice [work], trellis; radio. grid; sprakgaller fireguard; [*få*] *skaka ~* vard. be behind bars
gallerfönster barred window; finare lattice [window]
galleri gallery
galleria köpcentrum arcade
gallfeber, *reta ~ på ngn* drive a p. crazy (mad, up the wall), infuriate a p.
gallimatias nonsense, balderdash
gallra frukt thin out; skog thin; eliminera eliminate
gallring thinning; sorting out; jfr *gallra*
gallskrik yell
gallskrika yell
gallsten med. gallstone
gallstensanfall med. attack of biliary colic
gallupundersökning opinion (Gallup) poll; *göra en ~* take a poll, take an opinion (a Gallup) poll
galläpple gall apple
galning madman; *...som en ~* äv. ...like mad
galopp 1 ridn. gallop; [*rida i*] *kort ~* canter; *fattar du ~en?* vard. do you get it (get what it's all about)?; *i* [*full*] *~* at a gallop (friare run) **2** dans galop
galoppbana racecourse
galoppera gallop
galopptävling horse-race
galosch galosh; *om inte ~erna passar* if it doesn't suit you, if you don't like it
galt 1 zool. boar **2** miner. pig
galvanisera galvanize
galvanism, *oral ~* tandläk. [oral] galvanism, galvanic action
galärslav galley slave
gam zool. vulture
Gambia [the] Gambia
gambier Gambian
gambit schack. gambit
game 1 tennis game **2** *vara gammal i ~t* be an old hand [at it] (an old-timer)
gamling old man (resp. woman); vard. oldie
gammal allm. el. friare old; forntida ancient; ej längre färsk stale; *rätt ~* oldish; *gamla* antika *möbler* antique furniture; *gamla nummer* av tidskrift o.d. back numbers; *en fem år ~ pojke* a five-year-old boy; *bli ~* grow (get) old; den där hatten *gör henne ~* ...ages her; *~ är äldst* you can't beat experience; *sedan ~t* of old
gammaldags old-fashioned äv. omodern, old-world
gammaldans old-time dance (dansande dancing)
gammalmodig old-fashioned, old-fangled
gammalrosa old rose
gammalvals old-time waltz
gamman, *glädje och ~* rejoicing, fun and games
gammastrålning fys. gamma radiation
gangster gangster, mobster; friare hooligan
gangsterfilm gangster film
gangsterliga gang
ganska tämligen fairly end. i förb. med något positivt; stark. very; ofta känslobeton. rather,

quite; vard., 'rätt så' pretty; *en ~ god (stor) chans* a fair chance
gap 1 mun mouth; hål gap, opening; avgrund abyss **2** skrik bawling
gapa 1 om pers. o. djur: a) öppna munnen open one's mouth [wide]; hålla munnen öppen keep one's mouth open b) glo gape c) skrika etc. bawl; *den som ~r efter mycket [mister ofta hela stycket]* ung. if you are too greedy, you often lose the lot; grasp all, lose all **2** om saker: vara vidöppen gape; om t.ex avgrund yawn
gaphals vard., skrytsam person loudmouth
gapskratt roar of laughter; *brista [ut] i ~* burst out laughing
gapskratta roar with laughter
garage garage
garageinfart garage drive[way]
garantera, ~ *[för]* guarantee; friare äv. warrant
garanti guarantee; spec. vid lån security; *lämna (ställa) ~[er] för* give (furnish) a guarantee for; *det är ett års ~ på* klockan there is a one-year guarantee on...
garantibevis written guarantee
gardera I *tr* guard; *~ med* etta (vid tippning) cover oneself with... **II** *rfl, ~ sig* guard (trygga sig safeguard) oneself; vid vadslagning hedge [off]; *~ sig mot* förluster äv. cover oneself against...
garderob 1 skrubb [built-in] wardrobe; kapprum cloakroom; amer. äv. checkroom **2** kläder wardrobe
garderobiär cloakroom (amer. äv. checkroom) attendant; amer. äv. hatcheck boy (girl)
garderobsavgift cloakroom (amer. äv. checkroom) fee
gardin curtain; rullgardin blind
gardinkappa pelmet
gardinluft pair of curtains
gardinstång curtain rod (av trä pole); för rullgardin rod
gardinuppsättning luft set of curtains; curtain arrangement
garn 1 tråd: allm. yarn **2** nät net; *fastna i ngns ~* bildl. get caught in a p.'s toils
garnaffär shop that sells yarn (wool)
garnera 1 t.ex. kläder trim **2** maträtt garnish; t.ex. pizza top; tårta decorate
garnering (jfr *garnera*) konkr. **1** trimming **2** garnish
garnhärva skein of yarn
garnison garrison
garnityr 1 garnering trimming; på maträtt garnish **2** uppsättning set; tand~ [löständer false] teeth, set of teeth (resp. false teeth)
garnnystan ball of yarn
garv vard. laugh; stark. roar of laughter
garva I *tr* tan; efterbehandla curry **II** *itr* vard. laugh; stark. laugh one's head off
garvad eg. tanned äv. om hy; bildl. hardened; erfaren experienced
gas fys. gas; *~er* i tarm o.d. wind sg.; med. flatus sg.; *i ~en* vard., berusad tipsy; upprymd in high spirits; *trampa på ~en* step on the gas
gasa I *tr* gas; *~ ihjäl sig* gas oneself **II** *itr, ~ [på]* step on the gas
gasbildning formation of gas (gases)
gasbinda gauze bandage
gasbrännare gas burner; på gasspis gas ring
gaska vard. *~ upp sig* cheer up
gaskammare gas chamber
gaskran gas tap
gasledning gas conduit; huvud~ gas main
gaslukt smell of gas
gasmask gas mask
gasmätare apparat gas meter
gasol LPG (förk. för liquefied petroleum gas), Calor gas®; vard. bottled gas
gasolkök Calor gas stove®
gaspedal accelerator [pedal]
gassa I *itr* be broiling [hot] **II** *rfl, ~ sig i solen* bask (stark. broil) in the sun
gassande o. **gassig** broiling [hot]
gasspis gas cooker
gast vålnad ghost
gasta skrika yell, bawl
gastkrama hålla i spänning hold...in terrible suspense, fill...with horror
gastkramande spännande hair-raising
gastronom gastronome, gastronomist
gaständare gas lighter; till gaskamin gas poker
gasugn gas oven
gasverk gasworks (pl. lika); administration gas board
gata street; uthuggen i skog lane; körbana roadway; *gammal som ~n* as old as the hills; *på ~n* in (isht amer. on) the street; *vara på sin mammas ~* be on one's home ground; *gå på ~n* vara prostituerad walk the streets
gathus [part of a] house facing the street
gathörn street corner
gatlopp, *löpa ~* run the gauntlet
gatsopare street-sweeper
gatsten paving-stone; koll. paving-stones
gatuadress street address
gatuarbete, *~[n]* roadwork sg.; reparation street repairs pl.
gatubarn street child
gatubelysning streetlighting
gatubeläggning street paving
gatuförsäljare pedlar
gatukorsning crossing; i trafikförordningar o.d. road junction
gatukravaller street riots
gatukök hamburger and hot-dog stand
gatuplan, *i (på) ~et* on the ground (amer. first) floor, on the street level

gatuvimmel, *i gatuvimlet* among the crowds [in the street]
gatuvåld street violence
1 gavel, *på vid* ~ wide open
2 gavel på hus gable; ett fönster *på ~n* ...in the gable
ge I *tr* **1** allm. give; högtidligare bestow; bevilja, tillhandahålla supply; räcka hand; vid bordet pass; avkasta, resultat yield; *~ hit!* give it to me!, hand it over!; *jag skall ~ dig!* vard. I'll give it to you (pay you out)! **2** teat. give **3** kortsp. deal; *du ~r!* it is your deal! **II** *rfl, ~ sig* kapitulera surrender; erkänna sig besegrad yield; friare, äv. ge tappt give in; om mur bend; om rep give; om köld break; töja sig stretch; avta abate, subside; jfr äv. resp. huvudord; *det kan du ~ dig [sjutton] på!* vard. you bet!
III med beton. part.
~ **sig av** vard. be off; sjappa make off
~ **bort** give away
~ **efter** yield; bildl. äv. give way; avta abate; *~ efter för ngns krav* give in to a p.'s demands
~ **ifrån sig** a) lukt emit b) livstecken give; ljud utter c) lämna ifrån sig give up, surrender
~ **igen** a) eg. give back, return b) hämnas retaliate; svara give as good as one gets
~ **sig in:** *~ sig in på* ett företag embark upon...; en diskussion o.d. enter into...
~ **med:** *~ med sig* avta abate, subside; ge efter yield
~ **sig på:** *~ sig på ngn* set about a p.; *~ sig på ett problem* tackle a problem
~ **till:** *~ till ett skrik* give a cry; *~ sig till att* inf. start (set about) ing-form
~ **tillbaka** a) lämna give back, return b) vid växling give change [*på* for]
~ **upp** give up; *~ upp* hoppet, försöket äv. abandon...; *jag ~r upp!* till motståndare äv. you win!
~ **ut** a) betala ut spend b) publicera publish; t.ex. frimärken issue; redigera [o. ge ut] edit; t.ex. en förordning issue; *~ sig ut* **a)** bege sig go out; *~ sig ut och fiska* go out fishing **b)** *~ sig ut för [att vara] läkare* pass oneself off as a doctor
gebit province, domain; jfr *område 2*
gedigen 1 om metall: oblandad pure; massiv solid **2** bildl. solid, sterling; *ett gediget arbete* a piece of solid workmanship; *gedigna kunskaper* sound knowledge sg.
geggamoja vard. goo; sörja muck; gyttja mire
geggig vard. gooey, squidgy; sörjig mucky, muddy
gehör 1 eg. ear; *ha gott ~* have a good ear [for music] **2** *han vann ~ för sina synpunkter* his views met with sympathy
geist go, drive
gelatin gelatin[e]
gelé jelly äv. bildl.
gelea, *~ sig* jelly, gel
gelike jämlike equal; *du och dina gelikar* you and the likes of you
gem pappersklämma paper clip
gemen 1 nedrig mean; *en ~ lögn* a dirty lie **2** *~e man* ordinary people pl.
gemenhet egenskap meanness, baseness
gemensam allm. common; isht förenad joint; ömsesidig mutual; *vi hade ~ kassa* under resan we pooled our money (funds)...
gemensamhet community
gemensamhetskänsla sense of community
gemensamt jointly; *ansvara ~ för* be jointly responsible for; *äga ngt ~* own a th. jointly (in common); *vi köpte* betalade *det ~* we bought it between us
gemenskap 1 själslig ~ intellectual fellowship, spirit of community; samhörighet [feeling of] solidarity; relig. communion **2** samfälld besittning community
gemytlig om pers.: fryntlig genial; godmodig good-humoured; trevlig pleasant; om sak [nice and] cosy
gemytlighet geniality, joviality; cosiness; jfr *gemytlig; i all ~* cosily and comfortably
gemål consort
gen biol. gene
gena ta en genväg take a short cut
genant embarrassing
genast at once; *jag kommer ~!* om ett ögonblick coming directly!
genera I *tr* göra förlägen embarrass; besvära trouble; hindra hamper **II** *rfl, han ~r sig inte för att ljuga* he doesn't hesitate to lie
generad embarrassed; *göra ngn ~* embarrass a p., make a p. embarrassed; *vara ~ för* inför *ngn* be embarrassed in a p.'s presence
general general; inom flyget i Engl. air chief marshal
generalagentur general agency
generaldirektör director-general
generalförsamling general assembly; *FN:s ~* the UN General Assembly
generalisera generalize; man bör inte ~ äv. ...make sweeping statements
generalisering generalization
generalplan overall (general) plan
generalrepetition dress (final) rehearsal
generalsekreterare secretary-general
generalstab general staff
generalstrejk general strike
generande, *~ hårväxt* superfluous hair
generation generation; *den nya ~en* the rising generation
generationsklyfta generation gap
generationsskifte change of generations; *det har blivit ett ~* inom partiet äv. a new generation has arisen...

generator generator
generell general
generera generate
generositet generosity
generös generous, liberal
genetik genetics sg.
genetisk genetic; ~ *kod* genetic code
genever Hollands
gengas producer gas
gengasdriven producer-gas driven (powered)
gengångare ghost
gengåva gift in return
gengäld, *i* ~ in return; å andra sidan on the other hand
gengälda repay
geni genius
genial o. **genialisk** lysande brilliant; om saker ingenious; *en* ~ snillrik *man* a man of genius
genialitet snille genius; svag. brilliance
genie skyddsande geni|us (pl. vanl. -i)
geniknöl, *gnugga ~arna* vard. cudgel one's brains
genitalier genitals
genklang echo; bildl. response, sympathy; *vinna* (*väcka*) ~ meet with response (sympathy)
genljud echo; *ge* ~ echo; resound äv. bildl.
genljuda echo
genmanipulation biol. gene manipulation
genmäle reply
genom I *prep* **1** i rums- el. tidsbet. vanl. through; via via; *han gick ~ parken* he went (walked) through the park; *färden ~ Sahara* the journey across (the crossing of) the Sahara; *kasta ut ngt ~ fönstret* throw a th. out of the window; jfr äv. *igenom I* **2** angivande förmedlare o.d. through; ombud by **3** uttr. medel: 'av' by; 'medelst' by [means of]; uttr. orsak, 'på grund av', 'tack vare' through, thanks to **4** *tre ~ fyra* three divided by four **II** *adv* through
genomarbeta gå igenom grundligt go through...thoroughly
genomblöt se *genomvåt*
genomborra om (med) vapen samt bildl. pierce; med dolk stab
genombrott breakthrough
genomdränka saturate
genomdålig thoroughly bad
genomfara, *han genomfors av en rysning* a shudder passed over him; av välbehag he felt a sudden thrill of pleasure
genomfart passage; ~ *förbjuden!* no thoroughfare!, no through traffic!
genomfartstrafik through traffic
genomfartsväg thoroughfare
genomfrusen om pers. ...chilled to the bone
genomföra carry out (through); förverkliga effect, realize; utföra accomplish
genomförbar practicable
genomgräddad [thoroughly] done
genomgå se *gå [igenom]*
genomgående I *adj* **1** järnv. m.m. through... **2** bildl. *ett ~ drag* a common (general) feature **II** *adv* throughout; utan undantag without exception; konsekvent consistently; ~ sämre ...throughout
genomgång av t.ex. ämne survey; praktisk workout; snabb~ run-through; *vid ~en av läxan* sade läraren on going through the homework...
genomhederlig downright honest
genomkokt ...thoroughly done, done
genomkorsa fara igenom travel [through] the length and breadth of; skära intersect; om blixtar flash through (across)
genomleva live (go) through; uppleva experience
genomlida endure
genomlysning med röntgenstrålar fluoroscopy
genompyrd impregnated; bildl. imbued
genomresa I *s* through journey; *på ~n* [in] passing through, in transit **II** *tr* se *resa [igenom]*
genomresevisum transit visa
genomrutten ...rotten all the way through; bildl. ...rotten to the core
genomskinlig transparent; om plagg see-through...
genomskinlighet transparency
genomskåda see through
genomslag 1 genomslagskopia carbon [copy] **2** genomslagskraft penetration **3** elektr. electric breakdown **4** bildl. *få* ~ have an effect (impact); ha succé be a success
genomslagskraft 1 mil. penetrating power **2** bildl. impact
genomsnitt medeltal average; *i* ~ on [an (the)] average
genomsnittlig average; ordinär ordinary
genomstekt ...[that is (was etc.)] thoroughly done, done
genomströmning flowing (running) through; bildl. pervasion; tekn. el. data. el. skol. throughput
genomsvettig ...wet through with perspiration
genomsyra bildl. permeate; *~s av* be permeated (imbued) with
genomsöka se *leta [igenom]*
genomtråkig terribly boring (dull)
genomträngande piercing; *en ~ lukt* a penetrating smell
genomtrött dead tired
genomtänkt, *[väl]* ~ well thought-out; om t.ex. framställning well-reasoned; om t.ex. tal carefully prepared
genomvakad, *en ~ natt* a night without any sleep

genomvåt ...wet through, drenched; *göra ~* drench, soak
genomvävd textil. interwoven
genre genre fr.; style, fashion
genrep se *generalrepetition*
gensaga jur. protest
genskjuta intercept; hinna upp take a short cut and overtake
gensvar 1 genklang response; *finna ~* meet with [a] response **2** svar reply
gentemot bildl.: emot towards, to; i förhållande till in relation to; i jämförelse med in comparison with, [as] compared with
gentil frikostig generous; elegant fine, stylish; *visa sig ~* frikostig show generosity
gentjänst favour (service) in return
gentleman gentleman
gentlemannamässig gentlemanly
genuin äkta genuine; verklig real
genväg short cut äv. bildl.; *ta en ~* take a short cut
geografi geography
geologi geology
geometri geometry
Georgien Georgia
georgier Georgian
gepard zool. cheetah
geriatrisk geriatric
gerilla trupper guer[r]illas
gerillakrig guer[r]illa war (krigföring warfare)
gerillasoldat guer[r]illa
ges (*givas*); *det ~* finns... there is (resp. are)...
geschäft business; jobberi racket
gest gesture
gestalt figure; väsen el. form shape; i roman character; *ta ~* take shape (form)
gestalta I *tr* shape, mould; amer. mold; teat. create **II** *rfl, ~ sig* utveckla sig turn (work) out; arta sig shape
gestikulera gesticulate
gesäll journeyman
get goat
getabock he-goat, billy goat
geting wasp
getingbo wasp's nest (pl. wasps' nests); *sticka sin hand i ett ~* bildl. stir up a hornet's nest
getingstick wasp sting
getost goat's-milk cheese
getskinn läder kid; *handskar av ~* kid gloves
getto ghetto (pl. -s el. -es)
getöga, *kasta ett ~ på ngt* take a quick glance (look) at a th.
gevär isht mil. rifle; t.ex. jaktgevär gun
gevärsskott rifleshot
Ghana Ghana
giffel croissant fr.
1 gift poison äv. bildl.; hos ormar o.d. venom äv. bildl.; virus virus; toxin toxin
2 gift married; *bli ~* get (be) married; *ett ~ par* a married couple; *vad heter hon som ~?* what's her married name?
gifta I *tr, ~ bort* marry off **II** *rfl, ~ sig* marry [*med ngn* a p.; *av* kärlek (*för* pengar) for...]; get (be) married [*med ngn* to a p.]; *~ sig rikt* (*till pengar*) marry money, marry a fortune
giftaslysten ...keen on getting married
giftastankar, *gå i ~* be thinking of getting married
giftasvuxen marriageable, ...old enough to marry
giftdryck poisoned drink (draught)
gifte marriage; *i första ~t* hade han tre barn ...by his first marriage
giftermål marriage
giftfri non-poisonous; om t.ex. odling non-toxic
giftig poisonous äv. om förtal; venomous äv. 'spydig' o.d.; stark. virulent; med. toxic
giftighet poisonousness etc., jfr *giftig; ~er* i ord spiteful remarks, nasty cracks
giftorm venomous snake
giftorätt jur. right to half of the property held by the other party to the marriage, right to half of the marital (amer. community) property
gifttagg sting; amer. äv. stinger
gifttand poison fang
gigant giant
gigantisk giant..., gigantic
gikt med. gout
gill, *tredje gången ~t!* third time lucky!; *allting går sin ~a gång* things are going on just as usual
gilla approve of; tycka bra om like; jur. approve; *en ~nde blick* a look of approval
gillas, *det gills inte!* that doesn't count!, that's not fair!
gille 1 kalas banquet, feast **2** skrå guild
gillesstuga modern recreation room; amer. äv. rumpus room
gillra, *~ en fälla för ngn* set a trap for a p.
giltig valid; *~* [*i*] *en månad* available (valid) for one month
giltighet validity; *äga ~* om lag o.d. be in force
giltighetstid period of validity; *efter ~ens utgång* after the date of expiry
gips till väggar o. tak plaster; tekn. el. med. plaster [of Paris]; miner. gypsum
gipsa 1 t.ex. tak plaster **2** med. put...in plaster [of Paris]; *han ligger ~d* he is in plaster
gipsfigur plaster figure (statuette)
gipsförband [plaster] cast
gipsplatta o. **gipsskiva** plasterboard
gir sjö. el. flyg. yaw; friare, äv. om t.ex. bil turn
gira sjö. el. flyg. yaw, sheer; friare turn, swerve

giraff giraffe
girera överföra transfer
girering överföring transfer
girig snål avaricious; lysten, begärlig greedy; covetous
girigbuk miser
girighet avarice; greed[iness]; jfr *girig*
girland festoon, garland; pappers~ paper chain
giroblankett o. **girokort** giro form
gissa I *tr* o. *itr* guess; sluta sig till divine; förmoda conjecture; *rätt ~t av dig!* you've guessed right!, you've got it! **II** *rfl, ~ sig fram* guess, proceed by conjectures
gissel scourge
gissla scourge; lash isht bildl.
gisslan hostage; om flera pers. hostages; *ta ~* seize (take) hostages
gissning guess
gissningstävlan guessing competition
gisten om båt leaky
gitarr guitar
gitarrist o. **gitarrspelare** guitarist
gitta vard. *jag gitter inte* höra på längre I can't be bothered to...
giv kortsp. el. bildl. deal
giva se *ge*
givakt, *stå i [stram] ~* stand at [strict] attention
givande I *adj* vinstgivande profitable; lönande paying; bildl. profitable, rewarding, worthwhile **II** *s, en fråga om ~ och tagande* a question of give-and-take
givare 1 giver **2** tekn. sensor
given given; avgjord clear, evident; om t.ex. fördel decided; *ta för givet att...* take it for granted that...
givetvis [as a matter] of course
givmild generous, open-handed
givmildhet generosity
gjord påhittad made up, jfr vid. *göra*
gjuta 1 hälla pour; sprida shed; *~ tårar* shed tears **2** tekn. cast; metall el. friare mould; hans rock *sitter som gjuten* ...fits like a glove
gjuteri foundry
gjutgods castings
gjutning casting etc., jfr *gjuta 2*
glaciär glacier
glad uppfylld av glädje (isht tillfälligt) happy; nöjd pleased; förtjust delighted; svag. glad samtl. äv. i hövlighetsfraser; gladlynt cheerful; uppsluppen merry; *~a färger* bright (cheerful) colours; *~a nyheter* good (högtidligare joyful) news sg.; *~ påsk!* [A] Happy Easter!
gladeligen gärna willingly; med lätthet easily
gladlynt cheerful; glad o. vänlig good-humoured; ~ o. skämtsam jovial
glam laughing and talking
glamorös glamorous
glans 1 glänsande yta: lustre; sidens o.d. sheen; gulds glitter; pålagd el. erhållen gm gnidning polish **2** sken, skimmer brilliance; bländande glare; strålglans radiance **3** prakt splendour; ära, berömmelse glory; *i all sin ~* in all one's glory
glansdagar palmy days, heyday
glansig glossy; om t.ex. siden sheeny; om papper glazed; glänsande lustrous
glans[k]is, *det var ~ på sjön* the lake was covered with glassy ice
glanslös lustreless, lack-lustre
glansnummer star turn, showpiece
glanspapper glazed paper
glansroll most celebrated (brilliant) role
glappa be loose, fit loosely; *det ~r* tekn. there's too much play
glas ämne el. dricksglas glass; glasruta pane [of glass]; större sheet of glass; jfr *tomglas; ~ och porslin* glass[ware] and china; kan jag få *ett ~ vatten?* ...a glass (drink) of water?; *han tar sig ett ~* då och då he has a drink...
glasaktig o. **glasartad** glassy; *en ~ blick* a glassy look
glasbruk glassworks (pl. lika)
glasburk glass jar
glasera glaze; bakverk ice
glashal very slippery
glashus, *man skall inte kasta sten, när man [själv] sitter i ~* ordspr. people (those) who live in glass houses should not throw stones
glasklar ...as clear as glass, limpid
glasmålning bild stained-glass picture
glasmästeri glazier's workshop (shop)
glass ice cream; *en ~* an ice [cream]
glassbar ice-cream parlour
glassbägare [ice-cream] tub (cup)
glassförsäljare ice-cream vendor (seller)
glasskiva glass plate; på bord glass table top; i mikroskop o.d. glass slide
glasspinne ice lolly; isht amer. popsicle
glasstrut [ice-cream] cornet (större cone)
glasstårta ice gâteau (pl. -x)
glasvaror glassware
glasveranda glassed-in veranda[h]
glasyr glazing; sockerglasyr icing
glasögon spectacles; vard. specs; skyddsglasögon o.d. goggles; *ett par ~* a pair of spectacles (glasses)
1 glatt (jfr *glad*) cheerfully, joyfully; *bli ~ överraskad* be pleasantly surprised; *det gick ~ till* we (you etc.) had a very merry time [of it]
2 glatt I *adj* smooth; bot. glabrous; ~ o. glänsande glossy, shiny; hal slippery; springa *för glatta livet* ...for all one is worth **II** *adv* smoothly
gles thin; om befolkning sparse; om vävnad loose
glesbygd sparsely-populated (thinly-populated) area

gli 1 eg. [small] fry **2** bildl., vard. brat
glid 1 glidsteg glide **2** skidföre *det är bra ~* ung. it is good snow for skiing **3** *ungdom på ~* young people going astray
glida över vatten, om flygplan el. friare (lätt, ljudlöst o.d.) glide; över fast yta el. frivilligt slide; halka slip; *[låta] ~* om hand, blick pass, run
glimma gleam; svag. glimmer; glittra glitter; om t.ex. dagg glisten; *det är ej guld allt som ~r* all that glitters is not gold, all is not gold that glitters
glimmer 1 glans gleaming etc.; gleam, glitter; jfr *glimma* **2** miner. mica
glimra se *glimma*
glimt gleam äv. bildl.; skymt glimpse; *han har en ironisk (humoristisk) ~ i ögat* there is an ironical glint (a humorous twinkle) in his eye[s]; *se en ~ av ngt (ngn)* catch a glimpse of a th. (a p.)
glimta gleam; *~ fram* shine forth
glipa I *s* gap **II** *itr* gape open
glipring gibe, sneer
glitter glitter; t.ex. daggens glistening; t.ex. julgransglitter tinsel äv. bildl.; grannlåt gewgaws
glittra glitter; tindra sparkle; om dagg glisten
glittrande, vara *~ glad* ...in sparkling[ly high] spirits
glo stare; argt, vilt glare; dumt, med öppen mun gape
gloasit *s* glostium
global global
glosa 1 ord word **2** speglosa taunt
gloslista vocabulary
glufsa, *~ i sig* maten scoff..., gobble (guzzle) down...
glugg hål hole
glunkas, *det ~* there is a rumour going [*om* about; *om att* that]
glupande, *~ aptit (ulvar)* ravenous appetite (wolves)
glupsk greedy; ravenous; om storätare gluttonous
glupskhet greed[iness]; voracity; gluttony
glutenfri ...free of gluten
glutta vard. *~ i* tidningen take a glance at...
glåmig pale [and washed out]; gulblek sallow
glåpord taunt, jeer
glädja I *tr* give...pleasure; please; stark. delight; *det gläder mig!* ss. svar I'm so glad!; *det gläder mig* att + inf. el. sats I'm glad (stark. delighted)... **II** *rfl, ~ sig* be glad [*åt, över* about]; rejoice [*åt, över* at el. in]; be pleased [*åt (över)* with]
glädjande I *adj* trevlig pleasant; tillfredsställande, t.ex. om resultat gratifying; *~ nyheter* good news **II** *adv, ~ nog* happily, fortunately enough
glädjas se *glädja II*
glädje joy; isht nöje pleasure; förtjusning delight; [känsla av] lycka happiness; munterhet mirth; belåtenhet satisfaction; gagn use; *~n stod högt i tak* there was a lot of fun and games, there were lively goings-on; *det är mig en [stor] ~ att* inf. it is a pleasure to me to inf.; I have great pleasure in ing-form; *finna ~ i att* inf. delight (take pleasure) in ing-form; *det var en sann ~ att se* it was a real treat to see
glädjebudskap glad tidings, good news
glädjedödare killjoy, wet blanket
glädjeflicka prostitute; amer. äv. hooker
glädjekvarter vard. red-light district
glädjekälla source of joy
glädjelös joyless
glädjerus transport of joy
glädjespridare pers. cheerful soul; isht om barn ray of sunshine
glädjesprång leap for joy
glädjestrålande ...beaming with joy
glädjetjut shout (cry) of joy
glädjetår tear of joy
glädjeyra transport of joy, whirl of happiness
gläfs eg. yelp, yap; gläfsande yelping; om pers. yapping
gläfsa eg. yelp; om pers. yap
glänsa shine äv. bildl.; glitter; om t.ex. tårar glisten; om t.ex. siden be glossy; bildl., briljera show off
glänt, *dörren står på ~* the door is slightly open (is ajar)
glänta I *itr, ~ på dörren* open the door slightly **II** *s* glade
glättig gladlynt cheerful; sorglös happy-go-lucky
glättighet cheerfulness
glöd 1 konkr. live coal; koll. o. pl. ofta embers **2** sken glow; hetta heat; stark känsla ardour; lidelse passion
glöda glow äv. bildl.; be [all] aglow isht bildl.
glödande glowing; om metall red-hot; om känslor ardent, burning; lidelsefull passionate
glödga make...red-hot (white-hot); vin mull
glödhet friare glowing hot
glödlampa light (electric) bulb
glödsteka barbecue
glögg glogg, mulled wine
glömma I *tr* forget; ss. vana be forgetful; försumma neglect **II** *rfl, ~ sig [själv]* forget oneself
glömsk forgetful; disträ o.d. absent-minded; *~ av* t.ex. ngns närvaro, omgivningen oblivious of...
glömska 1 egenskap forgetfulness; absent-mindedness; *av ren ~* out of sheer forgetfulness **2** förgätenhet oblivion
gnabbas bicker; stark. wrangle

gnaga gnaw äv. bildl.; smågnaga nibble; ~ *av* [*köttet från*] *ett ben* pick a bone
gnagande gnawing
gnagare rodent
gnat nagging
gnata nag; cavil
gnetig 1 om handstil crabbed **2** om pers. niggling, fussy
gnida I *tr* o. *itr* rub; ~ [*på*] *ngt* med handen rub a th... **II** *itr* snåla be stingy; ~ *och spara* vard. pinch and scrape
gnidig stingy, niggardly
gnissel squeaking; *ett* ~ a squeak (creak)
gnissla squeak; 'skrika' screech; om syrsan chirp
gnista spark; smula: av t.ex. sanning vestige, trace; av t.ex. förstånd particle; *en* ~ [*av*] *hopp* a ray (spark) of hope
gnistra sparkle; *hans ögon ~de av vrede* his eyes flashed with anger
gno I *tr* rub; med borste scrub **II** *itr* arbeta toil, drudge; springa scurry, hurry
gnola hum
gnugga rub, cram; ~ [*sig i*] *ögonen* rub one's eyes
gnuggbild transfer
gnutta tiny bit; droppe drop; nypa pinch
gny I *s* whimper; bildl. grumbling **II** *itr* whimper; yttra missnöje grumble
gnägga neigh; inte så högt whinny
gnäll jämmer whining, whine; kvidande whimpering; klagomål grumbling; gnat nagging
gnälla jämra sig whine; kvida whimper; yttra missnöje grumble; klaga complain
gnällig gäll shrill; om pers. el. röst whining
gnällmåns o. **gnällspik** vard. whiner
god (jfr *gott*) **I** *adj* **1** allm. good; gynnsam favourable; jfr äv. *II 3; ~ dag!* se under *dag 1; en ~ idé* a good (fine, vard. capital) idea; *i ~an ro* in peace and quiet; *ha gott samvete* have a clear conscience; *en* ~ intim *vän* a great friend; *en* ~ obeton. *vän* [*till mig*] a friend of mine; *hålla sig för* ~ *att* inf. consider it beneath one's dignity to inf.; be above ing-form; *var så ~!* a) här har ni here you are [,Sir resp. Madam, Mr. Jones, Miss osv.]!; ta för er help yourself (resp. yourselves), please!; ofta utan motsv. i Engl. b) ja, gärna you're [quite (very)] welcome [to it]!; amer. you're welcome!; skämts. be my guest!; naturligtvis [do,] by all means!, certainly!; *var så ~ och sitt* (*ta plats*)*!* [do] sit down (take a seat), won't you?; please take a seat! **2** tillräcklig good; ansenlig considerable **3** lätt *han är inte ~ att tas med* he's not easy (an easy customer) to deal with; *det är inte gott* [*för mig*] *att veta* how am I to (should I) know? **4** jur. ~ *man* konkursförvaltare trustee; i stärbhus executor; förordnad av domstol administrator **5** *vara ~ för* 10.000 kr be good (safe) for...
II *s* o. *subst adj* **1** *livets ~a* the good things pl. of life **2** *gå i ~ för* guarantee, jfr [*gå i*] *borgen* [*för*] **3** *gott* **a)** allm. *det gjorde gott!* kändes skönt that was good!; den medicinen *gjorde gott* ...did me (you osv.) good **b)** *gott om: ha gott om tid* (*äpplen*) have plenty of time (apples); *det är* (*finns*) *gott om...* a) tillräckligt med there is (resp. are) plenty of... b) mycket: med subst. i plur. there are a great many (vard. are lots of)...; med subst. i sg. there is a great deal of... **4** se *godo*
godartad benign; om t.ex. sjukdom non-malignant
godbit dainty morsel; titbit äv. bildl.; isht amer. tidbit
goddag se [*god*] *dag* under *dag I*
godhet goodness; vänlighet kindness; välvilja benevolence
godis I *s* sweets; barnspr. sweeties; amer. candy; konditorivaror confectionery **II** *adj* smaskens yummy, scrumptious
godkänd approved; univ. passed
godkänna 1 gå med på approve, agree to, vard. okay; gilla approve of; om t.ex. myndighet pass; bekräfta confirm; medge, erkänna som riktig allow, admit, acknowledge; t.ex. ursäkt accept; sanktionera sanction **2** i t.ex. examen pass
godkännande approving osv.; approbation; confirmation; admittance, acknowledgement, acceptance; jfr *godkänna*
godmodig good-natured
godnatt good night!
godnattkyss good-night kiss
godo, göra upp saken *i* ~ ...amicably, ...in a friendly spirit; *kan jag få ha det till ~ till en annan gång?* can I leave it till another time (vard. take a raincheck on it)?
gods 1 koll. goods; last; amer. freight **2** lantegendom estate; större manor **3** ägodelar property **4** material material
godstrafik goods (carrying) traffic; amer. freight traffic (service)
godståg goods train; amer. freight [train]
godsägare landed proprietor, landowner; *~n* the landlord (adlig squire)
godtaga approve [of], accept; förslag agree to
godtagbar acceptable
godtemplare Good Templar
godtrogen gullible, credulous
godtycke 1 gottfinnande *efter* [*eget*] ~ at one's [own] discretion; efter tycke och smak at pleasure (will) **2** egenmäktighet arbitrariness
godtycklig allm. arbitrary äv. egenmäktig; nyckfull capricious; utan grund gratuitous
goja vard. **1** papegoja Polly [parrot]

2 a) geggamoja goo b) snack *en massa ~* a load of rubbish (piffle)
go-kart sport. go-kart
1 golf bukt gulf
2 golf spel golf; *spela ~* play golf, golf
golfbana golf course; golf links; *en ~* a golf course
golfbyxor plus-fours
golfklubb golf club
golfklubba golf club
golfspelare golfer
golv allm. floor; ~beläggning flooring
golva boxn. floor
golvbeläggning konkr. flooring [material]
golvbonare floor polisher
golvbrunn floor drain
golvdrag, *det var ~* there was a draught along the floor
golvlampa standard lamp
golvmopp [floor] mop
golvtilja floorboard, flooring board
golvur grandfather['s] clock
golvväxel floor [gear]shift
gom 1 palate äv. bildl.; roof of the mouth **2** lösgom dental plate
gomsegel anat. soft palate
gona, *~ sig* enjoy oneself, have a good time
gonggong gong
gonorré med. gonorrhoea; amer. gonorrhea
gorilla 1 zool. gorilla **2** vard., livvakt gorilla
gorma brawl, shout and scream
gospel gospel song
gossaktig boyish
gosse allm. boy; *gamle ~!* old boy (fellow, chap, man)!
gossebarn baby boy; om ung pojke young boy; mera skämts. young (little) lad
gosskör boys' choir
gott I *s* **1** se *god II 3* **2** sötsaker sweets; amer. candy **II** *adv* **1** allm. well; *~ och väl* 50 personer a good...; *hälsa så ~!* all my regards (love)!; *leva ~* live well; *det skall smaka ~ att få sig* litet mat it'll be good to have... **2** lätt *det kan jag ~ förstå* I can very well (easily) understand that **3** gärna *det kan du ~ göra* you can very well do that (so)
gotta, *~ sig* have a good time [of it]
gottaffär o. **gottbutik** sweet shop; amer. candy store
gottgöra 1 med sakobj.: ersätta make up for; sona make...good; avhjälpa: t.ex. fel redress; förlust repair; försummelse remedy; skada make good... **2** med personobj.: ersätta *~ ngn för ngt* make up to (compensate) a p. for a th.; för skada äv. indemnify a p. for a th.; för utlägg äv. repay (reimburse) a p. for a th.; för besvär, arbete recompense (betala remunerate) a p. for a th.
gottgörelse 1 ersättning indemnification, compensation; för utlägg reimbursement; återbetalning refund; betalning remuneration, consideration; skadestånd indemnity **2** avhjälpande redress; amends
gottköpspris, *till ~* at a bargain price
gottsugen, *jag är ~* just nu I feel like some sweets (amer. like some candy); alltid I have a sweet tooth
grabb pojke boy; kille chap; isht amer. guy
grabba, *~ [tag i]* grab [hold of]; *~ åt sig* grab...for oneself
grace behag grace[fulness], charm; gunst favour; *dela på ~rna* distribute one's favours
gracil slender [and delicate]
graciös graceful
grad 1 allm. degree; utsträckning extent; nyans shade; *i hög ~* to a great (high) degree, to a great extent; *i hög ~* + adj. highly, exceedingly, immensely **2** enhet vid t.ex. mätning degree; *det är 10 ~er kallt* (*minus*) it is 10 degrees centigrade below zero (freezing-point); amer. el. äldre britt. motsv. it is 14 degrees Fahrenheit; brännskada *av första ~en* first-degree... **3** rang rank, grade; stadium stage; *stiga i ~erna* rise in the ranks
gradbeteckning mil., konkr. badge of rank
gradera indela i grader grade; tekn. graduate
gradering gradation; tekn. graduation
gradskillnad difference of (in) degree
gradskiva protractor
gradtal, *vid höga* (*låga*) *~* på termometern at high (low) temperatures
gradvis I *adv* by degrees **II** *adj* gradual
graffito 1 konst. graffit|o (pl. -i) **2** *graffiti* klotter graffiti pl.
grafik konst~ graphic art; gravyr engraving; grafiska blad prints, graphic works; gravyrer engravings
grafisk graphic; *~ formgivning* konkr. graphic design
grafologi graphology
grahamsbröd graham (wholemeal, amer. whole wheat) bread
grahamsmjöl graham (wholemeal, amer. whole wheat) flour
gram gram[me]
grammatik grammar
grammofon gramophone; amer. phonograph
grammofonskiva record, disc, gramophone (amer. phonograph) record (disc)
gramse, *vara ~ på ngn* bear a p. a grudge
gran 1 träd [Norway] spruce; vard. fir; jul~ Christmas tree **2** virke spruce [wood]; hand. whitewood
granat mil. shell; hand~ hand grenade
granatskärva o. **granatsplitter** mil. shell splinter
granatäpple pomegranate
granbarr spruce needle; vard. fir needle

grand 1 *~et och bjälken* the mote and the beam **2** smula *inte göra ett skapande[s] ~* not do a mortal thing (a stroke of work); *lite[t] ~ (grann)* t.ex. pengar just a little; t.ex. bättre just a trifle
granit granite
grankotte spruce (vard. fir) cone
1 grann se *grand 2*
2 grann 1 berömmande: lysande brilliant, dazzling; ståtlig fine-looking; om t.ex. röst magnificent; *grant väder* magnificent weather **2** klandrande: brokig gaudy; prålig garish, showy; vard., utstyrd dressed (dolled) up; om t.ex. fraser high-sounding
granne neighbour
granngård bondgård neighbouring (adjacent) farm
grannland neighbouring (adjacent, adjoining) country
grannlåt a) grann utsmyckning showy decoration (ornamentation, display); frills, äv. ordprål; t.ex. grann utstyrsel, granna kläder finery b) granna saker showy ornaments; t.ex. granna smycken fripperies
grannskap neighbourhood
grannstat neighbouring state
grannsämja neighbourliness, [good] neighbourship; *leva i god ~* be on neighbourly terms
granska undersöka examine; besiktiga inspect; syna scrutinize; noga iaktta observe...closely; utforska look (inquire) into; kontrollera, manuskript check; om revisor audit; recensera review
granskning examining osv.; examination, study; inspection; scrutiny; check, check-up; review; jfr *granska*
grapefrukt grapefruit
gratifikation bonus
gratinera kok. bake...in a gratin-dish; *~d* fisk ...au gratin fr.
gratis I *adv* for nothing, free [of charge (cost)] **II** *adj* free; *inträde ~* admission free
gratisbiljett se *fribiljett*
gratiserbjudande free offer
gratisexemplar free copy
gratisprov free sample
grattis vard. congratulations!, congrats!
gratulant congratulator; friare caller
gratulation congratulation; *varma (hjärtliga) ~er [till* utnämningen]*!* hearty congratulations [on...]!
gratulationskort greetings card
gratulera congratulate [*till* on]; iron. pity; *jag ~r [på bröllopsdagen (högtidsdagen)]!* Congratulations!; *jag ber att få ~ på födelsedagen!* Many Happy Returns [of the Day]!
gratäng kok. gratin fr.
grav 1 allm. grave äv. bildl.; murad tomb; uppbyggd sepulchre **2** dike trench; grop pit; vall~ o.d. fosse
gravallvarlig solemn
gravera inrista engrave; *~ in* engrave, incise, carve [*i (på)* on]
graverande grave, serious; *~ omständigheter* aggravating circumstances
gravid pregnant
graviditet pregnancy
graviditetstest pregnancy test
gravitationslagen fys. the law of gravity (gravitation)
gravkammare sepulchral chamber
gravkapell för jordfästning [sepulchre] chapel
gravlax kok. raw spiced salmon
gravlaxsås salmon (shellfish) sauce [made of mustard, oil, dill etc.]
gravlik, *~ tystnad* deathlike silence
gravmonument mausoleum; se vid. *gravvård*
gravplats grav grave, burial plot
gravplundrare grave-robber
gravskrift epitaph
gravsmyckning [the] ornamentation of a grave (resp. the grave, graves etc.)
gravsten gravestone
gravsätta jorda inter
gravsättning interment
gravurna cinerary (sepulchral) urn
gravvård av trä memorial cross; av sten tomb; se äv. *gravsten*
gravyr engraving; etsning etching; kopparstick [copperplate] engraving
gredelin o. **gredelint** se *lila*
grej vard., sak thing; friare what-d'you-call-it; manick thingamy
greja vard. **I** *tr* ordna fix, put...right, manage **II** *itr, ~ med* busy oneself with
grejor vard. things, gadgets, jfr *grej;* paraphernalia; hophörande tackle; *det var inga dåliga ~* that's pretty good!, [that's] not bad!
grek Greek
grekisk Greek; om anletsdrag Grecian
grekiska (jfr *svenska*) **1** språk Greek **2** kvinna Greek woman
Grekland Greece
gren 1 allm. branch; större träd~ limb; dito med kvistar bough; mindre twig; av flod arm; förgrening ramification; gaffelformig fork **2** skol. option; del av tävling event **3** skrev crutch, crotch
grena, *~ [ut] sig* branch [out], fork; i två äv. bifurcate; flerfaldigt äv. ramify [*i* i samtl. fall into]
grenig branched; grenrik branchy
grensle astraddle, astride
grenverk koll. branches
grep o. **grepe** pitchfork; gödsel~ manure fork

grepp 1 allm. grasp äv. bildl.; hårdare grip äv. bildl.; hastigt grab, clutch; tag hold äv. brottn.; fäste purchase; *ett klokt ~* a wise move; *jag får inget ~ om det* I can't get the hang of it **2** handgrepp operation, manipulation; knep trick; konstgrepp device **3** konkr. handle
greppa vard. grab (take) hold of; komma underfund med get the hang of
greve count; i Engl. earl; *komma i ~ns tid* come in the nick of time
grevinna countess
griffeltavla slate
griljera dip (coat)... with egg and breadcrumbs and fry (i ugn roast) it
grill 1 grill äv. lokal **2** kylar~ grille
grilla grill; isht amer. broil
griller fads [and fancies]
grillfest barbecue
grillkol [ready-made] charcoal
grillkorv hot dog
grillspett skewer; med kött e.d. [shish] kebab
grillvante oven glove
grimas grimace
grimasera make (pull) faces
grin 1 vard.: gråt crying; kink fretting; gnäll whine **2** grimas grimace; t.ex. sur min sour look **3** vard.: flin grin; gapskratt guffaw; hånleende sneer
grina 1 vard.: gråta cry; kinka fret; gnälla whine **2** *~ illa* grimasera pull (make) wry faces (a wry face) [*mot* (*åt*) at] **3** vard.: flina grin; gapskratta guffaw; hånle sneer **4** gapa gape
grind trädgårds~ gate; liten spjäl~ lattice door; vid järnvägsövergång [level-crossing] gate[s pl.]; kricket~ wicket
grindstolpe gatepost
grinig 1 gnällig whining; kinkig fretful **2** knarrig grumpy; kritisk fault-finding; kinkig particular
gripa I *tr* **1** fatta tag i: allm. el. bildl. seize; *~ runt* clasp, grasp; med fast tag clutch, grip; *~ ngn i armen* seize a p. by the arm; *~s på bar gärning* be caught in the act **2** djupt röra [profoundly] touch (move); stark. thrill, grip **II** *itr*, *~ efter ngt* grasp (catch, snatch) at a th.; *~ sig an med ngt* (*med att arbeta*) set about a th. (working); *~ in* bildl., se *ingripa; ~ in i varandra* om t.ex. kugghjul interlock, engage
gripande rörande touching osv., jfr *gripa I 2;* pathetic
gripbar fattbar apprehensible; påtaglig palpable
gripen 1 seized **2** rörd touched osv., jfr *gripa I 2;* impressed
griptång pincers
gris 1 pig; späd~ sucking-pig, sucker; kok., ~kött [young] pork; *köpa ~en i säcken* buy a pig in a poke **2** vard., om pers. lortgris pig
grisa vard. *~ ner* make the place in a mess
grisfötter kok. pigs' trotters
grisig filthy, dirty, piggish
griskulting young pig
grismat eg. pig feed; av avfall, isht flytande swill; neds., om mat hogwash
gro eg. germinate, sprout; växa grow; bildl. rankle
grobian boor, lout; stark. ruffian
groda 1 zool. frog **2** fel blunder; grövre howler; *säga* (*göra*) *en ~* make a blunder (howler)
grodfötter sport., för grodmän frogman (diving) flippers
grodlår frog's leg (pl. frogs' legs)
grodman dykare frogman
grodperspektiv, *i ~* from underneath; bildl. from a worm's-eye view
grodsim frog kick
grogg whisky (konjaks~ brandy) and soda; amer. vard. highball; gin~ gin and tonic
groggvirke vard. soda [water] etc. to mix with whisky etc., jfr *grogg*
grogrund bildl. breeding ground
groll grudge
grop pit; större hollow; i väg hole; flyg. air pocket; buckla dent; i kind, haka dimple
gropig eg. ...full of holes; ojämn uneven; om sjö o. resa rough; om luft bumpy
gross gross (pl. lika); *i ~* i parti wholesale, by the gross
grosshandel wholesale trade (handlande trading)
grosshandlare o. **grossist** wholesale dealer
grotesk grotesque
grotta cave; större cavern; målerisk el. konstgjord grotto (pl. -s el. -es)
grottekvarn bildl. treadmill
grov allm. coarse; obearbetad, storväxt big; svår, allvarlig gross, serious; *~t artilleri* heavy artillery (guns pl.) äv. bildl.; *i ~a drag* in rough (broad) outline[s], roughly, crudely; [*en*] *~ hy* a coarse complexion; *~t salt* coarse-grained salt; *~a skor* heavy shoes; *ett ~t skämt* a rude (coarse) joke; *vara ~ i munnen* be foul-mouthed, use coarse language
grovarbetare unskilled (general) labourer
grovarbete allm. heavy (rough) work; grovarbetares unskilled work (labour)
grovgöra se *grovarbete*
grovhet, *~er* otidigheter coarse (foul, abusive) language sg.
grovlek [degree of] coarseness (thickness, heaviness), jfr *grov;* storlek size
grovsopor bulky (heavy) refuse (rubbish)
grovsortering first (preliminary) sorting
grovtarm anat. colon
grubbel funderande pondering; ängsligt

brooding; ideligt rumination; drömmande musing[s pl.]; religiöst obsession; tungsinne melancholy

grubbla I *itr* fundera ponder; brood; jfr *grubbel;* mull; bry sin hjärna puzzle [one's head]; *gå och ~* som vana be given [a prey] to brooding (tungsint äv. melancholy) **II** *rfl, ~ sig fördärvad över* ett problem rack one's brains trying to think out...

grubbleri, *försänkt i ~er* in a brown study, brooding; se vid. *grubbel*

gruff bråk row

gruffa bråka, träta make (kick up) a row, squabble; knota grumble, grouse

grumla eg. muddy; t.ex. källa make (render)...turbid äv. ngns tanke (sinne); luften, intryck, ngns lycka, förhållande cloud; göra suddig blur; fördunkla obscure

grumlig eg. muddy äv. om t.ex. färg el.hy; turbid äv. om t.ex. tankar; isht om vätska cloudy; om t.ex. luften clouded; hes thick; oredig muddled, confused; dunkel obscure; otillförlitlig doubtful

grums allm. dregs; isht i kaffe grounds; isht i vin lees; isht i vatten sediment

1 grund 1 grundval foundation; bottenyta, bakgrund ground; *ligga till ~ för* be the basis (at the bottom) of; om princip o.d. underlie **2** friare, i vissa uttr. *i ~* fullständigt entirely, totally, completely, utterly; *i ~ och botten* i själ och hjärta at heart (bottom), basically **3** mark ground **4** skäl reason, ground[s pl.]; orsak cause; bevekelse~ motive; *ha sin ~ i ngt* be founded (based) on a th.; bero på be due to a th.; *på ~ av* on account of, because of, owing to **5** princip principle

2 grund I *adj* shallow äv. om kunskaper **II** *s* grunt ställe shoal; t.ex. sand~ bank; undervattensklippa sunk[en] rock; *gå (stå) på ~* run (be) aground

grunda I *tr* **1** grundlägga found; affär establish, set up; inrätta institute; förmögenhet lay the foundation of **2** stödja *~ sin mening på* base one's opinion on **3** grundmåla prime **II** *rfl, ~ sig* rest (be based) [*på* [up]on]

grundad väl~ well-founded; befogad good; rimlig reasonable

grundare grundläggare founder

grundavgift basic fee

grunddrag fundamental (essential) feature

grundfel fundamental fault (defect, error)

grundfärg 1 bottenfärg ground colour **2** mål.: strykning first coat; målarfärg priming paint

grundkurs t.ex. skol. basic course

grundlag polit. fundamental (betr. författningen constitutional) law; författning constitution

grundlagsenlig constitutional

grundlig allm. thorough äv. om pers.; gedigen solid; ingående close; noggrann careful; genomgripande thorough-going; om t.ex. förändring fundamental; om t.ex. reform radical

grundlurad ...completely taken in

grundlägga found, lay the foundation[s] (basis) of, jfr *grunda I 1*

grundläggande fundamental

grundlön basic salary (pay resp. wages pl., jfr *lön*)

grundlös om t.ex. påstående groundless; om t.ex. rykte baseless; om t.ex. misstanke unfounded

grundmurad bildl. solidly established, firmly rooted

grundmåla prime

grundregel fundamental (basic) rule (principle)

grundsats princip principle; levnadsregel maxim; en man *med ~er* ...of principle

grundskola nine-year [compulsory] school

grundslag i tennis ground stroke

grundsten foundation stone

grundstomme ground-work

grundsyn basic outlook

grundtanke fundamental (basic, leading) idea

grundtext original text

grundton mus. el. bildl. keynote

grundutbildning basic education (course, training); univ. undergraduate studies

grundval foundation; *skakas i sina ~ar* be shaken to its (resp. their) [very] foundations

grundvalla I *s* priming wax **II** *tr* prime...with wax (tjära tar)

grundvatten i jorden groundwater

grundämne element

grunka se *grej* o. *grejor*

grupp allm. group; avdelning section; arbets~ party; mil. squad; flyg. flight

grupparbete teamwork, group work; skol. group project

gruppbiljett järnv. party ticket

gruppera I *tr* group[...together]; mil. deploy **II** *rfl, ~ sig* group [oneself]; mil. deploy

gruppförsäkring group insurance

gruppledare t.ex. sport. group leader

grupplivförsäkring group life insurance (pension policy)

gruppresa group excursion

gruppsamtal 1 group discussion **2** telef. conference (multiple) call

gruppsex group sex

grupptryck group pressure

grus 1 gravel äv. med.; på tennisbana clay **2** vard., småpengar small change

grusa gravel; bildl., t.ex. ngns förhoppningar dash[...to the ground]; gäcka frustrate

grusbana i tennis clay court

grustag gravel pit

grusväg gravelled (amer. dirt) road
1 gruva mine
2 gruva, [*gå och*] ~ *sig för* (*över*) *ngt* dread (be dreading) a th.
gruvarbetare miner
gruvbolag mining company
gruvgång gallery; längst ned level
gruvlig dreadful; vard. awful
gruvolycka mining (pit) accident
gruvras caving-in (falling-in) of a (resp. the) mine (pit)
gruvsamhälle mining community (village)
gruvschakt mine shaft
1 gry, *det är gott* ~ *i honom* he has got plenty of backbone (grit)
2 gry dawn äv. bildl.
gryende dawning; ~ *anlag* budding talents
grym cruel; ~ o. vild fierce, ferocious; skoningslös ruthless; vard., ryslig awful
grymhet cruelty; stark. atrocity
grymta grunt
grymtning grunting; *en* ~ a grunt
gryn 1 korn grain; koll., hand. hulled grain; **2** hjärtegryn *mitt lilla* ~ my little pet (sweetie)
gryna, ~ *sig* granulate
grynig grainy; grusig gritty; småkornig granular
gryning dawn äv. bildl.; jfr *dagning*
gryt jakt. earth
gryta pot; större cauldron; sylt~ [preserving] pan; av lergods casserole båda äv. maträtt; *små grytor har också öron* little pitchers have long ears
grytlapp pot-holder, kettle-holder
grytlock pot lid
grå grey; amer. gray; *det ger* (*skaffar*) *mig* ~*a hår* it is enough to turn my hair grey; ~ *i hyn* ashy-complexioned; jfr äv. *blå* o. sms.
gråaktig greyish
gråblek ashen grey
grådaskig dirty grey; gråaktig greyish
gråhårig grey-haired; poet. hoary; gråsprängd grizzled
gråkall bleak, chill
gråna turn (go) grey; ~ *i tjänsten* grow grey in the service
gråpäron [type of] small brownish-green pear
gråspräcklig ...speckled grey
gråsprängd grizzled
gråsten granite
gråsäl grey seal
gråt gråtande crying; tårar tears; snyftningar sobs; snyftande sobbing; *ha* ~*en i halsen* have a lump in one's throat
gråta cry; tjuta blubber; ~ *av glädje* weep (cry) for joy, shed tears of joy; ~ *sig till sömns* cry oneself to sleep
gråtanfall o. **gråtattack** fit of crying
gråterska professional mourner
gråtfärdig, *vara* ~ be ready to cry, be on the verge of tears
gråtmild tearful; sentimental sentimental, maudlin
grått grey; amer. gray; jfr *blått*
1 grädda i ugn bake; plättar fry
2 grädda bildl. cream; ~*n av societeten* the cream of society, the crème de la crème fr.
gräddbakelse cream cake
grädde cream; *tjock* (*tunn*) ~ vanl. double (single) cream
gräddfil sour[ed] cream
gräddfärgad cream-coloured, cream
gräddglass full-cream ice
gräddkola [cream] toffee
gräddsås cream sauce, sauce made with cream
gräddtårta cream gâteau (pl. -x), cream cake
gräl tvist quarrel; träta squabble; amer. äv. spat; grälande quarrelling osv., jfr *gräla;* bråk row; *börja* (*mucka, söka*) ~ pick a quarrel [*med* with]; *råka i* ~ *med ngn* fall out with a p. [*om* over]
gräla 1 tvista quarrel; träta squabble, wrangle **2** vara ovettig scold; ~ *ordentligt på ngn* give a p. a good scolding
gräll glaring
grälsjuk quarrelsome
gräm|a I *tr* vålla sorg grieve; förtryta vex; *det -er mig att han...* I can't get over the fact (it gets me) that he... **II** *rfl,* ~ *sig* fret [*över* over]
gränd alley
gräns geografisk och ägogräns boundary; stats~ frontier; gränsområde border[s pl.]; yttersta ~; isht bildl. limit; skiljelinje boundary line, borderline, dividing line; *nedre* (*övre*) ~ lower (upper) limit (boundary); *inom landets* (*stadens*) ~*er* within [the borders of] the country (the limits of the city); ~*en mellan...och...* är suddig the dividing line (borderline) between...and...
gränsa, ~ *till* allm. border on; eg. äv.: ligga intill abut on, adjoin; begränsas av be bounded by; bildl. äv. verge on
gränsdragning [drawing of a] borderline; åtskillnad distinction
gränsfall bildl. borderline case
gränshandel cross-border shopping
gränsland borderland äv. bildl.
gränslinje boundary [line] alla äv. bildl.
gränslös boundless, limitless; friare: ofantlig immense; oerhörd extreme; hejdlös enormous
gränsoroligheter border (statsgräns frontier) disturbances
gränstvist boundary (statsgräns frontier) dispute
gräs 1 grass äv. koll.; *i* ~*et* på gräsmattan on

(bland gräset in) the grass; *ha (tjäna) pengar som ~* have money to burn (make heaps of money) **2** sl., marijuana grass
gräsbana i tennis grass court
gräsbrand grass fire
gräshoppa grasshopper; bibl. el. i Afrika, Asien locust
gräsklippare maskin lawn mower
gräslig ohygglig shocking, terrible; vard., väldig awful; gemen horrid
gräslighet shockingness osv., jfr *gräslig;* gräslig sak shocking osv. thing; ogärning atrocity
gräslök chives pl.; ss. växt chive
gräsmatta lawn; ej ansad grassy space
gräsplan gräsmatta lawn; sport.: t.ex. fotb. grass pitch, jfr vid. *1 plan 1; på ~* vanl. on the grass
gräsrotsnivå, *på ~* bildl. at the grass roots, at grass roots level
gräsrötterna bildl. the grass roots
gresslätt grassy plain
gräsänka grass widow
gräsänkling grass widower
gräva I *tr* o. *itr* allm. dig; företa utgrävning el. böka grub; isht om djur burrow; rota rummage; *~ [efter] guld* dig for gold
II med beton. part.
~ **bort** remove
~ **fram** dig out äv. bildl.; bringa i dagen dig up, excavate
~ **ned** gömma bury; begrava sig bury oneself (friare get too absorbed) in
~ **upp** a) dig (bildl. äv. rake) up; bringa i dagen äv. unearth; isht lik disinter
b) bearbeta gm grävning dig up
~ **ut** bringa i dagen excavate
grävling zool. badger
grävmaskin excavator
gröda crops; skörd crop
grön 1 green; *~ av avund* green with envy; *~a bönor* green beans; *det är ~t ljus* trafik. the lights are green; *~a ärter* green peas; *det är ~t för...* the green light has been given for...; jfr äv. *blå* o. sms. **2** sl., godkänd clean, ...in the clear
grönaktig greenish
grönbete, *vara på ~* bildl. be in the country
grönblek i ansiktet green...
grönfoder green fodder
gröngräs, *i ~et* on the grass
gröngöling zool. green woodpecker; pers. greenhorn
grönkål kale, borecole; soppa kale soup
Grönland Greenland; *på ~* in Greenland
grönländare Greenlander
grönländska 1 kvinna Greenland woman
2 språk Greenlandic
grönmögelost blue mould (amer. mold) cheese
grönområde green open space
grönpeppar green peppercorn
grönsak vegetable; *~er* äv. greens
grönsaksaffär o. **grönsakshandel** greengrocer's [shop]
grönsaksland plot of vegetables
grönsakssoppa vegetable soup
grönsallad växt lettuce; rätt green salad
grönska I *s* grön växtlighet verdure; grönt gräs green; grönt lövverk greenery; grönhet greenness **II** *itr* vara grön be green; bli grön turn green
grönt 1 grön färg green; jfr *blått* **2** grönfoder, grönsaker greenstuff **3** till prydnad greenery
gröpa, *~ ur* hollow (scoop) out
gröt kok.: isht av gryn el. mjöl porridge; av t.ex. ris pudding; grötlik massa mush; med. poultice; *gå som katten kring het ~* beat about the bush
grötig 1 porridge-like **2** otydlig om röst thick; oredig muddled
gubbe 1 pers. old man (pl. men) äv. om make, far o. överordnad; *gubbar* karlar fellows, chaps; *min ~ [lilla]!* till barn my [dear] boy!
2 bildl.: *rita gubbar* draw funny figures
3 misstag blunder **4** *den ~n går inte!* that won't wash!, don't give me that!, that cat won't jump!
gubbsjuk vard. *vara ~* be a dirty old man (an old lecher)
gubbstrutt vard. old buffer (dodderer)
gud god, divinity; *Gud [Fader]* God [the Father]; tig *för Guds skull!* ...for goodness' (God's, Heaven's) sake!; det var *en syn för ~ar* ...a sight for sore eyes
gudabenådad om pers. divinely gifted; friare supremely gifted, divine
gudagåva divine (godsent) gift; friare godsend; humorn är *en ~* ...a gift of the gods
gudalära mythology
gudasaga [divine] myth; *den nordiska ~n* Scandinavian mythology
gudasänd godsent; *komma som ~* come as a godsend
gudbarn godchild
gudfar godfather
gudfruktig God-fearing
gudinna goddess
gudlös godless; hädisk profane
gudmor godmother
gudom divinity, deity
gudomlig divine
gudsfruktan fromhet devoutness, piety
gudsförgäten om plats godforsaken
gudsförtröstan trust in God
gudskelov I *interj, ~ [att du kom]!* thank goodness (God, Heaven) [you came]!
II *adv* lyckligtvis fortunately
gudstjänst [divine] service; allmännare worship; *bevista ~en* attend church (chapel); *förrätta (hålla) ~en* om präst

officiate [at the service], conduct (hold) the service
gudstro belief (faith) in God
guida guide
guide guide
gul yellow; *~a fläcken* anat. the yellow spot; *~t ljus* trafik. amber light; *~a ärter* yellow peas; *slå ngn ~ och blå (grön)* beat a p. black and blue; jfr äv. *blå* o. sms.
gula yolk
gulaktig yellowish
gulasch kok. goulash
gulblek sallow
guld 1 gold; *god (trogen) som ~* [as] good as gold (true as steel); *lova ngn ~ och gröna skogar* promise a p. the moon; *skära ~ med täljknivar* coin money, make money hand over fist **2** sport., första plats gold medal
guldarmband gold bracelet
guldbröllop golden wedding
guldbågad om t.ex. glasögon gold-rimmed
gulddoublé o. **gulddubblé** rolled gold
guldfeber gold fever
guldfisk goldfish
guldfyndighet gold deposit
guldglänsande ...shining like gold
guldgruva gold mine äv. inkomstkälla; kunskapskälla mine of information; lyckträff pot of gold
guldgrävare gold-digger; guldletare prospector
guldgul golden yellow
guldhalt gold content; procentdel percentage of gold
guldkalven, *dansen kring ~* the worship of the golden calf
guldkantad gilt-edged; *~e [värde]papper* gilt-edged securities
guldklimp 1 eg. [gold] nugget **2** bildl. *min lilla ~* my little treasure
guldklocka gold watch
guldkorn grain of gold; visdomsord pearl [of wisdom]
guldkrog first-class (vard. tip-top, posh) restaurant
guldlamé gold lamé fr.
guldmedalj sport. gold medal
guldmedaljör sport. gold medallist
guldpläterad gold-plated
guldrush o. **guldrusch** gold rush
guldsmed goldsmith; juvelerare vanl. jeweller
guldsmedsaffär jeweller's [shop]
guldsmycke gold ornament; *~n* äv. gold jewellery sg.
guldstämpel [gold] hallmark
guldtacka gold bar (ingot)
guldålder golden age
guldägg, *man skall inte slakta hönan (gåsen) som värper ~* one shouldn't kill the goose that lays the golden eggs
gulhyad yellow-skinned
gullegris vard. pet
gullgosse vard. [spoilt] darling; *en lyckans ~* a minion of Fortune
gullig vard. sweet, dear, darling
gullstol, *bära ngn i ~* chair a p., carry a p. in triumph
gullviva bot. cowslip
gulna become (turn) yellow; bli urblekt fade; *~d av ålder* yellowed with age
gulröd yellowish-red
gulsot med. jaundice
gult yellow; jfr *blått*
gumma old woman (pl. women); ibl. old lady; skämts. old girl
gummi 1 ämne rubber; klibbig substans gum **2** radergummi [india] rubber; isht amer. el. för bläck eraser **3** vard., kondom French letter; amer. rubber
gummiband rubber (elastic) band
gummiboll rubber ball
gummibåt rubber boat (dinghy)
gummiring rubber ring (till t.ex. cykel tyre, amer. tire, för emballage band)
gummislang rubber tube (större hose)
gummisnodd elastic (rubber) band
gummistövel rubber (gum) boot; *gummistövlar* äv. wellingtons
gummisula rubber sole
gump rump
gumse ram
gunga I *s* swing **II** *itr* i t.ex. gunga swing; på gungbräde seesaw; i gungstol el. på vågor rock; vaja [för vinden] wave; om t.ex. mark quake; svaja under ngns steg rock; *sitta och ~ på stolen* sit tilting one's chair **III** *tr* pers. give...a swing; ett barn på t.ex. knät dandle
gungbräde seesaw
gungfly quagmire äv. bildl.
gunghäst rocking-horse
gungning swinging osv., jfr *gunga II;* swing, rock; *sätta ngt i ~* set a th. rocking; t.ex. samhället rock a th. [to its foundations]
gungstol rocking-chair
gunst allm. favour
gunstling favourite
gupp 1 upphöjning bump; grop pit, hole; trafik., flera ~ uneven road; i skidbacke jump **2** stöt jolt
guppa på väg jolt; på vatten bob [up and down]
guppig om väg bumpy
gurgelvatten gargle
gurgla I *tr* o. *itr* **1** med t.ex. vatten gargle **2** om ljud gurgle **II** *rfl, ~ sig* gargle [one's throat]
gurgling 1 med t.ex. vatten gargling **2** om ljud gurgling
gurka cucumber; liten inläggnings~ gherkin; koll. gherkins
guvernör governor

gyckel skämt fun; spe game[s pl.]; upptåg joking, larking-about, larks
gyckelmakare allm. joker; yrkesmässig, hist. jester
gyckla skoja joke; håna jeer; ha puts för sig play tricks (pranks); spela pajas play the buffoon; ~ *med ngn* make fun of (poke fun at) a p.
gycklare allm. joker; yrkesmässig, hist. jester; neds. buffoon, clown
gylf fly [of the (resp. one's) trousers]; vard. flies
gyllene guldliknande golden; av guld gold; ibl. golden
gym vard. workout gymnasium
gymnasieskola [comprehensive] upper secondary school; i Engl. ung. motsv. open-access sixth form; i Amer. ung. motsv. senior high school
gymnasieutbildning ung. upper secondary school education, jfr äv. *gymnasieskola*
gymnasium i Engl. ung. motsv. sixth form [of a grammar school]; i Amer. ung. motsv. senior high school, jfr äv. *gymnasieskola*
gymnast gymnast; kvinnl. woman gymnast
gymnastik övningar o.d. gymnastics; skol. äv. physical training (förk. PT), physical education (förk. PE); vard. gym; som studieämne physical culture; morgon~ exercises
gymnastikdräkt gym suit (dams tunic, slip), leotard
gymnastiksal gymnasium; vard. gym
gymnastiksko gym shoe
gympa I *s* gymnastik gym, jfr *gymnastik;* gymping aerobics **II** *itr* gymnastisera do gymnastics (PT, PE); göra gymping do an aerobics workout
gymping aerobics
gympingdräkt leotard
gynekolog gynaecologist
gynekologi gynaecology
gynna favour; beskydda patronize; främja further, promote
gynnare 1 välgörare benefactor; beskyddare patron **2** skämts. fellow
gynnsam favourable; *ta en ~ vändning* take a turn for the better (a favourable turn)
gytter conglomeration, conglomerate; oredig anhopning confusion, muddle
gyttja mud; dy sludge; blöt, lös ooze; smuts mire
gyttjebad mudbath
gyttjig muddy; sludgy; oozy; miry; slushy; nedsmord med gyttja muddied; jfr *gyttja*
gyttra, ~ *ihop* (*samman*) cluster...together
gå I *itr* **1** allm.: **a)** ta sig fram till fots walk; med avmätta steg pace; med långa steg stride; med stolta el. gravitetiska steg stalk; med fasta steg march; i sakta mak stroll; stiga step; *ha svårt* [*för*] *att ~* find walking difficult (it difficult to walk); ~ *tyst* tread (step) softly **b)** fara, ge sig i väg el. friare go; färdas travel äv. om t.ex. ljudet, ljuset; om samfärdsmedel äv. run; om fartyg äv. sail; regelbundet ply; bege sig av leave; avgå äv. depart, se vid. *avgå;* passera pass; röra sig äv. move; om t.ex. vagn run; om maskin, hiss o.d. run; fungera work; vara be; *nu måste jag ~* äv. now I must be off (going); klockan *~r* ...is going; klockan *~r rätt* (*fel*) ...is right (wrong); ~ *och lägga sig* go to bed; ~ *och ta lektioner för...* be taking lessons from...; ~ *i kyrkan* go to church; *det har ~tt politik i saken* it has become a political issue; *det gick med rasande fart* för oss we (vid t.ex. bilfärd the car) went at a tremendous pace; ~ *under namnet...* pass under the name of... **c)** föra, leda: om väg, flod o.d. (i viss riktning) run; (till mål) go; om väg o.d. äv. lead; om trappa lead

2 spec. bet. **a)** avlöpa go [off]; låta sig göra be possible; lyckas succeed; passera pass; *det ~r nog* that will be all right; *så ~r det,* när... that's what happens...; klockan *~r inte att laga* it is impossible to repair...; hans affär *~r bra* ...is doing (going) well; *det gick bra för honom* i prov o.d. he got on (did) well; *hur ~r det för dig?* how are you getting on (making out)? **b)** äga rum, spelas o.d.: om idrottstävling come off; om t.ex. pjäs, radio be on; om film äv. be shown; om trumma be beating; om tapto sound; *pjäsen gick ett halvt år* the play ran for (had a run of) six months **c)** säljas: ha åtgång sell; t.ex. på auktion be sold; bära sig pay **d)** förflyta pass; *vad tiden ~r!* how time flies! **e)** vara spridd: om sjukdom el. rykte o.d. be about; vara gångbar be current; *det ~r rykten om att...* there are rumours [going about] that... **f)** sträcka sig go; nå reach **g)** ~ *till* (*på*) belöpa sig till amount (come) to

II *tr,* ~ *ed* take (swear) an oath; ~ *ärenden* have some jobs to do; om t.ex. springpojke go [on] errands; för inköp go shopping

III med beton. part.

~ **an a)** passa, gå för sig do; vara passande äv. be proper; vara tillåten be allowed; vara möjlig be possible **b)** gå på [värre], vard. go on

~ **av a)** stiga av get off; jfr *stiga* [*av*] **b)** brista break; plötsligt äv. snap [in two] **c)** nötas av: om kedja, tråd o.d. wear through; om färg, hud o.d. wear (rub) off **d)** om skott el. eldvapen go off

~ **bort a)** avlägsna sig go (resp. walk) away **b)** på bjudning go out **c)** dö die; i högre stil pass away **d)** om t.ex. fläck disappear; avlägsnas be removed

~ **efter** a) följa walk (resp. go) behind b) om klocka be slow

~ **emot a)** möta go to meet; mil. äv.

advance against **b)** stöta emot go (resp. run) against, jfr [*stöta*] *emot* **c)** motsätta sig go against; rösta emot vote against **d)** *allt ~r mig emot* är motigt nothing goes (resp. is going) right for me, everything is against me

~ **fram a)** eg. go (resp. walk osv.) forward; mil. advance **b)** konfirmeras be confirmed **c)** om t.ex. flod, väg run **d)** om skott reach its mark **e)** svepa fram pass **f)** gå till väga proceed

~ **förbi a)** passera förbi go (resp. walk) past (by) **b)** gå om overtake...[in walking]; vid tävling go (get) ahead äv. bildl.; get past... **c)** hoppa över pass over **d)** undgå escape **e)** se *förbigå*

~ **före** a) i ordningsföljd precede b) om klocka be [too] fast c) ha företräde framför go (rank) before

~ **i:** så mycket som *~r* ryms *i* [*den*] ...will go in (into it)

~ **ifrån** lämna leave; avlägsna sig get away; överge äv. desert; glömma [kvar] leave...behind

~ **igen a)** sluta sig, om dörr o.d. shut [to] **b)** spöka walk; den gamle ägaren *~r igen i huset* ...haunts the house **c)** upprepa sig reappear; *allt ~r igen* everything repeats itself

~ **igenom** a) eg. go (resp. walk, pass) through; gå tvärs över cross, go osv. across; passera [igenom] pass; tränga igenom go through, penetrate; om vätska soak through b) behandla, undersöka go (hastigt run) through, look through; inspektera, granska go over c) uppleva pass (go) through; svårigheter experience, suffer; läkarbehandling go through, undergo d) läxa go over; årskurs go (pass) through; kortare kurs take e) antas: om förslag o.d. äv. be passed; om motion be carried; hos myndighet be approved; om begäran be granted

~ **ihop a)** sluta sig close up; mötas meet; förena sig join; sammanfalla äv. coincide **b)** passa ihop agree, match; överensstämma tally; *~ bra ihop* samsas get on well **c)** *få det att ~ ihop* ekonomiskt make both ends meet

~ **in a)** eg. go (resp. walk, step) in; gå inomhus go osv. inside **b)** t.ex. skor break (wear) in **c)** med prep.: *~ in för* go in for; t.ex. idé äv. embrace, adopt; slå sig på äv. take up; stödja äv. support; *~ in vid armén* join (enter) the army

~ **isär** eg. come apart; om åsikter o.d. diverge

~ **itu** i två delar go (come, break) in two; sönder break

~ **med a)** göra sällskap go (komma come) along (too, as well) **b)** deltaga join in **c)** *~ med i* klubb o.d. join, become a member of, enter **d)** *~ med på* samtycka till agree (consent) to; godkänna approve [of]; godta äv. accept; vara med på äv. be ready for; medge admit, agree

~ **ned** (**ner**) allm. go down äv. om t.ex. svullnad; eg. walk (resp. step) down; i nedre våningen go downstairs; flyg. äv. descend; landa alight; om ridå äv. fall; om himlakropp äv. set; *~ ned i* vikt äv. lose [in]...

~ **om a)** passera, se *~ förbi; ~ om varandra* om pers. (utan att ses) pass each other; om brev cross in the post **b)** göras om be repeated (done again)

~ **omkring** promenera hit och dit walk osv. (allm. go) about; *han ~r omkring och säger att...* he goes around saying that...

~ **omkull a)** eg., se *falla* [*omkull*] **b)** bildl. firman *har ~tt omkull* ...has become (gone) bankrupt

~ **på a)** stiga [upp] på get on; se vid. *stiga* [*på*] **b)** fortsätta go on; skynda på make haste; gå an [värre] go (keep) on **c)** om kläder go on **d)** *han ~r på* (börjar tjänstgöra) kl. 17 he goes on duty... **e)** *han ~r på* 'sväljer' *vad som helst* he'll swallow anything

~ **runt a)** svänga runt go round; *det ~r runt för mig* my head is going round **b)** gå ihop ekonomiskt, vard. break even

~ **samman** se *~ ihop* ovan

~ **sönder** se under *sönder*

~ **till a)** försiggå come about (högtidl. to pass); hända happen; ordnas be arranged (done); *hur ska det ~ till?* how is that to be done (managed)? **b)** om fisk come in

~ **tillbaka** a) återvända go back; vända om äv. return båda äv. bildl. b) i tiden go (date) back c) upphävas be cancelled (annulled) d) minska recede e) försämras, gå utför deteriorate, fall off

~ **undan a)** gå ur vägen get out of the way **b)** gå fort get on fast; *låt det ~ undan!* get a move on!, hurry up!

~ **under** a) förolyckas: om pers. be ruined; om fartyg go down; om t.ex. stad be destroyed; om rike fall; om världen come to an end b) komma med lägre bud underbid, bid lower

~ **upp a)** i fråga om rörelse uppåt, äv. friare: allm. go up, rise; eg. walk (resp. step) up; i övre våningen vanl. go upstairs; ur säng get up; kliva upp get out **b)** öppna sig: om dörr o.d. open; om sjö (is) break up; om plagg rip; om t.ex. brosch come unfastened; om knapp el. knäppt plagg come unbuttoned; om knut come undone **c)** *~ upp i rök* go up in smoke; bildl., om projekt o.d. äv. come to nothing **d)** *~ upp i* vara (resp. bli) fördjupad i be (resp. become) absorbed (engrossed) in; vara (resp. bli) införlivad med be (resp.

become) merged in **e)** ~ *upp [e]mot* kunna mäta sig med come up to

~ **uppe** om patient be [up and] about

~ **uppför** om pers. go (resp. walk) up; kliva climb; om väg go up[hill]

~ **ur a)** om fläck, färg come out; blekas fade; försvinna disappear **b)** om knapp o.d. come (fall) off

~ **ut** (jfr äv. *utgå*) **a)** eg. el. friare go (resp. walk) out; gå utom dörren go outside; träda ut äv. step out[side]; ~ *ut [och gå]* go [out] for (take) a walk; som vana äv. go out walking; ~ *ut skolan* leave (genomgå finish) school **b)** tryckas appear **c)** om patiens come out **d)** utlöpa come to an end, run out

~ **utför** om pers. go (resp. walk) down (downwards), descend; om väg go downhill; *det ~r utför med honom* bildl. he is going downhill

~ **vidare** eg. go (resp. walk) on; fortsätta go on; *låta ngt ~ vidare* pass on a th. (a th. on)

~ **åt a)** behövas be needed osv., jfr *behövas* **b)** ta slut: förtäras be consumed; förbrukas be used up **c)** ha åtgång sell **d)** ~ *åt av skratt* be dying with laughter **e)** ~ *illa åt ngn* treat a p. harshly **f)** *vad ~r det åt dig?* what's the matter with (come over) you?

~ **över a)** färdas över go (resp. walk) across, cross [over]; ~ *över till* grannen go round (over) to... **b)** nå högre än go (resp. run, rise, be) above **c)** överstiga pass, jfr *övergå* **d)** upphöra abate; om smärta, vrede äv. pass [off]; *det ~r över med åren* you will grow out of it as you get older **e)** granska o.d. go over; syna look over (through) **f)** ~ *över i* t.ex. andra händer, förvandlas till pass into **g)** ~ *över till* friare el. bildl.: andra ägare pass to; reserven, flytande tillstånd pass into; t.ex. annat parti, fienden go over to; dagordningen, annan verksamhet, annat ämne pass on to; om egendom, makt be vested in; förändras till change (turn, be transformed) into; byta till change to

gång 1 a) gående [till fots] walking äv. sportgren; promenad walk; sätt att gå (om levande varelser): allm. gait, walk; om häst pace; *20 km ~* 20 km walk; *en ostadig ~* an unsteady gait **b)** färd run; genom is, vatten passage **c)** rörelse, verksamhet o.d.: om maskin o.d. working, running, motion, action; *få i ~* t.ex. maskin, samtal get...going (started), start...; *hålla...i ~* keep...going; *det är någonting på ~* there's something going on (något lurt something brewing) **d)** fortgång progress; förlopp course; *världens ~* the way of the world; *allting går sin gilla (jämna, vanliga) ~* things are going on just as usual

2 väg path[way], walk; i o. mellan hus passage; i kyrka aisle; mellan bänkrader på teater, i buss o.d. gangway, isht amer. aisle; underjordisk gallery; under gata o.d. subway; anat. duct

3 tillfälle time **a)** ex. i sg.: *en ~* a) allm. once b) om framtid one (some) day, some time c) ens even; *någon ~* i maj some time [or other]...; *det får räcka för den här ~en* that's enough for now; *två åt ~en* two at a time **b)** ex. i pl.: *några ~er* a couple of times; *två ~er två är...* twice (two times) two is...; *två ~er till* twice more, two more times

gångare sport. walker

gångavstånd, *på ~* at a walking distance

gångbana vid sidan av cykelbana o.d. footpath; trottoar pavement, isht amer. sidewalk

gången, *långt ~* om sjukdom o.d. far advanced

gångjärn hinge

gångstig footpath

gångtrafik, *endast ~* pedestrians only

gångtrafikant pedestrian

gångtunnel [public] subway; amer. underpass

gåpåig pushing, go-ahead; *en ~ typ* a go-ahead type, a hustler

går, *i ~* yesterday; *i ~ kväll* last evening (senare night); *det var inte i ~ [som]* vi sågs sist it's ages since...

gård 1 kringbyggd plats o.d.: allm. yard; bak~ backyard; borg~ court[yard]; på lantgård farmyard; gårdsplan framför t.ex. herrgård courtyard **2** egendom o.d.: bond~ farm; större, herr~ estate; boningshus: på bond~ farmhouse; på herr~ manor house

gårdskarl odd-job man; amer. janitor

gårdsplan courtyard

gås goose (pl. geese) äv. om pers.; *det är som att slå vatten på en ~* it's like water off a duck's back

gåsdun goose down

gåshud bildl. gooseflesh; *få ~* äv. get goose pimples

gåsleverpastej pâté de foie gras fr.

gåsmarsch, *gå i ~* walk in single file

gåta riddle; *det är mig en ~* it is a mystery to me; *tala i gåtor* speak (talk) in riddles

gåtfull mysterious

gåva allm. gift äv. bildl.; vard. present; testamenterad bequest; donation donation; *få ngt i (som) ~* get a th. as a present

gåvoskatt gift tax, tax on gifts

gäcka omintetgöra frustrate; undgå baffle; fly undan elude; *~de förhoppningar* disappointed (frustrated) hopes

gäckande elusive; *ett ~ skratt* a mocking laugh

gäckas, ~ *med* håna mock (scoff) at; gyckla med make fun of; retas med trifle with

gädda pike (pl. äv. lika)

gäldenär debtor
gäll shrill; om färg crude
gäll|a 1 ~ *[för]* räknas count; vara värd be worth **2** äga giltighet: allm. be valid; om lag, om mynt o.d. be current; vara tillämplig på apply to; biljetten *-er [för] 1 månad* ...is valid (available) for a month; erbjudandet *-er till 15 april...* ...is open to 15th April **3** anses be regarded; pass **4** angå: avse be intended for; röra concern; anmärkningen *-de mig* ...was aimed at me; min första tanke *-de henne* ...was for her **5** opers. *det -er* är fråga om, vanl. it is a question (matter) of; *nu -er det att handla snabbt* now we (you etc.) must act quickly; *när det gäller* i nödfall when it really matters; i en kritisk situation in an emergency; när det kommer till kritan when it comes to it
gällande giltig valid; tillämplig applicable; rådande present; *enligt ~ lag* according to existing law; *göra ~* hävda maintain, assert, claim; starkt framhäva argue, urge; *göra ~* t.ex. sitt inflytande, sina kunskaper bring...to bear *[gentemot* on]; *göra sig ~* a) hävda sig assert oneself b) vara framträdande be in evidence, manifest itself (resp. themselves), tell, make itself (resp. themselves) felt
gäng allm. gang
gäng|a I *s* [screw] thread; *känna sig (vara) ur -orna* vard. feel off colour **II** *tr* thread **III** *rfl, ~ sig* vard., gifta sig get hitched [up]
gänglig lanky
gängse current; vanlig usual
gärde 1 åker field **2** stängsel fence
gärna villigt willingly; med nöje gladly, with pleasure; i regel often; *~ det!* el. *så ~ [så]!* by all means!, with pleasure!, certainly!; *~ för mig!* I have no objection!, it is all right with me!, it's all the same to me!; det är mig likgiltigt I don't care!
gärning 1 handling deed; bedrift achievement; *i ord och ~* in word and deed **2** verksamhet work; kall duties
gärningsman, *~nen* the perpetrator [of the crime]
gäspa yawn
gäspning yawn
gäst allm. guest; på hotell resident; inackordering boarder
gästa besöka visit
gästarbetare guest (foreign) worker
gästartist guest artist (star)
gästbok guest (resandebok visitors') book
gästfrihet hospitality
gästgivargård o. **gästgiveri** inn
gästrum spare bedroom; finare guest room
gästspel teat. special (guest, star) performance (appearance)
gäststuga guest-house
gästvänlig hospitable
göda I *tr* **1** fatten [up]; *slakta den gödda kalven* kill the fatted calf **2** med konstgödning fertilize **II** *rfl, ~ sig* feed (fatten) [oneself] up, fatten
gödsel naturlig manure, dung; konst~ fertilizer[s pl.]
gödselstack dunghill
gödsla manure, dung; konst~ fertilize
gök 1 zool. cuckoo; *~en gal* the cuckoo calls **2** vard., kurre fellow, guy, bloke
gökotta, *gå på ~* go on a picnic at dawn to hear the first birdsong
gökur cuckoo clock
göl pool
göm|ma I *s* hiding-place; isht bildl. secret place; *leta i sina -mor* lådor (skåp) search in one's drawers (cupboards) **II** *tr* **1** dölja hide [...away]; *hålla sig -d* keep in (be [in]) hiding, lie low; *~ ansiktet i händerna* hide (bury) one's face in one's hands **2** förvara: allm. keep **III** *rfl, ~ sig* hide [oneself], conceal oneself *[för* from; *undan* out of the way]
gömställe hiding-place; vard., för pers hide-out
göra I *tr* o. *itr* **1** med konkr. subst. som obj.: tillverka make; *~ en förteckning* äv. draw up a list **2** med abstr. subst. som obj.: a) do: i allm. vid obj. som betecknar mera obestämd verksamhet el. skada el. betecknar resultatet av konstnärligt el. tekniskt framställande b) make: i allm. i bet. åstadkomma [något nytt], skapa o.d. c) andra vb *~ affärer* do business; *~ ett mål* score a goal; *~ ett porträtt* do a portrait; *~ en resa* make a journey; *~ stora ögon* open one's eyes wide, look wide-eyed **3** med neutr. pron. el. adj. som obj. samt i inf.-uttr. av typerna 'ha [ngt] (få) att göra [med]': allm. do; *det gör mig detsamma* it is all the same to me; *han vet vad han gör* he knows what he's doing (he's about, vard. he's up to); *lätt att ha att ~ med* easy to deal (dra jämnt med get on) with; *vad har du med det att ~?* what's it got to do with you?, that is none of your business!; *det är ingenting att ~ åt det* it cannot be helped, there is nothing to be done **4** med att-sats som obj.: förorsaka make; *det gjorde att bilen stannade* that made the car (caused the car to) stop **5** med [ack.-obj. o.] obj. predf.: allm. make; *~ ngn galen* drive a p. mad; *~ ngn olycklig* make a p. unhappy **6** i stället för förut nämnt vb vanl. do; dock ofta utelämnat efter hjälpvb: han reste sig *och det gjorde jag också* ...and so did I **7** utgöra make; 100 pence *gör ett pund* ...make one pound **8** handla, gå till väga, bära sig åt act, behave; i ledigare stil do **9** särskilda fall: *~* en kvinna *med barn* give...a baby (child); vard. put...in the family way; *hunden har gjort på mattan* the dog has

made a mess (done something) on the carpet
II *rfl,* ~ *sig* **1** allm. make oneself; låtsas vara make oneself out to be; ~ *sig fin i håret* make one's hair [look] nice **2** passa *han gör sig alltid på kort* he always comes out well [in photographs]; *skämtet gjorde sig inte* i det sällskapet the joke didn't go down...
III med beton. part.
~ **av:** *var skall jag* ~ *av* brevet? where am I to put (what am I to do with)...?; ~ *av med* a) förbruka, t.ex. pengar spend; göra slut på äv. get (run) through b) ta livet av kill, make away with; ~ *sig av med* get rid of, dispose of
~ **bort sig** make a fool of oneself; misslyckas fail completely
~ **ngn emot** cross (thwart) a p.
~ **fast** fasten; surra secure; förtöja make...fast
~ **ifrån sig** avsluta get...done
~ **ned** a) eg., t.ex. fiende destroy b) bildl., t.ex. bok pull...to pieces
~ **om** på nytt do (resp. make)...over again; ändra alter; upprepa do...again
~ **på sig** do it in one's pants (i blöjan nappy)
~ **till:** *detta gjorde sitt till att* inf. that contributed (did) its share to inf.; ~ *sig till* göra sig viktig, kokettera show off; sjåpa sig be affected, put it on
~ **undan ngt** get a th. done (out of the way, off one's hands)
~ **upp** betala settle [up]; enas settle; klara upp, hämnas settle [accounts]; ~ *upp [i förväg]* fix beforehand, prearrange; ~ *upp planer* äv. make (form) plans
~ **åt:** *det går inte att* ~ *något åt det (honom)* there is nothing to be done about it (him)
görande, *hans ~n och låtanden* his doings pl.
görlig practicable, feasible, possible; *för att i ~aste mån* inf. in order as far as possible to inf.
görningen, *det är något i* ~ there is something brewing (in the wind)
göromål business; åliggande duty
Göteborg Gothenburg

h bokstav h [utt. eɪtʃ]
ha I *hjälpvb* tempusbildande have; *vem ~r sagt [dig] det?* ofta who told you [that]?; *det ~de jag aldrig trott [om honom]!* I would (should) never have thought it [of him]!
II *tr* **1** äga **a)** allm. have; ledigare have got; formellare possess; inneha hold; hålla sig med keep; bära, t.ex. kläder wear; åtnjuta enjoy; ~ *aktier* hold shares; ~ *hund* keep a dog; *jag ~r huvudvärk* I have (I've) [got] a headache; ~ *rätt (fel)* be right (wrong); ~ *tur* have luck, be lucky; *vad ~r du här att göra?* what are you doing here?; *vad ~r du med det att göra?* what's it got to do with you?; *vad ska man ~ det till?* what is (what's) it for? **b)** med tids- el. rumsadverbial *idag ~r vi fredag* today is Friday, it is Friday today; *var ~r du handskarna?* where are (brukar du ha do you keep) your gloves? **2** få, erhålla have, get; *vad vill du ~?* what do you want?; om förtäring what will you have?, what would you like [to have]?; vard., om drink what's yours? **3** förmå ~ *ngn [till] att göra ngt* get a p. to do a th., make a p. do a th. **4** i uttr. som betecknar omständigheter o.d. ~ *det bra* gott ställt be well (comfortably) off; *hur ~r du det?* how are (vard. how's) things?; hur mår du? how are you?, how are you getting on?; ~ *ledigt* be free, be off duty; ~ *lätt (svårt) att* inf. find it easy (difficult) to inf.; ~ *lätt för* språk have a gift for..., be good at...
III *rfl* vard. *hon skrek och ~de sig* she screamed and shouted
IV med beton. part.
~ **bort** tappa lose; få bort remove
~ **emot:** *jag ~r inget emot...* I have nothing against...; *om ni inte ~r något emot det* vill jag if you don't mind (object)...
~ **för sig:** *vad ~r du för dig* gör du? what are you doing?; isht ofog what are you up to?; *~r du något för dig i kväll?* have you anything on (are you doing anything) this evening?
~ en vara **inne** have...in stock
~ **kvar** ha över have...left; ännu ha still have; se vid. *kvar*
~ **med [sig] a)** föra (ta) med sig have with one; hit bring [along]; dit take along **b)** *det ~r det goda med sig att...* it has the advantage that..., the good thing about it is that... **c)** ha på sin sida have with one
~ **på sig a)** vara klädd i have...on, wear **b)** vara försedd med ~ pengar *på sig* have [got]...about (on) one **c)** ha till sitt

förfogande *vi ~r hela dagen på oss* we have all the day before us (at our disposal)
~ **sönder** t.ex. en vas break; t.ex. klänning tear; jfr *sönder*

1 hack, *följa ngn ~ i häl* follow hard on (close [up]on) a p.'s heels

2 hack skåra notch, hack, dent; isht mindre o. oavsiktligt nick

1 hacka 1 kortsp. small (low) card **2** penningsumma tjäna *en ~* ...a bit of cash **3** *han går inte av för hackor* he is not just a nobody, he's really someone

2 hacka I *s* spetsig pick; bred mattock; mindre hoe **II** *tr* **1** jord hoe **2** hacka i bitar chop; mycket fint mince **3** *~ hål på* pick (om fågel äv. peck) a hole (resp. holes) in **4** *han ~de tänder* his teeth chattered **III** *itr* **1** *~ i* (*på*) eg. hack at; om fågel pick (peck) at **2** stamma stammer, stutter, generat, osäkert hum and ha[w] **3** *~ och hosta* hack and cough; om motor cough

hackhosta hacking (dry) cough

hackig 1 om egg o.d. jagged **2** om framställningssätt stammering, stuttering, halting; om t.ex. rytm jerky

hackkyckling, *han är allas ~* they are always picking on him, he is at the bottom of the pecking order

hackmat bildl. mess; *göra ~ av* ta kål på make mincemeat (hay) of

hackspett zool. woodpecker

haffa vard. nab

hafsig slovenly

hagalen acquisitive

hage 1 beteshage enclosed pasture **2** lund grove **3** barnhage playpen **4** *hoppa ~* lek play hopscotch

hagel 1 meteor. hail **2** blyhagel [small] shot; grövre buckshot (båda pl. lika)

hagelgevär shotgun

hagelskur meteor. shower of hail

hagga käring hag

hagla hail; om t.ex. kulor rain; anbud (frågor) *~de över dem* ...showered down on them

Haiti Haiti

haj *s* shark äv. bildl. om pers.

1 haja vard. *~r du?* do you get it?

2 haja, *~ till* start, be startled

1 haka chin; *sticka ut ~n* vard. stick one's neck out

2 haka 1 *~ av* unhook, unhitch; dörr o.d. unhinge **2** *~ på* ngt hook (hitch)...on; t.ex. grind hang...; bildl., t.ex. idé catch on to, pick up **3** *~ upp sig* **a)** om mekanism o.d. get stuck; *det har ~t* [*upp*] *sig någonstans* bildl. there's a hitch somewhere **b)** om pers. *~ upp sig på* ngt get stuck at (over)

hake 1 eg. hook; typogr. square bracket **2** bildl. *det finns en ~* ett aber, hinder *någonstans* there is a snag in it (en nackdel a drawback to it) somewhere

hakkors swastika

haklapp bib

hal slippery; *vara ute* (*ha kommit ut*) *på ~ is* bildl. be skating on (over) thin ice

hala haul isht sjö.; pull; *~ in* haul in (home); *~ ut* haul out

halka I *s* slipperiness; *det är svår ~* the roads (resp. streets) are very slippery, it is very slippery **II** *itr* slip; slide; slira skid

halkbana bil. skidpan

halkfri non-skid, non-slip

halkig slippery; vard. slippy

hall hall; i hotell ofta lounge

hallick vard. pimp

hallon raspberry

hallonbuske raspberry bush

hallstämpel hallmark

hallucinera hallucinate

hallå I *interj* hallo!; isht tele. hullo!; *~, ~!* i högtalare o.d. attention, please! **II** *s* rop hallo etc.; rabalder o.d. hullabaloo, uproar

hallåa radio. el. TV. [female] announcer

hallåkvinna o. **hallåman** radio. el. TV. announcer

halm straw

halmhatt straw hat; vard. straw

halmstrå straw; *gripa efter ett ~* bildl. catch at a straw

halogenlampa halogen [head] lamp (light)

hals 1 eg. neck äv. friare på plagg, kärl, fiol etc. el. bildl.; strupe throat; anat. cervix; *~ över huvud* in a rush, headlong, precipitately; *skrika av* (*för*) *full ~* shout at the top of one's voice; *få ngn* (*ngt*) *på ~en* be saddled with a p. (th.); *det står mig upp i ~en* I am fed up with it **2** sjö. tack; *ligga för babords* (*styrbords*) *~ar* be (stand) on the port (starboard) tack

halsa *tr*, *~ en öl* swig a [bottle of] beer

halsband smycke necklace; för t.ex. hund collar

halsbloss deep drag; *dra ~* inhale; enstaka take a deep drag

halsbrytande breakneck..., hazardous

halsbränna heartburn; med. pyrosis

halsduk scar|f (pl. -fs el. -ves); stickad muffler, comforter; sjalett kerchief; slips necktie

halsfluss med. tonsillitis

halsgrop, jag kom *med hjärtat i ~en* ...with my heart in my mouth

halshuggning beheading

halsmandel anat. tonsil

halsont, *ha ~* have a sore throat

halssmycke necklace; hängsmycke pendant

halsstarrig obstinate, stubborn

halstablett throat lozenge (pastille)

halster gridiron; *hålla* (*steka*) *ngn på ~* keep a p. on tenterhooks

halstra kok. grill

1 halt 1 av t.ex. socker samt av metall i legering

content; procentdel percentage **2** bildl. substance; värde worth

2 halt I *s* uppehåll halt; *göra* ~ mil. halt; friare äv. come to a halt, [make a] stop **II** *interj* mil. halt!

3 halt lame

halta eg. limp, hobble; ~ *på* vänster fot limp with...

halv half; *en* ~ sida half a...; *en och en* ~ *timme* an hour and a half, one and a half hours; *ett och ett* ~*t år* vanl. eighteen months; *ett* ~*t löfte* a half (half-and-half) promise; *för* (*till*) ~*a priset* at half-price, at half the price; *gå* ~*a vägen var* bildl. meet half-way; [*klockan*] ~ *fem* at half past four, at four-thirty, vard. half four, amer. half after four

halvautomatisk semi-automatic

halvback sport. half-back

halvblind half-blind; *vara* ~ be half blind

halvblod häst half-bred, half-blood; människa half-breed

halvbroder half-brother

halvbutelj half-bottle; *en* ~ vin half a bottle of...

halvcirkel semicircle

halvdann vard. half-and-half, medelmåttig mediocre

halvdunkel I *s* dusk, half-light **II** *adj* dusky

halvdöd half dead

halvera halve; geom. bisect; ~ *kostnaderna* go halves

halvfabrikat semimanufactured article; koll. semimanufactures

halvfemtiden, *vid* ~ [at] about half past four (four-thirty)

halvfet, ~ *ost* low-fat cheese

halvfigur, porträtt *i* ~ half-length...

halvfull 1 half full **2** vard., ngt berusad tipsy

halvfärdig half-finished

halvförsäkring, ~ *för motorfordon* third-party insurance [only]

halvhjärtad half-hearted

halvhög 1 om klack o.d. rather low, ...of medium height **2** *med* ~ *röst* half aloud, in an undertone (a half-whisper)

halvkilo half kilo

halvklar, ~*t* meteor. scattered clouds

halvklot geogr. hemisphere

halvlek sport. half (pl. halves)

halvligga recline; *i* ~*nde ställning* in a semi-recumbent (reclining) position

halvliter half litre

halvljus, *köra på* ~ drive with dipped (amer. dimmed) headlights (headlamps), drive with dipped beams

halvlång om kjol o.d. half-length; ~ *ärm* half-sleeve

halvmesyr half measure

halvmil, [*en*] ~ five kilometres; eng. motsv., ung. three miles

halvmåne half-moon äv. på nagel; *det är* ~ äv. the moon is half full

halvofficiell semi-official, quasi-official

halvpension på hotell o.d. half board

halvsanning half-truth

halvsekel, *första halvseklet* the first half-century; *för ett* ~ *sedan* half a century ago

halvsova be half asleep; ~*nde* ...half asleep, dozing

halvstatlig ...partly owned by the State

halvstor medium[-sized]; se äv. *halvvuxen*

halvsulning half-soling

halvsyskon half-brother[s pl.] and (resp. or) half-sister[s pl.]

halvsyster half-sister

halvt half; ~ *på skämt* half in jest

halvtid 1 sport. half-time **2** *arbeta* [*på*] ~ have a half-time job, be on half-time

halvtidsanställd I *adj, vara* ~ work half-time **II** *subst adj* half-timer

halvtimme, *en* ~ half an hour, a half-hour; *en* ~*s* resa half an hour's..., a half-hour's...

halvtorr 1 half dry **2** om vin o.d. medium dry

halvtrappa, *en* ~ half a flight (a half-flight) [of stairs]

halvvaken half awake

halvvuxen half grown-up; om djur half-grown; ~ [*person*] adolescent

halvvägs half-way, midway

halvår, [*ett*] ~ six months, [a] half-year; *varje* ~ every six months; adv. äv. semi-annually, bi-annually, half-yearly

halvädelsten semiprecious stone

halvö peninsula

halvöppen half open; på glänt ajar

hambo o. **hambopolska** Hambo [polka]; *dansa* ~ dance (do) the Hambo [polka]

hamburgare kok. hamburger

hamburgerbar hamburger bar

hamburgerbröd hamburger roll (bun)

hamburgerkött ung. smoked salt horseflesh

hammare hammer; anat. äv. malleus lat.

hammock garden hammock

hammondorgel Hammond organ

hamn isht mål för sjöresa port; isht om själva anläggningen, tilläggsplats harbour; dockhamn docks; bildl. el. poet. äv. haven; *isfri* (*naturlig*) ~ ice-free (natural) harbour; *säker* (*trygg*) ~ safe port (harbour, bildl. äv. haven)

hamna land up; vagare get; go; sluta sin bana end up; *brevet* ~*de i* papperskorgen the letter ended up in...

hamnarbetare dock worker, docker; stuvare stevedore; isht amer. longshoreman

hamnkontor port (harbour-master's) office

hamnkvarter dock district

hamnstad port

hampfrö hempseed äv. koll.

hamra hammer, beat; ~ *på pianot* pound (thump) [on] the piano
hamster zool. hamster
hamstra hoard
hamstrare hoarder
han he; *honom* him
hand hand; *~en på hjärtat, tyckte du om det?* cross your heart (tell me honestly), did you like it?; *skaka* ~ *[med ngn]* shake hands [with a p.]; *ta* ~ *om* take care (charge) of, look after; *i första* ~ in the first place, first [of all]; helst preferably, jfr äv. *andra I; gå* ~ *i* ~ walk hand in hand; *hålla ngn i ~[en]* hold a p.'s hand; *hålla varandra i ~[en]* hold hands; börja *med två tomma händer* ...empty-handed; *upp med händerna!* hands up!; *stå på händer* do a handstand; *på egen* ~ all by oneself, on one's own; utan hjälp äv. single-handed; *ha till ~s* have handy (at hand, ready); *få ngt ur händerna* get a th. off one's hands, get a th. done (finished)
handarbeta do needlework etc., jfr *handarbete*
handarbete sömnad needlework; broderi embroidery; stickning knitting
handbagage hand-luggage, hand-baggage
handbalsam hand lotion (milk)
handbojor handcuffs; *sätta* ~ *på ngn* handcuff a p.
handbok handbook; ~ *i* psykologi handbook of...
handboll sport. handball
handbroms handbrake
handduk towel; *kasta in ~en* boxn. el. bildl. throw in the towel (sponge)
handel 1 varu~ trade; handlande trading; i stort el. ss. näring äv. commerce; affärer, affärsliv business; isht olovlig traffic; marknad market; ~ *med (i) bomull* trade in cotton, cotton trade **2** ~ *och vandel* dealings pl., conduct
handeldvapen firearm
handelsblockad commercial (economic) blockade
handelsbojkott trade embargo
handelsbolag trading company
handelsdepartement ministry of commerce; *~et* i Engl. the Department of Trade; i Amer. the Department of Commerce
handelsflotta fartyg mercantile (isht amer. merchant) marine, merchant fleet; ss. organisation merchant navy
handelsfrihet freedom of trade
handelskammare chamber of commerce
handelsman affärsinnehavare shopkeeper
handelsminister minister of commerce; i Engl. Secretary of State for Trade; i Amer. Secretary of Commerce
handelspolitik trade (commercial) policy
handelsresande commercial traveller; amer. äv. traveling salesman
handelsträdgård market garden, amer. truck garden (farm)
handelsutbyte trade [exchange]
handelsvara commodity; *handelsvaror* äv. merchandise sg., goods, mercantile (commercial) goods
handelsväg trade (commercial) route
handfallen handlingsförlamad ...unable to act; rådvill perplexed, at a loss
handfast om pers., robust sturdy; orubblig, bestämd firm; *~a regler* definite rules
handfat washbasin; amer. äv. washbowl
handflata palm
handfull bildl. a pocketful of; *en* ~ jord a handful of...
handgemäng scuffle; *råka i* ~ come to blows
handgjord hand-made
handgranat mil. hand grenade
handgrepp, *med ett enkelt* ~ in one simple operation
handgriplighet, *gå över till ~er* come to blows, become physically violent
handhava hantera: t.ex. vapen handle, [förstå att] sköta manage; ha hand om be in charge of, be responsible for; förvalta administer
handikapp handicap äv. sport.; invaliditet disablement
handikappad handicapped äv. bildl., ...with a handicap, invalidiserad disabled
handikapp-OS the Paraplegic Games
handjur, *ett* ~ a male
handklappning det att applådera clapping; *~ar* clapping sg., [rounds of] applause sg.
handklaver se *dragspel*
handklovar se *handbojor*
handknuten om rya o.d. hand-made
handkyss kiss on the hand
handla 1 göra affärer **a)** driva handel trade, isht olovligt traffic **b)** göra sina uppköp shop; köpa buy **2** verka, bete sig act; *tänk först och* ~ *sen!* think before you act! **3** ~ *om* **a)** röra sig om be about; behandla deal with; *det är det det ~r om* that's what it's all about **b)** gälla be a question (matter) of
handlag skicklighet knack; *hans* ~ *med* sätt att handskas med his way of handling
handled wrist
handleda undervisa instruct; vägleda guide; i studier o.d. supervise
handledare instructor; studieledare o.d. supervisor
handledsväska clutch bag
handling 1 handlande action; *fientlig* ~ act of hostility, hostile act (action); mellan stater enemy action; *gå från ord till* ~ translate words into deeds **2** i bok story; intrig plot; *~en tilldrar sig i* London the scene is laid

in... **3** urkund document; *lägga ngt till ~arna* put a th. aside
handlingsförlamad paralysed
handlingskraftig energetic, active; *en ~ regering* a strong government
handlingsmänniska man (resp. woman) of action
handlingssätt mode of action
handlån temporary loan
handlägga handha handle; behandla deal with
handläggare allm. person (tjänsteman official) in charge of (handling) a (resp. the) matter; ss. yrke administrative (executive) official; på brevhuvud o.d. motsv. our reference
handlöst headlong, precipitately
handpenning deposit; down payment
handplocka handpick äv. bildl.
handräckning 1 hjälp assistance; *ge ngn en ~* lend a p. a [helping] hand, penninglån lend a person a bit of money **2** mil.: tjänst fatigue[-duty]; manskap fatigue-party
handskakning det att skaka hand handshaking; *en ~* a handshake
handskas, ~ *med* hantera handle; behandla treat; *~ vårdslöst med* skarpa vapen be careless with...
handske glove; krag~ gauntlet; *passa som hand i ~* fit like a glove
handskfack i bil glove locker (isht amer. compartment)
handsknummer size in gloves
handskriven handwritten, ...written by hand, manuscript...
handslag handshake
handstickad hand-knitted
handstil handwriting
handsvett, *ha ~* have clammy (perspiring) hands
handsydd hand-sewn
handtag 1 på dörr, kärl handle; runt knob **2** *ge ngn ett ~* hjälp lend a p. a hand; *han har inte gjort ett ~* skapande grand he has not done a stroke of work
handtryckning 1 eg. pressure of the hand; handslag handshake **2** *ge ngn en ~* vard., dusör give a p. a tip (tips, a gratuity); muta grease a p.'s palm
handtvätt ss. tvättmärkning hand wash
handuppräckning, rösta *genom ~* ...by [a] show of hands
handvändning, det är gjort *i en ~* ...in no time, ...in a twinkling (jiffy, trice)
handväska handbag
1 hane allm. male; fågelhane ofta cock
2 hane 1 åld., tupp cock **2** på gevär cock; *spänna ~n* osäkra ett vapen (gevär) cock the trigger (gun)
hangar hangar
hangarfartyg aircraft carrier
hank 1 *inom stadens ~ och stör* within the confines (limits) of the city **2** hängare hanger
hanka, ~ *sig fram* [manage to] get along
hankatt male cat, tomcat; vard. tom
hankön eg. male sex; djur *av ~* äv. male...
hanne se *1 hane*
hans his; om djur el. sak vanl. its
hantel dumbbell
hantera allm. handle; [förstå att] sköta manage; t.ex. maskin work; t.ex. yxa wield; använda use; behandla treat; tygla restrain
hanterlig handy; manageable äv. om pers.
hantlangare allm. helper; hejduk henchman
hantverk konst~ handicraft; yrke trade; stolen är *ett fint ~* ...a good piece of (...good) craftsmanship (workmanship)
hantverkare craftsman; friare workman, carpenter (resp. painter etc.)
hantverksutställning arts and crafts exhibition
harang long speech, harangue; friare rigmarole
hare 1 zool. hare; ynkrygg coward, vard. funk; *rädd som en ~* as timid as a hare **2** sport. pacemaker; i hundkapplöpning hare
harem harem
haricots verts French (string) beans
harig timid, cowardly; vard. funky
harkla, ~ *sig* clear one's throat, hawk; säga hm hem
harkling hawking; hemming
harlekin harlequin
harm indignation; förbittring resentment; poet. ire, wrath; förtret vexation; *med ~* harmset indignantly
harmlig vard., förtretlig annoying
harmlös oförarglig inoffensive, innocent, harmless
harmoni harmony äv. mus.
harmoniera harmonize; *~ med* harmonize (be in harmony, be in keeping) with
harmonisk allm. harmonious
harmsen upprörd indignant; förbittrad resentful; förtretad vexed
harmynt harelipped
harnesk rustning armour äv. bildl.; bröst~, rygg~ cuirass
harpa *s* **1** mus. harp **2** vard., käring [old] hag
harpun harpoon
harsyra bot. [wood] sorrel
hart, ~ *när* omöjligt well-nigh...
harts resin; isht stelnat rosin
hartsa rosin
harv harrow
harva harrow
has 1 på djur hock **2** vard., på människor: häl heel, ben leg; *ha ngn i ~orna* have a p. close on one's heels
hasa glida slide; dra fötterna efter sig shuffle [one's feet]; *~ ned* om strumpa slip down

hasardspel gamble; hasardspelande gambling
hasardspelare gambler
hasch vard. hash
haschisch hashish
hasp hasp
haspelspö spinning rod
haspla reel; ~ *ur sig* vard. reel off
hasselbuske hazel bush (shrub)
hasselnöt hazelnut
hast hurry, haste; *i största* (*all*) ~ in great haste, in a great hurry, hastily, hurriedly; hals över huvud precipitately
hasta hasten; *det ~r inte* [*med det*] there is no hurry [about it], it is not urgent
hastig snabb rapid; skyndsam hurried; förhastad, brådstörtad hasty; plötslig, bråd sudden; *ta ett ~t slut* come to a sudden end
hastigast, *som* ~ in a hurry, hastily; flyktigt cursorily
hastighet 1 fart speed; isht vetensk. velocity; snabbhet rapidity; *högsta* [*tillåtna*] ~ the speed limit, the maximum speed **2** brådska *i ~en* glömde han... in his hurry...
hastighetsbegränsning speed restriction (limit); *införa en* ~ impose a speed limit
hastighetsmätare speedometer
hastighetsrekord speed record
hastigt rapidly etc., jfr *hastig*
hastverk, *ett* ~ a rush job; fuskverk a scamped piece of work
hat hatred; i mots. t. kärlek el. poet. hate; avsky detestation
hata hate; avsky detest, loathe; ~ *ngn som pesten* hate a p. like poison
hatfull o. **hatisk** spiteful, rancorous
hatkärlek love-hate
hatt hat; på tub o.d. el. på svamp cap; *hög* ~ top (silk) hat; *han är karl för sin* ~ he can hold his own
hatthylla hatrack
hattnummer size in hats
haussa 1 ekon. ~ [*upp*] *priserna* force up [the] prices **2** ~ [*upp*] uppreklamera boost, overrate
hav sea; världshav ocean; bildl. flood; [*som*] *en droppe i ~et* a drop in the ocean (bucket); *en stad vid ~et* a town [situated] on the sea
havande gravid pregnant
havandeskap pregnancy; *avbrytande av* ~ termination of pregnancy
haverera lida skeppsbrott be wrecked äv. friare; om flygplan crash, be crashed; få motorfel o.d. have a breakdown; *~d* sjöoduglig disabled; skadad damaged
haveri skeppsbrott [ship]wreck; flyg~ crash; motor~ o.d. breakdown; skada damage
haverikommission commission (committee) of inquiry
havre oats; planta oat
havregryn koll. porridge (valsade rolled) oats
havregrynsgröt [oatmeal] porridge
havsarm arm of the sea
havsbad 1 badort seaside resort **2** badande sea-bathing; *bada* ~ bathe in the sea
havsband, *i ~et* i yttersta skärgården on the outskirts of the archipelago
havsbotten sea (ocean) bed; *på* ~ at (on) the bottom of the sea
havsdjup depth
havsfiske [deep-]sea fishing
havskryssare cruising yacht
havskräft|a Norway lobster; *friterade -or* scampi
havslax 1 salmon [caught in the sea] **2** gråsej smoked coalfish
havsluft sea air
havssalt sea salt
havssköldpadda turtle
havsstrand seashore
havsvatten sea water
havsvik bay; liten inlet
havsyta surface [of the sea]; 1000 m *över ~n* ...above sea level
havsörn sea eagle, white-tailed eagle
hebreiska språk Hebrew
hed moor; ljunghed heath
hedendom hednisk tro heathenism, heathendom; avguderi paganism
hedenhös, *från* (*sedan*) ~ from time immemorial
heder ära honour; beröm[melse] credit; hederlighet honesty; *göra ~ åt anrättningarna* do justice to the meal; *han har ingen ~ i sig* (*i kroppen*) he has no sense of honour (no self-respect); *ta ~ och ära av ngn* calumniate (defame, skriftl. libel) a p.; *försäkra på ~ och samvete* (*på tro och* ~) declare solemnly
hederlig ärlig, redbar honest; anständig decent; hedersam honourable
hederlighet ärlighet honesty
hedersam se *hedrande*
hedersbetygelse [mark of] honour; *under militära ~r* with military honours
hedersgäst guest of honour
hedersknyffel, *en riktig* ~ a real brick
hederskänsla sense of honour
hedersman, *en* ~ a man of honour; friare an honest man; vard. a decent old sort
hedersord word of honour; mil. parole; *på ~!* tro mig! word of honour!, honestly!
hedersplats place (sittplats seat) of honour
hederssak, *det är en ~ för honom* he makes it (regards it as) a point of honour
hedersuppdrag honorary task
hedervärd honourable, worthy
hedning heathen; vanl. före kristendomen pagan

hednisk heathen; vanl. före kristendomen pagan
hedra *tr* honour; *det ~r honom att* han... it does him credit that ...
hedrande efter hederns bud honourable; aktningsvärd creditable; smickrande flattering
hej vard., hälsning, utrop hallo!, isht amer. hi (hello) [there]!; ~ *[då]!* adjö bye-bye!, cheerio!
heja I *interj* come on!; amer. äv. attaboy!; bravo well done!; i hejaramsa rah! **II** *itr*, ~ *på* a) ett lag o.d. cheer [on]; hålla på support b) säga hej åt say hallo to
hejaklack sport. cheering section (crowd), supporters
hejaramsa cheer; amer. äv. yell
hejarop cheer
hejd, *det är ingen ~ på...* there are no bounds (is no limit) to...
hejda I *tr* stoppa stop; med abstr. obj.: tygla, få under kontroll check, hämma arrest, ström stem; ~ *farten* slow down; ~ *ngns framfart* check a p.'s progress; ~ *tårarna* keep back one's tears **II** *rfl*, ~ *sig* hålla igen check oneself; i tal äv. break off, stop
hejdlös obändig uncontrollable; vild wild; våldsam violent; ofantlig tremendous; obegränsad unlimited; måttlös inordinate, excessive
hejdlöst uncontrollably etc., jfr *hejdlös;* vard., väldigt awfully; *ha ~ roligt* el. *roa sig ~* have the time of one's life
hejduk henchman
hejdundrande vard. tremendous; överdådig slap-up...; *ett ~ fiasko* äv. a complete flop
hektisk hectic
hekto o. **hektogram** (förk. *hg*) hectogram[me]; *ett* ~ eng. motsv., ung. 3.5 ounces
hel 1 total **a)** allm. whole (i vissa fall the whole of), känslobeton. quite, jfr ex. under *b); en ~ dag* a whole day; *~a dagen* adv. all day [long], all the day, the whole (entire) day; *under (i) ~a sitt liv* var han all his life..., throughout ([for] the whole of) his life... **b)** ytterligare ex.: ~ *arbetsdag* full working day; ~ *namnet* the full name; det har jag vetat *~a tiden* ...all along **c)** i substantivisk anv.: *en* ~ och två femtedelar one...; fyra halva är *två ~a* ...two wholes; få en överblick av *det ~a* ...the whole of it
2 ej sönder whole; om glas o.d. unbroken, ...not cracked; om kläder o.d.: ej slitna ...not worn out (ej sönderrivna not torn), ...that do (did etc.) not need repairing, utan hål ...without any holes
hela I *tr* bibl. el. poet. heal **II** *s* **1** se *helbutelj* **2** *Helan och Halvan* film., komikerpar Laurel Halvan and Hardy Helan
helande healing
helautomatisk fully automatic
helbrägdagörare faith-healer
helbutelj large (whole, full-sized) bottle
heldag full day, all day; *arbeta* ~ work full time (all day)
heldragen om linje continuous
helfigur, *porträtt i* ~ full-length (whole-length) portrait
helförsäkring, ~ *för motorfordon* comprehensive motorcar insurance
helg holiday[s pl.]; vard., veckohelg weekend; kyrkl. festival, feast
helga, *ändamålet ~r medlen* the end justifies the means
helgardera, ~ *sig* cover oneself fully; vid vadslagning hedge [off]; vid tippning forecast a banker, use a three-way forecast
helgd okränkbarhet sanctity; helighet sacredness; *privatlivets* ~ the sanctity of private life
helgdag holiday; *allmän* ~ public (legal) holiday
helgdagsafton day (resp. evening) before a holiday (Church festival)
helgerån sacrilege
helgjuten eg. ...cast in one piece; bildl.: om t.ex. personlighet sterling..., harmonisk harmonious, fulländad consummate
helgon saint äv. bildl.
helgonbild image [of a saint]
helgondyrkan worship of saints
helgonlik saintly
helgsmålsringning ringing in of a (resp. the) sabbath (Church festival)
helhet whole; *bilda en* ~ form a whole; publicera en artikel *i sin* ~ ...in full, ...in its entirety
helhetsbild comprehensive (overall, general) picture
helhetsintryck overall (total, general) impression
helhetssyn comprehensive (overall) view
helhjärtad whole-hearted; *han gjorde en ~ insats* he put his heart and soul into it
helhjärtat whole-heartedly
helig till sitt väsen holy; ss. föremål för religiös vördnad sacred; okränkbar sacrosanct; from pious; helgonlik saintly; *den ~e ande* the Holy Ghost; *~t löfte* sacred (solemn) promise
helikopter helicopter; vard. chopper
helkväll, *ha en* ~ vard. make an evening of it
heller efter negation, ibl. underförstådd either; jag hade ingen biljett *och [det hade] inte han* ~ ...and he hadn't [got one] either, ...nor had he, ...[and] neither had he; jag förstår inte det här. — *Inte jag* ~ ...Nor (Neither) do I; *[det gör jag så] fan ~!* I'll be damned if I do (resp. will)!
helljus, *köra på* ~ drive with [one's]

headlights (headlamps) on, drive with main beams

hellre rather; i vissa fall better; *mycket* (*långt*) ~ much rather (sooner); *jag vill* ~ (*skulle* ~ *vilja*) inf. I would rather (sooner) inf.

hellång full-length

helnykterist teetotaller, total abstainer

helomvändning mil. *göra en* ~ do an about turn (isht amer. face); bildl. äv. do a turnaround (turnabout), reverse one's policy (opinions etc.)

helpension på hotell o.d. full board [and lodging]

helsida full page

helsidesannons full-page advertisement

helsike vard., svag. variant för *helvete; i* ~ *heller!* my eye!, I'd watch it!

Helsingfors Helsinki

helskinnad, *komma* (*slippa*) ~ *undan* escape unhurt (safe and sound, unscathed)

helskägg full beard; *ha* ~ wear a [full] beard

helspänn, *på* ~ a) om pers. on tenterhooks, tense, vard. uptight b) om gevär at full cock

helst 1 företrädesvis preferably; isht i förb. med vb rather; ~ *i dag* preferably today; *jag vill allra* ~ (~ *av allt*) inf. I want most of all to inf., I should like best to inf. **2** i uttr. *som* ~*: hur mycket* (*länge* etc.) *som* ~ hur mycket etc. ni vill as much (as long etc.) as [ever] you like; *jag skulle kunna sitta här hur länge som* ~ I could go on and on sitting here, I could sit here any amount of time; *det var hur trevligt som* ~ mycket trevligt it was very (ever so) nice; *ingen som* ~ *anledning* no reason whatever (stark. whatsoever); *när som* ~ [at] any time; när ni vill whenever you like; *vad som* ~ anything; vad ni vill anything (whatever) you like; *vem som* ~ anybody; *vilken som* ~ a) se *vem som* ~ ovan b) av två either [of them] c) vilken ni vill whichever [of them (resp. the two)] you like

helstekt ...roasted whole

helsyskon full brothers and sisters

helt fullständigt, alltigenom, i sin helhet (äv. ~ *och hållet*) entirely, totally, all; alldeles quite; ~ *eller delvis* wholly or partially; njuta ~ *och fullt* ...to the full; *jag instämmer* ~ I fully (quite) agree; ~ *enkelt* [*omöjligt*] simply [impossible], jfr *enkelt;* [*inte förrän*] ~ *nyligen* [only] recently

heltid full-time äv. sport.; *arbeta* [*på*] ~ work full-time, have a full-time job

heltidsanställd, *vara* ~ be employed full-time

heltidsarbete full-time (whole-time) job

heltidstjänst full-time post (occupation, job)

heltokig vard. quite mad (crazy)

heltäckningsmatta wall-to-wall ([close-]fitted) carpet

helvete hell; ~*t* hell; *i* ~ *heller!* like hell you (he etc.) will!, bugger that [for a lark]!; *vad i* ~ *gör du?* what the (isht amer. in) hell (svag. the deuce) are you doing?; *dra åt* ~ go to hell (to the devil, svag. to blazes); *det gick åt* ~ it was mucked up (stark. buggered up), ...went to pot

helylle all wool; tröja *av* ~ all-wool (pure-wool)...

helårsprenumerant annual (yearly) subscriber

hem I *s* home äv. anstalt; *lämna* ~*met* leave home; *bort* (*borta*) *från* ~*met* away from home **II** *adv* **1** home; *följa ngn* ~ see a p. home; *gå* ~ *till ngn* go to a p.'s home (house, place); *då kan vi hälsa* ~*!* iron. then it's all up with us (we're done for)!; jag ska *köpa* ~ *lite mat* ...buy some food **2** kortsp. *gå* ~ i bridge make one's contract; friare win

hemarbete 1 hemläxa homework **2** hushållsarbete housework

hembageri local baker's [shop]

hembakad home-made

hembesök house call

hembränning home-distilling; olaglig illicit distilling

hembränt sl. hooch

hembygd, ~*en* one's native (home) district

hemdator home computer

hemdragande, *komma* ~[*s*] *med* ngn (ngt) come home bringing (with)...

hemfalla, ~ *åt* (*till*) t.ex. laster yield (give way) to; t.ex. en känsla äv. surrender [oneself] to; t.ex. dryckenskap become addicted to; t.ex. manér acquire, drift into; t.ex. glömskan fall [a] victim to

hemfridsbrott violation of the privacy of the home

hemförhållanden home conditions

hemförlova mil. disband, demobilize; riksdag adjourn

hemförsäkring householders' comprehensive insurance (policy); jfr *försäkring 2*

hemförsäljning house-to-house (door-to-door) selling (sales pl.)

hemhjälp pers. home help

hemifrån om t.ex. hälsning from home; borta från hemmet [away] from home; *gå* (*resa*) ~ leave home, start (set out) from home

heminredning interior decoration

hemkunskap skol. home economics, domestic science

hemkänsla feeling of homeliness (cosiness, being at home)

hemkär, *vara* ~ be fond of one's home

hemlagad om mat home-made

hemland native country (land); bildl. el. poet. home
hemlig allm. secret; ~ *agent* secret agent; *~t [telefon]nummer* ex-directory (amer. unlisted) number
hemlighet secret; mysterium mystery; *en offentlig (väl bevarad)* ~ an open (a closely-guarded) secret
hemlighetsfull gåtfull mysterious; förtegen secretive
hemlighetsmakeri mystery-making; vard. hush-hush
hemlighålla keep...secret
hemligstämpla classify; *~d information* classified (top secret) information
hemliv home (domestic) life
hemlån, *som* ~ om bok for home reading
hemlängtan homesickness; *känna (ha)* ~ feel (be) homesick
hemläxa homework, jfr *läxa I 1*
hemlös homeless
hemma at home; bildl. at home, jfr *hemmastadd;* ~ *[hos oss]* brukar vi at home..., in our home..., jfr *härhemma;* du kan bo ~ *hos oss* ...at our place (house), ...with us; *ha ngt* ~ på lager have a th. in stock (hemköpt at home, in the place); *känn dig som ~!* make yourself at home!; *vara* ~ a) be at home; inne äv. be in b) hemkommen be home, be back [home]
hemmafru housewife; ibl. houseperson
hemmagjord home-made
hemmahörande, ~ *i* a) jur., om pers. domiciled in b) om fartyg of, belonging to
hemmakväll evening at home
hemmalag sport. home team (side)
hemmamatch sport. home match
hemman homestead
hemmaplan sport. home ground äv. bildl.; *spela på* ~ play at home
hemmastadd at home, end. pred.; *känna (göra) sig* ~ feel (make oneself) at home
hemmavarande ...living at home
hemort home district; jur. domicile; fartygs home port
hempermanent home perm
hemresa journey (till sjöss voyage) home; i mots. till utresa home journey, till sjöss home[ward] voyage; *på ~n* blev vi... on our way home...
hemsjukvård home nursing
hemsk 1 allm. ghastly; svag. awful; kuslig, spöklik uncanny, eery; dyster dismal, gloomy **2** vard., förstärkande *en* ~ *massa* folk an awful lot of...
hemskillnad judicial separation
hemskt vard., väldigt awfully
hemslöjd handicraft; [domestic] arts and crafts, [home] arts and crafts
hemspråk home language
hemspråksträning o.
hemspråksundervisning home-language instruction
hemstad home town
hemställa 1 ~ *[hos ngn] om ngt* anhålla request a th. [from a p.], petition [a p.] for a th. **2** föreslå suggest; hänskjuta submit (refer)
hemställan 1 anhållan request **2** förslag suggestion, proposal
hemsöka härja, drabba o.d.: om t.ex. sjukdom afflict; om t.ex. skadedjur infest; om spöken haunt
hemsökelse av t.ex. sjukdom affliction; av t.ex. skadedjur infestation; katastrof disaster, calamity
hemtam domesticated, [quite] at home
hemtjänst home help service
hemtrakt home district (area)
hemtrevlig ombonad cosy [and intimate]; hemlik homelike, homely; om pers. pleasant
hemtrevnad cosiness, hominess
hemvist, *vara* ~ *för* bildl. be a seat (centre) of
hemvårdare [trained] home help
hemväg way home; fartyg *på* ~ homeward bound...; *på ~en* blev jag... on my (the) way home...
hemvärn home defence; *~et* the Home Guard
hemvävd homespun äv. bildl.; hand-woven
hemåt homeward[s]; home; *vända* ~ return [home], turn back home
henne se under *hon*
hennes fören. her; om djur äv. el. om sak vanl. its; självst. hers; *den moderna människan och* ~ omgivning modern man and his...
Hercegovina Herzegovina
herde fåra~ o. bildl. shepherd
herdestund [hour of] dalliance
herkulesarbete Herculean task (labour)
hermafrodit hermaphrodite
hermelin zool. ermine äv. pälsverk
hermetiskt, ~ *sluten* hermetically sealed
heroin heroin
heroinist heroin addict
heroisk heroic[al]
herpes med. herpes
herr se *herre 2*
herravdelning i t.ex. affär men's department; i t.ex. simhall men's section (side)
herravälde makt[utövning] domination; styrelse rule; välde dominion; överhöghet supremacy; övertag samt behärskning mastery, command; kontroll control; *förlora ~t över bilen* lose control of the car
herrbesök, *ha* ~ have a man (male) visitor
herrdubbel men's doubles (pl. lika); match men's doubles match
herr|e 1 mansperson **a)** allm. gentle|man (pl. -men), man (pl. men); dams kavaljer partner **b)** i tilltal utan följ. personnamn *vill -arna*

vänta? would you [gentlemen] mind waiting, please? **2** *herr* ss. titel: allm. Mr. (Mr); *tycker herr A. det?* i tilltal do you think so, Mr. A?; *Herr redaktör!* i brevhuvud Sir; *herr talman (ordförande, president)!* Mr. Speaker (Chairman, President)! **3** i spec. bet.: härskare master; i vissa fall lord; husbonde master; ägare master; *är -n hemma?* till tjänstefolk is Mr. X. (your master) at home?; *vara ~ över sig själv* be master (om kvinna vanl. mistress) over oneself, control oneself **4** *Herren* (åld. *Herran*) the Lord; *i (på) många -ans år* for ages [and ages], for donkey's years

herrekipering butik men's outfitter's, (amer. haberdasher's el. haberdashery)

herrelös ownerless; ~ *hund* äv. stray dog

herrfinal sport. men's final

herrfrisör [men's] hairdresser

herrgård byggnad country house, country seat, mansion, manor house; gods country (residential) estate, manorial estate

herrgårdsvagn bil estate car, isht amer. station wagon, ibl. [shooting] brake

herrkläder men's clothes (wear sg.)

herrsingel men's singles (pl. lika); match men's singles match

herrskap 1 äkta makar: *~et Ek* Mr. (Mr) and Mrs. (Mrs) Ek **2** herrskapsfolk gentlefolk[s]; herrskapsklassen the gentry

herrsällskap, *i ~* a) om dam in male company b) bland herrar among [gentle]men

herrtidning men's paper (magazine); med nakna flickor girlie magazine

herrtoalett lokal [gentle]men's lavatory, vard. gents, amer. äv. men's room

herrunderkläder [gentle]men's (vard. gents) underwear

hertig duke

hertiginna duchess

hes hoarse

hesning *s* mavory

het i div. bet. hot; upphetsad heated; *~a linjen* the hot line; vard., för öppen telefonlinje, ung. talk-about; ~ klimat*zon* torrid zone; *få det ~t [om öronen]* get into hot water; *vara ~ på gröten* be overeager, be too eager

het|a 1 benämnas be called (named); *vad -er han?* vanl. what's his name?; *vad -er det* ordet, uttrycket etc. *på engelska?* what is that in English?, what is the English [word (equivalent)] for that?; *...eller vad det -er* ...or whatever it is called **2** opers., lyder *det -er i lagen...* the law says...; *som det -er* as the word (term) is, as the phrase goes (runs, is); i ordspråket as the saying goes; *som det -er* vi säger *på svenska* as we say in Swedish

heterosexuell heterosexual

hetlevrad hot-tempered

hetluft eg. hot air; *hamna (komma) i ~en* get into a tight (tough) spot

hets ansättande baiting; förföljelse persecution; uppviglande agitation [campaign]; upphetsad stämning frenzy; jäkt, hetsigt tempo bustle

hetsa jäkta rush, press; reta bait; tussa set; jakt., förfölja med hundar hunt; ~ jäkta *mig inte!* don't rush me!; ~ *upp sig* get excited (worked up, all hot and bothered)

hetsig 1 häftig hot; hetlevrad hot-tempered; lättretad hot-headed; om persons tal impetuous; lidelsefull passionate, vehement **2** jäktig bustling

hetsjakt jakt. hunt; jagande hunting; bildl. rush; *~en efter* t.ex. nöjen the chase after; t.ex. berömmelse the pursuit of; ~ *på* agitation [campaign] (witch-hunt) against; förföljelse baiting (persecution) of

hetskampanj witch-hunt, smear (propaganda) campaign

hetsäta be a compulsive eater

hett hotly etc., jfr *het; solen brände ~* the sun burnt hot; han kände att *det började osa ~* ...the place began to be too hot for him

hetta I *s* heat; *i stridens* dispytens ~ in the heat (ardour) of the debate **II** *itr* vara het be hot; alstra hetta give heat; om hetsande dryck o.d. be heating

hicka I *s* hiccup; *få (ha) ~* get (have) the hiccups **II** *itr* hiccup, hiccough

hi-fi-anläggning hi-fi [set]

himla I *adj* vard. awful **II** *adv* vard. awfully **III** *itr, ~ med ögonen* roll up one's eyes to heaven, look sanctimonious **IV** *rfl, ~ sig* roll up one's eyes to heaven; förfasa sig be scandalized (shocked) [*över* at]

himlavalv vault (canopy) of heaven; *på ~et* in the firmament

him|mel himlavalv, sky o.d. vanl. sky; himmelrike heaven; *det kom som sänt från -len* it was a godsend; *allt mellan ~ och jord* everything under the sun

himmelrike heaven, paradise; *~t* bibl. the kingdom of heaven

himmelsblå sky-blue; jfr äv. *blått*

himmelsfärdsdag, *Kristi ~* Ascension Day

himmelsk heavenly; *en ~ dryck* a divine drink

himmelssäng four-poster bed

himmelsvid, *en ~ skillnad* a huge (vast) difference, all the difference in the world

hin, ~ [*håle (onde)*] the devil, the Evil One, Old Nick

hinder allm. obstacle; sport.: häck o.d. fence, hurdle; *lägga ~ i vägen för ngn* put (place) obstacles in a p.'s way; *det möter inget ~* there is nothing against it (no objection to that); *ta ett ~* sport. take (clear) an obstacle (a fence etc.)

hinderlöpning steeplechase; hinderlöpande steeplechasing
hindersprövning consideration of (inquiry into) impediments to marriage
hindra 1 förhindra prevent; avhålla keep; hejda stop; ~ *ngn* i hans strävanden check a p...; *det är ingenting som ~r att du...* there is nothing to prevent your (you from, vard. you) ing-form **2** vara till hinders för hinder; stå el. lägga sig hindrande i vägen för ngt hamper; träden *~r utsikten* ...obstruct (block) the view; *låt inte mig* ~ uppehålla *dig* don't let me detain (delay, störa disturb) you
hinduism Hinduism
hingst stallion
hink vatten~ bucket; mjölk~, slask~ pail
1 hinn|a I *tr* o. *itr* **1** uppnå reach **2** nå reach; han hade *hunnit halva vägen* ...got (i riktning mot den talande come) half the distance **3** hinna få färdig manage to accomplish; *jag måste ~ [med] läxorna* före middagen I must get my homework done (finished)... **4** ha tid have [the] time, få tid find (get) [the] time; lyckas manage it; ~ *byta* have time to change **5** komma i tid [manage to] be (get there, hit come here) in time; *om vi skyndar oss, så -er vi* if we hurry up we'll make it
II tillsammans med beton. part. vanl.
~ **fram** arrive [in time]; get there (hit here)
~ **före [ngn]** manage to get there before a p.; vard. beat a p. to it
~ **[i]fatt** se *ifatt*
~ **med:** ~ *[med] att äta* have time to eat, get in a bite to eat; ~ *med tåget* [manage to] catch the (my etc.) train
~ **upp** ifatt catch...up; förfölja o. ~ upp run down
2 hinna allm. film; skal skin; zool. el. bot. membrane
1 hipp, *det är ~ som happ* it makes no difference, it comes to the same thing
2 hipp, *~, ~ hurra!* hip, hip hurrah!
hisklig förskräcklig horrible, terrifying; friare frightful
hiss lift; spannmåls~ o.d. el. isht amer. elevator; byggnads~ hoist
hissa eg. hoist [up]; ~ *en flagga* hoist (run up) a flag; ~ *segel* avsegla set sail; ~ hala *ned* lower [down]
hissna feel dizzy (giddy); *~nde* höjd, djup dizzy (giddy)...
histori|a 1 skildring el. vetenskap history; *svensk (allmän)* ~ Swedish (universal) history; *gå till -en* become (go down in el. to) history **2** berättelse: allm. story; *berätta en* ~ tell a story; vard. spin a yarn **3** sak thing; *det blir en dyr ~ för honom* it will be an expensive affair (business) for him
historieberättare story-teller
historiebok history book
historielös ...without a history
historisk 1 allm. historical; *~t museum* history (historical) museum; *i ~ tid* within historical times **2** märklig historic; *~ mark* historic[al] (classical) ground
hit allm. here; åt det här hållet this way; dit thus far; *kom ~ (~ ner* etc.)! come (come down etc.) here!; *kom ~ med* boken! bring...here!; ~ *och dit* eg. to and fro; i högre stil hither and thither; *han kom ~* i går he arrived [here]...
hiterst nearest
hitersta nearest
hithörande ...belonging to it (resp. them); hörande till saken relevant
hitintills se *hittills*
hitlista top-of-the-pops list; *toppa ~n* be top of the pops, top the charts
hitom on this side of
hitre, *den ~* the one nearer (nearest), the one on this side
hitresa, *på ~n* on the (my etc.) journey here
hitta I *tr* allm. find; träffa på come (hit, light) [up]on; komma över come across; *det är som ~t för det priset* it's dirt cheap (a gift), it's giving it away; *vad har du nu ~t på?* what are you up to (have you got up to) now?; now, what are you doing? **II** *itr* finna vägen find (känna vägen know) the (my etc.) way
hittegods lost property
hittegodsmagasin lost property office
hittelön reward; *1000 kr i ~* 1000 kr. reward
hittills up to now (the present); så här långt so (thus) far
hittillsvarande, *den ~* ordningen the...we (they etc.) have had up till now (the present)...
hitvägen, *på ~* on the (my etc.) way here
hitåt in this direction
HIV-virus HIV virus (förk. för human immunodeficiency virus)
hjord herd; får~ el. menighet flock
hjort deer (pl. lika); hanne: kron~ stag, dov~ buck
hjorthornssalt ammonium carbonate; hartshorn
hjortron cloudberry
hjortskinn läder deerskin; för handskar o.d. buckskin
hjul allm. wheel; trissa castor; *vara femte ~et under vagnen* play gooseberry, be odd man out; *byta ~* vid punktering change wheels
hjula turn [cart]wheels
hjulbent bandy-legged
hjulnav wheel hub

hjulspår wheel track; djupare rut; fortsätta *i de gamla ~en* bildl. ...in the [same] old rut
hjulångare paddle steamer; isht amer. äv. side-wheeler
hjälm helmet
hjälp allm., äv. om pers. help; undsättning rescue; understöd support; botemedel remedy; *ekonomisk ~* economic aid; *söka ~ hos ngn* seek assistance from a p.; *tack för ~en!* thanks for the help!; *ta* händerna *till ~* make use of..., have recourse to...
hjälp|a I *tr* o. *itr* allm. help; undsätta relieve; avhjälpa remedy; nytta, tjäna till avail; om botemedel be effective; *hjälp!* help!; vard., oj då o.d. oh, dear!; *det -te!* that's done (that did) the trick!; *vad -er det, att jag...?* what is the good (use) of my (me) ing-form?
II med beton. part.
~ **ngn av med** rocken help a p. off with...
~ **fram ngn** i livet help a p. [to get] on
~ **ngn på med** rocken help a p. on with...
~ **till** a) help [out], make oneself useful (helpful) b) bidraga till help
~ **upp** pers. help...[to get] up
hjälpaktion relief action (measures pl.)
hjälpas, ~ *åt* help one another, join hands
hjälpbehövande ...that require (resp. requires) help (assistance); fattig needy
hjälpklass skol. remedial class
hjälplös helpless
hjälplöshet helplessness
hjälpmedel aid, means (pl. lika) [of assistance]; botemedel remedy
hjälpmotor auxiliary engine (motor)
hjälpreda 1 pers. helper; mammas lilla ~ ...help **2** handbok guide
hjälpsam helpful; ~ [*mot*] äv. ...ready (willing) to help
hjälpsändning relief consignment
hjälpsökande ...seeking relief; *en ~* an applicant for relief (assistance)
hjälpverksamhet relief (välgörenhet charity) work
hjälte hero; *dagens ~* the hero of the day
hjältebragd o. **hjältedåd** heroic deed
hjältedöd, *dö ~en* die the death of a hero
hjältemod heroism, valour
hjältinna heroine
hjärna brain äv. om pers.; förstånd el. hjärnsubstans vanl. brains; *~n bakom organisationen* the brains (mastermind) of the organization; *han har fått det på ~n* vard. he has got it on the brain
hjärnblödning med. cerebral haemorrhage; *en lindrig ~* a slight attack of cerebral haemorrhage
hjärndöd I *adj* ...who is brain dead; *han är ~* he is brain dead **II** *s* brain death
hjärngymnastik mental gymnastics
hjärnhinneinflammation med. meningitis; *en lindrig ~* a slight attack of meningitis
hjärnkirurgi brain surgery
hjärnskada brain damage, brain lesion
hjärnskakning concussion [of the brain]
hjärnspöke figment [of the brain]
hjärnsubstans anat. brain tissue; *grå ~* grey matter
hjärntrust think tank, brain trust
hjärntumör brain tumour
hjärntvätt brainwashing
hjärntvätta brainwash
hjärta heart; *Alla ~ns dag* St. Valentine's Day; *av hela mitt ~* with all my heart; *i djupet av sitt ~* in one's heart [of hearts]; *med lätt* (*tungt*) *~* with a light (heavy) heart; saken *ligger mig varmt om ~t* I have...very much at heart; *ha ngt på ~t* have a th. on one's mind; *tala fritt ur ~t* speak straight from the heart
hjärtattack heart attack
hjärtbesvär, *ha* (*lida av*) *~* have a weak heart (a heart condition)
hjärtdöd cardiac death
hjärteangelägenhet affair of the heart (pl. affairs of the heart)
hjärtebarn pet [child], darling
hjärteblod lifeblood
hjärtekrossare heartbreaker
hjärter kortsp., koll. (äv. ss. bud) hearts; *en ~* a (resp. one) heart; *spela ~* ett hjärterkort play a heart
hjärterdam kortsp. [the] queen of hearts
hjärterfem kortsp. [the] five of hearts
hjärtesak, *det är en ~ för mig* I have it very much at heart
hjärtesorg deep-felt grief, heartache; *dö av ~* die of a broken heart
hjärtevän bosom friend; hjärtanskär sweetheart
hjärtfel [organic] heart disease
hjärtformig heart-shaped
hjärtinfarkt heart attack; med. infarct of the heart
hjärtinnerligt vard. most awfully; *~ trött på...* thoroughly tired of...
hjärtklappning palpitation [of the heart]; *få ~* get palpitations
hjärtlig cordial, stark. hearty, friare warm; *~a gratulationer på födelsedagen!* Many Happy Returns [of the Day]!; *~t tack!* thanks very much!, many thanks!
hjärtligt cordially etc., jfr *hjärtlig; ~ trött på* heartily sick of
hjärtlös heartless; stark. callous
hjärtmedicin medicine (drug) for the heart
hjärtpunkt centralpunkt centre, core
hjärtsjuk ...suffering from [a] heart-disease
hjärtskärande heart-rending, heart-breaking; *det var ~* it was enough to break your heart
hjärtslag 1 pulsslag heartbeat **2** med. heart failure

hjärtslitande se *hjärtskärande*
hjärtspecialist heart specialist, cardiologist
hjärttransplantation heart transplantation; *en* ~ a heart transplant
hjässa crown; *skallig* ~ vard. bald pate
ho trough; tvättho [laundry] sink
hobby hobby
hobbyrum recreation room, hobby room
hockey hockey
hockeyklubba hockey stick
hoj vard. bike
hojta shout; vard. el. amer. äv. holler
hokuspokus I *interj* hey presto!; ss. trollformel abracadabra **II** *s* hocus-pocus, mumbo jumbo
holdingbolag holding company
holk 1 fågel~ nesting box **2** bot. calycle
holka, ~ *ur* hollow [out]; gräva ur dig out, excavate; jfr *urholkad*
Holland Holland
hollandaisesås kok. hollandaise sauce
holländar|e Dutchman; *-na* som nation el. lag o.d. the Dutch
holländsk Dutch
holländska (jfr *svenska*) **1** kvinna Dutchwoman **2** språk Dutch
holme islet; isht i flod holm
homeopat homeopath
homofil vard., man homo (pl. -s), queer
homosexuell homosexual
hon she; *henne* her; ~ el. *henne* om djur äv. el. om sak vanl. it; Vad är klockan? *-Hon är tolv* ...It is twelve o'clock
hona female; om vissa hovdjur, val cow; om fåglar ofta hen
honkön eg. female sex; djur *av* ~ äv. female...
honnör 1 mil.: hälsning salute, hedersbevisning honours; *göra* ~ *[för]* salute **2** erkännande el. kortsp. honour
honnörsord ung. prestige word
honom him
honorar fee
honung honey
honungskaka i bikupa honeycomb
honungslen honeyed; ~ *röst* mellifluous voice
honungsmelon honeydew melon
hop I *s* skara crowd, hög heap; friare lot; *en* ~ *[med]*... a crowd osv. of... **II** *adv* se *ihop*
hopa I *tr* heap (pile, build) up; friare el. bildl. accumulate **II** *rfl,* ~ *sig* accumulate *[över ngn* over a p.'s head]; t.ex. om moln mass; om snö drift, form drifts (resp. a drift); ökas increase
hopbit|en, *med -na läppar* with compressed lips
hopbyggd ...built together
hopfällbar folding..., foldaway...
hopfälld shut up; om paraply closed, rolled up; jfr äv. *hopslagen*
hopknycklad crumpled up
hopkok concoction
hopkurad huddled up
1 hopp hope; förhoppningar ofta hopes; förtröstan trust; *allt* ~ *är ute* there is no longer any hope; *ha (hysa)* ~ *(gott* ~*) om att* inf. have (entertain) hopes (every hope) of ing-form; *sätta sitt* ~ *till*... set (centre) one's hopes on...
2 hopp 1 allm., data., sport. el. bildl. jump; lekfullt skutt skip; isht fågels hop; dykning på huvudet vanl. dive **2** hoppning: sport. jumping, gymn., över bock o.d. vaulting
hoppa I *itr* (ibl. *tr*) jump, leap, spring; isht om fågel hop; ~ *och skutta* t.ex. om barn, lamm skip (gambol, frisk) about; ~ *bock* o.d., se under resp. subst.
II med beton. part.
~ **av a)** eg. ~ *av [bussen]* jump off [the bus] **b)** bildl. back out; polit. defect
~ **i** jump etc. (på huvudet dive) in
~ **in** som ersättare step in; blanda sig i interfere; sport. come in (on)
~ **på a)** ~ *på [bussen]* jump on [to the bus] **b)** ~ *på ngn* fly at a p.['s throat], jump on a p.
~ **till** give a jump, start
~ **upp** jump etc. up; från sin plats leap to one's feet; ~ *upp i sadeln* leap (vault) into the saddle
~ **över** a) eg. jump over (across) b) bildl.: gå förbi skip, leave out, omit; ofrivilligt miss out
hoppas hope; förlita sig trust; ibl. hope for, *jag* ~ *det* I hope so
hoppfull hopeful; confident
hoppig 1 om väg bumpy **2** om framställning disconnected, jerky
hoppjerka vard. job-hopper, amer. äv. floater
hopplös hopeless; desperate; ~ *förtvivlan* äv. blank despair
hopplöshet hopelessness; despair
hopprep skipping-rope; amer. jump rope; *hoppa* ~ skip; amer. jump rope
hoppsan whoops!
hopptorn diving tower
hopsjunken shrunk up, shrunken[-up]
hopslagen om bok closed; om bord o.d. folded up; jfr äv. *hopfälld* o. *slå [ihop]*
hopsparad saved up; *hans ~e slantar* äv. his savings
hopträngd ...crowded (packed) together
hopvikt folded up
hora I *s* whore **II** *itr* whore
hord allm. horde
horisont allm. horizon; *vidga sin* ~ broaden one's mind, widen one's intellectual horizon
horisontal horizontal
horisontalläge horizontal [position]
hormon hormone

hormonpreparat hormone preparation
horn allm. horn; *ha ett ~ i sidan till ngn* have a grudge against a p.; *försedd med ~* horned; *ta tjuren vid ~en* bildl. take the bull by the horns, grasp the nettle
hornblåsare mus. horn player; mil. bugler
hornboskap horned cattle
hornbågad, *~e glasögon* horn-rimmed spectacles
horoskop horoscope; *ställa ngns ~* cast a p.'s horoscope
hos 1 rumsbet. el. friare: **a)** hemma ~ at, with; i personlig tjänsteställning hos el. ibl. äv. annars to; sekreterare ~ *ngn* ...to a p.; *jag har varit ~ doktorn* I have been to the doctor (at the doctor's); ~ *oss* i vårt land in this (our) country, with us; hemma hos oss at our place; *utgiven ~...* published by...
b) bredvid by; tillsammans med, i sällskap med with; bland among; kom och sitt *~ mig i soffan* ...by me (by my side) on the sofa
2 bildl. **a)** i samband med uttr. som anger egenskap, känsla: i, inom in; in i into; över about; för att uttrycka fel with; *felet ligger ~ honom* the fault lies with him; *det finns något ~ henne...* there is something about (inom in) her... **b)** i en författares verk o.d. in; uttrycket finns ~ *Shakespeare* ...in Shakespeare
hospitalisering institutionalization
hosta I *s* cough; hostande coughing; *envis* (*våldsam*) ~ hacking (racking) cough **II** *itr* eg. cough, have a cough; säga 'hm' hem; vard., yttra say
hostanfall o. **hostattack** fit (attack) of coughing
hostdämpande, ~ *medicin* medicine that relieves coughs
hostmedicin cough mixture (syrup)
hosttablett cough lozenge (pastille)
hot allm. threat[s pl.]; ständigt hot: i högre stil menace; *tomt* ~ empty (idle) threats
hota allm. threaten; i högre stil el. utan följ. inf. menace; sport. äv. challenge; *~ med* threaten with, threaten; *~ ngn med stryk* threaten to thrash a p.
hotande threatening; olycksbådande ominous; överhängande imminent; *en ~ fara* a menacing danger; *vädret ser ~ ut* the weather looks threatening
hotbild threatening picture
hotell hotel; ~ *Svea* the Svea Hotel; *bo på* (*ta in på* [*ett*]) ~ stay (put up) at a hotel
hotelldirektör hotel manager
hotellgäst hotel visitor (guest); på längre tid resident
hotellrum hotel room
hotellräkning hotel bill; *betala ~en* äv. check out
hotellstäderska chambermaid
hotelse threat; menace; *fara ut i ~r mot ngn* utter threats against a p., menace a p.
hotelsebrev threatening letter
hotfull threatening; olycksbådande ominous
1 hov på djur hoof (pl. äv. hooves)
2 hov hos kung etc. court; *vid ~et* at court
hovdam lady-in-waiting (pl. ladies-in-waiting)
hovleverantör, [*kunglig*] ~ purveyor to His (resp. Her) Majesty the King (resp. Queen el. to the court)
hovmarskalk ung. marshal of the court; i Engl. Lord Chamberlain of the Household
hovmästare 1 på restaurang head waiter **2** i privathus butler; finare steward
hovmästarsås se *gravlaxsås*
hovrätt court of [civil and criminal] appeal
hovrättsråd judge of appeal
hovsam moderate; hänsynsfull considerate
hovslagare farrier
hovsorg court mourning
hovstall, *~et* the Royal Stables pl.; i Engl. the Royal Mews Department
hovstat, *~en* the royal household
hovsångare court singer [by special appointment to the King resp. Queen]
hovtång pincers
hu ugh!
huckle kerchief
hud allm. skin; på större djur el. tjock avflådd djur~ hide; *beredda* (*oberedda*) *~ar* dressed (raw) hides; *ha tjock ~* bildl. be thick-skinned
hudflänga eg. el. bildl. scourge
hudfärg 1 eg. colour of the (one's) skin; hy complexion **2** färgnyans flesh colour
hudfärgad flesh-coloured
hudkräm skin cream
hudtransplantation skin-grafting; enstaka skin graft
hudvård skin care
hugad, *~e spekulanter* prospective (intending) buyers
hugg 1 med skärande vapen el. verktyg cut, med kniv o.d. stab, samtl. äv. ärr el. märke; slag blow, stroke; med tänder, äv. om fisk bite; *måtta ett ~ mot...* med kniv aim a knife (dagger) at...; slag aim a blow at... **2** häftig smärta stab of pain **3** bildl. blow; *vara på ~et* vard. be in great form, amer. äv. be on the ball; *han är på ~et igen* he's at it again
hugg|a I *tr* o. *itr* **1** med vapen el. verktyg cut; med kniv o.d. stab; klyva i små stycken chop; om bildhuggare carve; *~ timmer* hew timber **2** med tänderna o.d. grab, clutch; t.ex. om fisk bite **3** friare el. bildl.: gripa catch [hold of]; vard. nab, om smärta se *~ till* under *III;* *~ i sten* go wide of the mark; *det är -et som stucket* it comes to the same thing [*om* whether]
II med beton. part.

~ av cut off, sever; i två bitar chop (cut)...in two; t.ex. gren lop off
~ för sig a) ta för sig help oneself [greedily] b) ta grovt betalt charge stiff prices
~ i hjälpa till lend a hand; ta i av alla krafter make a real effort; *~ i* sätta i gång *[med ngt]* get down to (vard. get cracking on) a th.
~ in på vard., t.ex. smörgåsen tuck into..
~ ned a) ett träd fell (cut down)... b) fienden cut...to pieces
~ till a) bita bite **b)** forma shape **c)** ta grovt betalt charge stiff prices **d)** *det högg till i* tanden there was a twinge... **e)** *~ till med* gissa på make a guess at
huggorm viper
huggsexa scramble
hugskott passing fancy; jfr äv. *nyck*
hugsvala comfort, solace
huj, *i ett ~* vard. in a flash (jiffy)
huk, *sitta på ~* squat, sit on one's heels
huka, *~ sig* crouch [down]
huld välvillig benignant; älskvärd gracious; trogen loyal; *min ~a maka* vard. my [ever-]loving wife
huligan hooligan
hull vanl. flesh; *tappa ~et* lose flesh (weight); *med ~ och hår* whole, entirely; *lägga på ~et* put on flesh (om pers. äv. weight), fill out
huller om buller, allt ligger ~ ...all over the place, ...in a mess, ...higgledy-piggledy
hum, *ha en [liten] ~ om* have some idea (know a bit) about; ett språk have a smattering of
human människovänlig humane; hygglig kind, decent; *~t pris* reasonable price
humaniora arts subjects; isht klassiska språk o.d. the humanities
humanism humanism
humanitär humanitarian
humbug 1 bedrägeri humbug **2** pers. humbug
humla bumble-bee
humle hops pl.; planta hop
humma hum (hem) and haw
hummer lobster
hummertina lobster pot
humor humour; sinne för humor sense of humour; *ha ~* have a sense of humour
humorist humorist
humoristisk humorous
humör lynne temper; sinnesstämning humour, mood; *ha ett glatt ~* have a cheerful temperament; *hålla ~et uppe* keep up one's spirits; *på gott ~* in high (good) spirits; *inte vara på ~ att* inf. not be in the mood to inf.; not feel like ing-form; *vara ur ~* be out of humour (spirits, vard. sorts)
hund dog; han~ male dog; *man skall inte döma ~en efter håren* you can't go by appearances, appearances are deceptive; *[få] slita ~* [have to] rough it, have a rough time of it; *här ligger en ~ begraven* there is something fishy about this, I smell a rat here
hundbajs dog mess
hundbiten ...who has (had etc.) been bitten by a dog; *bli ~* be bitten by a dog
hundgård kennels pl.
hundhalsband dog collar
hundhuvud dog's head; *få bära ~et för ngt* be made the scapegoat for a th.
hundkapplöpning dog (greyhound) racing (enstaka race); *gå på ~ar* go to the dogs (dog races)
hundkoja kennel; liten bil mini
hundkoppel leash; se vid. *koppel 1*
hundliv, *leva ett ~* lead a dog's life
hundmat dog food
hundra hundred; *[ett] ~* a hundred; *fem ~* five hundred; *år 1990* adv. in [the year] 1990 (nineteen ninety)
hundrade I *s* hundred **II** *räkn* hundredth; jfr ex. under *femte*
hundradel hundredth [part]
hundrafaldigt o. **hundrafalt** a hundredfold
hundrakronorssedel o. **hundralapp** one-hundred-krona note
hundrameterslopp hundred-metre race
hundraprocentig one-hundred-per-cent...; jfr *femprocentig*
hundras breed of dog (pl. breeds of dog[s]), dog breed
hundratal hundred; *~ och tusental* hundreds and thousands
hundratals, ~ böcker hundreds of... (subst. i pl.)
hundratusen, *[ett]* ~ a (one) hundred thousand
hundratusentals, ~ böcker hundreds of thousands of... (subst. i pl.)
hundraårig (jfr *femårig*) **1** hundra år gammal hundred-year-old... **2** som varar (varat) i hundra år hundred-year[-long]..., hundred years'...
hundraårsjubileum o. **hundraårsminne** centenary, centennial
hundskatt dog tax; i Engl. motsv. dog licence; amer. dog license
hundskattemärke dog-tax plate; amer. dog tag
hunduppfödare dog breeder
hundutställning dog show
hundvalp pup
hundväder, *[ett]* ~ beastly (dirty) weather
hundår, *mina ~* my years of hard struggle
hundöra dog's ear (pl. dogs' ears); boken *har hundöron* vanl. ...is dog[’s]-eared
hunger allm. hunger; *~n är den bästa kryddan* hunger is the best sauce
hungersnöd famine

hungerstrejk hunger-strike
hungra be hungry (starving); svälta starve, hunger; ~ *efter nyheter* hunger for news
hungrig allm. hungry; utsvulten starving; gåpåaraktig go-ahead
hunsa, ~ *[med]* bully, browbeat, hector; vard. äv. push...around
hur 1 allm. how; ibl. what; ~ *då?* how?; på vilket sätt in what way?; ~ *så?* varför why [, then]?, what do you mean?; ~ *menar du?* what (how) do you mean?; ~ *är han som lärare?* what is he like as a teacher?; ~ *är det med honom?* hans hälsa how is he? **2** i vissa förb. ~... *[än]* vanl. however; ~ *man än försöker* however [much] one tries, try as one may; ~ *som helst* se *helst 2*
hurdan, ~ *är han?* what is he like?, what sort (kind) of person is he?; du vet ~ *hon är* ...how she is
hurra I *interj* hurrah! **II** *s* cheer, hurray, hurrah; jfr *leve* **III** *itr* hurrah, hurray, cheer; ~ *för ngn* give a p. a cheer, cheer a p.; *ingenting (inte mycket) att* ~ *för* vard. nothing to write home about (to boast of)
hurrarop cheer
hurtbulle vard. hearty [type]
hurtig hurtfrisk hearty; rask brisk; munter cheerful; pigg lively; vaken alert; käck dashing
hurts på skrivbord pedestal
huruvida whether
hus 1 allm. el. isht mindre house; större byggnad building; familj house; ~*et Windsor* the house of Windsor; *gå* (resp. *spela) för fulla* ~ draw crowded houses (resp. play to capacity); *det var fullt* utsålt ~ igår there was a full house...; *hålla öppet* ~ keep open house; *var har du hållit* ~? wherever (where) have you been?; han äter oss *ur* ~*et* ...out of house and home **2** snigels shell **3** tekn., lager~, växel~ housing
husapotek [family] medicine chest (cabinet)
husarrest, *vara i* ~ be under house arrest
husbehov, *till* ~ a) eg. for household requirements b) någotsånär [just] passably (moderately)
husbåt houseboat
husdjur domestic animal
husera 1 ~ *i* hemsöka infest; om spöke o.d. haunt **2** vard., härja carry on; ~ *fritt* run riot
husesyn, *gå* ~ *[i huset]* make a tour of (go over) the house
husfrid domestic peace; *vad gör man inte för* ~*ens skull?* anything for the sake of peace and quiet (for a quiet life)!
husgeråd köksredskap household (kitchen) utensil (koll. utensils pl.)
husgud household god
hushåll household; större [domestic] establishment; hushållning housekeeping; *bilda eget* ~ set up house; *10 personers* ~ a household of 10 [persons]
hushålla 1 keep house **2** vara sparsam economize; be economical
hushållerska housekeeper
hushållning 1 eg. housekeeping **2** sparande economizing; sparsamhet economy
hushållsapparat domestic appliance
hushållsarbete housework, domestic (household) work
hushållsmaskin electrical domestic appliance
hushållspapper crepe (kitchen roll) paper
hushållspengar housekeeping money (allowance)
hushållsrulle kitchen roll
huskatt domestic cat
huskur household remedy
huslig domestic; intresserad av husligt arbete domesticated; överdrivet ~ house-proud
husläkare family doctor
husmanskost plain food
husmor housewife (pl. housewives); på internat o.d. matron
husockupant [house] squatter
husrum accommodation, lodging; *ha fritt* ~ äv. live rent-free
husse vard. master
hustomte mytol. brownie
hustru wife; *ha* ~ *och barn* have a wife and children (and family)
hustrumisshandel wife-battering, wife-beating
hustyrann domestic tyrant
husundersökning search, domiciliary visit; razzia raid
husvagn caravan; amer. trailer
husvill homeless
husägare house-owner
hut I *interj, vet* ~*!* watch it!, none of your sauce (cheek)! **II** *s, lära ngn veta* ~ teach a p. manners; *han har ingen* ~ *i sig (i kroppen)* he has no sense of shame [in him]
huta, ~ *åt ngn* give a p. a good dressing-down (telling-off)
hutlös shameless; ~*a priser* scandalous prices
hutt vard. snifter
huttra shiver
huv allm. hood; för skrivmaskin o.d. cover; på penna cap, se äv. *motorhuv* o. *tehuv* m.fl.
huva hood
huvud allm. head; pers. brain; på brevpapper o.d. heading; *han har ett gott* ~ he has got a good brain (got brains); *hålla* ~*et kallt* keep [vard. one's] cool, keep one's (a level) head; *få ngt i (ur) sitt* ~ get a th. into (out of) one's head
huvudbry, *vålla ngn* ~ cause a p. a lot of

trouble, give a p. a headache (a lot of problems)
huvudbyggnad main building
huvuddel main (greater) part; *~en av* äv. the bulk of
huvuddrag fundamental (essential) feature
huvudentré main entrance
huvudgata main (principal) street
huvudgärd 1 på säng bed's head **2** kudde pillow
huvudingång main entrance
huvudjägare head-hunter äv. chefsrekryterare
huvudkontor head office
huvudkudde pillow
huvudled trafik. major road
huvudlös enfaldig, oförståndig brainless, foolish; dumdristig foolhardy, desperate
huvudman 1 för ätt head **2** jur. el. hand. principal; i sparbank trustee; myndighet responsible authority (organisation organization)
huvudmåltid principal meal
huvudnyckel master key
huvudnäring 1 ekon. principal (chief, primary) industry **2** föda primary (principal) nutriment
huvudort stad chief (main) town; huvudstad capital
huvudpart major (chief) part, bulk
huvudperson i drama principal (chief, leading) character
huvudpunkt main (chief, principal) point
huvudregel principal (chief) rule
huvudroll principal (leading) part; *med...i ~en (~erna)* starring...
huvudrollsinnehavare leading actor (kvinnl. actress), principal actor (kvinnl. actress)
huvudräkning mental arithmetic (calculation)
huvudrätt main course; viktigaste rätt principal dish
huvudsak main (principal) thing; *i ~* in the main, in substance, on the whole
huvudsaklig principal, main, chief; egentlig primary; väsentlig essential
huvudsakligen principally etc., jfr *huvudsaklig;* mostly, in the main
huvudstad capital; stor metropolis
huvudströmbrytare main power (master) switch
huvudstupa med huvudet före head first (foremost); headlong äv. bildl.; brådstörtat precipitately; *falla ~* fall head over heels
huvudstyrka mil. o.d. main body
huvudsyfte principal (main) aim (purpose)
huvudsysselsättning main (chief) occupation
huvuduppgift åläggande main task (funktion function)
huvudvikt, *lägga ~en på (vid) ngt* lay particular (the main) stress on a th.
huvudvittne principal witness
huvudväg main road
huvudvärk headache äv. huvudbry; *det är inte min ~* that's not my headache (my pigeon)
huvudvärkstablett headache tablet
huvudämne chief (principal, univ. äv. major) subject
huvudända på bord head [end]
hux flux vard. all of a sudden
hy allm. complexion; hud skin
hyckla I *tr* sham, simulate; *~d fromhet* sham piety **II** *itr* be hypocritical; play the hypocrite
hycklande hypocritical
hycklare hypocrite
hyckleri hypocrisy
hydda hut; stuga cabin, cottage
hydraulisk hydraulic; *~ broms* hydraulic brake
hyena hyena äv. bildl.
hyfs skick [good] manners
hyfsa 1 snygga upp *~ [till]* trim (tidy) up, make...tidy (trim, presentable); manuskript o.d. touch up **2** ekvation simplify
hyfsad pers. well-behaved; *till ~e priser* at reasonable prices
hygge avverkat område clearing
hygglig 1 välvillig decent; snäll kind **2** skaplig decent; rimlig fair
hygien hygiene äv. bildl.; hygienics; *personlig ~* äv. personal care
hygienisk hygienic
1 hylla 1 eg., allm. shelf (pl. shelves); möbel med flera hyllor set of shelves; jfr *bokhylla;* bagage~ o.d. rack; *lägga ngt på ~n* äv. bildl. put a th. on the shelf **2** vard. el. teat. *~n* the gods
2 hylla *tr* **1** gratulera congratulate; hedra pay tribute (homage) to; m. offentligt bifall give...an ovation; m. hurrarop cheer; m. applåder applaud; m. fest fête; ny kung o.d. swear allegiance to **2** omfatta, princip embrace; stödja support
hyllmeter running metre
hyllning congratulations, tribute, ovation, applause; *bli föremål för ~ar* receive an ovation, be fêted
hyllpapper shelf paper
hylsa allm. case, casing; huv cap; bot. shell
hylsnyckel box spanner
hymla vard., hyckla pretend; ~ smussla *med ngt* try to shuffle a th. away
hymn hymn; friare anthem
hynda bitch
hyperkänslig hypersensitive
hypermodern ultra-modern; tidsenlig extremely up-to-date; på modet very fashionable
hypernervös extremely nervous
hypnos hypnos|is (pl. -es)

hypnotisera hypnotize
hypnotisör hypnotist
hypokondriker psykol. hypochondriac
hypotek bank., inteckning mortgage; säkerhet security
hypotetisk hypothetic[al]
hyra I *s* **1** för bostad o.d. rent; belopp rental; för tillfällig lokal, bil hire; *betala* 5000 kr *i ~* pay a rent of...; *vad betalar du i ~ för* a) våningen o.d. how much (what) rent do you pay for... b) pianot o.d. what do you pay for the hire of... **2** sjö.: a) lön wages, pay b) tjänst berth; *ta ~* ship, sign articles [*på* on board] **II** *tr* o. *itr* **1** förhyra rent; *att ~* annonsrubrik o.d. a) rum o.d. to let b) lösöre, båt o.d. for (on) hire; amer. i båda fallen äv. for rent; *~ ut* a) hus o.d. let; för lång tid lease b) lösöre, båt o.d. hire out, let out...on hire; *~ ut rum åt ngn* let a room (resp. rooms pl.) to a p. **2** sjö., anställa hire
hyrbil rental (hire) car
hyresannons 'to-let' advertisement
hyresbidrag housing (rent) allowance
hyresfastighet se *hyreshus*
hyresgäst i våning o.d. tenant; inneboende lodger; amer. roomer
hyresgästförening tenants' (residents') association
hyreshus block of flats; amer. apartment house
hyreshöjning rent increase
hyreskostnad förhyrningskostnad rental charge
hyreslägenhet rented flat (apartment)
hyresmarknad housing market
hyresreglering rent control
hyresvärd landlord
hysa 1 eg. house; ge skydd åt shelter; rymling o.d. harbour; *~ in ngn hos ngn* find lodgings (a lodging, quarters) for a p. with a p. **2** bildl. entertain; t.ex. förhoppningar cherish; t.ex. respekt feel; *~ förkärlek för...* have a special liking for...
hysch-hysch hush-hush
hyska sömnad. eye; *~ och hake* hook and eye
hyss, *ha* [*en massa*] *~ för sig* be up to [a lot of] mischief
hyssja, ropa hyssj *~* [*åt*] cry hush [to]
hysteri hysteria; anfall hysterics
hysteriker hysteric, hysterical person
hysterisk hysteric[al]
hytt sjö. cabin; elegantare stateroom
hyttplats berth
hyvel 1 snick. plane **2** se *osthyvel* o. *rakhyvel*
hyvelbänk planing (carpenter's) bench
hyvla plane; t.ex. ost slice; väg scrape; *~ av* jämna plane...smooth, smooth; ta bort plane (smooth)...off; kanter äv. shoot
håg 1 sinne mind; hjärta heart; *dyster* (*glad*) *i ~en* in low spirits (in a happy mood); *slå* ngt *ur ~en* dismiss...from one's mind (thoughts), give up all idea of... **2** lust inclination; önskan desire; *ha ~ och fallenhet för...* have an inclination and an aptitude for...
hågad inclined; *vara ~ att* äv. be minded to
håglös listless; oföretagsam unenterprising; loj indolent
hål hole i olika bet.; luft~ vent; gap gap; tandläk. cavity; springa, på t.ex. sparbössa slot; kantat eyelet; grop pit
håla I *s* **1** grotta cave; större djurs el. bildl. den; anat. cavity **2** småstad hole **II** *tr* hålslå punch
hålfotsinlägg arch support
hålighet konkr. cavity äv. anat.; hollow
håll 1 riktning direction; sida quarter; *från alla ~* [*och kanter*] from all directions (quarters, sides), from every direction (quarter), from everywhere; *på sina ~* in some places, here and there **2** avstånd distance, jfr ex. under *avstånd; inte på långa ~ så* bra not nearly so... **3** skott~ range **4** med. stitch; *få ~* get a stitch
håll|a I *tr* o. *itr* **1** i fysisk bem. el. i viss ställning hold **2** [bi]behålla keep; *~ sitt löfte* keep one's promise; *~ en plats* [*åt* ngn] keep (save) a seat [for...]

II *tr* (jfr äv. *I*) **1** försvara hold **2** ha, kosta på [sig] keep **3** avhålla hold; framföra: t.ex. föredrag give, deliver **4** om mått o.d.: rymma hold; innehålla contain; mäta measure **5** vid vadhållning bet; *jag -er en* hundring *på att han vinner* I bet you a... [that] he will win **6** anse consider; *jag -er* [*det*] *för troligt* att I think (consider) it likely...; *~* ngt *kärt* (*heligt*) hold...dear (holy)

III *itr* (jfr äv. *I*) **1** vara stark nog: bibehållas, vara slitstark, äv. bildl. last, om t.ex. rep hold; inte spricka sönder not break; om is bear; glaset *-er* (*höll*) ...won't (didn't) break; *~ för* påfrestningen bear..., stand... **2** färdas i viss riktning: fortsätta keep, ta av turn, sjö. stand; sikta aim **3** *~ på* **a)** spara på hold on to; *~ på slantarna* be careful with one's money; *~ på ngt för* (*åt*) *ngn* reserve (keep) a th. for a p. **b)** hävda: t.ex. sin mening stick (adhere) to, t.ex. rättigheter stand on **c)** vara noga med make a point of **d)** satsa *~ på* en häst bet (put one's money) on..., back...

IV *rfl*, *~ sig* **1** med handen el. händerna *~ sig i* handtaget hold on to... **2** i viss ställning hold oneself; förbli, vara keep [oneself]; förhålla sig keep; förbli remain; *~ sig frisk* [*och kry*] keep fit (in good health); *~ sig hemma* keep (stay) at home; *~ sig vaken* keep awake **3** behärska sig restrain (contain) oneself **4** stå sig: om t.ex. matvaror keep; om väderlek last; försvara sig hold out **5** kosta på sig *~ sig med bil* keep a car **6** *~*

sig till ngt: inte lämna keep (stick) to; rätta sig efter follow; åberopa go by

V med beton. part.

~ **av** tycka om be fond of; stark. love; jfr *avhållen*

~ **sig borta** keep (stay) away

~ **efter:** ~ *efter ngn* övervaka keep a close check on (a tight hand over) a p.

~ **fast** ngn, ngt hold [...fast]; fästa (om sak) äv. hold...on, hold (keep)...in place; ~ *[stadigt] fast i* keep [firm] hold of

~ **fram** hold out

~ **sig framme** se ex. under *framme 4*

~ **i:** ~ *i sig* [*i* handtaget] hold on [to...]

~ **ifrån:** ~*...ifrån sig* keep...off (away; på avstånd at a distance); ~ *sig ifrån* ngn keep away from..., avoid...

~ **igen** a) stängd keep...shut (closed, t.ex. kappa together) b) ~ emot, inte släppa efter hold tight; bildl. act as a check c) bromsa hold back d) spara cut down on expenses

~ **ihop** a) tr.: samman (eg. o. bildl.) keep...together; stängd, se ~ *igen a)* b) itr.: samman (eg. o. bildl.) keep together; vara lojal, vard. äv. stick together; inte gå sönder hold together; sällskapa be together; ~ *ihop* sällskapa *med...* äv. go out with...

~ **in** a) dra in pull in b) häst pull up

~ **inne a)** ~ *sig inne* keep indoors **b)** t.ex. lön withhold

~ **isär** keep...apart; skilja på tell...apart

~ **kvar** få att stanna kvar keep; fördröja äv. detain; fasthålla hold; ~ *sig kvar* [manage to] remain (stay)

~ **med ngn** instämma agree with a p.; vard. go along with a p.; stå på ngns sida side (take sides) with a p.

~ **om ngn** hold (ta put) one's arms round a p.; ~ *om* ngn *hårt* hold...tight

~ **på a)** vara i färd med *vad -er du på med?* what are you doing [just now]?; irriterat what do you think you're doing? **b)** fortsätta go (keep) on; vara last; vara i gång be going on **c)** vara nära att ~ *på att* inf. be on the point of ing-form

~ **samman** se ~ *ihop*

~ **till** vara be, vard. hang out; påträffas be met with; bo live; vara be

~ **tillbaka** hejda keep...back; återhålla restrain

~ **undan** a) väja keep out of the way b) behålla försprånget keep the lead c) ~ god fart keep a good speed d) ~...borta keep (med händerna hold)...out of the way (...aside); ~ *sig undan* gömd keep in hiding [*för* from]; friare lie low; smita make oneself scarce

~ **upp a)** upplyft hold up; ~ *upp dörren för ngn* vanl. open the door to a p. **b)** göra uppehåll pause; sluta regna stop raining; ~ *upp* upphöra *med* stop, cease

~ **uppe:** ~ *sig uppe* inte sängliggande keep on one's legs, stay up; livnära sig support oneself

~ **ut** a) räcka ut hold out b) dra ut på, t.ex. en ton sustain c) uthärda hold out; inte ge tappt hold on, vard. stick it [out], tough it [out]

hållas, *låta ngn* ~ let a p. have his (resp. her) way; lämna ifred leave a p. alone

hållbar 1 slitstark durable, lasting; om tyg, ...that wears well (will wear); om färg fast; om födoämne non-perishable, ...that keeps well (will keep) **2** som kan försvaras tenable

hållbarhet 1 materials o. färgs durability; födoämnes keeping qualities **2** tenability

hållen fostrad *vara strängt* ~ be strictly brought up

hållfast strong, solid

hållhake, *ha en* ~ *på ngn* have a hold on a p.

hålligång vard. *det var [ett]* ~ hela natten på festen we had a ball (a rave-up)...

hållning kropps~ carriage, deportment; uppträdande bearing, conduct; inställning attitude; stadga backbone

hållningslös bildl. spineless

hållplats buss~ osv. stop; järnv. halt; taxi~ [cab]stand

hållpunkt basis (pl. bases), grounds; *några ~er* i föreläsningen some fixed points...

hålltid, *~er* set (fixed) times

hålslev perforated ladle

hålsöm hemstitching; *en* ~ a hemstitch

håltimme skol. gap [between lessons], free period

hålögd hollow-eyed

hån scorn; förlöjligande derision, mockery; hånfulla ord taunts, sneers; *ett* ~ *mot* an insult to

håna make fun of

hånfull scornful

hångla neck, pet

hånle smile scornfully, sneer

hånleende scornful smile

hånskratta laugh scornfully, jeer

hår hair; *du ger mig gråa* ~ you're enough to turn my hair grey; *[låta] klippa ~et* have one's hair cut; *på ~et* exakt to a hair

håravfall loss of hair; med. alopecia

hårband hair ribbon, headband; pannband fillet

hårborste hairbrush

hårborttagningsmedel hair remover

hårbotten scalp

hård allm. hard äv. bildl.; stadig tight; ljudlig loud; skarp harsh; foto., onyanserad contrasty; ~ *men rättvis* strict but fair; *hårt ljud* (*ljus*) harsh sound (light); *göra* ~ make (render)...hard, harden; *vara* ~ *mot* ngn be hard on..., treat...harshly

hårdband bokb. hardback, hardcover

hårdflörtad svårövertalad stand-offish; om t.ex. publik ...hard to please
hårdfrusen ...frozen hard
hårdför tough
hårdhandskar, *ta i med ~na [med]* take strong measures [against], take a strong line [against]; *ta i med ~na med ngn* get tough with a p.
hårdhet hardness
hårdhjärtad hard-hearted
hårdhudad thick-skinned
hårdhänt I *adj* omild rough; sträng heavy-handed, hard-handed **II** *adv, handskas ~ med...* handle...roughly, be rough with...
hårding vard. tough guy (customer, nut)
hårdkokt om ägg el. bildl. hard-boiled
hårdna harden; om konkurrens get tougher
hårdnacka|d stubborn; *göra -t motstånd* offer stubborn (dogged) resistance
hårdost hard cheese
hårdplast rigid (thermosetting) plastic
hårdporr hard-core porno (pornography)
hårdraga bildl. strain; *hårdragen* äv. far-fetched, forced
hårdrock mus. vard. hard rock
hårdträning hard training
hårdvaluta hard currency
hårfin minimal subtle
hårfrisör hairdresser
hårfrisörska hairdresser
hårfärg hair colour; *hans ~* the colour of his hair
hårfärgningsmedel hair dye
hårgelé hair gel
hårklyveri, *~[er]* hairsplitting sg.
hårklämma hair clip (grip); amer. äv. bobby pin
hårknut topknot, bun
hårnål hairpin
hårnät hairnet
hårpiska queue
hårresande hair-raising; *det är ~* äv. it makes your hair stand on end
hårschampo [hair] shampoo
hårsmån hairbreadth; *[inte] en ~ bättre* [not] a shade (bit) better
hårspole curler
hårspray o. **hårsprej** hair spray
hårspänne hairslide
hårstrå hair
hårt intensivt, kraftigt hard; strängt severely; barskt harshly; stadigt tight; fast, tätt firmly; ljudligt loud; mycket [very] much resp. very; *~ beskattad* heavily taxed; *vara ~ packad* be tightly packed; *dra åt ~ (hårdare)* tighten very much (more)
hårtork hair drier
hårvatten hair lotion
hårväxt, ha *klen (dålig) ~* ...a poor growth of hair; *generande (missprydande) ~* superfluous hair[s pl.]
håv bag net; kyrk~ collection bag; *gå med ~en* bildl. fish for compliments
håva, *~ in* bildl. rake in
1 häck 1 planterad hedge; *bilda ~* bildl. form a lane **2** vid häcklöpning hurdle; *110 m ~* 110 metres hurdles
2 häck 1 foder~ rack **2** frukt~ crate **3** *ha ~en full* vard. be up to one's ears in work
3 häck 1 sjö. stern **2** vulg., rumpa behind; *ta dig i ~en* up your arse (amer. ass)!, up yours!
häcka breed
häcklöpning hurdle race, hurdles; häcklöpande hurdle racing
häckplats breeding place
häda (äv. *~ Gud*) blaspheme
hädan, *gå (skiljas) ~* depart this life
hädanefter in future
hädanfärd departure [from this life]
hädelse blasphemy; svordom curse
hädisk blasphemous, profane; vanvördig irreverent
häfta *tr* **1** bokb. stitch, sew; *~d* obunden paper-bound, unbound **2** *~ fast...(fast...vid)* fasten...on (...[on] to)
häftapparat stapling-machine
häfte liten bok booklet; frimärks~ book; skriv~ exercise book; av bok part; av tidskrift number
häftig 1 isht om sak: våldsam violent, hetsig hot, intensiv intense; ivrig eager, keen; hastig sudden; *~ feber* high fever **2** isht om pers.: hetlevrad hot-headed; lättretad quick-tempered; upphetsad excited **3** vard., bra great, smashing, groovy
häftigt violently osv., jfr *häftig;* hastigt quickly; t.ex. dricka fast; plötsligt suddenly; *andas ~* breathe quickly; *regna ~* rain heavily (fast)
häftplåster förband sticking-plaster, adhesive plaster
häftstift drawing-pin; amer. thumbtack
hägg bot. bird cherry
hägn beskydd protection; *i (under) lagens ~* under the protection of the law
hägra bildl. en bil *~r [för mig]* ...is my dream, I dream of getting...; *ett mål som ~r [för mig]* a goal which I dream of attaining
hägring mirage
häkta *tr* **1** fästa hook; *~ av* unhook *[från* off (from)] **2** jur. detain; *den ~de* the detainee, the person in custody, the detained person
häkte jur. custody; konkr. gaol, jail, prison
häktningsorder jur. warrant of arrest
häl anat. el. strump~ heel; *följa ngn [tätt] i ~arna* be [close] on a p.'s heels
hälare jur. receiver [of stolen goods], fence

häleri jur. receiving [stolen goods]
hälft half (pl. halves); *~en av boken* [one] half of the book, half the book; jag förstod inte *~en av vad han sade*... [one] half of what he said; *ta ~en var* take half each; *betala ~en var* pay half each, go halves
häll 1 berg~ flat rock **2** platta slab; av sten stone slab; på kokspis hob; i öppen spis hearth
1 hälla byx~ strap; skärp~ loop
2 hälla pour; *~ ur* tömma empty out; *~ ut ~ bort* pour (throw) away; spilla spill
hälleflundra zool. halibut
hällregna, *det ~r* it is pouring with rain
1 hälsa health; *bra för ~n* good for the health (for you)
2 hälsa 1 välkomna greet; högtidl. salute; *~ ngn välkommen* bid a p. welcome, welcome a p. **2** säga goddag o.d. vid personligt möte *~ [på ngn]* say how do you do (förtroligare say hallo) [to a p.]; ta i hand shake hands [with a p.]; buga bow (nicka nod) [to a p.]; lyfta på hatten el. mil. salute [a p.]; *~ tillbaka* return a p.'s greeting **3** skicka hälsning *~ [till ngn]* send [a p.] one's compliments (formellare respects, förtroligare regards, love) **4** *~ på [ngn]* besöka call round [on a p.], drop in (amer. stop by) [to see a p.]
hälsning allm. greeting; bugning bow; nick nod; isht mil. salute; *~[ar]* som man sänder, äv. compliments pl., respects pl.; förtroligare regards pl.; till närmare bekant love sg.; bud message[s pl.]; *hjärtliga ~ar från... (till...)* i brevslut love from... (kind[est] regards to...); *Med vänlig ~, Jan* i brevslut Yours [very] sincerely, Jan
hälsobrunn spa
hälsofarlig ...injurious (dangerous) to [the] health; *det är ~t* äv. it's a health hazard
hälsokontroll health control (screening); individuell health check-up
hälsokost health foods
hälsokostbutik health food store
hälsosam sund healthy äv. bildl.; nyttig, t.ex. om föda wholesome; *vara ~ för* vanl. be good for
hälsoskäl, *av ~* for reasons of health
hälsotillstånd, *hans ~* [the state of] his health
hälsovård hygiene; organisation health service
hälsovårdsnämnd public health committee (board)
hämma hejda check; hindra hamper, curb; fördröja retard; inhibit äv. psykol.; *~ blodflödet* stop (arrest, staunch) the bleeding
hämmad inhibited isht psykol.; jfr vid. *hämma*
hämnas I *vb tr* avenge; isht vedergälla revenge **II** *vb itr* avenge (revenge) oneself; *~ på ngn* äv. be revenged (avenged) on a p., take revenge on a p., get one's own back on (isht amer. get back at) a p.
hämnd revenge; högtidl. vengeance; *~en är ljuv* revenge is sweet
hämndbegär desire for revenge, vindictiveness; *av ~* out of revenge
hämndlysten vindictive
hämning inhibition äv. psykol.
hämningslös uninhibited; ohämmad unrestrained
hämsko bildl. drag, hindrance
hämta I *tr* eg.: allm. fetch; avhämta vanl. collect; bildl.: t.ex. upplysningar get, t.ex. näring draw; *~ ngt åt ngn (sig)* äv. get (bring) a p. (oneself) a th.; *~ ngn med bil* pick a p. up (fetch a p.) by car **II** *rfl, ~ sig* t.ex. efter sjukdom recover äv. om marknadsläge o.d. *[efter (från)* from]
hämtpris cash-and-carry price
hända I *itr* happen; äga rum take place; *~* drabba *ngn* happen to a p.; *det kan [nog] ~* that may be [so] **II** *rfl, ~ sig* happen, chance, come about
händelse 1 tilldragelse: allm. occurrence; viktigare event; obetydligare incident; episod episode **2** tillfällighet coincidence; *av en [ren] ~* by [mere] accident, by [mere] chance **3** fall case; *i ~ av eldsvåda* in the event of fire, in case of fire; *i alla ~r* at all events, in any case
händelseförlopp course of events; handling story
händelselös uneventful
händelserik eventful; ...full of action
händelsevis by chance; *jag var ~ där* I happened to be there
händig handy; flink deft
hänförande fascinating
hänförelse rapture; *tala med ~ om* talk rapturously about, gush about
häng|a I *tr* hang äv. avrätta; *~ ngt på* en krok hang (friare put) a th. on...; *~* ngt *till tork* hang...up (utomhus out) to dry **II** *itr* **1** hang; *~ i* taket hang (be suspended) from...; *stå och ~* hang about, lounge [about] **2** *det -er på* beror på it depends on **III** *rfl, [gå och] ~ sig* hang oneself
IV med beton. part.
~ av: *~ av sig [ytterkläderna]* hang up one's things
~ efter ngn be running after a p.
~ fast vid bildl. cling (stick) to
~ fram kläder hang out
~ framme be hanging out; slarvigt be hanging about
~ för ett skynke hang...in front
~ ihop a) sitta ihop stick together; äga sammanhang hang together, be coherent; se vid. *hålla [ihop]* **b)** förhålla sig *så -er det ihop* that is how it is (how matters stand) **c)** ~

ihop med bero på be a consequence (result) of; höra ihop med be bound up (connected) with

~ **med:** ~ *med* [*i svängen*] keep up with things; vard. be with it; *inte kunna* ~ *med* t.ex. i utvecklingen lose one's grasp (the hang) of things, get out of touch with things, not be able to keep up

~ **på ngn** (**sig**) ett halsband hang...round a p.'s neck (put on...); ~ *sig på ngn* force oneself (one's company) [up]on a p.

~ **samman** se ~ *ihop*

~ **undan** put...away; [*låta*] ~ *undan* ngt, t.ex. i affär put by, lay aside

~ **upp** hang [up]; ~ *upp sig* catch, get caught, hitch [*på* i samtl. fall on]

~ **ut** ngt hang (friare put) out...; t.ex. om skrynklig klänning den *-er ut sig* the creases will go (disappear) if the...is left to hang

hängare i kläder samt galge hanger; se vid. *klädhängare*

hängbröst sagging (pendulous) breasts

hänge, ~ *sig* let oneself go

hängfärdig, *vara* ~ be [down] in the dumps

hängig om pers. ...out of sorts, limp

hängiven devoted

hängivenhet devotion, attachment; tillgivenhet affection

hänglås padlock; *sätta* ~ *för* put a padlock on, padlock

hängmatta hammock

hängning hanging äv. avrättning

hängslen braces; amer. suspenders

hängsmycke pendant

hänryckning rapture; extas ecstasy; *falla i* ~ *över* go into raptures (resp. ecstasies) over

hänseende respect; *i alla* ~*n* in all respects, in every respect (way)

hänsyftning allusion, hint; *med* ~ *på* in allusion (with reference) to

hänsyn consideration äv. hänsynsfullhet; regard; aktning deference; skäl reason; *utan att ta* ~ *till...* bry sig om äv. disregarding..., quite regardless of...; *av politiska* ~ for political reasons; *med* ~ *till* beträffande with (in) regard to, as regards; i betraktande av in view (consideration) of, considering

hänsynsfull considerate; thoughtful

hänsynslös ruthless; ansvarslös reckless; taktlös inconsiderate; thoughtless

hänvisa refer; *han* ~*de till* sin bristande erfarenhet (ss. ursäkt) he pleaded...as an excuse; ~*nde till...* with reference to..., referring to...

hänvisning reference; i ordbok o.d. cross-reference; *med* ~ *till...* hänvisande till with reference to..., referring to...; åberopande ss. ursäkt pleading...as an excuse

häpen amazed; svag. astonished; obehagligt förvånad startled; *bli* ~ be amazed osv.; överraskad äv. be taken by surprise; förbluffad be taken aback

häpenhet amazement; *i* ~*en* glömde han in his amazement...

häpna be amazed osv., jfr [*bli*] *häpen*

häpnad amazement; *slå med* ~ strike with amazement, amaze, astound

häpnadsväckande amazing, astounding; oerhörd stupendous

1 här army

2 här here; där there; *den* (*så*) ~ se under *den B II* o. *2 så;* hos *en firma* ~ *i staden* ofta ...a local firm; ~ *går vägen till...* this is the way to...; *det var* ~ [*som*]... this is [the place] where...

härborta over here

härbärge husrum shelter; ungkarlshem hostel

härd allm. hearth; fys., reaktor~ core; bildl. centre; isht med. äv. foc|us (pl. -uses el. -i); isht för något dåligt hotbed

härda I *tr* allm. harden; tekn. äv.: t.ex. metall temper, plast cure; ~ *ngn* vanl. make a p. hardy; ~*d* motståndskraftig hardy; okänslig hardened; ~*t stål* hardened (tempered) steel **II** *itr,* ~ *ut* endure **III** *rfl,* ~ *sig* harden oneself [*mot* to]; ~ *sig mot* äv. inure oneself to

härdsmälta fys., i kärnreaktor meltdown

härefter om tid: framdeles, se *hädanefter;* efter detta after this (that); från denna tid from now; senare subsequently; efteråt afterwards; härpå then

härframme over here; häruppe up here; härnere down here

härhemma at home; hos mig (oss) in this house; här i landet in this country; ~ *i* Sverige here in...

häri in this; i detta avseende in this respect; ~ *ligger* hemligheten in this lies...

häribland among them (these); inklusive including

härifrån (jfr äv. *därifrån*) lokalt from here; *långt* ~ far from here, far off; ~ *och dit* from here to there; *han kom* ~ äv.: från det här hållet he came this way; från den utpekade platsen this is where he came from

härigenom på så sätt in this way, thus; genom detta (dessa) medel by this (these) means; på grund härav owing to this, by reason of this; tack vare detta thanks to this

härja I *tr* ravage; ödelägga devastate; ~*d av* sjukdom wasted by... **II** *itr* **1** ravage; väsnas play about, run riot, grassera be prevalent **2** grassera be rife (prevalent), rage **3** vard., väsnas o.d. play about; rasa carry on; leva rövare run riot äv. svira

härjning, ~*ar* ravages

härkomst börd extraction, parentage; härstamning descent, lineage; ursprung origin

härlig glorious äv. iron.; underbar wonderful, vard. gorgeous; förtjusande lovely; skön delightful; läcker delicious; storartad magnificent; *~t!* bra fine!; vard., smaskens goody, goody!
härlighet 1 glans el. bibl. glory; prakt splendour **2** *hela ~en* vard., alltihop the whole lot
härma imitate; vard. take off; förlöjligande el. naturv. mimic
härmas imitate; förlöjligande el. naturv. mimic
härmed med dessa ord with these words; *~ bifogas* enclosed please find
härnere down here (där there)
härnäst nu närmast next [of all]; nästa gång next time; sedan after this
härom I *adv* angående detta about this; staden ligger *norr ~* ...[to the] north from here **II** *prep,* affären ligger *alldeles ~ hörnet* ...just round the corner
häromdagen the other day
häromkring [all] round here (där there)
häromnatten the other night
häromsistens recently
häromåret a year or two (so) ago
härröra, *~ från* ha sitt ursprung i originate (arise, spring, proceed) from; härstamma från derive from; datera sig från date from
härs, *~ och tvärs* in all directions, this way and that way
härska rule isht med personsubj.; regera reign; vara allenarådande reign supreme; råda prevail; *~ över* äv. dominate [over], hold rule over, master; *tystnad ~de i...* silence reigned in...
härskande eg. ruling; gängse prevalent, prevailing; förhärskande predominant
härskare ruler; regent sovereign; herre master
härsken rancid; om pers. moody; vard. uptight; sur sulky
härskna go (become, turn) rancid, go off; *~ till* om pers. become moody (vard. uptight, sur sulky)
härstamma, *~ från* vara ättling till be descended from, come of; komma från originate (come) from, derive one's origin from; datera sig från date from (back to); härleda sig från be derived from
härtappad i Sverige ...bottled in Sweden
häruppe up here (där there)
härute out here (där there)
härutöver in addition to this (that, it)
härva skein; virrvarr tangle äv. bildl.; *en trasslig ~* a tangled skein; bildl. a real tangle (mix-up), a confused (complicated) state of things; isht polit. an imbroglio; t.ex. narkotika~ ring
härvidlag i detta avseende in this respect; i detta fall in this case; i detta sammanhang in this [matter]; här here
häråt åt det här hållet this way; i den här riktningen in this direction
häst 1 horse; vard. el. barnspr. gee-gee; *man skall inte skåda given ~ i munnen* you (one) must not look a gift-horse in the mouth; poliser *till ~* mounted... **2** gymn. [vaulting-]horse; *hopp över ~* horse vault **3** schack. knight **4** *~ar* vard., se ex. under *hästkraft*
hästintresserad ...interested in horses
hästkapplöpning se *kapplöpning*
hästkraft horsepower (pl. lika) (förk. h.p.); *en motor på 50 ~er* a fifty horsepower engine
hästkrake jade
hästkur drastic remedy (cure)
hästkött kok. horseflesh
hästlängd sport. vinna *med en ~* ...by a length
hästminne phenomenal memory
hästrygg, *på ~en* on horseback
hästsko horseshoe
hästskojare horse-dealer
hästsport equestrian sports; *~en* hästkapplöpningarna horse-racing, the turf
hästsvans horse's tail; frisyr pony-tail
hästtagel horsehair
hästuppfödare horse breeder
hästväg, *något i ~* something quite extraordinary
hätsk hatisk spiteful; friare: t.ex. om utfall savage, t.ex. om fiende implacable, t.ex. om fiendskap bitter, fierce
häva I *tr* **1** lyfta heave **2** bildl.: upphäva, t.ex. blockad raise; annullera annul; bota cure **II** *rfl, ~ sig* **1** lyfta sig raise (lift) oneself [up]; pull oneself up **2** höja och sänka sig heave
III med beton. part.
~ **i sig** put away
~ **upp** *ett skri* give a scream (yell); *~ upp sin röst* open one's mouth, [begin to] speak
~ **ur sig** come out with
hävd tradition custom; jur., långvarigt innehav prescription; *gammal ~* sedvana old (time-honoured) custom; *vinna ~* om t.ex. bruk become sanctioned by long usage; om t.ex. ord be adopted into the language
hävda I *tr* förfäkta assert; upprätthålla uphold; *~ att...* påstå assert (maintain) that...; göra gällande claim (argue) that... **II** *rfl, ~ sig* försvara sin ställning hold one's own [*gentemot* ngt with...]; göra sig gällande assert oneself
hävert siphon
hävstång lever äv. bildl.
häxa witch äv. käring
häxjakt witch-hunt äv. bildl.

häxkittel bildl. maelstrom
häxprocess witch trial äv. bildl.
hö hay; *bärga ~* slå o. torka make (köra in gather in) hay
höbärgning slåtter hay-making
höfeber med. hay-fever
1 höft, *på en ~* på måfå at random; planlöst in a slapdash (haphazard) way; på ett ungefär roughly, approximately
2 höft anat. hip
höfthållare girdle
1 hög 1 samling heap; staplad pile; *en ~ [med (av)]* böcker m.m. a heap osv. of...; *[stora] ~ar* massor *med* heaps [and heaps] of, lots [and lots] of; *hela ~en* allesammans the whole lot **2** kulle mound
2 hög 1 allm. high; högt liggande elevated; lång tall; av imponerande höjd lofty; stor: t.ex. om belopp large, t.ex. om straff heavy, t.ex. om anspråk great; högt uppsatt el. rang eminent, exalted; högdragen haughty; *~a betyg* high marks (amer. grades); *~ gäst* distinguished guest; *~a stövlar* high[-legged] boots; *vid ~ ålder* at an advanced (a great) age **2** om ljud: högljudd loud; högt på tonskalan high; gäll high-pitched; *med ~ röst* in a loud voice **3** sl., narkotikapåverkad high
högakta respect; hold...in high esteem
högaktningsfullt respectfully; *Högaktningsfullt* i brev Yours faithfully ([very] truly), amer. äv. Very truly yours,
högaktuell ...of great immediate interest; jfr vid. *aktuell*
högavlönad highly paid; *vara ~* äv. be a high-salary (high-income) earner
högbarmad high-bosomed
högborg bildl. stronghold
högborgerlig ung. upper-class; lägre upper middle-class
högbro elevated (high-level) bridge
högburen, gå *med högburet huvud* ...with one's head erect
högdjur vard. VIP, bigwig, high-up
högdragen haughty, arrogant; överlägsen supercilious
höger I *adj* o. *subst adj* o. *adv* right, right-hand; *~ hand* el. *högra handen* the (one's) right hand; *till (åt) ~* to the right **II** *s* **1** polit. *~n* allm. the Right; ss. parti the Conservatives pl. **2** boxn. *en [rak] ~* a [straight] right
högerback sport. right back
högerhänt right-handed
högerorienterad right-wing
högerparti Conservative (right-wing) party
högerregel, *tillämpa ~n* give right-of-way to traffic coming from the right
högersväng right[-hand] turn
högertrafik right-hand traffic; *det är ~ i...* vanl. in...you keep to (drive on) the right
högervind polit. *det blåser ~[ar]* there is a drift towards Conservatism
högfjäll alp
högform, *vara i ~* be in great form
högfrekvens high frequency
högfärd pride; fåfänga vanity; inbilskhet conceit
högfärdig proud; vain; conceited; jfr *högfärd;* mallig stuck-up
högförräderi high treason
höggradig high-grade
höghalsad om kläder high-necked
höghastighetståg high-speed train
höghet 1 titel *Ers (Hans) Höghet* Your (His) Highness **2** upphöjdhet loftiness
höghus high rise; punkthus tower block
höginkomsttagare high-income earner
högintressant highly interesting
högklackad high-heeled
högklassig high-class
högkonjunktur boom
högkvarter headquarters (sg. el. pl.)
högljudd ljudlig loud; högröstad: om pers. loud-voiced, om t.ex. folkhop vociferous; bullersam noisy
högljutt loudly; *tala ~* talk loud (in a loud voice, talk at the top of one's voice)
högläsning reading aloud
högmod pride; överlägsenhet arrogance; högdragenhet haughtiness; *~ går före fall* pride goes before a fall
högmodig proud; arrogant; haughty; jfr *högmod*
högmässa prot. morning service; katol. high mass
högoktanig, *~ bensin* high-octane petrol (amer. gasoline)
högre I *adj* higher etc., jfr *2 hög;* övre upper; ledande high; *de ~ klasserna* skol. the upper (senior) forms (amer. grades); samhälls- the upper classes **II** *adv* higher osv., jfr *högt;* ganska högt highly; mera more; *~ avlönade* arbetare higher-paid (ganska högt highly paid)...
högrest reslig tall
högrev kok. prime (best) rib
högröd bright red; vermilion; *bli ~ [av* ilska*]* turn scarlet [with...]
högröstad se *högljudd*
högsinnad o. **högsint** high-minded, noble-minded; om t.ex. karaktär noble
högskola college; universitet university, mindre university college; *teknisk ~* university of technology
högskoleutbildning university (higher) education (studies pl.)
högsommar high summer; *på ~en* in the height of the summer
högspänning elektr. high tension (voltage)
högst I *adj* highest etc., jfr *2 hög;* om antal maximum, i makt el. rang supreme, yttersta

extreme; *min ~a chef* my chief boss; *av ~a klass* of the highest class, first-rate...; *~a vikt* maximum weight; *av ~a vikt* of the highest (of the utmost, of supreme) importance **II** *adv* **1** highest osv., jfr *högt;* mest most; när aktierna *står [som] ~* ...are at their highest **2** mycket, synnerligen very, most; *~ oväntat* totally unexpected; *~ sällan* very seldom **3** inte mer än at [något stark. the] most; det varar *~ en timme* ...not more than an hour (på sin höjd one hour at the most)

högstadium the senior level (department) of the 'grundskola', jfr *grundskola*

högsäsong peak season; *under ~[en]* äv. during the height of the season

högsäte, *sitta i ~t* occupy the seat of honour; bildl. be allowed to rule

högt 1 high; i hög grad highly; högt upp high up; *vara ~ begåvad (betald)* be highly gifted (paid); kulturen *står ~* ...is on a high level; *~ ovan (över)* molnen far (high) above... **2** om ljud: så det hörs loud; högljutt loudly; ej tyst, ej för sig själv aloud; högt på tonskalan high; *läsa ~ för ngn* read aloud to a p.

högtalare loudspeaker

högtflygande high-flying; bildl.: om t.ex. planer ambitious; om t.ex. idéer high-flown

högtid festival, feast; *de stora ~erna* the high festivals

högtidlig allvarlig solemn; stämningsfull impressive; ceremoniell ceremonial, formal; *vid ~a tillfällen* on ceremonious (friare grand, special) occasions

högtidsdag festdag festival day; minnesdag commemoration day, vard. red-letter day; många lyckönskningar *på ~en (din ~)* ...on this great occasion

högtidsstund really enjoyable occasion

högtrafik, *vid ~* at peak hours

högtravande bombastic

högtryck meteor. el. tekn. high pressure; område area of high pressure; arbeta *för ~* ...at high pressure

högvakt main guard; *gå ~* be on main guard

högvatten high water

högvilt big game äv. bildl.

högvinst på lotteri top prize

högväxt tall

höja I *tr* (ibl. *itr*) raise äv. bildl.; isht bildl. heighten; förbättra improve; främja promote; mus. raise [...in pitch]; *~ sitt glas (en skål) för* raise one's glass (drink a health) to; *~ rösten* raise one's voice; *~ till skyarna* praise (extol) to the skies; *~ [på] ögonbrynen* raise one's eyebrows; *höjd över alla misstankar (allt tvivel)* above suspicion (beyond doubt) **II** *rfl, ~ sig* rise; om t.ex. terräng äv. ascend; resa sig (i förhållande till omgivningen) äv. tower; om pers. äv. raise oneself

höjd 1 allm. height; abstr. el. geom. el. astron. äv. altitude; geogr. äv. elevation; storlek highness; längd tallness; nivå level; intensitet degree; mus. pitch; *det är [då] ~en!* that's the limit!; *~en av* elegans the [very] height (acme) of...; *i ~ med* **a)** i nivå med on a level with; lika högt som at the level of **b)** i jämbredd med abreast of **c)** den är 5 m *på ~en* ...high, ...in height **2** se *höjdhopp*

höjdare 1 vard., högt uppsatt person VIP, bigwig **2** sport. high ball (kast throw, spark kick)

höjdhopp sport. high jump (hoppning jumping)

höjdhoppare sport. high jumper

höjdpunkt bildl. climax; huvudattraktion highlight; kulmen height

höjdrädd ...[who is (was etc.)] afraid of heights

höjning 1 höjande raising osv., jfr *höja I;* increase; improvement; ökning rise (amer. raise), rising; *~ och sänkning* t.ex. om priser rising and falling, rise and fall **2** geol. rising; *en ~ i marken* a rise (an elevation) in the ground

höj- och sänkbar vertically adjustable

hök hawk äv. polit.

hölass hay load; lastad skrinda loaded hay-cart

hölje omhölje envelope; täcke cover[ing]; överdrag coat[ing]; av lådtyp o.d. case; på radioapparat o.d. cabinet

höna eg. hen; unghöna pullet; kok. chicken; *göra en ~ av en fjäder* make a mountain out of a molehill

höns eg. fowl; koll. poultry, fowls, chickens; kok. chicken; *vara högsta ~et* be [the] cock of the walk; *han vill vara högsta ~et* he wants to be top dog

hönsbuljong chicken broth (stock)

hönsgård inhägnad chicken run; hönseri poultry-farm, chicken-farm

hönshjärna vard. *ha en riktig ~* be featherbrained

hönshus poultry house

hönsminne vard. *ha ett riktigt ~* have a memory like a sieve

höra I *tr* o. *itr* eg. el. friare hear; uppfatta ofta catch; lyssna listen; ta reda på find out **a)** med enbart obj. *~ musik* listen to music; så får du inte göra, *hör du det?* ...do you hear? **b)** med inf. *~ sitt namn nämnas* hear one's name mentioned; *jag har hört sägas att...* I have been told that... **c)** med prep.-best. *~ av ngn att...* learn from (be told by) a p. that...; du måste *~ med* fråga *henne* ...ask her; *det hörs på honom (på hans röst) att...* you can tell by (from) his voice that...; *han ville inte ~ på det örat* he just wouldn't listen **d)** i pass. *det hörs* att han är arg you can hear... **e)** i imper. *hör!* listen!

II *itr* **1** ~ *till* a) om ägande el. medlemskap belong to; vara medlem av, äv. be a member of b) vara en av be one of; vara bland be among c) vara tillbehör till o.d. go with; *det hör till* yrket it goes with..., it is part of... **2** ~ *under* en rubrik o.d. come (fall, belong) under

III med beton. part.

~ **av ngn** hear from a p.

~ **efter** a) lyssna listen; lägga märke till listen to b) ta reda på find out; fråga inquire; *hör efter hos* portvakten vanl. ask...

~ **sig för** inquire

~ **hemma i** belong to äv. om fartyg; *han hör hemma* bor *i S.* he lives in (härstammar från hails from) S.

~ **hit a)** höra hemma här belong here; *det hör inte hit* (*dit*) till saken that's got nothing to do with it, that's beside the point **b)** *hör hit* lyssna *ett slag!* just listen a moment!

~ **ihop** belong together; bruka följas åt go together; ~ *ihop* (*samman*) *med* be connected with; bruka åtfölja go with

~ **på** listen

~ **samman** se ~ *ihop*

~ **till a)** tillhöra belong to, se vid. *II 1* **b)** *det hör till* anses korrekt [*att man skall* inf.] it is the right and proper thing [that one should inf.]

~ **upp** sluta cease osv., jfr *upphöra*

hörapparat hearing aid

hörfel mishearing

hörhåll, *inom* (*utom*) ~ within (out of) earshot

hörlur 1 tele. receiver; radio. o.d. earphone **2** för lomhörd ear trumpet

hörn corner; *från jordens alla* ~ from the four corners of the earth

hörna 1 se *hörn* **2** sport. corner äv. boxn.; *lägga en* ~ take a corner

hörnsoffa corner settee (sofa)

hörnsten cornerstone äv. bildl.

hörsal lecture hall (theatre)

hörsam obedient

hörsel hearing; *ha dålig* (*god*) ~ be hard of (have a good sense of) hearing

hörselskadad hearing-impaired

hörselskydd hearing protector; *ett* ~ äv. a pair of earmuffs

hörslinga slags hörapparat hearing loop

hörsägen hearsay

höskulle hayloft

hösnuva hay-fever

höst autumn äv. bildl.; amer. vanl. fall; *~en* [the] autumn; *~en* (adv. [*på*] *~en*) *1994* the (adv. in the) autumn of 1994; *det blev* ~ autumn came

höstack haystack

höstdag autumn day

höstdagjämning autumnal equinox

höstmörker autumn darkness

höstrusk, *i ~et* in the nasty damp autumn weather

hösttermin autumn term; amer. fall semester

höta, ~ *åt ngn* [*med näven*] shake one's fist at a p.

hötorgskonst ung. trashy (third-rate) art

hövan, *över* ~ övermåttan beyond [all] measure; högeligen excessively; otillbörligt unduly

hövding indianhövding o.d. chief; anförare leader

hövisk artig courteous; ridderlig chivalrous

hövlig inte direkt ohövlig civil; artig polite; belevad courteous; aktningsfull respectful

hövlighet civility; jfr *hövlig; en* ~ an act of courtesy

I

1 i bokstav i [utt. aɪ]; *pricken över i* the dot over the i; bildl. the finishing touch

2 i A *prep* **I** om rumsförh. o. friare **1 a)** 'inuti', 'inne i', 'inom' in; 'vid' el. när prep.-uttr. anger en lokal vanl. at (Märk: Vid namn på större stad samt stad el. ort av intresse för den talande anv. vanl. in, framför mindre stad o. ort anv. annars vanl. at); arbeta ~ *en bank* (*fabrik*) ...at (in) a bank (factory); sitta ~ *fönstret* at (by, i öppningen in) the window **b)** 'på ytan av', 'ovanpå' o.d. vanl. on; uttrycket ~ *hans ansikte* ...on his face **c)** 'från' from; lampan *hänger* ~ *taket* ...hangs from the ceiling **d)** 'genom' vanl. through; höra ngt ~ *högtalaren* ...over the loudspeaker **e)** 'bland' among; sitta ~ *buskarna* ...among the bushes **f)** 'kring' round; kjolen *sitter för hårt* ~ *midjan* ...is too tight round the waist **g)** 'till' to; *göra ett besök* ~ resa till... pay a visit to...; *har du varit* ~ till... have you been to (in)... **h)** friare: i allm. in; angivande verksamhet m.m. ofta at; äv. andra prep. ~ *arbete* (*vila*) at work (rest); ~ *frihet* at liberty; ~ *liten skala* on a small scale **2** uttr. riktning into; vid vissa vb in; i vissa uttr. to; 'på' on; *knacka* ~ *väggen* knock on the wall; *resultera* ~ result in; slå ngn ~ *huvudet* ...on the head; *stampa* ~ *marken* stamp on the ground

II om tidsförh. **1** prep.-uttr. som svarar på frågan när?: 'under' in; 'vid' at; 'före' to; 'nästa' next; 'sista' last; i uttr. ss. 'i höst', 'i natt' this, to-; ~ *april* in April; ~ *höst* this (nästkommande vanl. next) autumn **2** prep.-uttr. som svarar på frågan hur länge? for; ~ *månader* (*åratal*) for (in) months (years) **3** 'per' *med en fart av* 90 km ~ *timmen* at the rate of...an (per) hour

III i olika förb. o. uttryck **1** 'gjord av' of; ibl. in; *ett bord* ~ *ek* an oak table, a table [made] of oak **2** 'medelst' by; ibl. in; om fart o.d. at; han fördes dit ~ *bil* ...by car; ~ *galopp* at a gallop; *hålla ngn* ~ *handen* hold a p. by the (hold a p.'s) hand **3** 'i och för' ofta on; han är här ~ *affärer* ...on business; jfr äv. *V 1* **4** 'på grund av' ~ *brist på* for want of; *ligga sjuk* ~ influensa be down with... **5** 'i form av' o.d. vanl. in; 'såsom' as; förlora 100 man ~ *döda och sårade* ...in dead and wounded **6** 'medlem av' ofta on; *gå* ~ andra klass be in...; sitta ~ *en kommitté* (*en jury*) ...on a committee (a jury) **7** 'angående' on; *ge föreläsningar* ~ fonetik give lectures on... **8** i uttr. av typen 'bra (dålig) i' o.d. vanl. at; *bra* (*dålig*) ~ engelska good (poor el. bad) at... **9** med andra adj. o. subst. *förtjust* ~ *blommor* fond of flowers; *galen* ~ crazy about

IV i prep.-attr. vanl. of; isht efter superl. samt i rent lokal bet. in; *en vacker morgon* ~ *april* a (adv. on a) fine April morning; *det roliga* ~ *historien* the amusing part of the story; *glaset* ~ *rutan* the glass in the pane

V i vissa prep. o. konj. förb. **1** ~ *och för sig* säger uttrycket föga in itself... **2** ~ *och med detta nederlag* var allt förlorat with this defeat...; ~ *och med att jag går* är jag in (genom by) going... **3** *du gjorde rätt* ~ *att hjälpa* (*du hjälpte*) *honom* you were right in helping him

B *adv, en vas* (resp. *vaser*) *med blommor* ~ a vase (resp. vases) with flowers in it (resp. them); ~ vattnet *med dig* (*det*)*!* in with you (it)!; *hoppa* ~ jump in (into the water); se vid. beton. part. under resp. vb

iaktta[ga] 1 eg. observe; [uppmärksamt] betrakta vanl. watch **2** bildl. observe; t.ex. försiktighet exercise; ~ *neutralitet* (*tystnad*) maintain neutrality (silence)

iakttagare observer

iakttagelse observation; *jag har gjort den* ~*n att...* I have noticed (erfarenheten it is my experience) that...

ibland I *prep* se *bland* **II** *adv* stundom sometimes; då och då occasionally

icing i ishockey icing

icke se *inte*

icke-rökare non-smoker

icke-våld non-violence

idag today, för ex. se under *dag*

idas have enough energy; *inte* ~ [*göra ngt*] vara för lat be too lazy [to do a th.]; *jag ids inte* höra på längre I can't be bothered to...

ide winter quarters, winter lair; *gå i* ~ eg. go into hibernation, hibernate; bildl. äv. shut oneself up in one's den

idé idea äv. filos.; begrepp concept; *en fix* ~ *hos honom* a fixed idea of his; *det är ingen* ~ *att göra* (*att han gör*)... it is no good el. use doing (his doing)..., there is no point in doing (his doing)...; *få en* ~ hit on (be struck by) an idea; *jag skulle aldrig komma på den* ~*n att* inf. I would never dream of ing-form; *hur har du kommit på den* ~*n?* what put that idea into your head?

ideal ideal

idealisera idealize

idealisk ideal; friare perfect

idealism idealism

idealist idealist

ideell idealistic; ~ *förening* non-profit association (organization)

idéfattig ...devoid of ideas; friare unimaginative, uninspired

idéhistoria [the] history of ideas

idel om t.ex. avundsjuka sheer; om t.ex. skvaller mere; om t.ex. bekymmer nothing but

ideligen continually; ~ *fråga* samma sak keep [on] asking...
identifiera identify
identifiering o. **identifikation** identification
identisk identical
identitet identity; *styrka sin* (*fastställa ngns*) ~ prove one's (establish a p.'s) identity
identitetskort identity card
ideologi ideology
ideologisk ideological
idérik ...full of ideas; friare inventive
idétorka dearth of ideas
idiot idiot
idioti idiocy
idiotisk idiotic
idiotsäker foolproof, fail-safe
idissla 1 eg. ~ [*födan*] ruminate, chew the cud **2** bildl. repeat...[over and over again]; ~ *samma sak* vanl. be harping on the same string
idka bedriva carry on; utöva practise; studier pursue; ägna sig åt devote oneself to; t.ex. idrott go in for
id-kort o. **ID-kort** ID [card]
idog industrious; arbetsam laborious; trägen om t.ex. arbete assiduous
idol idol; favorit great favourite
idolbild picture (affisch poster) of one's favourite [film (pop etc.)] star
idrott 1 koll. sports, sport; fotboll, tennis o.d. games, ss. skolämne se *gymnastik* **2** se *idrottsgren*
idrotta go in for sport
idrottare sportsman; kvinna sportswoman; friidrottare athlete
idrottsanläggning sports (athletics) ground (centre)
idrottsdag ung. games day
idrottsevenemang sporting event
idrottsgren [kind of] sport; [type of] game; branch of athletics
idrottshall sports centre (hall); för gymnastik gymnasium
idrottsintresserad ...interested in sport
idrottsledare sports leader
idrottsplats sports ground (field)
ids se *idas*
idyllisk idyllic
ifall 1 såvida ~ (äv. ~ *att*) if; antag att supposing [that]; förutsatt att provided [that] **2** huruvida if
ifatt, *hinna* (*gå, köra* etc.) ~ *ngn* catch up with a p.
ifjol last year
ifred se [*i*] *fred*
ifråga se *fråga I* äv. för sms.
ifrågasätta betvivla question
ifrån I *prep, flyga* (*köra* etc.) ~ ngn (ngt) a) bort ifrån fly (drive etc.) away from... b) genom överlägsen hastighet fly (drive etc.) ahead of...; *lägga* ~ *sig* ngt put...down [*på* bordet on...]; undan, bort put away..., put...aside; lämna kvar leave...[behind]; *vara* ~ utom *sig* be beside oneself **II** *adv* borta away; *kan du gå* (*komma*) ~ *en stund?* can you get away for a while?
igel leech äv. bildl.
igelkott hedgehog
igen 1 ånyo again; *om* [*och om*] ~ over [and over] again **2** tillbaka, åter back; *slå* ge ~ hit back **3** emot, se *hålla* [*igen*] **4** tillsluten shut (jfr *hålla* [*igen*]); to (jfr *slå* [*igen*]); *fylla* ~ fill up; med det innehåll som funnits där förut fill in **5** se *ta* [*igen*]
igenfrusen, sjön *är* ~ ...has (is) frozen over
igengrodd av t.ex. smuts blocked up
igenkännande, *ett* ~ *leende* a smile of recognition
igenmulen overclouded
igenom I *prep* through, se vid. *genom;* [*hela*] *dagen* (*livet, 1700-talet*) ~ throughout the day (one's life, the eighteenth century); [*hela*] *året* ~ all the year round, all through the year, throughout the year **II** *adv* through
igensnöad översnöad snowed over; blockerad ...blocked (obstructed) by snow
igenvuxen, ~ [*med ogräs*] ...overgrown with weeds
igloo 1 igloo **2** för glasavfall bottle bank
ignorera ignore; t.ex. varning disregard; ej hälsa på cut
igång se *i gång* under *gång 1 c*
igår yesterday; för ex. se *går*
ihjäl to death; plötsligt dead; *skjuta* ~ *ngn* shoot a p. dead, amer. äv. shoot a p. to death
ihjälfrusen ...frozen to death
ihjälklämd, *bli* ~ be squeezed to death
ihop 1 tillsammans together; gemensamt jointly **2** köra ~ ...into one another **3** till en enhet, igen o.d. up, jfr t.ex. *fälla* [*ihop*] o. *fästa* [*ihop*] **4** uttryckande minskning up; *krympa* ~ shrink up
ihåg, *komma* ~ remember; erinra sig recollect; återkalla i minnet call...to mind, recall; lägga på minnet bear (keep)...in mind
ihålig hollow
ihållande I *adj* om t.ex. köld prolonged; om t.ex. regn continuous; [*ett*] ~ *regn* äv. a steady downpour **II** *adv* continuously
ihärdig om pers. persevering; trägen assiduous; ~*t nekande* persistent denial
ihärdighet perseverance; assiduity; seghet tenacity [of purpose]
ikapp 1 i tävlan *cykla* (*segla* etc.) ~ have a cycling (sailing etc.) race; *rida* ~ [*med ngn*] race [a p.] on horseback **2** se *ifatt*
iklädd dressed in; *endast* ~ pyjamas with only...on, wearing only...
ikväll this evening

il vindil gust [of wind]; by squall
1 ila hasta speed; vardagligare hurry; rusa dash; *tiden ~r* time flies
2 ila, *det ~r i tänderna* [*på mig*] I have shooting pains in my teeth
ilbud meddelande express message; pers. express messenger
ilfart, *köra i ~* drive (ride) at express (lightning) speed
ilgods koll. express goods, goods pl. sent (som skall sändas to be sent) by express train; *som ~* by express
illa badly; i vissa fall, bl.a. ss. predf. bad; *inte* [*så*] *~!* not [half] bad!; *göra sig ~ i handen* hurt one's hand; *jag mår ~ bara jag tänker på det* it makes me sick to think of it; *ta inte ~ upp!* don't be offended!, no offence [was meant]!; *det var ~, det!* vard. that's a pity!; *så ~ kan det väl* [*ändå*] *inte vara?* it can't be that bad (as bad as all that), I hope!; *om det vill sig ~* if things are against you (me etc.), if you (we etc.) are really unlucky
illaluktande nasty-smelling; stark. evil-smelling
illamående I *s* indisposition; feeling of sickness **II** *adj, känna sig* (*vara*) *~* känna kväljningar feel (be) sick; amer. feel (be) sick at (to, in) one's stomach
illasinnad om pers. ill-disposed, ill-intentioned; om handling malicious
illavarslande ominous, ill-boding
illdåd outrage, wicked (evil) deed
illegal illegal
iller zool. polecat
illmarig knowing, sly, cunning; skälmsk arch
illojal disloyal
illröd vivid (blazing) red; *vara ~ i ansiktet* be red as a beetroot
illtjut vard. terrific yell
illusion illusion; villa delusion; *göra sig ~er* cherish (have) illusions [*om* about; *om att* [to the effect] that]
illusionsfri o. **illusionslös** ...without illusions, ...free from all illusions
illustration illustration
illustratör illustrator
illustrera illustrate
illvilja groll spite; elakhet malevolence; djupt rotad malignity; *av ~* from (out of) spite
illvillig hätsk spiteful; elak malevolent; stark. malignant; jfr äv. *illasinnad*
illvrål se *illtjut*
ilning av glädje o.d. thrill; t.ex. i tand shooting pain
ilpaket express packet (större parcel)
ilsamtal tele. priority (express, urgent) call
ilska anger; stark. rage; *i ~n* glömde han... ...in his anger
ilsken ond angry; isht amer. mad; om djur savage, wild; ursinnig furious; argsint fierce; skärande piercing; *bli ~* get angry (mad, frantic) [*på ngn* with a p.; *över ngt* at a th.]
iltelegram express (urgent) telegram
image image; *partiets ~* the party image
imitation allm. imitation; vard., karikatyr takeoff; isht professionell impersonation
imitatör imitator; isht professionell impersonator
imitera imitate; isht professionellt impersonate; *~d* oäkta, vanl. imitation..., imitative
imma I *s* mist; *det är ~ på* glaset ...is misted over **II** *rfl, ~ sig* bli immig become misted over
immig misty
immigrant immigrant
immigration immigration
immigrera immigrate
immun immune; *göra ~* se *immunisera*
immunbrist med. immunodeficiency
immunförsvar immune defence
immunisera render...immune; immunize
immunitet med. el. jur. immunity
imorgon o. **imorron** tomorrow
imorse this morning
imperialism imperialism
imperialist imperialist
imperium empire
imponera impress, make a great impression; *han låter sig inte ~*[*s*] *av...* he is not impressed with (by)..., he is unimpressed by...
imponerande allm. impressive; om t.ex. storlek imposing; om t.ex. antal striking
impopulär unpopular
import importerande import; varor imports
importera import
importförbud import ban (prohibition); *~ på* en vara a ban on the import of...
importtull import duty
impotens fysiol. el. friare impotence
impotent fysiol. el. friare impotent
impregnera impregnate; göra vattentät waterproof, proof, make...waterproof
impregneringsmedel impregnating ([water]proofing) agent
impressionism konst. impressionism
improduktiv unproductive; oräntabel unprofitable
improvisation improvisation äv. mus.
improvisera improvise äv. mus.; extemporize; vard. ad-lib; *~d* improvised; provisorisk makeshift; vard. ad-lib, off-the-cuff; *ett ~t tal* äv. an impromptu (extempore) speech
impuls impulse äv. elektr.; fysiol. *få* (*hämta*) *nya ~er från* get (receive) fresh inspiration from
impulsiv impulsive

impulsköp impulsköpande impulse buying; *ett ~* an impulse buy (purchase)
in allm. in; in i huset o.d. inside; *kom* (*stig*) *~* ett tag! step inside...!; *simma ~ mot* stranden swim towards...; *~ till staden* in (om storstad up) to town
inackordering 1 abstr. board and lodging **2** pers. boarder; *ha* (*ta emot*) *~ar* take in boarders (paying guests)
inadekvat inapt
inaktiv inactive
inaktuell förlegad out of date; inte aktuell just nu ...not contemplated for the present; jfr *aktuell*
inalles, ~ 500 kr ...in all, ...altogether
inandas breathe in
inandning breathing in; *en djup ~* a deep breath
inarbetad, *en ~ firma* an established firm; *~ tid* compensatory leave [for overtime done]; *en ~ vara* an article which sells well, a popular article; jfr vid. *arbeta* [*in*]
inatt förliden last night; kommande, innevarande tonight; denna natt, nu i natt this night
inavel inbreeding
inbakad bildl. included
inbegripa 1 innefatta comprise; medräkna include; jfr äv. *inberäkna* **2** *inbegripen i* t.ex. ett samtal engaged in; t.ex. ordväxling in the middle of
inberäkna include; *allt ~t* everything included
inbetalning payment; avbetalning part payment
inbetalningskort post. paying-in form
inbilla I *tr, ~ ngn ngt* make a p. (lead a p. to) believe a th. **II** *rfl, ~ sig* imagine, fancy
inbillad imagined; friare imaginary
inbillning imagination; *det är bara ~!* it is only your (his etc.) imagination!, you are (he is etc.) only imagining things!
inbillningsfoster figment of the imagination, illusion
inbillningssjuk, *en ~* subst. adj. an imaginary invalid
inbilsk conceited, stuck-up; *vara ~* äv. think a lot of oneself
inbiten t.ex. ungkarl confirmed; t.ex. rökare inveterate
inbjudan invitation; vard. invite; *på ~ av* by (at, on) the invitation of
inbjudande inviting; lockande tempting; om mat o.d. appetizing; *föga ~* uninviting, unappetizing
inbjudningskort invitation card
inblandad, *bli ~ i...* be (get) mixed up (involved) in...
inblandning 1 tillsats admixture **2** bildl.: ingripande intervention; i andras affärer interference, meddling
inblick glimpse; insight; breven ger oss *en ~ i hans hemliv* ...a glimpse of his home life
inbonad *adj* overluned
inbringa yield, fetch; *affären ~r...* avkastar the business yields...; *hans författarskap ~r* några tusen om året his literary work brings him...
inbrott 1 av tjuv: burglary; isht på dagen housebreaking; *ett ~* an act (a case) of housebreaking, a burglary; *det har varit ~ i huset* the house has been burgled (isht på dagen broken into) **2** inträdande setting in; *vid dagens ~* at break of day, at daybreak (dawn)
inbrottsförsäkring burglary insurance
inbrottsförsök attempted burglary
inbrottstjuv burglar; isht på dagen housebreaker
inbuktning inward bend
inbunden 1 om bok bound; *~ bok* hardback **2** om pers. reserved; vard. uptight
inbundenhet uncommunicativeness
inburad vard. *bli ~* be put in quod (clink)
inbyggd built-in, in-built; *~ veranda* closed-in veranda[h]
inbyte trade-in; *ta* t.ex. bil *i ~* trade in..., accept...in part payment
inbäddad i filtar wrapped [up]; i grönska embedded
inbördes I *adj* ömsesidig mutual; *ett sällskap för ~ beundran* a mutual admiration society; *~ likhet* similarity [between them (you etc.)] **II** *adv* mutually; sinsemellan between (resp. among) themselves
inbördeskrig civil war
incest incest
incheckning checking-in; *en ~* a check-in
incident incident
indela allm. divide [up]; i underavdelningar subdivide; klassificera classify, group
indelning division; i underavdelningar subdivision; klassificering classification
index fackspr. el. ekon. ind|ex (pl. -exes, i vetenskaplig stil -ices)
indexreglering index-linking
indian [American (Red)] Indian; *leka ~er* [*och vita*] play [cowboys and] Indians
indianhydda wigwam
indianhövding [Red-]Indian chief
indianreservat Indian reservation
indianstam American Indian tribe
indicium tecken o.d. indication, index; jur. döma *på indicier* ...on circumstantial evidence
Indien India
indier Indian
indignation indignation
indignerad indignant
indigoblå indigo blue
indikation indication äv. med.
indirekt I *adj* allm. indirect; *~ anföring*

indirect (reported) speech **II** *adv* indirectly; på indirekt väg by indirect means
indisk Indian
indiska Indian woman (flicka girl)
indiskret indiscreet; taktlös tactless
indisponerad allm. indisposed; ej upplagd ...not in the right mood; om sångare ...out of voice
individ allm. individual; zool. äv. specimen; vard. *en avsigkommen ~* a shabby-looking individual (specimen)
individualism individualism
individualist individualist
individualistisk individualistic
individuell individual
indoktrinera indoctrinate
indoktrinering indoctrination
indones Indonesian
Indonesien Indonesia
indonesier Indonesian
indonesisk Indonesian
indragen, *bli ~* inblandad *i* be (get) mixed up (involved) in; jfr vid. *dra [in]*
indragning 1 återkallande withdrawal; inställande discontinuation; avskaffande abolition; konfiskering confiscation; jfr *dra [in]; dömas till ~ av körkortet* get one's driving licence suspended (taken away); för alltid be disqualified from driving **2** av vatten, elektricitet o.d. laying on
indriva fordringar, skatter collect; på rättslig väg recover
indrivning collection; jfr *indriva*
industri industry; rationaliseringen *inom ~n* vanl. industrial...
industrialisera industrialize; *det ~de England* industrial England
industrialisering industrialization
industriarbetare industrial worker
industridepartement ministry of industry
industriföretag industrial concern (undertaking, enterprise)
industriland industrialized (industrial) country (nation)
industriområde industrial estate (amer. park)
industrisamhälle industrial (industrialized) society
industrisemester ung. general industrial holiday
industrispionage industrial espionage
industristad industrial (manufacturing) town
ineffektiv om pers. o. sak inefficient
inemot framemot towards; nästan nearly; han är *~ 60* äv. ...close on 60
inexakt inexact
infall 1 påhitt, idé idea, thought; nyck whim, fancy; kvickt el. lustigt yttrande sally, flash of wit; *ett lyckligt ~* a bright idea **2** mil. invasion
infalla 1 inträffa fall; julafton *inföll på en onsdag* ...fell on a Wednesday; *den första perioden inföll* i början av seklet the first period took place... **2** inflicka put in; du har fel, *inföll han* ...he put in
infallen, *infallna kinder* sunken (hollow) cheeks
infanteri infantry; *vid ~et* in the Infantry
infanterist infantryman, foot soldier
infarkt med. infarct
infart infartsled approach äv. sjöledes; privat uppfartsväg drive[way]; infartsport o.d entrance; *förbjuden ~* trafik. no entry
infartsparkering park-and-ride facilities; [*systemet med*] ~ the park-and-ride system
infatta kanta border; ädelsten o.d. set; *~ ngt i ram* frame a th.
infattning konkr. border, frame; jfr *infatta*
infektera infect; friare poison; *stämningen var ~d* there was an atmosphere of hostility (a poisoned atmosphere)
infektion infection
infektionsrisk risk of infection
infernalisk infernal
infiltration infiltration äv. med.
infiltrera infiltrate äv. med.
infinna, *~ sig* visa sig appear, make one's appearance; inställa sig put in an appearance, turn up; isht med följ. prep.-best. present oneself
inflammation inflammation
inflammera inflame; *debatten hade blivit ~d* the debate had become heated (inflamed)
inflation inflation
inflationstakt rate (level) of inflation
inflicka o. **inflika** interpose; i skrift insert
influens influence äv. fys.
influensa influenza; vard. [vanl. the] flu; *han ligger i ~* he's down (laid up) with influenza ([the] flu)
influera, ~ [*på*] influence, have an influence on
inflygning mot flygplats approach; överflygning overflight
inflytande bildl.: allm. influence; *ha* (*öva*) *~ på* have (exert) an influence on, influence
inflytelserik influential; *en ~ man* äv. a man of influence
inflyttning moving in; i ett land immigration; *~en till* städerna har ökat the number of people moving into...
inflyttningsfest house-warming [party]
inflyttningsklar ...ready for occupation
inflöde influx
infoga fit...in; inkorporera incorporate; *~ ngt i* (*på*)... fit (insert) a th. into...
infordra allm. demand; hövligare request, solicit; *~ anbud på* invite tenders for
information 1 information; vard. info **2** *i ~en* vid informationsdisken at the information desk (counter)

informationsbyrå information bureau
informationsflöde information flow
informationssamhälle society dominated by massmedia
informativ informative
informatör informant; PR-man public relations officer
informell informal
informera inform, brief; *väl ~d* well-informed; *hålla ngn ~d om ngt* äv. keep a p. posted about a th.
infravärme infra-red heat; uppvärmning infra-red heating
infria förhoppning fulfil, redeem; skuld, lån discharge, pay off
infrusen frozen [in]; *infrusna tillgångar* frozen assets
infrysning freezing
infälld, *~ bild* (*karta* etc.) inset
infödd native[-born]; *en ~ svensk* (*londonbo*) a native of Sweden (London), a native-born Swede (Londoner)
infödning native; urinvånare aborigine
inför 1 i rumsbet. el. friare: allm. before; i närvaro av in the presence of; *ansvarig ~ ngn* responsible to a p.; *stå* (*ställas*) *~* ett svårt problem be confronted with... **2** i tidsbet. el. friare: omedelbart före on the eve; vid at; med...i sikte at the prospect of; full av förväntningar *~ julen* ...at the prospect of Xmas
införliva allm. incorporate; *~ ngt med* sina samlingar add a th. to...
införstådd, *vara ~ med* agree (be in agreement) with, accept
ingalunda förvisso inte by no means; inte alls not at all
inge 1 lämna in hand in **2** ingjuta inspire, instil; intala suggest; bibringa convey; *~* [*ngn*] *förtroende* (*hopp*) inspire [a p. with] confidence (hope)
ingefära ginger
ingen (*intet* el. *inget, inga*) (se äv. ex. under *enda*) **1** fören. no; *det kom inga brev i dag* there were no (weren't any) letters today; han är *~ dumbom* (*tyrann*) ...not a (känslobetonat: 'inte alls någon', 'motsatsen till' no) fool (tyrant) **2** självst. utan syftning **a)** om pers. *ingen, inga* nobody, no one (båda sg.); ibl. none pl.; *det var ~* (*inga*) *där* som jag kände there was nobody el. no one (were no people el. none) there...; *~ mer* får komma in no more people... **b)** allmänt neutralt *intet, inget* nothing; *inget är omöjligt* nothing is impossible; jfr *ingenting* **3** självst. med underförstått huvudord el. med partitiv konstr. none; han letade i fickorna efter cigaretter (en cigarett) men *hittade inga* (*~*) ...found none, ...did not find any (one) **4** *~ annan* ingen annan människa vanl. nobody (no one) else
ingenjör engineer
ingenjörstrupper engineers
ingenmansland no man's land
ingenstans nowhere; sådana metoder *kommer du ~ med* ...will get you nowhere
ingenting nothing; med partitiv konstr. none
ingenvart se *2 vart*
ingift, *bli ~ i* en familj marry into...
ingivelse inspiration inspiration; idé impulse, idea; *följa stundens ~* act on the impulse (spur) of the moment
ingrediens ingredient
ingrepp med. [surgical] operation; *göra ett* [*operativt*] *~* perform an operation; göra ett snitt make an incision
ingripa inskrida intervene; isht hjälpande step in; störande interfere; göra intrång encroach, infringe; *~ mot* take measures (med laga åtgärder action) against, intervene against
ingripande inskridande intervention; inblandning interference; *militärt ~* military intervention
ingrodd t.ex. om smuts ingrained; t.ex. om misstro, motvilja deeply rooted, deep-rooted; t.ex. om agg inveterate; *en ~ vana* an ingrained habit
ingå I *itr* **1** höra till *~ i* be (form) [an integral] part of; inbegripas i be included in; *P. ~r i* tillhör *laget* sport. P. is in the team **2** ankomma arrive **II** *tr* stifta, t.ex. förbund o.d. enter into; t.ex. överenskommelse o.d. make; *~ avtal med* äv. arrive at (come to) an agreement with
ingående I *adj* **1** ankommande arriving; t.ex. om brev incoming attr. **2** hand., se [*ingående*] *saldo* **3** bildl.: grundlig thorough; t.ex. om beskrivning detailed; uttömmande exhaustive **II** *adv* thoroughly etc. **III** *s* av äktenskap contraction; *fartyget är på ~* ... inward bound
ingång 1 konkr. entrance; biljetter *vid ~en* ...at the entrance (door[s]) **2** elektr. el. radio. input
ingångslön commencing (initial) wages pl. (isht månadslön salary)
ingångspsalm opening hymn
inhalator inhaler
inhandla buy
inhemsk domestic, home...; inrikes inland, internal; *den ~a befolkningen* the native population
inhopp 1 inblandning interference **2** sport. *göra ett ~* come on as a substitute
inhoppare ersättare substitute; vard. sub äv. sport.; teat. understudy
inhägnad allm. enclosure; amer., för boskap o.d. corral
inhämta 1 få veta pick up; skaffa sig obtain, procure; *~ kunskaper i* acquire knowledge of **2** ta igen make up for; *~ försprånget* reduce the lead

inifrån I *prep* from inside, from the interior of **II** *adv* from inside; isht friare from within
initialsvårighet initial difficulty
initiativ initiative
initiativförmåga o. **initiativkraft** power of initiative
initiativtagare initiator
initierad well-informed, initiated; vard. ...in the know
injaga bildl. ~ *skräck hos* (*i*) *ngn* strike terror into a p
injektion injection äv. bildl.
injektionsspruta syringe; för injektion under huden hypodermic [syringe]; vard. hypo
injicera inject
inkallad person called up for military service; amer. draftee
inkallelse allm. summons; mil., inkallande calling up; amer. drafting, induction; order om tjänstgöring call-up; amer. draft call
inkarnation incarnation
inkassera collect, take in; lösa in cash
inkasserare [debt] collector
inkassering o. **inkasso** collection [of debts]; inkasserande collecting
inkassobyrå debt-collecting agency
inkassouppdrag collection order
inkast 1 sport. throw-in; *göra* [*ett*] ~ take a throw-in **2** myntinkast slot; brevinkast [letter] slit (slot), amer. mail drop
inkludera include
inklusive including,...included
inklämd jammed (squeezed, wedged) in; ~ *mellan* två personer sandwiched between...
inkognito I *adv* incognito **II** *adj* incognito **III** *s* incognito (pl. -s)
inkommande: som mottas ...that is (was etc.) received (som inlämnas handed in); t.ex. om brev incoming
inkompetent oduglig incompetent; ej kvalificerad unqualified
inkomst 1 persons regelbundna ~ income; förtjänst profit; *mina ~er och utgifter* my income and expenditure **2** ~[*er*] intäkter receipts [*av* from], takings [*av* from], proceeds [*av* of], (samtl. pl.); statens, kommunens revenue[s pl.] [*av* from]
inkomstbeskattning taxation of income
inkomstbringande profitable, lucrative
inkomstskatt income-tax
inkomsttagare wage (income) earner
inkomstökning increase in earnings
inkonsekvent inconsistent
inkontinens med. incontinence
inkorrekt I *adj* incorrect **II** *adv* incorrectly
inkråm i bröd crumb; se äv. *innanmäte*
inkräkta encroach, trespass [*på* [up]on]; ~ *på* t.ex. patent, rättigheter äv. infringe
inkräktare encroacher, intruder; i ett land invader
inkrökt self-absorbed; psykol. introverted
inkubationstid med. incubation period
inkvartera isht mil. billet
inkvartering 1 inlogering billeting **2** kvarter quarters, billet
inköp purchase; *jag gör mina* ~ handlar *hos*... I shop (buy my things) at...; *jag måste göra några* ~ I have some purchases to make, I must do some shopping
inköpare buyer, purchaser
inköpspris cost (purchase) price; sälja *till* (*under*) ~[*et*] ...at (below) cost (purchase) price
inköpsställe place of purchase
inkörd om bil: intrimmad run in; *vara väl* ~ *på* t.ex. jobbet have got the hang of...; jfr vid. *köra* [*in*]
inkörningsperiod running-in period äv. bildl.
inkörsport entrance [gate]; själva öppningen el. bildl. gateway
inlaga 1 skrivelse petition, address; jur. äv. plea **2** i bok insert
inlag|d (jfr äv. *lägga* [*in*]) **1** dekorerad inlaid; *-t arbete* äv. inlay **2** i ättika o.d. pickled; ~ *sill* pickled herring
inland mots. till kustland interior, inland [parts pl.]
inleda börja begin; t.ex. affärsförbindelser, möte, samtal open; t.ex. undersökningar institute, initiate; t.ex. angrepp launch; jfr vid. *leda* [*in*]
inledande introductory, preliminary; ~ förberedande *möte* opening (preliminary, initial) meeting
inledning 1 början beginning; förord introduction; upptakt prelude **2** inledande av vatten o.d. laying on
inledningsvis by way of introduction
inlevelse feeling; psykol. empathy
inlevelseförmåga power of insight; i en roll ability to live a (resp. the) part
inlindad wrapped up; *~e hot* veiled (disguised) threats
inlopp 1 infartsled entrance, approach; *~et till* Stockholm the sea-approach to... **2** flods inflöde inflow **3** tekn. inlet
inlåst, *vara* (*bli*) ~ be locked in (up)
inlåta, ~ *sig i* (*på*) a) t.ex. diskussion, tävlan enter into... b) t.ex. affärer embark (enter) [up]on... c) t.ex. samtal, politik, strid engage in... d) t.ex. tvivelaktig transaktion get mixed up in...
inlägg 1 eg.: veck tuck; något inlagt insertion **2** bildl. contribution **3** fotb. cross centre
inläggning 1 putting in etc., jfr *lägga* [*in*]; insertion **2** konserv[ering] a) abstr. preserving etc., jfr *lägga* [*in*] b) preserved fruits pl. (vegetables pl.) etc. **3** snick. el. konst. a) abstr. inlaying b) konkr. inlay
inläggssula insole
inlämning 1 inlämnande handing (sending)

in, delivery; av post posting; till förvaring leaving **2** inlämningsställe receiving-office
inlämningsdag o. **inlämningsdatum** date of posting; sista ~ date (day) on which an application (coupon etc.) must be handed in (posted)
inlärd ...that has (had etc.) been learnt; han läste upp det *som en ~ läxa* ...like a lesson he had learnt off by heart
inlärning learning; utantill memorizing
inmundiga skämts. partake of
innan I *konj* before; i samband med nek. uttr. ibl. (i bet. 'förrän') until; *~ du berättade det,* visste jag ingenting om saken until (before) you told me... **II** *prep* before; *~ kvällen* before evening **III** *adv* **1** tidsbet., se *förut* **2** rumsbet. *utan och ~* se *utan II*
innanför I *prep* inside, within; bakom t.ex. disken behind; *alldeles ~ dörren* just inside the door; *~ murarna* within (inside) the walls; *~ rocken* under the (his etc.) coat **II** *adv, i rummet ~* in the room beyond
innanmäte innandöme inside; i djurkropp entrails; i frukt o.d. pulp
inne I *adv* **1** rumsförh. el. bildl.: allm. in; inomhus indoors; det är kallare *~ än ute* ...indoors than outdoors (out of doors); *~ i* a) t.ex. huset, bilen in, inside b) t.ex. staden, skogen in; *långt ~ i landet* far inland, far (a long way) up country; *längst ~ i* garderoben at the back of...; *medan vi är ~ på detta ämne* while we are on (we are dealing with) this subject; se äv. beton. part. under resp. vb **2** tidsförh.: *nu är tiden ~ att* inf. now the time has come to inf. **II** *adj, det är ~* vard., på modet it's with-it (the in-thing)
innebandy sport. indoor bandy
inneboende I *adj* naturlig inherent; egentlig intrinsic; *vara ~* innebo *hos ngn* lodge with a p. **II** *subst adj* lodger; amer. äv. roomer
innebränd, *bli ~* i ett hus (garage etc.) be burnt to death in a house (garage etc.)
innebära betyda imply, signify; *med allt vad detta innebär* with all that this implies (involves)
innebörd betydelse meaning, signification; innehåll content; innehåll o. räckvidd purport; ordalydelse, andemening tenor
innefatta innesluta i sig contain; inbegripa include; bestå av consist of; omfatta embrace
innegrej vard., modesak in-thing
inneha hold; occupy; *~ rekordet* hold the record
innehav ägande possession; mera konkr. holding; *hans ~ av aktier* var stort his holding of shares...
innehavare t.ex. av mästerskap, värdepapper holder; besittare possessor; ägare owner; t.ex. av rörelse proprietor; *lägenhetens ~* the occupier of the flat; jfr äv. *licensinnehavare* m.fl. sms.
innehåll contents pl.; tankeinnehåll el. innebörd samt procenthalt o.d. content; huvud~ substance; ordalydelse tenor; hennes liv *fick nytt ~* ...took on a new meaning (purpose)
innehålla 1 contain; *vad innehåller* lådan (brevet)*?* äv. what is there in...? **2** t.ex. lön withhold
innehållsdeklaration declaration of contents (av ingredienser ingredients)
innehållslös empty, ...containing very little
innehållsrik ...containing a great deal (lots of things); mångsidig comprehensive; *en ~* händelserik *dag* an eventful day
innepryl vard., modesak in-thing
innerficka inside pocket
innerlig förtrolig intimate; djupt känd heartfelt; hängiven devoted, ardent; brinnande fervent
innerlighet intimacy; sincerity; devotedness, ardour; fervour, intensity; jfr *innerlig*
innersida inner side; handens inside, palm
innerst, *~ [inne]* a) eg. farthest in; på den inre sittplatsen on the inside; i mitten in the middle; i bortre ändan at the farthest end b) bildl. deep down, in one's heart of hearts; i grund och botten at heart
innersta eg. innermost; friare inmost; *hans ~ tankar* his inmost thoughts
innerstad, *i ~en* in the centre (central part) [of the town]
innertak ceiling
innesittare person who likes to keep indoors; hemmamänniska homebird
innesko indoor shoe
innesluta allm. enclose båda äv. mil.; omge encompass, surround äv. mil.; innefatta include
innestående insatt på bankkonto deposited; hur mycket *har jag (finns) ~* outtaget*?* ...is still due to me?
inneställe vard. in place
innestängd shut (closed) in; inlåst locked in
inofficiell unofficial
inom 1 rumsförh. el. friare within; inuti, i äv. in; han hade knappt *kommit ~ dörren* ...got inside the door; *~ industrin* in [the sphere of] industry **2** tidsförh.: inom gränserna för within; i bet. 'om' *~ [loppet av] ett år* in (within) [the course of] a year; *~ kort* in a short time, shortly
inombords 1 sjö. on board **2** friare: 'i kroppen' inside; *jag måste få litet* mat o. dryck *~* I must get something inside me
inomhus indoors
inomhusbana för idrott indoor track; för tennis covered court; för ishockey [indoor] rink

inordna placera, inrangera arrange [...in order]; ~ *ngt i* ett system fit a th. in (into)...
inpackning 1 inslagning packing (wrapping) up **2** omslag med olja, vatten m.m. pack
inpiskad thorough-paced...; out-and-out...; *en ~ lögnare* an arrant (a consummate) liar
inplastad plasticized
inpränta, ~ *ngt hos ngn* (*i ngns minne*) impress a th. on a p.; vard. drum a th. into a p.
inpyrd, ~ *med rök* reeking with smoke; ~ *med fördomar* steeped in prejudice[s]
inpå I *prep* **1** rumsförh. *våt ~ bara kroppen* wet to the [very] skin; *alldeles* ~ ngn (ngt) quite close [up] to..., right on top of... **2** tidsförh. *till långt* ~ natten until far into... **II** *adv, för tätt* ~ too close (near) [to it (him etc.)]
inramad framed äv. bildl.
inre I *adj* **1** rumsförh.: längre in belägen inner, inside; invärtes, intern internal; inomhus indoor; *det ~ Afrika* the interior of Africa; ~ *angelägenheter* lands, förenings internal affairs; lands äv. domestic affairs **2** bildl.: hörande t. själslivet inner; egentlig intrinsic; *en ~ drift* an impulse from within; ~ *kamp* inner (inward) struggle **II** *subst adj* innandöme inside; persons inner man; *hela mitt* ~ upprördes my whole soul (being)...
inreda fit up; decorate; med möbler furnish; ordna arrange; *vackert inredd* beautifully appointed (decorated)
inredning 1 inredande fitting-up, equipment **2** konkr. [interior] fittings (appointments); väggfast ~ fixtures
inredningsarkitekt interior designer (decorator)
inresa till ett land entry; *vid ~* on arrival
inresetillstånd permission to enter the (resp. a) country; konkr. entry permit
inrikes I *adj* inländsk domestic; **II** *adv* within (in) the country
inrikesdepartement ministry (amer. department) of the interior; *~et* i Engl. the Home Office
inrikesflyg, *~et* flygbolagen the domestic airlines pl.; flygningarna domestic flights pl.
inrikesminister minister (amer. secretary) of the interior; i Engl. Home Secretary
inrikespolitik domestic politics pl. (politisk linje, tillvägagångssätt policy)
inriktad, *socialt ~* verksamhet ...that has social aims in view; *vara ~ på att* inf. a) sikta mot aim at (be bent on) ing-form b) koncentrera sig på concentrate on (direct one's energies towards) ing-form; *alla var ~e* beredda *på att detta skulle hända* everybody was prepared for that to happen
inriktning 1 eg.: justering adjusting, putting...in position; i linje med något alignment; av vapen sighting **2** bildl.: målsättning [aim and] direction; koncentration concentration; tendens trend; jfr äv. *inställning 2*
inrop vid auktion purchase
inropning på scen o.d. call; efter ridåfallet curtain call
inrotad t.ex. om ovilja deep-rooted; t.ex. om respekt deep-seated; t.ex. om vana inveterate
inrutad, *en ~ tillvaro* a humdrum (stereotyped) existence
inryckning mil. **1** intåg entry **2** till militärtjänst ~ *sker* den 1 mars joining-up takes place...
inrådan, *på* (*mot*) *min* (*ngns*) ~ on (contrary to) my (a p.'s) advice
inräknad, *sex personer, föraren ~* six, counting (including) the driver; *moms ~* including VAT
inrätta I *tr* **1** grunda establish, start **2** anordna arrange; ~ *det bekvämt för sig* arrange things comfortably for oneself **II** *rfl,* ~ *sig* **1** bekvämt settle down... **2** anpassa sig adapt (accommodate) oneself
inrättning 1 anstalt establishment **2** anordning device, appliance, contrivance; vard., 'manick' contraption
insamling hopsamling collection; penning~, vard. whip-round
insats 1 lös del i ngt liner, insertion äv. sömnad.; t.ex. [pappers]~ i oljefilter cartridge **2** i spel o.d. stake[s pl.]; kontant~ deposit; det var ett uppdrag *med livet som ~* ...in which [his (her) etc.] life was at stake **3** prestation achievement, effort; bidrag contribution; idrotts~ performance; *göra en ~ för* (*i*) make a contribution to, work (do something) for
insatslägenhet ung. co-operative [building-society] flat (apartment)
insatt 1 *vara ~ i...* hemmastadd be familiar (at home) with...; veta om know a lot about... **2** ~ *kapital* paid-in (invested) capital
inse see, understand
insekt insect; amer. äv. bug
insektsbekämpning insect control
insektsmedel insecticide
insemination insemination
insida inside, inner side; i bet. 'inre' interior; *från ~n* äv. from within
insikt inblick insight; kännedom knowledge; förståelse understanding
insiktsfull om pers. well-informed, ...showing insight; om skildring penetrating, discerning; t.ex. om ledning competent; jfr äv. *klok*
insinuera insinuate
insistera insist; ~ *på* [*att ngn kommer*] insist on [a p.'s coming]
insjukna fall (be taken) ill, go down

insjunken sunken; *insjunkna ögon* äv. hollow eyes
insjö lake
insjöfisk freshwater (lake) fish
inskjuta inflicka interpose; se vid. *skjuta [in]*
inskolning acclimatization [at school]
inskridande intervention; interference
inskription allm. inscription
inskriven, *vara ~ vid* skola, kår o.d. be enroled (amer. enrolled) at...; universitet o.d. be a registered student at...; t.ex. regemente äv. be enlisted at...
inskrivning i skola enrolment (amer. enrollment); mil. äv. enlistment; vid universitet o.d. registration
inskränka I *tr* begränsa restrict, confine; minska reduce, cut [down] **II** *rfl, ~ sig till* a) nöja sig med confine (restrict) oneself to [*till att* inf. to ing-form] b) endast röra sig om be limited (confined, restricted) to, only amount to [*till att* inf. i samtl. fall to ing-form]; inte överskrida äv. not exceed
inskränkning restriction, reduction, jfr *inskränka;* förbehåll qualification; *göra ~ar i* ngns rörelsefrihet put (impose) restrictions (restraints) on...
inskränkt bildl. limited; dum dense; trångsynt narrow[-minded]
inskränkthet dumhet denseness; trångsynthet narrowness of outlook
inslag 1 vävn., koll. weft **2** bildl., allm. element; del feature; *ett färgstarkt ~ i* gatubilden a colourful contribution to...; *ett intressant ~ i* programmet an interesting feature of...
inslagen 1 wrapped, ...that has been wrapped (done) up; *~ som present* gift-wrapped **2** *inslagna fönsterrutor* smashed windows
insläpp luft~ inlet; ~ av människor admission
insmickrande ingratiating
insmord greased, oiled; med ngt tjockt smeared; *väl ~* well-greased, well-oiled; *vara ~ med sololja* have sun oil [rubbed] on (i ansiktet one's face)
insnöad 1 *bli ~* get (be) snowed up el. in, get (be) snow-bound; utsatt för snöhinder äv. get (be) held up by [the] snow **2** *vara ~* vard. be square
inspark fotb. goal kick; *göra ~* take a goal kick
in spe blivande future; *min svåger ~* my brother-in-law to be
inspektera inspect
inspektion inspection
inspektionsresa tour of inspection
inspektör allm. inspector; kontrollör supervisor; polis~ inspector
inspelad, *~ kassett* prerecorded cassette
inspelning allm. recording; film~ production
inspelningsband recording (magnetic) tape
inspiration inspiration
inspärrad shut (looked) up; *hålla ngn ~* äv. detain a p.
inspärrning confinement, incarceration
installation allm. installation; elektr. äv. wiring
installatör electrician
installera allm. install; tekn. äv. set up; *~ sig* install (settle, establish) oneself
instans jur. instance; myndighet authority; *gå till högre ~* carry the case to a higher court
insteg, *få (vinna) ~* get (obtain, gain) a footing [*hos ngn* with a p.]; få spridning, t.ex. om åsikt, sed äv. be introduced; få fast fot, t.ex. om rörelse i ett land, nytt ord äv. establish itself; bli gynnsamt mottagen, t.ex. om vara på en marknad äv. find (come into) favour
instinkt instinct; *sunda ~er* healthy instincts; *av ~* by instinct
instinktiv instinctive
institution allm. institution; *engelska ~en* vid univ. the Department of English, the English Department
instruera teach, instruct
instruktion 1 abstr. instruction; *~[er]* föreskrift instructions; anvisning directions (båda pl.); information, isht mil. briefing **2** konkr. instructions
instruktionsbok instruction book
instrument allm. instrument
instrumentalmusik instrumental music
instrumentbräda instrument panel; på bil dashboard, fascia [panel]
instrumentpanel instrument panel; på bil fascia [panel]
instudering av pjäs o.d. rehearsal; *~en av rollen* the studying of the part
inställa I *tr* upphöra med stop, discontinue; inhibera cancel; *~ arbetet* strejka strike, go on strike, walk out; *~ betalningarna* suspend (stop) payment **II** *rfl, ~ sig* om pers.: isht vid domstol appear, present oneself; vid mötesplats put in an (make one's) appearance; *~ sig hos ngn* (resp. *till tjänstgöring*) äv. mil. report [oneself] to a p. (resp. report for duty); *~ sig inför rätta* appear before (in) the (resp. a) court
inställbar adjustable
inställd, *vara ~* beredd *på ngt* be prepared for a th.; *vara ~ på att* inf. a) be prepared to inf. b) ämna intend to inf.
inställelse appearance äv. jur. o.d.; *~ till tjänstgöring* reporting for duty
inställning 1 reglering o.d. adjustment; foto. focusing; radio. tuning-in; tids~ time-setting **2** bildl. attitude, outlook; *hans politiska ~* his political outlook
inställsam ingratiating; krypande cringing
instämm|a 1 bildl. agree; concur; *[jag] -er!* I

agree (vard. go along with that) **2** i t.ex. sång, se *1 stämma [in]*
instämmande I *s* bifall agreement; *med ~ i* föregående yttrande agreeing with... **II** *adj, en ~ nick* a nod of assent
instängd 1 eg. ...shut (inlåst locked) up; *känna sig ~* feel shut in (confined, cooped up) **2** om luft stuffy, close
insulin kem. insulin
insupa 1 frisk luft o.d. drink in **2** bildl. imbibe
insvängd ...curved (rounded) inwards; *~ i midjan* ...[that] goes in at the waist
insyltad vard. *~ i* mixed up in, up to one's ears in
insyn 1 view; mil. observation; *här* i trädgården *har man ingen (är man skyddad från) ~* the garden is shut off from people's view, people can't look into the garden **2** bildl. [public] control; *få en klar ~ i* obtain (gain) a clear insight into (a clear grasp of)
insändarspalt letters-to-the-editor column
insättning i bank deposition; insatt belopp deposit
intag intake äv. tekn.; insytt veck inlet
intaga 1 plats, ställning: a) placera sig i (på), t.ex. sin plats take b) försätta sig i (resp. befinna sig i), t.ex. liggande ställning place oneself in (resp. be in) c) [inne]ha occupy d) t.ex. en ståndpunkt take up; *~ ngns plats* träda i stället för ngn fill a p.'s place **2** mil., erövra take **3** måltid o.d. have **4** betaga captivate
intagande *adj* captivating; charmig charming
intagen 1 *vara ~ på sjukhus* be in hospital; *en ~* subst. adj., på sjukhus a patient; på anstalt an inmate; på fängelse an internee; jfr vid. *intaga* **2** betagen *vara (bli) ~ av ngn* be captivated by a p.
intagning taking in etc., jfr *ta [in]*; av annons o.d. insertion; på sjukhus m.m. admission; på vårdanstalt commitment; till t.ex. universitet admission
intakt intact
intala bildl. *~* inge *ngn (sig)* mod o.d. inspire a p. with (give oneself)...; *~* inbilla *ngn (sig) ngt* put a th. into a p.'s (one's) head
inte 1 allm. not, no (jfr äv. *3*); *[visst] ~!* certainly not!, oh no!, by no means!; *~ [det]?* verkligen! no?, really?, is that so?; *jaså, ~ det?* konstaterande efter nekat yttrande oh, is that so?, oh you don't (aren't etc.)?; *jag vet ~* I do not el. don't know; *jag kan (vill) ~* I cannot el. can't (will not el. won't) **2** före isht jakande attr. adj. ibl. in- el. omskrivn. med rel. sats; *~ ätliga* svampar inedible...; *en ~ återkommande* utgift a non-recurrent... **3** ofta före komp. no; *det blir ~ bättre för det!* it'll be no (none the) better for that!, that won't make things better!; *~ senare än* not (mera känslobetonat no) later than **4** utan nek. bet. i utrop el. retorisk fråga vanl. utan motsv. i eng., jfr ex.; *hur skickligt har han ~ ...!* how cleverly he has...!
inteckna fastighet mortgage; *~ över skorstenarna* mortgage up to the hilt
inteckning i fastighet mortgage
integrera integrate
integrering integration
integritet integrity
intellekt intellect
intellektuell intellectual; själslig (motsats 'fysisk') mental; *en ~* an intellectual; vard. a highbrow
intelligens intelligence
intelligent intelligent; *vara ~* äv. have brains
intendent allm. föreståndare manager; förvaltare steward; vid museum curator, keeper; sjö. el. flyg. purser; mil.: lägre quartermaster; högre commissary
intensifiera intensify
intensitet intensity
intensiv I *adj* intense; koncentrerad intensive äv. om jordbruk; energisk energetic **II** *s* vard., på sjukhus intensive care unit
intensivkurs intensive (concentrated, crash) course
intensivvård intensive care
intensivvårdsavdelning intensive care unit
interimsregering provisional government
interiör det inre interior; inomhusbild indoor picture; *~er från* finansvärlden inside (intimate) pictures of...
intermezzo mellanspel intermezz|o (pl. -os el. -i); polit. o.d., t.ex. vid en gräns incident
intern I *adj* internal **II** *s* internerad: på anstalt o.d. inmate; i fångläger internee
internat boarding school
internationalisera internationalize
internationell international
internera i fångläger intern; på anstalt o.d. detain
internering internment; detention; jfr *internera*
internrekrytering recruitment within a (resp. the) company
interntelevision o. **intern-TV** closed-circuit television (TV)
internutbildning in-service (on-the-job) training
intervall interval äv. mus.
intervenera intervene
intervention intervention
intervju interview; *göra en ~ med ngn* have an interview with a p.
intervjua interview
intervjuare interviewer

intervjuobjekt o. **intervjuoffer** interviewee, subject of an (resp. the) interview
intet 1 allm., se *ingen* o. *ingenting* **2** spec. fall: **a)** *det tomma* ~ empty nothingness **b)** *gå (göra...) om* ~ come (bring...) to naught (nothing)
intetsägande om fraser, samtal o.d.: tom empty; meningslös meaningless, insignificant; intresselös uninteresting; trist äv. om pers., fadd vapid; om mat insipid; uttryckslös expressionless
intill I *prep* **1** om rum; fram till up to; *alldeles (tätt)* ~ quite close to; med beröring [up] against **2** om tid until, up (down) to; ~ *slutet* to the very end **3** om mått o.d. up to; bildl. ordentlig ~ *pedanteri* ...to the point of pedantry **II** *adv, vi bor alldeles* ~ we live next door
intilliggande adjacent, adjoining, situated close by
intim intimate; nära close; privat private; *~a detaljer* intimate details; *~t samarbete* close collaboration
intimhygien personal hygiene
intimitet intimacy
intolerans intolerance äv. med.
intolerant intolerant
intrasslad entangled äv. bildl., se vid. *inblandad*
intressant interesting
intresse interest äv. hand. el. polit. m.m.; *...har (är av) stort* ~ *för mig* ...is of great interest to me; *fatta (ha, hysa)* ~ *för ngt* take an interest in a th.; *ha ~n i* ett företag have interests (an interest) in...; *tappa ~t för* lose interest in
intressekonflikt conflict (clash) of interests
intresseorganisation professional and industrial organization
intressera I *tr* interest; *det ~r mig mycket (inte)* äv. it is of great (no) interest to me **II** *rfl,* ~ *sig (sig mycket) för...* take an interest ([a] great interest) in..., be [very much] interested in...; vard. go in for...
intresserad interested
intresseväckande interesting
intrig intrigue, machination; plot äv. förveckling i roman, drama
intrigera intrigue
intrigmakare intriguer, schemer
intrikat invecklad intricate, complicated; svår difficult; delikat delicate
introducera introduce; lansera launch
introduktion introduction
introduktionserbjudande hand. trial (introductory) offer
introduktionskurs introductory course
intryck bildl. impression; *få (ha) det ~et att...* get (be under) the impression that...
intrång encroachment; *göra* ~ *på (i)...* vanl. encroach (trespass) [up]on...
inträde 1 entrance; isht friare entry; tillträde admission, admittance; *göra sitt* ~ *i...* eg. vanl. enter... **2** se *inträdesavgift*
inträdesavgift entrance fee
inträdesbiljett admission ticket
inträffa 1 hända happen; infalla occur, fall; ~ *samtidigt* äv. coincide **2** ankomma arrive
intuition intuition
intuitiv intuitive
intyg certificate; isht av privatpers. testimonial; jur. affidavit
intyga skriftligen certify; bekräfta affirm; *härmed ~s att...* vanl. this is to certify that...
intåg entry; *hålla sitt* ~ make one's entry [*i* into]
intäkt 1 *~er* influtna medel receipts [*av* from]; proceeds [*av* of]; statliga el. kommunala revenues; jfr f.ö. *inkomst* **2** *ta ngt till* ~ *för...* take a th. as a pretext (försvar justification) for...
inunder I *adv* underneath; *våningen* ~ the apartment below **II** *prep* underneath, beneath
inuti I *adv* inside **II** *prep* inside
invadera invade
invagga, ~ *ngn i säkerhet* lull a p. into security
invald, *bli* ~ *i* be elected to; t.ex. riksdag äv. get into
invalid disabled person; krigs~ disabled soldier
invalidiserad disabled, crippled
invaliditet disablement; isht försäkr. invalidity
invand habitual; *~a föreställningar* ingrained opinions
invandrare immigrant
Invandrarverket the [Swedish] Immigration Board
invandring immigration
invasion invasion
invasionsarmé invasion (invading) army
inveckla I *tr, ~s (bli ~d) i ngt* get mixed up (involved) in a th. **II** *rfl,* ~ *sig i ngt* get [oneself] mixed up (involved, entangled) in a th.
invecklad komplicerad complicated; *göra mer* ~ complicate
inventari|um 1 pers. *ett gammalt* ~ a fixture **2** *-er* effects, movables, stores
inventering inventory; lager~ stocktaking
inverka, ~ *på ngt* act (have an effect, have an influence, operate) on a th.; ~ *på* äv. affect, influence
inverkan effect, action
investera invest
investering investment
investeringsobjekt object of investment
invid I *prep* by; utefter alongside; *alldeles*

(*tätt*) ~ *väggen* very close to the wall **II** *adv* close (near) by
inviga 1 byggnad inaugurate; utställning, bro open; fana o.d. dedicate; kyrka consecrate **2** installera consecrate **3** kläder: bära wear (använda use)...for the first time **4** ~ *ngn i ngt* göra ngn förtrogen med ngt initiate a p. into a th.
invigning inauguration, opening, dedication; jfr *inviga 1*
invigningsfest eg. inaugural (opening) ceremony; inflyttningsfest house-warming [party]
invit inbjudan invitation; vink hint
invånare inhabitant; i stadsdel o.d. resident; *per* ~ äv. per head
invända, *jag invände att*... I objected (made el. raised the objection) that...
invändig internal; ficka o.d. inside...
invändigt internally; i det inre in the interior; på insidan [on the] inside
invändning objection; *göra* (*komma med*) ~*ar mot* object to, raise objections to el. against
invänta avvakta await; vänta på wait for
invärtes I *adj* sjukdom internal; *för* ~ *bruk* for internal use **II** *adv* inom sig inwardly
inympa 1 inoculate; trädg. graft **2** bildl. implant
inåt I *prep* toward[s] (into, betecknande befintl. in) the interior of; ~ *landet* äv. up country **II** *adv* inward[s]; *dörren går* ~ the door opens inwards
inåtvänd eg. ...turned inward[s]; självupptagen self-absorbed; psykol. introverted
inälvor bowels; djurs viscera, entrails; vard. guts
inälvsmat offal
Irak Iraq
irakier Iraqi
irakisk Iraqi
Iran Iran
iranier Iranian
iransk Iranian
iranska 1 kvinna Iranian woman **2** språk Iranian
Irland Ireland; *på* ~ in Ireland
irländar|e Irishman; *-na* som nation el. lag o.d. the Irish
irländsk Irish
irländska 1 kvinna Irishwoman **2** språk Irish
ironi irony; hån sarcasm
ironisk ironic[al]; hånfull sarcastic
irra, ~ [*omkring*] wander (rove) about
irrationell irrational; matem. äv. surd
irrbloss will-o'-the-wisp äv. bildl.
irrelevant irrelevant
irrfärd, ~*er* wanderings
irritation irritation
irritationsmoment source of irritation
irritera irritate äv. med.; annoy; *han* ~*r mig* äv. he gets on my nerves
irriterande irritating, exasperating; *mycket* ~ äv. infuriating
is ice; *varning för svag* ~ Notice: Ice unsafe here!; *när isen går* (*bryter*) *upp* when the ice breaks up; ~*arna är osäkra* the ice is not safe
isa *tr* iskyla ice
isande icy eg. el. bildl.; *en* ~ *köld* eg. a biting cold (frost); bildl. an icy coldness [*mot* to (towards)]
isbana ice rink
isbelagd icy
isberg iceberg
isbergssallat iceberg lettuce
isbit piece (lump, bit) of ice
isbjörn polar bear
isbrytare icebreaker
iscensätta produce; bildl. stage
iscensättning production, staging; konkr. [stage-]setting
ischias med. sciatica
isdans ice dancing
isfri ice-free
isgata, köra (halka) *på* ~*n* ...on the icy road[s]
isglass pinne ice lolly; isht amer. popsicle
ishall indoor ice rink
ishink iskylare ice bucket, ice pail
ishockey ice hockey
ishockeyklubba ice hockey stick
ishockeymatch ice hockey match
ishockeyspelare ice hockey player
isig icy
iskall ...[as] cold as ice; isande icy
isklump lump of ice; *mina fötter är som* ~*ar* my feet are (feel) like lumps of ice (are like ice)
iskub ice cube
iskyla icy cold; bildl. iciness
iskyld om t.ex. dryck ice-cooled
islam Islam
islamisk Islamic
Island Iceland
islandssill Iceland herring (koll. herrings)
islossning break-up of the ice; bildl., polit. thaw
isländsk Icelandic
isländska 1 kvinna Icelandic woman **2** språk Icelandic
isländning Icelander
isolera 1 avskilja isolate; *han* ~*r sig* he keeps to himself, he withdraws from other people **2** fys. el. tekn. insulate **3** kem. isolate
isolering 1 avskiljande isolation **2** fys. el. tekn. insulation **3** kem., urskiljande isolation **4** isoleringsavdelning på sjukhus isolation ward (block); isoleringscell i fängelse solitary confinement cell
isoleringsband insulating tape

isoleringscell solitary confinement cell
isoleringsmaterial insulating (elektr. äv. non-conducting, lagging) material
isoleringsstraff solitary confinement
ispik ung. ice stick
Israel Israel
israel Israeli (pl. äv. lika)
israelisk Israeli
isskrapa för bil ice scraper
issörja på land ice slush; i vatten broken ice
istadig restive
istapp icicle
ister flott lard äv. kok.
isterband [kind of] coarsely-ground smoked sausage
isterbuk potbelly
istid geol. ice age, glacial period
istället se *i stället* under *ställe 2*
isvatten avkylt med is iced water, ice water
isänder se [*i*] *sänder*
isär åtskils apart; ifrån varandra away from each other
isärtagbar dismountable; *lätt* ~ äv. easily disassembled (dismantled), ...easy to take to pieces
Italien Italy
italienare Italian
italiensk Italian
italienska (jfr äv. *svenska*) **1** kvinna Italian woman **2** språk Italian
itu 1 i två delar in two; sönder *gå* (*vara*) ~ go to (be in) pieces **2** se *ta* [*itu med*]
iver eagerness, keenness; nit zeal; stark. fervour; *med stor* ~ with great zest, with alacrity
ivra, ~ *för* t.ex. nykterhet be an eager (a zealous, a keen) supporter of
ivrig eager, keen; stark. ardent; enträgen urgent; energisk energetic; nitisk zealous; innerlig devout; *bli* (*vara*) ~ lätt upphetsad get (be) excited
iväg se [*i*] *väg*
iögon[en]fallande framträdande conspicuous; tydlig very obvious, very much in evidence; slående striking

J

j 1 bokstav j [utt. dʒeɪ] **2** *J* (förk. för *joule*) J
ja I *interj* (ibl. *adv*) **1** bekräftande, bifallande o.d. yes; artigare el. isht till överordnad yes, Sir (resp. Madam); ss. utrop ay [, ay]!; vid upprop here!; uttr. motvilligt medgivande o. undvikande svar well **2** med försvagad innebörd, anknytande o.d. well; ~, *då går vi då* well, let's go then; ~ [, ~], *jag kommer* all right [, all right] (yes, yes,) Im coming! **3** uttr. en stegring: *jag trodde,* ~, *jag var säker på att han var oskyldig* I thought he was innocent, in fact I was sure of it **4** i förb. med adv. el. annan itj. ~ *då!* oh yes! **II** *s* yes (pl. yeses); vid röstning aye; *få* ~ receive (have, get) an answer in the affirmative (a favourable answer el. reply); vid frieri be accepted; *rösta* ~ vote for the proposal, vote in the affirmative
1 jack djup skåra gash
2 jack tele. socket; stickpropp plug; *dra ur ~en* (*~et*) unplug the phone
jacka jacket
jacketkrona jacket crown
jag I *pers pron* I; *mig* me; rfl. myself (i adverbial med beton. rumsprep. vanl. me); *äldre än* ~ older than I [am] (than me, ibl. than myself); *han gav mig den* he gave it [to] me; *han tog mig i armen* he took my arm; *jag tror mig ha rätt i det* I think I am right in that **II** *s* filos. el. psykol. ego (pl. -s); *hans andra* ~ his alter ego lat.; *hans bättre* ~ his better self
jaga I *tr* allm. el. isht om hetsjakt hunt; med gevär ('skjuta') shoot (amer. dock hunt); friare el. *vara ute och* ~ be out hunting (resp. shooting); ~ *bort* drive away; ~ *livet ur ngn* worry the life out of a p.; ~ *ut* chase out **II** *itr* ila drive, chase; rusa hurry
jagare krigsfartyg destroyer
jagföreställning psykol. self-image
jaha betänksamt well [, let me see (think)]; bekräftande yes [, to be sure]; jag förstår oh, I see
jakande I *adj* affirmative **II** *adv* affirmatively; *svara* ~ reply (answer) in the affirmative
1 jakt sjö. yacht
2 jakt allm. el. isht hetsjakt hunting; med gevär shooting (amer. dock hunting); jaktparti hunt (äv. bildl.) resp. shoot; ~ *och fiske* hunting and fishing
jaktflygplan fighter
jaktgevär sporting-gun; hagelgevär shotgun
jakthund sporting dog; amer. hunting dog
jaktkniv hunting-knife
jaktlicens game licence

jaktlycka good luck in hunting; *har du haft ~?* have you had a good day's sport?
jaktmark, ~*[er]* hunting-grounds pl.; *de sälla ~erna* the happy hunting-grounds
jaktsäsong hunting (resp. shooting) season
jaktvård game preservation
jalusi spjälgardin Venetian blind; skåpjalusi o.d. rollfront
jalusiskåp rollfront cabinet
jama miaow
Jamaika Jamaica
jamaikansk Jamaican
jamare vard. *ta sig en ~* have a dram
Janssons frestelse kok. 'Jansson's temptation', sliced herring, potatoes and onions baked in cream
januari January (förk. Jan.); jfr *april* o. *femte*
Japan Japan
japan Japanese (pl. lika); neds. Jap
japansk Japanese
japanska 1 kvinna Japanese woman **2** språk Japanese
jargong jargon, lingo (pl. -es), line of talk
jaröst vote in favour; *~erna är i majoritet* the ayes have it
jasmin bot. jasmine
jaså oh!, indeed!; *~, gjorde han det?* oh, [he did,] did he?; *~, inte det?* no?
jasägare yes-man
javanes Javanese (pl. lika)
javanesisk Javanese
javanesiska 1 kvinna Javanese woman **2** språk Javanese
javisst se *[ja] visst*
jazzbalett jazz ballet
jazzband jazz band
jazzmusik jazz music
jeans jeans
jeep jeep
jehu, *fara fram (komma) som ett ~* come rushing along like a hurricane
jeremiad jeremiad; vard. hard-luck story
jersey tyg jersey
jesuitorden the Society of Jesus
Jesus Jesus; *Jesu liv* the life of Jesus
Jesusbarnet the Infant (the Child) Jesus
jetflyg flygplan jet, jet plane (aircraft)
jetmotor jet engine
jetplan jet, jet plane (aircraft); linjeflyg jetliner
jfr (förk. för *jämför*) cp., cf.
jippo vard., reklam~ [publicity] stunt; *allsköns ~n* lots (all sorts) of ballyhoo (gimmickry)
jiujitsu sport. jujitsu, jiujitsu
JO förk., se *justitieombudsman*
jo (ibl. *adv*) **1** ss. svar på nekande el. tvivlande fråga el. påstående [oh (why),] yes; eftertänksamt well; oh; why; *fick du inte tag i honom? — Jo, det fick (gjorde) jag* didn't you get hold of him? — [Oh, yes,] I did **2** med försvagad innebörd, inledande, anknytande o.d. *~, det var [så] sant...* oh, [yes,] that reminds me...; *~ ~, så går det* well, that's what happens **3** i förb. med adv. el. annan itj. *~ då!* oh yes!; *varför hör du inte på? — Jo då, det gör jag!* why aren't you listening? — I am beton. listening!
jobb job äv. arbetsplats; work; *jag har haft mycket ~ med (med att* inf.) I've had a lot of work with (it was quite a job to inf.)
jobba vard., arbeta work; ligga i go at it; *~ på* keep at it, work away; *~ över* på övertid work overtime
jobbare vard., arbetare worker
jobbarkompis vard. workmate
jobbig vard. *det är ~t* it's hard work (a tough job); *han är ~* besvärlig he's trying
jobspost bad news; *en ~* a piece of bad news
jockej o. **jockey** jockey
jod kem. iodine
joddla yodel
jodå se *jo 3*
jogga jog; mjuka upp sig före tävling limber up
joggare jogger
joggingsko jogging (track) shoe
joggning jogging; uppmjukning före tävling limbering up
jojo leksak yo-yo; *åka ~* yo-yo
joker kortsp. joker äv. bildl.; *~n i leken* the joker in the pack
jolle liten roddbåt el. segel~ dinghy; större jolly-boat; örlog. tender
joller babble, babbling
jollra babble; crow
jolmig fadd vapid, tasteless; blaskig wishy-washy; kväljande sickly; mjäkig mawkish, sloppy; kvav muggy
Jon Blund the sandman
jonglera juggle
jonglör juggler
jord 1 jordklot earth; värld world; *Moder ~* Mother Earth **2** mark ground; jordmån soil; mylla, mull earth; amer. äv. dirt; stoft dust; *odla ~en* cultivate the ground (soil); *av ~ är du kommen, ~ skall du åter varda* earth to earth, ashes to ashes, dust to dust; *kunna (vilja) sjunka genom ~en av blygsel* be ready to sink into the ground with shame; *gå under ~en* bildl. go underground (under ground), go to earth **3** område land
jorda 1 begrava bury **2** elektr. earth; amer. ground
Jordanien Jordan
jordanier Jordanian
jordansk Jordanian
jordbruk 1 verksamhet agriculture, farming **2** bondgård o.d. farm, holding; mindre plot
jordbrukare farmer
jordbruksarbete agricultural work

jordbruksbygd agricultural (farming) district
jordbruksdepartement ministry (amer. department) of agriculture
jordbruksminister minister (amer. secretary) of agriculture
jordbrukspolitik agricultural (farming) policy
jordbruksprodukt agricultural (farm) product; *~er* äv. agricultural (farm) produce sg.
jordbunden earth-bound, earthy; prosaisk prosaic
jordbävning earthquake
jordeliv, *~et* the (this) present life, our life on earth
jordenruntresa trip round the world
jordfästning funeral (enklare burial) service
jordglob globe
jordgubbe strawberry
jordgubbsglass strawberry ice cream; *en ~* äv. a strawberry ice
jordgubbsland strawberry bed
jordhög mound [of earth]
jordig nersmutsad ...soiled with earth
jordisk earthly, terrestrial; världslig worldly; relig. äv. mortal; timlig temporal; *det ~a livet* the (this) present life, our life on earth
jordklot earth; *~et* äv. the globe
jordkällare earth cellar
jordlott allotment
jordmån soil äv. bildl.
jordning elektr. earthing; amer. grounding
jordnära down-to-earth
jordnöt peanut; bot. äv. groundnut
jordreform land reform
jordskalv earthquake
jordskred landslide äv. polit.; mindre förskjutning [land]slip
jordskredsseger polit. landslide victory
jordyta markyta surface of the ground; *på ~n* jordens yta on the earth's surface, on the face of the earth
jordägare landowner
jordärtskocka Jerusalem artichoke
jota, *inte ett ~* not a jot, not an iota (atom)
joule fys. joule
jour 1 *ha ~[en]* be on duty; *ha (vara) ~* om läkare be on emergency (för hembesök on-call) duty **2** se *à jour*
jourhavande I *adj* ...on duty; för hembesök ...on call **II** *s, ~[n]* jourhavande läkare på sjukhus the doctor on duty; vid hembesök doctor on call
jourläkare på sjukhus doctor on duty; för hembesök doctor on call
journal 1 dagbok journal; med. case book; sjö. logbook, log **2** film newsreel
journalist journalist
journalistik journalism
jourtjänst läkares o.d. emergency (för hembesök on-call) duty; dygnet runt 24-hour duty; låssmeds o.d. emergency service; dygnet runt 24-hour (round-the-clock) service; *ha ~* be on duty; om läkare be on emergency (on-call) duty
jovialisk jovial, genial
jox vard.: saker o. ting stuff; smörja, skräp trash, rubbish; besvär bother
joxig vard. awkward, ticklish; *det är ~t* it's a bother (a bind, a nuisance)
ju 1 bekräftande o.d. why först i den eng. satsen; naturligtvis of course; förstås to be sure; visserligen it is true; som bekant as we [all] know; det vet du ju [as] you know (see); *du kan ~ göra det* a) om du vill you can do so, to be sure b) med beton. 'du' you beton. can do it; *varför hör du inte på? — Ja, men jag gör ~ det!* why aren't you listening? — But I am beton. listening! **2** konj. *~ förr dess (desto) bättre* the sooner the better
jubel hänförelse enthusiasm; triumferande exultation; glädjerop shout[s pl.] of joy, enthusiastic cheering (cheers pl.); munterhet hilarity
jubilar person celebrating his etc. (a special) anniversary
jubilera celebrate one's (a special) anniversary
jubileum [special] anniversary
jubla högljutt shout with joy; inom sig rejoice; *~nde* [enthusiastically] cheering, jubilant, exultant, joyful
jubonär *adj* tindy
judaskyss Judas kiss
jude Jew; neds. el. sl. Yid
judeförföljelse persecution of the Jews
judendom, *~[en]* Judaism, Jewry
judinna Jewess
judisk Jewish; neds. äv. Jew end. attr.
judo sport. judo
juice fruit juice
jul Christmas (förk. Xmas); avseende hednisk tid el. poet. Yule[tide]; *god ~!* [A] Merry Christmas!; han kommer *i ~* ...at (denna jul this) Christmas; *i ~as* last Christmas
julafton, *~[en]* Christmas Eve
julbock Christmas goat [av halm made of straw]
julbord middagsbord Christmas dinnertable; maten Christmas buffet
julbrådska, *~n* the Christmas rush
juldag 1 *~[en]* Christmas Day **2** *~arna* julhelgen Christmas, the Christmas holiday (båda sg.)
julevangeliet the gospel for Christmas Day
julgran Christmas tree; *det är ingenting att hänga i ~[en]* bildl. it is nothing to write home about

julgransbelysning Christmas tree illuminations
julgransplundring children's party after Christmas [at which the Christmas tree is stripped of decorations]
julhandla do one's Christmas shopping
julhelg jul Christmas; *under ~en* during Christmas (ledigheten the Christmas holidays)
julhälsning Christmas greeting
juli July; jfr *april* o. *femte*
julklapp Christmas present (gift); *köpa ~ar* äv. buy presents for Christmas; önska sig ngt *i* (*till*) ~ ...for Christmas
julkort Christmas card
jullov Christmas holidays pl. (vacation)
julmarknad Christmas fair
julotta early church service on Christmas Day
julpsalm Christmas hymn
julpynt Christmas decorations
julskyltning Christmas window display
julstjärna 1 i julgran star on the top of a (resp. the) Christmas tree; i fönster illuminated star [placed in a window at Christmas] **2** bot. poinsettia
julstämning Christmas spirit (atmosphere)
julstök preparations pl. for Christmas
julsång Christmas carol (song)
jultid Christmas time
jultomte, ~[*n*] Father Christmas, Santa Claus
jumbo, *komma* (*bli, ligga*) ~ come (be) bottom (last)
jumbojet jumbo jet; vard. jumbo
jumper jumper
jungfru 1 ungmö maid[en]; kysk kvinna virgin; *Jungfrun* astrol. Virgo; *den heliga ~n* the Virgin Mary, the Holy (Blessed) Virgin **2** hembiträde maid[-servant] **3** tekn. beetle
jungfrudom virginity
jungfrulig maidenly; maidenlike; *~ mark* virgin soil
jungfruresa maiden trip (sjö. voyage, flyg. flight)
jungman sjö. ordinary seaman (pl. seamen), deckhand
juni June; jfr *april* o. *femte*
junior I *s* o. *adj* junior; Bo Ek ~ (förk. *jun., j:r*) ...,Junior (förk. Jun., Jr.) **II** *s* sport. junior
juniorlag junior team
junta militärjunta junta
juridik law; *studera* ~ study [the] law
juridisk allm. legal; avseende rättsvetenskap jurisprudential; *den ~a banan* the legal profession
jurist 1 praktiserande lawyer osv., jfr *advokat;* rättslärd jurist **2** juridikstuderande law student
juristexamen Master of Laws [degree] (förk. LLM)
jury jury; *vara medlem av en ~* serve on a jury
1 just just; exakt exactly, precisely; egentligen really; *jag skall ~ gå* [*ut*] I'm just going [out]; *~ nu* i detta ögonblick just (right) now, [just] at this very moment; för närvarande at the present moment; *varför ~ jag?* why [just] me?; *~ det* [*,ja!*] that's right!, exactly!, quite!; *~ ingenting* ingenting särskilt nothing in particular; så gott som ingenting practically nothing, nothing much
2 just I *adj* regelmässig, rättvis, hederlig fair; korrekt correct; oklanderlig irreproachable; om uppträdande, klädsel unexceptionable; i sin ordning ...all right **II** *adv* fair[ly]; correctly osv., jfr *I*
justera 1 adjust; instrument regulate, set...right; mekanism true up; mått gauge; protokoll check, confirm **2** sport., skada injure
justerbar adjustable
justitiedepartement ministry (amer. department) of justice; *~et* eng. motsv. the Lord Chancellor's Office; i vissa funktioner the Home Office
justitieminister minister of justice; *~n* eng. motsv. the Lord Chancellor, the Home Secretary; i Amer. the Attorney General
justitiemord judicial murder; juridiskt misstag miscarriage of justice
justitieombudsman, *~nen* (förk. *JO*) the Ombudsman, the [Swedish] Parliamentary Commissioner for the Judiciary and Civil Administration
juteväv jute cloth
juvel jewel äv. bildl.; ädelsten gem; *~er* eg. äv. jewellery (amer. jewelry) sg.
juvelerare jeweller; affär jeweller's [shop]
juvelskrin jewel-case
juver udder
jycke hund dog; vard. pooch; neds. cur; prisse guy
jympa se *gympa*
jägare person som jagar sportsman; yrkesjägare el. bildl. hunter
jägmästare forest officer
jäkel vard. devil; *jäklar* [*också*]*!* damn [it]!, confound it!, damnation!
jäkla I *adj* vard. blasted, dashed; stark. damn[ed]; amer. äv. goddamn[ed] **II** *adv* damn[ed]; amer. äv. godamn[ed]
jäklas, *~ med ngn* be [damned] nasty to a p.
jäkt brådska hurry; fläng bustle, hustle, rush [and tear]; *storstadens* (*vardagens*) *~* the rush and tear of the city (of everyday life)
jäkta I *itr* be always on the move (go); *~ inte!* don't rush (hurry)!; ta det lugnt take it

easy! **II** *tr* hurry...on, never leave...in peace; ~ *ihjäl sig* drive oneself to death
jäktad jagad driven; hetsad rushed; ~ *av arbete* pushed with work
jäktig terribly busy, hectic
jämbredd, *i* ~ *med* side by side with; bildl. on a level with
jämbördig 1 jämngod ...equal in merit, ...of equal merit, ...in the same class; *utan* ~ *medtävlare* without a (any) competitor of his (her osv.) own class **2** av lika god börd ...equal in birth; bli behandlad *som* [*en*] ~ ...as an equal
jämfota, *hoppa* ~ jump with both feet together
jämföra compare; ~ *med* a) anställa jämförelse mellan compare...with b) förlikna vid compare...to; *jämför...* (förk. *jfr*) confer... (förk. cf.), compare... (förk. cp.)
jämförelse comparison; *utan* [*all*] ~ without [any] comparison, beyond [all] comparison
jämförelsevis comparatively; förhållandevis proportionately; relativt relatively
jämförlig comparable; likvärdig equivalent
jämförpris cost-per-unit price, price per kilo (litre etc.)
jämgammal se *jämnårig*
jämka 1 eg. ~ [*på*] maka (flytta) på move, shift **2** bildl. **a)** avpassa adapt; ~ *på* t.ex. sina åsikter, principer: justera adjust; modifiera modify; pruta på give way [a little] as regards **b)** medla o.d. ~ *ihop* (*samman*) *olika uppfattningar* bring different (variant) opinions into line with each other
jämkning justering [re]adjustment; modifiering modification; ~ *av skatt* tax adjustment, adjustment of tax
jämlik equal
jämlike equal
jämlikhet equality; ~ *i arbetet* job equality
jämmer jämrande groaning; klagan lamentation; elände misery
jämmerdal vale of tears
jämmerlig 1 eländig, ömklig miserable **2** klagande mournful, wailing
jämn 1 om yta: utan ojämnheter even; plan level; slät smooth **2** likartad even; likformig uniform; alltigenom lika equable; konstant constant; kontinuerlig continuous; *~a andetag* regular (even) breathing sg.; *en* ~ *kamp* an even struggle; *en* ~ *ström av resande* a continuous stream of travellers **3** om tal, mått o.d., äv. i bet. 'avrundad' even; *~a par* an equal number of men and women; *det är ~t!* sagt t.ex. till en kypare never mind the change (what's over)!, [please,] keep the change!
jämna eg. level; kanterna på ngt even up; klippa jämn, 'putsa' trim; bildl., t.ex. vägen för ngn smooth; ~ *med marken* (*jorden*) level with the ground; *det ~r ut sig* it evens itself out
jämnan, *för* ~ all the time, continually
jämnhöjd, *i* ~ *med* on a level with, on the same level as båda äv. bildl.
jämnmod equanimity
jämnmulen, *en* ~ *himmel* an entirely overcast sky
jämnt 1 even[ly], level osv., jfr *jämn 1* o. *2*; *dela* ~ divide equally; *dra* ~ bildl. get on well **2** precis exactly; *och därmed* ~ basta*!* and that's that!
jämnårig ...of the same age; *han är* ~ *med mig* he's about my age
JämO förk., se *jämställdhetsombudsman*
jämra, ~ *sig* kvida wail, moan; stöna groan; gnälla whine; klaga complain [*över* i samtl. fall about]; beskärma sig lament [*över* about (over)]
jäms, ~ *med* (*efter*) a) i jämnhöjd med at the level of, level (flush) with b) längs, utmed alongside [of]
jämsides eg. side by side; sport. neck and neck, abreast; ~ *med* äv. alongside [of] äv. bildl.
jämspelt evenly matched, even
jämstark, *vara ~a* be equal in strength, be equally strong
jämställd, *vara* ~ *med* be on an equal footing (a par) with
jämställdhet 1 mellan könen [sex] equality, equality of opportunity [between women and men] **2** parity; *det råder* ~ *mellan dem* they are on an equal footing (on a par)
jämställdhetsombudsman, *~nen* (förk. *JämO*) the Equal Opportunities Ombudsman
jämt alltid always; ~ [*och ständigt*] el. ~ *och samt* for ever; oupphörligt incessantly, perpetually; gång på gång constantly, continually
jämte tillika med in addition to; inklusive including
jämvikt allm. balance äv. bildl.; eg. el. fys. equilibrium; *återfå* (*återställa*) *~en* recover one's (redress the) balance; *vara i* ~ äv. bildl. be [well-]balanced
jänta vard. lass
järn iron äv. med. el. bildl. el. om skjutvapen el. golfklubbor; *ge ~et* vard.: ge full gas step on the gas (juice), step on it samtl. äv. bildl.; *ha* [*för*] *många* ~ *i elden* have got [too] many irons in the fire
järnaffär butik ironmonger's [shop]; amer. hardware store
järnbrist med. iron deficiency
järnfysik iron constitution
järngrepp iron grip
järnhaltig ...containing iron; ferruginous
järnhand, *styra* (*regera*) *med* ~ rule with a rod of iron

järnhandlare ironmonger; amer. hardware dealer
järnhård bildl. ...as hard as iron, iron; ~ *disciplin* iron (rigid) discipline
järnklubba golf. iron
järnmalm iron ore
järnnätter frosty nights [på senvåren in the late spring, på förhösten in the early autumn]
järnridå teat. safety curtain; polit. iron curtain
järnskrot scrap iron, refuse iron
järnspis iron range
järnvaror ironmongery, ironware; isht amer. hardware
järnverk ironworks (pl. lika)
järnvilja iron will, will of iron
järnväg railway; amer. vanl. railroad; *resa med* (*skicka med* el. *på*) ~ go (dispatch) by rail (train); *vara* [*anställd*] *vid ~en* be [employed] on the railway
järnvägsarbetare railway worker; järnvägsbyggare navvy; linjearbetare surfaceman; amer. section hand
järnvägsförbindelse railway connection
järnvägsknut junction
järnvägslinje railway line
järnvägsnät railway network (system)
järnvägsrestaurang railway (station) restaurant; mindre buffet
järnvägsspår railway track
järnvägsstation railway station; amer. railroad station, depot
järnvägstrafik railway traffic
järnvägsvagn railway carriage; amer. railroad car; godsvagn railway truck (waggon)
järnvägsövergång railway crossing; plankorsning level (amer. grade) crossing
järnåldern the Iron Age; *den yngre* (*äldre*) ~ the later (earlier) Iron Age
järtecken omen
järv zool. wolverine
jäsa ferment; *låta* degen ~ allow...to rise
jäsning fermentation; bildl. ferment
jäst yeast
jätte I *s* giant **II** *adj* vard. terrific
jättebra o. **jättefin** vard. first-rate
jätteförlust tremendous loss
jättegod vard. super
jättelik gigantic, huge
jätterolig vard. terrifically funny; *den är ~* äv. it's a real scream (gas)
jättesteg giant stride
jättestor gigantic
jättesuccé vard. terrific (tremendous) success; *det blev en ~* äv. it went like a bomb
jättevinst på en transaktion tremendous profit; på tips huge win (dividend)
jäv challenge; *anföra* (*inlägga*) ~ *mot* make (lodge) a challenge to, raise an objection against
jävig jur.: om vittne o.d. challengeable; ej behörig disqualified
jävla m.fl., se *djävla* m.fl.
jönsig vard. silly
jösses good heavens

K

k 1 bokstav k [utt. keı] **2** *K* (förk. för *kelvin*) K
kabaré underhållning o.d. cabaret, floor show
kabaréartist cabaret artiste
kabel 1 elektr. cable **2** sjö. hawser
kabelbro [cable] suspension bridge
kabel-TV cable television (TV); *sända via ~* cablecast; *sändning via ~* cablecast
kabin passagerares cabin
kabinett rum, skåp cabinet
kabinettssekreterare undersecretary of state for foreign affairs
kabinpersonal flyg. cabin personnel (crew)
kabla cable
kabriolett bil convertible
kabyss sjö. galley
kackerlacka cockroach
kackla cackle äv. bildl.
kadaver carcass; ruttnande as carrion
kadaverdisciplin slavish (blind) discipline
kadett armé~ el. flyg. cadet; sjö. naval cadet
kadmium kem. cadmium
kafé café; på hotell o.d. coffee room; med utomhusservering open-air café
kaféliv café life
kafeteria cafeteria
kaffe coffee; *två ~!* two coffees, please!; *dricka ~* have coffee
kaffeautomat coffee [vending] machine
kaffebord coffee table
kaffebryggare coffee percolator, coffee maker (machine)
kaffebröd koll., ung. buns and cakes [to go with the coffee]
kaffedags, *det är ~* it's time for coffee, it's coffee time
kaffefat small saucer
kaffekanna coffee pot
kaffekask vard., ung. laced coffee
kaffekopp coffee cup; kopp kaffe cup of coffee; mått (förk. *kkp*) coffee-cupful
kaffekvarn coffee mill
kaffepaus o. **kafferast** coffee break
kafferep coffee party
kaffeservis coffee service (set)
kaffesked coffee spoon
kaffesugen, *jag är ~* I feel like a cup of coffee
kaffetår vard. drop of coffee
kaffeved bildl. *göra ~ av* smash to smithereens
kagge keg
kainsmärke bibl. el. bildl. mark (brand) of Cain
kaj quay; last~, amer. dock; strandgata embankment
kaja jackdaw, daw; *full som en ~* [as] drunk as a lord
kajak kayak
kajalpenna charcoal pen
kajennpeppar cayenne
kajka, *~ [omkring]* row (segla sail) aimlessly
kajplats quay berth
kajuta cabin; liten cuddy
kaka allm. cake; finare bakverk pastry äv. koll.; små~ biscuit; amer. cookie; kräva *sin del av ~n* bildl. ...one's slice (cut, share) of the cake; *ta hela ~n* bildl. take (bag) the lot; *man kan inte både äta ~n och ha den kvar* you can't have your cake and eat it, you can't have it both ways
kakao bot. cacao äv. likör; pulver cocoa
kakaoböna cocoa bean
kakaofett cocoa butter
kakburk cake tin
kakel platta [glazed] tile (koll. tiles pl.); *kulört ~* Dutch tile
kakelugn [tiled] stove
kakfat cake dish
kakform för bak baking tin
kaki färg o. tyg khaki
kakifärgad khaki[-coloured]
kakmått pastry cutter
kal mera allm. bare; skallig bald
kalabalik tumult uproar; rörig situation mix-up
kalas I *s* bjudning party; festmåltid feast; *betala ~et* bildl. pay for the whole show, foot the bill; *ställa till ~* throw (give) a party **II** *interj* vard., 'fint' smashing!
kalasa feast; *~ på ngt* feast on a th.
kalaskula paunch
kalasmat wonderful food; lyxmat delicacies
kalcium kem. calcium
kalebass bot. el. behållare calabash
kalejdoskop kaleidoscope
kalender 1 tidsindelning calendar **2** se *almanack[a]* **3** årsbok yearbook; adress~ o.d. directory
kalfjäll bare mountain region above the treeline
kalhygge clear-felled (clear-cut) area
kaliber calibre
Kalifornien California
1 kalk 1 bägare goblet äv. bildl.; nattvards~ chalice **2** bot. perianth
2 kalk kem. lime; ss. bergart limestone; ss. beståndsdel av föda calcium äv. i skelettet; *släckt ~* slaked lime
kalka 1 t.ex. vägg limewash **2** jorden lime
kalkbrist med. calcium deficiency
kalkbrott limestone quarry
kalkera 1 eg. trace **2** bildl. copy; *~ på...* model on...

kalkerpapper 1 genomskinligt tracing-paper **2** karbonpapper carbon paper
kalkon turkey
kalksten miner. el. geol. limestone
kalkyl 1 calculation; kostnadsberäkning cost estimate **2** matem. calcul|us (pl. äv. -i)
kalkylera calculate; ~ *fel* äv. miscalculate
1 kall 1 mer el. mindre eg.: allm. cold; sval cool; kylig chilly; frostig frosty; flera grader *~t* ...below freezing-point **2** bildl. cold, jfr *kallsinnig;* okänslig frigid; *få ~a handen* be turned down flat; *det ~a kriget* the cold war
2 kall levnadskall vocation; livsuppgift mission in life
kalla I *tr* benämna allm. call; ~ *ngn [för] lögnare* call a p. a liar **II** *tr* o. *itr* tillkalla send for, call; officiellt summon; utse appoint; *plikten ~r* duty calls; ~ *på* ropa på call; tillkalla send for, call; ~ *fram ngn* ask a p. to come forward; ~ *in ngn som vittne* call (summon) a p. as a witness
kallbad ute bathe; i kar cold bath
kallblodig 1 eg. cold-blooded **2** bildl.: lugn cool, composed; oberörd indifferent; orädd fearless; beräknande calculating; *~t mord* murder in cold blood
kallbrand med. gangrene
kalldusch cold shower; *det kom som (gav mig* el. *honom* osv.) *en ~* it was like a dash of cold water [to me (him osv.)]
Kalle Anka seriefigur Donald Duck
kallelse, ~ *till* sammanträde notice (summons) to attend...
kallfront meteor. cold front
kallgarage unheated (cold) garage
kallhamrad bildl. hard-boiled
kallhyra rent exclusive of heating and hot water
kallna get cold; isht tekn. el. bildl. cool
kallprat small talk
kallsinnig kall cold; likgiltig indifferent; t.ex. om publik unresponsive; *ställa sig ~ till* take up (assume) an unsympathetic (unresponsive) attitude towards
kallskuren, *kallskuret* subst. adj. cold cuts pl., cold buffet
kallskänka cold-buffet manageress
kallstart cold start (startande starting)
kallsup, *jag fick en ~* I swallowed a lot of cold water
kallsvettas be in a cold sweat (perspiration); *börja ~* break out in a cold sweat (perspiration)
kallsvettig, *vara ~* be in a cold sweat
kallt 1 bildl. coldly; oberört coolly; likgiltigt indifferently **2** *förvaras ~* keep in a cool place
kalops ung. Swedish beef stew [cooked with peppercorns and bay leaves]
kalori calorie
kalorifattig ...deficient in calories, ...with a low calorie content; ~ *kost* a low-calorie diet
kaloririk ...with a high calorie value; ~ *kost* a high-calorie diet
kalsonger [under]pants; *stå i bara ~na* stand (be) in one's underwear
kalufs o. **kaluv** forelock; tjock mane
kalv 1 djur calf (pl. calves) **2** kött veal **3** se *kalvskinn*
kalva calve äv. om isberg o. jökel
kalvfilé fillet of veal
kalvfärs råvara minced veal, veal forcemeat; rätt [minced] veal loaf
kalvkotlett veal chop (benfri cutlet)
kalvskinn calf[skin]
kalvskinnsband calf-binding
kalvstek joint of veal; tillagad roast veal; amer. veal roast
kalvsylta kok. veal brawn
kam comb; på tupp crest; på berg ridge; på våg crest; *skära alla över en ~* judge (behandla treat) everyone alike, lump everyone together
kamaxel bil. camshaft
Kambodja Cambodia
kambodjan o. **kambodjansk** Cambodian
kamé cameo (pl. -s)
kamel camel; enpucklig dromedary
kameleont zool. chameleon äv. bildl.
kamera camera
kameraobjektiv camera lens
kamerautrustning camera equipment
Kamerun Cameroon
kamerunsk Cameroonian
kamfer camphor
kamgarn worsted [yarn]
kamin [järn~ iron] stove; el~, fotogen~ heater
kamma comb; ~ *sig (håret)* comb one's hair; ~ *hem vinsten* vard. pull off the win (prize); ~ *noll* vard. draw a blank
kammare 1 rum chamber; parl. äv. house; small room; *första (andra) ~n* the Upper (Lower) House; om sv. förh., hist. the First (Second) Chamber [of the Riksdag] **2** i hjärta ventricle
kammarmusik chamber music
kammarrätt [Swedish] administrative court of appeal
kamning combing; frisyr hair style
kamomill camomile
kamomillte camomile tea
kamouflage camouflage
kamp strid fight båda äv. bildl.; mödosam struggle; *~en för tillvaron* the struggle for existence (life)
kampa se *campa*
kampanj allm. campaign; t.ex. insamlings~ drive
kampera camp [ute out]; ~ *ihop* bo share rooms; hålla ihop keep together

kampsport t. ex. judo, karate m.fl. martial art
Kampuchea Kampuchea
kamrat companion; comrade äv. polit.; arbets~ fellow worker; vän friend; vard. mate; *en [gammal] ~ till mig* a (an old) friend of mine osv.; one of my osv. [old] school friends
kamratanda, *[god] ~* [vanl. a] spirit of comradeship, esprit de corps fr.
kamratlig friendly; lojal, bussig sporting; *ett ~t råd* the advice of a friend
kamratskap comradeship, friendship
kamratäktenskap companionate marriage
kamrer i chefsställning senior accountant; chef för banks avdelningskontor branch manager; kontorschef head clerk; kassaföreståndare chief of the cashier's department
kan se *kunna*
kana I *s* slide; *åka (slå) ~* slide **II** *itr* slide
kanadensare 1 pers. Canadian **2** kanot Canadian [canoe]
kanadensisk Canadian
kanadensiska kvinna Canadian woman
kanal 1 byggd canal; naturlig channel; *Engelska ~en* the [English] Channel **2** anat. canal; t.ex. tår~, luft~ duct **3** TV. el. bildl. channel
kanalisera canalize
kanalje rascal; skämts., filur cunning devil
kanariefågel canary
Kanarieöarna the Canary Islands
kandelaber candelabra
kanderad candied
kandidat sökande candidate; uppsatt nominee
kandidatur candidature
kandidera allm. offer oneself (come forward) as a candidate; *~ till* polit. stand (isht amer. run) for
kanel cinnamon
kanhända perhaps; jfr *kanske*
kanin rabbit; amer. äv. cony; barnspr. bunny [rabbit]
kaninskinn hand. cony [skin]
kanna 1 kaffe~ o.d. pot; grädd~ jug; amer. pitcher; trädgårds~ o.d. [watering] can; dryckes~ med lock tankard **2** tekn. piston
kannibal cannibal
kannibalism cannibalism
kannstöpare armchair (amateur) politician
kanon I *s* **1** mil. gun; åld. cannon (pl. vanl. lika); *komma som skjuten ur en ~* come like a shot **2** *de stora ~erna* vard., pamparna the bigwigs; sport.: om spelare the crack players; om simmare the ace swimmers **3** sport. vard., hårt skott cannonball **II** *adj* sl. *vara ~* berusad be dead drunk
kanoneld gunfire
kanonisera canonize
kanonkula cannonball
kanonmat cannon fodder
kanonsalva salvo (pl. -s el. -es)
kanonskott cannon shot; sport. vard. cannonball
kanot allm. canoe; kanadensare Canadian [canoe]; kajak kayak; *paddla ~* paddle one's canoe
kanotist canoeist
kanske perhaps; kan du komma? *kanske* ...I may (might), ...I'll see; *du ~ har* råkar ha...? do you happen to have...?, do you have...by any chance?; *skulle jag ha* bett honom om ursäkt *~?* förtrytsamt I suppose you think that I should have...
kansler chancellor
kansli vid beskickning chancellery; vid ämbetsverk o.d. secretariat[e], secretary's (vid universitet registrar's, vid teater [general] manager's) office
kanslichef ung. head of [civil service] division; i nämnder o. på kanslier administrative director; i högsta domstolen, regeringsrätten senior judge referee; på ambassad head of chancery
kanslihus government building; *~et* the chancellery
kanslispråk officialese
kant 1 allm. edge; bård o.d. border, verge; på plagg edging, trimming; på tyg selvage; marginal margin; på kärl o. hatt brim; bröd~ crust; ost~ rind; hörn corner; trasig *i ~en* ...at the edge (om kopp o.dyl. brim) **2** bildl. *hålla sig på sin ~* keep oneself to oneself, keep aloof; *vara fin i ~en* lättstött be oversensitive (struntförnäm stuck-up)
kanta sätta kant på edge; sömnad. trim; utgöra kant vid line; gatan var *~d av folk* ...lined with people
kantarell chanterelle
kantband edging, trimming
kantig allm. angular; bildl. abrupt; tafatt awkward, gauche; isht om ungdom gawky
kantighet allm. angularity; bildl. abruptness; jfr *kantig; slipa av ngns ~er* rub the edges (corners) from a p.
kantra 1 sjö. capsize **2** ändra riktning: om tidvatten turn; om vind o. opinion veer
kantsten kerbstone; isht amer. curbstone
kanvas canvas; styv buckram
kanyl med. cannula (pl. cannulae); avledande drain; injektionsnål injection needle
kaos chaos; *det var ~ i trafiken* the traffic was chaotic
1 kap udde cape
2 kap fångst capture; *ett gott (fint) ~* a fine haul
1 kapa 1 sjö., uppbringa take **2** t.ex. flygplan, båt, last hijack **3** *~ åt sig* lay hands on, run off with
2 kapa hugga: sjö., t.ex. mast cut away; lina

cut; skog. crosscut; ~ *[av]* cut off (sjö. away); t.ex. kroppsdel chop off
kapabel able; capable
kapacitet 1 prestationsförmåga capacity; skicklighet ability **2** pers. able man (resp. woman)
kapare 1 vard., av t.ex. flygplan, båt, last hijacker **2** hist. el. sjö. privateer
1 kapell överdrag cover
2 kapell 1 kyrka, sido~ chapel; bönekammare oratory **2** mus. orchestra
kapellmästare mus. conductor
kapital allm. capital; mots. ränta principal; *~et* kapitalismen capitalism
kapitalflykt [the] flight of capital
kapitalisera capitalize
kapitalism, ~*[en]* capitalism
kapitalist capitalist
kapitalistisk capitalistic
kapitalkonto capital account (förk. C/A); bankräkning deposit account
kapitalplacering [capital] investment
kapitalstark ...well provided with capital, financially strong
kapitalt, *misslyckas* ~ be a complete failure, fail completely
kapitalvaror capital goods
kapitel allm. chapter; ämne topic; *det är ett avslutat* ~ that is a closed chapter; *det blir ett senare* ~ we'll (I'll) come to that later
kapitulation surrender, capitulation båda äv. bildl.
kapitulera surrender äv. bildl.; capitulate; *~ för* ngns charm *(inför* ett hot) vanl. surrender to...
kapning av t.ex. flygplan, båt, last hijacking; *en* ~ a hijack (av flygplan äv. skyjack)
kappa 1 dam~ coat; präst~ gown; *vända ~n efter vinden* trim one's sails to every wind, be a turncoat **2** på gardin pelmet, valance äv. på möbel
kappkörning kappkörande racing
kapplöpning race; kapplöpande racing (båda äv. bildl.); häst~ [horse-]race resp. [horse-]racing; *~en om att* inf. the race to inf.
kapplöpningsbana racetrack; häst~ racecourse
kapplöpningssport horse-racing
kapprak bolt upright
kapprodd boat race; kapproende boat-racing
kapprum cloakroom
kapprustning arms (armaments) race
kappsegling sailing-race; regatta regatta; kappseglande sailing boat racing; med större båtar yacht-racing
kappsimning swimming-race; simmande competition swimming
kappsäck portmanteau (pl. äv. -x); se vid. *resväska; bo i* ~ live in suitcases
kaprifol o. **kaprifolium** bot. honeysuckle
kapris krydda capers
kapsejsa capsize; välta turn over
kapsel capsule äv. rymd. el. bot.
kapsyl på t.ex. vinbutelj [bottle] cap; på t.ex. ölflaska, läskedrycksflaska [bottle] top; skruv~ screw cap
kapsylöppnare bottle opener
kapten 1 sjö. el. sport. captain **2** inom armén captain; inom flottan lieutenant; inom flyget flight lieutenant; amer. captain
kapuschong hood; på munkkåpa cowl
kaputt ruined, ...done for
kar tub; större vat; bad~ bath [tub]
karaff decanter, utan propp carafe; vatten~ water bottle
karakterisera characterize; beteckna describe; vara betecknande för be characteristic (typical) of
karakteristisk characteristic, typical, distinctive
karaktär allm. character; beskaffenhet nature; läggning disposition, mentality; viljestyrka willpower; *hurdan är hans (hennes) ~?* what sort of person (man resp. woman) is he (resp. she)?; *jag har dålig ~* skämts. I've got no willpower, I've got a weak character
karaktärsdrag o. **karaktärsegenskap** characteristic, trait of character; framträdande drag salient feature
karaktärsfast ...of firm (stark strong) character; *han är* ~ he has a firm (resp. strong) character
karaktärslös ...lacking in character (principle); vard. spineless, weak
karaktärsroll character part (role)
karamell sötsak sweet; amer. candy; kola~ toffee
karamellpåse fylld bag of sweets
karantän quarantine; *ligga (lägga) i* ~ be (put) in quarantine
karantänsflagga quarantine (yellow) flag
karat carat; *18 ~s guld* 18-carat gold
karate sport. karate
karateslag sport. karate chop
karavan caravan
karbin carbine
karbonat kem. carbonate
karbonpapper carbon paper, carbon
karburator carburettor
karda I *s* **1** redskap card **2** vard., hand mitt **II** *tr* card
kardanaxel propeller (drive) shaft
kardanknut universal (cardan) joint
kardborrband Velcro® [fastening]
kardborre växt burdock; blomkorg bur, burr äv. bildl.; teasel
kardemumma cardamom; *summan av ~n* the long and the short of it
kardinal cardinal äv. fågel
kardiogram med. cardiogram

karensdag försäkr. day of qualifying (waiting) period [before benefit may be claimed]; *~ar* koll. qualifying (waiting) period sg.
karg om landskap barren; ~ *på ord* sparing of words, taciturn
karies med. caries
karikatyr caricature; politisk skämtteckning cartoon; bildl. travesty
karisma charisma
karl allm. man (pl. men); vard. fellow, chap; isht amer. guy; äkta man, vard. old man; *bra ~ reder sig själv* ung. everyone must depend on himself
karlakarl, *en* ~ a real man, a he-man
karlaktig manly, virile; om kvinna mannish
Karl Alfred seriefigur Popeye
karlatag, *han visade riktiga ~* genom sitt ingripande he showed he was a real man...
Karlavagnen the Plough; amer. äv. (vard.) the [Big] Dipper
karlgöra, [*ett*] ~ a man's job
karljohanssvamp cep
karlslok fellow; neds. slouch
karltokig man-mad
karltycke, *ha* ~ have a way with men, have sex appeal
karm 1 armstöd arm **2** dörr~ frame
karmin carmine
karminröd carmine[-red], scarlet
karmosinröd crimson[-red]
karmstol armchair
karneval carnival
karnevalståg carnival procession
kaross 1 vagn coach **2** se *karosseri*
karosseri body[work]
karotin kem. carotin
karott fat deep dish
karottunderlägg table (dish) mat
karp zool. carp (pl. lika)
karriär allm. career; befordran advancement; *göra* ~ make a career, get on in the world
karriärist careerist
karsk oförskräckt plucky; morsk cocky; självsäker cocksure
kart koll. unripe (green) fruit sg. (bär berries pl.); *en* äppel~ an unripe apple
karta 1 geogr. map; sjökort chart; geol. survey; *placera på ~n* bildl. put on the map **2** *en* ~ frimärken a sheet of...
kartbok atlas
kartell cartel
kartlägga map, survey; bildl. make a survey of
kartläggning mapping osv., jfr *kartlägga*
kartong 1 papp cardboard **2** pappask carton **3** konst. cartoon
kartotek 1 kortregister card index (register) **2** skåp filing cabinet
karusell merry-go-round; *åka* ~ ride on the roundabout
karva tälja whittle; chip; skära carve, cut; ~ *i*... oskickligt hack away at...
kaschmir se *kashmir*
kasern mil. barracks (pl. lika); ibl. barrack; hyres~ tenement [house]
kasernförbud confinement to barracks
kashmir vävnad el. ull cashmere
kasino spelhus o.d. casino (pl. -s)
kaskad cascade äv. av ljus, toner; torrent äv. av ord
kaskelott zool. sperm whale, cachalot
kaskoförsäkring sjö. hull insurance; bil. insurance against material damage to a (resp. one's) motor vehicle; jfr *försäkring 2*
kasperteater ung. Punch and Judy show
kass vard. useless, worthless, no good
kassa 1 [tillgängliga] pengar money; intäkter, hand. takings, receipts; fond fund; *min ~ tillåter inte*... my finances (purse) won't allow...; *ha* 500 kr *i ~n* have...available (...in cash, i kassaskrinet ...in the el. one's cashbox o.d.) **2** ~kontor o.d.: allm. cashier's office; isht för löneutbetalning o.d. pay office; ~lucka o.d.: i bank cashier's (isht amer. teller's) desk; i varuhus o.d. cashdesk, counter; i snabbköp o.d. cashpoint, check-out [counter]; på postkontor counter; teat. o.d. box office; *betala i ~n* pay at the desk (i t.ex. snabbköp cashpoint)
kassaapparat cash register
kassafack safe-deposit box
kassapjäs box office success
kassarabatt cash discount; *3% ~* 3% discount [for cash]
kassaskrin cashbox
kassaskåp safe
kassavalv strongroom; större vault
kasse 1 isht av papper el. plast carrier (amer. carry) bag; av nät string bag **2** vard., i t.ex. ishockey goal
1 kassera utrangera discard; underkänna reject; utdöma condemn
2 kassera, ~ *in* collect; lösa in cash
kassett till bandspelare, film, TV cassette; *inspelad* ~ prerecorded cassette
kassettbandspelare cassette tape-recorder
kassettdäck cassette [tape] deck
kassör cashier; i bank äv. teller; i förening o.d. treasurer
kassörska woman (female) cashier
1 kast allm. throw; ss. idrottsgren throwing; med metspö o.d. cast; med huvudet toss; förändring change; om vind gust; *det är ditt ~* it is your [turn to] throw
2 kast samhälls~ caste
kasta I *tr* (ibl. *itr*) **1** allm. throw; vard. chuck; häftigt o. vårdslöst fling; lätt o. lekfullt (ofta uppåt) toss; lyfta o. slänga pitch; vräka hurl; isht bildl. el. vid fiske cast; kortsp., saka, göra sig av med discard; ~ [*bort*] throw away; ~ *i fängelse* put in prison **2** sömnad. overcast

II *itr* (jfr äv. *I*) **1** om vind chop about **2** vet. med. abort **III** *rfl*, ~ *sig* allm. throw oneself **IV** med beton. part.
~ **av** throw (vårdslöst fling) off; ~ *av sig* t.ex. täcket throw off; kläderna äv. (snabbare) whip (helt o. hållet strip) off; ~ *sig av och an* toss [about]
~ **bort** throw (chuck, fling, sling, jfr ovan) away; tid waste; pengar äv. squander
~ **fram** fråga, påstående put in; ~ *fram ett förslag om ngt* propose (suggest) a th.
~ **i a)** ~ *sig i* (*i vattnet*) plunge in (into the water) **b)** *han ~de i sig maten* he gulped down (wolfed down) his food
~ **ifrån sig** throw (etc., jfr ~ *bort*) away (down)
~ **in a)** eg. el. friare throw (etc., jfr ovan)...in; ~ *in* en sten *genom fönstret* throw (etc.)...through the window into the room (hall osv.) **b)** inflicka interject
~ **loss a)** sjö., tr. let go; itr. cast off **b)** bildl. let [oneself] go
~ **ned a)** ~ *sig ned* omkull *på* marken throw oneself to... **b)** bildl. ~ *ned några rader* jot down a few words
~ **om a)** ändra riktning (ordningsföljden på): om vinden veer round; t.ex. två rader transpose; ~ *om rodret* shift the helm **b)** ändra åsikt o.d., se *sadla* [*om*]
~ **omkring** t.ex. skräp throw about, scatter, strew
~ **omkull** a) eg. throw (stark., isht m. saksubj. knock)...down (over) b) bildl., se *kullkasta*
~ **upp** kräkas: itr. vomit; tr. throw up
~ **ut** throw (etc.)...out; sjö., last jettison; ~ *ut* pengar *på* waste (squander, vard. blow) one's...on
~ **över:** ~ *sig över ngn* fall [up]on (go for) a p.; ~ *sig över* slå ned på *ngt* äv. bildl. pounce [up]on a th.; ~ *sig över maten* tuck right into the food

kastanj o. **kastanje** träd el. frukt a) äkta chestnut b) häst~ horse chestnut
kastanjebrun om hår chestnut [brown]
kastby gust [of wind]
kastlös, *en* ~ subst. adj. a pariah
kastrera castrate; *~d häst* gelding
kastrering castration
kastrull saucepan
kastspjut javelin
kastspö fiske. casting rod
kastsöm overcasting; stygn whipstitch
kastvind gust [of wind]
kastväsen, *~det* the caste system
katakomb catacomb
katalog catalogue; telefon~ directory
katalogisera catalogue
katalogpris catalogue (list) price
katalysator kem. el. bildl. catalyst
katalytisk kem. catalytic; ~ *avgasrenare* catalytic converter
katamaran sjö. catamaran
katapult catapult
katapultstol ejection seat
katarakt vattenfall el. med. cataract
katarr catarrh
katastrof allm. catastrophe; t.ex. tåg~, flyg~ disaster; finanskrasch crash; litt. hist. dénouement fr.
katastrofal catastrophic
katastroflarm emergency alert
katastrofområde emergency area
kateder lärares teacher's (föreläsares lecturer's) desk
katedral cathedral
kategori category äv. filos.; klass class; grupp group; sort sort; *olika ~er av* skolor various types of...
kategorisk categorical; tvärsäker dogmatic; om t.ex. påstående definite; om t.ex. förnekande flat
katekes catechism
kateter med. catheter
katolicism, ~[*en*] Catholicism
katolik Catholic
katolsk Catholic; [*den*] *~a kyrkan* the [Roman] Catholic Church
katrinplommon prune
katt cat; vard. puss; han~ tomcat; *inte en ~* var där not a soul...; *det osar ~* I smell a rat; *det ger jag ~en* [*i*] I don't care (give) a damn about that
katta she-cat; cat äv. om kvinna
kattdjur feline
Kattegatt the Cattegat
kattguld geol. yellow mica
kattras breed of cat (pl. breeds of cat[s]), cat breed
kattsand cat litter
kattsläkte, *~t* the feline (cat) family
kattuggla tawny owl
kattun tyg calico
kattunge kitten; *lekfull som en ~* äv. kittenish
kattöga 1 på cykel rear reflector **2** halvädelsten cat's-eye
kautschuk 1 ämne rubber **2** radergummi [india] rubber; isht amer. el. för bläck eraser
kava, ~ [*sig*] *fram* flounder ahead
kavaj jacket äv. udda; coat; på bjudningskort informal dress
kavaljer hist. cavalier; gentleman gentleman; bords~ partner; beundrare beau (pl. -x); ledsagare escort
kavalkad cavalcade äv. bildl.
kavalleri cavalry
kavallerist cavalryman
kavat käck plucky; morsk cocky
kavel bröd~ rolling-pin
kaviar caviar[e]

kavla roll; ~ *med* strumpa roll down; ärm unroll; ~ *ut* deg roll out
kavle bröd~ rolling-pin
kavring kok. [loaf of] dark rye bread
kaxe pamp bigwig; översittare bully
kaxig morsk cocky; kavat plucky; övermodig superior; översittaraktig overbearing
Kazachstan Kazakhstan
kedja I *s* chain äv. bildl.; sport. forward line; av poliser cordon; *bilda* ~ form a chain; för avspärrning link hands **II** *tr* chain; *~d* äv. ...in chains; ~ *fast* chain [...fast (on)]
kedjebrev chain letter
kedjehus 'chain' house, terraced (row) house linked by a garage etc. to the adjacent houses
kedjereaktion chain reaction
kedjeröka chain-smoke
kejsardöme empire; *~t* Japan the empire of...
kejsare emperor
kejsarinna empress
kejsarsnitt med. Caesarean section (operation)
kejserlig imperial
kela cuddle; ~ *med* smeka cuddle, fondle, pet
kelgris pet; favorit favourite
kelig cuddly, affectionate
kelsjuk ...wanting to be cuddled (fondled); cuddly
kelt Celt
keltisk Celt
keltiska språk Celtic
kemi chemistry
kemikalier chemicals
kemisk chemical; ~ *krigföring* chemical warfare
kemist chemist
kemtoalett chemical toilet (closet)
kemtvätt metod dry-cleaning; tvätteri dry-cleaners
kennel kennels pl.
kennelklubb kennel club
Kenya Kenya
kenyansk Kenyan
keps [peaked] cap
keramik ceramics sg.; alster ceramics pl., ceramic ware
keramiker potter
keso cottage cheese
ketchup ketchup
kex biscuit; amer. cracker
khaki färg el. tyg khaki
1 kick vard. *på ett litet* ~ i ett nafs in a jiffy
2 kick vard. **1** spark kick; *få ~en* bli avskedad get the push (sack, boot) **2** stimulans kick
1 kicka vard. **1** sparka kick **2** avskeda kick...out
2 kicka vard., liten flicka [little] girl
kickstart pedal kick-starter
kidnappa kidnap
kidnappare kidnapper
kika titta nyfiket peep, peek; *får jag ~ på det?* vard. can I have a squint at it?; jfr *titta*
kikar|e binoculars; tub~ telescope; *en* ~ a pair of binoculars, a telescope; *ha ngt i -n* have [got] one's eye on a th.
kikhosta whooping-cough
kikna choke (be nearly suffocated) with coughing; vid kikhosta whoop; ~ *av skratt* choke with laughter
kikärt bot. el. kok. chickpea
kil wedge; typogr. quoin; sömnad. gusset, gore; på strumpa slipper heel
1 kila med kil o.d. wedge; ~ *fast* wedge, fix...with a wedge; ~ *in* wedge in
2 kila 1 ila o.d. scamper; skynda hurry; jfr *2 springa; nu ~r jag* [*i väg*]*!* now I'll (I must) be off! **2** vard. ~ *vidare* kick the bucket
killa vard., se *kittla*
kille vard., pojke boy; karl fellow, chap
kilo (förk. *kg*) kilo (pl. -s); *ett* ~ eng. motsv., ung. 2.2 pounds (förk. lb[s].)
kilogram (förk. *kg*) kilogram[me] (förk. kg)
kilometer (förk. *km*) kilometre (förk. km); *en* ~ eng. motsv., ung. 0.62 miles
kilometerskatt kilometre tax [on cars, trucks etc. that run on diesel etc.]
kilopris price per kilo
kilowatt kilowatt
kilowattimme (förk. *kwh*) kilowatt-hour (förk. kwh)
kilovis per kilo by the kilo; ~ *med...* kilos pl. of...
kilt kilt
kimono kimono (pl. -s)
Kina China
kinaschack sällskapsspel Chinese chequers (amer. checkers)
kind cheek; *vända andra ~en till* turn the other cheek
kindben cheekbone
kindtand molar, back tooth
kines Chinese (pl. lika); ofta neds. Chinaman (pl. Chinamen)
kineseri 1 konst. chinoiserie fr. **2** bildl. pedantry; byråkrati red tape
kinesisk Chinese; *Kinesiska muren* the Great Wall of China
kinesiska 1 kvinna Chinese woman **2** språk Chinese, jfr *svenska*
kinka gnälla, om småbarn fret; vara gnällig be fretful
kinkig 1 om pers.: fordrande exacting; granntyckt, kräsen particular, dainty; gnällig fretful **2** om sak: svår difficult; brydsam awkward; ömtålig ticklish
kiosk kiosk; tidnings~ newsstand; större bookstall; godis~ sweetstall; amer. candy stall
kiosklitteratur neds. pulp literature

1 kippa, ~ *efter andan* gasp for breath (air)
2 kippa om sko flop about
kippskodd, *gå* ~ utan strumpor walk about in one's shoes without any stockings (resp. socks) on
kiropraktiker o. **kiropraktor** chiropractor
kirurg surgeon
kirurgi surgery
kirurgisk surgical; *~t ingrepp* [surgical] operation, surgery
kisa närsynt peer; ~ *med ögonen* (*mot*) *på...* look at...with screwed-up eyes; ~ *mot solen* screw up one's eyes för att utestänga ljus in (för att skärpa blicken because of)...
kisel kem. silicon
1 kiss, ~, *~!* puss, puss!
2 kiss vard. wee-wee; mera vulg. piddle
kissa vard. wee-wee; mera vulg. piddle; ~ *på sig* wet oneself (one's pants); av skratt wet oneself (one's pants) laughing
kisse o. **kissekatt** o. **kissemiss** samtl. vard. pussycat
kissnödig vard. *jag är* ~ I've got to (I must) do a wee-wee (mera vulg. a pee)
kista 1 förvaringsmöbel chest; sjö. äv. locker; penning~ coffer; lik~ coffin; amer. äv. casket **2** vard., mage belly
kitslig 1 lättretad touchy; småaktig petty **2** om fråga: svår difficult
kitt allm. cement; fönster~ putty
kitta cement; med fönsterkitt putty
kittel stewpan; större cauldron äv. bildl.; grytliknande pot; te~, fisk~ kettle
kittla I *tr* tickle **II** *itr, det ~r i näsan på mig* my nose tickles
kittlare anat. clitoris; sl. clit
kittlas, ~ *inte!* don't tickle!
kittlig ticklish
kittling kittlande tickling; kittlande känsla, klåda tickling feeling, tickle
kiv quarrel; ~ande quarrelling, squabbling
kivas gräla quarrel, squabble; munhuggas wrangle; tvista contend
kiwi o. **kiwifrukt** kiwi fruit
kjol skirt; under~ petticoat; *hänga i ~arna på ngn* bildl. be tied to a p.'s apron strings
klabb, *hela ~et* the whole lot (bag of tricks, shoot)
klabbig sticky
1 klack på skodon heel; *slå ~arna i taket* bildl. kick up one's heels
2 klack se *1 kläcka*
klacka heel; ~ *om* re-heel
klackbar heel bar
klackring signet ring
klackspark fotb. backheel; *ta ngt* (*det hela*) *med en* ~ vard. not take a th. (things) too seriously
1 kladd rough copy; koncept [rough] draft
2 kladd kludd daub; klotter scribble
kladda kludda daub; klottra scribble; ~ *ner sig* make oneself all messy, make a mess all over oneself; ~ *på ngn* vard., tafsa på ngn paw (grope) a p.
kladdig klibbig sticky; nedkladdad smeary; ~t skriven scribbly; degig doughy
klaff 1 flap; på sekretär fall-front; på blåsinstrument key; ventil på t.ex. trumpet valve; anat. valve; bro~ leaf **2** *håll ~en!* vard. shut your trap!, stop your gob!
klaffa stämma tally; fungera bra work [well]
klaffbord folding (drop-leaf) table
klaffbro bascule bridge
klafsa squelch
klaga 1 beklaga sig complain; make complaints; knota grumble; högljutt lament; t.ex. sin nöd lament over, bewail; ingen kan ~ *på honom* (*maten*) ...find fault with him (the food) **2** inkomma med klagomål lodge a complaint
klagan klagomål complaint; veklagan lament; knot grumbling; högljudd wailing
klagolåt lamentation; *en* ~ a lot of wailing (moaning)
klagomur, *Klagomuren* the Wailing Wall
klagomål complaint, grievance
klagorop o. **klagoskri** lamentation[s pl.]
klammer häft~ staple
klammeri, *råka i* ~ *med ngn* (*rättvisan*) fall foul of a p. (the law)
klampa gå tungt tramp; ~ *iväg* stamp off
klamra, ~ *sig fast vid* eg. cling [tight on] to, hang on to; bildl. cling firmly to
klan clan
klander allm. blame; stark. censure; kritik criticism
klanderfri se *oklanderlig*
klandervärd blameworthy, censurable
klandra tadla blame, censure; kritisera criticize
klang allm. ring; stark. clang; ljud sound; av glas clink; av klockor ringing; av samstämda kyrkklockor peal; ordet har [*en*] *otrevlig* ~ bildl. ...an unpleasant ring
klangfull sonorous
klanka grouse
klanta, ~ *sig* vard. make a mess of things, muck things up; trampa i klaveret put one's foot in it
klantig vard., klumpig clumsy, heavy-handed; dum stupid
klantskalle vard. clot
klapp 1 smeksam pat; lätt slag tap; *en uppmuntrande* (*överlägsen*) ~ *på axeln* an encouraging (a patronizing) pat on the back **2** vard., se *julklapp*
klappa ge en klapp pat; stark. clap; smeka stroke; knacka knock; om hjärta beat; häftigt palpitate; hårdare throb; ~ [*i*] *händerna* clap one's hands, applaud; ~ *igenom* (*ihop*) vard., kollapsa go (fall) to pieces, crack up, break down

klappersten geol. rubble; koll. rubble stones
klappjakt eg. battue fr.; bildl. witch-hunt; *anställa ~ på* (*efter*) start (raise) a hue and cry after; hound
klappra clatter; om hästhovar clip-clop; om tänder chatter; *han ~de med tänderna* his teeth chattered
klappstol folding chair
klar 1 ljus clear; om väder el. om t.ex. färg bright; om t.ex. hy transparent; om vatten, högtidl. äv. limpid; om framställning lucid; tydlig, om t.ex. [telegram]språk plain; märkbar distinct; stark. manifest; begriplig intelligible; åskådlig perspicuous; tydlig pronounced; om t.ex motståndare avowed, declared, open; avgjord, om t.ex. seger clear; *~t besked* exact information, a straight answer; *i* (*vid*) *~t* bra *väder* in fair weather; *göra ~t för* ngn, se *klargöra; komma* (*vara*) *på det ~a med* ngt realize... **2** färdig ready; uppgjord arranged; vard. fixed up; gjord done; *~t slut!* over and out!; *~a, färdiga, gå!* ready, steady, go!; vid idrottstävlingar on your marks, get set, go!; *det är ~t* fixat *nu* it's OK now; *är du ~* [*med arbetet*]*?* have you finished [your work]?; vard. are you through [with your work]?
klara I *tr* **1** eg.: göra klar clarify; strupen clear; bryggeri. fine **2** sjö., ankaret clear **3** komma över (förbi) clear **4** bildl. a) ~ (reda) upp settle; lösa, t.ex. problem solve, do; få...gjord get...done; gå i land med manage; lyckas med cope with; stöka undan do b) tåla: om pers. be able to stand; om sak be able to stand up to c) betala settle d) rädda *~...ur en knipa* help...out of straits; *~ en sjukdom* (*svår situation*) pull through; *~ upp* clear up, se vid. *4 a* ovan **II** *rfl*, *~ sig* reda sig, t.ex. bra manage, get on (by), do; isht amer. make out; t.ex. utan hjälp (missöde) get along; bli godkänd i examen pass; rädda sig get off, escape; vid sjukdom pull through; *~ sig dåligt* come off (do) badly, give a poor account of oneself; *~ sig utan* ngt do without..., dispense with...
klarbär sour cherry
klargöra förklara o.d. make...clear; utreda elucidate; påvisa demonstrate; *~ för ngn* (*sig själv*) *att* (*hur*)... make it clear to a p. (to oneself) that (how)...
klarhet (jfr *klar 1*) clearness osv.; isht bildl. clarity; transparency; limpidity; lucidity; upplysning enlightenment; *bringa ~ i ngt* throw (shed) light on a th.
klarinett clarinet
klarläggande elucidation
klarmedel clarifier
klarna 1 bli ljus[are]: om himlen clear, become clear[er]; om vädret clear up; ljusna brighten up äv. bildl.; bli klarare become clearer; *det* saken o.d. *börjar ~* things are looking up; *det börjar ~ för mig* it is beginning to dawn [up]on me **2** om vätska clarify
klarsignal järnv. go-ahead (line clear) signal; sjö. el. flyg. clearance signal, all clear
klarspråk, *tala ~* make things plain, not mince matters
klarsynt clear-sighted; skarpsynt perspicacious
klart clearly osv., jfr *klar;* avgjort decidedly, definitely; t.ex. fientlig openly; *se ~ i* en sak have a clear vision regarding...
klartecken, *få* (*ge ngn*) *~* bildl. get (give a p.) the green light (the go-ahead, the OK)
klartext, *i ~* en clair fr.; friare in plain language (Swedish, English etc.)
klartänkt clear-thinking
klarvaken wide awake
klase cluster isht fastsittande; isht lös bunch; bot. raceme
klass allm. class; skolklass class; årskurs form, amer. i båda bet. grade; ~rum classroom; rang grade, order; *ett första ~ens hotell* a first-class (utmärkt first-rate) hotel; *åka* [*i*] *andra ~* travel (go) second (på båt äv. cabin) class; *det är ingen ~ på henne* she's got no class; *han* (resp. *det*) *står i en ~ för sig* he (resp. it) is in a class by himself (resp. itself)
klassa class; *~ ned* t.ex. en prestation belittle
klassamhälle class society
klassfest, *vi skall ha ~* our class is going to have a party
klassföreståndare form master; kvinnl. form mistress; amer. homeroom teacher
klassificera classify
klassisk eg.: antik o. om t.ex. musik classical; friare classic; om exempel *den ~a litteraturen* the Classics pl.
klasskamp class struggle
klasskamrat classmate; *mina ~er* äv. the boys (resp. girls) in my form (amer. grade)
klassmamma skol. mother who is the representative of the (resp. a) class
klassmedveten class-conscious
klasspappa skol. father who is the representative of the (resp. a) class
klassrum classroom
klassutjämning levelling out of class distinctions, removal of class barriers
klatsch I *interj* crack! **II** *s* pisksmäll lash; ljudlig crack; dask slap
klatschig effektfull, iögonfallande striking; flott smart; snärtig witty; schvungfull dashing; djärv bold
klaustrofobi psykol. claustrophobia
klausul clause
klave se *krona* [*och klave*]
klaver 1 ngt åld., piano piano (pl. -s)

2 *trampa i ~et* put one's foot in it, drop a brick
klavertramp vard. clanger
klaviatur mus. keyboard
klema, ~ *med* pamper, coddle; ~ *bort* spoil [...by indulgence]
klemig veklig pampered, effeminate
klen 1 sjuklig o.d.: feeble; ömtålig delicate; bräcklig frail; svag weak; för tillfället poorly pred.; *hans ~a hälsa* his delicate health; *vara ~* äv. be sickly, be of weak (delicate) health **2** spenslig *med ~ kroppsbyggnad* with a slender frame **3** underhaltig poor; svag feeble; mager meagre
klenmodig faint-hearted
klenod dyrgrip priceless article; gem äv. bildl. om sak o. pers.; familje~, släkt~ heirloom
klentrogen incredulous; svag i tron ...of little faith end. attr.
kleptoman kleptomaniac
kleta I *itr* mess about **II** *tr* färg o.d. daub; ~ *ner* soil, mess up
kletig gooey, mucky, sticky
kli bran
klia I *itr* itch; *det ~r i fingret* (*örat*) *på mig* my finger (ear) itches; *det ~r i fingrarna på mig att* inf. (bildl.) my fingers are (I am) itching to inf. **II** *tr* scratch **III** *rfl,* ~ *sig* scratch oneself
klibba vara klibbig be sticky (adhesive); fastna stick
klibbig allm. sticky; som fastnar adhesive; om vätska gluey
kliché sliten fras cliché fr.; stereotyped (hackneyed) phrase
1 klick klump lump; mindre knob; av grädde vanl. dollop; av färg daub
2 klick kotteri clique, set; polit. faction
1 klicka 1 knäppa click **2** om skjutvapen, motor misfire; om skott fail to go off; 'strejka' go wrong; om t.ex. minnet, omdömet be at fault; misslyckas fail
2 klicka fördela i klickar ~ *degen på* plåten drop the dough on to...
klient client
klientel clientele, set of clients
klimakterium med. climacteric, menopause
klimat climate äv. bildl.; poet. clime
klimatförändring change of climate äv. bildl.; climatic change
klimax climax
klimp lump; av t.ex. levrat blod clot; guldklimp nugget; kok., ung. dumpling; koll. dumplings
klimpa, ~ *sig* get lumpy
1 klinga blade; svärd, värja sword
2 klinga ring; ljuda, låta sound; genljuda resound; om mynt jingle; om glas tinkle; vid skålande clink; hans ord *~de äkta* ...rang true, ...had a genuine ring; ~ *i glaset* för att hålla tal o.d. tap one's glass
klingande I *s* ringing osv., jfr *2 klinga* **II** *adj* ringing; ~ *mynt* hard cash; *på ~* ren *svenska* in pure Swedish
klinik clinic; vid större sjukhus clinical department; privat sjukhem nursing home
klink pianoklink strumming (tinkling) on the piano
1 klinka dörrklinka latch
2 klinka, ~ [*på*] *piano* strum (tinkle) on the piano
klipp 1 med sax snip; hack cut; i biljett clip; tidningsklipp [press] cutting; amer. clipping **2** affär *göra ett ~* vard. make a good bargain; i större sammanhang do a good stroke of business, bring off a big deal
1 klippa I *tr* allm. cut; gräs mow; vingar clip; får shear; biljett clip, punch; putsa, t.ex. skägg, häck trim; figurer o.d. cut out; film cut; redigera edit; [*låta*] ~ *håret* få håret klippt have one's hair cut; *som klippt och skuren till* det arbetet (*till att* inf.) just cut out for...(for + ing-form); *nu är det klippt!* vard. that's torn (done) it! **II** *rfl,* [*låta*] ~ *sig* få håret klippt have one's hair cut
III med beton. part.
~ **av** cut (hastigt snip) off; itu cut...in two; avbryta, t.ex. sina förbindelser sever; t.ex. samtal cut...short
~ **bort** cut
~ **itu** ngt off (away), cut...in two (half)
~ **ned** t.ex. en häck trim down
~ **sönder** ngt cut...[all] to pieces (bits); i små bitar cut (snip)...[up] into small pieces
~ **till** mönster o.d. cut out
~ **upp** cut open
~ **ur** (**ut**) ngt cut (clip)...out
2 klippa berg rock äv. bildl.; skarpkantig o. brant havsklippa cliff
klippdocka paper doll
klippig rocky; om berg craggy; om kust iron-bound; *Klippiga bergen* the Rocky Mountains, the Rockies
klippkort biljett punch ticket
klippning klippande cutting osv., jfr *1 klippa;* av håret hair-cutting; frisyr haircut
klipsk snabbtänkt quick-witted; förslagen crafty; se vid. *knipslug*
klirra allm. jingle; om glas clink, chink; om metall ring; om fönster rattle; om sporrar clink
klister paste; fackspr. adhesive; *råka i klistret* get into a jam (fix, mess)
klistermärke sticker
klistra I *tr* paste; fackspr. cement; mera allm. stick
II med beton. part.
~ **fast ngt** [*på*] paste (stick) a th. on [to...]
~ **igen** stick down

~ **ihop** t.ex. två papper paste (stick) together
~ **in ngt** paste (stick) a th. in
~ **upp** t.ex. en affisch paste (stick) up
klitoris anat. clitoris
kliv stride; *ta ett stort ~ framåt* bildl. take a large step forward
kliva I *itr* med långa steg stride; gravitetiskt stalk; stiga step; klättra climb; trampa tread **II** med beton. part. (jfr äv. *stiga II*)
~ **i** bil climb into; båt step into
~ **på** se äv. *stiga [på]; han bara klev på* a) gick vidare ...went striding (osv., jfr *I* ovan) ahead b) steg in [utan att knacka] ...walked (marched) [straight] in
~ **över** dike o.d. stride (osv., jfr *I* ovan) across...; gärdesgård climb (get) over...
klo claw; på gaffel, grep o.d. prong; *dra in ~rna* draw in one's claws äv. bildl.; *slå ~rna i...* strike one's claws into...; bildl. äv. pounce on...
kloak sewer; zool. cloac|a (pl. -ae) lat.
kloakdjur zool. monotreme
kloakråtta zool. sewer rat
kloaksystem sewage system
kloaktrumma sewer
kloakvatten sewage
klocka I *s* **1** att ringa med el. bot. bell; *ringa på ~n* ring (elektrisk ~ press) the bell **2** ur: fickur watch; väggur o.d. clock; *lära sig ~n* learn to tell the time; *hur mycket* (*vad*) *är ~n?* what's the time?, what time is it?; *~n är ett* (*halv ett*) it is one [o'clock] (half past twelve, twelve thirty, vard. half twelve, amer. äv. half after twelve); *~n är fem minuter i ett* it is five [minutes] to (amer. äv. of) one; *~n är fem minuter över ett* it is five [minutes] past (amer. äv. after) one
II *tr* **1** *~d kjol* bell-shaped skirt **2** sport. *han ~des för 10,8* he [was] clocked 10.8
klockare ung. parish clerk and organist; kyrkomusiker precentor
klockarmband av läder watchstrap; amer. watchband; av metall watch bracelet
klockradio clock radio
klockren ...[as] clear as a bell
klockslag, *på ~et* on the stroke [of the clock]
klockspel 1 klockor chime [of bells]; ljud chimes; klockor el. ljud carillon **2** instrument glockenspiel ty.
klockstapel [detached] bell tower, belfry
klok förståndig wise; omdömesgill judicious; förnuftig sensible; förtänksam prudent; intelligent intelligent; skarp shrewd; nykter hard-headed; välbetänkt well-advised; tillrådlig advisable; vid sina sinnens fulla bruk sane, ...in one's senses; *vara ~ nog att* inf. be sensible enough (have sense enough, have the good sense) to inf.; *det är inte ~t* vard. it's crazy
klokhet (jfr *klok*) wisdom; judiciousness; sense; prudence; intelligence; shrewdness
kloning biol. cloning
klor kem. chlorine
kloroform kem. chloroform
klorofyll chlorophyll
klosett ngt. åld. toilet
kloss träklump block
kloster monastery; nunnekloster convent; *gå i ~* enter a monastery osv.
klosterkyrka abbey
klosterlöfte, *avlägga ~[t]* take the vow[s pl.]
klot kula ball äv. om jorden; glob globe; vetensk. sphere; astron. orb
klotformig ball-shaped; globular; spherical; jfr *klot*
klotrund ...round like a ball; om pers. rotund; vard. tubby; se äv. *klotformig*
klots se *kloss*
klotter scrawl; klottrande scrawling, scribbling; offentligt graffiti
klotterplank 'scribble board', board in a public place on which people may scribble what they like
klottra scrawl; meningslöst som ett barn scribble; tankspritt rita figurer doodle; *~ ned* a) skriva ned scrawl, jot down b) fullklottra scrawl (scribble) all over
klottrig om stil scrawling
klubb club
klubba I *s* club; mindre mallet; auktionsklubba hammer; ordförandeklubba gavel; slickepinne lolly; *föra ~n* act as chairman; *gå under ~n* go (come) under the hammer **II** *tr* **1** slå ihjäl club **2** bestämma fix; *tiden är redan ~d* the time has already been fixed **3** ~ [*igenom*] driva igenom, t.ex. förslag push through **4** vid auktion *~s för 1000 kr* be knocked down for...
klubbjacka blazer
klubbmärke club badge
klubbmästare 1 anordnare av fester master of ceremonies **2** sport. club champion
klubbslag vid sammanträde fall of the [chairman's] gavel; vid auktion blow (rap) of the hammer
klucka 1 om höns o.d. cluck; *ett ~nde skratt* a chuckle **2** om vätska gurgle; om vågor lap
kludd 1 dålig målning daub; *bara ~* a mere daub **2** klåpare bungler
kluddig om målning dauby; fläckig blotchy, smudgy
klump 1 lump äv. i halsen; jordklump clod; klunga clump **2** *i ~* a) alla tillsammans in a lump; hand. by the bulk, wholesale b) utan åtskillnad indiscriminately
klumpa, *~ sig* bilda klumpar form lumps (clods)

klumpeduns clumsy lout, clodhopper; klåpare bungler
klumpig clumsy; taktlös tactless
klumpighet egenskap clumsiness etc., jfr *klumpig;* uttryck, anmärkning clumsy expression (remark)
klumpsumma lump sum
klunga grupp group; skock bunch; svärm, klase m.m. cluster
klunk gulp; mindre drop; *en ~ kaffe* a drink (liten sip) of coffee
kluns vard. **1** klump lump **2** klumpeduns clodhopper
klurig vard.: om pers. artful; fiffig ingenious
klut huvudklut kerchief; trasa rag; lapp patch; segel sail; *sätta till alla ~ar* bildl. pull out all the stops, sock it to 'em
kluven split osv., jfr *klyva;* om personlighet split, dual; bot. el. anat. cleft
klyfta 1 bergsklyfta cleft; ravin ravine; bred o. djup chasm; mellan branta klippor gorge; smal crevice **2** bildl. cleavage, breach; svalg gap äv. om generations~; gulf **3** apelsinklyfta segment; i dagligt tal piece; äggklyfta, äppelklyfta o.d. [wedge-shaped] slice; vitlöksklyfta clove
klyftig bright
klyka gren~ fork, crutch; år~ rowlock, amer. oarlock; telefon~ cradle
klyscha fras hackneyed phrase (expression)
klyva I *tr* allm. split; skära itu cut...in two (half); dela divide up; *~ vågorna* cleave (breast) the waves **II** *rfl, ~ sig* split
klyvning splitting osv., jfr *klyva*
klå 1 ge stryk thrash; vard. lick samtl. äv. besegra; *~ upp [ordentligt]* give...a [good (sound)] thrashing (beating), beat...good and proper **2** lura *~ ngn på pengar* cheat (swindle, vard. do, diddle) a p. out of some money
klåda itch; kliande itching; retning irritation
klåfingrig, *vara ~* be unable to let things alone, be always at things
klåpare bungler, botcher
klä I *tr* **1** iföra kläder dress; förse med kläder clothe; pryda attire, array **2** bekläda: invändigt line; utvändigt face; t.ex. med blommor deck; förse med överdrag cover, jfr *~ över; ~ julgranen* decorate (dress) the Christmas tree **3** passa suit; become äv. anstå; *rött ~r henne* el. *hon klär i rött* red suits her, she looks good in red **4** *få ~ skott för ngt* be made the scapegoat for a th. **II** *rfl, ~ sig* dress, dress oneself, jfr *~ på sig;* om naturen o.d. clothe oneself; *~ sig i* frack put on (bära wear)...
III med beton. part.
~ **av** undress; *~ av ngn in på bara kroppen* strip a p. [to the skin]
~ **in** med t.ex. värmeisolerande material lag
~ **om** möbler o.d. re-cover
~ **på:** *~ på* barn (docka) dress...; *~ på sig* get dressed, dress, put on one's clothes; *~ på er ordentligt!* put plenty [of clothes] on!
~ **upp** i fina kläder dress...up
~ **ut** dress...up; *~ ut sig till* cowboy dress [oneself] up as a...
~ **över** möbler o.d. cover; upholster; tekn., linda om dress
1 kläcka, *det klack till i mig* I started, it gave me a start (jump)
2 kläcka hatch; bildl. hit [up]on
kläckning hatching
klädborste clothes brush
klädd dressed osv., jfr *klä* o. *utklädd; hur ska jag vara ~?* what am I to (what shall I) wear?; *en soffa ~ i skinn* äv. a leather-covered sofa
klädedräkt, ~*[en]* isht nationaldräkt costume; klädsel dress (end. sg.)
kläder allm. clothes; vard. togs; klädsel clothing; isht hand. wear; *han äger inte ~na på kroppen* he has not got a shirt to his back
klädhängare galge [clothes] hanger; krok [coat] peg; list el. hylla med krokar rack; ställning hatstand
klädkammare clothes cupboard (amer. closet); skrubb boxroom
klädnypa clothes peg; amer. clothespin
klädsam becoming äv. bildl.
klädsel 1 påklädning dressing **2** sätt att klä sig dress; *vara noga med sin ~* be particular about one's dress, be a careful dresser **3** överdrag på möbler o.d. covering; i bil upholstery
klädskåp wardrobe; låsbart skåp i omklädningsrum locker
klädstreck clothes line
klädväg, *i ~* as regards (in the way of) clothes
kläm 1 eg. *få fingret i ~* get one's finger caught **2** kraft force; fart o.d. go **3** slut~ summing-up; kärnpunkt [main] point **4** *jag har inte ~ på...* I can't get the hang of...
klämdag working day between a holiday and a weekend (between two holidays)
klämma I *s* **1** för papper o.d. clip **2** knipa, trångmål straits, scrape; *råka (sitta) i ~* get into (be in) a mess (fix, tight corner, jam) **II** *tr* o. *itr* squeeze; om skodon pinch; *veta var skon klämmer* bildl. know where the shoe pinches; *han klämde fingret i* dörren he got his finger caught in...
III med beton. part.
~ **fast** fästa fix; med [pappers]klämma clip...[securely together]
~ **fram:** *~ fram med ngt* come out with a th.; *~ sig fram* squeeze oneself through
~ **i med** melodi strike up; hurrarop give
~ **ihjäl** squeeze...to death
~ **in** squeeze in[to]

~ **sönder** crush (squeeze) [i bitar...to pieces]
~ **till a)** eg.: förena med t.ex. tång press...together; t.ex locket press in (ned down)... **b)** vard., klå sock (give)...one **c)** bildl. go right ahead
~ **ur sig** bildl. come out with; vard. spit...out
~ **åt** bildl. clamp (crack) down on; straffa punish

klämmig om musik spirited; om pers. ...full of go (fun); modig plucky
klämta toll; ~ *i klockan* toll the bell
klänga I *itr* klättra climb äv. om växt; jfr *klättra* **II** *rfl,* ~ *sig* climb; om växt äv. creep
klängranka bildl. clinging vine
klängväxt climber; clinging vine
klänning dress
klärvoajans clairvoyance
klätterros climbing rose
klätterställning för barn climbing frame
klättra climb; med möda clamber; kravla scramble; ~ *i träd* climb trees
klösa scratch; ~ *ögonen ur ngn* scratch a p.'s eyes out
klöv [cloven] hoof (pl. äv. hooves)
klöver 1 bot. el. lantbr. clover; bot. äv. trefoil **2** kortsp., koll. (äv. ss. bud) clubs; *en* ~ a (resp. one) club, jfr *hjärter* med sms. **3** vard., koll. pengar dough, bread
knacka knock; hårt rap; lätt tap; om motor knock; på skrivmaskin tap-tap; ~ *hål på ett ägg* crack an egg; ~ *'på* knock (osv., se ovan) [at the door]
knackigt vard. *ha det* ~ be badly off [financially]
knackning knackande knocking osv., jfr *knacka; en* ~ *på dörren* a knock (resp. rap, tap) at the door
knaggla, ~ *sig fram* struggle (plod) along
knagglig om väg o.d. rough, bumpy, uneven; om t.ex. vers rugged; ~ *engelska* broken English
knaka creak; stark. crack; *golvet* ~*r* the floor creaks
knal, *det är* ~*t med födan* food is rather scarce; *det är* ~*t med hans kunskaper i engelska* his knowledge of English is not up to much
knall bang; gevärs crack; vid explosion detonation; åsk~ crash, peal; korks pop; *dö* ~ *och fall* segna ned fall down dead on the spot
1 knalla smälla bang; om åska crash; explodera detonate; om kork pop
2 knalla (ibl. *rfl*) gå långsamt trot; *det* ~*r* [*och går*] I am (he is osv.) jogging along (managing) [pretty well]
knallande smällande banging osv., jfr *1 knalla;* vid explosion detonation
knallhatt tändhatt percussion (detonating) cap
knallpulver fulminating powder
knallpulverpistol cap pistol
knallröd vivid (blazing, fiery) red; *vara alldeles* ~ *i ansiktet* be red as a beetroot
knaperstekt ...fried crisp
knapert, *ha det* ~ be hard up
1 knapp 1 allm. button, jfr *manschett-* o. *skjort|knapp; trycka på* ~*en* press the button äv. bildl. **2** knopp knob; på svärd el. sadel pommel; på mast el. flaggstång (sjö.) truck **3** bot., ståndar~ anther
2 knapp scanty; knappt tillmätt, om t.ex. ranson short, scarce; mager meagre; nätt och jämnt tillräcklig: om t.ex. utkomst bare; om t.ex. seger narrow; inskränkt reduced; kortfattad brief, jfr *knapphändig;* avmätt reserved; om rörelser sparing; ...är *i* ~*aste laget* ...barely enough (sufficient), ...rather scanty; [*en*] ~ *majoritet* a bare (narrow) majority
knappa, ~ *in* (*av*) *på* skära ned reduce, cut down, curtail
knappast se *knappt 2*
knapphål buttonhole
knapphändig meagre; kortfattad brief; om förklaring scantily worded, bald
knappnål pin; *fästa...med* ~*ar* fasten...[up (on)] with pins, pin...[on] [*vid* to]; *det var så tyst att man kunde höra en* ~ *falla* it was so quiet you could hear (have heard) a pin drop
knappnålshuvud pinhead
knappt 1 otillräckligt o.d. scantily osv., jfr *2 knapp;* snålt sparingly; fåordigt curtly; *ha det* ~ be badly (poorly) off, be in straitened circumstances; *vinna* ~ win by a narrow margin **2** knappast hardly; nätt och jämnt barely; *hon är* ~ *15 år* she is scarcely (barely, not quite) 15; *det var* ~ *att jag hann undan* I barely managed to escape
knapptelefon pushbutton telephone
knapra nibble; ~ *på* ngt nibble [at]...; hörbart munch away at..., crunch [up]...; mumsa på munch...
knaprig crisp
knark vard. dope
knarka use (take) drugs (dope)
knarkare drug (dope) addict (fiend); mera vard. junkie
knarklangare drug (dope) pusher (peddler)
knarra om t.ex. golv creak; om snö crunch
knasig vard. daft, crackers
knastra crackle; om grus o. något mellan tänderna crunch
knatte vard. little fellow (lad)
knattra rattle; om t.ex. skrivmaskin clatter
knega 1 toil **2** vard., arbeta slave away

knegare vard. nine-to-fiver
knekt 1 soldat soldier **2** kortsp. jack
knep trick; fint dodge; som man själv har nytta av knack; list stratagem; svag. device; i affärer bit of sharp practice; konstgrepp artifice; ~ *och knåp* pastime, time-killer
knepig slug o.d. artful; sinnrik ingenious; besvärlig ticklish; kvistig tricky
knip|a I *s* penning~ financial straits pl.; klämma *råka* (*vara*) *i* ~ get into (be in) a fix (tight corner, jam, mess) **II** *tr* nypa pinch; ~ *av* nip (pinch) off (itu...in two); ~ *ihop* eg. pinch...together (igen...to) **III** *itr*, *om det -er* bildl. at a pinch, if the worst comes to the worst
knippa rädisor bunch; sparris o.d. bundle; ris o.d. fag[g]ot
knippe 1 se *knippa* **2** ljus~ pencil **3** bot. cyme
knipsa, ~ *av* bort clip (snip, nip) off
knipslug knowing, astute; listig crafty, cunning
kniptång tekn. pincers, nippers
kniv knife; rak~ razor
knivhugga stab (slash)...[with a knife]
knivig knepig tricky
knivkastning bildl. altercation; polit. crossfire
knivsegg knife-edge
knivskarp ...[as] sharp as a razor; ~ *konkurrens* very close (fierce) competition
knivskära knife
knivsudd point of a (resp. the) knife; *en* ~ *salt* a pinch of salt
knocka boxn. knock out
knockout boxn. **I** *s* (förk. *KO*) knock-out (förk. KO); *teknisk* ~ technical knock-out **II** *adj*, *slå ngn* ~ knock a p. out
knog work; vard. fag; *ha ett väldigt* ~ *med att* inf. have an awful job to inf.
knoga arbeta work; med studier o.d. grind (slog) away; ~ brottas *med* en uppgift o.d. struggle with...; ~ *uppför* en backe trudge up...
knoge knuckle
knogjärn knuckle-duster; amer. brass knuckles
knop 1 knut knot **2** hastighetsmått knot
knopp 1 bot. bud **2** knapp knob; på mast el. flaggstång (sjö.) truck **3** vard., huvud nob; [*lite*] *konstig i ~en* a bit cracked
knoppas bud
1 knorr se *knot*
2 knorr curl; *ha* ~ *på svansen* have a curly tail
knorra 1 knota murmur; stark. grumble; vard. grouse **2** kurra rumble
knot knotande murmuring; stark. grumbling
1 knota murmur; stark. grumble; vard. grouse
2 knota ben bone
knott insekt gnat, black fly; koll. gnats
knottra, *skinnet ~r sig på mig* I get goose-pimples (goose-flesh)
knottrig skrovlig granular; om hud rough; om träd knotty
knubbig plump; om barn chubby; neds. podgy
knuff push; med armbågen för att väcka uppmärksamhet nudge; i sidan poke; av en vagn o.d. bump
knuffa I *tr* o. *itr* push; med axeln shoulder; med armbågen elbow, nudge; i sidan poke; ~ *ngn i sidan* vanl. poke (dig) a p. in the ribs
II med beton. part.
~ **fram**: ~ *fram ngn* bildl. push a p.; ~ *sig fram* elbow (shoulder) one's way [along]
~ **in ngn** [*i...*] push (osv., se *I* ovan) a p. in[to...]
~ **omkull** push (shove, knock)...over
~ **till** knock (bump, pers. äv.push) into
~ **undan** push ...aside (out of the way)
~ **upp** dörren
knuffas, ~ *inte!* don't push (shove)!
knull vulg. fuck, screw
knulla vulg. fuck, bang
knussel niggardliness, stinginess, cheeseparing [ways pl.]; svag. parsimony; *utan* ~ without stint
knusslig niggardly, stingy, cheese-paring
knut 1 som knytes, äv. friare knot; *knyta* (*slå*) *en* ~ make (tie) a knot [*på* in] **2** hus~ corner; vi hade fienden *inpå ~arna* ...at our very door[s] (doorstep) **3** se *knutpunkt* **4** vard., hastighetsmått kilometres per hour; *köra i hundra ~ar* km/tim do a ton
knuta anat. node; tumör tumour
knutpunkt centrum centre; järnvägs~ junction
knyck ryck jerk; svag. twitch
knycka I *itr* rycka jerk; svag. twitch; ~ *på nacken* högdraget o.d. toss one's head, bridle **II** *tr* vard., stjäla pinch, swipe, nick; idéer o.d. lift, crib
knyckla, ~ *ihop* crumple up
knyppla, ~ [*spetsar*] make lace
knyst, *inte ett* ~ ljud not the least (slightest) sound
knyta I *tr* **1** eg. tie **2** ~ *handen* (*näven*) clench one's hand (fist); hotfullt shake one's fist [*åt*, *mot* at] **3** bildl. ~ *bekantskap med ngn* make a p.'s acquaintance, strike up an acquaintance with a p.; *knuten till* attached to, connected with; parti associated with **II** *rfl*, ~ *sig* **1** om kål, sallad head, heart **2** lägga sig turn in
III med beton. part.
~ **an** se *anknyta II*
~ **fast** tie, fasten
~ **igen** tie up

~ **ihop** två föremål tie (knot)...together; säck o.d. tie up
~ **om...om[kring]** tie...round
~ **samman** eg. tie...together
~ **till** säck o.d. tie up; hårt tie...tight
~ **upp** a) lossa untie; knut, knyte o.d. äv. undo; öppna t.ex. säck open b) fästa upp tie up
~ **åt** hårt tie...tight
knyte bundle
knytkalas ung. Dutch treat
knytnäve clenched fist
knytnävsslag punch
knåda knead äv. massera
knåpa pyssla potter about; knoga plod (peg) away; ~ *ihop* ett brev patch (put) together [some sort of]...
knä 1 eg. knee äv. på byxben o. strumpa; sköte lap **2** krök elbow äv. tekn.; bend
knäbyxor short trousers; till folkdräkt o.d [knee-]breeches
knäböja bend (bow) the knee; isht relig. genuflect
knäck 1 *det tog* (*höll på att ta*) *~en på mig* it nearly killed me **2** karamell toffee; amer. vanl. taffy **3** bisyssla job on the side
knäck|a I *tr* **1** eg.: spräcka o.d. crack; bryta av break; hastigt tvärs över snap; ~ *en flaska vin* vard. crack a bottle of wine **2** bildl.: pers. break; hälsa shatter; problemet *-te mig* ...floored me **II** *itr*, ~ *extra* vard. moonlight, have a job on the side
knäckebröd crispbread; amer. äv. ryecrisp
knähund lapdog
knähöjd, *i* ~ at knee-height
knäkort knee-length
1 knäpp 1 ljud click; smäll snap; av sträng twang; tickande tick; finger~ flick, flip; *inte ett* (*minsta*) ~ not a (the least little) sound **2** köld~ [cold] spell
2 knäpp vard. nuts
1 knäpp|a smälla m.m. **I** *tr* **1** foto. snap **2** skjuta: djur pot; person, sl. bump...off **3** ~ *nötter* crack nuts **II** *itr*, *det -er i* elementet there's a clicking (ticking) sound in...; ~ *på* sträng pluck; gitarr o.d. twang
2 knäppa 1 med knapp button [up]; med spänne buckle **2** ~ [*ihop*] *händerna* clasp (fold) one's hands **3** ~ *av* (*på*) t.ex. ljuset, radion switch off (on)
knäppe enklare clasp; låsbart catch
knäppinstrument mus. plucked string instrument
knäppning med knapp[ar] buttoning; klänning *med* ~ *bak* ...that buttons down (up at) the back
knäreflex med. knee-jerk
knäskål kneecap; vetensk. patell|a (pl. äv. -ae) lat.
knästrumpa knee[-length] stocking
knästående kneeling
knöl 1 ojämnhet bump; upphöjning o.d. boss, knot; mindre nodule; utväxt protuberance, wen; kyl~ chilblain; gikt~ o.d. node; svulst tumour; på träd knob; begonia~, potatis~ o.d. tuber **2** vard. bastard; svag. swine; isht amer. son-of-a-bitch (pl. sons-of-bitches)
knöla, ~ *ihop* crumple up; ~ *till* batter
knölig ojämn o.d.: om t.ex. väg bumpy; om madrass o.d. lumpy; om t.ex. finger knobbly, knotty, gnarled; med. nodular; bot. tuberous
knölpåk käpp knobbly stick; vapen cudgel
knös, *en rik* ~ a rich fellow, a plutocrat
KO förk., se *konsumentsombudsman*
ko cow; *det är ingen* ~ *på isen* there's no cause to panic
K.O. boxn. (förk. för *knockout*) KO
koagulera med. coagulate
koalition coalition
kobbe skär islet [rock]
kobent knock-kneed
koboltblå cobalt-blue...
kobra zool. cobra
kock cook; *ju flera ~ar dess sämre soppa* too many cooks spoil the broth
kod code; *knäcka en* ~ break a code
kodifiera codify, code
koffein caffeine
koffeinfri caffeine-free
koffert trunk; bagageutrymme på bil boot; amer. trunk
kofonist *s* maneller
kofot bräckjärn crowbar; isht inbrottsverktyg jemmy; amer. jimmy
kofta stickad cardigan; grövre jacket
kofångare på bil bumper; järnv. cowcatcher
koger till pilar quiver
kohandel polit. [*en*] ~ [a bit of] horse-trading (log-rolling)
koj sjö.: häng~ hammock; fast se *kojplats; gå* (*krypa*) *till ~s* turn in
koja cabin, hut; usel hovel; barnspr. little house
kojplats sjö. bunk
kok 1 *ett* ~ potatis a potful of... **2** *ett* [*ordentligt*] ~ *stryk* a [good] hiding (thrashing)
1 koka jord~ clod
2 koka I *tr* [ngt i] vätska boil; i kort spad stew; laga [till] (t.ex. kaffe o.d., soppa, gröt, äv. karameller, lim m.m.) make; ~ *köttet mört* boil the meat until tender **II** *itr* allm. boil; sjuda simmer
III med beton. part.
~ **av** decoct
~ **bort** itr. boil away
~ **ihop** boil down; bildl., t.ex. en historia concoct, make (cook) up
~ **in** tr., frukt preserve; i glasburk bottle

~ **upp** a) itr. come to the boil b) tr. bring...to the boil
~ **över** boil over äv. bildl.
kokain cocaine; vard. coke
kokbok cookery book; isht amer. cookbook
kokerska [female (woman)] cook
kokett I *adj* coquettish; tillgjord affected **II** *s* coquette
kokhet boiling (piping, steaming) hot
kokhöns boiling fowl, boiler
kokkonst cookery
kokkärl cooking utensil; mil. messtin
kokmalen, *kokmalet kaffe* coarse-grind coffee
kokos coconut
kokosboll kok., ung. snowball
kokosfett coconut butter (oil)
kokosflingor koll. desiccated (shredded) coconut
kokosnöt coconut
kokospalm coconut palm, coco palm
kokplatta hot plate
kokpunkt, *på ~en* at the boiling point äv. bildl.; *nå ~en* reach boiling point äv. bildl.
koks coke
koksalt common salt
koksaltlösning salt-solution
kokvrå kitchenette
kol 1 bränsle: sten~ coal äv. koll.; trä~ charcoal; *ett ~* ~stycke a coal, a piece (lump) of coal (resp. charcoal); *utbrända ~* cinders **2** rit~ drawing charcoal **3** kem. carbon
1 kola hård toffee; mjuk caramel
2 kola, *~ [av]* el. *~ vippen* vard., dö kick the bucket
kolasås kok. caramel sauce
kolbrikett coal briquet[te]
kolbrytning coalmining
koldioxid kem. carbon dioxide
kolera med. [Asiatic] cholera
kolerisk choleric, irascible
kolesterol kem. cholesterol
kolfyndighet coal deposit
kolgruva coalmine; stor colliery
kolgruvearbetare collier, pitman
kolhydrat carbohydrate
kolibri zool. humming-bird, colibri
kolik med. colic
kolja haddock
koll vard. *göra en extra ~ på...* check...specially, double-check...
kolla vard. check; sl., titta look; *~ [in] läget* check up on things (the situation), see how things are going; *~ upp ngt* check a th.
kollaboratör collaborator
kollaborera collaborate
kollage konst. collage
kollaps collapse
kollapsa collapse
kolleg|a yrkesbroder colleague; *mina -er* på kontoret my fellow workers; ministern mötte *sin franske ~* ...his French counterpart (opposite number)
kollegieblock note pad (block)
kollegium 1 lärarkår [teaching] staff **2** sammanträde staff (teachers') meeting
kollekt collection; *ta upp ~* make a collection
kollekthåv collection bag
kollektion collection äv. hand.
kollektiv collective
kollektivanslutning polit. collective affiliation
kollektivanställd, *vara ~* be employed under a collective agreement
kollektivavtal collective agreement
kollektivfil bus lane, busway
kollektivtrafik public transport
kolli package
kollidera collide; bildl. clash
kollision collision; bildl. vanl. clash
kollisionskurs sjö. collision course; *vara på ~* be on a collision course; bildl. äv. be heading for a collision
kollra, *~ bort ngn* förvrida huvudet på ngn turn a p.'s head, jfr *bortkollrad*
kolmörk pitch-dark
kolna förkolna get charred; elden *har ~t* ...has turned to embers
kolon skiljetecken colon
koloni allm. colony, jfr *barnkoloni*
kolonialmakt colonial power
kolonialvaror colonial products (produce sg.)
kolonilott allotment
kolonisera colonize
kolonistuga allotment-garden cottage
kolonn byggn. el. mil. el. tekn. column
koloradoskalbagge Colorado beetle
kolorera eg. colour; *den ~de veckopressen* neds. [the] cheap popular weekly magazines pl., pulp magazines pl.
koloss coloss|us (pl. äv. -i); *en ~ på lerfötter* a colossus (an image) with feet of clay
kolossal colossal; häpnadsväckande stupendous
koloxid kem. carbon monoxide
koloxidförgiftning carbon monoxide poisoning
kolsvart pitch-dark; om t.ex. hål coal-black
kolsyra 1 syra carbonic acid **2** gas carbon dioxide
kolsyrad källa o.d. carbonated; *kolsyrat vatten* aerated (isht amer. carbonated) water
kolsyresnö carbon dioxide snow
koltablett charcoal tablet
koltrast zool. blackbird
kolugn ...[as] cool as a cucumber, completely calm (unruffled)

kolumn column (förk. col.)
kolv 1 i motor o.d piston; i tryckpump plunger **2** löd~ copper bit **3** på gevär butt **4** i lås bolt **5** kem., av glas flask **6** bot., blom~ spadix (pl. spadices)
koma med. coma; *ligga i ~* be in a coma
kombi bil estate car; isht amer. station wagon
kombination combination äv. till lås; *i ~ med* äv. combined with
kombinera combine
komedi 1 lustspel comedy **2** förställning shamming
komet comet äv. bildl.
kometkarriär, *göra ~* have a meteoric career
kometsvans comet's tail
komfort comfort
komfortabel comfortable
komik något komiskt comedy; komisk verkan comical effect; komisk konst comic art
komiker comedian; skådespelare comic actor
komisk komedi-, rolig comic; skrattretande comical, ridiculous
1 komma skiljetecken comma; i decimalbråk point
2 komm|a I *tr* föranleda o.d. ~ ngn *att* +inf. a) vanl. make... ren inf. b) förmå induce (lead)...to inf.
II *itr* **1** allm., spec. till den talandes verkliga el. tänkta uppehållsort come; till annan plats än den talandes upphållsort, el. i prep.-uttr. angivande situation o.d., råka komma get; infinna sig appear; vard. turn up; han (tåget) *kom klockan 9* ...arrived (came [here], dit got there) at 9 o'clock; *jag -er inte* (*tänker inte ~*) på festen I'm not going [to go], I shan't be there; *~ springande* (*cyklande* osv.) come running (cycling osv.) along; *~ av* bero på be due to; *han kom efter* efterträdde... he came after (succeeded)...; *~ från* en fin familj come of...; *~ i beröring med* get into contact (touch) with; *~ i jorden* a) begravas be buried b) om frö, växt be put into the soil; *~ i tid* be (hit come, dit get there) in time; *varifrån -er du?* where do (plötsligt eller närmast have) you come from?; *vad har du att ~ med?* säga what have you got to say (erbjuda offer, visa show, föreslå suggest)?; det är ingenting *att ~ med!* visa upp ...to make a show of!; *jag -er kanske till* London inom kort I may be coming (reser be going) [over] to...; *~ till* uppgörelse come to; beslut o. avgörande äv. el. t.ex. insikt, resultat, slutsats arrive at **2** *~ på* uppgå till: *det kom* [*allt som allt*] *på* 500 kr it came to... **3** *~ till* innebära tillägg: *till detta -er, att han är* en bra föreläsare in addition to this he is...; se vid. *~ till* under *IV* ned. **4** vard., få orgasm come **5** *~ att* inf. **a)** uttr. framtid *-er att* inf.: i första pers. will (shall) inf.; i övriga pers. will inf.; *-er du* (*ni*) *att* inf.*?* äv. are you going to inf.?; jfr äv. *1 skola* **b)** småningom come to inf.; råka happen to inf.; *hur kom du att* tänka på det, lära dig svenska, förälska dig i henne*?* how did you come (resp. happen) to...?
III *rfl, ~ sig av* bero på come from, be due (owing) to
IV med beton. part.
~ an: *kom an!* come on!
~ av se *stiga* [*av*]; *~ av sig* stop [short], get stuck; tappa tråden lose the thread
~ bort avlägsna sig get away; gå förlorad get (be) lost; försvinna disappear; om brev äv. miscarry; *han kom bort från henne i trängseln* he lost her in the crowd
~ efter bakom come (gå go resp. walk) behind; följa [efter] follow; ~ senare come afterwards; bli efter get (fall) behind
~ emellan bildl. intervene
~ emot a) möta come (dit go) towards (to meet) b) stöta emot go (snabbare run, häftigare knock) against (into)..., jfr [*stöta*] *emot*
~ fram a) stiga fram: hit come (dit go) up (långsamt along); ur gömställe, led o.d. come out, emerge **b)** ~ vidare get on (igenom through, förbi past); på telefon get through **c)** hinna (nå) fram: dit get there; hit get here; anlända arrive; om brev äv. come to hand; bildl. *vi har -it fram till* följande siffror we have arrived at...; *vi kom fram till* fann *att...* we came to the conclusion that...
d) framträda come out; ~ till rätta turn up
e) bli bekant come out **f)** lyckas *~* [*sig*] *fram* get on
~ framåt advance, go forward båda äv. bildl.
~ för a) *det kom för mig* att... it struck (occurred to) me... **b)** *~ sig för med att* inf. bring (induce) oneself to inf.; besluta sig make up one's mind to inf.
~ förbi eg. pass; ~ fram get past; ~ undan get past (round)
~ före eg. get there (hit here) before (ahead of); i tid, i rang come before (precede); vid tävling get ahead (in front) of
~ ifrån a) med obj.: ~ bort ifrån get away from; bli kvitt o.d get rid of; *~ ifrån varandra* get separated; bildl. äv. drift apart **b)** utan obj. get away; bli ledig get off
~ igen återkomma; ännu än gång come again; *kom igen!* kom an come on!
~ igenom eg. come (resp. get) through; t.ex. en svårläst bok get (plough) through; t.ex. sjukdom get (go, come) through [...successfully]
~ ihop sig fall out
~ ihåg se *ihåg*
~ in (jfr *inkommande*) allm. come in äv. om

t.ex. tåg, pengar, varor; om pengar be received; inträda äv. enter; lyckas ~ in get in; ~ inomhus come (resp. get) indoors; ~ *in i* a) rummet, butiken come (resp. get, kliva walk, step) into, enter b) skola be admitted to c) tidningen (om artikel o.d.) be inserted (appear) in; ~ *in på* a) sjukhus o.d. be admitted to b) samtalsämne get (apropå drift) on to; ~ *in vid* t.ex. posten, filmen be (vard. get) taken on in

~ **i väg** get off (away, started)

~ **loss** a) om sak come off b) om pers.: eg. get away (ut out); bildl. get away

~ **med a)** göra sällskap come (dit go) along, come (dit go) with me (him osv.); ~ *med ngn* come (sluta sig till join) a p. **b)** deltaga join in; *-er du med [oss] på* en promenad? are you coming with us for... **c)** hinna med tåg (båt) catch...

~ **ned (ner)** come down; klättra ned äv. go down; lyckas ~ ned o.d. get down; ~ *ned på fötterna* alight (bildl. fall) on one's feet

~ **omkring:** *när allt -er omkring* after all; when all is said and done

~ **på a)** stiga på get (resp. come) on; se vid. *stiga [på]* **b)** erinra sig think of; *jag kan inte ~ på* namnet äv. ...escapes me **c)** upptäcka find out **d)** hitta på think of, hit [up]on; *han kom på* en bra idé ...struck him; jfr vid. *idé* ex.

~ **till a)** tilläggas be added; *dessutom -er* moms *till* in addition there will be... **b)** uppstå arise, come about; ~ till stånd: om institution o.d. come into existence; om t.ex. dikt be written (om tavla made, om musik composed); grundas be established; födas be born

~ **tillbaka** return äv. bildl.; come (go resp. get) back, jfr *återkomma*

~ **undan** itr.: undkomma get off, escape

~ **upp** allm. come up; dit upp go up; ta sig (stiga) upp o.d. get up; om himlakropp vanl. rise; om växt come up, shoot [up]; om idé arise; om fråga come (be brought) up; ~ *sig upp* make one's way, get on

~ **ur** ngt get out of...

~ **ut a)** eg. come (dit go; lyckas ~ get) out; ur gömställe o.d. emerge; *så snart vi [hade] -it ut* på gatan, till sjöss, ur svårigheterna äv. as soon as we were out... **b)** om bok o.d. come out; om förordning o.d. be issued, jfr *utkommen* **c)** om rykte o.d. get about (abroad); om hemlighet äv. be revealed

~ **åt a)** få tag i get hold of; nå reach **b)** komma till livs, få fast o.d. get at; skada äv. do a bad turn to **c)** sätta åt jag vet inte *vad som kom åt honom* ...what came over (possessed, got into) him **d)** röra vid touch **e)** få tillfälle get a chance (an opportunity)

~ **över a)** eg. come (dit go, lyckas ~ get) over (tvärs över t.ex. flod across); flod o.d. äv. cross; *jag -er över* på besök *senare!* I'll come round later on! **b)** friare come over (round) **c)** få tag i get hold of; hitta find; till billigt pris pick up **d)** bemäktiga sig ngn, om känsla, raseri come over; drabba ngn come upon **e)** övervinna get over

kommande allm. coming; framtida, t.ex. tid utveckling future; nästkommande next

kommando command; *föra ~ över* be in command of, command; *ta ~t över* kommandot take command of; ansvaret take charge of

kommandobrygga sjö. [captain's] bridge

kommatera put [the] commas in; förse med skiljetecken i allm. punctuate

kommendant commandant

kommendera command; ~ *ngn* i befallande ton äv. order (vard. boss) a p. about; *bli ~d till...* receive orders for [service in]...; jfr f.ö. *befalla*

kommendering förordnande appointment; *få en ~ till...* receive orders for [service in]...

kommentar 1 allm. ~*[er]* skriftlig[a] notes pl., annotations pl.; muntlig[a] comment[s pl.] [*till* i samtl. fall on]; *inga ~er!* no comment! **2** utläggning, tolkning commentary

kommentator commentator

kommentera comment on; förse med noter annotate

kommers, *det var livlig ~* på torget there was a brisk trade...; *sköta ~en* run the business

kommersialisering commercialization

kommersiell commercial

kommissarie 1 utställningskommissarie o.d. commissioner **2** poliskommissarie superintendent; lägre inspector; amer. captain; lägre lieutenant

kommitté committee; *sitta i (tillsätta) en ~* be on (appoint) a committee

kommun ss. administrativ enhet: stadskommun municipality; landskommun rural district; myndigheterna local authority

kommunal local government attr.; ~ *dagmamma* childminder [employed by the local authorities]; ~ *vuxenutbildning* adult education [administered by local authorities]

kommunalarbetare local government (municipal) worker

kommunalnämnd ung. local government committee (board)

kommunalskatt koll. ung. local taxes

kommunalval local government (municipal) election

kommunfullmäktig pers., ung. [local government] councillor; ~*e* beslutande församling local [government] council, municipal council

kommunicera communicate

kommunikation communication

kommunikationsdepartement ministry of

transport and communications; *~et* i Engl. the Ministry of Transport
kommunikationsmedel means (pl. lika) of communication; *allmänna ~* public services
kommunikationsminister minister of transport and communications; i Engl. Minister of Transport
kommuniké communiqué fr.; bulletin
kommunism, ~[*en*] Communism
kommunist Communist; neds. Commie
kommunistisk Communist
kommunstyrelse municipal (i vissa städer city) executive board
komocka kospillning cowpat
kompa vard., ackompanjera comp
kompakt compact
kompani mil. el. hand. company
kompanichef mil. company commander
kompanjon partner; *bli ~er* vanl. go into partnership [with each other]
kompanjonskap partnership
kompass compass; navigera *efter ~* ...by [the aid of] the compass
kompassnål compass needle
kompassros compass card
kompensation compensation; *som ~ för* in (by way of) compensation for
kompensationsledig se *kompledig*
kompensera compensate; uppväga compensate [for]
kompetens allm. competence; kvalifikationer qualifications; jfr *behörighet*
kompetent competent
kompis vard. pal
kompledig vard. *vara ~* be on compensatory leave
komplement complement; *vara* (*utgöra*) *ett ~ till* äv. be complementary to
komplett I *adj* complete; *han är en ~ idiot* äv. he is a downright fool (a blithering idiot) **II** *adv* alldeles completely
komplettera I *tr* complete; *~ varandra* complement each other **II** *itr, ~ i engelska* take (läsa prepare for) a supplementary examination in English
komplex I *s* **1** abstr.: psykol. complex; friare set **2** konkr.: hus o.d. complex **II** *adj* complex äv. matem.; komplicerad complicated
komplicera complicate
komplikation complication
komplimang compliment; *säga* (*ge*) *en ~* pay a compliment
komplott plot
komponent component
komponera mus. el. litt. compose; sammanställa, t.ex. matsedel o.d. put together
komposition composition äv. mus.
kompositör mus. composer
kompost trädg. compost
kompott kok. compote; fruktkompott stewed fruit; *en blandad ~* bildl. a mixed bag, a hotchpotch
kompress med. compress
kompressor compressor
komprimera compress
kompromettera compromise; *~nde* compromising
kompromiss compromise
kompromissa compromise
komvux (förk. för *kommunal vuxenutbildning*) se under *kommunal*
kon cone
koncentrat concentrate äv. kem. el. tekn.; *i ~* in a concentrated form
koncentration concentration; *en stark* (*stor*) *~* a high degree of concentration
koncentrationsförmåga power of concentration
koncentrationsläger concentration camp
koncentrera concentrate; *~ sig på ngt* äv. focus (centre) one's attention on a th.
koncept 1 utkast [rough] draft; *tappa ~erna* förlora fattningen lose one's head **2** begrepp, idé concept
koncern combine
koncis concise
kondensator condenser; elektr. äv. capacitor
kondensera condense
1 kondis vard., se *konditori*
2 kondis vard., se *kondition*
kondition kroppskondition condition; *jag har dålig ~* I'm in bad shape (not fit, out of condition, out of training)
konditionstest fitness test
konditor pastrycook, confectioner
konditori med servering café; i Engl. ofta teashop, tea room; butik utan servering baker's, cake shop
konditorivaror cakes and pastries
kondoleans condolence[s pl.]
kondoleansbrev letter of condolence
kondolera, *~ ngn* condole el. sympathize (express one's condolence[s] el. sympathy) with a p. [*med anledning av* on]
kondom sheath; vard. French letter; amer. rubber
konduktör buss~ conductor; järnvägs~ guard; amer. conductor; *kvinnlig ~* conductress; vard. clippie
konfekt choklad~ [assorted] chocolates; karameller o.d. sweets; amer. candy; blandad chocolates and sweets; *han blev lurad* (*blåst*) *på ~en* he was done out of it
konfektion kläder ready-made (isht amer. ready-to-wear) clothing (garments pl.)
konferencié o. **konferencier** compère; isht amer. master of ceremonies (förk. MC)
konferens conference; sammanträde meeting
konferera confer

konfetti koll. confetti
konfidentiell confidential
konfirmand confirmand
konfirmation kyrkl. el. hand. confirmation
konfirmera kyrkl. el. hand. confirm
konfiskera confiscate
konfiskering confiscation
konflikt conflict äv. psykol.; strid clash; tvist dispute; arbets~ labour (industrial) dispute; *komma i ~ med lagen* come into conflict with the law
konfliktvarsel fackspr. strike (lockout lockout) notice
konformism conformism
konfrontation confrontation; för att identifiera en misstänkt identification parade, isht amer. line-up
konfrontera confront, bring...face to face
konfundera confuse
konfys confused, perplexed
kongress conference; större el. hist. congress; *~en* i USA [the] Congress
kongressdeltagare member of a (resp. the) conference; större el. hist. member of a (resp. the) congress
kongruens likformighet congruity; matem. congruence; språkv. concord
konisk konformig conical; matem., t.ex. sektion conic
konjak brandy; isht äkta cognac
konjaksglas o. **konjakskupa** cognac (balloon) glass
konjunktion conjunction
konjunktur konjunkturläge state of the market; konjunkturutsikter trade outlook; *~er* konjunkturförhållanden trade conditions; *goda ~er* a boom, times of prosperity äv. friare
konjunkturkänslig ...sensitive to economic fluctuations
konjunkturutveckling business (economic) trend (developments pl.)
konkav optik. el. geom. concave
konkret concrete; *ett ~ förslag* äv. a tangible proposal
konkretisera make...concrete
konkurrens competition; *fri ~* open competition, freedom of competition; *ta upp ~en med...* enter into competition with...
konkurrensbefrämjande I *adj* ...promoting competition **II** *adv, verka ~* have the effect of promoting competition
konkurrenskraftig competitive
konkurrent competitor
konkurrera compete; *~nde firmor* competing (rival) firms
konkurs (förk. *kk*) bankruptcy; *försätta ngn i ~* declare (adjudge) a p. bankrupt
konkursbo bankrupt's (bankruptcy) estate
konkursförvaltare [official] receiver; mindre officiellt trustee
konkursmässig ung. insolvent; *vara ~* be on the verge of bankruptcy
konnässör connoisseur
konsekvens överensstämmelse consistency; [på]följd consequence; *det finns ingen ~ i hans handlingssätt* äv. there is no sense (logik logic) in his actions
konsekvent I *adj* consistent **II** *adv* consistently; genomgående throughout; *handla ~* act consistently (in a consistent manner)
konselj cabinet meeting; *~en* statsrådsmedlemmarna the Cabinet
konsert 1 concert; av solist recital **2** musikstycke concert|o (pl. -os el. -i)
konserthus concert hall
konsertmästare leader [of an (resp. the) orchestra]; amer. concertmaster
konserv, *~er* tinned (isht amer. canned) goods (food sg.)
konservatism conservatism
konservativ conservative; *de ~a* subst. adj., polit. the Conservatives
konservatorium academy of music, conservatoire fr.
konservburk tin; isht amer. can; av glas preserving jar
konservera bevara preserve äv. kok.; restaurera restore
konservering preservation; restaurering restoration
konserveringsmedel preservative
konservöppnare tin-opener; isht amer. can-opener
konsistens consistency; *anta fast ~* stelna set; hårdna harden, solidify
konsistensgivare förtjockningsmedel thickener, thickening agent; stabiliseringsmedel stabilizer
konsonant consonant
konsortium syndicate, consortium
konspiration conspiracy, plot
konspiratör conspirator
konspirera conspire
konst 1 konstnärlig o. teknisk förmåga art; skicklighet skill; kunnande science; (koll.) konstverk [works pl. of] art; *~en att* inf. the art of ing-form; förmågan the ability to inf.; *de sköna ~erna* the [fine] arts; *det är (var) ingen ~!* that's easy [enough]!; *han kan ~en att* inf. he knows how to inf. **2** *~er* konststycken, trick tricks, dodges **3** *hon har alltid så mycket ~er för sig* ung. she is always so difficult (awkward)
konstant I *adj* constant äv. fys.; oföränderlig invariable; beständig perpetual **II** *s* matem. el. fys. constant
konstatera mera eg.: fastställa establish; bekräfta certify; verify; iakttaga notice,

observe; lägga märke till note; bevittna see; utröna find [out]; [på]visa show; förvissa sig om ascertain; friare: (i yttrande) fastslå state; hävda declare; påpeka point out; framhålla call attention to; *jag bara ~r faktum (fakta)* I am merely stating a [simple] fact (the facts); *han ~de* slog fast *att...* he made the point that...

konstaterande establishing osv., jfr *konstatera;* establishment, verification, ascertainment; påstående statement; upptäckt finding

konstbevattna irrigate [artificially]

konstbevattning [artificial] irrigation

konstellation constellation äv. astron.

konsternerad, *bli ~* be taken aback, be dismayed, be nonplussed

konstfackskola school of arts and crafts (arts, crafts and design); *Konstfackskolan* i Stockholm College of Arts, Crafts and Design

konstfiber synthetic (artificial, man-made) fibre

konstflygning stunt (trick) flying, aerobatics

konstfull artistic

konstföremål object of art (pl. objets d'art) fr.

konstgalleri art gallery

konstgjord artificial; *~ befruktning* av människor o. djur artificial insemination; av växter artificial fertilization

konstgrepp [yrkes]knep trick [of the trade]; list [crafty] device, artifice

konstgödsel artificial manure, [artificial] fertilizer

konsthandel 1 försäljningslokal art [dealer's] shop; större art gallery **2** abstr. art trade

konsthandlare art dealer

konsthantverk [art] handicraft; arts and crafts; föremål (koll.) art wares, handicraft products

konsthistoria [the] history of art

konstig underlig odd; vard. funny; bisarr eccentric; invecklad intricate; svår difficult

konstighet oddity, strangeness; *~er* egendomliga drag oddities, strange features

konstindustri art industry, industry of applied arts

konstintresserad ...interested in art

konstis artificial ice

konstituera 1 utgöra, grunda constitute **2** utnämna tillfälligt appoint...temporarily (ad interim)

konstitution constitution

konstitutionell constitutional

konstkritiker art critic

konstkännare judge of art

konstlad affekterad affected; låtsad assumed; tvungen forced; onaturlig laboured; artificiell artificial

konstläder artificial (imitation) leather, leatherette

konstmuseum art museum

konstnär allm. artist; *han är en verklig ~ på sitt område* he is a master of his craft

konstnärlig artistic; *~ ledare* art director

konstnärskap 1 konstnärlighet artistry **2** *~et* (att vara konstnär) förpliktar [the fact of] being an artist...

konstnärskrets, *i ~ar* in artists' circles

konstpaus rhetorical pause, telling pause

konstra 1 krångla be awkward; *~ med* tamper (fiddle, meddle) with **2** göra invecklad ~ *till saker* complicate matters, make a big business out of things

konstruera allm. construct äv. geom.; språkv. construe

konstruktion construction; design; påhitt device; uppfinning invention; *den bärande ~en* the supporting structure

konstruktiv constructive; om pers. positive, constructive-minded; *~ kritik* constructive criticism

konstruktör constructor

konstsamlare art collector, collector of works of art

konstsamling art collection; offentlig art gallery

konstsiden o. **konstsilke** rayon

konstsim synchronized swimming, vard. synchro

konstskola 1 art school **2** konstriktning school [of art]

konststycke trick; kraftprov tour de force (pl. tours de force) fr.; *de lyckades med [det] ~t att leva på* hans lilla lön they managed to live on... - no mean achievement

konstutställning art exhibition

konstverk work of art (pl. works of art)

konstvetenskap history of art

konståkning figure skating

konstälskare art lover (pl. -i), votary of art

konsul consul äv. hist.

konsulat consulate äv. hist., befattning

konsult consultant; statsråd ung. minister without portfolio

konsultation consultation

konsultativ consultative; *~t statsråd* ung. minister without portfolio

konsultbyrå consulting agency

konsultera consult; *~ en läkare* consult (friare see) a doctor

konsum butik el. förening co-op

konsumaffär o. **konsumbutik** co-operative shop (store)

konsument consumer

konsumentombudsman, *~nen* (förk. *KO*) the [Swedish] Consumer Ombudsman

konsumentupplysning consumer guidance

Konsumentverket the [Swedish] National Board for Consumer Policies

konsumera consume
konsumtion consumption
konsumtionssamhälle consumer society
kontakt 1 beröring contact äv. pers.; exposure; *bra (goda) ~er* förbindelser useful contacts; *få (ta, komma i) ~ med* get into contact (touch) with, contact; *hålla ~en (vara* el. *stå i ~) med* keep (be) in touch with **2** elektr. contact; strömbrytare switch; stickpropp [connecting] plug; vägguttag point; amer. outlet, wall socket
kontakta contact
kontaktannons personal advertisement (vard. ad); *~erna* the personal column; vard. the lonely-hearts column (båda sg.)
kontaktlim impact adhesive
kontaktlins contact lens; *hårda (mjuka) ~er* hard (soft) [plastic] contact lenses
kontaktman contact [man]
kontaktperson contact
kontaktsvårigheter contact problems, difficulty sg. in making contacts [with people]
kontant I *adj* **1** cash; *~ arbetsmarknadsstöd* cash unemployment allowance; *mot ~ betalning* for cash, for ready money **2** vard. *vara ~* be on good terms **II** *adv,* köpa (sälja) *~* ...for cash, ...for ready money
kontanter ready money; *i ~* äv. cash in hand
kontantinsats vid avbetalning el. t.ex. husköp down payment; bidrag cash contribution (i företag o.d. investment)
kontantköp cash purchase
kontantpris cash price
kontemplativ contemplative
kontenta, *~n av...* the gist (substance, sum-total) of...
kontext context
kontinent continent; *[den europeiska] ~en* the Continent [of Europe]
kontinental continental
kontinuerlig continuous
konto account; amer. äv. charge account; löpande räkning current account; *skaffa sig ~ hos* open (establish) an account with
kontoinnehavare holder of an (resp. the) account
kontokort account (credit) card
kontokund credit (charge) customer
kontonummer account number
kontor office; *vara (sitta) på ~et* be in (at) the office
kontorisering, *~ av* lägenheter conversion of...into offices
kontorist clerk; *hon (han) är ~* vanl. she (he) works in an office
kontorsarbete office (clerical) work
kontorslandskap open-plan office
kontorslokal, *~[er]* office premises pl.
kontorsmateriel office supplies, stationery
kontorspersonal office (clerical) staff
kontorstid office (business) hours
kontorsvana, *ha ~* be accustomed to office routine (work)
kontoutdrag statement of account
1 kontra versus lat.
2 kontra 1 sport. make a breakaway; boxn. counter **2** replikera counter
kontrabas mus. contrabass; basfiol vanl. double bass
kontrakt avtal o.d. contract äv. kortsp.; högtidl. covenant; överenskommelse agreement; hyreskontrakt lease; *ingå ett ~ med ngn om ngt (om att* inf.) enter into (make) a contract with a p. about a th. (to inf. el. about ing-form); *bryta (uppsäga) ett ~* break (give notice of termination of) a contract
kontraktera, *~* [*om*] ngt contract for...
kontraktsbrott breach of contract
kontraktsprost kyrkl.: i stan dean; på landsbygden rural dean
kontrarevolution counter-revolution
kontraspionage counterespionage
kontrast contrast; *stå i skarp (bjärt) ~ mot (till)* form a sharp (glaring) contrast to, be in sharp (glaring) contrast to
kontrastera contrast
kontrastmedel med. contrast medium
kontring 1 sport. breakaway; boxn. counter; *på ~* on the break **2** replik retort
kontroll 1 övervakning o.d.: **a)** övervakande åtgärd check; *göra (ta) en ~* make a check **b)** tillsyn, övervakande control **2** [full] behärskning control, command; ha ngt *under ~* ...under control; friare äv. ...well in hand **3** konkr.: **a)** kontrollställe checkpoint, control [station] **b)** kontrollanordning control
kontrollampa pilot (warning) lamp
kontrollant supervisor; controller äv. sport.
kontrollbesiktning av fordon vehicle test (abstr. testing); motsv. i England av MOT (förk. för Ministry of Transport) test
kontrollera 1 granska check [up on]; pröva test; övervaka supervise; inspektera inspect **2** behärska control
kontrollmärke check [mark]
kontrollräkna addering o.d. recount and check off
kontrollstation control station, checkpoint
kontrollstämpel på silver o.d. hallmark; på varor inspection stamp; på dokument control stamp
kontrolltorn flyg. control tower
kontrolluppgift till skattemyndighet statement of income
kontrollör controller
kontroversiell controversial
kontur outline

konung king; *vara ~ över* t.ex. ett stort rike be king of (t.ex. ett fritt folk over); jfr *kung*
konvalescens convalescence
konvalescent convalescent [patient]; *vara ~ efter* en sjukdom be recovering from...
konvalje bot. lily of the valley (pl. lilies of the valley)
konvenans propriety, convention; *~en* proprieties pl., convention, the conventions pl.; *bryta mot ~en* commit a breach of etiquette
konvent sammankomst convention
konvention överenskommelse o. bruk convention
konventionell conventional; *~a former* äv. conventionalities; *~a vapen* conventional weapons (weaponry sg.); *vara ~* äv. stand on ceremony
konversation conversation
konversera converse
konvertera I *tr* förvandla convert **II** *itr* relig. be converted
konvertering conversion
konvex optik. el. geom. convex
konvoj convoy; *segla i ~* sail in convoy
konvolut ngt åld., kuvert envelope, cover; med handlingar wrapper
konvulsion med. convulsion
kooperation, ~[*en*] co-operation
kooperativ co-operative; *Kooperativa förbundet* the [Swedish] Cooperative Wholesale Society
koordination co-ordination
koordinera isht vetensk. el. tekn. co-ordinate
kopia copy äv bildl.; genomslagskopia [carbon] copy; foto. vanl. print; av konstverk o.d. replica; imitation imitation; *ta* [*en*] *~ av...* copy..., make a copy (print osv.) of...
kopiator se *kopieringsapparat*
kopiera copy; foto. vanl. print
kopieringsapparat photocopier
kopiös copious, overwhelming
kopp cup; *en ~ te* a cup of tea
koppar copper; kopparslantar coppers; kastrull *av ~* äv. copper...
kopparfärgad copper-coloured
kopparkittel copper pan (osv., jfr *kittel*)
kopparmalm copper ore
kopparorm blindworm
kopparröd copper-coloured; *kopparrött hår* coppery[-red] hair
kopparslagare 1 eg. coppersmith **2** pl., vard., bakrus hangover; *ha ~* have a hangover
kopparstick abstr. el. konkr. copperplate [engraving]
koppel 1 hundkoppel leash; för två hundar couple; djuren: två hundar brace (pl. lika) el. couple (tre hundar leash, flera hundar pack) [of dogs (hounds)]; bildl.: hop, skara pack; *gå* (*ledas*) *i ~* be (be held) in leash (i band on the lead) äv. bildl. **2** mil. shoulder belt
koppla I *tr* **1** tekn. el. elektr. couple [up]; elektr. (t.ex. element) äv. connect; radio. connect [up (on)]; tele. connect **2** binda i koppel leash; jfr *koppel 1* **3** brottn. o.d. *~ ett grepp* put on (apply) a hold **II** *itr* **1** vard., fatta *han ~r långsamt* he is slow on the uptake **2** bedriva koppleri procure
III med beton. part.
~ **av a)** tr., radio. o.d. switch (turn) off; bildl.: avlägsna remove; avskeda dismiss **b)** itr. relax
~ ngn **fel** tele. put...on to a wrong number
~ **från** järnv. o.d. uncouple; tekn. el. elektr. disconnect; motor. o.d. äv. throw...out of gear
~ **ihop** eg. couple...[up] together; connect äv. elektr.; join up; friare couple (put)...together
~ **in** a) ledning o.d. connect; t.ex. elektrisk apparat plug in b) anlita call in
~ **om** tele. connect [...over]
~ **på** elektr. el. radio. o.d. switch (turn) on; *~ på charmen* vard. turn on the charm
~ **till** t.ex. vagn put on
~ **ur** elektr. el. tele. disconnect; motor. declutch
kopplare sutenör procurer
koppleri procuring
kopplerska procuress
koppling kopplande coupling osv., jfr *koppla I 1* o. *2;* connection äv. elektr.; radio. el. tele.; bil. clutch
kopplingspedal clutch pedal
kopplingston tele. dial[ling] tone
koppärrig pock-marked
kor arkit. chancel; altarets plats sanctuary; gravkor chapel
kora choose, select
korall coral; ett halsband *av ~* a coral...
korallrev coral reef
koran, *Koranen* the Koran
Korea Korea
korean Korean
koreansk Korean
koreograf dans. choreographer
koreografi dans. choreography
korg 1 allm. basket; större hamper; för bär o.d. (av spån) punnet; *en ~ med* äpplen vanl. a basket of... **2** bildl. *få ~en* be refused (turned down)
korgboll spel [an old form of] basketball
korgmöbler wicker (basketwork) furniture
korgosse choirboy
korgstol wicker (basketwork) chair
koriander bot. coriander
korint currant
kork 1 ämne el. propp cork; *dra ~en ur* flaskan uncork..., draw the cork out of...; dyna *av*

~ äv. cork… **2** bildl. *vara styv i ~en* be cocky (too big for one's boots)
korka cork; ~ *igen* (*till*) cork [up]; bildl. block up
korkad vard., inskränkt stupid, dense; amer. äv. dumb
korkek cork oak (tree)
korkmatta linoleummatta [stycke piece of] linoleum (lino)
korkskruv corkscrew
korkskruvslockar corkscrew curls
korn 1 sädeskorn grain; bildl. *ett ~ av sanning* a grain of truth **2** sädesslag barley **3** på skjutvapen bead; mil. äv. front sight **4** bildl. *få ~ på ngt* få syn på get sight (få nys om get wind) of a th.
kornblå cornflower blue
korngryn barley grain; koll. barley groats
kornig granular, granulous
kornisch gesims el. gardin~ cornice, valance
1 korp 1 zool. raven **2** hacka pick[axe]
2 korp se äv. *korpidrott; spela fotboll i ~en* play in the inter-company (inter-works) football league
korpgluggar vard. *upp med ~na!* open your eyes!
korpidrott inter-company (inter-works) athletics
korporation corporate body, body corporate
korpral corporal
korpsvart raven-black
korpulent stout, corpulent
korrekt correct; felfri faultless
korrektur proof[s pl.]; avdrag proof sheet
korrekturläsa proofread, read…in proof
korrelation correlation äv. språkv. el. statistik.
korrespondens brevväxling correspondence; undervisning *per ~* …by correspondence
korrespondenskurs correspondence course
korrespondent correspondent äv. till tidning; på kontor o.d. correspondence clerk
korrespondera brevväxla el. överensstämma correspond
korridor corridor äv. om landremsa; på tåg, amer. aisle; gång passage; amer. äv. hallway; i offentlig byggnad lobby; i tennis tramline
korridorpolitik lobbying
korrigera correct; revidera revise
korrigering rättelse correction; revidering revision
korrosionsbeständig corrosion-resistant, corrosion-proof
korrugerad, ~ *plåt* corrugated iron
korrumpera besticka el. språkv. corrupt
korrupt corrupt äv. språkv.
korruption corruption
kors I *s* cross äv. bildl.; mus. sharp; anat. loins; på häst croup; [*nu måste vi rita ett*] ~ *i taket!* wonders will never cease!, well, would you believe it!; *lägga armarna* (*benen*) *i* ~ fold el. cross one's arms (cross one's legs); **II** *interj,* ~ el. *i alla mina* (*all sin*) *dar!* well, I never!, good heavens (gracious)!; amer. äv. gee! **III** *adv,* ~ *och tvärs* åt alla håll in all directions, this way and that
korsa I *tr* cross äv. ta sig tvärs över el. i bet. 'stryka' el. 'korsa över'; biol. äv. interbreed; skära intersect; ~ *ngns planer* cross (thwart, foil) a p.'s plans **II** *rfl,* ~ *sig* **1** göra korstecknet cross oneself **2** biol. cross
korsband post. sända *som* ~ a) trycksak[er] …as printed matter b) varuprov…as sample[s] c) bok, böcker…by bookpost
korsbefruktning bot. cross-fertilization
korsben anat. rump bone
korsdrag draught; amer. draft
korseld crossfire
korsett corset; av äldre typ, se *snörliv*
korsfarare hist. crusader
korsfästa crucify
korsfästelse crucifixion
korsförhör cross-examination
korsförhöra cross-examine
korslagd crossed; *med ~a armar* with folded arms
korsning allm. crossing; biol.: hybrid cross[breed]; *en* ~ ett mellanting *mellan* a cross between…
korsord crossword [puzzle]; *lösa ett* ~ do (solve) a crossword
korsrygg, *~en* the small of the back, the lumbar region
korsstygn cross-stitch
korstecken 1 relig. *göra korstecknet* make the sign of the cross; korsa sig äv. cross oneself **2** mus. sharp [sign]
korståg hist. crusade äv. bildl.; holy war
korsvirkeshus half-timbered house
1 kort 1 spelkort card; postkort [post]card; *fina* el. *bra* (*dåliga*) ~ spel. a good (bad el. poor) hand; *ett säkert* ~ bildl. a safe (sure) bet (card); *sätta allt på ett* ~ stake everything on one card (throw); friare put all one's eggs in one basket; *visa sina* ~ show one's cards (bildl. hand) **2** foto photo (pl. -s), picture; exponering exposure; *ta ett* ~ take a photo (picture) **3** sjökort chart; *segla efter* ~[*et*] sail by chart **4** fotb. *gult* (*rött*) ~ yellow (red) card
2 kort I *adj* **1** short; avfärdande curt, abrupt; *tämligen* ~ ofta shortish; *med ~a mellanrum* at short (brief) intervals; *dra det ~aste strået* get the worst of it, come off the loser **2** *komma till ~a* fail, fall short; dra det kortaste strået get the worst of it **II** *adv* shortly isht i tidsuttr.; kortfattat vanl. briefly; koncist concisely; summariskt summarily; tvärt abruptly; ibl. short; *för att fatta mig* ~ to be brief osv., jfr *fatta II;* ~ *därefter* el. *efteråt* (*dessförinnan* el. *förut*) shortly el. a

short time afterwards (before); ~ *och gott* helt enkelt simply
korta shorten; ~ *av* (*ned*) [*på*]... shorten...[down]; minska cut down (back), reduce; förkorta äv. abbreviate
kortbyxor för barn short trousers (amer. pants); för barn och som sommarplagg shorts
kortdistanslöpare sport. sprinter
kortege cortège fr.; festtåg procession; av bilar motorcade
kortfattad brief; summarisk summary; vard. potted
kortfilm short [film (movie)]; vard. quickie
kortfristig short-term...
korthet shortness, brevity; *i* ~ briefly, in short (brief), in a few words
korthuggen bildl. abrupt
korthus house of cards; *falla ihop* (*samman*) *som ett* ~ collapse like a house of cards
korthårig, *vara* ~ om pers. have short hair; ~*a hundar* (*katter*) short-haired dogs (cats)
kortklippt om pers. *vara* ~ have (wear) one's hair short, have close-cropped (short-cropped) hair; snaggad have (wear) a crew-cut
kortkonst card trick
kortkort, ~ *kjol* mini[skirt]
kortlek pack (amer. äv. deck) [of cards]
kortlivad short-lived; ~ *succé* a flash in the pan äv. om person
kortregister card index
kortsida short side
kortsiktig short-term...
kortslutning elektr. short circuit; vard. short
kortspel 1 kortspelande card-playing; *fuska i* ~ cheat at cards **2** enstaka spel card game
kortspelare card-player
kortsynt bildl. short-sighted
korttidsanställning short-time (temporary) employment
korttidsminne psykol. short-term memory
korttidsparkering short-stay (short-term) parking
korttänkt kortsynt short-sighted; tanklös thoughtless
kortvarig ...of short (brief) duration; övergående transitory, transient
kortvåg radio. short wave
kortväxt short
kortända short side
kortärmad short-sleeved
korus, *i* ~ in chorus
korv sausage; *varm* ~ hot dog; *stoppa* (*tycka om*) ~ stuff (like) sausages
korva, ~ *sig* om strumpa o.d. be sagging
korvbröd roll (bun) [for a (resp. the) hot dog]
korvkiosk hot-dog stand
korvspad, *klart som* ~ vard. as plain as a pikestaff
korvstoppning bildl. cramming
korvöre, *inte ha ett* ~ not have a brass farthing
kos, gå (springa, flyga o.d.) *sin* ~ ...away
kosa, *styra* (*ställa*) ~*n till* (*mot, åt*)... head for..., wend (make) one's way towards...
kosing, ~[*ar*] sl. dough sg., bread sg., lolly sg.
koskälla cowbell
kosmetik skönhetsvård beauty care
kosmetika cosmetics, make-up
kosmetolog cosmetologist
kosmisk cosmic
kosmonaut cosmonaut
kosmopolitisk cosmopolitan
kosmos cosmos; världsalltet the cosmos
kossa barnspr. moo-cow; neds., om kvinna cow
kost fare; [*en*] *allsidig* (*ensidig*) ~ a balanced (unbalanced) diet; *en mager* ~ a poor diet; bildl. a meagre fare
kosta cost; gå (belöpa sig) till go (amount, run) to; *hur mycket* (*vad*) ~*r*... how much (what) does...cost?, how much is...?; om ersättning för prestation (t.ex. lagning, klippning o.d.) ofta how much do I (resp. we) owe you for...?; *det spelar ingen roll vad det* ~*r* äv. money is no object; ~ *vad det* ~ *vill* bildl. no matter what (never mind) the cost; ~ '*på* **a)** lägga ut spend (pengar äv. lay out); ~ *på ngn* ngt go to the expense of giving a p... **b)** vara påkostande *det* ~*r på* it is trying (är ansträngande a great effort) [*att* inf. to inf.]
kostbar dyrbar costly; värdefull precious
kostcirkel balanced diet chart
kostfiber roughage
kosthåll fare, diet
kostnad, ~[*er*] allm. cost sg.; jur. el. bokföring vanl. costs pl.; utgift[er] expense[s pl.]; utlägg outlay[s pl.]; avgift[er] charge[s pl.]; *höga* (*stora*) ~*er* heavy expenses (expenditure sg.); *betala* (*bestrida*) ~*erna* pay (defray) the expenses (jur. [the] costs)
kostnadsberäkning costing, cost accounting; kalkyl estimate of cost[s]
kostnadsfritt free of cost (avgiftsfritt of charge)
kostnadsförslag estimate of cost[s]
kostnadsskäl, *av* ~ because of the expense
kostsam costly
kostvanor eating habits
kostym 1 suit; *mörk* ~ dark lounge suit **2** teat. o.d. costume; maskerad~ fancy dress
kostymbal fancy-dress (costume) ball
kostymering dressing; konkr. dress
kota anat. vertebr|a (pl. -ae)
kotknackare vard. bonesetter
kotlett chop; benfri cutlet
kotte 1 eg. cone **2** bildl. *inte en* ~ not a [living] soul

kovändning sjö. veering; *göra en ~* bildl. perform a volte-face (fr.)
kpist kulsprutepistol submachine-gun
krabat vard. chap
krabba crab
krackelera|d crackled; *-t porslin (glas)* äv. crackle-ware
krafs 1 klotter scrawl **2** skräp trash; krimskrams knick-knacks
krafsa scratch; *~ ned* hastigt nedskriva jot down, scrawl, scratch
kraft 1 allm. a) natur~ o.d. force b) förmåga [till ngt], drivkraft m.m., äv. elektriskt power c) [kroppslig el. andlig] styrka strength d) spänst vigour; energi energy; intensitet intensity e) verkan active influence; t.ex. örts läkande ~ virtue; *skapande ~* creative power; *av egen ~* by one's own [unaided] efforts; *med all ~* with all one's might (energy); t.ex. slungas *med våldsam ~* with great force, violently **2** pers.: man man; kvinna woman; arbetare worker; *vara den drivande ~en* be the driving force (the leading spirit, the prime mover); firman (teatern etc.) har förvärvat *nya ~er* ...new people **3** jur., giltighet force; *bindande (laga) ~* binding (legal) force; *träda i ~* come into force, take effect **4** *i ~ av* by virtue (force, right) of; jur. in pursuance of
kraftanläggning power plant (station)
kraftansträngning exertion; *göra en ~* exert oneself, make a real effort; ta sig samman pull oneself together
kraftfull mäktig powerful; effektfull o.d., t.ex. om stil forcible; t.ex. om tal forceful; vital vigorous; energisk energetic; *i ~a ordalag* in forcible words; *~a åtgärder* strong (energetic, forcible, friare drastic) measures
kraftig 1 kraftfull powerful; stark strong; livlig vigorous; våldsam violent; *en ~ dos* a strong (stiff) dose; *~a påtryckningar* strong pressure sg. **2** stor, t.ex. förlust, ökning great, substantial; *en ~ prissänkning* äv. a drastic reduction of (in) prices **3** stor till växten el. omfånget big; stadigt byggd sturdy, robust; fetlagd samt om produkt o. utförande stout; tjock heavy äv. t.ex. om tyg; *~ haka* powerful chin **4** om mat, måltid: bastant substantial; närande nourishing, nutritious; fet rich; 'tung' heavy
kraftigt 1 med kraft, starkt etc. powerfully etc., jfr *kraftig 1; ~ byggd* stongly (sturdily) built, sturdy **2** i hög grad, betydligt greatly etc., jfr *kraftig 2; ~ bidraga till* contribute greatly to..., be instrumental in...; *~ förbättrade* villkor considerably improved...
kraftkarl bildl. man of action
kraftlös svag weak; orkeslös, utmattad effete; slapp (äv. bildl. om t.ex. stil) nerveless; maktlös powerless
kraftmätning friare el. bildl. trial of strength, showdown; tävlan contest; dragkamp tug of war
kraftprov trial (test) of strength
krafttag, *ett verkligt ~* eg. a really strong pull (vard. big tug)
kraftuttryck oath, expletive; *~* pl. äv. strong language sg.
kraftverk power station (plant, house), generating station
kraftåtgärd strong (energetic, forcible, friare drastic) measure
krage collar; på strumpa o.d. top; *ta sig i ~n* rycka upp sig pull oneself together, get a grip on oneself
kragnummer size in collars
krake 1 ynkrygg coward; vard. funk; stackare wretch; *stackars ~!* äv. poor thing (creature)! **2** häst~ jade
kram hug; smeksam cuddle; i brevslut Love
krama 1 trycka, pressa, saften ur frukt squeeze; till mos o.d. squash; *~ ur* squeeze [...dry] **2** *~ [om]* omfamna hug, embrace; smeksamt cuddle
kramas rpr. embrace
kramdjur leksak cuddly toy
kramgod vard. huggable
kramp i ben, fot etc. cramp; krampryckning spasm; konvulsion[er] convulsion[s pl.]; *få ~* t.ex. i benet be seized with cramp
krampaktig med. el. friare spasmodic; *~t försök* desperate effort
krampryckning spasm
kramsnö wet (packed) snow
kran vatten~ tap; isht amer. faucet; lyft~ crane; vard., näsa snout
kranbil crane lorry (truck)
kranium anat. skull; vetensk. crani|um (pl. äv. -a)
krans blomster~, lager~, ornament o.d. wreath; vid begravning [funeral] wreath; ringformigt föremål ring äv. bakverk; krets circle, ring
kransnedläggning wreath-laying [ceremony]
kranvatten tap water
kras crack; *gå i ~* go to pieces äv. bildl.; stark. fly into (burst to) pieces, be smashed [to smithereens]
krasa crunch
krasch I *interj* crash! **II** *s* crash
krascha krossa crash; göra bankrutt o.d. smash; *~ med bil* crash a car
kraschlanda crash-land
krass materialistisk materialistic; lumpen base; cynisk cynical
krasse bot., blomster~ nasturtium; krydd~ garden cress
krasslig seedy, ...out of sorts
krater crater

kratsa scrape; riva scratch
kratta I *s* **1** redskap rake **2** vard., pers. funk **II** *tr* rake
krav allm. demand; anspråk claim; anmaning att betala demand for payment; *ett rättmätigt ~* a legitimate claim; *höja ~en* raise the standards (requirements)
kravaller riots, disturbances
kravallstaket riot barrier
kravattnål tiepin
kravbrev demand note; påminnelse reminder
kravla crawl; *~ sig upp* a) crawl up [*på* on to] b) mödosamt resa sig struggle to (up on) one's feet
kravlös ung. permissive, liberal
kraxande croaking, cawing; enstaka croak
kreativ creative
kreativitet creativity, creativeness
kreatur djur [farm] animal; pl. (nöt~) cattle; *fem ~* nöt~ five head of cattle
kreatursbesättning stock [of cattle]; livestock
kredit [-'-] credit; *få ~* get (receive) credit; *köpa på ~* buy on credit (on tick)
kreditinstitut credit institution (agency)
kreditkort credit card
kreditkostnader extra charges in connection with credit transactions (with loans)
kreditköp credit buying; purchase on credit
kreditupplysning credit report (information); skaffa *~ på ngn* äv. ...information on a p.'s solvency
kreditvärdig creditworthy, sound
krematorium crematori|um (pl. vanl. -a), crematory
kremera cremate
kremering cremation
kreti och pleti every Tom, Dick and Harry
krets eg. el. friare circle; område district, jfr *valkrets;* förenings~ branch [organization]; tekn., t.ex. ström~ circuit; *en sluten* (*trängre*) *~* några få a narrow circle; ett utvalt sällskap a select few pl.; *vi rör oss i olika ~ar* we move in different circles (spheres); *i välinformerade ~ar* in well-informed circles (quarters)
kretsa circle; om fågel wheel; sväva hover; *~ kring ngt* om planet o.d. revolve round (orbit) a th.
kretsgång cyclic (revolving, circular) motion; bildl. round; *gå i ~* move (go round) in a circle, revolve; jfr *kretslopp*
kretskort elektr. printed circuit card
kretslopp t.ex. blodets circulation; t.ex. jordens revolution; *årstidernas ~* the cycle (return) of the seasons
krevera explode; *~ av skratt* (*ilska*) explode with laughter (rage)
kricket cricket
kricketgrind wicket
kricketspelare cricketer
krig war; krigföring warfare; *det kalla ~et* the cold war; *vara* (*ligga*) *i ~ med* be at war with
kriga war
krigare soldier; litt. el. åld. warrior
krigförande belligerent; *~ makt* belligerent [power], power at war
krigföring, ~[*en*] warfare
krigsbyte trofé war trophy; *som ~* as booty (spoils [of war], loot)
krigsdans war dance
krigsfara danger of war
krigsfilm war film
krigsflotta sjövapen navy; samling fartyg battle (armed) fleet
krigsfånge prisoner of war (förk. POW)
krigsförbrytare war criminal
krigsförbrytelse war crime
krigsförklaring declaration of war
krigshetsare warmonger
krigshärjad war-torn, ...devastated by war
krigsinvalid disabled soldier
krigskorrespondent war correspondent
krigslag military law; *de internationella ~arna* the international rules of warfare
krigslist stratagem äv. bildl.
krigsmakt, *~en* the armed (fighting) forces pl. (services pl.)
krigsmålning indians o.d. warpaint; kvinnas, skämts. äv. heavy make-up
krigsorsak cause of war
krigspropaganda war propaganda
krigsrisk danger (risk) of war; försäkr. war risk[s pl.]
krigsrätt domstol court martial (pl. courts martial, court martials), military tribunal (court); *ställas inför ~* be court-martialled
krigsskadad om pers. [war] disabled
krigsskadestånd reparations pl. [for war damages]
krigsskådeplats theatre (seat) of war, theatre of operations
krigsstig, *vara på ~en* be on the warpath [*mot* against]; bildl. äv. be up in arms [*mot* against, about]
krigstid wartime; *i ~* in wartime; *i ~er* in [times of] war
krigstjänst active service; *göra ~* be on active service; *vägra att göra ~* refuse to bear arms
krigsutbrott outbreak of war
krigsveteran veteran, ex-service man
kriminalare vard. [police] detective
kriminalen vard. the criminal police; i Engl. the CID
kriminalisera criminalize, outlaw, make...a criminal offence

kriminalitet crime; criminality äv. brottslig egenskap; *~en ökar* crime is on the increase
kriminalpolis, *~en* the criminal police; i Engl. the Criminal Investigation Department (förk. the CID)
kriminalvård treatment of offenders
kriminell criminal
krimskrams knick-knacks, gewgaws, trumpery; isht i klädedräkt fripperies
kring I *prep* **1** [runt] om vanl. round; isht amer. around; [i trakten] omkring [round] about; omgivande surrounding; *kretsa ~ solen* revolve round (about, amer. around) the sun; *~ de femtio* [round] about fifty [years of age]; *~* kl. 7 äv. at about... **2** om about; *en debatt* (*tankar*) *~* ett ämne ett ämne a debate (thoughts) on... **II** *adv* se *omkring*
kringboende, *de ~* those living around; grannarna the neighbours
kringfartsled trafik. ring road; amer. beltway
kringflackande, *föra ett ~ liv* ströva (irra) omkring lead a wandering (roving) life, wander; resa hit o. dit travel about
kringgå lagen evade; *~ frågan* evade (sidestep) the question, evade (shirk, dodge) the issue
kringgärda omge fence (hedge) in; inskränka circumscribe; *~d av* restriktioner surrounded (hedged in) by...
kringliggande omgivande surrounding
kringsnack vard. discussion; tomprat empty talk
kringspridd o. **kringströdd** ...scattered about; *ligga ~[a] i rummet* be scattered about the room
kringutrustning peripheral equipment
kris crisis (pl. crises)
krisa, *~ ihop* have a nervous breakdown
krisdrabbad ...hit by a crisis (depression depression)
krismöte emergency meeting
krispaket polit. package solution for a (resp. the) crisis
krispig crispy
krispolitik policy to meet (combat) the crisis; friare emergency measures
kristall crystal; vas *av ~* crystal..., cut-glass...; *bilda ~er* form crystals, crystallize
kristallglas material crystal [glass]
kristalliseras crystallize
kristallklar crystal-clear, ...as clear as crystal
kristallkrona cut-glass chandelier
kristallkula crystal [ball]
kristallvas crystal vase
kristen I *adj* Christian; *den kristna världen* äv. Christendom **II** *subst adj* Christian
kristendom, *~[en]* Christianity
kristenhet, *~[en]* Christendom
kristid time (period) of crisis; ekon. äv. depression
Kristi Himmelsfärdsdag Ascension Day
kristna 1 omvända Christianize **2** döpa christen
Kristus Christ; *efter ~* (förk. *e. Kr.*) AD (förk. för Anno Domini); *före ~* (förk. *f. Kr.*) BC (förk. för before Christ)
krita I *s* **1** chalk; färg~ crayon; *en* [*bit*] *~* a [piece (stick) of] chalk; *en ask kritor* a box of chalks (resp. crayons) **2** *ta på ~* vard. buy on tick; *när det kommer till ~n* when it comes to it **II** *tr* chalk; t.ex. fönster whiten
kritbit piece of chalk
kritik bedömning criticism; recension review; kort notice; kritisk avhandling critique; *under all ~* beneath contempt
kritiker critic
kritisera 1 klandra criticize; småaktigt carp at; *du skall då alltid ~* you are always finding fault **2** recensera review
kritisk 1 (till *kris*) critical; *~ situation* critical situation; nödläge äv. emergency **2** (till *kritik*) critical
kritklippa chalk cliff
kritstrecksrandig chalk-stripe
kritvit ...[as] white as chalk (i ansiktet as a sheet)
kroat Croat
Kroatien Croatia
kroatisk Croatian
krock 1 bil~ o.d. collision **2** mellan t.ex. TV-program clash
krocka 1 om bil o.d. *~* [*med*] *ngt* collide with a th., run (crash, smash, lätt bump) into a th. **2** om t.ex. TV-program clash
krocket croquet
krockskadad ...damaged in a collision
krog restaurang restaurant; värdshus o.d. inn
krognota restaurant bill (amer. check)
krogrond, *gå ~* go on the spree
krok 1 hake, häng~, met~ etc. hook äv. boxn.; *lägga* [*ut*] *sina ~ar för ngn* make a dead set at a p., spread one's net for (try to catch) a p. **2** krök[ning] bend; vindling winding **3** vard. *här i ~arna* in these parts, about (near) here, hereabouts
kroka hook; *~ av* unhook; *~ upp* hook up
krokben, *sätta ~ för ngn* (*ngns planer*) trip a p. up (upset a p.'s plans)
krokig crooked; i båge curved; böjd bent; *~a* deformerade *fingrar* gnarled fingers; *~ näsa* hooked nose; *~ väg* curved (winding) road
krokna bågna bend; bli krokig get crooked (etc., jfr *krokig*); vard. el. sport., tappa orken fold up
kroknäst hook-nosed
krokodil crocodile
krokodiltårar crocodile tears; *gråta ~* shed (weep) crocodile tears

krokryggig stooping; *gå ~* walk with a stoop
krokus bot. crocus (pl. äv. croci)
krokväg omväg roundabout (circuitous) way; *gå ~ar* bildl. use underhand means (methods)
krom chromium
kromosom biol. chromosome
krona 1 kunga~ el. träd~ el. tand~ crown; blom~ corolla; horn~ antlers; på hjortdjur head; ljus~, tak~ chandelier; *~ eller klave* heads or tails; *spela ~ och klave om ngt* toss for a th.; *sätta ~n på verket* supply the finishing touch, be the crowning glory **2** *~n* kungamakten, staten the Crown; staten äv. the State (Government) **3** svenskt mynt [Swedish] krona (pl. kronor); ibl. Swedish crown (förk. SKr., SEK resp. Sw. cr.)
krondill dillkronor heads pl. of dill
kronisk chronic
kronjuveler Crown jewels
kronofogde head of an (resp. the) enforcement district; lägre senior enforcement officer
kronologi chronology
kronologisk chronological
kronopark crown (state) forest area
kronprins crown prince; *engelska ~en* vanl. the Prince of Wales
kronprinsessa crown princess; *engelska ~n* vanl. the Princess of Wales
krontal, *utjämna...till närmast högre ~* round...off upwards to the nearest krona
kronvittne 1 huvudvittne principal witness **2** *bli ~* vittne mot medbrottsling (i Engl.) turn King's (resp. Queen's, i USA State's) evidence
kronärtskocka [globe] artichoke
kronärtskocksbottnar artichoke bottoms
kropp body äv. fys. el. matem. o.d.; slakt. carcass, carcase; *darra (ha ont) i hela ~en* shake (have aches and pains) all over; *ha utslag över hela ~en* have spots (a rash) all over [one's body]
kroppkaka kok. potato dumpling [stuffed with chopped pork]
kroppsaga corporal punishment
kroppsarbetare manual labourer (worker)
kroppsarbete manual labour (work)
kroppsbyggare body-builder
kroppsbyggnad build; *en person med kraftig (spenslig) ~* a strongly (slenderly) built person, a person of a powerful (slender) build
kroppshydda body
kroppslig bodily, physical
kroppslängd height, stature
kroppsnära om t.ex. klädesplagg body-hugging
kroppsskada physical injury; jur. bodily harm
kroppsspråk body language
kroppsstyrka physical strength
kroppsställning posture
kroppsvisitation [personal (bodily)] search; vard. frisk
kroppsvisitera search; vard. frisk
kroppsvård care of the (one's) body
kroppsövningar physical exercises (training sg.)
kross crusher, crushing mill (machine)
krossa crush; slå sönder break; förstöra wreck; benet *~des* ...was crushed; *~ allt motstånd* crush all resistance; *~de förhoppningar* shattered hopes
krubba I *s* manger; jul~ crib **II** *itr* vard., äta have some grub (a nosh)
kruka 1 blom~ o.d. pot; vatten~ o.d. pitcher **2** pers., vard. coward, funk
krukmakeri pottery
krukväxt potted plant
krulla, *~ sig* curl; [om] hår äv. frizz[le]
krullig curly; tätare frizzy; kort och småkrulligt woolly
krumbukt, *~er* a) kurvor windings b) bugningar obeisances; choser frills c) omsvep dodges, shuffling sg.
krumelur snirkel flourish; oläslig signatur o.d. squiggle; 'gubbe' doodle
krumsprång caper; *göra ~* caper [about], gambol, frisk
krupp med. croup
1 krus kärl jar; av flasktyp med handtag jug; isht vatten~ pitcher; [öl]sejdel mug; med lock tankard
2 krus krusande bildl. ceremony; beställsamhet fuss; trugande pressing; *utan ~* without [any] ceremony; utan vidare without [any] more ado
krusa I *tr* o. *rfl*, *~ sig* göra (resp. bli) krusig curl, crisp; [om] hår äv. frizzle; [om] vattenyta ripple, stir; rynka, t.ex. tyg ruffle **II** *tr* o. *itr*, *~ [för] ngn* vara [överdrivet] uppmärksam mot make a fuss of a p.; ställa sig in hos t.ex. överordnad make up to a p., curry favour with a p.
krusbär gooseberry
krusbärsbuske gooseberry bush
krusiduller [superfluous] ornaments; byggn. gingerbread work; i skrift flourishes; bildl. frills; jfr *krumbukt*
krusig curly; isht bot. curled; om vattenyta rippled
krut 1 gunpowder, powder; *det är ~ i honom* vard. he has got some go (pep) **2** *ont ~ förgås inte så lätt* it would take more than that to finish him etc. off
krutdurk powder magazine; *sitta på en ~* bildl. sit on top of a volcano (powder keg)
krutgubbe vard. tough old boy
krutgumma vard. tough old girl

krux crux (pl. äv. cruces); *det är det som är ~et!* there's (that's) the snag (crunch)!
kry well, fit; återställd recovered; isht om äldre pers. hale [and hearty]; jfr vid. *frisk*
krya, ~ *på sig* get better, recover, pick up
krycka crutch; käpp~ handle
krydd|a I *s* växtprodukt spice äv. bildl.; smakförhöjande tillsats seasoning, flavouring (samtl. äv. *-or* i koll. bem.)*;* bords~ condiment **II** *tr* isht med salt o. peppar season; isht med andra kryddor spice äv. bildl.; smaksätta flavour; *~ efter smak* i recept add seasoning to taste
kryddhylla spice rack
kryddnejlika clove
kryddpeppar allspice
krylla, *det ~de av myror på platsen* the place was alive (crawling) with ants
krympa shrink; *~ ihop* shrink [up], dwindle; förminskas äv. contract
krympfri unshrinkable; krympfribehandlad pre-shrunk
krympling cripple
krympmån allowance for shrinkage
kryp creepy-crawly; neds. om pers. creep; smeks., pyre [little] mite
kryp|a I *itr* crawl; isht tyst o. försiktigt creep; om barn crawl; amer. äv. creep; om växt creep, trail; klättra climb; söla dawdle; friare go; *det -er i mig när jag ser det* it gives me the creeps (makes my flesh crawl el. creep) to see it; *~ ur skalet* come out of one's shell äv. bildl.
II med beton. part.
~ **bakom** t.ex. en buske creep (gömma sig hide) behind...
~ **fram** komma fram come out äv. bildl.
~ **ihop** t.ex. i soffan huddle [oneself] up, nestle up; huka sig crouch; isht av fruktan o.d. cower; krympa shrink; *sitta hopkrupen* sit huddled up (resp. crouching, cowering)
~ **in** t.ex. genom fönstret (smygande) creep in
~ **intill** *ngn* cuddle (huddle) up against a p.
~ **ner:** *~ ner* [*i* sängen] nestle down (cuddle up) [in...]
~ **omkring** om barn crawl (amer. äv. creep) about
~ **upp:** *~ upp* [*i* soffhörnet o.d.] huddle [in...]
krypfil slow-traffic lane; amer. creeper (truck) lane
kryphål bildl. loophole
krypin gömställe, hål nest; vrå nook, corner; lya den; *ett eget ~* a place of one's own
krypköra edge along
krypskytt jakt. stalker; tjuvskytt poacher; mil. sniper
krypta crypt
kryptisk cryptic
kryss a) kors cross; vid tippning draw; *i ~* crosswise **b)** korsord crossword
kryssa 1 sjö. a) segla mot vinden sail (beat) to windward b) segla omkring el. företa långfärd (om turistfartyg o.d.) cruise; [*ligga och*] *~* t.ex. i skärgården be [out] cruising, sail to and fro **2** friare: röra sig i sicksack walk (go, hit come) zigzag, zigzag **3** *~ för* markera mark...with a cross, put a cross against
kryssning långfärd cruise
kryssningsrobot mil. cruise missile
krysta vid avföring strain [at stool]; vid förlossning bear down
krystad tvungen strained
kråk|a 1 fågel crow; *hoppa ~* hop; *elda för -orna* ung. let the fire go up the chimney **2** märke tick; *sätta en ~ för ngt* mark a th. with a tick, put a tick against a th.
kråkfötter dålig handstil scrawl
kråksång, *det är det fina i ~en* that is [just] the beauty of it
kråma, *~ sig* prance [about]; om pers. äv. strut (swagger) [about], preen oneself; om häst äv. arch its neck
krångel besvär trouble, fuss; svårigheter difficulties; olägenhet inconvenience; förvecklingar complications; *det är något ~ med motorn* there is something wrong with the engine
krångla I *itr* **1** ställa till krångel make a fuss; göra svårigheter el. invändningar make (raise) difficulties, be awkward; förorsaka besvär give (cause) trouble; vara obeslutsam shilly-shally, waver; erkänna *utan att ~* ...without shuffling **2** 'klicka' o.d., om t.ex. motor go wrong; om t.ex. lås, broms jam; magen, motorn *~r* there is something wrong with...
II med beton. part.
~ **sig ifrån ngt** slingra sig undan dodge (wriggle out of, shirk, get out of) a th.
~ **sig igenom ngt** get through a th. in one way or other
~ **till** t.ex. en fråga: röra till make a mess (a muddle) of; göra invecklad complicate
krånglig svår difficult; invecklad complicated, intricate; besvärlig (äv. om pers.) troublesome; kinkig awkward; dålig, t.ex. om mage weak, jfr äv. *krångla*
1 krås gås~ o.d. giblets; *smörja ~et* gorge oneself
2 krås på kläder ruffle
kräft|a 1 zool. crayfish, crawfish (båda äv. *-or*)*; vara röd som en kokt ~* [*i synen*] look like a boiled lobster **2** med. cancer; bot. el. bildl. canker **3** *Kräftan* astrol. Cancer
kräftgång, *gå ~* move backwards
kräk 1 neds. wretch; amer. äv. jerk; knöl brute **2** se *kreatur*
kräkas I *itr dep* vomit, be sick; amer. be sick at (to, in) one's stomach; *vilja ~* feel sick;

det är så man kan ~ [*åt det*] vard. it is enough to make you (one) sick (puke) **II** *tr dep,* ~ [*upp*] throw up, vomit
kräkning, *~ar* vomiting; kräkningsanfall attack of vomiting (båda sg.)
kräla krypa crawl; ~ *i stoftet* bildl. grovel [in the dust] [*för* to]
kräldjur reptile
kräm allm. cream; maträtt, se *fruktkräm*
krämig creamy
krämp|a ailment; *ålderdomens -or* the infirmities of old age
kränga I *tr* **1** vända ut och in på turn...inside out **2** mödosamt dra, t.ex. en tröja över huvudet force; ~ *av* [*sig*] pull off, wriggle out of **3** vard., sälja flog **II** *itr* sjö. heel [over]; slänga sway
kränka skymfa violate; överträda infringe; förorätta wrong äv. såra; förolämpa offend; stark. outrage
kränkande förolämpande insulting; om tillmäle abusive
kränkning (jfr *kränka*) violation; t.ex. av ngns rättigheter infringement; t.ex. av fördrag infraction; offence; insult; outrage
kräppad crinkled
kräppapper crêpe paper, crinkled paper
kräsen fastidious; vard. choosy; om smak o.d. discriminating
kräv|a 1 fordra **a)** med personsubj.: begära demand; resa krav på call for; jur. claim; yrka på insist [up]on; absolut fordra exact; ~ *för mycket av livet* ask too much of life **b)** med saksubj.: behöva require; påkalla call for; t.ex. ngns uppmärksamhet äv. claim; nödvändiggöra äv. necessitate; ta i anspråk take **2** fordra betalning av ~ *ngn* [*på betalning*] demand payment from a p., request a p. to pay **3** kosta *olyckan -de tre liv* the accident claimed the lives of three people
krävande om arbete exacting; mödosam arduous, heavy; påfrestande trying; *en* ~ *uppgift* äv. a demanding task, a task that makes demands
krögare värdshusvärd innkeeper; källarmästare restaurant keeper
krök bend; av väg curve; sväng turn
1 kröka I *tr* o. *itr* böja bend; ~ [*på*] t.ex. armen, fingret crook, hook; t.ex. ryggen bend; ~ *rygg* a) om katt arch its back b) bildl., om pers. cringe [*för* to] **II** *itr* o. *rfl,* ~ *sig* allm. bend; om väg o.d. äv. curve
2 kröka dricka, vard. booze
kröken vard. booze; *spola* ~ go on the [water] wagon
krön bergs~ o.d. crest; mur~ coping; allmännare (högsta del) top
kröna allm. crown
krönika chronicle; friare, t.ex. vecko~ (resp. månads~) diary; tidningsartikel o.d. över visst [kulturellt] ämne review
kröning kunga~ o.d. coronation
krösus Croesus; *han är en riktig* ~ he's a proper Croesus, he's made of money
kub cube
Kuba Cuba
kuban Cuban
kubansk Cuban
kubik, *5 i* ~ the cube of 5
kubikmeter cubic metre (förk. cu.m.)
kubism konst. cubism
kuckel vard. hanky-panky
kuckeliku *interj* cock-a-doodle-doo!
kudde cushion; huvud~ pillow
kuddkrig pillow fight
kuddvar cushion case; till huvudkudde pillowcase
kuf odd customer
kufisk odd
kugga i tentamen o.d. fail; vard. plough; isht amer. flunk
kugge cog; *en* [*liten*] ~ *i det hela* bildl. a [small] cog in a big wheel
kuggfråga catch (tricky) question, poser
kugghjul gearwheel, cogwheel; drev pinion
kuk vulg. cock; prick äv. neds. om pers.
kul lustig funny; trevlig nice; roande amusing; underhållande entertaining; *vi hade väldigt* ~ roligt we had great fun (trevligt a very nice time)
1 kul|a 1 allm. ball; gevärs~ bullet; bröd~, pappers~ o.d. pellet; sten~ (leksak) marble; på termometer bulb; i radband bead; till skrivmaskin golf ball; *förlupen* ~ stray bullet; *spela* ~ play marbles **2** vard. *-or* pengar marbles, bread sg. **3** sport.: a) redskap shot b) se *kulstötning; stöta* ~ put the shot (weight) **4** *börja på ny* ~ start afresh
2 kula grotta cave; håla hole; lya den, lair; vard., rum den
kulen om väderlek raw [and chilly], bleak
kuling meteor. gale; *frisk* ~ strong breeze
kuliss teat.: vägg sidescene; sättstycke set piece; bildl. [false] front; *~er* dekor vanl. scenes; *i ~en* (*~erna*) mellan scendekorationerna in the wings
1 kull av däggdjur litter; av fåglar brood; friare, t.ex. student~ batch; barnen *i den andra ~en* ...of the second marriage
2 kull, *leka* ~ play he (tag)
kullager tekn. ball bearing
1 kulle hatt~ crown; *en hatt med låg* (*hög*) ~ äv. a low-crowned (high-crowned) hat
2 kulle höjd hill; liten hillock, mound
kullerbytta somersault; fall fall; *slå* (*göra*) *en* ~ turn (do) a somersault
kullerstensgata cobbled street
kullkasta bildl., t.ex. ngns planer upset, throw over; t.ex. teori overthrow

kullrig kupig bulging; knölig bumpy; om stenläggning cobbled
kulmen culmination, highest point, summit, acme; höjdpunkt, t.ex. festens climax; ekon. el. statistik. o.d. peak
kulminera culminate; reach one's climax (statistik. o.d. peak)
kulspetspenna ball pen
kulspruta machine gun
kulstötare sport. shot-putter
kulstötning sport. putting the shot (weight)
kult cult
kultiverad cultivated; *en ~ man* äv. a man of culture
kultur 1 civilisation civilization (äv. *~en);* etnogr. el. [andlig] bildning culture (äv. *~en);* förfining refinement; *den antika ~en* the civilization of ancient times **2** lantbr. o.d. cultivation; isht trädg. el. bakterie~ culture; skog. planting; växter plants
kulturarbetare cultural worker
kulturarv cultural heritage
kulturcentrum cultural (community) centre
kulturchock cultural shock
kulturell cultural
kulturhistoria cultural history, [the] history of civilization; *Europas ~* the history of European civilization
kulturhus cultural (arts) centre
kulturkollision cultural clash
kulturkrock cultural clash
kulturliv, *~et i* Sverige cultural life in..., the cultural life of...
kulturminnesmärke relic of [ancient] culture; byggnadsverk o.d. vanl. ancient (historical) monument
kulturpersonlighet intellectual leader
kulturpolitik cultural [and educational] policy
kulturråd pers. Counsellor for Cultural Affairs; organ *Statens Kulturråd* the [Swedish] National Council for Cultural Affairs
kultursida i tidning cultural page
kulturutbyte cultural exchange[s pl.]
kulturväxt cultivated plant
kulvert culvert
kulört coloured; t.ex. om tyg: mönstrad el. [fler]färgad fancy...; randig striped; *~ lykta* papperslykta Chinese lantern
kulörtvätt tvättande [the] washing of coloured garments; tvättgods coloured garments, coloureds
kummin caraway; spis~ cumin
kumpan kamrat companion; karl fellow; *A. och hans ~er* A. and his gang (cronies)
kund customer; artigt patron äv. på t.ex. restaurang; mera formellt client; *~er* kundkrets äv. clientele sg.; *vara ~* handla *hos A.* shop at A.'s; han är *~ hos oss* ...a customer of ours
kunde se *kunna*
kundkrets circle of customers, clientele; förbindelser connection[s pl.]
kundservice o. **kundtjänst** [customer] service; avdelning service department
kundvagn [shopping] trolley (isht amer. cart)
kung king äv. kortsp., schack. el. bildl.; i kägelspel kingpin; jfr *konung*
kungadöme monarchy, jfr *kungarike*
kungahus royal family (ätt house)
kungamakt royal power
kungarike kingdom; *~t Sverige* the Kingdom of Sweden
kunglig royal; om makt, glans regal
kunglighet 1 abstr. royalty **2** pers. royal personage; *~er* royalties; vard. royals
kungöra announce, make...known (utan sakobj. ofta make it known); högtidl. notify; förordning o.d. promulgate
kungörelse announcement, [public] notice, notification; promulgation; advertisement; jfr *kungöra*
kunna I *tr* (m. subst. obj.) 'känna till', 'ha lärt sig' know; *han kan allt* vet allt he knows everything; kan göra allt he can do everything; *han kan flera språk* he knows (is acquainted with, kan tala can speak) several languages

II *hjälpvb* (m. utsatt el. underförstådd inf.); **1** *kan* (resp. *kunde*) uttr. förmåga, faktisk, ifrågasatt el. förnekad möjlighet m.m. vanl. can (resp. could); uttr. oviss möjlighet, tillåtelse m.m. vanl. may (resp. might); i vissa fall (mera stelt, högtidl., e.d. och ibl. då 'kan (kunde)' = 'skall (skulle) kunna') anv. äv. övers. enl. *6;* se vid. rubriker o. ex. nedan

2 om förmåga: 'förmår' can (resp. could); jag skall göra *allt jag kan* äv. ...everything in my power; *man kan vad man vill* where there's a will there's a way

3 om möjlighet **a)** nekad el. ifrågasatt can (resp. could); *jag kan inte förstå* I cannot (I fail to) understand; *han kan* (*kunde*) *inte hejdas* äv. he is (was) not to be stopped, there is (was) no stopping him **b)** säker: 'kan faktiskt', 'har tillfälle att' can (resp. could); i vissa talesätt may (resp. might); *man kan lätt föreställa sig...* you can (may) easily imagine...; *det kan ifrågasättas om...* it may (can) be questioned whether...; *du kan* det står dig fritt att *räkna pengarna själv* you can (may) count the money yourself **c)** tänkbar [men osäker]: (vanl. end. i jakande sammanhang) 'kan kanske (eventuellt, möjligen o.d.)' may (resp. might); *det kan* (*kunde*) [*tänkas*] *vara sant* it may (might) be true; *kan så vara* maybe; *det kan göra en galen* it's enough to make you [go] mad (crazy)

4 om tillåtelse o.d.: 'får' may (resp. might); ofta can (resp. could); *kan jag* (*kunde jag, skulle jag kunna*) *få lite mera te?* may el. can (might, could) I have some more tea, please?; *kan* (*kunde*) *jag få fråga dig om en sak?* may el. can (might, could) I ask you a question?

5 a) 'har rätt (goda skäl) att' may (resp. might); *det kan man kalla otur!* that's what I call bad luck! **b)** 'må' el. i förb. med 'lika 'väl', '[lika] gärna' vanl. may (resp. might); *du kan lika gärna göra det själv* you may as well do it yourself; *hur egendomligt det än kan synas* strange as it may seem **c)** i uttryck för försäkran may (resp. might), can (resp. could); *du kan räkna med mig* you may (can) count on me; *du kan vara övertygad om att...* you may (can) rest assured that... **d)** uttr. uppmaning vanl. can (resp. could); *ni kan behålla resten* you can keep the rest **e)** i frågor uttr. indignation can (resp. could); *hur kan du vara så dum?* how can you be so stupid? **f)** i okunnighetsfrågor can (resp. could), may (resp. might); *vad kan klockan vara?* I wonder what the time is? **g)** 'torde [kunna]' *boken kan väl kosta...* (*kostar väl...kan jag tro*) I should think the book must cost about... **h)** 'brukar' will (resp. would); *sådant kan ofta hända i krigstid* such things will often occur in times of war; *barn kan vara mycket prövande* children can be very trying

6 *kunna* inf. (resp. *kunnat*) 'vara i stånd att' m.m. be (resp. been) able to; 'ha förmåga att' äv. have (resp. had) the power (om andlig förmåga ability) to; 'vara i tillfälle att' äv. be (resp. been) in a position to; 'förstå sig på att' äv. know (resp. known) how to; *inte ~* äv. be unable to; *skulle ~* 'kunde' ofta could (resp. might, jfr *4* o. *5* ovan); *skulle ha* (*hade*) *~t* [*göra*] 'kunde ha [gjort]' ofta could (resp. might, jfr *1* ovan) have [done]

III med beton. part. *jag kan inte med honom* (*det* resp. *att se...*) I can't stand him (it resp. seeing...)

kunnig som har reda på sig well-informed; erfaren experienced; kompetent competent; skicklig clever; skicklig o. förfaren expert; yrkesskicklig skilled; duglig capable; bevandrad versed

kunnighet kunskaper knowledge; erfarenhet experience; [yrkes]skicklighet skill; färdighet proficiency; duglighet capability

kunskap knowledge; *~er* (*grundliga ~er*) *i* ett ämne some (a) knowledge (a sound knowledge) of...

kunskapstörst thirst for knowledge

kupa I *s* skydds~ allm. shade äv. lamp~; globformig globe; bi~ hive; på behå cup **II** *tr* **1** *~ handen* cup one's hand **2** *~ potatis* earth up potatoes

kupé 1 järnv. compartment **2** bil el. vagn coupé

kupera kortsp. cut

kuperad kullig hilly; vågig undulating, rolling; *~ terräng* äv. broken ground

kupévärmare bil. car heater

kupig convex, rounded; om ögon bulging

kupol dome; liten cupola

kupong allm. coupon; på postanvisning o.d. counterfoil; amer. stub; hotell~, mat~ voucher

kupp coup; överrumpling surprise [stroke (attack)]; stats~ coup d'état (pl. coups d'état) fr.; upprorsförsök putsch ty.; förkyla sig *på ~en* ...as a result [of it]; till råga på allt ...on top of it

kuppförsök attempted coup etc., jfr *kupp*

1 kur vakt~ sentry box; skjul shed

2 kur med. cure äv. bildl.; [course of] treatment

kura, *~ ihop* [*sig*] huddle [oneself] up

kurage pluck

kurator allm., social~ [social] (skol~ school) welfare officer; sjukhus~ almoner

kurd Kurd

kurdisk Kurdish

kurera cure

kurhotell health resort hotel

kuriositet curiosity; *som en ~* kan nämnas äv. as a matter of curiosity...

kurir courier

kurirpost, *med ~* in the courier's bag

kurort health resort; brunnsort spa

kurra, *det ~r i magen på mig* my stomach is rumbling

kurragömma, *leka ~* play hide-and-seek

kurs 1 riktning: sjö. el. flyg. el. bildl. course; polit. o.d. äv. [line of] policy; *hålla ~en* sjö. el. flyg. keep (stand on) one's course; *ändra ~* change (alter) one's course; sjö. äv. veer **2** hand. rate, [market] price; på valutor rate [of exchange]; *stå högt i ~* be at a premium; bildl. be in great repute (om idéer o.d. favour) [*hos* with] **3** skol. el. univ. course; koll., kursdeltagare class, set; *gå en ~* attend a course

kursavgift skol. o.d. course fee

kursfall hand. fall (decline, drop) in prices (resp. rates); plötsligt slump

kursivera italicize; *~d* äv. ...in italics

kursivläsning rapid reading

kursivstil italics; *med ~* in italics

kurskamrat, *en ~* a person who is on the same course

kurslitteratur course books pl. (literature)

kursstegring hand. rise of (advance in) prices; plötslig boom

kurtis flirtation äv. bildl.; philandering

kurtisera, ~ *en flicka* carry on a flirtation with (göra sin kur court) a girl
kurva allm. curve; diagram graph; dålig sikt *i ~n* ...at the curve (bend)
kurvdiagram curve chart
kurvig curving; om kvinnliga former curvy
kuscha *tr* browbeat; *~d* browbeaten, cowed, henpecked, ...kept down (under)
kusin [first] cousin
kusinbarn kusins barn first cousin once removed; syssling second cousin
kusk driver äv. sport.; isht privat coachman
kuska, ~ *omkring* [*i*] gad (travel) about
kuslig ohygglig gruesome; hemsk, spöklik uncanny; ruskig horrible; stark. ghastly
kust coast; strand shore; *bo vid ~en* live on the coast (för ferier at the seaside, by the sea)
kustartilleri coast artillery
kustbevakning sjö. (abstr.) coast watching; *~en* the coast guard
kustbo inhabitant of the coast
kustklimat coastal climate
kuta 1 gå krokig walk with a stoop **2** vard. springa, ~ [*i väg*] trot (dart) [away]
kutryggig bent, stooping; jfr *krokryggig*
1 kutter duv~ cooing äv. bildl.
2 kutter båt: segel~ cutter; fiske~ vessel
kuttersmycke vard. 'boat bunny (belle)'
kuttra coo äv. bildl.
kutym usage, custom, practice
kuva allm. subdue; undertrycka repress; betvinga curb, bring...under control; *inte låta ~ sig* not give in
Kuwait Kuwait
kuwaitier Kuwaiti
kuwaitisk Kuwaiti
kuvert 1 brev~ envelope **2** bords~ cover; ...kr *per ~* ...a head
kuvertavgift på restaurang cover charge
kuvös incubator; amer. äv. isolette
kvacka 1 vard. practise quackery; use quack remedies; bildl., fuska dabble **2** som en anka quack
kvacksalvare quack [doctor]; fuskare dabbler
kvadda 1 krascha smash, crash **2** bildl. ruin, destroy
kvadrat square; *2 m i ~* 2 m. square
kvadratmeter square metre
kvadratrot square root; *dra ~en ur ett tal* extract the square root of a number
1 kval sport., se *kvalificering*
2 kval lidande suffering; pina torment; oro anguish; vånda agony; lida *hungerns* (*svartsjukans*) [*alla*] ~ ...the pangs of hunger (the torments of jealousy)
kvala sport. **1** spela kvalmatch play a (resp. the) qualifying match **2** kvalificera sig qualify [[*in*] *till* for]
kvalificera, ~ *sig* qualify [*till, för* for]
kvalificerad qualified; om t.ex. arbetskraft skilled; om t.ex. undervisning superior, advanced; om brott aggravated; *en ~ gissning* an educated guess
kvalificering qualification; *klara ~en till...* sport. manage to qualify for...
kvalificeringsmatch sport. qualifying match
kvalifikation allm. qualification
kvalitativ qualitative
kvalitet allm. quality; hand., äv. i bet. kvalitetsklass grade
kvalitetsmedveten quality-conscious
kvalmatch sport. qualifying match
kvalmig kvav o.d. close; äcklig sickly, nauseating
kvalster zool. mite
kvantfysik quantum physics
kvantitativ quantitative
kvantitet quantity
kvar på samma plats som förut [still] there (resp. here); kvarlämnad left [behind]; efter [sig] behind; vidare, längre (i förb. med verb som 'stanna) on; i behåll (i förb. med 'vara' o. 'finnas'): om institution o.d. in existence; om bok extant; bevarad preserved; återstående left; över left, over; fortfarande still; ytterligare more; *bli* (*finnas, stanna, vara*) ~ äv. remain; *inte ha långt* ~ [*att leva*] not have long (a long time) left [to live]; *stå* ~ friare el. bildl. remain [*som medlem i* a member of]; *det var* bara fem minuter ~ äv. there were...to go (run)
kvarglömd, *~a effekter* lost property sg.
1 kvark surmjölksost curd [cheese]; fetare [fresh] cream cheese
2 kvark fys. quark
kvarlev|a 1 av mat *-orna* the remnants (remains) [*av* (*efter*) of] **2** bildl. remnant; rest residue; från det förflutna relic **3** *hans jordiska -or* his mortal remains
kvarlåtenskap property left [by a deceased person]; *hans* ~ uppgår till... the property left by him...
kvarn mill; *prata som en* ~ talk nineteen to the dozen; *den som kommer först till ~en får först mala* first come, first served
kvarnhjul millwheel
kvarnsten millstone; *vara en ~ om halsen på ngn* bildl. be a millstone round a p.'s neck
kvarsittare pupil who has not been moved up
kvarskatt [income] tax arrears, back tax[es pl.]
kvarstad jur. sequestration; om fartyg embargo; om tryckalster impoundage; tillfällig suspension; *belägga med ~* sequestrate; embargo; *häva* (*upphäva*) *en ~ på* lift (raise, take of) a (resp. the) sequestration (etc., jfr ovan) on
1 kvart 1 fjärdedel quarter; *en* (*ett*) *~s...* a

quarter of a (resp. an)... **2** ~s timme quarter of an hour; *klockan är en ~ i två* it is a quarter to (amer. äv. of) two; *klockan är en ~ över två* it is a quarter past (amer. äv. after) two

2 kvart vard.: nattlogi kip äv. ungkarlshotell; lya pad

kvartal quarter [of a (resp. the) year]

kvartalsvis quarterly

kvarter 1 hus~ block; område district; friare neighbourhood; konstnärs~ o.d. quarter **2** mån~ quarter **3** logi quarters; mil. äv. (i privathus) billet

kvartersbutik local shop; isht amer. convenience store

kvarterspolis polisman local policeman

kvartett quartet äv. mus.

kvarting vard. *en ~* [punsch] ung. a half bottle (37.5 cl) [of...]

kvartsfinal sport. quarterfinal; *gå till ~* get to (go to, enter) the quarterfinals

kvartslampa ultraviolet lamp

kvartsur quartz watch (vägg~ o.d. clock)

kvast 1 eg. broom; ris~, viska whisk; *nya ~ar sopar bäst* new brooms sweep clean **2** knippa bunch

kvav I *adj* allm. close; tryckande oppressive; kvävande stifling; fuktig o. kvav muggy **II** *s, gå i ~* sjö. founder, go down; bildl. come to nothing

kverulant grumbler, querulous (cantankerous) person

kvick 1 snabb quick; livlig, t.ex. om ögon lively; *~ i fingrarna* se *flink* **2** spirituell witty; ~ o. spetsig, t.ex. om replik smart; *en ~ och rolig* bok a clever (cleverly-written)..., a...sparkling with wit

kvicka I *itr, ~ på* hurry up **II** *rfl, ~ sig* hurry up

kvickhet 1 snabbhet quickness osv., jfr *kvick 1* **2** espri wit **3** kvickt uttryck witticism

kvickhuvud wit, witty fellow

kvickna, ~ *till* revive; återfå sansen äv. come to (round); friare brighten up

kvicksand quicksand

kvicksilv|er kem. mercury; *-ret sjönk under noll* the mercury dropped to below zero

kvicktänkt quick-witted; *inte vidare ~* not very clever

kvida whimper; klaga whine

kviga zool. heifer

kvinna, ~[*n*] woman (pl. women); *det är en ~ med i spelet* there's a woman in it somewhere, cherchez la femme fr.; *~ns frigörelse* women's liberation (emancipation emancipation); *~ns rättigheter* women's rights; *kvinnor* statistik. o.d. females

kvinnfolk koll. women; *~et* i byn o.d. äv. the womenfolk pl.

kvinnlig av el. för ~t kön female; framför yrkesbeteckning vanl. woman; typisk el. passande för en kvinna feminine; isht om [goda] egenskaper womanly; avsedd för kvinnor women's end. attr.; om man, neds. womanish; stark. effeminate; *~ rösträtt* women's suffrage, votes pl. for women

kvinnlighet womanliness; femininity; stark. effeminacy

kvinnoarbete women's work

kvinnofrid, *~en* på gatorna *har minskat* women are more often molested...

kvinnokarl ladies' man (pl. ladies' men)

kvinnoklinik women's clinic

kvinnoläkare specialist in women's diseases

kvinnorörelse, *~n* women's lib

kvinnoröst 1 woman's voice (pl. women's voices) **2** polit. o.d. woman's vote (pl. women's votes)

kvinnosaken women's liberation, feminism, women's rights

kvinnosakskvinna member of the women's liberation movement; vard. women's libber; hist. feminist; rösträttsförkämpe suffragette

kvinnosida, *~n* the female line, the distaff line

kvinnosjukdom woman's disease (pl. women's diseases)

kvinnotjusare lady-killer

kvintessens quintessence

kvintett quintet äv. mus.

kvissla [small] pimple

kvist 1 på träd o.d. twig; mindre sprig; isht avskuren ss. prydnad spray; större vanl. branch; *...blommar på bar ~* ...blooms on a bare (naked) twig **2** i virke knot

kvista I *tr* trädg. ~ [*av*] lop, trim **II** *itr* vard. *~ i väg* slip off

kvistig 1 om träd o.d. twiggy; branchy **2** om virke knotty **3** svårlöst o.d. knotty; *en ~ fråga* äv. a tricky (sticky) question, a poser

kvitt 1 ej längre skyldig *därmed är vi ~* that makes us quits (square); *~ eller dubbelt* i spel double or quits (nothing) **2** *bli ~ ngn* (*ngt*) bli fri från get rid (quit, shot) of a p. (a th.); *göra sig ~...* rid oneself of...

kvitta set off; *det ~r* it's all one (the same) [to me]

kvittens receipt

kvitter chirp osv.; kvittrande chirping

kvittera räkning receipt; t.ex. belopp acknowledge; skriva under sign; sport. equalize

kvittering o. **kvitteringsmål** sport. equalizer

kvitto receipt; *ett skrivet ~* a written receipt

kvittra chirp äv. bildl.

kvot quota; vid division quotient

kvotera fördela i kvoter allocate...by quotas; *~d intagning* quota-based admission

kväka croak

kvälj|a äckla make...feel sick; *det -er mig att*

inf. äv. it turns my stomach (friare makes me sick) to inf.

kväljning, *~ar* sickness, nausea båda sg.; *man får ~ar bara man ser det* the mere sight of it is enough to make one sick

kväll afton: allm. evening; senare night äv. ss. motsats till 'morgon'; jfr äv. motsv. ex. under *dag 1; god ~!* a) vid ankomst good evening! b) vid avsked good evening (resp. night)!; *sent på ~en* late in the night; *kl. 10 på ~en* at 10 [o'clock] in the evening (at night)

kvällningen, *i ~* at nightfall (poet. even[tide])

kvällskröken, *på ~* in the evening

kvällskurs evening class (course)

kvällskvisten se *kvällskröken*

kvällsmat supper; *äta ~* have supper

kvällsmänniska person who is at his (resp. her) best in the evening

kvällsnyheter i radio late news

kvällstidning evening paper

kvällsöppe|n, *ha -t* be open in the evening

kväsa ngns högmod humble; *~ [till] ngn* take a p. down [a peg or two]

kväva allm. choke; om gas asphyxiate; eld el. med t.ex. kudde smother; gäspning, skratt stifle, smother; hosta suppress; revolt quell; *vara nära att ~s* be almost choking (ready to choke) [*av* with]

kvävande om värme suffocating, stifling; om känsla choking

kväve kem. nitrogen

kvävning choking; suffocation, stifling; smothering; jfr *kväva*

kyckling chicken äv. kok.; isht nykläckt chick; som efterled i sms. ofta young

kyffe poky hole; ruckel hovel

kyl vard. fridge; *~ och frys* fridge-freezer, refrigerator freezer; *~ och sval* fridge and cool larder

kyla I *s* **1** eg.: allm. cold; svalka chilliness; vara ute *i ~n* ...in the cold weather **2** bildl. coldness; t.ex. i förhållande mellan folk coolness, chilliness **II** *tr* **1** *~ [av]* cool [down], chill båda äv. bildl.; tekn. äv. refrigerate **2** kännas kall ledstången *kyler* ...feels cold

kylare 1 på bil radiator **2** kylapparat cooler **3** ishink [wine] cooler

kylargrill bil. radiator grill[e]

kylarvätska antifreeze [mixture]

kylig cool; stark. cold; obehagligt ~ chilly alla äv. bildl.

kylklamp ice pack

kylning cooling; tekn. refrigeration

kylskada frostbite

kylskåp refrigerator; amer. äv. icebox

kylväska cool bag (box), insulated bag

kymig vard.: nedrig nasty; obehaglig rotten; *han mår ~t* (adv.) he feels rotten (lousy)

kyndelsmässa Candlemas

kynne [natural] disposition; character, nature äv. om t.ex. landskap

kypare waiter

kyrka church; sekts o.d. chapel; *~n* a) ss. institution the Church b) gudstjänsten church; *en ~ns tjänare (man)* an ecclesiastic, a churchman; isht katol. a priest

kyrkbröllop church (white) wedding

kyrkklocka church bell (ur clock)

kyrklig 1 vanl. church...; formellare, t.ex. om myndighet ecclesiastical **2** se *kyrksam*

kyrkobesökare regelbunden churchgoer; tillfällig attender at church

kyrkofullmäktig ung. member of a (resp. the) vestry; *~e* pl. ung. the vestry sg.

kyrkogård cemetery; kring kyrka churchyard

kyrkoherde vicar; katol. parish priest; *~ [Bo] Ek* [the] Rev. (utläses the reverend) Bo Ek

kyrkohistoria church (ecclesiastical) history

kyrkomusik church (sacred) music

kyrkoråd church council

kyrkosamfund [church] communion, church

kyrkoår ecclesiastical year

kyrkråtta, *fattig som en ~* poor as a church mouse

kyrksam, *vara ~ [av sig]* be a regular churchgoer

kyrksilver church plate

kyrktorn church tower

kyrkvaktare o. **kyrkvaktmästare** verger

kyrkvärd churchwarden

kysk chaste äv. bildl.

kyskhet chastity

kyskhetslöfte vow of chastity

kyss 1 kiss **2** vard., slag knock, wallop

kyss|a 1 kiss; *han -te henne på munnen (hand[en])* he kissed her on the mouth (kissed her hand) **2** vard. *Kyss mig [i häcken]!* Up yours!

kyssas rpr. kiss [each other]; *~ och smekas* äv. bill and coo

kyssäkta om läppstift kiss-proof

kåda resin

kåk 1 ruckel ramshackle (tumbledown) house; mindre hovel; vard. el. skämts. för hus house; byggnad building **2** vard., i poker full house **3** sl. *sitta på ~en* be in clink (the slammer)

kåkstad shanty town

kål 1 cabbage **2** vard. *göra (ta) ~ på* nearly kill; vard. make short work of, do for; friare drive...mad

kåldolma kok., ung. stuffed cabbage roll

kålhuvud [head of] cabbage

kålrabbi kohlrabi

kålrot swede, Swedish turnip; amer. äv. rutabaga

kålsupare, *de är lika goda ~* [*båda två*] they are [both] tarred with the same brush
kånka, *~ på ngt* lug a th.
kåpa 1 munk~ cowl; kor~ cope **2** tekn.: skydds~ cover; rökhuv hood **3** hörselskydd earmuff
kår allm. body; mil. el. dipl. corps (pl. lika); *han är en prydnad för sin ~* he graces his profession
kår|e 1 vindil breeze; krusning på vatten ripple **2** bildl. *det går kalla -ar efter* (*längs*) *ryggen på mig* då jag ser det a cold shiver runs (goes) down my back..., I get the creeps...
kåserande chatty, informal
kåsör i tidning ung. columnist
kåt vulg. randy, horny
1 kåta [Lapp] cot (tent)
2 kåta vulg. *~ upp ngn* feel a p. up, grope a p., make a p. feel randy (horny)
käbbel bickering osv., jfr *käbbla*
käbbla bicker, squabble; gnata nag; *~ emot* answer back
käck hurtig ...full of go; pigg bright; oförskräckt plucky; frimodig frank äv. om t.ex. svar; piffig: om klädesplagg chic äv. piffigt klädd; om t.ex. uppnäsa pert; om t.ex. melodi sprightly
käft 1 *~*[*ar*] käkar, gap jaws pl.; isht hos djur äv. chaps pl.; *håll ~*[*en*]*!* shut (belt) up! **2** på verktyg jaw **3** *inte en ~* vard. not a [living] soul
käfta prata jaw; käbbla wrangle; *~ emot* answer back
kägelbana skittle alley, ninepin alley
kägla 1 allm. cone **2** i kägelspel skittle
käk vard., mat grub
käka vard. **I** *itr* have some grub (nosh) **II** *tr* eat; *~ middag* have dinner
käkben jawbone
käke jaw
kälkborgerlig philistine
kälke toboggan, sledge; *åka ~* toboggan, sledge; göra en kälktur go tobogganing (sledging)
källa källsprång spring; flods source äv. bildl.
källare förvaringslokal cellar; jordvåning basement
källarmästare restaurant-keeper
källarvalv cellar-vault
källarvåning basement
källbeskattning taxation at the source; *~*[*en*] systemet the Pay-As-You-Earn (förk. PAYE) system; amer. the Pay-As-You-Go plan
källskatt tax at [the] source [of income], Pay-As-You-Earn (förk. PAYE) tax; amer. withholding (Pay-As-You-Go) tax; jfr *källbeskattning*
källvatten spring water
kämpa I *itr* (ibl. *tr*) slåss fight; brottas struggle; *~ för ngt* fight for a th.; *~ mot fattigdomen* fight (struggle) against poverty; *~ mot* (*med*) *gråten* struggle to fight (hold) back one's tears **II** *rfl*, *~ sig fram* fight (struggle, battle) one's way; *~ sig igenom* ngt fight one's way through...; isht bildl. struggle through...
kämpe 1 stridsman warrior **2** förkämpe champion
kämpig vard. tough; *ha det ~t* have a tough time of it
känd 1 bekant: mots. okänd known; väl~ well known; ryktbar famous; beryktad notorious; välbekant familiar; *~ av alla* (*av polisen*) known by all (to the police); *bli ~* yppad be disclosed; *vara ~ för att vara...* be known to be..., have the reputation of being...; *vara ~ under namnet...* äv. go by the name of... **2** förnummen felt; *vårt djupt ~a tack* our heartfelt thanks pl.
kändis vard. celebrity
känga boot; amer. shoe; *ge ngn en ~* pik have a dig (make a crack) at a p.
känn, *göra ngt på ~* do a th. by instinct (instinctively), play a th. by ear
kän|na I *tr* o. *itr* **1** förnimma: kroppsligt o. själsligt i allm. feel; ha en obestämd förkänsla av sense; pröva [try and] see; *~ avund* (*besvikelse*) be (feel) envious (disappointed); *~ trötthet* feel tired; *känn* [*efter*] *om* kniven är vass [try and] see whether..., jfr vid. *~ efter* ned.; *~ djupt för ngn* feel deeply for (feel with) a p., sympathize deeply with a p. **2** känna till know; *~ ngn till namnet* (*utseendet*) know a p. by name (sight); *-ner jag henne rätt* så kommer hon if I know her at all (have summed her up right)... **II** *rfl*, *~ sig* feel; märka [att man är] feel oneself; *~ sig kry* (*trött*) feel well (tired)
III med beton. part
~ **av** t.ex. kölden feel; *få ~ av* t.ex. arbetslöshet experience
~ **efter:** *~ efter i sina fickor* search (feel in) one's pockets; *~ efter om* dörren är låst (potatisen är kokt) see if...
~ **sig för** eg. el. bildl. feel one's way
~ **igen** recognize; *jag skulle ~ igen honom* genast (bland hundra) äv. I would know him...; *~ igen ngn på* rösten (gången) äv. know a p. by...
~ **på** t.ex. motgång [have to] experience
~ **till** know, be acquainted with; veta av (om) know (have heard) of
kännare konst~ o.d. connoisseur; expert expert; authority
kän|nas 1 feel; handen *-ns våt* ...feels wet; *det -ns inte* I (you osv.) don't feel it; *det -ns lugnande för mig att veta det* it is a relief to me to know [that] **2** *~ vid* erkänna acknowledge; *inte vilja ~ vid* refuse to

acknowledge, disown; t.ex. sin egen far äv. be ashamed of
kännbar förnimbar perceptible; märkbar noticeable; påtaglig obvious; avsevärd considerable; svår severe; allvarlig serious; tung heavy; smärtsam painful; *ett ~t straff* a stiff penalty (sentence), a punishment that is (was etc.) really felt; behovet *gör sig ~t* ...is making itself felt
kännedom kunskap knowledge; bekantskap acquaintance; närmare familiarity; *det har kommit till vår ~ att...* we have been informed (information has reached us) that...
kännetecken 1 igenkänningstecken [distinctive] mark **2** utmärkande egenskap characteristic; symtom symptom; tecken mark, criteri|on (pl. -a)
kännetecknande characteristic; *ett ~ drag* äv. a distinctive trait
känning 1 kontakt touch; mil. äv. contact; *få ~ med botten* touch (strike) [the] bottom **2** smärtsam förnimmelse sensation of pain; *ha ~ av* t.ex. feber, sina nerver be troubled by... **3** förkänsla presentiment
känsel sinne feeling; perception of touch; jfr *känselsinne; ha fin ~* have a fine sense of feeling (resp. touch); *jag har inte någon ~ i* foten äv. my...is numb (asleep)
känselsinne för värme sense of feeling; för tryck [sense of] touch, tactile sense
känsl|a allm. feeling; sinnesförnimmelse sensation; sinne sense; andlig, isht moralisk sentiment; varm affection; förmåga att känna, stark ~ emotion; *mänskliga -or* human feelings (emotions resp. sentiments)
känslig allm. sensitive [*för* to]; mottaglig för t.ex. smärta, smitta susceptible; om kroppsdel sensible; lättrörd, ömsint emotional; lättretlig touchy; ömtålig delicate; känslofull emotional; rörande moving; sentimental sentimental; *ett ~t ämne* a delicate (ticklish) subject
känslighet sensitivity; susceptibility; sensibility; emotionality; touchiness; delicacy; sentimentality; jfr *känslig*
känslofull ...full of feeling; jfr vid. *känslosam*
känslokall cold; hjärtlös callous; frigid frigid
känsloliv emotional life
känslolös allm. insensitive; domnad numb; isht själsligt callous; unfeeling; likgiltig indifferent; apatisk apathetic
känslomässig emotional
känslosam känslofull emotional; sentimental sentimental; stark. mawkish
käpp allm. stick; tunn, äv. rotting cane; stång rod; *sätta en ~ i hjulet* throw a spanner into the works; *sätta [en] ~ i hjulet för ngn* put a spoke in a p.'s wheel, upset a p.'s applecart
käpphäst hobby-horse; fix idé obsession
käpprak bolt upright
käpprätt, *det gick ~ åt skogen* it went all to blazes
kär 1 avhållen dear; älskad beloved; kärkommen welcome; *~a barn (ni)!* my dear (till flera dears)!; *~a du!* my dear [fellow, girl etc.]; *[men] ~a nån* varför... but my dear...; *kruset är ett ~t minne* från min resa the jar is a precious souvenir...; *ha ngn ~* be fond of (love) a p. **2** förälskad in love; stark. infatuated; *bli ~ i* fall in love with
kära vard. *~ ner sig i* [go and] fall in love with, fall for
kärande jur. plaintiff; i brottmål prosecutor
käresta sweetheart
käring i olika bet. old woman (pl. women); *[gammal] ful ~* äv. hag, crone
kärkommen [very] welcome
kärl allm. vessel äv. anat.; biol. äv. duct; förvarings~ receptacle
kärlek allm. ~[*en*] love [*till* vanl. of (for)]; tillgivenhet affection [*till* for]; hängivenhet devotion [*till (för)* t.ex. studier to]; lidelse passion [*till* for]; kristen ~ charity; 'flamma' love, vard. flame; *gifta sig av ~* marry for love; *dö av olycklig ~* die of a broken heart
kärleksaffär love affair
kärleksbarn love child
kärleksfull älskande loving; öm tender; hängiven devoted; kärlig, om t.ex. blick amorous
kärleksgnabb lovers' quarrels
kärleksgud god of love
kärlekshistoria 1 berättelse love story **2** se *kärleksaffär*
kärlekskrank lovesick
kärleksliv love life
kärlekslös 1 hårdhjärtad uncharitable **2** om t.ex. barndom loveless
kärlkramp med. vascular spasm
1 kärna I *s* smör~ churn **II** *tr*, *~ smör* churn, make butter
2 kärn|a I *s* **1** frukt~: i äpple pip; i gurka seed; i stenfrukt stone; amer. pit; i nöt kernel; *ta ut -orna ur* remove the pips osv. from **2** i säd grain **3** friare: tekn. el. gaslågas core; jordens kernel; fys. el. naturv. nucle|us (pl. -i); i träd heart **4** bildl. *~n* det väsentliga the essence [*i* of] **II** *tr*, ~ [*ur*] äpplen core; se vid. *ta ut -orna ur* ovan *I 1*
kärnavfall nuclear waste
kärnbränsle nuclear fuel
kärnenergi nuclear energy
kärnfamilj sociol. nuclear family
kärnfri om citrusfrukt pipless, seedless; om russin seedless; urkärnad seeded; om stenfrukt stoneless; urkärnad stoned
kärnfrisk om pers. thoroughly healthy

kärnfull bildl. vigorous; mustig pithy; [*kort och*] ~ äv. sententious
kärnfysik nuclear physics
kärnhus core
kärnkraft nuclear power
kärnkraftverk nuclear power station (plant)
kärnpunkt, *~en i...* the principal (cardinal, main) point in (of)...
kärnreaktor nuclear reactor, atomic pile
kärnstridsspets nuclear warhead
kärnvapen nuclear weapons
kärnvapenbärande nuclear-armed
kärnvapenfri, ~ *zon* non-nuclear (nuclear-free) zone
kärnvapenförbud ban on nuclear weapons
kärnvapenkrig nuclear war (krigföring warfare)
kärnvapenmotståndare opponent of the use of nuclear weapons; vard. antinuke
kärnvapenprov nuclear test
kärnvapenstopp se *kärnvapenförbud*
käromål jur. plaintiff's case
kärr marsh; myr swamp, fen
kärra eg. cart; drag~ barrow; vard., om bil car; isht om äldre jalop[p]y
kärring se *käring*
kärv allm. harsh; om yta el. om motor rough; sammandragande astringent; bildl., språk rugged; om pers. gruff; om kritik pungent; *ett ~t läge* a difficult situation
kärva om motor o.d. bind; *det ~r till sig* things are getting difficult
kärv|e lantbr. sheaf (pl. sheaves); *binda* [*i*] *-ar* sheaf
kärvänlig öm affectionate; överdrivet vänlig ingratiating; *kasta ~a blickar på ngn* make eyes at a p.
kättare heretic äv. friare
kätte lantbr. pen
kätteri heresy äv. friare
kätting chain
kättja lust[fulness]
käx se *kex*
kö 1 biljard~ cue **2** rad av väntande queue, file; isht amer. line; *bilda* ~ form a queue; *stå* (*ställa sig*) *i* ~ se *köa* **3** slutet av trupp rear
köa queue [up]; isht amer. stand in line, line up
köbricka queue number (check)
kök 1 eg. kitchen **2** kokkonst cuisine, cookery; känd för sitt *goda* ~ äv. ...fine cooking (food)
köksa kitchen-maid
köksavfall kitchen refuse, garbage
kökshandduk kitchen towel, tea cloth
köksingång kitchen (back) entrance, service entrance
köksinredning kitchen fixtures
köksmästare chef
köksrulle kitchen roll
köksspis kitchen range; elektrisk el. gasspis cooker
köksträdgård kitchen garden
köksväxt grönsak vegetable; kryddväxt pot herb
köl sjö. keel
kölapp queue [number] ticket
köld 1 eg.: allm. cold; frost frost; kall väderlek cold weather; köldperiod spell of cold [weather]; gå ut *i 10 graders* ~ ...in 10 degrees below freezing-point **2** bildl.: kylighet coldness; likgiltighet indifference
köldgrad degree of cold (frost), jfr *minusgrad*
köldknäpp sudden cold spell
köldvåg cold wave
kölvatten sjö. wake äv. bildl.
kön 1 allm. sex; *av kvinnligt* (*manligt*) ~ of the female (male) sex **2** gram. gender
könlös sexless; bot. el. zool. neuter
könsbyte change of one's sex
könsdelar, *yttre* ~ genitals, privates, private parts
könsdiskriminering discrimination between the sexes, sex discrimination
könsdrift sex[ual] instinct (urge); friare sexual desire
könshormon sex hormone
könskvotering av tjänster o.d. allocation...according to sex
könsliv sex[ual] life
könsmognad sexual maturity
könsord word referring to sex; vard. four-letter word
könsorgan sexual organ; *inre* ~ pl. internal sexual organs; jfr vid. *könsdelar*
könsroll sex role
könssjukdom venereal disease (förk. VD)
köp allm. purchase; vard. buy; köpande buying; transaktion, vard. deal; kortsp. exchange; *göra ett gott* ~ make (get) a good bargain; *ta varor på öppet* ~ take goods on approval (with the option of returning them); [*till*] *på ~et* allm. ...into the bargain; dessutom ...in addition, what's more...; till och med even; vad mer är ...over and above that; till råga på allt to crown (on top of) it all; *till på ~et* i London ...of all places
köpa buy äv. bildl.; purchase; tubba suborn; muta bribe; kortsp., byta ut exchange; vard., gå med på buy; ~ *ngn* (*sig*) *ngt* buy a p. (oneself) a th.; ~ *hem* t.ex. mat, frukt buy
köpare buyer
köpcentrum shopping centre, mall
köpekontrakt contract of sale
köpeskilling o. **köpesumma** jur. purchase sum
köpkraft purchasing (spending) power

köpkurs för värdepapper bid price (quotation); för valutor buying rate
köplust desire (inclination) to buy things; efterfrågan [buying] demand
köpslå bargain; kompromissa compromise
köpstark ...with great purchasing (spending) power, ...with [plenty of] money to spend
köptvång, *utan* ~ with no obligation to purchase, without obligation to purchase
1 kör sång~ choir; t.ex. i opera chorus; sångstycke chorus äv. bildl.; *en* ~ *av protester* a chorus of protest; *i* ~ in chorus
2 kör, *i ett* ~ without stopping, continuously; t.ex. arbeta äv. at a stretch, without a break
3 kör vard. *hela ~et* klabbet the whole lot (caboodle)
kör|a I *tr* **1** framföra, styra: allm. drive; motorcykel ride; t.ex. skottkärra, barnvagn push; ~ *en motor på* bensin run an engine on... **2** forsla: allm. take; i kärra cart, wheel; i barnvagn push; isht [tyngre] gods carry; *han -de henne* [*med bil*] till stationen äv. he gave her a lift... **3** stöta, sticka run, thrust; ~ *fingrarna genom håret* run one's fingers through one's hair **4** jaga ~ *ngn på dörren* (*porten*) turn (utan vidare bundle) a p. out **5** ~ visa *en film* show a film; filmen *har -ts tre veckor* ...has run three weeks **6** kugga plough; isht amer. flunk

II *itr* **1** allm. drive; på [motor]cykel ride; åka go, ride; färdas travel, jfr *2 fara I 1* o. *åka I 1;* äv. betr. hastighet; om fabrik work; *kör!* i väg go ahead!; *han kör bra* he drives well, he is a good driver; ~ *mot rött* [*ljus*] jump the lights **2** kuggas i tentamen o.d. be ploughed; amer. flunk **3** ~ *med:* **a)** ~ *med* jäkta *folk* boss (order) people about **b)** *han kör jämt med* t.ex. sina teorier, de oregelbundna verben osv. he is always going on about... **4** *kör hårt!* sätt igång get cracking!

III med beton. part.

~ **av a)** ~ *av vägen* med bilen drive off the road **b)** ~ *av ngn från* bussen turn a p. out of..., make a p. get out of...

~ **bort a)** tr.: forsla undan take osv. away; driva bort drive (send)...away (off), pack...off; jaga bort äv. chase...away **b)** itr. drive away

~ **efter** se *åka* [*efter*]

~ **emot** en lyktstolpe run into...

~ **fast** get stuck äv. bildl.; come (be brought) to a dead stop (a standstill); förhandlingarna *har -t fast* ...have come to a deadlock

~ **fram a)** itr. *bilen -de fram till* trappan the car drove up to... **b)** tr. ~ *fram bilen* (*varorna*) *till* dörren drive the car (take etc. the goods) up to...

~ **i ngn** mat force...into a p. (down a p.'s throat); kunskaper cram...into a p.['s head]

~ **ifatt** catch up with, se vid. *ifatt*

~ **ifrån** ngn (ngt) se *ifrån I*

~ **igång med** vard., starta go ahead with

~ **ihjäl ngn** run over a p. and kill him (resp. her); ~ *ihjäl sig* dödas i en bilolycka be killed in a car accident

~ **ihop a)** kollidera run into one another **b)** fösa ihop drive (pack, crowd)...together **c)** *det har -t ihop sig* [*för mig*] things are piling up

~ **in a)** eg. ~ *in bilen* [*i garaget*] drive the car into the garage; ~ *in* hö (säd) bring (äv. cart) in...; *tåget -de in* [*på* stationen] the train pulled in [at...]; ~ *in* vid trottoarkant o.d. draw in **b)** ~ *in* trimma in *en ny bil* run in a new car **c)** driva (jaga) in pack (send)...in (indoors) **d)** ~ stöta (stoppa) *in...* [*i*] thrust (stick, push, vard. shove, poke)...in[to]

~ **i väg a)** itr. drive off **b)** tr., se ~ *bort*

~ **om** passera overtake, pass

~ **på a)** itr.: fortare drive (resp. ride jfr ovan) faster; vidare drive osv. on **b)** tr. ~ *på ngn* kollidera med run into a p.; omkull ngn knock a p. down; ~ *på* ett annat fordon run (knock, bump) into...

kör till! all right!

~ **upp a)** itr. drive (resp. ride jfr ovan) up; för körkort take one's driving test **b)** tr., eg. take osv. up; sticka upp stick (put) up; lura fleece; friare swindle; ~ *upp* ngn *ur sängen* make...get (rout...[up]) out of bed

~ **ut a)** itr. drive (resp. ride jfr ovan) out; ~ *ut på landet* med bil drive (göra en tur go for a drive) into the country **b)** tr. deliver; ~ kasta *ut ngn* turn a p. out [of doors] (ur rummet out of the room)

~ **över a)** t.ex. gata, bro drive (resp. ride jfr ovan) across **b)** ~ *över ngn* vanl. run over a p.; bildl. ride roughshod over a p.

körbana på gata road[way]; amer. pavement
körförbud, *belägga* bil *med* ~ impose a driving ban on...
körhastighet speed
körkort driving (driver's) licence
körkortsprov driving test
körledare mus. choirmaster
körning körande driving osv., jfr *köra;* data. run; körtur o.d.: med bil drive; mer yrkesmässig run; *olovlig* ~ ung. using a vehicle without lawful authority
körriktningsvisare [direction] indicator
körsbär cherry
körsbärslikör cherry brandy
körsbärsträd cherry [tree]
körskicklighet driving-skill; hos [motor]cyklist riding-skill
körsnär furrier

körsång sjungande choir-singing; komposition chorus, part-song
körtel anat. gland
körväg i mots. t. gångväg road[way], carriageway; i park el. till privathus drive; *det är* en kvarts (kilometers) ~ *dit* it is...drive (med [motor]cykel ride) there
kött allm. flesh äv. bildl.; slaktat meat; mitt eget ~ *och blod* ...flesh and blood; *få ~ på benen* fetma äv. put on flesh
köttaffär butik butcher's [shop]
köttbulle meatball
köttfärgad flesh-coloured
köttfärs råvara minced meat; beredd stuffing
köttfärslimpa meat loaf
köttfärssås mincemeat sauce
köttgryt|a rätt hotpot, steak casserole; *sitta vid maktens -or* ung. hold the reins of power
köttklubba steak hammer
köttkvarn [meat-]mincer; amer. meat grinder
köttslig 1 egen own; om t.ex. broder ...german **2** sinnlig carnal; bibl. fleshly
köttsår flesh wound
köttyxa [butcher's] chopper, cleaver
köttätare människa vanl. meat-eater; djur flesh-eater, carnivore

L

l 1 bokstav l [utt. el] **2** (förk. för *liter*) l
labb på djur paw; på människa, vard. paw, mitt; näve fist
labil unstable, fluctuating; psykol. emotionally unstable
laboration experiment laboratory experiment; arbete (äv. *~er*) laboratory work; skol., övning laboratory lesson
laboratorium laboratory
laborera 1 eg. do laboratory work **2** bildl. ~ *med* pröva work (go) on; experimentera med experiment with, try out; röra sig med play about with
labyrint labyrinth äv. anat.; maze
lack 1 sigill~ sealing wax; lacksigill seal **2** fernissa lacquer; nagel~ [nail] varnish; till konstföremål japan; färg enamel; ämne [gum] lac **3** se *lackering* **4** ~skinn patent leather
1 lacka 1 seal[...with sealing-wax]; ~ *igen* (*ihop*) seal up..., seal...up with sealing-wax **2** se *lackera*
2 lacka, *han arbetade så att svetten ~de* he worked so hard that the sweat was dripping from him
3 lacka, *det ~r mot jul* Christmas is drawing near
lackera lacquer; måla enamel, paint; naglar el. fernissa varnish; med spruta spray
lackering abstr. varnishing osv., jfr *lackera;* konkr. varnish, enamel; bil~: abstr. [car] painting (spraying); konkr. paintwork, paint
lacknafta white spirit
lacksko patent leather shoe
lada barn
ladda fylla: allm. el. data. load; elektr. charge; ~ *batterierna* bildl. recharge [one's batteries]; bössan, kameran *är ~d* ...is loaded; stämningen *var ~d* ...was charged; ~ *om* reload; elektr. recharge; ~ *upp* a) elektr. charge b) förbereda sig get ready; mentalt prepare oneself mentally; fysiskt do some hard training; ~ *ur* elektr. discharge; om moln explode, burst; om batteri run down
ladugård cowhouse; amer. äv. barn
ladusvala swallow; amer. barn swallow
1 lag avkok decoction; lösning solution; spad liquor; socker~ syrup
2 lag 1 sport. el. arbets~ team; sport. äv. side; roddar~ crew; arbetar~ gang; sällskap company; krets set; *välja ~* pick [up] sides; *i glada vänners ~* in convivial company; *vara i ~ med* be in (involved) with; *ha ett ord med i ~et* have a say (a voice) in the

matter **2** ordning *ur ~* out of order **3** belåtenhet *göra (vara) ngn till ~s* please (suit) a p. **4** *i kortaste ~et* rather (a bit) short, almost too short; om t.ex. kjol äv. a little on the short side

3 lag allm. law; jur.: antagen av statsmakterna act; förordning statute; lagbok code; *~ar och förordningar* rules and regulations; *det är ~ på* det (*på att* hel sats) there is a law about... (a law saying that...); *läsa ~en för ngn* give a p. a lecture; *stifta ~ar* make laws; lagstifta legislate; *ta ~en i egna händer* take the law into one's own hands

1 laga lagenlig legal; laggiltig lawful; giltig valid; *vinna ~ kraft* gain legal force, become law (legal); *i ~ ordning* according to the regulations prescribed by law

2 laga I *tr* **1** ~ [*till*] allm. make; gm stekning o.d. äv. cook; göra i ordning, t.ex. måltid prepare, get...ready; isht amer. äv. fix; t.ex. sallad äv. dress; tillblanda mix; medicin make up; *~ maten* do the cooking **2** reparera repair; isht amer. äv. fix; stoppa darn; lappa patch [up]; sy ihop stitch up; tänder fill **II** *itr, ~ [så] att...* se till see [to it] that...; ställa om arrange (manage) it so that...

lagarbete teamwork

lagbok statute book

lagbrytare lawbreaker

lagd om pers. *vara ~ åt (för)* ngt be naturally fitted (have a bent) for...; *vara praktiskt ~* be practical, have a practical turn of mind

lagenlig ...according to [the] law, lawful

1 lager 1 förråd stock; varu~ stock-in-trade; stort beredskaps~ stockpile; lokal: rum stockroom, store (storage) room[s pl.], magasin warehouse; *så länge lagret räcker* while stocks last; *ha...i (på) ~* have...in stock (on hand); bildl. have a stock of... **2** skikt: allm. layer äv. kok.; av målarfärg coat; geol. äv. samt bildl. strat|um (pl. -a); geol. äv. bed; avlagring deposit; *de breda lagren* the broad mass sg. of the people, the masses **3** tekn. bearing

2 lager bot. laurel; *skörda (skära) lagrar* bildl. win (gain, reap) laurels

3 lager öl lager

lagerarbetare storeman

lagerbärsblad kok. bay leaf

lagerchef stores (store-room, magasin warehouse) manager

lagerkrans ss. utmärkelsetecken laurel wreath (crown)

lagerlokal stockroom, store (storage) room[s pl.]; magasin warehouse

lagervara stock line; *lagervaror* äv. stock goods

lagfart jur. *söka (få) ~ på* fastighet apply for the registration of one's title to...

lagfartsbevis jur. certificate of registration of title

lagförslag [proposed] bill

lagg 1 kok. frying-pan; för våfflor waffle iron; *en ~* våfflor a round of... **2** vard., skida ski

lagkapten captain [of a (resp. the) team]

lagledare sport. manager of a (resp. the) team

laglig laga legal; erkänd av lagen, hustru lawful; t.ex. ägare rightful

laglott jur., ung. statutory share of inheritance

laglydig law-abiding

laglös lawless

lagman vid tingsrätt chief judge in district court; i vissa städer president of city court; vid länsrätt chief judge in county administrative court

lagning abstr. repairing; isht amer. äv. fixing; mending; konkr. repair; stoppning darn; tand ~ filling

lagom I *adv* just right; nog just enough; tillräckligt sufficiently; måttligt in moderation; den är *~ stor* ...just large enough, ...just the right size **II** *adj* tillräcklig adequate; lämplig fitting; måttlig moderate; *det är [just] ~ åt honom* iron. it serves him right **III** *s, ~ är bäst* everything in moderation

lagparagraf section of a law (an Act)

lagra I *tr* förvara store äv. data.; magasinera warehouse; för kvalitetsförbättring: t.ex. vin lay down (leave)...to mature, t.ex. ost leave...to ripen **II** *rfl, ~ sig* **1** geol. stratify **2** om t.ex. damm settle [in layers]; *~ av sig* be deposited in layers (strata)

lagrad 1 förbättrad gm lagring: om t.ex. ost ripe; om t.ex. vin matured **2** geol. stratified

lagring (jfr *lagra*) **1** storage; warehousing; för kvalitetsförbättring maturing, seasoning **2** geol. stratification

lagsport team game

lagstifta legislate

lagstridig ...contrary to [the] law; olaglig illegal

lagsöka sue

lagtext jur. words (wording) of an Act

lagtima, *~ riksdag[en]* the ordinary (statutory) session of the Riksdag

lagtävlan o. **lagtävling** team competition

lagun lagoon

laguppställning sport. [team] line-up

lagvigd [lawfully, attr. äv. lawful] wedded

lagård se *ladugård*

lagöverträdelse an offence against (a transgression of) the law

laka, *~ ur* leach äv. tekn.; kok. remove the salt from...by soaking; jfr *urlakad*

lakan sheet; *ligga mellan ~* sjuk be in bed

lakej lackey äv. bildl.

lakonisk laconic

lakrits liquorice; isht amer. licorice

lalla sluddra mumble

lam förlamad paralysed; amer. vanl. paralyzed; domnad: isht av köld numb, av ansträngning stiff; bildl.: föga övertygande lame, svag feeble; *han är ~ i benen* vanl. his legs are paralysed osv.
lamé tyg lamé fr.
lamell 1 naturv. el. anat. lamell|a (pl. -ae); lamin|a (pl. -ae) äv. geol. **2** bil.: i koppling disc; i kylare rib **3** elektr. segment
lamhet paralysis, numbness osv.; jfr *lam*
laminat laminate
lamm lamb; *Guds ~* the lamb of God
lamma lamb
lammkotlett lamb chop
lammkött kok. lamb
lammstek leg (joint) of lamb; tillagad roast lamb; amer. lamb roast
lammull lamb's-wool
lampa lamp; glöd~ vanl. bulb
lampfot lampstand
lampskärm lampshade
lamslå allm. paralyse; amer. vanl. paralyze; *lamslagen av* skräck paralysed (petrified) with...
land 1 rike: eg. country; i högre stil el. mera bildl. land; *både inom och utom ~et* inside and outside the country, at home and abroad **2** fastland land; strand shore; *lägga ut från ~* put off from land (the shore); *gå (stiga) i ~* a) go ashore [*på* ön on...] b) debarkera äv. go on shore; *ro ngt i ~* pull a th. off (through); *på ~* a) mots. till sjöss on shore, ashore b) mots. i vattnet on land, overland **3** jord land; trädgårds~ [garden] plot, med t.ex. grönsaker, potatis patch **4** landsbygd *vara från ~et* come from the country äv. neds.
landa I *itr* allm. land äv. bildl.; flyg. äv. come down; i havet splash down **II** *tr, ~ ett plan (en fisk)* land a plane (fish)
landbacke, *på ~n* on land (shore)
landbris land breeze
landförbindelse förbindelse med fastlandet connection with the mainland
landgång konkr. **1** sjö. gangway, gangplank **2** lång smörgås long open sandwich
landhockey [field] hockey
landkrabba vard. landlubber
landkänning 1 *få (ha) ~* come (be) within sight of land, make land **2** grundstötning grounding; *få ~* touch ground
landning landing; i havet splashdown
landningsbana flyg. runway
landningsförbud, *få (ha) ~* be prohibited from landing
landningsljus flyg. landing light (flare)
landningsplats sjö. landing place; flyg. landing ground; i havet, om rymdfarkost splashdown
landningsställ flyg. undercarriage, landing gear
landningstillstånd permission to land; *ge ~* give...permission to land, clear...for landing
landområde territory
landsbygd country; *~ens befolkning* the rural population
landsdel part of a (resp. the) country
landsfader father of the (his) people
landsflykt exile; *gå i ~* go into exile
landsflyktig I *subst adj* exile **II** *adj* ...in exile
landsförrädare traitor [to one's country]
landsförräderi treason
landsförvisa exile, banish
landsförvisning exile
landshövding ung. county governor
landskamp international [match]
landskap 1 provins province **2** natur el. tavla landscape; sceneri scenery
landslag sport. international team; *svenska ~et* vanl. the Swedish team
landslagsspelare international [player]
landsman från samma land fellow countryman, compatriot
landsnummer tele. country code [number]
landsomfattande country-wide, nation-wide
Landsorganisationen, *~ i Sverige* (förk. *LO*) the Swedish Confederation of Trade Unions
landsort, *~en* the provinces pl.
landsortsbo provincial
landsplåga [national] scourge; friare plague
landssorg national (public) mourning
landstigning landing
landsting ung. county council
landstridskrafter land forces
landstrykare tramp
landsväg main (mindre country) road; *på allmän ~* on the public highway
landsvägsbuss coach
landsvägskörning med bil etc. driving on main (mindre country) roads
landsända part of a (resp. the) country
landsätta isht mil. land
landtunga udde tongue of land; näs neck of land
landvinning, *~ar* erövrade områden conquests; områden erhållna genom fördrag o.d. acquisitions; bildl. achievements
landväg, *~en* adv. by land, overland
landå fyrhjulig täckvagn landau
langa I *tr* räcka från hand till hand pass...from hand to hand; skicka hand; kasta chuck; *~ hit* ge mig...! let me have...! **II** *tr* o. *itr, ~ [narkotika]* peddle (push) drugs (narcotics)
langare peddler; isht under förbudstiden bootlegger
lank vard. dishwater
lanka kortsp. low (poor) card
lanolin lanolin

lans lance; *bryta en ~ för* take up the cudgels for
lansera allm. introduce; göra populär popularize; föra fram, t.ex. mode, idé start; ~ *ngn* matcha ngn launch (build up) a p.
lantarbetare farm worker
lantbefolkning country (rural) population
lantbo rustic; *~r* vanl. country people
lantbrevbärare rural postman, amer. rural mail carrier
lantbruk 1 verksamhet agriculture **2** bondgård o.d. farm
lantbrukare farmer
lantbruksskola agricultural college
lantegendom estate
lanterna sjö. light; flyg. navigation (position) light
lantgård farm
lanthandel affär country (village) shop (isht amer. store)
lantis vard. country bumpkin
lantlig eg. rural; enkel rustic äv. neds.; landsortsmässig provincial
lantlighet rural simplicity
lantliv country life
lantlolla vard. country wench
lantmätare surveyor
lantställe place in the country, country house (mindre cottage, större residence, estate)
lantvin local wine; bordsvin table wine
lapa om djur lap; om människor: vard., dricka drink; ~ *luft* (*sol*) take in some air (bask in the sun)
1 lapp same Lapp, Laplander
2 lapp till lagning el. som ögonskydd patch; trasa cloth; etikett label; meddelande note; bit: allm. piece, scrap, pappers~ piece (slip) of paper; skriva på *lösa ~ar* ...odd bits of paper
lappa 1 patch äv. data.; laga mend; ~ *ihop* äv. bildl. patch up, repair **2** ~ *till* slå till *ngn* slap (wallop) a p.
lappkast i skidsport kick turn
Lappland Lapland
lapplisa [woman] traffic warden; vard. meter maid
lappländsk Laplandish, ...of Lapland, Lapland...
lappländing Laplander
lappning lappande patching, mending; lappat ställe mend
lapptäcke patchwork quilt
lappverk, [*ett*] ~ [a piece of] patchwork
lapska 1 kvinna Lapp woman **2** språk Lappish
lapskojs kok. lobscouse
larm 1 oväsen noise; buller din **2** alarm alarm; ~signal alert; *slå* ~ sound the alarm; bildl.: varna warn; protestera raise an outcry
larma I *itr* make a noise (din); *en ~nde hop* a clamorous crowd **II** *tr* **1** alarmera call **2** förse med larm huset *är ~t* ...has had an alarm installed in it
larmrapport alarming report; friare scare
larmsignal alarm [signal]
1 larv zool.: allm. larv|a (pl. -ae); av t.ex. fjäril caterpillar; av t.ex. skalbagge grub; av fluga maggot
2 larv vard., dumheter rubbish; dumt uppträdande silliness
larva I *itr* traska toddle **II** *rfl*, ~ *sig* prata dumheter talk rubbish; vara dum be silly, play the fool; bråka play about
larvfötter tekn. caterpillars; *traktor med* ~ caterpillar, crawler, caterpillar (crawler) tractor
larvig silly
lasarett hospital
laser fys. laser
laserstråle fys. laser beam
lass last load; lastad vagn loaded cart (jfr t.ex. *hölass*); *ett* ~ [*av*] smörgåsar a big pile of...; *dra det tyngsta ~et* bildl. have the heaviest burden
lassa I *tr* load; ~ allt arbetet *på ngn* load (pile)...on to a p. **II** med beton. part., se *I lasta II*
lasso lasso (pl. -s el. -es); *kasta* ~ throw a (the) lasso
1 last 1 eg.: load; skepps~ cargo, freight; *med full* ~ with a full load **2** *ligga* ngn *till* ~ [*ekonomiskt*] become (be) a [financial] burden to...
2 last fel o.d. vice
1 lasta I *tr* o. *itr* allm. load; ta ombord take in; ta in last take in cargo; ~ *och lossa* load and unload
II med beton. part.
~ **av** unload; ~ *av sig bekymren på* andra unburden one's troubles to...
~ **i** (**in**) load
~ **om** a) på nytt reload b) till annat transportmedel transfer
~ **på ngt på** vagnen load a th. on to...; ~ *på ngn* ngt load (bildl. saddle) a p. with...
~ **ur** unload
2 lasta klandra blame
lastbar vicious, depraved
lastbarhet depravity
lastbil lorry; isht tyngre el. amer. truck
lastfartyg cargo ship
lastflak platform [body]
lastgammal extremely old; *så ~ är jag inte* I am not that old
lastkaj sjö. whar|f (pl. -fs el. -ves); amer. dock; vid godsstationer loading platform
lastning loading; *för ~ med* S/S Mary to be shipped on board...
lastpall pallet
lastrum utrymme cargo (stowage) space; konkr.: sjö. hold; flyg. cargo compartment

lat allm. lazy; loj indolent; sysslolös idle
lata, ~ *sig* be lazy, have a lazy time; slöa laze, idle
latent latent
later fasoner behaviour, manners; *stora* ~ grand airs
lathund 1 lat person lazy dog (devil); lazybones (pl. lika), layabout **2** hjälpreda: för översättning crib; för räkning ready-reckoner
latin Latin; för konstr., jfr *svenska 2*
Latinamerika Latin America
latinsk Latin
latitud latitude äv. bildl.
latmansgöra, det är *inget* ~ ...no easy job
latmask lazybones (pl. lika)
latrin 1 avträde latrine **2** exkrementer night soil
latsida, *ligga på ~n* be idle
lava lava
lavemang enema
lavendel bot. lavender
lavin avalanche äv. bildl.
lavinartad avalanche-like; *en ~ utveckling* an explosive development
lax zool. salmon (pl. lika); *en glad* ~ vard. a bright spark, a lively fellow
laxering purging
laxermedel purgative, svagare laxative
laxfiske laxfiskande salmon-fishing
laxrosa salmon pink
laxöring zool. salmon trout (pl. lika)
le smile äv. iron.; ~ *mot* smile at (bildl. [up]on)
leasa ekon. lease
1 led väg way; rutt route; farled fairway; riktning direction
2 led 1 fog: anat. el. bot. el. tekn. joint; bot. äv. node; del av finger (tå) phalanx (pl. äv. phalanges); del av leddjur segment; *ur* ~ äv. bildl. out of joint **2 a)** länk, t.ex. i beviskedja link; stadium stage; beståndsdel part; *vara ett [viktigt]* ~ *i...* form [an essential] part of... **b)** matem. term **c)** mil. el. gymn.: personer bredvid varandra rank äv. bildl.; bakom varandra file; rad line; *bakre (främre) ~et* the rear (front) rank **3** släkt~ generation; släktskaps~ degree [of kindred]; linje line; *härstamma i rakt nedstigande ~ från...* be a lineal (direct) descendant of...
3 led 1 trött vara ~ *på* ...tired of, weary of, sick [and tired] of, ...fed up with **2** ful ugly **3** ond evil; stygg nasty; *den ~e* subst. adj. the Evil One
1 leda weariness; trötthet boredom, tedium; avsmak disgust, svag. distaste; motvilja repugnance; övermättnad satiety
2 leda I *tr* allm. lead; anföra äv. samt t.ex. undersökning conduct; mil. command; styra manage, vard. boss; ha hand om be in charge of; ha överinseende över superintend, supervise; vägleda guide; rikta direct; fys. el. elektr. conduct; transportera convey; härleda, t.ex. ursprung trace; ~ ett barn *vid handen* (en hund *i band*) lead...by the hand (...on a leash); *[låta sig] ~s av* ngt be governed (guided) by... **II** *itr* lead äv. sport.; Sverige *leder med 3-2* ...is leading (winning) [by] 3-2; *vart ska det ~?* bildl. where will it lead to?, what will the outcome of it be?; diskussionen *leder ingen vart* ...leads nowhere (doesn't take you anywhere)
III med beton. part.
~ **av,** ~ **bort** se *avleda;* ~ *bort* vatten, ånga etc. carry off
~ **in** ngn lead...in; ~ *in* t.ex. vatten lay on [*i* in]; ~ *in* samtalet *på* turn (direct)...on to
~ **tillbaka** lead back; bildl. trace back
ledamot member; i lärt sällskap o.d. fellow
ledande allm. leading; om t.ex. princip guiding; fys. conducting; en man *i ~ ställning* ...in a leading (framskjuten prominent) position
ledare 1 person: allm. leader; anförare conductor; arrangör organizer; ~ *för* ett företag manager (head) of... **2** i tidning leader, editorial **3** fys. conductor
ledarhund i spann leader dog; blindhund guide dog; amer. äv. seeing-eye dog
ledarskap leadership
ledband 1 anat. ligament **2** *gå i ngns* ~ be tied to a p.'s apron strings
ledbruten stiff; *känna sig alldeles* ~ be aching all over
ledgångsreumatism med. rheumatoid arthritis
ledig 1 fri **a)** om pers.: free, not occupied; sysslolös unoccupied; arbetslös unemployed **b)** om tid: free; inte upptagen leisure...; *en ~ dag i veckan* one day off a week; jag har aldrig *en ~ stund* ...a spare moment, ...a moment to spare; *få ~t en timme (en vecka)* get an hour off (a week's holiday); *vara ~ för studier* be on (have) leave of absence for study purposes; *är du ~ ikväll?* ss. inbjudan are you doing anything tonight? **2** obesatt vacant; om t.ex. sittplats vanl. unoccupied; ej upptagen, om t.ex. taxi free; disponibel: spare..., free; att tillgå available; ss. skylt: på taxi for hire; på t.ex. toalett vacant; *det finns inte en ~ bil* there isn't a taxi to be had (a taxi available); *är den här platsen ~?* is this seat taken (occupied)? **3** otvungen easy äv. om t.ex. hållning; flytande: om handstil flowing, om språk fluent; bekväm comfortable; smidig, om t.ex. rörelser relaxed; *~a!* mil. stand easy!; *ett ~t sätt* free and easy manners pl.
ledigförklara announce...as vacant
ledighet 1 ledig tid free time, time off; semester holiday **2** otvungenhet: i umgänge easiness (ease) of manner; stils o.d. ease, easy flow; i rörelser freedom

ledigt 1 *få* (*ge ngn*) osv. **~**, se ex. under *ledig 1* **2** allm. easily; bekvämt comfortably; obehindrat freely; utan risk certainly; gladeligen gladly; röra sig ~ otvunget ...with ease; *sitta* ~ om kläder fit comfortably, be an easy fit

ledmotiv mus. recurrent theme

ledning 1 skötsel o.d. management; ledarskap leadership; inom t.ex. företag management; mil. command; väg~ guidance; ledtråd lead; sport. lead; *ta ~en* take the lead; sport. äv. go ahead; ta befälet take over command **2** koll. *~en* inom företag the management, the executives (managers) pl.; t.ex. inom parti the leaders pl., the leadership; mil. the command **3** tekn.: elektr., tråd wire; grövre cable; kraft~ el. tele. line; rör pipe

ledningsbrott tele. o.d. line breakdown

ledsaga allm. accompany äv. mus.; beskyddande escort; ss. uppvaktande attend

ledsam långtråkig boring; ointressant dull; se vid. *tråkig*

ledsen sorgsen sad; olycklig unhappy; bekymrad distressed; bedrövad grieved; förargad annoyed; besviken disappointed; sårad hurt; end. pred.: beklagande, ofta i hövlighetsfraser sorry; illa berörd upset; *var inte* ~ bekymrad [*för det*]*!* vanl. don't worry [about that]!

ledsna grow (get) tired; *ha ~t på* äv. have had enough of, be (have got) fed up with

ledsnad bedrövelse distress; beklagande regret; *till min ~ hör jag att...* I hear with regret that...

ledstjärna guiding-star äv. bildl.

ledstång handrail

ledsyn, *han har* ~ he can only just see his way about

ledtråd clue

leende I *adj* smiling äv. om t.ex. natur; hon nickade [*vänligt*] ~ ...with a [kindly] smile **II** *s* smile

legalisera legalize; t.ex. underskrift authenticate

legation legation

legend legend; uppdiktad historia myth

legendarisk legendary

legio oräknelig innumerable; *det finns ~ av dem* they are legion

legion legion

legionär legionary

legitim legitimate

legitimation 1 styrkande av identitet identification; konkr. identity (identification) paper; *har ni ~?* have you got an identity card?, can you prove your identity? **2** styrkande av behörighet authorization; *ha ~ som läkare* be a registered (fully qualified) doctor

legitimationshandling identity (identification) paper

legitimationskort identity (identification) card

legitimera I *tr* **1** göra laglig legitimate **2** ge behörighet authorize; *~d* läkare registered (fully qualified)... **II** *rfl, ~ sig* identify oneself, prove one's identity

legoknekt o. **legosoldat** mercenary

legymer vegetables

leja hire äv. neds.; anställa take on; *lejd mördare* hired assassin; vard., t.ex. i gangsterliga hit man, contract killer

lejd garanti safe-conduct; *ge* ngn *fri* ~ grant...a safe-conduct, safe-conduct

lejon 1 lion äv. bildl. **2** *Lejonet* astrol. Leo

lejonhona o. **lejoninna** lioness

lejonklo, *visa ~n* show one's mettle

lejonpart, *~en* the lion's share

lek 1 ordnad game; lekande play; t.ex. m. döden playing; bildl.: t.ex. vågornas dancing; t.ex. skuggornas play; *~ och idrott* games pl. and athletics; det är *en ~ med ord* ...a play on words **2** zool.: fiskars spawning; fåglars pairing **3** kort~ pack; amer. äv. deck

leka 1 allm. play äv. bildl.; vara el. utföra på lek play at; spela rollen av act; *~ lekar* play games; *~ mamma, pappa, barn* play mothers and fathers, play house; *~ med tanken* [*att* inf.] play (toy) with the idea [of ing-form]; han (det) *är inte att ~ med* ...is not to be trifled with; t.ex. om sjukdom äv. ...is no trifling matter; *livet lekte för henne* fortune smiled on her **2** zool.: om fiskar spawn; om fåglar pair

lekamen body; *Kristi ~s fest* [the feast of] Corpus Christi

lekande, *det går* (*är*) *~ lätt* it is as easy as anything (as pie)

lekdräkt barns playsuit

lekfull playful

lekis se *lekskola*

lekkamrat playmate

lekledare games organizer

lekman layman; *lekmännen* äv. the laity sg.

lekmannamässig lay...

lekpark playground

lekplats 1 lekpark playground; *på ~en* in the playground **2** fiskars spawning-ground

leksak toy äv. bildl. om pers.

leksaksaffär toyshop

lekskola nursery school

lekstuga barns lekhus playhouse; bildl. playground

lektid zool.: fiskars spawning time; fåglars pairing-time, mating-time

lektion lesson äv. bildl.; *ge* (*hålla*) *~er* [*i engelska*] vanl. teach [English]

lektor univ. lecturer; skol., ung. senior master (kvinnl. mistress)

lektyr reading; konkr. something to read

lem limb äv. bildl.; manslem male organ

lemlästa maim; göra till invalid cripple

len mjuk soft; slät smooth; friare om t.ex. röst silky äv. bildl.; om t.ex. luft bland
lena lindra soothe
leopard leopard
ler, *de hänger ihop som ~ och långhalm* they are as thick as thieves
lera clay; sandblandad loam; gyttja mud
lerduveskytte sport. clay pigeon (skeet) shooting
lergods earthenware; kruka *av ~* earthenware..., pottery...
lergök mus. [primitive] ocarina
lerig lerhaltig clayey; gyttjig, smutsig muddy
lerkruka crock; förvaringskärl earthenware jar (pot)
lervälling, vägen är *en enda ~* ...just a mass (sea) of mud
lesbisk Lesbian
leta I *itr* (ibl. *tr*) allm. look; ihärdigt search; ivrigt hunt; *~ efter* äv.: treva efter feel (grope) for; söka komma på cast about for
II *rfl, ~ sig dit* find one's way there
III med beton. part.
~ **fram** hunt (hala fish, gräva rummage) out; *~ sig fram* find (bana sig make, treva grope el. feel) one's way
~ **igenom** search; gå igenom ransack
~ **reda** (**rätt**) **på** find, lyckas manage to find
~ **upp** search out; hitta find
lett Latvian
lettisk Latvian
lettiska 1 kvinna Latvian (Lettish) woman **2** språk Latvian
Lettland Latvia
leukemi med. leukaemia; amer. leukemia
leva I *itr* o. *tr* **1** allm. live; vara i livet be alive; existera exist; livnära sig, fortleva survive; *leve* friheten, konungen*!* long live...!; *om jag lever och har hälsan* if I am spared and keep well; *~ enkelt* lead a simple life; *~ för dagen* live from day to day, live from hand to mouth; *~ [ihop] med* live with; *~ på* äta live on, om djur äv. feed on; försörja sig genom live (make a living) by **2** väsnas be noisy
II med beton. part.
~ **ihop** se under *1*
~ **sig in i** ngns känslor enter into...; *~ sig in i rollen* live the part
~ **kvar** allm. live on; friare still exist; *~ kvar i* gamla fördomar stick to...
~ **med i** vad som händer take an active interest in...
~ **om** a) itr., festa lead a fast life b) tr. live...over again, relive...
~ **upp** a) tr. run through; förbruka use up b) itr. *~ upp igen* revive
~ **ut** känslor o.d. give full expression to...
levande allm. living; isht ss. mots. till död: pred. alive, attr. living...; om djur äv. live; bildl.: livfull, livlig lively, stark. vivid; naturtrogen life-like; *~ blommor* natural (real) flowers; *ett ~ lexikon* a walking encyclopaedia; *i ~ livet* in real (actual) life; *~ musik* live music; här finns *inte en ~ själ* ...not a [living] soul
leve cheer; *utbringa ett [fyrfaldigt] ~ för* give (föreslå call for) four (eng. motsv. three) cheers for
levebröd uppehälle [means of] livelihood, living; *det är mitt ~* äv. it's my job, I make my living out of it
lever anat. el. kok. liver
leverans delivery äv. konkr.
leveransvillkor terms (conditions) of delivery
leverantör supplier; i stor omfattning contractor; isht av livsmedel purveyor; avlämnare deliverer
leverera tillhandahålla supply, provide; avlämna deliver
leverfläck liver spot; friare mole
leverne liv life; *bättra sitt ~* mend one's ways; *liv och ~* life [and way of living]
leverop cheer
leverpastej liver paste
levnad life
levnadsbana career
levnadsförhållanden circumstances; *hans ~* the conditions under which he lives
levnadsglad ...full of vitality (zest)
levnadskonstnär connoisseur of the art of living; *vara ~* äv. know how to live
levnadskostnader cost sg. of living
levnadsstandard standard of living
levnadssätt manner (way) of living (life)
levnadsteckning biography
levnadsår year of [one's] life
levra, *~ sig* coagulate, clot
lexikograf lexicographer
lexikon dictionary; isht över ett dött språk lexicon; konversations~ encyclop[a]edia
lian liana, liane
libanes Lebanese (pl. lika)
libanesisk Lebanese
Libanon Lebanon
liberal liberal; *de ~a* subst. adj., polit. the Liberals
liberalisera liberalize
liberalism, ~[*en*] liberalism
Liberia Liberia
libero fotb. libero (pl. -s)
Libyen Libya
libyer Libyan
libysk Libyan
licens licence; amer. license; avgift för radio o. TV licence fee; tillverka *på ~* ...under [a] licence
licensavgift licence fee
licensinnehavare licensee, licence-holder
1 lida gå pass [on]; framskrida, om tid draw

(wear) on; *ju längre det led* (*det led på kvällen*) the later it grew (the night grew)
2 lida I *itr* plågas: allm. suffer; ~ *av* suffer from; t.ex. lyte äv. be afflicted with; vara behäftad med, t.ex. fel äv. be impaired (marred) by, have; ha anlag för, t.ex. svindel be subject to; *jag lider* pinas *av det* (*av att se det*) it makes me suffer (I suffer when I see it); *få ~ för ngt* have to suffer (pay) for a th. **II** *tr* plågas av suffer; uthärda endure; drabbas av sustain; ~ *nederlag* be defeated, sustain (suffer) a defeat
lidande I *adj* suffering; ~ *av* äv. afflicted with **II** *s* **1** suffering; bibl. o.d. affliction; *Kristi ~* the Passion **2** åkomma disease
lidelse passion; hänförelse fervour, ardour, enthusiasm
lidelsefull allm. passionate; om tal impassioned; brinnande ardent; intensiv fervent; häftig vehement
liderlig om pers. lecherous; om liv dissolute; om t.ex. sång bawdy
lie scythe
liemannen bildl. the Reaper, Death
liera, ~ *sig* ally (associate) oneself [*med* with]
lift 1 skid~ o.d. lift **2** *få ~* get a lift, hitch a lift (ride)
lifta hitch-hike; *får jag ~ med dig* till affären? can you give me a lift...?
liftare hitchhiker
liga 1 tjuv~ o.d. gang, mob; spion~ ring **2** fotbolls~ o.d. league
ligg|a I *itr* **1** lie; ej stå el. sitta be lying down; vara sängliggande be in bed; sova, ha sin sovplats sleep; vara, befinna sig be; vara belägen be; vistas stay; mil., vara förlagd be stationed (quartered); förvaras be kept; vara arrangerad, t.ex. i nummerföljd be arranged; hålla sig på plats, om t.ex. hår stay in place; vard. stay put; ~ [*begravd*] lie (bildl. be) buried; ~ [*sjuk*] be laid up, be ill in bed; huset *-er nära* (*inte långt från*) *stationen* ...is close to (not far away from) the station; *låta ngt ~ där det -er* leave a th. [lying] where it is **2** med obeton. prep.: avgörandet *-er hos honom* ...lies (rests) with him; *det -er i släkten* it runs in the family; ~ *vid universitetet* be at [the] university; staden *-er vid floden* (*kusten*) ...stands on the river (is on the coast); rummet *-er åt* el. *mot gatan* (*norr*) ...overlooks the street (faces north); stationen *-er åt det här hållet* ...lies (is [situated]) in this direction **3** om fågelhona ~ *på ägg* sit [on her eggs] **4** vara frusen, om sjö o.d. be frozen over
II med beton. part.
~ **av sig** om pers. get (be) out of practice (training)
~ **bakom** se ex. under *bakom*
~ **efter a)** vara efter be (lag) behind; ~ *efter med* be behind (behindhand, betr. betalning äv. in arrears) with **b)** ansätta ~ *efter ngn* keep on at a p. [*med* tiggarbrev with...]; hålla efter keep a close check on a p.
~ **framme** till bruk o.d. be out (ready); till påseende be displayed; skräpa lie about; *låt inte* pengarna *~ framme* don't leave...[lying] about
~ **för:** det *-er inte för mig* ...is not in my line; passar mig inte ...doesn't suit me
~ **i a)** vara i, t.ex. i vattnet be in; korgen och *allt som -er i* ...all there is in it **b)** knoga work hard
~ **inne** mil. serve; ~ *inne* [*på sjukhuset*] be in hospital; ~ *inne med ett stort lager* have a large stock [in hand]
~ **kvar** inte resa sig remain lying; ~ *kvar* [*i sängen*] remain in bed
~ **nere** om t.ex. arbete be at a standstill; om t.ex. fabrik stand idle
~ **på:** duken *-er på* ...is on; *här -er solen på* there is a lot of sunshine here
~ **bra** (**illa**) **till** om t.ex. hus be well (badly) situated; om pers., i t.ex. tävling be well (badly) placed, be in a good (bad) position; *som det nu -er till* as (the way) things are now
~ **under** vara underlägsen be inferior; sport.: ~ *under* be losing; hans anbud *-er under* [*mitt*] ...is lower [than mine]
~ **ute:** *kan du ~ ute med pengarna tills imorgon?* can you wait for the money till tomorrow?
~ **över a)** övernatta stay overnight (the night) **b)** arbetet *-er över mig* bildl. ...is hanging over me
liggande allm. lying; vågrät horizontal; *bli ~* a) om pers.: i sängen remain in bed; inte kunna resa sig not be able to rise (get up) b) om sak: ligga kvar remain; bli kvarlämnad be left; inte slutbehandlas remain undealt with, get held up; inte göras färdig remain undone; *förvaras ~* be kept flat (in a horizontal position); om t.ex. flaskor be stored lying down
liggfåtölj järnv. o.d. reclining chair
ligghöna brood-hen
liggplats se *sovplats*
liggsår bedsore
ligist hooligan; amer. äv. hoodlum, mobster
1 lik corpse; amer. vard. äv. stiff, [dead] body; de hittade *~et* (*hans ~*) ...the (his) body; *ett ~ i garderoben* bildl. a skeleton in the cupboard
2 lik (attr. se *lika I*) like; *de är ~a* lika varandra they are alike; *~a som bär* as like as two peas; *vara sig ~* be (se ut äv. look) the same as ever
lika I *adj* (pred. jfr äv. *2 lik*) av samma storlek equal; om t.ex. antal even; samma the same;

helt överensstämmande identical; likformig uniform; ~ *barn leka bäst* birds of a feather flock together; 2 plus 2 *är ~ med 4* ...make[s] (is el. are, equal[s]) 4 **II** *adv* **1** vid verb: likadant in the same way (manner); i lika delar equally; behandla alla ~ ...alike (the same); *vi står ~* i spel we are even **2** vid adj. o. adv. [just] as; i lika grad equally; inte mindre none the less; lika mycket [just] as much; *~...som...* as...as...; *vi är ~ gamla* äv. we are the same age; *jag är ~ glad (tacksam) om* han inte kommer I would be just as pleased if...; *ge ~ gott igen* give as good as one gets, give tit for tat

likaberättigad, *vara (bli)* ~ have (get, be given) equal rights [*med* with]

likadan similar, ...of the same sort (kind); alldeles lika the same; *de är [precis] ~a* inbördes jämförelse they are [quite] alike

likadant in the same way; t.ex. göra the same; ~ *klädda* inbördes jämförelse dressed alike

likafullt ändå nevertheless, none the less

likaledes sammaledes, ävenledes likewise; också also; [*tack*] *~!* the same to you!, likewise!

likalydande om text ...identical in wording; *i två ~ exemplar* in duplicate, in two identical copies

likalönsprincipen the principle of equal pay [for equal work]

likartad similar; ...of a similar kind; *under i övrigt ~e förhållanden* other things being equal

likasinnad like-minded

likaså likaledes likewise; också also; hon kom och ~ *han* ...so did he, ...he did as well

lika[så]väl just as well

likbil motor hearse

likblek deathly (ghastly) pale

likbränning cremation

like equal; *hans likar* his equals

likformig enhetlig uniform; homogen homogeneous; geom. similar

likgiltig indifferent äv. om sak; håglös listless; vårdslös nonchalant; oberörd impassive; oviktig unimportant, insignificant; *~t (det är ~t) vad (vem)* no matter (it doesn't matter) what (who); *det är mig [fullkomligt] ~t* vad du gör it is [all] the same to me...

likgiltighet 1 (jfr *likgiltig*) indifference; listlessness, apathy; nonchalance; impassiveness; unimportance, insignificance **2** bagatell triviality

likhet isht till utseendet resemblance; till art similarity; överensstämmelse identity; jämlikhet samt mat. equality; *i ~ med* liksom like; i överensstämmelse med in conformity with

likhetstecken equals sign, sign of equality; *sätta ~ mellan lycka och* rikedom equate happiness with...

likkista coffin; amer. äv. casket; dålig båt, bil etc. death trap

likna I *itr* vara lik be like; se ut som look like; brås på take after; *nu börjar det ~ något* now we're getting somewhere **II** *tr, ~ vid* compare (liken) to

liknande likartad similar; dylik ...like that (this); i ett fall ~ *detta...* similar to (sådant som like, such as) this

liknelse jämförelse simile; bild metaphor; bibl. parable

likrikta elektr. rectify; bildl. standardize; t.ex. pressen control; t.ex. opinion regiment

liksom I *konj* framför subst. ord like; framför adv. samt inledande fullst. el. förk. sats as; *han är målare ~ jag* he is a painter, like me (just as I am) **II** *adv* så att säga as it were; på något sätt somehow; vard. sort (kind) of

likstelhet rigor mortis lat.

likström elektr. direct current

likställd, *vara ~ med* be on an equality (an equal footing, a par) with

likställdhet equality

liktorn corn

liktydig synonym synonymous; *vara ~ med* bildl. be tantamount to

likvagn hearse

likvaka vigil [over a dead body]

likvid I *s* payment; se vid. *betalning* **II** *adj* tillgänglig liquid, available; *~a medel* liquid capital sg., available funds, floating assets; *han är ~* he has available funds

likvidera ekon. liquidate äv. avliva

likvidering liquidation ekon. el. i bet. avlivning

likviditet ekon. liquidity

likvisst o. **likväl** ändå yet, still, nevertheless; i alla fall all the same

likvärdig equivalent; de är *~a* ...equally good, ...equally valuable

likör liqueur

lila ljus~ lilac, mauve; mörk~ purple; violett violet

lilja lily

liljekonvalje bot. lily of the valley (pl. lilies of the valley)

liljevit lily-white

lilla se *liten*

lillan min (vår etc.) lillflicka my etc. little girl

lillasyster little (young, kid) sister

lille se *liten*

lillebror little (young, kid) brother

lillen min (vår etc.) lillpojke my etc. little boy

lillfinger little finger; amer. äv. pinkie

lillgammal old-fashioned; brådmogen precocious

lilltå little toe

lim glue

lime lime

limerick skämtvers limerick
limma hopfoga glue; ~ *fast* glue...on [*vid* to]; ~ *ihop* glue...together
limning glueing; limmat ställe glue joint
limousine limousine; vard. limo
limpa 1 avlång bulle loaf (pl. loaves); brödsort av rågmjöl rye bread **2** *en ~ cigaretter* a carton of cigarettes **3** cykelsadel banana seat
limstift glue stick
lin bot. flax äv. materialet
lina rope; smäckrare cord; isht sjö. line; stål~ wire; *löpa ~n ut* go the whole hog, go through with it
linbana häng~ cableway
lind bot. lime [tree]; isht poet. linden
linda I *s* för spädbarn swaddling-clothes; *kväva...i sin ~* bildl. nip...in the bud **II** *tr* vira wind; svepa wrap; binda tie; t.ex. en stukad vrist bind up; spädbarn swaddle; *hon kan ~ honom om sitt [lill]finger* she can twist him round her little finger
lindansare o. **lindanserska** [tight]rope walker
lindebarn infant in arms (pl. infants in arms)
lindra nöd relieve; smärtor äv. alleviate; verka lugnande [på] soothe; tillfälligt palliate; straffet *~des till böter* ...was reduced to a fine
lindrig mild mild äv. om sjukdom; inte våldsam gentle; lätt, inte allvarlig light; obetydlig slight
lindrigt mildly osv., jfr *lindrig; vara ~ förkyld* be suffering from a slight cold; ~ *sagt* to put it mildly
lindring av smärta, nöd o.d. relief, alleviation; av straff reduction; *ge (skänka) ~* bring (afford) relief
linfrö linseed
lingon lingonberry; *inte värd ett ruttet ~* not worth a fig (bean, damn)
lingonris koll. lingonberry sprigs (twigs)
lingul flax-coloured; om hår flaxen
lingvistik linguistics sg.
linhårig flaxen-haired
linjal ruler; tekn. rule
linje 1 allm. line; *får jag [be om] ~n?* tele. can I have an outside line?; *i rät ~ med* in [a] line with, even with; tåget stannade *ute på ~n* ...on the line; förbättringar *över hela ~n* äv. all-round... **2** skol. course [programme]
linjebuss regular bus
linjedomare sport. linesman
linjefartyg liner
linjera rule; ~ *upp* rule; bildl. draft, outline, sketch out; *svagt ~d* ruled feint, ruled with feint lines
linjetrafik regular traffic (services pl.); flyg. scheduled traffic (flights pl.)
linjeval skol. choice of course (univ. äv. study) programme
linka limp, hobble
linne 1 tyg linen; duk *av ~* äv. linen... **2** koll. linen **3** plagg vest; natt~ nightdress
linneduk linen cloth
linneförråd stock of linen
linneskåp linen cupboard
linning band
linoleum linoleum
lins 1 bot. lentil **2** optik. el. anat. el. geol. lens
linslus vard. lens louse
lintott pers. towhead
lip lipande blubbering; *ta till ~en* vard. turn on the waterworks
lipa vard. **1** gråta blubber, blub, howl **2** ~ räcka ut tungan *åt ngn* stick one's tongue out at a p.
lipsill vard. cry-baby
lira vard., spela play
lirare vard., spelare player; *en riktig ~* rolig typ a real (proper) character
lirka, ~ *med ngn* coax (wheedle, cajole) a p. [*för att få honom att* inf. into ing-form]; ~ *upp* dörr, lås work...open; ~ *ur ngn en hemlighet* worm (pry) a secret out of a p.
lisa I *s* lindring relief; tröst solace, comfort **II** *tr* lindra relieve; trösta solace
lismande fawning, oily
1 list listighet cunning; knep trick; krigs~ stratagem
2 list 1 långt o. smalt stycke trä resp. metall strip **2** bård border, edging **3** byggn., utskjutande kant moulding, beading; golv~ skirting-board; bandformig fillet **4** trädg. [narrow] bed, kant~ [narrow] border, gurk~ o.d. ridge
1 lista I *s* list; *långt ner på ~n* low (a long way) down on the list; *stå överst på (toppa) ~n* be at the top of the list, top (head) the list äv. bildl. **II** *tr* list
2 lista, ~ fundera *ut* find (work) out
listig cunning; förslagen smart; vard., klyftig clever
lit, *sätta [sin] ~ till* lita på put confidence in; förtrösta på put one's trust in, pin one's faith on
lita, ~ *på* förlita sig på depend [up]on, rely [up]on, trust to; hysa förtroende för trust, have confidence in; räkna på count [up]on; vara förvissad om be assured of
Litauen Lithuania
litauer Lithuanian
litauisk Lithuanian
litauiska 1 kvinna Lithuanian woman **2** språk Lithuanian
lit de parade, *ligga på ~* lie in state
lite se *litet*
liten (*litet, lille, lilla, små*) **I** *adj* a) allm. small (vanl. ss. beton. best. till konkr. subst. o. subst. som betecknar antal, kvantitet, pris o.d.) b) allm. little (ss. best. till övr. abstr. subst. o. isht tillsammans med känslobetonade subst. o.

adj., ss. vanl. obeton. best. till konkr. subst.: mera säll. ss. predf.) c) övr. övers.: ytterst liten tiny; kort short; obetydlig slight, insignificant; futtig petty; *barn lilla,* vad tänker du på? my dear child...; *de små* obeton. *barnen* the little ones; *små bekymmer* petty troubles; *en ~* beton. *bit* a small bit; *en ~ ~ bit* a tiny weeny bit; *en ~* obeton. *bit* a little [bit]; följa med ngn *en ~ bit* ...a little way; *~ bokstav* small (typogr. lower-case) letter; *ett litet fel* har smugit sig in a slight error...; *en ~ inkomst* (*slant* summa) a small income (sum); *med små steg* with short steps; *det tog sin lilla tid att...* it took quite a while to...; *lilla visaren* på klockan the short (little) hand

II *subst adj* **1** hon väntar *en ~* ...a baby; *redan som ~* even as (when quite) a child **2** *den lille* (*lilla*) se *lillen* resp. *lillan* **3** *de små* barnen the little ones; *stora och små* great and small, children and grown-ups (adults)

liter 1 rymdmått litre; *en ~...* ung. motsv.: om våtvaror el. bär two pints of...; om torra varor el. amer. a quart of... **2** vard., flaska brännvin e.d. litre bottle

litermått litre measure; tillbringare measuring jug

litervis per liter by the litre; *~ med...* litres of...

litet (vard. *lite*) *subst adj* o. *adv* (jfr *mindre, minst*) **1** föga little; få few; *bara ~* only a (just a, ngt åld. but) little (få few); *rätt ~* (*mycket ~*) *folk* (*svenskar*) rather few (very few) people (Swedes); *det var ~ men gott* there was not much, but what there was of it was good; *det var inte ~ det!* that's quite a lot!; för all del, *det var så ~!* [it's] no trouble at all!; amer. äv. you're welcome! **2** något, en smula a little; obetydligt slightly; några få a few; *~* [*mer*] *bröd* some (a little) [more] bread; jag måste *sova ~* ...have (get) a little (some) sleep; *~ av varje* a little (a bit) of everything; *~ för dyr* (*mycket*) rather (a little, a bit) too expensive (much)

litografi metod lithography

litteratur literature

litteraturhistoria [vanl. the] history of literature; *engelsk ~* the history of English literature

litteraturhänvisning, *~*[*ar*] [notes on] further reading, suggested reading

litteraturkritik literary criticism

litterär literary

liturgi kyrkl. liturgy

liv 1 allm. life; livstid lifetime; levnadssätt way of life; *~ och leverne* way of life (living); *då blev det ~ i honom* then he suddenly came to life; *få ~* come to life; *få ~ i* get some life into; *ge* (*skänka*) *~et åt* föda give birth to; *springa för ~et* run for all one's worth (like mad, for dear life); *vänskap för ~et* lifelong friendship; *komma ifrån ngt med ~et* escape from a th. alive; *en strid på ~ och död* a life-and-death struggle; *hålla ngn* (*intresset*) *vid ~* keep a p. alive (up the interest); *få sig ngt till ~s* have (get) a th. to eat; bildl. be treated to a th.; *riskera ~ och lem* risk life and limb **2** levande varelse living being; *de små ~en* the little (poor) dears **3** kropp body; *gå ngn inpå ~et* get to grips with a p.; bildl. äv. get closer to a p., get to know a p. intimately **4** midja waist äv. på plagg; *vara smal om ~et* have a small (slender) waist; *veka ~et* midriff, diaphragm **5** på plagg bodice **6** oväsen row, commotion; bråk, uppståndelse to-do, fuss; *för inte ett sånt ~!* stop that (this) row (noise)!

livad munter merry; uppsluppen hilarious

livboj lifebuoy

livbåt lifeboat

livegen *adj* o. *subst adj, en ~* [*bonde*] a serf

livfull ...full of life; livlig lively; om skildring o.d. vivid

livförsäkring life insurance

livgarde, *Svea ~* the Svea Life Guards pl.

livgivande life-giving

livhanken, *rädda ~* save one's skin

livlig allm. lively; rörlig active; vaken alert; om skildring o.d. vivid; om debatt animated; om efterfrågan keen, brisk; om förhoppning sincere; om intresse great; om trafik heavy

livlighet liveliness; vivacity; animation; jfr *livlig*

livlina lifeline äv. bildl.

livlös allm. lifeless; uttryckslös expressionless

livmoder anat. womb; vetensk. uterus (pl. uteri)

livnära I *tr* föda feed; försörja support **II** *rfl, ~ sig* försörja sig support oneself [*av* (*på*) on; *med* by]

livré livery

livrem belt

livrädd terrified; vard. ...scared stiff

livräddningsbåt lifeboat

livränta life annuity

livsandar, *ngns ~* a p.'s spirits

livsaptit appetite (lust) for life

livsavgörande ...of decisive importance

livsbejakande, *ha en ~ inställning* have a positive attitude to life

livsbetingelse condition governing one's life; *goda ~r* favourable conditions

livserfarenhet experience of life

livsfara mortal danger; *han svävar i ~* his life is in danger

livsfarlig highly dangerous; vard., svag. dead dangerous; om skada o.d. grave; dödlig fatal; *~ ledning* (*spänning*)*!* Danger! High Voltage!

livsfilosofi philosophy; livsåskådning, livssyn outlook on (view of) life
livsfråga question of vital importance, vital question
livsfunktion vital function
livsföring life, way of life
livsförnödenheter necessities of life
livsglädje joie de vivre fr.; joy of living
livsgärning lifework
livshotande om sjukdom o.d. grave; dödlig fatal
livskamrat life companion (partner), companion through life
livskraftig vigorous
livskvalitet quality of life
livsleda deep depression, weariness of life
livslevande lifelike; om minnen vivid; där stod han ~ ...as large as life, in the flesh, in person
livslinje i handen lifeline
livslust zest (lust) for life
livslögn lifelong deception (illusion); *hela hans tillvaro hade byggt på en ~* he had been living a lie his whole life
livsmedel provisions; jfr *matvaror*
livsmedelsaffär provision merchant's (grocer's) [shop]
livsmedelsbrist food shortage
livsmedelsindustri food industry
livsmod courage to face (in facing) life
livsrum polit. lebensraum ty.; living space
livsrytm tempo
livsstil way of life
livssyn outlook on life, view of life
livstecken sign of life; *han har inte gett något ~ ifrån sig* bildl. there is no sign of life (news) from him
livstid life[time]; *i (under) vår ~* in our lifetime
livstidsfånge prisoner for life; vard. lifer
livstycke bodice
livsuppehållande life-sustaining
livsuppgift mission (object) in life
livsverk lifework; *ett ~* a lifetime achievement
livsviktig vital äv. bildl.; *det är inte så ~t* vard. it is not all that important
livsvillkor vital necessity; levnadsförhållanden living conditions
livsåskådning outlook on (philosophy of) life
livtag brottn. waistlock; *ta ~* wrestle, grapple
livvakt bodyguard äv. koll.
lizzant *adv* flowly
ljud allm. (äv. *~et*) sound; buller noise; klang, om instrument tone; *inte kunna få fram ett enda ~* av heshet be unable to say a word; av rörelse o.d. be unable to utter a [single] sound
ljuda I *itr* låta sound; höras be heard; klinga, skalla ring; klämta toll; genljuda resound **II** *tr* språkv. sound
ljudband för bandspelare tape
ljudbang från överljudsplan sonic bang (boom)
ljuddämpare bil. el. på skjutvapen silencer; amer. muffler
ljudeffekt sound effect
ljudfilm soundfilm
ljudförstärkare radio. amplifier
ljudhärmande onomatopoeic
ljudisolerad soundproof
ljudlig allm. loud; om t.ex. örfil resounding; om kyss smacking
ljudlös soundless; utan buller noiseless; *den ~a natten* the silent night
ljudradio sound-broadcasting
ljudstyrka volume of sound
ljudtekniker sound technician (engineer, recordist)
ljudvall sound barrier, sonic barrier; *passera ~en* break through the sound (sonic) barrier
ljudöverföring sound transmission
ljuga I *itr* lie; tell a lie (lies); *du ljuger!* you're lying!, that's a lie! **II** *rfl, ~ sig fri från ngt* lie oneself out of a th.
ljum lukewarm, tepid äv. bildl.; om vind warm; om vänskap half-hearted
ljumskbråck med. inguinal hernia
ljumske o. **ljumskveck** anat. groin
ljung bot. heather
ljungande flashing; bildl. fulminating; *en ~ våldsam protest* a vehement protest
ljungeld blixt [flash of] lightning
ljus I *s* allm. el. bildl. light (äv. *~et*); skarpt ~ glare; stearin~ o.d. candle; snille shining light; *varde ~!* bibl. Let there be light!; *sitta som tända ~* sit straight as ramrods; *nu gick det upp ett ~ för mig* now a light has dawned on me, now the penny has dropped; *ha ~et på* på bil have the lights on; *kasta nytt ~ över ngt* throw a new (different) light on a th. **II** *adj* light; om dag clear; om hy fair, se vid. *blond;* om kött white; om öl pale; klar, lysande bright äv. bildl.; *mitt på ~a dagen* in broad daylight; *få (komma på) en ~ idé* get a bright idea (vard. a brain-wave); *~a* lyckliga *minnen* happy memories; *se det från den ~a sidan* look on the bright side [of things]
ljusblå light (pale) blue
ljusbrytning fys. refraction
ljuseffekt light (belysningseffekt lighting) effect
ljusfenomen light phenomenon
ljusglimt gleam of light; bildl. gleam (ray) of hope
ljushastighet speed of light
ljushuvud bildl. genius; *han är inte just något ~* äv. he's not very bright

ljushyad fair-skinned; *vara ~* äv. have a fair (clear) complexion
ljushårig fair[-haired], blond (om kvinna blonde)
ljuskrona chandelier
ljuskälla source of light
ljuskänslig ...sensitive to light; foto. photosensitive
ljuslåga candle flame
ljusmanschett candle-ring
ljusmätare light meter
ljusna 1 eg. get (grow) light; om väder clear up; om färg become light[er]; blekna fade **2** bildl.: om ansiktsuttryck brighten, light up; *utsikterna ~r* the prospects are getting brighter
ljusning 1 gryning dawn **2** glänta glade, clearing **3** bildl. change for the better
ljuspenna data. light pen
ljuspunkt 1 allm. luminous point **2** lampa light[ing] point; strömuttag socket **3** bildl. bright spot
ljusreklam metod illuminated advertising (skylt o.d. advertisement)
ljussax [pair of] snuffers
ljusskygg 1 som ej tål ljus ...averse to light; med. photophobic **2** bildl. fishy
ljusskylt electric (neon) sign
ljusstake candlestick
ljusstrimma streak of light
ljusstråle ray (beam) of light
ljusstump candle-end
ljusstyrka brightness, luminosity äv. astron.; i ljusmätning luminous intensity; foto., om lins speed
ljussvag faint
ljuster fiske. [fishing-]spear
ljustuta bil. headlamp flasher
ljusår astron. light year äv. bildl.
ljusäkta ...that will not fade; gardinerna *är ~* ...will not fade
ljuta, *~ en ögonblicklig död* be killed instantly
ljuv allm. sweet; behaglig pleasing; *dela ~t och lett med ngn* stick together with a p. through thick and thin
ljuvlig härlig delightful; spec. om smak delicious; utsökt exquisite
ljuvlighet sweetness; *~er* delights, delightful things
LO förk., se *Landsorganisationen*
lo zool. lynx (pl. äv. lika)
lob anat. lobe
lobb sport. lob
lobba sport. lob
lobby vestibul el. påtryckningsgrupp lobby
1 lock hår~ curl; längre lock [of hair]; korkskruvs~ ringlet
2 lock på kokkärl, låda o.d. lid; kapsyl cap; fick~ flap; *lägga på ~et* på ngt bildl. hush...up, put the lid on
3 lock, *försöka med ~ och pock* try every means of persuasion (by hook or by crook)
1 locka lägga i lockar curl
2 locka I *tr* o. *itr* kalla o.d. ~ [*på*] call; *det ~r mig inte* I am not tempted; *~ ngn i fällan* trap a p.
II med beton. part.
~ **fram:** *~ fram ngn ur* gömställe entice a p. out of...
~ **med sig ngn** entice a p. into coming (resp. going) along
~ **till sig** entice...to come [to one]; *~ kunder till sig* attract customers (custom)
~ **ur ngn ngt** draw (worm) a th. out of a p.
lockande tempting
lockbete bait äv. bildl.
lockelse enticement; frestelse lure; trollmakt charm
lockfågel decoy äv. bildl.
lockig curly
lockout lockout
lockoutvarsel lockout notice
lockrop zool. call
locktång curling tongs pl.
lockvara cut-price line; hand. loss-leader
lod byggn. plummet; sjö. äv. lead; klock~ weight
loda sjö. el. bildl. ~ [*djupet*] sound
lodare layabout
lodjur zool. lynx (pl. äv. lika)
lodrät vertical; *~a* [*nyckel*]*ord* clues down
loft loft; vind attic
loftgångshus house with external galleries
1 loge tröskplats barn
2 loge 1 teat. box; kläd~ dressing-room **2** ordens~ lodge
logement kasernrum barrack room; i arbetarförläggning lodgings, dormitory
loggbok sjö. el. flyg. logbook
logi husrum accommodation, lodging; *kost och ~* board and lodging, bed and board
logik logic
logisk logical
logoped speech therapist
loj om pers. indolent; håglös listless; slö apathetic
lojal loyal
lojalitet loyalty
lok engine
lokal I *s* premises; rum room; sal hall; bot. el. zool. habitat; biblioteket *har sina ~er i skolan* ...is housed in the school **II** *adj* local
lokalavdelning local branch
lokalbedövning local anaesthesia; *en ~* a local anaesthetic
lokalisera I *tr* **1** ange platsen för, förlägga locate **2** begränsa contain **3** anpassa adapt **II** *rfl*, *~ sig på platsen* acquaint oneself with the place

lokaliseringsstöd [industrial] location aid
lokalkännedom, *ha god ~* know a (resp. the) place (district, locality) well
lokalombud local representative
lokalpatriotism local patriotism; neds. parochialism
lokalradio local radio
lokalsamtal tele. local call
lokalsinne sense of direction; *ha dåligt (gott) ~* have a poor (good) sense of direction
lokaltidning local [news]paper
lokaltrafik local traffic; järnv. suburban services
lokalvård cleaning, på kontor office cleaning
lokalvårdare cleaner, på kontor office cleaner
lokatt zool. lynx
lokförare engine-driver; amer. engineer
lokomotiv engine
loma, ~ *av* slouch (skamset äv. slink) away
lomhörd hard of hearing
longitud geogr. longitude
looping flyg. *göra en ~* loop the loop
lopp 1 löpning run; tävling race; *dött ~* dead heat; *~et är kört* bildl. it's all over, it's too late to do anything about it **2** flods utsträckning *flodens övre (nedre) ~* the upper (lower) reaches pl. of the river **3** förlopp *i det långa ~et* in the long run; *inom ~et av* ett par dagar within... **4** bildl. *ge fritt ~ åt* sina känslor give vent to... **5** gevärs~ bore
loppa flea; *leva ~n* live it up, be (go) on the spree
loppmarknad flea market; på välgörenhetsbasar jumble sale
lort smuts dirt; stark. filth
lorta, ~ *ner* make...dirty, stark. make...filthy
lortgris om barn dirty little thing
loska vard. **I** *s* gob **II** *itr* gob
loss loose; off; *få (komma* osv.) ~ el. *skruva ~* unscrew
lossa 1 lösgöra loose; sjö. let go; ~ förtöjningar på unmoor; ~ *[på]* band, knut untie, undo; göra lösare loosen äv. bildl.; ngt hårt spänt äv. slacken **2** urlasta unload
lossna come loose; gå upp (av) come off; om t.ex. knut come undone (om ngt limmat unstuck); om tänder get loose; börja bli lös loosen
lossning unloading; enstaka discharge, unloading
lossningsplats för fartyg discharging berth; bestämmelseort place (port) of discharge
lots pilot
lotsa sjö. el. friare pilot; vägleda guide; ~ *sig fram* gå *försiktigt* make one's way cautiously; ~ *in i (ut ur)* pilot into (out of)
lott del, öde m.m. lot; jord~ allotment; ~sedel lottery ticket; *~en får* måste *avgöra* it must be decided by lot; *det blev hans ~* it fell to his lot (to him)
1 lotta member of the [Swedish] women's voluntary defence service; armé~ (i Engl.) WRAC, (i USA) WAC; flyg~ (i Engl.) WRAF, (i USA) WAF; marin~ (i Engl.) Wren, (i USA) member of the WAVES
2 lotta, ~ *om ngt* draw lots for a th.
lottad, *vara lyckligt ~ av naturen* be well favoured (endowed) by nature
lottdragning se *lottning*
lotteri lottery
lotterivinst prize
lottlös, *bli ~* be left without any share
lottning [vanl. the] drawing of lots; *avgöra ngt genom ~* decide a th. by drawing (casting) lots
lotto Lotto; i USA äv. ung. the numbers [game]
lottsedel lottery ticket
1 lov 1 ledighet holiday; ferier holidays; *få ~* get a day (an afternoon etc.) off; se vid. ex. under *ledig 1 b* **2** tillåtelse permission; *får jag ~?* vid uppbjudning may I [have the pleasure of this dance]?, shall we dance?; *vad får det ~ att vara?* i butik o.d. what can I do for you?, can I help you [sir resp. madam]? **3** *få ~* vara tvungen *att* have to **4** beröm praise; *Gud ske ~!* thank God!
2 lov 1 sjö. tack **2** bildl. *slå sina ~ar kring ngn (ngt)* hover (prowl) about a p. (a th.)
lova 1 ge löfte [om] promise; högtidl. äv. vow; *det ~r gott* för framtiden it promises well (bids fair)...; ~ *bort sig* anta inbjudan accept an invitation [annorstädes elsewhere] **2** bedyra *jo, det vill jag ~!* I'll say!, I should say so! **3** berömma praise
lovande promising
lovart sjö. *i ~* to windward
lovdag holiday
lovlig tillåten permissible; om t.ex. avsikt lawful; *ej vara ~* sexuellt be below the age of consent; *vara ~t byte* bildl. be fair game; ~ *tid* jakt. the open season
lovord praise; *få ~* be [highly] praised (commended)
lubba, ~ *[i väg]* trot (dart) away
lucka 1 liten dörr, t.ex. ugns~ o.d. door; fönster~ shutter; tak~ hatch; damm~ gate; sjö. hatch [cover] **2** öppning hole, opening; expeditions~: disk counter; själva öppningen counter window; gallerförsedd grille; jfr *biljettkontor;* skepps~ hatch[way]; på t.ex. kassettbandspelare flap **3** tomrum gap; i t.ex. manuskript omission; *en ~ i lagen* a [legal] loophole; *en ~ i mitt minne* a blank in my memory; *nu blev det liv i ~n* vard. this made things hum **4** mil. vard., logement barrack room
luckra loosen; ~ *upp* loosen [up]

ludd fjun fluff; dun down; på tyg nap; tarm~ villi
ludda I *itr*, koftan *~r [av sig]* the fluff comes (is coming) off... **II** *rfl*, *~ sig* get fluffy (full of fluff)
luddig fjunig fluffy; dunig downy; oklar woolly
luden hairy; zool. äv. hirsute; bot. downy
luder vard., hora whore, trollop; amer. hooker
luff vard. *på ~en* on the road; *ge sig ut på ~en* take to (hit) the road
luffare tramp; amer. äv. hobo (pl. -s el. -es), bum
luffarschack noughts and crosses pl.
lufsa lumber
lufsig clumsy, ungainly
1 luft, *en ~ gardiner* a pair of curtains
2 luft air; *~en gick ur honom* bildl. he ran out of steam; *behandla ngn som ~* treat a p. as if he (she etc.) did not exist, cut a p. dead, give a p. the cold shoulder; *ge ~ åt sin vrede (sina känslor)* give vent to one's anger (feelings)
lufta I *tr* kläder o.d. air äv. bildl. **II** *itr* o. *rfl*, *~ [på] sig* go out for a breath of air
luftanfall o. **luftangrepp** air raid (strike)
luftballong [air] balloon
luftbolag bogus company
luftbro airlift
luftburen airborne
luftdrag draught
luftfart air traffic
luftfuktare air humidifier
luftfuktighet atmospheric humidity
luftfärd vid hopp o. fall passage through the air
luftförorening air pollution; ämne pollutant
luftförsvar air defence
luftgevär air gun
luftgrop air pocket
lufthav, *~et* the atmosphere
luftig airy; lätt light; verklighetsfrämmande airy-fairy
luftkonditionering air-conditioning
luftkudde i fordon airbag, air cushion
luftlager strat|um (pl. -a) of air
luftlandsättning landing of airborne troops
luftmadrass air bed (mattress)
luftombyte change of air (climate)
luftpump air pump
luftrenare air cleaner; filter air filter
luftrum 1 mellanrum air space **2** territorium air territory
luftrörskatarr med., bronkit bronchitis
luftsjuka airsickness
luftslott, *bygga ~* build castles in the air (in Spain)
luftsprång saltomortal somersault
luftstridskrafter aerial forces
luftstrupe windpipe; med. trache|a (pl. -ae)
lufttorka dry in the air; *~d* air-dried
lufttrumma tekn. ventilating shaft
lufttryck 1 meteor. atmospheric (air) pressure **2** vid explosion blast
lufttät airtight
luftväg 1 flyg. air route; *~en* adv. by air **2** *~ar* anat. respiratory (air) passages
luftvägsinfektion infection of the respiratory passage[s]
luftvärn anti-aircraft (förk. AA) defence (defences pl.); *~et* truppslaget Anti-Aircraft Command
luftvärnseld anti-aircraft fire; vard. ack-ack
1 lugg hårfrisyr fringe, bang; *titta under ~ på ngn* look furtively (stealthily) at a p.
2 lugg på kläde o.d. nap; på sammet o. mattor pile; borsta *mot (med) ~en* ...against (with) the nap
lugga, *~ ngn [i håret]* pull a p.'s hair
luggsliten eg. o. bildl. threadbare; friare shabby
lugn I *s* om vatten o. luft calm; lä shelter; ro peace; ordning order; sinnesjämvikt calm; fattning composure; självbehärskning self-control; *~et före stormen* the lull (calm) before the storm; *~ i stormen!* hold your horses!; *i ~ och ro* in peace and quiet **II** *adj* om väder och vatten calm; stilla quiet; fridfull peaceful; ej orolig (om pers., pred.) easy in one's mind; ej upprörd calm; fattad composed; med bibehållen behärskning self-possessed; om mönster quiet; om färg subdued; *du kan vara ~ för att han klarar det* don't worry, he'll manage it
lugna I *tr* calm, quiet; småbarn soothe; t.ex. tvivel settle; blidka appease; inge tillförsikt reassure; *~ ngns farhågor* allay a p.'s fears, set a p.'s mind at rest **II** *rfl*, *~ sig* calm down; *vi får ~ oss* några dar we must wait..., we must be patient...
lugnande om nyhet o.d. reassuring; om verkan o.d. soothing; *~ medel* sg. sedative, tranquillizer
lugnt t.ex. betrakta calmly; t.ex. sova peacefully; t.ex. svara with composure; tryggt safely, confidently; *ta det ~!* take it easy!
lukrativ lucrative
lukt 1 smell; behaglig scent, fragrance; odör bad (nasty) smell (odour); stank stench **2** luktsinne sense of smell
lukta I *tr* o. *itr* smell; *det ~r gott (illa)* it smells nice (bad); *det ~r tobak om honom* he smells of tobacco; *~ på ngt* smell (om hund äv. sniff at) a th. **II** *rfl*, *~ sig till ngt* bildl. scent a th. out
luktsalt smelling-salts
luktsinne sense of smell, olfactory sense
luktviol bot. sweet violet
luktärt bot. sweet pea

lukullisk, *en ~ måltid* a sumptuous (luxurious) repast (meal)
lull, *stå ~* om småbarn stand all by oneself [without support]
1 lulla, ~ ngn *i sömn* (*till sömns*) sing (hum)...to sleep
2 lulla ragla reel; tulta toddle
lumberjacka lumber jacket
1 lummig om t.ex. park thickly wooded; lövrik leafy; skuggande shady
2 lummig vard., berusad tipsy
lump trasor rags; skräp junk
lumpa ligga inkallad do one's military service
lumpbod junk shop
lumpen småsint mean; tarvlig shabby; vard. dirty; om t.ex. uppförande base; om t.ex. instinkt low
lumpor rags
lumpsamlare rag-and-bone man
lunch lunch; formell luncheon; skol~ dinner; *äta ~* have (eat) lunch; äv. lunch; han gick ett ärende *på ~en* ...in the (his) lunch hour
lunchrast lunch hour
lunchrum dining-room; i fabrik, självservering canteen
lund grove
lunga lung äv. bildl.
lungcancer med. cancer of the lung, lung cancer
lunginflammation med. pneumonia
lungsjuk ...suffering from a lung-disease
lunk jog trot äv. bildl.; *allt här går i sin vanliga ~* som vanligt things are the same as usual
lunka, ~ [*på*] jog (trot) along
luns vard., tölp boor
lunta 1 tändsnodd fuse, slow match **2** bok tome; [pappers]packe bundle (pappershög heap) of papers
lupp förstoringsglas magnifying glass
1 lur 1 horn horn; bronsålders~ lur[e] **2** se *hörlur*
2 lur vard., slummer nap; *ta sig en ~* have (take) a nap, have forty winks
3 lur bakhåll *ligga på ~* lie in wait, lurk
lura I *itr* ligga på lur lie in wait; bildl. lurk **II** *tr* narra take...in; bedraga deceive; isht på pengar el. ngt utlovat cheat, swindle; vard. do; få [till] fool, hoax; gm övertalning o.d. coax; förleda, locka entice; gäcka elude; vilseleda delude; lead...astray; vard. lead...up the garden path; överlista get the better of; *~ ngn* [*till*] *att* skratta make a p... **III** med beton. part.
~ av ngn ngt genom övertalning wheedle a th. out of a p.; genom bedrägeri cheat (swindle, con) a p. out of a th.
~ i ngn ngt inbilla delude a p. into believing a th.; *~ i ngn* maten coax (cajole) a p. into eating...
~ på ngn ngt få ngn att köpa ngt trick (gm prat talk) a p. into buying a th.
~ till sig ngt secure a th. [for oneself] by trickery
~ ut ngt ta reda på get to know a th.
lurendrejare cheat
lurendrejeri cheat, fraud, trickery
lurifax sly dog
lurig listig deceptive
lurpassa 1 kortsp. hold back **2** *~ på ngn* lie in wait for (waylay) a p.
lurvig 1 om t.ex. hår rough; om t.ex. hund shaggy **2** vard., berusad tipsy
lus louse (pl. lice); *läsa ~en av ngn* give a p. a good talking-to (a dressing-down)
luska, *~ reda* (*rätt*) *på ngt* ferret (search) out a th.
lusläsa read through (scrutinize)... meticulously
luspank, *vara ~* vard. be stony-broke (dead broke)
lust böjelse inclination; benägenhet bent, disposition; drift t.ex. skapar~ urge; åstundan desire; smak fancy; nöje delight; glädje joy; *när ~en faller på honom* when he is in the mood, when the fancy takes him; [*inte*] *ha ~ att* inf. [not] feel like ing-form (feel inclined to inf.); *jag har god ~ att* inf. I have a good (great) mind to inf.; *av hjärtans ~* to one's heart's content
lusta lust, desire
lustgas laughing gas
lustgård, *Edens ~* the Garden of Eden, Paradise
lustig rolig funny; roande amusing; skämtsam facetious; löjlig comic[al]; konstig odd; *göra sig ~ över* ngn (ngt) make fun of..., poke fun at...
lustighet, *säga en ~* say an amusing thing, make an amusing remark; vitsa crack a joke
lustigkurre joker
lustjakt yacht
lustmördare sex murderer
lustspel comedy
1 lut, *stå* (*ställa ngt*) *på ~* stand (stand a th.) slantwise (aslant)
2 lut tvättlut lye
1 luta mus. lute
2 luta I *itr* **1** vara lutande lean, incline; slutta slope; stå snett stand aslant; böja sig bend; vila recline **2** tendera tend; *jag ~r åt den åsikten* att... I am inclined to believe (think)... **II** *tr* lean; *~ mera på flaskan* så rinner det bättre tilt the bottle [a bit] more... **III** *rfl*, *~ sig bakåt* el. *tillbaka* lean back; *~ sig fram mot ngn* (*ut genom fönstret*) lean towards a p. (out of the window); *~ sig mot* lean against (i riktning mot towards)
3 luta behandla med lut treat...with lye;

lutlägga soak...in lye; ~ *av* möbler remove old paint from...with lye
lutande leaning; om t.ex. plan inclined; om t.ex. bokstäver slanted; om t.ex. tak sloping; framåt~, om hållning stooping
lutfisk torkad fisk stockfish; maträtt boiled ling [previously soaked in lye]
luthersk Lutheran
luttrad om pers. chastened
luv, *ligga* (*vara*) *i ~en på varandra* be at loggerheads [with each other]
luva knitted (woollen) cap
Luxemburg Luxembourg
luxemburgare Luxembourger, Luxemburger
lya 1 djurs lair **2** vard., liten bostad den
lycka känsla av ~ happiness; t.ex. huslig felicity; sällhet bliss; tur luck; slump chance; öde fortune; framgång success; välgång prosperity; *~n står den djärve bi* Fortune favours the brave; *pröva ~n* try one's fortune
lyckad successful; *ett lyckat skämt* a good joke; *vara mycket ~* be a great success; om t.ex fest go (om t.ex. tal come) off very well
lyckas succeed; make a success; avlöpa bra go (come) off well; *~ bra med ngt* do well (succeed) in a th.
lycklig glad o.d. happy; gynnad av lyckan fortunate; tursam lucky; framgångsrik successful; lyckosam prosperous; auspicious; propitious; gynnsam favourable; *~ resa!* have a nice trip!, pleasant journey!; *ett ~t äktenskap* a happy marriage
lyckliggöra make (render)...happy
lyckligt happily etc., jfr *lycklig; det gick ~* den här gången it went off all right...
lyckligtvis luckily, fortunately
lyckohjul wheel of fortune äv. lotterihjul
lyckokast bildl. unexpected success, real hit
lyckosam fortunate; framgångsrik successful
lyckotal lucky number
lycksalig blissful; salig blessed
lycksökare äventyrare adventurer; opportunist opportunist; som söker rik hustru fortune-hunter
lycksökerska äventyrerska adventuress; som söker rik make gold-digger
lyckt, *inom ~a dörrar* behind closed doors
lyckträff stroke of luck
lyckönskning, *~ar* congratulations, jfr vid. *gratulation*
lyckönskningstelegram greetings telegram
1 lyda I *tr* **1** hörsamma obey; t.ex. förnuftets röst listen to; t.ex. ngns råd take; t.ex. rodret answer [to]; *inte ~* äv. disobey **2** lystra till answer to **II** *itr, ~ under* sortera under: a) om t.ex. land come under, be subject to, be under the control of, be administered by b) om pers. belong under, be subordinate to c) om sak be within the competence of d) jur. be under (within) the jurisdiction of
2 lyda ha en viss lydelse run; vard. go; *domen löd på 2 års fängelse* the sentence [of the court] was two years' imprisonment
lydig obedient; foglig submissive; snäll good
lydnad obedience; foglighet submissiveness; lojalitet loyalty
lyft 1 lyftande rörelse *tunga ~* lifting heavy things **2** sport. lift **3** vard., framgång improvement, big step forward, lift
lyfta I *tr* **1** lift; höja t.ex. armen raise; med ansträngning heave; *~ ankar*[*et*] weigh anchor; *~ bort* (*undan*) take away; *~ ned* take (person äv. help)...down; *~ upp* lift (raise)...up **2** uppbära, t.ex. lön draw; ta ut från konto withdraw (take out)...from one's account **II** *itr* **1** *dimman lyfter* the mist is lifting; *flygplanet lyfter* the plane is taking off (rising) **2** *~ på hatten* raise one's hat [*för ngn* to a p.]; *~ på locket* lift the lid
lyftkran [lifting] crane
lyhörd 1 om öra keen, sensitive; om pers. ...with (who has) a keen (sharp, sensitive) ear; *~ för* tidens krav keenly alive to (aware of)... **2** om t.ex. bostad *det är lyhört* här you [can] hear every sound...
lykta lantern; gat~ lamp; kulört Chinese lantern
lyktstolpe lamppost
lymfkörtel anat. lymphatic gland
lymmel blackguard; svag. rascal
lyncha lynch
lynchstämning violent feeling of hostility (resentment)
lynne läggning temperament; sinnelag disposition, äv. temper; sinnesstämning humour
lynnesutbrott fit (outburst) of temper
lynnig temperamental; nyckfull capricious
1 lyra bollkast throw; med slagträ hit; ball thrown (hit) into the air; *ta* [*en*] *~* make a catch, catch
2 lyra mus. lyre
3 lyra, *på ~n* vard., berusad tipsy, tight
lyrik diktning lyric poetry; dikter lyric poems, lyrics
lyrisk lyric; *en ~ dikt* äv. a lyric; *bli ~ vid tanken på...* grow lyrical (quite poetic[al]) at the thought of...
lysa *itr* o. *tr* **1** skina shine; bländande glare; glänsa gleam; om t.ex. juveler glisten; *det lyser* i fönstret there is a light on... **2** bildl. *~ med sina kunskaper* show off (make a display of) one's learning; *föraktet lyser igenom* hans ord there is obvious contempt in... **3** kungöra *det har lyst för dem* the banns have been published (put up, read) for them

lysande shining; klar bright; om kropp o.d. luminous; strålande radiant; om ögon sparkling; om resultat spectacular; storartad splendid; förnäm distinguished; om namn famous; ~ *begåvning* brilliant talent
lysbomb flare
lyse belysning av bostad o.d. light[ing]; *tända ~t* i trappan put on the light...
lysmask zool. glow-worm
lysning [vanl. the] banns
lysningspresent ung. wedding present
lysraket star shell, light flare
lysrör elektr. fluorescent tube (lamp), strip light
lyssna listen; i smyg eavesdrop; ~ *bara med ett öra* listen with [only] half an ear; ~ *på radio* listen [in] to the radio
lyssnare listener
lyssnarpost 1 mil. listening post **2** från radiolyssnare letters pl. from listeners
lysten glupsk greedy; girig covetous; desirous
1 lyster glans lustre
2 lyster (pres.), *gör vad dig ~!* do [exactly] what (as) you like (please)!
lystmäte, *få sitt ~ av* ngt have one's fill of..., have as much as one wants of...
lystnad greediness; begär desire; stark. craving
lystra, ~ *till* ngt pay attention to...; order obey...
lystring mil. *~!* attention [to orders]!
lyte 1 kroppsfel bodily defect; missbildning deformity, malformation; vanställande ~ disfigurement; skavank blemish **2** brist failing, shortcoming; fel fault; ofullkomlighet imperfection
lyteskomik humour based on people's disabilities
lyx luxury; överdåd extravagance; prakt, ståt magnificence
lyxartik|el luxury; *-lar* luxury goods
lyxhotell luxury hotel
lyxig luxurious
lyxkrog luxury (expensive) restaurant
lyxskatt tax on luxuries
låda 1 box; större case; med fastsittande lock o. lås chest; plåt~ tin [box]; drag~ drawer; *en ~* cigarrer a box of... **2** kok. dish au gratin; ansjovis *i ~* ...au gratin **3** *hålla ~* vard. keep on talking [all the time], do all the talking
låg allm. low; kort, om t.ex. träd short; om t.ex. bil el. möbler low-slung; *~a böter* a small (light) fine; flyga *på ~ höjd* ...at a low altitude; *med ~ röst* in a low voice
låga flame äv. bildl.; stark. blaze; fladdrande flare; på gasspis burner; *stå i lågor* be in flames (on fire, ablaze)
lågavlönad low-paid
lågenergisamhälle low-energy society
lågfrekvent low-frequency... äv. fys.; *vara ~* have a low frequency
låghet bildl.: egenskap meanness; handling base (mean) act
låginkomsttagare low-income earner
lågklackad low-heeled
lågkonjunktur depression, recession
lågland lowland [area]
láglönegrupp low-wage (low-income) group
låglöneyrke low-wage (low-income) occupation
lågmäld low-voiced; bildl. quiet, unobtrusive
lågoktanig, ~ *bensin* low-octane petrol (amer. gasoline)
lågpris low price; *till ~* at a low price
lågprisvaruhus discount store
lågsinnad o. **lågsint** base
lågsko [ordinary] shoe
lågstadielärare junior-level teacher [of 7-10 year-olds at the 'grundskola'], jfr *grundskola*
lågstadium the junior level (department) of the 'grundskola', jfr *grundskola*
lågsvavlig ...with a low sulphur content
lågsäsong low (off, off-peak) season
lågt low; viskande under one's breath; *flyga ~* fly low; staden *ligger ~* ...stands on low ground; ~ *räknat* at a low estimate
lågtrafik, *vid ~* at off-peak hours
lågtryck meteor. el. tekn. low pressure
lågtstående om kultur, folk primitive
lågvatten low water; *det är ~* the tide is out
lågväxt short
lån loan äv. bildl.
låna 1 få till låns borrow äv. bildl. el. vid subtraktion; *får jag ~ din telefon?* may I use your telephone? **2** ~ *[ut]* lend, se äv. *utlånad; ~ sig (sitt namn) till* ngt lend oneself (one's name) to...
lånebibliotek lending-library
lånedisk på bibliotek issuing counter
lånekort bibliot. library ticket
låneköp hire-purchase
låneränta lending rate
lång 1 allm. long (jfr också *långvarig*); väl lång, om muntlig el. skriftlig framställning lengthy; *tämligen ~* ofta longish; *du har inte ~ tid på dig* you haven't got much time; *det tar inte ~ tid (stund) [för honom] att* inf. it doesn't (kommer inte att won't) take [him] long to inf.; se vid. ex. under *långt* samt *väg* m.fl. **2** lång till växten tall; ~ *och gänglig* lanky
långa zool. ling
långbyxor long trousers (amer. pants)
långbänk, *dra* en fråga *i ~* discuss...endlessly (interminably)
långdans, *dansa ~ genom rummen* dance

hand in hand in a long row through the rooms
långdistanslöpare sport. long-distance runner
långdragen som drar ut på tiden protracted; långtråkig tedious
långfilm long (feature) film
långfinger middle finger
långfingrad o. **långfingrig** eg. long-fingered; vard., tjuvaktig light-fingered
långfredag, ~*[en]* Good Friday
långfärdsbuss [motor] coach
långfärdsskridskor long-distance skates
långgrund shallow
långhelg long weekend
långhårig om djur, vanl. long-haired; *han är ~* he has long hair; ovårdad el. oklippt his hair is too long
långivare lender
långkalsonger long [under]pants
långkok, *ett ~* a dish that requires slow cooking
långkörare, filmen *har blivit en ~* ...has had a [very] long run
långlivad som lever länge long-lived; *...blir inte ~* varar inte länge ...won't last long; stannar inte länge ...won't stay long
yngläxa
långläxa skol. assignment
långpanna roasting pan
långpromenad long walk
långrandig bildl. long-winded
långrev fiske. long line
långsam slow; senfärdig, gradvis gradual; långtråkig boring
långsamt slowly; småningom gradually; långtråkigt boringly
långsides, ~ *[med]* alongside
långsiktig long-term..., long-range...
långsint, *han är ~* he doesn't forget things (forgive) easily, he is always bringing up the past
långsjal 1 halsduk muffler **2** vard., tusenlapp one-thousand-krona note; motsv. tusen dollar (pund) grand
långskott sport. long shot
långsmal long [and] narrow
långstrumpa stocking
långsträckt elongated, long
långsynt optik. long-sighted
långsökt far-fetched
långt i rumsbet. far (isht i nek. o. fråg. sammanhang samt i förb. med adv. o. prep.); a long way (distance) (isht i jak. sammanhang); i tidsbet. vanl. long; 'vida' far; *gå ~* eg. walk a long way (distance); i livet go far, get on, go places; *~ borta* far away (off); *~ ifrån* huset far from...; *det har gått ~ (det är ~ gånget) med honom* he's far gone; *det är ~ mellan hans besök* his visits are few and far between; *~ bättre* far (mycket much, a good deal) better
långtgående far-reaching
långtidsparkering long-stay (long-term) parking [plats lot]
långtidsprognos meteor. long-range forecast
långtifrån se *långt [ifrån]*
långtradarchaufför truck-driver; amer. äv. trucker
långtradare lastbil long-distance lorry (truck); vard. juggernaut
långvarig allm. long; *~t lidande (regnande)* a long period of suffering (rain); *hans anställning blev inte ~* he did not keep the post (position) very long
långvåg long wave
långvård long-term (prolonged) medical treatment
långväga I *adj, ~ gäster* guests from a long way away, guests who have (resp. had) a long way to go **II** *adv,* komma *~ ifrån* ...from far away
långärmad long-sleeved
låntagare borrower
1 lår låda large box; pack~ [packing-]case
2 lår anat. thigh; av slaktdjur leg
lårbensbrott fractured thigh[bone]
lås lock; häng~ padlock; på väska, armband o.d. clasp; i rörledning trap; *sätta ~ för* padlock; *inom ~ och bom* under lock and key; *hänga på ~et* vard. be at a shop (box-office etc.) just when it opens
låsa I *tr* lock äv. friare; med hänglås padlock; väska, armband o.d. clasp; *~ [dörren] efter sig* lock the door, lock up **II** *rfl, ~ sig:* hjulen *låste sig* ...got locked
III med beton. part.
~ **igen** se *I* ovan
~ **in** lock...up (in)
~ **sig inne** lock oneself in
~ **upp** unlock
~ **sig ute** lock oneself out
låskolv bolt
låsningsfri bil. *~a bromsar* antilock brakes
låssmed locksmith
låt tune
1 låta ljuda sound; *han låter arg (arg på rösten)* he (his voice) sounds angry; *det låter* verkar *bra* that sounds fine; *det låter bättre* that's more like it, now you're talking; *det låter (låter på honom) som om* han skulle få platsen it seems (from what he says it seems) as if...
2 låta *hjälpvb* a) tillåta let, allow, permit b) laga att get, make, cause; *~ ngn* göra ngt a) inte hindra let a p...; tillåta allow (ge lov permit, överlåta åt leave) a p. to... b) laga att get a p. to...; förmå make a p....; be ask (säga till tell, beordra order) a p. to...; *~ göra ngt* have (get) a th. done (tillverkat made); föranstalta cause a th. to be done; ge order om order (give orders for) a th. to

be done; *jag kan (vill) inte ~ honom göra det* äv. I can't (won't) have him doing that; *~ arrestera ngn* have a p. arrested; *låt[om] oss bedja* let us pray; *han lät bygga* ett hus he had...built; *~ ngt bli en vana* make a th. a habit (a habit of a th.); *låt honom få en vecka på sig* give him (let him have) a week; *~ ngn förstå* att give a p. to understand...; *låt det gå fort!* be quick about it!, make it snappy!; *~ ngt ligga* (*vara* etc.) *där det ligger* (*är* etc.) leave a th. where it is; *han lät meddela* att he sent word (a message [to say])...

låtande se under *görande*

låtsad pretended, feigned, simulated; hycklad, fingerad sham...

låtsas I *tr* o. *itr dep* pretend; spela simulate; *~ som om...* äv. make [a show] as if...; *inte ~ se* ngn pretend (affect) not to see..., turn a blind eye to...; ignorera cut...dead; *~ som (om) ingenting* behave (se ut look) as if nothing had happened; *inte ~* bry sig *om* ngn (ngt) take no notice of... **II** *s,* göra ngt *på ~* be pretending to...; *det är bara på ~* I'm (we're etc.) only pretending

lä lee; skydd mot vinden shelter; sitta *i ~* ...on the lee side (the leeward); *där ligger du nog i ~* bildl. that puts you in the shade, doesn't it

läck leaky; *springa ~* spring a leak

läck|a I *s* leak **II** *itr* leak; *det -er från (ur)* tanken ...is leaking; *~* sippra *in* leak in; *~ ut* leak out äv. bildl.; om t.ex. gas äv. escape **III** *tr* leak äv. bildl.

läckage leakage

läcker delicious; utsökt (om t.ex. färg) exquisite; piffig dainty; snygg nice; vard., toppen great, the tops, smashing

läckerbit titbit äv. bildl.; dainty

läder leather; väska *av ~* äv. leather...

läderimitation konkr. imitation leather

läge allm. situation äv. bildl.; position; plats site; i förhållande till väderstreck aspect; röst~ pitch; tillstånd state; *hur är ~t?* vard. how's things (tricks)?, what's the score?; *som ~t nu är* as the situation is now, as matters now stand

lägenhet 1 våning flat; isht större el. amer. apartment **2** transportmöjlighet means (pl. lika) of transport; förbindelse communication **3** *efter råd och ~* according to one's means

läg|er 1 tält~ o.d. camp äv. bildl.; *slå ~* pitch a camp; friare camp; *stå med en fot i vardera -ret* bildl. have a foot in both camps **2** bädd bed; djurs lair

lägerliv camp life; [*leva*] *~* friluftsliv [be] camping

lägerplats camping ground

lägesrapport progress report; *en ~ från matchen* a report on how the match is going

lägga I *tr* **1** placera: allm. put; isht i liggande ställning lay; lägga till sängs put...to bed; bereda sängplats för put...to sleep; mots. resa (om saker) lay (place) flat (horizontal[ly]); anbringa (t.ex. förband) apply; ordna (t.ex. i bokstavsordning) arrange; låta ligga keep; lämna leave; göra (t.ex. ett snitt) make; planera plan; patiens play; tvätt till mangling fold; [*låta*] *~ håret* have one's hair set; *~ ansvaret (skulden) på* ngn lay the responsibility (blame) on...; *~ en duk på* ett bord lay (breda spread) a cloth on...; *lagt kort ligger* you can't take it back; bildl. äv. what's done is done **2** fackspr.: t.ex. golv lay; t.ex. vägar lay down

II *rfl, ~ sig* **1** i eg. bet. (äv. *~ sig ned*) lie down; gå till sängs go to bed; om sjuk take to one's bed; placera sig (t.ex. i bakhåll) place oneself; ramla fall; om säd be flattened; lägra sig (om t.ex. damm, dimma) settle; om sak land; sport.: boxn. o.d. take a dive; om lag throw the (resp. a) game; *~ sig att vila på* en bänk lie down [to rest] on...; *~ sig i* t.ex. veck form; *~ sig i* rätt fil get into...; *~* vända *sig på sidan* turn on one's side **2** avta (om storm o.d.) abate, subside; gå över pass off; om svullnad go down **3** frysa: om vattendrag freeze over; om is freeze

III med beton. part.

~ an: *~ an på* a) ngt make a point of..., go in for... b) ngn make up to..., make a dead set at... c) att inf. make a point of ing-form; go in for ing-form

~ av: a) spara, reservera put (lay) aside (by); ej mera begagna (om kläder) leave off, discard **b)** vard., upphöra pack it in, call it a day; *lägg av!* sluta med det där! stop it (that)!, cut it out!

~ bort ifrån sig put down (aside); undan put away; förlägga mislay; sluta med drop

~ emellan betala mellanskillnaden give...into the bargain

~ fram: a) ta fram put out; till påseende display **b)** bildl.: redogöra för (t.ex. planer, åsikter) put forward; utveckla (t.ex. idéer) set out; presentera: t.ex. förslag, uppsats submit; lagförslag present; förete (t.ex. bevis) produce; offentliggöra publish

~ för servera serve [out]

~ i put in; tillsätta add; bifoga enclose; *~ i ngt i...* put a th. in[to]...; tillsätta add a th. to...; bifoga enclose a th. in...; *~ i ettan[s växel]* äv. put the (resp. a) car in first [gear]

~ ifrån sig put...down; undan, bort put away (aside); lämna kvar leave [...behind]; förlägga mislay

~ ihop put (piece)...together; sammanslå

äv. join; plocka ihop äv. collect; vika ihop fold [up]; tillsluta shut; addera ihop add up; ~ *ihop till* en present club together to buy...

~ **in a)** stoppa o.d. in put...in; slå in wrap up; infoga put in; t.ex. ngt i ett program introduce; bifoga (t.ex. i brev) enclose; installera (t.ex. gas) lay on; anbringa (t.ex. parkettgolv) put down; sömnad. take in; vard., äta put away...; ~ *in ngn på* sjukhus send (remove, admit) a p. to... **b)** konservera: allm. preserve; på glasburk bottle; på bleckburk can; i salt pickle **c)** inkomma med (t.ex. protest) enter, lodge

~ **kvar** leave; oavsiktligt leave...behind

~ **ned: a)** eg. put (i liggande ställning lay)...down; ~ från sig put (lay) down; packa ned pack; gräva ned (t.ex. ledning) lay; sömnad. let down **b)** upphöra med (t.ex. verksamhet) discontinue; inställa (t.ex. drift, järnvägslinje) shut down; stänga (t.ex. fabrik) close [down]; ej fullfölja (t.ex. process) withdraw; teaterpjäs take off; tidning discontinue **c)** använda spend, expend; ~ *ned pengar i* ett företag put money into (invest money in)... **d)** jakt., döda bring down

~ **om: a)** förbinda bandage; sår dress; ~ *om* ett papper [*om ngt*] put (wrap)...round [a th.] **b)** ändra change; ordna om rearrange; omorganisera reorganize; ~ *om produktionen till...* switch over production to... **c)** förnya renew

~ **på: a)** eg. put on; t.ex. förband äv. apply; t.ex. färg äv. lay on; t.ex. te put in; tillsätta add; posta post; amer. mail; ~ *på en duk på* bordet put (breda spread) a cloth on... **b)** pålägga: t.ex. skatter impose; t.ex. straff inflict; ~ *på ngn* arbete, ansvar saddle a p. with... **c)** öka ~ *på* tio kronor *på priset* (*på varorna*) raise the price (the price of the goods) by...

~ **till: a)** tr.: tillfoga add; bidra med contribute **b)** rfl ~ *sig till med* skaffa sig: t.ex. glasögon begin to wear; t.ex. skägg grow; t.ex. bil buy oneself; t.ex. vanor, åsikter adopt; lägga beslag på appropriate; vard. pinch **c)** itr., sjö.: förtöja berth; landa land; anlöpa call

~ **undan** lägga bort o. reservera put aside; plocka undan put away; spara put away, lay aside (by); ~ *undan till* en bil save up for...

~ **under sig** subdue; erövra conquer; slå under sig monopolize

~ **upp: a)** placera put...up **b)** visa (t.ex. kort, pengar) put down; ~ *upp korten* bildl. show one's cards (hand) **c)** kok. dish up; ~ *upp ngt på* ett fat arrange (place) a th. on... **d)** sömnad.: korta shorten; vika upp tuck up; stickning o.d.: maskor cast on; till plagg set up **e)** ~ *upp* håret [*på spolar*] set...on rollers **f)** magasinera lay up (in) **g)** planlägga: t.ex. arbete organize, plan; t.ex. program arrange; t.ex. kortregister make [out] **h)** sluta finish äv. sport.

~ **ur** växeln put...into neutral

~ **ut: a)** eg. lay (placera put)...out; breda ut äv. spread; ~ *ut ett kort* i kortspel put down a card **b)** sömnad. let out **c)** pengar: ge ut spend; betala pay; jag kan ~ *ut för dig* ...pay [the money] for you **d)** bli tjockare fill out, put on weight **e)** sjö. ~ *ut* [*ifrån* land] put out (off) [from...] **f)** ~ *sig ut för ngn* hjälpa intercede (plead) for a p.; söka vinna make up to a p. **g)** arbete farm out

läggdags se *sängdags*

läggning 1 karaktär disposition; sinnelag temperament; fallenhet bent; *han är* religiös *till sin* ~ he is...by nature (disposition) **2** av hår setting; beställa [*tvättning och*] ~ ...a [shampoo and] set

läggningsvätska setting lotion

läglig opportune, timely; passande convenient; *vid ~t tillfälle* at an opportune moment; när det passar dig (er) ...at your convenience

lägre I *adj* allm. lower osv., jfr *låg; ~ drifter* baser instincts **II** *adv* lower; *gå ~* sänka priset go lower

lägst I *adj* lowest osv., jfr *låg;* om antal notera *~a möjliga pris* ...the lowest possible (the minimum, the rock-bottom) price **II** *adv* lowest; man måste räkna med *~ 500 kronor* ...500 kronor at the lowest; jfr *lågt*

läka heal; ~ *igen* (*ihop*) heal up (over)

läkararvode doctor's fee

läkarbehandling medical treatment

läkare allm. doctor; vard. medico; mera högtidl. physician; tjänste~ medical officer; kirurg surgeon; *allmänt praktiserande ~* general practitioner

läkarhus medical (health) centre

läkarintyg doctor's certificate

läkarundersökning medical examination (check-up)

läkarvård medical attendance (care, attention); *fri ~* free medical treatment

läkekonst medicine

läkemedel medicine, drug; botemedel remedy

läkemedelsmissbruk abuse of medicines (pharmaceutical preparations)

läkkött, *bra ~* flesh that heals readily

läkning healing

läktare inomhus gallery; utomhus platform; åskådar~ [grand]stand

lämmeltåg lemming migration; bildl. general exodus

lämna I *tr* **1** bege sig ifrån leave; överge: allm. abandon; ge upp give up; dra sig tillbaka från (t.ex. sin tjänst, politiken) retire from; ~ sluta *sitt arbete* leave (isht amer. quit) one's job **2** ge: allm. give; bevilja grant; t.ex. förklaring offer, present; t.ex. anbud make; t.ex. upplysningar provide; t.ex. hjälp afford, render; t.ex. varor supply; inlämna hand (take, skicka send) in; avlämna deliver; överlämna hand...over, relinquish; avkasta, inbringa yield; ~ *ngt till ngn* ge give (överlämna hand over) a th. to a p.; låta få let a p. have a th.; komma med bring a p. a th.; gå med take a th. to a p.

II med beton. part.

~ **av** t.ex. varor deliver; passagerare drop; mil. hand over

~ **bakom sig** leave...behind; bildl. äv. outgrow; distansera outdistance

~ **bort** lämna ifrån sig give away; skicka bort send out

~ **efter sig** efterlämna leave; vid löpning o.d. leave...behind; se vid. *efterlämna*

~ **fram** överlämna hand over; avlämna äv. deliver

~ **framme** låta ligga och skräpa leave...about

~ **ifrån sig** ge ifrån sig hand over; avhända sig part with; till förvaring leave; avträda surrender

~ **igen** se *lämna tillbaka*

~ **in:** a) allm. hand (take) in, skicka send in; inkomma med äv. present, submit; t.ex. skrivelse give in; till förvaring leave b) vard., dra sig ur pack it in; dö kick the bucket; gå sönder conk out

~ **kvar** ngt leave...; oavsiktligt leave...behind

~ **tillbaka** return; ngt lånat äv. give back; t.ex. skolskrivning hand back; se vid. *ge [tillbaka]*

~ **ut** t.ex. paket hand out; t.ex. varor deliver; från förråd o.d. issue; medicin dispense; dela ut distribute; jfr *utlämna*

~ **över** ledarskap o.d. hand over; se vid. *överlämna*

lämpa, ~ *sig* passa be convenient; ~ *sig för* ngt be suited for...

lämpad, *vara ~ för* **a)** vara anpassad för be suited (suitable, adapted) for **b)** ha fallenhet för be suited (fitted, cut out) for; jfr äv. *lämplig*

lämplig passande: allm. suitable; antagbar eligible; lagom (t.ex. ersättning) adequate; rätt proper; rådlig advisable, expedient; läglig opportune

lämplighet (jfr *lämplig*) suitability; appropriateness; eligibility; adequacy; fitness; advisability; opportuneness

lämplighetsintyg för körkort certificate of fitness [to drive]

län 'län', administrative province; eng. motsv. ung. county

länga rad row

längd 1 allm. length; kropps~ height; utförlighet lengthiness; vete~ flat long-shaped bun, fläta [long] bun plait; *i ~en* in the end (the long run); med tiden in the course of time; hur länge som helst indefinitely; *vinna med två ~er* win by two lengths; *skära (mäta) ngt på ~en* cut a th. lengthwise (measure the length of a th.) **2** geogr., se *longitud* **3** se *längdhopp* **4** lista register; regent~ table

längdhopp sport. long jump (hoppning jumping); *stående ~* standing long jump

längdhoppare sport. long jumper

längdmått long (linear) measure

längdåkning cross-country skiing (lopp race)

länge long (isht i nek. o. fråg. satser); [for] a long time (isht i jak. satser); *gå ~* om t.ex. film have a long run, be on for a long time; *hur ~ är det sedan han for?* how long ago did he leave?; var har du varit *så ~?* ...all this time?; *ta det här så ~!* take this just for now!; *så ~ [som]* konj. as long as; medan ännu while; *för ~ sedan* a long time ago

längre I *adj* longer osv., jfr *lång; göra ~* äv. lengthen; *en ~* ganska lång *promenad* a longish (rather long) walk; jag kan inte stanna *någon ~ tid* ...for very long **II** *adv* further äv. friare; farther (vanl. end. om avstånd); i tidsbet. vanl. longer; *man kan inte komma ~* för vägen är spärrad you can't get any further...; *han är inte lärare ~* he is not a teacher any more

längs, ~ *med* along; sjö., längs utmed alongside

längst I *adj* longest osv., jfr *lång; i det ~a* så länge som möjligt as long as possible; in i det sista to the very last **II** *adv* i rumsbet. vanl. furthest äv. friare; farthest; ända right; i tidsbet. vanl. longest; ~ längsta tiden *bodde jag* i... most of the time I stayed...; *jag har ~ att gå* I have the longest way to go; *vara (räcka) ~* last longest; *~ fram [i salen]* at the very front [of the hall]

längta long, stark. yearn; ~ *efter* sakna miss; ~ *till* Italien long to go to (få vara i be in)...; ~ *bort* long to get (go) away

längtan longing; stark. yearning

länk 1 led link äv. bildl. **2** kedja chain **3** hår~ strand

läns *adj* eg. dry; *pumpa (ösa)* en båt ~ pump...dry (bail out...)

länsa 1 se *[pumpa (ösa)] läns* **2** tömma empty; uttömma drain; göra slut på make a clean sweep of

länsstyrelse myndighet county administrative board

länstol armchair

läpp lip; *falla ngn på ~en* be to a p.'s taste; *ha* ordet *på ~arna* have...on the tip of one's tongue; *vara på allas ~ar* be on everybody's lips (tongue)

läppglans lip gloss

läppja, ~ *på* dryck sip [at]...; bildl. dip into...
läppstift lipstick
lär (pres.) **1** sägs o.d. *han ~ sjunga bra* they say he sings well, he is said (förmodas is supposed) to sing well **2** torde *det ~ inte vara så lätt att...* it is probably not very easy to..., it is not likely to be very easy...
lära I *s* **1** vetenskapsgren science; teori[er] theory; lärosats doctrine; tro faith; förkunnelse teachings; *den rätta ~n* the true faith **2** *gå (komma, vara) i ~ hos ngn* be apprenticed to a p. **II** *tr* **1** lära andra teach; *jag skall ~ dig, jag!* I'll teach you! **2** lära sig learn; *man lär så länge man lever* we live and learn; jfr vid. *III* samt *[lära] känna*
III *rfl, ~ sig* learn; tillägna sig äv. acquire; snabbt el. isht ifråga om dålig vana o.d. pick up [*ngt av ngn* i samtl. fall a th. from a p.]
IV med beton. part.
~ ngn av med ngt vard. teach a p. to stop doing a th.
~ in learn
~ om relearn
~ upp ngn teach (öva upp train, instruera instruct) a p.
lärare allm. teacher; ibl. master; t.ex. tennislärare instructor; *vår ~ i engelska* our English teacher (master)
lärarhögskola school (institute) of education; mindre teachers' training college
lärarkår vid skola o.d. teaching staff
lärarrum teachers' staff room (common room)
lärarvikarie supply (substitute) teacher
lärd allm. learned; humanistiskt scholarly; naturvetenskapligt scientific; [*mycket*] ~ äv. erudite
lärdom 1 vetande learning **2** 'läxa' lesson; *dra (ta) ~ av...* learn from...
lärka zool. lark; *glad som en ~* merry as a lark
lärling apprentice
läroanstalt educational institution (establishment); *högre ~* institute of higher education
lärobok textbook; handbok manual
läromästare master; friare teacher
läroplan curricul|um (pl. -a); t.ex. univ. course of study
lärorik instructive
lärpengar, *få betala dyra ~* bildl. have to pay [dear] for one's experience
läsa I *tr* o. *itr* **1** allm. read; framsäga say; välsignelse pronounce; ~ ngt *fel* misread... **2** studera study; isht univ. read; ~ engelska *för ngn* ta lektioner take lessons in...with a p. **3** undervisa: ~ engelska *med ngn* ge lektioner give a p. lessons in...; lära teach a p....; privat äv. coach a p. in...; *~ läxor med ngn* help a p. with his (resp. her) homework **4** *gå och ~* få konfirmationsundervisning be prepared for one's confirmation
II med beton. part.
~ igenom ngt read a th. [all right] through
~ in en kurs, ett ämne, en roll learn (study up)...[thoroughly (perfectly)]
~ om reread
~ på läxa o.d. prepare; fortsätta att läsa go on reading
~ upp read [out], read...aloud (out loud); något inlärt say; t.ex. dikt recite
~ ut läsa slut finish [reading]; uttala pronounce; förstå *vad kan man ~ ut av det här?* what can you gather (understand) from this?
läsbar readable; jfr äv. *läslig* o. *läsvärd*
läsebok reader; isht nybörjarbok reading-book; *~ i engelska* English reader
läsglasögon reading glasses
läshuvud, *ha gott (vara ett) ~* have a good head for study[ing]
läsida lee-side; *på ~n* on the leeward, leewards
läsk vard., se *läskedryck*
läska, ~ *sin strupe (törst)* quench one's thirst; *en ~nde dryck* a refreshing drink
läskedryck soft drink; lemonad lemonade
läskig vard., hemsk awful, terrible, horrible; otäck scary
läskunnig able to read; *inte ~ (läs- och skrivkunnig)* äv. illiterate
läslig möjlig att läsa legible
läsning reading äv. parl.; deciphering osv., jfr *läsa*
läs- och skrivsvårigheter, *ett barn med ~* a child with a reading and writing disability
läspa lisp
läsrum reading-room
läst skom.: konkr. last; passform fitting; skoblock [shoe]tree
läsvärd, [*mycket*] ~ [very] readable, ...[well] worth reading
läsår skol. school year; isht amer. äv. session
läte [indistinct (inarticulate)] sound; djurs call
lätt I *adj* **1** ej tung light äv. friare (t.ex. lättbeväpnad, rörlig, tunn samt om t.ex. mat, vin, sömn, musik); lindrig slight; om tobak mild; obestämbar (om t.ex. doft) faint; om stigning o.d. gradual; *med ~a steg* with a light step; *~a tyger* light-weight (skira, luftiga flimsy, gossamer) fabrics; *göra...~are* mindre tung äv. lighten...; *~ till mods* light of heart, free and easy **2** ej svår easy; enkel simple; *göra det ~ för...* make things easy for...; friare äv. smooth the way for...; *ha ~ för att fatta* be quick on the uptake **3** lättfärdig fast, loose[-living]; lösaktig dissolute

II *adv* **1** ej tungt: eg. light; ytligt lightly; lindrigt, obetydligt, svagt osv. slightly osv. (jfr *I 1*); litet somewhat; *ta ngt [för]* ~ el. *ta [för]* ~ *på ngt* take a th. [too] lightly (easily, vard. easy); bagatellisera ngt make [too] light of a th. **2** ej svårt easily; vard. easy; snart, ofta readily; *man blir* ~ trött, om... one gets easily (is apt to get)...; *det går* ~ *att* inf., när... it is easy (är enkelt äv. an easy matter) to inf....; *man kan* ~ *[och ledigt] gå dit på* en kvart you can walk there easily (vard. easy) in...; *det är ~are sagt än gjort* it is easier said than done
lätta I *tr* **1** göra lättare lighten; mildra relieve; lindra alleviate; ~ *sitt hjärta för ngn* unburden one's mind (heart) to a p. **2** ~ *ankar* weigh anchor **II** *itr* **1** bli lättare eg. become (get) lighter; bildl. ease; om depression o.d. lift; *det ~r* verkar befriande it gives [some] relief (is a relief) **2** ~ *på ngt* allm., se *I 1;* lossa på (t.ex. förband, klädesplagg) loosen **3** skingras, lyfta (t.ex. om dimma) lift; *det ~r [på]* klarnar (om väder) the air is clearing **4** om fartyg weigh anchor; om flyg take off
lättantändlig ...easy to set fire to, [in]flammable
lättfattlig easily comprehensible, easy to understand
lättfotad bildl. loose, loose-living; *en ganska ~ flicka* äv. a rather fast girl
lättfångad easily caught (i snara trapped); *ett lättfångat byte* an easy prey äv. bildl.
lättfärdig om pers. loose, loose-living; om t.ex. visa, dans: vågad daring; oanständig indecent
lättförtjänt easily earned; *~a pengar* äv. easy money sg.
lätthet ringa tyngd lightness; ringa svårighet easiness; enkelhet simplicity; ledighet o.d.: t.ex. att lära sig språk ease; t.ex. att uttrycka sig facility; *med* ~ ledigt with ease, easily
lättillgänglig eg. easily accessible (vard. get-at-able); om pers. approachable; se äv. *lättfattlig*
lättjefull lazy; loj indolent
lättklädd tunnklädd thinly (lightly) dressed (clad); mer el. mindre oklädd scantily clad
lättköpt billig cheap; t.ex. framgång ...easily come by (gained)
lättlurad gullible
lättmargarin low-fat margarine
lättmjölk low-fat milk
lättnad lisa relief; alleviation; mildring relaxation; lindring easing-off end. sg.; nedsättning, minskning reduction
lättretlig irritable; lättstött touchy; häftig quick-tempered
lättrogen credulous; lättlurad gullible
lättrökt om t.ex. skinka lightly smoked
lättrörd emotional; känslig sensitive
lättsam easy; sorglös easy-going, good-humoured
lättsinne rashness; irresponsibility; wantonness; jfr *lättsinnig*
lättsinnig 1 obetänksam rash; ansvarslös irresponsible **2** lättfärdig wanton
lättskrämd, *vara* ~ be easily scared (frightened), scare easily
lättskött, *vara* ~ be easy to handle (om t.ex. lägenhet to manage, el. to keep tidy om patient to nurse)
lättstött touchy, hypersensitive, [very] quick to take offence
lättvikt isht sport. lightweight
lättviktare sport. el. bildl. lightweight
lättvin light wine
lättvindigt, *ta (behandla) ngt* ~ take (treat) a th. lightly (casually)
lättvunnen easily won, easy-won; jfr *lättförtjänt* o. *lättköpt*
lättåtkomlig ...[that is (was osv.)] easy to find, easily accessible, easy of access, within easy reach
lättöl low-alcohol beer, vard. lab
läxa I *s* **1** hemläxa homework; *få ...i (till)* ~ get ...for homework **2** tillrättavisning lesson; *ge ngn en* ~ teach a p. a lesson **II** *itr,* ~ *upp ngn [ordentligt]* tell a p. off [properly]
läxfri, ~ *dag* day without homework
läxläsning hemma homework
löda solder; ~ *fast* solder...on [*vid* to]; ~ *ihop* tillsammans solder...together
lödder allm. lather
löddrig lathery; om häst lathered
lödning soldering
löfte promise; högtidl. vow; förbindelse undertaking; *ge ett* ~ make a promise; *hålla (stå vid) sitt* ~ keep (stick to) one's promise
löftesbrott breach of faith
löftesrik promising
lögn lie; *en liten (oskyldig)* ~ a fib
lögnaktig lying; om historia o.d. mendacious; om påstående o.d. untruthful; *han är så* ~ he is such a liar
lögnare o. **lögnerska** liar
löje 1 åtlöje ridicule; *ett ~ts skimmer* an air of ridicule **2** leende smile; skratt laughter; hånlöje sneer; munterhet merriment
löjeväckande ridiculous; jfr vid. *löjlig*
löjlig ridiculous; lustig funny; komisk comical; tokrolig ludicrous; orimlig absurd; *~a familjerna* kortsp. happy families
löjrom whitefish roe
löjtnant inom armén lieutenant; inom flottan sub-lieutenant; inom flyget flying officer; amer.: inom armén el. flyget first lieutenant, inom flottan lieutenant junior grade
lök kok. onion; koll. onions; blomster~ el. jordstam bulb; (vild) växt field garlic; *lägga*

~ *på laxen* bildl. make matters worse, rub it in
lökformig bulb-shaped; om kupol onion-shaped
lömsk illistig wily, crafty; bakslug disingenuous; opålitlig undependable; förrädisk treacherous; försåtlig insidious
lömskhet wiliness osv., jfr *lömsk*
lön 1 avlöning: isht vecko~ wages pl.; månads~ salary amer. äv. veckolön; mera allm. pay; *en ~ som man kan leva på* a living wage **2** ersättning compensation, recompense; belöning reward; *få ~ för sin möda (mödan)* be rewarded (requited) for one's pains
löna I *tr* belöna reward; *~ ont med gott* return good for evil **II** *rfl, ~ sig* pay; amer. äv. pay off äv. opers.; vara lönande äv. be profitable, yield a profit; *det ~r sig inte att* inf. a) tjänar ingenting till it's no use (no good) ing-form b) är inte värt pengarna it isn't worth it to inf.
lönande om företag o.d. profitable
lönearbetare wage earner
löneavtal wage (resp. salary) contract; kollektivavtal wage[s] (resp. salary, pay) agreement
lönebesked pay slip
löneförhandlingar wage (resp. salary, pay) negotiations (talks)
löneförhöjning rise [in wages (resp. salary, pay)]
löneförmån ung. benefit [attaching to one's salary (resp. wages)], emolument
lönegrad [salary] grade; *komma upp i [en] högre ~* be promoted to a higher grade
löneklyfta difference in wages (resp. salary, pay)
lönekontor salaries department; kassakontor pay office
löneskillnad wage (pay) differential
lönestopp wage freeze; temporärt wage pause; *införa ~* freeze wages
lönesänkning wage (resp. salary, pay) cut
löneuppgift wage (resp. salary) statement
löneutbetalning payment of wages (resp. salary)
löning vard. pay; *få ~* get one's pay
lönlös gagnlös useless, futile; fruktlös fruitless; *det är ~t att göra det* it is no use (good) doing it; *det ~a i att* inf. the uselessness (futility) of ing-form
1 lönn bot. maple [tree]
2 lönn se *lönndom*
lönnbrännare illicit distiller
lönndom, *i ~* clandestinely, secretly, in secret
lönndörr secret (hidden) door
lönnfet ung. flabby
lönnkrog illicit liquor shop; amer., förr speakeasy
lönnmord assassination
lönnmördare assassin
lönsam profitable
lönsamhet profitability
lönt, *det är inte ~ att försöka* it is no use (no good) trying
löntagare wage earner, salary earner; jfr *lön;* anställd employee
löp|a I *itr* o. *tr* eg. el. bildl. run; hastigt fly; *han -er aldrig längre distanser än* 800 meter he never competes in races of more than... **II** *itr* vara brunstig om hona be on (in) heat **III** med beton. part.
~ **ihop** (**samman**) converge
~ **in:** *båten -te in [i hamnen]* the vessel put into (entered, made) the harbour
~ **om** förbi **ngn** run past (overtake) a p.
~ **ut a)** sticka till sjöss put [out] to sea; lämna hamnen leave the harbour **b)** om avtal run out **c)** sträcka sig el. skjuta ut (i t.ex. spets) run out
löpande regelbundet återkommande running; fortlöpande current; *[på] ~ band* se under *band I a; ~ ärenden* current (routine) business sg. (matters)
löparbana track
löpare 1 sport. runner; **2** schack. bishop **3** duk runner **4** byggn. stretcher
löpeld, *sprida sig som en ~* spread like wildfire
löpning 1 sport.: löpande running; lopp run; tävling race **2** mus. run
löpsedel [newspaper] placard; i radio programme parade
lördag Saturday; jfr *fredag* o. sms.
lös I *adj* **1** ej fastsittande el. bunden loose; otjudrad untethered; löstagbar detachable; separat separate; *~a blommor* cut flowers; *en ~ hund* a dog off the leash; herrelös a stray dog; *vara ~ och ledig* be free, be at a loose end **2** ej hård el. fast, ej spänd loose; rinnande running; vard. runny; ägget *är för ~t* ...is too soft[-boiled] **3** friare el. i div. uttr.: om ammunition o.d. blank; om förmodan, påstående, rykte o.d. baseless; vag vague **II** *adv, gå ~ på* angripa *ngn (ngt)* attack a p. (a th.), go for a p. (go at a th.)
lösa I *tr* **1** ta (göra) loss: mera eg., se *lösgöra I;* friare (från förpliktelser o.d.) release **2** lossa [på] loose; *~ [upp]* loosen äv. verka lösande; knut o.d. äv. undo, untie; skosnöre o.d. unlace; håret let (take) down **3** upplösa: *~ [upp]* i vätska dissolve; i beståndsdelar disintegrate **4** finna lösningen på: problem o.d. solve; konflikt o.d. vanl. settle; *~ ett korsord* solve (do) a crossword **5** *~ [in]* växel honour..., meet..., take up...; skuldförbindelse o.d. redeem... **II** *rfl, ~ sig* **1** i vätska dissolve **2** om problem o.d. *~a sig [av sig] själv* solve itself
lösaktig loose
lösande, *~ medel* laxermedel laxative

lösdriveri vagrancy
lösegendom personal property (estate), personalty
lösen 1 lösesumma ransom; stämpelavgift stamp fee (duty); post. surcharge; *begära ~ för ngn* hold a p. to ransom **2** lösenord watchword; mil. äv. countersign; *...är tidens ~* ...the order of the day
lösenord se *lösen 2*
lösgöra I *tr* lösa set...free, let...loose; befria release; ta loss detach; kapital o.d. free **II** *rfl, ~ sig* eg. set oneself free, loosen oneself; bildl. release oneself; isht. om kvinna emancipate oneself
löshår false hair
löskoka ägg boil...lightly; *löskokt ägg* lightly boiled (soft-boiled) egg
löslig i vätska soluble; om problem o.d. solvable; lös loose
lösmynt, *vara ~* skvalleraktig have a loose tongue, be gossipy, be a [regular] gossip
lösning 1 av problem o.d. solution **2** vätska solution
lösningsmedel solvent
lösnummer single copy
lösryckt fristående (om ord o.d.) disconnected; *ett ~t yttrande* a detached remark; jfr vid. *rycka [loss]*
lösskägg false beard
lössläppt fri licentious; uppsluppen wild, abandoned; otyglad unbridled
löst allm. loosely; lätt lightly; obestämt vaguely; helt apropå casually, idly; *sitta ~* eg. be (om kläder fit) loose; bildl. be none too secure; jfr *lös II*
löstagbar detachable
löständer false teeth
lösöre se *lösegendom*
löv leaf (pl. leaves); koll. leaves
lövas leaf
lövfällning defoliation
lövruska branch [with its leaves on]
lövskog ung. deciduous forest
lövsprickning leafing; *i ~en* when the trees are (resp. were) leafing (coming into leaf)
lövträ hardwood
lövträd broad-leaf (årligen lövfällande deciduous) tree
lövtunn ...as thin as a leaf
lövverk foliage

M

m 1 bokstav m [utt. em] **2** (förk. för *meter*) m
mack ® se *bensinpump* o. *bensinstation*
macka vard. sandwich
Madagaskar Madagascar
Madeira egenn. o. **madeira** vin Madeira
madonnabild [picture of the] Madonna
madonnalik Madonna-like
madrass mattress
maffia Mafia, Maffia äv. bildl.
maffig vard. smashing, stunning
magasin 1 förrådshus storehouse; lager el. möbelmagasin warehouse **2** på skjutvapen magazine **3** tidskrift magazine
magasinera store [up]; hand. warehouse
magdansös belly-dancer
mage stomach; vard. belly; anat. abdomen; *ha [stor] ~* vanl. be paunchy (pot-bellied); *han har ont i ~n* he has a stomach ache (vard. a belly-ache); *hans ~ krånglar* his stomach is (ständigt gets) upset; *ligga på ~n* vanl. lie on one's face; *ha ~ att...* inf. have the cheek (the nerve) to... inf.
mager inte fet lean; smal (om pers. o. kroppsdelar) thin, vard. skinny; bildl. vanl. meagre; *ett ~t ansikte* a thin (lean) face; *~ halvfet ost* low-fat cheese
maggrop pit of the stomach
magi magic; *svart ~* black magic
magiker magician
maginfluensa gastric influenza (vard. flu)
magisk magic
magister lärare schoolmaster
magkatarr gastric catarrh
magknip, *ha ~* have a stomach ache (the gripes, vard. a belly-ache)
magnat magnate
magnesium kem. magnesium
magnet magnet
magnetfält fys. magnetic field
magnetisk magnetic
magnifik magnificent
magnumbutelj magnum
magplask belly-flop, bildl. fiasco
magplågor stomach (gastric) pains; stomach ache
magpumpa, *~ ngn* pump out a p.'s stomach
magra become (grow, get) thin (thinner); bli avtärd become emaciated; *~ 2 kilo* lose...in weight
magsaft gastric juice
magsjuka gastric influenza (vard. flu)
magstark, *det var ~t!* that's a bit thick (steep)!
magsyra acidity of the stomach
magsår gastric ulcer

magsäck stomach
magåkomma stomach complaint
mahogny mahogany; möbler *av* ~ äv. mahogany...; för sms. jfr äv. *björk-*
maj May; jfr *april* o. *femte; första* ~ äv. May Day
majestät majesty; *Ers* ~ Your Majesty
majestätisk majestic; friare (t.ex. om fura) stately
majonnäs mayonnaise
major major
majoritet majority; *absolut* ~ absolute (clear, overall) majority; *få (ha)* ~ get (have) a majority
majoritetsbeslut majority resolution
majs maize; amer. corn
majskolv corncob; *~ar* ss. maträtt corn on the cob sg.
majskorn grain of maize; amer. grain of corn
majstång maypole
mak, gå i *sakta* ~ ...at an easy (a leisurely) pace, ...at an amble
1 maka wife; isht jur. el. åld. spouse; *hans [äkta]* ~ his [wedded] wife
2 maka, ~ *på ngt* flytta undan remove a th.; ~ *ihop sig* move (press) closer together
makaber macabre
makadam macadam
makalös matchless, peerless; ojämförlig incomparable; sällsynt exceptional
makaroner o. **makaroni** koll. macaroni
makaronipudding macaroni pudding
make 1 en av ett par fellow; *~n till den här handsken* ofta the other glove [of this pair] **2** i äktenskap, man *[äkta]* ~ husband; isht jur. el. åld. spouse; *äkta makar* husband and wife **3** motstycke match; *har man nånsin hört (sett) på ~n!* did you ever hear (see) the like!
Makedonien Macedonia
maklig bekväm easy-going; loj indolent; långsam, sävlig slow, leisurely
makrill mackerel
makt power äv. stat; isht i högre stil äv. might; drivande kraft force; herravälde dominion; [laglig] myndighet authority; *hans* ~ inflytande *över...* his hold over...; *mörkrets ~er* the powers of darkness; *vädrets ~er* var onådiga the weather gods...; *ha* ~ *att* inf. have power (authority, full powers) to inf.; *ha* utöva *~en* be in authority; *ha ~en [i sin hand]* be in power; om han skulle *ta ~en* ...seize power
föregånget av prep.: *ha ngn i sin* ~ have a p. in one's power (at one's mercy); *komma till ~en* come (get) into power (parl. äv. office); *hålla vid* ~ upprätthålla, bibehålla maintain, keep up; *vara (sitta) vid ~en* be in (hold) power
maktbalans balance of power
maktfaktor powerful factor; *han är en ~ inom politiken* he is a power in politics
maktfullkomlig diktatorisk dictatorial; envåldig autocratic
maktgalen power-mad
makthavande, *de* ~ those in power, the powers that be
maktkamp struggle for power
maktlysten power-seeking
maktlös powerless; *stå (vara)* ~ be powerless *[emot ngt* against (in the face of) a th.]
maktlöshet powerlessness
maktmedel force, forcible means; resurser resources
maktmissbruk abuse of power
maktskifte transfer of power
maktspel, *~et* the power game
maktställning dominating (powerful) position
maktutövning exercise (wielding) of power
makulera göra ogiltig cancel, obliterate; kassera (t.ex. trycksaker, bokupplaga) destroy; *~s!* ss. påskrift cancelled
makulering cancellation; obliteration; destruction; jfr *makulera*
mal insekt moth
mala 1 t.ex. säd, kaffe grind; kött vanl. mince **2** ~ *[om]* tjatigt upprepa *ngt* keep on repeating a th.
malaj 1 folk Malay[an] **2** mil., ung. C 3 man
malaria malaria
Malawi Malawi
Malaysia Malaysia
Maldiverna öarna the Maldives
Mali Mali
malign malignant
mall modell pattern äv. rit~; model; schablon templet, template
mallig stuck-up
Mallorca Majorca
malm miner. ore; bruten rock
malmbrytning ore-mining
malmfyndighet ore deposit
malmfält ore field
malplacerad opassande inappropriate; oläglig ill-timed; onödig uncalled for
malpåse mothproof bag; *lägga i* ~ bildl. mothball
malt malt
Malta Malta
maltdryck malt liquor
maltextrakt malt extract
malva bot. mallow; färg mauve
maläten 1 eg. moth-eaten, mothy **2** luggsliten shabby; avtärd emaciated
malör mishap
malört wormwood
mamma mother, jfr *mor;* vard. ma, något tillgjort mamma, amer. mom; barnspr. mummy, amer. mammy

mammaklänning maternity dress (gown)
mammaledig, *vara* ~ be on maternity leave
mammografi med. mammography
mammonsdyrkan the worship of mammon
mammut mammoth äv. bildl.
1 man hästman o.d. mane äv. friare
2 man 1 allm. man (pl. men); besättningsman hand; *män* statistik o.d. males; *tredje* ~ jur. third party; [*alla*] *som en* ~ samtliga [all] to a man, one and all; *en strid* ~ *mot* ~ a hand-to-hand fight; *per* ~ per person, per (a) head, per man, each; *till sista* ~ eg. to the last man; samtliga to a man **2** make husband; bli ~ *och hustru* ...man and wife
3 man a) den talande inbegripen one; 'jag', äv. vard. a fellow (resp. girl, woman); 'vi' we b) den tilltalade inbegripen, i anvisningar o.d. you c) 'folk' people; 'de' they; 'någon' someone resp. anyone d) återges ofta genom passiv el. opers. konstruktion ~ *måste göra sin plikt* one must do one's duty; *så får* ~ *inte göra* you mustn't do that, that isn't done; ~ *påstår att...* it is said (they el. people say) that...
mana uppmana exhort; pådriva urge; egga incite; uppfordra call [up]on; *känna sig ~d* feel called [up]on (prompted)
manager manager; teat. o.d. äv. impresario (pl. -s), publicity agent
manbyggnad manor house; på bondgård farmhouse
manchester corduroy; ofta om plagg cord
manchesterbyxor corduroys
Manchuriet Manchuria
mandarin frukt tangerine
mandat uppdrag commission; fullmakt authorization, authority; från organisation o.d. mandate; riksdagsmans: säte seat; mandattid term of office; folkrättsligt mandate
mandel 1 bot. almond; koll. almonds **2** anat. tonsil
mandelblom mandelträdsblom koll. almond blossoms
mandelblomma stenbräcka meadow saxifrage
mandelmassa almond paste
mandelolja almond oil
mandolin mandolin[e]
mandom manhood
mandomsprov trial (test) of manhood
manege ridbana ring
maner sätt manner; stil style; förkonstling mannerism; ha *fina* ~ ...fine (good) manners
manet jellyfish
manfall, *det blev stort* ~ i strid there were heavy losses; i examen a great many failed (were ploughed)
mangan kem. manganese
mangel mangle
mangla tvätt o.d. mangle; utan obj. do the mangling; guld o.d. beat, hammer
mangling mangling; ~[*ar*] bildl., ung. tough (protracted) negotiations pl.
mango frukt el. träd mango (pl. -s el. -es)
mangold bot. [Swiss] chard
mangrant in full numbers (force); *de infann sig* ~ äv. every one of them turned up
manhaftig karlaktig manly; om kvinna masculine
mani mania
manick vard. gadget
manifest polit. o.d. manifesto (pl. -s)
manifestation manifestation
manifestera manifest; ådagalägga display; ~ *sig* ta sig uttryck manifest (show) itself
manikyr manicure; *få* ~ have a manicure
manikyrist manicurist
maning uppmaning exhortation; t.ex. hjärtats prompting; varning admonition; vädjan appeal
manipulation manipulation
manipulera, ~ [*med*] manipulate
manisk manic
manke withers; *lägga ~n till* put one's back into it, put one's shoulder to the wheel
mankön male sex; *av* ~ of [the] male sex
manlig av mankön male; typisk för en man masculine; isht om goda egenskaper manly; viril virile; avsedd för män men's end. attr.
manlighet masculinity
manna manna äv. bildl.
mannagryn semolina
mannaminne, *i* ~ within living memory (the memory of men)
mannamån, *utan* ~ without respect of persons
mannekäng model; åld. mannequin
mannekänguppvisning fashion show (parade)
manodepressiv psykol. manic-depressive
manschauvinism male chauvinism
manschett cuff; tekn. sleeve; ljusmanschett candle-ring; *fast* (*lös*) ~ fixed (detachable) cuff
manschettknapp cuff link
mansgris vard. [*mullig*] ~ male chauvinist pig
manskap koll. men; sjö. äv. crew, hands, ship's company
manskör male [voice] choir
manslem pen|is (pl. vanl. -es), male organ
mansperson man (pl. men), male
mansroll man's role (pl. men's roles)
mansröst male voice
manstark numerically strong; vara *lika ~a* ...equal in number
mansålder generation
mantalsskriva, ~ *sig* register [for census purposes]

mantalsskriven, ~ *i* Stockholm registered (domiciled) in...
mantel 1 plagg cloak; kungamantel o.d. el. bildl. mantle; *ta upp ngns fallna* ~ step into a p.'s shoes, take over from one's predecessor **2** tekn. jacket
mantilj spansk sjal mantilla
manual handbok el. mus. manual
manuell manual
manus MS (pl. MSS); titta *i* ~ ...in the MS
manuskript manuscript; typogr. äv. copy; film~ o.d. script
manöver allm., mil. el. bildl. manœuvre; amer. maneuver
manövrera manœuvre (amer. maneuver) äv. bildl.; sköta handle, manage; ~ *bort* (*ut*) *ngn* get rid of a p. by manœuvring, jockey a p. out [of his post (job etc.)]
maoism polit. ~[*en*] Maoism
mapp för handlingar folder; stor portfolio (pl. -s); pärm file
mara 1 vard., ragata bitch **2** vard., maraton marathon
maratonlopp marathon [race]
maratonlöpare marathon runner
mardröm nightmare äv. bildl., bad dream
margarin margarine; vard. marge
marginal margin; typogr. äv. border; *i ~en* in the margin; *med god* ~ by a comfortable (wide) margin
marginalskatt marginal tax (rate, rate of tax)
marginell marginal
Maria ss. drottningnamn el. bibl. Mary; *jungfru* ~ the Virgin Mary, the Holy (Blessed) Virgin [Mary]
marig vard. knotty; brydsam, t.ex. om situation awkward, dicey
marijuana marijuana; vard. pot
marin I *s* mil. navy; *Marinen* i Sverige the Swedish Naval Forces pl. (Navy and Coast Artillery) **II** *adj* marine; mil. naval
marinad kok. marinade
marinblå navy blue, navy
marinera kok. marinate
marinsoldat marine
marinstab naval staff
marionett marionette, puppet äv. bildl.
marionetteater puppet theatre (föreställning show)
1 mark jordyta ground; jord[mån] soil; markområde land; åkerfält field; *~er* grounds; trakt, terräng äv. country sg.; ägor äv. domains; *på svensk* ~ on Swedish soil
2 mark myntenhet mark
3 mark spelmark counter
markant påfallande marked, pronounced; framträdande prominent
markatta 1 zool. guenon **2** vard., 'häxa' bitch
markera ange, utmärka mark äv. sport.; ange, antyda indicate; pricka för put a mark against, tick off; belägga sittplats o.d. reserve; bildl. (poängtera) emphasize; accentuate
markerad allm. marked
markering marking etc., jfr *markera*
markis solskydd awning, sunblind
marknad 1 varumässa o.d. fair; *hålla* ~ hold a fair **2** ekon. el. hand. market, marketplace; *i* (*på*) *öppna ~en* in the open market
marknadschef marketing manager
marknadsekonomi market economy
marknadsföra market, put on (introduce into) the market
marknadsföring marketing
marknadsplats torg el. friare market
marknadspris hand. market price
marknadsundersökning market research, market survey
marknadsvärde market (trade) value
markpersonal flyg. ground staff (crew)
marktjänst flyg. ground service; vard., hemarbete daily housekeeping
markvärdinna ground hostess
markägare landowner, property owner
marmelad jam; av citrusfrukter marmalade; konfekt jelly fruits
marmor marble; bord *av* ~ äv. marble...
marmorskiva marble slab (på bord o.d. top); bord *med* ~ marble-topped...
marockan Moroccan
marockansk Moroccan
Marocko Morocco
marodör marauder
Mars astron. el. mytol. Mars
mars månadsnamn March (förk. Mar.); jfr *april* o. *femte*
marsch I *s* march äv. mus. **II** *interj* kommandoord march!; *framåt ~!* forward, march!
marschall ung. [pitch] torch, link
marschera march; *det var raskt ~t* vard. that was quick (smart) work!; ~ *in* [*i* el. *på*] march in[to]
marschtakt marching-step; mus. march time
marsipan marzipan
marskalk 1 mil. marshal; i Engl. field marshal **2** festmarskalk steward; amer. usher; vid bröllop 'marshal', male attendant of the bride and bridegroom
marsvin zool. guinea pig
martall bot. dwarfed (stunted) pine [tree]
martyr martyr; *spela* ~ make a martyr of oneself
martyrium martyrdom
marulk zool. angler [fish]
marxism, ~[*en*] Marxism
marxist Marxist
marxistisk Marxist
maräng kok. meringue

masa, ~ *sig i väg* shuffle off; ~ *sig upp ur sängen* drag oneself out of bed
mascara mascara
1 mask zool. worm; larv grub; i kött, ost maggot; koll. worms
2 mask mask; mil. el. bildl. äv. screen; skönhets~ face (mud) pack; teat. o.d. make-up; *hålla ~en* spela ovetande o.d. not give the show away
1 maska 1 ~ *[på]* metkrok o.d. bait...with a worm **2** med. ~ *av* deworm
2 maska i arbete make a pretence of working; organiserat go slow, work to rule; friare el. sport. play for time; vard. stall
3 maska I *s* mesh; vid stickning stitch; löpmaska ladder; *avig* ~ purl; *rät* ~ plain stitch **II** *tr*, ~ *av* stickning o.d. cast off
maskera med mask el. bildl. mask; med sminkning make...up; t.ex. avsikt disguise; *~d* masked; med smink made up; utklädd dressed up; förklädd disguised *[till* as]
maskerad o. **maskeradbal** vanl. fancy-dress (costume) ball; hist. masquerade, masked ball
maskeraddräkt fancy dress
maskering 1 maskerande masking etc., jfr *maskera* **2** konkr. samt bildl. mask; isht mil. camouflage; förklädnad disguise; teat. o.d. make-up
maskeringstejp masking tape
maskin machine; motor engine; *~er* maskinanläggning machinery sg., plant sg.; *för egen* ~ sjö. by its (resp. their) own engines; bildl. on one's own steam, without help; *för (med) full* ~ sjö. at full speed; friare on all cylinders, in top gear
maskinell mechanical; ~ *utrustning* machinery, machine equipment (outfit)
maskineri machinery äv. teat. el. bildl.; mechanism; på fartyg engines
maskinfel sjö. engine trouble; data. computer malfunction (fault)
maskingevär machine gun
maskinhall i fabrik machine room
maskinist engine-man; i fastighet boilerman; sjö. engineer; på biograf projectionist; teat. stage mechanic
maskinmässig mechanical; ~ *tillverkning* machining, machine-processing
maskinpark machinery
maskinrum sjö. engine room
maskinskada sjö. engine trouble
maskinskriven typewritten, typed
maskinskriverska typist
maskinskrivning typing
maskning going slow, working to rule; jfr *2 maska*
maskopi, *stå (vara) i ~ med ngn* be working together (be in collusion) with a p.; vard. be in cahoots with a p.
maskot mascot
maskros dandelion
maskulin masculine äv. om kvinna el. gram., virile
maskulinum genus the masculine [gender]; ord masculine [noun]; *i* ~ in the masculine
maskäten worm-eaten; om tand decayed
maskör teat. o.d. make-up man
masochism masochism
masochist masochist
masonit ® masonite
massa 1 fys. mass **2** som råmaterial substance; smet o.d. mass; grötliknande, spec. trä~ pulp **3** kompakt samlad mängd mass; volym volume **4** folkhop crowd [of people]; pöbel mob; *massorna* el. *den stora ~n* the masses pl., the broad mass of the people; *den stora ~n* flertalet *av...* the great majority of... **5** *en [hel]* ~ mängd [quite] a lot; *det finns en* ~ böcker there are a lot of...
massafabrik pulp mill
massage massage
massageapparat massage apparatus; massagestav vibrator
massaindustri pulp industry
massaker massacre, slaughter
massakrera massacre äv. bildl.; slaughter
massarbetslöshet mass unemployment
massera massage
massgrav mass grave
masshysteri mass hysteria
massiv I *s* bergområde massif **II** *adj* solid; stadig massive
masskorsband bulk mail
massmedium mass medi|um (pl. -a)
massmord wholesale (mass) murder (killings pl.)
massmöte mass meeting
massproduktion mass production
masspsykos mass psychosis
masstillverka mass-produce
masstillverkning mass production
massverkan mass effect
massvis, ~ *av (med)* lots (tons, heaps, loads) of...
massör masseur
massös masseuse
mast mast; flagg~ pole; fartygs samtliga *~er* äv. masting sg.
mastig vard., stadig robust; om mat solid; 'tung' heavy; diger, om t.ex. program heavy
masturbation masturbation
masturbera masturbate
masugn blast furnace
masurbjörk masur birch
masurka mus. mazurka
mat food; måltid meal; *en bit* ~ something (a bite) to eat, a snack; ~ *och husrum* board and lodging; *~en är inte så bra där* på hotellet o.d. the cooking is not very good there; *~en* middagen (lunchen) *är klar*

(*färdig*) vanl. dinner (lunch) is ready; *ge djuren ~* feed...; *vill du ha lite ~?* vanl. do you want something to eat?
mata pers. el. tekn. feed; bildl. stuff; *~ fram* tekn. transport; *~ in* data. feed...into, input
matador matador
matarbuss feeder bus
matberedare köksmaskin food processor
matbit, *en ~* lätt måltid a bite, a snack, something to eat
matbord dining-table
matbröd [plain] bread
match match; tävling competition; *det är en enkel ~* bildl. it is child's play, it's a piece of cake
matcha vard. match äv. om färger, plagg
matchboll match point (ball)
matdags, *det är ~* it is time to eat
matematik mathematics; förk., vard. maths (amer. math)
matematiker mathematician
matematisk mathematical
materia matter
material material; byggnads~ materials; uppgifter data, body of information
materialist materialist
materialistisk materialistic
materiel t.ex. elektrisk equipment; t.ex. skriv~ materials
materiell material; *~a tillgångar* tangible assets
matfett cooking fat
matfrisk ...with a good appetite; hungrig hungry; *vara ~* have a good appetite
matförgiftning food poisoning
mathållning kost food; *ha ~ för* cater (provide meals) for
matiné matinée
matjessill kok., ung. [sweet-]pickled herring
matjord ytskikt topsoil
matkorg hamper
matkupong luncheon voucher; amer. meal ticket
matkällare food cellar
matlagning cooking
matlust appetite; *dålig ~* lack of appetite
matlåda lunch (resp. sandwich) box, jfr *matsäck*
matnyttig 1 lämplig som mat ...suitable as food; närande nourishing; ätlig edible **2** vard., t.ex. om kunskaper useful
matolja cooking oil
matos [unpleasant] smell of cooking (food)
matportion helping (serving) of food
matranson ration [of food]
matrast break for a meal
matrecept recipe
matrester [food] scraps, leavings
matris matr|ix (pl. -ices el. -ixes)
matrona matron
matros seaman; friare sailor
matrum dining-room
maträtt dish; del av meny course
matsal dining-room; större dining-hall; på fabrik o.d. canteen
matsedel menu
matservering se *servering 2*
matsilver table silver
matsked tablespoon; ss. mått (förk. *msk*) äv. tablespoonful (förk. tbs[p])
matsmältning digestion
matsmältningsbesvär indigestion
matstrejk hunger strike
matstrupe gullet; med. oesophag|us (pl. -i)
matställe restaurant; vard. eatery
matsäck lunch~ packed lunch, lunch packet; amer. box lunch; smörgåsar sandwiches; *rätta mun[nen] efter ~en* cut one's coat according to one's cloth
1 matt 1 kraftlös faint; svag weak båda äv. bildl. om t.ex. försök, intresse; tam tame; livlös lifeless; *känna sig ~* feel faint (utmattad exhausted, done-up, 'hängig' out of sorts) **2** om t.ex. yta, guld, papper matt; mattslipad, om t.ex. glas frosted; glanslös: om t.ex. färg dull; om t.ex. hår, öga lustreless
2 matt schack. mate; *göra ngn ~* mate (checkmate) a p.; *schack och ~ !* [check]mate!
matta mjuk ~ carpet äv. bildl., t.ex. av löv; mindre rug; dörr~ mat; *mattor* som handelsvara rugs and carpets; koll. carpeting sg.
mattas, *~ [av]* bli mattare (svagare) become weaker etc., jfr *1 matt;* om färg, glans o.d. fade; bildl.: om t.ex. intresse flag; om kurs weaken; om t.ex. trafik slacken [off]; om blåst abate
1 matte vard., mots. t. 'husse' mistress
2 matte vard., matematik maths; amer. math
Matteus bibl. Matthew; *~ evangelium* the Gospel according to St. Matthew
matthet faintness
mattpiskare sak carpet beater
matvanor eating habits
matvaror provisions, victuals
matvaruaffär provision shop
matvrak glutton
matvägrare person (child) who refuses to eat
Mauretanien republiken Mauritania
mausoleum mausoleum (pl. -ums el. -a)
max 1 vard. *till ~* as much as possible **2** ss. förled, vard., se *maximi* i sms.
maxim maxim
maximal maximal, maximum...
maximalt maximally
maximera maximize, put an upper limit to; *~d till...* limited to...at the most, with an upper limit of...

maximihastighet maximum (top) speed; fartgräns speed limit
maximipris maximum price
maximitemperatur maximum temperature
maximum maxim|um (pl. vanl. -a); *nå sitt ~* reach its maximum, reach its (a) peak, culminate
MBL (förk. för *medbestämmandelagen*) se d.o.
mecenat patron [of the arts resp. of literature]
1 med på kälke, släde o.d. runner; på gungstol, vagga rocker
2 med I *prep* **1** 'medelst': **a)** with; isht angivande [kommunikations]medel by; *skriva ~ blyertspenna* write with a pencil; *~ post* by (per) post; *~ samma (ett tidigt) tåg* on the same (an early) train **b)** by; *vinna ~ 2-1* win [by] 2-1 **2** uttr. sätt with; t.ex. '~ hög röst' in; om hastighet m.m. at; *skrivet ~ blyerts* written in pencil; *vara sysselsatt (upptagen) ~ att* inf. be engaged (occupied) in ing-form **3** tillsammans ~ with; *hon har två barn ~* sin första man she has two children by... **4** uttr. förening, släktskap samt jämförelse to; *förlovad (gift) ~* engaged (married) to; *vara släkt ~* be related to, be a relative of **5** 'försedd el. utrustad ~' **a)** with; om klädsel ofta in, wearing; isht om psykisk egenskap of; *~ eller utan* handtag with or without... **b)** 'innehållande' containing, of; 'bestående av' consisting of; *en korg ~ frukt* a basket of fruit (with fruit in it) **c)** 'på grund av' with; *~ alla sina fel* är han ändå... with (in spite of) all his faults... **6** 'och' and; *~ flera* (förk. *m.fl.*) and others; *~ mera* (förk. *m.m.*) etcetera (förk. etc.), and so on; och andra saker and other things; staden *~ omnejd* ...and [its] environs **7** 'inklusive' with, counting; *~ dricks* blir det ...with tips, ...tips included **8** t.ex. 'stiga upp ~ solen' with; *~ en gång* [all] at once **9** 'i fråga om', 'beträffande' **a)** with, about, for; *noga ~* particular about (as to) **b)** *hur går det ~* arbetet, boken? what about...?, how is...getting on?; *vad är det ~ dig?* what is the matter with you? **10** i prep.-attr. of, with: *avsikten ~ dessa anmärkningar* the purpose of these notes; *fördelen ~* detta system the advantage of... **11** spec. fall *~ bifogande av* enclosing; *bort (upp) ~ händerna!* hands off (up)! **II** *adv* **1** också too; i vissa fall so; *ge mig dem ~* give me those, too (those as well); *han är gammal han ~* he is old, too **2** *kommer (blir) du ~ ?* are you coming?
medalj medal
medaljong medallion; smycke locket
medaljör medallist
medan while; han läste *~ han gick* ...while [he was] walking, ...as he walked
medansvarig, *vara ~* share the responsibility, be jointly responsible [*för* i båda fallen for]
medarbetare medhjälpare collaborator; kollega colleague; *medarbetarna* redaktionen äv. the [editorial] staff sg.; *från vår utsände ~* from our special correspondent
medbestämmande *s* participation [in decision-making]
medbestämmandelagen (förk. *MBL*) the law concerning right of participation in decision-making
medborgare citizen; *bli svensk ~* become a Swedish subject
medborgarskap citizenship; *få svenskt ~* acquire Swedish citizenship
medbrottsling accomplice; isht jur. accessory
meddela I *tr* ge besked let a p. know; *~ ngn ngt* underrätta inform a p. of a th.; delge, t.ex. nyhet communicate a th. to a p.; isht formellt el. officiellt notify a p. of a th. (a th. to a p.); *~ adressförändring till polisen* notify the police of a change of address; *jag låter ~* när... I'll let you know..., I'll send you a message...; *från London ~s att* it is reported from London that **II** *rfl, ~ sig* om pers. communicate [*med* with]
meddelande bud[skap] message; i högre stil, isht skriftligt communication; kort skriftligt note; underrättelse information, news (båda end. sg.); tillkännagivande announcement; anslag o. [offentligt] i tidning o.d. notice; skriftligt, formellt, isht till el. från myndighet notification; uppgift, besked statement; nyhets~ o.d. i tidning report; kort notis notice, item [of news]; *ett ~* en underrättelse a piece of information (news); *personligt ~* t.ex. i radio personal message
meddelsam communicative
meddetsamma se *genast*
mede på släde o.d. runner; på gungstol, vagga rocker
medel 1 sätt, metod means (pl. lika); verktyg instrument äv. bildl.; bote~ remedy äv. bildl.; läke~ medicine, drug; preparat agent; *[nerv]lugnande ~* sedative, tranquillizer; *med alla [till buds stående] ~* with all the means at our (their etc.) disposal; *han skyr inga ~* he sticks (stops) at nothing **2** *~* pl.: pengar means [*till* for]; money sg., funds, resources
medelbetyg average mark (amer. grade)
medeldistanslöpare sport. middle-distance runner
medeldistansrobot mil. medium-range missile
medelhastighet average speed
Medelhavet the Mediterranean [Sea]
medelklass middle class; *~en* vanl. the middle classes pl.
medellivslängd average length of life

medellängd persons medium (average) height
medelmåtta neds., om pers. mediocrity
medelmåttig neds. mediocre
medelpunkt centre; *sällskapets* ~ the life [and soul] of the party
medelst by
medelstor medium[-sized], ...of medium size
medelstorlek medium size
medelsvensson the (resp. an) average Swede
medeltal average; matem. äv. mean; *i* ~ on an (the) average, on average
medeltemperatur mean temperature; *årlig* ~ mean annual temperature
medeltid hist. *~en* the Middle Ages pl.
medeltida medieval
medelväg middle course; *gå den gyllene ~en* strike the golden (happy) mean (a happy medium)
medelvärde mean value; matem. mean
medelålder 1 *~n* middle age; *en man i ~n* a middle-aged man **2** genomsnittlig ålder average age
medfaren, *illa* ~ om t.ex. bok, bil ...that has (resp. had) been badly knocked about; utnött (om plagg) ...that is (resp. was) very much the worse for wear
medfödd isht med., om t.ex. blindhet congenital; friare om talang o.d. native, innate
medfölja, ~ [*ngt*] bifogas be enclosed [with a th.]
medföra 1 om pers., se *föra* [*med sig*]; om tåg: passagerare convey; post o.d. carry **2** ha till följd involve, entail; vålla bring about; leda till lead to, result in; *detta medförde att han blev...* that led to his being...
medge o. **medgiva 1** erkänna admit **2** tillåta allow; *tiden medger inte att jag* går time does not allow (permit) me to inf.
medgivande erkännande admission; eftergift concession; tillåtelse permission; samtycke consent; *tyst* ~ tacit consent
medgång välgång prosperity; framgång success
medgörlig resonabel reasonable, ...easy to get on with; foglig manageable; eftergiven compliant
medgörlighet reasonableness, easiness to get on with
medhavd, vi åt *de ~a smörgåsarna* ...the sandwiches we had [brought] with us
medhjälp assistance; jur. ~ *till brott* complicity in crime
medhjälpare assistant, helper; jur. accomplice
medhåll stöd support; vard. backing-up; moraliskt stöd countenance; favoriserande favouring; *få* ~ *hos* (*av*) *ngn* be supported (vard. backed up) by a p.
medhårs with the fur; *stryka ngn* ~ bildl. rub a p. [up] the right way
medicin medicine; *studera* ~ study medicine
medicinare medical student; läkare doctor; vard. medic
medicine, ~ *doktor* (förk. *med. dr*) Doctor of Medicine (förk. MD efter namnet); ~ *kandidat* (förk. *med. kand.*) ung. graduate in medicine; eng. motsv. ung. Bachelor of Medicine (förk. MB efter namnet)
medicinsk medical; ~ *fakultet* faculty of medicine
medicinskåp medicine cabinet (cupboard)
medinflytande participation
meditation meditation
meditera meditate
medium 1 kanal för informationsspridning medi|um (pl. vanl. -a) **2** fys. medi|um (pl. vanl. -a) **3** spiritistiskt medium **4** matem. mean **5** ss. klädstorlek o.d. medium
medkänsla sympathy; *ha* ~ *med* feel sympathy for, sympathize with
medla mediate; i äktenskapstvist try to bring about a reconciliation; uppträda som skiljedomare arbitrate; ~ *mellan* förlika äv. conciliate, reconcile
medlare mediator; vard. go-between; skiljedomare arbitrator; förlikningsman conciliator
medlem member; *bli* ~ *i* become a member of, join
medlemsavgift membership fee; isht amer. dues
medlemskap membership
medlemskort membership card
medlidande pity; medkänsla sympathy; *hysa* ~ *med* feel pity for, pity
medlidsam compassionate; t.ex. om leende pitying
medling mediation, intervention; förlikning conciliation; i äktenskapstvist attempt to bring about a reconciliation; skiljedom arbitration; uppgörelse (resultat) settlement
medlöpare polit. fellow traveller
medmänniska fellow creature
medmänsklig brotherly
medresenär fellow traveller, fellow passenger; reskamrat travelling companion
medryckande fängslande captivating, fascinating; tändande stirring
medskyldig accessory
medsols clockwise
medspelare i t.ex. tennis, kortsp. partner; teat. o.d. co-actor; i lagspel fellow player
medströms with the current (tide)
medsökande fellow applicant; t. ämbete o.d. fellow candidate
medtagen utmattad exhausted; worn out äv.

t.ex. av sorg, sjukdom; *i svårt medtaget tillstånd* utterly exhausted, in a serious condition
medtävlare competitor äv. sport.; rival
medurs clockwise
medverka bidraga contribute; aktivt delta take part; hjälpa till assist; *detta ~de till* det goda resultatet this contributed to[wards]...
medverkan bistånd assistance; deltagande participation; i morgon ges *en konsert under ~ av A.* ...a concert in which A. will take part
medverkande I *adj* contributory **II** *subst adj, de ~* vid konsert o.d. the performers; i pjäs o.d. the actors; allm. äv. those taking part
medvetande consciousness; *förlora ~t* lose consciousness, become unconscious
medveten conscious; avsiktlig deliberate; självsäker self-assured; *vara ~ om* (*om att*) be conscious el. aware of (that); *vara ~ om ngt* inse äv. be alive to (sensible of) a th.
medvetenhet insikt awareness
medvetet consciously; avsiktligt deliberately
medvetslös unconscious
medvetslöshet unconsciousness
medvind following wind; sjö. fair wind; *jag hade ~* eg. the wind was (I had the wind) behind me; *segla i ~* eg. sail with a fair wind (before the wind); bildl. be fighting a winning battle
medvurst German sausage [of a salami type]
medömkan pity, commiseration; se äv. *medlidande*
megafon megaphone
megahertz megahertz
megawatt (förk. *MW*) megawatt (förk. MW)
meja mow; säd cut; *~ av* cut, reap
mejeri dairy
mejram bot. el. kok. marjoram
mejsel chisel; skruv~ screwdriver
mejsla chisel
meka vard. *~ med* bilen do repair work on...; mixtra med tinker about with...
mekanik lära mechanics, äv. bildl.; mekanism mechanism äv. bildl.; piano~ o.d. action
mekaniker t.ex. bil~ mechanic; flyg~ aircraftman; konstruktör mechanician
mekanisera mechanize
mekanisk mechanical äv. bildl.
mekanism mechanism; anordning contrivance; sak gadget
melankoli melancholy
melankolisk melancholy; vard. blue; med. melancholic
melerad mixed
mellan isht mellan två between; mellan flera among[st]; *natten ~ den 5 och 6* var det... on the night of the 5th to the 6th...
Mellanamerika Central America
mellandagarna mellan jul o. nyår the days between Christmas and New Year
Mellaneuropa Central Europe
mellangärde anat. diaphragm
mellanhand medlare intermediary; hand. middleman, agent
mellanhavande, ~n affärer dealings, transactions; allm. äv. unsettled matters
mellankrigstiden the interwar period
mellanlanda make an intermediate landing
mellanlandning intermediate landing
mellanled medlare intermediary; hand. middleman
mellanliggande intermediate
mellanmål snack [between meals]
mellanrum intervall (isht tids~) interval; avstånd space; lucka gap; *med korta ~* at short intervals
mellanskillnad difference; *betala* 50 kr *i ~* pay an extra...
mellanslag space
mellanspel interlude, intermezz|o (pl. -i el. -os)
mellanstadium, *mellanstadiet* skol. the intermediate level (department) of the 'grundskola', jfr *grundskola*
mellanstorlek medium size
mellantid 1 sport. intermediate time **2** tidsperiod interval; *under ~en* in the meantime, meanwhile
mellanting, *ett ~ mellan...* something (a cross) between...
mellanvikt o. **mellanviktare** sport. middleweight
mellanvåg radio. medium wave
mellanvägg partition [wall]
mellanöl medium-strong beer, beer with a medium alcoholic content
Mellanöstern the Middle East; amer. äv. Mideast
mellerst in the middle
mellersta middle, central; mellanliggande intermediate; *~ Sverige* Central (the middle parts pl. of) Sweden
melodi melody; låt, sång tune
melodisk melodious
melodiös melodious
melodram o. **melodrama** melodrama
melodramatisk melodramatic
melon melon
membran anat. el. biol. membrane; tele. el. radio. o.d. el. i pump diaphragm
memoarer memoirs
memorandum memorand|um (pl. äv. -a); förk. memo (pl. -s)
memorera memorize
1 men I *konj* but; *~* ändå yet; emellertid however; han är bra *~ alldeles för ung* ...but (, only he is) far too young; *[nej] ~ så trevligt!* how nice! **II** *s* hake snag; invändning but; *inga ~!* no arguing (arguments)!

2 men skada harm; förfång detriment; *han kommer att få ~ för livet av* den brutala behandlingen ...will leave a permanent mark on him; *till ~ för* to the detriment of
mena 1 åsyfta mean [*med* by]; avse intend; *~ med* inlägga i understand by; *jag ~de inget illa* [*med det*] I meant no harm; *jag ~r bara väl med dig* I am only doing it for your own good **2** anse think; *han ~r att...* äv. he is of the opinion (he considers) that...
menande I *adj* meaning **II** *adv* meaningly; *se ~ på ngn* vanl. give a p. a look full of meaning
mened perjury; *begå ~* commit perjury, perjure oneself
menig I *subst adj* i armén private; flyg.: i Engl. aircraft[s]man; i USA airman; i marinen [ordinary] seaman **II** *adj, ~e man* ordinary people pl.
mening 1 uppfattning, åsikt opinion; *jag har sagt min ~* I have given (stated) my opinion, I have said what I think; *enligt min ~* in my opinion (omdöme judgement), to my mind **2** avsikt intention; syfte purpose; *det var inte ~en* (*min ~*) ss. ursäkt I didn't mean to; *vad är ~en med det här?* vad är det bra för what is the idea of this? **3** innebörd sense; betydelse meaning; *det är ingen ~ med att* inf. there is no sense (point) in ing-form **4** gram. sentence; av flera satser period
meningsbyggnad språkv. sentence structure
meningsfull o. **meningsfylld** om t.ex. arbete meaningful
meningslös meaningless; oförnuftig senseless; svamlig nonsensical; *~t prat* nonsense
meningsskiljaktighet difference of opinion, disagreement
meningsutbyte diskussion debate; dispyt controversy, dispute
menlös harmless; naiv artless; intetsägande vapid; om mat insipid
menlöshet harmlessness osv.; jfr *menlös*
mens [monthly] period; *ha ~* vanl. have one's period
mensskydd sanitary protection
menstruation menstruation
mental mental
mentalitet mentality
mentalsjuk mentally deranged (ill, disordered); *en ~* subst. adj. a mentally deranged person
mentalsjukdom mental disease (illness, disorder, derangement)
mentalsjukhus mental hospital
mentol menthol
menuett mus. minuet
meny menu äv. bildl. el. data.
mera more; ytterligare further, else; ganska, snarare rather; det kräver [*mycket*] *~ arbete* ...[much] more (a [much] greater amount of) work; vill du ha [*lite*] *~* [*te*]*?* ...some more [tea]?; *finns det ~ te?* is there any more tea?; *det är ~* ganska *ovanligt* that is rather (somewhat) unusual; [*mycket*] *~ finns det inte* vanl. that's [about] all there is; *ingen ~ än han* såg det no one [else] besides (except) him..., nobody but him...; *vem ~ än du* var där? who [else] besides (else but) you...?; *~ än* 10 personer more than...; *inte mer än* 10 personer no (högst not) more than...; *mer och mer* el. *allt mer* [*och mer*] more and more; *mer eller mindre* more or less
merarbete extra work
meridian geogr. meridian
merit kvalifikation qualification; plus recommendation; förtjänst merit
meritera, *~ sig* qualify [oneself] [*för* for]
meriterad qualified
meritförteckning list of qualifications, personal record
meritlista 1 se *meritförteckning* **2** syndaregister crime sheet
Merkurius astron. el. mytol. Mercury
merpart, *~en av...* the greater (major) part of..., the majority of...
mersmak, *det ger ~* it whets the appetite
mervärdesskatt value-added tax
1 mes zool. tit|mouse (pl. -mice)
2 mes pers. namby-pamby, wimp
mesan sjö. mizzen; på tremastad båt vanl. spanker
mesig namby-pamby; feg faint-hearted
mesost whey cheese
Messias bibl. Messiah
messmör soft whey cheese
mest I *adj* o. *subst adj* most, the most; 'mer än hälften [av]' most, most of; *han fick ~* (*~ pengar*) he got [the] most ([the] most money); *där det finns ~* [*med*] mat where there is [the] most (the greatest amount el. quantity of)...; han har sett *det ~a* [*i livet*] ...most things [in life]; göra *det ~a man kan* ...as much as one can **II** *adv* **1** most, the most; *~ beundrad är hon* för sin skönhet she is most admired...; *hon är ~ beundrad* (*den ~ beundrade*) av dem she is the most (vid jämförelse mellan två äv. the more) admired...; den är *~ efterfrågad* ...most in (in the greatest) demand **2** för det mesta mostly; vanligen generally; *han röker ~* pipa he mostly smokes... **3** så gott som practically; sova *~ hela dagen* ...practically all day
mestadels mostly; till största delen for the most part; i de flesta fall in most cases
meta angle
metafor metaphor
metaforisk metaphorical
metafysik metaphysics; äv. friare

metafysisk metaphysical
metall metal; knapp *av* ~ äv. metal...
metallarbetare metalworker
metallindustri metal industry
metallisk metallic
metallslöjd metalwork
metamorfos biol. el. friare metamorphos|is (pl. -es)
metanol kem. methanol
metastas med. metastas|is (pl. -es)
mete metning angling
meteor meteor äv. bildl.
meteorit meteorite
meteorolog meteorologist, vard., t.ex. i TV weatherman
meteorologi meteorology
meter längdmått (förk. *m*) metre (förk. m); amer. meter (ung. 90 cm)
metersystem, *~et* the metric system
metervis per meter by the metre; *~ med...* metres and metres (eng. äv. ung. yards and yards) of...
metkrok [fish-]hook
metmask angling-worm
metning angling
metod allm. method; isht tekn. process; friare (sätt) way
metodik metodlära methodology; metoder methods
metodisk methodical
metrev [fishing-]line
metrik litt. prosody
metropol metropolis
metspö [fishing-]rod
meviat *adj* dreen
Mexico Mexico
mexikanare Mexican
mexikansk Mexican; *Mexikanska bukten* the Gulf of Mexico
mexikanska kvinna Mexican woman
m.fl. (förk. för *med flera*) and others
mick vard., mikrofon mike
middag 1 tid noon; friare midday; *god ~!* good afternoon! **2** måltid: allm. dinner; *~en är färdig* dinner is ready; *äta ~* have [one's] dinner; högtidl. dine
middagsbjudning dinner party
middagsbord dinnertable; *duka ~et* äv. lay the table for dinner
middagsgäst, *ha ~er* have guests for dinner
midja waist; markerad waistline; ha *smal ~* ...a slim waistline
midjemått waist measurement
midjeväska belt (vard. bum) bag, amer. fanny pack
midnatt midnight; *vid ~* at midnight
midnattsmässa midnight mass
midnattssolen the midnight sun
midsommar midsummer; ss. helg Midsummer
midsommarafton, *~[en]* Midsummer Eve
midsommardag, *~[en]* Midsummer Day i Engl. 24 juni
midsommarstång maypole
midvinter midwinter
mig se under *jag*
migration migration
migrän migraine
mikrodator microcomputer
mikrofilm microfilm
mikrofon microphone; vard. mike; på telefonlur mouthpiece; *dold ~* hidden microphone; vard. bug
mikroorganism micro-organism
mikroskop microscope
mikroskopisk microscopical; mycket liten vanl. microscopic
mikrougn o. **mikrovågsugn** microwave oven
mil, *en ~* ten kilometres; eng. motsv. ung. six miles; *engelsk ~* mile
Milano Milan
mild allm. (t.ex. om förebråelse, klimat, luft, ost, sätt, vinter) mild; ej hård (t.ex. om blick, färg, ljus, regn, svar) soft; lindrig (t.ex. om straff) light; ej sträng: t.ex. om dom, bedömning lenient; t.ex. om röst, sätt gentle; *~a makter (~e tid)!* el. *du ~e!* Good gracious!, Gracious me!
mildhet mildness, softness, lenity; jfr *mild*
mildra lindra: allm. mitigate; t.ex. straff reduce; t.ex. sorg allay; göra mildare: allm. soften; t.ex. uttryck tone down; t.ex. lynne mellow; t.ex. stöt cushion
milis militia
militant militant
militarism, *~[en]* militarism
militaristisk militarist[ic]
militär I *s* **1** soldat service man **2** koll. *~en* the military pl.; armén the army **II** *adj* military; *i det ~a* mots. i det civila in military life
militärdiktatur military dictatorship
militärförläggning military camp
militärisk militär- military; soldatmässig soldierly
militärsjukhus military hospital
militärtjänstgöring military service; *inkallad till ~* called up for military service
militärutbildning military training
miljard billion, åld. milliard
miljardär billionaire
miljon million; *~er [av] människor* millions of people
miljonaffär transaction involving (amounting to, running into) millions (resp. a million)
miljonbelopp, *~ står på spel* there are millions at stake
miljonstad town with over a million (resp. with millions of) inhabitants

miljontals, ~ böcker millions of... (subst. i pl.)
miljonvinst på lotteri o.d. prize of a million kronor (pounds etc.)
miljonär millionaire
miljö yttre förhållanden environment; omgivning surroundings; ram setting
miljöaktivist environmentalist; vard. (ofta neds.) ecofreak
miljöfarlig ...harmful to the environment; *~t avfall* hazardous [chemical] waste
miljöförorening o. **miljöförstöring** [environmental] pollution
miljögift toxic substance injurious to the environment
miljökatastrof environmental disaster
miljöombyte change of environment (surroundings, scene)
miljöparti polit. environmental party; *~et de gröna* the Green Party
miljöpolitik environmental (ecological) policy
miljöskadad psykol. ...harmed by one's environment; missanpassad [socially] maladjusted
miljöskydd environmental protection (control)
miljövård environmental control (conservation), ecology
miljövänlig environment friendly
millibar millibar
milligram (förk. *mg*) milligramme (förk. mg)
milliliter (förk. *ml*) millilitre (förk. ml)
millimeter (förk. *mm*) millimetre (förk. mm)
milsten o. **milstolpe** milestone äv. bildl.
milsvid, *~a* skogar ...extending for miles and miles
mima mime
mimik facial expressions
1 min (*mitt, mina*) fören. my; självst. mine; *Mina damer och herrar!* Ladies and Gentlemen!; *jag har gjort mitt* I have done my part (bit); *jag sköter mitt* [*och du sköter ditt*] I mind my own business [and you mind yours]; [*jag och*] *de ~a* [I (me) and] my family (my people)
2 min ansiktsuttryck expression; uppsyn air; utseende look; *med* [*en*] *bister* ~ with a grim expression; *utan att* [*för*]*ändra en* ~ without turning a hair (batting an eyelid)
mina mine
minaret minaret
mindervärdeskomplex psykol. inferiority complex
mindervärdig inferior
minderårig omyndig ...under age; efterlämna *~a barn* ...young children
minderårighet minority; *hans* ~ är ett hinder [the fact of] his being under age (jur. a minor, an infant)...
mindre I *adj* mots. t. 'större' o.d. smaller; kortare shorter; yngre younger; ringare less; mindre betydande minor; [ganska] liten small; obetydlig slight, insignificant; *Mindre Asien* Asia Minor; *av ~ betydelse* of less (föga little, minor) importance; det kostar *en ~* liten *förmögenhet* ...a small fortune; *jag har inte ~* än en hundralapp I have no smaller change...; *produktionen är ~* lägre *än...* the production is less (lower) than...; *vara ~ till storleken* (*växten*) be smaller in size (shorter el. smaller of stature)
II *subst adj* o. *adv* mots. t. 'mera' less; färre fewer; inte särdeles not very; det kräver ~ *arbete* ...less (a smaller el. lesser amount of) work; *där var* [*mycket*] ~ färre *bilar* (*folk*) än vanligt there were [far] fewer cars (people)...; göra ngt *på ~ än en timme* ...in less [time] than (in under) an hour; *inte ~ än* tio personer no fewer (less) than...; *ett ~ lyckat* försök a not very successful...; det är *~ troligt* ...not very likely, ...rather unlikely
minera I *tr* mine **II** *itr* lay mines
mineral mineral
mineralvatten mineral water
minfartyg minelayer
minfält minefield
miniatyr miniature
minigolf miniature golf
minimal extremely small; om t.ex. skillnad negligible, hardly worth mentioning
minimera reduce...to a minimum, minimize
minimikrav minimum demand
minimilön minimum wage (salary)
minimipris minimum price; vid auktion reserve price
minimiålder minimum age
minimum minim|um (pl. -a); *reducera till ett ~* reduce to a minimum
miniräknare minicalculator, pocket calculator
minister allm. minister
ministerium se *departement 1*
ministär samtliga statsråd ministry; se vid. *regering*
mink mink
minkpäls mink coat
minn|as remember; regeln är *lätt att ~* ...easy to remember; *jag vill ~ att han...* I seem to remember that he...; *om jag -s rätt* (*inte -s fel*) if I remember rightly, if my memory serves me right; *så länge* (*långt tillbaka*) *jag kan ~* ever since (as far back as) I can remember; *såvitt jag kan ~* as far as I can remember
minne 1 memory; data. äv. storage (memory) device, store; *ett ~ för livet* a memory for life; *ha* (*inte ha*) *~ för* namn have a good (a bad) memory for...; *jag har inget ~ av* vad som hände vad som hände

I have no remembrance (recollection) of...; *återkalla* ngt *i ~t* erinra sig recall..., recollect..., bring...back to mind **2** minnessak remembrance; souvenir souvenir, keepsake; fornminne relic
minnesanteckning memorand|um (pl. äv. -a)
minnesbild visual picture; hans utseende stämmer *med min ~* ...with the picture in my mind
minnesdag åminnelsedag commemoration (remembrance, memorial) day; friare day to remember
minnesförlust loss of memory
minnesgod, *en ~ person* kom ihåg den a person with a good memory...
minneshögtid commemoration
minneslista memorand|um (pl. äv. -a); för inköp shopping list
minneslucka gap (lapse) in one's memory
minneslund memorial grove (park)
minnesmärke 1 minnesvård memorial, monument **2** relik relic
minnesrik ...rich in memories [of the past]; oförglömlig unforgettable
minnesskrift memorial publication
minnessten o. **minnesstod** se *minnesmärke 1*
minnestal commemorative speech
minnesvärd memorable; ...worth remembering
Minorca Menorca
minoritet minority; *vara i ~* be in the (a) minority
minoritetsregering minority government
minsann I *adv* sannerligen certainly; *det är ~ inte lätt* äv. that isn't easy, to be sure (I can tell you) **II** *interj,* **~,** där är han*!* ...to be sure!, well (why)...!
minska I *tr* reduce; förminska decrease; förringa detract from; sänka lower; dämpa abate; ~ ngt *till hälften* halve..., diminish...to a half **II** *itr* decrease; avta fall off; sjunka decline, fall; dämpas abate; arbetslösheten *har ~t* ...has been reduced; ~ [5 kilo] *i vikt* go down [...] in weight; på grund av *~d efterfrågan* ...decreasing demand
minskas se *minska II*
minskning reduction; nedskärning cut
minspel facial expressions
minst I *adj* **1** mots. t. 'störst' smallest; t.ex. om antal minimum; kortast shortest; yngst youngest; ringast least; obetydligast slightest; *den ~a (~e) av* pojkarna the smallest (yngste youngest) of...; vid jämförelse mellan två äv. the smaller (resp. younger) of...; *jag har inte [den] ~a anledning att...* I haven't the least (slightest) reason to..., I have no reason whatever to...; *~ till storleken* smallest in size **2** mots. t. 'mest' least; mots. t. 'flest' fewest; *han fick ~ (~ pengar)* he got [the] least ([the] least money) **3** *det ~a du kan göra är att...* the least you can (could) do is to...; *hon är inte det ~a* blyg she is not a bit (the least [bit])..., she is not...in the least **II** *adv* least; åtminstone at least; inte mindre än not less than; *när man [allra] ~* väntar det when you least [of all]...
minsvepare minesweeper
mint smakämne mint
minus I *s* matem. minus [sign]; underskott deficit, deficiency, shortage; nackdel drawback **II** *adv* minus; med avdrag av less; *~ 2 [grader]* el. *2 grader ~* two degrees below zero
minusgrad degree of frost (below zero); *det är ~er* it is below zero, there is frost
minustecken minus [sign]
minut 1 minute; *fem ~ers promenad* [a] five minutes' walk, a five-minute walk; komma *i sista ~en* ...at the last moment (minute) **2** hand. *i ~* [by] retail; amer. [at] retail; *sälja* ngt *i ~* sell...by retail, retail...
minutiös meticulous; detaljerad minute, elaborate
minutvisare minute hand
mirakel miracle
mirakulös miraculous
misantrop misanthrope
miserabel miserable
miss fel, bom miss; *en svår ~* a bad miss
missa miss; *~ poängen i* historien miss the point of...; *~ tåget* äv. lose one's train
missakta ringakta disdain; förakta despise
missanpassad maladjusted; han *är ~* äv. ...is a misfit
missbelåten displeased; jfr *missnöjd*
missbildad malformed
missbildning malformation; lyte deformity
missbruk av t.ex. frihet, förtroende, makt abuse; av alkohol, orättmätigt bruk improper (starkare wrongful, illegitimate) use; vanhelgande profanation
missbruka t.ex. frihet, förtroende abuse; t.ex. alkohol, narkotika be addicted to; t.ex. ngns godhet take [undue] advantage of; ngns gästfrihet trespass upon; göra missbruk av put...to an improper (a wrong) use
missbrukare av alkohol, narkotika addict
misse vard. pussy[cat]
missfall miscarriage; *få ~* have a miscarriage
missfoster eg. el. bildl. abortion
missfärga discolour
missförhållande 1 otillfredsställande tillstånd: **a)** *~[n]* allm. unsatisfactory state of things (affairs) sg., bad conditions pl. **b)** olägenhet inconvenience; nackdel drawback **2** disproportion disproportion, disparity, incongruity

missförstå misunderstand; vard. get...wrong; *~dd* misskänd misunderstood, unappreciated
missförstånd misunderstanding; oenighet disagreement; jfr *missuppfattning*
missgrepp bildl. mistake, blunder
missgynna treat...unfairly; vara orättvis mot be unfair to
missgärning misdeed; stark. evil (ill) deed
misshaga displease; *det ~de honom* äv. he disliked it
misshaglig displeasing; *en ~* person (åtgärd) an undesirable...
misshandel maltreatment; jur. assault and battery
misshandla maltreat, ill-treat; isht barn batter; isht jur. assault; bildl.: t.ex. en melodi, språket murder; t.ex. ett piano maltreat
misshällighet discord; *~er* äv. quarrels; meningsskiljaktigheter differences
mission 1 [livs]uppgift mission **2** relig. *~[en]* missions pl.
missionera missionize
missionär missionary
misskläda not suit (become)
missklädsam unbecoming
misskreditera discredit
misskund förbarmande mercy; medkänsla compassion
missköta I *tr* mismanage; försumma, tjänst neglect **II** *rfl, ~ sig* neglect oneself (sin hälsa one's health)
missljud eg. el. bildl. jarring (discordant) sound; mus. el. misshällighet jar
misslyckad som misslyckats unsuccessful; felslagen, förfelad abortive; *ett misslyckat företag* a failure
misslyckande failure; fiasco (pl. -s); vard. flop
misslyckas fail; be (prove, turn out) unsuccessful; not succeed etc., jfr *lyckas;* planen *misslyckades totalt* äv. ...did not work at all, ...was a dead failure (vard. a complete flop)
misslynt ill-humoured; stark. cross
missminna, *om jag inte missminner mig* if my memory is not at fault, if I remember rightly
missmod downheartedness, dejection; nedslagenhet discouragement
missmodig downhearted; nedslagen discouraged
missnöjd isht tillfällig dissatisfied; missbelåten displeased; isht stadigvarande discontented; *vara ~ med* ogilla äv. disapprove of
missnöje dissatisfaction; missbelåtenhet displeasure; djupt o. utbrett discontent; ogillande disapproval; meddelandet *väckte allmänt ~* ...gave rise to general dissatisfaction
missnöjesyttring expression of dissatisfaction (discontent)
misspryda disfigure
missriktad misdirected
missräkna, *~ sig* bli besviken *på ngn* be deceived (disappointed) in a p.
missräkning disappointment
missta, *~ sig* make a mistake [*om* (*på*) about (as to)]; be mistaken, be wrong, be in error; *om jag inte misstar mig* if I am not mistaken; *~ sig på* (felbedöma) ngn, ngt be mistaken in..., get...wrong
misstag mistake; förbiseende oversight; *det måste vara ett ~* there must be some mistake
misstaga, *~ sig* se *missta*
misstanke suspicion; *fatta misstankar mot* begin to suspect, become suspicious of
misstolka missförstå misconstrue; vantolka misinterpret
misstro I *tr* distrust; tvivla på doubt; betvivla discredit **II** *s* se *misstroende*
misstroende distrust; *hysa ~ till* se *misstro I*
misstroendevotum vote of no confidence; *ställa ~* move a vote of no confidence
misstrogen distrustful, mistrustful, suspicious; skeptisk incredulous
misströsta despair
misströstan despair; svag. despondency
misstycka, *om du inte misstycker* if you don't mind
misstyda missförstå misconstrue; vantolka misinterpret
misstämning förstämning [feeling of] depression; misshumör bad mood; spänning [feeling of] discord (disharmony)
misstänka suspect; *~ ngn* äv. be suspicious of a p.; *jag misstänker att han ljuger* (*han är en lögnare*) I suspect him of lying (him to be a liar el. that he is a liar)
misstänkliggöra throw (cast) suspicion on
misstänksam suspicious
misstänksamhet suspicion; egenskap suspiciousness, distrustfulness
misstänkt 1 suspected; *vara ~ för ngt* (*för att* inf.) be under suspicion of a th. (of ing-form); subst. adj.: *en ~* a suspect **2** tvivelaktig suspicious; *det ser ~ ut* (*verkar ~*) there is something suspicious (vard. fishy) about it
missunna grudge; avundas envy
missunnsam grudging; avundsam envious
missuppfatta t.ex. ngns avsikt misunderstand; t.ex. situationen misjudge; feltolka misread
missuppfattning missförstånd misunderstanding, misapprehension, mistake; felaktig uppfattning misconception
missvisande bildl. misleading, deceptive
missväxt failure of the crop[s]
missämja dissension

missöde mishap; *tekniskt* ~ technical hitch
mist mist; tjocka fog
mista förlora lose; undvara do without
miste 1 orätt, galet wrong; *ta* ~ se *missta[ga]* o. *[ta] fel III* **2** *gå* ~ *om* a) bli utan miss, fail to secure; vard. miss out on b) förlora (t.ex. sin plats) lose
mistel bot. mistletoe
mistlur foghorn
misär nöd extreme poverty
1 mitt se under *1 min*
2 mitt I *s* middle; *i (på, vid) ~en* in the middle **II** *adv,* käppen gick ~ *av* ...[right] in two; ~ *emot* just opposite; ~ *för näsan på ngn* under a p.'s very nose; 'rakt i ansiktet' in a p.'s face; ~ *i* in (vid riktning into) the [very] middle [*ngt* of a th.]; ~ *i natten* right in the middle of the night; mera känslobetonat at (in the) dead of night; ~ *under* ngt a) i rumsbet. immediately (exactly) under (nedanför below) b) i tidsbet. in the middle of...; ~ *över* gatan straight across...
mittbena, *ha* ~ have one's hair parted (have a parting) in (down) the middle
mittemot se *emot* o. *2 mitt II*
mittenparti polit. centre party
mitterst in the centre (middle)
mittersta, *[den]* ~ kullen the middle (central)...
mittfält sport. midfield
mittfältsspelare sport. midfield player
mittför se under *2 mitt II*
mittlinje centre (central, median, på t.ex. fotbollsplan half-way) line
mittpunkt centre
mittunder se under *2 mitt II*
mittuppslag i tidning centrespread
mix kok. mix
mixa vard. mix äv. radio.
mixer kok. el. radio. mixer äv. om pers.
mixtra, ~ *med* knåpa potter (manipulera juggle, krångla tamper, tinker) with
mixtur mixture
mjugg, *i* ~ covertly; *le (skratta) i* ~ laugh up one's sleeve
mjuk icke hård soft, t.ex. om anslag gentle, mör tender; icke stel limp, smidig lithe, pliable; flexible äv. medgörlig; *~a rörelser* graceful (lithe) movements; *bli* ~ become (grow) soft (tender m.fl.), soften
mjuka, ~ *[upp]* göra mjuk make...soft, soften; ~ *upp sig* musklerna limber up
mjukglass soft ice cream
mjukhet softness etc., jfr *mjuk;* pliancy
mjuklanda make a soft landing äv. bildl.
mjukna soften, become (grow) soft[er] etc., jfr *mjuk*
mjukost soft cheese
mjukstart settling-in period
mjukvara data. software
mjäkig om t.ex. melodi sloppy, sentimental; om t.ex. pojke namby-pamby
mjäll i håret dandruff
mjälte anat. spleen
mjöd mead
mjöl något söndermalet, t.ex. osiktat ~, ben~ meal; siktat ~ flour; pulver powder; stoft dust; *inte ha rent* ~ *i påsen* have something to hide, be up to some mischief
mjöla flour, sprinkle...[over] (powder...) with flour
mjölig floury; ~ potatis mealy...
mjölk milk
mjölka I *tr* milk **II** *itr* give (yield) milk; korna *~r bra* ...are milking well
mjölkchoklad milk chocolate
mjölke fisk~ milt äv. om organet; soft roe
mjölkko milch cow äv. bildl.; *en bra* ~ a good milker
mjölkning milking
mjölksocker milk sugar
mjölksyra lactic acid
mjölktand milk tooth
mjölktillbringare milk jug
mjölkört bot. rose bay [willow herb]; amer. äv. fireweed
mjölnare miller
m.m. (förk. för *med mera*) etc.; se vid. under *2 med I 6*
mo hed sandy heath [with pines]
moatjé kavaljer partner
mobb mob
mobba bully; om fåglar o. djur mob
mobbning bullying, harassment; bland fåglar o. djur mobbing
mobil I *adj* mobile äv. mil. **II** *s* konst. mobile
mobilisera mil. mobilize äv. friare
mobilisering mil. mobilization äv. friare
mobiltelefon mobile telephone; i bil car phone
Moçambique Mozambique
mocka 1 kaffe[sort] mocha **2** skinnsort suède [leather]
mockajacka suède [leather] jacket
mockakopp [small] coffee cup
mockasin moccasin
mod oräddhet courage, heart; kurage mettle; vard. guts; hjälte~ bravery; livs~ spirits; *med glatt* ~ cheerfully, unhesitatingly; *bli bättre till ~s* recover one's spirits; *vara vid gott* ~ be in good heart (spirits)
modd slush
moddig slushy
mode fashion, style; 'fluga' rage; följa *~ts växlingar* ...the changes of fashion; *vara på ~t* be the (be in) fashion, be fashionable, be in vogue, be the craze, be all the rage
modedocka bildl. el. iron. fashion plate
modefluga craze, fad
modefärg fashionable colour

modelejon fashionmonger; sprätt dandy
modell model; mönster pattern; typ design; isht hand. style; *stå* ~ pose [as an artist's (foto~ as a photographer's) model]; teckna *efter* ~ ...from a model
1 modellera modelling clay; plastiskt material plasticine
2 modellera eg. el. bildl. model
modellflygplan model [aero]plane
modem data. modem
modemedveten fashion-conscious
modeord fashionable (vogue) word; vard. in-word
moder mother; ~ *jord* Mother Earth; *blivande mödrar* expectant mothers
moderat 1 måttlig moderate; skälig reasonable **2** polit. Conservative; *en* ~ subst. adj. a member of the Moderate (Swedish Conservative) Party
moderation moderation
moderbolag parent company
moderera moderate; dämpa, t.ex. sina uttalanden, äv. tone down
moderfirma o. **moderföretag** parent firm (company)
moderiktig fashionable, in fashion
moderiktning fashion trend
moderkaka anat. placenta (pl. äv. -ae)
moderland mother country
moderlig omhuldande motherly; som tillkommer en mor maternal
moderlös motherless
modern nutida modern, ...of today; tidsenlig up to date; på modet fashionable, in fashion, vard. all the rage; ~ *engelska* present-day (modern) English; ~ *lägenhet* flat (större o. isht amer. apartment) with modern conveniences (with mod cons)
modernisera modernize, bring...up to date
modernitet modernity; nymodig sak novelty
modersbunden, *vara* ~ have a mother fixation
modersinstinkt maternal instinct
moderskap motherhood
modersmjölk mother's milk; *med ~en* with one's mother's milk
modersmål mother tongue; *på sitt eget* ~ äv. in one's own [native] language
modesak 1 konkr. fashionable (fancy) article **2** abstr. *vara en* ~ be the vogue (fashion); vard. be the in-thing
modeskapare couturier fr.; fashion designer
modetecknare fashion designer
modetidning fashion magazine (paper)
modevisning fashion show (display)
modfälld discouraged, disheartened, dispirited, downhearted
modifiera modify
modifikation modification; *en sanning med* ~ a qualified truth
modig courageous; tapper brave; djärv bold; *vara* ~ *[av sig]* äv. have [got] pluck (courage m.fl., jfr *mod*)
modist milliner, modiste
modlös dispirited, jfr vid. *modfälld*
modul byggn. module
modulera mus. el. radio. modulate
mogen allm. ripe; ~ *frukt* ripe (fullmogen mellow) fruit; *en* ~ *kvinna* (*skönhet*) a mature woman (ripe beauty); ~ *för* (*att* inf.) ripe (ready) for (for ing-form)
mogna ripen; friare o. bildl. mature; ligga till sig season; ~ *efter* ripen [with time]
mognad ripeness; isht bildl. maturity
mohair mohair
mojna lull, slacken
mojäng vard. gadget
mola småvärka ache slightly
molekyl fys. el. kem. molecule
moll mus. minor; *gå i* ~ be in the minor key äv. bildl.
mollskala mus. minor scale
moln cloud äv. bildl.; *gå i* ~ pass (vanish) into [the] clouds (cloud)
molnbank bank of clouds
molnfri cloudless, ...free from clouds; unclouded äv. bildl.
molnig cloudy
molnighet cloudiness; *ökad* ~ i väderleksrapport becoming cloudier
molntapp wisp of cloud
molntäcke cloud cover; *lättande* ~ decreasing cloud
moloken vard. downhearted, down; *vara* ~ äv. be down in the mouth
moltiga not say a word
moment 1 faktor element; punkt point; t.ex. i studiekurs item; stadium stage, phase; *det svåraste ~et i* tävlingen the most difficult part (element) of... **2** fys. el. tekn. moment **3** tidpunkt moment
moms VAT, jfr *mervärdesskatt*
momsfri ...exempt from (zero-rated for) VAT
Monaco Monaco
monark monarch
monarki monarchy
mondän fashionable; societets- society...
monetär ekon. monetary
Mongoliet Mongolia
mongolism med. Down's syndrome
mongoloid *adj* med. mongoloid
monitor radio. el. TV. monitor
monogam monogamous
monogami monogamy
monogram monogram
monokel monocle
monolog monologue
Monopol® sällskapspel Monopoly
monopol monopoly; *ha* ~ *på ngt* (*att* inf.)

have [got] a monopoly of a th. (of ing-form)
monoteism relig. monotheism
monoton monotonous
monotoni monotony
monster monster
monstruös monstrous
monsun monsoon
montage film. montage
monter showcase; på utställning o.d. exhibition case; utrymme [exhibition] stand
montera sätta ihop mount; t.ex. bil assemble; ~ *[upp]* uppföra äv. erect, set (fit) up; ~ *in* fit in, fix [up], install
montering abstr. mounting etc.; assembly; erection; installation; film. äv. montage; jfr *montera*
monteringsfärdig prefabricated
montör fitter; elektr. äv. electrician; t.ex. bil~, radio~ assembler
monument monument
monumental monumental
moped moped
mopp mop
moppa mop
moppe vard., moped moped
mops pug[dog]
mor mother; jfr äv. *mamma* o. *moder; ~s dag* Mother's Day
moral 1 etik ethics; ~uppfattning morality; seder morals; anda, isht bland trupper morale; *slapp* ~ lax morals **2** sens moral moral
moralisera moralize
moralisk moral; etisk ethical
moralist moralist
moralkaka o. **moralpredikan** [moral] lecture, sermon
morbid morbid
morbroder [maternal] uncle
mord murder; jur. äv. homicide; lönn~ el. politiskt ~ assassination; *begå ett* ~ commit a murder
mordbrand incendiarism; jur. arson; *en* ~ an act of incendiarism
mordförsök attempted murder; göra *ett* ~ *på ngn* ...an attempt on a p.'s life
mordisk murderous
mordplats scene of the (resp. a) murder
mordutredning murder investigation
mordvapen murder weapon
morfader se *morfar*
morfar [maternal] grandfather; vard. grandpa; mother's father
morfin morphia; isht med. morphine
morfinist morphinist
morföräldrar, *mina* ~ my grandparents [on my mother's side]
morgon (jfr äv. ex. under *dag 1, kväll*) **1** mots. 'kväll' morning; gryning dawn; *god ~!* good morning!; *från* ~ *till kväll* from morning to night, from dawn to dusk **2** *i* ~ tomorrow; *tidigt i* ~ early tomorrow morning
morgonbön morning prayers
morgondag, *~en* tomorrow
morgonhumör, *han har dåligt* ~ he is in a bad mood in the morning[s]
morgonkröken o. **morgonkulan** o. **morgonkvisten,** *på* ~ in the early morning
morgonmål morning meal
morgonmänniska person who is (was etc.) at his (resp. her) best in the morning
morgonnyheter i radio early [morning] news
morgonpigg, *vara* ~ be lively (alert) in the morning[s]
morgonrock dressing gown
morgonrodnad red light of dawn
morgonstund, ~ *har guld i mund* ordst., ung. the early bird catches the worm
morgontidning morning paper
morkulla zool. [European] woodcock
mormoder se *mormor*
mormon Mormon
mormor [maternal] grandmother; vard. grandma, gran; mother's mother
morot carrot äv. bildl.
morra growl
morrhår whiskers; fackspr. vibrissae
morrning growl, snarl
morron se *morgon*
1 morsa vard. ~*[n]* mum, ma; amer. mom
2 morsa vard. ~ *på* say hallo (amer. äv. hi) to
morse, *i* ~ this morning
morsealfabet Morse alphabet (code)
morsgris vard., kelgris mother's darling; vekling milksop
morsk självsäker self-assured; kaxig, kavat cocky; orädd bold; som inte ger tappt game; käck plucky
morska, ~ *sig* be cocky; ~ *upp sig* fatta mod pluck up courage
mortel mortar
mortelstöt pestle
mos kok. mash; av äpplen sauce; mjuk massa pulp; röra mush; *göra* ~ *av* bildl. make mincemeat of
mosa, ~ *[sönder]* pulp, reduce...to pulp; potatis o.d. mash; tillintetgöra t.ex. motståndare crush (smash)...completely; vard. beat...to a frazzle
mosaik mosaic; *lägga in med* ~ mosaic
mosebok, *de fem moseböckerna* vanl. the Pentateuch sg.
mosel[vin] moselle
1 mosig mosad pulpy
2 mosig vard., om ansikte red and bloated; berusad fuddled
moské mosque
moskit mosquito

Moskva Moscow
mossa moss
mosse bog
mossig mossy
moster [maternal] aunt; *min fars (mors)* ~ äv. my great-aunt, my grand-aunt
mot I *prep* **1** i fråga om rumsförh.: **a)** i riktning mot towards; fönstret *vetter* ~ *öster* ...faces [the] east **b)** vid beröring against; ställa stolen ~ *väggen* ...against (intill [close] to) the wall **2** i fråga om tidsförh. towards; *se fram* ~ bättre tider look forward to... **3** i fråga om bemötande el. inställning to; *häftig* (*uppriktig*) ~ hot-tempered (honest) with; *sträng* ~ strict with, severe (hard) on **4** i fråga om förhållanden i övrigt: **a)** för att beteckna motstånd, fientlighet against; *brott* ~ en regel breach of...; *det hjälper* (*är bra*) ~... it is good for...; *reagera* ~ ljuset react to... **b)** för att beteckna kontrast el. jämförelse vanl. against; se ngt ~ *bakgrunden av* bildl. ...in the light of; det är ingenting ~ *vad jag har sett* ...to what I have seen **c)** för att beteckna byte el. motsvarighet for; ~ en årlig avgift on payment of...; göra ngt ~ *betalning* ...[in return (exchange)] for money **II** *adv* se *emot II*
mota 1 ~ spärra vägen för *ngn* (*ngt*) bar (block) the way for a p. (a th.) **2** fösa drive; vard. shoo; ~ *bort* (*undan*) drive...off (...away)
motanfall o. **motangrepp** counterattack
motarbeta motsätta sig oppose; sätta sig upp mot set oneself [up] against; motverka counteract; bekämpa combat; söka omintetgöra, t.ex. ngns planer try (seek) to thwart
motbjudande som väcker motvilja repugnant, repulsive; vämjelig disgusting; obehaglig offensive
motbud hand. counterbid
motdrag schack. el. friare countermove
motell motel
motgift antidote
motgång adversity; bakslag reverse; mil. check
mothugg bildl. opposition; *få* ~ meet with opposition
motig adverse; *det är ~t* things are not easy
motighet reverse
motion 1 kroppsrörelse [physical] exercise; *få* ~ get [some] exercise **2** förslag motion; lagförslag [private, member's] bill; *väcka* ~ propose (submit) a motion, introduce a bill, move a resolution
motionera I *tr*, ~ t.ex. en häst give...exercise, exercise... **II** *itr* **1** skaffa sig motion take exercise **2** väcka förslag, se [*väcka*] *motion*
motionscykel cycle exerciser
motionsgymnastik keep-fit exercises
motionsslinga jogging track
motionär 1 pers. som motionerar person who does physical exercise; joggare jogger **2** parl. proposer of a (resp. the) motion; jfr *motion 2*
motiv 1 bevekelsegrund motive; skäl reason; cause; *vad hade han för ~ för att* inf. what was his motive (reason) for ing-form **2** ämne, grundtanke motif; mus. äv. theme
motivation motivation äv. psykol.
motivera 1 utgöra skäl för give cause for; rättfärdiga justify, warrant; ange skäl för state [one's] reasons ([one's] motives) for **2** skapa lust el. intresse för motivate
motivering berättigande justification, explanation; angivande av skäl statement of [one's] reasons ([one's] motives); t.ex. för lagförslag explanatory statement; motivation; *med den ~en att* on the plea (ground[s]) that
motljus, *i* ~ against the light
motocross moto-cross
motor förbrännings~ engine, motor; *elektrisk* ~ electric motor; *slå av ~n* switch (cut, turn) off the engine (motor)
motorbränsle motor fuel
motorbåt motorboat
motorcykel motorcycle; vard. motorbike; *lätt* (*tung*) ~ light (heavy) motorcycle
motorcyklist motorcyclist
motordriven motor driven; t.ex. gräsklippare power...
motorfartyg motor ship (förk. M/S, MS), motor vessel (förk. MV)
motorfel engine (motor) fault (krångel trouble)
motorfordon motor vehicle
motorgräsklippare power lawn mower
motorhuv på bil [engine] bonnet (amer. hood); flyg. cowl
motorisera motorize
motorisk fysiol. motor...; ~ *inlärning* motor learning
motorolja motor (engine) oil
motorsport motoring, motor sport[s pl.]
motorstopp engine (motor) failure (breakdown); *jag fick* ~ bilen gick sönder the (my) car broke down; bilen tjuvstannade the (my) car stalled
motorsåg power saw
motortrafikled main arterial road
motorväg motorway; amer. expressway
motorvärmare engine preheater
motpart opponent isht jur.; *~en* äv. the other party (side)
motpol opposite pole; bildl. antithes|is (pl. -es), opposite; *de är ~er* they are poles apart
motprestation gentjänst service in return; *göra en* ~ äv. do something in return
motsats opposite, reverse, antithes|is (pl. -es); motsättning contrast; *detta är raka ~en*

[*till*...] this is the exact (very) opposite [of...], this is quite the contrary [of...]; *i ~ till mig* är han... unlike (by contrast with) me...
motsatsförhållande oppositionellt förhållande state of opposition; fientligt antagonism; *stå i ~ mot* (*till*) be in opposition to
motsatt opposite äv. bildl.; omvänd reverse; *i ~ fall* in the contrary case; i annat fall otherwise; [*det*] *~a könet* the opposite sex; *på ~a sidan* on the opposite side (bokuppslag page)
motse se fram emot look forward to; förutse expect; vänta sig await
motsols anti-clockwise
motspelare sport. o.d. opponent
motspänstig gensträvig refractory; ohanterlig unmanageable; halsstarrig intractable
motstridig om uppgifter o.d. conflicting, contradictory
motsträvig motvillig reluctant
motströms against the current (stream)
motstycke counterpart; *det saknar ~* it is without parallel
motstå se *stå* [*emot*]
motstående opposite
motstånd 1 motvärn, hinder resistance äv. sport.; *ge upp ~et* give up one's opposition; mil. äv. surrender; *möta ~* meet with resistance (opposition) **2** fys. resistance; reostat rheostat
motståndare opponent äv. sport.; adversary; *vara ~ till ngt* be an opponent of (be opposed to, be against) a th.
motståndarlag sport. opposing team
motståndskraft [power of] resistance
motståndskraftig resistant
motståndsrörelse polit. resistance movement
motsvara correspond to; t.ex. beskrivningen answer [to]; uppfylla, t.ex. krav, förväntningar fulfil; vara likvärdig med be equivalent (equal, tantamount) to
motsvarande allm. corresponding
motsvarighet överensstämmelse correspondence; full equivalence; proportionell proportionateness; motstycke counterpart; parallell analogue
motsäga contradict
motsägande contradictory; själv~ inconsistent
motsägelse contradiction; oförenlighet incompatibility; *utan ~* oemotsägligen indisputably
motsägelsefull contradictory, ...full of contradictions (inkonsekvenser inconsistencies)
motsätta, *~ sig* oppose, go against
motsättning motsatsförhållande opposition; fientligt förhållande antagonism; *stå i ~ mot* (*till*) be in contrast to, contrast to
mottaga se *ta* [*emot*]
mottagande reception; isht hand. receipt; *få ett vänligt ~* äv. be kindly received
mottagare 1 pers. receiver; adressat vanl. addressee; i tennis o.d. receiver **2** apparat receiver
mottaglig susceptible; känslig sensitive [*för* to]
mottaglighet susceptibility etc., jfr *mottaglig*; *~ för intryck* impressionability
mottagning reception äv. radio.; doktorn har *~ varje dag* ...surgery (betr. psykiater consulting) hours every day
mottagningsrum läkares consulting-room, surgery; amer. [doctor's] office
mottagningstid time for receiving visitors
motto motto (pl. -s el. -es); devis legend
moturs anti-clockwise, counter-clockwise
motverka motarbeta counteract; hindra obstruct; försöka sätta stopp för counter-check; uppväga compensate for; upphäva verkan av neutralize
motvikt eg. el. bildl. counterbalance, counterpoise
motvilja olust dislike, distaste; avsky antipathy; vedervilja aversion; *få* (*känna*) *~ mot* take (feel) a dislike to
motvillig reluctant; stark. averse
motvind contrary (adverse) wind; *ha ~* äv. have the wind [dead] against one
motväga counterbalance; uppväga compensate for
motvärn resistance; *sätta sig till ~* make (offer) resistance, fight back
motåtgärd countermeasure
mousse mousse äv. hår~
moussera sparkle; skumma effervesce; vard. fizz; *~nde vin* sparkling wine
muck vard.: mil., ung. demob
1 mucka vard. *tr*, *~ gräl* pick a quarrel [*med* with]
2 mucka vard.: mil. be demobbed
mudd på plagg wristlet
muddra vard. *~ ngn* kroppsvisitera frisk a p.
muff 1 av skinn o.d. muff **2** tekn. sleeve; rör~ socket; på axlar coupling-box
muffins queen (fairy) cake; amer. muffin
mugg 1 kopp mug, cup; större jug; arbeta *för fulla ~ar* ...at full speed **2** sl., se *dass*
Muhammed Mohammed
muhammedan Mohammedan
mula zool. mule
mulatt mulatto (pl. -s el. -es)
mule muzzle
mulen om himmel clouded over end. pred.; overcast, cloudy äv. om väder; bildl. gloomy; *det är mulet* it is cloudy
mull earth; stoft dust
mullbär mulberry
muller rumble
mullig plump

mullra rumble, roll
mullvad zool. mole äv. bildl.
mulna cloud over, become overcast; bildl. darken; *det ~r* [*på*] the sky is clouding over
multinationell multinational
multiplicera multiply
multiplikation matem. multiplication
multiplikationstabell matem. multiplication table
multna moulder (rot) [away]
mulåsna eg. hinny; vanl. mule
mumie mummy äv. bildl.
mumifiera mummify
mumla tala (uttala) otydligt mumble; muttra mutter
mummel mumble etc.; mumlande mumbling etc., jfr *mumla*
mumsa vard., ~ *på* (*i sig*) *ngt* munch a th.
mun mouth; *täppa till* ~[*nen*] *på ngn* silence (med munkavle o.d. gag) a p; vard. shut a p. up; *med 'en* ~ with one voice, unanimously; *du tog ordet* (*orden*) *ur ~nen på mig* you took the words right out of my mouth
mundering åld., soldats equipment; neds. get-up; hästs trappings
mungiga mus. jew's harp
mungipa corner of one's mouth; *dra ner mungiporna* lower (droop) the corners of one's mouth
mungo zool. mongoose (pl. -s)
munhuggas wrangle
munhåla oral (mouth) cavity
munk 1 pers. monk **2** bakverk doughnut
munkavel o. **munkavle** eg. gag; bildl. muzzle; *sätta* ~ *på ngn* gag (muzzle) a p.
munkkloster monastery
munkorden monastic order
munkorg muzzle; *sätta* ~ *på* äv. bildl. muzzle
munläder vard. *ha gott* ~ have the gift of the gab
mun-mot-munmetod mouth-to-mouth method
munsbit mouthful; tugga morsel; *ta ngt i en* ~ swallow a th. in one go (at a mouthful)
munskydd mask
munspel mouth organ
munstycke mouthpiece; på slang nozzle; på rör, förgasare o.d. jet; löst, för cigarett etc. holder
munsår sore on the lips
munter merry; glättig cheerful; uppsluppen hilarious
munterhet merriness, jfr *munter; väcka* ~ raise laughter (a laugh)
muntlig om t.ex. examen, tradition, översättning oral; om t.ex. meddelande, överenskommelse verbal; ~ *tentamen* univ. oral examination
muntligen o. **muntligt** orally; t.ex. meddela ngt verbally
muntra, ~ [*upp*] cheer...[up], exhilarate
munvig glib; slagfärdig ready-witted
mur wall äv. bildl.; *tiga* (*vara tyst*) *som ~en* maintain a wall of silence, keep completely silent (vard. mum)
mura bygga [av tegel (sten)] build...[of brick (stone)]; ~ *igen* (*till*) wall (med tegel brick) up
murare tegel~ bricklayer; isht sten~ mason; för putsarbete plasterer
murbruk mortar
murgröna bot. ivy
murken decayed; stark. rotted
murkla bot. morel
murkna decay
murmel o. **murmeldjur** marmot
murrig om färg drab
murvel vard. hack journalist
murverk masonry; av tegel brick work; murad[e] vägg[ar] walling
mus mouse (pl. mice); *tyst som en* ~ quiet as a mouse
museiföremål museum specimen (piece äv. bildl.)
museum museum; *gå på* ~ visit (go to) a museum
musicera, *vi brukar* ~ [*litet*] we usually play [some] music
musik music äv. bildl.; *levande* ~ live music; marschera *till* ~ ...to the sound of music
musikaffär music shop
musikal musical
musikalisk musical
musikant musician
musiker musician
musikhandel music shop
musikhistoria [vanl. the] history of music
musikinstrument musical instrument
musikkapell orchestra
musikkår band; *medlem av en* ~ äv. bandsman
musiklektion music lesson
musiklärare music teacher (master)
musikskola school of music
musikstycke piece of music
musikverk musical composition (work)
musikvän o. **musikälskare** music lover, lover of music
musiköra musical ear; *ett bra* ~ vanl. a good ear for music
muskel muscle; *spänna musklerna* tense one's muscles
muskelbristning muscle rupture
muskelknutte vard. muscle man
muskelkraft se *muskelstyrka*
muskelsträckning, *få en* ~ get a sprained muscle, sprain a muscle
muskelstyrka muscular strength
muskelvärk muscular pain, pain in one's muscles
musketör hist. musketeer

muskot krydda nutmeg
muskotnöt bot. nutmeg
muskulatur musculature
muskulös muscular
muslim Muslim
muslimsk Muslim
muslin tyg muslin
Musse Pigg seriefigur Mickey Mouse
mussla djur tillhörande musselsläktet bivalve; isht ätlig mussel
must **1** ojäst fruktsaft: a) av druvor must b) av äpplen [apple] juice; amer. [sweet] cider **2** *suga ~en ur ngn* take the life out of a p.
mustang zool. mustang
mustasch moustache; *ha* (*lägga sig till med*) ~ wear (grow) a moustache
mustaschprydd moustached
mustig **1** kraftig, närande rich; om t.ex. soppa nourishing; om t.ex. öl full-bodied **2** bildl., om t.ex. historia racy, juicy; grov coarse
muta **I** *s* bribe; vard. palm oil; för att tysta ngn hush money **II** *tr* besticka bribe; polit. äv. corrupt; isht vittne suborn; ~ *ngn* vard. äv. square a p., oil (grease) a p.'s palm; *han lät inte ~ sig* he was not to be bribed
mutförsök attempt at bribery
mutter till skruv [screw] nut
muttra mutter; ~ *för sig själv* mutter to oneself; ~ klaga *över ngt* grumble (vard. grouse) about (at) a th.
myck|en (*myckna*) o. **myck|et** **A** *mycken, mycket* i omedelbar anslutning till följ. subst.: a) much b) en hel del a great (good) deal of, a great amount (quantity) of, a great many, a great (large) number of; fullt med plenty (vard. a [great] lot) of c) stor great; *det var -et folk* på mötet there were [a great] many (a lot of) people...; jag har aldrig sett *så -et folk* ...so many (such a lot of) people
B *mycket* utan omedelbar anslutning till följ. subst. **1 a)** i positiv [very] much; stark.: synnerligen, t.ex. användbar most; högst, t.ex. populär highly; helt, t.ex. naturlig quite; den är *-et användbar* ...very (most) useful, ...of great use; *jag är -et förvånad* I am very (very much, greatly, highly, most, much, quite) astonished **b)** i komparativ samt i förbind. 'mycket för' = 'alltför' much; vida äv. far; en hel del äv. a great (good) deal; vard. a lot; *så -et bättre* all (so much) the better; *-et mer* much more
2 i övr. fall: much; en hel del, ganska mycket a great (good) deal; vard. a lot; många [saker] many [things]; en massa plenty; i hög grad very much; *det finns -et* (*inte -et*) *kvar* there is plenty (not much) left; *hon är -et för* kläder she goes in a lot (is a great one) for...; *hon är inte -et för* sötsaker she is not very keen on...; *det är inte -et* [*mer*] *att tillägga* there is little [else] to be added; *det är inte -et med honom* (*det*) he (it) isn't up to much; *jag beklagar -et* att I very much (I deeply) regret...; *det förvånade mig -et* att it very much (greatly) surprised me...; *jag går -et* (*inte -et*) *på bio* I go to the cinema quite a lot (I don't go to the cinema very much); *han läser -et* he reads much (a great deal, a good deal, a lot); *koka* ngt *för -et* boil...too long; *så -et* fick jag inte ...as much as that (inte sådana mängder all that much)
C *mycknа, det -na arbete han lagt ned på...* the amount of work he has put into...
mycket se *mycken*
mygel vard. wangling, string-pulling; amer. äv. finagling; i större skala wheeling and dealing
mygg koll. mosquitoes; knott gnats
mygga mosquito (pl. -es el. -s); knott gnat
myggbett mosquito bite
myggmedel mosquito repellent
myggnät mosquito net
mygla vard. wangle; amer. äv. finagle; i större skala wheel and deal; ~ *till sig ngt* get a th. by wangling etc. jfr *mygel*
myglare vard. wangler; amer. äv. finagler; i större skala wheeler-dealer
mylla mould, humus
myller swarm
myllra swarm, be alive; jfr *vimla*
München Munich
myndig **1** jur., som har uppnått ~ ålder ...of age; *bli* ~ come of age **2** befallande authoritative; neds. masterful; t.ex. om stämma, ton peremptory
myndighet **1** samhällsorgan [public] authority; *~erna* the authorities **2** myndigt uppträdande o.d. authoritativeness etc.; uppträda *med* ~ ...with authority **3** myndig ålder majority, full age
mynna, ~ [*ut*] *i* a) om flod o.d. fall (flow, debouch) into; om gata o.d. lead to, run into b) bildl. end (result, conclude) in
mynning mouth äv. tekn.; ingång entrance; rör~ o.d. orifice; på skjutvapen muzzle
mynt coin äv. koll.; pengar money; valuta currency; *utländskt* ~ foreign currency; *betala ngn med samma* ~ bildl. pay a p. back in his own (the same) coin, repay a p. in kind
1 mynta bot. mint
2 mynta coin äv. bildl.
myntenhet monetary unit
myntfot monetary standard
myntinkast slot
myntsamling collection of coins
myr bog; geol. mire
myra ant; *vara flitig som en* ~ be as busy as a bee, be an eager beaver
myrslok zool. ant-eater
myrstack ant-hill

myrten bot. myrtle
mysa 1 belåtet smile contentedly; vänligt smile genially; strålande beam **2** vard., ha mysigt be enjoying oneself
mysig vard., trivsam [nice and] cosy; om pers. sweet
mysk musk
myskoxe musk ox
mysli o. **müsli** koll. muesli; amer. granola
mysteri|um mystery; *-et med* de försvunna... the mystery of...
mystifiera mystify
mystifik vard. mysterious
mystik hemlighetsfullhet mystery; *skingra ~en [kring...]* clear up (solve) the mystery [surrounding (of)...]
mystiker mystic
mystisk gåtfull o.d. mysterious; relig. mystic[al]
myt myth
myteri mutiny; *göra ~* mutiny, raise (stir up) a mutiny
myterist mutineer
mytisk mythical
mytologi mythology
mytologisk mythological
mytoman psykol. mythomaniac
1 må känna sig be; *hur ~r du?* how are you?; *jag ~r inte riktigt bra* I'm not [feeling] (don't feel) quite well; *nu ~r* njuter *han [allt]* now he is happy (is in his element, is enjoying himself); *~ så gott!* keep well!; *~ illa* ha kväljningar feel (be) sick [amer. at (to, in) one's stomach], feel queasy
2 må, ett exempel *~ anföras* ...may be cited; *man ~ besinna...* let it (bör it should) be borne in mind...; *det ~ vara [därmed] hur det vill* however that may be, be that as it may
måfå, *på ~* at random
måg son-in-law (pl. sons-in-law)
måhända maybe; jfr *kanske*
1 mål 1 röst *har du inte ~ i mun?* has the cat got your tongue?; *sväva på ~et* hesitate, hum (hem) and haw; svara undvikande be evasive **2** dialekt dialect
2 mål jur. case; isht civil~ lawsuit; *förlora ~et* lose one's case
3 mål måltid meal
4 mål 1 a) vid skjutn. mark; skottavla el. mil., t.ex. för bombfällning target **b)** i bollspel goal äv. ~bur o.d.; *göra (skjuta) [ett] ~* score a goal **c)** vid kapplöpning o.d.: finish; ~linje finishing line; ~snöre [finishing] tape; isht vid hästkapplöpning [winning-]post; *komma först i ~* come in (home) first **2** bildl.: t.ex. för sina drömmar goal; bestämmelseort destination; syfte[mål] aim, object; isht för mil. operationer objective; *hans ~ i livet* his aim in life
måla I *tr* o. *itr* paint; *~ av ngn* paint a p.'s portrait; *~ om* paint...over again, re-paint; *~ över* t.ex. namnet paint out; t.ex. golvet coat...with paint, paint over **II** *rfl, ~ sig* sminka sig make [oneself] up
målande om stil, skildring graphic, vivid; om t.ex. ord, gest expressive
målare konstnär painter, artist; hantverkare [house] painter
målarfärg paint; *~er* konst. artist's colours
målarinna [woman] painter (artist)
målarkonst [art of] painting
målarpensel paintbrush
målarskola 1 konkr. art school **2** konstriktning school of painters
målbrott, *han är (har kommit) i ~et* his voice is breaking (is beginning to break)
målbur sport. goal
måldomare i ishockey o.d. referee; vid kapplöpning o.d. judge
måleri painting
målföre voice; *förlora ~t* lose the power of (be bereft of) speech
målgrupp target group
målinriktad psykol. goal-directed; mera generellt target-oriented
mållinje löpning o.d. finishing line (tape); fotb. o.d. goal line; målöppningen goalmouth
1 mållös stum speechless; *~ av häpnad* dumbfounded
2 mållös sport. goalless
målmedveten purposeful; ihärdig single-minded, stable; *vara ~* äv. have a fixed purpose
målmedvetenhet purposefulness
målning 1 målande, måleri painting **2** det målade paintwork; själva färgen paint **3** tavla painting
målområde på fotbollsplan o.d. goal area
målskillnad sport. goal difference
målskytt sport. [goal]scorer
målsman 1 förmyndare guardian; förälder parent **2** förespråkare advocate, spokesman
målsägande o. **målsägare** jur. plaintiff; i brottmål prosecutor
målsättning mål aim, purpose, objective, goal
måltavla target äv. bildl.
måltid meal; högtidl. repast; *en lätt ~* a light meal, a snack
måltidsdryck table drink
målvakt goalkeeper; vard. goalie
1 mån grad degree; mått measure; utsträckning extent; *i den ~ som* to the extent that; allteftersom [according] as; *i ~ av behov* as need arises (arose etc.); *i ~ av tillgång* as far as supplies admit (admitted etc.)
2 mån, *~ om* a) angelägen om anxious (concerned, solicitous) about b) aktsam med careful of c) noga med particular about

d) avundsjukt ~ om, t.ex. sina rättigheter jealous of
måna, ~ *om* ngn watch...with loving care, nurse...; t.ex. sina rättigheter be jealous of...; t.ex. sitt eget bästa look after...
månad month; jfr äv. motsv. ex. under *2 vecka; i april* ~ in [the month of] April; *hon är i femte ~en* she is in her fifth month; hyra *per* ~ ...by the month
månadshyra monthly rent
månadskort biljett monthly season ticket
månadslön [monthly] salary; *ha* ~ have a monthly salary, be paid by the month
månadsskifte turn of the month
månadssten birthstone
månadsvis monthly
månatlig monthly
månatligen monthly
måndag Monday; jfr *fredag* o. sms.
måne 1 astron. moon **2** vard., flint bald patch (pate)
månfärd journey (trip) to the moon
månförmörkelse eclipse of the moon
många many; much; en hel del a good (great) many; en massa a lot (lots) [fören. of]; talrika numerous; ~ anser att many (a great number of, a lot of) people...; *köpte du* ~ böcker? did you buy many...? *lika* ~ bitar var the same number of...; [*inte*] *lika* ~ *som* i fjol [not] as many as...
mångahanda multifarious, multiple...
mångdubbel, *mångdubbla värdet* many times the value
mångdubbelt t.ex. öka many times over; ~ *större* many times greater
mången, *på* ~ *god dag* for many a day; *i mångt och mycket* i många avseenden in many respects
mångfald stort antal *en* ~ t.ex. plikter, städer a great number of, a [great] variety of, a multiplicity of
mångfaldig mera eg. manifold, multiplex; skiftande diverse; *~a* talrika multitudinous, numerous
mångfaldiga mångdubbla multiply; skrift o.d. duplicate
mångfasetterad om tolkning o.d. nuanced, ...full of nuances; mångsidig many-sided
mångfärgad multicoloured, multicolour...; many-coloured
månggifte polygamy
månghundraårig centuries old
mångkunnig all-round, versatile, polymathic
mångmiljonär multimillionaire
mångordig verbose
mångsidig many-sided; geom. äv. polygonal; om t.ex. utbildning all-round; *han är en* ~ *begåvning* he is a man of many gifts (a versatile and talented man)
mångstämmig many-voiced
mångsysslare, *vara en* ~ have many [and varied] occupations (pursuits)
mångtydig ...having (of, with) various meanings; tvetydig ambiguous
mångårig t.ex. om erfarenhet, arbete many years'...; t.ex. om bortovaro ...of many years[' duration]; t.ex. om vänskap ...of long (many years') standing
månlandning moon landing
månlandskap lunar (moon) landscape
månne o. **månntro,** vad vill han mig ~? ...I wonder; ~ *det?* verkligen indeed!, is that so, really?; tvivlande I wonder!; se äv. *kanske*
månraket moon rocket
månsken moonlight; *det är* ~ *ikväll* there's a moon tonight, the moon is out tonight
månskära crescent
mård zool. marten
mås gull
måste I *hjälpvb, han* ~ a) he must; isht angivande 'yttre tvång' he has (resp. will have) to, he is (resp. will be) obliged to; vard. he has got to b) var tvungen att he had to, he was obliged to; vard. he had got to; ~ *jag det?* must I?, do I have to?; *det* ~ *du inte* you don't (om framtid won't) have (need) to; vard. you haven't got to; *jag* ~ *göra det förr eller senare* I shall (will) have to (I must) do it sooner or later; *huset* ~ *repareras* the house must (imperf. had to) be repaired; *han har måst* betala he has had to (been obliged to)...; *jag* ~ kan (resp. kunde) inte låta bli att *skratta* I can't (resp. could not) help laughing; *du* ~ måtte *vara* (*ha varit*) mycket trött you must be (have been)...; *det* ~ *mera till än så för att* inf. it takes more than that to inf.; you need more than that to inf. **II** *s, det är ett* ~ it's a must
mått measure; isht uppmätt storlek measurement; bildl., måttstock standard; storlek size, proportions; skala scale; mängd amount; grad degree; utsträckning extent; kakmått pastry-cutter; *~et är rågat* bildl. the cup is full to the brim; friare äv. that was the last straw!; jag har fått nog I've had enough of it!; *hålla ~et* bildl. be (come) up to standard (the mark); motsvara förväntningarna come up to expectations; *ta* ~ *på ngn* [*till* en kostym] take a p.'s measurements (measure a p.) [for...], fit a p. [for...]
måtta moderation; [*det ska vara*] ~ *i allt!* everything in moderation!, there is a limit!
måttband measuring-tape
måttbeställd ...made to measure; isht amer. custom-made, custom...
måtte 1 uttr. önskan ~ *du aldrig* [få] ångra det may you (I hope you will) never...; de uttalade en förhoppning om *att detta ej* ~

upprepas ...that this might not be repeated **2** uttr. subjektiv visshet *han ~ vara sjuk* eftersom... he must be ill...
måttenhet unit of measurement
måttfull allm. moderate; sansad el. diskret, om stil sober
måttfullhet moderation; temperance; sobriety; jfr *måttfull*
måttlig moderate; återhållsam abstemious; blygsam modest; obetydlig inconsiderable; om t.ex. nöje meagre; om t.ex. succé scant; *det är inte ~t* vad han begär ...is out of all proportion
måttlighet moderation
måttlös se *omåttlig*
måttstock measure; isht bildl. standard, gauge
måttsystem system of measurement
mähä vard. milksop
mäkla medla mediate; *~ fred* mediate a peace
mäklararvode kurtage brokerage
mäklare hand. broker, jfr äv. *fastighetsmäklare*
mäklarfirma firm of brokers, jfr äv. *fastighetsmäklare*
mäkta I *tr* o. *itr*, *~ [göra] ngt* be capable of [doing] a th., be able to do (manage) a th.; *jag ~r inte [göra] mera* I can do no more **II** *adv* vard. mightily; isht iron. mighty
mäktig 1 kraftfull powerful; känslobeton. mighty; storartad majestic, grandiose, great; väldig, stor tremendous, huge; tjock thick; *en ~ furste* a powerful sovereign **2** om föda heavy
mängd 1 kvantum quantity, amount; antal number; *en stor ~ (stora ~er) te har* importerats a large (great) quantity of tea has..., [large] quantities of tea have...; *en hel ~* se *en hel del* under *del 2; i [stor] ~ ([stora] ~er)* in [large] quantities (antal numbers) **2** *~en* folket, massan the crowd, the multitude; *skilja sig från ~en* stand out from the rest
mängdlära matem. theory of sets, set theory
mängdrabatt hand. quantity discount
människ|a man (pl. men); person person; mänsklig varelse human being; *~n* i allm. bem. man; *-orna* mänskligheten mankind, the human race, man, humanity (alla sg.); *vi -or* we humans (mortals); *den moderna ~n* modern man; *stackars ~!* poor thing (soul, creature)!; *unga -or* young people; *vad menar ~n* hon? what does that (the) woman (creature) mean?; *bli ~ [igen]* be oneself [again]; hur är han (hon) *som ~?* ...as a person?
människofientlig misanthropic
människoföda human food; *otjänlig som (till) ~* unfit for human consumption
människoförakt misanthropy
människokropp human body
människokännare judge of character (human nature)
människokärlek humanity, love of mankind; kristlig ~ charity; filantropi philanthropy
människoliv [human] life; *en förlust av fem ~* the loss of five lives; svåra *förluster av ~* ...loss sg. of life
människosläkte, ~t the human race, mankind
Människosonen the Son of Man
människovän humanitarian, friend of humanity; filantrop philanthropist
människovärde human dignity
människovärdig ...fit for human beings
människoätare djur man-eater; kannibal cannibal
människoöde, *ett tragiskt ~* a human tragedy
mänsklig human; human humane; *ett ~are samhälle* a more humane society; *det är ~t att fela* ordst. to err is human
mänsklighet 1 humanitet humaneness **2** *~en* människosläktet mankind, humanity
mänsko- i sms., se *människo-*
märg 1 ben~ marrow; anat. medulla **2** bot. pith **3** bildl.: det innersta marrow; kraft o. mod pith; skriket *trängde genom ~ och ben [på mig]* ...pierced my very marrow
märgpipa marrowbone; bogstycke shoulder
märk|a 1 förse med märke mark; *-t med rött* marked in red; *han är -t för livet* he is marked for life, he is a marked man **2** lägga märke till notice, note; isht avsiktligt observe; bli medveten om become aware of; inse perceive; fläcken *-s* syns *inte* ...does not show; skillnaden *-s knappt* ...is hardly noticeable; *det -s* hörs (syns) *att* han är trött you (one) can hear (see) that... **3** *~ ord* cavil, quibble, take up a p.'s words
märkbar iakttagbar noticeable, observable; skönjbar discernible; synbar perceivable; förnimbar perceptible; tydlig marked; uppenbar obvious
märke 1 mark; tecken sign; skåra notch, cut; spår trace; etikett label; fabrikat: t.ex. bils make; t.ex. kaffes brand; klubb~ o.d. badge; bot., pistills stigma; land~ landmark; *ha (bära) ~n efter* misshandel show marks (signs) of... **2** *lägga ~ till* notice
märkesdag red-letter day
märkesvaror proprietary (branded) products (koll. goods)
märklig anmärkningsvärd remarkable, signal; uppseendeväckande striking; betydelsefull significant; egendomlig strange, odd; *ett ~t sammanträffande* a remarkable (striking) coincidence
märkligt remarkably etc., jfr *märklig; ~ nog*

strangely (oddly) enough, strange to say, strange as it may seem (sound)
märkning marking etc., jfr *märka 1*
märkpenna marker
märkvärdig egendomlig strange, curious, peculiar; förunderlig wonderful; anmärkningsvärd remarkable; förträfflig marvellous; jfr vid. *märklig; boken är inte särskilt ~* ...nothing special
märkvärdighet egenskap strangeness etc., jfr *märkvärdig; ~er* remarkable things; sevärdheter sights
märkvärdigt se *märkligt*
märr sto mare; hästkrake jade
mäss mess
mässa I *s* **1** katol. el. mus. mass; prot. [divine] service **2** hand. [trade] fair **II** *tr* o. *itr* sjunga liturgiskt (recitativartat) chant; tala (läsa) entonigt chant
mässhall exhibition hall
mässing 1 brass **2** vard. *i bara ~en* in the altogether, in one's birthday suit
mässingsinstrument brass [wind] instrument; *~en* i orkester the brass sg.
mässling [the] measles; *ha ~[en]* äv. be down with [the] measles
mästare master; sport. el. friare champion; *svensk ~ i tennis* Swedish tennis champion
mästarinna sport. [woman] champion
mästerkock master cook
mästerlig masterly; lysande brilliant
mästerskap mastership; sport. championship; *~ i simning* swimming championship
mästerskytt crack shot (marksman)
mästerstycke masterpiece; mästerkupp masterstroke
mästerverk masterpiece
mästra klandra criticize
mäta I *tr* measure; noggrannare el. beräkna calculate; *~ ngn med blicken* look a p. up and down; *~ av* measure off; *~ upp* a) ta mått på measure [up], take the measure[ments] (the size) of; lantmät. survey b) t.ex. mjölk measure out; t.ex. tyg measure off **II** *itr* hålla ett visst mått measure; *han mäter* 1.80 [i strumplästen] he stands...[in his stockings] **III** *rfl, han kan inte ~ sig med...* he cannot match (jämföras compare with)...; han når inte upp till he doesn't come up to...
mätare el~ meter; instrument gauge äv. bildl.
mätbar measurable; *icke ~* non-measurable
mätglas graduated (measuring) glass
mätinstrument measuring instrument
mätning mätande measuring osv., jfr *mäta I;* measurement; *göra ~ar* take (make) measurements; lantmät. el. sjö~ make surveys
mätsticka measuring-rod; olje~ dipstick
mätt ...who has had enough to eat; vard. full [up] end. pred.; *jag är ~* I have had enough [to eat]; vard. I'm full [up]; *äta sig (bli) ~* have enough to eat, satisfy one's hunger
mätta 1 satisfy **2** kem. el. hand. el. friare saturate
mättad kem. el. hand. el. friare saturated; *marknaden är ~* the market has reached saturation point
mättnad kem. el. hand. el. friare saturation
mö poet., flicka maid
möbel enstaka piece of furniture; koll. suite of furniture; ss. efterled i sms. suite; *möbler* bohag furniture sg.
möbelaffär butik furniture store (shop)
möbelsnickare cabinet-maker
möbeltyg furnishing fabric
möblemang bohag furniture; *ett ~* a suite of furniture
möblera förse med möbler furnish; ordna möblerna arrange the furniture
möblering furnishing
möda besvär pains, trouble; tungt arbete labour, toil; slit drudgery; *göra sig [stor] ~* take [great] pains (trouble); *ha all ~ i världen att* inf. have no end of trouble to inf. (great difficulty in ing-form)
mödom 1 virginity **2** anat., se *mödomshinna*
mödomshinna anat. hymen, maidenhead
mödosam laborious, strenuous
mödravård maternity welfare; före förlossning antenatal (efter postnatal) care
mödravårdscentral antenatal (prenatal) clinic
mögel mould; amer. mold; på papper o.d. mildew
mögla go (get) mouldy osv., jfr *möglig*
möglig mouldy; amer. moldy; om papper o.d. mildewy; unken samt isht bildl. musty, fusty
möhippa hen party [given for a bride-to-be]; isht amer. shower
möjlig possible; tänkbar conceivable; *alla ~a skäl* all sorts of reasons, every possible reason sg.; *det är ~t att jag tar fel* I may be wrong; *är det ~t* att han...*?* is it possible (can it be)...?; *så snart som ~t* as soon as possible, as soon as I (you etc.) possibly can; *snarast ~t* as soon as possible
möjligen possibly; kanhända perhaps; *~ har han* ändrat sig äv. he may have...; *kan man ~ få träffa...* I wonder if it is possible to meet...
möjliggöra make (render)...possible; underlätta facilitate
möjlighet possibility; chans chance; utsikt prospect; utväg, medel means; *det finns ingen annan ~* there is no other possibility (no alternative); *om det finns någon ~* så kommer jag äv. if I possibly can...; *det fanns bara en ~* att fly there was only one way out...

möjligtvis se *möjligen*
mönja *s* red lead
mönster pattern; dekor, norm standard; på bildäck tread; *ett ~ till en klänning* a pattern for a dress; *vara ett ~ av* dygd, flit be a pattern (model, paragon) of...
mönsterelev model pupil (student)
mönstergill model end. attr.; ideal; om t.ex. uppförande exemplary
mönstra I *tr* **1** förse med mönster pattern **2** granska inspect; ~ *ngn [med blicken]* **3** inräkna muster **4** sjö., anställa på fartyg sign (take)...on **II** *itr* **1** sjö. sign on **2** mil., inskrivas enrol[l]
III med beton. part.
~ **av** a) tr. pay...off b) itr. sign (be paid) off
~ **på** a) tr. sign (take)...on, ship b) itr. sign on
mönstrad t.ex. om tyg patterned
mönstring 1 mönster pattern[ing] **2** granskning inspection; scrutiny **3** mil., se *inskrivning*
mör 1 om kött tender; om skorpor o.d.: spröd crisp **2** bildl. meek
mörbulta person beat...black and blue; *alldeles ~d* efter matchen aching all over...
mörda murder; isht polit. assassinate; utan obj. commit a murder (murders); isht bildl. kill
mördande I *adj* friare, om t.ex. eld murderous; om t.ex. blick withering; ~ *kritik* devastating (crushing) criticism **II** *adv*, ~ *tråkig* deadly dull
mördare murderer; isht polit. assassin
mördeg rich shortcrust pastry
mörk dark; djup deep; dyster sombre; svart black äv. bildl.; *en ~ blick* a black look; *~t bröd* dark bread; ~ *choklad* plain chocolate; ~ *kostym* dark lounge suit
mörkblond om pers. dark blond (om kvinna blonde); om hår dark blond[e], light brown
mörkblå dark blue; polit. true-blue
mörkbrun dark brown
mörk|er darkness; mera konkr. dark; *-ret faller på* nu darkness (night) is falling; *vid -rets inbrott* at nightfall
mörkerseende fysiol. twilight (fackspr. scotopic) vision
mörkertal number of unrecorded cases, hidden statistics
mörkhyad dark
mörkhårig dark-haired
mörklägga isht mil. black out; t.ex. genom strömavbrott plunge...into darkness; hemlighålla keep...secret (dark)
mörkläggning isht mil. blackout; *~en av* spionerimålet the keeping secret of...
mörkna get (grow, become) dark; *det ~r* (*börjar* ~) it is getting dark, night is falling; *han ~de* då han fick se... his face darkened (became sombre)...
mörkrum foto. o.d. dark room
mörkrädd, *vara* ~ be afraid of the dark
mörkögd dark-eyed
mört roach; *pigg som en* ~ [as] fit as a fiddle
mössa cap
mösskärm cap peak
möta meet; råka på come (run) across; råka på samt isht röna meet with; t.ex. svårigheter encounter; stå inför face; ~ *ngn* i en match meet (encounter) a p.; ~ *förståelse* meet with sympathy; en förtjusande anblick *mötte oss* ...met (presented itself to) our eyes, ...greeted us; ~ *upp mangrant* muster in force
mötas meet; passera varandra pass [each other]; *deras blickar möttes* their eyes met
möte meeting; isht oväntat samt i match o.d. encounter; avtalat appointment; vard., träff date; konferens conference; *avtala ett* ~ arrange (fix) a meeting (an appointment, vard. date)
mötesfrihet freedom of assembly
möteslokal mötesplats place of meeting; samlingsrum assembly (conference) room[s pl.]
mötesplats place of meeting; isht överenskommen rendezvous (pl. lika); på väg el. järnv. o.d. passing place

N

n bokstav n [utt. en]
nacka, ~ *en höna (ngn)* chop a hen's (a p.'s) head off
nackdel disadvantage; *väga fördelar och ~ar* weigh the pros and cons
nacke back of the (one's) head, nape of the (one's) neck; *bryta ~n [av sig]* break one's neck; *vrida ~n av ngn* wring a p.'s neck
nackspärr wryneck, vetensk. torticollis
nackstöd headrest
nafs snap; hugg grab; *i ett ~* vard. in a flash (jiffy), in two ticks
nafsa snap; ~ gräs nibble...; ~ *till (åt) sig* snap up
nafta kem. naphtha
nagel nail; *tugga på (peta) naglarna* bite (clean) one's nails
nagelband anat. cuticle
nagelborste nail brush
nagelfil nail file; sandpappersfil emery board
nagellack nail varnish (polish, enamel)
nagelsax nail scissors
nageltrång, *ha ~* have an ingrown (ingrowing) toenail (resp. ingrown el. ingrowing toenails)
nageltång nail nippers
nagga bröd prick; ~ *i kanten* göra hack i notch, nick, chip; bildl., t.ex. kapital begin to nibble at, make inroads into, eat into
naggande, *liten men ~ god* there's not much of it (resp. him etc.), but what there is, is good
nagla, ~ *fast* nail (bildl. rivet) [...on] [*vid* to]
naiv naive; troskyldig ingenuous
naivitet naivety, naïveness
naken naked äv. bildl.; vard. ...in the altogether; om rum bare; *klä av sig ~* strip naked (to the skin)
nakenbadare bather in the nude; vard. skinny-dipper
nakenbild nude (naked) picture; i herrtidning ofta girlie picture
nakenhet nakedness
nalka, ~ *sig* el. *nalkas* approach äv. om. pers.; om tid äv. come on, be at hand
nalla vard. pinch, swipe
nalle o. **nallebjörn** barnspr. teddy [bear]
Namibia Namibia
namn name; *hur var ~et?* what [is your] name, please?; *sätta sitt ~ under* skrivelse put one's name to...; *vad (varför) i Guds (herrans, fridens, himlens, jösse) ~...?* what (why) on earth (in the name of goodness el. heaven)...?; *till ~et* ...by name; en man *vid ~ Bo* ...called (namned) Bo, ...by (of) the name Bo; *kalla (nämna) saker och ting vid deras rätta ~* call a th. by its right name, call a spade a spade
namnbyte change of name
namne namesake
namnge name
namninsamling list of signatures; petition
namnkunnig renowned
namnlista list of names, jfr äv. *namninsamling*
namnlös nameless
namnsdag name day
namnteckning o. **namnunderskrift** signature
namnändring change of name
napalm kem. napalm
1 napp tröst~ dummy, amer. pacifier
2 napp fiske bite; svag. el. bildl. nibble; *få ~* have a bite (nibble), get a rise
1 nappa skinnsort nap[p]a [leather]
2 nappa om fisk bite; svag. el. bildl. nibble; om hund snap; ~ *till sig* snatch (catch) up (hold of); om hund snap up
nappatag tussle, set-to båda äv. bildl.; *ta ett ~ med* have a tussle (brush) with, come to grips with
nappflaska feeding (baby's) bottle
narciss bot. narciss|us (pl. äv. -i)
narig om hud chapped
narkoman narcotics (drug) addict; vard. junkie
narkomani drug addiction, narcomania
narkos narcos|is (pl. -es); *ge [ngn] ~* administer an anaesthetic (amer. anesthetic) [to a p.]
narkosläkare anaesthetist; amer. anesthetist
narkotika narcotics, drugs; vard. dope, junk
narkotikabrott narcotics (drug) crimes
narkotikahandel traffic in narcotics, drug traffic (racket)
narkotikalangare drug (dope) trafficker, drug (dope) pusher (peddler)
narkotikamissbruk narcotics (drug) abuse
narkotisk narcotic
narr allm. fool; pajas clown; *göra ~ av ngn* make fun (game) of (poke fun at) a p.
narra se *lura II* o. *III*
narras fib, tell fibs (resp. a fib); jfr *ljuga*
nasal I *adj* nasal **II** *s* nasal [sound]
nasse gris pig; liten piglet; barnspr. piggy
nation nation
nationaldag national [commemoration] day
nationaldräkt national costume
nationalekonom [political] economist
nationalekonomi economics, political economy
nationalförsamling national assembly
nationalinkomst national income
nationalisera nationalize

nationalism, ~[*en*] nationalism
nationalistisk nationalistic
nationalitet nationality
nationalitetsbeteckning på bil nationality sign; på flygplan nationality mark
nationalitetsmärke på bil nationality sign; på flygplan nationality mark
nationalkaraktär national character
nationalmuseum national museum (för konst gallery)
nationalpark national park
nationalsocialism, ~[*en*] National Socialism
nationalsocialist National Socialist
nationalsocialistisk National Socialist
nationalsång national anthem
nationell national
nativitet birthrate
NATO atlantpaktsorganisationen NATO (förk. för North Atlantic Treaty Organization)
natrium kem. sodium
natt night äv. bildl.; jfr äv. motsv. ex. under *dag 1; god ~!* good night!; *~en till* söndagen [ss. adv. on (under loppet av during)] the night before...; *mot ~en* mojnar det ...towards night[fall]; arbeta *till långt fram på ~en* ...far into the night; 2 tabletter *till ~en* ...for the night
nattarbete det att arbeta på natten night work; *ett* ~ a night job
nattaxa på buss o.d. night-service fare
nattbuss night-service (late-night) bus
nattdräkt, *i* ~ in nightwear
nattduksbord bedside table (med skåp cabinet)
nattetid at (by) night
nattfjäril zool. moth
nattflyg flygningar night flights; plan night plane
nattfrost night frost; vi har haft ~ [*i natt*] ...frost in the night
nattgäst guest for the night
nattjänstgöring, *ha* ~ be on night duty
nattklubb nightclub, nightspot
nattkröken, *fram på* ~ towards the small hours [of the night]
nattkärl chamber pot
nattlig nocturnal; varje natt nightly; under natten ...in the night
nattlinne nightdress; vard. nightie
nattliv night life
nattlogi husrum accommodation (lodging) for the night
nattmössa nightcap; *prata i ~n* ung. talk drivel, talk through one's hat
nattparkering [over]night parking
nattpermission night leave
nattportier night porter; amer. night clerk
nattrafik night services
nattro vila night's rest; lugn peace and quiet at night
nattskift nightshift
nattskjorta nightshirt; vard., för barn el. dam nightie
nattsköterska night nurse
nattsvart ...[as] black as night äv. bildl.
nattsömn ngns [night's] sleep; *ha god* ~ sleep well at night
nattuggla bildl. night owl, nightbird
nattvak late hours, keeping late hours; nattjänst night duty
nattvakt 1 pers. night watchman
2 tjänstgöring night watch (duty)
nattvard kyrkl. *~en* the Holy Communion; *begå (gå till) ~en* partake of the Communion, communicate
nattvardsvin kyrkl. sacramental wine
nattåg night train
nattöppe|n ...open all night (round the clock); *-t kafé* all-night café
natur nature; läggning disposition; karaktär character; personlighet o.d. personality; natursceneri o.d [natural] scenery; *~en* ss. skapande kraft o.d. nature; *Sveriges* ~ nature in Sweden; *en vacker* ~ omgivning beautiful scenery, a beautiful landscape; *det ligger i sakens* ~ [*att* man...] it is in the nature of things (is quite natural) [that...]
natura, *in* ~ in kind
naturaförmåner emoluments [paid] in kind; vard. perks
naturahushållning primitive (gm byteshandel barter) economy
naturalisera naturalize
naturalism naturalism
naturalistisk naturalist[ic]
naturbarn child of nature
naturbegåvning, *ha* (*vara en*) ~ have (be a person resp. man osv. of) natural talents (gifts)
naturbeskrivning description of scenery (nature)
naturell *adj* natural
naturfenomen natural phenomen|on (pl. -a)
naturfolk primitive people
naturforskare [natural] scientist
naturfärgad natural-coloured
naturföreteelse natural phenomenon
naturgas natural gas
naturhistorisk, *~t museum* natural-history museum
naturkatastrof natural disaster
naturkraft natural (elemental) force
naturkunskap ss. skolämne science
naturkännedom knowledge of nature
naturlag natural law
naturlig allm. natural; *dö en ~ död* äv. jur. die from natural causes; *~t urval* biol. natural selection; *det ~a* hade varit att gå the natural thing (course)...
naturligtvis of course; *~!* ja (jo) visst äv. certainly!, sure!

naturliv 1 *~et* naturens liv ung. wildlife **2** *leva ~* lead an outdoor life
naturläkare nature healer; mera vetensk. naturopath
naturläkemedel nature-cure medicine; mera vetensk. naturopathic preparation
naturminne o. **naturminnesmärke** natural monument (landmark)
naturnödvändighet absolute (physical, natural) necessity; *med ~* with absolute necessity
naturprodukt natural product
naturreligion nature religion
naturreservat nature reserve
naturriket the natural kingdom
naturrätt jur. natural law
natursiden real silk
naturskyddsområde nature reserve
naturskön ...of great natural beauty; *det ~a* Dalarna ...with its beautiful scenery
naturtillgång natural asset; *~ar* äv. natural resources
naturtrogen ...true to life
naturvetare scientist; studerande science student
naturvetenskap [natural] science
naturvetenskaplig scientific
naturvetenskapsman scientist
naturvård nature conservation
naturvårdsverk, *Statens ~* the [Swedish] National Environment Protection Board
nautisk sjö. nautical
nav hub; propeller~ boss
navel anat. navel
navelsträng navel-string
navigation navigation
navigatör navigator
navigera navigate
navkapsel hub-cap
nazism, ~*[en]* Nazism
nazist Nazi
nazistisk Nazi
neandertalare o. **neandertalmänniska** Neanderthal man
Neapel Naples
nebulosa astron. nebul|a (pl. -ae)
necessär toilet (vanity) bag (case)
ned down; nedför trappan downstairs; *uppifrån och ~* from top to bottom; *[längst] ~ på* sidan at the [very] bottom of...; *ända ~* right (all the way) down (to the bottom)
nedan I *s* wane; *månen är i ~* the moon is on the wane **II** *adv* below; *här ~* i skrift below; *se ~!* see below (längre fram further on el. down)!
nedanför I *prep* below; t.ex. trappan at the foot of; söder om [to the] south of **II** *adv* [down] below; söder därom to the south [of it]
nedanstående nedan angiven o.d. the...[mentioned] below
nedbantad, *~ budget* reduced budget
nedbruten, *vara ~* bildl.: knäckt, slut be broken [down]; av t.ex. dålig hälsa be shattered
nedbrytbar kem. degradable, decomposable; *biologiskt ~* biodegradable
nedbäddad, *ligga ~* have been tucked up in bed
neddrag|en, *-na mungipor* a drooping mouth; *med mössan ~ i pannan* with one's (his etc.) cap drawn (pulled) down over one's (his etc.) forehead
nederbörd meteor. precipitation; i väderrapport vanl.: regn rainfall, snö snowfall
nederbördsområde meteor. precipitation area; vanl. i väderrapport rainfall (resp. snowfall) area
nederdel lower part
nederlag mil. defeat äv. sport. el. friare; *lida ~* äv. be defeated
nederländare Netherlander, Dutchman
Nederländerna the Netherlands
nederländsk vanl. Dutch; officiellare Netherlands...
nederländska (jfr *svenska*) **1** kvinna Netherland woman **2** språk vanl. Dutch
nederst at the [very] bottom; *~ på* sidan äv. at the foot of...
nedersta, *[den] ~* hyllan the lowest (bottom)...; *~ våningen* vanl. the ground (amer. first) floor
nedfall, *[radioaktivt] ~* [radioactive] fallout
nedfrysning refrigeration; med. äv. (total) hypothermia
nedfällbar om t.ex. sufflett, ...that can be lowered (let down); *~ sits (stol)* tip-up seat
nedför I *prep* down; *~ backen* äv. downhill **II** *adv* downward[s]
nedförsbacke downhill slope, descent; *vi hade (det var) ~* hela vägen it (the road) was downhill [for us]...
nedgående I *s,* solen *är i (på) ~* ...is going down (setting) **II** *adj* om solen setting
nedgång 1 till källare way (trappa stairs pl.) down **2** om himlakroppar setting; sjunkande decline äv. om kultur o.d.; fall; minskning decrease; *solens ~* sunset
nedgången 1 om sko down at heel **2** utarbetad o.d. worn out
nedgörande om kritik scathing
nedhukad, *sitta ~ över* en bok (en blomma) sit crouched (crouching) [down] over...
nedhängande ...hanging down; fritt suspended
nedifrån I *prep, ~* gatan (hamnen) from...[down] below **II** *adv* from below (underneath); femte raden *~* äv. from the bottom

nedisad överisad ...covered with ice; geol. glaciated; vingarna *var ~e* ...had iced up
nedkalla bildl. ~ frid *över ngn* call down...on a p.
nedklottrad se *fullklottrad*
nedkomma, ~ *med en son* give birth to a boy, be delivered of a boy
nedkomst förlossning delivery
nedlusad lousy, lice-infested; *vara ~ med pengar* vard. be lousy (filthy) with money
nedlåta, ~ *sig* förnedra sig stoop, descend [*till* ngt to...; *till att* inf. to ing-form]; behaga condescend [*till* ett svar to give...; *till att* inf. to inf.]
nedlåtande överlägsen condescending
nedlägga se *lägga* [*ned*]
nedläggelse av verksamhet discontinuation; inställelse shutting-down; stängning closing-down
nedläggningshotad om t.ex. fabrik ...threatened with closure (closing-down)
nedre (*nedra*) lower; ~ *ändan* av bordet äv. the bottom...
nedresa journey down (söderut southwards)
nedrig gemen mean, dirty
nedringd, *bli* [*fullständigt*] ~ be showered with telephone calls
nedrusta disarm
nedrustning disarmament; begränsning arms limitations (reduction)
nedrustningsförhandlingar disarmament (begränsning arms limitation) negotiations
nedräkning inför start countdown
nedsatt, *ha ~ hörsel* have reduced (svag. impaired) hearing, be hard of hearing; *till ~ taxa* at a reduced (t.ex. tele. äv. cheap) rate
nedskrivning hand. writing-down; ibl. depreciation; av valuta m.m. devaluation
nedskräpning littering [up]
nedskärning minskning reduction; cut
nedslag 1 på skrivmaskin stroke **2** blixt~ stroke of lightning; mil., projektils [point of] impact
nedslagen bildl. depressed, dejected
nedsliten worn down; om maskin run-down
nedslående bildl. disheartening, discouraging; resultatet *blev ~* ...was (proved) disappointing
nedsläpp i ishockey face-off; *göra ~* face off
nedsmittad, *bli ~* become infected; catch an infection [*av* ngn from...]
nedsmutsad om t.ex. händer very dirty
nedsmutsning dirtying; av t.ex. luften, luftförorening pollution, contamination
nedstämd bildl. depressed
nedstänkt, *bli ~* get splashed (spattered, sprinkled) all over
nedsättande förklenande disparaging; om yttrande o.d. depreciatory
nedsättning sänkning lowering; minskning reduction; pris~, amer. äv. markdown; av hörsel o.d. impairment
nedsövd anaesthesized, ...under an anaesthetic
nedtill at the foot (bottom), down in the lower part; därnere [down] below
nedtrappning de-escalation; gradvis avveckling phasing out; av t.ex. konflikt defusing
nedtryckt bildl. depressed
nedtyngd bildl. ...weighed down
nedväg, *på ~en* on the (one's) way (resa journey) down (söderut southwards, down south)
nedvärdera 1 ekon. reduce the value of, depreciate **2** bildl. belittle
nedåt I *prep* allm. down; längs [all] down along; gå ~ *staden* ...down towards (in the direction of) town **II** *adv* allm. downwards; räkna (sy) *uppifrån* [*och*] ~ ...from above downwards
nedåtgående I *s, vara i ~* om konjunkturer o.d. be on the downgrade, have a downward trend (tendency) **II** *adj* om pris falling; om tendens downward
nedärvd ...passed on (transmitted) by heredity, hereditary
negation negation
negativ I *adj* negative **II** *s* foto. negative
neger black, Negro; neds. blackie
negera negate; *~d* sats vanl. ...containing a negative
negerande negative
negligé negligee
negligera allm. neglect, overlook; strunta i ignore
negress Negress
nej I *interj* **1** no; ~ *då!* visst inte oh, [dear me,] no!; not at all!; stark. certainly not! **2** med försvagad innebörd well; uttr. förvåning o.d. oh!; ~ *nu måste jag gå!* well, I must be off [now]!; ~ *men Bo* [*då*]*!* oh, Bo! **II** *s* no; avslag refusal; *tacka ~ till ngt* decline a. th. with thanks
nejlika 1 bot., stor, driven carnation; enklare pink **2** krydda clove
nejröst no, vote against; *~erna är i majoritet* the nays (noes) have it
neka I *itr* deny; *han ~de bestämt till att ha gjort det* he flatly denied having done it **II** *tr* vägra refuse; ~ *ngn sin hjälp* refuse to help a p.
nekande I *adj* vanl. negative; *ett ~ svar* avslag a refusal **II** *adv, svara ~* reply (answer) in the negative **III** *s,* dömas *mot sitt ~* ...in spite of one's denial [of the charge]
nekrolog obituary [notice]
nektar bot. el. bildl. nectar
nektarin nectarine
neon neon

neonljus neon light
neonskylt neon sign
Neptunus astron. el. mytol. Neptune
ner o. sms., se *ned* o. sms.
nere allm. down; deprimerad down [in the dumps]; ~ *i stan* in the centre of the town; amer. downtown; ~ *på* down on (botten at)
nerv nerve; bot. äv. vein, rib; bildl.: känsla feeling; kraft vigour; *ha dåliga ~er* have weak (shattered) nerves; *han (det) går mig på ~erna* he (it) gets on my nerves
nervcell nerve cell
nervgas nerve gas
nervig vard. highly-strung
nervkittlande thrilling
nervknippe bundle of nerves äv. bildl.
nervkollaps nervous breakdown
nervositet nervousness
nervpirrande se *nervkittlande*
nervpress nervous strain
nervpåfrestande nerve-racking
nervryckning nervous spasm
nervsammanbrott nervous breakdown
nervsjuk neurotic
nervsjukdom nervous disorder
nervspecialist nerve specialist
nervspänning nervous strain
nervsystem nervous system; *centrala ~et* the central nervous system
nervvrak nervous wreck
nervös allm. nervous; tillfälligt edgy, fidgety; rastlös restless; ~ *[av sig]* highly-strung; vard. nervy; *bli inte ~!* don't get excited!, keep calm!
netto I *adv* net; *betala [per] ~ kontant* pay net cash **II** *s, i rent ~* net (clear) profit
nettobelopp net amount (sum)
nettoinkomst net income (förtjänst profit, intäkter proceeds pl.)
nettolön net wages; månadslön net salary; mera allm. net pay; vard. takehome pay
nettopris net [cost] price
nettovikt net weight
nettovinst net (clear) gain (profit)
neurolog neurologist
neuros psykol. neuros|is (pl. -es)
neurotiker psykol. neurotic
neurotisk psykol. neurotic
neutral neutral
neutralisera neutralize
neutralitet neutrality
neutralitetspolitik policy of neutrality
neutron fys. neutron
neutrum genus the neuter [gender]; *i ~* in the neuter
ni you; *er* you; rfl. your|self (pl. -selves)
1 nia, ~ *ngn* address a p. as 'ni' [instead of using the familiar word 'du']
2 nia 1 siffra nine; jfr *femma* **2** vard., ansikte clock
Nicaragua Nicaragua
nick 1 allm. nod **2** fotb. header
nicka 1 allm. nod; ~ *till* somna drop off [to sleep] **2** fotb. head; ~ *bollen i mål* (*in bollen i mål*) head the ball into goal
nickel metall nickel
nidbild scurrilous (malicious) portrait
nidingsdåd wicked (dastardly) outrage
nidvisa satirical ballad (song)
niga curts[e]y
Nigeria Nigeria
nigning curts[e]y; nigande curts[e]ying
nikotin nicotine
nikotinförgiftning nicotine-poisoning
Nilen the Nile
nio nine
nionde ninth
niondedel ninth [part]; jfr *femtedel*
nippran vard. *få ~* go off one's nut (chump)
nipprig vard. crazy, nuts
nirvana relig. el. friare nirvana
nisch niche äv. bildl.
1 nit iver zeal; stark. ardour, fervour
2 nit lott el. bildl. blank; *gå på en ~* vard., kamma noll draw a blank, get nowhere
3 nit tekn. rivet
nita 1 ~ *[fast]* rivet *[vid* [on]to*]* **2** ~ *[till]* vard., slå till bash
nitisk ivrig zealous; trägen assiduous; stark. ardent; *alltför ~* over-zealous
nitlott se *2 nit*
nitrat kem. nitrate
nitroglycerin kem. nitroglycerin[e]
nittio ninety
nittionde ninetieth
nitton nineteen
nittonde nineteenth; jfr *femte*
nittonhundratalet the twentieth century; jfr *femtonhundratalet*
nivå level; *hålla sig (vara) i ~ med* keep (be) on a level with
nivåskillnad difference in level (altitude)
njugg knusslig parsimonious; med (på) ord sparing; knappt tilltagen scanty
njure kidney
njursten stone in the kidney[s]; vetensk. renal calcul|us (pl. -i)
njurtransplantation kidney transplantation; *en ~* a kidney transplant
njuta I *tr* enjoy **II** *itr* enjoy oneself; ~ *av ngt* (*av att resa*) enjoy a th. (travelling); stark. delight (take delight) in a th. (in travelling)
njutbar enjoyable; aptitlig appetizing; smaklig palatable äv. bildl.
njutning enjoyment; stark. delight; *en sann (verklig) ~ för* ngn a real pleasure for...; ögat (örat) a real feast for...
njutningslysten pleasure-seeking, pleasure-loving
njutningsmedel stimulant; lyx luxury

Noak Noah; ~*s ark* Noah's ark
nobba vard. say no to; ~ *ett anbud* turn an offer down
nobben, *få* ~ vard. get the brush-off, be turned down, be cold-shouldered
nobel noble
nobelpris Nobel Prize
nobelpristagare Nobel Prize winner
nock 1 byggn. ridge **2** sjö., gaffel~ gaff-end; rå~ yardarm
nog 1 enough; *han var fräck ~ att* inf. he had the cheek to inf.; *stor ~* (*~ stor*) large enough, sufficiently large; ha *mer än ~* äv. ...enough and to spare; *man kan aldrig vara ~ försiktig* you (one) can't be too careful **2** ganska m.m. *konstigt ~* kom hon curiously enough...; *nära ~* se *nästan* **3** förmodligen probably; säkerligen no doubt; helt säkert certainly; *han är ~* förmodligen *snart här* äv. I expect he will soon be here; *ni förstår mig ~* säkerligen äv. you will understand me [, no doubt (I am el. feel sure)]; *det skall jag ~ ordna!* I'll see to that [don't worry]!; *~ ser det så ut* it certainly looks like it; it looks like it, I (you osv.) must admit
noga I *adv* precis o.d. precisely, exactly; ingående closely; in i minsta detalj minutely; omsorgsfullt carefully; *akta sig ~ för att* inf. take great (good) care not to inf.; *lägga ~ märke till...* note (mark)...carefully; *se ~ på ngt* look closely at a th., scrutinize a th. closely **II** *adj* omsorgsfull careful; kinkig particular; fordrande exacting; *vara ~ med att* inf. äv. make a point of ing-form; *det är inte så ~* [*med det*]*!* it's not all that important!
noggrann omsorgsfull careful; exakt accurate, exact; ingående close; sträng strict
noggrannhet carefulness
nogräknad particular; isht moraliskt scrupulous
nojsa skoja be up to fun (larks); flörta flirt
noll nought (amer. naught); amer. vard. zilch; på instrument zero; isht i telefonnummer O [utt. əʊ]; *det är ~ grader* Celsius the thermometer is at zero (freezing-point); *leda med 30-0* i tennis lead thirty love
nolla eg. nought (amer. naught); *en ~* om pers. a nobody (nonentity, cipher)
nollgradig, *~t* vatten ...at freezing temperature
nollpunkt zero [point]; elektr. neutral [point]
nollställd om mätare o.d. set at (reset to) zero; *han är helt ~* vard., dum he's a complete moron
nolltaxerare taxpayer who pays no income tax due to deductions that exceed tax on gross income
nolltid, *på ~* vard. in [less than] no time
nolltillväxt ekon. zero (nil) growth
nolläge zero (neutral) position
noloma *s* noloitis
nomad nomad
nomadfolk nomadic people
nomenklatur nomenclature
nominativ gram. ~[*en*] the nominative
nominell nominal; *~t värde* äv. face value
nominera nominate
nominering nomination
nonchalans nonchalance; inställning nonchalant attitude; vårdslöshet carelessness; försumlighet negligence; likgiltighet indifference
nonchalant nonchalant; vårdslös careless; försumlig negligent; likgiltig indifferent
nonchalera pay no attention to; person, medvetet cold-shoulder; försumma neglect
nonsens nonsense, rubbish
nonstop non-stop
noppa I *tr* ögonbryn pluck; fågeln *~r sina fjädrar* ...is preening its feathers **II** *rfl, ~ sig* om tyg form burls (knots)
noppig om tyg burled
nord north (förk. N)
Nordafrika som enhet North Africa; norra Afrika Northern Africa
nordafrikansk North African
Nordamerika North America
nordamerikansk North American
nordan o. **nordanvind** north wind
nordbo Northerner; skandinav Scandinavian
Norden Skandinavien the Scandinavian (mer officiellt Nordic) countries, Scandinavia
Nordeuropa the north of Europe
nordeuropeisk North European
Nordirland polit. Northern Ireland; norra Irland the north of Ireland
nordisk allm. northern; skandinavisk Scandinavian; mer officiellt Nordic
Nordkap the North Cape
Nordkorea North Korea
nordkust north coast
nordlig från el. mot norr, riktning, läge northerly; i norr northern
nordligare I *adj* more northerly **II** *adv* farther to the north
nordligast I *adj* most northerly, northernmost **II** *adv* farthest north
nordost I *s* väderstreck the north-east (förk. NE); vind north-easter **II** *adv* north-east (förk. NE)
nordostlig north-east[ern]
nordpol, *~en* the North Pole
nordsida north[ern] side
Nordsjön the North Sea
Nordsverige the north of Sweden, Northern Sweden
nordväst I *s* väderstreck the north-west (förk.

NW); vind north-wester **II** *adv* north-west (förk. NW)
nordvästlig north-west[ern]
nordvästra the north-west[ern]..., jfr *norra*
nordöst se *nordost I* o. *II*
nordöstlig se *nordostlig*
nordöstra the north-east[ern]..., jfr *norra*
Norge Norway
norm måttstock standard; rättesnöre norm; regel rule
normal normal; genomsnitts- average, mean; *under ~a förhållanden* äv. normally
normalbegåvad ...of average (normal) intelligence
normalfall, *i ~et* normally
normalisera normalize äv. dipl.; genomföra enhetlighet i standardize
normalstorlek normal (standard) size
normalt normally; *förlöpa ~* take a (its, resp. their) normal course
normaltid standard time
normera standardize; reglera regularize
normgivande normative; *vara ~ för* äv. be a standard for
norr I *s* väderstreck the north **II** *adv* [to the] north
norra t.ex. sidan the north; t.ex. delen the northern; framför landsnamn o.d. the north of, Northern; *~ halvklotet* the Northern hemisphere; *i ~* Stockholm in the north of...
norrifrån from the north
norrländsk ...of Norrland, Norrland...
norrlänning Norrlander
norrman Norwegian
norrsken aurora borealis lat.; northern lights
norrut åt norr northward[s]; i norr in the north
norsk Norwegian; hist. Norse
norska 1 kvinna Norwegian woman **2** språk Norwegian
nos 1 zool.: om fyrfotadjur i allm. el. vard., 'näsa' nose; om häst muzzle **2** tekn., spets nose
nosa sniff; *~ på ngt* sniff (smell) at a th.; bildl. *~ upp* (*reda på, rätt på*) nose (sniff) out; om pers. äv. find out
noshörning rhinoceros (pl. -es el. lika)
nostalgi nostalgia
nostalgisk nostalgic
not mus., nottecken note; fot~ footnote; *~er* nothäfte[n] music sg.
nota 1 räkning bill; isht hand. account; *kan jag få ~n?* the bill (amer. äv. the check), please! **2** lista list
notarie [recording (articled)] clerk
notblad mus. sheet of music
notera anteckna note (take) down; konstatera note; bokföra enter, book; uppge (fastställa) priset på quote; sport. el. friare record; t.ex. framgång score
notering noterande noting down osv.; *en ~* a note, an entry, a quotation, a record
nothäfte bok music [book]; mindre sheet of music
notis 1 meddelande o.d. notice; i tidning vanl. [short] paragraph, kortare [news] item; tillkännagivande announcement **2** *inte ta ~ om* take no notice (heed) of
notorisk notorious
notpapper mus. music paper
notställ mus. music stand
nottecken mus. note
nougat soft chocolate nougat; *fransk ~* [French] nougat
novell short story
novellsamling collection of short stories
november November (förk. Nov.); jfr *april* o. *femte*
novis novice
nu I *adv* **1** now; vid det här laget by now; *~ gällande* priser ruling (current)...; han har bott här *i snart 30 år ~* ...for nearly (for what will soon be) thirty years; *först* (*inte förrän*) *~ har jag sett...* not until now have I seen...; *~* (då) brast hans tålamod then... **2** obeton., med försvagad tidsbet. *för att ~* ta ett exempel just to...; *om ~* saken förhåller sig så if... **II** *s, ~et* the present, the present time (moment resp. day); *i detta* (*samma*) *~* at this (the same) moment
nubb tack; koll. tacks
nubbe glas brännvin snaps (pl. lika)
nudda, *~* [*vid*] touch, brush against; skrapa lätt graze
nudel kok. noodle
nudism nudism
nudist nudist
nuförtiden nowadays, these days; *ungdomen ~ är...* the young people of today..., young people today...
nukleär fys. nuclear
nuläge, *i ~t* as things are at present
numera nu now
numerisk numerical
numerus gram. number
numerär I *s* number; partis [numerical] strength **II** *adj* numerical
nummer number; exemplar copy; om hela upplagan issue; sko~ size; i samling, på program item; varieté~ turn; *slå ett ~* tele. dial a number; *göra ett stort ~ av* ngt make great play (a great feature, ngn a great fuss) of...
nummerlapp kölapp queue [number] ticket
nummerordning numerical order
nummerplåt bil. number (amer. vanl. license) plate
nummerskiva tele. dial

nummerskylt bil. number (amer. vanl. license) plate
nummerupplysning tele. *~en* directory enquiries pl. (amer. assistance)
numrera number; *~d plats* vanl. reserved seat
numrering numbering; paginering pagination
nunna nun; *bli ~* äv. take the veil
nunnekloster convent, nunnery
nutid, *~en* [the] present times pl.; *~ens* krav present-day...; människor (ungdom) äv. ...of the present day (age)
nutida ...of today; modern modern; tidsenlig up to date
nutidsmänniska person (pl. people) of today; *~n* people pl. of today, modern man
nuvarande present; dagens ...of today; *i ~ stund* at the present moment
ny new; nutida, modern modern; hittills okänd novel; färsk fresh; nyligen inträffad recent; handduken är smutsig, ge mig *en ~* en annan ...another [one]; en ren a clean (new) one; *ett ~tt* annat *pappersark* a fresh sheet of paper; *på ~tt* once more, [over] again; *~are* böcker (forskningar) recent...; metoder novel...
Nya Guinea New Guinea
nyanlagd recently (newly) built; *den ~a fabriken* äv. the new factory
nyanländ newly (recently) arrived; *den är ~* it has recently arrived
nyans shade; skillnad slight difference; anstrykning tinge; betydelse~ shade of meaning
nyansera avtona shade off; variera vary, nuance
nyanserad shaded-off, varied, jfr *nyansera; en mera ~* uppfattning a less rigid...
nyanskaffning new purchase (acquisition)
nyanställa, *~ 25 man* i fabrik employ 25 new hands
nyanställd newly (recently) employed; *han är ~* he has been newly employed
Nya Zeeland New Zealand
nybakad o. **nybakt 1** newly baked **2** bildl. newly-fledged
nybearbetning new adaptation
nybildad recently formed; ...of recent formation
nybliven, *en ~* bilägare a person who has recently (just) become a...; student a newly-fledged...
nybyggare allm. settler
nybyggd recently (newly) built; *den är ~* it has been recently etc. built
nybygge 1 hus under byggnad house under construction; färdigt new building **2** koloni colony
nybörjare beginner, tyro (pl. -s)
nybörjarkurs beginners' course
nyck hugskott, påfund fancy; infall whim
nyckel key; bildl. äv. (ledtråd) clue
nyckelben collar bone; vetensk. clavicle
nyckelfigur key figure
nyckelhål keyhole
nyckelknippa bunch of keys
nyckelord keyword; till korsord clue
nyckelpiga ladybird; amer. vanl. ladybug
nyckelposition key position
nyckelring key-ring
nyckelroll key role (part)
nyckfull oberäknelig erratic, unpredictable äv. om väder; godtycklig arbitrary
nyckfullhet capriciousness, unpredictability
nydanare breaker of new ground; nyskapare innovator
nyetablering, *~en av industrier* the setting up of new industries
nyfascism, *~[en]* neo-Fascism
nyfiken curious; frågvis inquisitive; neds. prying; vard. nosy
nyfikenhet curiosity; frågvishet inquisitiveness; *av ren ~* out of sheer curiosity
nyfödd eg. new-born...; om hopp new
nyförlovad, *de ~e* the recently-engaged (newly-engaged) couple
nyförvärv new (recent) acquisition (t.ex. fotbollsspelare signing)
nygift newly married; *de är ~a* äv. they have just been (have been recently) married
nyhet 1 något nytt, ny sak novelty; nytt påfund innovation; nytt drag new feature; *den senaste ~en i hattväg* äv. the last word (latest fashion) in hats; *~er på bokmarknaden* äv. new publications **2** underrättelse *~[er]* news sg.; i tidning news item[s]; *jag kan tala om en ~* något nytt *[för dig]* I have got [some (a piece of)] news for you
nyhetsbyrå news agency
nyhetssammandrag news summary (round-up); *ett ~* äv. the news in brief
nyhetssändning se *nyhetsutsändning*
nyhetsuppläsare i radio o. TV newscaster
nyhetsutsändning radio. news broadcast
nyinkommen ...that has (had osv.) just come in (arrived, mottagen been received), newly arrived
nyklippt om hår ...that has (had osv.) just been cut; *jag är ~* I have just had my hair cut
nykläckt newly hatched
nykokt freshly boiled
nykomling allm. newcomer; nyligen anländ new (fresh) arrival
nykter eg. sober; måttlig temperate; saklig matter-of-fact
nykterhet allm. el. bildl. sobriety;

avhållsamhet från alkohol temperance, abstemiousness
nykterhetsrörelse temperance movement
nykterist teetotaller
nyktra, ~ *till* become sober [again], sober up; bildl. sober down
nyköpt ...that has (had etc.) been recently (newly) bought (purchased); *den är ~ för i år* it was just bought this year
nylagad kok. freshly made
nyligen recently, newly
nylon nylon
nylonstrump|a nylon stocking; *-or* äv. nylons
nymald o. **nymalen** freshly ground
nymf nymph
nymodig modern; neds. newfangled
nymodighet modernity; neds. newfangledness; *en ~* nytt påfund a newfangled thing (idé idea)
nymålad freshly (newly, recently) painted; bänken *är ~* äv. ...has just been (has been recently) painted
nymåne new moon
nynazism, ~*[en]* neo-Nazism
nynna hum
nyordning reorganization; polit. el. hist. new order
nyp pinch
nypa I *s* **1** hålla ngt *i ~n* ...in one's hand; lyfta (ta) ngt *med ~n (nyporna)* ...with one's fingers **2** *en ~* smula t.ex. mjöl a pinch of...; frisk luft a breath (mouthful) of...; *ta ngt med en ~ salt* bildl. take a th. with a grain (pinch) of salt **II** *tr* pinch, nip; *~ av* pinch...off (itu in two)
nypon frukt [rose] hip
nyponbuske dogrose [bush]
nyponros bot. dogrose
nyponsoppa rosehip soup
nypremiär revival; *ha ~* vanl. be revived; om pjäs äv. be given a new production
nypåstigen, *några nypåstigna?* järnv. any more tickets, please?
nyrakad newly shaved (shaven); *han är ~* äv. he has recently shaved (blivit rakad been shaved)
nyrenoverad newly renovated; *den är ~* it has been newly renovated
nys, *få ~ om* get wind of
nysa, ~ *[till]* sneeze
nysilver [electroplated] nickel silver (förk. EPNS); skedar *av ~* electroplated...
nyskapande I *adj* innovative; om t.ex. fantasi creative **II** *s* innovation
nyskapare innovator; *en ~ av* andliga värden a creator of new...
nyskapelse new creation
nysning nysande sneezing; *en ~* a sneeze
nysnö newly-fallen snow
nyss 1 från nu räknat *hon gick ~* she left just now; *hon har ~ gått* she has just left; *en ~ utkommen* bok a...that has just come out (appeared), a recent... **2** från då räknat just [then]; *han hade [alldeles] ~ ätit middag, när...* he had [only] just had dinner, when...
nysta wind; *~ av* unwind; *~ upp* från ett nystan unwind...
nystan ball
nystartad recently (newly) started; firman *är ~* ...has been recently etc. started
nyter, *glad (pigg) och ~* bright and cheery
nytillskott tillskjutet bidrag additional (extra) contribution; tillökning new addition (acquisition)
nytolkning reinterpretation
nytryck reprint
nytt se *ny*
nytta use; fördel advantage; varaktig ~ benefit; vinst profit; *dra ~ av* ngt benefit (profit) by..., derive advantage from...; *få ~ av* ngt find...of use (useful, of service); kan jag *göra (vara till) någon ~?* ...be of [any] help?; nu måste jag *göra någon (litet) ~* ...get something done; *vara ngn till stor ~* be of great use to a p.
nyttig allm. useful; till nytta ...of use (service); hälsosam, bra (äv. bildl.) wholesome; *det blir ~t för honom* äv. it will do him good
nyttighet usefulness; utility äv. konkr.; hälsosamhet wholesomeness
nyttja, *~ sprit* drink alcohol (spirits)
nyttoföremål article for everyday use
nyttotrafik commercial traffic
nyttoväxt utility plant
nytvättad newly washed; *jag är ~ i håret* I have just washed my hair
nyutkommen, *en ~* bok a recent..., a...that has just come out (appeared)
nyutnämnd newly appointed
nyvaknad newly awakened äv. bildl.; hon (patriotismen) *är ~* ...has been newly awakened
nyval new election
nyzeeländare New Zealander
nyår new year; ss. helg New Year
nyårsafton, ~*[en]* New Year's Eve
nyårsdag, ~*[en]* New Year's Day
nyårslöfte New Year resolution
nyårsvaka, *hålla ~* see the New Year in
nyårsönskan o. **nyårsönskning** wish for the New Year
1 nå well!; förmanande now then!
2 nå I *tr* reach; t.ex. marken get (come) to; uppnå attain; med viss ansträngning achieve; *han ~ddes av underrättelsen* the news reached him **II** *itr* reach; *så långt ögat ~r* as far as the eye can reach; *han ~r mig till axeln* he comes up to my shoulder
nåd 1 isht relig. grace; barmhärtighet mercy;

ynnest favour; *det var en Guds ~* att... it was a great mercy...; *få ~* be pardoned (om dödsdömd reprieved); *ta ngn till ~er* restore a p. to favour **2** titel *Ers ~* Your Grace
nådastöt coup de grâce fr.; deathblow båda äv. bildl.; *ge ngn ~en* put a p. out of his (resp. her) misery
nådatid [period of] grace
nåde, *Gud ~ dig, om du...* God help you if you...
nådeansökan o. **nådeansökning** petition for mercy
nådig gracious; isht relig. äv. (barmhärtig) merciful; nedlåtande condescending
någon (*något några*) *indef pron* **a)** 'en viss' o.d. some, someone, somebody; 'en (ett)' one, a, an; 'ett eller annat' some, something; 'somliga', 'några stycken' o.d. some; 'några få' a few **b)** 'någon (osv.) alls' any, anybody, anyone, anything; 'en (ett)' a, one
I fören. *har du inte ~ gång* önskat...? haven't you at any time...?; *har du ~* en *cigarett?* have you [got] (amer. do you have) a cigarette?; *om det skall bli* (*vara*) *till ~ nytta* if it is to be of any (åtminstone någon some) use; *om ~ vecka* in about a week, in a week or so
II med underförstått huvudord **a)** one; *något av* 'någon del av' vanl. some of; 'något som påminner om' o.d. something of **b)** any; 'en (ett)' one: har du någon cigarett? -Ja, jag tror *jag har ~ här* ...I have one here
III utan underförstått huvudord *någon* a) somebody, someone b) anybody, anyone; *något* a) something b) anything; *om ~ söker mig* if anybody (någon viss person somebody) calls; *han, om ~,* bör veta det he if anybody...; *jag har något viktigt* att säga I have something important (something of importance, an important thing)...; han vägrade, *något som* (vilket) *förvånade mig* ...which astonished me; han är *något för sig* ...not like other people; *om du vore något till karl* if you were a real man
några **a)** some; 'några människor' vanl. some people; 'några få' a few **b)** any; 'några människor alls' vanl. any people; *några* bananer *hade han inte* he hadn't got any...; *de, om några* bör veta det they, if any...
någondera (*någotdera*) av två vanl. either; han gick inte med på *någotdera av förslagen* ...either (om flera än två any [one]) of the proposals
någonsin ever; *aldrig ~* never; *om du ~ skulle behöva pengar* if ever (at any time) you should want money
någonstans somewhere resp. anywhere; *var ~* hittade du den? where[abouts]...?
någonting oftast something resp. anything; för ex. se ex. med *något* under *någon*; *inte ~* jfr äv. *ingenting*
någonvart se *2 vart* ex.
någorlunda I *adv* fairly, tolerably, pretty **II** *adj* fairly good
något I *indef pron* se *någon* **II** *adv* en smula o.d. somewhat; vard. a bit; känslobet. rather
någotsånär fairly osv., jfr *någorlunda*
några se *någon III*
nåja, ~, gör som du vill då*!* [oh] well, ...!
nål needle; grammofon~ styl|us (pl. äv. -i); att fästa med el. för prydnad pin; *sitta som på ~ar* be on pins and needles
nåla, *~ fast ngt* på (vid)... pin a th. on [to...]
nåldyna pincushion
nålstick o. **nålsting** stick pinprick äv. bildl.
nålsöga eye of a (resp. the) needle
nåväl nå well!; då så all right!
näbb bill; isht små- el. rovfågels beak; *försvara sig med ~ar och klor* defend oneself tooth and nail
näbbgädda bildl. saucy girl (thing), minx
näbbig saucy
näbbmus zool. shrew[mouse]
1 näck water sprite; *Näcken* the evil spirit of the water
2 näck vard., naken naked; *bada ~* äv. bathe in the altogether, skinny-dip
näckros bot. water lily
näktergal zool. thrush nightingale; sydnäktergal nightingale
nämligen 1 ty for; eftersom since; emedan as; ser ni you see; ofta utan motsv. *staden var tom. Det var ~ söndag och...* the town was empty. It was Sunday and...; the town was empty, it being (for it was) Sunday and... **2** framför uppräkning el. som närmare upplysning namely; i skrift ofta viz. (läses vanl. namely); ibl. that is to say; *fem världsdelar, ~* Europa, Asien osv. five continents, namely (viz.)...
nämna omnämna mention; säga say; uppge, ange state; i ditt brev *nämnde du att* ...you mentioned (told me) that; *~ ngn vid namn* mention a p. by [his resp. her] name
nämnare matem. denominator
nämnd jur., ung. panel of lay assessors; utskott committee; kommission commission
nämndeman jur., ung. lay assessor
nämnvärd, *ingen ~* (*inga ~a*)... no...to speak of (worth mentioning, of any note); *utan ~* förlust äv. without [any] appreciable...
nämnvärt, situationen *har inte ändrats ~* ...has not changed appreciably (to any appreciable extent)
näpen nice äv. iron.; pretty; amer. äv. cute
näppeligen knappast hardly
näpst rebuke; chastisement
1 när I *konj* om tid when; *~...än* whenever

II *adv* **1** frågande when; hur dags at what time; *kan du säga ~ den blir färdig?* äv. can you say (tell me) how soon (by when)...? **2** *~ som helst* se under *helst 2*

2 när 1 eg. *från ~ och fjärran* from far and near **2** bildl. exakt vägt *på ett gram ~* ...within a gram[me]; *inte på långt ~* not by a long way (vard. a long chalk), nowhere near; alla klarade sig *så ~ som på en (på en ~)* ...except for one

1 nära I *adj* near; uttr. fysisk närhet el. större förtrolighet close; intim intimate; *i (inom) en ~ framtid* in the near (immediate) future **II** *adv* o. *prep* **1** near; helt nära close to (by), near (hard) by; t.ex. besläktad nearly; *~ förestående* se *förestående; hon har ~ till tårar[na]* har lätt för att gråta she is always ready to cry; är nära att brista ut i gråt she is on the verge of tears; *stå ngn ~* be very near (close) to a p.; *det var ~ att jag föll* I nearly (almost) fell **2** nästan, närapå almost

2 nära 1 föda nourish; underhålla support; underblåsa foment **2** se *hysa 2*

närande nourishing; stark. nutritious; kraftig sustaining, substantial

närbelägen nearby..., ...[situated] near (close) by; adjacent; neighbouring...

närbesläktad ...closely related (akin); kindred end. attr.

närbild close-up; Paris *i ~* a close-up [picture] of...

närbutik neighbourhood (corner) shop; isht amer. convenience store

närgången näsvis, fräck impertinent, forward; indiskret indiscreet; påflugen obtrusive; *vara ~ mot* take liberties with; göra sexuella närmanden mot make a pass at; amer. äv. (vard.) be (get) fresh with

närhelst whenever

närhet 1 grannskap neighbourhood; *i ~en av* äv. near [to] **2** abstr. (närbelägenhet) *~en till* vatten ökar tomtvärdet the nearness (proximity) to...

närig snål stingy; girig grasping

näring 1 föda nourishment äv. bildl.; food; näringsvärde sustenance; bildl. fuel; ryktet *fick ny ~* ...got fresh support **2** näringsgren *~[ar]* industry sg.

näringsfrihet freedom of trade

näringsgren branch of business (industry), industry

näringsliv [trade and] industry

näringspolitik ekon. economic (commercial) policy

näringsrik nutritious

näringsvärde nutritive (food) value

näringsämne nutritive (nutritious) substance (matter)

närkamp, *i ~* boxn. in infighting; fotb. o.d. in tackles (tackling)

närkontakt close contact

närliggande 1 eg., se *närbelägen* **2** bildl. *en ~* lösning, slutsats a...that lies near at hand, an obvious...

närma I *tr* bring...nearer (closer) båda äv. bildl. **II** *rfl, ~ sig* allm. approach; hitåt äv. come (ditåt äv. get) near[er]; *klockan ~r sig 10* vanl. it is getting near [to] ten o'clock

närmande, *göra vänskapliga (otillbörliga) ~n* make friendly (improper) advances; *göra* sexuella *~n mot ngn* make a pass at a p.; isht amer. be (get) fresh with a p.

närmare I *adj* nearer; genare more direct, kortare shorter; bildl.: om t.ex. bekantskap closer, om t.ex. vänskap, om t.ex. beskrivning, om t.ex. undersökning, ytterligare further; *vid ~ granskning* on [a] closer examination; *~* ingående *kännedom om* an intimate knowledge of, a thorough familiarity with; *~ upplysningar hos* further (more exact) particulars (information) may be obtained from **II** *adv* **1** allm. nearer; stark. closer; bildl. äv. t.ex. granska more closely; t.ex. beskriva more exactly; *~ bestämt* more exactly (precisely), to be precise; *ta ~ reda på ngt* find out more about a th. **2** inemot close [up]on; nästan nearly; *han är ~ femtio* he is getting (going) on for fifty **III** *prep* (t.ex. ~ stationen, sanningen) nearer [to]; *dra stolen ~ bordet* draw one's chair up (closer) to the table

närmast I *adj* nearest; omedelbar immediate; om t.ex. vän closest; närmast (näst) i ordningen next; två mil till *~e stad* ...the nearest town; *under de ~e dagarna efter...* during the days immediately after (succeeding, following)...; *den ~e släkten* vanl. the (resp. his el. her osv.) immediate family; *köra ~e vägen* drive the nearest (genaste most direct, kortaste shortest) way; *i det ~e* almost, nearly **II** *adv* **1** nearest; stark. closest; bildl., t.ex. ~ berörd most closely (intimately)...; närmast (näst) i ordningen next; *tiden ~* omedelbart *före* kriget the time immediately before...; *var och en är sig själv ~* every man for himself; *~ följande (föregående) dag* the (ss. adv. on the) very day after (before); *~ motsvarande* uttryck the...that comes closest (nearest) **2** först [och främst] first of all, in the first place (instance); främst primarily; huvudsakligen principally; i det närmaste almost **III** *prep* (t.ex. ~ dörren, värdinnan) nearest [to]; bredvid next to

närmevärde matem. approximate value

närradio community radio

närstrid mil. close combat

närstående om vän close; närbesläktad ...closely akin (related); *en mig ~ [person]* one of my intimates, a person close to me

närsynt short-sighted, near-sighted

närsynthet short-sightedness, near-sightedness; optik. myopia
närtrafik local services
närvara, ~ *vid* be present at; bevista, t.ex. sammanträde äv. attend
närvarande 1 tillstädes present; *vara ~ vid* bevista äv. attend, be at **2** nuvarande present; *för ~* for the present (time being), at present; amer. äv. presently
närvaro presence; *i vittnens (gästernas) ~* before (in the presence of) witnesses (the guests)
näs landremsa isthmus; udde foreland
näsa nose äv. bildl.; *gå dit ~n pekar* vard. follow one's nose; *inte se längre än ~n räcker* not see farther than (beyond) one's nose; *lägga sin ~ (~n) i blöt* poke (stick, put) one's nose into other people's business; *sätta ~n i vädret* toss one's head; bildl. put on airs, be stuck-up
näsben anat. nasal bone
näsblod nose bleed[ing]; *jag blöder (har) ~* my nose is bleeding
näsborre nostril
näsdroppar nose drops
näsduk handkerchief; vard. hanky
nässelfeber nettle-rash; vetensk. urticaria
nässla nettle
nässpray nasal spray
näst I *adv* next; *den ~ bästa* the second best; *den ~ sista* the last but one **II** *prep* after
nästa I *adj* next; *~ dag* nu följande next day, påföljande the next (following) day; *i ~* nummer in the next (därpå följande the following)... **II** *s* neighbour; *älska din ~* love your neighbour
nästan almost; praktiskt taget practically; *~ aldrig* hardly ever; stark. beton. almost never; *det är ~ omöjligt att segla* it is almost (all but) impossible to sail
näste nest äv. bildl.; rovfågels aerie, aery
nästipp tip of the (resp. one's) nose
nästkommande, *~ måndag* next Monday
nästla, *~ sig in hos ngn* ingratiate oneself with a p., worm (insinuate) oneself into a p.'s favour
nästäppa, *ha ~* vara nästäppt have one's nose blocked up
näsvis cheeky; oförskämd impudent
nät net; spindels web; tele. äv. system; elektr. mains; *ett ~ av lögner* a tissue of lies
näthinna anat. retina; *ha* en bild *på ~n* bildl. have...before one's eyes
nätkasse string (net) bag
nätspänning elektr. mains voltage
nätstrump|a net stocking; *-or* strumpbyxor fishnet tights, fishnets
nätt I *adj* söt pretty; isht amer. cute; prydlig neat; småelegant dapper; *en ~ summa* iron. a tidy sum, a pretty penny **II** *adv* prettily; *~ och jämnt* t.ex. undgå barely, narrowly; t.ex. hinna med tåget only just
nätverk bildl. network
näve fist; *en ~* sand a handful (fistful) of...
näver bot. birch-bark
nöd nödvändighet necessity; nödställd belägenhet distress, svag. trouble; trångmål straits; behov, brist need, svag. want; armod destitution; *lida ~* be in want (stark. need); *vara av ~en* be necessary (needed)
nödbedd, *vara ~* need pressing
nödbroms emergency brake
nödfall, *i ~* if necessary, if need arises; om det kniper at a pinch
nödgas be constrained (compelled, obliged) to inf.; have to inf.
nödhamn, *söka ~* put into a port of refuge
nödig 1 nödvändig necessary; *~a* t.ex. anvisningar äv. the...needed **2** vard. *jag är ~* I must go to the loo (amer. john), I must go somewhere
nödlanda make an emergency (forced) landing
nödlandning emergency (forced) landing
nödlidande necessitous; utarmad destitute; svältande starving; *de ~* subst. adj. those in want, the needy
nödläge distress
nödlögn white lie
nödlösning emergency (tillfällig temporary) solution (utväg expedient)
nödrop cry (call) of distress (rop på hjälp for help); han klarade sig *med ett ~* ...by the skin of his teeth
nödsaka, *se sig ~d att* find oneself compelled to inf.
nödsignal sjö. distress signal; per radio SOS [signal]
nödställd distressed, ...in distress; *de ~a* subst. adj. those in distress
nödtorft, *livets ~* the bare necessities pl. of life, enough to keep body and soul together
nödtorftig scanty
nödtvång, göra ngt *av ~* ...out of necessity, ...under compulsion
nödutgång emergency exit
nödvändig necessary; väsentlig essential; stark. vital; oumbärlig indispensable; erforderlig requisite; *det är ~t* äv. it is a necessity
nödvändiggöra necessitate; medföra entail
nödvändighet necessity; oumbärlighet indispensability
nödvändigtvis necessarily; *måste du ~* resa? vanl. must you really...?
nödvärn self-defence; *handla i ~* act in self-defence
nödår year of famine
nöja, *~ sig med* be satisfied (content) with, content oneself with; *han nöjde sig med*

inskränkte sig till *en kort kommentar* he confined himself to a short comment
nöjaktig tillfredsställande satisfactory; precis tillräcklig adequate
nöjd tillfredsställd satisfied; content; belåten pleased
nöje 1 glädje pleasure; stark. delight; njutning enjoyment; *ett sant (utsökt)* ~ a real treat; *mycket ~!* have a good time!, enjoy yourself! båda äv. iron.; *det skall bli mig ett* ~ I shall be delighted (very pleased el. glad); *finna ~ i* derive pleasure (enjoyment) from **2** förströelse amusement; tidsfördriv diversion, pastime
nöjesbransch, *~en* show business; vard. show biz
nöjesfält amusement park; enklare funfair; amer. carnival
nöjesliv underhållning entertainments, amusements; hon kastade sig in i *ett hektiskt* ~ ...a hectic life of pleasure
nöjeslysten ...fond of amusement
nöjesresa pleasure trip
1 nöt bot. nut; *en hård ~ att knäcka* bildl. a hard (tough) nut to crack
2 nöt 1 se *nötkreatur* **2** vard., dumbom ass
nöta, ~ *[på]* wear; kläder wear out; *~s* get worn (rubbed osv.); *~[s] av (bort)* wear off; ojämnheter (bildl.) rub off; *~ ut* wear out
nötboskap [neat] cattle
nötknäckare o. **nötknäppare** nutcrackers; *en ~* a pair of nutcrackers
nötkreatur [neat] cattle; *fem ~* five head of cattle
nötkärna kernel of a (resp. the) nut
nötkött beef
nötning wearing; stark. wear; isht bildl. wear and tear
nötskal nutshell; om båt cockleshell; *i ett ~* bildl. in a nutshell
nötskrika zool. jay
nött worn; om bokband o.d. rubbed; bildl. hackneyed
nötväcka zool. nuthatch

O

o bokstav o [utt. əʊ]
oaktat I *prep* notwithstanding; *det[ta]* ~ äv. for all that, all the same, nevertheless **II** *konj* although
oaktsamhet carelessness; *grov (ringa)* ~ gross (limited) negligence
oanad, *få ~e konsekvenser (följder)* have unforeseen (unsuspected) consequences
oangriplig unassailable
oansenlig insignificant, inconsiderable; om t.ex. lön modest; om t.ex. stuga humble; om utseende plain, ordinary
oanständig indecent; vard. dirty
oanständighet indecency; *~er* äv. indecent talk sg. (anmärkningar remarks, skämt jokes), smut sg.
oansvarig irresponsible
oantastlig se *oangriplig;* okränkbar inviolable
oanträffbar unavailable, not available; *han har varit* ~ hela dagen I (osv.) have been unable to get hold of him...; ej hemma he has not been at home...
oanvänd unused; om kapital o.d. idle; rummet *står oanvänt* ...is out of use (not used, not in use)
oanvändbar useless, of no use; unusable; ej tillämplig inapplicable
oaptitlig unappetizing
oartig ohövlig impolite
oas oasis (pl. oases) äv. bildl.
oavbrutet uninterruptedly, continuously; *arbeta ~ i 6 timmar* work for 6 hours on end (without a break, without respite)
oavgjort, *sluta* ~ sport. el. friare end in a draw
oavhängig independent
oavkortad eg. unshortened; om upplaga o.d. unabridged; om lön unreduced
oavkortat, *beloppet går ~ till* forskning the entire amount (the amount in full) will go to...
oavsett oberoende av irrespective of; frånsett apart from; ~ *vilka de är* no matter who they are, whoever they may be
oavsiktlig unintentional
oavvislig, *ett ~t krav* a claim that cannot be refused (rejected), an imperative demand
obalans unbalance; mera abstrakt disequilibrium; *komma i ~* get out of balance
obanad om terräng o.d. trackless; om stig o.d. untrodden äv. bildl.
obarmhärtig merciless, unmerciful; skoningslös relentless
obducent postmortem examiner, autopsist
obduktion postmortem [examination]

obeaktad unnoticed, unobserved, unheeded; *lämna* ~ disregard, pay no attention to, take no account (notice) of, pass by
obearbetad om råvaror raw; om t.ex. malm unwrought; om sten, hudar undressed; om ull virgin
obebodd uninhabited
obedd se *oombedd*
obefintlig om sak non-existent; *...är* ~ äv. ...does not exist
obefogad oberättigad unwarranted; grundlös unfounded, groundless
obefolkad uninhabited
obegriplig incomprehensible; otydbar unintelligible; ofattbar inconceivable; oförklarlig inexplicable; *det är ~t för mig* äv. it passes my comprehension, it is beyond me, it does not make sense to me
obegränsad allm. unlimited, unbounded
obehag olust discomfort, unpleasantness; förtret annoyance; omak trouble; olägenhet inconvenience; *få* ~ besvärligheter get into trouble
obehaglig allm. unpleasant; om situation awkward; *det är ~t för mig att göra det* I don't like doing it, I feel uncomfortable (stark. awful) about it; ~ *till mods* ill at ease, uncomfortable
obehagligt unpleasantly osv., jfr *obehaglig; han blev ~ berörd av det* it affected him unpleasantly, it made him feel uncomfortable
obehindrat unimpededly; t.ex. få gå omkring ~ ...freely
obehörig allm. unauthorized; som saknar kompetens unqualified; om t.ex. vinst illegitimate; *~a äga ej tillträde* no admittance [except on business]
obekant I *adj* **1** okänd unknown; om t.ex. ansikte **2** med ngn (ngt) unacquainted; okunnig ignorant **II** *subst adj* pers. stranger
obekräftad unconfirmed
obekväm allm. uncomfortable; oläglig inconvenient; besvärlig awkward äv. om pers.; *en ~ ställning* äv. a cramped position; ~ *arbetstid* unsocial (inconvenient) working hours
obekvämlighetstillägg unsocial hours bonus
obekvämt uncomfortably osv., jfr *obekväm; man sitter ~ i den här stolen* this is an uncomfortable chair to sit in
obekymrad unconcerned; heedless; *vara ~ om (för)* äv. not care (worry) about
obemannad om t.ex. rymdraket unmanned; om fyr unattended
obemärkt I *adj* unnoticed; ringa humble **II** *adv* se *oförmärkt; leva* ~ live in obscurity
obeprövad untried
oberoende I *s* independence **II** *adj* independent; *vara* ~ äv. stand on one's own [two] feet (legs), be one's own master **III** *adv,* ~ *av* independent[ly] of; ~ *av om (hur)* se *oavsett* ex.
oberäknelig 1 omöjlig att förutsäga unpredictable äv. om pers. **2** omöjlig att beräkna incalculable
oberättigad orättvis unjustified; grundlös groundless
oberörd bildl. unmoved; likgiltig indifferent; obekymrad unconcerned; *det lämnade mig* ~ it did not affect me, it left me cold
obesegrad unconquered; isht sport. undefeated, unbeaten
obeskrivlig indescribable; outsäglig inexpressible, unspeakable
obeslutsam irresolute
obesprutad organically grown
obestridlig indisputable, undoubted, unquestionable; om t.ex. argument unanswerable; *ett ~t faktum* äv. an incontrovertible fact
obestånd insolvency; *komma på* ~ become insolvent
obeställbar post. undeliverable
obestämbar om sak indeterminable; om känsla o.d. indefinable; neds. nondescript
obestämd icke fastställd indefinite; oavgjord undecided; obeslutsam indecisive; oklar vague, indefinite; om känsla undefined; *uppskjuta ngt på ~ tid* postpone a th. indefinitely
obesvarad unanswered; om hälsning unreturned; ~ *kärlek* unrequited love
obesvärad ostörd undisturbed; av t.ex. för mycket kläder el. inskränkningar unencumbered; otvungen unconstrained; nonchalant free and easy
obetalbar dråplig priceless
obetydlig allm. insignificant; bagatellartad trifling; ringa negligible; liten small; *~a detaljer* insignificant (trivial, minor) details; *en ~ skillnad* a slight (inappreciable) difference
obetydlighet insignificance; bagatell triviality, insignificant etc. matter
obetänksam tanklös thoughtless, inconsiderate
obevakad unguarded; om testamente unproved; ~ *järnvägsövergång* open (unguarded) level crossing
obevandrad, ~ *i* unconversant (unfamiliar) with, unversed in
obeveklig inexorable
obeväpnad unarmed; om öga naked
obildad olärd uneducated; okultiverad uncultured; ohyfsad ill-bred
objekt object
objektiv I *s* vanl. (kamera~ o.d.) lens; optik. objective **II** *adj* objective
objektivitet objectivity, detachment

objuden uninvited, unasked; ~ *gäst* äv. self-invited guest, intruder; vard. gatecrasher
oblat kyrkl. [sacramental] wafer
oblekt unbleached; *~a varor* textil. grey goods
oblid ogunstig unpropitious; *se ngt med ~a ögon* take a stern view of a th., frown on a th.; *ett oblitt öde* a hard (an adverse) fate
obligation hand. bond
obligatorisk compulsory; moraliskt bindande o.d. obligatory; *~a böcker* skol. set (prescribed) books, required reading sg.
oblodig om statskupp o.d. bloodless; om offer unbloody
oboe mus. oboe
oborstad eg. unbrushed; om skor uncleaned; ohyfsad rough, rude
obotfärdig impenitent
obotlig allm. incurable; om skada irreparable, irremediable; *en ~ lögnare* an incorrigible (a born, a compulsive) liar
obrottslig om trohet unswerving; om löfte inviolable; om tystnad, neutralitet strict
obrukad om jord untilled
obruklig ...[that is (was etc.)] no longer in use, out of use
obruten allm. unbroken; om brev unopened; om serie uninterrupted; om kraft unimpaired
obs. o. **obs!** Note, NB
obscen obscene
obscenitet obscenity
observant observant
observation observation; *lägga in ngn på ~* place a p. in hospital for observation
observatör observer
observera observe, note; lägga märke till notice; betrakta watch
obskyr föga känd obscure; 'skum' shady, dubious
obstinat obstinate
obstruktion polit. el. sport. obstruction; amer. parl. filibustering
ob-tillägg vard., se *obekvämlighetstillägg*
obunden eg. unchained; om bok unbound; kem. uncombined; bildl. uncommitted; om pers. ...without ties; fri free
obygd, *~en* the wilderness (backwoods pl.); vard. the sticks pl.
obäddad om säng unmade
obändig svårhanterlig intractable; oregerlig unruly; motspänstig refractory; ~ *kraft* colossal strength
ocean ocean
oceanångare [ocean] liner
ocensurerad uncensored
och and; ~ *dylikt* se under *dylik;* ~ *så vidare* (förk. *osv.*) and so on, and so forth, et cetera (förk. etc.); *härifrån ~ dit* from here to there; *hon har gått ut ~ handlat* she has gone out shopping
ociviliserad uncivilized
ock also; jfr *också*
ocker usury; amer. vard. loan sharking; med varor profiteering; *bedriva ~* practise usury
ockerpris exorbitant (extortionate) price
ockerränta extortionate [rate of] interest
ockrare usurer; amer. vard. loan shark
också also, ...as well; till och med even; i själva verket in fact; *eller ~* or else; *om ~* even if; fastän even though; *...och det gjorde* beton. *han ~* ...and so he did; *...och det gjorde han* beton. ~ ...and so did he; *det var ~ en fråga!* what a question!
ockult occult
ockupation occupation; ockuperande av hus squatting; *en* hus~ a sit-in
ockupationsmakt occupying power
ockupera mil. occupy; ~ *hus* sit in, squat
o.d. förk., se under *dylik*
odds odds; *mot alla ~* against the odds; *höga ~* long odds
odelad eg. el. bildl. undivided; allmän universal; hel whole, entire; om bifall unqualified; mitt (hans) *~e förtroende* ...entire confidence
odelat, *inte ~* angenäm not wholly (entirely, altogether)...
odemokratisk undemocratic
Oden mytol. Woden
odiplomatisk undiplomatic; ej välbetänkt impolitic
odiskutabel indisputable, ...beyond dispute
odjur monster
odla bruka cultivate äv. bildl.; till; frambringa grow
odlare cultivator, grower
odling odlande cultivation äv. bildl. t.ex. av själen; av t.ex. grönsaker growing; av t.ex. bakterier culture; av fisk, musslor o.d. breeding; område plantation
odramatisk undramatic
odryg uneconomical
odräglig olidlig unbearable; ytterst tråkig awfully boring; *en ~ människa* an insufferable person; vard. a pest, a pain in the neck (amer. äv. ass)
oduglig inkompetent incompetent; olämplig unfit; incapable; oanvändbar useless, unusable, of no use; ~ *till* (*som*) människoföda unfit for...
odygdig mischievous
o.dyl. förk., se under *dylik*
odåga good-for-nothing, waster
odödlig immortal; om t.ex. ära undying
odödlighet immortality
odör bad (nasty) smell (odour)
oefterhärmlig inimitable

oegennytta disinterest, disinterestedness, unselfishness
oegentlighet, *~er* i bokföring, förvaltning irregularities, falsifications; förskingring embezzlement sg.
oekonomisk uneconomical
oemotståndlig irresistible; överväldigande overwhelming
oemotsäglig irrefutable
oemottaglig insusceptible; för smitta immune; proof; för kritik impervious
oenig divided, disunited, discordant; ss. pred., se äv. *oense*
oense, *bli ~* disagree; osams fall out, quarrel [*med* with]; *vara ~* disagree, differ, be at variance [*om* i samtl. fall about]
oerfaren inexperienced; oövad unpractised; 'grön' callow
oerhörd 1 aldrig tidigare hörd unheard-of... (pred. unheard of); enastående unprecedented, unparalleled **2** allm. förstärkande enormous, tremendous, immense; vard. awful; ytterlig, om t.ex. noggrannhet extreme; isht betr. storlek huge; vidunderlig[t stor] prodigious
oerhört enormt enormously osv., jfr *oerhörd;* vard. awfully; ytterligt extremely; *det betyder ~ mycket för honom* it means an enormous (a tremendous) lot to him
oersättlig irreplaceable; om förlust o.d. irreparable, irretrievable; *ingen är ~* äv. nobody is indispensable
ofantlig se *oerhörd 2*
ofantligt se *oerhört*
ofarlig not dangerous; om t.ex. pers. el. riskfri riskless; oskadlig innocuous; om tumör o.d. benign; om t.ex. kritik harmless
ofattbar incomprehensible, inconceivable; *det är [mig] ~t* äv. I just can't (I am at a loss to) understand it
ofelbar felfri infallible
ofelbart säkert inevitably, without fail
offensiv I *s* offensive; *inleda* (*sätta igång*) *en ~* launch (mount) an offensive **II** *adj* offensive, aggressive
offentlig allm. public; officiell official; *~ försvarare* jur. public defence counsel; *i det ~a livet* in public life
offentliggöra announce, make...public; i tryck publish
offentlighet allmän kännedom publicity; *~en* allmänheten the [general] public
offentligt publicly etc., jfr *offentlig; uppträda ~* vanl. appear in public
offer byte victim; i krig, olyckshändelse victim; uppoffring sacrifice; relig., gåva sacrifice; *han är ~ för* sin egen dåraktighet he is the victim of...
offert hand. offer; pris~ quotation; vid anbudsgivning tender; kostnadsförslag estimate
offervilja spirit of self-sacrifice, generosity
officer o. **officerare** [commissioned] officer; *befordras till ~* be promoted an officer, obtain a commission
officerskår officers, body of officers
officiell official
offra I *tr* uppoffra sacrifice; satsa spend; ägna devote; relig. sacrifice; *~ sitt liv* give (lay down) one's life **II** *rfl, ~ sig* sacrifice oneself [*för* for]
offside sport. offside
ofin ohyfsad ill-mannered; grov coarse; *det verkar ~t att...* it is bad manners (form) to...
ofodrad unlined
ofog pojkstreck mischief; oskick nuisance
oformlig formlös formless; vanskapt deformed; mycket fet enormously fat, bloated; regelvidrig irregular
oframkomlig om väg impassable, impracticable äv. bildl.
ofrankerad om brev unstamped, unpaid
ofreda antasta molest
ofrivilligt involuntarily; oavsiktligt unintentionally
ofruktbar om t.ex. jord barren äv. bildl.; fåfäng unfruitful, unproductive
ofruktsam barren
ofrånkomlig oundviklig inevitable; om faktum inescapable
ofta allm. often; upprepade gånger frequently; poet. oft; *~ återkommande* frequent, frequently recurring
ofullbordad unfinished, uncompleted
ofullgången om foster abortive; bildl. immature
ofullständig incomplete; bristfällig imperfect, defective; fragmentarisk fragmentary
ofärd olycka misfortune; fördärv destruction
ofärgad om t.ex. glas uncoloured; om t.ex. tyg undyed; om t.ex. skokräm neutral
oförarglig harmless, inoffensive
oförbehållsam reservationslös unreserved; öppenhjärtig frank
oförberett without preparation; oväntat unexpectedly; *tala ~* speak extempore (improviserat impromptu, vard. off the cuff)
oförbätterlig ohjälplig incorrigible; *en ~ optimist* äv. an incurable optimist
ofördelaktig allm. disadvantageous; om affär unprofitable; om utseende unprepossessing; *i en ~ dager* in an unfavourable light
ofördragsam intolerant
ofördärvad om natur unspoiled; om t.ex. yngling uncorrupted
oförenlig incompatible; om t.ex. åsikter irreconcilable
oföretagsam unenterprising

oföretagsamhet lack of enterprise (initiative), unenterprisingness
oförfalskad eg. el. bildl. unadulterated; ren pure; äkta genuine; *en ~ lögn* an unmitigated (absolute) lie
oförfärad fearless
oförglömlig unforgettable, never to be forgotten
oförhappandes av en slump accidentally, by chance; oförmodat unexpectedly; oförberett unawares
oförklarlig inexplicable; gåtfull mysterious
oförliknelig incomparable; makalös matchless, unparalleled; enastående unique
oförlåtlig unforgivable
oförminskad undiminished, unreduced; om t.ex. energi
oförmodad unexpected, unlooked for
oförmåga inability; incapacity; incapability; inkompetens incompetence; vanmakt impotence
oförmärkt i smyg stealthily; omärkligt imperceptibly; diskret unobtrusively
oförmögen incapable; unable; unfit
oförrätt orätt wrong; kränkning injury; orättvisa injustice; *begå en ~ mot ngn* äv. wrong a p.
oförrätta|d, *med -t ärende* without having achieved anything
oförskräckt orädd fearless; oförfärad dauntless; modig intrepid; djärv bold, daring
oförskämd allm. insolent, impudent; vard. cheeky; näsvis impertinent; skamlös shameless
oförskämdhet egenskap insolence, impudence, boldness etc., jfr *oförskämd;* audacity, impertinence, sauce; handling, yttrande impertinence
oförsonlig allm. irreconcilable; obeveklig unrelenting, relentless
oförstående unsympathetic; inappreciative; likgiltig indifferent; *ställa sig ~ inför (till) ngt* take up an unsympathetic attitude towards a th.
oförstånd oklokhet lack of wisdom (common sense); dumhet foolishness; omdömeslöshet want (lack) of judgement; obetänksamhet imprudence
oförsvarlig indefensible; oursäktlig inexcusable
oförtjänt I *adj* allm. undeserved, unmerited; om värdestegring o.d. unearned; om pers. undeserving **II** *adv* undeservedly
oförtruten outtröttlig indefatigable, unwearied; trägen assiduous
oförtröttad o. **oförtröttlig** se *oförtruten*
oförtäckt unveiled
oförutsedd unforeseen, unlooked for; *om inget oförutsett inträffar* if nothing (unless something) unforeseen (unexpected) happens, barring accidents
oförvitlig om uppförande o.d. irreproachable; t.ex. karaktär unblemished
oförvållad ...that has (had etc.) not been brought about by oneself
oförändrad unchanged, unaltered
ogenerad otvungen free and easy; nonchalant offhand; oberörd unconcerned; fräck cool
ogenomförbar impracticable
ogenomskinlig opaque, not transparent
ogenomtränglig om t.ex. skog impenetrable äv. bildl.; för ljus impervious
ogenomtänkt ...[that is (was etc.)] not thoroughly (properly) thought out; vard. half-baked; överilad inconsiderate, rash
ogift unmarried
ogilla 1 ej tycka om disapprove of; göra invändningar mot object (take exception) to; ta avstånd från deprecate **2** jur., avslå disallow, reject; upphäva overrule; t.ex. besvär, talan dismiss
ogillande (jfr *ogilla*) **I** *s* disapproval; disallowance **II** *adj* disapproving, deprecating **III** *adv* disapprovingly etc.; *se ~ på ngn (ngt)* äv. frown at a p. ([up]on a th.)
ogiltig allm. invalid, not valid; sport., om t.ex. hopp, kast disallowed; *göra ~* invalidate, nullify, render invalid
ogiltigförklara jur. declare invalid (null and void)
ogin disobliging; ovänlig gruff
ogripbar impalpable, intangible, elusive
ogrundad allm. unfounded
ogräs weeds; bibl. tares; *rensa ~* weed
ogräsmedel weed-killer
ogudaktig ungodly, impious
ogynnsam unfavourable; isht om tidpunkt o.d. unpropitious
ogärna motvilligt unwillingly; motsträvigt reluctantly, grudgingly
ogärning missdåd misdeed; brott crime; illdåd outrage
ogästvänlig inhospitable; om plats forbidding
ogästvänlighet inhospitality
ohanterlig om sak unwieldy, cumbersome; om person unmanageable
oharmonisk inharmonious; disharmonisk disharmonious, discordant
ohederlig dishonest
ohejdad mera eg. unchecked; *av ~ vana* by force of habit
ohelig unholy
ohjälpligt hopelessly; *~ förlorad* irretrievably lost
ohoj, *skepp ~!* ship ahoy!
ohyfsad obelevad ill-mannered; oborstad rough; ohövlig impolite; plump coarse;

tölpaktig boorish, churlish; om ngns yttre untidy
ohygglig förfärlig dreadful, frightful; hemsk ghastly; avskyvärd atrocious, hideous, monstrous; vard., förstärkande horrible
ohygienisk unhygienic
ohyra vermin äv. bildl.
ohållbar om ståndpunkt untenable, indefensible; om situation intolerable; prekär precarious; ogrundad baseless
ohälsosam om klimat unhealthy; om föda unwholesome; om bostad insanitary
ohämmad om t.ex. sorg unrestrained; utan hämningar uninhibited
ohängd fräck impudent; drumlig loutish
ohöljd bildl. unconcealed; oblyg unblushing
ohörbar inaudible
ohörsamhet disobedience
ohövlig oartig impolite; ohyfsad rude; vanvördig disrespectful
oigenkännlighet, vanställd *till ~* ...past (beyond) recognition
oinfriad unredeemed; förbindelse unmet; växel undischarged; förhoppning, förväntning unfulfilled
oinskränkt unrestricted; om makt absolute
ointaglig mil. impregnable
ointresserad uninterested
oj oh!; vid smärta ow!; *oj* [*oj*] *då!* I say!
ojust I *adj* oriktig incorrect; orättvis unfair **II** *adv* incorrectly etc., se *I; spela ~* sport. play dirty (rough); bryta mot reglerna commit a foul (resp. fouls)
ojämförlig incomparable
ojämn allm. uneven; om fördelning unequal; udda odd; skrovlig rough, rugged; om klimat, lynne unequable; oregelbunden irregular; växlande variable; *~ kamp* unequal struggle; *~ väg* bumpy (rough) road
ojämnhet egenskap unevenness etc., jfr *ojämn;* inequality; ojämnt ställe: i yta o.d. irregularity, i väg bump
ojävig opartisk unbias[s]ed; om vittne o.d. competent, unchallengeable
OK se *okej*
ok yoke äv. bildl.
okamratlig disloyal; osportslig unsporting; om t.ex. anda uncomradely
okej vard. **I** *adj* OK **II** *interj* OK
oklanderlig allm. irreproachable; felfri faultless; fläckfri immaculate; oförvitlig blameless
oklar 1 eg.: otydlig indistinct; grumlig turbid, cloudy; om ljus, sikt dim; disig hazy; om färg muddy; suddig blurred; om ton indistinct; om röst husky **2** bildl.: otydlig unclear; vag vague, hazy; dunkel, svårfattlig obscure; oredig muddled; tvetydig ambiguous **3** sjö. foul
oklok oförståndig unwise; omdömeslös injudicious; obetänksam ill-advised, rash; ej tillrådlig inadvisable
oklädd undressed, unclothed; om möbel unupholstered
oklädsam unbecoming äv. bildl.
oknäppt om plagg unbuttoned; knappen *är ~* ...is not done up; har gått upp ...is undone
okomplicerad simple, uncomplicated
okonstlad oförställd unaffected; enkel artless; osofistikerad unsophisticated
okonventionell unconventional
okristlig 1 eg. unchristian **2** vard., oerhörd, ryslig awful, tremendous; *en ~ tidpunkt att bli väckt på* an ungodly hour to be woken up [at]
okritisk uncritical
okränkbar inviolable
okrönt om kung o.d. uncrowned äv. bildl.
oktan octane
oktantal octane rating (number); *bensin med högt ~* high-octane petrol
oktober October (förk. Oct.); jfr *april* o. *femte*
okunnig 1 ovetande: allm. ignorant; omedveten unaware; oupplyst uninformed **2** obevandrad ignorant, unacquainted; ej utbildad unlearned
okunnighet ignorance; *sväva i lycklig ~ om ngt* be blissfully ignorant (unaware) of a th.; *lämna ngn i ~ om ngt* leave a p. in the dark about a th.
okunskap ignorance
okuvlig indomitable; om t.ex. energi irrepressible
okvinnlig unwomanly, unfeminine; manhaftig mannish
okvädingsord term (word) of abuse; ss. pl. äv. abuse sg.
okynnig skälmsk mischievous, puckish; elak, isht om barn naughty
okänd allm. unknown; obekant unfamiliar; främmande strange; föga känd obscure, ...[that is (was etc.)] little known; *av ~ anledning* for some unknown reason
okänslig allm. insensitive; utan känsel numb; isht själsligt callous; likgiltig indifferent; oemottaglig insusceptible
okänslighet insensitiveness, insensibility; numbness; callousness, indifference; insusceptibility; jfr *okänslig*
oladdad unloaded; elektr. uncharged
olag, *bringa i ~* disorganize, upset
olaga o. **olaglig** unlawful, illegal
olat vice; *~er* äv. bad habits
olidlig insufferable
olik (jfr *olika I*) ej påminnande om unlike; skiljaktig different; *~ ngt* different from (unlike) a th., dissimilar to a th.
olika I *adj* (jfr *olik*) olikartad different; skiftande varying; växlande various; *på ~ sätt* in different (various) ways; *barn i ~ åldrar*

children of different ages; *smaken är ~* tastes differ **II** *adv* differently; de är ~ *stora* ...of different sizes, ...unequal in size
olikartad dissimilar; heterogeneous
olikhet eg. unlikeness; skillnad difference; i storlek disparity; skiljaktighet diversity, divergence; *sociala ~er* social inequalities
oliktänkande polit. dissident
oliv olive
olivolja olive oil
olja I *s* oil; *gjuta ~ på vågorna* pour oil on troubled waters **II** *tr* oil; *~ in* oil [all over], lubricate
oljeborrplattform oilrig
oljebyte oil change
oljebälte [long] oilslick
oljecistern oil storage tank
oljeeldning oil-heating
oljefat oil drum
oljefält oilfield
oljekälla oil well
oljeledning [oil] pipeline
oljemålning abstr. el. konkr. oilpainting
oljepanna oil[fired] boiler
oljeraffinaderi oil refinery
oljesticka dipstick
oljeställ oilskins, oilskin clothes
oljetank oil tank
oljetanker oiltanker
oljeutsläpp oil spill (spillage), discharge (avsiktligt dumping) of oil [in the sea]
oljeväxt oil[-yielding] plant
oljig oily; vard. smarmy
oljud oväsen noise; *föra ~* make a noise, be noisy
olle [thick] sweater
ollon bot., ek~ acorn; bok~ beechnut; anat. glans (pl. glandes)
ologisk illogical
olovandes without leave (permission)
olovlig olaglig unlawful; förbjuden forbidden; om jakttid close
olust 1 obehag uneasiness; missnöje dissatisfaction; ovilja displeasure **2** obenägenhet disinclination; motvilja dislike; distaste; aversion, repugnance
olustig ur humör out of spirits end. pred.; nedstämd low-spirited; håglös listless; illa till mods uncomfortable; obehaglig unpleasant
olustkänsla feeling of discomfort, uneasy feeling
olycka 1 ofärd misfortune, ill fortune; otur bad (ill) luck; motgång adversity; bedrövelse unhappiness; elände affliction; *när ~n är framme* om man har otur if things are against you, if your luck's out **2** missöde mishap; olyckshändelse accident; katastrof disaster, calamity; *en ~ kommer sällan ensam* it never rains but it pours **3** vard., om pers. wretch; skämts. rascal; jfr äv. *olycksfågel*
olycklig betryckt unhappy; djupt distressed; eländig miserable, wretched; drabbad av olycka el. otur unfortunate, hapless; beklaglig unfortunate, deplorable; dålig bad; misslyckad unsuccessful; olycksfödd ill-starred; olämplig infelicitous
olyckligtvis unfortunately
olycksbådande ominous
olycksfall accident, casualty
olycksfallsförsäkring accident insurance
olycksfågel vard. unlucky creature (person), person dogged by ill luck; som lätt råkar ut för olyckor person who is accident-prone
olyckshändelse accident; lindrigare mishap
olyckskorp vard. prophet of woe; amer. vard. calamity howler (kvinnl. Jane)
olycksplats, *~en* the scene of the accident
olyckstillbud near-accident; *ett allvarligt ~ inträffade* there was almost a serious accident
olycksöde unlucky fate
olydig disobedient; *vara ~ mot ngn* äv. disobey a p.; om barn äv. play a p. up
olydnad disobedience
olympiamästare Olympic champion
olympisk sport. Olympic; *~ guldmedaljör* Olympic gold medallist; *[de] ~a spelen* the Olympic Games, the Olympics
olåt oljud noise; missljud cacophony; tjut howling; jämmer lamentation
olägenhet besvär inconvenience, trouble; nackdel drawback; svårighet difficulty
oläglig olämplig inopportune; malplacerad untimely, ill-timed; obekväm inconvenient; ovälkommen unwelcome
olägligt inopportunely; *komma ~* om pers. el. sak come at an inconvenient moment
olämplig ej passande unsuitable, unfit; oantaglig ineligible; malplacerad ill-timed, out of place; oläglig inopportune; otillbörlig improper; oändamålsenlig inexpedient
oländig svårframkomlig rough, rugged; ofruktbar sterile
oläsbar o. **oläslig** om handstil o.d. illegible; om bok unreadable
1 om I *konj* **1** villkorlig, allm. if; 'för den händelse att' äv. in case; *~ så är* if that is the case, if so, in that case; *~ inte han hade varit* if it hadn't been for him; som en hjälp äv. but for him **2** jämförande *som ~* as though (if) **3** medgivande *även ~* even though (if) **4** vid förslag *~ vi skulle gå* på teatern? what (how) about going...? **5** frågande, 'huruvida' whether, if **II** *s* if; *om inte ~ hade varit* if things had been otherwise; *efter många ~ och men* after a lot of shilly-shallying
2 om A *prep* **I** i fråga om rum **1** 'omkring' **a)** eg. round; isht amer. around; ha en halsduk *~ halsen* ...round one's neck; *hon*

svepte sjalen tätt ~ sig she wrapped her shawl tightly about her **b)** friare *jag är kall ~ händerna* my hands are cold; *vara ~ sig [och kring sig]* look after (take care of) number one **2** om läge of; *norr ~...* [to the] north of... **3** i spec. uttr. *par ~ par* in couples, two by two, se äv. *huller om buller* **II** i fråga om tid **1** 'på', 'under' *~ dagen (dagarna)* in the daytime, by day, during the day; stiga upp tidigt *~ morgnarna* ...in the morning; *året ~* all the year round **2** efter viss tid, *~ ett år* in a year['s time] **III** bildl. **1** vid subst. o. vb **a)** 'angående' o.d. about, of; *drömmen (ryktet, uppgiften) ~* the dream (rumour, report) of; *historien ~* the story about (of) **b)** kring ett ämne o.d. on; *en bok ~* a book on (about) **c)** 'för att få' for; *be (slåss, tävla) ~* ask (fight, compete) for **d)** 'beträffande' as to; 'med avseende på' äv. regarding; *anvisningar ~ hur man skall* inf. directions [as to] how to inf. **2** vid adj. *angelägen ~ att* inf. anxious to inf.

B *adv* el. beton. part. v. vb **1** 'omkring' *binda ~* paket o.d. tie up...; *röra ~ i teet* stir one's tea **2** 'tillbaka' *se sig (vända) ~* look (turn) back **3** 'förbi' *gå (köra) ~ ngn* go (drive) past a p., overtake a p. **4** 'på nytt' **a)** *läsa ~* en bok re-read...; *måla ~* en vägg repaint..., paint...[over] again (afresh) **b)** *många gånger ~* many times over **5** 'på annat sätt' *göra ~* re-make, re-do

omak besvär trouble; olägenhet inconvenience; *göra sig ~et att* inf. give oneself the trouble of ing-form; go to the trouble of ing-form; go out of one's way to inf.

omaka eg. odd...; bildl. ill-matched, ill-assorted

omanlig unmanly; förvekligad effeminate

omarbetning av bok o.d. revision; för scenen adaptation, recast

ombesörja attend (see) to; behandla deal with; ta hand om take care of; göra do; ha hand om be in charge of

ombilda omskapa transform; omorganisera reorganize; t.ex. företag till bolag convert; från grunden el. regering reconstruct

ombonad om bostad o.d. [warm (nice) and] cosy; skyddad sheltered

ombord on board; *~ på* m/s Mary on board the...

ombud representative; ställföreträdare deputy; vid konferens o.d. delegate; affärs~ agent

ombudsman representant representative; ibl. ombudsman; hos organisation o.d. secretary; jur.: hos bank o.d. solicitor

ombyggnad rebuilding, conversion; huset *är under* ...is being rebuilt

ombyte change; utbyte exchange

ombytlig changeable

omdaning remodelling, transformation, reform; omorganisation reorganization

omdebatterad o. **omdiskuterad** [much] debated (discussed); omstridd controversial

omdöme 1 omdömesförmåga judgement; urskillning discernment, discrimination; *ha [ett] gott ~* have a sound judgement, be a good judge **2** åsikt opinion

omdömesförmåga discrimination, judgement

omdömesgill judicious

omdömeslös om pers. ...lacking in judgement (good taste); om handling o.d. injudicious

omedelbar direkt immediate, direct; naturlig natural, spontaneous; *i ~ närhet av...* in the immediate vicinity of..., in close vicinity to...

omedelbart direkt immediately; *~ efter (före)* t.ex. valet on the morrow (eve) of...

omedgörlig oresonlig unreasonable; ej tillmötesgående uncooperative; ogin disobliging; oböjlig unbending, unyielding; envis stubborn; motspänstig intractable

omedveten unconscious end. pred.

omelett omelet[te]; *säg ~!* vid fotografering say cheese!

omfamna embrace, hug

omfatta 1 innefatta, inbegripa comprise, comprehend; innehålla contain; sträcka sig över extend (range) over; täcka cover **2** ansluta sig till embrace; en teori hold

omfattande vidsträckt extensive; om t.ex. kunskaper, befogenheter wide; innehållsrik comprehensive; utbredd widespread; vittgående: om t.ex. reform far-reaching, om t.ex. förändring sweeping; i stor skala large-scale...

omfattning omfång extent, scope; utsträckning range, compass; storlek proportions, dimensions, size; skala scale; *av betydande ~* of considerable proportions

omforma ombilda transform; omgestalta remodel; elektr. convert

omformulera reformulate; t.ex. text reword; t.ex. kontrakt redraft; t.ex. plan reframe

omfång 1 eg.: storlek size, bulk, dimensions; omfattning extent; ytvidd area; volym volume; omkrets circumference; rösts range; *till ~et* in size (bulk, girth) **2** bildl.: räckvidd scope

omfångsrik allm. extensive, bulky

omfördela redistribute

omge surround

omgestalta remould, reshape, transform

omgift remarried; *han är ~* he has remarried, he has married again

omgivning t.ex. en stads surroundings,

environs pl. (båda äv. *~ar*); trakt neighbourhood; miljö environment; han är en fara *för sin ~* ...to those around him
omgjord på nytt redone..., remade...; ändrad altered...
omgruppera regroup
omgående I *adj*, *~ svar* reply by return [of post]; friare prompt (immediate) reply **II** *adv* by return osv.
omgång 1 konkr.: uppsättning set; hop batch; *bjuda på en ~ öl* stand a round of beer **2** abstr.: sport. o.d. round; kortsp. äv. rubber; skift, tur turn; gång time; vard., stryk beating; *i ~ar* efter varandra by (in) turns, successively
omgärda eg. fence (close)...in, enclose; bildl. surround; skydda safeguard
omhulda t.ex. vetenskap o. konst foster; t.ex. teori cherish; pers. take good care of, make much of
omhändertaga ta hand om take care (charge) of, look after; om polis take...into custody
omild om behandling o.d. harsh; om klimat ungenial; om kritik severe
omintetgöra planer frustrate
omisskännelig unmistakable
omistlig oumbärlig indispensable; om rättighet o.d. inalienable; oskattbar priceless
omkastare elektr. change-over switch
omkastning i väderlek, lynne o.d. sudden change; i ngns känslor revulsion; i politik reversal; i vinden veer; av ordningen inversion; av bokstäver o.d. transposition
omklädd om möbel re-covered; *är du ~?* have you changed (till mörk kostym o.d. dressed)?
omklädningsrum dressing-room; med låsbara skåp locker room
omkomma be killed; *~ vid* en bilolycka be killed in...
omkoppling tele. reconnection; elektr. change-over
omkostnad, *~er* allm. cost[s pl.]; utgifter expense[s pl.], expenditure sg.
omkrets circumference; geom. äv. perimeter
omkring I *prep* (jfr äv. *kring I 1*) **1** rum round, about; isht amer. around; *runt ~* around, round about **2** tid han kommer *~ den första* ...[round] about the 1st **3** ungefär about **II** *adv* eg. [a]round; hit och dit about; *när allt kommer ~* after all
omkull down, over
omkörning omkörande overtaking; amer. passing; *~ förbjuden* no overtaking (amer. passing)
omkörningsfil fast (overtaking, amer. passing) lane
omlopp allm. circulation; astron. revolution; *sätta i ~* pengar put...into circulation; rykten circulate, put about; blodet set...circulating
omlott, *gå ~* overlap
omläggning 1 omändring change; t.ex. av schema rearrangement; t.ex. av produktion switch-over; av trafik diversion; omorganisering reorganization **2** av gata: reparation repaving; mer omfattande reconstruction **3** av sår bandaging
ommöblering 1 omflyttning av möbler rearrangement of furniture; byte av möbler refurnishing **2** inom regering o.d. reshuffle
omnejd neighbourhood, surrounding country; Stockholm *med ~* ...and environs
omnämnande mention; reference
omodern ej längre på modet out of date; gammalmodig old-fashioned, vard. old hat; *bli ~* go out of fashion (vogue), become old-fashioned, date
omogen unripe; om person immature; vard. half-baked
omoralisk immoral; oetisk unethical
omorganisera reorganize
omotiverad 1 oberättigad unjustified; opåkallad uncalled for, gratuitous, unprovoked; ogrundad unfounded; orimlig unreasonable **2** utan motivation unmotivated
omplacering av t.ex. möbler rearrangement; av tjänsteman o.d. transfer [to another post]; av pengar reinvestment
ompröva allm. reconsider; undersöka reinvestigate, re-examine, review äv. jur.
omprövning reconsideration; undersökning reinvestigation, review äv. jur.; examen new (fresh) examination
ompysslad, *bli ~* be looked after
omringa surround, close in on
område 1 eg. a) geogr. territory; mindre district, zone; trakt region b) inhägnat: allm. grounds, isht v. kyrka o.d. precincts; *förbjudet ~!* no trespassing! **2** bildl.: gebit o.d. field, range, domain; fack branch; *det är inte mitt ~* that is outside my province (vard. not in my line)
omrörning kok. o.d. stirring
omröstning voting; parl. äv. (i Engl.) division; med röstsedlar ballot voting
omsider småningom by degrees; till sist at last; *sent ~* at long last, at length
omskaka, *~s väl!* shake well before using!; se äv. *skaka [om]*
omskakad eg. shaken; stark. jolted; bildl. shocked
omskola I *tr* retrain; lära upp på nytt re-educate; omplantera transplant, replant **II** *rfl*, *~ sig till...* train [oneself] to become...
omskriva geom. circumscribe; återge med andra ord paraphrase; *en mycket omskriven* händelse a much discussed...

omskrivning förnyad skrivning rewriting; återgivande med andra ord circumlocution; förklarande paraphrase
omskärelse circumcision; *kvinnlig ~* female circumcision (excision)
omslag 1 pärm på bok cover; löst bokomslag [dust] jacket, wrapper; för paket cover; isht post. wrapper; förband compress; skivfodral sleeve **2** förändring, i väder o.d. change
omslagsbild cover picture
omslagspapper wrapping (brown) paper
omsorg 1 omvårdnad care; ivrig solicitude; bekymmer o.d. anxiety **2** noggrannhet care; omtanke attention; samvetsgrannhet conscientiousness; överdriven meticulousness; besvär trouble
omsorgsfull allm. careful; samvetsgrann scrupulous, conscientious; grundlig thorough; i detalj utarbetad o.d. elaborate
omspel sport. replay; *det blir ~* i morgon there will be a replay..., the match will be replayed...
omstridd disputed, ...in dispute; *en ~ fråga* äv. a controversial issue, a vexed question
omstrukturering restructuring
omställning 1 ändring, omkoppling change[-over]; inställning adjustment **2** bildl. adaptation, adjustment
omständighet allm. circumstance; faktor factor; *~er* äv. state of affairs sg., conditions; *bidragande ~* contributory factor; *de närmare ~erna* är inte kända the immediate circumstances (exact particulars)...; *under alla ~er* at all events, at any rate, in any case
omständlig utförlig circumstantial, detailed; långrandig long-winded äv. om pers.; lengthy; vidlyftig prolix; ceremoniös ceremonious
omstörtande, *~ verksamhet* polit. subversive activity
omsvep, säga ngt *utan ~* ...straight out, ...in so many words, ...without beating about the bush
omsvängning plötslig förändring [sudden] change; i opinion äv. swing
omsätta 1 omvandla convert; *~ i pengar* turn into cash; *~ i praktiken* put into practice **2** hand., sälja sell, market; ha en omsättning av turn over; växel o.d. renew
omsättning 1 omplantering replanting **2** typogr. resetting **3** hand., allm. business; årlig affärs~ turnover, sales; växels renewal; intäkter receipts, returns; på arbetskraft turnover
omtagning upprepning repetition; film. retake; mus. repeat
omtala meddela report; omnämna mention; *mycket ~d* much discussed (talked of)
omtanke omsorg care; omtänksamhet consideration; thoughtfulness
omtapetsering repapering; *målning och ~* [painting and] redecoration
omtumlad dazed, dizzy
omtvistad disputed, ...in dispute; *en ~ fråga* äv. a controversial (vexed) question, a moot point
omtyckt popular; på modet ...much in vogue (fashion)
omtänksam full av omtanke considerate; thoughtful; förtänksam foresighted, provident
omtänksamhet consideration, considerateness; foresight; jfr *omtänksam*
omtöcknad dazed; boxn. punch-drunk
omval 1 nytt val new (second) election **2** återval re-election; *ställa upp för (till) ~* seek re-election; i Engl. äv. stand again; i USA äv. run again
omvandla omdana transform; omräkna convert
omvårdnad care; sjukvård nursing
omväg detour; *ta (köra* osv.) *en ~* make a detour; *på ~ar* bildl. by roundabout methods, deviously, in a roundabout way
omvälvande om t.ex. plan revolutionary
omvälvning revolution
omvänd 1 omkastad inverted äv. matem.; motsatt converse; *han var som en ~ hand* he had turned (changed) round completely **2** relig. el. friare converted; *en ~ syndare* a reformed sinner
omvändelse relig. conversion äv. friare
omvänt inversely; å andra sidan on the other hand; *och (eller) ~* and (or) vice versa lat.
omvärdera revalue; amer. revaluate; ompröva reappraise
omvärdering revaluation, reassessment; omprövning reappraisal
omvärld, *~en* the world around [one]
omväxlande I *adj* **1** om t.ex. natur varied; ej enformig ...full of variety **2** alternerande alternate **II** *adv* alternately
omväxling ombyte change; förändring variety; växling alternation; *för ~s skull* for (by way of) a change, for the sake of variety
omyndig minderårig ...under age; *han är ~* äv. he is a minor
omyndigförklarad jur. incapacitated
omålad unpainted; utan makeup ...without make-up
omåttlig isht i mat o. dryck immoderate; isht om dryckesvanor intemperate; överdriven exorbitant; ofantlig tremendous, enormous
omåttligt immoderately etc., jfr *omåttlig;* to excess
omänsklig inhuman
omärklig imperceptible; osynlig indiscernible
omärkligt imperceptibly etc., jfr *omärklig;* i smyg stealthily

omättlig insatiable
omöblerad unfurnished
omöjlig impossible; ~ *att reparera (förbättra)* äv. beyond repair (improvement); *han brukar inte vara* ~ he is usually very reasonable
omöjligen, *jag kan* ~ *göra det* I cannot (can't) possibly do it
omöjliggöra make (render)...impossible; utesluta preclude
onanera masturbate
onani masturbation
onaturlig unnatural; onormal abnormal
ond I *adj* (jfr *värre, värst*) **1** isht i moraliskt hänseende: allm. evil; ~ *cirkel* vicious circle; aldrig säga *ett ont ord till (om) ngn* ...a nasty word to (about) a p. **2** arg angry; amer. mad; annoyed; *bli* ~ get angry etc. **3** öm sore **II** *s* o. *subst adj* **1** *den (hin)* ~*e* the Evil One **2** *det* ~*a* a) smärtorna the pain, the ache; sjukdomshärden the trouble, the complaint b) om last, omoral o.d. the evil **3** *ont* **a)** allm. *roten till allt ont* the root of all evil **b)** plåga pain; *göra ont* hurt; *ha ont* be in pain, suffer; *jag har ont i fingret* my finger hurts; *ha ont i magen* have a pain in the stomach, have [a] stomach-ache (vard. belly-ache) **c)** *ha ont om* knapphet på be short of **4** se *ondo*
ondo, *det är inte helt av* ~ it is not altogether a bad thing
ondsint illvillig malicious; elak ill-natured
ondska evil; syndighet wickedness; elakhet malice
ondskefull syndig wicked; elak spiteful
onekligen undeniably, certainly, doubtless
onormal abnormal; ovanlig exceptional
onsdag Wednesday; jfr *fredag* o. sms.
ont se *ond II 3*
onumrerad unnumbered; ~*e platser* vanl. unreserved seats
onyanserad eg. el. bildl. ...without nuances (subtlety); bildl.: enformig uniform, unvaried; förenklad simplistic; ytlig, om synsätt o.d. superficial
onykter se *berusad; köra bil i* ~*t tillstånd* ...when under the influence of drink (liquor)
onyttig oduglig useless; ohälsosam unwholesome; föga givande unprofitable; gagnlös futile
onåd disfavour; *falla (råka) i* ~ *hos ngn* fall (get) into disfavour (disgrace) with a p., fall (get) out of favour with a p.
onämnbar unmentionable; *de* ~*a* skämts., byxorna the unmentionables
onödan, *i* ~ unnecessarily, without [due] cause; han gör inte något *i* ~ ...if he doesn't have to, ...unless he has (is obliged) to
onödig unnecessary, needless; opåkallad uncalled for; meningslös wanton
oombedd unasked; av fri vilja unsolicited; slå sig ned ~ vanl. ...without being asked
oomstridd undisputed, unchallenged
oomtvistlig indisputable
oordentlig 1 om pers.: slarvig careless; vårdslös, ovårdad slovenly, untidy **2** om sak: t.ex. om skick disorderly; ostädad untidy
oordnad mera eg. unarranged; i oordning disordered; om hår dishevelled; om förhållanden unsettled
oordning allm. disorder; *i* ~ in disorder, in confusion, in a muddle, in a mess
oorganiserad unorganized; ~ *arbetskraft* äv. non-union labour
oorganisk inorganic
opal miner. opal
opartisk allm. impartial; neutral neutral; fördomsfri unprejudiced; oegennyttig disinterested; självständig detached
opassande I *adj* allm. improper, unbecoming; oanständig indecent; *det är* ~ äv. it is bad form **II** *adv* improperly etc., jfr *I; uppföra sig* ~ äv. misbehave
opasslig indisposed, unwell
opera opera; byggnad opera house; *gå på* ~*n* go to the opera
operasångare o. **operasångerska** opera-singer
operation 1 allm. el. mil. operation; med. äv. surgical operation; *utföra en* ~ perform (carry out) an operation **2** kampanj campaign; göra ~ *dörrknackning* för insamling ...a house-to-house (door-to-door) collection; av polisen ...a house-to-house search
operationssal operating theatre (amer. room)
operationssköterska theatre nurse (sister); amer. operating-room nurse
operera I *itr* allm. operate; ~ *med* laborera med operate with; arbeta med employ **II** *tr* med. operate on; *bli* ~*d för...* äv. have (undergo) an operation for...
operett klassisk operetta; humoristisk comic opera; mera modern musical comedy
operettmusik operetta (etc., jfr *operett*) music
opersonlig impersonal
opinion [public] opinion; *den allmänna* ~*en* public opinion, the general feeling
opinionsmätning [public] opinion survey (poll)
opinionsmöte ung. public meeting
opinionssiffror, *dåliga* ~ poor poll ratings
opium opium
oplockad eg. unpicked; om fågel unplucked; *ha en gås* ~ *med ngn* have a bone to pick with a p.
opolerad unpolished; *opolerat ris* unpolished rice
oppalin *s* oppalinium

opponera I *itr* vid disputation o.d. act as opponent (resp. opponents) **II** *rfl, ~ sig* object, raise objections [*mot* to]
opportunist opportunist, timeserver
opportunistisk opportunist
opposition opposition; *~en* parl. the Opposition
oppositionsledare leader of the Opposition
oppositionsparti opposition party
oproportionerlig disproportionate
oprövad untried; friare el. bildl. untested
optik optics; linssystem i kamera o.d. lens system
optiker optician; affär optician's [shop]
optimal optimum...
optimism optimism
optimist optimist
optimistisk optimistic
optimistjolle sjö. optimist dinghy
option option äv. ekon.
optisk optic[al]
opåkallad uncalled for
opålitlig om pers. el. sak unreliable, untrustworthy; om t.ex. blick shifty
opåräknad unexpected; unlooked for
opåtald oanmärkt unchallenged; ostraffad unpunished
opåtalt 1 det får inte *ske ~* ...pass unnoticed (without a protest, unchallenged) **2** ostraffat with impunity
or zool. mite
oraffinerad 1 tekn. unrefined **2** enkel: om kläder inelegant; om sätt unrefined
orakad unshaved, unshaven
orange *adj* o. *s* orange, jfr *blå* o. sms. samt *blått*
orangutang zool. orang-outang, orang-utan
ord word; ordstäv proverb; bibelord text; löfte word; *Guds ~* the Word of God, God's Word; *~et är fritt* vid möte the debate is opened; *ge* (*lämna*) *~et till ngn* call on a p. to speak; parl. give a p. the floor; han kan inte *ett ~ latin* ...a word of Latin; *lägga ett gott ~ för ngn* put in a good word for a p. [*hos* with]; *jag saknar ~!* words fail me!; *välja sina ~* [pick and] choose one's words; *i ~ och handling* in word and deed; *ta ngn på ~en* take a p. at his (her etc.) word; *stå vid sitt ~* keep one's promise (word), be as good as one's word
orda, *~ om* talk about, discuss
ordagrann literal; om referat o.d. verbatim (lat.)...
ordalag words; *i allmänna ~* in general terms
ordbehandlare maskin word processor
ordbehandling data. word processing
ordblind word-blind; vetensk. dyslectic; *vara ~* äv. be a dyslectic
ordbok dictionary
orden samfund order; ordenstecken decoration
ordentlig 1 mera eg.: ordningsam orderly; noggrann careful; punktlig exact; regelbunden regular; välartad well-behaved; anständig decent; prydlig neat; proper tidy; välskött well-kept; *~t uppförande* orderly behaviour **2** friare: riktig proper; rejäl real, regular; grundlig thorough, sound; jag har fått *en ~ förkylning* ...a terrible (awful) cold; *ett ~t mål mat* a square meal; *en ~ smäll* slag a nasty bang (knock)
ordentligt in an orderly (osv.) manner etc., jfr *ordentlig; klä på sig ~* varmt wrap (cover) oneself up properly (really well); *bli ~ våt* get thoroughly wet
order 1 befallning order; instruktion instruction; *få ~* [*om*] *att* inf. be ordered (instructed) to inf. **2** hand. order; *få en ~ på en vara* obtain (get) an order for an article
orderstock hand. volume of orders; av icke utförda order backlog [of orders]
ordfläta se *korsord*
ordflöde flow (spate) of words
ordföljd, *rak* (*omvänd*) *~* normal (inverted) word order
ordförande vid sammanträde chairman; i större sammanhang el. i förening, domstol o.d. president; *sitta som ~ vid* ett möte be chairman (in the chair) at..., preside at (over)..., chair...
ordförråd vocabulary
ordinarie om tur o.d. regular; om tjänst permanent; vanlig ordinary; *~ arbetstid* regular working-hours pl.
ordinera med. prescribe; prästviga ordain; *han ~des fullständig vila* äv. he was ordered a complete rest
ordkarg fåordig taciturn; ordknapp ...sparing of words, ...of few words
ordklass gram. part of speech
ordlek pun, play on words
ordlista glossary, word list
ordna I *tr* o. *itr* **1** ställa...i ordning arrange; amer. äv. fix; sina affärer settle; dokument o.d. file; sortera sort; systematisera classify; reglera regulate; t.ex. sitt liv order; i rad range; trupper marshal; städa tidy [up]; *~ håret* put one's hair straight, tidy (amer. fix) one's hair; *~ slipsen* (*sin klädsel*) adjust one's tie (clothes) **2** ställa om arrange; isht amer. el. vard. fix [up]; reda upp settle, put...right; skaffa get; ta hand om see to; *~* [*med*] t.ex. tävlingar organize; t.ex. biljetter arrange, get **II** *rfl, det ~r sig nog!* it will be all right (sort itself out, straighten itself out) [don't you worry]!
III med beton. part.

~ **om** ändra arrange...differently, rearrange; anordna arrange
~ **till** t.ex. håret el. en fest arrange
~ **upp** reda ut settle [up]; *det ~r nog upp sig så småningom* things will sort themselves out in the end
ordning 1 reda order; ordentlighet orderliness; snygghet tidiness; metod method; system system; föreskrift regulations; [*den*] *allmänna ~en* law and order; *upprätthålla* (*återställa*) *~en* maintain (restore) order; *jag får ingen ~ på det här* I can't get this straight (bli klok på make this out); *hålla ~ på...* keep...in order (under control); det är *helt i sin ~* ...quite in order (quite all right); vard. ...OK; *göra i ~* ngt get...ready (in order), prepare (isht amer. fix)...; städa tidy (do)...; återgå *till ~en* ...to the normal state of things **2** följd order, succession; tur turn; mil., formering order
ordningsam orderly
ordningsföljd order; lapparna *ligger i ~* ...are in the right (in consecutive) order
ordningsmakt, *~en* vanl. the police pl.
ordningsman i skolklass monitor
ordningsmänniska methodical person
ordningsregler regulations
ordningsvakt t.ex. på nöjesplats, i tunnelbanan patrolman
ordrikedom språks largeness of vocabulary; verbosity; persons wordiness
ordspråk proverb
ordstäv [common] saying
ordväxling argument
oreda oordning disorder; förvirring confusion; röra muddle, shambles; *ställa till ~ i ngt* throw a th. into disorder (confusion), make a muddle (mess) of a th.
oredig förvirrad confused, muddled; tilltrasslad entangled; osammanhängande incoherent; oordnad disorderly; ~ [*i huvudet*] muddle-headed
oregano bot. el. kok. oregano
oregelbunden irregular; avvikande från det normala anomalous; oberäknelig erratic; hand. unsettled
oregelbundenhet irregularity; anomaly; instability; jfr *oregelbunden*
oregerlig ohanterlig unmanageable; ostyrig unruly, ungovernable; bråkig wild, disorderly; motspänstig intractable; *bli ~* äv. get out of hand
orenlighet egenskap uncleanliness; smuts dirt; stark. filth
orensad om trädgårdsland unweeded; om bär o.d. unpicked; om fisk ungutted
orera hold forth
oresonlig omedgörlig unreasonable; envis stubborn
organ 1 kropps- el. växtdel organ **2** friare: organ; institution institution; myndighet authority, body; språkrör mouthpiece; tidning newspaper; redskap instrument; *kommunalt ~* municipal body
organisation organization
organisationsförmåga organizing ability, flair for organization
organisatör organizer
organisera organize; ordna arrange; *~ sig* fackligt organize; bilda fackförening äv. form (ansluta sig till join) a union
organisk organic
organism organism
orgasm orgasm; *få ~* have an orgasm; vard. come
orgel organ
orgie eg. el. bildl. orgy; *fira ~r i ngt* indulge in an orgy of a th.
orientalisk oriental
Orienten the Orient
orientera I *tr* orient, orientate; informera inform; i korthet brief **II** *rfl, ~ sig* eg. el. bildl. orientate (orient) oneself; eg. take one's bearings [*efter* kartan by (from)...]; polit. gravitate [*mot* towards] **III** *itr* sport. practise orienteering
orienterare sport. orienteer
orientering 1 geogr. el. bildl. orientation; information information; kort genomgång briefing; införande introduction; översikt survey; inriktning: om sak trend; om pers. leanings **2** sport. orienteering
orienteringsförmåga sense of locality
orienteringstavla trafik. information (route) sign
original 1 sak original; *i ~* in the original **2** person eccentric; vard. character
originalitet originality
originalspråk original [language]; *på ~et* in the original
originell ursprunglig original; säregen eccentric; ovanlig ...out of the ordinary
oriktighet det oriktiga incorrectness, inaccuracy; jfr äv. *felaktighet*
orimlig förnuftsvidrig absurd; motsägande incongruous; oskälig unreasonable; *begära det ~a* ask for the impossible, make unreasonable demands
orimlighet det orimliga absurdity etc., jfr *orimlig;* exorbitance
ork kraft energy; styrka strength; uthållighet stamina; *han tappade ~en* he ran out of steam
orka, jag *~r* (*~de*) inf. vanl. ...can (could) inf., jfr dock ex. nedan; *nu ~r jag inte* [*hålla på*] *längre* I cannot go on any longer, I am too tired to go on; *jag ~r inte mer* t.ex. mat I cannot manage any more, I have had enough, I simply couldn't; *springa så mycket* (*allt vad*) *man ~r* äv. run for all one

is worth; *jag ~r inte med* barnen ...are too much for me; *han ~r inte med* skolarbetet he cannot cope with (is not up to)...
orkan hurricane
orkeslös feeble; ålderdomssvag infirm
orkester orchestra
orkesterackompanjemang orchestral accompaniment
orkesterledare bandleader
orkidé bot. orchid
orm snake; bibl. el. bildl. äv. serpent
orma, ~ *sig* wind; om flod äv. meander
ormbiten snake-bitten
ormbo 1 snake's (bildl. serpent's) nest **2** lösa sladdar tangle of wires
ormbunke bot. fern
ormgift snake venom
ormmänniska contortionist
ormserum med. antivenin
ormtjusare snake-charmer
ornament ornament, decoration
ornitolog ornithologist
oro ängslan anxiety; uneasiness; stark. alarm; bekymmer concern; worry; trouble; farhåga apprehension; motsats t. lugn disquiet; rastlöshet restlessness; nervositet nervousness; upprördhet discomposure; upphetsning excitement, agitation; isht politisk el. social unrest; uppståndelse i församling o.d. commotion; *känna ~ [i kroppen]* feel restless [all over]
oroa I *tr* göra ängslig make...anxious (uneasy); stark. alarm; bekymra worry, trouble; störa disturb; uppröra agitate; mil., fienden harass; *~nde nyheter* alarming news **II** *rfl, ~ sig för* ngn be (feel) anxious about..., worry [oneself] (be troubled) about...; *~ sig för (över)* ngt be (feel) anxious (uneasy, troubled) about..., worry (trouble) about (over)..., fret about..., be alarmed at...
oroas se *oroa II*
orolig ängslig anxious; stark. alarmed; bekymrad concerned; upprörd excited; rädd apprehensive; om förhållanden troubled; rastlös restless; stormig turbulent; *~a tider* unsettled (troubled) times; havet var *~t* ...rough
orolighet, *~er* politiska el. sociala disturbances, riots, troubles, violence sg.
oroselement pers. troublemaker, mischief-maker; polit. agitator; källa t. oro source of unrest
oroshärd trouble (danger) spot
orosmoln threatening (storm) cloud
oroväckande alarming
orrhöna zool. grey (amer. gray) hen
orrspel tupps: läten blackcock's calls; parningslek blackcock's courting
orrtupp zool. blackcock
orsak cause; *~ och verkan* cause and effect; *ingen ~!* not at all!, don't mention it!, it is quite all right!; amer. you're welcome
orsaka cause
ort 1 plats place; trakt locality, district; *~ens* myndigheter äv. the local... **2** gruv. drift
ortnamn place name
ortoped orthop[a]edist
ortsbefolkning local population (inhabitants pl.)
orubbad eg. unmoved; oförändrad unaltered; ostörd undisturbed; oberörd unperturbed; om t.ex. förtroende unshaken
orubblig allm. immovable; om lugn o.d. imperturbable; om beslut o.d. unyielding; om tro o.d. unwavering; fast firm, steadfast; oböjlig inflexible
oråd, *ana ~* suspect mischief; vard. smell a rat
orädd fearless, unafraid
oräknelig innumerable; vard. no end of...
orätt I *adj* felaktig wrong; förkastlig, orättvis unjust; *falla i ~a händer* fall into [the] wrong hands **II** *adv* wrong; isht före perf. ptc. wrongly; incorrectly etc., jfr *I; handla ~* do wrong **III** *s* oförrätt wrong; *göra ~* do wrong
orättfärdig unjust, unrighteous; stark. iniquitous
orättmätig wrongful
orättvis unjust
orättvisa unfairness, injustice; oförrätt wrong; *en skriande ~* a glaring [piece of] injustice
orörd ej vidrörd untouched; ej bortflyttad un[re]moved; obruten intact; jungfrulig virgin...; *~ natur* unspoiled countryside
OS (förk. för *Olympiska spelen*) the Olympic Games, the Olympics
os lukt [unpleasant] smell (odour); kol~ fumes
osa om lampa o.d. smoke; ryka reek; *det ~r bränt* there is a smell of [something] burning
o.s.a. (förk. för *om svar anhålles*) RSVP
osagd unsaid, unspoken; *det låter jag vara osagt* I would not like to say
osaklig om t.ex. argument ...not to the point
osalig unblessed; *som en ~ ande* like a lost soul
osammanhängande om tal incoherent, rambling; utan samband unconnected
osams, *bli ~* quarrel, fall out; *jag vill inte vara ~ med henne* I don't want to quarrel (fall out) with her
osanning untruth; *tala (fara med) ~* tell lies (resp. a lie)
osannolik unlikely; *det är ~t, att han har* gjort det he is unlikely to have...
osedlig omoralisk immoral; oanständig indecent; stark. obscene
osedvanlig unusual

osiktad, *osiktat mjöl* whole meal
osjälvständig om pers. (attr.) ...lacking in independence, ...who lacks (lack etc.) independence; om arbete unoriginal
oskadad o. **oskadd** unhurt; *i oskadat skick* safe[ly], in good (sound) condition
oskadlig harmless
oskadliggöra sak render...harmless (innocuous); mina disarm; fiende, kanon o.d. put...out of action; gift neutralize; förbrytare o.d. put...into safe custody
oskattbar priceless
oskick olat bad habit; osed bad practice; missbruk abuse; ofog nuisance; dåligt uppförande misbehaviour, bad behaviour (manners pl.)
oskiftad jur., om bo o.d. undivided
oskiljaktig inseparable; om följeslagare constant; *~a vänner* äv. bosom friends
oskolad oövad untrained; okunnig untutored
oskuld 1 egenskap innocence; kyskhet chastity; renhet purity; *i all ~* in perfect innocence **2** person virgin; oskuldsfull person innocent
oskuldsfull innocent
oskyddad unprotected; för t.ex. väder o. vind unsheltered; jfr vid. *skydda*
oskyldig innocent; oförarglig inoffensive; oskadlig harmless; ren pure
oskyldigt innocently etc., jfr *oskyldig; ~ dömd* wrongfully convicted
oskälig 1 om djur dumb **2** obillig unreasonable, undue; om pris o.d. excessive
oslagbar om rekord unbeatable; om pers. undefeatable
oslipad om ädelsten o. glas uncut; bildl. unpolished; om verktyg unground; om kniv dull; *en ~ diamant* äv. a rough diamond
osläcklig inextinguishable
osmaklig eg. el. bildl. unappetizing; stark. disgusting; *ett ~t skämt* a joke in bad taste
osmidig eg. el. bildl.: klumpig clumsy; stel stiff; oelastisk inelastic
osminkad a) utan smink *hon var ~* she had no make-up on **b)** bildl. unembellished; *den ~e sanningen* the naked (plain) truth
osnygg ovårdad untidy; smutsig dirty; sjaskig: om pers. slovenly; om sak shabby; gemen mean
osorterad unsorted
osportslig unsporting, unsportsmanlike
OSS (förk. för *Oberoende staters samvälde*) CIS (förk. för Commonwealth of Independent States)
oss se *vi*
1 ost sjö. east (förk. E)
2 ost cheese; *lycklig* (*lyckans*) *~* bildl. lucky dog (beggar, fellow); *ge ngn betalt för gammal ~* get even with a p., get one's own back on a p.
ostadig osäker unsteady; rankig rickety, wobbly; ombytlig changeable, inconstant; hand. fluctuating; *~t väder* changeable (unsettled, variable) weather
ostan o. **ostanvind** east wind
ostbricka cheese board
ostbågar cheese doodles
osthyvel cheese slicer (planer)
ostkaka [Swedish] cheese (curd) cake [without pastry]
ostkant cheese rind; *en ~* äv. a crust of cheese
ostkust, *~en* the East Coast
ostlig easterly; east; eastern; jfr *nordlig*
ostraffad unpunished; *en tidigare ~ [person]* a person without previous convictions; förstagångsförbrytare a first offender
ostraffat with impunity
ostron oyster äv. bildl.
ostskiva slice of cheese
ostsmörgås [open] cheese sandwich
ostyckad djurkropp unquartered; jordlott undivided
ostädad om rum untidy; bildl. ill-mannered; rummet *är ostädat* äv. ...has not been tidied [up]
ostämd mus. untuned, out of tune
ostörd undisturbed; oavbruten unbroken; *jag vill vara ~* I don't want to be disturbed
osund allm. (eg. o. bildl.) unhealthy; om föda unwholesome; ohygienisk insanitary; om hy sickly; om luft foul; bildl.: t.ex. om inflytande unwholesome; t.ex. om principer unsound
osv. (förk. för *och så vidare*) etc.; se äv. d.o. under *och*
osvensk un-Swedish
osviklig om säkerhet o.d. unerring; ofelbar unfailing; om medel infallible; om trohet o.d. unswerving
osvuren, *osvuret är bäst* better not be too certain; man vet aldrig you never can tell
osympatisk otrevlig unpleasant; om utseende el. motbjudande forbidding; frånstötande repugnant
osynlig invisible
osyrad unleavened
osystematisk unsystematic; friare unmethodical
osårbar invulnerable
osäker allm. uncertain, unsure; otrygg insecure; riskfull unsafe, risky; ostadig unsteady, unstable; otillförlitlig unreliable; tvivelaktig doubtful; vacklande wavering, vacillating; trevande hesitant; *med ~ röst* in an unsteady (shaky) voice
osäkerhet uncertainty; insecurity, unsafeness, riskiness; instability, unreliability; vacillation; jfr *osäker*
osäkra gevär cock; handgranat pull out the pin of

osämja discord, dissension; stark. enmity; *leva i ~ med...* be on bad terms with...
osökt I *adj* naturlig natural **II** *adv* naturally; *påminna ~ om...* inevitably bring...to mind
osötad unsweetened
otack ingratitude; *~ är världens lön* there is no (one can't expect) gratitude in this world
otacksam isht om pers. ungrateful; *en ~ uppgift* a thankless (an unrewarding) task
otakt, *gå (komma, dansa) i ~* walk (get, dance) out of step
otal, *ett ~...* a countless (an endless) number of...; vard. no end of...
otalt, *ha ngt ~ med ngn* have a score to settle (a bone to pick) with a p.
otid, *i tid och ~* at all (odd) times of the day
otidsenlig old-fashioned, unfashionable
otillbörlig orätt undue; olämplig inappropriate; opassande improper
otillfredsställande unsatisfactory, unsatisfying
otillfredsställd unsatisfied; om t.ex. hunger, om t.ex. önskan ungratified; missnöjd dissatisfied
otillförlitlig unreliable
otillgänglig eg. el. bildl. inaccessible, unapproachable; okänslig insusceptible
otillräcklig till kvantiteten insufficient; till kvaliteten inadequate; ...not up to the mark
otillräknelig ...not responsible (accountable) for one's actions, mentally deranged, non compos mentis lat.; vard. out of one's senses
otillåten förbjuden forbidden; mera officiellt prohibited; olovlig unlawful
otillåtlig inadmissible
otippad, *en ~ segrare* an unbacked winner
otjänlig olämplig unsuitable; obrukbar unserviceable; *~ (till) som* människoföda unfit for...
otjänst, *göra ngn en ~* do a p. a bad turn (a disservice)
otrevlig obehaglig disagreeable, unpleasant; mera vard. bad; otäck nasty; pinsam ugly; förarglig awkward; obekväm uncomfortable
otrevlighet egenskap disagreeableness etc., jfr *otrevlig; ~er* disagreeable (unpleasant) things, disagreeables; *ställa till ~er för* ngn make things disagreeable (unpleasant, uncomfortable) for...
otrivsam unpleasant
otrogen t.ex. i äktenskap unfaithful; svekfull faithless; relig. unbelieving; *vara ~ mot* sina ideal not live up to...
otrohet unfaithfulness; svekfullhet faithlessness
otrolig eg. incredible; osannolik unlikely; otänkbar inconceivable; häpnadsväckande astounding; oerhörd monstrous
otrygg insecure
otränad untrained; för tillfället ...out of training; ovan unpractised
otröstlig inconsolable; ...not to be comforted
otta, *i ~n* early in the morning, in the early morning
otukt isht bibl. fornication; *[bedriva] ~ med minderårig* [commit] an indecent assault on a minor
otuktad ohyfsad undisciplined; om sten undressed; om träd o.d. unpruned
otur bad luck, misfortune; *vilken ~!* what [a stroke of] bad luck!; *ha ~* äv. be unlucky, have no luck [*i* in (i spel at)]
oturlig o. **otursam** unlucky
otvivelaktigt undoubtedly; no doubt
otvungen unconstrained, unstrained
otydlig allm. indistinct
otyg smörja rubbish; oting nuisance; rackartyg mischief; trolldom witchcraft
otyglad om t.ex. fantasi unbridled; hejdlös uncontrolled
otymplig klumpig: t.ex. om kropp ungainly; t.ex. om metod, översättning clumsy; åbäkig unwieldy, cumbrous; tafatt awkward
otålig impatient
otäck allm. nasty; ful ugly; starkt känslobeton. om t.ex. väder foul; ryslig horrible
otäcking rascal; stark. devil
otämjd untamed
otänkbar inconceivable; att fortsätta *är ~t* ...is not to be thought of
otörstig, *dricka sig ~* drink one's fill
oumbärlig indispensable; *...är ~ för oss* äv. we cannot do without...
oundviklig unavoidable; som ej kan undgås inevitable
ouppfostrad badly brought-up end. om pers.; ill-bred; ohyfsad ill-mannered
ouppfylld unfulfilled, unrealized, ungratified
oupphörligen o. **oupphörligt** incessantly
ouppklarad om t.ex. brott unsolved; oförklarad unexplained; om affär o.d. unsettled
oupplöslig bildl. indissoluble
ouppmärksam inattentive
ouppnåelig om t.ex. ideal, mål unattainable; om pers. unapproachable
ouppsåtlig unintentional
outbildad allm. uneducated; om t.ex. arbetskraft untrained, unskilled
outforskad unexplored, uninvestigated; outgrundad unfathomed
outgrundlig gåtfull inscrutable; ogenomtränglig impenetrable; ofattbar unfathomable
outhärdlig unbearable
outnyttjad oanvänd unused, unutilized; om

fördelar, resurser o.d. unexploited; om naturtillgångar undeveloped; om kapital idle
outplånlig om t.ex. intryck, skam, spår indelible; om t.ex. minne, förflutet ineffaceable
outredd bildl.: outforskad uninvestigated; ej uppklarad (attr.) ...that has (had etc.) not been cleared up
outsider sport. el. bildl. outsider
outsinlig inexhaustible
outslagen om blomma unopened
outsäglig bildl. unspeakable, ...beyond words
outtröttlig isht om pers. indefatigable; om nit untiring; om energi o.d. tireless, unflagging
outvecklad undeveloped äv. bildl.; om pers. (omogen) immature
oval oval
1 ovan I *prep* above **II** *adv* above; *här ~* above
2 ovan ej van unaccustomed, unused; oövad unpractised; oerfaren inexperienced
ovana 1 brist på vana unaccustomedness; lack (want) of practice; bristande förtrogenhet unfamiliarity **2** ful vana bad (objectionable) habit
ovanför I *prep* above; t.ex. dörren at the top of; norr om [to the] north of **II** *adv* above, higher (farther el. further) up; norr därom to the north [of it]
ovanifrån from above
ovanlig unusual; sällan förekommande infrequent; utomordentlig extraordinary
ovanlighet unusualness etc., jfr *ovanlig;* infrequency; *det hör till ~en att han gör det* it is an unusual thing for him to do it
ovanligt unusually etc., jfr *ovanlig;* förstärkande extremely, abnormally; *~ nog* for once [in a way]
ovannämnd above-mentioned
ovanpå I *prep* on [the] top of; om tid after; han bor *~ oss* ...[in the flat] above us **II** *adv* on [the] top; i villa o.d. upstairs; efteråt after that; vem bor *~?* ...[in the flat (in the apartment, on the floor)] above?
ovanstående, ~ lista the above..., the...above; med anledning av ~ (upplysningar etc.) ...the [information (details etc.) furnished] above
ovarsam vårdslös careless; oförsiktig incautious
ovation ovation
ovederhäftig ej trovärdig untrustworthy; otillförlitlig unreliable; ansvarslös irresponsible
ovedersäglig incontrovertible; ovederlägglig irrefutable
overall arbets~ boilersuit; för småbarn zip suit; tränings~ track suit; skid~ ski suit; jogging~ jogging suit
overheadprojektor overhead projector
overklig unreal
overksam 1 sysslolös idle; passiv passive **2** utan verkan inefficacious, ineffective
overksamhet idleness, passivity; jfr *overksam 1*
ovetande, *mig ~* without my knowledge
ovetenskaplig unscientific
ovett bannor scolding; vard. telling-off; otidigheter abuse
ovettig abusive
ovidkommande irrelevant; *en ~ [person]* an outsider
ovig klumpig cumbersome, ungainly, clumsy; tung o. ~ heavy; otymplig unwieldy
oviktig unimportant, negligible
ovilja 1 ovillighet unwillingness **2** harm indignation; misshag displeasure; agg animosity; motvilja repugnance; stark. aversion
ovillig ej villig unwilling; ohågad reluctant; averse
ovillkorlig obetingad unconditional; absolut absolute; nödvändig necessary; ofrånkomlig inevitable
ovillkorligen absolutely
oviss uncertain; tveksam doubtful; tvivelaktig dubious; vansklig precarious; obestämd indefinite; *utgången är ännu ~* äv. the result still hangs in the balance
ovisshet [state of] uncertainty, doubt[fulness] etc., jfr *oviss*
ovårdad om klädsel dishevelled; om pers. unkempt; om språk substandard; friare slipshod
oväder storm äv. bildl.; tempest
ovälkommen unwelcome; ej önskvärd undesirable
ovän enemy; poet. foe; *bli ~ med ngn* quarrel (fall out) with a p.; *vara ~ med ngn* be on bad terms with a p.
ovänlig ej vänskaplig unfriendly; ej snäll unkind; ej välvillig unkindly; fientlig hostile; om t.ex. sätt disobliging; tvär harsh
ovänlighet unfriendliness etc., jfr *ovänlig;* hostility
ovänskaplig unfriendly; fientlig hostile
oväntad unexpected; *ett oväntat besök* äv. a surprise visit
ovärderlig invaluable; inestimable
ovärdig allm. unworthy; skamlig shameful; ~ ngns förtroende unworthy of...
oväsen oljud noise; *föra ~* make a noise
oväsentlig unessential
oxe 1 zool. ox (pl. oxen) äv. bildl.; stut bullock; kok. beef **2** astrol. *Oxen* Taurus
oxfilé fillet of beef
oxid kem. oxide
oxkött beef
oxstek kok. roast beef; slakt. el. kok. joint of beef
ozon kem. ozone

ozonskikt, *~et* the ozone layer
oåterhållsam unrestrained; omåttlig intemperate
oåterkallelig irrevocable
oåtkomlig otillgänglig inaccessible; om pers. unapproachable; vard. unget-at-able; oanskaffbar unobtainable; [*bör*] *förvaras ~t för barn* påskrift to be kept out of children's reach
OÄ (förk. för *orienteringsämnen*) skol. general subjects
oäkta *adj* falsk false; imiterad imitation..., sham...; konstgjord artificial; tillgjord affected, artificial; ~ *barn* åld. illegitimate child
oändlig infinite äv. mat.; fortsätta *i det ~a* ...for ever [and ever], ...endlessly, ...interminably
oändlighet infinity; *i* [*all*] ~ se [*i det*] *oändlig*[*a*]
oändligt infinitely etc., jfr *oändlig; ~ liten* äv. infinitesimal; ~ *många* sandkorn an infinite number of..., innumerable..., an infinity of...; vard. no end of...
oärlig dishonest
oärlighet dishonesty
oätbar dåligt tillagad uneatable; onjutbar unpalatable
oätlig om t.ex. svamp inedible; jfr äv. *oätbar*
oöm om pers. robust, rugged; hållbar durable; härdig hardy
oönskad undesired; *ett oönskat barn* an unwanted child
oöppnad unopened
oöverlagd överilad rash; oövertänkt ill-considered; ej planlagd unpremeditated
oöverskådlig oredig confused; illa disponerad badly arranged; ofantlig immense; oändlig boundless; om följder o.d. incalculable; om tid indefinite
oöverstiglig insurmountable; ~ *klyfta* äv. bildl. unbridgeable gulf
oöverträffad unsurpassed; utan like unrivalled
oövervinnelig mera eg. invincible; om t.ex. blyghet unconquerable; om svårighet o.d. insuperable

P

p bokstav p [utt. pi:]; *sätta ~ för...* put a stop to (vard. a stopper on)...
pacemaker med. el. sport. pacemaker
pacifist pacifist
1 pack rabble, riff-raff; vermin; *ett riktigt ~* slödder a lot of riff-raff
2 pack se *pick och pack*
packa I *tr* pack [up]; stuva stow; *~d med folk* packed (crowded, crammed) [with people]; *sitta (stå) som ~de sillar* be packed like sardines [in a tin] **II** *rfl, ~* [*ihop*] *sig* om snö o.d. pack; jfr *III*
III med beton. part.
~ **ihop** a) eg. tr. pack...together b) itr. pack up äv. bildl.; ~ *ihop sig* tränga ihop sig crowd [*i* ett litet rum into...]; jfr *II*
~ **in** pack up; slå (linda) in äv. wrap (do) up
~ **sig i väg** be off; schappa make off; ~ *dig i väg!* vanl. clear off (out)!
~ **ner** pack up; undan pack away; *jag har redan ~t ner den* i kofferten I have already packed (put) it into (in)...
~ **om** repack
~ **upp** unpack
packad vard., berusad tight, sloshed
packe package; bunt bundle
packning konkr. **1** pack äv. mil.; bagage luggage; flyg. el. sjö. el. amer. baggage; *med full* ~ mil. in full marching kit **2** tekn. gasket; till kran o.d. washer
padda toad
paddel o. **paddelåra** paddle; tvåbladig double[-bladed] paddle
paddla paddle [one's canoe]; *ge sig ut och ~* go [out] canoeing
paff *adj* staggered, dumbfounded; *jag blev alldeles ~* äv. I was completely taken aback
pagefrisyr page-boy [style]
pagod pagoda
pain riche French stick loaf (pl. loaves); amer. loaf of French bread
paj pie; utan deglock tart
paja vard. **I** *itr, ~* [*ihop*] allm. break down, go to pieces; om t.ex. planering collapse **II** *tr* ruin, cause...to break down
pajas clown; *spela ~* play the buffoon
pajdeg [pie] pastry
paket parcel; litet packet; större el. amer. el. bildl. (t.ex. läroboks~) package; *ett ~ cigaretter* a packet (amer. a pack) of cigarettes; *skicka som ~* send by parcel post; *slå in ett ~* wrap up a parcel
paketera packet
pakethållare luggage (baggage) carrier

paketinlämning receiving office; post. parcel counter
paketlösning package solution
paketpris package (all-in) price
paketresa allt-i-ett-resa package (all-inclusive) tour
Pakistan Pakistan
pakistanare Pakistani
pakistansk Pakistani
pakt pact; *ingå en ~* make (conclude) a pact (treaty)
palats palace
palatsliknande palatial
palatsrevolution palace (backstairs) revolution
palaver palaver
Palestina Palestine
palestinier Palestinian
palestinsk Palestinian
palett konst. palette, pallet
palissad palisade, stockade
paljett spangle; sequin; *~er* äv. tinsel sg.
1 pall 1 möbel stool; fotstöd footstool **2** lastpall pallet
2 pall vard. *stå ~* cope, manage; *stå ~ för ngt* cope with (manage) a th.; stå emot stand up to a th.
1 palla, *~ upp* chock [up], block up
2 palla vard. *~ för ngt* orka cope with (manage) a th.
3 palla vard. *~ äpplen* (*frukt*) scrump apples (fruit)
pallra, *~ sig av* (*i väg*) toddle off, get along; *~ sig upp* (*opp*) ur sängen get oneself out of bed
palm palm
palsternacka parsnip
palt kok., blod~ blood bread; slags kroppkaka potato dumpling
paltor vard. rags, clobber
pamflett smädeskrift lampoon
pamp pers. bigwig
pampig magnificent
Panama Panama
panda zool. panda
panel 1 eg. panel [work]; boasering wainscot; fot~ skirting-board **2** diskussionspanel panel
paneldebatt panel debate
panelhöna ngt åld. el. vard. wallflower
panera kok. coat...with egg and breadcrumbs, breadcrumb
pang bang!
panga *tr* vard., slå sönder smash
pangbrud sl. cracker
pangsuccé vard. roaring success
panik panic; [*det är*] *ingen ~!* don't panic!, take it easy!; *det utbröt* (*uppstod*) *~* panic broke out, there was a panic
panikslagen panic-stricken
panisk panic; *ha en ~ förskräckelse för* have a terrible dread of; vard. be scared stiff of
pank vard. broke, cleaned out; *~ och fågelfri* ung. footloose and fancy-free
1 panna 1 kok. pan; kaffe~ kettle **2** värme~ furnace; ång~ boiler
2 panna forehead; isht poet. brow; *med rynkad ~* with a frown, frowning, se äv. *rynka II; torka svetten ur ~n* wipe [the perspiration off] one's forehead
pannband headband
pannkaka pancake; *grädda pannkakor* fry pancakes
pannlampa headlamp
pannrum boiler room
panorama panorama
pansar 1 mil. armour **2** zool. carapace
pansarbil armoured car
pansarglas armoured (bullet-proof) glass
pansarplåt armour-plate
pansarregemente armoured (tank) regiment
pansarvagn armoured car; stridsvagn tank
pant pledge äv. bildl.; pawn; i lek forfeit; *betala ~* för t.ex. tomglas pay a deposit
panta vard. *~ flaskor* get money on return bottles
pantalonger ngt åld. trousers; amer. äv. pants
pantbank pawnshop; *på ~en* at the pawnbroker's
panter zool. panther; *svart ~* black leopard (panther)
pantkvitto pawn ticket
pantlånekontor pawnbroker's [shop]
pantomim pantomime
pantsätta i pantbank pawn; pantförskriva pledge; *en pantsatt* klocka a...in pawn, a pawned...
papaya träd o. frukt papaw, pawpaw
papegoja parrot äv. bildl.
papiljott curler; *lägga upp håret på ~er* put one's hair in curlers
papp pasteboard; grov millboard; kartong cardboard
pappa father; vard. pa; ngt tillgjort pappa; amer. papa; barnspr. daddy; jfr *far*
pappaledig, *vara ~* be on paternity leave
pappaledighet paternity leave
papper ss. ämne el. koll. paper: skriv~, brev~ (isht hand.) stationery; omslags~ wrapping paper; jfr *värdepapper; ett ~* a piece (scrap) of paper; *gamla ~* handlingar ancient documents; *lägga ~en på bordet* put one's cards on the table; tala om alltsammans make a clean breast of it
pappersavfall waste paper
pappersbruk papermill
pappersdocka paper doll
pappersduk paper (disposable) table cloth
pappersinsamling paper collection
papperskasse paper carrier

pappersskniv paperknife
papperskorg wastepaper basket; amer. wastebasket; utomhus litterbin
papperskvarn, *~en* the bureaucratic machinery, bureaucracy, red tape
papperslakan throwaway (disposable) sheet
pappersmassa paper (wood) pulp
pappersmugg paper drinking-cup
pappersnäsduk paper (disposable) handkerchief (tissue)
papperspengar paper money, paper currency
papperspåse paperbag
pappersservett paper napkin
papperstillverkning paper-making, paper manufacture
pappersvaror paper articles (goods); skrivmateriel stationery
pappkartong o. **papplåda** cardboard box
pappskalle vard. blockhead
paprika 1 bot. capsicum; kok. [sweet] pepper; *grön* (*gul, röd*) ~ green (yellow, red) pepper **2** krydda paprika
par 1 sammanhörande pair; två stycken couple; om dragare span; *ett* ~ handskar (byxor) a pair of...; *ett gift* (*ungt*) ~ a married (young) couple; *ett älskande* ~ a pair of lovers, a loving couple **2** *ett* ~ några... a couple of..., two or three...; *ett* ~ [*tre*] *dagar* a couple of days, two or three days, a few days
para I *tr* **1** ordna parvis ~ [*ihop*] match, pair [...together] **2** djur mate **3** förena combine **II** *rfl,* ~ *sig* mate, pair, copulate
parabolantenn parabolic aerial (amer. antenna); vard. [satellite] dish
parad 1 mil. el. friare parade; *stå på* ~ friare be on parade **2** sport.: fäktn. parry; boxn. block **3** mil., paraddräkt full uniform (dress)
paradera parade
paradexempel prime (classical) example
paradis paradise; *ett* ~ *på jorden* äv. a heaven on earth
paradisdräkt, *i* ~ in one's birthday suit
paradnummer showpiece
paradox paradox
paradoxal paradoxical
paraduniform full uniform
paradvåning representationsvåning state apartment
paraffin [solid] paraffin
paragraf numrerat stycke section; jur. äv. paragraph; i traktat o.d. article
paragrafryttare bureaucrat
paragraftecken section mark
Paraguay Paraguay
paraguayare Paraguayan
paraguaysk Paraguayan
parallell parallel; *dra* [*upp*] *en* ~ draw a parallel, make a comparison
parallellfall parallel case (instance)
parallellkopplad elektr. ...connected (coupled) in parallel
paralysera med. el. bildl. paralyse; amer. paralyze
paranoia med. paranoia
paranoid med. paranoid
parant elegant elegant; flott chic; iögonenfallande striking
paranöt Brazil nut
paraply umbrella; *fälla ihop* (*ned*) *ett* ~ close (put down) an umbrella
paraplyorganisation umbrella organization
paraplyställ umbrella stand
parapsykologi parapsychology
parasit parasite; *leva som* ~ live as a parasite
parasitisk parasitic
parasoll parasol; större trädgårds~ garden umbrella
paratyfoid o. **paratyfus** med. paratyphoid [fever]
pardans dancing with a partner
pardon quarter; *be om* (*ge*) ~ ask for (give) quarter
parentes de båda ~tecknen parenthes|is (pl. -es) äv. inskott o. bildl.; brackets; *sätta...inom* ~ put...in brackets (parenthesis); *inom* ~ *sagt* by the way, incidentally
parentetisk parenthetic[al]
parera parry; avvärja fend off
parfym perfume; billigare scent; *~er* koll. äv. perfumery sg.
parfymera perfume; med billig parfym scent
parfymeri perfumery [shop]
parhus semidetached house
parhäst 1 *en* ~ a horse of a pair; *de hänger ihop som ~ar* they are inseparable [friends] **2** amer., vicepresidentkandidat running-mate
paria pariah; *samhällets ~s* the outcasts of society, social outcasts
pariserhjul big wheel; isht amer. Ferris wheel
paritet parity; *i* ~ *med* on a level (par) with
park 1 parkanläggning park **2** bestånd (av fordon, maskiner o.d.) park; ett företags *fordons~* ...fleet of cars (lorries)
parkanläggning konstr. [ornamental] park
parkas plagg parka
parkera 1 park; för kortare uppehåll wait **2** vard., placera park
parkering 1 parking; ~ *förbjuden* no parking **2** område, se *parkeringsplats*
parkeringsautomat parking meter
parkeringsböter parking fine; *få* ~ get a parking fine
parkeringsficka parking slot
parkeringsförbud, *det är* ~ parking is prohibited
parkeringshus multistor[e]y car park

parkeringsljus parking light[s pl.], sidelights
parkeringsplats parking place; område car park; amer. parking lot; ~ med parkeringsrutor parking bay; mindre parking ground; rastplats vid landsväg lay-by; amer. emergency roadside parking
parkeringsvakt för parkeringsmätare traffic warden; vid parkeringsplats car-park attendant
parkett 1 teat. stalls; amer. parquet, orchestra [seats pl.]; *främre ~* orchestra stalls pl. **2** golv parquet flooring (floor)
parkettgolv parquet floor
parkettplats seat in the stalls (amer. parquet)
parklek playground activities
parlament parliament; *sitta i ~et* be a member of parliament, be an MP; *gatans ~* the parliament of the street
parlamentarisk parliamentary
parlamentsledamot member of parliament
parlör phrase book
parning mating, copulation
parningslek courtship, mating dance
parningstid mating season
parodi parody; skit; *en ren ~ på...* a travesty of...
parodiera parody
paroll slagord watchword; lösenord password
part 1 andel portion, share **2** jur. ~ *[i målet]* party; det är bäst *för alla ~er* ...for all parties (everybody) [concerned]
partaj vard. party, do
parti 1 del part äv. mus.; avdelning section; av bok passage **2** hand., kvantitet lot; varusändning consignment; isht sjö. äv. shipment; kvantitet quantity; *~er på (om)* minst 1 ton lots (osv.) of... **3** polit. party; *ansluta sig till (skriva in sig i) ett ~* join a party **4** spel~ game; *ett ~ schack* a game of chess **5** gifte match; *han är ett gott (bra) ~* he is an eligible (a good) match **6** *ta ~ för ngn* take a p.'s part (side)
partibeteckning polit. party label
partifärg polit. political complexion, party colour
partihandel wholesale trade (handlande trading)
partikongress polit. party conference
partiledare polit. party leader (vard. boss)
partiledning polit., koll. party leaders; styrelse party executive [body]
partipamp polit. party bigwig (boss)
partipolitisk party-political
partipris hand. wholesale price
partisk partial
partivän polit. fellow party-member; *hans ~ner* äv. the members of his party
partner partner
party party
parvel vard. little fellow (chap)
parvis in pairs (couples)
paråkning sport. pairs-skating
1 pass 1 passage pass **2** legitimation passport **3** jakt. el. polis. o.d. (patrulleringsområde) beat; *stå på ~* allm. be on guard (on the lookout) **4** tjänstgöring duty; skift spell; *vem har ~[et] i kväll?* who is on duty (in charge) tonight?, who has (is on for) night duty? **5** *så ~ [mycket]* tillräckligt *att* + sats [about] enough to + inf.; *så ~ mycket (nära, stor)* så [här] mycket osv. as much (near, big) as this (that); *så ~ mycket kan jag säga dig* I can tell you this much; *komma [ngn] väl (bra) till ~* isht om konkr. ting come in handy; om kunskap o.d. stand a p. in good stead
2 pass kortsp. pass!
3 pass, *~ för den!* that's mine!, I want that one!, bags I that one!
passa I *tr* o. *itr* **1** (ibl. äv. ~ ˈ*på)* ge akt på attend (pay attention) to; hålla ett öga på keep (have) an eye on; [av]vakta, vänta på watch for, wait (hålla utkik efter look out) for; försåtligt waylay; se efter see to, look after; se till mind; sköta om take care of; betjäna wait [up]on; maskiner o.d.: sköta äv. operate; övervaka äv. watch [over]; *~ på* utnyttja *tillfället* take the chance (opportunity); *~ tåget* be in time for the train
2 a) vara lagom (avpassad), anpassa fit isht om konkr. ting; suit; vara lämplig be fit[ting]; be suitable; vara läglig be convenient; *den* (t.ex. hatten, rocken) *~r mycket bra (precis)* it fits perfectly (is a perfect fit); möbeln *~r inte här* ...is out of place here; *det ~r mig utmärkt* it suits me excellently (vard. down to the ground el. to a T). **b)** med prep.-konstr.: *de ~r för varandra* they are suited to each other; *han ~r inte för platsen* he is not the man (will not do, is not suited el. cut out) for the post; *det ~r [in] i sammanhanget* it fits [into] the context; *en slips som ~r till* kostymen a tie that goes well with (matches)...
3 vara klädsam suit; anstå be becoming osv., jfr *II 2*
4 kortsp. pass, say 'no bid'
5 sport. ~ *[bollen]* pass [the ball]
II *rfl, ~ sig* **1** lämpa sig be convenient (opportune) **2** anstå be becoming; become, befit; *det ~r sig inte* it is not proper (vard. not good form, not done); jfr äv. *passande* **3** look out; akta sig take care of oneself; *~ sig att inte* inf. take care not to inf.
III med beton. part.
~ ihop a) itr. eg. fit [together]; friare fit in; stämma tally; *~ ihop [med varandra]* om pers. suit (be well suited to) each other,

get on well together **b)** tr. fit...together; tekn. joint, join...together
~ **in a)** tr. fit...in (into) **b)** itr. fit [in]; tekn. äv. gear; *det ~r precis in på honom* the description fits him exactly
~ **på** look (watch) out; ~ *på medan...*(*att* inf.) take the opportunity while...(to inf.)
~ **upp a)** betjäna attend; vid bordet wait **b)** *pass upp* (*opp*)*!* pass på! look (watch) out!, watch it (yourself)!
passage passage abstr. o. konkr. (äv. avsnitt i bok o.d. el. mus.); astron. transit; arkad arcade; *lämna fri ~* leave the way free
passagerare passenger; i taxi o.d. fare
passagerarfartyg passenger steamer (större liner)
passande lämplig suitable; fit isht pred. i bet. 'värdig'; läglig convenient; lämpad conformable; riktig, rätt appropriate, proper; tillbörlig becoming; vederbörlig due; *det är inte ~ för en ung flicka att...* it is not done (the thing) for a young girl to...; *känsla för det ~* sense of propriety
passare cirkelinstrument compasses pl.; *en ~* a pair of compasses
passera 1 ~ [*förbi*] pass äv. friare; pass by; överskrida cross; *filmen ~de censuren* the film was passed by the censor; *det låter jag ~* överser jag med I am willing to overlook that (let it pass); *ett ~t stadium* a stage that has passed (gone by) **2** hända happen osv., jfr *hända I* **3** kok. strain; genom durkslag press...through a colander **4** i t.ex. tennis pass
passersedel pass
passform om kläder o.d. fit; kjolen *har bra ~* ...is a perfect fit
passgång isht om häst amble
passion lidelse passion; mani mania; käpphäst hobby
passionerad ivrig, entusiastisk keen; om t.ex. talare impassioned; varmblodig passionate
passionerat passionately; *vara ~ förälskad i...* äv. love...to distraction
passiv I *adj* passive; ~ *delägare* sleeping partner; ~ *medlem* associate member **II** *s* språkv. the passive [voice]
passivisera passivate
passivitet passivity
passkontroll kontrol passport examination (control); kontor passport office
passkontrollant immigration officer
passning 1 eftersyn attention; tillsyn tending; skötsel nursing; betjäning attendance **2** sport. pass
passopp attendant; pojke page[-boy]; *vara ~ åt...* fetch and carry for...
pasta 1 allm. paste **2** spaghetti o.d. pasta it.
pastej pie; liten patty
pastell pastel; *måla i ~* paint in pastel
pastellkrita pastel [crayon]
pastill pastille
pastor i frikyrkan el. isht om utländska förh. pastor; ~ *[Bo] Ek* [the] Rev. Bo Ek
pastorsexpedition ung. [parish] registrar's (register) office
pastrami kok. pastrami
pastörisera pasteurize
patent patent; ~brev letters patent
patentbrev letters patent
patentinnehavare holder of a (resp. the) patent
patentlås safety (yale®, patent) lock; smäcklås latch
patentlösning cure-all, instant recipe
patentmedicin patentskyddad patent medicine; universalmedicin nostrum; bildl. cure-all, nostrum
patentregister register of patents
patentskyddad patented
patentstickning double knitting
patentverk patent office; *Patent- och Registreringsverket* the [Swedish] Patent and Registration Office
patetisk lidelsefull passionate; högstämd lofty, elevated; högtravande highflown; gripande pathetic äv. löjeväckande; *en ~ anblick* a pathetic sight
patiens patience; amer. solitaire; *lägga ~* play patience (solitaire)
patient patient
patolog pathologist
patos lidelse passion; t.ex. ungdomligt fervour; t.ex. deklamatoriskt pathos; *socialt ~* passion for social justice
patrask rabble, riff-raff
patriarkalisk patriarchal
patriarkat 1 kyrkl., ämbete patriarchate **2** fadersvälde patriarchy, patriarchate
patriot patriot
patriotisk patriotic
patriotism patriotism
1 patron 1 godsägare [country] squire; husbonde master, principal; vard. boss **2** skydds~ patron saint
2 patron för skjutvapen cartridge äv. friare (om patronliknande förpackning el. föremål); rörpost~ [dispatch] carrier; för t.ex. kulpenna refill [cartridge]; film~ [film] cartridge
patronhylsa cartridge [case]
patrull patrol; *stöta på ~* bildl. (stöta på motstånd) meet with opposition [*hos ngn* from a p.]
patrullera patrol
patrulltjänst patrol service (duty)
patt vulg. tit, boob
paus 1 isht i tal pause; uppehåll break; teat. el. radio. interval; amer. intermission; *göra en ~* i t.ex. tal make a pause; i arbetet have a break **2** mus. rest
pausera pause, stop
paviljong pavilion

pedagog educationalist; lärare pedagogue
pedagogik pedagogy
pedagogisk pedagogic[al]; uppfostrande educational
pedal pedal
pedant pedant; friare meticulous person; vard. nitpicker
pedantisk pedantic; friare meticulous; vard. nitpicking
pederast pederast
pediatrik paediatrics; amer. pediatrics
pedikyr pedicure, chiropody
pejla 1 bestämma riktningen till take a bearing of; flyg., med radio locate; orientera sig take one's bearings **2** loda sound; bildl. ~ *läget* see how the land lies
pejling bearing; radio location; sounding; *få ~ på* sjö. get a bearing on; jfr *pejla 1* o. *2*
peka point; ~ tyda *på att...* äv. indicate that...; *gå dit näsan ~r* follow one's nose; *hon får allt vad hon ~r på* her slightest wish is fulfilled, everything is hers for the asking; ~ *ut* point out; välja ut single out; designera designate [*ngn som* a p. as]
pekannöt pecan
pekbok för småbarn [children's] picture book
pekfinger forefinger
pekinges o. **pekin[g]eser** hundras pekin[g]ese (båda pl. lika); vard. peke
pekoral pretentious (high-flown, corny) trash
pekpinne pointer; bildl. lecture; *för många pekpinnar* too much lecturing
pelare pillar äv. bildl.; kolonn column
pelargon o. **pelargonia** bot. pelargonium; ofta geranium
pelikan pelican
pendang counterpart, companion [piece, bok volume]; *bilda en ~ till* äv. match
pendel pendulum
pendeltåg commuter (suburban) train
pendla 1 svänga swing [to and fro]; tekn. oscillate; vackla vacillate; ~ *mellan två ytterligheter* hover between two extremes **2** trafik. commute
pendlare trafik. commuter
pendyl ornamental (vägg~ wall, bords~ mantelpiece) clock
penetrera penetrate
peng slant coin; jfr *pengar*
pengar koll. money; kapital capital, funds; till biljett fare; *~na eller livet!* your money or your life!; *man kan inte få allt för ~* money won't buy everything
penibel pinsam painful; kinkig awkward; *vara i en ~ situation* be in a bit of a fix (in an awkward situation)
penicillin farmakol. penicillin
penis pen|is (pl. -es, vard. -ises)
penna allm. pen; blyerts~ pencil; skribent writer
pennfodral pen (för blyertspennor pencil) case
pennfäktare scribbler
penning, *~ens makt* the power of money; *få ngt för en billig (ringa) ~* get a th. cheap[ly] (vard. for a song); se äv. *peng* o. *pengar*
penningbehov need of money
penningbekymmer financial (pecuniary) worries
penningbrist shortage (lack) of money
penningfråga 1 penningangelägenhet money matter **2** *det är en ~ för honom* it is a question (matter) of money for him
penningförsändelse remittance [of money]
penningknipa lack of money; *vara i ~* be hard up (pushed for money)
penninglott [state] lottery ticket
penningplacering investment [of money (capital)]
penningpung moneybag, purse
penningstark ...in a strong financial position, moneyed; ~ *person* äv. financially strong (wealthy) person, man (resp. woman) of money
penningsumma sum of money
penningvärde pengarnas köpkraft value of money
penningväsen myntsystem monetary system; finanser finances
pennkniv penknife; fickkniv pocketknife
pennskrin pencil box
pennteckning pen-and-ink drawing
pennvässare pencil-sharpener
pensé bot. pansy
pensel målar~ o.d. [paint]brush
pension 1 underhåll pension; *få (avgå med)* ~ get (retire on) a pension **2** inackordering board; se äv. *pensionat* **3** flick~ girls' boarding school
pensionat inackorderingsställe boarding house; mindre hotell [private (family)] hotel; på kontinenten ofta pension
pensionera pension [off]; *~d* pensioned; ofta retired
pensionering pensioning; pensioneringssystemet the pension system; *till ~en* var han... up to his retirement...
pensionsförsäkring retirement annuity (pension insurance)
pensionsgrundande, ~ *inkomst* pensionable income
pensionsålder pensionable (retirement) age
pensionär pensionstagare [retirement] pensioner
pensionärshem pensioners' home, home for aged (old, retired) people
pensla paint; ~ bröd *med ägg* brush...with beaten egg

pentry sjö. el. flyg. galley; kokvrå kitchenette
peppa, ~ *[upp]* vard. pep up
peppar pepper; ~, ~*!* ss. besvärjelse touch (amer. knock on) wood!
pepparkaka gingerbread biscuit; *mjuk* ~ gingerbread cake
pepparkakshus gingerbread house
pepparkvarn pepper mill
pepparmint o. **pepparmynt** smakämne peppermint
pepparrot horseradish
peppra pepper; ~ *ngn med kulor (skott)* pepper a p. with bullets
per 1 medelst by; ~ *brev (järnväg, telefon)* by letter (rail[way], telephone) **2** i distr. uttr.: ~ *månad (styck, ton)* a) varje månad osv. a (per) month (piece, ton) b) månadsvis osv. by the month (piece, ton)
per capita per capita
perenn bot. perennial
perfekt I *adj* perfect; *en ~ kock (maskinskriverska)* ofta a first-rate cook (typist) **II** *adv* perfectly **III** *s* gram. the perfect [tense]
perfektionism perfectionism
perfektionist perfectionist
perforera perforate
perforering perforation
pergament parchment
perifer peripheral
periferi 1 cirkel~ circumference **2** utkant periphery; *i stadens* ~ äv. on the outskirts of the town
period period äv. tele.; ämbets~ o.d. term; *en ~ av dåligt väder (melankoli)* a spell of bad weather (melancholy)
periodavgift tele. charge for one period
periodisk periodic; tekn. el. elektr. äv. cyclic
periodkort season ticket
periodsupare periodical drinker, dipsomaniac; vard. dipso
periodvis periodically
periskop periscope
permanent I *adj* permanent; *hans ~a penningbekymmmer* äv. his perpetual financial difficulties **II** *s* permanentning permanent waving; *en* ~ a permanent wave; vard. a perm
permanenta 1 allm. make...permanent **2** hår perm; *är hon ~d?* has she had her hair permed?
permission mil. o.d. leave [of absence]; på längre tid furlough; *få* ~ get (be granted) leave
permissionsansökan mil. o.d. application for leave
permissionsförbud mil. o.d. suspension (stoppage) of leave; *ha* ~ be confined to barracks
permittera 1 entlediga (arbetare) dismiss [temporarily]; *vara ~d* be [temporarily] dismissed (laid off work) **2** mil. grant leave to
permittering av arbetare temporary dismissal
perplex perplexed; *bli ~ över ngt* äv. be taken aback by a th.
perrong platform
persedel mil. item of equipment; *persedlar* utrustning equipment, kit (båda sg.)
persienn Venetian blind
persika peach
persilja parsley
persiljesmör parsley (maître d'hôtel) butter
persiska språk Persian
person allm. person äv. gram.; neds. äv. individual; framstående personage; *~er* a) vanl. (isht mindre formellt) people b) passagerare passengers; *i egen hög* ~ in person, personally; *per* ~ per person, per (a) head, each, apiece
personal staff; isht mil. el. på sjukhus, offentlig institution o.d. personnel; *ha för liten (stor)* ~ be understaffed (overstaffed), be undermanned (overmanned)
personalavdelning staff (personnel) department
personalbrist shortage of staff (personnel)
personalingång service (staff) entrance
personalrabatt staff (personnel) discount
personalutbildning staff (personnel) training
personalvård staff welfare
personangrepp personal attack
personbevis [copy of] birth certificate
personbil private car
persondator personal computer (förk. PC)
personifiera personify; *han är den ~de hederligheten* he is honesty personified, he is the soul (incarnation) of honesty
personkemi vard. [personal] chemistry
personlig allm. personal äv. intim; närgången; individuell individual; *~t* på brev private; *~a tillhörigheter (~ åsikt)* personal el. private belongings (opinion); *min ~a åsikt är...* äv. personally, I think...
personligen personally; *han var ~ närvarande* äv. he was present himself
personlighet personality; person personage; *han är en* ~ he has personality
personlighetsklyvning psykol. *lida av* ~ have a split (dual, multiple) personality
personnummer personal code number
personsökare [radio] pager
persontåg mots. godståg passenger train; mots. snälltåg ordinary (slow) train
personundersökning jur. personal case study; amer. pre-sentence investigation
perspektiv konst. perspective äv. bildl.; *få ~ på ngt* get a th. into perspective; *öppna oanade* ~ open completely new prospects

(visions of the future); *i ett längre ~* måste vi taking the long view...; se verkligheten *ur barnets ~* ...from the (a) child's point of view, from the (a) child's angle
perspektivfönster picture (vista) window
peruk 1 eg. wig **2** vard., om naturligt hår mop; stor shock of hair
perukmakare wigmaker
pervers perverted, sexually depraved; *han är ~* äv. he is a pervert
perversitet pervertedness, sexual perversion
peseta myntenhet peseta
pessar diaphragm
pessimism pessimism
pessimist pessimist
pessimistisk pessimistic
pest allm. plague; böldpest vanl. the [bubonic] plague; *jag hatar (avskyr) honom som ~en* I hate him like poison (hate his guts)
peta I *tr* o. *itr* **1** allm. pick; *~ naglarna* clean one's nails; *~ [sig i] näsan* pick one's nose **2** bildl. oust; avskeda dismiss; *~ en spelare* sport. drop a player
II med beton. part.
~ **av** (**bort**) pick off (away)
~ **in** eg. el. bildl. push (poke) in[to]
~ **sönder** pick...to pieces
~ **till ngt** touch a th.
~ **ut** avlägsna remove
petgöra finicky (fiddly) job
petig smånoga, pedantisk finical; vard. nitpicking; *ett ~t arbete* a finicky job
petitess trifle; *förlora sig i ~er* get lost in petty details
petition petition
petnoga vard. fussy, pernickety
petroleum petroleum
petunia bot. petunia
p.g.a. (förk. för *på grund av*) se *1 grund 4*
pH-värde pH value
pianist pianist, piano-player
piano piano (pl. -s); ss. mots. t. flygel upright piano
pianokonsert musikstycke piano concerto (pl. -s); konsert piano recital
pianolektion piano lesson
piccolo page[-boy]; amer. bellboy; vard. bellhop
picka 1 om fågel: *~ på ngt* peck at a th.; *~ hål på ngt* pick a hole in a th. **2** med nål el. gaffel (t.ex. frukt) prick **3** om klocka tick; om hjärtat flutter
pickels pickles
picknick picnic
pick och pack, *ta sitt ~* take (gather) one's traps (goods and chattels)
pick-up 1 på grammofon pick-up, cartridge **2** liten lastbil pick-up [truck]
piedestal pedestal
piff *s* zest; *sätta ~ på ngt* add zest (spice) to a th., add an extra touch (just that little extra) to a th.; *sätta ~ på maten* give a relish to the food
piffa vard. *~ upp* smarten (pep, jazz) up
piffig vard.: chic chic; pikant piquant; *en ~ hatt* äv. a saucy hat; *en ~ maträtt* a tasty (spicy) dish
piga hist. maid
1 pigg spike; tagg quill; spets point
2 pigg 1 brisk; kvick spirited; vaken alert, wide-awake; *en ~ unge* a bright (sharp) child **2** *vara ~ på ngt* be keen on a th.
pigga, *~ upp* buck up; muntra upp cheer up; stimulera stimulate
piggna, *~ till* come round
piggsvin porcupine
piggvar turbot
pigment pigment
pik 1 vapen pike **2** bergstopp peak **3** sjö. peak **4** spydighet dig, taunt, gibe; *jag förstår ~en* that was a dig at me, I get the message **5** i simhopp pike
pika taunt, have a dig at a p.
pikant piquant; *~a detaljer* spicy details; *en ~ historia* a spicy (racy) story
pikanteri piquancy; *~er* pikanta detaljer spicy details
piket 1 polisstyrka riot (flying) squad **2** polisbil police van; amer. patrol wagon
1 pil träd willow; för sms., jfr äv. *björk-*
2 pil 1 pilbågs~ arrow; armborst~ bolt; pilkastnings~ dart; *Amors ~ar* Cupid's darts (shafts, arrows) **2** pilformigt tecken arrow; vägvisare fingerpost
pila, *~ i väg* dart (dash) away
pilbåge bow
pilgrim pilgrim
pilgrimsfärd pilgrimage; *göra en ~* go on a pilgrimage
pilkastning spel darts
pill knåpgöra finicky job
pilla, *~* knåpa *med ngt* potter at a th.; *~* peta *på ngt* pick (poke) at a th.
piller pill; *svälja det beska pillret* swallow the bitter pill
pillerburk pillbox äv. damhatt
pillra se *pilla*
pilot pilot
pilotstudie pilot study
pilsk vard. randy, horny
pilsner öl av pilsnertyp lager; äkta Pilsner [beer], Pilsener [beer]
pimpinett vard. natty
1 pimpla dricka tipple
2 pimpla fiske. jig
pimpsten pumice
pin I *adj, på ~ kiv* out of pure (sheer) cussedness, just to tease **II** *s, vill man vara fin får man lida ~* one has to go through a great deal for one's appearance

pina I *s* pain, torment[s pl.], suffering; *göra ~n kort* get it over quickly **II** *tr* torment, torture; ~ *livet ur ngn* (*ihjäl ngn*) bildl. worry the life out of a p. (a p. to death)
pinal sak thing; *~er* tillhörigheter gear sg., things
pincett tweezers pl.; kir. forceps; *en ~* a pair of tweezers (forceps)
pingel tinkle
pingis vard. table tennis
pingla I *s* [small] bell; vard., flicka chick **II** *itr* tinkle **III** *tr* ringa upp *jag ~r [dig]* i eftermiddag I'll give you a ring (tinkle)...
pingpong ping-pong
pingst, ~[*en*] Whitsun; högtidl. Whitsuntide
pingstafton Whitsun Eve
pingstdag Whitsunday
pingstlilja [white] narciss|us (pl. äv. -i)
pingstvän relig. Pentecostalist
pingvin penguin
pinne allm. peg; större stick; för fåglar perch; steg~ rung; *stel* (*styv*) *som en ~* [as] stiff as a poker; *trilla av pinn*[*en*] dö peg out; svimma pass out
pinnhål, *komma ett par ~ högre* rise a step or two
pinnstol ung. Windsor-style chair
pinsam painful; besvärande, om t.ex. situation awkward; *vad ~t!* how awful (embarrassing)!
pinuppa vard. pin-up [girl]
pionjär 1 pioneer **2** mil. sapper
pionjärarbete pioneer[ing] work; *göra ett ~* do pioneer work, break new ground
1 pip I *s* ljud peep; råttas squeak **II** *interj* peep!
2 pip på kärl spout
1 pipa om fåglar chirp, cheep; om råttor squeak; gnälla whimper, whine, squeal; om vinden whistle
2 pipa allm. pipe; vissel~ whistle; gevärs~ barrel; skorstens~ flue; *gå åt ~n* go to pot
pipett pipette
piphuvud pipebowl
pipig om röst squeaky
pippi 1 barnspr. birdie **2** *få ~* go dotty
piprensare pipecleaner
pipskägg pointed beard
piptobak pipe tobacco
pir pier; vågbrytare mole
pirat sjörövare pirate
piratsändare pirate transmitter
piratupplaga o. **piratutgåva** pirated edition (av skivor release)
pirog 1 båt pirogue **2** pastej Russian pasty; *~er* äv. piroshki
pirra t.ex. i fingret tingle; *det ~r i magen* [*på mig*] I have (vid upprepning, t.ex. då jag ser... get) butterflies in my stomach
pirrig jittery; enerverande nerve-racking
piruett pirouette
pisk stryk whipping; *få ~* be whipped; *ge ngn ~* give a p. a whipping
piska I *s* whip; *~n och moroten* bildl. the stick and the carrot; *han kan inte arbeta om han inte har ~n över sig* he can't work unless he is driven **II** *tr* o. *itr* eg. whip; stark. lash; mattor, kläder beat; *katten ~de med svansen* the cat was whisking its tail; ~ *upp* t.ex. hatstämning stir (whip) up...
piskad vard. *vara ~* tvingad *att* inf. be driven (forced) to inf.
piskrapp lash; bildl. whiplash
piskställning carpet-beating rack
pissa vulg. piss; mindre vulg. pee, piddle
pissoar urinal
pist 1 skidbana o. tävlingsbana för fäktning piste **2** på cirkus ring fence
pistol vapen pistol; friare gun
pistolhot, *under ~* at gunpoint
pistolhölster holster
pitt vulg. cock, prick
pittoresk picturesque
pizzeria pizzeria; amer. äv. pizza parlor
pjoller pladder babble; struntprat drivel
pjoska, ~ *med ngn* coddle (pamper) a p.
pjoskig namby-pamby
pjäs 1 teat. play **2** föremål, sak piece; mil. piece [of ordnance]; kanon gun **3** schack. man (pl. men)
pjäxa skid~ skiing boot
placera I *tr* **1** allm. place; förlägga, stationera: gäster seat; ~ *ngn i* en lönegrad place (put) a p. in... **2** ~ *pengar* invest money **II** *rfl,* ~ *sig* **a)** sätta sig seat oneself; ställa sig take one's stand **b)** sport. secure a place; ~ *sig som etta* come first
III med beton. part.
~ **om** allm. put...in another position; möbler o.d. rearrange; tjänsteman o.d. transfer...to another post; pengar re-invest
~ **ut** sätta ut set out; t.ex. barn i fosterhem place; flyktingar resettle
placering allm. placing osv., jfr *placera I 1;* om pengar investment; sport. place
plack tandläk. plaque
pladask, *falla ~* come down flop
pladder babble, cackle
pladdra babble, prattle
plagg garment
plagiat plagiarism
plagiera plagiarize
1 plakat affisch bill; större placard
2 plakat vard. dead drunk
plakett plaque; mindre plaquette
1 plan 1 öppen plats open space; boll~ o.d. ground, field; tennis~ court; *bäst på ~* sport. man (resp. woman) of the match
2 planritning plan **3** planering o.d.: allm. plan; avsikt scheme, project; *göra upp* (*smida*) *en ~ för att* inf. make (form) a plan

(isht i negativ bet. a scheme) to inf.; *vad har du för ~er?* what are your plans?

2 plan 1 [plan] yta plane; våningsplan floor **2** flygplan plane, jfr äv. *flygplan*

3 plan plane, level; ~ *yta* plane surface

plana I *tr,* ~ *[av]* göra plan plane [down], level **II** *itr* om bil aquaplane; om båt plane

planekonomi planned economy

planenlig ...according to plan

planera planlägga plan, project; ~ göra förberedelser *för* make preparations for

planering planning, jfr *planera*

planeringsstadium, *på planeringsstadiet* at the planning stage, still on the drawing-board

planet planet; han fick bollen *mitt i ~en* vard. ...slap in the face

planetsystem planetary system

planhalva sport. half

plank 1 koll. deals, planking **2** staket fence; kring bygge o.d., för affischering hoarding[s pl.]; amer. äv. billboard

planka I *s* grov allm. plank; av furu el. gran deal; mindre batten **II** *tr* vard., plagiera crib, pinch **III** *itr* vard., smita in till match o.d. gatecrash

plankorsning level (amer. grade) crossing

planlägga plan, jfr vid. *planera; planlagt mord* premeditated murder

planlös planless, unmethodical; utan mål aimless; om t.ex. studier, sökande random; om bebyggelse o.d. rambling; t.ex. om läsning desultory

planlösning byggn. planning; design

plansch i bok o.d. plate, illustration; väggplansch wall chart (picture)

planskild, ~ *korsning* fly-over [junction], motorway junction; med viadukt äv. el. amer. overpass; med tunnel äv. el. amer. underpass

planslipa grind [...level]; *~d* botten ...ground level

planta allm. plant; uppdragen ur frö seedling; träd~ sapling

plantage plantation; amer. äv. estate

plantera plant; t.ex. häck set; ~ *...i en kruka* pot...; ~ *in* djur, växter transplant, introduce; fiskyngel äv. put out; ~ *ut* a) växt plant (set) [out]; i rabatt bed out b) fisk put out

plantering konkr. plantation; anläggning park, garden; liten ~ square; abstr. planting

plantskola nursery; *en* ~ *för* bildl. a nursery for; i negativ bet. a hotbed of

plaska splash; ~ *omkring* splash about

plaskdamm paddling pool (pond)

plast plastic; föremål *av* ~ plastic...

plasta plasticize; ~ *in* plasticize, enclose in plastic, coat with plastic

plastbehandlad plastic-coated

plastfolie cling film (wrap)

plastikkirurg med. plastic surgeon

plastikkirurgi med. plastic surgery

plastisk plastic

plastkasse plastic carrier (amer. carry) bag

plastkort plastic card; vard., kreditkort credit card

platan 1 bot. plane [tree] **2** virke plane wood; för sms. jfr *björk-*

platina platinum

platon[i]sk Platonic

plats 1 ställe allm. place; 'ort och ställe' spot; tomt site; torg o.d. square; fri ~ open space; sittplats, mandat seat; utrymme space; tillräcklig ~ room; *~!* order t. hund [lie] down!; *allmän (offentlig)* ~ public place; *beställa* ~ t.ex. på bilfärja book a passage; *det finns inte ~ för...* there is no room for...; *lämna ~ för* a) bereda utrymme, väg make room (way) for b) bildl. leave room for, admit of; *tag ~!* järnv. take your seats, please!; *komma på första (andra)* ~ come first (second); *spela på* ~ hästsport make a place bet; *sätta ngn på* ~ put a p. in his (her etc.) place, take a p. down [a peg or two]; *vara den förste på ~en* be the first on the spot **2** anställning situation; befattning post; *fast* ~ permanent situation etc.

platsa vard. ~ *i* laget qualify (be good enough) for [a place in]...; *hon ~r inte i* den här miljön she doesn't fit into...

platsannons advertisement in the situations-vacant (betr. platssökande situations-wanted) column

platsbiljett seat reservation [ticket]

platschef local (branch) manager

platssökande I *adj* ...in search of (seeking, looking for, on the look-out for) employment **II** *subst adj* applicant [for a (resp. the) situation etc., jfr *plats 2*]; ss. rubrik situations wanted

platt I *adj* allm. flat; tillplattad äv. (pred.) flattened out; ~ *uttryck* platitude **II** *adv* flatly

platta I *s* allm. plate; tunn lamin|a (pl. -ae); rund disc (amer. disk); grammofon~ record; kok~ hot plate; sten~ flag[stone]; golv~ tile; flyg. apron **II** *itr,* ~ *till (ut)* flatten [out]; valsa ut laminate

plattfisk flatfish

plattform platform äv. bildl.

plattfotad flat-footed

plattityd platitude

plattnäst flat-nosed

platå allm. plateau (pl. -x el. -s)

platåsko platform shoe

plausibel plausible, likely

plebej allm. plebeian

plektrum mus. plectr|um (pl. -a)

plenum plenary (full) meeting (sitting, assembly); jur. full session

plexiglas® Plexiglass

pli manners; *militärisk ~* military bearing; *få ~ på sig* learn how to carry (bear) oneself
plikt skyldighet duty; förpliktelse obligation; *~en framför allt* duty first; *göra sin ~* do one's duty
plikta jur. pay a fine; *dömas att ~* 200 kr be fined...
pliktig [in duty] bound; *ni är ~ att* inf. you are under obligation (it is your duty) to inf.
pliktkänsla sense of duty
pliktskyldig dutiful; tillbörlig obligatory
plikttrogen dutiful; faithful; lojal loyal; hängiven dedicated; samvetsgrann conscientious
plint 1 byggn. plinth **2** gymn. box [horse]
plira, *~ [med ögonen]* peer, screw up one's eyes *[mot (på, åt)* at]; *~ illmarigt* look quizzically
plissera pleat; *~d kjol* pleated skirt
1 plita, *han satt och ~de med* brevet he sat writing away at...
2 plita vard. pimple
plock konkr., småplock odds and ends
plocka I *tr* o. *itr* **1** allm. pick; samla gather; *gå och ~* pyssla potter (mess) about **2** bildl. *bli ~d på* 2.000 kr be rooked of... **II** *rfl, ~ sig* om fågel plume (preen) oneself
III med beton. part.
~ av a) ngt, ngn strip **b)** t.ex. bord clear
~ bort remove, take away (off), pick off
~ fram take out, produce
~ ihop t.ex. sina tillhörigheter gather...together; sätta ihop put...together; t.ex. maskindelar assemble
~ ner take down
~ sönder pick (take)...to pieces
~ upp pick up äv. om liftare; ur låda o.d. take out
~ ut välja pick (cull) [out]
~ åt sig grab
plockepinn spel spillikins
plockgodis pick'n mix
plockmat snacks; koll. snack meal
plog plough; amer. plow
ploga 1 *~ [vägen]* clear the road [of snow] **2** sport., bromsa med skidor stem
plogbil snow plough (amer. plow)
ploj vard. ploy
plomb 1 tandläk. filling **2** försegling [lead] seal
plommon plum; gröngult, typ reine claude greengage
plommonstop bowler [hat], isht amer. derby [hat]
plotter krafs, strunt trifles
plottrig se *rörig*
plufsig bloated
plugg 1 tapp plug, stopper; i tunna tap **2** vard.: pluggande swotting; skola school; läxa homework; *i ~et* at school **3** vard., potatis spud
plugga I *itr, ~ igen* plug up **II** *tr* o. *itr* vard., pluggläsa swot [at...], grind [at (away at)...]; *jag måste plugga* I've got to do some studying; *~ på* en examen cram (swot, grind, isht amer. bone up) for...
plugghäst vard. swot[ter]; amer. grind
1 plump coarse, rude
2 plump bläckfläck blot
plumphet plumpt sätt coarseness etc., jfr *1 plump; ~er* coarse remarks (language sg., skämt jests)
plumpudding juldessert Christmas pudding
plumsa falla plop, splash
plundra utplundra plunder; råna rob; skövla t.ex. stad, butiker pillage, sack; ströva omkring för att ~ maraud
plundrare plunderer etc., jfr *plundra*
plundring plunder[ing], rifling, pillage; isht av erövrad stad sack, jfr *plundra*
plunta hip flask
pluralis gram. the plural [number]; *första person ~* first person plural
pluralistisk pluralistic
plurr, *ramla i ~et* vard. fall into (land in) the water
plus I *s* tecken plus; fördel advantage; tillskott addition; *jag står på ~* I am on the credit side (on the plus side, in the black) **II** *adv* plus, and; *~ 7 [grader]* el. *7 grader ~* seven degrees above zero
plussida, *på ~n* on the credit side
plussig bloated
plustecken plus [sign]
pluta, *~ [med munnen]* pout
Pluto astron. el. mytol. Pluto äv. seriefigur
pluton mil. platoon
plutonium kem. plutonium
plutt vard., barn tiny tot; småväxt pers. little shrimp
pluttig ynklig tiny
plym plume
plysch plush
plywoodskiva sheet of plywood
plåga I *s* smärta pain; pina torment; lidande affliction; plågoris nuisance; hemsökelse infliction; oro worry; han är *en ~ för sin omgivning* ...a plague (pest, nuisance, bother, tråkmåns bore) to those around him **II** *tr* pina torment; stark. torture; oroa, besvära worry, harass, bother; stark. plague; ansätta badger; tråka ut bore; *det ~r mig* att se... it hurts me...
plågas suffer [pain]
plågoris 'gissel' scourge; svagare pest, plague
plågsam painful; *ytterst ~* äv. excruciating
plån 1 på tändsticksask striking surface **2** skrivplån tablet
plånbok wallet; amer. äv. billfold; *en späckad ~* a well-lined wallet

plåster plaster; vard., efterhängsen person barnacle
plåstra, ~ *ihop* bildl. patch...up
plåt 1 koll. sheet metal, sheet iron; sheetings, plates båda pl.; bleck tin **2** skiva el. foto. plate; tunn skiva sheet; bakplåt baking plate **3** vard., biljett ticket
plåta vard. **I** *tr* take a picture (snapshot) of, snapshot **II** *itr* take pictures (snapshots)
plåtburk tin
plåtslagare sheet-metal (tinplate, plate) worker
pläd [res]filt [travelling] rug; skotsk sjal plaid
plädera plead
plädering appeal
plätering silver-plating
plätt 1 fläck spot **2** kok. small pancake
plättlagg griddle [with rings for making small pancakes]
plöja plough; amer. plow; ~ *igenom* en bok plough [one's way] (wade) through...; ~ *ned* vinsten plough back...
plöjning ploughing; amer. plowing
plös tongue [of a (resp. the) shoe]
plötslig sudden; ~ *avresa* abrupt departure
plötsligt suddenly, all of a sudden, all at once; ~ *avbryta* äv. cut...short
PM memo (pl. -s); jfr vid. *promemoria*
pochera kok. poach
pocka, ett problem *som ~r på sin lösning* ...which is urgently in need of a solution
pockande enträgen importunate; fordrande exacting
pocketbok vanl. paperback; isht amer. äv. pocket book
podium estrad platform; t.ex. för talare rostr|um (pl. äv. -a); för dirigent o. på amfiteater o.d. podi|um (pl. äv. -a); vid modevisning catwalk
poem poem
poesi, ~*[en]* poetry
poet poet
poetisk poetic[al]
pogrom pogrom
pojkaktig boyish; *ett ~t sätt* a boyish manner (way)
pojkaktighet boyishness
pojkbok, *en* ~ a book for boys
pojke allm. boy äv. om pojkvän; ibl. youngster; *[redan] som* ~ even as a boy, in his boyhood
pojknamn boy's name
pojkscout [boy] scout
pojkspoling stripling; neds. young whippersnapper
pojkstackare poor lad
pojkstreck boyish (schoolboy) prank
pojktycke, *ha* ~ be popular with the boys
pojkvasker vard. young shaver; större stripling
pojkvän boyfriend; *hennes* ~ äv. her young man
pokal isht pris cup; för dryck goblet
poker kortsp. poker
pokeransikte poker face
pokulera tipple; *de satt och ~de* they sat tippling (drinking together)
pol allm. pole; *~erna på* ett batteri the terminals of...
pola vard. knock about (around)
polack Pole
polare vard. buddy, pal
polarexpedition polar expedition
polarisera polarize äv. fys.
polaritet polarity äv. fys.
polarnatt polar night
polarräv arctic (ice) fox
polartrakt polar region
polcirkel polar circle; *norra (södra) ~n* the Arctic (Antarctic) circle
polemik polemic[s vanl. sg.]; *inlåta sig i (på)* ~ med ngn enter into a controversy...
polemisk polemic[al]
Polen Poland
polera allm. polish äv. bildl.
polermedel polish
policy policy
poliklinik polyclinic
polioskadad, *hon är* ~ she is a polio victim, she suffers from polio
poliovaccin anti-polio vaccine
poliovaccinering polio vaccination
polis 1 polismyndighet el. koll. police pl., *~en* vard. the fuzz pl., the cops pl.; *ridande* ~ mounted police; *anmäla ngn för ~en* report a p. to the police; *efterspanad av ~en* wanted by the police; *tillkalla ~en* call [in] (send for) the police **2** polisman policeman, police officer; amer. vanl. patrolman; vard. cop[per]; *en kvinnlig* ~ a policewoman, a woman police officer
polisanmälan report to the police; *göra ~ om ngt* report (make a report of) a th. to the police
polisbevakning police supervision (eskort escort); *stå under* ~ be placed under police supervision; *huset står under* ~ the house is being watched by the police
polisbil [för trafikövervakning traffic] patrol car
polisbricka police badge
polischef chief of police, police commissioner
polisdistrikt police district; amer. [police] precinct
polisförhör police interrogation
polisförvar, *tas i* ~ be taken in charge (custody) by the police
polishus police headquarters
polisingripande police action; *det blev ett* ~ the police intervened (stepped in)

polisiär police...
poliskår police force, constabulary
polisman policeman etc., se *polis 2*
polismyndighet, *~en* el. *~erna* the police authorities pl.; *närmaste ~* the nearest police station
polisonger side-whiskers; vard. sideboards; amer. sideburns; långa yviga mutton-chop whiskers
polispiket polisstyrka police picket; bil police van; amer. äv. wagon; *~en* äv. the riot (flying) squad
polispådrag force (muster) of police[men]; amer. äv. posse; *det blev ett stort ~* a large force (number) of police[men] were called out
polisradio police radio
polisregister police records
polisspärr kedja police cordon; vägspärr roadblock
polisstation police station
polisstyrka police squad
politik statsangelägenheter politics; politisk linje policy; *det är dålig ~ att* inf. it is bad policy to inf.
politiker politician; neds. politico (pl. -s)
politikerförakt mistrust of (lack of faith in) politicians
politisera I *itr* politicize; kannstöpa talk politics **II** *tr* politicize
politisk political; *~ förföljelse* political persecution
polityr polish; snick. French polish
polka polka; *dansa ~* dance (do) the polka
polkagris [peppermint] rock, amer. rock candy
pollen pollen
pollenallergi pollen allergy
pollett check, token; gas~ gas meter token
pollettera, *~ [bagaget]* have one's luggage (baggage) registered (amer. checked)
pollinera pollinate
pollinering bot. pollination
polo 1 sport. polo **2** a) ~krage polo-neck (isht amer. turtleneck) [collar] b) ~tröja polo-neck (isht amer. turtleneck) sweater
polsk Polish; *~ riksdag* vard. bear garden
polska 1 kvinna Polish woman, jfr *svenska 1* **2** språk Polish, jfr *svenska 2* **3** dans, ung. reel
Polstjärnan the pole-star (North Star)
polyester polyester
polygami polygamy
polyp 1 zool. polyp **2** med. polyp|us (pl. äv. -i); *~er i näsan* adenoids
pomada pomade
pomadera pomade
pomerans Seville (bitter, amer. äv. sour) orange
pommes frites chips, chipped potatoes; isht amer. French fries
pomp o. **pompa** pomp; *~ och ståt* pomp and circumstance (splendour)
pompös ståtlig stately, grandiose; uppblåst pompous; högtravande declamatory
pondus authority; värdighet dignity; *han har ~* äv. he has a commanding presence
ponera, *~ nu, att jag...* suppose now that I...
ponny pony
pontonbro pontoon (floating) bridge
pool bassäng pool
pop musik m.m. pop
poplin poplin
popmusik pop music
poppel poplar; för sms. jfr *björk-*
poppig typisk för popkulturen pop-cultural
poppis vard. with-it, trendy; *börja bli ~* äv. be on the way in
popsångare pop singer
popularisera popularize
popularitet popularity
populistisk populist
populär popular; *bli ~* 'slå', äv. catch on
populärpress popular press
populärvetenskap popular science
por pore
porig porous
porla murmur
pormask blackhead
pornografi pornography
pornografisk pornographic
porr vard. porn, porno
porrfilm vard. porno film (movie), blue film (movie)
porslin materialet china: äkta ~ porcelain; koll.: hushålls~ china[ware]; finare porcelain [ware]; *~* i allm. äv. pottery
porslinsblomma wax plant
porslinstallrik china plate
port ytterdörr streetdoor, front door; inkörs~, sluss~ gate äv. bildl.; portgång gateway; sjö. port[hole]; *helvetets ~ar* the gates of hell
portalfigur bildl. prominent figure
porter öl stout; svagare porter
portfölj av läder briefcase; dokument~ dispatch case; förvaringsfodral portfolio (pl. -s); *minister utan ~* minister without portfolio
portförbjuda, *~ ngn* refuse a p. admittance [to the house (på restaurangen to the restaurant, vid hovet to court)]
portier [chief] receptionist, reception clerk; amer. äv. hotel (desk) clerk; vaktmästare hall porter
portion 1 eg.: allm. portion; ranson ration; *en stor ~ [av]...* a generous helping (portion) of...; beställa *två ~er glass* ...two ice creams (ice cream for two) **2** bildl. *det behövs en god ~ fräckhet för att* inf. it needs a good share (great deal) of impudence to inf.

portionera, ~ *[ut]* portion [out]; mil. ration out
portionsförpackning, *i* ~ in individual portions (helpings)
portmonnä purse
portnyckel latchkey
porto postage; ~sats postage rate
portofritt post-free, ...free of postage
portosats postal rate
porträtt allm. portrait; isht foto picture; *det är ett bra* ~ it (the portrait) is a good likeness
porträttlik lifelike; bilden var *mycket* ~ äv. ...a very good (a speaking) likeness
porträttmålare portrait painter
porttelefon entry phone
Portugal Portugal
portugis Portuguese (pl. lika)
portugisisk Portuguese
portugisiska (jfr *svenska*) **1** kvinna Portuguese woman **2** språk Portuguese
portvakt dörrvakt porter, doorkeeper, gatekeeper; isht amer. doorman; i hyreshus caretaker; isht amer. janitor
portvin port [wine]
porös porous; svampaktig spongy
pose pose, attitude
posera 1 pose **2** naken pose [in the nude]
position position, jfr äv. *ställning 1*
1 positiv allm. positive; försök att vara *litet mera* ~ ...a bit more constructive
2 positiv mus., bärbart barrel organ; större gatu~ street organ
post 1 brev~ o.d. post; *har jag någon ~?* [is there] any post (mail) ([are there] any letters) for me?; *sända...med (per)* ~ post..., mail..., send...by post (mail); *med dagens* ~ a) inkommande with today's letters (post etc.) b) avgående by today's post (mail)
2 post[kontor] post office; *Posten* postverket the Post Office (förk. the PO); *vara [anställd] vid ~en* be a Post Office employee, be working at the Post Office
3 hand., i bokföring o.d. item; belopp amount; varuparti lot, parcel, consignment
4 mil., vaktpost sentry, sentinel; postställe post; *stå på* ~ be on guard, stand sentry
5 befattning post, appointment; *en framskjuten* ~ i samhället a prominent position
6 dörr~ doorframe; fönster~ [window] post; vatten~ hydrant
posta *tr* post; isht amer. mail
postadress postal (mailing) address
postanvisning allm. money order; i Engl. för fixerat lägre belopp postal order; *hämta pengar på en* ~ cash a money order
postbox post office box (förk. POB, PO Box)
postbud post messenger
postdatera postdate
postera I *tr*, ~ *[ut]* post, station **II** *itr* be on guard, be stationed
poste restante poste restante fr.; to be called for; amer. general delivery
postering picket
postfack ung. post office box (förk. POB, PO Box)
postförskott cash (amer. collect) on delivery (förk. COD); *sända ngt mot* ~ send a th. COD
postförsändelse postal item (packet); *~r* äv. postal matter sg.
postgiro postal giro [banking] service (konto account); *per* ~ by [postal] giro
postgirokonto postal giro account
postgymnasial, ~ *utbildning* post-secondary (higher) education, jfr *gymnasium*
postgång postal service
postiljon sorting clerk; brevbärare postman; amer. mailman, mailcarrier; åld. mailcoach driver
postisch postiche
postkontor post office
postkort postcard; isht amer. (frankerat) postal card
postnummer postcode; amer. ZIP code
posto, *fatta* ~ take one's stand, take up one's station *[vid* at]
postorder mail order; *köpa på* ~ buy through a mail-order firm
postorderkatalog mail-order catalogue
postpaket post[al] parcel (etc., jfr *paket*); *som* ~ by parcel post
postrån på postkontor post office robbery (hold-up)
poströsta vote by post
poströstare absent (amer. absentee) voter
postskriptum postscript
poststämpel postmark
postsäck mailbag
posttaxa 1 postage rate **2** bok table of postage rates
posttur [post] delivery; *med första ~en* by the first post
postum posthumous
postutbärning o. **postutdelning** postal (mail) delivery
Postverket the Post Office (Postal) Administration; i Engl. the [General] Post Office
postväxel ung. bank money order (draft)
posör poseur fr.; vard. phoney
potatis potato; vard. spud; koll. potatoes; *färsk~* new potatoes; *han har satt sin sista* ~ ung. he has cooked his goose
potatischips [potato] crisps (amer. chips)
potatisgratäng potatoes pl. au gratin
potatismos creamed (vanl. utan tillsats mashed) potatoes, potato purée

potatisnäsa snub (pug) nose
potatissallad potato salad
potatisskalare redskap potato peeler
potens 1 fysiol. potency **2** matem. el. friare power
potent potent
potentiell potential
potpurri allm. potpourri fr.; mus. äv. [musical] medley
pott spel. pot, kitty; *spela om ~en* play for the kitty
potta nattkärl chamber [pot]; barnspr. pot[ty]; vard. jerry; vard., pers. wretch; *sätta ngn på ~n* bildl. put a p. in a spot, put (stick) a p. up against the wall
potträning potty (toilet) training
poäng 1 allm. point; skol., betygs~ mark; amer. grade; minus~ point off, minus point; i kricket run; *en ~ till dig!* bildl. that's one up to you! **2** udd point; *fatta (missa) ~en i* en historia catch el. see (miss) the point of...
poängställning score
poängtera emphasize
p-piller contraceptive (birth) pill; *ta (äta) ~* take (be on) the pill
PR PR; reklam publicity
pracka, *~ på ngn ngt* fob (palm) a th. off on a p., foist a th. [off] on a p.
prakt splendour; storslagenhet t.ex. i klädsel, inredning magnificence; ståt pomp; glans glory
praktexempel perfect (classical) example
praktexemplar splendid (magnificent, fine äv. iron.) specimen; den här plantan är ett *riktigt ~* ...real (perfect) beauty
praktfull splendid, magnificent; prunkande gorgeous
praktik 1 övning practice; *sakna ~ i (på)...* lack [practical] experience in (practical knowledge of)...; *i ~en* in practice **2** yrkesutövning av läkare o.d. practice äv. lokalen; *öppna [en] egen ~* open a practice of one's own
praktikant trainee; lärling apprentice
praktikantplats trainee (etc., se *praktikant*) post (job)
praktisera 1 practise; *han har ~t på kontor* he has office experience **2** inom ett yrke t.ex. som läkare practise, be in practice; *allmänt ~nde läkare* general practitioner (förk. GP)
praktisk practical; rådig resourceful; metodisk business-like; användbar useful; lätthanterlig handy
praktiskt practically; *~ omöjlig* impracticable
pralin chocolate; med krämfyllning chocolate cream
prao förk., se *arbetslivsorientering*
prassla 1 rustle; om t.ex. siden swish **2** vard. *~ med ngn* have an affair with a p.
prat samspråk talk; små~ chit-chat; pladder chatter; snack, strunt~ twaddle; skvaller gossip, tittle-tattle; *[sånt] ~!* nonsense!, rubbish!, bosh!
prata I *itr* o. *tr* (jfr äv. *tala*) talk, jfr *prat; du ~r!* nonsense!, rubbish!, fiddlesticks!; *~ bredvid mun[nen]* let the cat out of the bag, give the game away; *det har ~ts en del om* henne på sista tiden there has been a lot of talk (skvallrats gossip) about...
II med beton. part.
~ bort talk...away
~ förbi: *vi ~r förbi varandra* we are talking at cross-purposes
~ omkull ngn talk a p. down
~ på go on talking
~ ur sig (**ut om ngt**) get a th. off one's chest
~s vid: *låt oss ~s vid om saken* let us talk it over (have a talk about it)
pratbubbla i serieruta balloon
pratig chatty
pratkvarn pers. chatterbox
pratsam talkative, chatty; talför, talträngd loquacious; alltför ~ garrulous
pratsjuk ...very fond of talking
pratstund chat; *få sig en ~* have a chat
praxis practice; bruk custom; *det är [allmän] ~* it is the practice [*att* sats el. inf. to inf.]; *bryta mot vedertagen ~* depart from established practice
precis I *adj* t.ex. om mått precise; t.ex. om uppgift exact **II** *adv* exactly; *inte ~* not exactly; *just ~!* exactly!; alla är *~ lika stora* ...exactly the same size; *~ som förut* just as before; *han är sig ~ lik* he is the same as ever
precisera villkor o.d. specify; uttrycka klart define [...exactly (accurately)]; *närmare ~t* to be [more] precise (explicit)
precision precision, exactitude, accuracy; punktlighet punctuality
precisionsarbete precision work; urtillverkning *är ett verkligt ~* ...is a work requiring great precision
predika preach; hålla straffpredikan lecture
predikan sermon; *hålla ~* preach, deliver the sermon
predikant preacher
predikstol pulpit
preferens företräde o.d. preference
pregnant innehållsdiger ...packed with meaning, pregnant; kärnfull pithy, terse; precis concise
preja sjö., anropa hail; tvinga att stanna command...to heave to; bil o.d. force...to stop
prejudikat precedent; *det finns inget ~ på*

det there is no precedent for this, it is without precedent (is unprecedented)
prekär precarious; kinkig awkward; osäker insecure
preliminär preliminary
preliminärskatt preliminary tax; jfr *källskatt*
premie [försäkrings]avgift premium; extra utdelning bonus; export~ o.d. bounty; pris prize
premieobligation premium (lottery) bond
premiss premise; förutsättning prerequisite
premium 1 skol. prize; *få* ~ receive a prize **2** bensin premium; *tanka* ~ fill (tank) up with premium petrol
premiär teat. o.d. first (opening) night (performance), première (fr.) äv. friare; *de nya bussarna hade* ~ i går the new buses made their first appearance...
premiärkväll, ~*[en]* the evening of the first (opening) night (performance)
premiärminister prime minister, premier
prenumerant subscriber
prenumeration subscription
prenumerera subscribe; ~ *på* en tidning äv. take in...
preparat preparation
preparatär *s* preparatist
preparera [för]bereda prepare; tekn. process; påverka pers. i förväg brief
preposition preposition
presenning tarpaulin
presens the present tense
present present, gift; *jag har fått den i* ~ *av honom* he gave it to me as a present
presentabel presentable
presentation presentation; i vanl. umgänge introduction
presentera 1 föreställa introduce; *får jag* ~... may I introduce..., have you met...; ~ *sig* introduce oneself **2** framlägga present äv. hand.; exhibit
presentförpackning gift wrapping (kartong box, carton)
presentkort gift voucher (token, i postbanken cheque)
president allm. president; i högre domstol Chief Justice
presidentkandidat candidate for the presidency
presidentval presidential election
presidera preside, take the chair
preskribera jur. ~*s* el. *bli* ~*d* om fordran o.d. be (become) statute-barred (amer. äv. outlawed), fall under (be barred by) the statute of limitations; *brottet är* ~*t* the period for prosecution has expired
press 1 tidnings~ press; ~*en i London* ofta the London papers pl.; *figurera i* ~*en* vanl. appear in the [news]papers **2** redskap o.d. press; *gå i* ~ go to press; växterna *ligger i* ~ ...are being pressed **3** påtryckning pressure; påfrestning strain; pressning press
pressa I *tr* allm. press; krama squeeze; ~ *ngn på pengar* extort money from a p.; ~ *ngt* t.ex. vin *ur*... press (olja o.d. äv. extract) a th. out of...
II med beton. part.
~ **fram** en bekännelse extort...; ~ *fram* ett ljud get out...; ~ klämma *fram en tår* squeeze out a tear; ~ *sig fram* squeeze (force) one's way
~ **ihop** compress
~ **ned** press (force) down; priser o.d. äv. cut down; ~ *ned* t.ex. kläder i en resväska cram
~ **upp** t.ex. fart, priser force (drive) up
pressande t.ex. värme oppressive; t.ex. arbete arduous; t.ex. förhör severe; t.ex. arbetsförhållanden trying
presscensur press censorship
pressfrihet freedom (liberty) of the press
pressklipp press cutting (amer. clipping)
pressläktare press gallery; sport. press stand
pressning pressing etc., jfr *pressa I;* press på kläder press
presstöd koll. press subsidy (subsidies pl.)
pressveck crease
prestanda 1 prestationsförmåga performance **2** ngt som måste fullgöras obligations
prestation arbets~ performance; verk, bedrift, färdighet achievement
prestationsförmåga capacity äv. om pers.; performance
prestationslön incentive pay (bonus), payment by results
prestera utföra perform; åstadkomma accomplish; anskaffa, komma med produce; ~ bevis, säkerhet furnish...
prestige prestige; *mån om sin* ~ jealous of one's prestige
prestigeförlust loss of prestige (vard. face)
prestigeskäl, *av* ~ for reasons of prestige
presumtiv förmodad supposed; blivande prospective
pretention pretension
pretentiös anspråksfull, förmäten pretentious; fordrande exacting
preventiv preventive
preventivmedel contraceptive
preventivpiller contraceptive (birth) pill; *ta (äta)* ~ take (be on) the pill
prick I *s* **1** punkt o.d. dot; fläck speck; på tyg spot; förprickning mark, tick; på måltavla bull's eye; *skjuta* ~ *på* try to hit; *på* ~*en* to a T (nicety, turn, hair), exactly **2** sport. o.d., minusprick penalty point **3** sjö.: flytande [spar] buoy; fast beacon **4** vard., pers. *en hygglig* ~ a decent fellow (guy) **II** *adv* vard. ~ *8* (*8* ~) at 8 sharp (on the dot)
pricka I *s, till punkt och* ~ se under *punkt* **II** *tr*

1 t.ex. linje dot; med nål o.d. prick **2** träffa [prick] hit **3** märka ut mark [out]; farled med sjömärken äv. buoy **4** bildl.: ge en prickning censure; brännmärka denounce
III med beton. part.
~ **av** tick off
~ **för** mark, tick off; ~ *för* [*ngt*] *med rött* mark a th. in red
~ **in:** a) på karta o.d. dot (mark, prick, m. nålar o.d. äv. peg) in b) t.ex. ett slag i boxning put in
prickfri sport. ...without any penalty points; jfr äv. *oklanderlig*
prickig spotted; fullprickad dotted; tätt ~ spotty
prickning bildl. reproof; brännmärkning stigma
prickskytt sharpshooter; mil. äv. sniper
pricksäker se *träffsäker*
prilla vard., portion snus pinch of snuff
prima I *adj* first-class; vard. tip-top; isht amer. äv. dandy **II** *adv, jag mår* ~ vard. I feel first-rate (vard. tip-top)
primadonna prima donna it.; på talscen leading lady; stjärna star
primitiv primitive
primitivism primitivism
primär primary; *~t behov* primary (basic) need
primärval parl. primary [election]
primärvård primary care
primör early vegetable (resp. fruit)
princip principle; *av* ~ on principle, as a matter of principle; *jag har för* (*som*) ~ *att* inf. I make it a principle (it's a principle with me) to inf.; *i* ~ håller jag med dig in principle...; det är *i* ~ *samma sak* ...fundamentally (essentially) the same thing
principfast firm; *en* ~ *man* a man of [firm] principle
principfråga question (matter) of principle
principiell ...of principle; [grund]väsentlig fundamental; *av ~a skäl* on grounds (for reasons of) of principle
principiellt se [*av* (*i*)] *princip;* det är ~ *oriktigt* ...fundamentally wrong
principlös unprincipled
prins prince; *må som en* ~ ung. have a lovely time, feel fine
prinsessa princess
prinskorv ung. chipolata sausage, small sausage for frying
prioritera give priority to
prioritet priority
1 pris 1 [salu]värde, kostnad allm. price; villkor terms; är det ert *lägsta ~?* ...lowest price (figure)?; jag vill inte vara utan det *för något* ~ [*i världen*] ...at any price, ...for anything; *till ett* ~ *av* at the price (rate) of; *till varje* ~ at all costs (any price)
2 belöning prize; *få* (*ta hem*) *första ~et* be awarded (carry off) the first prize; *sätta ett* ~ *på ngns huvud* set (put) a price [up]on a p.'s head
3 högtidl., lov praise
2 pris 1 sjö., byte prize **2** nypa pinch; *en* ~ *snus* a pinch of snuff
prisa praise; hålla lovtal över eulogize; ~ *sin lyckliga stjärna* thank one's lucky stars
prisbelöna award a prize (resp. prizes) to; en *~d* författare ...to whom a prize has been awarded
prisbomb vard. *det är en riktig* ~ it is sensationally low priced
prischock vard. heavy rise in price[s]
prisfall fall (decline, drop) in prices (resp. the price); på börsen break; *plötsligt* (*starkt*) ~ äv. slump
prisge o. **prisgiva** t.ex. åt fienden give...up; ~ *ngn* (*ngt*) *åt* löjet, offentligheten expose a p. (a th.) to...
prishöjning rise (increase, advance) in prices (resp. the price)
prislapp price label (tag, ticket)
prislista hand. price list; sport. prize list
prisläge price range (level); *i alla* (*olika*) *~n* at all (different) prices; *i vilket ~?* [at] about what price?
prisma optik. prism; i ljuskrona pendant
prismedveten price conscious
prisnedsättning price reduction
prisnivå price level
prispall winners' stand
prisskillnad difference in (of) price[s pl.], margin; på biljett excess fare
prisstegring se *prishöjning*
prisstopp price freeze; *införa* [*allmänt*] ~ freeze prices
prissättning price-fixing
pristagare prizewinner
pristävlan o. **pristävling** prize competition
prisutdelning distribution of prizes; *förrätta* ~ give away the prizes
prisutveckling price trend
prisvärd 1 eg. ...worth its price **2** lovvärd praiseworthy
privat I *adj* private; ~ [*område*] private [grounds (premises) pl.] **II** *adv* privately; i förtroende confidentially; *läsa* (*ta lektioner*) ~ take private lessons [*för* with]
privatangelägenhet private (personal) matter
privatanställd, ~ *person* person in private employment
privatbil [private] car
privatbostad private residence
privatbruk, *för* ~ for private (personal) use
privatchaufför [private] chauffeur
privatdetektiv private detective; vard. private eye
privatisera överföra till privatägo privatize,

put under private ownership (into private hands)
privatliv private life; *i ~et* in private life
privatläkare private doctor
privatperson private person; *som ~* är han in private [life] (utom tjänsten in his private capacity)...
privatpraktiserande, *~ läkare* doctor in private practice
privatsamtal private conversation (i telefon call)
privatsekreterare private secretary
privatskola private school
privilegiera privilege
privilegierad privileged
privilegium privilege; ensamrätt monopoly; tillstånd licence
PR-man PR (public-relations) officer
problem problem; *ett kinkigt (knepigt) ~* a knotty problem, a poser; *ha ~ med magen* have trouble with one's stomach
problematik problems, complex of problems
problematisk problematic[al]; tvivelaktig doubtful, uncertain
problemlösare troubleshooter
problemställning problem problem; uttryckssätt presentation of a (resp. the) problem
procedur tillvägagångssätt, rättegångsordning procedure; förfarande process
procent 'per hundra' per cent; amer. percent (förk. p.c., procenttal %); percentage; *med 10 ~[s] (10%) rabatt (ränta)* at ten per cent (10%) discount (interest); *hur många ~ är det?* how much per cent is that?; *en stor ~ (30%) av böckerna är...* a large percentage of the books are (30 per cent of the books are)...; *i ~* in percentages
procentare vard. money-lender; isht amer. loan shark
procenträkning calculation of percentages
procentsats rate per cent, percentage
process 1 förlopp process **2** jur. lawsuit, case, jfr *rättegång; göra ~en kort med ngn* bildl. make short work of a p., deal summarily with a p. **3** tekn. process
processa I *itr* jur. carry on a lawsuit (resp. lawsuits); *~ [om]* äv. litigate **II** *tr* tekn. process
procession procession; *gå i ~* walk in procession
processrätt law of [legal] procedure
producent producer äv. film., radio. o.d.; odlare grower
producera allm. produce; spannmål raise
produkt product äv. matem.; isht jordens *~er* äv. produce (end. sg.)
produktion production; avkastning yield; isht lantbr. produce; hans litterära *~* ...output, ...production[s pl.], ...work[s pl.]
produktionskostnad cost of production
produktiv productive äv. språkv.; om t.ex. författare prolific; *~ verksamhet* productive activity
produktivitet productivity
produktutveckling product development
profan profane; om musik secular
profession profession, jfr *yrke; till ~en* by profession
professionalism professionalism
professionell I *adj* professional **II** *s* professional
professor professor; vard. prof
professur professorship; *~en i* historia vid... the chair of...
profet prophet
profetia prophecy, prediction
profetisk t.ex. gåva prophetic; t.ex. skrift prophetical
proffs vard. pro (pl. pros); *bli ~* turn pro
proffsboxare professional boxer
proffsig vard. professional
profil profile äv. bildl.; tekn. äv. [vertical] section; däcks profile; personlighet personality; *hålla en låg ~* bildl. keep a low profile
profilera I *tr* profile; tekn. äv. shape; byggn. set up profiles (resp. a profile) of **II** *rfl, ~ sig* create a distinctive [personal] image for oneself
profit profit; *dra ~ av* profit by
profitbegär love of gain (profit)
profitera förtjäna profit; utnyttja take advantage; gain an advantage
profithungrig profit-seeking
proformasak, det är *bara en ~* ...a mere matter of form
profylaktisk med. prophylactic; *~ medicin* preventive medicine
profylax med. prophylaxis, preventive medicine
prognos isht med. prognos|is (pl. -es); friare prediction; ekon. el. meteor. forecast; *ställa en ~* make a prognosis etc.; prognosticate
prognoskarta meteor. weather [forecast] chart
program programme; amer. el. data. program; polit. äv. platform; *ta upp ngt på sitt ~* include a th. in one's programme
programenlig ...according to [the] programme
programförklaring policy statement
programledare konferencier compère; radio. el. TV. linkman
programmera programme; amer. el. data. program
programmerare programmer
programmering programming; *~ av datorer* computer programming
programpunkt item on (of) a (resp. the) programme

programvara data. software
progression progression
progressiv progressive
projekt project, plan
projektera project, design
projektgrupp project team, research group
projektil projectile; friare missile
projektion projection
projektionsapparat [slide] projector
projicera o. **projiciera** project
proklamera proclaim; ~ *strejk* call a strike
proletariat proletariat; *~ets diktatur* the dictatorship of the proletariat
proletär I *adj* proletarian **II** *s* proletarian; *~er i alla länder, förenen eder!* workers of the world, unite!
proletärförfattare proletarian author
prolog prologue
promemoria memorand|um (pl. -a el. -ums)
promenad 1 spatsertur walk; flanerande stroll, promenade; motions~, vard. constitutional; *ta* [*sig*] *en* ~ go for a walk (a stroll, an airing) **2** ~plats promenade; isht strand~ seafront
promenadkäpp walking-stick; amer. äv. cane
promenadsko walking-shoe
promenadväder, *fint* ~ nice weather for a walk
promenera I *itr* take a walk (stroll); promenade; ~ *omkring* stroll [about], saunter **II** *tr,* ~ *hem segern* romp home, win at a canter
promille I *adv* per thousand (mille, mil) **II** *s, hög* ~ av alkohol, ung. high percentage (permillage) [of alcohol]
prominent prominent
promiskuös promiscuous
promotor 1 sport. promotor **2** univ. conferrer of doctor's degrees
prompt I *adv* ofördröjligen promptly; punktligt punctually; ovillkorligen absolutely; *han ville ~ att jag skulle* inf. he insisted on my ing-form **II** *adj* prompt
pronomen pronoun
propaganda propaganda; ibl. information; reklam publicity
propagandasyfte, *i* ~ for propaganda (publicity) purposes
propagera I *tr* propagate **II** *itr* make (carry on) propaganda
propeller propeller; flyg. äv. airscrew
propellerdriven propeller-driven; flyg. äv. airscrew-driven
proper snygg tidy; ren[lig] clean; skötsam decent, nice
proportion proportion; *~er* dimensioner äv. dimensions, size sg.
proportionell proportional
proportionerlig proportionate
proposition lagförslag government bill; *lägga* [*fram*] *en* ~ present (introduce) a bill
propp 1 avpassad ~ stopper; för badkar el. tvättställ plug; tuss wad; elektr., säkring fuse [plug]; av öronvax lump; öron~ t. hörapparat o.d. earpiece; *en ~ har gått* a fuse has blown; *sätta en ~ i* ett hål plug (put a plug into)... **2** se *blodpropp* **3** polit., se *proposition*
proppa, *~...full* cram, stuff äv. bildl.; *~ i ngn* mat cram (stuff)...into a p. (kunskaper ...into a p.'s head)
proppfull cram-full, chock-a-block
proppmätt, *äta sig* ~ gorge (glut) oneself [*på* with]
propsa, *~ på ngt* (*på att* inf.) insist [up]on a th. ([up]on ing-form)
propå förslag proposal
prosa prose; *på* ~ in prose
prosaisk prosaic; torr unimaginative
prosit [God] bless you!
prospekt reklamtryck prospectus
prospektering prospecting
prost dean
prostata anat. prostate [gland]
prostataförstoring enlargement of the prostate gland
prostituera I *tr* prostitute **II** *rfl, ~ sig* prostitute oneself äv. bildl.
prostituerad I *adj* prostitute **II** *s* prostitute; vard. pro; amer. äv. hooker
prostitution prostitution
protein protein
protektionism protectionism
protes arm artificial arm (resp. eye etc.); med. prosthes|is (pl. -es); tandläk. denture, dental plate
protest protest äv. hand.; sport., invändning objection; *en skarp* ~ a strong protest; *under* ~[*er*] (*livliga ~er*) under protest sg. (vigorous protests)
protestant Protestant
protestantisk Protestant
protestantism, ~[*en*] Protestantism
protestera protest, object; *~ kraftigt mot ngt* cry out (remonstrate) against a th.
proteststorm storm of protest (remonstrance)
protokoll minutes, record; domstols~ report of the proceedings; isht dipl. protocol; kortsp. el. sport. score; *föra* (*sitta vid*) *~et* keep (take) the minutes (record), act as a secretary; t.ex. i kortsp. keep the score; *ta* ngt *till ~et* enter...in the minutes, record (take down)...
protokollföra se [*ta till*] *protokoll*[*et*]
prototyp prototype
prov 1 test äv. tekn.; kem. el. kunskaps~ o.d.; tekn. o.d. äv. experiment; försök, prövning trial; examens~ examination; *muntligt* (*skriftligt*) ~ oral (written) test (resp. examination); t.ex. anställa ngn, göra ngt *på* ~ ...on trial **2** bevis proof; exempel specimen; *ge ett* (*visa*) ~ *på* t.ex. tapperhet

display, give proof of **3** konkr., varu~ sample; av tyg, tapet etc. med mönster pattern; provexemplar, provbit specimen; *ta ett ~* med. take a specimen; jfr äv. *blodprov* o.d.
prova göra prov med test; försöka, provköra o.d. try; grundligt try out; kläder try on; *~ av* test, try, give...a [first] trial; ost, vin o.d. sample, taste
provbit sample
provborrning exploratory (trial, test) drilling
provdocka tailor's dummy, mannequin
provexemplar specimen; av bok specimen (sample) copy
provfilma have a [screen] test
provflygare test pilot
provhytt fitting cubicle (större room)
proviant provisions
proviantera I *tr* provision **II** *itr* take in (buy) supplies
provins province äv. biol.
provinsialläkare district medical officer
provinsiell provincial
provision agents o.d. commission; *mot fem procents ~* against (at) a five per cent commission
provisorisk tillfällig temporary; nödfalls- makeshift båda end. attr.; *~ regering* provisional government
provisorium provisional (temporary) arrangement; nödlösning makeshift
provkarta hand. sample card; *en ~ på* olika frisyrer, olika stilar a variety (medley) of...
provköra test
provkörning av bil o.d. trial (test) run; på väg road test
provningsanstalt testing laboratory (institute)
provocera provoke; *~nde* provocative
provokation provocation
provokatör isht polit. [agent] provocateur fr. (pl. [agents] provocateurs)
provrum att prova kläder i fitting room
provräkning arithmetic test; konkr. test paper [in arithmetic]
provrörsbarn test-tube child (baby)
provsjunga have an audition
provsmaka taste
provspela I *tr* ett instrument try out **II** *itr* have an audition
provstopp för kärnvapen [nuclear] test ban
provtagning med. [the] taking of specimens
provtjänstgöring probationary service, [period of] probation
prudentlig prim, finical
prunkande lysande dazzling, blazing, glowing; grann gaudy; bildl. flowery
prut 1 haggling **2** *utan ~* without much ado
pruta om köpare haggle [over the price]; köpslå bargain; om säljare reduce (knock something off, beat down) the price
prutmån margin, margin for haggling (bargaining)
prutt vulg. fart
prutta vulg. fart
pryd prudish; *en ~ person* äv. a prude
pryda adorn; försköna embellish (båda äv. *~ upp*); passa become; vasen *pryder sin plats* ...is decorative [there (here)]
pryderi o. **prydhet** prudishness
prydlig välvårdad neat, trim; nätt o. ~ dainty; överdrivet ~ spruce, prim and proper; dekorativ decorative
prydlighet neatness etc., se *prydlig*
prydnad dekoration adornment, embellishment; prydnadssak el. bildl. ornament; *vara en ~ för* t.ex. sitt yrke, sin skola grace..., adorn...
prydnadssak ornament; mindre *~er* knick-knacks, fancy goods; bric-a-brac sg.
prydnadsväxt ornamental plant
prygel flogging, whipping; stryk thrashing, beating
prygla flog; klå upp thrash
pryl 1 syl pricker; skom. awl **2** vard., sak gadget; *~ar* äv. odds and ends, bits and pieces
prylsamhälle, *~t* vard. the acquisitive society
prål ostentation, ostentatious display, showiness; grannlåt finery
pråla make a big show (parade), show off
prålig gaudy
pråm barge; hamn~ lighter
prång [narrow] passage; gränd alley; vrå: i t.ex. hus corner, nook; bland t.ex. klippor cranny
prångla, *~ ut falska pengar* utter counterfeit coin (sedlar notes)
prägel avtryck impression äv. bildl.; på mynt samt bildl. stamp; drag touch; karaktär character
prägla mynta coin; slå [mynt] strike; typogr. emboss; stämpla stamp äv. bildl.; känneteckna characterize; *~s av* äv. bear the stamp of
präktig utmärkt fine, grand; stadig stout; tjock thick; stark strong; *en ~ förkylning* a proper (stark. awful) cold
pränt, *på ~* in print
prärie prairie
prärievarg coyote
präst isht prot. clergyman; isht katol. el. icke-kristen priest; grek.-katol. pope; frikyrklig el. i Skottl. minister; allm. minister of religion, isht vard. (ibl. neds.) parson; *kvinnliga ~er* women clergymen (ministers)
prästerskap clergy; isht katol. priesthood, priests

prästgård vicarage, rectory; katol. presbytery
prästinna priestess
prästkrage 1 prästs krage [Geneva] bands; rundkrage clerical collar **2** bot. oxeye daisy
prästvigning ordination
pröjsa vard. pay
pröva I *tr* prova try; grundligt try out; göra prov med test; undersöka, granska samt tentera examine; kontrollera [ett räknetal] check; ~ *om* repet håller try and see if... **II** *itr* tentera sit for an examination **III** *rfl*, ~ *sig fram* feel one's way, proceed by trial and error **IV** med beton. part.
~ **in** skol. sit for (undergo, take) an (the, one's) entrance examination; ~ *in vid teatern* have (be given) an audition
~ **på** försöka try one's hand at; erfara experience; [få] utstå suffer
prövad, *han är hårt* ~ he has had to put up with (go through) a good deal
prövande påfrestande trying; granskande searching
prövning 1 prov test; prövande testing; t.ex. av fullmakt investigation; noggrann scrutiny; prövningsprocedur, prövningstid probation; *förnyad* ~ av en fråga re-examination, reconsideration **2** hemsökelse trial
prövosten touchstone
prövotid trial (experimental) period; period of probation
P.S. PS
psalm i psalmboken hymn; i Psaltaren psalm
psalmbok hymn-book
psaltare 1 bibl., bok psalter; *Psaltaren* i Bibeln Psalms pl., the Book of Psalms **2** mus. psaltery
pseudonym I *s* pseudonym, nom de plume fr.; pen name **II** *adj* pseudonymous; om namn assumed
p-skiva trafik parking disc (amer. disk)
psyka vard. psych [out]
psyke 1 själsliv mentality, psyche; själ soul **2** vard., psykiatrisk klinik psychiatric clinic
psykedelisk psychedelic
psykiater psychiatrist; vard. shrink
psykiatri psychiatry
psykiatrisk psychiatric
psykisk mental; psychic; ~ *hälsa* mental health; ~ *sjukdom* mental illness (disorder, disease)
psykoanalys psychoanalys|is (pl. -es)
psykoanalytiker psychoanalyst
psykofarmaka psychopharmacologic[al] (psychoactive) drugs, psychodrugs
psykolog psychologist
psykologi psychology
psykologisk psychological
psykopat psychopath; vard. psycho (pl. -s)
psykopatisk psychopathic; vard. psycho
psykos psychos|is (pl. -es)
psykosomatisk psychosomatic
psykoterapi psychotherapy
psykotisk psychotic; *en* ~ *person* a psychotic
ptro till häst whoa
pubertet puberty
publicera publish
publicering publishing, publication
publicist publicist, journalist
publicitet publicity
publik I *s* auditorium audience; åskådare spectators; författares ~, antal besökare attendance; restaurang~ o.d. guests (middagsgäster diners), people pl. present; församling assemblage; stam~ clientele; åskådarmassa crowd; TV-tittare [tele]viewers; *den breda* (*stora*) ~*en* allmänheten the general public, the public at large; *det är mycket ungdomlig* ~ *där* på det dansstället o.d. the people who go there are very young **II** *adj* allmän public
publikation publication
publikdragande popular, attractive; ~ *film* box-office film
publikframgång se *publiksuccé*
publikfriande ...that panders (resp. pander) to the public, ...that plays (resp. play) to the gallery
publikrekord attendance record; record attendance
publiksiffra attendance; isht sport. gate
publiksuccé success with the public; film. el. teat. o.d. hit; bok best-seller
publikundersökning audience research poll
puck ishockey~ puck
1 puckel 1 hump **2** [temporär] ökning bulge
2 puckel vard., stryk bashing
puckelrygg hunchback, humpback
puckla, ~ *på ngn* vard. bash (wallop) a p.; friare have a go at a p.
pudding 1 kok. pudding **2** vard., vacker flicka smasher
pudel poodle; ~*ns kärna* the crux (heart) of the matter
puder powder; kosmetiskt [face] powder, toilet powder
pudersocker powdered (icing) sugar
pudra I *tr* powder; med socker o.d. dust **II** *rfl*, ~ *sig* powder [oneself]
puff I *s* **1** knuff push; lätt med armbågen nudge, jfr äv. *knuff* **2** på plagg puff **3** möbel pouf[fe] **4** knall pop **5** rök~ o.d. puff **6** reklam~ puff **II** *interj* pop
puffa I *tr* knuffa push; lätt med armbågen nudge, jfr äv. *knuffa* **II** *itr* **1** knalla pop **2** ~ *på en pipa* puff [away] at a pipe **3** göra reklam ~ *för ngt* plug (puff) a th.
puffas knuffas push
puffärm puff[ed] sleeve
puk|a kettle-drum; -*or* i orkester timpani (pl. el. sg.)

pulka pulka; liten släde sledge
pulla vard. **1** höna hen **2** smeknamn sweetie
pulpa anat. el. bot. pulp
puls pulse; *hastig* (*ojämn*) ~ a rapid (an irregular) pulse; *ta ~en på ngn* med. feel a p.'s pulse
pulsa trudge, plod
pulsera beat, throb, pulsate, pulse; storstadens *~nde liv* the pulsating life of...
pulsåder fysiol. artery
pult [conductor's] desk; podium podi|um (pl. -a)
pulver powder
pulverform, *i* ~ powdered
pulverkaffe instant coffee
pulvrisera pulverize; bildl. smash
pump pump; *gå* (*åka*) *på ~en* vard. make a blunder
1 pumpa pump; ~ *däcken* (*cykeln*) blow up (pump up, inflate) the tyres; ~ *läns* pump...dry (empty); ~ *in* pump in
2 pumpa 1 bot. pumpkin **2** kaffe~ glass flask
pumps court shoes; amer. pumps
pund 1 myntenhet pound (förk. £); vard. quid (pl. lika); *fem* ~ five pounds (£5) **2** vikt pound (förk. lb., pl. lb[s].) **3** bildl. *förvalta sitt ~ väl* make the most of one's talents
pundhuvud vard. blockhead
pundsedel pound note
pung 1 påse, t.ex. tobaks~ pouch; t.ex. penning~ bag; börs purse **2** hos pungdjur pouch **3** anat. scrot|um (pl. -a el. -ums), testicles
punga, ~ *ut med* fork out, cough up, come across with
pungslå, ~ *ngn* fleece a p. [of his money], bleed a p. white
punk punk
punkare punk
punkt allm. point äv. mus.; skiljetecken full stop; amer. period; sak point; stycke paragraph; i kontrakt, 'nummer' på program item; klausul clause; detalj particular; jur., i anklagelse count; hänseende respect; bemöta invändningen ~ *för* ~ ...point by point; ~ *och slut!* and that's that (flat)!; *den springande ~en* the crux of the matter; *en öm* ~ bildl. a tender (sensitive) spot, a sore point; *på denna* ~ a) på detta ställe at this point (spot) b) härvidlag on this point, in this particular, in this respect; *låt mig tala till ~!* let me finish what I have to say!, let me have my say!; *till ~ och pricka* exactly; bokstavligt to the letter
punktering 1 på bilring o.d. el. med. puncture; *få* ~ have a puncture (vard. a flat tyre, a flat) **2** konst. stipple
punktinsats selective (enstaka isolated) measure
punktlig punctual
punktlighet punctuality
punktmarkering sport. man-to-man marking
punktskatt selective (specific) purchase tax
punktskrift braille
punsch Swedish (arrack) punch
pupill anat. pupil
puppa zool. pup|a (pl. -ae), chrysali|s (pl. äv. -des)
pur pure; *av ~ förvåning* from sheer surprise
puré purée
puritan puritan; hist. Puritan
puritansk puritan[ical]; hist. Puritan
purjolök leek
purken vard., sur sulky, sullen; stött huffy
purpurfärgad purple, se äv. *purpurröd*
purpurröd blåröd purple; högröd crimson; *bli* ~ av ilska o.d. turn purple (crimson)
1 puss pöl puddle, pool
2 puss kyss kiss
pussa kiss
pussas rpr. kiss
pussel puzzle; läggspel jigsaw [puzzle]; *lägga* ~ do a jigsaw puzzle; bildl. fit [all] the pieces together
pusselbit piece [eg. in a jigsaw puzzle]
pussig om ansikte bloated
pussla do a jig-saw puzzle; ~ *ihop* put together
pust vind~ breath of air (wind), puff [of wind]; stark gust
pusta flåsa puff [and blow]; stöna groan; ~ *ut* take a breather, recover one's breath
puta, ~ *med munnen* pout; ~ *ut* om kläder o.d. bulge, stick out
puts 1 rappning plaster; grov roughcast **2** putsmedel polish **3** renlighet tidiness
putsa 1 rengöra t.ex. fönster clean; polera polish; klippa [ren] t.ex. hår, häck trim; ~ *skor* clean (polish, vard. shine) shoes; ~ *av* clean; ngt blankt polish, give...a polish; hastigt o. lätt t.ex. fönster, skor give...a wipe-over; ~ *upp* clean (ngt blankt polish) up **2** rappa plaster; med grov puts rough-cast
putslustig droll
putsmedel polish
putta, ~ *till* push, give...a push; golf. putt
puttefnask neds. [little] shrimp; barn brat
puttra 1 kok. simmer; bubbla bubble **2** om motor[fordon] chug
pyjamas pyjamas (amer. pajamas); *en* ~ a pair (suit) of pyjamas
pynt grannlåt finery; t.ex. jul~ decorations
pynta smycka decorate; *hon gick och ~de i rummen* she walked about the rooms smartening things up
pyra smoulder
pyramid pyramid; i biljard pyramids
pyre mite

pyroman pyromaniac
pyroteknik pyrotechnics
pys vard. little chap (boy)
pysa vard., ge sig iväg buzz (pop) off
pyssel pottering
pyssla busy oneself; *gå och ~* [*i huset*] potter about [(in) the house]
pysslig handy
pyton I *s* zool. python **II** *adv* vard. *det luktar* (*smakar*) *~* it smells (tastes) awful (like hell)
pytonorm python
pyts pot; hink bucket
pytteliten tiny, weeny...
pyttipanna kok. fried diced meat with onions and potatoes
på A *prep* **I** i rumsbet. **1** uttr. befintl. **a)** on; mera valt upon; 'inom' samt framför [namn på] isht större bekant ö vanl. in; 'vid' o.d. at; *~ bilden* (*tavlan*) in the picture; träffa ngn *~ bussen* (*tåget*) ...on el. ...in the bus (the train); *~ gatan* (*Hamngatan*) in (amer. on) the street (Hamngatan); *~ Hamngatan 25* at 25 Hamngatan; *mitt ~ golvet* in the middle of the floor; *~ land* on land; *han hade inga pengar ~ sig* he had no money on (about) him; *~ sjön* on the lake; till havs at sea; *~ vinden* in the attic; *~ en öde ö* on a desert island; *~ Irland* in Ireland **b)** framför subst. som uttr. verksamhet, tillställning o.d. vanl. at; framför subst. som uttr. sysselsättning o.d. vanl. for; *vara ~ besök* be on a visit; *vara ~ bjudning* (*konsert*) be at a party (a concert) **c)** 'på en sträcka av' for; inte ett träd *~ många kilometer* ...for many kilometres **d)** i vissa fall to; *göra ett besök ~*... pay a visit to... **2** uttr. riktn. el. rörelse on; 'i' into; 'till' to; 'i riktn. mot' at; *bjuda* inbjuda *ngn ~ middag* invite a p. to dinner; *gå ~ banken* go to the bank; *lyssna* (*höra*) *~*... listen to...; *stiga upp ~ tåget* get into (on to) the train; fara [*ut*] *~ landet* ...into the country; *rusa ut ~ gatan* rush out into the street **3** 'per' in; *inte en ~ hundra* not one in a hundred **4** isht i förb. med kommunikationsmedel by; han kom *~ cykel* ...on a (by) bike
II i tidsbet. **1** uttr. tidpunkt at; isht vid angivande av dag (veckodag) on; framför ord som betecknar dygnets delar, årstider in; *~ dagen* (*natten, den tiden*) osv., se ex. under resp. subst.; *~ hösten* in [the] autumn (amer. the fall); *~ fredag morgon* on Friday morning; *~ 1900-talet* in the 20th century **2** uttr. tidslängd **a)** 'under' vanl. on; angivande hela tidsavsnittet during; *~ fritiden* in one's leisure time; jag läste boken *~ resan hit* ...on (during) the journey here **b)** 'på en tid av' for; hyra ett hus *~ en månad* ...for a month **c)** 'inom' in; det där gör du *~ en minut* ...in a minute **3** uttr. ordningsföljd after; ibl. upon; *gång ~ gång* time after time, over and over again
III i prep.attr. vanl. of; 'lydande på' for; 'innehållande' containing; 'vägande' weighing; *en check* (*räkning*) *~* 500 kr a cheque (bill) for...; *en flicka ~ femton år* a girl of fifteen; *namnet ~ gatan* the name of the street
IV i vissa fasta förb. **1** med subst. **a)** uttr. sätt, tillstånd m.m. vanl. in; 'föranledd av' at; 'såsom' for; 'av' out of; 'med' with; *~ allvar* in earnest; *vara ~ dåligt humör* vresig be in a bad temper; *~ detta sätt* in this way; *~ vers* (*prosa*) in poetry (prose) **b)** uttr. exakthet to; *mäta ~ millimetern* measure to a millimetre **2** med verb **a)** uttr. sysselsättning med at; uttr. eftersträvande, tillkallande for; *arbeta ~* ngt work at...; *hoppas* (*vänta*) *~* hope (wait) for **b)** 'med hjälp av' by; *man hör ~ henne* (*~ rösten*) att hon är trött one can hear (hear by her voice) that... **c)** ofta utan motsv. i eng., *lukta* (*smaka*) *~ ngt* smell (taste) a th.; *ändra* (*flytta*) *~ ngt* change (move) a th. **3** med adj. *arg* (*ond*) *~* ngn angry with...
B *adv, en burk* (resp. *burkar*) *med lock ~* a pot with a lid on it (resp. pots with lids on them)
påannonsera radio. el. TV. announce, present
påbackning vard. *~ på straff* extended sentence
påbrå stock; arvsanlag hereditary disposition; *med italienskt ~* of Italian stock
påbud decree
påbyggnad addition; konkr. additional storey; superstructure äv. bildl.
påbyltad muffled up
pådrag, maskinen gick *med fullt ~* ...at full speed (steam); *det blev* [*ett*] *stort ~ av poliser* a great number of police were called out
pådrivare prompter; anstiftare instigator
pådyvla, *~ ngn ngt* impute a th. to a p.
påfallande I *adj* striking, marked, remarkable **II** *adv* strikingly; det händer *~ ofta* ...with remarkable frequency, ...markedly often
påfart entrance
påflugen pushy, pushing; närgången forward
påfrestande trying
påfrestning strain; prövning trial
påfund idea, invention, jfr *påhitt; nya ~* neds. newfangled ideas; *ett djävulens ~* the devil's own invention
påfyllning påfyllande filling up, replenishment; en portion till another helping; en kopp (ett glas etc.) till another cup (glass etc.); *vill du ha ~?* av mat, dryck äv. would you like some more?

påfågel peacock isht tupp; höna peahen
påföljd consequence; jur. sanction
påföra debitera ~ *ngn (ngns konto) ngt* charge a th. to a p.'s account
pågå go (be going) on; fortsätta continue; vara last; försiggå be in progress
påhitt idé idea; uppfinning, knep device; spratt trick; lögn, 'dikt' invention; *ett sådant ~!* what an idea!
påhittad made up; fiktiv fictitious
påhittig ingenious
påhopp bildl. attack
påhälsning, *göra en ~ hos* pay a visit to
påhäng drag; *ha ngn som ~* have a p. hanging on
påhängsvagn semitrailer
påk thick stick, cudgel; vard. pin; *rör på ~arna!* get moving!
påkalla kräva call for; *~ ngns uppmärksamhet* attract a p.'s attention
påklädd dressed
påkom|men occurring; *ett hastigt ~met illamående* a sudden indisposition
påkostad dyrbar expensive; om t.ex. bil ...lavishly fitted out
påkörd, *bli (vara) ~* av ett annat fordon be run (bumped) into...; om pers., av en bil be knocked down..., be hit...
pålaga skatt tax; tullavgift o.d. duty
pålandsvind onshore wind
påle pole, post; mindre pale; byggn., t. grundläggning pile
pålitlig reliable; trovärdig trustworthy; *från ~ källa* from a reliable source, on good authority; vard. from the horse's mouth
pålitlighet reliability; trovärdighet trustworthiness
pålle vard. gee-gee, horsey
pålägg 1 smörgåsmat: skinka ham, cheese m.m. **2** extra avgift extra (additional) charge; höjning increase; hand. markup **3** lantbr. breeding
påläggskalv 1 lantbr. calf kept for breeding **2** bildl. [up-and-]coming young man, good prospect; sport. budding talent
påläst, *bra ~* väl förberedd well prepared
påminna I *tr* o. *itr, ~ [ngn] om ngt* (resp. *om att* sats) a) få att minnas remind a p. of a th. (resp. [of the fact] that...) b) fästa uppmärksamheten på call [a p.'s] attention to a th. (resp. to the fact that...); *han påminner om sin bror* he resembles his brother, he reminds one (you) of his brother **II** *rfl, ~ sig* remember; med större ansträngning recollect, recall
påminnelse 1 erinran reminder; *få ~ om* äv. be reminded of **2** anmärkning remark
pånyttfödd reborn; *jag känner mig ~* I feel as if I were born again (anew)
påpasslig uppmärksam attentive; 'vaken' alert; färdig att ingripa prompt; vaksam vigilant
påpeka point out; *~ för ngn att* sats point out to a p. that..., call a p.'s attention to the fact that...
påpekande anmärkning remark, comment; antydan hint; påminnelse reminder
påpälsad well wrapped-up
påringning tele. phone call
påse bag; *en ~ [med]* frukt a bag of...; *ha påsar under ögonen* have bags el. pouches (be puffy) under the eyes; *slå sina påsar ihop* gifta sig get hitched (spliced); slå sig ihop join forces
påseende granskning inspection; *sända* varor, böcker *till ~* send...on approval
påsig baggy; *~a kinder* puffy cheeks
påsk Easter; jud. Passover; *glad ~!* Happy Easter!; han kommer i ~ ...at (denna påsk this) Easter; jfr *jul* o. sms.
påskafton Easter Eve
påskalamm paschal lamb
påskdag, *~en* Easter Day (Sunday)
påskhelg, *~en* Easter
påskina, *låta ~* låta förstå, låtsas pretend, make pretence of; antyda intimate, hint
påskkärring liten flicka young girl dressed up as an Easter witch
påsklilja daffodil
påsklov Easter holidays pl. (vacation)
påskrift utanskrift superscription; text inscription, text; etikett label; underskrift signature; endossering endorsement
påskveckan Easter week
påskynda hasten; t.ex. förloppet accelerate; stark. precipitate; driva på urge on; raska på med hurry on; *~ arbetet* speed (step) up the work; *~ beslutet* bring about a speedy (speedier) decision
påslag löne~ increase, rise; pris~ increase (rise) [in price]
påslakan quilt (duvet) cover
påssjuka mumps; med. parotitis; *ha ~* have [the] mumps
påste tepåsar teabags; dryck tea made with a teabag
påstigning trafik. boarding; *endast ~* boarding only
påstridig obstinate
påstå säga, yttra say; uppge state; med bestämdhet declare; [vilja] göra gällande allege; hävda assert; vidhålla maintain
påstådd alleged
påstående utsaga statement; hävdande assertion; logik. o.d. predication
påstötning påminnelse reminder; vink hint; pådrivning urging
påta, *[gå och] ~* peta, gräva poke [about]; pyssla potter about
påtaglig uppenbar obvious; märkbar marked; gripbar tangible; *~t bevis* tangible proof

påtala kritisera o.d. criticize; klaga över complain of; t.ex. fel, missförhållande call attention to
påtryckning pressure; [*upprepade*] *~ar* [continual] pressure sg.; *utöva ~ar på ngn* bring pressure to bear on a p.; polit. äv. lobby
påtryckningsgrupp pressure group; polit. äv. lobby
påträffa se *träffa [på]*
påträngande 1 påflugen pushy; enträgen importunate **2** om t.ex. behov urgent
påtvinga, *~ ngn ngt* force (inflict) a th. on a p.
påtår ung. second cup; *vill du ha ~?* would you like another (a second) cup?
påtänd vard. *vara ~* narkotikapåverkad be high
påtänkt contemplated
påve pope äv. bildl.
påver poor; luggsliten threadbare
påverka influence; isht i yttre bem. t.ex. humöret affect; leda sway
påverkad lätt berusad tipsy; av narkotika high; jfr *påverka; ~ av starka drycker* under the influence of (drink) liquor
påverkan influence
påverkbar, [*lätt*] *~* easily influenced, impressionable
påvisa påpeka point out; bevisa prove, demonstrate; konstatera establish
påökt, *få ~* [*på lönen*] get a rise [in pay (wages resp. salary)]
päls på djur fur; plagg fur coat; *ge ngn på ~en* stryk give a p. a hiding (ovett a telling-off, isht kritik a slating)
pälsa, *~ på sig ordentligt* wrap (muffle) oneself up well
pälsbesatt o. **pälsbrämad** fur-trimmed
pälscape fur cape
pälsdjur furred (fur-bearing) animal
pälsjacka fur jacket
pälskrage fur collar; *...med ~* äv. fur-collared...
pälsmössa fur cap
pälsverk fur; koll. furs
pärla I *s* pearl; av glas bead; droppe, t.ex. av dagg drop; bildl. gem; *odlade* (*imiterade*) *pärlor* culture[d] (imitation el. artificial) pearls **II** *itr, svetten ~de på hans panna* beads of perspiration stood on his forehead; *~nde viner* sparkling wines
pärlband string of pearls (resp. beads, jfr *pärla*); bildl. chain
pärlbroderad se *pärlstickad*
pärlemor mother-of-pearl
pärlemorskimrande iridescent
pärlhalsband pearl necklace
pärlhöns guinea fowl äv. koll.
pärlsocker ung. crushed loaf (fackspr. nib) sugar
pärlstickad ...embroidered with pearls (resp. beads), jfr *pärla*
pärlvit pearl[y] white
pärm bok~ cover; samlings~ file; för lösa blad [loose-leaf] binder; mapp folder; *från ~ till ~* from cover to cover
päron 1 träd el. frukt pear **2** virke pearwood
päronformig pear-shaped
päronträ pearwood; *...av ~* äv. pearwood...
pärs prövning ordeal; *en svår ~* äv. a severe test, a trying experience; slag a hard blow
pöbel mob
pöl vatten~ pool; [smutsig] vatten~ puddle; *~en* Atlanten, vard. the Pond
pö om pö bit by bit
pösa svälla swell [up]; jäsa rise; *~ av stolthet* be puffed up (be swelling) with pride
pösig puffy; om t.ex. byxor baggy; om t.ex. pullover loose-fitting
pösmunk kok. fritter; bildl., pers. puffed-up person

Q

q bokstav q [utt. kju:]
Qatar Qatar
qatarier Qatari
qatarisk Qatari
quenell kok. quenelle
quiche kok. quiche
quilta sömnad. quilt
quisling quisling

R

r bokstav r [utt. ɑ:]
rabalder uppståndelse commotion; oväsen uproar, vard. rumpus; tumult disorder, tumult; upplopp riot; stormigt uppträde row, vard. hullabaloo; i pressen outcry
rabarber bot. el. kok. rhubarb; *lägga ~ på ngt* vard. walk away (make off) with a th.
1 rabatt blomstersäng flower bed; kant~ [flower] border, border of flowers
2 rabatt hand. discount; nedsättning reduction; gottgörelse för t.ex. fel på vara allowance
rabattera, *~d resa* journey at a reduced rate
rabatthäfte hand. book of discount coupons
rabattkort reduced (cheap) rate ticket; klippkort punch ticket
rabbla, ~ *[upp]* rattle (reel, patter) off
rabiat rabid; fanatisk fanatical
racerbil racing car, racer
racerbåt speedboat, racer
racercykel racing cycle
racerförare racing driver
racka, *~ ner på* ngn (ngt) vard. run...down
rackare rascal; skälm rogue; skurk scoundrel
rackartyg mischief; *på rent ~* out of pure mischief
rackarunge young rascal
racket racket; bordtennis~ bat
rad 1 räcka row; serie series (pl. lika); följd succession; av t.ex. bilar train; antal number; *en ~* frågor a number of...; *i ~* in a row; *tre dagar i ~* three days running **2** i skrift line; på tipskupong column; *skriv ett par ~er till mig* write (drop) me a line **3** teat. tier; *[på] första ~en* [in] the dress circle; *tredje ~en* the gallery; vard. the gods
rada, *~ upp* ställa i rad[er] put...in a row (resp. in rows), line...up; räkna upp enumerate, cite, mention, go through
radar radar
radarkontroll fartkontroll i trafiken radar speed check; konkr. radar trap (speed detector)
radarpar sport. el. friare *ett ~* a couple of players (actors etc.) who work perfectly together
radda vard. *en hel ~ med* burkar a whole pile of...; *en hel ~ människor* lots of people
radera 1 ~ el. *~ bort (ut)* sudda ut erase, rub out; skrapa bort scratch out **2** etsa etch
radergummi [india-]rubber; amer. el. för bläck eraser
radhus terrace[d] house; amer. row house
radialdäck radial, radial tyre (amer. tire), radial-ply tyre (amer. tire)

radikal I *adj* radical; grundlig thorough **II** *s* pers. radical; reformivrare reformer; polit. äv. extremist
radikalisera radicalize
radikalism radicalism
radio 1 telegrafi el. telefoni radio; åld. wireless; rund~ broadcasting; *Sveriges Radio* the Swedish Broadcasting Corporation; [*ut*]*sända i ~* broadcast [on (over) the radio]; *vad är det på ~?* what is on the radio (air)...? **2** radiomottagare radio [set]
radioaktiv radioactive; ~ *strålning* nuclear (atomic) radiation
radioaktivitet radioactivity
radioamatör [shortwave] radio amateur
radioantenn aerial; amer. äv. antenna
radioapparat radio [set]
radiobil 1 polisbil radio patrol car; amer. prowl car **2** på nöjesfält dodgem [car] **3** för radioinspelning recording van
radioförbindelse radio link
radiolicens radio licence
radiologi radiology
radiomast radio (aerial) mast
radiomottagare radio [set]
radiopejling direction finding
radiopolis 'radio police', police department (styrka force) equipped with radio patrol cars
radioreportage direkt radio [running] commentary; bearbetat radio documentary
radiostation radio (broadcasting) station
radiostyrd radio-controlled, radio-guided
radiostörning gm annan sändare jamming; *~ar* från motorer o.d. interference sg.; atmosfäriska äv. atmospherics
radiosändare apparat [radio] transmitter; apparatur transmitting equipment; sändarstation radio (broadcasting) station
radioteater radio theatre
radiotelegrafist radio (åld. wireless) operator
radioterapi radiotherapy
radioutsändning broadcast
radiumbehandling radium treatment
radon kem. radon
radvis i rader in rows (lines); rad för rad one row (line) at a time
raffig vard. stunning; *vilken ~ hatt* (*klänning* m.m.)*!* äv. what a stunner!
raffinaderi refinery
raffinemang förfining refinement; isht om klädsel o.d. studied elegance, sophistication; fulländning perfection; sinnrikhet ingenuity
raffinerad tekn. refined äv. bildl.; utsökt exquisite; om klädsel elegant; sinnrik ingenious
rafflande hårresande hair-raising; nervkittlande thrilling; sensations- sensational
rafsa, ~ *ihop* (*samman*) sina saker scramble (scrape)...together, throw (rake)...together in a heap; ~ *ihop* ett brev scribble (dash) down...
ragata bitch; litt. vixen
ragg gethår goat's hair; t.ex. björns hair; friare el. om människohår shaggy hair
ragga vard. ~ *upp* en flicka pick up...
raggare vard. member of a gang of youths who ride about in cars
raggsocka ung. thick oversock (skiing-sock)
ragla stagger, reel
raglanrock raglan coat
rak straight; upprätt erect, upright; om ordföljd normal; ärlig straight, honest; jfr *motsats; på ~ arm* bildl. offhand, straight off, off the cuff
1 raka I *s* redskap rake **II** *tr* o. *itr* kratsa rake
2 raka, ~ *i väg* dash (dart, rush, tear) off; ~ *i höjden* växa fort shoot up, rocket
3 raka shave; ~ *sig* shave
rakapparat elektrisk shaver; rakhyvel safety razor
rakblad razor blade
raken, *på ~* i följd in a row
raket rocket; rymd~ o.d. missile; *fara i väg som en ~* be off like lightning (a shot)
raketbas mil. missile (rocket) base
raketvapen missile [weapon]; koll. missilery
rakhyvel safety razor
rakkniv razor
raklång, *falla ~* fall flat; *ligga ~* lie stretched out (full length)
rakna become (get) straight; om hår go out of curl
rakning shaving; *be om ~* ask for a shave
rakryggad eg. straight-backed; bildl. upright
raksträcka straight stretch; straight äv. sport.; sport. äv. stretch; amer. straightaway
rakt rätt straight; i samband med väderstreck due; alldeles quite; stark. absolutely; riktigt downright; rent simply; totalt completely; det var ~ *ingenting* ...just (absolutely, simply) nothing
rakvatten 1 aftershave aftershave lotion **2** vatten för rakning shaving water
raljant bantering, teasing; *en ~ person* a tease
raljera banter; ~ *med ngn* tease (banter) a p.
rallare navvy
rally bil~ [motor] rally
1 ram infattning frame äv. bildl.; kant border; omfattning compass; utstakat område field; gräns limits, scope; *sätta inom glas och ~* frame; *det faller utom ~en för...* it (this) is outside (beyond) the scope of...

2 ram tass paw; *suga på ~arna* bildl., svälta go without food, starve
rama, ~ [*in*] frame
ramantenn tele. frame aerial; radio. loop aerial (amer. antenna)
ramaskri outcry
ramberättelse frame story
ramla falla fall; störta ihop collapse; ~ *över* konkr. fall over; bildl., råka på chance upon, stumble across; för övriga beton. part. se *falla III*
ramma ram
ramp 1 sluttande uppfart ramp **2** teat.: golv~ footlights; tak~ stage lights **3** uppskjutningsanordning [launching] pad
rampfeber stage fright; friare the jitters
rampljus belysning footlights; bildl. limelight; *stå* (*träda fram*) *i ~et* bildl. be (appear) in the limelight
ramsa av ord (namn etc.) [long] string of words (names etc.); barn~ jingle
ranch ranch
rand 1 streck o.d. stripe; upphöjd rib; strimma streak **2** kant edge; bård border; brädd brim; isht större ytas el. bildl. verge; gräns[område] border; *på gravens ~* on the brink of the grave
randas gry dawn; förestå come; *dagen ~* the day is dawning (breaking)
randig striped; om fläsk streaky; om t.ex. manchestersammet ribbed; *den är ~ på längden* (*tvären*) it is striped length-wise (is cross-striped)
rang rank; företrädesrätt precedence; *ha generals ~* hold the rank of general
rangerbangård shunting (marshalling) yard; amer. äv. switchyard
ranglig gänglig lanky; rankig rickety
ranglista ranking list äv. sport.
rangordna place...in order of precedence (rank); t.ex. sökande till arbete place...in order of preference
rangordning order of precedence (rank, preference), jfr *rangordna*
rangskala order of rank (importance); *den sociala ~n* the social ladder
rank 1 om båt unsteady; fackspr. crank, cranky **2** om pers.: lång o. slank tall and slender
1 ranka klängväxt creeper; reva tendril; stängel o.d. [pliant] stem, vine; gren branch
2 ranka, *låta ett barn rida ~* dandle a child on one's knee
3 ranka rangordna rank
rankinglista o. **rankningslista** isht sport. ranking list
rannsaka search; undersöka examine; jur. åld. try
rannsakan o. **rannsakning** search; examination, inquiry; jur. åld. trial
ranson ration
ransonera ration
ransonering rationing
ransoneringskort ration card
ranta, [*vara ute och*] ~ gad about
rapa belch; vard. burp; om barn ofta bring up wind
1 rapp 1 slag blow; snärt lash; stark. stroke; smäll rap **2** *inte ge sig i första ~et* not give up easily
2 rapp allm. quick; flink nimble; rask smart; *ett ~t svar* a prompt (ready) reply (answer)
1 rappa t.ex. vägg plaster
2 rappa skynda, vard. ~ *på* get a move on, hurry [up], look snappy
rappakalja rubbish
rapport report; redogörelse account; skriftlig write-up; uppgift statement; mil. message
rapportera report
raps bot. rape
rar 1 snäll nice; vänlig kind; söt sweet, lovely; intagande delightful; förtjusande charming; behaglig pleasant; älsklig (attr.) darling **2** sällsynt rare
raring darling
1 ras släkte race; om djur vanl. breed; stam stock
2 ras av jord landslide; av byggnad collapse
rasa 1 störta ~ [*ned*] fall down; om jord slide [down], give way; störta ihop collapse; störta in cave (fall) in; om t.ex. tak, mur äv. crash down; om priser o.d. tumble **2** stoja romp and play, gambol; stark. rampage; om vind, hav rage
rasande I *adj* **1** ilsken furious; raging; vred very angry, fuming; utom sig ...wild with rage (fury); vard. wild, mad; [ytterst] uppbragt enraged; uppretad exasperated; *bli ~* fly (get) into a rage (passion); vard. see red; förlora självbehärskningen lose one's temper; vard. fly off the handle; tappa besinningen lose one's head **2** galen mad **3** snabb furious, terrific; häftig vehement; våldsam violent; väldig great, tremendous **II** *adv* vard., rysligt awfully; hemskt terribly; kolossalt tremendously
rasdiskriminering racial (race) discrimination
rasdjur om ko pedigree cow (dog m.m.); om häst thoroughbred
rasera eg.: riva ned demolish; förstöra destroy; jämna med marken raze[...to the ground]; lägga i ruiner lay...in ruins; bildl., t.ex. tullmurar abolish
raseri 1 ilska fury; vrede rage; vredesutbrott fit of rage; vredesmod anger **2** våldsamhet fury; stormens raging **3** våldsam galenskap madness
raseriutbrott fit of rage; *få ett ~* burst into a [fit of] rage
rasism racism, racialism

rasist racist, racialist
rasistisk racist
1 rask 1 snabb quick, fast **2** frisk ~ *och kry* om åldring hale and hearty
2 rask, *hela ~et* alltsammans the whole lot (bag of tricks, caboodle)
raska, ~ *på* hurry [up]; vard. get a move on, look snappy
rasmotsättning, *~ar* racial antagonism (tension) sg.
rasp 1 verktyg rasp **2** ljud rasp; från grammofonskiva scratch
raspa I *tr* tekn. rasp **II** *itr* rasp
raspig om ljud, röst rasping; om grammofonskiva scratchy
rassel 1 skrammel rattle äv. om sand; slammer clatter; klirr jingle; prassel rustle **2** med. râle
rassla rattle; clatter; jingle; ring; rustle; jfr *rassel 1*
rast paus break; amer. recess; vila rest; frukost~ break [for lunch]; mil. halt
rasta I *tr* motionera exercise; hund air **II** *itr* have a break (rest); mil. halt
rastgård exercise yard
rastlös restless; ständigt i farten ...always on the move (vard. on the go)
rastlöshet restlessness
rastplats halting place, resting-place; vid vägen för bilister lay-by; med cafeteria pull-up; amer. emergency roadside parking; vid motorväg motsv. av service area; ss. skylt services
raststuga i fjällen rest hostel
rata reject; ej finna god nog, vard. turn up one's nose at; mat äv. (förkasta) refuse to eat; sökande (förslag), vard. turn down
ratificera ratify
rationalisera rationalize
rationalisering rationalization
rationalistisk rationalistic
rationell rational; vetenskaplig scientific
ratt allm. wheel; bil. el. sjö. o.d. äv. steering-wheel; på radio knob
ratta vard. drive
rattfylleri drink-driving; mera officiellt driving under the influence of drink
rattfyllerist drink-driver
rattlås steering-lock
rattväxel steering-column gear change
ravin ravine
razzia raid; med infångande av brottslingar m.m. roundup; *göra en ~ i...* raid...
rea I *s* se *realisation* **II** *tr* o. *itr* se *realisera*
reagera react; ~ *för* låta sig påverkas av respond to
reaktion allm. reaction; isht positivt om pers. response
reaktionsförmåga ability to react (respond); kem. reactivity; *han har en snabb ~* he reacts very quickly
reaktionär reactionary
reaktivera reactivate
reaktor tekn. [nuclear] reactor
realia skol. o.d. life and institutions, realia
realinkomst real income
realisation försäljning till nedsatt pris [bargain] sale; utförsäljning clearance sale; slutförsäljning final clearance sale; *köpa på ~* buy at a sale (in the sales)
realisera I *tr* **1** sälja till nedsatt pris sell off **2** förvandla i pengar convert...into cash **3** förverkliga realize; t.ex. plan carry out, put...into practice **II** *itr* hold (have) sales
realism realism
realist realist
realistisk realistic; nykter matter-of-fact
realitet reality; *~er* äv. facts
realpolitik realist politics, realpolitik ty.; viss persons el. i visst fall realistic policy
rebell rebel
rebellisk rebellious
rebus picture puzzle
recensent critic, reviewer
recensera review
recension review; vard. write-up
recept 1 med. prescription; *expediera ett ~* make up a prescription **2** kok. el. bildl. recipe; tekn. äv. formul|a (pl. äv. -ae); *efter känt ~* bildl. ...on the same old lines, after the same old formula
receptbelagd ...available (sold, dispensed) only on [a doctor's] prescription
receptfri ...available without [a] prescription
reception 1 mottagning reception; upptagning i orden initiation **2** på hotell m.m. reception desk
receptionist receptionist
recett ~medel proceeds pl. from a (resp. the) benefit performance; ~föreställning benefit performance
recitation uppläsning: utantill recitation; från bladet reading
recitera läsa upp: utantill recite; från bladet read [aloud]
red|a I *s* ordning order; klarhet clarity; *det är ingen ~ med honom* han är slarvig he is careless (ometodisk unmethodical, opålitlig unreliable); *få ~ på* få veta find out, get to know, learn; få tag i find; *han har inte ~ på* vet inte *någonting* he never knows anything; *hålla ~ på* hålla uppsikt över look after; hålla i styr, hålla räkning på keep a check on; hålla ordning på, t.ex. sina tillhörigheter äv. keep...in order; hålla sig à jour med keep up with; hålla sig underrättad om, t.ex. ngns öden keep track of **II** *adj*, *~ pengar* ready money, [hard] cash **III** *tr* kok. ~ [*av*] thicken **IV** *rfl*, *det -er sig* [*nog*] ordnar sig [nog] that (it) will be all right; se vid. *klara II*
redaktion 1 lokal editorial office[s pl.]

2 personal editorial staff; editors **3** redigering editing; avfattning wording
redaktör editor; isht om ansvarig för t.ex. modesida, matspalt o.d. feature editor
redan 1 allaredan already; så tidigt (långt tillbaka) som as early (far back) as; till och med even; ibl. very; ~ *då* (*tidigare*) even then (earlier); ~ *följande dag* the very next day; han ska i väg ~ *i morgon* ...tomorrow at the latest **2** enbart ~ *tanken därpå* är obehaglig the mere (very) thought of that (it)...
redare shipowner
redbar rättskaffens upright; ärlig honest; hederlig honourable
redd kok. ~ *soppa* thick (cream) soup
rede 1 fågelbo nest **2** på fordon, se *underrede*
rederi 1 företag shipping company; ~bolag shipowners, firm of shipowners **2** verksamhet shipping [business (trade)] **3** kontor shipping office
redig 1 klar clear; tydlig plain; *klara och ~a* anvisningar clear and precise (exact)... **2** *vara fullt* ~ a) vid full sans be quite conscious b) vid sina sinnens fulla bruk be in full possession of one's senses **3** vard., 'ordentlig', se *rejäl*
redigera edit äv. film o.d.; avfatta write, draw up
redlig se *redbar*
redlöst 1 sjö. *driva* ~ drift in a disabled condition, be adrift **2** ~ *berusad* blind (dead) drunk
redning kok. thickening äv. konkr.
redo färdig ready; beredd prepared; *göra sig* ~ get (make oneself) ready, get prepared; *hålla sig* ~ hold (keep) oneself in readiness (prepared), stand by
redogöra, ~ *för ngt* avlägga räkenskap account for (avge rapport report on) a th.; beskriva describe (give an account of, isht i skrift narrate, förklara explain) a th.; *närmare ~ för...* give [further] details about...
redogörelse account; report; isht hand. statement
redovisa resultat o.d. show; ~ [*för*] *ngt* account for a th. osv., jfr *redogöra*
redovisning allm. account; räkenskapsbesked statement of account[s]; statistik. return
redskap 1 verktyg tool, implement; instrument instrument; isht hushålls~ utensil; gymn. [PT (PE)] appliance; koll. equipment; isht gymn. apparatus **2** bildl. tool
redskapsbod tool shed (house)
reducera I *tr* reduce äv. matem., kem. el. bildl.; förminska diminish; nedbringa, sänka: t.ex. löner cut; förvandla convert **II** *itr,* ~ *till 4-3* sport. reduce the score (vard. pull one back) to 4-3
reduceringsmål sport. *få ett* ~ reduce one's opponent's lead by one goal; vard. pull one back
reduktion reduction; cut; conversion; jfr *reducera*
reell verklig real
referat redogörelse account, report; utdrag abstract; översikt review; sammandrag summary
referens reference; *svar med ~er* reply stating [the names of] references
referensgrupp sociol. reference group; i samband med utredning consultative group
referenslitteratur works of reference
referensram frame of reference
referent reporter; rapportör rapporteur fr.
referera I *tr,* ~ *ngt* report (give an account of, cover) a th. **II** *itr,* ~ *till* ngn (ngt) refer to...
reflektera I *tr* reflect äv. bildl.; throw back **II** *itr* **1** fundera reflect; begrunda meditate; tänka think **2** ~ *på* vara intresserad av, t.ex. förslag consider, entertain
reflektion se *reflexion*
reflex 1 allm. reflex äv. fysiol.; återspegling reflection äv. bildl. **2** konkr., se *reflexband* o. *reflexbricka*
reflexband reflector tape
reflexbricka luminous (reflector) tag
reflexion 1 fys. reflection **2** begrundan reflection; anmärkning observation
reflexionsförmåga 1 fys. reflective power **2** bildl. power of reflection
reform reform; omdaning remodelling; nydaning reorganization; förbättring improvement
reformator reformer; omdanare remodeller; nydanare reorganizer
reformera reform; omdana remodel; nydana reorganize; förbättra improve
reformivrare advocate of reform, reformist
reformvänlig reformist, ...favourably inclined towards reform
refräng mus. refrain, chorus; litt. burden; han kom med *sin gamla, vanliga* ~ bildl. ...the same old story
refug o. **refuge** refuge
refusera förkasta reject, vard. turn down; avböja decline
regalier regalia
regalskepp hist. man-of-war (pl. men-of-war)
regatta sport. regatta
1 regel allm. rule; rättesnöre criteri|on (pl. -a); föreskrift regulation; maxim maxim; *som* ~ generellt as a rule, generally [speaking]
2 regel 1 på dörr bolt; *skjuta* (*dra*) *för ~n* [*för dörren*] bolt the door **2** byggn. joist, beam
regelbrott breach (contravention) of a (resp. the) rule (regulation)
regelbunden regular; ordnad settled
regelbundenhet regularity

regelbundet regularly; *gå ~ till sängs* äv. go to bed at a set (fixed) hour, keep regular hours
regelmässig regular
regelrätt I *adj* regular; enligt reglerna ...according to rule (the rules); ren downright; *en ~ utskällning* a proper telling-off **II** *adv* regularly; *~ gjord* done in the normal way (according to rule el. the rules)
regemente 1 mil. regiment **2** styrelse rule; regering government; välde sway, dominion; befäl command
regementschef regimental commander
regementsofficer field officer
regent ruler; isht ställföreträdande regent; härskare sovereign
regentlängd list of monarchs
regera 1 härska rule (äv. bildl.); styra govern; vara kung o.d. reign; *den ~nde världsmästaren* the reigning world champion **2** väsnas make a noise; domdera bluster
regering allm. government; styrelse rule; monarks regeringstid reign; *~en* the Government; ministären the Ministry; i Engl. äv. (om den inre kretsen) the Cabinet; i USA vanl. the Administration
regeringschef head of government
regeringsförslag government proposal (proposition bill)
regeringsställning, *vara i ~* be in office (power)
regeringstid monarks reign
regeringstillträde assumption of office; monarks accession [to the throne]
regi 1 teat. el. TV. production; isht film. direction; Påsk *i B:s ~ (i ~ av B)* ...produced (resp. directed) by B **2** ledning *i egen (privat) ~* under personal (private) management
regim regime, rule; ledning management; förvaltning administration; med. regimen
region region
regional regional
regionalpolitik regional [development] policy
regissera teat. el. film. direct; i Engl., teat. äv. produce
regissör teat. el. film. director; i Engl., teat. äv. producer
register register äv. mus. el. språkv.; förteckning list, directory; innehållsförteckning contents, table of contents; alfabetiskt i bok index; kartotek card index
registerton sjö. register ton
registrera allm. register; enter...in a (resp. the) register; data. key
registrering (jfr *registrera*) registration osv.; anteckning entry, record; data. keying
registreringsbevis för motorfordon certificate of registration; i Engl. registration book
registreringsnummer på motorfordon registration (plate) number
registreringsskylt på bil number (amer. license) plate
regla med regel bolt; låsa lock
reglage regulator, control; spak lever; kontrollinstrument controls
reglementarisk ...in accordance with [the] regulations; *~ klädsel* regulation dress
reglemente regulations, rules (båda pl.)
reglementsenlig se *reglementarisk*
reglera regulate; normera regularize; avpassa adjust; fastställa fix; kontrollera control; göra upp, t.ex. arbetstvist, skuld settle
reglerbar adjustable
reglering 1 reglerande regulating osv.; regulation; regularization; adjustment; control; settlement; jfr *reglera* **2** menstruation menstruation
regn rain; skur shower båda äv. bildl.; *i ~ och sol[sken]* rain or shine
regna rain äv. bildl.; *det ~r* it is raining
regnblandad, *~ snö* sleet, rain mingled with snow
regnbåge 1 rainbow **2** zool. rainbow trout
regnfattig ...with [very] little rain; sommaren *var ganska ~* ...was not very rainy
regnig rainy, showery
regnkappa raincoat; enklare mackintosh; vard. mac
regnkläder rainwear, waterproof clothes
regnmätare rain gauge, pluviometer
regnrock se *regnkappa*
regnskog rain forest
regnskur shower [of rain]; häftig downpour
regnskydd vid hållplats shelter; *söka ~* seek (take) shelter from the rain
regnställ rainsuit
regntid rainy season; *~en* i tropikerna the rains pl.
reguljär regular; normal normal; *~a trupper* regular troops, regulars
reguljärflyg koll. scheduled airline service (flights pl.)
rehabilitera I *tr* allm. rehabilitate **II** *rfl, ~ sig* rehabilitate oneself; friare make amends
rehabilitering rehabilitation
rejäl 1 pålitlig reliable; redbar honest; *en ~ karl* a sterling fellow, a good sort **2** förstärkande *en ~ förkylning* a nasty cold; *ett ~t mål mat* a substantial ([good] square, hearty) meal
rek brev registered letter; ss. påskrift to be registered
rekapitulation recapitulation
rekapitulera recapitulate
reklam ~erande [commercial] advertising;

konkr. advertisement[s pl.]; ~broschyrer advertising brochures pl. (vard. handouts pl.); ~film, på TV, bio commercials pl.; *göra* ~ advertise; stark. plug, boost *[för ngt* a th.]
reklamation 1 klagomål complaint **2** ersättningsanspråk [compensation] claim **3** post., av brev (paket) inquiry concerning a missing letter (parcel)
reklambroschyr advertising brochure (folder, pamphlet, vard. handout)
reklambyrå advertising agency
reklamera *tr* **1** klaga på make a complaint about **2** begära ersättning för put in a claim for **3** efterlysa make an inquiry concerning
reklamerbjudande special offer
reklamfilm advertising (commercial) film, commercial
reklamkampanj advertising (publicity) campaign (drive)
reklamman publicity (advertising) expert; vard. adman
reklamtecknare commercial artist
reklam-TV commercial television
rekognoscera reconnoitre; mil. äv. scout
rekommendation 1 anbefallning recommendation; *på läkares ~* on medical advice **2** post. registration
rekommendationsbrev letter of introduction (recommendation)
rekommendera *tr* **1** anbefalla recommend **2** post. register; *~s* ss. påskrift to be registered; *~t brev* registered letter; amer. certified mail
rekonstruera reconstruct
rekonstruktion reconstruction
rekord record äv. bildl.; *det slår alla ~!* vard. that's the limit!, can you beat that!
rekordartad record end. attr.; unprecedented
rekordförsök attempt at a (resp. the) record
rekordhållare record holder
rekordhög, *~a priser* record (sky-high) prices
rekortering *s* recorsion
rekreation recreation; vila rest
rekreationsort holiday (health) resort
rekryt 1 pers. recruit; värnpliktig conscript **2** utbildning *göra ~en* vard. go through one's recruit training
rekrytera recruit äv. bildl.
rekrytering recruitment
rektangel rectangle
rektangulär rectangular
rektor vid skola headmaster; kvinnl. headmistress; isht amer. principal; vid institut o. fackhögskolor principal; vid universitet rector; eng. motsv. vice-chancellor; amer., ung. president
rektorsexpedition i skola headmaster's (resp. headmistress's) office (i Engl. vanl. study)
rekvirera beställa order; skicka efter send (write away, write off) for; begära ask for; mil. requisition; tvångs~ commandeer
rekvisition beställning order; mil. requisition; jfr *rekvirera*
rekyl recoil
relatera 1 redogöra för relate **2** ~ *till* sätta i samband med put...in relation to
relation 1 redogörelse account **2** förhållande relation; intimare relationship (äv. *~er); ~er* förbindelser äv. connections; *stå i ~ till* be related to, bear a relation to, have a bearing [up]on
relativ relative äv. gram.; *allting är ~t* everything is relative
relativitet relativity äv. fys.
relegera från skola expel, send down
relegering från skola expulsion
relevans relevance
relevant relevant, pertinent, to the point
relief relief; *ge ~ åt ngt* bildl. bring out a th. in full relief, enhance (set off) a th.
religion religion äv. ss skolämne; tro faith; bekännelse creed
religionsbekännelse se *trosbekännelse*
religionsfrihet freedom of religion
religionsförföljelse religious persecution
religionskunskap skol. religion
religionsutövning religious worship; *fri ~* freedom of worship
religiositet religiousness, religiosity; fromhet piety
religiös religious; from pious; mots. profan, musik sacred
relik relic
relikskrin reliquary, shrine
reling sjö. gunwale
relä tekn. relay
rem allm. strap; smal läder~ thong; liv~ belt; ändlös ~: driv~ [transmission] belt; för godstransport conveyer [belt]; *~mar* koll. strapping sg.
remarkabel remarkable
remi I *s* draw **II** *adj* drawn; partiet *blev ~* äv. ...was a draw
remiss 1 parl. o.d. *sända på ~ till...* refer [back] to...for consideration; *vi har* det *på ~* ...has been referred to us for consideration **2** med. referral
remissdebatt full-dress debate on the budget and the Government's policy
remittera 1 refer; parl. äv. submit **2** till läkare el. sjukhus refer, send; *~ande läkare* doctor who refers (resp. has referred) a patient **3** hand. remit
1 remmare vinglas rummer, kind of hock glass
2 remmare sjömärke spar buoy
remouladsås remoulade sauce

remsa allm. strip; avriven shred; strimla ribbon; klister~ tape; land~ strip of land
1 ren zool. reindeer (pl. lika)
2 ren fri från smuts clean äv. delvis bildl.; fläckfri spotless; oklanderlig immaculate; prydlig tidy; snygg neat; oblandad pure; icke legerad unalloyed; outspädd, om spritdrycker neat; om vin unwatered; oförfalskad unadulterated; äkta genuine; bildl. pure; kysk chaste; oskyldig innocent; förstärkande: 'rena rama', 'bara' o.d. mere; ~ *lättja* sheer laziness, laziness pure and simple; *~t samvete* clear conscience; *~a [rama] sanningen* the plain (absolute) truth, the truth pure and simple; *~t spel* fair play; *det var ett ~t under* it was a pure (nothing short of a) miracle; *göra ~t* städa o.d. clean up; *hålla ~t [och snyggt]* omkring sig keep things clean and tidy; *skriva ~[t]* se *renskriva*
rena allm. clean; metall purify; destillera distil; sår clean; desinficera disinfect; bildl. purify; luttra purge
rendera förskaffa: t.ex. åtal bring; t.ex. öknamn give; t.ex. obehag cause
rengöra clean; tvätta wash; skura: t.ex. kokkärl scour, golv scrub; putsa polish
rengöring cleaning osv., jfr *rengöra*
rengöringskräm för ansiktet cold (cleansing) cream
rengöringsmedel cleaning agent
renhet cleanness; om luft, vatten, äkthet el. bildl. purity; kyskhet chastity; oskuld innocence
renhållning cleaning; sophämtning refuse (amer. garbage) collection [and disposal]
renhållningsarbetare o. **renhållningskarl** refuse collector; amer. garbage (trash) collector
renhårig ärlig honest; *han är ~* schysst he is a brick (is a good sort, is on the level)
rening cleaning osv.; kem. el. bildl. purification; jfr *rena*
renlevnad clean-living; avhållsamhet continence
renlig cleanly; *hon är inte särskilt ~ av sig* she's not particularly clean, she hasn't particularly clean habits
renlärig orthodox
renodla naturv. cultivate; förfina refine; *~d* pure; om bakterier äv. ...in a state of pure cultivation; bildl. äv. absolute, downright; om pers. äv. out-and-out
renommerad well-reputed; *en ~* forskare a...of [good] repute
renons I *s* kortsp. blank suit, void **II** *adj*, *vara ~ i ruter* kortsp. have no diamonds; *vara alldeles (fullständigt) ~ på* humor (karaktär) osv. be absolutely without any...
renovering renovation; restoration; repairs
renrakad barskrapad cleaned out; pank stony-broke (båda end. pred)
rensa rengöra clean; fågel draw; bär pick over, top [and tail]; sockerärter string; från ogräs weed; magen el. bildl. purge; *~ luften* bildl. clear the air
renskriva make a fair (clean) copy; på maskin type [out]
renskurad well-scrubbed..., well-scoured...; cleaned; jfr *skura*
renskötsel reindeer breeding (management, keeping)
rensning cleaning osv., jfr *rensa*
rensningsaktion polit. o.d. purge; mil. mopping-up operation
renstek joint of reindeer; tillagad roast reindeer
rent 1 eg. cleanly; *sjunga ~* sing in tune **2** alldeles quite; *~ av* faktiskt, i själva verket actually; helt enkelt simply; till och med even; *du kanske ~ av* kan det utantill perhaps you even...; han blev *~ av oförskämd* ...downright impudent; *jag säger dig ~ ut* öppet I tell you frankly (vard. flat, straight); *jag sade honom ~ ut* vad jag tyckte vad jag tyckte I told him plainly (outright) ...; *~ ut sagt* to put it bluntly
rentvå bildl. clear, exonerate, exculpate
renässans allm. renaissance; *uppleva (få) en ~* bildl. experience (have) a renaissance osv.; return to favour
rep rope; lina cord; tross hawser
repa I *s* scratch; skära score **II** *tr* **1** rispa scratch; score **2** *~ [av]* stryka (rycka) av: löv strip off...; gräs, bär pluck handfuls of...; *~ upp vad man stickat* undo one's knitting **3** *~ mod* take heart, pluck up courage **III** *rfl*, *~ sig* ta upp sig improve; tillfriskna recover [*efter* from], get better [*efter* after]
reparation repair[s pl.]; lagning mending; *lämna in bilen på verkstad för ~* hand in the car for repairs
reparationsarbete repairs; utfört ~ repair work
reparatör repairer, repairman
reparera allm. repair; laga mend; vard. fix [up]; *~ sin hälsa* restore one's health; *~ ett misstag* put a blunder right
repertoar repertoire äv. friare; repertory; spelplan programme; pjäsen *höll sig på ~en länge (i 6 månader)* ...had a long run (ran for 6 months)
repetera upprepa repeat; gå igenom: t.ex. läxa go through...again; skol-, studie|ämne revise; teat. el. mus., öva in rehearse
repetition repetition; revision; rehearsal; jfr *repetera*
repig scratched
replik 1 genmäle reply, answer; svar på tal retort; kvickt svar repartee; *snabb i ~en* quick-witted, quick at repartee **2** teat. line;

längre lines, speech; stick~ cue **3** konst. replica
repmånad mil. *göra* [*sin*] ~ do one's military refresher course
reportage i tidning o.d. report; direktsänt: i radio [running] commentary, i TV ung. live transmission; bearbetat documentary; bevakning coverage
reporter reporter
representant representative; parl. member, amer. congressman; vid konferens äv delegate; handelsresande commercial traveller, amer. äv. traveling salesman
representation 1 polit. o.d. representation **2** urval selection, [representative] presentation **3** värdskap entertainment
representativ representative; typisk typical; representabel distinguished[-looking]
representera I *tr* företräda represent; ~ *värdfolket* do the honours [of the house] **II** *itr* utöva värdskap entertain; *vara ute och* ~ be out [officially] entertaining
repressalier reprisals, acts of reprisal; *utöva ~ mot ngn för ngt* resort to reprisals against a p. for a th.
reprimand reprimand; mindre formellt rebuke, reproof
repris radio. el. TV. repeat; av pjäs revival; sport., i slowmotion action (instant) replay; mus. äv. recapitulation; *programmet ges i ~* nästa vecka there will be a repeat of the programme...
reproducera reproduce; efterbilda copy
reproduktion konst. (konkr.) el. biol., fortplantning reproduction
repstege ropeladder
reptil reptile äv. bildl.
republik republic
republikan republican
republikansk republican
repövning mil. [compulsory military] refresher course
1 res|a I *s* **1** färd: allm. el. bildl. journey; till sjöss voyage, över~ crossing, passage; om alla slags resor, mera vard. trip; utflykt excursion, kortare jaunt; rund~ tour, till sjöss cruise; med bil ride, trip; med flyg flight; forsknings~ expedition; uttr. avstånd journey, om sjö~ run; *-or:* a) journeys osv.; ngns samtl. (ofta längre) -or el. kringflackande travels b) att resa, resande travel sg.; *enkel ~ kostar* 150 kr the single fare is...; hurdant väder hade ni *på ~n?* ...on your trip? **2** jur., gång *första ~n* the (a, his etc.) first offence
II *itr* färdas travel, journey; med ortsbestämning vanl. go; avresa leave; på längre resa set out; ~ *för* en firma travel for...; ~ *första klass* travel first class
III med beton. part. (jfr äv. *2 fara*)
~ **bort** go away; ~ *bort från* äv. leave; se äv. *bortrest*
~ **efter** [**ngn**] follow a p.; söka hinna ifatt go after a p.; för att hämta go and (to) fetch a p.
~ **förbi** go past (by), pass by; passera pass
~ **före** go on ahead
~ **igenom** pass through; ett land äv. cross
~ **in i** ett land enter...
~ **omkring** travel [about]
~ **tillbaka** travel (dit go, hit come) back
~ **vidare** continue one's journey
~ **över till** go over (across) to; över vatten äv. cross over to
2 res|a I *tr* (ibl. *itr*) **1** ~ [*upp*] sätta upp raise; ngn som fallit äv. lift...up; uppföra äv. erect, set up, build **2** bildl. ~ *hinder* (*invändningar*) raise obstacles (objections) **II** *rfl,* ~ *sig* **1** räta upp sig draw oneself up; stiga upp rise [to one's feet]; om häst o.d rear; *res dig* [*upp*]*!* get (stand) up!; ~ *sig från bordet* rise from (leave) the table **2** höja sig rise; stark. tower **3** om håret stand on end **4** *nya hinder -te sig* uppstod new obstacles arose (cropped up) **5** göra uppror rise
resande I *s* **1** travel[ling] **2** resenär traveller; passagerare passenger; besökande visitor; jfr *handelsresande* **II** *adj, han är ständigt på ~ fot* he is always travelling [about], he is always on the move
resdamm, tvätta av sig *~et* ...the dust of one's journey
reseapotek first-aid kit
researrangör travel organizer
resebeskrivning bok travel book
resebyrå travel (tourist) agency
resecheck traveller's cheque (amer. check)
reseffekter bagage luggage; isht amer. baggage; hand. travel requisites (ss. skylt equipment sg.)
reseförbud travel ban; *få ~* be forbidden to leave one's place of residence
reseförsäkring travel insurance
resehandbok guide [book]
resekostnadsersättning travel allowance
reseledare guide
resenär traveller; passagerare passenger
reserv 1 förråd *ha* (*hålla*) *i ~* have (keep) in reserve **2** mil., personalgrupp i krigsmakten *kapten i ~en* captain in the reserve **3** sport., ersättare reserve; *sätta in en ~* i andra halvlek play (send on) a substitute...
reservat reserve; isht fågel~ sanctuary; isht djur~ game (wild life) preserve; för infödingar reservation
reservation 1 gensaga protest **2** reservation; *med ~ för* prishöjningar subject to..., allowing for..., jfr vid. *förbehåll* **3** avvaktande hållning reserve
reservbänk, *på* (*från*) *~en* sport. on (from) the substitutes' bench, on (from) the sidelines

reservdel spare (replacement) part
reservdäck för bil o.d. spare tyre (amer. tire)
reservera I *tr* reserve; hålla i reserv keep...in reserve; plats: a) förhandsbeställa book b) belägga take; ~ förhandsbeställa *plats* (*rum*) äv. make reservations **II** *rfl*, *~ sig* make a reservation [*mot* against (to)]; t.ex. mot kollektivanslutning till ett parti opt (contract) out [*mot* of]
reserverad reserved; vard. stand-offish; försiktig prudent
reservlag sport. reserve team; reserves
reservnyckel spare (extra) key
reservoar reservoir; cistern cistern
reservoarpenna fountain pen
reservofficer officer in (of) the reserve
reservutgång emergency exit (door)
reseskildring bok travel book; föredrag med ljusbilder travelogue
resevaluta tourist [travel] allowance
resevillkor för t.ex. charterresa conditions of travel
resfeber, *ha ~* be nervous (jittery, excited) before a (resp. the) journey osv., se *I resa I 1*
resgodsexpedition luggage (baggage) [delivery and booking] office
resgodsförvaring o. **resgodsinlämning** lokal left-luggage office; amer. checkroom
residens [official] residence; säte [official] seat
residensstad med länsstyrelse seat of a (resp. the) county government; i Engl. county town; säte för regering (regent) seat of the government (ruler); huvudstad capital
resignation resignation
resignera foga sig resign oneself; ge upp give [it] up
resignerad resigned; *med en ~ suck* with a sigh of resignation
resistent resistant
reskamrat travelling companion; *vara ~er* äv. travel together
reskassa travelling funds; *min ~* äv. the money for my journey (trip)
reskläder travelling wear
reslig tall; lång o. ståtlig stately
reslust wanderlust ty.; roving spirit
resmål destination [of one's journey (trip)]; turistställe place to visit (for a holiday)
resning 1 uppresande raising **2** höjd elevation; om pers. el. bildl. stature **3** uppror rising **4** jur. new trial; *begära ~* petition (move) for a new trial (a rehearing of the case)
resolut beslutsam resolute; rask prompt; bestämd determined
resolution allm. resolution; *anta en ~* pass (approve) a resolution
reson reason; *ta ~* listen to reason, be reasonable
resonans resonance; bildl. response; förståelse understanding
resonemang diskussion discussion; samtal talk, conversation; tankegång reasoning
resonemangsparti marriage of convenience
resonera diskutera discuss; samtala talk; tänka reason
resonlig reasonable
respass avsked dismissal; *få* (*ge ngn*) *~* be dismissed (dismiss a p.); vard. get (give a p.) the sack (kick, push); köras (köra) ut be sent (send a p.) packing
respekt respect; aktning esteem; fruktan awe; *ha ~ med sig* inspire (command) respect; *sätta sig i ~ hos ngn* make a p. respect one; *med all ~ för...* with all [due] deference to...
respektabel respectable; anständig decent
respektera allm. respect
respektfull respectful
respektingivande ...that commands respect; imponerande imposing; stark. awe-inspiring
respektive I *adj* respective **II** *adv* respectively
respektlös disrespectful; vanvördig irreverent
respirator respirator
respit respite; *begära 5 dagars ~* äv. ask (apply) for five days of grace
resrutt route
ressällskap 1 konkr.: a) travelling companion b) grupp [med reseledare conducted] party of tourists **2** abstr. company on a (resp. the el. one's) journey
rest återstod remainder, rest; överskott surplus; lämning relic; kvarleva remnant; kem. el. jur. residue; lunch på uppvärmda *~er* ...leftovers; *för ~en* för övrigt besides, furthermore; för den delen, vad det anbelangar for that matter, for the matter of that
restaurang restaurant; *gå* [*ut*] (*äta*) *på ~* go to (eat at) a restaurant
restaurangkedja chain of restaurants
restaurangvagn dining-car, restaurant car
restaurering restoration
restera remain; *~ för* hyran (*med* betalningen) be behindhand (in arrears) with...
resterande remaining; *det ~* the remainder; om belopp äv. the balance
restid åtgående tid travelling time
restlager surplus (remaining) stock
restparti remnant
restplats på t.ex. charterresa seat still vacant
restriktion restriction
restriktiv restrictive

restskatt unpaid tax arrears; kvarskatt back tax (taxes pl.)
restupplaga av bok remainder edition, remainders; *hela ~n* all the rest of the edition
resultat allm. result; matem. answer; verkan effect; [slut]följd consequence; utgång outcome; slut~ upshot; utbyte return, profit; behållning proceeds; sport. äv. score; *med gott ~* with success, successfully; *komma till* uppnå ~ t.ex. vid förhandlingar reach agreement; *leda till ~* produce (yield) results, pay off
resultatlös fruktlös fruitless; utan effekt ineffective; fåfäng vain
resultera result; *~ i* äv. end in
resumé summary; résumé; av pjäs o.d. vanl. synops|is (pl. -es), jfr *sammandrag*
resumera summarize, sum up
resurs resource; hjälpmedel, utväg expedient; penningmedel means
resvan ...accustomed (used) to travelling
resväska suitcase; inredd ~ fitted case
resår 1 spiralfjäder coil (spiral) spring **2** gummiband, se *resårband*
resårband elastic; *ett ~* a piece of elastic
resårmadrass spring interior (interior sprung) mattress
resårstickning ribbed knitting
reta 1 framkalla retning irritate; kittla tickle; stimulera stimulate; fysiol. äv. excite; egga: t.ex. nyfikenhet excite; aptiten whet; ngns begär rouse, inflame **2** förarga ~ *[upp]* irritate, annoy, vex; stark. provoke, exasperate; jfr *retas; han blev ~d för sin brytning* he was teased about his accent
retande irritating osv., jfr *reta 1*
retas tease; *~ inte!* stop teasing!
rethosta irritating (nervous, dry) cough
retirera retreat, give way; dra sig tillbaka retire, withdraw; ge vika yield; backa ur back down
retlig 1 lättretad irritable, fretful; lättstött touchy; snar till vrede irascible; vresig peevish; isht om humör petulant **2** förarglig annoying
retlighet irritability; touchiness, over-sensivity; irascibility; peevishness; petulance; jfr *retlig 1*
retorik rhetoric
retorisk rhetorical
retroaktiv om t.ex. lön retroactive, retrospective; psykol. retrospective
retrospektiv retrospective
reträtt mil. el. bildl. retreat; tillflykt refuge; *slå till ~, ta till ~en* beat a (the) retreat, retreat
reträttväg mil. el. bildl. line of retreat; *hålla ~ öppen* keep a line of retreat open
retsam irritating, tantalizing; förtretlig annoying; *han är så ~ [av sig]* retas gärna he likes teasing
retsticka tease
retur 1 se *2 tur 2* **2** *~ avsändaren* return to sender; *vara på ~* i avtagande be decreasing, be diminishing **3** sport. **a)** se *returmatch* **b)** ~boll, ~puck return; *på ~en* on the rebound
returbiljett return (amer. round-trip) ticket
returglas flaska returnable bottle; glas till återanvändning recycling glass
returmatch return match (game)
returnera skicka tillbaka return äv. genmäla; send back
reumatiker rheumatic
reumatism rheumatism, rheumatics
1 rev fiske. fishing-line
2 rev sand~ sandbar; klipp~ reef; utskjutande spit
3 rev sjö., på segel reef
reva sjö. *~ segel* take in sail
revalvera ekon. revalue
revalvering ekon. revaluation
revansch revenge; *få ~* sport. have (get, gain) one's revenge; *ta ~ på ngn för ngt* take [one's] revenge (revenge oneself, vard. get one's own back) on a p. for a th.
revben rib
revbensspjäll slakt. sparerib; kok. spareribs, ribs pl. of pork
revidera revise; räkenskaper audit; förvaltning examine, scrutinize; ändra alter; priser readjust
revir 1 jaktområde preserve[s pl.]; zool. el. sociol. el. bildl. territory; *göra intrång på ngns ~* poach on a p.'s preserves **2** skog. forestry [officer's] district
revision revision; audit; examination; alteration, readjustment; jfr *revidera*
revisionistisk polit. revisionist
revisionsbyrå firm of accountants
revisor auditor; *auktoriserad ~* chartered (certified) accountant, amer. certified public accountant
revolt revolt, rising
revoltera revolt
revolution revolution äv. bildl.
revolutionera revolutionize; *~nde* epokgörande revolutionary
revolutionär revolutionary
revolver revolver, gun
revorm med. ringworm
revy review; teat. revue, variety (amer. vaudeville) [show]; *låta* gamla minnen *passera ~* review...
revyartist revue (variety) artiste
revär stripe
rhododendron rhododendron
ribba lath, strip [of wood]; kant~ edging; sport.: i fotboll crossbar; vid höjdhopp bar
ribbad ribbed

ribbstickad rib-knitted
ribbstickning ribbed knitting
rida I *itr* o. *tr* **1** eg. ride äv. på ngns axlar (knä); ride on horseback; ~ *i galopp* ride at a gallop; i kort galopp canter **2** bildl. ~ *på ord* quibble, cavil at words, be a quibbler **3** sjö. ~ *för ankar* ride at anchor
II med beton. part.
~ **bort** ride away (off), leave
~ **efter** a) följa follow (förfölja pursue)...on horseback b) hämta ride and fetch
~ **förbi** a) tr. ride past; i tävling o.d. äv. outride, outstrip b) itr. ride past
~ **in på** arenan ride into...; ~ *in* en häst dressera break [in]
~ **om** se ~ *förbi*
~ **omkull** a) itr. [have a] fall [when riding] b) tr. knock...down [when riding]
~ **på** a) fortsätta att rida ride on b) kollidera med ride into
~ **ut a)** itr. go out riding **b)** tr. ~ *ut stormen* ride out (bildl. äv. weather [out]) the storm
~ **över:** ~ *över ett hinder* jump (clear) a fence
ridande riding; ~ *polis* mounted police
ridbana riding ground, riding track
ridbyxor riding-breeches; långa jodhpurs
riddare allm. knight; av vissa ordnar chevalier; *dubba (slå) ngn till* ~ dub a p. a knight, knight a p.
riddarspel tournament
riddartiden the age of chivalry
ridderlig mera eg. chivalrous; poet. chivalric; bildl. gallant, courteous
riddräkt riding dress; dams riding-habit
ridhus riding-school
ridlektion riding lesson
ridskola riding-school
ridsport riding
ridspö riding-whip; kort crop
ridstövel riding-boot
ridtur ride; *göra en* ~ go out riding, go for a ride
ridväg bridle path
ridå curtain äv. bildl.; applåder *för öppen* ~ ...with the curtain up
rigg 1 sjö. rig[ging] **2** vard., klädsel rig[-out]
rigga 1 sjö. rig; ~ *av* unrig, untackle, dismantle **2** friare: ~ *[upp (till)]* göra i ordning rig up, fix up; ~ *upp sig* vard. rig oneself out, doll oneself up
rigid rigid, inflexible
rigorös rigorous, severe
rik allm. rich; yppig exuberant, luxuriant; om jordmån fertile; jfr vid. *riklig; ett ~t liv* bildl. a full life; ~ *på* rich (abounding, fertile) in, full of; *bli* ~ get rich, become a rich man (resp. woman), make money; *de ~a* the rich (wealthy)
rike stat state, realm; kungadöme el. relig. kingdom; kejsardöme empire; bildl. (område) realm, sphere
rikedom 1 förmögenhet wealth, fortune, riches, affluence **2** abstr. richness; wealth; riklighet copiousness; ymnighet abundance; stark. profusion; yppighet exuberance, luxuriance; om t.ex. fantasi fertility
rikhaltig se *riklig;* om program o.d. full and varied
riklig allm. abundant, ample; rik rich; överflödande profuse; frikostigt tilltagen liberal; *en ~ skörd* a heavy (an abundant) crop; *~t med* mat plenty of..., ...in abundance
rikligt abundantly osv., jfr *riklig*
rikoschett ricochet
riksangelägenhet matter of national concern
riksbekant nationally famous, ...famous (svag. known, ökänd notorious) throughout the country
riksdag institution riksdag; hist. äv. diet; session session of the Riksdag; friare, t.ex. idrotts~ [national] convention, [annual] congress; *Sveriges Riksdag* the Riksdag, the Swedish Parliament
riksdagsgrupp parliamentary party
riksdagsledamot member of the [Swedish] Riksdag, member of parliament
riksdagsparti party in the Riksdag (in Parliament)
riksdagsval general election
riksförbund national federation
riksföreståndare regent
riksgräns frontier
riksintresse national interest
rikslarm nationwide alert
rikslikare national standard äv. bildl.
riksmöte session of the Riksdag
riksomfattande nation-wide, country-wide
riksplan, *på ~et* on a national level
rikspolischef national police commissioner
riksregalier regalia
rikssamtal national (long-distance) call; amer. äv. toll call
riksspråk standard language
rikssvenska riksspråk Standard Swedish
rikstidning national daily
rikstäckande, *vara* ~ have nation-wide coverage, cover the whole nation
riksvapen national coat of arms
riksväg arterial (main) road
rikta I *tr* vända åt visst håll: allm. direct; vapen o.d. aim; framställa el. tekn.: räta straighten [...out]; justera adjust; ~ *en anmärkning (kritik) mot...* level criticism against..., pass censure on...; ~ *in sig på* se *[vara] inriktad [på]* **II** *rfl,* ~ *sig* om pers. (vända sig) address oneself [*till* to]; om bok o.d. be intended [*till* for], appeal [*till* to]; om kritik be directed [*mot* against], focus [*mot* on]

riktig (jfr äv. *3 rätt I*) rätt right; felfri correct; exakt accurate; passande right; berättigad just; välgrundad sound; sann true; verklig real, genuine, regular; förstärkande: äkta real, regular; ordentlig proper; sannskyldig veritable; fullständig downright, positive; han har *inget ~t arbete* ...no real (regular) work; *jag hade ett ~t arbete med* att få upp tavlan I had quite a job ing-form; han är *en ~ gentleman* ...quite a gentleman; de slogs *på ~t* på allvar ...in earnest; isht amer. vard. ...for real
riktighet rightness, correctness, justice, soundness; jfr *riktig*
riktigt (jfr äv. *3 rätt II 1*) korrekt rightly; vederbörligen duly; förstärkande: verkligen really (vard. real); alldeles quite, vard. perfectly; ordentligt properly; mycket very; något försvagande fairly osv., jfr *3 rätt II 2; alldeles (mycket) ~!* quite right!, quite (just) so!; *~ bra* very (quite, svag. pretty) well; *ha det ~ bra* bekvämt be quite comfortable (ekonomiskt well off); han är *inte ~ klok* ...not quite right in the head, ...not all there; innan jag var *~ vaken* ...properly awake
riktlinje bildl. *dra upp ~rna för ngt* lay down the general el. broad outlines (the guiding principles) for a th.
riktmärke 1 bildl. objective, target **2** sjö. landmark
riktning 1 eg.: håll (allm.) direction; *i nordlig ~* in a northerly direction, northwards, to the north; *i ~ mot...* in the direction of... **2** bildl.: kurs, utvecklingslinje direction; linje line[s pl.]; vändning turn; inom konst: rörelse movement; skola school; tendens tendency **3** av vapen sighting **4** tekn., uträtning straightening
riktnummer tele., ung. dialling (amer. area) code
rim rhyme
rimfrost hoarfrost
rimlig skälig reasonable; sannolik probable; plausibel plausible
rimligen se *rimligtvis*
rimlighet reasonableness, fairness; probability; plausibility; jfr *rimlig*
rimligtvis rimligen reasonably; sannolikt quite likely
rimma bilda rim rhyme; gå ihop agree; *~* stämma *illa* strike a discordant note
rimsalta kok. salt...[lightly]
ring eg.: allm. ring; på bil o.d. tyre, amer. tire; tekn., på axel o.d. collar; i kedja link; ngt friare: på djurhals collar; kring solen el. månen halo (pl. -s el. -es); slinga coil; sport. ring
1 ringa liten small; obetydlig trifling; klen: om t.ex. tröst poor; om t.ex. förstånd[sgåvor] slender; anspråkslös humble, modest; oansenlig mean, obscure; *inte (ej) ~...* vanl. no little...; han har inte *den ~ste chans* ...the least (slightest, remotest) chance, ...an earthly [chance]
2 ring|a I *tr* o. *itr* allm. ring (äv. *~ med*); klämta toll; om klockspel chime; pingla tinkle; telefonera äv. phone; *det -er [i telefonen]* the phone is ringing
II med beton. part.
~ av ring off
~ in ngt send...by (over the) [tele]phone; *det -er in* skol. there goes the bell [for the lesson, for lessons]
~ på *hos ngn* ring a p.'s door-bell
~ upp *ngn [på telefon]* ring a p. [up]; isht amer. call a p.
~ ut ring out; *det -er ut* skol. there goes the bell [for the end of the lesson (lessons)]
3 ringa 1 förse med ring ring **2** *~ in* jakt. ring...in (round, about); mil. surround, encircle, close a ring round; bildl., om t.ex. problem narrow down **3** *~ [ur]* sömnad. cut...low [at the neck]; se äv. *urringad*
ringakta pers. despise; sak make light of
ringdans ring (round) dance; *dansa ~* dance in a ring
ringdomare sport. referee
ringfinger ring finger
ringförlovad officially (formally) engaged
ringhörna sport. corner [of the (resp. a) boxing ring] äv. bildl.
ringklocka allm. bell; dörrklocka doorbell; handklocka handbell
ringla, *~ sig* om t.ex. väg, kö wind; om hår, rök curl; om orm äv. coil
ringlar av hår curls; av rök vanl. wreaths
ringlek ring game; jfr *ringdans*
ringmärka ring
ringning klock~ o.d. ringing osv., jfr *2 ringa I; ställa klockan på ~ [till]* kl. 6 set the alarm clock for...
ringrostig ...out of training
rink sport. rink
rinn|a I *itr* allm. run; sippra trickle; läcka leak
II med beton. part.
~ av flow off (away); om små vätskemängder drain [off (away)]; *ilskan rann av henne* bildl. her anger simmered down
~ bort om vatten run (drain, flow) away
~ iväg om tid slip away (by)
~ till om vatten i en brunn o.d. [begin to] flow again
~ undan se *~ [bort]*
~ ur: *vattnet har runnit ur* badkaret the water has run (flowed) out of...
~ ut run (flow) out; *floden -er ut i* havet the river flows into...
~ över flow (run) over
rinnande running osv., jfr *rinna I; kunna ngt som ett ~ vatten* know a th. [off] pat

ripa zool. grouse (pl. lika); snö~ ptarmigan (pl. lika)
1 ris sädesslag rice
2 ris 1 koll: kvistar twigs, brushwood; amer. slash; snår scrub; blåbärs~, lingon~ sprigs **2** till aga birch[-rod]; *få ~ (få smaka ~et)* get a taste of the birch
risa *tr* **1** stödja med ris stick **2** strö ris strew...with twigs (greenery) **3** kritisera criticize...severely, lash; aga give...a birching
risbastu birching, flogging
risgryn koll. rice; *ett ~* a grain of rice
risgrynsgröt [boiled] rice pudding
rishög 1 pile (heap) of brushwood (twigs) **2** vard., förfallen bil old jalopy (jaloppy)
risig 1 snårig scrubby; med torra grenar: ...with dry twigs **2** vard., usel lousy; förfallen tumbledown, ramshackle; ovårdad, sjabbig shabby, sleazy
risk allm. risk; vågspel hazard; *med ~ att* inf. at the risk of ing-form; *på egen ~* at one's own risk
riskabel risky; vard. dicey
riskera allm. risk; run the risk of; äventyra jeopardize; *det kan jag väl [alltid] ~!* I'll chance it!
riskfaktor risk factor
riskfri safe
riskfylld ...full of risks; jfr *riskabel*
riskmoment element of risk (danger)
riskspridning ekon. spreading of risks
riskzon danger zone
rispa I *s* allm. scratch; i tyg rent **II** *tr* scratch; *~ sönder* tear...badly; *~ upp* tear...open; med kniv cut (slit) open **III** *rfl, ~ sig* om pers. scratch oneself; ett tyg *som ~r sig* ...that is apt to fray
rispapper rice paper
rispig allm. scratched; om tyg frayed
1 rista skära carve; med nål o.d. scratch; *~ in* med nål o.d. engrave äv. bildl. [*i* on]; skära in carve (cut, inscribe) [*i* in]
2 rista skaka shake
rit rite
rita allm. draw; skissera sketch; göra ritning till design; *~ av* draw, sketch, make a drawing (sketch) of; kopiera copy; *~ upp* draw, trace [out]; t.ex. tennisplan mark (chalk) out
ritare konstruktions~ draughtsman
ritblock drawing block, sketchblock
ritning 1 abstr. drawing **2** konkr. drawing, draught; byggn. äv. design, plan; [blå]kopia blueprint; det hela gick *efter (enligt) ~arna* bildl. ...according to plan
ritpapper drawing paper, design paper
ritt ride
ritual ritual; kyrkl. äv. order
rituell ritual
riv|a I *tr* **1** klösa scratch; om rovdjur claw **2** slita tear; *~ hål på* kläder tear a hole (resp. holes) in...; t.ex. förpackning, sårskorpa tear open... **3** rasera demolish, pull (tear) down **4** smula sönder: med rivjärn grate; färg grind **5** riva ihjäl kill, tear...to pieces **6** *~ [ribban]* i höjd- o. stavhopp knock the bar off
II *itr* **1** rota rummage; poke (rummage) about; *~ [och slita] i ngt* tear at a th. **2** svida *~ i halsen* om t.ex. stark kryddning rasp (burn) the throat
III *rfl, ~ sig* **1** rispa sig *~ sig [i handen] på en spik* scratch (stark. tear) one's hand on a nail **2** klia sig scratch [oneself]
IV med beton. part.
~ **av a)** tear (rip, strip) off **b)** vard. *~ av* en låt tear off...
~ **bort** tear (rip) away
~ **itu** tear...in two
~ **lös (loss)** tear (rip) off
~ **ned** eg. pull (tear) down; bildl. demolish; *~ ned en vas från* hyllan knock down a vase from...
~ **sönder** tear; ~ hål på tear a hole (resp. holes) in; ~ i bitar tear...up (to pieces); t.ex. händer scratch...all over
~ **upp** öppna tear (rip) open; gata o.d. take up; sår eg. reopen; beslut o.d. cancel; en gammal historia rake up; repa upp unravel
~ **ut** tear out
~ **åt sig** snatch
rival rival
rivalitet rivalry, competition
rivebröd breadcrumbs
rivig vard. **1** med schvung i swinging, lively **2** om pers. go-ahead, pushing
rivjärn 1 redskap grater **2** vard., ragata shrew
rivningshus building (house) to be demolished
rivstart flying start äv. bildl.; *göra en ~* eg. make a tearaway start, tear off (away)
1 ro 1 vila rest; frid peace; lugn repose; stillhet stillness, quiet; *jag får ingen ~ för honom* he gives me no peace; *jag tog det med ~* I did not let it worry me; *slå sig till ~ med ngt* låta sig nöja be content with a th. **2** nöje *[bara] för ~ skull* [just] for fun
2 ro 1 row; isht itr. pull; *fara ut och ~* go out rowing (boating) **2** bildl. *~ hit med pengarna!* hand over the money!
roa I *tr* allm. amuse; underhålla entertain, divert; *det ~r mig att* inf. äv. I enjoy ing-form; *vara ~d av* astronomi be interested in... **II** *rfl, ~ sig* amuse (enjoy) oneself; vara ute på nöjen have a good time
roande amusing osv., jfr *roa I*
robot maskin robot; mil. [guided] missile
robotvapen guided missile
robust robust, rugged
1 rock överrock coat; kavaj jacket; arbets~, skydds~ overall; *vara för kort i ~en* be too short; ej duga not be up to the mark (job)

2 rock mus. rock; *dansa (spela)* ~ dance (play) rock-'n'-roll
rockad schack. castling; *göra [en]* ~ castle
rockficka coat pocket
rockmusik rock music
rockvaktmästare cloakroom attendant
roddare oarsman, rower
roddbåt rowing-boat
roddsport rowing
roddtur row; *göra (ta) en* ~ go for a row, go rowing
rodel sport. toboggan; sportgren tobogganing
rod|er sjö., roderblad rudder; hela styrinrättningen el. bildl. helm; *lägga om -ret* shift the helm
rodna allm. turn red, redden; om pers. vanl.: av blygsel o.d. blush; av t.ex. ilska flush [up]
rodnad hos sak redness; hos pers. blush, flush, jfr *rodna;* av hälsa ruddiness, glow; på huden red spot
rododendron bot. rhododendron
roffa rob; ~ *åt sig* grab
rofferi robbery; utsugning extortion
rofylld peaceful
rogivande soothing; vilsam restful; ~ *medel* med. sedative
rojalist royalist
rojalistisk royalist[ic]
rolig lustig funny; komisk comical; tokrolig droll; trevlig nice, pleasant; roande amusing; underhållande entertaining; intressant interesting; konstig funny; *en* ~ *historia* a funny story; *ha ~t åt...* laugh (be amused) at...; *han tycker det är ~t att* inf. he likes to inf. (enjoys ing-form)
rolighet kvickhet witticism
roll eg. el. bildl. part, role fr.; rolltext lines; *~erna är ombytta* the tables are turned; *det har spelat ut sin* ~ it has been played out, it has had its day
roller till målning roller
rollfack type of role; *ha sitt speciella* ~ äv. be typecast
rollista teat. cast
rollspel role play; ~ande role-playing
1 rom fisk~ [hard] roe äv. ss. maträtt; spawn; *leka ~men av sig* sow one's wild oats
2 rom dryck rum
roman bok novel; i mots. t. fackbok work of fiction; äventyrs~ romance
romanförfattare novelist
romani språk Romany
romans romance
romantik romance
romantiker romantic
romantisera romanticize
romantisk romantic
romersk-katolsk Roman Catholic
romkorn roe corn
rond allm. round äv. boxn.; *gå ~en* make one's rounds
rondell trafik. roundabout; amer. rotary
rop 1 eg. call; högre shout; ropande crying osv.; clamour[ing]; högljutt krav clamour; på auktion bid; ~ *av* fasa cry of...; *utstöta ett* ~ raise (utter) a cry, cry out **2** *komma i ~et* come into fashion (vogue); om pers. become popular; *vara i ~et* be the (in) fashion (vogue), be all the rage; om pers. be [highly] popular
ropa I *tr* o. *itr* call [out]; högre shout; högljutt kräva clamour; ~ *efter ngn* call out after a p.; ~ *på ngn* call out to (tillkalla call) a p.; ~ *till (åt) ngn* call [out] to a p.
II med beton. part.
~ **an** call; tele. call up; mil. challenge; sjö. hail
~ **in** kalla in call...in; en skådespelare give...a curtain-call; på auktion purchase
~ **till** cry out; ~ *ngn till sig* call a p.
~ **upp** kalla upp call...up; namn read out; call over; jur. call
~ **ut** varor cry; meddela call out; kalla ut call...out; se äv. *utropa*
ror sjö. *sitta (stå) till ~s* be at the helm; se vid. *roder*
1 ros bot. rose; *ingen ~ utan törnen* no rose without a thorn
2 ros lovord commendation; ~ *och ris* praise and blame
1 rosa commend; *inte ha anledning att ~ marknaden* have no reason to be satisfied
2 rosa I *adj* rose; **II** *s* rose; jfr *blått*
rosafärgad rosy
rosenblad roseleaf
rosenbuske rosebush
rosendoft scent of roses
rosengård rose-garden
rosenkindad rosy-cheeked
rosenknopp rosebud
rosenrasande ursinnig furious
rosenrött, *se allt i* ~ see everything through rose-coloured spectacles
rosenträ rosewood
rosenvatten rosewater
rosett bot. el. byggn. rosette; prydnad bow; rosformig rosette; 'fluga' bow tie
rosettfönster rose window
rosévin rosé [wine]
rosmarin bot. rosemary
rossla wheeze; *det ~r i bröstet på honom* there is a wheeze (rattle) in his chest
rosslig wheezing, wheezy, rattling
rossling wheeze, rattle
1 rost på järn o. växter rust
2 rost tekn. grate; bröd~ toaster
1 rosta angripas av rost rust, get (become) rusty; *gammal kärlek ~r inte* old love is not soon forgotten; ~ *igen* get rusted up; ~ *sönder* rust away; se äv. *sönderrostad*
2 rosta kok. roast äv. tekn.; bröd toast; *~t bröd* toast; *en ~d brödskiva* a slice of toast

rostbiff roast beef
rostbrun eg. rust-brown; friare russet
rostfri rustless; *~tt stål* stainless steel
rostig rusty äv. bildl.
rostskador corrosion
rostskydd rust protection; medel rust preventive
rostskyddsmedel rust preventive, antirust agent
rot allm. root äv. matem. el. språkv.; *~en till allt ont* the root of all evil; *dra ~en ur* ett tal extract the root of...; *gröda (skog) på ~* standing crop (timber)
1 rota böka root, poke; *~ i* en byrålåda poke (rummage) about in...; *~ igenom* search, go through
2 rota, *~ sig* root, take (strike) root alla äv. bildl.
rotad, *djupt ~* deeply rooted, deep-rooted
rotation rotation, revolution
rotblöta soaker
rotborste scrubbing-brush
rotel i stadsförvaltning department, division; polis. squad
rotera rotate, revolve, turn
rotfrukt root vegetable
rotfyllning tandläk. root filling
rotfäste roothold; *få ~* take root, get a roothold
rotknöl bot. tuber, bulb
rotlös rootless äv. bildl.
rotlöshet rootlessness; känsla sense of not belonging
rotmos mashed turnips
rotor tekn. rotor
rotsaker root vegetables; sopprötter potherbs
rotselleri bot. celeriac
rotting material el. käpp rattan
rottingstol cane chair
rotunda rotunda
rotvälska obegripligt språk double Dutch
rouge rouge
roulett roulette
rov rovdjurs föda el. bildl. prey; röveri pillage; högtidl. rapine; byte booty, spoil[s pl.], plunder
rova 1 bot. turnip **2** vard., fickur turnip [watch] **3** vard. *sätta en ~* fall on one's behind
rovdjur predatory animal; bildl. wild beast
rovdrift hänsynslöst utnyttjande ruthless exploitation; *~ på jorden* soil exhaustion
rovfisk fish of prey
rovfågel bird of prey
rovgirig rapacious
royalty royalty
rubank verktyg trying (jointer) plane
rubb vard. *~ och stubb* the whole lot
rubba eg.: flytta på move; i nek. sats budge; bildl.: bringa i oordning disturb; ngns förtroende o.d. shake; ändra alter; *~ ngns planer* upset a p.'s plans; *~ [på]* sina principer modify...
rubbad förryckt crazy
rubbning störning disturbance; i själsliga funktioner äv. samt i kroppsliga disorder; geol. el. hand. dislocation; ändring alteration
rubin ruby
rubricera förse med rubrik headline; beteckna characterize; inordna classify äv. jur.
rubrik i tidning headline; över hela sidan banner; t.ex. i brev el. över kapitel heading äv. jur.; titel title
rucka en klocka regulate; *~ på* en sten move...
ruckel kyffe hovel
ruckla rumla revel; leva utsvävande lead a dissolute life
rucklare fast liver, debauchee
rudimentär rudimentary
rudis vard. *vara ~ i (på) ngt* not have the slightest idea about a th.
ruelse contrition, remorse
1 ruff sjö. cabin
2 ruff sport. foul; rough play; *utvisas för ~* be sent off for a foul (for rough play)
ruffa sport. commit a foul
ruffad sjö., ...with a cabin
ruffel, *~ och båg* vard. monkey business, hanky-panky; fiffel fiddling, wangling
ruffig 1 sport. rough **2** sjaskig shabby; fallfärdig dilapidated; beryktad disreputable; 'skum' shady
rufsa, *~ [till] ngn i håret* ruffle (tousle) a p.'s hair
rufsig ruffled osv., jfr *rufsa;* dishevelled
rugby Rugby football; vard. rugger
ruggig 1 tovig matted; raggig shaggy; burrig ruffled **2** se *ruskig*
ruin 1 återstod ruin; *~er* rester äv. remains, remnants; spillror äv. debris, rubble (båda end. sg.) **2** sammanbrott ruin; *gå mot sin ~* be on the road to ruin
ruinera ruin, bring...to ruin (bankruptcy)
ruinerad ruined; vard. [stony-] broke, done for
ruljangs vard. *sköta ~en* run the business (show)
1 rull|a mil. list; *stryka ngn ur -orna* mil. strike a p. off the list
2 rulla, *leva ~n* vard. be (go) on the spree (binge); föra ett utsvävande liv lead a fast life
3 rulla I *tr* o. *itr* allm. roll äv. sjö.; *låta pengarna ~* make the money fly **II** *rfl, ~ sig* roll; om blad o.d. curl [up]
III med beton. part.
~ **igång:** *~ igång en bil* jumpstart a car
~ **ihop** roll up; *~ ihop sig* om djur roll (coil) itself up
~ **in** vagn o.d. wheel in; *~ in* ngn (ngt) *i en*

filt roll up (wrap)...in a blanket; *tåget ~de in på* stationen the train pulled in at...
~ **ned** gardin o.d. draw (pull) down; strumpa roll down
~ **på** om år roll on (by)
~ **upp** ngt hoprullat unroll; gardin draw (pull) up; kavla upp roll up; mil., t.ex. front roll up; spioneriaffär o.d. reveal
~ **ut** ngt hoprullat unroll; *~ ut röda mattan* roll out the red carpet
rullband bandtransportör belt conveyor; för persontransport walkway
rullbräde skateboard
rullbälte inertia-reel [seat belt]
rulle 1 allm. roll; tråd~ el. film~ el. på metspö reel; tåg~ coil; pergament~ scroll; hår~ [hair] curler **2** vard. *det är full ~* på arbetet it's going like a house on fire; på fest everyone's having a great time
rullgardin blind; amer. [window] shade
rullning allm. rolling äv. sjö.; *en ~* a roll äv. sjö.
rullskida roller ski
rullskridsko roller-skate; *åka ~r* roller-skate; go roller-skating
rullstensås boulder ridge
rullstol wheelchair
rullstolsbunden ...tied (bound) to one's wheel chair
rulltrappa escalator, moving staircase (stairway)
rulltårta med sylt jam (av choklad chocolate) Swiss roll
rulta I *itr* waddle **II** *s* [little] podge; *en liten ~* tulta a chubby little thing
1 rum 1 bonings~ room; uthyrnings~ lodgings; vard. digs; logi accommodation; *enskilt ~* på sjukhus private ward **2** utrymme room; *ge (lämna) ~ för (åt)* bildl. leave room for, admit of **3** rymd space **4** sjö. hold **5** i spec. fraser *i främsta ~met* framför allt above all; *komma (sättas) i första ~met* come (be put) first (i första hand in the first place); *äga ~* take place; hända äv. happen
2 rum, *i ~ sjö* in the open sea
rumla, *~ [om]* be on the spree (vard. binge), revel; *vara ute och ~* have a night out
rumlare se *rucklare*
rumpa svans tail; vard., stuss backside, behind
rumsarrest, *få (ha) ~* be confined to one's room (mil. to one's own quarters)
rumsförmedling konkr.: för hotellrum o.d. agency for hotel accommodation; för uthyrningsrum accommodation agency
rumskamrat roommate
rumsren house-trained; isht amer. housebroken; bildl. on the level, on the up and up båda end. pred.; clean; *göra ~* house-train; amer. housebreak
rumstera 1 husera carry on; mycket högljutt run riot **2** *~ [om]* stöka rummage [about] [*i* in]
rumän Romanian
Rumänien Romania
rumänsk Romanian
rumänska 1 kvinna Romanian woman **2** språk Romanian
runa 1 skrivtecken rune **2** minnesruna obituary **3** finsk folkdikt rune
rund 1 allm. round; fyllig plump, rounded; *~ i ansiktet* round-faced **2** om vinsmak smooth [and full]
runda I *tr* **1** göra rund round äv. bokb. el. fonet.; *~ av* round off **2** fara (gå, springa) runt round; sjö. äv. double **II** *s* round; *gå (springa) en ~ i* parken take a stroll (a run) round...
rundabordskonferens round-table conference
rundel rund plan round (circular) space (plot), circus; rabatt round bed; cirkel circle
rundfråga inquiry
rundfärd se *rundresa*
rundgång 1 elektr. acoustic feedback **2** bildl. vicious circle; ekon. o.d. policy of giving with one hand and taking with the other
rundhänt open-handed, liberal
rundkindad round-cheeked
rundlagd plump
rundlig, *en ~ tid* a great while; se vid. *riklig*
rundning rundande rounding; böjning curve; t.ex. jordens curvature; utbuktning swell
rundnätt short and plump
rundradio broadcasting
rundresa circular (round) tour (trip); *en ~ i* Sverige a tour of (in)...
rundsmörjning bil. lubrication
rundsnack vard. empty talk
rundsticka circular [knitting] needle
rundtur sightseeing (round) tour; *göra en ~ i* staden make a [sightseeing] tour of...
runga resound
runka 1 *~ på huvudet* shake one's head **2** vulg., onanera wank (jerk, toss) off
runsten rune stone
runt I *adv* round; *~ om[kring]* se *runtom; visa ngn ~* show a p. round **II** *prep* kring o.d. round; *~ hörnet* round the corner; *resa jorden ~* go round the world
runtom I *adv* round about, [all] around; on all sides **II** *prep* [all] round, [all] around; on all sides of
runtomkring se *runtom*
rus intoxication äv. bildl.; inebriation; vard., fylla booze; *sova ~et av sig* sleep oneself sober, sleep off one's drink; vard. sleep it off; *gå i ett ständigt ~* be in a constant state of intoxication; *i ett ~ av glädje (lycka)* in transports (an ecstasy) of joy

under ~ets inflytande under the influence of drink

rusa I *itr* allm. rush; störta dart; flänga tear; skynda hurry; ila el. om motor race; *~ efter hjälp* rush (dash) off for help **II** *tr, ~ en motor* race an engine

III med beton. part.

~ **bort** rush etc. away (off)

~ **efter ngn** a) för att hinna upp rush etc. after a p. b) hämta rush etc. for a p.

~ **emot** ngn a) i rikting mot rush etc. towards... b) anfallande rush at... c) stöta emot knock against...

~ **fram** rush etc. out; vidare rush etc. along (on)

~ **in** [**i**] rush etc. in[to]; *~ in i* rummet äv. burst (bounce) into...

~ **iväg** rush etc. off (away)

~ **på** vidare rush etc. along (on)

~ **upp** start (spring) up, spring (jump) to one's feet

~ **uppför** trappan rush etc. up...

~ **ut** rush etc. out

~ **åstad och** inf. rush off and inf.

rusdryck intoxicant

rusdrycksförbud [liquor] prohibition

rush rush; sport. run

rusig eg. el. bildl. intoxicated; *~ av glädje* äv. flushed with joy

1 ruska branch, bunch of twigs

2 ruska shake; om fordon jolt; *~ liv i ngn* rouse a p., shake up a p.; *~ i* dörren pull (tug) at...

ruskig om väder nasty; om pers.: motbjudande disgusting; om kvarter, bakgata o.d.: illa beryktad disreputable, skum shady, sjaskig shabby; om händelse o.d.: hemsk horrible, kuslig uncanny; *en ~ historia* an ugly (a nasty) affair

ruskväder nasty (foul, rough) weather

rusning allm. rush

rusningstid rush hour[s pl.]

russin raisin; *plocka ~en ur kakan* bildl. take the [best] plums

rusta I *tr* mil. arm; utrusta equip; isht fartyg fit out; *~ [i ordning]* ngt get...ready, put...in order **II** *itr* göra förberedelser prepare; mil. arm **III** *rfl, ~ sig* förbereda sig prepare [oneself]; mil. arm [oneself]

IV med beton. part.

~ **ned** se *nedrusta*

~ **upp** a) mil., se *upprusta* b) reparera repair; ge ökad kapacitet expand

rustad mil. armed; förberedd prepared; utrustad equipped

rustning 1 krigsförberedelse armament **2** *en ~* pansardräkt a suit of armour; *~ar* äv. armour sg.

rut|a I *s* **1** fyrkant square; i vägg: fält panel; romb lozenge; på TV-apparat screen; på tidningssida box **2** i fönster o.d. pane [of glass]; *sätta -or i* ett fönster glaze... **II** *tr* chequer; *-at papper* squared (cross-ruled) paper

1 ruter kortsp., koll. (äv. ss. bud) diamonds; *en ~* a (resp. one) diamond; jfr *hjärter* med sms.

2 ruter go, spirit; vard. guts; *det är ingen ~ i honom* he has no go (no guts) in him

rutig checked, chequered (amer. checkered); *en ~ klänning* a check dress

rutin 1 förvärvad skicklighet experience; vana routine; *den dagliga ~en* the daily run of things (affairs) **2** procedur routine äv. data.

rutinerad experienced, practised

rutinkontroll routine check (check-up)

rutinsak matter of routine

rutscha slide, glide

rutschkana på lekplats slide, helter-skelter; *åka ~* slide

rutt route

rutten rotten; bildl. rotten, corrupt; *~ lukt* putrid smell

ruttna become rotten osv. (jfr *rutten*); rot; om död kropp o.d. decompose; *~ bort* rot away äv. bildl.

ruva eg. sit, brood; bildl. hang; grubbla brood, ruminate

ryamatta rya rug

ryck knyck jerk; dragning tug; häftigt wrench; i tyngdlyftning snatch; spritting start, twitch; bildl. fit; nyck whim, freak; *göra ett ~* sport. put on a burst of speed

ryck|a I *tr* o. *itr* dra pull, tug; häftigare snatch; slita tear; våldsamt wrench; *~ på axlarna åt ngt* shrug one's shoulders at a th. **II** *itr* **1** opers. spritta *det -er i mitt ben* my leg is twitching **2** tåga *~ närmare* om t.ex. fienden close in; om tidpunkt o.d. draw closer (nearer), approach

III med beton. part.

~ **av** sönder break; itu pull...in two; bort pull (tear etc.) off

~ **bort** tear etc. away; om döden carry off

~ **fram** mil. advance

~ **ifrån ngn ngt** snatch a th. [away] from a p. äv. bildl.; wrench (wrest) a th. from a p.

~ **in** itr.: mil., till tjänstgöring join up; suppleanten fick *~ in* ...step in; *~ in och hjälpa till* step into the breach

~ **loss** (**lös**) ngt pull (jerk, wrench)...loose; bildl. wrench

~ **med** [**sig**] carry...away

~ **sönder** tear (pull)...to pieces

~ **till** start, wince; *~ till sig* snatch, grab, seize

~ **undan** bort pull (snatch) away...; åt sidan pull (snatch)...aside

~ **upp** a) eg.: t.ex. ogräs pull up; t.ex. en dörr pull...open b) bildl.: väcka [a]rouse, shake (stir) up; sätta fart på put life into;

avancera advance; ~ *upp sig* pull oneself together, rouse oneself
~ **ut** a) tr. pull (tear) out b) itr., om brandkår o.d. turn out; mil.: lämna förläggningen march (move) out; hemförlovas be released
~ **åt sig** se ~ *till sig*
rycken, *stå* ~ stå emot stand up [*mot* (*för*) to]; hålla stånd hold out, hold one's own [*mot* against]; tåla en påfrestning stand the strain
ryckig knyckig jerky; osammanhängande disjointed; oregelbunden irregular; om t.ex. lynne fitful; om vind choppy
ryckning ryckande pulling, tugging; sprittande twitching; ryck pull, tug; sprittning twitch, wince; nervös äv. (isht ansikts~) tic
ryckvis I *adj* intermittent, jfr äv. *ryckig* **II** *adv* i ryck by jerks; då och då intermittently; arbeta ~ ...in (by) snatches, ...in sudden bursts
rygg 1 allm. back; bok~ spine; isht amer. backbone; geogr., bergskam o.d. ridge; mil. rear; ~ *mot* ~ back to back; *ha* (*hålla*) *~en fri* keep a line of retreat open; *vända ngn ~en* (*~en åt ngn*) turn one's back to (föraktfullt o. i bildl. anv. on) a p.; *så fort jag vänder ~en till* as soon as I turn my back; *gå bakom ~en på ngn* bildl. go (do things) behind a p.'s back; *vi hade vinden* (*solen*) *i ~en* the wind (sun) was behind us **2** ryggsim backstroke
rygga, ~ [*tillbaka*] shrink (start) back; flinch, recoil [*för* i båda fallen from]
ryggmärg anat. spinal marrow
ryggmärgsbedövning med. spinal anaesthesia
ryggrad anat. backbone, spinal (vertebral) column; bildl. backbone
ryggradslös invertebrate; bildl. spineless, ...without any backbone
ryggsim backstroke; *simma* ~ do the backstroke
ryggskott med. lumbago
ryggstöd eg. support for the back; på stol etc. back; bildl. support
ryggsäck rucksack; isht amer. knapsack
ryk|a I *itr* **1** avge rök smoke; osa reek; pyra smoulder; bolma belch out smoke; ånga steam; *dammet -er* the dust is flying (whirling); *det -er ur skorstenen* the chimney is smoking **2** vard., gå förlorad *där rök* min sista tia there goes...
II med beton. part.
~ **ihop** fly at (go for) each other; gräla quarrel; ~ *ihop* [*och slåss*] come to blows
~ **in:** *det -er in* the chimney is smoking [in here]
rykta dress, groom, curry
ryktas, *det* ~ [*om*] *att*... it is rumoured (there is a rumour, rumour has it) that..., the story goes that...
ryktbar namnkunnig renowned; berömd famous, famed; allmänt omtalad celebrated; stark. illustrious; ökänd notorious
ryktbarhet renown, fame; jfr *ryktbar*
ryktborste horse brush
rykte 1 kringlöpande nyhet rumour, report; hörsägen hearsay; *det kom ut ett* ~ word got about **2** allmänt omdöme om ngn (ngt) reputation, name; ryktbarhet fame; *ha gott* (*dåligt*) ~ [*om sig*] have a good (bad) reputation (name), be held in good (bad) repute, be well (ill) spoken of
ryktesspridare rumourmonger
ryktesvägen, jag känner honom ~ ...by repute (reputation)
rymd 1 världs~ space; luft air; himmel sky; bildl., i t.ex. målning space; *yttre ~en* outer space **2** ~innehåll capacity; volym volume
rymddräkt spacesuit
rymdfarare space traveller
rymdfarkost spacecraft (pl. lika)
rymdfärd spaceflight; *~er* äv. space travel sg.
rymdfärja space shuttle
rymdmått cubic measure, measure of capacity
rymdraket space rocket
rymdskepp spaceship
rymdvarelse extraterrestial [being]
rymlig eg. spacious; om t.ex. ficka capacious; vid ample; bildl., om samvete flexible; om t.ex. definition broad
rymling fugitive, runaway
rym|ma I *itr* **1** allm. run away; om fånge o.d. escape; om kvinna med älskare elope; plötsligt ge sig i väg decamp; ~ *med* kassan äv. run (make) off with... **2** sjö., om vinden veer aft **II** *tr* kunna innehålla hold; bildl.: innefatta contain; omsluta embrace
rym|mas, de *-s i salen* there is room for...in the hall, the hall will hold (resp. seat)..., jfr *rymma II;* så liten att *den ryms i fickan* ...it goes into the pocket
rymmen, *på* ~ on the run
rymning ur fängelse o.d. escape
rymningsförsök attempted (attempt to) escape
rynk|a I *s* i huden wrinkle; fåra furrow; skrynkla (på kläder) crease, wrinkle; *-or* sömnad. gathering sg., shirring sg. **II** *tr* o. *itr* **1** ~ *pannan* wrinkle [up] one's forehead; ögonbrynen knit one's brows, isht ogillande frown; ~ *på näsan åt* bildl. turn up one's nose at **2** sömnad. gather **III** *rfl,* ~ *sig* om tyg crease, crumple, wrinkle
rynkig 1 om hud wrinkled; fårad furrowed **2** skrynklig creased
rys|a av köld shiver; av förtjusning o.d. thrill; *det -er i mig när jag* tänker på... äv. it gives

me the shudders (vard. the creeps) to inf.; ~ *till* give a shiver (shudder)
rysare thriller
rysch ruche; ~ *och pysch* frillies pl.
rysk Russian
ryska (jfr *svenska*) **1** kvinna Russian woman **2** språk Russian
ryslig förskräcklig dreadful; fasansfull horrible; förfärlig terrible; otäck horrid samtl. äv. friare; vard. äv. awful
rysligt dreadfully etc., jfr *ryslig; han är ~ tråkig* ...a dreadful bore
rysning shiver, shudder
ryss Russian
Ryssland Russia
ryta allm. roar; ~ sina order roar (bark) out...; ~ *till* give a roar
rytande roaring etc., jfr *ryta; ett ~* a roar
rytm rhythm
rytmisk rhythmic[al]
ryttare allm. rider; i kortsystem tab; *en häst utan ~* a riderless horse
ryttarinna horsewoman
1 rå sjö. yard
2 rå andeväsen sprite; skogs~ siren of the woods
3 rå 1 ej kokt el. stekt raw **2** ej bearbetad: om t.ex. hudar raw; om t.ex. olja crude; om diamant rough **3** om väder raw **4** bildl.: grov coarse; brutal brutal; *~tt spel* sport. rough play; *den ~a styrkan* brute force; *en ~ typ (sälle)* a rough customer
4 rå I *itr* **1** ~ + inf. be able to inf., se vid. *orka* **2** se *råda II* **II** *rfl, ~ sig själv* be one's own master (resp. mistress); om han *får ~ sig själv* ...is left to himself
III med beton. part.
~ **för:** *jag ~r inte för det* I cannot help it; det är inte mitt fel it's not my fault, it's none of my doing
~ **om** own, possess; *vem ~r om det?* äv. whose is it?; *vem ~r om hunden?* äv. who does the dog belong to?
~ **på** mera eg. be stronger than; vara övermäktig get the better of; få bukt med cope with; bemästra master; *jag ~r inte på honom* mera eg. I can't beat him; bildl. I can't manage (handle) him
råbarkad bildl. coarse, boorish
råd 1 advice; högtidl. counsel; *ett [gott] ~* a piece of [good] advice, some [good] advice; *ge ngn ett ~* advise a p.; *lyda (följa) ngns ~* take (follow, act on) a p.'s advice **2** medel means, expedient; utväg way [out]; hjälp resource; *det blir väl någon ~* there will be some way out **3** pengar, *han har ~ att* inf. he can afford to inf. **4** rådsförsamling council; nämnd o.d. board
råd|a I *tr* ge råd advise; högtidl. counsel; tillråda recommend; *jag -er dig att inte* inf. äv. I warn you not to inf. **II** *itr* **1** ha makten rule; ha övertaget prevail; disponera dispose; *om jag fick ~* if I had my way **2** förhärska prevail; om t.ex. mörker reign; *det -er* inget tvivel there is...
rådande allm. prevailing, existing; förhärskande predominant
rådbråka bildl. murder; *på min ~de* engelska in my broken...
rådfråga consult; ~ *en advokat (läkare)* äv. take legal (medical) advice
rådfrågning consultation; *~ar* besvaras av... inquiries...
rådgivare allm. adviser; högtidl. counsellor
rådgivningsbyrå advice (information) bureau
rådgöra, ~ *med ngn om ngt* consult (confer) with a p. on (about) a th.
rådhus stadshus town hall; i större stad el. amer. city hall; jur. [town] law-court[s pl.]; *de gifte sig på ~et* they were married before the registrar
rådig resolut resolute; fyndig resourceful
rådighet 1 resolution; fyndighet resourcefulness; sinnesnärvaro presence of mind **2** förfogande right of disposition
rådjur roe deer (pl. lika), roe äv. koll.
rådjursstek joint of venison; tillagad roast venison
rådlig advisable; lämplig expedient
rådlös för tillfället perplexed, at a loss [what to do]
rådlöshet perplexity
rådman vid tingsrätt district court judge; i vissa städer city court judge; vid länsrätt county administrative court judge
rådpläga, ~ *om ngt* deliberate [[up]on (over)] a th.
rådslag deliberation; bibl. counsel
rådvill villrådig perplexed, at a loss; obeslutsam irresolute
råg rye; *ha ~ i ryggen* vard., ung. have stamina (guts)
råga I *tr* heap; *en ~d tesked* a heaped teaspoonful; *i ~t mått* bildl. abundantly **II** *s, till ~ på allt* to crown (cap) it all, on top of that (it all)
rågbröd rye (black) bread
råge full (good) measure; du skall få igen *och det med ~* ...with interest
rågmjöl rye flour
rågsikt sifted rye flour
rågummisula crêpe [rubber] sole
råhet (jfr *3 rå*) egenskap rawness etc.; crudity, brutality; handling brutality; *~er* uttryck coarse expressions (anmärkningar remarks, skämt jokes etc.)
1 råka zool. rook
2 råka I *tr* träffa meet; stöta ihop med run (come) across, encounter **II** *itr* **1** händelsevis komma att happen (chance) to; *han ~de falla* he happened to fall; *om*

du skulle ~ se honom äv. if you should see him by any chance **2** komma ~ *i händerna på* fall into the hands of; ~ *i svårigheter* get into trouble; se f.ö. resp. subst.

III med beton. part.

~ **in i** get into; bli indragen i get involved in

~ **på ngn** come (run) across a p.; den första bok jag ~*de på* vanl. ...came across

~ **ut:** ~ *illa ut* get into trouble (difficulties); stark. meet with misfortune, come to grief; i t.ex. slagsmål cop it; ~ *ut för* en olycka meet with...; ~ *ut för* ett oväder o.d. be caught in...

råkall raw [and chilly]; *i den ~a morgonen* äv. in the raw of the morning

råkas meet

råkost raw (uncooked) vegetables and fruit

råkostsallad raw vegetable salad

råkurr vard. roughhouse

råma moo; bellow äv. bildl.

råmande kos läte mooing

råmaterial raw (crude) material

råmärke eg. boundary mark; ~*n* bildl. bounds, boundaries

1 rån bakverk wafer

2 rån stöld robbery

råna rob; ~ *ngn på ngt* rob a p. of a th.

rånare robber

rånkupp robbery; jfr äv. *rånöverfall*

rånmord murder with robbery (with intent to rob)

rånöverfall assault with intent to rob; vard. hold-up

råolja crude oil

råraka kok., ung. [grated] potato pancake

råris unpolished (rough) rice

råriv|en, ~*na* morötter grated raw...

rårörd, ~*a* lingon, ung. ...preserved raw

råsegel sjö. square sail

råskinn bildl. rowdy, tough

råsop vard., slag sock; bildl. vicious attack, broadside

råtta rat; liten mouse (pl. mice)

råttfälla mousetrap, rat-trap

råttgift rat poison

råttgrå mouse-coloured

råtthål mousehole; bildl. rat-trap

råvara raw material (product), primary product; *råvaror* äv. primary produce sg.

räck 1 rail; se vid. *räcke* **2** gymn. horizontal bar

räcka I *s* **1** mera eg.: rad row **2** friare: av t.ex. händelser series (pl. lika), suite

II *tr* **1** överräcka hand; *vill du ~ mig saltet?* please pass [me] the salt; may I trouble you for the salt?; ~ *ngn handen* give (offer) a p. one's hand; bildl. extend the hand of friendship to a p. **2** nå reach **3** tekn. stretch

III *itr* **1** förslå be enough (sufficient); *få* pengarna *att* ~ make...do **2** vara last; ~ *länge* last a long time **3** nå reach; sträcka sig (om sak) extend

IV med beton. part.

~ **fram** eg. hold (stretch) out; överräcka hand; ss. gåva present

~ **till:** *få det att ~ till* make it do; om tillgångar äv. make both ends meet

~ **upp:** ~ *upp handen* put (hold, stretch) up one's hand

~ **ut:** ~ *ut handen* om cyklist o.d. give a hand-signal; ~ *ut tungan åt ngn* stick (put) out one's tongue at a p.; ~ *ut tungan* hos läkaren put one's tongue out

räcke på t.ex. balkong rail; på trappa (inomhus) banisters; (utomhus) railing[s pl.]; på bro parapet

räckhåll, *utom* ~ [*för ngn*] out of el. beyond [a p.'s] reach (bildl. äv. grasp)

räckvidd t.ex. boxares reach; skjutvapens range; bildl., omfattning scope, compass; betydelse importance

räd raid; *göra en ~ mot* (*in i*)... äv. raid...

rädd 1 allm. afraid end. pred.; förskräckt frightened; alarmed; bekymrad anxious; räddhågad timid; *bli* ~ get (be) frightened etc.; *det var just det jag var ~ för* I feared as much; *vara* ~ [*för*] *att* hugga i be afraid of ing-form **2** *vara ~ om* aktsam om be careful with; t.ex. sina kläder take care of; mån om be jealous of; sparsam med be sparing (economical) with

rädda I *tr* allm. save; bärga salvage, salve; friare preserve; ~ *ansiktet* save one's face; ~ *ngn från att drunkna* rescue (save) a p. from drowning; komma *som en ~nde ängel* ...like an angel to the rescue; *dagen är ~d* that's made my (our etc.) day **II** *rfl,* ~ *sig* save oneself; genom flykt escape

Rädda Barnen [the] Save the Children Fund

räddare rescuer; befriare deliverer

räddning ur överhängande fara rescue; räddande saving, jfr *rädda I;* frälsning salvation äv. t.ex. stads, företags; bärgning salvage; befrielse deliverance; utväg resort; sport., målvakts save

räddningsaktion rescue action

räddningsarbete rescue work (operations pl.)

räddningskår rescue (salvage) corps; bil. breakdown [recovery] service

räddningsmanskap rescue party

räddningsplanka bildl. last resort (hope), sheet anchor; enkelt alternativ easy option

rädisa radish

rädsla fear; *av ~ för att* + sats for fear [that (lest)] + sats

räffla I *s* spår groove äv. i gevärspipa; ränna channel; i t.ex. pelare flute; t.ex. på gummisula rib **II** *tr* groove, channel, flute; vapen rifle; ~*d* om t.ex. gummisula ribbed

räfsa I *s* rake **II** *tr* rake
räka liten el. allm. shrimp; större, djuphavs~ prawn
räkel, *en lång ~* a lanky fellow
räkenskap 1 redogörelse *avlägga ~ för ngt* render an account of a th., account for a th. **2** *föra ~er* keep accounts
räkenskapsår financial year
räkna I *tr* o. *itr* **1** allm. count; företa uträkningar reckon; beräkna calculate; *~ till tio* count [up] to ten; *fördelarna är lätt ~de* the advantages can be counted on the fingers of one hand; *~s som* omodern be regarded (reckoned) as...; *det här är mer än jag ~de med* this is more than I bargained for; *~ ngt på fingrarna* count a th. on one's fingers **2** matem. do arithmetic (sums); *~ ett tal* do (work out) a sum **3** uppgå till number; mäta measure
II med beton. part.
~ **av** dra av deduct
~ **bort** dra av deduct; lämna ur räkningen leave...out of account; extrainkomster exclude
~ **efter:** *~ efter hur mycket det blir* work out how much it will be
~ **från** dra av deduct; frånse leave...out of account
~ **igenom** kontrollera check; kassan count [over]
~ **ihop** t.ex. pengar count (reckon, tally, tot) up; en summa add up
~ **in** t.ex. kreatur count; ngt i priset include
~ **med** count [in]
~ **ned** addera ned add (sum) up; inför start count down
~ **om** count...over again, recount; ett tal do...again
~ **samman** se *~ ihop*
~ **upp** nämna i ordning enumerate; pengar count out; ekon., anslag o.d. adjust...upwards
~ **ut** beräkna calculate; fundera ut figure out; förstå make out; tänka ut think out; ett tal do; boxn. count out
~ **över** sina pengar count over...; vad det kommer att kosta calculate...
räknas, *han* (*det*) *~ inte* he (that) does not count (counts for nothing)
räknebok isht skol., att räkna i sum book; lärobok arithmetic [book]
räknedosa minicalculator, calculator
räknemaskin calculating machine, calculator
räkneord numeral
räknesticka slide rule
räkning räknande counting; i vissa fall count äv. boxn.; beräkning calculation; matem. arithmetic; nota bill; amer. äv. check; månads~ account; faktura invoice; *en ~ på* 500 kr a bill for...; *vara nere för ~* boxn. o. bildl. be down for the count; behålla ngt *för egen ~* ...for oneself (one's own use); *vara bra i ~* be good at arithmetic (mera elementärt sums, att räkna figures); *skriva* (*sätta*) *upp ngt på ngns ~* put a th. down to a p.'s account (to a p.)
räls rail
rämna I *s* i t.ex. mur el. i jorden crack; i glaciär crevasse; i molnen rent; bred gap; bildl. split **II** *itr* spricka crack; om tyg rend, be rent, tear; om molntäcke part
ränker intriger intrigues; anslag plots
1 ränna allm. groove, furrow; transport~ shoot; vid flottning o.d. flume; dike trench; avlopps~ drain; kanal channel; farled channel; liten klyfta gully
2 ränna I *itr* run; *~ i vädret* (*höjden*) växa shoot up
II med beton. part.
~ **in:** *~ in ngt i...* run a th. into...
~ **iväg** run (rush) off
~ **omkring på** gatorna run (gad) about [in]...
~ **upp** *på ett grund* run aground (upon rocks)
~ **ute** om kvällarna run [out and] about...
rännande running (gadding) about; *det var ett fasligt ~* [*av folk*] hela dagen people kept running in and out (coming and going)...
rännil rill; friare, t.ex. av svett trickle
rännsten gutter; *hamna i ~en* bildl. land in the gutter
ränta ekon. interest end. sg.; räntefot rate [of interest]; *~ på ~* compound interest; *effektiv ~* true (actual) rate of interest; *enkel ~* simple interest; *rak ~* flat rate; beräkna *~n efter 10%* ...the interest at [the rate of] 10%; *ta 10% i ~* charge 10% interest; *ge betalt för ngt med ~* bildl. return a th. with interest
räntabel vinstgivande profitable, paying; räntebärande interest-bearing; *vara ~* äv. pay its way
ränteavdrag deduction of interest; vid självdeklaration tax relief on interest
räntefri ...free of (without) interest
räntehöjning increase in the rate of interest
ränteinkomst income (end. sg.) from interest
räntekostnad cost of interest; *~er* interest charges
räntesats rate of interest, interest rate
räntesänkning reduction in the rate of interest
räntetak ekon. interest-rate ceiling
rät rak right; om linje straight
räta I *s* right side **II** *tr* o. *itr*, *~* [*ut*] straighten [out], make...straight; *~ ut sig* om pers. stretch oneself out; om sak become straight [again]
rätsida 1 right side; mynts o.d. obverse

2 bildl. *jag får ingen ~ på det här* I can't get this straight, I can't make head or tail of this; *försöka få [någon] ~ på sin ekonomi* try to get one's finances into [some sort of] order

rätstickning plain knitting

1 rätt mat~ dish; del av måltid course; *middag med tre ~er* a three-course dinner; *dagens ~* på matsedel today's special

2 rätt 1 rättighet right; rättvisa justice; *~en till arbete* el. *~en att arbeta* the right to work; *få ~* prove (be) right, turn out to be right; *ge ngn ~* admit that a p. is right, agree with a p.; *ha ~en på sin sida* be in the right; *ha ~ till ngt* have a right (be entitled) to a th.; *komma till sin ~* göra sig själv rättvisa do oneself justice, do justice to oneself; ta sig bra ut show (appear) to advantage; *tavlan kommer mera till sin ~ där* that position does the picture more justice; *åren börjar ta ut sin ~* age is beginning to tell [on me (you etc.)]; *han är i sin fulla (goda) ~* he is perfectly (quite) within his rights; *med ~ eller orätt* rightly or wrongly

2 a) rättsvetenskap, rättssystem law **b)** domstol court, lawcourt; *sitta i ~en* sit in court (on the bench)

3 rätt I *adj* riktig right; tillbörlig proper; rättmätig rightful; sann, verklig true, real; rättvis fair, just; *~ skall vara ~* fair is fair; *det var ~ av henne att* inf. it was right of her to inf.; she was right to inf. (in ing-form); *det är ~ åt honom!* serve[s] him right!; *göra det ~a* do what is right (the right thing); *den ~e* the right man; *~ man på ~ plats* the right man in the right place; ett ord *i ~an tid* ...in season

II *adv* **1** korrekt rightly; saken är *inte ~ skött* ...not properly handled; *det kan inte stå ~ till med* hans affärer there must be something wrong with...; *träffa ~* hit the mark; bildl. hit upon the right thing

2 förstärkande: riktigt quite; något försvagande: tämligen fairly; ganska (vanl. gillande) pretty; (vanl. ogillande) rather; jfr äv. *ganska;* han börjar *se ~ gammal ut* ...look quite an old man; filmen är *~ [så] bra* äv. ...not [too (so)] bad **3** *~ och slätt* simply **4** *~ som (vad) det var* plötsligt all at once, all of a sudden, suddenly; *~ som jag satt där* just as I was sitting there **5** rakt straight, right; bo, gå *~ över gatan* ...straight across the street **6** *få (leta, skaffa, ta) ~ på* se *reda I* ex.

rätta I *s* **1** *med ~* rightly, justly, with justice; *hjälpa ngn till ~* show a p. the way about; friare help a p., lend a p. a hand; vard. show a p. the ropes; *komma till ~* be found, turn up; *komma till ~ med* a) pers., få bukt med manage, handle; komma överens med get on (along) with b) t.ex. problem cope with, master; situation manage, handle; t.ex. svårigheter overcome, get the better of **2** jur. *inför ~* in court, before the court; *dra ngt inför ~* bring (take) a th. to court

II *tr* o. *itr* **1** korrigera correct; skol. mark; amer. grade; *~ en skrivning (en uppsats)* mark (amer. grade) a paper (a composition, an essay); *~ till* a) t.ex. klädseln, håret, ledet put...straight, adjust b) t.ex. fel put (set)...right, rectify, correct; missförhållande o.d remedy **2** avpassa adjust, accommodate, suit

III *rfl, ~ sig* **1** rätta en felsägning correct oneself **2** *~ sig efter* **a)** om pers. comply with; instruktioner o.d. äv. conform to; beslut o.d. abide by, go by; order obey; andra människor accommodate (adapt) oneself to **b)** om sak *priserna ~r sig efter* tillgång och efterfrågan prices are dependent on (determined by)...

rättegång rannsakning trial; process [legal] proceedings; rättsfall case; isht civilmål lawsuit, action; se äv. *process 2* ex.

rättegångshandling, *~[ar]* allm. court records pl.; avseende visst mål documents pl. of a (resp. the) case

rättegångskostnad, *~[er]* law expenses pl.; isht ådömda court (legal) costs pl.

rättegångsprotokoll report of the proceedings

rätteligen med rätta by right, rightly; egentligen by rights

rättelse allm. correction; beriktigande rectification

rättesnöre guiding rule (principle), norm; *ta ngt till ~* take a th. as a guide (an example), be guided by a th.

rättfram straightforward; öppenhjärtig outspoken

rättfärdig just; isht bibl. äv. righteous; *en ~ sak* a just cause

rättfärdiga I *tr* allm. justify **II** *rfl, ~ sig* justify oneself [*inför ngn* before (to) a p.]

rättfärdighet justness; isht bibl. äv. righteousness

rättighet allm. right; befogenhet authority; sprit*~er* licence sg.; *ha fullständiga* sprit*~er* be fully licensed

rättika black radish

rättmätig om t.ex. arvinge rightful; om krav o.d. legitimate; om harm righteous; *det ~a i* hans krav the legitimacy of...

rättning 1 korrigering correcting **2** mil. dressing; *~ höger (vänster)!* right (left) dress!

rättroende o. **rättrogen** faithful; friare orthodox; *en ~* subst. adj. a [true] believer

rättrådig rättvis just; redbar upright, honest

rättsanspråk legal claim

rättsfall [legal] case
rättsförfarande legal (judicial) procedure
rättshaveri dogmatism
rättshjälp legal aid
rättsinnig right-minded; se äv. *rättrådig*
rättskaffens honest, upright
rättskipning [the] administration of justice
rättskrivning spelling
rättskänsla sense of justice
rättslig laglig legal; i domstol judicial; juridisk juridical; *medföra ~ påföljd* involve legal consequences; *~t skydd* äv. protection of the law
rättsläkare medico-legal expert, medical examiner
rättslös om pers. ...without legal rights (protection); om tillstånd lawless, anarchic[al]
rättslöshet lack of legal rights (protection); lawlessness; jfr *rättslös*
rättsmedicin forensic medicine
rättsmedvetande sense of justice
rättspsykiatrisk, *~ undersökning* examination conducted by a forensic psychiatrist
rättsröta ung. corrupt legal practice
rättssak [legal] case; *göra ~ av ngt* bring (take) a th. before court (to court)
rättssal court, courtroom
rättsskydd legal protection
rättsstat state governed by law
rättsstridig unlawful; *~t tvång* duress
rättssäkerhet law and order; *den enskildes ~* the legal rights pl. of the individual
rättstavning spelling
rättsväsen judicial system, judicature
rättvis rättfärdig just; skälig fair; opartisk impartial; *det ~a i* mina krav the justice of...; *vad är en ~ klocka?* what is the right time?
rättvisa justice, jfr *rättvis; ~n* lag o. rätt justice, the law
rättvänd allm. turned the right way round (right side up)
rättänkande right-minded; *en ~* subst. adj. a right-minded (right-thinking) person
rätvinklig om triangel o.d. right-angled
räv fox äv. bildl.; *din gamle ~!* you cunning old fox!; *svälta ~* kortsp. beggar-my-neighbour; *han har en ~ bakom örat* he is a sly fox (wily bird)
rävgryt fox burrow, fox earth
rävhona vixen
rävsax fox trap; *sitta i en ~* bildl. be in a tight corner (spot), be trapped
rävskinn ss. ämnesnamn fox skin; pälsverk fox [fur]
rävspel 1 spel fox and geese **2** bildl. intriguing, underhand games, hanky-panky; isht polit. gerrymandering

rö reed; *som ett ~ för vinden* like a reed shaken by the wind
röd red äv. polit.; hög~ scarlet; *~ som blod* blood-red, crimson; *~a hund* med. rubella, German measles sg.; *köra mot rött [ljus]* trafik. jump the [red] lights; *de ~a* polit. the Reds; *se rött [för ögonen]* see red, se äv. *blå* o. sms.
rödaktig reddish, ruddy
rödbeta [red] beetroot, amer. [red] beet
rödblond om t.ex. hår sandy
rödbrusig om pers. red-faced...; om t.ex. ansikte red
rödflammig blotchy
rödfärg röd färg red paint; Falu ~ red ochre
rödglödga bring to [a] red heat; *~d* äv. red-hot äv. bildl.
rödgråten ...red (swollen) with weeping
rödhårig red-haired
röding zool. char
rödkantad, *~e ögon* red-rimmed eyes
rödkål red cabbage
Rödluvan sagofigur Little Red Riding Hood
rödlätt om t.ex. hy ruddy
rödlök [red] onion
rödmosig red and bloated, florid
rödnäst red-nosed; stark. purple-nosed
rödpeppar red pepper
rödsprit förr methylated spirit[s pl.]; vard. meth[s pl.]
rödsprängd om öga bloodshot
rödspätta zool. plaice (pl. lika)
rödvin allm. red wine; bordeaux claret; bourgogne burgundy
rödögd red-eyed
1 röja förråda betray; uppenbara, yppa reveal; avslöja, blotta expose; visa show, display; *~ en hemlighet* give away (betray) a secret
2 röja I *tr* skog clear; hygge clear up; *~ hinder ur vägen* remove obstacles
II med beton. part.
~ **av** tomt o.d. clear; *~ av bordet* clear the table
~ **undan** eg. o. bildl.: t.ex. hinder clear away; pers. remove; *~ undan på* bordet clear...
~ **upp:** *~ upp [i ett rum]* tidy up [a room]
~ **ur** clear out
röjarskiva vard. rave-up
röjning av mark o.d. clearing äv. konkr.
rök allm. smoke; *ingen ~ utan eld* no smoke without fire; *ta sig en ~* have a smoke
rök|a I *itr* smoke **II** *tr* allm. smoke; *~ cigarr (pipa)* smoke a cigar (a pipe)
III med beton. part.
~ **in** pipa break in
~ **upp:** *~ upp mycket pengar* spend a lot of money on smoking
~ **ut** ohyra o.d. fumigate
IV *s* vard., cigarrer smokes; *dra ner på ~t* reduce one's smoking, smoke less

rökare 1 tobaks~ smoker; *icke* ~ non-smoker **2** sport. vard.: hårt skott scorcher; *lägga på en* ~ en spurt put on a fast spurt
rökavvänjningsklinik [anti-]smoking clinic
rökdykare fireman [equipped with a smoke helmet]
rökelse incense
rökfri smokeless; ~ *zon* smokeless zone; på arbetsplats non-smokers' area
rökfärgad smoke-coloured; om glasögon smoked
rökförbud ban on smoking; *det är* ~ (~ *råder*) i tunnelbanan there is no smoking..., smoking is prohibited...
rökförgiftad asphyxiated; *bli* ~ äv. be overcome by [the] smoke
rökgång flue
rökhosta smoker's cough
rökig smoky, smoke-filled
rökkupé smoking-compartment, smoker
rökning allm. smoking; ~ *förbjuden* no smoking
rökridå smokescreen äv. bildl.; *lägga ut en* ~ lay out a smokescreen
rökrum smoking-room
rökskadad smoke-damaged
röksugen, *jag är* ~ I feel like (stark. I'm dying for) a smoke
rökutveckling, *den kraftiga ~en* gjorde att the heavy build-up of smoke...
rön iakttagelse observation; upptäckt discovery; erfarenhet experience; pl. äv. (iakttagelser) findings
rön|a t.ex. bifall, motstånd meet with; t.ex. välvilja come in for; uppmuntran find; ~ [*livlig*] *efterfrågan* be in [great] demand; hon borde ha *-t ett bättre öde* ...enjoyed a better fate
rönn bot. mountain ash; isht Nordeng. o. Skottl. rowan; för sms. jfr äv. *björk-*
rönnbär rowanberry; *surt, sa räven om ~en* ung. it's (that's) just sour grapes
röntga X-ray; *han ska ~s* imorgon he is to be X-rayed...
röntgen ~strålar X-rays; ~behandling X-ray treatment
röntgenbehandling X-ray treatment
röntgenbild X-ray picture
röntgenblick X-ray vision
röntgenplåt X-ray plate
röntgenstrålning [the] emission of X-rays
röntgenundersökning X-ray [examination]
rör 1 lednings~ pipe; isht vetensk. el. tekn. tube **2** i radio el. TV valve; amer. tube **3** bot. reed; bambu~ cane **4** vard. *vara rostig i ~en* vara hes have a frog in one's throat
rör|a I *s* allm. mess äv. bildl.; t.ex. tomat mixture; oreda confusion
II *tr* **1** sätta i rörelse move; *inte ~ ett finger för att...* not stir a finger (lift a hand) to... **2** vidröra touch; bildl. concern; *han -de knapp* maten he hardly touched... **3** bildl. ~ *ngn till tårar* move a p. to tears
III *itr,* ~ *i brasan* stir (poke) the fire; jag vill inte ~ *i den saken* ...poke into that matter
IV *rfl,* ~ *sig* **1** eg. allm. move; absol. el. motionera get exercise; *rör dig inte!* don't move!; ~ *sig fritt* move about freely **2** bildl. ~ *sig i* de bästa kretsar move in...; *vad som rör sig i tiden* what is going on in our time; *vad rör det sig om?* what is it [all] about?
V med beton. part.
~ **ihop** kok. o.d. mix; bildl. mix (jumble) up; *han -de ihop alltsammans* äv. he got it all muddled up
~ **om** [**i**] kok. stir
~ **till** kok. prepare; smet mix; *rör inte till* [*det*] på skrivbordet don't mess things up...
~ **upp** eg. stir up; damm äv. raise; gamla tvister rake up
~ **ut:** ~ *ut ngt i* (*med*) *vatten* stir a th. into water, mix a th. with water
rörande I *adj* touching; stark. pathetic
II *prep* angående concerning; vad beträffar as regards
rörd 1 gripen moved, touched **2** *rört smör* creamed butter
rörelse 1 mots. t. vila motion äv. fys. el. tekn.; gest gesture; liv och ~ stir, bustle; uppståndelse commotion; lavinen *kom i* ~ ...began to move; *sätta* fantasin *i* ~ stir (excite)... **2** politisk movement **3** affärs~ business; *driva* (*öppna*) *egen* ~ run (start, open) a business (firm) of one's own **4** själs~ emotion; oro agitation
rörelseförmåga hos levande organism locomotive power; ngns ability to move [about]; *förlora ~n i benen* lose the use of one's legs
rörelsehindrad disabled; *en* ~ subst. adj. a disabled person
rörig som ett virrvarr messy; oredig jumbled, jumbly, muddled; *vad det är ~t!* what a mess (jumble)!
rörledning piping; större transportledning pipeline
rörlig flyttbar movable; föränderlig, om t.ex. anletsdrag mobile; om priser flexible; snabb agile; *~a kostnader* variable costs; *~t liv* active life
rörlighet (jfr *rörlig*) movability; agility, alertness, versatility; ~ *på arbetsmarknaden* industrial mobility
rörmokare plumber
rörsocker cane sugar
rörtång pipe wrench (tongs pl.)
röse mound of stones; uppstaplat cairn
röst 1 stämma voice äv. bildl.; sångare singer; *med hög* (*låg*) ~ in a loud (low) voice **2** polit. vote; *~er* votes; sammanfattande äv. vote sg.; avgivna äv. poll sg.

rösta I *itr* vote; *en ~nde* subst. adj. a voter; ~ *för* (*mot*) *ngt* vote for (against) a th.; ~ *om ngt* vote on a th.; ~ *på ngn* vote for a p.; jfr *blankt* m.fl.
II med beton. part.
~ **igenom** förslag o.d. vote...through
~ **in** *ngn* i t.ex. riksdagen vote a p. into...
~ **ned** (**omkull**) vote down
röstberättigad ...entitled to vote; *vara ~* äv. have a vote
röstetal number of votes; *vid lika ~* avgör lotten if the number of votes are equal..., where the voting is even...
röstkort ung. voting (electoral) card
röstläge [vocal] pitch
röstlängd electoral register, register of electors (voters)
röstning voting
röstresurser vocal powers
rösträtt ngns right to vote (of voting); politisk franchise; *allmän* (*kvinnlig*) ~ universal (woman, women's) suffrage
rösträttskvinna suffragette
röstsedel voting paper
röstskolkare abstainer
röststyrka 1 hos pers. strength (power) of one's (the) voice **2** polit. voting strength
röstövervikt majority [of votes]
1 röta I *s* rot; förruttnelse putrefaction; förmultning decay; med., kallbrand gangrene; på tänder caries; bildl. corruption; *ta* (*angripas av*) ~ begin to rot, putrefy **II** *tr* **1** rot **2** lin ret
2 röta, *vilken* ~ vard., tur what a piece (bit) of luck
rötmånad, *~en* the dogdays pl.; friare dödsäsongen the silly season
rött red; *sätta lite ~ på läpparna* put on some lipstick
rötägg eg. addled (rotten) egg; bildl. bad egg
röva rob; stjäla steal; ~ *bort* run away with; isht kvinna abduct; 'kidnappa' kidnap; boskap o.d. lift
rövare 1 robber; åld. el. bibl. thief (pl. thieves); *leva* ~ raise hell (Cain, the devil); *vara ute och leva* ~ be on the rampage **2** *ta en* ~ vard. have a go, chance it
rövarhistoria cock-and-bull (tall) story
rövarkula robber's den; bildl. thieves' den
rövarpris, *det är rena rama ~et* oskäligt mycket it's daylight robbery
rövslickare vulg. arse licker; amer. ass kisser

S

s bokstav s [utt. es]
sabba vard., förstöra ruin, spoil, muck up
sabbat Sabbath
sabel sabre
sabotage sabotage
sabotera sabotage; friare ruin, muck up
sabotör saboteur
sacka, ~ [*efter*] lag (drop) behind, straggle
sackarin kem. saccharin
sadel saddle äv. kok.; *stiga i ~n* get into the saddle, mount one's horse
sadelgjord [saddle] girth
sadelmakare saddler
sadism sadism
sadist sadist
sadistisk sadistic
sadla I *tr* saddle; ~ *av* (*på*) unsaddle (saddle [up]) **II** *itr,* ~ *om* byta yrke change one's profession
safari safari
saffran saffron
saffransbröd saffron[-flavoured] bread
safir sapphire
saft natur~ juice; kokt med socker (för spädning) cordial; *ett glas ~* a fruit drink
safta I *itr* **1** eg. make cordial **2** ~ *på* vard., 'bre på' pile it on **II** *rfl,* ~ *sig* run to juice
saftig juicy äv. bildl.; om frukt succulent; full av sav sappy
saga fairy tale äv. friare; [fairy] story; folk~ folk tale; nordisk saga; myt myth; *berätta en ~* [*för mig*]*!* tell me a story!
sagesman informant
sagoberättare story-teller
sagobok book of fairy tales
sagoland fairyland
sagolik fabulous; vard., fantastisk fantastic; *en ~ röra* an incredible mess
sagoprins fairy prince
sagoslott fairy castle (palace)
sagostund story time
Sahara the Sahara
sak 1 konkr. thing äv. om pers.; *~er* tillhörigheter belongings **2** abstr.: omständighet o.d. thing; angelägenhet matter, affair; ~ att kämpa för o.d. cause; *en ~* någonting vanl. something; *var ~ har sin tid* there is a time for everything; *det gör inte ~en bättre* that doesn't mend matters; *kunna sin ~* (*sina ~er*) know one's job (vard. stuff, onions); *jag ska säga dig en ~* I tell you what; do you know what?; *det är* [*inte*] *min ~* that's [none of] my business; *det är samma ~ med mig* it is the same with me; *se till ~en* [*och ej till personen*] be objective **3** jur., rättsfall case; friare el. ngt att

kämpa för cause; *göra ~ av det* take it to court; *ta sig an ngns ~* take up a p.'s cause; *döma i egen ~* be a judge of one's own cause
sakfel factual error
sakfråga question of fact; *[själva] ~n* the point at issue
sakförhållande state of things (affairs); faktum fact
sakkunnig expert, competent; *vara ~ i* be [an] expert in
sakkunskap sakkännedom expert knowledge
saklig nykter o. torr matter-of-fact, businesslike; objektiv objective; baserad på fakta ...based (founded) on facts; *en ~ bedömning* an objective estimate
saklighet matter-of-factness; objektivitet objectivity
saklöst ostraffat with impunity; utan vidare just like that
sakna 1 inte ha lack; med bibet. av behov want; lida brist på be wanting (lacking, deficient) in; vara helt utan t.ex. talang, mening be devoid of; *~ anlag* lack aptitude; *han ~r humor* he has no (is devoid of a) sense of humour; *jag ~r ord för att uttrycka...* I am at a loss for (I lack) words with which to express... **2** inte kunna hitta *~r du något?* have you lost something? **3** märka frånvaron av miss; *jag ~de inte nycklarna förrän...* I didn't miss my keys until...
saknad I *adj* missed; borta missing; *~e* subst. adj. ...persons missing (missing persons) **II** *s, ~ efter ngn* regret at a p.'s loss (at the loss of a p.)
saknas vara borta be missing; *motiv ~ inte* there is no lack of motive
sakprosa ordinary (factual, non-literary) prose; ss. mots. till skönlitteratur non-fiction
sakral sacred
sakrament sacrament
sakregister subject index
sakristia kyrkl. vestry
sakskäl positive argument; *mottaglig för ~* amenable to reason
sakta I *adj* långsam slow; varsam gentle; dämpad soft; *över ~ eld* over a slow fire **II** *adv* långsamt slowly; varsamt gently; *gå ~* walk slowly (tyst softly) **III** *tr* o. *itr, ~ [farten]* el. *~ in* slow down **IV** *rfl,* klockan *~r sig* ...is losing [time]
saktmodig meek, gentle
sakuppgift factual information
sal hall; mat~ dining-room; salong drawing-room; sjukhus~ ward; *allmän ~* public ward
salamikorv salami [sausage]
saldo balance; *ingående ~* balance brought forward (förk. BF, b.f.)
salicylsyra kem. salicylic acid
salig bibl. blessed; poet. blest; vard., lycklig delighted, [very] happy; avliden late...; *en ~ röra* a glorious mess; *~ i åminnelse* of blessed memory
salighet teol. blessedness; frälsning salvation; lycka bliss
saliv saliva
sallad 1 bot., [huvud]sallat lettuce **2** kok. salad
salladsbestick salad servers; *ett ~* a pair of salad servers
salladsblad lettuce leaf
salladsdressing salad dressing
salladshuvud lettuce, head of lettuce
salmiak kem. sal ammoniac
salmonella ~bakterier salmonell|a (pl. -ae); sjukdomen salmonella; vetensk. salmonellosis
salong 1 i hem drawing-room; amer. parlor; [stort] sällskapsrum lounge äv. på hotell, båt o.d.; mindre saloon; *~en* publiken på teater o.d. the audience, the house **2** utställning exhibition, konst. äv salon
salpeter kem. saltpetre; kali~ potassium nitrate
salt I *s* salt; kok~ [common] salt; *ta ngt med en nypa salt* bildl. take a th. with a grain (pinch) of salt **II** *adj* salt; bildl. pungent
salta salt; bildl. season; *~ notan* vard. salt the bill; *en ~d räkning* a stiff bill; *~ in (ned)* salt [down]; lägga i saltlake brine
saltgurka pickled gherkin
salthalt salt content; procentdel percentage of salt
saltkar för bordet saltcellar
saltlake kok. brine
saltomortal somersault; *göra en ~* do (turn) a somersault, somersault; *baklänges ~* backflip
saltsjö insjö salt lake
saltströare saltcellar, amer. saltshaker
saltsyra kem. hydrochloric acid
saltvatten salt water; saltlösning brine
salu, *till ~* on (for) sale, to be sold; *ej till ~* not for sale
salubjuda o. **saluföra** offer...for sale
saluhall market hall
salustånd stall; isht på marknad booth; isht på t.ex. mässa stand
salut salute; *ge (skjuta) ~* give a salute
salutera salute
salutorg market place
1 salva skott~ o.d. el. bildl. volley; *avlossa (avfyra) en ~* discharge (fire) a volley
2 salva till smörjning ointment
salvelsefull unctuous
salvia bot. sage
samarbeta co-operate; isht i litterärt arbete el. neds. el. polit. collaborate
samarbete co-operation; collaboration; jfr *samarbeta; bristande ~* lack of co-operation

samarbetssvårigheter difficulty sg. in co-operating
samarbetsvillig co-operative
samarit bibl. el. bildl. Samaritan; *den barmhärtige ~en* the Good Samaritan
samba, *dansa ~* dance (do) the samba
samband connection; mil. liaison; *i ~ härmed* in this connection
sambeskattning joint taxation
sambo I *s* samboende person live-in; mera formellt cohabitee, cohabiter **II** *itr* live together, live in; mera formellt cohabit
samboende I *adj* ...living together, ...that live (lived etc.) together; mera formellt cohabiting **II** *s* det att sammanbo living together, jfr vid. *sambo I*
same Lapp
samexistens coexistence
samfund förening society; kyrko~ communion
samfälld gemensam joint; enhällig unanimous
samfärdsel communications; trafik traffic
samfärdsmedel means (pl. lika) of transport
samförstånd [mutual] understanding; enighet agreement; *hemligt ~* secret understanding; maskopi collusion; *i ~ med* partiet o.d. in agreement (accord, concert) with...
samgående sammanslagning fusion; gemensam aktion joint action; *ett ~ mellan...* [close] co-operation between...
samhälle 1 allm. society (äv. *~t); mera* konkr. ss. social enhet community; ort place; by village; förstad suburb; stad town **2** zool. colony
samhällelig social; *~ plikt* public duty
samhällsanda public (community) spirit
samhällsbevarande conservative
samhällsdebatt public debate
samhällsekonomi national (public) economy (finances pl.)
samhällsfarlig ...dangerous to society (resp. the community); anti-social; *vara ~* äv. be a public danger
samhällsfientlig anti-social
samhällsgrupp social group
samhällsklass class [of society], social class
samhällskritik criticism of society
samhällskunskap civics, social studies
samhällsliv social life
samhällsnyttig ...of advantage to society; *~t företag* [public] utility company
samhällsorgan public institution
samhällsorienterande, *~ ämnen* social studies, civics sg.
samhällsplanering social (community el. town and country) planning
samhällsproblem social problem
samhällsskick social structure, type of society
samhällsskildring description of society
samhällsställning social position, position in society
samhällstillvänd social-minded; engagerad committed
samhällstjänst community service
samhällsvetare social scientist, sociologist
samhällsvetenskap social science
samhörighet solidarity; själsfrändskap affinity; *känna ~ med* äv. feel [intimately] allied (related, akin) to
samisk Lapp
samiska språk Lappish
samklang mus. harmony, unison äv. bildl.; enhällighet concord, unanimity; *stå i ~ med* bildl. be in harmony (tune, keeping) with
samkväm social [gathering]
samköra co-ordinate
samkörning co-ordination
samla I *tr* gather; isht mer planmässigt collect; få ihop get together; ~ på hög amass, hoard up; förvärva acquire; lagra store [up]; dra till sig attract; förena unite; [*stå och*] *~ damm* collect (gather) dust; *~ många deltagare* attract many participants; *~ en förmögenhet* amass a fortune; *~ mod* pluck (get) up courage **II** *itr, ~ på* ngt collect... **III** *rfl, ~ sig* eg., se *samlas;* bildl. collect (compose) oneself; vard. pull oneself together; koncentrera sig concentrate
IV med beton. part.
~ **ihop** se *samla I; ~ ihop sina saker* get one's things together
~ **in** collect; t.ex. namnunderskrifter äv. get
~ **på sig** t.ex. en massa skräp pile up
samlad collected; församlad assembled etc., jfr *samla I; lugn och ~* calm and collected (composed)
samlag sexual intercourse; isht med. coitus, coition; *ett ~* an act of sexual intercourse
samlare collector
samlas om pers. gather; församlas assemble; träffas meet; hopas collect
samlevnad mellan människor social life; samliv life together; *äktenskaplig ~* married life
samling 1 abstr. gathering etc., jfr *samla I* o. *samlas;* uppslutning rallying; polit. coalition; ~ [*sker*] kl. 9 assembly (vi ska samlas we will assemble) at... **2** konkr. collection; av pers. gathering; grupp group; vard. bunch, lot; neds. pack
samlingslokal plats meeting-place; sal assembly hall
samlingsplats meeting-place; mil. el. friare rendezvous (pl. lika)
samlingspunkt meeting-point; bildl. foc|us (pl. -i el. -uses)

samlingspärm file
samlingsregering coalition government
samlingssal assembly hall, meeting-hall
samliv life together; *äktenskapligt ~* married life
samma (*samme*) the same; likadan similar, ...of the same kind (sort); *~ dag* han for [on] the day [that]...; *en och ~ person* [one and] the same person; *det är en och ~ sak* it comes to the same thing; *på ~ gång* at the same time
samman together, jfr *ihop* o. *tillsammans*
sammanbiten resolute
sammanblanda se *blanda ihop (samman)*
sammanblandning förväxling confusion
sammanbo live together; mera formellt cohabit; *~ med* ngn live with...
sammanboende se *samboende*
sammanbrott collapse; *nervöst ~* nervous breakdown
sammandrabbning mil. el. friare encounter; bildl. clash; ordstrid altercation
sammandrag summary, résumé, digest; isht vetensk. abstract; *nyheterna i ~* news summary, the news in brief
sammanfalla infalla samtidigt coincide
sammanfallande coincident
sammanfatta sum up
sammanfattning summary, outline
sammanfattningsvis to sum up
sammanfoga join
sammanföra bring...together; *~* presentera *två personer* introduce two persons to each other
sammanhang samband connection; text~ context; logiskt ~ consistency; obrutet ~, följd continuity; komplex, [sammanhängande] helt complex; han fattade *hela ~et* ...the whole situation (thing), ...how it had all happened (come about); han är *mogen att framträda i större ~* ...ready for greater tasks (om skådespelare roles)
sammanhållning samhörighet solidarity; enighet unity; samstämmighet concord; *god ~* i klassen good spirit (fellowship)...
sammanhänga se *hänga [ihop]*
sammanhängande connected; utan avbrott continuous; *härmed ~* frågor ...connected with it (this)
sammankalla call together, assemble
sammankomst meeting; större convention
sammanlagd total total; *deras ~a inkomster* their combined incomes
sammanlagt in all; ~ 1000 kr äv. a total of..., ...all told
sammansatt om t.ex. ord, tal, ränta compound; av olika beståndsdelar composite; komplicerad complicated, complex; *vara ~ av* bestå av be composed (made up) of, consist of
sammanslagning uniting; fusion merger, fusion; av kapital o.d. pooling
sammanslutning förening association, society, club; sammanslutna organisationer union, amalgamation; syndikat combine; polit. union
sammansmältning fusion
sammanställa put together, compile
sammanställning putting together; av t.ex. antologi compilation; kombinerande combination
sammanstötning kollision collision; mindre stöt knock; kamp clash; mil. encounter; konflikt conflict
sammansvetsad bildl. closely united (knit)
sammansvärjning conspiracy, plot
sammansättning 1 det sätt varpå ngt är sammansatt composition, make-up; t.ex. riksdagens constitution; struktur structure; kombination combination **2** språkv. compound
sammanträda meet; hålla ett möte hold a meeting
sammanträde [committee] meeting; parl. o.d. sitting; *han sitter i (är på) ~* he is having (is at) a meeting, he is in a conference
sammanträffa råkas meet; *~ med ngn* meet a p.; händelsevis run across a p.
sammanträffande 1 möte meeting **2** *~* av omständigheter coincidence
samme se *samma*
sammet velvet
sammetslen o. **sammetsmjuk** velvety, velvet...
samordna co-ordinate
samordning co-ordination
samproduktion co-production
samregering joint government (rule)
samråd consultation; *i ~ med* in consultation with
samråda consult each other; *~ med ngn* consult (confer with) a p.
samröre dealings, collaboration; *ha ~ med* have dealings (collaborate) with
sams a) *vara ~* vänner be [good] friends, be on good terms [with each other]; *bli ~ igen* be friends again, make it up **b)** *vara ~* eniga be agreed, agree [*om ngt* on (about) a th.]
samsas 1 a) trivas tillsammans *~ [bra]* get on well **b)** enas agree **2** dela *~ om* t.ex. utrymmet share
samspel mus. el. teat. o.d. ensemble; sport. teamwork; bildl. interplay
samspråk talk; förtroligt chat; *komma (slå sig) i ~ med* get into conversation with
samspråka talk; småprata chat
samstämd harmonierande attuned
samstämmig överensstämmande ...in accord, concordant; enhällig unanimous

samsändning radio. el. TV. joint (simultaneous) broadcast (transmission)
samt and [also]; tillsammans med [together (along)] with
samtal conversation; diskussion discussion; intervju interview; dialog dialogue; tele. call
samtala talk, converse; ~ *om* diskutera äv. discuss
samtalsterapi psykol. conversational therapy
samtalsämne topic, topic (subject) of conversation (polit. o.d. discussion); *byta* ~ change the subject
samtid, *~en* a) vår tid our age (time), the age in which we live (are living); den tiden that period (age, time) b) våra (hans etc.) samtida our (his etc.) contemporaries pl.
samtida contemporary; *hans* ~ subst. adj. his contemporaries
samtidig i samma ögonblick simultaneous
samtidigt at the same time
samtliga fören. all the...; självst. all [of them (resp. us etc.)]; *deras* (*våra*) ~ tillgångar all their (our)...; ~ *närvarande* subst. adj. all those present
samtycka consent; foga sig acquiesce
samtycke consent; bifall assent; gillande approval, approbation, sanction; *ge sitt* ~ äv. consent; bifalla assent
samvaro being together; tid tillsammans time together; umgänge relations, intercourse; samkväm get-together
samverka co-operate; förena sig unite
samverkan co-operation; koordination co-ordination; gemensam aktion joint action; *i nära* ~ *med* in close co-operation with
samverkande t.ex. faktorer concurrent; ömsesidigt verkande interacting
samvete conscience; *ha dåligt* ~ *för ngt* have a bad conscience about (because of) a th.; *ha rent* ~ have a clear conscience; *lätta sitt* ~ relieve (ease) one's conscience; genom att erkänna make a clean breast of it
samvetsbetänkligheter scruples
samvetsfrid ease of conscience (mind); *ha* ~ have a clear conscience
samvetsfråga delicate question; samvetssak matter (point) of conscience
samvetsgrann conscientious; ytterst noggrann scrupulous
samvetskval pangs (qualms) of conscience
samvetslös ...without any conscience; föga nogräknad unscrupulous
samvetssak matter (point) of conscience
samvälde, *Brittiska ~t* the British Commonwealth [of Nations], the Commonwealth
samåka car-pool; *vi samåker till jobbet* äv. we share one car to work
samåkning car-pooling
sanatorium sanatori|um (pl. äv. -a); amer. äv. sanitari|um (pl. äv. -a)
sand sand; grövre el. bildl. grit
sanda mot halka grit
sandal sandal
sandbank sandbank
sandbil gritting lorry (truck); vard. gritter; amer. sandtruck
sandbotten sand[y] bottom
sandfärgad sand-coloured; om tyg ofta drab
sandig sandy
sandkorn grain of sand
sandlåda för barn att leka i sandpit; amer. sandbox
sandning mot halka gritting
sandpapper sandpaper; *ett* ~ a piece of sandpaper
sandpappra sandpaper
sandsten sandstone
sandstorm sandstorm
sandstrand [sandy] beach
sandsäck sandbag
sandwich ung. canapé, sandwich
sandöken sand desert
sanera 1 t.ex. stadsdel clear...of slums; t.ex. i fastighet renovate; riva pull down **2** bildl. reconstruct; rationalisera rationalize; t.ex. veckopressen clean up; finanserna o.d. put...on a sound basis **3** avlägsna a) radioaktivitet decontaminate b) olja clear[...of oil] c) giftgas degas
sanering 1 av stadsdel o.d. slum-clearance; t.ex. av fastighet renovation; rivning pulling-down **2** bildl. reconstruction; rationalisering rationalization; av t.ex. veckopressen cleaning-up **3** avlägsnande av a) radioaktivitet, smitta decontamination b) olja clearing [...of oil] c) giftgas degasification
sanitetsbinda sanitary towel (amer. napkin)
sanitetsgods o. **sanitetsporslin** sanitary ware
sanitetsvaror sanitary articles
sanitär sanitary; ~ *olägenhet* private nuisance
sank I *s, borra* (*skjuta*)...*i* ~ sink **II** *adj* sumpig swampy
sankmark marsh
sankt saint (förk. St, St., S)
sanktbernhardshund St. Bernard [dog]
sanktion sanction
sanktionera sanction
San Marino San Marino
sann true; verklig real; äkta genuine; *en* ~ *berättelse* a true story; det var en upplevelse! *-Ja, inte sant?* ...Yes, wasn't it (don't you think so)?; *det var* [*så*] *sant* jag skulle ju [oh,] I am forgetting,...; apropå by the way (that reminds me),...
sanna, ~ *mina ord!* mark my words!, you will see!

sanndröm dream that comes (resp. came) true
sannerligen verkligen indeed; i högre stil in truth; förvisso certainly; *det är ~ inte för tidigt* it is certainly not too soon
sanning truth; verklighet reality, fact; *~ens ögonblick (minut, stund)* the moment of truth; *säga ngn ett ~ens ord* tell a p. a few home truths
sanningsenlig truthful, veracious; sann true; trogen faithful
sanningshalt degree of truth[fulness]
sannolik probable; *det är ~t att han kommer* äv. he is [very] likely to come
sannolikhet probability äv. matem.; likelihood; *med all ~* in all probability
sannolikt probably, very (most) likely; *han kommer ~ inte* äv. it is not likely he will come, he is not likely to come
sannspådd, *han blev ~* his prophecies (predictions) came true
sans medvetande *förlora (mista) ~en* lose consciousness, become unconscious; *komma till ~ [igen]* recover one's senses, come round
sansa, *~ sig* lugna sig calm down, sober down
sansad besinningsfull sober[-minded]; samlad collected; vettig sensible; modererad moderate; *lugn och ~* calm and collected (composed)
sanslös 1 medvetslös unconscious, senseless **2** besinningslös frantic **3** meningslös meaningless, senseless
sardell anchovy
sardin sardine
Sardinien Sardinia
sarg kant border, edging; ram frame; *~en* i ishockey the sideboards pl.
sarga skada lacerate äv. bildl.; skära cut [...badly]; såra wound; illa tilltyga mangle
sarkasm sarcasm
sarkastisk sarcastic; vard. sarky
sarkofag sarcophag|us (pl. vanl. -i)
s.a.s. förk., se under *3 så I 1*
satan 1 den onde Satan **2** i kraftuttr. *ett ~s oväsen* a bloody row, a (the) devil of a row; jfr *fan 2*
sate devil, fiend; *stackars ~* poor devil
satellit astron., TV. el. bildl. satellite
satellitstat polit. satellite state
satellitsändning TV. satellite transmission; *en ~* a satellite broadcast
satin textil. satin
satir satire
satiriker satirist
satirisk satiric[al]
satkärring o. **satmara** vard. bitch, cow
sats 1 språkv. sentence; om t.ex. huvud~ el. bi~ vanl. clause **2** ansats takeoff; *ta ~* take a run **3** mus. movement **4** uppsättning set **5** kok., vid bakning o.d. batch
satsa I *tr* stake; riskera venture; investera invest; *~ 100 kr på* en häst stake (put, bet) 100 kr. on... **II** *itr* **1** göra insatser (i spel) make one's stake[s]; *~ på* hålla på bet on, put one's money on; t.ex. häst äv. back; lita till pin one's faith (hope) on; inrikta sig på go in for, concentrate on; försöka få make a bid for; *~ på fel häst* back the wrong horse äv. bildl. **2** ta sats take a run
satsdel språkv. component part of a (resp. the) sentence; äv. clause element; *ta ut ~arna [i en mening]* analyse a sentence
satslära språkv. syntax
satsmelodi språkv. [sentence] intonation
satsning i spel staking; inriktning concentration; försök bid; *en djärv (bred) ~* a bold venture
satt undersätsig stocky
sattyg vard.: rackartyg mischief; elände damned nuisance (thing, business); *ha något ~ för sig* be up to mischief
satunge vard. little brat (devil)
Saturnus astron. el. mytol. Saturn
Saudi-Arabien Saudi Arabia
saudiarabisk Saudi Arabian
sav bot. sap
savann savanna[h]
sax 1 att klippa med scissors pl.; större, t.ex. plåt~ shears pl.; *en ~* a pair of scissors etc.; ibl. a scissors **2** vard., saxofon sax
saxa 1 *~ ngt ur* en tidning a) klippa cut a th. out of... b) citera take a th. over from... **2** korsa cross; *~ skidorna* i uppförsbacke herringbone **3** segel wing [out]
saxofon saxophone
scanner tekn. scanner
scarf scarf (pl. äv. scarves)
scen på teater stage; del av akt el. bildl. scene; *ställa till en ~* make (create) a scene; *bakom ~en* behind the stage (the scenes äv. bildl.)
scenarbetare stage hand
scenario teat. el. film. scenario (pl. -s) äv. bildl.
sceneri teat. el. film. scenery
sceningång stage door
scenisk stage...; ibl., verkan theatrical
scenograf teat. stage (set) designer
scenografi teat. stage (set) design
scenvana stage (acting) experience
schabbla, *~ med* trassla till mess up, make a mess of
schablon tekn. template, templet, gauge; för målning stencil; friare pattern
schablonavdrag i självdeklaration standard (general) deduction
schablonmässig ...made to pattern, stereotyped; friare conventional, mechanical

schack I *s* **1** spel chess **2** hot mot kungen i schack check; *stå i ~* be in check; *hålla...i ~* bildl. keep...in check **II** *interj* check!; *~ och matt!* checkmate! **III** *adj, göra ngn ~ och matt* checkmate a p.
schackbräde chessboard
schackdrag move [in chess]; bildl. move
schackmatt checkmate; vard., utmattad all in
schackparti game of chess
schackpjäs chessman (pl. chessmen)
schackra traffic, buy and sell; idka byteshandel barter äv. bildl.; köpslå, äv. bildl.: *~ med (om) ngt* bargain for (with) a th.
schackruta chessboard square
schackrutig chequered
schackspel konkr. chess set
schackspelare chessplayer
schakal zool. jackal
schakt tekn. el. gruv. shaft; bildl. depth[s pl.]
schakta excavate, bulldoze; t.ex. lös jord remove; *~d grop* excavation
schal o. **schalett** se *sjal* o. *sjalett*
schalottenlök shallot
schampo shampoo (pl. -s)
schamponera shampoo
schamponering shampoo (pl. -s)
scharlakansfeber scarlet fever, scarlatina
scharlakansröd scarlet
schasa, *~ [bort]* shoo [away]
schattering shading; nyans shade
schatull casket; skriv~ writing case; med matsilver canteen
schavott scaffold
schejk sheik
schema t.ex. arbets~, rörelse~ schedule; t.ex. färg~ scheme; diagram diagram; skol. timetable; amer. [time] schedule; *lägga [ett] ~* skol. make a timetable (amer. schedule)
schemabunden timetabled
schemalagd timetabled
schematisk schematic; *en ~ framställning* an outline, a general (rough) outline
schimpans chimpanzee
schism schism
schizofren psykol. **I** *adj* schizophrenic **II** *subst adj* schizophrenic; vard. schizo
schizofreni psykol. schizophrenia
schlager [song] hit
schlagerfestival hit-song contest (festival)
schlagersångare popular singer
schnitzel kok. schnitzel
schottis schottische; *dansa ~* dance (do) the schottische
Schwarzwald the Black Forest
Schweiz Switzerland; *franska ~* French-speaking Switzerland
schweizare Swiss (pl. lika)
schweizerfranc myntenhet Swiss franc
schweizerost Swiss cheese; emmentaler Emmenthal
schweizisk Swiss
schweiziska kvinna Swiss woman
schvung fart go, dash
schyst vard. decent; se vid. *2 just*
schäfer zool. Alsatian [dog]; amer. German shepherd [dog]
scientologi scientology
scone kok. scone
scoop pangnyhet scoop
scout scout; flick~ guide, amer. girl scout
scoutledare scoutmaster
scripta TV. el. film. script (continuity) girl
se I *tr* o. *itr* see; titta look; märka notice; uppfatta perceive; åse witness; *om jag inte ~r fel* if my eyes do not deceive me; *jag ~r saken annorlunda* I take a different view of the matter; *jag såg honom komma* I saw him come (honom när han (hur han) kom him coming); *få* råka *~* see; ngn, ngt äv. catch sight of; *få ~ nu* let's see now; *du ska [få] ~ att han kommer* I bet he will come; he will come, you'll see; *väl (illa) ~dd* popular (unpopular); *ekonomiskt ~tt* economically; ur ekonomisk synpunkt from an economic point of view; *jag ~r av* brevet I see (find, learn) from...; *jag ~r för mig* hur det ska se ut I can visualize (just see)...; *~ på TV* watch (look at) TV **II** *rfl, ~ sig i spegeln* look (have a look) at oneself in the mirror

III med beton. part.

~ **efter a)** ta reda på see; leta look; *~ efter [om det finns] i* lådan look (have a look) [for it] in... **b)** övervaka look after; passa mind, have an eye to

~ **fram [e]mot** glädja sig åt look forward to

~ **sig för** look out, take care; gå försiktigt watch one's step

~ **igenom** look (flyktigt run) through; granska revise

~ **ned på** bildl. look down on; förakta äv. despise

~ **om a)** se på nytt see...again **b)** se till look after; beställa om look to; sköta om attend to; *~ om sitt hus* bildl. set (put) one's house in order **c)** *~ sig om* vända sig look round; *~ sig om efter* söka look about (round, out) for **d)** *~ sig om (omkring) [i staden]* look (have a look) round [the town]

~ **på** look on; iakttaga watch; *~r man på!* överraskat well, what do you know!; jo jag tackar jag I say!, well, well!; då man får syn på ngn well, look who's here!

~ **till a)** see; få syn på catch sight of; *jag ~r inte till honom mycket* numera I don't see much of him... **b)** se *se efter b* **c)** styra om see to; *~ till att* ngt görs see [to it] that...

~ **upp a)** titta upp look up; *~ upp till* beundra look up to **b)** akta sig look (isht

amer. watch) out; vara försiktig take care; ~ *upp för* bilen, trappsteget*!* mind...!
~ **ut a)** titta ut look out **b)** ha visst utseende look; ~ *ut att* inf. look like ing-form; verka seem to inf.; ~ *ut som om* look (verka seem) as if; *hur ~r jag ut i håret?* how does my hair look?; *så här ~r ut!* what a state (mess) things are in here!; *det ~r ut att bli regn* it looks like rain
~ **över** se igenom look over; gå över overhaul; revidera revise
seans sammankomst seance; sittning sitting
sebra zebra
sebu zool. zebu
sed bruk custom; praxis practice; sedvana usage; *~er* moral morals; uppförande manners; *han har för ~ att* inf. it is his custom to inf.; *såsom ~ är* as the custom is; *man får ta ~en dit man kommer* when in Rome [you must] do as the Romans do
sedan (*sen*) **I** *adv* **1** därpå then; senare later [on]; efteråt afterwards; efter det after that; *vad kommer ~?* what comes after this (that)?, what comes next?; *och ~ då?* [and] what then?; *det är ett år ~ nu* it is a year ago now **2** vard. *än sen då?* iron. so what? **II** *prep* alltsedan: vid uttr. för tidpunkt since; vid uttr. för tidslängd for; ~ *dess* since [then]; *hon bor utomlands ~ flera år* [*tillbaka*] she has been living abroad for several years [past] **III** *konj* alltsedan since; efter det att after; när when; [*ända*] ~ *jag kom hit* (*reste*) [ever] since I came here (I left)
sedel banksedel banknote, note; amer. äv. bill; *sedlar* äv. paper [money] sg.
sedelautomat för bensin cash-operated fuel pump
sedelärande moral, moralizing; *en ~ berättelse* a story with a moral [to it], a cautionary tale
sedermera längre fram later on; efteråt afterwards
sedesam modest; tillgjort blyg demure
sedeslös immoral; förfallen depraved
sediment sediment äv. geol.
sedlig moral; filos. ethical
sedlighetsbrott jur. ngt åld. sexual offence; ~ *mot minderårig* sexual offence against a minor
sedlighetspolis o. **sedlighetsrotel** vice squad
sedvanlig customary; vanlig usual; vedertagen accepted
sedvänja custom; praxis practice; *mot ~n* contrary to custom
seeda sport. seed; *~d spelare* seeded player, seed
seg allm. tough; trögflytande viscous; trådig ropy; klibbig sticky; envis stubborn; långtråkig long-winded
segdragen long drawn-out
segel sail äv. koll.; *bärga ~* take in sail; *sätta ~* set (gå till segels äv. make) sail
segelbar navigable
segelbåt sailing boat; större yacht
segelduk sailcloth
segelfartyg sailing ship; mindre sailing vessel
segelflyg flygning sailplaning
segelflygning 1 se *segelflyg* **2** färd sailplane (gliding) flight
segelflygplan sailplane; glidplan glider
segelsport yachting
segeltur sailing trip; *göra* (*vara ute på*) *en ~* äv. go (be out) for a sail
seger victory; sport. äv. win; besegrande conquest; isht bildl. triumph
segerherre se *segrare*
segerrik victorious, triumphant; sport. äv. winning
segertåg triumphal procession (bildl. progress, march)
segerviss om pers. ...confident of victory; triumferande triumphant
segeryra flush of victory
segflytande viscous
seghet toughness; leatheriness; viscosity; ropiness; stickiness; hardiness; tenacity; stubbornness etc.; jfr *seg*
segla I *itr* o. *tr* allm. sail äv. bildl.; i regelbunden trafik run; *båten ~r bra* ...is a good sailer; ~ gå i trafik *på London* ply the London route
II med beton. part.
~ **förbi** tr. o. itr. sail past, pass
~ **omkring i** skärgården cruise...
~ **upp** bildl., se [*vara under*] *uppsegling*
~ **över** havet sail across...; ~ *över till...* sail to...
seglare 1 pers. yachtsman **2** segelfartyg sailing vessel; *en bra ~* a good sailer
seglarskola sailing school
seglats segeltur sailing tour (trip); kryssning cruise; längre sjöresa voyage; *vara ute på ~* be out sailing (out for a sail)
segling 1 seglande sailing **2** segeltur sailing tour osv., se *seglats; ~ar* regatta [yachting] regatta sg.
seglivad tough, hardy; *seglivat rykte* persistent rumour
segment geom. el. zool. el. språkv. segment
segna, ~ *till marken* sink to the ground
segra win; vinna seger be victorious; isht bildl. triumph; ~ *i en tävling* win a competition
segrande om t.ex. här conquering; om t.ex. lag winning; segerrik victorious; *gå ~ ur striden* come out of the struggle victorious[ly]
segrare allm. victor; i tävling winner; besegrare conqueror

segregation segregation
segregera segregate
segsliten utdragen long drawn-out; svårlöst vexed
seismograf seismograph
seismologi seismology
seismologisk seismological
sej coalfish
sejdel tankard; utan lock mug
sekatör pruning shears pl., secateurs pl.; *en* ~ a pair of pruning shears (secateurs)
sekel century
sekelgammal a) hundraårig century-old..., hundred-year-old... **b)** månghundraårig centuries old
sekelskifte, *vid ~t* at the turn of the century
sekret fysiol. secretion
sekretariat secretariat
sekreterare secretary
sekretess secrecy
sekretion fysiol. secretion
sekretär bureau (pl. -x), secretaire; amer. writing desk
sekt relig. m.m. sect
sektion avdelning section; univ. branch; frontavsnitt sector
sektor sector; *den statliga* (*offentliga*) *~n* the public sector
sekularisering secularization
sekund second; vard. sec; *fem meter i ~en* sjö. five metres per second
sekunda sämre second-rate
sekundmeter metre per second (pl. metres per second)
sekundvisare på klocka second-hand
sekundär secondary; *av ~ betydelse* äv. of subordinate importance
sekvens sequence äv. mus.
sela, ~ [*på*] en häst harness...
seldon harness
sele harness; för barn: bär~ baby (kiddy) carrier; att leda barn med reins
selektiv selective
selen kem. selenium
selleri blek~ celery; rot~ celeriac; vild wild celery
semantik språkv. semantics
semester holiday[s pl.]; isht amer. vacation; *han har* (*är på*) ~ he is on holiday
semesterby holiday camp
semesterersättning holiday compensation
semesterfirare holiday-maker; amer. vacationist
semesterort holiday resort
semesterstängning holiday closing
semestra ha semester be on holiday (amer. vanl. vacation); tillbringa semestern spend one's holiday etc.; amer. äv. vacation
semifinal semifinal; *gå till ~*[*en*] get to (go to, enter) the semifinals
semikolon semicolon
seminarium undervisningsform o.d. seminar äv. personer o. lokal
semitisk Semitic
semla bun filled with cream and almond paste [eaten during Lent]
1 sen se *sedan*
2 sen 1 mots. tidig late; *till ~a kvällen* until late in the evening; *det börjar bli ~t* it is getting late **2** senfärdig slow; *inte vara ~ att* inf. not be slow (vara redo always be ready) to inf.
sena sinew; anat. äv. tendon; på racket string
senap mustard
senapskorn mustard seed (pl. seed[s])
senare I *adj* mots. tidigare later; mots. förra latter; nyare [more] recent; efterföljande subsequent; kommande future; *den* (*det, de*) ~ självst. the latter; *på ~ år* de här åren in the last few years; nyligen in recent years **II** *adv* later; längre fram later on; efteråt afterwards; framdeles subsequently; nyligen more recently; *~ på* dagen later [on] in...; *en dag ~* one day later (efteråt after, afterwards)
senarelägga möte o.d. hold...later (...at a later date)
senast I *adj* latest; sist i ordning last; *de ~e dagarnas händelser* the events of the last few days; han har varit sjuk *de ~e veckorna* ...for the last (past) few weeks **II** *adv* **1** mots. tidigast latest; mots. först last; så sent som as late as; *jag såg honom ~ i* London the last time I saw him was in...; jag såg honom *~ igår*...only (as late as) yesterday **2** inte senare än at the latest; [*allra*] *~ i* morgon ...at the [very] latest
senat senate
senator senator
sendrag cramp
senfärdig slow, tardy; sölande dilatory
sengångare zool. sloth
senig sinewy
senil senile
senilitet senility
senior I *adj* senior; Bo Ek ~ (förk. *sen., s:r*) ...Senior (förk. Sen., Sr.) **II** *s* sport. senior
sensation sensation; *göra* (*vålla*) *stor ~* create (cause) a great sensation
sensationell sensational
sensmoral moral
sensuell sensual
sent late; *bättre ~ än aldrig* better late than never; *gå och lägga sig ~* go to bed late; ss. vana keep late hours; *komma för ~ till* middagen a) inte passa tiden be late for... b) gå miste om be (come) too late for...
sentens maxim, sententious phrase
sentida nutida (attr.) ...of our days
sentimental sentimental; neds.: om t.ex. tal, vard. sloppy

sentimentalitet sentimentality; neds. mawkishness
separat I *adj* separate; särskild special **II** *adv* separately; boken sänds ~ ...under separate cover
separation separation
separatiströrelse polit. separatist movement
separera separate
september September (förk. Sept.); jfr *april* o. *femte*
septett mus. septet
serb Serb[ian]
Serbien Serbia
serbisk Serb[ian]
serbiska språk Serbian
serbokroatisk Serbo-Croatian
serbokroatiska språk Serbo-Croatian
serenad serenade
sergeant ung. sergeant
serie 1 series (pl. lika); följd sequence; radio. el. TV. series; följetong serial; sport. league **2** [*tecknad*] ~ comic strip, cartoon; *~rna* äv. the comics (vard. funnies)
seriefigur character in a comic strip
seriekrock trafik. multiple collision
serietidning med tecknade serier comic [paper]
serietillverkad mass-produced
seriös serious; högtidlig solemn
serpentin pappersremsa streamer
serpentinväg serpentine road
serum med. serum (pl. äv. sera)
serva I *itr* sport. serve **II** *tr* **1** vard., förse ~ *ngn med ngt* supply a p. with a th. **2** vard., reparera o.d. ~ *bilen* have the car serviced
serve sport. service
servegame sport. service game
servera I *tr* serve; bjuda omkring hand round; hälla i pour out; lägga upp dish (serve) up; ~ *ngn* kött serve a p. with (lägga för help a p. to)...; *det är ~t* dinner is served (ready) **II** *itr* serve (wait) at table; amer. wait [on] table
servering 1 betjäning service; uppassning waiting; utskänkning serving **2** lokal restaurant; på järnvägsstation o.d. refreshment room, buffet; bar~ cafeteria
serveringsavgift service charge (fee); dricks tip
serveringsbord serving table
servett [table] napkin, serviette
service service; friare facilities; *lämna bilen på* ~ hand in the car to be serviced
servicebox bank. night safe; amer. night depository
servicebutik after-hours supermarket
servicehus block of service flats (apartments) [for the elderly or disabled]
servicelägenhet flat (apartment) in a block of service flats [for the elderly or disabled]
serviceyrke service occupation
servil servile; fjäskande cringing
servis porslin etc. service
servitris waitress
servitör waiter
servostyrning tekn. power steering
ses råkas meet; *vi ~ inte mycket* numera we don't see much of each other...
sesamfrö bot. el. kok. sesame seed (koll. seeds)
session session; parl. äv. sitting; friare meeting
set set äv. i tennis; i bordtennis el. badminton game; *ett* ~ kläder a set of...
setboll tennis o.d. set point; i bordtennis el. badminton game ball
setter zool. setter
sevärd ...[well] worth seeing; märklig remarkable
sevärdhet konkr. thing worth seeing; *~erna i* staden vanl. the sights of...
1 sex six
2 sex det sexuella sex; *ha ~ med* have sex with, make love to; för sms. se äv. *sexual-* sms.
sexa 1 six; jfr *femma* **2** måltid light supper
sexcylindrig six-cylinder..., jfr *femcylindrig*
sexhörning hexagon
sexig vard. sexy
sexliv sex life
sexsymbol sex symbol
sextant isht sjö. sextant
sextett mus. sextet
sextio sixty
sextionde sixtieth
sexton sixteen
sextonde sixteenth; jfr *femte*
sextondelsnot mus. semiquaver; amer. sixteenth note
sexualbrott sex crime
sexualdrift sexual (sex) drive
sexualförbrytare sex criminal; jur. sexual offender
sexualitet sexuality
sexualliv sexual (sex) life
sexualundervisning sex instruction
sexualupplysning information on sex[ual] matters
sexuell sexual, sex; *~a frågor* (*ting*) sexual (sex) matters
Seychellerna the Republic of Seychelles
sfinx sphinx
sfär sphere
sfärisk spherical
shah shah
sheriff sheriff
sherry sherry
Shetlandsöarna Shetland, the Shetlands

shoppa shop; *gå (vara ute) och ~* go (be out) shopping
shoppingcenter o. **shoppingcentrum** shopping centre, mall
shoppingväska shopping bag
shorts shorts; *ett par ~* a pair of shorts
si, *det är lite ~ och så med det* inte mycket bevänt med it isn't up to much; inte så noga med it is a bit haphazard
sia prophesy
siamesisk Siamese; *~a tvillingar* Siamese twins
siameskatt Siamese (pl. lika)
siare seer
Sibirien Siberia
Sicilien Sicily
sicksack, *i ~* [in a] zigzag; *gå i ~* vanl. zigzag
sicksacka zigzag
SIDA (förk. för *Swedish International Development Authority*) SIDA
sid|a 1 allm. side; egenskap point; aspekt aspect; håll part; flank flank; riktning direction; *~ vid ~* side by side; i jämbredd abreast; det är *hans starka ~* his strong point; *visa sig från sin bästa ~* appear at one's best, show to advantage; *från svensk ~ har man...* the Swedes have..., Sweden has...; *han står på vår ~* he is on our side, he is with us; nöjet är *helt på min ~* ...all mine; han förtjänar lite *vid ~n om* ...on the side; *gå åt ~n* step aside **2** i bok page; *se ~[n] 5* see page 5; *~ upp och ~ ned* page after page
sidbena, *ha ~* have one's hair parted at the side
sidbyte i bollspel change of ends
siden silk; blus *av ~* äv. silk...
sidentyg silk material (fabric); *~er* äv. silks
sidfläsk rökt el. saltat bacon
sidhänvisning page reference
sidled, *i ~* sideways, laterally
sidlinje sport. sideline; fotb. touchline
sidnummer page number
sidoblick side (sidelong) glance (look)
sidogata side street
sidospår järnv. sidetrack äv. bildl.; siding; *komma in på ett ~* bildl. get on to a sidetrack, get sidetracked
sidovind side wind; flyg. cross wind
sidoväg biväg side road
sierska seeress
siesta siesta; *ha (ta) ~* take a siesta
sifferminne, *ha [bra] ~* have a [good] memory for figures
siffra allm. figure; enstaka ~ i flersiffriga tal digit; antal number; *romerska siffror* Roman numerals; skriva *med siffror* ...in figures
sifon siphon
sig 1 *~ [själv]* mask. himself; fem. herself; neutr. itself; pl. themselves; bl.a. syftande på pron. 'man' (eng. 'one') oneself; *man måste försvara ~* one must defend oneself, you must defend yourself **2 a)** *hon hade inga pengar på ~* she hadn't any money about her **b)** *han tvättade ~ om händerna* he washed his hands **c)** *han sade ~ vara* nöjd he said that he was... **d)** utan direkt motsv. i eng. *föreställa (inbilla) ~* imagine, fancy **e)** *gråta ~ till sömns* cry oneself to sleep **f)** *rädd av ~* [inclined to be] timid; han hade *ingenting på ~* ...nothing on; *gå hem till ~* go home
sightseeing sightseeing; tur sightseeing tour; *vara ute på ~* be out sightseeing
sigill seal
sigillring seal ring
signal signal; ringning ring
signalement description; kännetecken distinguishing mark
signalera I *tr* signal; varsko om announce **II** *itr* signal; med signalhorn sound the horn
signalhorn horn
signatur signature; namnförkortning initials
signaturmelodi signature tune
signera sign
signifikativ significative; typisk typical; betydelsefull significant
signum särmärke distinguishing mark, characteristic; namnförkortning initials
sik zool. lavaret; vitfisk whitefish
1 sikt såll sieve; grövre för t.ex. grus screen; för hushåll strainer
2 sikt 1 möjlighet att se visibility; oskymd utsikt view; *dålig (god) ~* poor (good) visibility **2** tidrymd *på ~* in the long run; *på kort ~* at short sight
1 sikta sålla sift; t.ex. grus screen; i kvarn bolt
2 sikta *itr* aim äv. bildl.; *~ högt* aim high äv. bildl.
sikte sight äv. på skjutvapen; mål aim; *ta ~ på* ngt aim at...; bildl. äv. have...in view; arbeta *med ~ på framtiden (på att* inf.) ...with an eye to the future (with a view to ing-form); *förlora...ur ~* lose sight of...
sil 1 redskap strainer; durkslag colander **2** sl., narkotikainjektion shot
sila I *tr* strain **II** *itr* om t.ex. vatten trickle; om ljus filter; *ett ~nde regn* a gentle steady rain
silduk för silning straining-cloth
silhuett silhouette
silikon kem. silicone
silikos med. silicosis
silke silk; väv *av ~* äv. silk...
silkeslen silky, silken båda äv. bildl.
silkesmask silkworm
silkespapper tissue paper
silkestråd silk filament; sysilke silk thread
silkesvantar, *behandla ngn med ~* bildl. treat a p. with kid gloves

sill herring; *inlagd* (*salt*) ~ pickled (salt) herring
sillfiske sillfiskande herring fishing
silo silo (pl. -s)
silver 1 silver **2** sport., andra plats silver medal
silverarmband silver bracelet, jfr äv. *guld* o. sms.
silverbröllop silver wedding
silverfat silver dish (tallrik plate); bildl. silver platter
silverfisk zool. silverfish
silvergran bot. silver fir
silvergruva silver mine
silvermedalj sport. silver medal
silvermedaljör sport. silver medallist
silversked silver spoon
silversmed silversmith
silverstämpel [silver] hallmark
silverte hot water with milk (cream)
simbassäng swimming-pool; inomhus swimming-bath
simblåsa zool. swim[ming] bladder
simbyxor [swimming] trunks
simdyna swimming float
simfena 1 zool. fin **2** i sportdykning *simfenor* diving flippers
simfågel web-footed bird
simfötter diving flippers
simhall [public] swimming baths (pl. lika)
simhopp hoppande diving; *ett* ~ a dive
simhud web; [*försedd*] *med* ~ webbed
simkunnig, *han är* ~ he can swim
simlärare swimming teacher (instructor)
simma swim; ~ *bra* be a good swimmer
simmare o. **simmerska** swimmer
simmig thick; om t.ex. sås well-thickened; om blick hazy
simning swimming
simpel 1 enkel simple; vanlig ordinary **2** lumpen base, common, low; grov, tarvlig vulgar
simpelt lumpet basely; *det var* ~ *gjort* it was a rotten (mean) thing to do
simsalabim hey presto
simskola swimming school
simtag stroke [in swimming]; *ta ett* ~ swim a stroke
simtur, *ta en* ~ have a swim
simtävling swimming competition
simulant isht mil. malingerer
simulator tekn. simulator
simulera I *tr* simulate, sham, feign **II** *itr* spela sjuk sham (feign) illness; isht mil. malinger
simultantolkning simultaneous interpretation (translation)
sin (*sitt, sina*) *poss pron* **a)** fören. his, her, its; med syftning på flera ägare their; med syftning på ett utsatt el. tänkt 'man' (eng. 'one') one's **b)** självst. his, hers, its [own], one's own; *vad i all* ~ *dar* gör du här? what on earth...?; *på* ~ *tid* var han in his time...; *sedan gick vi var och en till sitt* hem then each of us went home
sina go (bildl. become, run) dry: om t.ex. förråd give out; om t.ex. energi, tillgångar ebb [away]
sinekur sinecure; vard. cushy (feather-bed) job
singel 1 sport. singles (pl. lika); match singles match; *spela* ~ (*en* ~) play singles (a game of singles) **2** grammofonskiva single
singelolycka one-car accident
singelskiva grammofonskiva single
singla kasta toss; ~ *slant* toss up [a coin]; ~ *slant om* ngt toss for..., decide...by a toss-up
singular[**is**] the singular; *i* ~ in the singular
sinka fördröja delay
sinnad lagd minded; inriktad disposed; hågad inclined; *fientligt* (*vänskapligt*) ~ nation hostile (friendly)...
sinne 1 fysiol. sense; *de fem* ~*na* the five senses; *vara från* (*vid*) *sina* ~*n* be out of one's (in one's right) mind el. senses; *vid sina* ~*ns fulla bruk* in full possession of all one's senses (faculties) **2** själ mind; hjärta heart; sinnelag disposition; *ha ett vaket* (*öppet*) ~ *för* allt nytt be alert (open-minded) to...; handla *efter sitt eget* ~ ...at one's [own] discretion
sinnebild symbol
sinnelag disposition, temperament; *ett kristligt* (*vänligt*) ~ a charitable (friendly) disposition
sinnesförvirrad mentally deranged, unhinged
sinnesförvirring mental derangement; begå självmord *i* ~ ...while of unsound mind
sinnesintryck sensory impression
sinneslugn tranquillity (calmness, serenity) of mind; jämvikt equanimity
sinnesnärvaro presence of mind; *ha* ~ *nog att* inf. have the presence of mind to inf.
sinnesorgan sense (sensory) organ, organ of perception
sinnesrörelse emotion; upphetsning mental agitation (excitement)
sinnessjuk o. sms., se *mentalsjuk* o. sms.
sinnesstämning frame (state) of mind, mood
sinnessvag feeble-minded
sinnestillstånd state of mind, mental condition
sinnesundersökning mental examination
sinnevärld, ~*en* the material (external) world
sinnlig sensuell sensual; köttslig carnal; fysisk physical; som uppfattas med sinnena sensuous
sinnlighet sensuality, sensualism

sinnrik ingenious
sinom, *i ~ tid* in due [course of] time
sinsemellan between (vid fördelning m.m. among) themselves (resp. ourselves, yourselves; etc. them, us)
sionism Zionism
sipp pryd prudish
sippa bot. [wild] anemone
sippra smårinna trickle; droppvis tränga ooze; *~ fram* come oozing out, ooze forth; *~ ut* trickle (ooze, läcka leak) out samtl. äv. bildl.
sira pryda ornament
sirap treacle, [golden] syrup; amer. molasses
siren siren äv. mytol.
sirlig prydlig elegant; snirklad ceremonious
sist 1 last; i slutet at the end; *han kom [allra] ~* he came last [of all]; senare än alla äv. he was the [very] last to arrive; det har hänt mycket *sedan ~* ...since [the] last time **2** förra gången last time; *~ jag var där* [the] last time I was there, when I was there last
sista (*siste*) last; senaste latest; slutlig final; *på ~ bänk* i sal o.d. in the back row; *[den] ~ delen* the last (av två the latter) part; *den ~ [i månaden]* [ss. adv. on] the last of the month
siste se *sista*
sistnämnd|a last-mentioned; *den ~ (-e)* av två äv. the latter
sistone, *på ~* lately
sisu never-say-die attitude (spirit)
sits 1 seat **2** situation, läge (vard.) *vi är i (har) en besvärlig ~* we are in a real fix (spot)
sitt se *sin*
sitt|a I *itr* **1** om levande varelser sit; sitta ned sit down; vara, befinna sig be; stanna stay, remain; *var så god och sitt!* sit down, please!, do take a seat!; *~ hemma* be (stanna stay, hålla sig stick) at home; hunden kan *~ [vackert]* ...sit up; *få ~* få sittplats get (ha sittplats have) a seat; *~ och läsa* sit (be sitting) reading; hålla på att be reading **2** om sak: vara be; ha sin plats be placed; om t.ex. sjukdom be located; hänga hang; vara satt be put (anbragt fixed, fitted); passa (om kläder) fit; inte lossna: om t.ex. spik, knapp hold; om t.ex. plåster keep in place; klänningen *-er bra* ...fits well (is a good fit); *det skulle ~ (bra) med en kopp kaffe* a cup of coffee would be very welcome
II med beton. part.
~ av avtjäna t.ex. straff serve
~ emellan: *[få] ~ emellan* bildl.: om pers. be the sufferer; om sak suffer
~ fast a) ha fastnat stick; bildl. have got stuck; vara fastklämd sit (om sak be) jammed (wedged) b) vara fastsatt be fixed; inte lossna (om t.ex. spik, knapp) hold
~ i om t.ex. skräck remain; fläcken *-er i* ...is still there (går inte ur won't come out)
~ ihop inte gå sönder hold together; vara hopsatt be put (fastened) together
~ inne a) inomhus be (hålla sig keep, stay) indoors **b)** i fängelse be in prison (vard. clink, quod); vard. do time **c)** *~ inne med* t.ex. kunskaper, upplysningar possess; upplysningar äv. be in possession of
~ kvar a) inte resa sig remain sitting (seated) **b)** vara kvar remain; om pers. äv. stay [on]; om t.ex. regering remain in office; vad man lärt sig *-er kvar [i minnet]* ...sticks [in one's memory]
~ med: *~ med i* styrelsen be a member (resp. members) of..., be on...
~ ned (**ner**) sit down
~ upp: *~ upp [på hästen]* mount [one's horse]; *~ upp i* vagnen get up into...
~ uppe a) inte lägga sig sit up; *~ uppe och vänta på* ngn sit (wait) up for... **b)** om sak: vara uppsatt be up
~ åt be tight; stark. be too tight; om kläder äv. fit tight; *den -er åt i midjan* it fits close to (stramar is too tight round) the waist; *~ hårt åt* eg. be (resp. fit) very tight
sittande *adj* om levande varelser sitting; *middagen serverades vid ~ bord* a sit-down dinner was served
sittbrunn sjö. cockpit
sittning sammanträde meeting
sittplats seat
sittplatsbiljett järnv. seat reservation [ticket]; på t.ex. stadion seat ticket
sittstrejka, *[börja] ~* go on a sit-down strike
sittvagn 1 järnv., ung. non-sleeper **2** för barn pushchair; amer. stroller
situation situation; tillfälle occasion; *~en är under kontroll* the situation is under control (well in hand); *sätta sig in i ~en* make oneself acquainted with the situation
sjabbig shabby
sjakal zool. jackal
sjal shawl; halsduk scarf (pl. äv. scarves)
sjalett kerchief
sjasa, *~ [bort]* shoo [away]
sjaskig slovenly; gemen mean
sjok t.ex. av tyg sheet; av dimma layer; friare large chunk
sju seven
sjua seven; jfr *femma*
sjuarmad, *~ ljusstake* seven-branched candlestick
sjuda seethe båda äv. bildl.; småkoka simmer; *~ av vrede* seethe (boil, simmer) with anger
sjuk 1 ill vanl. pred.; sick vanl. attr. (amer. attr. o. pred.); dålig unwell pred.; krasslig ailing; om kroppsdel bad; om kropp diseased; om

inre organ el. hjärna, sinne disordered; *bli ~ [i influensa]* fall (be taken) ill [with the flu]; *bli ~are* get worse; *jag blir ~ när jag ser...* it makes me sick to see...; *en ~ [person]* a sick person **2** friare el. bildl.: osund (t.ex. fantasi) morbid; misstänkt suspicious; skum fishy; *~ humor* sick humour

sjukanmäla, *~ sig* report sick

sjukanmälan notification of illness

sjukbädd sickbed; *vid ~en* at the bedside

sjukdag day of illness

sjukdom illness, sickness; svårare disease äv. hos djur o. växter el. bildl.; i de inre organen samt mental disorder; åkomma complaint, affection; frånvarande *på grund av ~* ...owing to illness (sickness)

sjukdomsfall case [of illness]; sjukdom illness

sjukdomsförlopp, *~et* the course of the disease (illness)

sjukersättning sickness benefit

sjukfrånvaro absence due to illness

sjukförsäkring health insurance

sjukgymnast physiotherapist

sjukgymnastik physiotherapy

sjukhem nursing home

sjukhus hospital; *ligga på ~* be in hospital

sjukhusvård hospital treatment (care)

sjukintyg allm. certificate of illness; utfärdat av läkare doctor's certificate

sjukledig, *vara ~* be on sick-leave

sjukledighet sick leave

sjuklig lidande sickly; onormal, makaber morbid; *~t begär* morbid craving

sjukling sick person; sjuklig person invalid

sjukpenning sickness benefit

sjukpension se *förtidspension*

sjukrum sickroom

sjukskriva put...on the sick-list; *vara sjukskriven [en vecka]* be on the sick-list [for a week]

sjukskötare male nurse

sjuksköterska [sick] nurse; examinerad trained nurse; manlig male nurse; på sjukhus hospital nurse

sjuksyster se *sjuksköterska*

sjuksäng sickbed

sjukvård skötsel nursing; behandling medical treatment (attendance); organisation medical service

sjukvårdare mil. medical orderly

sjukvårdsartiklar sanitary (medical) articles

sjukvårdsbiträde nurse's assistant

sjukvårdspersonal nursing (hospital) staff (personnel)

sjunde seventh; *vara i ~ himlen* be in the seventh heaven; jfr *femte* o. sms.

sjundedel seventh [part]; jfr *femtedel*

sjunga I *tr* o. *itr* sing; *~ en sång för ngn* sing a song to a p., sing a p. a song
II med beton. part.
~ **in:** *~ in* ngt *på grammofonskiva* record...; *~ in en grammofonskiva* make a record
~ **med** join in [the singing]; *~ med i* refrängen join in...
~ **ut** eg. bet. sing up; bildl. speak one's mind

sjunk|a I *itr* sink; falla fall; gå ned el. sjö., gå under go down; bli lägre subside; minska decrease; priserna *har -it* ...have fallen (gone down, declined); temperaturen *-er* ...is going down äv. om feber; ...is falling; *~ djupt* bildl. sink low; *låta maten ~* give one's food time to digest
II med beton. part.
~ **ihop** falla ihop collapse; krympa shrink
~ **ned:** *~ ned i* gyttjan sink into...; *~ ned i* en stol sink (drop, subside) into...

sjunken eg. sunken; *han är djupt ~* he has sunk very low

sjusovare pers. som sover länge lie-abed

sjuttio seventy

sjuttionde seventieth

sjutton 1 seventeen; **2** i svordomar el. vissa uttryck *~ också!* oh darn (hell)!

sjuttonde seventeenth; jfr *femte*

sjuttonhundratalet the eighteenth century

sjyst se *schyst*

sjå, *ett fasligt ~* a tough (big) job

sjåpa, *~ sig* be namby-pamby; göra sig till be affected, put it on

sjåpig namby-pamby; tillgjord affected

själ soul äv. pers.; hjärta heart; sinne mind; ande spirit; *de dödas ~ar* äv. the spirits of the dead; *vara ~en i* ngt be the [life and] soul (drivande kraften the moving spirit) of...; *med hela min ~* with all my heart (helt och hållet heart and soul)

själaglad overjoyed, delighted

själavandring relig. transmigration

själavård relig. cure of souls, pastoral cure

Själland Zealand

själlös soulless; andefattig dull, vapid; uttryckslös vacuous

själsfrände kindred spirit (soul), soul mate

själslig mental; andlig spiritual; psykisk psychic[al]

själsliv intellectual (andlig spiritual) life; känsloliv emotional life

själsstyrka strength of mind

själv I *pron* **1** jag ~ myself; du ~ yourself; han ~ himself; hon ~ herself; den, det ~ itself; vi, ni, de ~a ourselves, yourselves; *sig ~* himself osv., se *sig; jag ~* I myself; *jag har* gjort det *~* I have...myself; *hon syr sina kläder ~* vanl. she makes her own dresses **2** i adj. anv.: *~a arbetet* arbetet i sig the work itself; det egentliga arbetet the actual (regular) work; *~a[ste] kungen* the king himself (personligen in person); t.o.m. kungen even the king; *i ~a verket* in reality; faktiskt as a matter of fact, in actual fact **II** *s* filos. el. psykol. self

självaktning self-respect; *ingen* människa *med ~* no self-respecting...

självbedrägeri self-deception

självbehärskning self-control, self-mastery; fattning self-possession

självbelåten self-satisfied; egenkär complacent

självbestämmanderätt right of self-determination

självbetjäning self-service

självbevarelsedrift instinct of self-preservation

självbiografi autobiography

självdeklaration income tax return; blankett income-tax return form

självdisciplin self-discipline

självdö om djur die a natural death; bildl. die out of itself (resp. themselves)

självfallen se *självklar*

självförakt self-contempt

självförebråelse self-reproach

självförsvar self-defence

självförsörjande self-supporting; om land self-sufficient; *hon är ~* vanl. she earns her own living

självförtroende self-confidence; *ha ~* be self-confident

självförverkligande self-fulfilment

självförvållad self-inflicted

självgod self-righteous, self-conceited, self-opinionated

självhjälp self-help; *hjälp till ~* aid to helping oneself

självhushåll 1 där man tillverkar o. producerar allt själv self-subsistent household; **2** där man kan laga mat själv *lägenhet för ~* self-catering accommodation

självhäftande [self-]adhesive; attr. äv. (om t.ex. plast) stick-on

självironi irony directed at oneself

självisk selfish

självklar uppenbar obvious; naturlig natural; *det är ~t (en ~ sak)* äv. it goes without saying, it stands to reason

självklarhet självklar sak matter of course; naturlighet naturalness

självklart uppenbart obviously; naturligt naturally

självkontroll se *självbehärskning*

självkostnadspris hand. cost price; *till ~* at cost [price]

självkritik self-criticism

självkännedom self-knowledge

självkänsla self-esteem

självlockig om hår naturally curly

självlysande luminous

självlärd I *adj* self-taught **II** *subst adj* self-taught person, autodidact

självmant of one's own accord

självmedveten säker self-assured

självmord suicide; *begå ~* commit suicide

självmordsförsök attempted suicide; *göra ett ~* attempt [to commit] suicide

självmål sport. own goal; *göra ~* score an own goal

självplågare self-tormentor

självporträtt self-portrait äv. i skildring

självrisk försäkr. excess; sjöförsäkr. franchise; *försäkring med ~* excess (resp. franchise) insurance

självservering abstr. self-service; lokal self-service restaurant; cafeteria

självskriven självklar natural; *vara ~ till* en plats be just the person (the very person) for...

självspricka i huden chap

självstudier private (individual) studies

självstyre self-government äv. skol.; autonomy

självständig independent; nyskapande original; egen (attr.) ...of one's own

självsvåldig egenmäktig arbitrary, self-willed, undisciplined, self-indulgent

självsäker self-assured; alltför ~ presumptuous

självtillräcklig self-sufficient

självtorka dry by itself (resp. themselves)

självuppoffring self-sacrifice

självupptagen self-centred

självutlösare foto. self-timer

självutplåning self-effacement

självvald som man själv valt self-chosen; som valt sig själv self-elected

självändamål end in itself; *~* pl. ends in themselves

självövervinnelse, *det kräver stor ~ [för mig] att* o. inf. it takes [me] a lot of willpower to inf.

sjätte sixth; *ett ~ sinne* a sixth sense; jfr *femte* o. sms.

sjättedel sixth [part]; jfr *femtedel*

sjö insjö lake; hav sea; liten vattensamling pool; *när ~n* insjön *går upp* when the [ice on the] lake breaks up; *~n ligger* är isbelagd the lake is frozen up (over); *hoppa i ~n* jump into the water; dränka sig drown oneself; *på öppna ~n* on the open sea; *vara på ~n (till ~ss)* vara sjöman be at sea, be a sailor; *till ~ss* sjöledes by sea; på sjön at sea

sjöborre zool. sea urchin

sjöbotten i insjö *på ~* on the bottom of a (resp. the) lake; se vid. *havsbotten*

sjöduglig seaworthy

sjöfarare seafarer

sjöfart navigation; ss. verksamhet shipping; *handel och ~* trade and shipping

Sjöfartsverket the [Swedish] National Administration of Shipping and Navigation
sjöflygplan seaplane; isht amer. hydroplane
sjöfågel seabird; jakt. seafowl (pl. lika); koll. seabirds resp. seafowl
sjögräns territorial limit; mots. landgräns sea boundary
sjögräs seaweed
sjögång high (rough) sea; *det är svår ~* there is a heavy sea
sjöhäst zool. sea horse
sjöjungfru mermaid
sjökapten [sea] captain, master [mariner]
sjökort [nautical (marine)] chart
sjölejon zool. sea lion
sjöman sailor; i mera officiellt språk seaman (pl. seamen), mariner
sjömanskostym för barn sailor suit
sjömanspräst seamen's chaplain
sjömil nautisk mil nautical mile
sjömärke navigation mark
sjönöd distress at sea; *i ~* in distress
sjöodjur sea (i insjö lake) monster
sjöofficer naval officer
sjörapport väderleksrapport weather forecast for sea areas
sjöresa [sea] voyage; överresa crossing
sjöräddningstjänst sea rescue (coastguard) service
sjörövare pirate
sjösjuk seasick; *lätt bli ~* vanl. be a bad sailor
sjösjuka seasickness
sjöslag 1 mil. naval (sea) battle **2** vard., fest proper binge (booze-up)
sjöstjärna zool. starfish
sjöstridskrafter naval forces
sjösäker om båt seaworthy
sjösätta launch
sjösättning launching
sjötomt site (bebyggd piece of ground, med trädgård garden) bordering on the sea (vid insjö on a lake)
sjötunga sole
sjövatten sea water; insjövatten lake water
sjövett sea sense
sjövild vard., ursinnig raging mad; busig, om barn wild
s.k. (förk. för *så kallad*) se ex. under *3 så I 1*
ska se *1 skola*
skabb med. scabies; hos får scab
skad|a I *s* persons injury; saks damage; sjuklig förändring lesion; ont harm; lindrigare mischief; förlust loss; förfång detriment, disadvantage; *det är ingen ~ skedd* there is no harm done; vard. there are no bones broken; *få svåra -or* suffer severe injuries (om sak damage sg.), be seriously injured (hurt, om sak damaged); *ta ~ [av]* bli lidande suffer [from]; få skador, om sak be damaged [by]; *till [stor] ~ för...* [greatly] to the detriment of

II *tr* göra illa: pers. injure; sak damage; vara skadlig för be bad for; vara till skada (förfång) för be detrimental to, do harm to; försämra impair; *~ [sig i] benet* hurt (stark. injure) one's leg; *det ~r* ögonen it is bad for...; *det skulle inte ~ med* lite regn ...would not do any harm; vi skulle behöva we could do with...
skadad om pers. el. kroppsdelar injured, hurt; om sak damaged; *är han ~?* is he hurt (stark. injured)?; subst. adj.: *en ~* an injured person
skadeanmälan notification of damage (loss)
skadedjur noxious animal; koll. vermin
skadeersättning, *begära ~* claim damages (indemnification, an indemnity)
skadeglad om t.ex. min malicious; *vara ~ över* ngt take a malicious delight in...
skadeglädje delight over other people's misfortunes
skadegörelse damage
skadereglering försäkr. claims adjustment
skadeslös, *hålla* ngn *~* indemnify (gottgöra compensate)... [*för* for]
skadestånd damages; polit. reparations; *begära ~ [av ngn]* sue [a p.] for damages
skadeståndsskyldig ...liable to damages (indemnification, polit. reparations)
skadeverkan o. **skadeverkning** skada damage; skadlig verkan injurious (harmful, deleterious) effect
skadlig injurious; isht om djur o. naturföreteelser noxious; ohälsosam, om mat o. dryck unwholesome; inte bra bad; *det är ~t [för hälsan] att röka* smoking is bad for (stark. is injurious to, is deleterious to) the health
skadskjuta wound
skaffa I *tr* get; [in]förskaffa procure; anskaffa provide; få tag på get hold of; få ihop find; uppdriva (t.ex. pengar) find; köpa buy; inhämta, erhålla obtain; skicka efter send for; *~ ngn ett arbete* get a p. a job, find (procure) a job for a p.; *~ barn* raise a family **II** *rfl, ~ sig* get [oneself]; förskaffa sig procure [for oneself]; t.ex. kunskaper acquire; t.ex. vänner make; köpa sig buy oneself; inhämta, erhålla obtain; försäkra sig om, lyckas få secure; tillvinna sig gain; ådraga sig contract; förse sig med provide (supply, furnish) oneself with; *~ sig upplysning om* obtain information about

III med beton. part.
~ fram anskaffa get; åstadkomma produce
~ hem köpa hem buy; beställa hem order...[to be sent home]; varor till affär get
~ hit bring...(låta skaffa have...brought) here

skafferi larder; större pantry

skafföttes, [*ligga*] ~ [lie] head to foot (tail)

skaft på t.ex. redskap, bestick handle; längre: på t.ex. paraply shaft; på t.ex. kvast stick; stövel~ o.d. leg; bot. stalk

Skagerack the Skagerrak

skaka I *tr* allm. shake äv. bildl.; uppröra (t.ex. sinnet) agitate; underrättelsen *~de henne djupt* vanl. she was deeply shaken by...

II *itr* allm. shake; om åkdon jolt; vibrera vibrate; *jag fryser så jag ~r* I'm shivering with cold

III med beton. part.

~ **av:** ~ *av* (*bort*) snön [*från ngt*] shake...off [a th.]; ~ *av* mattan shake..., give...a shake

~ **fram** shake out; bildl. produce

~ **om:** ~ *om* ngt shake up..., shake...well

~ **sönder a)** tr. shake...to pieces **b)** itr. get shaken to pieces

skakad upprörd shaken

skakande uppskakande: om t.ex. skildring harrowing; om t.ex. nyheter upsetting

skakel skalm shaft; *hoppa över skaklarna* bildl. kick over the traces

skakig allm. shaky; om vagn jolting

skakis vard. shaky, se vid. *skraj*

skakning shaking; enstaka shake; av el. i vagn jolting; enstaka jolt; vibration vibration; med. tremor; *med en ~ på huvudet* with a shake of the head

skal hårt, på t.ex. nötter shell; mjukt: allm. skin; på t.ex. ris husk; avskalade (t.ex. potatis~) koll. peelings, parings; bildl. shell; yta exterior; *ett tomt* ~ bildl. an empty shell; *dra sig inom sitt* ~ go (retire) into one's shell

1 skala i olika bet. scale; på radio [tuning] dial; *hela ~n av* känslor the whole gamut of...

2 skala t.ex. frukt peel; ägg shell; t.ex. ris husk; t.ex. korn hull; mandel blanch

skalbagge beetle

skalbolag shell company

skald poet; fornnordisk scald

skaldjur shellfish äv. koll.

1 skall se *1 skola*

2 skall barking

skalla om trumpet o.d. blast; om sång ring out; eka resound; *ett ~nde skratt* a roar (peal) of laughter

skalle skull; vetensk. crani|um (pl. äv. -a); huvud head; vard. nut, noddle

skallerorm rattlesnake

skallgång efter bortsprungen o.d. search; efter förbrytare chase; *gå ~ efter* organize (institute) a search (resp. chase) for

skallig flintskallig bald

skallra I *s* rattle **II** *itr* rattle; *tänderna ~de på honom*

skallskada skull injury

skalm 1 skakel shaft **2** på glasögon sidepiece; amer. bow; på sax blade

skalp scalp

skalpell kir. scalpel

skalpera scalp

skalv quake

skam shame; vanära disgrace; något skamligt dishonour; stark. ignominy; ~ *den som* ger sig*!* shame on him that...!; *komma på* ~ om hopp o.d. come to nought

skamfila 1 möbeln *är ~d* ...is the worse for wear **2** *ett ~t rykte* a tarmished reputation

skamfläck stain; *han är en ~ för* sin familj he is a disgrace to...

skamkänsla sense (feeling) of shame

skamlig shameful, disgraceful, dishonourable; friare scandalous; *komma med ~a förslag* make improper suggestions; *det är verkligen ~t* äv. it is a great (crying) shame (stark. a scandal)

skamlös shameless; oblyg unblushing; fräck impudent, brazen

skampåle pillory; *stå vid ~n* bildl. be pilloried

skamsen ashamed; shamefaced; *vara* ~ be ashamed

skamvrå, *stå i ~n* stand in the corner

skandal scandal; scen [scandalous] scene; *vilken ~!* äv. what a scandalous thing!, how scandalous!; *detta är* [*en*] ~ (*rena ~en*)*!* this is a disgrace (stark., ett illdåd o.d. an outrage)!

skandalisera skämma ut disgrace

skandalös scandalous; upprörande outrageous; förargelseväckande offensive

skandinav Scandinavian

Skandinavien Scandinavia

skandinavisk Scandinavian

skans 1 mil. redoubt, earthwork, fieldwork; fäste fortlet **2** sjö. forecastle

skap|a create; grunda found; t.ex. hatkänslor engender; ~ *sig ett namn* make a name for oneself; *han är som ~d* (*-t*) *till* lärare he is a born...

skapande creative; ibl. constructive

skapare creator; av t.ex. mode el. stil originator; grundare founder

skapelse creation; *~n* världen äv. nature, the universe

skaplig tolerable, passable; vard. pretty good; rimlig, om t.ex. pris o. lön reasonable

skara troop; hord tribe; [oordnad] mängd crowd; *en ~ arbetare* a gang (team) of workmen; *en utvald* ~ a select group

skare frozen crust [on the snow]

skarp I *adj* sharp; brant steep; om smak o. lukt strong; om ljud piercing, shrill; om ljus bright; om sinnen keen; ~ *ammunition* live ammunition; ställa en fråga *i ~ belysning* ...in a bright light; *en ~ bild* foto. el. TV. a sharp picture; ~ *dager* bright (glaring)

light; *en ~ protest* a strong protest **II** *s, säga till* [*ngn*] *på ~en* tell a p. off properly
skarpsinne acumen
skarpsinnig acute, sharp-witted; om t.ex. politiker astute, shrewd
skarpsynt sharp-sighted alla äv. bildl.; jfr *skarpsinnig*
skarsnö snow with a frozen crust (a frosted surface); jfr *skare*
1 skarv zool. cormorant
2 skarv 1 fog joint; sömnad. seam; tekn., äv. t.ex. om film o. inspelningsband splice **2** förlängningsstycke lengthening-piece
skarva I *tr* o. *itr* **1** lägga till ett stycke add a piece; *~ ngt* på längden lengthen (på bredden widen) a th. [by adding a piece] **2** hopfoga join; tekn. (äv. film o. inspelningsband) splice **II** *itr* vard., överdriva exaggerate
skarvsladd extension flex (amer. cord), extension
skata zool. magpie
skatbo magpie's nest
skateboard skateboard
skatt 1 rikedom treasure äv. bildl.; samlad hoard; *~er* riches; wealth sg. **2** avgift o.d.: allm. tax; kommunalskatt (koll.) ung. local taxes; i Engl. ung. rates; på vissa varor (tjänster) duty; *~*[*er*] [rates and] taxes pl.; *lön efter ~* takehome pay (salary, wages pl.)
skatta I *tr* värdera, uppskatta estimate; *~ högt* esteem (value) highly, prize **II** *itr* betala skatt pay taxes; *han ~r för* 130 000 kr *om året* he is assessed at...a year
skatteavdrag tax deduction
skattebetalare taxpayer resp. ratepayer; jfr *skatt 2*
skattefiffel tax evasion (fiddling, dodging)
skatteflykt undandragande av skatt tax evasion (avoidance)
skattefri tax-free; om vara duty-free
skattefusk [fraudulent] tax evasion (dodging)
skattehöjning increase in taxation
skattekort preliminary tax card
skattekrona, *skatten har fastställts till 35 kronor per ~* (vid kommunal inkomstskatt) ung. the rate has been fixed at 35 per cent of the ratable income
skattekvitto bil. car tax receipt; i Engl. road licence
skattelättnad tax relief (amer. break)
skattemyndighet, *~er* tax[ation] authorities; *lokala ~en* the local tax office
skatteparadis vard. tax haven
skatteplanering tax avoidance [schemes pl.]
skattepliktig om pers. ...liable to tax[ation]; om varor o.d. taxable; *~ inkomst* taxable (assessable) income
skattereform fiscal (taxation) reform
skattesats rate of tax, tax rate
skatteskuld tax debt (liability)
skattesmitare tax evader (dodger)
skattesänkning tax reduction
skattetabell tax table
skattetryck pressure (burden) of taxation
skatteåterbäring tax refund
skattkammare treasury
skattkista treasure chest
skattsedel ung. [income-tax] demand note, notice of assessment
skattskyldig ...liable to tax[ation]
skattsökare treasure hunter
skava gnida, riva rub; skrapa scrape; *~ mot* gnida rub, chafe [against, on]
skavank fel defect, fault; ofullkomlighet imperfection; skönhetsfläck flaw
skavsår sore; jag har fått *~ på hälen* (*foten*) ...sores (a sore) on my heel (foot)
ske hända happen; hända sig come about; äga rum take place; försiggå go on; göras, verkställas be done; *det får inte ~ igen* it must not happen (occur) again, you osv. must not do it again; *det kommer att ~* en förbättring there will be...; *vad som* [*händer och*] *~r* what is going on (taking place)
sked 1 spoon; ss. mått spoonful (pl. spoonfuls); *en ~* medicin a spoonful of... **2** vävn. reed
skede tidsskede period, era; [tids]avsnitt section [of time]; fas phase; stadium stage
skeende [händelse]förlopp course [of events]; fortskridande development; process process
skela squint äv. bildl.; vard. be cock-eyed; inåt be cross-eyed; utåt be wall-eyed
skelett skeleton
skelögd squint-eyed; cross-eyed; wall-eyed; jfr *skela*
skelögdhet squint; svag. cast
sken 1 ljus o.d. light; starkt el. bländande, äv. från eldsvåda glare; bildl. (skimmer) gleam; *~et från* brasan the light of... **2** [falskt] yttre o.d. semblance, appearance[s pl.]; förevändning pretext, pretence; *~et bedrar* appearances are deceptive; *under ~ av* vänskap under a show (the semblance, the pretext, the cloak, the guise) of...
1 skena bolt; *~* [*i väg*] run away äv. bildl.; *~* rusa *omkring* rush about; *en ~nde häst* a runaway horse
2 skena järnv. el. löpskena rail; list strip; fälg rim; på skridsko blade; med. splint
skenbar apparent, seeming; illusorisk illusory; påstådd ostensible
skenbarligen apparently, to all appearances
skenben anat. shinbone; med. tibi|a (pl. -ae)
skenhelig hycklande hypocritical; i ord canting; gudsnådlig sanctimonious

skenhelighet hypocrisy; i ord cant; sanctimoniousness, false piety
skenmanöver diversion
skenäktenskap pro forma marriage
skepnad gestalt figure; form shape, guise; vålnad phantom; *i* en tiggares *~* in the guise of...
skepp 1 sjö.: allm. ship; *bränna sina ~* bildl. burn one's boats **2** arkit. nave; sidoskepp aisle
skeppa ship
skeppare [ship]master; vard. skipper
skepparhistori|a traveller's tale; *berätta -er* äv. spin a yarn
skeppning shipment
skeppsbrott [ship]wreck; *lida ~* be [ship]wrecked, suffer shipwreck; bildl. be wrecked
skeppsbruten shipwrecked; *en ~* subst. adj. a shipwrecked man (person etc.), a castaway
skeppsbyggare shipbuilder
skeppsklocka ship's bell
skeppslast cargo; *en ~* vete a cargo (shipload) of...
skeppsläkare ship's doctor
skeppsredare shipowner
skeppsrederi företag shipping company
skeppsvarv shipbuilding yard
skepsis scepticism, scepsis; amer. vanl. skepticism; tvivel doubt
skeptiker sceptic; amer. vanl. skeptic
skeptisk sceptical; amer. vanl. skeptical
sketch teat. o.d. sketch
skev 1 vind warped; sned askew end. pred.; lopsided; om leende wry **2** bildl.: om t.ex. uppfattning distorted; oriktig false
skevhet warpedness; lopsidedness; wryness; distortion; falseness; jfr *skev*
skevning flyg. bank
skevroder flyg. aileron
skick 1 tillstånd condition; isht mer beständigt ofta state; *i dåligt* (*gott*) *~* in bad (good) condition (isht om hus repair); *i sitt nuvarande ~* in its (resp. their) present state (shape); *i oförändrat ~* unchanged, unaltered; om lagförslag o.d. äv. unamended **2** uppförande behaviour; sätt [att skicka sig] manners
skicka I *tr* sända send; expediera forward, dispatch; vid bordet pass; hand., pengar remit; *~ bud efter ngn* send for a p.; *~* barnen *i säng* send...(vard. bundle...off) to bed
II med beton. part.
~ **bort** send away
~ **efter** send for
~ **hem** send home; varor äv. deliver
~ **hit** varor o.d. send...here, send...to me (us osv.); *vill du ~ hit saltet?* vid bordet would you pass [me] the salt [please]?
~ **in** send in
~ **i väg** send off; sak äv. dispatch; vard., pers. äv. bundle...off; brev post; isht amer. mail
~ **med** ngt send...along (too); bifoga, hand. enclose...; *~ med ngn ngt* send a th. with a p.
~ **omkring** send (vid bordet pass) round; t.ex. skrivelse äv. circulate
~ **tillbaka** return
~ **ut** send out; *~ ut* barnen *ur rummet* send...out of the room
~ **vidare** send (vid bordet pass) on
skickad lämpad suited
skickelse bestämmelse dispensation, decree; *ödets ~* ofta Fate
skicklig duktig clever, skilful, able; kunnig capable; kompetent competent; *en ~* arbetare (kokerska) a capable (good)...; *en ~ affärsman* a clever (slug smart) business man
skicklighet cleverness, skilfulness, skill; capability; jfr *skicklig*
1 skida 1 slida sheath **2** bot. siliqu|a (pl. -ae), silique; på ärter o. bönor pod
2 skid|a sport. ski (pl. äv. lika); *åka -or* ski; göra en skidtur go skiing
skidbacke ski slope (för skidhopp jump)
skidbindning ski binding (fastening)
skidbyxor ski (skiing) trousers
skidföre, *det är bra* (*dåligt*) *~* ung. the snow is good (bad) for skiing
skidlift skilift
skidlöpare skier
skidspår ski (upplagt skiing) track
skidstav ski stick (amer. äv. pole)
skidtur skiing tour
skidtävling skiing competition, ski race
skidutrustning skiing equipment
skidvalla ski wax
skidåkare skier
skidåkning skiing
skiffer ler~, olje~ shale; tak~ slate
skift shift; arbeta *i ~* ...in shifts
skifta I *itr* förändra sig change; isht om vind shift; omväxla med varandra alternate; *~ i rött* be shot (tinged) with red **II** *tr* **1** byta change; sjö. shift; *~ gestalt* shift (change) one's [outward] form **2** jur., fördela: arv distribute; bo, mark partition
skiftande changing osv., jfr *skifta I;* ombytlig changeable; om t.ex. vind variable; om t.ex. innehåll varied; om tyg o. färg shot; *med ~ framgång* with varying success
skiftarbete shift work
skifte 1 ombyte change **2** växling vicissitude; *i alla livets ~n* in all the vicissitudes (ups and downs) of life **3** fördelning: av arv distribution; av bo, mark partition

skiftning 1 förändring change; variation variation; ~ *i rösten* modulation of the voice **2** fördelning: av arv distribution; av bo, mark partition
skiftnyckel adjustable spanner (isht amer. wrench)
skikt layer; på film coating; geol. strat|um (pl. -a), layer båda äv. bildl.; geol. äv. bed
skild 1 åtskild separated; frånskild divorced **2** ~*a* olika different, differing, varying, various
skildra describe; isht livligare depict; t.ex. en karaktär delineate; i stora drag outline
skildring description; depiction, picture; jfr *skildra*
skil|ja I *tr* o. *itr* **1** avskilja separate; våldsamt sever; ~ *ifrån* (*av*) t.ex. kupong detach; jfr *avskilja* **2** åtskilja separate; *tills döden -jer oss åt* till death us do part **3** särskilja distinguish, differentiate; närmare discriminate; ~ *mellan* (*på*) gott och ont tell the difference between...; *kunna ~ på sak och person* be able to make a distinction between person and thing **II** *rfl,* ~ *sig* **1** allm. part; vara olik differ; *han -jer sig från mängden* bildl. he stands out in a crowd (out from the rest) **2** [*låta*] ~ *sig* get a divorce [*från* sin hustru from...]
skiljaktighet difference osv., jfr *olikhet*
skiljas 1 allm. part; ~ *som* [*de bästa*] *vänner* part [the best of] friends; ~ *åt* part [company]; om sällskap o.d. äv. break up, separate **2** ta ut skilsmässa get a divorce
skiljelinje dividing line
skiljetecken språkv. punctuation mark
skiljeväg crossroad; *stå vid ~en* bildl. be at the crossroads
skillnad olikhet difference; i storlek, åtskillnad distinction; skiljaktighet divergence; *det är ~ det!* vard., en annan sak that's quite another thing (matter)!; *till ~ från henne* unlike (in contrast to) her
skilsmässa 1 äktenskaplig divorce; *begära* (*söka*) ~ jur. sue for a divorce, start (institute) divorce proceedings **2** avsked o.d. parting; *en lång* ~ frånvaro a long separation
skilsmässobarn child of divorced parents, child from a broken home
skimmer shimmer, glimmer; månens light; brasans light; *ett romantiskt* ~ a romantic light; *ett ~ av* löje an air of...
skimra shimmer
skin|a shine; stark. blaze; bländande glare; solen (månen) *-er* ...is shining; *avsikten -er igenom* his (her osv.) purpose is only too obvious (apparent)
skingra I *tr* allm. disperse; t.ex. folkmassa scatter; t.ex. farhågor, tvivel dispel; t.ex. mystiken clear up; ~ *tankarna* divert one's mind (thoughts) **II** *rfl,* ~ *sig* se *skingras*
skingras disperse
skinka 1 kok. ham **2** kroppsdel buttock
skinn skin; fäll fell; som matta o.d. skin rug; päls[verk] fur; beredd hud leather; *fara omkring som ett torrt* ~ bustle about; *hon har ~ på näsan* she has got a will (mind) of her own, she knows what she wants; *rädda sitt eget* ~ save one's skin (vard. bacon)
skinnband full leather binding; bok *i* ~ leather-bound...
skinnflådd abraded
skinnfodrad leather-lined
skinnfåtölj leather-upholstered armchair
skinnjacka läderjacka leather jacket
skinnklädd om t.ex. möbel leather-upholstered
skinnkrage pälskrage fur collar
skinnsoffa leather sofa
skinntorr skinny, scraggy
skipa, ~ *rätt* administer justice
skippa vard. skip
skir om tyg airy; om t.ex. grönska tender; om t.ex. poesi ethereal
skira smör melt
skiss sketch
skit vard. **1** exkrementer shit; djurs droppings **2** smuts filth; svag. dirt **3** skräp [damned] junk (trash); *han gjorde inte ett* ~ he did not do a bloody (amer. goddam, vulg. fucking) thing **4** strunt *prata* ~ talk tripe (crap, balls) **5** pers. rotter; vulg. shit, bastard **6** ss. utrop ~*!* hell!; stark. shit!
skit|a I *itr* vard. shit; *det -er jag i* I don't care a damn about that, to hell with that; vulg. bugger (fuck) that **II** *tr* vard. ~ *ner* dirty osv., se *smutsa* [*ned*]
skitig vard. filthy
skitsnack vard., skitprat bullshit, balls; dösnack drivel
skitstövel vard. bastard; vulg. shit; amer. äv. asshole
skiva I *s* **1** platta o.d. plate; av trä o.d. board; tunn sheet; rund disc; grammofon~ record; bords~ top; lös leaf (pl. leaves) **2** uppskuren (av matvara) slice **3** vard., kalas party **4** data., skivminne disc (disk) store **II** *tr* slice
skivbroms tekn. disc (disk) brake
skivling svamp agaric
skivminne data. disc (disk) store
skivspelare record-player; av avancerad typ transcription turntable
skivstång barbell
skivtallrik turntable
skjorta shirt; *det kostar ~n* vard. it costs the earth (a bomb)
skjortblus shirtblouse; amer. shirtwaist
skjortbröst shirtfront
skjortknapp påsydd shirt button; lös bröstknapp shirt stud
skjortärm shirtsleeve

skjul redskaps~ o.d. shed; vagns~ coach house; kyffe hovel
skjuta I *tr* o. *itr* **1** med skjutvapen shoot äv. friare; ge eld fire; ~ *efter* (*mot, på*) *ngn* shoot (fire) at a p.; ~ *vilt omkring sig* shoot wildly (indiscriminately) all round **2** flytta o.d. push; vårdslöst el. stark. shove; knuffa elbow; kärra wheel; ~ maka [*på*] move; vard. shift; ~ *på* uppskjuta *ngt* put off (postpone) a th.; ~ ngt *åt sidan* push (resp. shove, jfr ovan)...aside; bildl. put...on one side, shelve...; något obehagligt brush aside (away) **3** ~ *knopp*[*ar*] bud
II med beton. part.
~ **av** skjutvapen fire; pil shoot; skott äv. fire off
~ **fram a)** tr. ~ *fram stolen till* brasan push the chair up to... **b)** itr.: sticka ut jut out; ~ *fram över* äv. overhang; jfr *framskjuten*
~ **ifrån:** ~ *ifrån sig* sak el. pers. push (resp. shove, jfr *I 2*)...away
~ **igen** dörr o.d. push...to; stänga close, shut
~ **ihjäl** shoot...dead (amer. äv. to death)
~ **in:** t.ex. byrålåda push (resp. shove, jfr *I 2*)...in; inflicka interpose
~ **ned:** med skjutvapen shoot...down (levande varelse äv. dead); flygplan shoot (bring)...down; vard. down
~ **på** push [from behind]
~ **till:** t.ex. dörr, se ~ *igen;* bidra med contribute
~ **upp a)** t.ex. dörr push...open; rymdraket launch **b)** uppskjuta put off, defer; fördröja delay **c)** om växter shoot [up], sprout [up]
~ **ut** itr.: om t.ex. udde jut out
skjutbana shooting-range; täckt shooting-gallery; mil. rifle range
skjutdörr sliding door
skjuts 1 *ge ngn* ~ till staden give a p. a lift... **2** vard., knuff shove, push, impetus; *han fick en* ~ *i karriären* he got a boost in his career
skjutsa köra drive; ~ *ngn* give a p. a lift
skjutvapen firearm
skleros med. scleros|is (pl. -es)
sko I *s* **1** låg~ shoe; halvkänga bootee; känga boot **2** häst~ [horse]shoe **II** *tr* förse med skor shoe äv. häst **III** *rfl,* ~ *sig* göra sig oskälig vinst *på ngns bekostnad* line one's pocket (feather one's nest) at a p.'s expense
skoaffär shoe (footwear) shop (isht amer. store)
skoblock shoetree
skoborste shoebrush
skock skara troop; [oordnad] mängd crowd, body; [mindre] klunga group, bunch; av djur herd
skocka, ~ *sig* se *skockas*
skockas om människor crowd (cluster, troop) [together]; om djur herd (flock) [together]
skodon [boots and] shoes; hand. footwear
skog större forest äv. bildl.; mindre wood; ofta woods; *i* ~ *och mark* in woods and fields; *dra åt ~en!* go to blazes (hell)!
skogbevuxen o. **skogbeväxt** forested; *vara* ~ äv. be under timber
skogig woody
skogsarbetare woodman
skogsavverkning felling; isht amer. cutting; virkesmängd felling (isht amer. logging) volume
skogsbrand forest fire
skogsbruk forestry
skogsbryn edge of a (resp. the) wood (större skogs forest)
skogsbygd woodland, wooded district; avlägsen backwoods
skogsdunge grove
skogsduva stock dove
skogsgräns timber (tree) line
skogsindustri forest industry
skogsmyra, [*röd*] ~ wood ant
skogsparti stretch (piece) of woodland
skogsrå mytol., ung. siren of the woods
skogsskötsel silviculture
skogsskövling devastation (destruction) of forest land
skogstrakt se *skogsbygd*
skogsvård forestry
skogsväg forest (woodland) road, road through a wood (resp. the wood[s])
skogvaktare forester, forest warden, isht amer. forest ranger; spec. för jaktvård gamekeeper
skohorn shoehorn
skoj I *s* **1** skämt joke; upptåg frolic, lark; [pojk]streck prank; ofog mischief; drift joking; *för ~s skull* for fun (a lark), just for the fun of it **2** bedrägeri swindle; vard. racket **II** *adj* roligt nice; *så* ~ *att du kom!* vard. how nice of you to come!
skoja I *itr* skämta joke, jest; ha hyss för sig lark about; ~ driva *med ngn* kid a p., take the mickey (mike) out of a p. **II** *itr* o. *tr* bedra cheat, swindle
skojare 1 bedragare cheat; svag. trickster; kanalje blackguard **2** skämtare joker, wag; spjuver rogue
skojig lustig, konstig funny; trevlig nice; skämtsam facetious; uppsluppen frolicsome; jfr vid. *rolig*
skokräm shoe polish (cream)
1 skola I *hjälpvb, skall* (*ska*), *skulle* ofta will (shall) resp. would (should)
1 uttr. ren framtid *skall* (*ska*) i första pers. will (britt. eng. äv. shall); i övriga pers. will; *skulle* i första pers. would (britt. eng. äv. should); i övriga pers. would; ofta äv. konstr. med be going to inf. **a)** *jag ska träffa honom*

i morgon I will (I shall, I'll) meet (be meeting) him..., I am going to meet him...; det går nog bra *ska ni [få] se* ...you'll see **b)** *det skulle kosta honom* mycket pengar (förstod han) it would (was going to) cost him...; doktorn sade *att jag snart skulle bli frisk* ...that I would (motsvaras i det direkta talet av: 'you will') el. ibl. should soon recover; *han var rädd att de skulle väcka henne* he was afraid that they would wake her

2 om något omedelbart förestående el. avsett ('skall' = 'ska just', 'ämnar', 'tänker'): **a)** konstr. med be going to inf.; *jag ska spela tennis* i eftermiddag I'm going to play tennis...; *jag ska just [till att]* står i begrepp att *packa* I'm about (just going) to pack; *han skulle [just]* stod i begrepp att *säga något* äv. he was on the point of saying (was about to say) something; hon sade att *hon skulle bo hos sin far* ...she was going (avsåg...she meant el. intended) to stay with her father **b)** spec. vid rörelsevb: vanl. konstr. med be + ing-form av huvudverbet; *jag ska komma (resa)* i morgon I am coming (going el. leaving)..., I am going to come (go el. leave)...; *han ska [gå] på teatern* he is going to the theatre

3 uttr. något som avtalats el. bestämts på förhand (el. av ödet): konstr. med be to inf.; *jag ska fortsätta i* tre veckor I am to continue for...; *tåget skall komma klockan tio* the train is due at ten; *om vi skall vara där* klockan tre måste vi... if we are to be there...; *kriget skulle vara* mer än fyra år the war was to last...; *[hon frågade om] han skulle gå dit också* [she asked if] he was to go there too

4 uttr. vilja, avsikt **a)** uttr. subj:s egen vilja: *skall (ska)* will; *vi ska fråga honom* we will (we'll, friare let's) ask him; *det ska jag [göra]!* ss. bekräftande svar I will (I'll) do that (so)!; ss. svar på begäran all right!; *jag ska* beton. *ta reda på saken* I will (shall) beton. find out about it **b)** uttr. annans vilja än subj:s *skall (ska)* shall; *ska jag (han) öppna fönstret?* shall I (he) open the window?; *ska det här vara (föreställa)* konst? is this supposed to be...?; *han föreslår att...skall höjas* he suggests that...should be raised (isht amer. that...be raised); *han vet inte vad han ska tro* he doesn't know what [stark. he is] to believe; *han skulle* (var det meningen) *ge det* till din bror he was [supposed] to give it...; man kom överens *att vi (de) skulle fara* ...that we (they) should (were to) go; *vad vill du att jag ska göra?* what do you want me to do?; *hon bad mig att jag skulle komma genast* she asked (told) me to come immediately **c)** i bet. 'bör', 'borde' should, ought to; *du ska inte tala illa om någon* you should not (något stark. ought not to) speak ill of anybody; *han skulle ha varit mer försiktig* he should (ought to) have been more careful **d)** i bet. 'måste' samt 'får' o. 'fick' (isht med negation): *allt det här ska jag göra, innan...* I must (have [got] to) do all this before...

5 konditionalis *skulle* i första pers. would (britt. eng. äv. should); i övriga pers. would; *jag skulle inte bli förvånad om...* I wouldn't be surprised (shouldn't wonder) if...; *skulle du resa dit* om du hade tid? would you go there...?; *skulle det smaka med* en kopp te? would you like...?, what (how) about...?; *det skulle kunna tänkas* that's quite possible, that's not impossible

6 'lär' o.d.: *skall (ska)* be said (förmodas be supposed) to inf.: *hon ska vara mycket musikalisk* she is said (supposed) to be very musical; *skulle hon* (om jag förstått dig rätt) *vara...?* [do] you mean (are you trying) to say that she is...?; *skulle det verkligen vara fallet?* I wonder if it is really the case?

7 i att-satser efter uttr. f. känsla o.d. *skall (ska, skulle)* should i alla pers.; *att ni alltid ska bråka!* why must you always make a noise (fuss)?

8 i avsiktsbisatser: med stark. framhållande av avsikten *skall (ska)* shall, *skulle* should; mer formellt might; mycket ofta dock konstr. för ren framtid med will (would) resp. shall (should) enl. *I 1* ovan

9 i vissa villkorsbisatser **a)** *skall (ska)* i regel konstr. med be to inf.; *skulle* 'händelsevis skulle' should; *om han skall räddas,* måste något göras nu if he is to be saved,...; *om du skulle träffa honom, så säg [honom]...* if you should (should you el. in case you should) [happen to] see him, tell him...; *om* (antag att) *jag skulle vinna en miljon* kunde jag... if I were to win a million...; *skulle jag se honom* ska jag underrätta dig if I should (should I) see him... **b)** *skulle* i fristående villkorsbisats innebärande ett förslag, *om vi skulle gå* på bio! suppose we (let's) go...!

10 i vissa andra bisatser för att uttrycka något tänkt, avsikt o.d. *jag gör det, även om jag (han) skulle förlora pengarna* I'll do it even if I (he) should lose the money

11 vissa att-satser med *skall (ska, skulle) de väntar på att vi ska börja* they are waiting for us to begin; *jag yrkade på att han skulle visa mig...* I insisted on his (him) showing me...

12 speciella fall: *och det ska du säga!* a) det är lätt för dig that's easy for you to say! b) iron., du är just den rätte att säga det you are the one to talk!; *du ska veta* (du förstår) *att jag...* well, you see I...; mer påpekande

well, you know [that] I...; *du skulle bara våga!* you just dare!, just you dare (try)!
II med beton. part. o. utelämnat huvudvb (som sätts ut i eng.)
~ av: *jag ska av här* tänker stiga av I'm getting (till konduktör I want to get) off here
~ bort (hem, upp, ut): *jag ska (skulle) bort (hem, upp, ut)* I'm (I was) going out (home, up, out); *hon ska* måste *ut ur huset!* she must leave the house!
~ in: *jag ska* tänker fara *in till stan* i morgon I'm going into town...
~ i väg: *jag ska* måste *i väg* I must be off (be going)
~ till: *det skall mycket till för att hon skall gråta* it takes a lot to make her cry

2 skola I *s* school äv. bildl.; *~n* the school; *~n* undervisningen *börjar kl. 8.15* school begins at 8.15; *~n slutar* för terminen school breaks up (för dagen is over for the day) **II** *tr* utbilda train; *~d arbetskraft* skilled labour

skolarbete schoolwork; hemuppgift homework
skolavslutning breaking-up, jfr *avslutning 2*
skolbarn [young] school child
skolbespisning måltider school meals; lokal dining hall
skolbuss school bus
skolbänk desk; *sitta på ~en* bildl. be at school
skoldag schoolday; *~en är slut* school is over for today
skolexempel textbook case (example); *ett ~ på...* a typical (classic) example of...; om handling o.d. an object lesson in...
skolfartyg training ship
skolflicka schoolgirl; amer. äv. [girl] student
skolgång schooling; t.ex. obligatorisk ~, avbryta sin ~ ...school attendance
skolgård playground; isht mindre school yard; *på ~en* in the playground
skolk från skolan truancy; amer. äv. hook[e]y
skolka, ~ *[från skolan]* play truant (amer. äv. hook[e]y), cut class; *~ från arbetet* shirk (keep away from) one's work; en dag take a day off
skolkamrat schoolfellow; vän school friend; *vi var ~er* äv. we were at school together
skolkare från skolan truant
skolklass school class (form)
skollov ferier [school] holidays pl. (vacation)
skolläkare school doctor
skollärare schoolmaster, schoolteacher
skolmat, *~[en]* food at school, school meals pl.
skolmatsal school dining-hall (mindre dining-room)
skolmogen, *vara ~* be ready for school
skolmåltid school meal
skolmästerskap idrott schools championship
skolning utbildning training; om t.ex. litterär (klassisk) ~ grounding
skolplikt compulsory school attendance
skolpojke schoolboy; amer. äv. student
skolradio broadcasting (program broadcast) for schools; program school[s] broadcast
skolresa school journey
skolsal klassrum classroom
skolschema [school] timetable; amer. schedule
skolsjuka feigned illness
skolskjuts transport school transport; konkr., bil, buss car (bus) for transporting children to school
skolsköterska school nurse
skolstyrelse ung. local education authority
skoltid år i skolan schooldays; lektionstid school hours
skoltidning school magazine (newspaper)
skoltrötthet school fatigue
skol-TV school[s] (classroom) television (TV); program television (TV) programme for schools
skolungdom, *~[ar]* schoolchildren pl.; isht om äldre schoolboys and schoolgirls pl.
Skolverket the [Swedish] Board of Education
skolväsen educational system
skolväska school bag (med axelrem satchel)
skolålder school age
skolår school year; pl. (skoltid) schooldays
skolämne school subject
skomakare shoemaker
skomakeri verkstad shoemaker's [work]shop, shoe repair shop
skona spare; vara aktsam om take care of; *~ ngns liv (ngn till livet)* spare a p.'s life
skonare o. **skonert** sjö. schooner
skoningslös merciless
skonsam mild lenient; överseende indulgent; fördragsam forbearing; hänsynsfull considerate; barmhärtig merciful; varsam careful; *~ för* ögonen restful to...
skonummer size in shoes, shoe size
skopa I *s* scoop; för vätska ladle; på mudderverk o.d. bucket; öskar bailer; få (ge ngn) *en ~ ovett* ...a good telling-off **II** *tr* scoop; *~ upp* scoop up
skoputsare shoeblack; amer. äv. shoeshine [boy]
skorpa 1 bakverk rusk; skepps~ biscuit **2** hårdnad yta crust
skorpion 1 zool. scorpion **2** *Skorpionen* astrol. Scorpio
skorra 1 på 'r' speak with a burr **2** ljuda strävt grate; rasp
skorsten chimney; på fartyg o. lok funnel
skorstensfejare chimney-sweep[er]

1 skorv vard., gammalt fartyg old tub (hulk)
2 skorv med. scurf
skorvig scurfy
skoskav chafed (galled) feet; *jag har [fått] ~ på höger fot* my right foot is chafed
skosnöre shoelace; amer. shoestring
skosula sole [of a shoe]
skot sjö. sheet
skota sjö. ~ *[hem]* ett segel sheet...home
skoter [motor]scooter
skotsk Scottish; ledigare Scotch isht om skotska produkter
skotska 1 kvinna Scotswoman **2** språk Scots
skotskrutig tartan; *~t tyg* tartan, plaid
skott 1 vid skjutning shot äv. i sport; laddning charge; knall report; signal~ gun **2** på växt shoot, sprout; *skjuta ~* put forth shoots, sprout **3** sjö. bulkhead
skotta shovel; ~ *[snö från] taken* shovel [the] snow away from the roofs
skottavla target; *vara ~ för* bildl. be the butt (target) of
skottdag leap day
skotte pers. Scotsman, Scot; *skottarna* som nation el. lag o.d. the Scots; i Engl. äv. the Scotch
skottglugg loophole; *komma (hamna, råka) i ~en* bildl. come under fire, become the target of criticism
skotthåll gunshot; *inom (utom) ~* within (out of) gunshot (range) *[för* of*]*; *vara utom ~* bildl. be out of harm's way
skottkärra wheelbarrow
Skottland Scotland
skottlinje line of fire äv. bildl.; *komma i ~n för* ngns kritik become the butt (target) of...
skottlossning avfyring firing [off], discharge; skottväxling firing; man hörde ljudet *av ~* ...of shots being fired
skottspole, *fara omkring som en ~* dart about like mad
skottsäker ogenomtränglig bullet-proof
skottväxling exchange of shots
skottår leap year
skovel för snö, jord o.d. shovel
skraj o. **skrajsen** vard. *vara (bli) ~* have got (get) the wind up
skral 1 underhaltig poor **2** krasslig out of sorts
skraltig illa medfaren rickety, ramshackle
skramla I *s* rattle **II** *itr* **1** om vagn, kedjor, fönsterluckor m.m. rattle; om mynt jingle; om nycklar jangle, rattle; om kokkärl o.d. clatter; *~ med...* rattle... osv. **2** vard., sala club together
skrammel skramlande rattling osv.; *ett ~* a rattle osv.; jfr *skramla II 1*
skranglig 1 gänglig lanky **2** rankig rickety
skrank railing; vid domstol bar
skrap 1 skrapande ljud scraping, scrape; det att skrapa scratching **2** något avskrapat scrapings; rest remainder; avfall refuse; skräp trash
skrapa I *s* **1** redskap scraper; rykt~ curry-comb **2** skråma scratch **3** tillrättavisning scolding, talking-to; vard. telling-off **II** *tr* o. *itr* allm. scrape; riva, krafsa, raspa scratch; *~ med fötterna* scrape one's feet; om häst paw the ground; *~ sig på benet* graze [the skin off] one's leg
III med beton. part.
~ **av ngt** scrape off a th.; ~ *av* smutsen (snön) *från sina skor* scrape...off one's shoes
~ **bort** scrape away (off); jfr ~ *av*
~ **ihop** äv. t.ex. pengar scrape (rake) together
~ **ur** en gryta scrape...out
skrapning 1 ljud, se *skrap 1* **2** med. [dilatation and] curettage (förk. D&C)
skratt laughter; enstaka ~ laugh; gap~ guffaw; *få sig ett gott ~ åt...* have a good (hearty) laugh at...; *vara full i ~* be ready (fit) to burst [with laughter]
skratta laugh; gap~ guffaw; ~ *ngn mitt (rakt) [upp] i ansiktet* laugh in a p.'s face; ~ *ut ngn* laugh at a p., se äv. *utskrattad*
skrattgrop dimple
skrattmås zool. black-headed gull
skrattretande laughable, droll, comical; löjlig ridiculous
skrattsalva burst (stark. roar) of laughter
skrattspegel distorting (amer. funny) mirror
skred jord~ landslide äv. bildl.; snö~ avalanche
skrev anat. crutch, crotch
skreva I *s* klyfta cleft; spricka crevice **II** *itr*, ~ *[med benen]* part one's legs
skri 1 människas scream, shriek; rop cry; *ge till (upp) ett ~* give a scream osv. **2** måsens scream; ugglans hoot; åsnans bray
skria scream, shriek; cry [out]; hoot; bray; jfr *skri*
skriande förtvivlad crying, acute; om orättvisa glaring; *ett ~ behov av* a crying (an acute) need for; *en ~ brist på* an acute shortage of
skribent writer; tidnings~ journalist; skämts. scribe; artikelförfattare writer of an (resp. the) article
skrida eg.: gå långsamt glide, pass slowly; med långa steg stride; gravitetiskt stalk; ~ *till handling* take action
skridsko skate; *åka ~[r]* skate; göra en ~tur go skating
skridskobana skating-rink
skridskoåkare skater
skridskoåkning skating
skrift 1 mots. tal o. tryck samt skrivkonst m.m. writing; skrivtecken characters; bokstäver letters **2** handling o.d. written (tryckt printed) document; tryckalster publication;

mindre bok booklet; broschyr pamphlet, brochure
skriftlig written; ~*t* besked (svar) o.d. äv. ...in writing
skriftligen o. **skriftligt** in writing; genom brev by letter
skriftspråk, ~[*et*] the written language
skriftställare author
skrik cry; rop shout; tjut yell; gällt, oartikulerat scream; ~ande shouting, yelling, screaming; ~ *på hjälp* cry (call) for help
skrika I *itr* o. *tr* **1** utstöta skrik cry, call (cry) out; ropa shout; vard. holler; gällt scream; om småbarn squall; vråla howl; gall~ yell; ~ *som en stucken gris* vard. squeal like a [stuck] pig; ~ *av smärta* cry osv. (roar) with pain **2** gnissla squeak, creak, screech; *det skriker i magen på mig* I'm famished **II** *s* zool. jay
skrikande I *adj* **1** shouting **2** om färg glaring, loud **II** *s* shouting, shrieking; jfr *skrika*
skrikhals högljudd pers. loudmouth; om spädbarn bawling brat
skrikig 1 om barn screaming...; om röst shrill; barnet *är så ~t* ...screams (cries) such a lot **2** om färg glaring
skrin box; för bröd bin
skrinda rack wagon (cart)
skrinlägga uppge give up; lägga på hyllan shelve
skritt, *i* ~ at a walking-pace
skriva I *itr* o. *tr* write; hastigt [o. slarvigt] scribble; t.ex. kontrakt draw up; ~ *sitt namn* write (underteckna sign) one's name; ~ beloppet *med bokstäver* set out...in writing; ~ *på* en roman be working at...
II med beton. part.
~ **av** kopiera copy [out], transcribe; plagiera copy; vard. crib
~ **in** föra in enter [up]; föra över, t.ex. uppsats copy out; ~ *in en elev* enter a pupil; ~ *in sig vid* universitet register...at
~ **ned** (**ner**) a) anteckna write down, set (put) down [...in writing]; efter diktamen take down b) hand., reducera write down; depreciate; devalvera devalue
~ **om** på nytt rewrite
~ **på a)** tr.: t.ex. lista write one's name on **b)** itr.: skriva sitt namn sign
~ **under** sign (put) one's name to...; utan obj. sign [one's name]; ~ *under* [*på*]... bildl. subscribe to..., endorse...
~ **upp a)** anteckna ~ *upp ngn*[*s namn*] take down a p.'s name **b)** debitera put...down, charge **c)** hand., höja värdet på write up; revalvera revalue; ~ *upp ngt på* t.ex. svarta tavlan write a th. on...
~ **ut** utfärda write out; på maskin type; check, räkning äv. make out; ~ *ut ngn* från sjukhus discharge a p...; ~ *ut recept på* medicin write out a prescription for...
skrivblock writing-pad
skrivbok skol. exercise book; för välskrivning copybook
skrivbord [writing-]desk; större writing-table
skrivbordslåda desk drawer
skrivbyrå maskinskrivningsbyrå typewriting agency
skrivelse [official] letter, [written] communication; jur. writ; *Er* ~ hand. äv. your favour
skriveri writing; *det blev en massa ~er i tidningarna* there were lots of articles (was a lot [of writing]) about it etc. in the papers
skrivfel slip of the pen; på maskin typing error
skrivkramp writer's cramp
skrivkunnig ...able to write
skrivmaskin typewriter; *skriva på* ~ type
skrivmaskinspapper typing paper
skrivning 1 skrivande writing; formulering wording **2** skriftligt prov written test (för examen exam[ination])
skrivpapper writing-paper
skrivstil typogr. script
skrivunderlägg desk pad
skrock superstition
skrocka om höns cluck; om pers. chuckle
skrockfull superstitious
skrodera brag, swagger
skrot 1 a) scrap; metall~ scrapmetal; järn~ scrap iron; skräp refuse **b)** bildl. *de är av samma ~ och korn* they are birds of a feather **2** skrotupplag *sälja på* (*till*) *~en* sell at (to) a scrapyard (junkyard)
skrota I *tr* förvandla till skrot ~ [*ned*] scrap; fartyg äv. break up **II** *itr, gå och* ~ vard. go idling (mooning) around
skrotbil dilapidated car; vard. [old] jalopy (jallopy)
skrothandlare scrap merchant, scrap dealer
skrothög 1 scrap heap **2** se *skrotbil*
skrov body; djurskelett carcass
skrovlig rough; om t.ex. klippa rugged; sträv harsh
skrovmål, *få sig ett* ~ have a good tuck-in (blow-out)
skrubb rum cubbyhole; skräprum lumberroom
skrubba skura scrub; gnida rub; skrapa scrape; ~ tvätta *sig* scrub oneself; ~ tvätta *sig ordentligt* äv. have a good scrub; ~ *sig på benet* scrape (graze, chafe) one's leg
skrubbsår graze, abrasion
skrud garb, apparel; kyrklig vestment
skrumpen shrivelled; hopkrympt shrunken
skrumpna shrivel [up]; krympa shrink

skrupel scruple
skrupelfri unscrupulous
skrupulös scrupulous
skrutt 1 vard., skräp *det är bara ~ med undervisningen* ...is useless **2** äppel~ core
skruttig vard., skraltig decrepit
skruv screw; på fiol peg; i tennis o.d. spin; *ha en ~ lös* vard. have a screw (tile) loose; *det tog ~* that did it (the trick), that went home
skruva I *tr* o. *itr* screw; boll spin; isflak swirl; *~ [på] sig* fidget [about], squirm, wriggle **II** med beton. part.
~ **av** unscrew, screw off; stänga av turn off
~ **fast** screw (fasten)...on (tight)
~ **i** o. ~ **in** screw (skruv äv. drive) in (ända in home)
~ **isär** unscrew
~ **ned** screw down; gas, radio o.d. turn down, lower
~ **på** screw...on; gas, radio o.d. turn on
~ **upp** screw up; pris äv. force up; gas, radio o.d. turn up; *~ upp förväntningarna* raise expectations
~ **åt** screw...tight
skruvkork screw stopper (cap)
skruvmejsel screwdriver
skruvnyckel spanner; isht amer. wrench
skruvstäd vice
skrymmande bulky
skrymsle nook; bildl. recess
skrynkelfri creaseproof, crease-resisting
skrynkla I *s* crease; wrinkle äv. i huden **II** *tr* o. *itr*, *~ ned (till)* crease, crumple, wrinkle; *~ ihop* crumple up
skrynklig creased, crumpled; wrinkled äv. om hud
skryt skrytande boasting; *tomt ~* an empty boast
skryta boast, show off
skrytsam om pers. boastful; om sak o. t.ex. sätt ostentatious; *~ person* äv. braggart
skrå hist. [trade] guild; friare fraternity
skrål skrålande bawling, roaring
skråla bawl
skråma scratch, slight wound
skräck terror; fruktan fright, dread; fasa horror; plötslig scare; *injaga ~ hos ngn* sätta ~ i ngn strike terror into a p., strike a p. with terror
skräckexempel shocking example (illustration)
skräckfilm horror film
skräckinjagande terrifying; fasaväckande horrifying
skräckpropaganda scaremongering [propaganda]
skräckslagen terror-struck, terror-stricken
skräckvälde reign of terror
skräcködla zool. dinosaur; neds., om kvinna gorgon
skräda, *inte ~ orden* bildl. not mince matters (one's words)
skräddare tailor
skräddarsydd tailor-made äv. bildl., tailored; isht amer. custom-made äv. bildl.
skrädderi 1 yrke tailoring **2** butik tailor's shop (firma firm, verkstad workshop)
skräll 1 crash, smash båda äv. bildl.; smäll bang; brak clash; längre peal **2** sport. vard. sensation, upset, turn-up
skrälla 1 om trumpet blare; om väckarklocka jangle; om fönster rattle; om åska crash **2** sport. vard. cause a sensation (an upset)
skrälle, *ett ~ till* bil a ramshackle old...; *ett ~ till gubbe* a doddering old man
skrällig om musik o.d. blaring
skrämma frighten; vard. scare; oroa alarm; stark. terrify; plötsligt startle; *~ ngn med* att + inf. scare (frighten) a p. by + ing-form; *~ bort* frighten (scare) away (off)
skrämsel fright; jfr *skräck*
skrämselpropaganda scaremongering [propaganda]
skrämskott warning-shot; bildl.: tomt hot empty threat; falskt alarm false alarm
skrän yell; ogillande hoot; *~ande* yelling osv.; gormande blustering
skräna yell, howl; ogillande hoot; gorma bluster
skränig yelling osv., jfr *skräna;* noisy
skräp rubbish, trash; bråte lumber; avfall litter; dumheter nonsense
skräpa, *[ligga och] ~* i rummet etc. [lie about and] make the room etc. [look] untidy
skräpig untidy
skräpmat junk food
skrävla brag, swagger
skrävlare braggart, blusterer, swaggerer
skröplig bräcklig frail, infirm; orkeslös decrepit; svag, om hälsa weak
skuffa o. **skuffas** push osv., se vid. *knuffa*
skugga I *s* mots. ljus shade; av ett föremål el. person shadow äv. bildl.; *han är en ~ av* sitt forna jag he is a mere shadow of...; *kasta ~* eg. cast (throw) a shadow; *detta kastar en ~ på* hans karaktär this reflects on... **II** *tr* o. *itr* **1** ge skugga åt shade äv. konst.; *~ [för] ögonen med handen* shade (shield) one's eyes with one's hand **2** följa efter shadow, tail
skuggbild silhuett shadow picture
skuggig shady
skuggning skuggande shading äv. konst.; bevakning shadowing, tailing
skuggrik very shady
skuggsida shady (dark, seamy) side
skuld 1 gäld debt; amount (sum) due (outstanding); *~er* debts; mots. tillgångar liabilities

2 fel, förvållande fault; blame äv. ansvar; brottslighet guilt; *~en är min (faller på mig)* it is my fault, I am to blame; *jag fick ~en för det* I got (had) all the blame for it; *ta på sig ~en för...* take the blame [[up]on oneself] for..., confess oneself guilty of...; *vara ~ till...* be to blame for...; orsak till be the cause of...; ansvarig för be responsible for...
skuldbörda burden of debt (moralisk guilt)
skulderblad shoulder blade
skuldfri 1 utan skulder ...free from debt[s]; om egendom unencumbered; *göra sig ~* rid oneself of one's debts, get out of debt **2** oskyldig guiltless, blameless
skuldkänsla feeling (sense) of guilt
skuldmedveten ...conscious of [one's] guilt; om t.ex. blick guilty
skuldra shoulder
skuldränta interest on debt[s]
skuldsätta sin egendom encumber...[with debt]; *~ sig* run (get) into debt, incur debts
skull, *för din (vår) ~* for your sake (our sake[s]), jfr *för min ~* ned.; *för fredens ~* for the sake of peace; *för min ~* for my sake; för att göra mig till viljes [just] to please me; jag älskar honom *för hans egen ~* ...for himself
skulle se *1 skola*
skulptera i sten el. trä carve; i lera model; isht bildl. sculpture
skulptris sculptress
skulptur sculpture
skulptör sculptor
1 skum 1 mörk dark; halvmörk rather dark, darkish **2** suspekt shady; illa beryktad disreputable
2 skum foam; yrande spray; fradga froth äv. på öl; spume; lödder vanl. lather; vid kokning o. jäsning scum
skumbad foam bath
skumgummi foam rubber
skumma I *itr* foam; fradga froth; *~ av raseri* foam with rage **II** *tr* skim äv. bildl.; *~ en tidning* skim [through] a paper, scan a paper
skummjölk skim[med] milk
1 skumpa jog
2 skumpa vard., champagne champers, bubbly
skumplast foam plastic
skumrask, *i ~et* dunklet in the dark
skumsläckare apparat foam extinguisher
skunk djur o. pälsverk skunk
skur shower äv. bildl.; by squall; *spridda ~ar* scattered showers
skura golv scrub; metall o.d. polish; göra ren clean
skurborste scrubbing-brush
skurhink [scouring] pail (bucket)
skurk scoundrel; skojare rascal
skurkaktig scoundrelly, villainous
skurkstreck piece of villainy; svag. rotten (dirty) trick
skurtrasa floorcloth, swab
skuta mindre lastfartyg small cargo boat; vard., båt boat
skutt hopp leap, bound
skutta leap; *~ iväg (omkring)* scamper away (about)
skvala pour; forsa gush; radion *~r* ...pours out muzak (canned music) non-stop
skvaller gossip; skol. sneaking; förtal slander; sladder tittle-tattle
skvallerbytta vard. gossip, scandalmonger; isht skol. telltale
skvallerkärring vard. [old] gossip (gossipmonger); vard. [old] cat
skvallertidning gossip paper (magazine)
skvallra sprida skvaller gossip, talk scandal; sladdra tittle-tattle; sprida ut rykten tell tales; skol. sneak; *~ om ngt* let on about a th., give a th. away
skvalmusik non-stop pop [music]
skvalp skvalpande lapping, ripple; kluckande plash
skvalpa om vågor lap; i kärl splash to and fro, swish about; *~ ut (över)* a) tr. spill b) itr. splash (slop) over
1 skvatt, *inte ett ~* not a thing (bit), jfr *dugg 2*
2 skvatt, *vara ~ galen* be clean gone, be off one's rocker
skvimpa i kärl splash to and fro, se vid. *skvalpa*
skvätt drop; botten~ heeltap; som skvätt ut splash; *en ~* ss. kvantitet a drop [or two], a few drops
skvätta *tr* o. *itr* stänka splash; squirt; småregna drizzle
1 sky 1 moln cloud äv. bildl.; dimma, dis haze **2** himmel sky; *skrika i högan ~* scream (cry) blue murder; *höja ngn (ngt) till ~arna* praise (extol)...to the skies
2 sky kött~ gravy
3 sky shun; undvika avoid; rygga tillbaka för shrink [back] from; *bränt barn ~r elden* once bitten, twice shy; *~ ngn (ngt) som pesten* shun a p. (a th.) like the plague
skydd protection; mera konkr. shelter; trygghet, säkerhet security; betäckning cover; *söka (ta) ~* seek protection, seek (take) shelter; gömma sig go into hiding
skydda I *tr* protect; shelter isht mera konkr.; värna (t.ex. mot lidande, förtal, obehag) shield; försvara defend; skyla cover; bevaka, trygga [safe]guard; bevara preserve; säkerställa secure **II** *rfl, ~ sig* protect (safe-guard, mera konkr. shelter) oneself [*mot (för)* against (from)]
skyddsande guardian spirit

skyddsglasögon eye protectors
skyddshelgon patron saint
skyddshjälm protective helmet
skyddsling ward, protégé (kvinna protégée)
skyddsnät protective netting
skyddsombud safety representative (ombudsman)
skyddsområde mil. prohibited (restricted) area
skyddsomslag på bok [dust] jacket
skyddsrum [air-raid] shelter; mil. äv. dug-out
skyddsräcke guard rail
skyddstillsyn jur. probation; dom probational sentence
skyddsängel guardian (ministering) angel
skyfall cloudburst
skyffel 1 skovel shovel; sop~ dustpan **2** trädgårds~ [thrust] hoe, Dutch hoe
skyffla skotta shovel; ~ *undan* shove away (aside); ~ *över ansvaret på ngn annan* shove the responsibility on to someone else
skygg shy; blyg timid; tillbakadragen reserved; försagd bashful; ängslig timorous
skygga rygga take fright, start; om häst shy; ~ rygga tillbaka *för ngt* be (vard. fight) shy of a th., jib at a th.
skygghet shyness etc.; timidity, reserve; jfr *skygg*
skygglappar blinkers, amer. blinders båda äv. bildl.
skyhög extremely high; friare om t.ex. priser sky-high
skyhögt sky-high
skyla hölja cover; dölja hide, veil; ~ *över* cover up, bildl. äv. gloss over
skyldig 1 som bär skuld (till ngt) guilty; *bekänna* (*erkänna*) *sig* ~ confess; jur. plead guilty; *den ~e* subst. adj., isht jur. the guilty person (party); isht friare the culprit (offender) **2** som står i skuld (för ngt) *vara* (*bli*) ~ *ngn pengar* (*en förklaring*) owe a p. [some] money (an explanation); *vad är* (*blir*) *jag ~?* what do I owe [you]? **3** pliktig, förpliktad bound, obliged; ansvarig responsible
skyldighet duty
skylla, ~ *ngt på ngn* blame (throw el. lay el. put the blame on) a p. for a th., tax a p. with a th.; ~ *på ngn* throw etc. the blame on a p.; ~ *ifrån sig* skjuta skulden på någon annan throw etc. the blame on someone else
skylt butiks~ o.d. sign[board]; dörr~, namn~ plate; vägvisare signpost
skylta I *itr* arrangera ett skyltfönster dress a shop-window; ~ *med ngt* put a th. on show, show a th.; i skyltfönster display (expose) a th.; bildl. show off (display) a th. **II** *tr, vägarna är väl ~de* the roads are well signposted
skyltdocka [tailor's] dummy; mannequin
skyltfönster shopwindow, display window; [*gå och*] *titta i skyltfönstren* go window-shopping
skyltning konkr. display [of goods]; i skyltfönster window display
skymf förolämpning insult, affront; grov offence; kränkning indignity; neslighet ignominy
skymfa insult; kränka outrage
skym|ma I *tr* block [out]; fördunkla dim; dölja conceal, hide; ~ *sikten* (*utsikten*) block the view; *du -mer mig* you are in my light **II** *itr* get dark; *det börjar* ~ el. *det -mer* [*på*] it is getting dark (dusk)
skymning twilight, dusk; poet. gloaming; *i ~en* at twilight (dusk)
skymt glimpse; bildl.: glimt gleam, glimmer, spår, 'antydan' trace
skymta I *tr* få en skymt av catch (have) a glimpse of; isht bildl. (ana) glimpse **II** *itr* vara skönjbar: svagt o. otydligt be dimly to be seen; glimtvis be observable here and there; visa sig appear here and there äv. bildl.; ~ *fram* peep out; otydligare loom
skymundan, *hålla sig i* ~ i undangömdhet keep oneself out of the way (i bakgrunden in the background)
skynda I *itr* ila hasten; skynda sig, se *II* **II** *rfl,* ~ *sig* hurry [up]; hasten, make haste, be quick; ~ *sig att göra ngt* hasten osv. to do a th.; ~ *sig med ngt* hurry up about (over) a th., hurry (vard. push) on with a th.
III med beton. part.
~ **fram till** ngn (ngt) hasten on (along) to...
~ **på a)** tr. ~ *på ngn* hurry a p.; jfr *påskynda* **b)** itr. hurry
skyndsam speedy; brådskande quick; påskyndad hurried; ofördröjlig prompt
skyndsamt speedily osv.; jfr *skyndsam*
skynke täckelse cover[ing]; tygstycke cloth; dok veil; *vara* (*som*) *ett rött ~ för ngn* be like a red rag [to a bull] to a p.
skyskrapa skyscraper
skytt 1 shot **2** astrol. *Skytten* Sagittarius
skytte shooting; med gevär rifle-shooting
skyttegrav mil. trench
skyttel vävn. el. i symaskin shuttle
skytteltrafik shuttle service; *gå i* ~ shuttle
skåda behold; han var *hemsk att* ~ ...horrible (a horrible sight) to behold
skådebröd, *det är bara* ~ it is just for show
skådeplats scene [of action]
skådespel teat. play; bildl. spectacle; anblick, arrangerat show
skådespelare actor; *bli* ~ äv. go on the stage
skådespelerska actress

skådespelsförfattare playwright
skål I *s* **1** bunke bowl; flatare basin **2** välgångs~ toast; *dricka ngns ~ (en ~ för ngn)* drink [to] a p.'s health, drink to the health of a p. **II** *interj* [to] your health (till flera healths)!; vard. cheers!
skåla glas mot glas clink (touch) glasses; ~ *med ngn* drink a p.'s health
skålla scald; kok. blanch; ~ *sig (händerna)* scald (burn) oneself (one's hands)
skållhet scalding (boiling, vard. piping) hot
Skåne Skåne, Scania
skåning inhabitant of Skåne; *han är ~* kommer från Skåne he comes from Skåne
skånsk Scanian, Skåne
skåp cupboard; särsk. för kläder, mat m.m. el. amer. closet; väggfast wall cupboard; låsbart, t.ex. i omklädningsrum locker
skåpbil [delivery] van
skåpmat rester remnants; *[gammal] ~* bildl. a rehash of old stuff (material)
skåpsupa have a drop (a little drink, a tipple) on the quiet (sly)
skåra hugg cut; av såg kerf; inskärning incision; hack score, nick; längre slit
skäckig om häst, nötkreatur piebald, pied; friare mottled
skägg beard; *ha ~* have a beard, be bearded
skäggig bearded; orakad unshaved
skäggstrå hair
skäggstubb [beard-]stubble
skäggväxt growth of beard; *han har kraftig ~* his beard grows fast
skäl 1 grund m.m. reason; orsak cause, ground[s pl.]; bevekelsegrund motive; argument argument; *det vore ~ att* inf. it would be advisable (worthwhile, well) to inf.; *ha goda ~ att...* have good (every) reason to...; *av det [enkla] ~et* for that [simple] reason **2** *göra ~ för sig* **a)** göra nytta do one's share (bit) **b)** vara värd sin lön be worth one's salt **c)** en mästerskytt, *som [verkligen] gör ~ för namnet* ...who lives up to his name
skälig rimlig reasonable; rättvis fair; berättigad legitimate; giltig adequate
skäligen 1 tämligen rather; *~ litet* precious little **2** reasonably; *vara ~ misstänkt* be suspected for good reason
skäll 1 hunds skällande bark, barking **2** vard., ovett telling-off; *få ~* get a telling-off
1 skälla bell
2 skälla *itr* **1** om hund bark **2** om pers. *~ på ngn* insult (abuse) a p.; *~ ut (ner)* läxa upp scold, blow...up
skällsord vard. insult, ~ pl., äv. abuse sg.
skälm spjuver rogue
skälmaktig o. **skälmsk** roguish, mischievous; om blick arch...
skälva shake; stark. quake; tremble
skälvning shaking, trembling; rysning thrill
skäm|d om frukt rotten; om kött tainted; om luft bad; *ett -t ägg* a bad (rotten) egg
skämma spoil, mar; ~ *bort* spoil [*med* by]; klema bort pamper, coddle [*med* with]; ~ *ut sig* disgrace oneself
skäm|mas 1 blygas be (feel) ashamed [of oneself]; *att du inte -s!* aren't you ashamed of yourself? **2** bli skämd become rotten osv., jfr *skämd*
skämt joke, jest; lustighet pleasantry; nojs fun; skämtande joking; ~ *åsido!* joking apart!; *han förstår (tål) inte* ~ he can't take a joke
skämta joke; vitsa crack jokes; ~ *med ngn* driva med pull a p.'s leg; göra narr av make fun of a p.; ~ *om* ngt jest (yttra sig skämtsamt om make a joke) about...
skämtare joker, wag; humorist humorist
skämtartikel [party] novelty, novelty article
skämthistoria funny story, joke
skämtsam jocular; mots. allvarlig (om t.ex. ton) joking; lekfull playful; lustig funny
skämtteckning cartoon
skämttidning comic (funny) paper (magazine)
skända vanhelga desecrate; våldtaga violate
skändlig vanärande (om t.ex. handling) infamous; nedrig nefarious; avskyvärd (om t.ex. brott) atrocious
1 skänk matsalsmöbel sideboard
2 skänk gåva gift; få ngt *till ~s* som gåva ...as a gift (present); gratis ...for nothing
skänka give; förära present; donera donate; bevilja grant
skänkel 1 på t.ex. passare leg; på sax blade **2** ridn. leg
1 skär holme rocky islet; klippa rock
2 skär ljusröd pink, light red
3 skär, det är *ren och ~ lögn* ...a downright lie
skära I *s* redskap sickle **II** *tr* o. *itr* cut; snida samt ~ för t.ex. stek carve; korsa äv. intersect; om gata äv. cross; ~ ngt *i bitar* cut...in[to] pieces, cut up... **III** *rfl,* ~ *sig* **a)** såra sig cut oneself; ~ *sig i fingret* cut one's finger **b)** kok. curdle **c)** inte gå ihop (om t.ex. åsikter, färger) clash; *det skar sig mellan dem* they fell out
IV med beton. part.
~ **av** eg.: bort cut off (away); itu cut...in two; geom. intercept
~ **för:** ~ *för [steken]* carve the joint
~ **itu** cut...in (into) halves
~ **loss** de skadade ur fordonet cut...loose
~ **ned** cut down (back); minska (t.ex. utgifter) äv. reduce
~ **sönder** i bitar cut...to pieces
~ **till a)** tr. cut out **b)** itr. *det skar till* i magen på mig I felt a twinge...

~ **upp** a) i bitar cut up; i skivor cut up...into slices, slice; t.ex. stek äv. carve [up] b) öppna cut...open; med., t.ex. böld incise

~ **ut** cut out; snida carve

skärande eg. cutting; geom., om linje secant; bildl.: om ljud piercing, shrill, strident; t.ex. om motsats glaring; t.ex. om dissonans jarring

skärbräda o. **skärbräde** chopping-board

skärböna French (isht amer. string) bean

skärgård archipelago (pl. -s), islands and skerries; *Stockholms* ~ the Stockholm archipelago

skärm avdelnings~ o.d. screen; data~ [display] screen; skuggande (t.ex. lamp~, ögon~) shade; brätte peak; teknisk skyddsanordning shield

skärma, ~ *av* t.ex. ljus screen (shut) off; ~ *av [sig från]* yttervärlden shut oneself off from...

skärmbildsundersökning X-ray [examination]

skärmmössa peaked cap

skärning 1 korsning intersection **2** om kläder, snitt cut

skärningspunkt geom. [point of] intersection

skärp belt; långt knyt~ sash

skärpa I *s* **1** sharpness osv., jfr *skarp I;* stränghet (om t.ex. kyla, kritik) severity; frånhet (om ton) acerbity; klarhet clarity; stringens stringency **2** fotos, TV-bilds vanl. definition; *ställa in ~n [på]* focus, bring...into focus **II** *tr* **1** eg. sharpen **2** bildl., t.ex. uppmärksamheten sharpen; stegra intensify; t.ex. motsättningar accentuate; göra strängare (t.ex. bestämmelser) tighten up, make...more stringent; ~ *kraven* raise (intensify, stiffen) the (one's) demands **III** *rfl,* ~ *sig* rycka upp sig wake up, pull oneself together, pull one's socks up; vara uppmärksam be on the alert

skärpning vard. *det måste bli en ~* uppryckning hos oss we must pull our socks up (ourselves together)

skärpt, *vara ~* begåvad be bright; vaken be on the alert (on the ball)

skärseld, *~en* relig. purgatory

skärskåda undersöka examine; syna scrutinize

skärtorsdag Maundy Thursday

skärva [broken] piece (fragment); smalare, splitter splinter

sköld shield; mindre, rund buckler; herald. äv. escutcheon; zool. carapace

sköldkörtel anat. thyroid gland

sköldpadda land~ el. sötvattens~ tortoise; havs~ turtle

skölja I *tr* rinse; tvätta wash; med. douche **II** med beton. part.

~ **av a)** ~ ren: t.ex. händer wash; t.ex. tallrik rinse **b)** ~ bort wash off; ~ *av sig* dammet wash off...

~ **ned:** ~ *ned maten med* öl wash (rinse) down one's food with...

~ **upp a)** tvätta upp give...a quick wash **b)** ~ *upp* ngt *på stranden* wash...up (ashore)

~ **ur** ren: t.ex. flaskor rinse (swill) [out]; t.ex. kläder give...a rinsing

sköljmedel rinsing agent (fluid)

sköljning konkr. rinse; med. douche

skön 1 vacker beautiful; poet. beauteous **2** angenäm nice; härlig lovely; bekväm comfortable; vard. comfy; ombonad snug, cosy; amer. cozy; *~t!* bra fine!; uttr. lättnad oh, good!; varm *och* ~ nice and... **3** iron. nice, pretty

skönhet beauty

skönhetsfel o. **skönhetsfläck** flaw

skönhetsmedel kosmetik cosmetic, beauty preparation

skönhetssalong beauty parlour (amer. parlor)

skönhetstävling beauty contest (competition)

skönhetsvård beauty care, beauty culture (behandling treatment)

skönja urskilja discern; spåra, märka see; ana get an inkling of; börja se (ana) begin to see

skönjbar discernible; synbar visible; märkbar perceptible; tydlig (om t.ex. förbättring) marked

skönlitteratur imaginative (pure) literature; end. på prosa fiction

skönlitterär om författare, verk o.d. (attr.) ...of imaginative (pure) literature (resp. of fiction)

skönmåla give a flattering (an idealized, a highly coloured) description of

skönstaxera, ~ *ngn* make a discretionary assessment of a p.'s income

skönt, *ha det ~* a) bekvämt be comfortable b) angenämt have a nice time c) ombonat, 'mysigt' be snug (cosy)

skör som lätt bryts (om t.ex. naglar, porslin) brittle; svag fragile; tyget *är ~t* ...tears easily

skörd harvest; avkastning yield äv. bildl.; *få in ~en* get the crops in

skörda reap; t.ex. frukt gather; bär pick; *rökningen ~ar många offer varje år* smoking claims many victims every year

skördefest harvest home (kyrkl. festival)

skördemaskin reaping-machine

skördetröska combine [harvester]

skört på rock: delat tail; odelat skirt

sköt|a I *tr* **1** vårda nurse; behandla treat; om läkare attend; vara aktsam om be careful with; ~ *sin hälsa* look after (take care of) one's health **2** förestå manage; t.ex. hushållet, en affär run; handha conduct;

hantera handle äv. bildl. (t.ex. folk); maskin o.d. work, operate; ha hand om (t.ex. trädgård, ngns affärer) look after; utföra do; kunna ~ *ett arbete* ...carry on a job; ~ *böckerna* på ett kontor keep the books **3** ~ [*om*] ombesörja attend (see) to; ta hand om take care of, look after; behandla deal with; göra do; ha hand om be in charge of, be responsible for **II** *rfl,* ~ *sig* **1** sköta om sig look after (take care of) oneself **2** uppföra sig conduct oneself; ~ *sig bra* (*illa*) acquit oneself well (badly), give a good (bad) account of oneself, do well (badly); *hur -er* klarar *han sig i skolan?* how is he doing (getting on) at school?

skötare keeper; jfr vid. *sjukskötare*

skötbord nursing (changing) table

sköte knä lap; moderliv womb; *i familjens* ~ in the bosom of the family

skötebarn 1 gunstling darling **2** huvudintresse chief (pet) concern

sköterska nurse

skötsam stadgad steady; plikttrogen conscientious

skötsel vård care; av sjuka nursing; ledning, förvaltning management; t.ex. av hushåll running

skötselråd t.ex. på plagg care instructions; etikett care label

skövla devastate; förhärja ravage, lay waste to; utplundra sack; förstöra (t.ex. lycka) ruin, wreck

skövling devastation; ravaging, pillage; ruining, wrecking, jfr *skövla*

slabba slosh (muck) about; slaska splash; ~ *ned sig* get oneself all mucky (messy)

sladd 1 elektr. flex, cord; repända [rope's] end; repstump piece of rope **2** bildl. *komma på ~en* bring up the rear **3** slirning skid; *jag fick* ~ *på bilen* my car skidded

sladda slira skid

sladdbarn child born several years after the other[s] [in a (resp. the) family]; skämts. afterthought

sladder 1 prat chatter **2** se *skvaller*

sladdrig slapp flabby; om tyg shapeless; om t.ex. siden flimsy

slaf sl., säng kip

slafsa sörpla gobble; ~ *i sig* ngt gobble up...

slafsig slarvig sloppy; om mat mushy

1 slag sort kind, sort; typ type; jag äter *all ~s mat* ...all kinds (sorts) of food; problemet *är av* [*ett*] *annat* ~ ...is different (of a different type); *problemet är av sådant* ~ *att...* the problem is of such a nature that...; *vad är det för ~s bil?* what kind (sort) of [a] car is it?; boken *är i sitt* ~ *utmärkt* ...is excellent in its way

2 slag 1 utdelat av person el. bildl. blow; i spel stroke; med handflatan slap, smack; med knytnäven punch; *ge ngn ett* ~ give (deal, strike) a p. a blow; *göra* ~ *i saken* settle (clinch) the matter (deal); slå till bring matters to a head **2** rytmisk rörelse beat; maskindels el. ving~ stroke; ~ pl., t.ex. vågornas, hjärtats beating sg. **3** klockslag stroke; *på ~et* on the stroke; punktligt äv. punctually, on the dot **4** *ett* ~ under (på) en kort stund for a moment (a little while); en tid for a time **5** mil. battle; *~et vid* Lund the battle of... **6** med. apoplexy; *få* ~ vanl. have a stroke (an apoplectic stroke); vard. have a fit; *skrämma* ~ *på ngn* frighten the daylights out of a p., frighten a p. out of his (resp. her) wits **7** på kavaj o.d. lapel; på byxor o. ärm turn-up, amer. cuff; på mössa flap

slaganfall med. [apoplectic] stroke

slagbord gateleg (gatelegged) table

slagdänga vard. popular song

slagen besegrad defeated, beaten; ~ *av* häpnad struck by...

slagfält battlefield, battleground

slagfärdig bildl. quick-witted, ...quick at repartee

slagg av metall slag; av kol o.d. clinker; bildl. dross

slaginstrument mus. percussion instrument; *~en* i orkester the percussion sg.

slagkraft effektivitet effectiveness; t.ex. vapens striking power, impetus

slagkraftig effective

slaglax *s* prode salmon

slagnummer hit

slagord slogan catchword, slogan; kliché cliché

slagsida list; *få* ~ [begin to] heel over

slagskepp battleship

slagskämpe fighter; bråkmakare rowdy

slagsmål fight; bråk row; *råka i* ~ *med...* get into a fight with...

slagträ i bollspel bat; bildl. weapon

slagverk 1 i ur striking apparatus (mechanism) **2** mus. percussion instruments; *~et* i orkester the percussion

slak inte spänd slack; matt feeble

slakt slaktande slaughter

slakta djur kill; i större skala slaughter; människor slaughter, butcher; t.ex. bilar cannibalize

slaktare butcher

slakteri 1 se *slakthus* **2** slakteriaffär butcher's

slakthus slaughterhouse; offentligt abattoir fr.

slalom slalom; lära sig att *åka* ~ ...do slalom skiing

slalombacke slalom slope

slalomåkare slalom skiier

1 slam kortsp. slam; *göra* ~ make a slam

2 slam gyttja mud; kloak~ sludge; dy slime

slamma rena: t.ex. malm wash; krita purify; ~ *igen* itr. get filled with mud osv.; jfr *2 slam*
slammer clatter
slammig gyttjig muddy, sludgy
slampa vard. slut; gatflicka tart; amer. tramp
slamra skramla: om saker clatter; om pers. make a clattering (rattling) noise; ~ *med ngt* clatter (rattle) a th.
slamsa av t.ex. kött rag, scrap; hänga *i slamsor* ...in rags (tatters)
1 slang språkv. slang
2 slang, *slå sig i ~ med* ngn take up with...; börja prata med get into conversation with...
3 slang tube; ss. ämnesnamn tubing; grövre (t.ex. dammsugar~, brand~, vatten~) hose; cykel~ [inner] tube
slangbåge catapult; amer. slingshot
slangord slang word
slank slender, slim
slant mynt coin; koppar~ copper; *~ar* pengar money sg.; ge ngn *en* ~ a little sum [of money]
slapp slak slack; om t.ex. hud loose; om t.ex. anletsdrag flabby; om pers. enervated, håglös listless, nonchalant easy-going
slappa vard., slöa take it easy
slapphet slackness; sloppiness, jfr *slapp;* nonchalans easy-goingness
slappna om t.ex. muskler slacken; om t.ex. grepp loosen; ~ *av* relax
slarv carelessness; försumlighet negligence; oreda disorder
slarva I *s* careless woman (girl); slampa slattern **II** *itr* be careless (negligent osv., jfr *slarvig*); ~ *med ngt* vara slarvig med be careless osv. about a th.; försumma neglect a th.; fuska med scamp (make a mess of) a th.
slarver careless fellow; odåga good-for-nothing
slarvfel careless mistake
slarvig careless; hafsig slipshod, slovenly; ovarsam heedless
1 slask 1 gatsmuts slush; slaskväder slushy weather **2** blask dishwater; ~vatten slops
2 slask vask sink
slaska I *tr* splash; ~ *ned* golvet splash... **II** *itr* **1** blaska dabble (splash) about **2** *det ~r* it is slushy weather; det töar it is thawing
slaskhink slop pail
slaskig om väder el. väglag slushy; slabbig wet
slasktratt sink
slaskvatten slops
slaskväder slushy weather
1 slav medlem av folkslag Slav
2 slav träl slave äv. bildl.; *vara ~ under ngt (ngn)* be a slave to a th. (be the slave of a p.)
slava slave
slavdrivare slave-driver äv. bildl.
slaveri slavery; *~et under* modet slavery to...
slavgöra bildl. slavery, drudgery
slavhandel slave trade; *vit ~* white-slave traffic
1 slavisk Slavonic
2 slavisk osjälvständig slavish
slejf sko~ strap; ärm~ tab; rygg~ half-belt
slem i t.ex. luftrören phlegm; avsöndring: anat. mucus; på växter mucilage
slemhinna anat. mucous membrane
slemlösande expectorant; ~ *medel* expectorant
slemmig slimy äv. bildl.; slemhaltig mucous; bot. mucilaginous; klibbig viscous
slentrian routine
slentrianmässig routine-like, routine
slev sopp~ o.d. ladle; mur~ trowel
sleva, ~ *i sig* ngt shovel down...; helt o. hållet put away...
slicka I *tr* lick; ~ *sig om munnen* lick one's lips
II *itr,* ~ *på* lick
III med beton. part.
~ **av** tallriken lick...clean
~ **i sig** ngt lick up...; om t.ex. katt samt bildl. (t.ex. beröm) lap up...
~ **upp** lick up
~ **ur** skålen lick...clean
slickepinne lolly
slida sheath äv. bot.; anat. vagin|a (pl. äv. -ae)
slidkniv sheath knife
slinga t.ex. rör~ coil; av rök o.d. wisp; ögla loop; hår~ lock
slingerväxt trailer, clinging vine
slingra I *tr* wind, twine **II** *rfl,* ~ *sig* om t.ex. väg wind; om flod äv. meander; om växt trail; om t.ex. rök wreathe; bildl., om pers. try to get round things
III med beton. part.
~ **sig ifrån** ngt (bildl.) wriggle out of..., dodge (evade, shirk)...
~ **sig undan** a) itr.: eg. wriggle (friare slip) away; bildl. get (dodge) out of it (things) b) tr., se ~ *sig ifrån*
~ **sig ur** ngt wriggle out of...; bildl. äv. get (dodge) out of...
slingrande o. **slingrig** winding; ålande wriggling; om växter trailing; bildl. tortuous, twisty
1 slinka hussy, wench, se vid. *slampa*
2 slinka 1 hänga lös dangle; slinta slide **2** kila slip; smyga slink; *får jag ~ emellan med en fråga?* may I butt in and ask a question?
slint, *slå ~* misslyckas misfire, backfire, go wrong (amiss)
slinta slip; glida, om skidor glide, slide; *han slant med foten* his foot slipped
slipa grind; bryna whet; glätta polish äv. bildl.; glas el. ädelstenar cut; med sandpapper sandpaper
slipad bildl.: knivig smart; utstuderad cunning

slipmaskin grinding machine; för glasslipning cutting machine
slipning slipande grinding etc., jfr *slipa;* ädelsten med *en vacker ~* ...a beautiful cut
slipover slipover
slippa I *tr* o. *itr* **1 a)** (äv. *~ ifrån, ~ undan*) befrias från be excused from; undgå escape; undvika avoid; förskonas från be spared; bli kvitt get rid of **b)** inte behöva not have to; jag hoppas *jag slipper se honom mera* ...I have seen the last of him; *slipp* låt bli *då!* don't then! **2** släppas *~ över* bron be allowed to pass...
II med beton. part.
~ **fram** komma igenom get (släppas igenom be let) through; släppas förbi be allowed to pass
~ **ifrån** se äv. *I 1 a); du slipper inte ifrån* [*att göra*] *det* you can't get away from (you can't get out of) [doing] it
~ **igenom** get (släppas be let, slinka, äv. om sak slip) through
~ **in** get in; släppas in be let in
~ **lös** get (break) loose; bli släppt be set free; om eld break out
~ **undan** a) tr. escape, se vid. *I 1 a)* o. *~ ifrån* b) itr. get (be let) off; *~ lindrigt undan* get (be let) off lightly
~ **ur:** *det slapp ur mig* it slipped out of me [*att...* that...]
~ **ut** get (släppas be let, slinka slip) out; sippra ut leak out äv. bildl.; bli frigiven be released; rymma escape
slipprig slippery; bildl. indecent
slips tie
slipsten grindstone
slira om bil o.d. skid; spinna (om hjul) spin; om koppling o.d. slip; *~ på kopplingen* slip the clutch
slirig slippery
sliskig 1 sickly-sweet; sirapslen sugary **2** om person oily, smarmy
slit arbete toil; vard. grind; sjå job; *~ och släp* toil and moil
slita I *tr* o. *itr* **1** nöta *~* [*på*] t.ex. kläder wear out **2** riva tear; rycka pull; *~* sina *ögon från* take...off **3** knoga toil, drudge; *~ med* ngt toil (slave away) at... **II** *rfl, ~ sig* om t.ex. djur break (get) loose; om båt break adrift; *~ sig* [*loss* (*lös*)] *från...* om pers. tear oneself (break) away from... äv. bildl.
III med beton. part.
~ **av** sönder break; itu pull...in two; *~* bort tear off; *~ av ngn* (*sig*) *kläderna* tear off a p.'s (one's) clothes
~ **ifrån ngn ngt** tear a th. from a p.
~ **loss** (**lös**) tear off (loose)
~ **sönder** tear; riva i bitar tear...up (to pieces)
~ **upp** öppna tear open
~ **ut** nöta ut wear out; trötta ut wear...out; *~ ut sig* wear oneself out, work oneself to death
slitage wear [and tear]
sliten worn; om saker (äv. pred.) the worse for wear; luggsliten shabby; om t.ex. fras hackneyed, stereotyped
slitning 1 slitage wear **2** osämja discord, friction; dissension; samarbete *utan ~ar* frictionless (smooth)...
slits skåra slit
slitsad, *~ kjol* slit skirt
slitsam strenuous
slitstark hard-wearing; hållbar durable
slitstyrka wearing qualities; hållbarhet durability
slockna go out; om vulkan become extinct; bildl.: ta slut die down; somna drop off
sloka droop
slokhatt slouch hat
slopa avskaffa abolish; ge upp abandon; utelämna leave out, omit; sluta med discontinue
slott palace; befäst castle; större herrgård manor house
slottsruin ruined castle
slottsvin château wine
slovakisk Slovakian; om t.ex. språk Slovak
sloven Slovene
Slovenien Slovenia
slovensk Slovenian; om t.ex. språk Slovene
sluddra slur one's words; om berusad speak (talk) thickly
sluddrig slurred; om berusad thick
slug shrewd; listig sly; vard. deep; förslagen smart, crafty; klipsk clever
sluka *tr* **1** eg. swallow; hastigt bolt; glupskt wolf [down]; hungrigt devour **2** bildl.: kosta, äta upp swallow (eat) up; förbruka consume; sträckläsa devour
slum slum; *~men* the slums pl.
slummer slumber; lur doze
slump 1 tillfällighet chance; *en lycklig ~* a lucky chance (coincidence), good luck **2** rest remnant
slumpa I *tr, ~* [*bort*] sell off...[in lots], sell...at a loss; vard. sell...dirt cheap **II** *rfl, ~ sig* happen, chance
slumpmässig random, haphazard, chance
slumra slumber; halvsova doze; bildl. be (lie) dormant; *~ in* somna fall asleep; somna till doze off [to sleep]; *~ till* doze off
slumrande slumbering; bildl.: om t.ex. anlag dormant; om t.ex. rikedomar unexploited
slunga I *s* sling **II** *tr* sling; häftigt fling, hurl; *~ ngt i ansiktet på ngn* bildl. fling a th. at a p., throw a th. into a p.'s face
slup sjö.: prakt~ barge; skeppsbåt el. ång~ launch; segelfartyg sloop
slurk skvätt spot; klunk swig; *en ~* kaffe a spot (a few drops pl.) of...
sluskig shabby

sluss passage lock; dammlucka el. bildl. sluice
slussa passera (låta...passera) genom en sluss pass (pass...) through a lock; *han ~des mellan olika myndigheter* he was pushed around from one authority to the other
slut I *s* end; utgång: t.ex. lyckligt ending; *~et gott, allting gott* all's well that ends well; *få ett ~* come to an end; *han har gjort ~ med henne* he has broken it off with her (finished with her); *sälja ~ [på]* ngt sell out...; smöret *börjar ta ~* ...is running short; smöret *har tagit ~ [för oss]* we have no...left; *den andre (femte) från ~et* the last but one (four); *i ~et av maj* äv. late in May; *ända till ~et* to the last, to the very end **II** *adj* avslutad over, finished; förbrukad used up, [all] gone; slutsåld sold out, out of stock; utmattad [all] done up; utsliten done for; *det är ~ på* ngt ...is over
slut|a A (*-ade* el. *slöt -at*) *tr* o. *itr* avsluta[s] end; göra färdig finish [off]; upphöra [med] stop; ge upp give up; lämna leave, amer. äv. quit; *här ~r* vägen ...ends here; *han har ~t hos oss (på firman)* he has left us (the firm); *~* upphöra *med ngt (med att göra ngt)* stop a th. (stop doing a th.); *~ med* tillverkningen äv. discontinue...
B (*slöt -it*) **I** *tr* **1** tillsluta close; *cirkeln är -en* bildl. the wheel has come full circle; *~* ngn *i sina armar (till sitt bröst)* clasp (fold)...in one's arms (to one's bosom) **2** *~ vänskap med* form a friendship with **II** *rfl, ~ sig* **a)** stänga sig: om t.ex. dörr shut; om t.ex. mussla close; bildl. shut up; *~ sig inom sig själv (sitt skal)* retire into oneself (one's shell) **b)** ansluta sig *~ sig till* ngn attach oneself to...; förena sig med join... **c)** dra slutsats *~ sig till* ngt conclude (infer)... [*av* from]
slutare foto. shutter
slutbetyg skol. final (avgångsbetyg leaving) certificate
sluten 1 stängd closed; förseglad (om t.ex. försändelse) sealed; privat (om t.ex. sällskap) private; isolerad (om t.ex. värld) secluded **2** inbunden uncommunicative, reserved; inåtvänd introvert
slutföra fullfölja complete, finalize
slutförvaring av t.ex. kärnbränsle terminal storage
slutgiltig final, definitive; om t.ex. resultat conclusive
slutkapitel last (final, concluding) chapter
slutkläm slutpoäng final point; sammanfattning summing-up
slutkörd bildl. *vara ~* be worn out (done up, whacked)
slutledningsförmåga power of deduction
slutlig final; ytterst ultimate; slutgiltig definite; *~ skatt* final tax
slutligen finally; till sist in the end; äntligen at last (length); när allt kommer omkring after all
slutlikvid slutbetalning final payment (settlement)
slutomdöme final verdict
slutresultat final (ultimate) result (outcome)
slutsats conclusion, inference; *dra en ~ av* ngt draw a conclusion from..., conclude (infer) from...; *dra förhastade ~er* jump to conclusions
slutscen final (closing) scene
slutsignal sport. final whistle
slutskede final stage (fas phase)
slutspel sport. final tournament; i vissa sporter play-off; i schack endgame
slutspurt sport. final spurt äv. bildl.; finish
slutstation termin|us (pl. -i el. -uses), terminal
slutsumma [sum] total, total amount
slutsåld, *vara ~* be sold out, be out of stock; utgången, om bok be out of print
slutta slope; marken *~r* ...is sloping downwards
sluttande allm. sloping; om plan inclined
sluttning konkr. slope
sly koll. brushwood
slyna bitch
slyngel young rascal; svag. scamp
slå I *tr* o. *itr* a) tilldela flera slag el. besegra beat; träffa med (ge) ett slag strike, hit; stöta knock, bang; med flata handen smack; lätt tap; göra illa hurt b) i mera speciella bet.: meja mow; kasta (i tärningsspel) throw; göra: t.ex. knut tie; tele., ett nummer dial; *~* besegra *ett lag med 2-1* beat a team two one; *~ ett nummer* dial a number; *klockan ~r två* the clock is striking two; *~ ngn i ansiktet* strike (hit, med handen äv. slap, smack) a p. in the face; *~* ngt *i golvet* knock (kasta throw, fling)...on to the floor; *~* en boll *i nät* hit (sparka kick)...into the net; *~* näven *i bordet* bring down...on [to] the table with a bang; *~ en spik i* ngt drive (hammer, knock) a nail into...; *~ armarna om* ngn throw (put) one's arms round...
II *itr* **1** vara i rörelse beat; om dörr be banging; fladdra (om t.ex. segel) flap; dörren *står och ~r* ...keeps banging; *regnet ~r mot* fönstret the rain is beating against... **2** slå an be a [great] hit
III *rfl, ~ sig* **a)** skada sig hurt oneself **b)** klappa sig, *~ sig på knäna* slap one's knees **c)** *~ sig på* angripa attack, affect; t.ex. lungorna äv. settle on **d)** bågna warp, cast
IV med beton. part.
~ **an** a) tr.: ton strike; sträng äv. touch b) itr., vara tilltalande catch on, become popular
~ **av a)** hugga av knock off; bryta itu break...in two; meja av mow **b)** koppla ur

o.d. switch off **c)** ~ *av* 50 kr [*på priset*] pruta knock off...[from the price]

~ **bort a)** hälla pour (kasta throw) away **b)** bildl. drive (chase) away; skaka av sig äv. shake off; bagatellisera make light of

~ **fast** bildl., se *fastslå*

~ **i a)** t.ex. spik drive (knock, hammer)...in **b)** ~ (lura) *i ngn ngt* talk a p. into believing a th.

~ **ifrån a)** koppla från switch off; t.ex. motor äv. cut out **b)** ~ *ifrån sig* försvara sig defend oneself

~ **igen** stänga: t.ex. bok close (shut)...[with a bang]; t.ex. dörr äv. slam...to (shut)

~ **igenom** bli populär (gängse) catch on; göra succé: om pers. make a name for oneself, om sak be a success (hit)

~ **ihjäl:** ~ *ihjäl* ngn kill...

~ **ihop a)** slå mot varandra: händer clap; klackar click...[together] **b)** slå igen (t.ex. bok) close **c)** slå samman put...together; förena join, combine; ~ *sig ihop* inbördes join together (forces), combine, unite

~ **in a)** hamra in drive (knock, hammer) in **b)** slå sönder: t.ex. fönster smash; t.ex. dörr batter...down, smash (bash) in **c)** ~ *in* ngt *i papper* wrap up...in paper **d)** gå i uppfyllelse come true; ~ *in* stämma *på* fit **e)** ~ *in på* en väg take..., turn into...

~ **sig lös** roa sig enjoy oneself; släppa sig lös let oneself go

~ **ned a)** slå omkull (till marken) knock...down, bowl...over; driva ned (t.ex. påle) drive (hammer)...down **b)** kuva: t.ex. uppror put down; bildl.: göra modfälld discourage **c)** ~ *sig ned* sätta sig sit (settle) down; bosätta sig settle [down]; ~ *dig ned!* sit down!, take a seat (vard. pew)!

~ **om a)** förändras change äv. om väder; om vind chop about (round) **b)** ~ *om* ett papper [*om ngt*] put (wrap)...round [a th.]

~ **omkull** a) tr. knock...down (over) b) itr. fall over

~ **på** koppla på (t.ex. motor) switch (turn) on; ~ *på* hälla på pour on

~ **runt** a) om t.ex. bil overturn b) festa have a fling

~ **samman** se ~ *ihop*

~ **sönder** break...[to pieces]; krossa äv. smash; ~...*sönder och samman* smash (batter)...to pieces

~ **till a)** ge...ett slag strike; ngn äv. hit...a blow; med flata handen slap; stöta till knock (bump) into **b)** ~ *till* i t.ex. en affär clinch (settle) the deal

~ **tillbaka** t.ex. anfall beat off, repel

~ **upp a)** uppföra put up; tält äv. pitch; anslag o.d. äv. post [up], stick up **b)** öppna open; t.ex. dörr throw (fling)...open; ~ *upp* sidan 10 [*i en bok*] open [a book] at...; se på turn to...[in a book]; ~ *upp ett ord i* ett lexikon look up a word in...

~ **ut a)** avlägsna knock out; krossa (t.ex. fönsterruta) break; hamra ut (t.ex. buckla) flatten [out] **b)** breda ut: hår take down; ~ *ut med armarna* throw (fling) one's arms about **c)** besegra: sport. knock out; konkurrera ut: pers. cut out, sak supersede **d)** spricka ut: om blomma come out

~ **över** bildl.: överdriva overdo it; ~ *över* övergå *i* change (turn) into

slående striking; *ett* ~ *bevis* convincing (eloquent) proof

slån bot. sloe

slånbär sloe

slåss fight

slåtter hay-making

slåttermaskin mower

släcka allm. put out; bildl. (t.ex. törst) quench, slake

släckning extinction

släde fordon sleigh; mindre (t.ex. hund~) sledge, sled

slägga 1 sledge[hammer] **2** sport. **a)** redskap hammer; *kasta* ~ throw the hammer **b)** se *släggkastning*

släggkastning sport. hammer throw ss. tävlingsgren

släkt I *s* **1** ätt family; ~*en* Vasa the house of...; *det ligger i* ~*en* it runs in the family **2** släktingar relations, relatives; bjuda hem ~ *och vänner* (*hela* ~*en*) ...one's friends and relations (all one's relations); *ha stor* ~ have many relations (a large family) **II** *adj* related; bildl. (om t.ex. språk) cognate; ~ *på långt håll* distantly related

släktdrag family trait (characteristic)

släkte generation generation; ras, stam race; slag species (pl. lika); naturv. gen|us (pl. -era); zool. äv. family; de är *ett* ~ *för sig* ...a race apart

släktforskning genealogical research

släkting relation, relative; avlägsen, friare cousin; amer. folks; *en* ~ *till mig* a relation osv. of mine

släktled generation generation; släktskapsled degree of relationship

släktmöte family gathering

släktnamn 1 family name **2** naturv. generic name

släktskap relationship; blodsband consanguinity; bildl. kinship, affinity

släkttavla genealogical table

slända zool.: troll~ dragonfly; dag~ mayfly

släng 1 a) sväng swerve; knyck jerk **b)** slag lash; gliring sneer **c)** lindrigt anfall touch; av t.ex. influensa äv. bout **2** slående banging

slänga I *tr* throw; vard. chuck; vårdslöst toss; häftigt fling; kasta bort throw (chuck) away **II** *itr* svänga swing; dingla dangle; ~ *med armarna* fling (wave) one's arms about

III *rfl,* ~ *sig* allm. fling (throw) oneself [*på* marken on...]; ~ *sig i en bil* jump (hop) into a car
slängd, ~ *i* ngt clever (good) at..., [well] up (versed) in...
slängkappa [Spanish] cloak
slängkyss, *ge ngn en* ~ blow a p. a kiss
slänt sluttning slope; backsluttning hillside; tekn. embankment side
släp 1 på klänning train **2** släpvagn trailer **3** *ha (ta) på* ~ bogsera have (take)...in tow
släpa I *tr* dra drag; isht bära lug; ~ *fötterna efter sig* drag one's feet **II** *itr* **1** ~ [*i* marken] om kläder trail [on...] **2** ~ *på* bära på lug...along; dra på drag...along **3** uttr. långsamhet, *gå med ~nde steg* have a shuffling gait, shuffle [along] **4** knoga toil, drudge
III med beton. part.
~ **efter** lag [behind]
~ **fram a)** eg. ~ *fram ngt ur* källaren drag a th. out of **b)** ~ *sig fram* drag oneself along; bildl.: om t.ex. tid drag [on]
~ **med sig** ngt drag (lug)...about with one
släpig om t.ex. gång shuffling; om t.ex. röst drawling; om t.ex. tempo slow
släplift sport. ski-tow, T-bar lift
släppa I *tr* inte hålla fast a) ngt leave hold of b) ngn let...go; ~ lös let...loose; frige set...free, release; tappa let...fall, drop [*i* golvet on [to]...]; lämna leave; ge upp give up, abandon, relinquish; fälla cast, shed; lossna från come off; ~ *vad man har för händer* lägga ifrån sig put down (lämna drop) what one has in one's hands; ~ *ngn inpå livet* let a p. get closer to one
II *itr* **1** lossna: om t.ex. färg come off; om t.ex. skruv get (work) loose; inte klibba fast unstick; ~ *i sömmarna* come unsewn **2** ge vika: om t.ex. värk pass off; om spänning relax
III *rfl,* ~ *sig* vard., fjärta let off
IV med beton. part.
~ **efter** koppla av relax; vara efterlåten give in
~ **fram** (**förbi**) let...pass
~ **ifrån sig** let...go; avhända sig part with; avstå från give up
~ **igenom** let...through; t.ex. ljus transmit; godkänna pass
~ **in** luft let in...
~ **lös** t.ex. fånge set...free, release; djur let (turn)...loose; t.ex. passioner give full rein to
~ **på** vatten, ström turn on; ström äv. switch on
~ **till** stå för supply; tillskjuta contribute; ställa till förfogande make...available
~ **upp** t.ex. ballong send up; drake fly; t.ex. pedal let...up (rise); ~ *upp kopplingen* på bil let (slip) in the clutch
~ **ut a)** allm. let...out; fånge äv. release; ~ *ut* djur *på bete* turn...out to grass **b)** sätta i omlopp: t.ex. aktier issue; t.ex. vara put (bring) out; ~ *ut* ngt *i marknaden* put...on (bring...into) the market **c)** sömnad. let out
släpphänt bildl. easy-going
släptåg, *ha ngt i* ~ have a th. in tow
släpvagn trailer; för spårväg trailer coach
slät 1 jämn smooth; plan level; enkel plain; *en* ~ *kopp kaffe* ung. just a cup of coffee [without anything] **2** skral poor; slätstruken indifferent
släta, ~ *till* smooth [down]; plana flatten; ~ *ut* vecken [*i*] smooth down (away)..., iron out...[from]; ~ *över* ngt bildl. smooth (gloss) over..., cover up...
släthårig om hund smooth-haired
slätrakad clean-shaven
slätstruken bildl. mediocre, indifferent
1 slätt allm. plain; slättland flat land
2 slätt, *rätt och* ~ [quite] simply
slätvar zool. brill
slö 1 trubbig blunt **2** bildl. indolent, dull; slapp slack; trög slow; dåsig drowsy; håglös listless, apathetic
slöa idle; lata sig have a lazy time; ~ *till* [*i sitt arbete*] get slack
slödder mob
slöfock lazybones (pl. lika), sleepyhead
slöja veil äv. bildl.; foto. fog
slöjd handicraft äv. skol.; trä~ woodwork
slösa I *tr* waste; vara frikostig med lavish; ~ *bort* waste, squander **II** *itr* be wasteful; ~ *med* slösa bort waste; vara frikostig med be lavish with (t.ex. beröm of); t.ex. pengar spend...lavishly
slösaktig oekonomisk wasteful; frikostig lavish
slösaktighet wastefulness; lavishness, jfr *slösaktig*
slöseri wastefulness, extravagance; misshushållning waste
smacka, ~ [*när man äter*] eat noisily
smak taste; viss utmärkande flavour; angenäm relish; bismak savour äv. bildl.; *~en är olika* tastes differ; maten *har ingen* ~ ...doesn't taste of anything; *ha (ta)* ~ *av* ngt have a (take on the) taste of...; krydda *efter* ~ ...to taste; *den är mild i ~en* it has a mild taste, it tastes mild; jfr äv. *tycke* [*och smak*]
smaka I *tr* o. *itr,* ~ [*på*] taste; ~ *bra* taste nice (good), have a nice taste; *det ~r* citron it tastes (har en svag smak av smacks) of..., it has a taste (flavour) of...; *det ~r ingenting (konstigt)* it has no (a queer) taste; ~ *på* ngt taste (prova try)...
II med beton. part.
~ **av** taste; ~ *av* såsen *med senap* flavour...with mustard
~ **på** try, experience
smakbit bit (piece) to taste; prov sample

smakfull tasteful; elegant stylish
smaklig välsmakande savoury, delicate; läcker tasty; aptitlig appetizing; ~ *måltid!* enjoy your meal!, have a nice meal!
smaklös tasteless
smaklöshet egenskap tastelessness; handling piece of bad taste
smakprov taste; bildl. sample
smaksak matter of taste
smaksinne [sense of] taste
smaksätta flavour; isht med kryddor season
smakämne flavouring
smal ej bred: om t.ex. band el. bildl. narrow; tunn: om t.ex. ben thin; slank: om t.ex. hand slender; *lång och* ~ om pers. tall and slim; *vara ~ om höfterna (midjan)* have narrow hips (a slim el. slender waist)
smalben ung. [lower part of the] shin, the small of the leg
smalfilm substandard film, cine-film; *16 mm* ~ 16 mm film
smalmat slimming food
smalna become (get) narrower (tunnare, magrare thin[ner]); banta slim; ~ *[av]* narrow, tail away *[till* into]
smalspårig järnv. narrow-gauge
smaragd emerald
smart smart; slug sly
smasha sport. smash
smaska slurp, champ one's food
smaskig vard.: om mat yummy, scrumptious; om t.ex. bilder spicy
smatter clatter; rattle; blare, jfr *smattra*
smattra om skrivmaskin o.d. clatter; om gevär o. regn rattle; om trumpeter blare
smed smith; grov~ blacksmith
smedja smithy, forge
smek caressing; kel fondling; smekningar caresses
smeka caress; stryka stroke [gently]; kela med fondle; ~ *ngn över håret* stroke a p.'s hair
smekas caress each other
smekmånad honeymoon äv. bildl.
smeknamn pet name
smekning ömhetsbetygelse caress; strykning gentle stroke
smeksam caressing; om tonfall bland
smet blandning mixture; pannkaks~ o.d. batter; grötlik massa sticky mass (stuff), goo; sörja sludge
smeta I *tr* daub; något kladdigt smear **II** *itr* **1** kladda mess about **2** se ~ *av sig*
III med beton. part.
~ **av sig** make (leave) smears; om färg come off
~ **fast ngt** paste (stick) a th.
~ **ned** ngt daub (smear)...[all over]; ~ *ned sig* make oneself all messy, get oneself in (into) a mess
smetig smeary; klibbig sticky; degig doughy
smicker flattery; vard. soft soap; inställsamhet blandishment[s pl.], blarney; kryperi adulation
smickra flatter; ngn, äv. vard. butter...up; ~ *in sig hos* ngn ingratiate oneself with...
smickrande flattering
smida forge; hamra ut hammer out; bildl. (t.ex. planer) devise; ~ *medan järnet är varmt* strike while the iron is hot, make hay while the sun shines
smide 1 smideri forging **2** konkr. *~n* av järn wrought-iron goods
smidig böjlig flexible; om material pliable; vig lithe; mjuk: om t.ex. övergång smooth and easy; slug: om t.ex. diplomat adroit, smart; anpasslig, om pers. adaptable
smidighet böjlighet, spänstighet flexibility; vighet litheness; mjukhet smoothness
smil smile
smila smile
smilfink vard. smarmy type (customer)
smilgrop dimple
smink make-up; sminkmedel paint; teat. greasepaint
sminka make...up äv. teat.; ~ *sig* make (make oneself) up
sminkning eg. making-up; konkr. make-up
smisk se *smäll 4*
smita *itr* **1** ge sig i väg run away, clear out; försvinna make off; vard. do a bunk; ~ *från olycksplatsen* leave the scene of the accident, hit and run; ~ *ifrån ngn* give a p. the slip **2** om kläder, ~ *efter* figuren cling (fit close) to...
smitta I *s* infection; isht gm beröring contagion båda äv. bildl. **II** *tr* infect äv. bildl.; *bli ~d [av* en sjukdom] be infected [with...] **III** *itr* be infectious äv. bildl.; gm beröring el. om pers. be contagious äv. bildl.; ~ *av sig på* bildl. rub off on, infect
smittbärare disease carrier
smittkoppor smallpox
smittsam infectious; bildl. äv. el. gm beröring contagious
smittämne infectious matter, contagion; virus virus
smocka vard. **I** *s* wallop, biff **II** *itr*, ~ *till ngn* wallop (sock, biff) a p.
smoking dinner jacket; amer. tuxedo (pl. -s), vard. tux; vard. el. på bjudningskort black tie
smolk, *det har kommit ~ i glädjebägaren* bildl. there is a fly in the ointment
smord bildl. *det går som smort* it is going swimmingly (like clockwork, like a house on fire)
smuggelgods smuggled goods, contraband [goods pl.]
smuggla I *tr* smuggle; isht spritvaror i större skala bootleg; ~ *in ngt* smuggle a th. in *[in i* into] **II** *itr* smuggle

smugglare smuggler
smuggling smugglande smuggling
smula I *s* **1** isht bröd~ crumb äv. bildl.; allmännare bit **2** lite, *en ~* a little; framför adj. o. adv. äv. a bit; en aning a trifle **II** *tr, ~ [sönder]* crumble; krossa crush
smulig som smular sig crumbly; full med smulor ...full of crumbs
smultron wild (wood) strawberry
smultronställe bildl. favourite [little] spot (haunt)
smussel hanky-panky; fiffel cheating
smussla I *itr* practise underhand tricks; fiffla cheat; *~ med ngt* pilla med fiddle about with a th. on the sly **II** *tr, ~* ngt *till ngn* (*~ till ngn* ngt) slip (pass)...to a p. on the sly (quiet)
smuts dirt; stark. filth båda äv. bildl.
smutsa dirty; bildl. sully; *~ [ned]* äv. make...dirty; smörja ned äv. muck up; fläcka stain; *~ ned sig om händerna* make one's hands [all] dirty
smutsgris om barn dirty [little] pig
smutsig dirty; stark. filthy båda äv. bildl.; nedsmutsad (om t.ex. kläder) soiled; inte ren, använd: om t.ex. disk unwashed, om t.ex. skjorta (pred.) not clean
smutskasta throw (fling) mud at; svärta ner smear; baktala malign; förtala defame
smutskläder dirty linen
smutstvätt dirty washing (linen)
smutta sip; *~ på* a) dryck sip [at]... b) glas take sips (a sip) from...
smycka adorn äv. bildl.; pryda ornament; dekorera decorate; försköna embellish
smycke piece of jewellery (amer. jewelry); enklare trinket; med juveler o.d. jewel; prydnad ornament äv. bildl.; *~n* vanl. jewellery sg., jewels
smyckeskrin jewel case (box)
smyg, *i ~* olovandes on the sly, on the quiet (vard. QT)
smyga I *tr* slip; *~* ngt *i handen på ngn* slip...into a p.'s hand **II** *itr* steal; slinka slink; smita slip; gå tyst creep el.; *~ på tå* creep on tiptoe, tiptoe **III** *rfl, ~ sig* steal osv., se *II; ett fel har smugit sig in* an error has slipped (crept) in
smygande om t.ex. gång stealthy, sneaking; bildl.: om t.ex. förtal, sjukdom insidious; om t.ex. misstanke lurking
smygröka, *~* [cigaretter] smoke [...] on the sly (quiet)
små se *liten*
småaktig trångsynt petty; futtig mean; petnoga niggling; kitslig carping
småaktighet pettiness osv.; niggling; carping; jfr *småaktig*
småbarn small (little) child; spädbarn baby
småbarnsförälder parent of a small child (flera of small children)
småbil small car; mycket liten minicar
småbitar small pieces (bits); *riva i ~* tear...into little pieces (bits, fragments)
småborgerlig [lower] middle-class
småbruk small-scale farming; konkr. smallholding
småbrukare smallholder, small farmer
småbröd koll. fancy biscuits; amer. cookies
smådjur small animals
småflickor little girls
småfolk enkelt folk humble folk; vard. small fry; koll. *~[et]* a) se *småungar* b) älvor, tomtar o.d. little people pl.
småfranska [French] roll
småfrysa feel a bit chilly
småfågel small bird; koll. small birds
småföretag small[-scale] business (firm, enterprise)
småföretagare small businessman (enterpriser, trader); ekon. small entrepreneur
småhus small [self-contained] house
småkaka fancy biscuit; amer. cookie
småkoka simmer
småkryp eg. small creeping things (insects)
småle smile
småleende I *adj* smiling **II** *s* [faint] smile
småningom, *[så] ~* efter hand gradually, by degrees, little by little, as time goes (resp. went) on
småpengar small coins; växel [small] change, loose cash
småpojkar little boys
småprata chat; för sig själv mumble [to oneself]
småregna drizzle
småretas tease [gently], chip
smårolig ...amusing (kvick witty) in a quiet way, droll
smårutig mönstrad small-checked, ...with small checks
smårätter kok., ung. fancy dishes
småsak liten sak little (small) thing; bagatell trifle, small matter; *~er* plock odds and ends
småsint petty
småsjunga sing softly; gnola hum
småskalig small-scale...
småskratta chuckle
småslantar small coins
småsnål niggardly
småsparare small saver (depositor)
småspringa jog along
småstad small town; landsortsstad provincial (country) town
småstadsbo inhabitant of a small town, small-town dweller
småsten koll. pebbles
småsyskon younger (small) sister and brother (sisters, resp. brothers), younger (small) sisters and brothers

småtimmarna the small hours; *[fram] på ~* in the small hours [of the morning]
småtrevlig om pers. el. t.ex. kväll pleasant; om sak [nice and] cosy
smått I *adj* small osv., jfr *liten I* **II** *s, allt möjligt ~ och gott* all sorts (a great variety) of nice little things **III** *adv* en smula [just] a little, slightly; nästan rather; i liten skala in a small way; *så ~* sakta och försiktigt slowly, gradually, little by little
småttingar vard. little kids; mycket små tiny tots
småungar little children (kids)
småutgifter minor (petty) expenses (expenditure sg.)
småvarmt ung. small hot dishes
småvägar bypaths
småväxt kort short; (pred.) short of stature; liten small; om växt low
smäcker slender
smäda abuse; okväda rail at; förtala defame; häda blaspheme
smädelse abuse; förtal defamation; hädelse blasphemy; *~r* defamatory words, abuse sg.; i skrift äv. libel sg.
smädlig om t.ex. tal abusive; ärekränkande defamatory; om skrift libellous; hädisk blasphemous
smäktande om t.ex. blickar languishing; om t.ex. röst melting
smäll 1 knall: bang; av piska o.d. crack; av kork pop; av eldvapen report; vid kollision smash; vid explosion detonation **2** slag med handen smack; lättare rap; med piska lash; stöt blow, bang **3** vard., bakslag blow; *det är jag som får ta ~en* I'm the one who has to carry the can (get the blame) **4** smisk smacking, spanking; *få ~ på fingrarna* get a rap over the knuckles **5** *vara på ~en* sl. have a bun in the oven
smälla I *tr* **1** slå bang, knock **2** smiska smack; *~ ngn på fingrarna* rap a p. over the knuckles **II** *itr* om dörr o.d. bang; om piska crack; om kork pop; om skott go off; *~ i* dörrarna bang (slam)...
III med beton. part. (jfr äv. under *slå IV*)
~ **av a)** ett skott fire off... **b)** vard. freak out
~ **i sig** vard.: proppa i sig gorge (cram) oneself
~ **ihop a)** stänga (t.ex. bok) close...with a snap **b)** krocka (om t.ex. bilar) smash (crash) into each other **c)** sätta ihop: t.ex. hus knock up (together); t.ex. historia make up
~ **till a)** ngn slap **b)** vard. *~ till* och gifta sig go ahead...
smällare cracker
smällkall vard. bitingly (bitter) cold
smällkaramell cracker
smälta I *tr* o. *itr* **1** eg. bet. melt; isht [om] metaller fuse; [om] malm äv. smelt; till vätska liquefy; bildl., t.ex. [om] hjärta melt, soften **2** fysiol. el. i bet. tillgodogöra sig (bildl.) digest; svälja stomach, put up with; komma över get over; *~ maten* digest one's food
II med beton. part.
~ **bort** itr. melt away äv. bildl.
~ **ihop** förena: eg. melt (fuse)...together; bildl. fuse, amalgamate
~ **in i** omgivningen go well (om sak äv. harmonize) with...
smältdegel melting-pot äv. bildl.; crucible
smältpunkt melting-point; isht metallers fusing-point
smärgelduk o. **smärgelpapper** emery cloth
smärre smaller osv., jfr *mindre I*
smärt slender; *hålla sig ~* keep slim
smärt|a I *s* pain; häftig o. kortvarig pang, twinge [of pain]; lidande suffering; sorg grief; bedrövelse affliction; *ha [svåra] -or* be in [great] pain **II** *tr* bedröva grieve; *det ~r mig djupt* it grieves me deeply **III** *itr* värka ache
smärtfri eg. painless; smidig smooth
smärtgräns pain threshold äv. bildl.
smärting tyg canvas
smärtsam allm. painful; stark. afflicting
smärtstillande pain-relieving, analgesic; *~ medel* pain-killer, analgesic
smör butter; *~ och bröd* bread and butter
smöra vard. *~ för ngn* butter a p. up
smörask butter dish
smörbakelse puff pastry
smörblomma buttercup
smördeg puff pastry
smörgås 1 *en ~* utan pålägg a slice (piece) of bread and butter; med pålägg an open sandwich **2** *kasta ~* lek play ducks and drakes, skip (skim) stones [across the water]
smörgåsbord smörgåsbord (äv. smorgasbord)
smörgåsmat se *pålägg*
smörj vard., se *stryk*
smörja I *s* **1** fett grease; salva ointment **2** skräp: allm. rubbish **3** smuts muck **II** *tr* **1** *~* ngt *[med fett (olja)]* grease (oil)...; rund~ lubricate; bestryka smear, daub *[med* with; *på* on] **2** *~ ngn* muta grease (oil) a p.'s palm; smickra butter a p. up
smörjelse relig.: konkr. ointment; abstr. unction; *sista ~n* extreme unction
smörjkanna oilcan
smörjmedel tekn. lubricant
smörjning tekn. lubrication, greasing
smörklick pat (mindre dab) of butter
smörkniv butter knife
smörkräm butter cream (icing)
snabb om t.ex. framsteg, ström rapid; om t.ex. blick swift, quick; om t.ex. uppgörelse

speedy; om t.ex. tåg fast; om t.ex. affär, hjälp prompt
snabba I *tr,* ~ *på (upp)* speed up **II** *itr* o. *rfl,* ~ *sig* el. ~ *på* hurry up, look lively (snappy)
snabbhet rapidity, swiftness, speediness, jfr *snabb;* fart speed
snabbkaffe instant coffee
snabbkassa ung. fast check-out counter
snabbkurs crash (rapid) course
snabbköp self-service [shop (amer. store)]; större supermarket
snabbmat fast (convenience, instant) food
snabbtelefon intercom telephone (anläggning system)
snabbtåg fast (express) train
snabbtänkt quick-witted, ready-witted
snabbuss express bus (coach)
snabel trunk
snack vard., se *prat*
snacka vard., se *prata*
snagga cut (crop)...short; *~d* pojke ...with his hair cut short (cropped), ...with a crew cut
snappa snatch; ~ *till (åt) sig* snatch, grab
snaps [glas] brännvin schnapps (pl. lika), dram
snar skyndsam speedy; omedelbar prompt; nära förestående near
snara [rep]slinga snare äv. bildl.; rännsnara noose; giller gin; fälla trap äv. bildl.; *fastna i ~n* fall into the trap
snarare förr, hellre rather; fastmer, närmast if anything; *jag tror ~ att...* I am more inclined to think that...; vinden har ~ *tilltagit [än avtagit]* ..., if anything, increased
snarast, ~ *möjligt* as soon as possible, at the earliest possible date (opportunity), very soon, at the (your etc.) earliest; sänd varorna ~ *möjligt* hand. äv. ...at your earliest convenience
snarka snore
snarkning, ~*[ar]* snarkande snoring sg.; *en* ~ a snore
snarlik rather like; *vara ~a* be rather (somewhat) like each other
snarstucken retlig, ömtålig touchy, quick to take offence; lättretad short-tempered
snart soon; inom kort shortly; *så ~ [som]* konj. a) så fort as soon as b) så ofta whenever; *så ~ som möjligt* se *snarast [möjligt]; det är ~* fort *gjort* it will soon be done; *jag kommer ~ tillbaka* I'll soon be back
snask sötsaker sweets; amer. candy
snaska äta sötsaker eat (munch) sweets; ~ *[på] ngt* munch (chew) a th.
snatta pilfer; vard. pinch [things]; i butik shoplift
snattare pilferer; i butik shoplifter
snatteri pilfering; i butik shoplifting
snattra *itr* om t.ex. anka quack; pladdra gabble
snava stumble; jfr *snubbla*
sned I *adj* lutande slanting; sluttande sloping, inclined; skev warped; krokig crooked; på snedden diagonal **II** *s, på* ~ askew, aslant, on the slant, slantingly, slopingly, jfr *I* ovan
snedda I *tr,* ~ *[av]* t.ex. hörn cut...off obliquely **II** *tr* o. *itr,* ~ *[över]* gatan slant across..., cross...
snedden, *på* ~ obliquely, diagonally
snedfördelning uneven distribution
snedrekrytering uneven recruitment
snedsprång bildl. escapade; 'historia' affair
snedsteg eg. sidestep
snedstreck slanting line, [slanting] stroke; typogr. slash
snedvriden bildl. twisted
snedögd slant-eyed
snegla, ~ *[på]* ogle; ~ *på* ngn (ngt) förstulet glance furtively (misstänksamt look askance, lömskt leer) at...; vilja ha have one's eye on...
snett slantingly; aslant; askew; diagonally; jfr vid. *sned; gå ~* vard., bli fel go wrong; *gå ~ över* gatan cross...diagonally, slant across...; *se ~ på* ngn (ngt) look askance at...
snibb hörn corner; spets point; tipp, ände tip; ör~ lobe; tre~ triangular cloth; blöja tie pants
snickarbyxor [bib-and-brace] overalls, dungarees
snickare isht inrednings~ joiner; timmerman carpenter; finare möbel~ cabinet-maker
snickarverkstad joiner's (cabinet-maker's) workshop; jfr *snickare*
snickeri abstr. el. koll. joinery (carpentry) [work]; möbel~ cabinet work, jfr *snickare;* konkr., se *snickarverkstad*
snickra I *itr* do joinery (carpentry) [work]; slöjda i trä do woodwork **II** *tr,* ~ *[ihop]* möbel o.d. make; bildl. put (patch) together
snida carve
sniffa sniff; ~ thinner sniff...
snigel slug; med snäcka snail
snigelfart, *med* ~ at a snail's pace
sniken girig avaricious; lysten greedy; covetous
snille genius; *han har (är ett)* ~ he has (is a man of) genius
snilleblixt brainwave; stark. flash of genius
snillrik brilliant
snipa båt ung. gig
snirklad scrolled; bildl. florid
snits style; *sätta ~ på ngt* give a th. style
snitsa vard. ~ *till (ihop)* t.ex. en middag knock up, fix; ett tal put together; piffa upp smarten up

snitsig vard. stylish
snitsla, ~ en bana mark...with paper-strips
snitt 1 cut äv. modell; isht kir. incision; preparat section; boksnitt edge **2** tvärsnitt section; genomsnitt cross-section; matem. intersection; *i* ~ on [the] average **3** sort type
sno I *tr* **1** hoptvinna twist; vira twine, wind; snurra twirl **2** vard., stjäla pinch **II** *rfl,* ~ *sig* **1** linda sig twist; trassla ihop sig get twisted (entangled) **2** bildl., slingra sig dodge **3** vard., skynda sig get cracking (moving), jfr äv. *skynda II;* ~ *dig* [*på*]*!* make it snappy!, get a move on!
III med beton. part.
~ **ihop** eg. twist together; ~ *ihop* t.ex. måltid, sockerkaka knock up
~**in:** ~ trassla *in sig i ngt* get [oneself] entangled in a th.
~ **på** se ovan *II 3*
~ **åt sig** vard. grab hold of
snobb snob; kläd~ dandy, fop, tailor's dummy; amer. äv. dude; intelligens~ highbrow
snobberi snobbery, snobbishness; klädsnobberi dandyism
snobbig snobbish; dandified, foppish; jfr *snobb*
snobbighet o. **snobbism** se *snobberi*
snodd att dra el. knyta cord; till garnering braid, lace; av gummi band
snofsig vard. smart
snok zool. grass snake
snoka poke, ferret [about]; vard. snoop; *gå och* ~ go prying (vard. snooping) about
snopen besviken disappointed; obehagligt överraskad disconcerted; flat blank; slokörad crestfallen
snopp vard., penis thing
snoppa ljus snuff; krusbär o.d. top and tail; bönor string; ~ [*av*] cigarr cut (snip) [off]
snor vard. snot
snorig snotty[-nosed], ...with a running nose
snorkel snorkel
snorkig snooty, snotty
snorunge o. **snorvalp** vard., småbarn little kid; neds. snotty-nosed kid; som är uppkäftig saucy (cheeky) brat
snubbla vara nära att falla stumble; ~ *fram* stumble (stappla stagger) along
snudd eg. touch; det är ~ *på skandal* ...little short of a scandal
snudda, ~ *vid* a) eg.: komma i beröring med brush against; skrapa lätt graze b) bildl.: omtala flyktigt touch [up]on
snurra I *s* leksak top; vind~ windmill **II** *itr* o. *tr,* ~ [*runt*] spin, twirl; svänga, virvla whirl [*omkring* i samtl. fall round]; kring axel el. punkt turn [*omkring* on]; rotate, revolve [*omkring* round, about]
snurrig vard., yr giddy, dizzy; tokig crazy, nuts; *bli* ~ vimsig äv. go haywire
snus luktsnus snuff; 'svenskt' moist snuff
snusa 1 tobak take snuff **2** sova sleep
snusbrun snuff-coloured
snusdosa snuffbox
snusförnuftig förnumstig would-be wise; know-all end. attr.; sententious; lillgammal old-fashioned
snusk eg. el. bildl. dirt[iness], filth[iness]
snuskhummer vard. dirty old man
snuskig eg. el. bildl. dirty; ~ *fantasi* dirty (filthy) imagination
snustorr eg. el. bildl. dry-as-dust... (pred. as dry as dust)
snut vard., polis cop; ~*en* koll. the cops pl., the fuzz
snutt vard. bit; av t.ex. melodi snatch
1 snuva [head] cold; med. nasal catarrh; *få* (*ha*) ~ catch (have [got]) a cold [in the head]
2 snuva vard., lura cheat
snuvig, *bli* (*vara*) ~ se [*få* resp. *ha*] *snuva*
snyfta sob; ~ *fram* sob out
snyftning sob
snygg prydlig tidy; ren clean; vard., vacker o.d. pretty samtl. äv. bildl. el. iron.; om en man handsome, good-looking; *det var en* ~ *historia!* iron. that's (this is) a pretty (nice, fine) story (kettle of fish)!
snygga, ~ *till* (*upp*) *sig* make oneself [look] tidy (presentable), tidy oneself up; piffa upp sig smarten (spruce) oneself up; ~ *upp* tr. o. itr.: städa tidy up; tr.: ordna till, renovera do up
snylta be a parasite
snyltgäst parasite äv. biol.
snyta, ~ *sig* (*ett barn*) blow one's nose (a child's nose)
snål 1 stingy; gnidig tight-fisted; sniken greedy; njugg niggardly; knapp skimpy; ~ *portion* meagre (skimpy) portion **2** om vind biting
snåla vara snål be stingy (mean), save and scrape; nödgas leva snålt stint oneself; hushålla economize; ~ *in på* spara save on; knappa in skimp
snålhet stinginess etc., jfr *snål 1;* cheeseparing; greed
snåljåp vard. skinflint; isht amer. cheapskate
snålskjuts, *åka* ~ eg. get a lift; bildl. get a free ride, take advantage [*på* of], profit [*på* from]
snår thicket
snårig 1 eg. brushy, ...covered with brushwood **2** bildl., komplicerad tricky, complicated
snårskog brushwood; bildl. forest
snäcka 1 skal shell; snäckdjur mollusc; trädgårds~ heli|x (pl. -ces, äv. -xes) **2** ornament scroll äv. på fiol **3** i öra cochlea (pl. -e)

snäckskal shell
snäll hjälpsam el. mots. till stygg good; vänlig kind; ~ och rar nice; väluppfostrad well-behaved; hygglig decent; *~a du* gör det el. *var ~ och* gör det ...[please], will (would) you?, please...; *men ~a du,* hur...! but my dear [fellow resp. girl etc.],...
snälltåg fast train
snärj 1 *ha ett fasligt ~* knog have a tremendous job (jäkt a hectic time) **2** snår thicket
snärja [en]snare, trap; ~ *ngn i sina garn* bildl. ensnare a p. in one's toils
snärjigt, *ha det ~* arbetsamt have a proper job (jäktigt a hectic time of it)
snärt 1 piskända lash **2** lätt slag flick; rapp lash; bildl.: stickord gibe; vard. crack **3** kläm sting, zip
snärtig om slag sharp, ...with force (a sting) in it; om replik o.d.: bitande cutting; sarkastisk caustic
snäsa, ~ *[till] ngn* snap at a p.; åthuta tell a p. off
snäsig brysk abrupt, brusque; retlig irritable
snäv 1 stramande tight, close; trång narrow; *~a gränser* narrow limits **2** kort, ovänlig abrupt; onådig ungracious; *ett ~t svar* a curt answer
snö snow
snöa snow; *det ~r* it is snowing; vägen *har ~t igen* ...has been blocked (obstructed) by snow
snöblandad, *snöblandat regn* rain mixed with snow, sleet
snöblind snowblind
snöboll snowball
snödjup depth of snow
snödriva snowdrift
snödroppe bot. snowdrop
snöfall snowfall, fall of snow
snöflinga snowflake
snöglopp sleet
snögubbe snowman
snöig snowy
snökedja tyre chain
snöplig om t.ex. reträtt, nederlag ignominious; om t.ex. resultat disappointing; stark. deplorable, lamentable; *få (ta) ett ~t slut* come to a sorry (sad) end
snöplog snowplough; amer. snowplow
snöra *tr* lace [up]; ~ *på sig* pjäxorna put (ränseln strap) on...
snöre string; grövre cord; segelgarn twine; för garnering braid; för snörning lace; mål~ tape; *ett* ~ a piece of string (etc., se ovan)
snöripa zool. ptarmigan
snörliv stays; korsett corset
snörpa pucker; ~ *på munnen* purse one's lips
snörsko laced (lace-up) shoe (känga boot)
snörvla snuffle; tala i näsan speak in a snuffle
snöröjning snow clearance
snöskoter snowmobile; amer. snowcat
snöskottning clearing (shovelling) away [the] snow
snöskred avalanche
snöskyffel snowshovel
snöslask glopp sleet; sörja slush
snöslunga snow-blower
snösmältning melting away of [the] snow
snöstorm snowstorm; våldsam blizzard
snösväng vard., snöröjning snow clearance; arbetsstyrka snow-clearance force
snötäcke covering (blanket) of snow
snötäckt snow-covered, snowy; poet. snow-clad
snövit snowy
snöyra snowstorm
so sugga sow
soaré soirée fr.; friare evening entertainment; musikalisk etc. ~ ...evening
sobel zool. sable äv. pälsverk
sober allm. sober
social social; *~a problem* social problems
socialarbetare social (welfare) worker
socialassistent se *socialsekreterare*
socialbidrag social allowance, supplementary benefit
socialbyrå social welfare office
socialdemokrat social democrat
socialdemokrati, ~*[n]* social democracy
socialdemokratisk social democratic
socialfall vard. social welfare case; utslagen drop-out
socialförsäkring social (national) insurance
socialgrupp social group (class); ~ *I (II* resp. *III)* äv. [the] upper (middle resp. working) class
socialhjälp ngt åld. public (social) assistance; i Engl. national assistance; amer. [public] relief
socialisering socialization; isht förstatligande nationalization
socialism, ~*[en]* socialism
socialist socialist
socialistisk socialistic
socialsekreterare ung. social welfare secretary
socialstyrelsen the National [Swedish] Board of Health and Welfare
socialtjänst, *~en* social services pl.
socialvård social welfare; *~en* äv. social services pl.
societet society; *~en* Society
sociolog sociologist
sociologi sociology
sociologisk sociological
socionom graduate from a School of Social Studies

socka sock
sockel base; byggn., på möbel plinth, pedestal; arkit. äv. socle; lampfattning socket
socken parish
socker sugar
sockerbeta sugar beet
sockerbit lump of sugar; *två ~ar* two lumps of sugar
sockerdricka lemonade
sockerfri sugarless; t.ex. tuggummi sugar-free
sockerkaka sponge cake
sockerpiller med. placebo (pl. -s)
sockerrör sugar cane
sockersjuk med. diabetic; *en ~* subst. adj. a diabetic
sockersjuka med. diabetes
sockerskål sugar basin (bowl)
sockerströare sugar castor (sifter, shaker)
sockervadd candy floss
sockerärt bot. sugar pea
sockra I *tr* sugar äv. bildl.; söta sweeten [...with sugar] **II** *itr, ~ i (på) ngt* sugar a th.
soda soda
sodavatten soda [water]
soffa sofa; mindre el. pinn~ settee; vil~ couch samtl. äv. bäddbara; isht amer., bädd~ davenport; t.ex. park~ seat
soffbord coffee (sofa) table
soffgrupp group of sofa and armchairs; enhetligt möblemang lounge (three-piece) suite
soffhörn med soffa sofa corner; i soffa corner of a (resp. the) sofa
soffliggare latmask idler; valskolkare abstainer
sofistikerad sophisticated
soja sås soya (soy) sauce
sojaböna soya [bean]
sol sun äv. bildl.; *~en skiner* the sun is shining
sola, *~ sig* sun oneself äv. bildl.; bask in the sun[shine]; bildl. bask
solarium solarium äv. lokal
solbad sunbath
solbada sunbathe
solbelyst sunlit
solblind sun-blind
solbränd brun sunburnt; förtorkad parched; *bli ~* get sunburnt, tan
solbränna sunburn
solcell tekn. solar cell
soldat soldier
soldis heat haze
soldäck sjö. sun deck
soleksem sunrash; vetensk. solar dermatitis
solenergi solar energy
solfattig ...with very little sun[shine], not very sunny
solfjäder fan
solförmörkelse solar eclipse, eclipse of the sun; *total ~* total solar eclipse
solgass blazing hot sunshine; *i ~et* äv. in the hot sun
solglasögon sunglasses
solglimt glimpse of the sun
solhatt sun hat (för t.ex. barn bonnet)
solid allm. solid; om hus *~ ekonomi* sound economy
solidarisera, *~ sig* fully identify oneself [*med* with]
solidarisk loyal
solidaritet solidarity
soliditet solidity; isht ekon. äv. soundness
solig sunny äv. bildl.
solist soloist
solka, *~ [ned]* soil
solkatt reflection of the sun
solkig soiled
solklar uppenbar ...as clear as daylight, [self-]evident, obvious
solklänning sun dress
solkräm sun (suntan) lotion
solljus I *s* sunlight **II** *adj* sunny, bright
solnedgång sunset, sundown; *i (vid) ~en* äv. at the setting of the sun
solo I *adj* o. *adv* solo; helt ensam alone **II** *s* solo (pl. -s, mus. äv. soli)
solochvårare confidence trickster
sololja suntan oil (lotion)
solosång solo singing
solosångare o. **solosångerska** solo singer
solros bot. sunflower
solsida sunny side äv. bildl.
solsken sunshine äv. bildl.; *det är ~* vanl. the sun is shining
solsting sunstroke; *få ~* have a sunstroke
solstol sun chair
solstrimma streak of sunshine
solstråle sunbeam; ray of sunshine äv. om pers.
solsystem solar system
soltak sun shelter; på bil sunshine roof
soltorka, *~ [ngt]* dry [a th.] in the sun
soluppgång sunrise; vard. sunup; *i (vid) ~en* äv. at the rising of the sun
solur sundial
solution lösning solution
solvarm om t.ex. sand ...warmed by the sun
solvent solvent; *vara ~* vard. äv. be in the black
som I *rel pron* **1** med syftning på pers. who (ss. obj. whom); med syftning på djur el. sak which; allm. ofta that; *allt (mycket) ~* all (much) that; *den ~ läser detta kommer att...* anyone who reads (anyone reading, those who read) this will...; *på den tiden ~...* at the time [when]...; *han var den förste (ende) ~ kom* he was the first (the only one) to come (that el. who came); *det är en herre ~ söker dig* there is a gentleman

who (that) wants to see you; *vem var det* [~] *du talade med?* who was that (beton.) you spoke to? **2** specialfall: jag vet inte *vem ~ har rätt* ...who is right; *vem ~ än* whoever; *vad ~ än* whatever

II *konj* **1** samordnande *såväl A. ~ B.* A. as well as B. **2** jämförande like; han är *lika* (*inte så*) *lång ~ du* ...as (not so el. as) tall as you are; varför gör du inte *~ jag?* ...as (vard. like) I do?, ...like me?; *~ pojke simmade han ~ en fisk* as a boy he used to swim like a fish; *~ sagt* as I (you etc.) said before **3** villkorligt *han lever ~* [*om*] han vore miljonär he lives as if (though)... **4** angivande tid *bäst* (*just*) *~* when, [just] as, at the very moment [when] **III** *adv* framför superlativ: när vattnet står *~ högst* ...at its highest

Somalia Somalia

somlig, ~[*t*] el. *~a* självst. some, some (certain) people

sommar summer; för ex. jfr *höst*

sommardag summer day; *en vacker ~* [adv. on] a fine summer day

sommardäck ordinary (regular) tyre (amer. tire)

sommargäst holiday (summer) visitor (guest)

sommarjobb vard. summer job

sommarkläder summer clothes (vard. things)

sommarklänning summer dress

sommarkväll summer evening; *en ~* [adv. on] a summer evening

sommarlov summer holidays pl. (isht amer. vacation)

sommarnatt summer night

sommarolympiaden o. **sommar-OS** the Olympic Summer Games, the Summer Olympics

sommarsolstånd summer solstice

sommarstuga summer (weekend) cottage

sommarställe place in the country, summer cottage (större house)

sommartid 1 årstid summer[time]; ~[*en*] (adv.) om sommaren in summer[time] **2** framflyttad tid summer time

sommarvärme summer heat (temperature); *det är riktig ~* it's just like (as hot as) summer

somna fall asleep äv. bildl.; go [off] (drop off, lätt dose off) to sleep; *~ ifrån* t.ex. bok go (etc., se ovan) to sleep over...; *~ om* fall asleep (etc., se ovan) again

son son

sona t.ex. brott atone for; t.ex. misstag redeem, make amends for

sonat mus. sonata

sond probe äv. rymd~; med. äv. sound; rörformig tube; ballong sounding balloon

sondera probe, sound; *~* möjligheterna explore...; *~ terrängen* see how the land lies

sondotter granddaughter

sonett litt. sonnet

sonhustru daughter-in-law (pl. daughters-in-law)

sonson grandson

sopa sweep; *~* ett golv sweep...; *~ av* sweep; *~ bort* sweep (friare clear) away

sopbil refuse [collection] lorry; amer. garbage [removal] truck

sopborste [dust] brush; med längre skaft broom

sophink refuse bucket (bin); amer. garbage can

sophämtare refuse collector; vard. dustman; amer. garbage collector

sophämtning refuse (amer. garbage) collection (removal)

sophög dustheap, refuse (rubbish, amer. garbage) heap

sopkvast broom; av ris besom

sopnedkast refuse (rubbish, amer. garbage) chute

sopor avfall refuse; amer. vanl. garbage; skräp rubbish; som sopats ihop sweepings

sopp bot. boletus

soppa 1 soup **2** vard., se *röra I*

soppskål [soup] tureen

soppslev [soup] ladle

sopptallrik soup plate

soppåse bin-liner

sopran mus.: pers. el. röst soprano (pl. -s)

sopranstämma mus. soprano [voice]; parti soprano [part]

sopskyffel dustpan

sopstation förbränningsstation central refuse (amer. garbage) disposal plant

sopsäck i soptunna o.d. bin (amer. trash) bag

soptipp [refuse (amer. garbage)] dump, refuse tip

soptunna dustbin, refuse bin; amer. trash (ash, garbage) can

sorbet sorbet

sordin sordino (pl. sordini), mute; i piano ofta damper; *lägga ~ på* glädjen put a damper on...

sorg 1 bedrövelse sorrow; djup smärta distress; grief; bekymmer trouble; *den dagen den ~en* no use going to meet trouble halfway; *bereda* (*göra*) *ngn ~* cause a p. sorrow (etc., se ovan); om sak äv. grieve (distress) a p. **2** efter avliden mourning; förlust genom dödsfall bereavement; *bära ~* wear (be in) mourning

sorgband mourning band

sorgebarn problembarn problem child äv. friare; svart får black sheep

sorgebud mournful (sad) news (tidings pl.); om ngns död, se *dödsbud*

sorgfri bekymmerfri carefree; ekonomiskt tryggad ...free from want
sorgklädd ...in (wearing) mourning
sorgkläder mourning [attire]
sorglig ledsam, beklaglig sad; dyster melancholy; sorgesam mournful; tragisk tragic; bedrövlig deplorable; ömklig woeful, miserable; *ett ~t faktum* a melancholy fact; det var en ~ *syn* ...sad (pitiful, sorry) sight (spectacle)
sorgligt sadly etc., jfr *sorglig; ~ nog* unfortunately, worse luck; ss. utrop alas!
sorglustig tragi-comic[al]
sorglös 1 se *sorgfri* **2** obekymrad unconcerned; tanklös unthinking; glad light-hearted; lättsinnig happy-go-lucky
sorgmarsch funeral (ibl. dead) march
sorgmusik funeral music
sorgsen sad; end. pred. grieved; sorgmodig melancholy; nedslagen woeful
sork zool. vole, fieldmouse (pl. fieldmice)
sorl murmur; *bäckens ~* the murmur (ripple, rippling, purling) of the brook
sorla murmur
sort slag sort; typ type; kvalitet quality; hand., märke brand; *en ~s egendomliga insekter* a peculiar kind of insect sg.
sortera I *tr* sort; efter storlek äv. size; *~ ut* gallra ut sort (winnow) out, screen [out]
II *itr, ~ under* a) lyda under be subordinate to, be (come) under the supervision of b) höra under belong (come, fall) under
sortering 1 sorterande sorting etc., jfr *sortera I;* classification; *av första (andra) ~* ...graded as firsts (seconds) **2** se *sortiment*
sorti teat. el. friare exit; *göra [sin] ~* make one's exit
sortiment assortment; samling collection
SOS, *ett ~* an SOS
sot soot; i motor carbon; ss. smuts grime
1 sota 1 skorsten o.d. sweep **2** svärta black[en]; *~ [ned]* smutsa soot, cover...with soot, make...sooty (grimy)
2 sota, *få ~ för ngt* pay (smart, suffer) for a th.
sotare pers. chimney-sweep
sothöna zool. coot
sotig allm. sooty; smutsig grimy; sotfläckad smutty äv. om säd
sotning [chimney-]sweeping
souvenir souvenir, keepsake
sov|a I *itr* eg. el. bildl. sleep; vara försänkt i sömn be asleep; ta en lur have a nap (sleep); *~ gott* djupt sleep soundly, be sound (fast) asleep; *har du -it gott* i natt? did you sleep well (have a good night)?
II med beton. part.
~ **av sig** t.ex. rus, ilska sleep off...
~ **ut** sova länge have a good sleep; sova tillräckligt länge have enough sleep
~ **över:** *~ över [hos ngn]* stay the night [at a p.'s place]
sovalkov bedstead recess
Sovjet se *Sovjetunionen; Högsta ~* hist. the Supreme Soviet
Sovjetunionen hist. the Soviet Union (förk. USSR)
sovkupé sleeping-compartment
sovmorgon, *ha en skön ~* have a nice lie-in
sovplats sleeping-place; järnv. el. sjö. [sleeping] berth; järnv. äv. (vard.) sleeper
sovplatsbiljett sleeping-berth ticket
sovra t.ex. material sift; t.ex. stil prune; malm dress; *~ bort* sort (winnow) out, eliminate
sovrum bedroom
sovstad dormitory [suburb]; amer. äv. bedroom town
sovsäck sleeping-bag
sovvagn sleeping-car; vard. sleeper
sovvagnsbiljett sleeping-berth ticket
spackel 1 verktyg putty knife **2** ~färg putty
spackla putty; *~ igen* ett hål putty up...
spad liquid, water; för soppor o. såser stock; kött~ ofta broth; grönsaks~ ibl. juice
spade spade; *en ~ jord* a spadeful of earth
1 spader kortsp., koll. (äv. ss. bud) spades; *en ~* a (resp. one) spade, jfr *hjärter* med sms.
2 spader vard. *få ~* do one's nut, go mad (crazy)
spadtag cut (dig) with a (resp. the) spade; *ta det första ~et till...* cut (turn) the first sod for...
spaghetti koll. spaghetti
1 spak lever; sjö. handspike; flyg. [control] stick; *vid ~arna* flyg. at the controls
2 spak 1 lätthanterlig tractable; foglig docile; ödmjuk submissive **2** lugnflytande quiet
spaljé för växt trellis
spalt typogr. column
spalta klyva o. dela upp *~ [upp]* split [up], divide
spaltfyllnad padding
spana med blicken gaze, look out; intensivt watch; speja scout; mil. el. flyg. äv. reconnoitre; om polis investigate; *~* söka *efter...* be on the look-out (search, hunt) for...; *~ in* vard. have a look (peep, dekko) at, get an eyeful of
spanare spejare scout; mil. el. flyg. observer; polis investigator
Spanien Spain
spaning 1 search; mil. el. flyg. reconnaissance; *vara på ~ efter ngt* bildl. be on the look-out (the search) for a th.
2 spanande searching; scouting; jfr *spana*
spaningsflygplan reconnaissance (scouting) plane, scout
spanjor Spaniard; *~erna* som nation el. lag o.d. the Spaniards, the Spanish
spanjorska Spanish woman (lady etc.); jfr *svenska 1*

1 spann bro~ span
2 spann se *hink*
spannmål corn; isht amer. grain; brödsäd cereals
spansk Spanish
spanska språk Spanish, jfr *svenska 2*
spant sjö.: allm. frame
spara I *tr* o. *itr* **1** samla, gömma save; ~ *till en bil* save up for a car **2** inbespara save; ~ *plats* save space **3** vara sparsam practise economy, be economical (saving); *den som spar han har* waste not, want not **4** hushålla med economize; skona, t.ex. sin hälsa spare; ~ *på krafterna* husband (save) one's strength **II** *rfl*, ~ *sig* spare oneself äv. bespara sig; husband one's strength; hålla igen not go all out; sport. äv. hold [oneself] back
III med beton. part.
~ **ihop** save (lay) up; hopa accumulate
~ **in** save; ~ *in* dra in *på ngt* economize (cut down) on a th.
sparare saver
sparbank savings bank
sparbanksbok savings [bank] book (passbook)
sparbössa money box, savings box
spargris pig[gy] bank
spark 1 kick; *få en* ~ get kicked; *få ~en* vard. get the sack (the push), be (get) fired; *ge ngn ~en* vard. give a p. the sack (the push), fire a p. **2** se *sparkstötting*
sparka I *tr* kick; ~ *boll* vard. kick a ball about, play football; *bli ~d* från jobbet, se *få sparken* under *spark*
II med beton. part.
~ **av:** ~ *av sig* [*täcket*] kick off one's bedclothes
~ **igen** dörren kick...shut
~ **i gång** en verksamhet vard. kick off...
~ **in** dörren kick...in
~ **till** ngn, ngt give...a kick
~ **upp** t.ex. dörr kick...open
~ **ut ngn** kick (boot) a p. out
sparkapital saved (savings) capital; *ett* (*hans*) ~ vanl. some (his) savings pl.
sparkcykel scooter
sparkdräkt romper suit, rompers
sparkstötting kick-sled
sparlåga 1 gas~ low jets **2** bildl. *gå på* ~ take it easy, not exert oneself too much
sparpengar savings
sparra, ~ [*mot*] *ngn* spar with a p., be a p.'s sparring-partner
sparringpartner sparring-partner äv. friare
sparris koll. asparagus; *en* ~ a stalk (spear) of asparagus
sparsam 1 ekonomisk economical; thrifty; snål parsimonious; *vara* ~ *med* bränslet economize on... **2** friare o. bildl.: njugg sparing; gles sparse; knapp scanty; sällsynt rare; ~ *med* (*på*) t.ex. beröm, ord sparing (chary) of
sparsamhet economy
spartansk Spartan
sparv sparrow
sparvhök sparrow hawk
spasm spasm
spastisk spastic
spatel spatula
spatiös spacious; typogr. widely spaced
spatsera walk; som en tupp strut, jfr vid. *promenera*
speaker utropare announcer; konferencier compère; eng. el. amer. parl. Speaker
speceriaffär grocer's (grocery) [shop (amer. store)]
specerier groceries
specialerbjudande special offer
specialisera, ~ *sig* specialize [*på, i* in]
specialisering specialization
specialist specialist; expert expert; *han är* ~ *på* försäkringsfrågor he is an expert on (in)...
specialitet speciality; fack specialty
speciallärare remedial teacher
specialslalom slalom proper
specialundervisning remedial teaching (instruction)
specialutbildad specially trained
speciell special, jfr äv. *särskild*
speciellt specially, particularly, jfr äv. *särskilt; detta gäller alldeles* ~ *om...* this is true about...in particular
specificera specify; räkning itemize
specifik specific
specifikation specification, detailed description
speditionsfirma forwarding (shipping) agency (agents pl.)
speditör forwarding (shipping) agent[s pl.]
speedway speedway [racing]
spegel allm. el. bildl. mirror; hand~ [hand] mirror
spegelbild reflection äv. bildl.; vetensk. mirror (reflected) image
spegelblank om t.ex. is glassy; om t.ex. golv, metall shiny
spegelreflexkamera [enögd single-lens (tvåögd twin-lens)] reflex camera
spegelvänd reversed, inverted
spegla I *tr* reflect; litteraturen *~r samtiden* ...reflects the age **II** *rfl*, ~ *sig* be reflected (mirrored); om pers. look [at oneself] in a mirror (a glass)
speja spy [about (round)], jfr vid. *spana*
spejare mil. [reconnaissance] scout; spion spy
spektakel 1 bråk row; förarglighet bit of a bother; elände nuisance; uppträde scene; skandal scandal **2** gyckel *bli till ett* ~ become a laughing-stock

spektakulär spectacular; sensationell sensational; uppseendeväckande striking
spektrum fys. spectr|um (pl. -a) äv. bildl.
spekulant 1 intending (prospective, would-be) buyer (purchaser); på auktion äv. bidder **2** börs~ speculator, operator; neds. jobber
spekulation speculation; hand. äv. venture
spekulera 1 fundera speculate; ponder; *det ~s över* orsaken people are wondering (making guesses) about... **2** göra osäkra affärer speculate; neds. gamble; *~ i aktier* speculate in shares; *~ i* våld och sex speculate (gamble) in ...
spel 1 mus. playing **2** teat., spelsätt acting **3** sällskaps~, idrotts~ game äv. bildl.; spelande playing; spelsätt vanl. play; hasard~ gambling; stick i kort~ trick; *~ om pengar* playing for money; förlora (vinna) *på ~* ...by gambling **4** spelrum clearance, play **5** spec.: *ha fritt ~* have free (full) scope (play äv. eg.); *rent* (*inte rent*) *~* fair (foul) play; *stå på ~* be at stake (riskeras in jeopardy, at risk); *sätta* ngn, ngt *ur ~* put...out of the running, eliminate...
spela I *tr* o. *itr* play äv. bildl., om t.ex. ljus; mus. äv. execute; visa [film] show; ~ hasard gamble; låtsas vara pretend; *~ apa* play the ape, monkey about; ~ rollen *Hamlet* play (act) [the part of] H.; *~ defensivt* sport. play a defensive game; *~ för ngn* a) inför ngn play to a p. b) ta lektioner för ngn take music (piano etc.) lessons from a p.; *~ på lotteri* take part in a lottery (lotteries pl.)
II med beton. part.
~ **av:** *~ av ngn* pengar win...off a p.
~ **bort** gamble away
~ **in a)** (tr.) *~ in en film* make (produce) a film; *~ in ngt* [*på band*] tape a th., record a th. [on tape] **b)** (itr.) inverka come into play
~ **med** join in the game; *~ med i* film o.d. appear in...
~ **om** mus. el. sport. o.d. replay, play...again; en scen take...[over] again
~ **upp a)** spelläxa play **b)** t.ex. en vals strike up; *~ upp till dans* strike up for dancing **c)** ljudband play back
~ **ut a)** ett kort lead **b)** *~ ut ngn mot ngn* play off a p. against a p.
~ **över a)** överdriva overdo it; om skådespelare overact **b)** *~ över ett band* re-record (radera erase) a tape
spelare player; hasard~ gambler; vadhållare better
spelautomat [automatic] gaming (gambling) machine; vard., med spak one-armed bandit; av fortunatyp pintable
spelbord för kortspel card table; för hasardspel gambling (gaming) table
speldosa music[al] box
spelfilm feature film
spelhall amusement hall (arcade)
spelhåla gambling-den, gambling-house; isht amer. gambling-joint
spelkort playing-card
spelman [folk] musician; fiolspelare fiddler
spelmark counter
spelregel rule [of the game]
spelrum bildl. scope; *ge fritt ~ åt sin fantasi* give free scope to one's imagination; *lämna fritt ~ åt* sina känslor give free rein (give free play) to...
spelskuld gambling debt
spelsätt sport. way of playing äv. kortsp.; mus. el. mus. äv. execution; teat. [way of] acting
speltid för film screen (running) time; för musikkassett playing time
spelöppning schack. el. bildl. [opening] gambit; friare opening
spenat spinach
spendera spend
spene teat
spenslig slender; spröd delicate; smärt slim
sperma sperm
spermie sperm
1 spets udd point äv. bildl.; på reservoarpenna nib; ände t.ex. på cigarr tip; [smal]ända [narrow] end; topp apex (pl. äv. apices) äv. geom.; top; *stå i ~en för ngt* be at the head of a th., head a th.
2 spets trådarbete ~[*ar*] lace (end. sg.)
3 spets hund spitz; dvärg~ Pomeranian
spetsa 1 göra spetsig sharpen; *~ öronen* prick (cock) up one's ears; *~ till* t.ex. situation bring...to a head (a critical stage), render...critical **2** genomborra pierce **3** t.ex. mat, dryck lace
spetsfundighet subtlety; *komma med ~er* split hairs, chop logic
spetsig pointed; vass sharp; båda äv. bildl., avsmalnande tapering; om vinkel o.d. acute
spetskrage lace collar
spett 1 stek~ spit; grill~ skewer **2** järn~ [pointed] iron-bar lever
spetälsk leprous; *en ~* subst. adj. a leper
spetälska leprosy
spex student~ students' farce (burlesque)
spexa skämta clown [about]
spexig funny, comical
spigg zool. stickleback
1 spik, *~ nykter* (*rak, säker*) se *spiknykter* etc.
2 spik nail; stift tack; räls~ spike; *slå* (*träffa*) *huvudet på ~en* bildl. hit the nail on the head; om kritik o.d. äv. strike home
spika I *tr* o. *itr* nail; med nubb o.d. tack; bildl. fix, peg
II med beton. part.

~ **fast** fasten...with a nail (resp. nails pl.); nail
~ **igen** lock o.d. nail...down (dörr o.d. up)
~ **ihop** nail...together
~ **upp** nail...[up]; anslag äv. placard
spiknykter vard. ...as sober as a judge
spikrak dead straight
spiksko sport. spiked (track) shoe
spill 1 waste, loss; isht av vätska spillage; radioaktivt fallout **2** data. overflow
spilla I *tr* o. *itr* **1** eg. spill, drop; *spill inte!* take care you don't spill a drop!, don't spill it! **2** bildl. waste; ~ *ord (tid) på ngt* waste words (time) on a th., waste one's breath on a th.
II med beton. part.
~ **ned** duken make a mess on...; med kaffe etc. äv. spill coffee etc. all over...
~ **på sig** spill something (kaffe etc. some coffee) on one's clothes (over oneself)
~ **ut** vinet spill...[out], slop...
spillning droppings; gödsel dung
spillo, *gå till* ~ get (be) lost, be wasted, go (run) to waste
spillr|a skärva splinter; friare el. bildl. remnant; fragment fragment; *-or* av t.ex. flygplan, hus wreckage
spilltid bortkastad tid time wasted (lost); extra tid time left over
spilta stall; lös~ [loose] box
spindel zool. spider; *sitta som ~n i nätet* be the spider in the web
spindelnät cobweb; spider['s] web
spindelväv se *spindelnät*
spinett mus. spinet
spinkig [very] thin; *~a ben* spindly legs
spinn flyg. spin, spinning dive; *råka i* ~ go down in (get into) a spin
spinna I *tr* o. *itr* eg. el. friare spin; ~ *vidare på tråden* bildl. develop (elaborate, pursue) the idea **II** *itr* om katt, pers. purr; ~ *av belåtenhet* purr with content
spinnfiske spinning; amer. äv. bait casting
spinnrock spinning wheel
spinnspö spinning (casting) rod
spion spy; hemlig agent secret (undercover) agent; vard. snooper
spionaffär spying (spy) affair
spionage espionage; spionerande spying
spionera spy; carry on espionage; vard. snoop [about]
spioneri spying; spionage espionage
spira I *s* **1** topp spire **2** trä~ spar äv. sjö.; rundhult pole **3** härskarstav sceptre **4** vard., kvinnoben gam **II** *itr,* ~ [*upp* (*fram*)] skjuta skott sprout, sprout up (forth) [*ur* out of]
spiral 1 spiral; *gå i* ~ turn (wind) spirally (in a spiral) **2** preventivmedel intra-uterine contraceptive device (förk. IU[C]D), loop, coil
spiraltrappa spiral (winding, newel) staircase
spiritism, ~[*en*] spiritualism
spiritist spiritualist
spiritualitet elegans brilliance; fyndighet wit; kvickhet esprit
spirituell witty
spis allm. stove; köks~ vanl. [kitchen] range; elektrisk cooker; *öppen* ~ fireplace
spisa vard. listen; ~ *jazz* listen to jazz
spisplatta hot plate
spjut spear; kast~ javelin; kort dart; pik pike; *kasta* ~ throw the javelin
spjutkastning sport. javelin throw, [throwing the] javelin ss. tävlingsgren
spjuver rogue
spjäla I *s* lath; på säng o.d. bar; i jalusi vanl. slat; i staket pale; långt spån sliver; med. splint **II** *tr* med. splint
spjälka 1 klyva el. kem. split; bryta ned break down, decompose **2** med. splint
spjäll i eldstad damper; i maskin throttle valve; förgasarventil vanl. throttle
spjälsäng för barn cot [with bars]; isht amer. crib
spjärn, *ta* ~ [*med fötterna*] *mot ngt* put one's feet against a th.
spjärna, ~ *emot* streta emot offer resistance, dig one's heels in, resist
split discord; *så* ~ sow [the seeds of] dissension, make mischief
splitsa splice [up]
splitter splinter
splitterfri shatterproof, splinterproof; *~tt glas* äv. safety (laminated) glass
splitterny brand-new
splittra I *s* splinter **II** *tr* shatter, splinter; klyva split; bildl. divide [up]; meningarna [inom partiet] var *~de* ...divided **III** *rfl,* ~ *sig* splinter; bildl. dissipate (divide) one's energies
splittring brist på enhet lack of conformity; söndring disruption; tvedräkt division, schism
1 spola 1 ~ ren med vatten o.d. flush, swill [down]; skölja rinse äv. om våg; skridskobana flood; med. syringe; ~ *vatten* i badkaret let the water run... **2** vard., förkasta chuck up, scrap
2 spola vinda upp på spole wind äv. film; ~ *av* wind off, unspool
spolarvätska windscreen (amer. windshield) washer fluid
spole 1 symaskins~ bobbin; amer. spool; för film, silke o.d. spool; rulle reel; hår~ curler, roller; i maskin bobbin **2** elektr. el. radio. coil
spoliera spoil; ödelägga ruin
spoling stripling; neds. whippersnapper
spolmask roundworm; med. ascarid
sponsor sponsor
sponsra sponsor

spontan spontaneous
spontanitet spontaneity
spor bot. spore
sporadisk sporadic; enstaka isolated; spridd scattered
sporra eg. el. bildl. spur; stark. goad; deg cut; ~ *ngn att göra ngt* goad a p. into doing a th.
sporre spur; stark. goad; deg~ pastry (wheel) cutter, jagging-wheel; på hund dewclaw; flyg. [tail] skid
sport sport; flera slags ~er sports; boll~ game[s pl.]
sporta go in for sports (games)
sportaffär sports shop (outfitter)
sportartiklar sports equipment sg. (articles, goods)
sportbil sports car
sportdykare skindiver
sportfiskare angler
sportfiske angling
sportflygplan private (sports) plane
sportfåne vard. sports freak
sporthall sports centre (hall)
sportig sporty
sportjournalist sports writer
sportkläder sports clothes; sportswear
sportlov [winter] sports holiday[s pl.]
sportnyheter sports news, sportscast
sportsida sports page
sportslig sporting; *en ~ chans* a sporting chance
sportstuga ung. [weekend] cottage; av timmer log cabin
1 spott saliv spittle
2 spott, ~ *och spe* scorn and derision
spotta spit; isht med. expectorate; ~ *ngn i ansiktet* spit in a p.'s face
spottstyver, köpa ngt *för en* ~ ...for a song, ...for a paltry sum
spov zool.: stor~ curlew; små~ whimbrel
spraka knastra crackle; gnistra sparkle äv. bildl.; send out [crackling] sparks
sprallig lively
spratt trick; skämt hoax, prank, practical joke; *spela ngn ett* ~ play a trick (practical joke) on a p., trick (hoax) a p.
sprattelgubbe jumping jack; bildl., person som är lättstyrd puppet; sprallig person jack-in-the-box
sprattla hoppa flounder; för att komma loss struggle; om småbarn kick about; om dansös o.d. do a lot of high-kicking
sprej spray
spreja spray
sprejflaska [aerosol] spray, atomizer
spreta om ben sprawl; ~ [*ut*] stick (stand) out; ~ [*ut*] *med* fingrarna spread (expand, splay, t.ex. lillfingret extend)...
spretig straggling, straggly; ~ *handstil* sprawling hand

spricka I *s* crack; i hud chap; t.ex. i vänskap rift; t.ex. inom parti split **II** *itr* crack; om hud chap; brista break; sprängas sönder burst; rämna split; förlovningen *sprack* ...was broken off; förhandlingarna *har spruckit* vard. ...have broken down
sprida I *tr* spread; t.ex. doft diffuse; skingra disperse, scatter; ~ *ett rykte* spread (circulate) a rumour; sätta i omlopp set a rumour afloat
II *rfl,* ~ *sig* spread, diffuse, disperse, scatter, jfr *I;* utbreda sig, bildl. propagate oneself; elden *spred sig snabbt* ...spread rapidly
III med beton. part.
~ **omkring** scatter...about
~ **ut** eg. spread out; friare spread, circulate
spridd utbredd spread; enstaka isolated, sporadic; gles sparse; kring~ scattered; *~a anmärkningar* stray remarks; *~a skurar* scattered showers
spridning (jfr *sprida*) spreading [out] etc.; t.ex. av idéer, kunskaper, sjukdom el. statistik. spread; diffusion; distribution; dispersion; circulation; tidningar *med stor* ~ ...with a wide circulation, widely-read...
spring springande running [about]; *det är ett ~* dagen i ända there is a stream of people popping (running) in and out
1 springa [narrow] opening; t.ex. dörr~ chink; smal ~, t.ex. i brevlåda slit; för mynt o.d. slot
2 springa I *itr* **1** löpa run; rusa dash; *spring på* (*till*) posten med det här paketet! äv. pop round to...!; ~ *sin väg* (*kos*) run away; fly äv. turn and run; 'sticka' make off; vard. cut and run, beat it **2** brista burst; gå av snap; ~ *i luften* explode, be blown up
II med beton. part.
~ **bort** run away (off)
~ **efter** hämta run for
~ **fatt ngn** catch a p. up; vid förföljande äv. run down a p.
~ **fram** a) eg. run forward (up); t.ex. ur gömställe spring out b) friare: om flöde spring [forth]; om källa o.d. äv. spout (gush, well) out
~ **förbi** run past, pass
~ **före** a) framför run in front b) i förväg run on in front (in advance, ahead)
~ **ifatt** se ~ *fatt*
~ **ifrån** ngn (ngt) run away from...
~ **in:** ~ *in* genom dörren run [in]...
~ **ned** run down (nedför trappan downstairs)
~ **om** ngn (ngt) overtake (outrun)...
~ **på:** ~ *på ngn* rusa fram till rush (anfalla fly) at a p.
~ **upp a)** löpa run up (uppför trappan upstairs); bildl. jump up, soar **b)** resa sig

jump (spring) up **c)** öppna sig fly open, open all of a sudden
~ **ut** run out
~ **över** gata o.d. run across
springande, *den ~ punkten* the vital (crucial) point
springare 1 häst steed, courser **2** schack. knight
springbrunn fountain
springpojke errand (messenger, delivery) boy
sprinter sport. sprinter
sprinterlopp sport. sprint; isht amer. dash
sprit alkohol alcohol; industriell spirit[s pl.]; dryck spirits; stark~ [hard] liquor
sprita ärter o.d. shell, hull; fjäder strip
spritdryck alcoholic liquor (drink); *~er* vanl. spirits
spritförbud prohibition of the sale of liquor
spritstaltig spirituous, alcoholic
spritkök spirit stove (heater)
spritlangare vard. bootlegger
spritpenna marker [pen]
spritpåverkad ...under the influence of drink (liquor, alcohol), intoxicated; vard. tipsy, ...under the influence
spriträttigheter, *ha ~* be [fully] licensed
spritsa t.ex. grädde, deg pipe
spritt, ~ *[språngande] galen* raving (stark staring) mad
spritta hoppa jump; darra, t.ex. av lust quiver; t.ex. av otålighet tremble; ~ *av liv* bubble with life
spritärter shelling (kok. green) peas
sprudla bubble; spruta gush; ~ *av liv* bubble over with high spirits (with life)
sprudlande I *adj* om t.ex. fantasi exuberant; om kvickhet sparkling **II** *adv, vara ~ glad* bubble over with high spirits
sprund på kläder slit, opening; på laggkärl bung[hole]
spruta I *s* injektion injection; för injektion el. hand~ syringe äv. med.; liten squirt; för besprutning sprayer; rafräschissör spray; brand~ fire engine; *få en ~* get an injection (vard. a shot) **II** *tr* o. *itr* spurt, spirt; med fin stråle squirt; ~ ut med stor kraft spout; bespruta sprinkle; med slang hose; isht färg el. mot ohyra spray; stänka splash; ~ *vatten på ngt* throw (spray) water on; spola
III med beton. part.
~ **fram** spurt [forth]; plötsligt äv. gush
~ **in** inject äv. med.; syringe
~ **ut** spurt [out]; eld eject, emit
sprutlackera spray
sprutmåla spray
språk language; isht litterärt uttryckssätt style; talspråk speech; idiom idiom
språka talk
språkbegåvad ...with a gift for languages; *han är ~* he has a gift for languages, he is a good linguist
språkbruk [linguistic] usage; *enligt vanligt ~* äv. in everyday language, in common (ordinary) parlance
språkfamilj family of languages
språkfel linguistic error; grövre blunder
språkforskare linguistic researcher; filolog philologist; lingvist linguist
språkforskning linguistic research; filologi philology; lingvistik linguistics
språkfärdighet language (linguistic) proficiency
språkförbistring confusion of languages (tongues)
språkhistoria [the] history of language; *engelsk ~* the history of the English language
språkkunnig, *en ~ flicka* a girl with a good knowledge of languages
språkkunskap, *allmän ~* general linguistics sg.; *~er* knowledge sg. of languages
språkkurs language course
språkkänsla feeling for language
språklig linguistic; filologisk philological
språklärare language teacher; i flera språk teacher of languages
språkområde speech area; *det engelska ~t* the English-speaking area
språkresa kurs utomlands language course abroad
språkriktighet linguistic (grammatical) correctness
språkrör mouthpiece
språksvårigheter difficulty sg. in speaking and understanding [a (resp. the) language]
språkundervisning language teaching
språkvetare vard., se *språkforskare*
språkvetenskap filologi philology; lingvistik linguistics
språkvård preservation of the purity of the language
språköra, *ha gott ~* have a good ear for languages; jfr *språkkänsla*
språng jump äv. bildl.; leap; springande run; *våga ~et* bildl. take the plunge
språngbräda springboard äv. bildl.
språngmarsch run; *i ~* at a run
spräcka crack äv. röst; plan spoil; tarm burst; trumhinna split; t.ex. kostnadsramar go far beyond
spräcklig prickig speckled, spotted; marmorerad mottled
spräng|a I *tr* burst; med sprängämne blast; ~ i luften blow up; slå sönder, t.ex. dörr break (force)...open; skingra scatter; *polisen har -t ligan* the police have busted the gang
II med beton. part.
~ **bort** tr.: med sprängämne blast away
~ **sönder** burst (med sprängämne blast) [i flera delar ...to pieces]

sprängkraft explosive force
sprängladdning explosive (bursting) charge
sprängstoff bildl. dynamite
sprängverkan explosive (blast) effect
sprängämne explosive
sprätt 1 snobb dandy, fop; amer. äv. dude **2** *han satte ~ på pengarna* he ran through (had a good time with) the money
1 sprätta 1 knäppa flick **2** stänka spatter **3** om höns scratch
2 sprätta vara sprättig *gå och ~* strut [about], play the dandy
3 sprätta sömnad. ~ *bort* rip off (out)
spröd allm. brittle; om t.ex. sallad crisp; ömtålig fragile; om hud delicate; om röst frail; om klang tinny
spröjs i fönster [window] bar; vågrät transom; lodrät mullion
spröt 1 zool. antenn|a (pl. -ae), feeler **2** paraplyspröt rib
spurt spurt
spurta spurt, put on (make) a spurt
spy vomit; vard. throw up, spew; ~ *[ut]* eld (rök) belch forth (out)...
spydig malicious; ironisk sarcastic; svag. ironical
spydighet (jfr *spydig*) egenskap malice, irony; *en ~* a piece of malice osv.; *~er* malicious osv. remarks, sarcasms
spyfluga zool. bluebottle
spå 1 utöva spådom tell fortunes; ~ *ngn [i kort]* tell a p. his fortune [by the cards] **2** förutsäga predict
spådom förutsägelse prediction
spågubbe o. **spågumma** [old] fortune-teller
spåman fortune-teller; siare prophet; åld. soothsayer
spån flisa chip; takspån shingle; koll.: filspån filings; hyvelspån shavings
spåna vard., improvisera ad-lib
spång footbridge
spånplatta particle board
spånskiva material particle board; *en ~* a sheet of particle board (chipboard)
spår 1 märke **a)** mark; friare el. svag. trace äv. lämning; *bära ~ av* bear (show) traces (signs, bildl. äv. vestiges) of **b)** se *fotspår; följa ngn i ~en* be fast on the heels of a p.; bildl. follow in a p.'s footsteps **c)** i linje: skid~ el. efter t.ex. vagn track; *vara inne på fel ~* be on the wrong track, be barking up the wrong tree **d)** jakt.: fotavtryck print; i rad trail; lukt~ scent; friare track; *få upp ett ~* pick up a trail (resp. a scent) **2** ledtråd clue; *få upp ett ~* pick up a clue **3** järnv. o.d. track[s pl.]; rails, line **4** tillstymmelse trace, vestige
spåra I *tr* följa spåren av track, follow the trail of; jakt. äv. scent; friare el. i bet. 'märka' trace; ~ *upp* track down, friare el. bildl. hunt out **II** *itr* **1** skidsport. make a track **2** ~ *ur* om tåg o.d. leave the rails, leave the track; bildl. go off the rails, go astray, om t.ex. diskussion äv. get off the right track
spårhund tracker [dog]; sleuth-hound, bloodhound båda äv. bildl.
spårlöst, *han försvann ~* he vanished without a trace (vanished into thin air); *det gick honom ~ förbi* it made no impression on him at all
spårvagn tram, tramcar; amer. streetcar, trolley [car]
spårvidd gauge, width of track; motorfordons [wheel] track; *normal ~* standard gauge
spårväg tramway; amer. streetcar line
spä, ~ *[ut]* dilute; blanda mix; ~ soppan thin down...
späck 1 fettvävnad hos djur fat; hos val blubber **2** kok. bacon fat
späcka med späck lard; fylla stuff; bildl. [inter]lard, stud
späckad larded osv., jfr *späcka; en ~ plånbok* a bulging (fat, well-lined) wallet; ett tal *späckat med citat* ...studded with quotations
späd om t.ex. växt, ålder tender; om t.ex. gestalt slender; ovanligt liten tiny; bot. äv. young; ömtålig delicate
späda se *spä*
spädbarn infant
spädbarnsdödlighet infant mortality
spädgris sucking-pig
spädning spädande diluting osv., jfr *spä;* konkr. dilution
späka, ~ *sig* mortify the flesh
spänd [ut]sträckt stretched; om rep, muskel taut; bildl. tensed up; vard. uptight; ivrig [att få veta] anxious to know; *högt ~ förväntan* eager (tense, breathless) expectation; *spänt intresse* intense interest
1 spänn spänt tillstånd *vara (sitta) på ~* om pers. be in suspense (on tenterhooks); vard. be uptight
2 spänn vard., krona krona (pl. kronor)
spänna I *tr* sträcka [ut] o.d. stretch; dra åt, t.ex. rep tighten; muskler stretch; anstränga, nerver strain; ~ *sina krafter [till det yttersta]* strain every nerve [to the utmost] äv. bildl.; ~ *ögonen i ngn* fasten (rivet) one's eyes on a p. **II** *itr* **1** kännas trång be [too] tight **2** ~ *över* omspänna: sträcka sig över cover, extend over, omfatta embrace **III** *rfl,* ~ *sig* **a)** eg. tense oneself **b)** anstränga sig strain (brace) oneself **c)** vard., spela tuff put on a show
IV med beton. part.
~ **av:** ~ *av [sig]* unfasten; med rem unstrap; med spänne unbuckle, unclasp; ta av [sig] take off, undo

~ **fast** fasten (med rem strap, med spänne buckle)...on; ~ *fast* säkerhetsbältet fasten...
~ **för:** ~ *för* [*hästen*] harness (hitch) the horse
~ **på** [**sig**] skidor (skridskor) put on; sabel buckle (gird) on; säkerhetsbälte fasten
~ **upp** a) lossa undo; med rem unstrap; med spänne unclasp b) paraply put up
~ **ut** sträcka stretch; ~ *ut* bröstet expand...
~ **åt** tighten
spännande fylld av spänning exciting; stark. breathtaking; fängslande enthralling
spänne clasp; på skärp buckle; för håret slide
spänning allm. el. elektr. tension; uttryckt i volt voltage; tekn. strain, stress; bildl.: allm. excitement, iver eagerness, oro suspense
spännvidd byggn. el. flyg. span; omfattning extent
spänst kroppslig vigour; elasticitet, svikt springiness; t.ex. fjäders el. bildl. elasticity; vitalitet vitality
spänsta motionera take exercise to keep fit
spänstig om pers. fit; om gång springy; elastic, resilient; vital; jfr *spänst; hålla sig* ~ keep fit, keep in [good (physical)] form (trim)
spärr 1 tekn. catch, stop, lock **2** vid in- o. utgång barrier; järnv. äv. el. vid flygplats gate **3** hinder: allm. barrier; barrikad barricade; polisspärr på väg roadblock; hand., för export (import) embargo; psykol. barrier
spärra I *tr* block; hindra obstruct, block; telefon put...out of service; konto o.d. block; ~ *en check* stop [payment of] a cheque
II med beton. part.
~ **av** gata (väg) close; med t.ex. bockar block; med rep rope off; med poliskordong cordon off; isolera isolate
~ **in** allm. shut (låsa lock)...up
~ **upp:** ~ *upp ögonen* open one's eyes wide
~ **ut** fingrar (klor) spread out...
spärreld mil. barrage
spärrlista allm. ung. black list; t.ex. för konton list of blocked accounts
spärrvakt ticket collector
spätta zool. plaice (pl. lika)
spö kvist twig; metspö [fishing-]rod; ridspö horsewhip; smal käpp switch; *ge ngn* ~ give a p. a licking äv. besegra ngn
spöka *itr* **1** om en avliden haunt a (resp. the) place; *det ~r här* (*i huset*) this place (house) is haunted **2** bildl. *det är nog* kabelfelet *som ~r igen* ligger bakom it is probably...that is behind it (ställer till trassel is causing trouble) again; ~ *till* (*ut*) *sig* make a fright (guy) of oneself
spöke 1 vålnad ghost; vard. spook **2** bildl.: utspökad pers. scarecrow
spökhistoria ghost story
spöklik 1 eg. ghostlike; vard. spooky **2** kuslig, hemsk uncanny
spökrädd ...afraid of ghosts
spökstad ghost town
spöktimme ghostly (witching, midnight) hour
spöregn pouring rain
spöregna, *det ~r* it's pouring [down], it's coming down in buckets
spörsmål question; *juridiska* ~ legal matters
squash sport. el. bot. squash
stab allm. staff
stabbig 1 om pers. stocky äv. om ben; thick-set **2** om mat stodgy
stabil i jämvikt stable; stadig solid; om pers. steady
stabilisator sjö. el. flyg. stabilizer; flyg. äv. tailplane
stabilisera, ~ *sig* stabilize; läget *har ~t sig* äv. ...has settled down
stabilitet stability
stabschef mil. chief of staff
stack halmstack, höstack stack, rick; hög heap; myrstack ant-hill
stackare poor creature (stark. devil); krake weakling; ynkrygg weak-kneed creature
stackars poor; ~ *jag* (*mig*)*!* poor me!; ~ *jävel!* poor devil (stark. bugger)!
stackato mus. el. friare **I** *s* staccat|o (pl. -os el. -i) it. **II** *adv* staccato it.
stad town; i Engl. isht med katedral city; i administrativt avseende borough; *Stockholms* ~ the town (city) of Stockholm; *nere i stan* in the centre of town; amer. downtown
stadd, *vara ~ i utveckling* (*på tillbakagång*) be developing (diminishing)
stadfästa 1 dom confirm; lag establish; förordning sanction; fördrag ratify **2** relig., befästa establish
stadga I *s* **1** stadighet steadiness; stadgad karaktär firmness of character **2** förordning regulation[s pl.]; lag law; t.ex. Förenta Nationernas charter **II** *tr* **1** göra stadig steady; bildl. consolidate **2** förordna direct, prescribe; påbjuda decree **III** *rfl,* ~ *sig* om pers. become settled, settle down, become steady
stadgad 1 om pers. steady; om karaktär firm; om rykte settled **2** föreskriven prescribed
stadig säker steady; fast firm äv. bildl.; stabil stable; kraftig: om t.ex. käpp, sko, tyg stout, om t.ex. mur strong, om mat o. måltid substantial, solid; varaktig permanent, durable; *ha ~t sällskap* go steady; *~t väder* settled weather
stadigvarande permanent; ständig constant
stadion stadium
stadium stage; med. äv. stadium; skede phase; grad degree; vid skola department
stadsbefolkning urban (town) population

stadsbibliotek town (city, municipal) library
stadsbo town-dweller; borgare citizen
stadsbud bärare porter; amer. äv. redcap
stadsdel quarter of a (resp. the) town, district
stadsfullmäktig hist. town (i större stad city) councillor; amer. councilman
stadshotell principal hotel in a (resp. the) town
stadshus town (i större stad el. amer. city) hall
stadsmur town (i större stad city) wall
stadsmänniska town (i större stad city) dweller
stadsområde town (om större stad city, urban, om storstad metropolitan) area
stadsplanering town planning; i större stad city planning
stadsteater municipal (i större stad city) theatre
stafett sport. **1** pinne baton **2** gren o.d. relay; jfr *stafettlöpning*
stafettlöpare relay runner
stafettlöpning relay race (stafettlöpande racing)
staffli konst. easel
stag lina o.d.: sjö. el. flyg. stay; flyg. äv. bracing-wire; till tält guy; till tennisnät o.d. cord; stång av trä el. metall strut
stagnation stagnation; stockning stoppage
stagnera stagnate
staka I *tr* **1** båt punt **2** t.ex. väg mark; ~ *ut* t.ex. tomt stake out (off); markera gränser för mark out, delimit **II** *itr* på skidor use one's [ski] sticks **III** *rfl,* ~ *sig* komma av sig stumble [*på* over]; hesitate
stake 1 stör stake; att staka båt med pole **2** ljusstake candlestick **3** vard., framåtanda go **4** vulg., penis prick, tool
staket vanl. av trä fence; av metall railing; spjälstaket trellis; av ståltråd wire fence
stall 1 byggnad stable; amer. ofta äv. barn; för cykel shed **2** uppsättning hästar stable, stud; grupp racerförare o.d. stable **3** på stråkinstrument bridge
stallbroder companion; neds. crony
stalltips, *ett* [*säkert*] ~ a tip straight from the horse's mouth, a straight (hot) tip
stam 1 bot. el. språkv. stem; trädstam trunk; fälld log **2** ätt family; folkstam tribe; djurstam strain; en man *av gamla ~men* ...of the old stock (friare school)
stambana järnv. trunk (main) line
stamfader progenitor
stamgäst regular [frequenter]
stamkund regular customer (client)
stamma i tal stammer, stutter; t.ex. av osäkerhet falter; ~ *fram* stammer (falter) out
stamning stammering, stuttering

1 stampa I *itr* o. *tr* **1** med fötterna stamp; ~ [*med foten*] *i golvet* stamp [one's foot] on the floor; ~ *i marken* om häst paw the ground; ~ *takten* beat time with one's foot (resp. feet) **2** sjö. pitch
II med beton. part.
~ **av** [**sig**] smutsen (snön) stamp...off one's feet
~ **sönder ngt** stamp a th. to pieces
2 stampa vard., pantsätta ~ [*på*] *ngt* pop a th., put a th. up the spout
stamtavla genealogical table; pedigree äv. djurs
stamträd genealogical (family) tree
stan (vard. för staden), se under *stad*
standar standard; friare banner
standard norm standard; *höja ~en* raise the standard (level), raise standards
standardformat standard size
standardhöjning om levnadsstandard rise in the standard of living
standardisera standardize
standardmått standard (stock) size
standardprov skol. standardized achievement test
standardsänkning om levnadsstandard lowering of the standard of living
standardutrustning standard equipment
stank stench, offensive smell; vard. stink
stanna I *itr* **1** bli kvar stay; ~ *hos ngn* stay with a p.; ~ *över natten* stay (vard. stop) the (over) night **2** bli stående stop; med el. om fordon (avsiktligt) pull up; ~ *tvärt* stop short, stop dead; ~ *i växten* stop growing; ~ *mitt i* talet break off in the middle of...; *det ~de vid hotelser* it got no further than threats **3** om vätska stop running; kok. set
II *tr* hejda stop; ~ *blödningen* stop (stem) the bleeding
III med beton. part.
~ **av** stop; om t.ex. arbete come to a standstill; om samtal o.d. die down, flag
~ **hemma** stay (remain) at home
~ **kvar** remain; om pers. äv. stay; där man är remain where one is
~ **ute:** ~ *ute i det fria* stay [out] in the open, stay out of doors
stanniol o. **stanniolpapper** tinfoil
stans tekn. punch
stansa, ~ [*ut*] punch
stapel 1 hög pile; av ved stack **2** sjö. stocks; *gå av ~n* a) sjö. leave the stocks b) bildl., äga rum come off, take place **3** i diagram column
stapeldiagram bar chart (graph)
stapelvara staple [commodity]
stapla, ~ [*upp*] pile [...up]
stappla 1 gå ostadigt totter; vackla stagger; *gå med ~nde steg* walk with a tottering (staggering) gait **2** staka sig falter; *på ~nde franska* in halting (stumbling) French

stare zool. starling
stark strong; kraftig powerful; fast firm; slitstark, om t.ex. kläder solid; friare el. bildl.: stor great; intensiv, om t.ex. längtan intense, om t.ex. önskan violent; om ljud el. röst loud; ~ *hunger* great hunger; ~ brant *lutning* steep gradient; *~a misstankar* äv. grave suspicions; *en ~ personlighet* äv. a forceful (dynamic) personality; ~ *storm* severe (hard) gale
starksprit [strong] spirits; amer. hard liquor
starkström elektr. power (heavy, high-tension) current
starkt strongly osv., jfr *stark; ~ kryddad* med stark smak hot; min tid *är ~ begränsad* ...is strictly limited
starkvin dessert wine, wine with a high alcohol content
starköl strong beer
starr med. [*grå*] ~ cataract
start start; flyg. takeoff; startande starting; *flygande* (*stående*) ~ sport. flying (standing) start
starta I *itr* start; flyg. take off **II** *tr* start [up] äv. bil, motor o. friare; sätta i gång (äv. friare) set...going; ~ *eget* start out [in business] on one's own
startavgift entrance stake
startbana flyg. runway; mindre landing-strip
startblock sport. starting-block
startförbud flyg., i dag *råder* ~ ...all planes are grounded
startgrop, *ligga i ~arna* bildl. be ready to start [at any minute], be waiting for the signal to start
startkabel bil. jump lead; isht amer. jumper cable
startkapital initial capital
startklar ...ready to start; flyg. ...ready to take off (for take-off); vard. ...all set to go
startlinje starting line
startmotor starter
startnyckel bil. ignition key
startpistol starter's gun (pistol)
startraket booster [rocket]
startsignal starting signal
startskott starting shot; *~et gick* vanl. the pistol went off
stass finery; vard. glad rags
stat 1 polit. state; *~en* the State; statsmakten the Government **2** budget budget; underhålls~ för tjänstemän establishment
statare förr agricultural labourer receiving allowance (payment) in kind
station allm. station; järnvägs~ el. buss~, amer. äv. depot; tele. exchange
stationera station
stationshus station building
stationär stationary
statisk static; ~ *elektricitet* static [electricity]
statist teat. walker-on (pl. walkers-on), supernumerary; vard. super; isht film. extra
statistik statistics pl.; ibl. figures; ss. läroämne statistics sg.
statistiker statistician
statistisk statistical
statistroll walk-on, walking-on part
stativ stand
statlig (jfr äv. sms. med *stats-*) statens o.d. vanl. State...; statsägd State-owned; förstatligad nationalized; i statlig regi Government...
statsanslag Government (State, public) grant (appropriation)
statsanställd I *adj* ...employed in Government (State, public) service, ...in the Civil Service **II** *subst adj* Government (State, public) employee
statsbesök state visit
statsbidrag State (Government) subsidy (grant)
statsbudget budget; förslag, riksstat estimates
statschef head of State
statsfientlig ...hostile to the State; samhällsfientlig subversive
statsfinanser Government finances
statsförbund association of States; federation [con]federation; allians alliance; union union
statsförvaltning public (State) administration
statshemlighet State (official) secret
statsinkomster [national (State)] revenue
statskassa public treasury (exchequer)
statskunskap political science
statskupp coup d'état (pl. coups d'état) fr.
statskyrka established (State, national) church
statslös stateless
statsmakt, *~erna* the Government sg., the Government authorities
statsman statesman; politiker politician
statsminister prime minister
statsobligation Government bond
statsreligion State (established) religion
statsråd minister cabinet minister
statssekreterare undersecretary of State
statsskick form of government
statsskuld national (public) debt
statstjänsteman civil (public) servant; amer. äv. office holder
statsunderstöd statsbidrag State (Government) subsidy (grant); statshjälp State aid
statsunderstödd State-aided, subsidized
statsvetare political scientist
statsvetenskap political science
statsägd State-owned
statsöverhuvud head of State

statuera, *för att ~ ett exempel* as a lesson (warning) to others
status status; *återgå till ~ quo* revert to the status quo
statuspryl status symbol
statussymbol status symbol
staty statue
statyett statuette, figurine
stav 1 käpp o.d. staff; vid stavhopp pole; skid~ ski stick (amer. äv. pole) **2** se *stavhopp* **3** anat., syncell rod
stava spell; *han ~r bra* (*dåligt*) he is a good (bad) speller; *hur ~s det?* how do you spell it?, how is it spelt?
stavelse syllable
stavfel spelling mistake
stavhopp pole vault; *hoppa ~* pole-vault
stavhoppare pole-vaulter
stavning spelling
stearin candle-grease; fackspr. stearin
stearinljus candle
steg step; kliv stride båda äv. bildl.; utvecklingsstadium el. raket~ stage; *~ för ~* step by step; *gå med tunga ~* walk with heavy steps; *ta första ~et* take the first step; bildl. äv. take the initiative; *ta ~et fullt ut* bildl. go the whole way (hog)
stega, *~ [upp]* en sträcka pace (step) [out]...; amer. walk off...
stege ladder äv. bildl.; trapp~ stepladder
steglös tekn. variable
1 stegra öka: t.ex. priser increase, raise; t.ex. nyfikenhet heighten; förstärka intensify; förvärra aggravate; *de ~de levnadskostnaderna* the increase sg. in the cost of living
2 stegra, *~ sig* rear; bildl. rebel, revolt
1 stegring ökning increase, rise
2 stegring hästs rearing
stegvis I *adv* steg för steg step by step **II** *adj* gradual, step-by-step...
stek joint; tillagad vanl. roast, joint of roast meat
stek|a I *tr* roast; i ugn äv. bake; i stekpanna fry; halstra grill; bräsera braise; *-t gås* roast...; *den är för litet* (*mycket*) *-t* it is underdone (overdone) **II** *itr* om solen be broiling (scorching) **III** *rfl, ~ sig i solen* be broiling (baking) in the sun
stekgryta [meat] roaster, stewpan
stekhet scorching (broiling) [hot]
stekos [unpleasant] smell of frying
stekpanna frying pan
steksky gravy
stekspade spatula
stekspett spit
stektermometer meat thermometer
stekugn roasting-oven
stel stiff äv. bildl.; styv rigid; kylig, om t.ex. sätt frigid; om språk, umgänge formal; om t.ex. leende, ansiktsuttryck fixed; *~ som en pinne* [as] stiff as a poker (a ramrod); *jag är ~ i fingrarna* I have stiff fingers, my fingers are stiff
stelbent 1 eg. stiff-legged, ...with stiff legs **2** bildl. formal; om språk stilted
stelfrusen om pers. numb; om sak frozen
stelhet stiffness; rigidity; frigidity, jfr *stel*
stelkramp tetanus; vard. lockjaw
stelna 1 om kroppsdel o.d. stiffen; av köld be numbed; av fasa be paralysed, become petrified (motionless); *~ till* eg. get stiff **2** om vätska congeal, solidify; kok. set
sten stone; amer. äv. rock; koll. stones, amer. äv. rocks; liten pebble; stor boulder, rock; *kasta ~ på...* throw stones (amer. ofta rocks) at...
stena stone
stenbock 1 zool. ibex **2** astrol. *Stenbocken* Capricorn
stenbrott quarry
stencil stencil; som delas ut handout
stencilera stencil
stendöd stone-dead
stendöv stone-deaf
stengods stoneware; kruka *av ~* stone..., stoneware...
stengärdsgård stone fence
stenhuggare stonemason; enklare stone-cutter
stenhus stone (av tegel brick) house
stenhård ...[as] hard as a brick; isht bildl. stony; ...[as] hard as nails; *~ konkurrens* very tough competition
stenhög heap (röse mound) of stones
stenig stony; om bergssluttning rocky
stenkast avstånd stone's throw (pl. stonethrows); *ett ~ från* within a stone's throw of, a stone's throw from
stenkol [pit] coal
stenkula leksak [stone] marble
stenläggning konkr. pavement
stenmur stone wall
stenograf shorthand writer; isht amer. stenographer (vard. steno)
stenografera I *tr* take down...(take...down) in shorthand **II** *itr* write shorthand
stenografi shorthand
stenparti trädg. rock garden, rockery
stenplatta slab of stone, flagstone; isht till stenläggning paving-stone
stenrik bildl. ...made of money, ...rolling in money
stenröse mound of stones; stenkummel cairn
stenskott, *ett ~* a stone flying up from the road
stensätta stenlägga pave
stentavla bibl. stone tablet
stenyxa stone axe
stenåldern the Stone Age

stenåldersmänniska Stone-Age man; *stenåldersmänniskor* Stone-Age people
stenöken stony desert; om t.ex. storstad concrete jungle
stepp dans tap-dance; steppande tap-dancing
steppa tap-dance, do tap-dancing
sterbhus dödsbo estate [of a (resp. the) deceased person]; arvingar heirs pl. to the estate [osv.]
stereo 1 teknik stereo **2** se *stereoanläggning*
stereoanläggning, *en* ~ stereo equipment, a stereo
stereofonisk stereophonic
stereotyp I *adj* bildl. stereotyped **II** *s* typogr. el. sociol. o.d. stereotype
steril allm. sterile; ofruktbar barren
sterilisera sterilize
sterilisering sterilization
stetoskop med. stethoscope
steward sjö. el. flyg. steward
stewardess sjö. el. flyg. stewardess
stia svin~ [pig]sty
stick I *s* **1** av nål o.d. prick; av t.ex. bi sting; av mygga bite; av vapen stab **2** kortsp. trick **3** *lämna ngn i ~et* leave a p. in the lurch
II *adv, ~ i stäv mot...* directly (completely) contrary (counter) to...
stick|a I *s* **1** flisa splinter; pinne stick; *få en ~ i* fingret get a splinter in...; *mager som en ~* [as] thin as a rake **2** strump~ [knitting-]needle;
II *tr* **1** a) ge ett stick prick; stinga: om t.ex. bi sting, om mygga bite; bildl. sting; slakta (gris) stick b) köra stick; *~ gaffeln i* en sillbit stick one's fork into...; *~ hål i (på)* prick (make) a hole (på flera ställen holes) in; t.ex. ballong, böld puncture, prick; *~ sig* prick oneself [*på* on] **2** stoppa: put; 'köra' thrust; låta glida slip; *~ fötterna i* tofflorna slip (thrust) one's feet into... **3** sömnad. knit
III *itr* **1** ofta opers. *det -er i benet* [*på mig*] I have twinges of pain in my leg **2** *~ under stol med* se ex. under *stol* **3** vard., kila [sin väg] push off; ge sig (resa) iväg go off; smita run off, run away; *stick!* hop it!, scram!
IV med beton. part.
~ **av mot** (**från**) stand out against; om färger äv. clash with
~ **emellan:** *~ emellan med* ett par ord put in...
~ **fram** itr. stick out
~ **ihjäl ngn** stab a p. to death
~ **in** a) tr. put (stick, 'köra' thrust)...in b) itr. (kila in) pop (nip) in
~ **ned** med vapen stab
~ **till a)** tr. *~ till ngn* en tia slip...in[to] a p.'s hand **b)** itr. *det stack till i mig* bildl. I felt a pang
~ **upp** a) stoppa upp put (stick, 'köra' thrust, hastigt äv. bob) up b) skjuta upp: allm. stick up (out); om växt shoot [up] c) kila upp pop up d) vara uppnosig be cheeky
~ **ut a)** tr. *~ ut ögonen på ngn* poke out a p.'s eyes **b)** itr. stick (stand, jut) out, protrude; kila ut pop out
stickande 1 smärtande shooting, svag. tingling; om lukt pungent; om ljus dazzling; om sol, hetta blazing; *~ smak* äv. biting (sharp) taste **2** *komma ~ med ngt* come up with a th.
stickas om bi sting; om mygga bite; rivas be prickly
stickgarn knitting-yarn
stickig som sticks: eg. prickly; bildl., se *stickande 1*
stickkontakt elektr.: stickpropp plug; vägguttag point; propp o. uttag plug-and-socket connection
stickling trädg. cutting; *sätta ~ar* strike cuttings
stickmaskin knitting-machine
stickning sömnad., abstr. el. konkr. (arbete) knitting; *en ~* a piece of knitting
stickord 1 gliring taunt; *ge ngn ~* taunt a p. **2** uppslagsord headword
stickpropp elektr. plug
stickprov spot test (check); konkr. random sample
stickspår järnv. dead end [siding], anslutningsspår private siding; bildl. side issue; *komma in på ett ~* bildl. get on to a sidetrack
1 stift kyrkl. diocese, bishopric, episcopate
2 stift 1 att fästa med pin; spik utan huvud brad, tunnare sprig; häft~ drawing-pin, amer. thumbtack **2** att skriva med: blyerts~ lead; reserv~ lead refill; på reservoarpenna nib **3** tekn.: i tändare flint; tänd~ plug; grammofon~ (förr) needle **4** bot. style
stifta 1 grunda found; lagar make **2** åstadkomma ~ *bekantskap med* become (get) acquainted with, get to know
stiftare grundare founder; skapare creator
stiftelse foundation; establishment; institution
stifttand pivot tooth
stig path; upptrampad track båda äv. bildl.
stiga I *itr* **1** gå step; trampa tread; *~ åt sidan* stand (step) aside **2** stiga uppåt: om t.ex. rök rise, ascend; om flygplan climb, gain height; om barometer rise; *~ i graderna* rise in rank; *~ ngn åt huvudet* go to a p.'s head; om vin äv. be heady **3** öka: allm. rise; om t.ex. efterfrågan grow; *~ i antal* increase in number
II med beton. part.
~ **av** gå av get off (out); från buss o.d. äv. alight; från cykel äv. dismount; *jag vill ~ av*

bli avsläppt *vid...* could you put me down at...please?
~ **fram** step forward
~ **in** step (walk) in; *stig* kom *in!* vid knackning come in!; ~ *in* [*i* bil o.d.] get in[to...]
~ **ned** (**ner**) step down
~ **på** a) se ~ *in* b) gå på get on; ~ *på* bussen, tåget board..., get on (into)..., enter...
~ **undan** step out of the way
~ **upp** rise; resa sig äv. get up; kliva upp get out; ~ *upp på* en stege get up on..., mount...; ~ *upp* [*ur sängen*] get out of bed
stigande *adj* rising; om ålder advancing; om t.ex. betydelse, missnöje, sympati growing; ~ *efterfrågan* growing demand; ~ *skala* ascending (progressive) scale; ~ *tendens* rising (upward) tendency (trend)
stigbygel stirrup; anat. stirrup bone
stigmatisera stigmatize
stigning rise; i terräng el. flyg. ascent; backe rise; ökning increase
stil 1 hand~ [hand]writing **2** typogr. type, stilsats fount, font; tryck~ print, characters; *kursiv*[*erad*] ~ italics pl. **3** framställning el. friare: allm. style; *i stor* ~ i stor skala on a large scale; vräkigt in [grand] style; något *i den ~en* ...like that (in that line); *något i ~ med* Taube something like (in the same style as)...; *gå i ~ med* be in keeping with; passa ihop med match
stilart style; genre genre; språklig stilnivå level of usage
stilbrott breach of style
stilenlig ...in accordance with the particular style; tidstrogen ...in accordance with the style of the period
stilett stiletto (pl. -s); spring~ flick (switch-blade) knife
stilfull stylish; smakfull tasteful; elegant elegant
stilig stilfull stylish; elegant elegant; vacker handsome; om t.ex. karaktär fine
stilisera 1 konst. o.d. stylize, formalize **2** avfatta word, compose
stilist stylist
stilistisk stylistic, ...concerning style
stilkänsla artistic sense (smak taste)
still se *stilla I*
stilla I *adj* o. *adv* ej upprörd calm; stillsam quiet; rofylld tranquil; orörlig immovable; fridfull peaceful; svag gentle; tyst silent; *Stilla havet* the Pacific [Ocean]; *ligga* (*sitta*) ~ lie (sit) still; hålla sig ~ keep still (quiet); inte röra sig not move (stir); *stå* ~ inte flytta sig stand still, not move (stir); om t.ex. fabrik, maskin stand (be) idle; *det står* ~ *i huvudet på mig* my mind is a blank, I just can't think [any more] **II** *tr* t.ex. hunger, nyfikenhet satisfy, appease; kuva subdue; lindra alleviate; lugna quiet; ~ *blodflödet* staunch the bleeding; ~ *törsten* slake (quench) one's thirst
stillasittande I *adj* om t.ex. arbete sedentary **II** *s* orörlighet sitting still
stillastående I *adj* om t.ex. fordon, luft stationary; om vatten el. bildl., liv stagnant; om maskin idle; orörlig immobile; utan utveckling unprogressive **II** *s* orörlighet standing still; bildl. stagnation
stillatigande *adv* silently; ~ åse (förbigå) ngt ...in silence
stillbild film. still
stilleben konst. still life (pl. still lifes)
stillestånd 1 hand., stagnation stagnation, standstill **2** vapen~ armistice; vapenvila truce äv. bildl.
stillhet stillness; quiet[ness]; tranquillity; peace; silence, jfr *stilla I;* det skedde *i all* ~ ...quietly (in silence, utan ceremonier unceremoniously); vi roade oss *i all* ~ ...in a quiet way
stillsam quiet; rofylld tranquil
stilmöbel möblemang suite of period furniture; *stilmöbler* period furniture sg.
stilnivå språklig stylistic level
stilren stylistically pure (correct)
stilsort typogr. type
stiltje 1 vindstilla calm **2** bildl. period of calm; stillestånd stagnation
stim 1 fisk~ shoal **2** oväsen noise
stimma föra oväsen make a noise
stimmig noisy
stimulans stimulering stimulation; medel stimulant
stimulantia stimulants
stimulera stimulate; *bli ~d av* äv. (vard.) get a big kick out of
stimulerande stimulating
sting 1 stick: av t.ex. bi sting; av mygga bite; av nål o.d. prick; av vapen stab; bildl. pang; *jag kände ett ~ i hjärtat* bildl. I felt a pang **2** fart och kläm go; snärt sting
stinga prick osv., jfr *sticka II 1 a)*
stingslig snarstucken touchy
stinka stink; ~ *av ngt* stink (reek) of a th.
stins stationmaster
stint, *se* ~ *på ngn* look hard at a p.
stipendiat isht studie~ holder of a scholarship
stipendium isht studie~ scholarship; bidrag grant; *söka ett* ~ apply for a scholarship (resp. a grant)
stipulera stipulate
stirra I *itr* stare; elakt glower; *han ~de rakt framför sig* he stared straight in front of him; ~ se spänt *på...* fix (rivet) one's eyes upon... **II** *rfl,* ~ *sig blind på ngt* bildl. let oneself be hypnotized by a th.
stirrande *adj* staring; ~ *blick* stare, fixed look; tom vacant look

stirrig 1 virrig confused **2** stirrande staring
stjäla steal äv. bildl.; snatta pilfer, tr. äv. (vard.) pinch; idéer o.d. crib; ~ *ngt från ngn* äv. rob a p. of a th.
stjälk bot. stem; tjockare stalk
stjälpa I *tr* o. *itr* välta omkull overturn, upset; slå omkull knock...over; vända upp och ned på turn...upside down; omintetgöra upset
II med beton. part.
~ **av** tip; isht sopor shoot
~ **i sig** gulp down
~ **upp** kok.: kaka turn out; gelé äv. unmould
~ **ur (ut)** innehåll pour (tip) out; spilla spill; tömma empty
stjärna star äv. bildl.; typogr., asterisk asterisk; *en uppåtgående* ~ eg. el. bildl. a rising star; bildl. äv. a new hope
stjärnbaneret the Star-Spangled Banner; the Stars and Stripes
stjärnbild astron. constellation
stjärnfall astron. shooting (falling) star
stjärnhimmel starry sky (firmament)
stjärnkikare [astronomical] telescope
stjärnklar starry; *det är ~t* it is a starry night, the stars are out
stjärntydare astrologer
stjärt tail äv. bildl.; på människa bottom; bak behind, backside äv. på djur
stjärtfena tail fin; flyg. äv. fin
stjärtparti flyg. tail unit
sto mare; ungt filly
stock *s* stam log; friare block; *sova som en* ~ sleep like a log (top)
stocka, ~ *sig* stagnate; om trafik get (be) held up
stockholmare Stockholmer, inhabitant of Stockholm; pl. äv. Stockholm people
stockholmska 1 kvinna Stockholm woman (flicka girl) **2** dialekt the Stockholm dialect
stockkonservativ ultra-conservative; vard. true-blue; *en* ~ subst. adj. äv. a die-hard conservative
stockning avbrott stoppage; ~ *i trafiken* traffic jam, [traffic] hold-up
stockros bot. hollyhock
stoff 1 abstr.: material material; innehåll [subject] matter; materia stuff; *samla ~ till en roman* collect material for a novel, jfr vid. *ämne* **2** konkr.: rå~ materials; färg~ matter; tyg material
stofil, *en [gammal]* ~ an old fogey (fossil)
stoft 1 damm o.d. dust **2** avlidens: lik [mortal] remains; aska ashes
stoiker filos. stoic
stoisk stoic
stoj oljud noise; larm uproar, hubbub
stoja make a noise; leka romp
stol chair; utan ryggstöd stool; sittplats seat; *han sticker inte under ~ med att...* he makes no secret of the fact that...
stolle fool, crazy fellow
stollift chair lift
stollig crazy
stolpe säng~ post; lednings~ pole; stöd prop; *stolpar* disposition, för uppsats o.d. main points, skeleton outline sg.
stolpiller med. suppository
stolsben chair leg
stolsrygg back of a (resp. the) chair
stolssits seat (bottom) of a (resp. the) chair
stolt proud [*över* of]
stolthet pride [*över* in]; han har *ingen* ~ äv. ...no self-respect; *känna ~ över* take [a] pride in
stoltsera boast, brag, pride oneself
stomme frame[work] äv. bildl.; utkast skeleton
stop 1 kärl stoup: kanna tankard **2** mått ung. quart
stopp I *s* tilltäppning stoppage; stagnation stagnation; *det är ~ i röret* (*i trafiken*) äv. the pipe (traffic) is blocked up; *säg ~!* vid påfyllning av glas o.d. say when! **II** *interj* stop!
1 stoppa I *tr* stanna stop; bromsa, hålla tillbaka check, arrest, hold up; sätta stopp för put a stop (an end) to **II** *itr* **1** stanna stop, come to a standstill **2** stå emot stand up; tåla en påfrestning stand the strain; hålla last **3** förslå *det ~r inte med* 1000 kr ...isn't enough, ...won't suffice
2 stoppa I *tr* **1** laga strumpor o.d. darn, mend **2** fylla fill; proppa cram; ~ full stuff; möbler upholster; ~ fickorna *fulla* fill (cram)...; ~ *korv* stuff (make) sausages **3** instoppa o.d.: allm. put; thrust
II med beton. part.
~ **i sig** äta put away...
~ **in** stoppa undan tuck (stuff) away
~ **ned** put (tuck) down
~ **om a)** möbler re-upholster; madrass re-stuff **b)** ett barn tuck...up [in bed]
~ **på sig ngt** put a th. into one's pocket (resp. pockets)
~ **till** fylla igen stop (med propp plug) [up]; täppa till, t.ex. rör choke
~ **undan** stow (vard. stash) away
~ **upp** djur o.d. stuff
stoppförbud trafik., ss. skylt no waiting; *det är* ~ äv. waiting is prohibited
stoppgarn av ull darning (mending) wool; av bomull darning cotton
stopplikt trafik. obligation to stop; *det är* ~ vanl. drivers must stop [and give way]
stoppljus trafikljus traffic lights; på bil brake light
stoppmärke trafikmärke stop sign
stoppning 1 lagning darning **2** fyllning stuffing; möbel~ upholstery båda äv. konkr.
stoppnål darning-needle
stoppsignal trafik. stop signal

stoppskylt trafik. stop sign
stopptecken trafik. stop (halt) signal
stoppur stopwatch
stor 1 large (särskilt i bet. rymlig, vidsträckt samt talrik, i stor skala); i ledigare stil vanl. big; vard., lång tall; isht om abstr. subst. el. i bet. framstående, betydande o.d. great; *[ett] ~t antal* a large (great) number; *en ~ beundrare av...* a great admirer of...; *en ~ del av tiden* a good (great) deal of the time; *det ~a flertalet* the great majority; *~a förluster* heavy losses; *ett ~t hus* a big (large, large-sized) house; *~t inflytande* great influence; *en ~ karl* a big (lång tall) man (fellow); *en ~ konstnär* a great artist; *ett ~t namn* a great (vard. big) name; *det är mig ett ~t nöje att* inf. I have much pleasure in ing-form; *i ~ stil* vräkigt in [grand] style; *uträtta ~a ting* achieve great things; *~ vänkrets* many friends; *hur ~ är den?* how big (resp. large) is it?, what size is it?; *vara ~ i maten* be a big eater; *vara ~ i orden* talk big; beskriva läget *i ~t* ...in broad outline
2 vuxen grown-up; *~a damen* vard. quite a [little] lady; *bli ~* grow up
3 *~ bokstav* versal capital letter, capital
storartad grand, magnificent, splendid
storasyster big sister
storblommig bot. ...with large flowers; om mönster ...with a large floral pattern
storbonde farmer with large holdings
Storbritannien Great Britain; isht polit. Britain
stordia overhead transparency
stordrift large-scale production
stordåd great (grand) achievement
storebror big brother
storfamilj extended family
storfinans, *~en* high finance; neds. big business
storföretag large-scale (large, big) enterprise
storgråta cry loudly; *börja ~* burst into a flood of tears
storhet 1 egenskap greatness, grandeur **2** matem. quantity, magnitude **3** person great man (personage); berömdhet celebrity
storhetstid period of greatness, days pl. of glory; glanstid palmy days
storhetsvansinne megalomania, delusions pl. of grandeur; *ha ~* vard. have a big head
stork stork
storkna choke; *vara nära att ~ av skratt* äv. split one's sides with laughter
storkök institutional (large-scale) kitchen (catering department)
storlek size; isht vetensk. magnitude; *skor i ~ 5* size five shoes; *vilken ~ har ni?* what's your size?
storleksordning storlek size; belopp *av denna ~* ...of this size (order)
storm 1 hård vind gale; isht med oväder el. friare storm, ibl. tempest **2** mil. storm; *ta...med ~* take...by storm äv. bildl.
storma I *itr* **1** *det ~r* a gale is blowing, it is blowing a gale; stark. a storm is raging, it is storming **2** bildl. storm; rusa rush; *~ fram* rush (dash) forward **II** *tr* mil. el. friare storm; mil. äv. assault
stormakt great (big) power
stormaktspolitik power politics
stormande eg. el. bildl. stormy, tempestuous; *~ bifall* a storm of applause
stormarknad hypermarket; amer. discount house
stormby [heavy] squall
stormförtjust absolutely delighted, tickled (thrilled) to bits (death)
stormig eg. el. bildl. stormy
stormning assault; stormande storming
stormrik immensely (vard. stinking) rich
stormsteg bildl. *med ~* by leaps and bounds
stormstyrka gale force
stormtrivas se *stortrivas*
stormvarning, *det är ~* there is a gale warning
stormvind gale [of wind]; stormby squall
stormästare i ordenssällskap, schack o.d. grand master
storpolitisk, *~a frågor* top-level political issues, [political] issues of international importance; *~t möte* top-level meeting
storrengöring se *storstädning*
storrutig large-checked, ...with large checks; *den är ~* äv. it has large checks
storrökare heavy (big) smoker
storsegel sjö. main sail
storskalig large-scale...
storslagen grand
storslalom sport. giant slalom
storslägga, *ta till ~n* bildl. take (resort to) strong measures
storspov zool. curlew
storstad big city (town)
storstadsbo inhabitant of a big city (town), big-city dweller
storstadsdjungel vard. asphalt (concrete) jungle
storstilad grand; om t.ex. karaktär fine
Stor-Stockholm Greater Stockholm
storstrejk general strike
storstuga ung. large living room
storstädning thorough [house-]cleaning; ofta (vårstädning samt allm.) spring-cleaning
storsäljare best-seller
stort *adv* greatly; i nekande sats vanl. much; *~ anlagd* t.ex. kampanj ...on a large scale; *öka ~* greatly increase
stortrivas get on very (stark. wonderfully) well; ha trevligt have a wonderful time

stortvätt big wash
stortå big toe
storverk bedrift great achievement; konkr. arbete monumental work
storvilt big game
storvuxen big; om pers.
storätare big (heavy) eater, gourmand
storögd large-eyed; t.ex. av förvåning round-eyed
straff 1 påföljd allm. punishment; isht jur. penalty; böter fine; dom sentence; *ett strängt* ~ a severe punishment; genom dom a severe (alltför strängt harsh) sentence; *belägga ngt med* ~ penalize a th., impose a penalty [up]on a th., make a th. penal; *till* ~ as a (by way of) punishment **2** kortsp. el. sport. penalty; jfr äv. *straffspark*
straffa punish
straffarbete [imprisonment with] hard labour; minst 5 år penal servitude
straffbar punishable, stark. penal, brottslig criminal; *det är ~t att* inf. it is an offence (a penal el. punishable offence) to inf.
straffkast sport. penalty throw
strafflag criminal (penal) code (rätt law)
straffområde sport. penalty area; *~et* vard. the box
straffpredikan sermon
straffregist|er criminal (police) records pl. (register); *han finns i -ret* vanl. he has a criminal record
straffränta penal interest, interest on overdue payments
straffrätt lag criminal (penal) law
straffspark sport. penalty [kick]; *lägga en* ~ take a penalty
straffånge convict
stram spänd tight äv. bildl.; friare: om stil o.d., sträng severe, knapp terse; om pers. distant, reserved, stel stiff; *[en]* ~ *hållning* inställning a reserved (severe) attitude
strama I *itr* om kläder o.d. be [too] tight (tight-fitting); *det ~r i huden* the (my etc.) skin feels tight **II** *tr,* ~ *upp sig* inta givaktställning come to attention
stramalj canvas [for needlework]
strand shore; isht bad~ beach; flod~ bank; *på ~en* badstranden on the beach
stranda I *itr* om fartyg run ashore; bildl. fail, break down **II** *tr,* ~ *förhandlingarna* abandon (cause a breakdown in) the negotiations
strandhugg, *göra* ~ t.ex. om sjörövare descend [*i* on, upon], raid, foray; t.ex. om seglare go ashore
strandkant strand[brädd] beach; vattenbryn edge (margin, brink) of the water
strandning fartygs stranding, med förlisning wreck; bildl., misslyckande failure, t.ex. förhandlingars breakdown
strandremsa strip of shore (beach, riverbank)
strandsatt, *vara* ~ be stranded; på pengar be hard up
strandtomt se *sjötomt*
strapats, *~er* hardships
strapatsfylld o. **strapatsrik** adventurous
strass paste
strateg strategist
strategi strategy; mil. äv. strategics
strategisk strategic[al]
strax o. **straxt** *adv* **1** om tid: om en kort stund directly, in a minute (moment); snart presently; genast at once, straight (right) away; ~ *efter* middagen immediately (just) after... **2** om rum ~ *bredvid* (*intill*) close by
streber climber, careerist
streck 1 penn~, penseldrag o.d. stroke; linje el. skilje~ line; tvär~ cross; på skala mark; vid markering score; *dra* (*stryka*) *ett* ~ *över* draw a line through; *smal som ett* ~ om pers. as thin as a rake **2** rep cord; för tvätt [clothes] line **3** spratt trick; *ett fult* ~ a dirty trick **4** *hålla* ~ bildl. hold good, be true
strecka, ~ *en linje* draw a broken (dashed) line; ~ *för partier i en bok* mark (underline, score) passages in a book
streckkod bar-code
strejk strike; *vild* ~ unofficial (wildcat) strike; *utlysa* [*en*] ~ call a strike, se äv. *strejka*
strejka 1 gå i strejk go on strike, strike; vara i strejk be on strike **2** friare: bilen *~r* krånglar ...is out of order
strejkaktion strike (industrial) action
strejkande striking; ~ *hamnarbetare* dock strikers
strejkbrytare strikebreaker; neds. blackleg
strejkhot hot om strejk threat of a strike
strejkkassa strike fund
strejkrätt, *ha* ~ have the right to strike
strejkvakt, ~[*er*] picket sg.
strejkvarsel strike notice; *utfärda* ~ give notice of a strike
stress stress, strain, [nervous] tension
stressa rush [and tear]; ~ *inte!* don't rush [and tear]!, take it easy!; ~ *av* relax
stressad ...suffering from stress, ...under stress; friare overstrained
stressande o. **stressig** stressful, ...causing stress
streta arbeta hårt, knoga work hard, toil; ihärdigt plod; hunden *~de* [*och drog*] *i kopplet* ...strained (tugged) at the leash; ~ *emot* resist, struggle
1 strid om ström o.d. swift; *stritt regn* torrential (lashing, pouring) rain
2 strid kamp fight äv. bildl.; fighting; isht hård o. långvarig struggle; isht mellan tävlande contest; slag, drabbning battle; stridshandling action; oenighet contention, discord;

konflikt conflict; dispyt dispute; *~en om makten* the struggle for power; *politiska* (*religiösa*) *~er* political (religious) conflicts (strife sg., contention sg.); *ge upp ~en* give up the struggle (om tävlande the contest); *utkämpa en ~* fight [out] a battle; *i ~ens hetta* in the heat of the debate (gräl quarrel)

strida 1 kämpa fight; litt., isht inbördes el. bildl. contend; friare el. tvista dispute; *~ med* (*mot*) en fiende äv. fight... **2** *det strider mot* sunt förnuft it is contrary to (is against, conflicts with)...

stridande 1 fighting etc., jfr *strida I;* mil. äv. combatant; *de ~ parterna* the contending parties **2** *~ mot* oförenlig med contrary to, incompatible with

stridbar 1 stridsduglig ...fit for active service; krigisk warlike; *i ~t skick* in fighting trim **2** om karaktär, temperament pugnacious; debattlysten argumentative; om pers. ...with plenty of fighting spirit

stridig motstridande conflicting; oförenlig incompatible; motsatt opposed; motsägande contradictory; *ett rov för ~a känslor* a prey to conflicting emotions

stridigheter conflicts; politiska, meningsskiljaktigheter differences

stridsanda fighting spirit

stridsberedskap readiness for action

stridsflygplan jaktflygplan fighter [aircraft]

stridsfråga controversial question (issue)

stridshumör, *på ~* in a fighting mood

stridslust fighting (aggressive) spirit

stridslysten eg. ...eager to fight; krigisk warlike; isht friare o. bildl. aggressive; grälsjuk quarrelsome

stridsmedel, *konventionella ~* conventional weapons

stridsrop war cry

stridsspets warhead

stridsvagn [caterpillar] tank

stridsyxa battle-axe; *gräva ned ~n* bury the hatchet (amer. äv. tomahawk)

stridsåtgärd offensive action; på arbetsmarknad strike (lockout lockout) action

stridsäpple apple of discord

stridsövning tactical exercise

strikt I *adj* sträng strict; *~ och korrekt* i klädsel, uppträdande sober and correct **II** *adv* noga strictly; *~ klädd* soberly dressed

stril på vattenkanna o.d. nozzle, sprinkler

strila sprinkle; *~nde regn* gentle (steady) rain; *regnet ~de ned* the rain came down steadily

strimla I *s* strip **II** *tr* kok. shred

strimma streak; på huden (märke efter slag) weal; *en ~ av hopp* a gleam (ray) of hope

strimmig streaked; om hud wealed

stringent om bevisning o.d. cogent; om pers. o framställningssätt ...logical and to the point

stripig lank

strippa I *s* vard., pers. stripper **II** *itr* vard., utföra striptease strip; klä av sig strip

striptease striptease

strof i dikt stanza; friare verse

stropp 1 strap; på sko o.d. loop **2** vard., pers. stuck-up (snooty) devil

stroppig vard. stuck-up, pompous

strosa, *gå och ~* [*på gatorna*] go mooching about (flanera be strolling about) [the streets]

struken, *struket mått* level measure

struktur structure; isht textil. texture

strukturell structural

strukturera structure

strul vard., krångel muddle; besvär trouble

strula vard. **I** *itr* muck things up **II** *tr, ~ till ngt* make a mess (muck-up) of a th.

strulig vard., krånglig trying, bothersome

struma med. goitre, struma

strumpa stocking; socka, herr~ sock; *strumpor* koll. äv. hose pl., hosiery sg.

strumpbyxor tights, stretch tights, pantyhose sg.

strumpeband suspender; ringformigt (utan hållare) el. amer. garter

strumpebandshållare suspender (amer. garter) belt

strumpläst, gå omkring *i ~en* ...in one's stockinged (stocking) feet

strumpsticka knitting needle

strunt skräp rubbish; struntprat nonsense, rubbish; *prata ~* talk nonsense (rubbish)

strunta, *~ i* ej bry sig om not bother about; ej ta någon notis om äv. ignore; *jag ~r i att gå dit* I won't bother about going (bother to go) there; *jag ~r i* t.ex. läxorna*!* äv. hang (stark. blow)...!; *det ~r jag blankt i!* I don't care a hang about that!; *strunt*[*a*] *i det!* never mind!, forget (skip) it!

struntförnäm stuck-up

struntprat nonsense, rubbish

struntsak bagatell trifle

struntsumma trifle

strupe allm. throat, jfr *luftstrupe* o. *matstrupe*

struphuvud anat. laryn|x (pl. vanl. -ges)

struptag, *ta ~ på ngn* seize a p. by the throat, throttle a p.

strut glass~ o.d. cone; mindre cornet; pappers~ cornet, screw (twist) [of paper]

struts ostrich

strutsägg ostrich egg

strutta strut; trippa trip

stryk beating, thrashing; vard. licking; *få ~* a) eg. get a beating etc.; be beaten (thrashed); vard. get licked b) sport., förlora be beaten, take a beating; vard. get a licking; *ge ngn ~* give a p. a beating etc.; beat (vard. lick) a p.

stryka I *tr* **1** fara över med handen stroke; gnida rub; ~ *ngn över* håret vanl. pass one's hand over a p.'s... **2** med strykjärn o.d. iron **3** bestryka med färg o.d. coat, paint; breda på spread; ~ salva *på såret* spread...on (apply...to, rikligt smear...on) the wound **4** utesluta, stryka ut (över) cancel, cut out äv. bildl.; ~ *ett namn på en lista* strike a name off a list **5** avlägsna o.d. ~ *svetten* ur pannan wipe the perspiration from...
II *itr* dra [fram], svepa o.d., planet *strök över hustaken* ...swept over the roofs; ~ *kring* huset, knuten prowl round about...
III *rfl*, ~ *sig mot* rub against; ~ *sig om hakan (skägget)* stroke one's chin (one's beard)
IV med beton. part.
~ **av** torka av wipe
~ **bort** t.ex. en tår brush away; torka bort wipe off; ta bort remove
~ **för ngt** [*med rött*] mark a th. [in red]
~ **med** vard. **a)** gå åt be finished (polished) off; om pengar be used up **b)** dö die
~ **ned** förkorta cut down
~ **omkring i** skogarna, om rovdjur, rövare o.d. prowl...; ~ *omkring på gatorna* t.ex. om ligor prowl (roam) the streets
~ **på** t.ex. salva spread, apply;
~ **under** underline; bildl. äv.: betona emphasize; påpeka point out
~ **ut** dra streck över cross out; sudda ut erase, rub out
~ **över** t.ex. ett ord cross (strike) out, delete

strykande, *ha ~ aptit* have a ravenous appetite; böckerna, varorna *hade ~ åtgång* vard. ...went like hot cakes
strykbräda o. **strykbräde** ironing-board
strykfri om t.ex. skjorta crease-resistant
strykjärn iron, flat-iron
strykning 1 med handen o.d. stroke; gnidning rub **2** med strykjärn ironing **3** med färg (tjära etc.) coating; konkr. coat [of paint (tar etc.)]
stryktips results pool
strypa strangle; tekn. throttle
strypning strangulation; tekn. throttling
strå straw äv. koll.; hår~ hair; gräs~ blade of grass; *dra det kortaste ~et* get the worst of it; den här är *ett ~ vassare* ...just that bit better
stråk 1 [livligt trafikerad] gata, väg etc. thoroughfare; om landsväg el. friare highway; affärsgata shopping street **2** band, strimma (t.ex. dim~) band; malm~ vein
stråke mus. bow; *stråkar* i orkester strings
stråkinstrument stringed (bow) instrument; *~en* i orkester the strings, the string section
stråkkvartett string quartet
stråkorkester string band

stråla I *itr* beam, shine; om t.ex. ögon sparkle; ~ *av* lycka etc. äv. radiate... **II** *tr* vard., strålbehandla apply radiation treatment to
III med beton. part.
~ **samman** a) eg. converge b) bildl. meet
~ **ut** itr. radiate
strålande radiant; lysande brilliant båda äv. bildl.; *vara på ett ~ humör* be in a wonderful mood
strålbehandla med. apply radiation treatment to
stråle 1 ray; *en ~ av hopp* a gleam of hope **2** av vätska, gas o.d. jet; mkt fin squirt
strålglans radiance
strålkastare rörlig searchlight; fasadbelysning o.d. floodlight [projector]; teat. spotlight; på bil o.d. headlight
strålning radiation
strålningsrisk radiation hazard (risk)
strålskydd protection against radiation
stråt väg, kosa way; stig, spår path
stråtrövare highwayman
sträck 1 *i* [*ett*] ~ t.ex. arbeta flera timmar at a stretch, without a break; t.ex. köra tio mil, läsa hela dagen without stopping; t.ex. läsa hela boken at one (a) sitting **2** om fåglar: flykt flight; sträckväg track
sträcka I *s* stretch; avstånd samt väg~ distance; del~, ban~ section; *tillryggalägga en ~* [*på* 5 km] cover a distance [of...]
II *tr* **1** räcka ut, tänja stretch **2** med. ~ *en muskel* pull (stretch, strain) a muscle **3** ~ *vapen* lay down one's arms, capitulate
III *itr*, ~ *på benen* äv. i bet. röra på sig stretch one's legs; ~ *på sig* tänja och sträcka stretch [oneself], give a stretch; röra på sig stretch one's legs; bildl., av stolthet be proud of oneself
IV *rfl*, ~ *sig* **1** tänja och sträcka stretch [oneself]; ~ *sig efter ngt* reach [out] for a th. **2** friare: ha viss utsträckning stretch; isht bildl. extend; löpa run; bergskedjan *sträcker sig från A till B* ...stretches (ranges) from A to B
V med beton. part.
~ **fram** t.ex. handen put (hold, reach) out
~ **upp** t.ex. handen put (hold, tänja stretch) up
~ **ut** tr. räcka ut put (hold, reach, tänja stretch) out; dra ut stretch; bildl. extend; isht i tid äv. prolong; ~ *ut sig* [*i* gräset etc.] stretch oneself out (lie down full length) [on...]
sträckbänk rack; *ligga på ~en* äv. bildl. be on the rack
sträckläsa read...at a stretch
sträckning sträckande stretching etc., jfr *sträcka;* med., behandling traction; ut~ extension; riktning direction; lopp o.d.

running; *få en ~* muskel~ pull (stretch, strain) a muscle

1 sträng hård severe, mer vard. hard; stark., obevekligt ~ rigorous; bestämd, principfast strict; fordrande exacting; bister, allvarlig stern; *stå under ~* noggrann *bevakning* be under close surveillance; *hålla ~ diet* be on a strict diet; *vara ~ mot* be severe (mot barn strict) with, be hard on

2 sträng mus. el. båg~, racket~ string; *ha flera ~ar på sin lyra* have many strings to one's bow

stränga string; *~ om* t.ex. racket, gitarr restring

stränghet severity; rigour; strictness, rigidity; sternness; jfr *1 sträng*

stränginstrument string[ed] instrument

strängt severely, strictly etc., jfr *1 sträng; ~ bevakad* closely guarded; *hålla ~ på* reglerna observe...rigorously, insist (lay stress) on...; *~ hållna (uppfostrade)* barn ...that have been brought up strictly

sträv rough; om smak el. om ljud harsh; naturv. scabrous

sträva strive; kämpa struggle; *~ efter att* inf. endeavour (strive) to inf.; *~ vidare* struggle along; vard. carry on

strävan åstundan striving; ambition; mål aim; bemödande endeavour, effort[s pl.]

strävhet roughness etc., jfr *sträv*

strävhårig om hund wire-haired

strävsam arbetsam industrious; mödosam laborious

strö sprinkle, scatter; *~ kvickheter omkring sig* crack jokes; *~ ut* strew, scatter; *~ ut...för vinden* scatter...to the winds

ströare castor

ströbröd brown dried [bread]crumbs

strödd [ut]spridd scattered

ströjobb odd (casual) job

strökund chance (stray) customer

ström 1 strömning current; vattendrag stream båda äv. bildl. **2** flöde stream; stark. flood; häftig torrent; *en ~ av bilar (ord)* a stream of cars (words); *i en jämn ~* in a constant stream **3** elektr. current; elkraft power; *bryta ~men* break (switch off) the current, break off the circuit

strömavbrott elektr. power failure (cut)

strömbrytare elektr. switch

strömförande elektr. live, alive

strömlinjeformad streamlined

strömlös elektr. dead; *det är ~t* strömavbrott there is a power failure (cut)

strömma I *itr* stream; flyta flow; stark. pour; *folk ~de till* byn äv. people flocked to...; *regnet ~de* the rain was pouring down, it was pouring [with rain]

II med beton. part.

~ **in** om vatten o.d. rush in, flow in; om t.ex. folk, brev stream (pour, roll) in

~ **till** om vatten o.d. [begin to] flow; om folk[skaror] come flocking, collect

~ **ut** stream (flow, pour, well) out; om gas escape, issue; om folk[skaror] stream (pour) out

~ **över** overflow

strömming Baltic (small) herring

strömning current; *litterära ~ar* literary currents

strömstyrka elektr. current [intensity]

strömställare elektr. switch

strösocker granulated sugar; finare castor (caster) sugar

strössel hundreds and thousands pl.

ströva, ~ *[omkring]* roam, rove, ramble, stroll, walk about, wander; *~ omkring i* staden stroll (ramble, walk, wander) about...

strövområde area for country walks (rambles)

strövtåg ramble; excursion äv. bildl.; *ge sig ut på ~* i naturen go on a ramble (an excursion)...

stubb åker~ stubble

stubba, ~ *[av]* hår, hästsvans, öron crop; hundsvans o.d. dock

1 stubbe stump

2 stubbe vard. *på ~n* on the spot

stubin fuse; *ha kort ~* vard., om pers. be short-tempered, be quick-tempered

stuckatur stucco [work]

stucken bildl., sårad offended, huffed

student 1 studerande student **2** *ta ~en* take one's A-levels, jfr *studentexamen*

studentbostad rum student's room; lägenhet student's lodgings

studentexamen higher [school] certificate [själva prövningen examination]; eng. motsv. ung. [examination for the] General Certificate of Education (förk. GCE) at Advanced (A) level; vard. A-levels

studenthem [students'] hostel; amer. äv. dormitory

studentkår students' union

studentliv, ~*et* t.ex. i Stockholm student life...; t.ex. är krävande the life of a student..., a student's life...

studentmössa student's cap

studentsångare member of a students' choral society

studera study; granska, t.ex. ett förslag scan; *~ en karta* study a map; *~ in* en roll study...

studerande 1 skolpojke resp. skolflicka schoolboy resp. schoolgirl; isht amer. student **2** univ. [university] student

studeranderabatt student['s] discount

studie study äv. konst. el. teat. o.d.; litt. äv. essay

studiebesök visit [for the purposes of study]; studieresa study tour

studiebidrag study grant
studiecirkel study circle
studiedag för lärare teachers' seminar
studieförbund [adult] educational association
studiekamrat fellow student
studielån study loan
studiemedel ekonomiskt stöd study allowances (bidrag grants)
studierektor director of studies
studieresa study tour; *göra en ~ till England* go to England to study (for the purposes of study)
studierådgivning student counselling (guidance)
studieskuld study-loan debt
studiestöd study allowances; bidrag study grants
studieteknik [the] technique of studying, study technique
studietid time (period) of study
studievägledare study counsellor (adviser)
studievägledning study counselling (guidance)
studio studio (pl. -s)
studi|um study; *-er* äv. study sg.; *bedriva -er* study
studs bounce; bollen *har bra ~* ...bounces well
studsa I *tr* bounce **II** *itr* **1** om boll bounce; om gevärskula o.d. ricochet; *~ tillbaka* rebound, bounce back **2** om pers. *~ [till]* av förvåning start, be startled, be taken aback
studsmatta trampoline
stuga cottage; koja cabin
stugby 'holiday village'
stugknut cottage corner; *bakom ~en* bildl. round the corner
stugsittare homebird
stuka 1 skada sprain; *~ [sig i] handleden* sprain one's wrist **2** *~ [till]* platta till, t.ex. hatt batter, knock...out of shape
stukning skada spraining; *en ~* a sprain
stum 1 dumb; *~ av* förvåning etc. dumb (mute, speechless) with...; *~ av beundran* lost in admiration **2** om bokstav: ej uttalad mute
stumfilm silent [film]
stump 1 rest stump; t.ex. av penna stub, end **2** melodi~ tune
stumpa liten flicka tiny tot; *min lilla ~!* my pet!
stund kort tidrymd while; tidpunkt moment, hour; *stanna en ~* stay for a while; *en kort ~* a short while, a moment, a few minutes; *det dröjer bara en liten ~* it will only be a moment, it won't be long; *inte en lugn ~* not a moment's peace; *han trodde att hans sista ~ var kommen* he thought that his last hour had come; *i denna ~* at this [very] moment; *i skrivande ~* at the time of writing; *hej på en ~!* so long!
stunda approach, be at hand
stundande coming; *de ~ förhandlingarna* äv. the negotiations that are to start
stundom o. **stundtals** at times, now and then
stuntman film. stunt man
1 stup brant precipice, steep slope (descent)
2 stup, *~ i ett* all the time, non-stop
stupa 1 luta brant descend abruptly, fall steeply **2** falla fall; *nära att ~ av trötthet* ready to drop with fatigue **3** bildl. *han ~de på* uppgiften he did not manage... **4** dö i strid be killed [in action]; *de ~de* subst. adj. those killed in the war
stupfull vard. dead (blind) drunk
stupränna vard. (hängränna) [rain]gutter
stuprör drainpipe, amer. downspout
stursk näsvis cheeky; fräck insolent, brazen; mallig uppish, stuck-up
stuss seat; vard. bottom
stut oxe bullock
stuteri studfarm
stuv remnant [of cloth]; *~ar* äv. oddments
1 stuva packa, lasta stow; *~ in* stow in
2 stuva kok., grönsaker o.d. cook...in white sauce; *~de champinjoner* mushrooms cooked in cream
stuvare o. **stuveriarbetare** stevedore; isht amer. longshoreman
stuvning vit sås white sauce; t.ex. kött~ stew; *~ med räkor* prawns in white sauce (cream)
styck, tio kronor *[per] ~* ...each, ...apiece
stycka 1 kött o.d. cut up; *~ sönder* cut...into pieces **2** jord, mark parcel out; *~ av* mindre egendom från större carve out
stycke 1 del, avsnitt o.d. **a)** bit piece; *ett ~ land (mark)* a piece of land **b)** om väg, vi fick gå *ett ~ [av vägen]* ...part of the way **c)** om tid *ett gott ~ in på* 2000-talet well [on] into... **d)** text~ passage; del av sida där ny rad börjar, moment paragraph; sidan 10, *andra ~t* ...the second paragraph **2** exemplar, enhet *fem ~n apelsiner* five oranges; *några ~n* some, a few; tio kronor *~t* ...each, ...apiece **3** musik~ piece [of music]; teater~ play; *ett ~ av Bach* a piece (something) by Bach **4** *i många ~n* in many respects (ways, things)
styckevis 1 per styck by the piece; en efter en piece by piece **2** delvis partially
styckning av kött o.d. cutting-up; av mark parcelling [out]
stygg olydig, isht om barn naughty; elak nasty; ond bad; otäck, om t.ex. sår ugly
styggelse abomination
stygn sömnad. stitch
stylta stilt

stympa lemlästa mutilate, maim
stympning mutilation, maiming
1 styng sömnad. stitch
2 styng stick, se *sting 1*
3 styng insekt gadfly; häst~ horse botfly
styr, *hålla...i ~, hålla ~ på* keep...in check (in order), control; t.ex. sina känslor govern, restrain; t.ex. sin tunga curb
styra I *tr* **1** fordon steer; leda guide äv. bildl.; direct; ~ *sina steg hemåt* direct one's steps towards home, make for home **2** regera govern; leda direct; stå i spetsen för be at the head of **3** behärska control, govern; ~ *sin tunga* curb one's tongue
II *itr* **1** sjö. o.d. steer; ~ *mot land* stand in [towards land]; ~ *rakt (ned) mot* bear down on **2** regera govern; friare be at the head of affairs, be at the helm; *här är det jag som styr* I am the boss here **3** ordna *ha mycket att ~ [och ställa] med* have many things to attend to
III *rfl,* ~ *sig* control oneself, contain (restrain) oneself
IV med beton. part.
~ **om** ordna see to; ~ *om att...* see to it that...
~ **ut** tr. dress up, vard. rig out; garnera o.d. trim; ~ *ut sig* dress up; vard. rig oneself out
styrande governing; *de ~ [i samhället]* those in authority (power); vard. the powers that be
styrbord sjö. starboard
styre 1 cykel~ handlebars **2** styrelse rule; *sitta vid ~t* be in power, be at the helm
styrelse bolags~ board [of directors], directors; företagsledning management; bolags~ board [of directors], directors
styrelseledamot o. **styrelsemedlem** i bolag director; i förening o.d. member of the (resp. a) committee, officer
styrelseordförande i bolaget chairman of the board [of directors] (i föreningen o.d. of the committee)
styrelsesammanträde board (i förening committee) meeting
styresman för anstalt o.d. director
styrinrättning steering-gear
styrk|a I *s* **1** fysisk o. andlig strength; kraft power; spänst vigour; hållfasthet strength; intensitet, ljudets intensity; om dryck strength; *vindens ~* the force of the wind; *andlig ~* strength of mind; *pröva (mäta) sin ~ på* try one's strength on, measure one's strength against; hävda *med ~* ...with force, ...vigorously **2** trupp force; arbets~ [working] staff, number of hands; antal strength **II** *tr* **1** göra starkare strengthen; ge kraft, mod fortify, invigorate; forskningsresultaten *-er denna teori* ...strengthen (confirm) this theory **2** bevisa prove; med vittnen attest, verify; *styrkt avskrift* attested (certified) copy
styrkedemonstration show of force (strength); *militär ~* display of military power
styrketräning fitness training
styrketår vard. pick-me-up
styrman sjö. **1** tjänstetitel mate; *förste (andre) ~* first (second) mate **2** rorgängare helmsman
styrning styrande steering; *automatisk ~* automatic control
styrsel stadga, fasthet firmness; 'ryggrad' backbone; *utan ~* vinglig wobbly; slapp, ryggradslös flabby, loose
styrspak flyg. control column
styrstång på cykel handlebars
styv 1 stiff; hård rigid; ~ *i lederna* stiff in the joints **2** ~ *i korken* vard. stuck-up, cocky, snooty **3** duktig ~ *i* matematik etc. good (clever) at...
styvbarn stepchild
styvbror stepbrother
styvdotter stepdaughter
styvfar stepfather
styvföräldrar step-parents
styvmoderligt, *vara ~ behandlad* be unfairly treated, be put at a disadvantage, be a Cinderella
styvmor stepmother
styvmorsviol bot. wild pansy
styvna stiffen, become stiff
styvnackad stiff-necked, obstinate
styvson stepson
styvsyster stepsister
styvt 1 stiffly; *hålla ~ på ngt (att* inf.) insist on a th. (on ing-form), make a point of a th. (of ing-form) **2** duktigt *det var ~ gjort!* well done!
stå I *itr* **1** stand; äga bestånd last, remain; vara placerad be placed (arranged); förvaras be kept; *han stod* hela tiden he stood (was standing) [up]...; ~ *orörlig* stand (förbli remain) motionless; *hur ~r det (spelet)?* what's the score?; teet *~r och kallnar* ...is getting cold; ~ *efter ngt* aspire to a th.; ~ *för* ansvara för be responsible for, answer for; leda, ha hand om be at the head (in charge) of; ~ *för följderna* take (be responsible for) the consequences; *den åsikten får ~ för honom* that is [just] his opinion, he is only speaking for himself; ~ *i* ackusativ be in the...; *vad ~r dollarn i?* what's the dollar worth?; *ha mycket att ~ i* have many things to attend to, have plenty to do; ~ *vid sitt ord* be as good as one's word **2** ha stannat have stopped; hålla stop; inte vara i gång: om maskiner o.d. be (stand) idle, om t.ex. fabrik be at (have come to) a standstill **3** äga rum take place; om slag be fought; *när ska bröllopet ~?*

when is the wedding to be? **4** finnas skriven be [written]; *vad ~r det på skylten?* what does it say on the sign?; *läsa vad som ~r om...* read what is written (i tidning what they say) about...
II *tr,* ~ *sitt kast* take the consequences, face the music
III *rfl,* ~ *sig* hävda sig hold one's own; hålla sig, om mat o.d. keep; fortfarande gälla, om teori o.d. hold good (true), stand; bestå last, om väder äv. hold; ~ klara *sig bra* do (get on) well, manage all right; *jag ~r mig på* den frukosten ...will keep me going
IV med beton. part.
~ **bakom** ngt, bildl. be behind, stötta support, ekonomiskt sponsor
~ **efter** bildl. ~ *efter* vara underlägsen *ngn* be inferior to a p.
~ **emot** tr. resist; tåla stand; om saker äv. stand up to; inte skadas av be proof against
~ **fast** om pers. be firm, stand pat; om t.ex. anbud be firm, stand (hold) good
~ **framme** till användning o.d. be out (ready); till påseende be displayed; skräpa be left about; *maten ~r framme* the meal is on the table
~ **i** arbeta work hard; *arbeta och ~ i* hela dagen be busy working...
~ **inne a)** om tåg o.d. be in **b)** om pengar ~ *inne [på banken]* be deposited in the bank
~ **kvar** om pers.: förbli stående remain (keep) standing; stanna remain
~ **på a)** *vad ~r på?* hur är det fatt what's the matter?; vard. what's up? **b)** dröja *det stod inte länge på innan...* it was not long before... **c)** ~ *på sig* stick to one's guns; inte ge vika äv. be firm; ~ *på dig!* don't give in!
~ **till:** *hur ~r det till [med dig]?* hur mår du how are you?; hur är det fatt what's the matter [with you]?
~ **tillbaka:** *få ~ tillbaka för* ställas i skuggan be pushed into the background by...; offras have to be sacrificed for ...
~ **upp** stiga upp rise
~ **ut** härda ut *jag ~r inte ut längre* I can't stand (bear, put up with) it any longer
~ **över a)** ~ *över ngn* vara överordnad be a p.'s superior; ~ *över* ngt: vara höjd över be above... **b)** uppskjutas lie (stand) over; *jag ~r över till...* I'll wait till...

stående standing; lodrätt vertical; stillastående stationary; om t.ex. samtalsämne constant; ~ *fras* set phrase; ~ *skämt* standing (uttjatat stock) joke; *bli* ~ a) inte sätta sig remain standing b) stanna stop
ståhej hullabaloo
stål steel; *rostfritt* ~ stainless steel; *nerver av* ~ nerves of steel (iron)
stålindustri steel industry
Stålmannen Superman
stålpenna steel nib
stålsätta bildl. harden; ~ *sig mot...* steel (harden) oneself against...
ståltråd [steel] wire
stålull steel wool
stålverk steelworks (pl. lika)
stånd 1 civil~ [civil] status **2** samhällsklass [social] class **3** hist., riks~ estate; *de fyra ~en* the four estates **4** salu~ stall; isht marknads~ booth; isht på t.ex. mässa stand **5** växt plant **6** fysiol. erection **7** nivå height **8** ställning o.d. *hålla* ~ hold one's ground (own), hold out [*mot* fienden against...] **9** skick o.d. condition; *vara i* ~ *[till] att* inf. be able to inf.; be capable of ing-form; *få till* ~ bring about; t.ex. uppgörelse effect; upprätta establish; *komma till* ~ come (be brought) about; äga rum come off, take place
ståndaktig karaktärsfast firm; orubblig steadfast; uthållig persevering
ståndaktighet firmness; steadfastness; perseverance; jfr *ståndaktig*
ståndare bot. stamen
ståndpunkt bildl. standpoint; stadium state, stage; nivå level
ståndsmässig ...consistent (in accordance) with one's station; förnäm high-class
stång pole; horisontal samt i galler o.d. bar; räcke rail; tvär~, t.ex. på herrcykel crossbar; *hålla ngn ~en* bildl. hold one's own against a p.
stånga buffa butt; såra med hornen gore; ~ *ihjäl* ngn gore...to death
stångas butt; med varandra butt each other
stångjärn bar iron
stånka flåsa puff and blow, breathe heavily; stöna groan
ståplats biljett standing ticket; ~*[er]* ståplatsutrymme standing room sg.
ståplatsbiljett standing ticket
ståplatsläktare stand with standing accommodation only, the terraces
ståt pomp; prakt splendour; prål show; stass finery; han visade sig *i all sin* ~ ...in all his splendour
ståta, ~ *i* fina kläder make a display of oneself in...
ståtlig storslagen grand; imponerande: om t.ex. pers. imposing, om t.ex. byggnad stately, impressive
städ anvil; anat. äv. incu|s (pl. -des) lat.
städa I *tr* rengöra clean; vard. do; snygga upp i tidy [up] **II** *itr* ha rengöring clean up; snygga upp tidy up; plocka i ordning put things straight (in order)
III med beton. part.
~ **bort** ngt remove...when tidying up
~ **undan** ngt clear (put) away...
~ **upp** [i] ett rum tidy (straighten) up...

städad bildl.: anständig decent; om t.ex. uppträdande proper; vårdad tidy
städare cleaner
städerska cleaner; på hotell [chamber]maid; på båt stewardess
städfirma cleaning firm
städhjälp städerska charwoman; vard. char
städning tidying up; cleaning äv. yrkesmässigt
städrock overall
städskrubb o. **städskåp** broom cupboard (amer. closet)
ställ 1 ställning stand; för disk, flaskor rack **2** omgång set; av segel suit
ställ|a I *tr* **1** placera put; mots. lägga put...up, place...upright; ordna t.ex. i storleksordning place, arrange; låta stå keep; lämna leave; ~ ngt *kallt* put...in a cool place; ~ en dörr *öppen* leave...open; ~ *ngn inför* en svårighet confront a p. with...; *man ställs ofta inför den frågan* one is often faced with that question; ~ ngt *under debatt* bring...up for discussion **2** ställa in set; ~ *sin klocka* set one's watch [*efter* tidssignalen by...], put one's watch right **3** rikta direct; t.ex. brev address; ~ *en fråga till* ngn ask...a question, put a question to... **4** ~ *allt till det bästa* act for the best **5** uppställa, t.ex. krav, villkor make; lämna: t.ex. garanti give, furnish; frågan är *felaktigt -d* ...is wrongly put
II *rfl,* ~ *sig* **1** placera sig place oneself; *ställ dig här!* stand here!; ~ *sig i kö* (*rad*) queue (line) up; ~ *sig i vägen för ngn* put oneself in a p.'s way; ~ *sig upp* stand up, rise **2** jag vet inte *hur jag skall* ~ *mig* tycka ...what attitude (view) to take
III med beton. part.
~ **fram** se *sätta* [*fram*]
~ **ifrån sig** put (set)...down; undan, bort put away (aside); lämna, glömma leave [...behind]
~ **in a)** eg. put...in (inomhus inside); ~ *in ngt i* ett skåp put a th. in[to]... **b)** reglera adjust; ~ *in radion på program 1* tune in to the first programme **c)** ~ *in sig på ngt* bereda sig på prepare [oneself] for a th.; räkna med count on (expect) a th. **d)** ~ *sig in hos* ngn ingratiate oneself (curry favour) with...; vard. suck up to...
~ **om a)** placera om rearrange; omorganisera reorganize; produktion convert **b)** ombesörja: skaffa get, find; ordna med arrange, manage; ~ *om att...* arrange (manage) it so that...
~ **samman** samla, utarbeta: t.ex. antologi, register compile
~ **till a)** ~ *till* [*med*] anordna arrange, organize, get up; sätta i gång med start; t.ex. bråk make, vard. kick up; vålla cause; *vad har du nu -t till* [*med*]*?* what have you been up to (gjort done) now? **b)** ~ *till* stöka till, smutsa ned make a mess [*i* (*på*) in (on)]
~ **tillbaka a)** på sin plats put...back **b)** klocka put (set)...back
~ **undan** ställa bort el. reservera put aside; plocka undan put away
~ **upp a)** placera put...up; t.ex. schackpjäser set up; ordna place **b)** uppbåda set up; ~ *upp med ett starkt lag* t.ex. i fotboll field (put up) a team **c)** göra upp draw up; t.ex. lista make [out]; ekvation form **d)** framställa put forward, advance; t.ex. villkor make; fastställa lay down **e)** deltaga take part; kandidera offer oneself as a candidate; ~ *upp i ett lopp* anmäla sig som deltagande enter for a race; deltaga compete in a race; *han -er upp till omval* he is seeking re-election; polit. äv. he is standing (amer. running) again **f)** hjälpa till *han -er alltid upp för sina vänner* he always stands by his friends
~ **ut a)** utfärda: allm. make out; växel o.d. äv. draw; pass o.d. äv. issue **b)** visa exhibit; varor i t.ex. skyltfönster äv. display; *konstnären -er ut i Paris* just nu the artist is holding an exhibition (is exhibiting) in Paris...
ställbar adjustable
ställd svarslös nonplussed; bragt ur fattningen put out, embarrassed
ställe 1 allm. place; plats spot; passus i skrift o.d. passage; *på ~t* genast on the spot; just nu äv. here and now; just då äv. there and then; *här på ~t* platsen here, at this place **2** *i ~t* instead; i gengäld in return, in exchange; något *att sätta i ~t* ...to put in its place (to replace it by el. with); *komma i ngns* ~ come instead of a p., come in a p.'s place (stead); ersätta ngn take a p.'s place, replace a p.
ställföreträdare deputy; ersättare substitute; representant representative; ombud proxy
ställning 1 allm. position; pose pose; situation el. polit. el. jur. state; plats place; samhälls~ el. poäng~ score; *firmans ekonomiska* ~ the financial position (status) of the firm; *hålla ~arna* isht mil. stand one's ground, hold one's position (one's own); bildl. äv. hold the fort; *en man i god* (*hög*) ~ a man of good social (high) position; *i sittande* ~ in a sitting position (posture) **2** ställ stand; t.ex. att hänga tvätt på rack; stomme frame
ställningskrig positional war (krigföring warfare); skyttegravskrig trench warfare
ställningstagande ståndpunkt standpoint; inställning position, attitude
stämband anat. vocal cord
stämd inställd *välvilligt* (*vänligt*) ~ *mot...* favourably disposed (inclined) towards...
stämgaffel mus. tuning-fork
stämjärn [wood] chisel, mortise chisel

1 stämm|a A *s* röst voice; mus. part, i orgel stop, *första* (*andra*) ~ first (second) part **B I** *tr* mus. tune; ~...*en halv ton högre* (*lägre*) pitch...a semitone higher (lower) **II** *itr* gå ihop, överensstämma correspond; *räkningen -er* the account is correct; *det -er inte* there's something wrong somewhere **III** med beton. part.
~ **av:** ~ *av ngt mot en lista* tick...off on a list, check...against a list; ~ *av med ngn* check with a p.
~ **in a)** falla in *alla stämde in i sången* everyone joined (chimed) in the song **b)** passa in apply
~ **ned a)** ~ *ned tonen* bildl. come down a peg [or two], climb down **b)** göra förstämd depress
~ **upp** en sång break into; ett skri set up; orkestern *stämde upp* [*en melodi*] ...struck up [a tune]
~ **överens** agree; *inte* ~ *överens* disagree, fail to tally, fail to correspond [*med* with]
2 stämma hejda stem, check äv. bildl.; ~ *blod* äv. staunch blood
3 stämma I *s* sammanträde meeting **II** *tr* jur. summons; ~ *ngn för* ärekränkning sue a p. for...
1 stämning 1 mus. tune; *hålla ~en* keep in tune **2** sinnes~ mood, temper; atmosfär atmosphere; *en* ~ *av vemod* a note of melancholy; *det rådde en hög* ~ everybody was in high spirits; *vara i* ~ (*den rätta ~en*) *för...* be in the right mood for...; *i glad* (*festlig*) ~ in high spirits, in a holiday mood
2 stämning jur. [writ of] summons; *delgiva ngn* ~ serve a writ (process) [up]on a p.
stämningsfull ...full of (instinct with) feeling, poetic, lyrical; gripande impressive; högtidlig solemn
stämpel 1 verktyg stamp; gummi~ rubber stamp; för mynt die **2** avtryck stamp; på guld hallmark båda äv. bildl.; post~ postmark; *han har fått en* ~ *på sig som...* he has been branded (labelled) as...
stämpelavgift stamp duty
stämpeldyna [self-inking] stamp pad
stämpelkort clocking-in card
stämpelur time clock
stämpla I *tr* med stämpel stamp; mark; med brännjärn brand äv. bildl.; frimärke cancel; guld, silver hallmark; bildl. stamp; *brevet är ~t* den 3 maj the letter is postmarked...; *ett ~t* använt *frimärke* a used (cancelled) stamp; ~ *in* (*ut*) på stämpelur clock in (out), check in (out) **II** *itr,* [*gå och*] ~ vara arbetslös be on the dole
ständig oavbruten constant; stadigvarande permanent; aldrig sinande incessant; oupphörlig continual; evig perpetual; ~ *ledamot* life-member; ~ *sekreterare* permanent secretary
ständigt constantly osv., jfr *ständig;* always; jämt och ~ constantly
stäng|a I *tr* o. *itr* tillsluta shut; slå igen close; med lås lock; med regel bolt; ~ *butiken* för dagen el. för alltid äv. shut up shop; ~ [*dörren*] *efter sig* shut (close) the door after (behind) one; posten *är -d* ...is closed; [*det är*] *-t mellan 12 och 1* closed between 12 and 1
II med beton. part.
~ **av** shut off äv. bildl.; med stängsel fence off; inhägna fence in, enclose; gata, väg close; spärra av bar; med rep rope off; vatten, gas shut (vrida av turn) off; elström, radio switch off; huvudledning samt telef. cut off; tillförsel stop; från tjänst o.d. suspend; från tävling bar
~ **igen** shut (lock) up
~ **in** låsa in shut (lock)...up; inhägna hedge...in; ~ *in sig* shut (lock) oneself up
~ **till** close; t.ex. kassaskåp lock [up]
~ **ute** eg. shut (lock)...out; utesluta exclude
stängel bot., stjälk stalk; lång, bladlös scape
stängningsdags closing-time; *det är* ~ dags att stänga äv. it is time to close; till kund o.d. äv. we are closing now
stängsel fence; räcke rail[ing], enclosure; friare el. bildl. bar
stänk splash; droppe [tiny] drop; isht av gatsmuts splash; från vattenfall o.d. spray; *ett* ~ regn~ a drop (sprinkle) of rain
stänka I *tr* bestänka splash; svag. sprinkle äv. stryktvätt; ~ *smuts på ngn* spatter a p. with mud; ~ *ned* [be]spatter; bilen *stänkte ned honom* äv. ...splashed him all over **II** *itr* skvätta splash; *det stänker* småregnar it is spitting
stänkskydd på bil mudflap; amer. äv. splash guard
stänkskärm på bil (flygel) wing; mudguard äv. på cykel; amer. fender
stäpp steppe
stärka 1 göra starkare strengthen; t.ex. kroppen fortify; bekräfta confirm; ~ *ngn i hans beslut* confirm a p.'s resolution **2** med stärkelse starch
stärkande strengthening osv., jfr *stärka 1;* ~ *medel* tonic, restorative
stärkelse starch; kem. farina
stäv sjö.: för~ stem; akter~ sternpost
stäva sjö. el. friare head
stävja hejda check; undertrycka suppress; tygla restrain
stöd support; stötta prop, isht stag stay båda äv. bildl.; fot~ rest; underlag bearer; *moraliskt* ~ moral support; *ge ngn sitt* ~ äv. back a p. up; *vara ett* ~ *för* sina föräldrar be the support (prop) of...

stöda se *stödja*
stöddig vard., självsäker self-important; *vara ~ [av sig]* äv. throw one's weight about
stödförband med spjäla emergency splint; med mitella sling
stödja I *tr* support; luta rest, lean; bistå back [up], endorse; med statsunderstöd o.d. subsidize; konst el. vetenskap promote; grunda base; *~ armbågarna mot bordet* rest one's elbows on the table **II** *itr, han kunde inte ~ på foten* he could not support himself on his foot **III** *rfl, ~ sig* support oneself; luta sig, vila lean, rest [*mot* against; *på* on]; *~ sig mot ngn* lita till ngn lean on a p.; mina uttalanden *stödjer sig på fakta* ...are based [up]on facts
stödköp pegging (supporting) purchase
stödundervisning remedial instruction (teaching)
stök städning cleaning; fläng bustle; före jul o.d. preparations
stöka *itr* städa clean up; pyssla potter about; rumstera rummage (poke) about; *gå och ~ [i huset]* potter about, potter about (in) the house; *~ till* make a mess [of it]; *~ till i rummet* litter up the room
stökig ostädad untidy; bråkig noisy, rowdy; rummet *är ~t* äv. ...is in a mess
stöld theft, thieving; inbrotts~ burglary
stöldförsäkring theft insurance, insurance against theft (inbrott burglary)
stöldgods stolen goods; byte loot
stöldsäker theft-proof; inbrottssäker burglar-proof
stön groan; svag. moan
stöna groan; svag. moan
stöp, *gå i ~et* come to nothing
stöpa gjuta cast; *~ ljus* make (dip) candles
stöpslev casting-ladle; *vara (ligga) i ~en* bildl. be in the melting-pot
1 stör zool. sturgeon
2 stör stång pole
störa disturb; avbryta interrupt; om t.ex. ordning *~ ngn* äv. intrude on a p.; *~ ngn i hans arbete* äv. interfere with a p.'s work; *jag hoppas jag inte stör* I hope I'm not disturbing you (tränger mig på intruding); *psykiskt (känslomässigt) störd* mentally (emotionally) disturbed (deranged)
störande I *adj* om t.ex. uppträde disturbing; bullersam boisterous; besvärande troublesome; *~ uppträdande* disorderly conduct **II** *adv, uppträda ~* create a disturbance
störning 1 disturbance; avbrott interruption; i drift disruption; rubbning disorder; *psykisk (motorisk) ~* mental (motor) disturbance (derangement) **2** radio.: gm annan sändare jamming; från motorer o.d. interference; *atmosfäriska ~ar* atmospherics, atmospheric disturbances
störningsskydd radio. [noise] suppressor
störningssändare radio. jamming station
större larger, bigger, greater etc., jfr *stor; bli ~* äv. increase; *~ delen av* klassen most (the major el. greater part) of...; t.ex. befolkningen, importen äv. the bulk of...
störst largest, biggest, greatest etc., jfr *stor; ~ i världen* biggest in the world; *i ~a möjliga utsträckning* to the greatest (utmost) possible extent
störta I *tr* beröva makten overthrow; *~ ngn i fördärvet* bring about a p.'s ruin
II *itr* **1** falla fall (tumble, topple) [down]; om flygplan crash; om häst fall **2** rusa rush; flänga tear; skynda hurry
III *rfl, ~ sig* vard., kasta sig throw (hurl) oneself; rusa rush (dash) [headlong] [*i* i samtl. fall into]; *~ sig över* t.ex. pers. throw oneself on; anfalla äv. rush at
IV med beton. part.
~ **efter:** a) rusa efter ngn rush (dash, tear) after b) för att hämta ngt rush (dash) for
~ **fram** rush (dash, tear) along (on); välla ut ur rush etc. out
~ **in: a)** rusa rush (dash) in; *~ in i rummet* rush (burst) into the room **b)** rasa (om tak o.d.) fall (cave) in
~ **ned** falla fall (tumble) down; rasa come down; regnet *~de ned* ...was pelting down
~ **nedför** rusa nedför t.ex. trappa rush (dash, dart) down...
~ **samman** collapse äv. bildl.; om byggnad äv. come down
~ **ut** rush (dart, dash) out; *~ ut ur rummet* äv. fling out of the room
störtdyka dive steeply
störtdykning nose (vertical) dive
störtflod torrent
störthjälm crash helmet
störtlopp skidsport downhill race; ss. tävlingsgren downhill [racing]
störtregn torrential rain
störtregna, *det ~r* it's pouring (pelting) down
störtskur downpour; bildl. torrent
stöt 1 slag a) thrust; slag blow; knuff push; knyck jerk; i tyngdlyftning jerk; i trumpet o.d. blast b) vid kroppars sammanstötning shock äv. elektr. el. bildl.; fys. impact c) skakning hos fordon o.d. jolt; vid jordbävning shock; vind~ gust; *sätta in en avgörande ~ mot...* make a decisive thrust against... äv. bildl.; *få en elektrisk ~* get an electric shock **2** inbrott, vard. job **3** vard., stofil bloke; isht amer. guy
stöta I *tr* **1** thrust, prod; slå knock, bump; knuffa push, shove; *~ huvudet i* taket bang one's head against... **2** krossa pound **3** bildl.: väcka anstöt offend, stark. shock; såra hurt
II *itr* **1** knock, hit; *~ på* motstånd,

svårigheter meet with..., encounter... **2** ~ *i trumpet* blow (sound) the trumpet
III *rfl,* ~ *sig* göra sig illa hurt (bruise) oneself; bildl. ~ *sig med ngn* get on the wrong side of a p.
IV med beton. part.
~ **bort** eg. push away; bildl. repel; vänner alienate; ur gemenskap expel
~ **emot [ngt]** knock (bump, strike) against a th.
~ **ifrån sig** eg. push (thrust)...back (away); bildl.: t.ex. förslag reject; människor repel
~ **ihop** kollidera knock into each other; råkas run across each other, run into each other; ~ *ihop med* kollidera run into, collide with; träffa run across (into)
~ **omkull** knock...down (over); sak äv. upset
~ **på** träffa, finna come across; t.ex. svårigheter meet with, stumble (come up) against; *stöt på* om jag skulle glömma det remind me...
~ **till:** knuffa till knock (bump) against
~ **ut** expel, drive out

stötande anstötlig offensive; svag. objectionable; stark. shocking
stötdämpare tekn. shock absorber
stötesten stumbling-block
stötfångare bil. bumper
stötsäker shockproof
stött 1 om frukt bruised **2** bildl. offended; *bli ~ över ngt* äv. take offence at a th., resent a th.
stötta I *s* prop, stay; stolpe stanchion **II** *tr,* ~ *[upp]* tekn. allm. prop (stay, shore) [up] äv. bildl.
stöttepelare bildl. *hon är avdelningens ~* she is the mainstay of the department; *samhällets ~* [the] pillar of society
stövare zool. Swedish Foxhound
stövel high boot; amer. boot; *stövlar* isht av gummi äv. wellingtons
stövelknekt bootjack
stövla, ~ *in* trudge in
subjekt subject äv. gram.
subjektiv subjective
sublim sublime
subskribera subscribe; *~d middag* subscription (subscribed) dinner
substans substance
substanslös ...without (lacking in) substance
substantiell substantial
substantiv noun
substitut substitute
substrat substrat|um (pl. -a) äv. språkv.; för bakterieodling culture medium
subtil subtle
subtilitet subtlety
subtrahera matem. subtract
subtraktion matem. subtraction
subtropisk subtropical; *de ~a trakterna* the subtropical regions, the subtropics
subvention subsidy
subventionera subsidize; *~d* äv. state-aided
succé success; om bok hit; *göra ~* meet with (be a) success, score a success; om pjäs o.d. äv. have a long run
succession succession
successiv stegvis gradual
successivt gradually, by gradual stages
suck sigh; *dra en djup ~* fetch (breathe, heave) a deep sigh
sucka sigh; "vilken otur" *~de hon* äv. ...she said with a sigh
Sudan [the] Sudan
sudd 1 tuss wad; tavel~ duster **2** ngt suddigt blur
sudda I *tr,* ~ *bort (ut)* radera rub out, erase; ~ *ut på* svarta tavlan rub (wipe)...clean **II** *itr* rumla *vara ute och ~* be out on the spree (vard. binge)
suddgummi vard. [india] rubber; amer. el. för bläck eraser
suddig otydlig blurred, indistinct; oredig confused; om minne hazy, dim; foto. fogged, foggy
suffix språkv. suffix
sufflé kok. soufflé fr.
sufflera teat. el. friare **I** *tr* prompt **II** *itr* prompt
sufflett hood; amer. top
sufflör teat. prompter
sufflös teat. [female] prompter
sug 1 sugande suction **2** apparat suction apparatus **3** *tappa ~en* lose heart, give up
suga I *tr* o. *itr* suck; *sjön suger* the sea air gives you an appetite; ~ *på en pipa* suck at a pipe
II med beton. part.
~ **sig fast** stick fast, cling, adhere
~ **i** hugga i go at it; ~ *tag i ngn* grab a p.
~ **in** eg. suck in; luft äv. inhale; bildl. drink in, imbibe
~ **upp** suck up; om läskpapper o.d. äv. soak up, absorb; med en svamp äv. sponge up
~ **ur** t.ex. frukt el. med apparat suck
~ **ut** exploatera, utnyttja exploit, bleed...white; t.ex. arbetare äv. sweat; ~ *ut jorden* impoverish the soil
~ **åt sig** absorb äv. bildl.; suck up

sugande allm. sucking; *ha en ~ känsla i magen* av t.ex. hunger have a hollow (sinking) feeling in the (one's) stomach
sugen, *känna sig ~* hungrig feel peckish
sugga sow; neds., om kvinna cow
suggerera påverka influence [...by suggestion]; friare hypnotize; induce
suggestion suggestion
suggestiv suggestive

sugrör till saft etc. straw; tekn. suction pipe; zool. sucker
sukta vard. ~ *efter ngt* long [in vain] for a th.
sula I *s* på sko sole **II** *tr* sole
sulfa o. **sulfapreparat** sulpha (amer. sulfa) drug
sulfat kem. sulphate; amer. sulfate
sulfit kem. sulphite; amer. sulfite
sulky 1 sport. sulky **2** se *sittvagn 2*
sulning soling
sultan sultan
summa sum äv. bildl.; ~ 100 kr. a total of...
summarisk summary; *en ~ rättegång* summary proceedings pl.
summer buzzer
summera, ~ *[ihop, ned]* sum up äv. bildl.; add (vard. tot) up
summering eg. summation; bildl. summary, summing-up (pl. summings-up)
sump 1 kaffe~ grounds **2** fisk~ corf
sumpa vard. ~ *ngt* tappa lose a th.; missa o.d. blow a th.
sumpig swampy
sumpmark swamp, marsh
1 sund sound, strait[s pl.]; ibl. channel
2 sund frisk sound, healthy; om föda o.d. wholesome; om vanor healthy; bildl. (om t.ex. omdöme, åsikt) sound
sunnan o. **sunnanvind** south wind
sup dram, nip
supa *tr* o. *itr* drink; stark. booze; *börja ~* hit the bottle
supé supper äv. bjudning; evening meal
supera have supper
superlativ I *s* superlative äv. bildl.; *i ~* in the superlative **II** *adj* superlative
supermakt superpower
supertanker sjö. supertanker
suppleant deputy
supplement supplement; adjunct
supporter supporter
suput vard. drunkard, boozer, tippler
sur 1 mots. till söt sour äv. bildl.; syrlig acid äv. kem.; butter surly, tjurig sulky; *göra livet ~t för ngn* lead a p. a dog's life; *~ uppstötning* ung. heartburn; med. eructation; *det kommer ~t efter* one (you, he etc.) has (resp. have) to pay for it afterwards; *se ~ ut* look sour (surly etc.); *vara ~ över ngt* be sore about a th. **2** blöt wet; om mark waterlogged; om pipa foul
sura, *gå* (*sitta* etc.) *och ~* sulk
surdeg leaven
surfa sport. go surfing; vindsurfa go windsurfing, windsurf
surfare sport. surfer; vindsurfare windsurfer
surfing sport. surf-riding; vindsurfing windsurfing
surfingbräda sport. surfboard; till vindsurfing sailboard
surkart eg., se *kart;* om pers. surly person; vard. sourpuss
surkål sauerkraut ty.
surmulen sullen
surna sour; värmen *får mjölken att ~* ...sours (turns) the milk
surr ljud hum; av insekter drone; vinande whir
1 surra hum, drone, whir, jfr *surr; det ~r i huvudet på mig* my head hums
2 surra med rep o.d. lash; ~ *[fast]* lash...down, make...fast, tie, secure
surrealism surrealism
surrealistisk surrealist[ic]
surrogat substitute; mera litt. surrogate
surströmming fermented Baltic herring
surt sourly; surlily, morosely, sulkily, jfr *sur; smaka* (*lukta*) ~ taste (smell) sour
sus 1 vindens whistling; svag. sough[ing] **2** *leva i ~ och dus* lead a wild life
susa 1 om vinden whistle; svag. sough, whisper, murmur **2** om kula o.d. whistle; om fordon o.d. rush, tear; ~ *fram* whistle (rush, tear) along
susen vard. *göra ~* ge resultat do the trick, clinch the matter, settle it
susning se *sus 1*
suspekt suspicious
suspendera suspend
sussa vard., sova sleep
sutenör souteneur fr.; pimp
suverän I *s* sovereign **II** *adj* självständig sovereign; vard. terrific
suveränitet sovereignty, supremacy; bildl. supremacy
svacka hollow; t.ex. ekonomisk decline, falling-off, downswing
svada talförhet volubility; ordflöde torrent of words
svag weak; medlidsamt el. klandrande feeble; kraftlös, utmattad faint; lätt, om t.ex. vin, öl light; liten, ringa faint, slight; otydlig faint; skral poor; *ha en ~ aning om ngt* have a faint (vague) idea of a th.; *en ~ känsla* a slight feeling; ~ *puls* feeble pulse; ~ *uppförsbacke* (*nedförsbacke*) gentle climb (slope); *han är ~ i* engelska he is weak at (in)...; *det är ~t* att du inte gör det it's a poor show...
svagdricka small beer
svaghet weakness; svag hälsa delicate constitution; brist, fel weakness, shortcoming, fault, failing; böjelse weakness *[för* for]; indulgence *[för* in]
svagsint feeble-minded
svagström low[-voltage] current, low voltage
svaj, *ligga på ~* sjö. swing at anchor
svaja sjö. swing; vaja om flagga o.d. float
sval I *adj* cool äv. bildl. **II** *s* cool (chiller) cupboard

svala swallow; *en ~ gör ingen sommar* one swallow doesn't make a summer
svalg 1 anat. throat; vetensk. pharynx (pl. pharynges) **2** avgrund gulf, abyss samtl. äv. bildl.
svalgång arkit. [external] gallery
svalka I *s* coolness, freshness **II** *tr* cool **III** *rfl*, *~ [av] sig* cool [oneself] off (down); förfriska sig refresh oneself
svall av vågor surge; dyning swell; bildl.: av känslor flush, av ord spate; av lockar flow
svalla om vågor surge, swell; bildl.: om blod boil, om känslor o.d. run high; om hår flow; *~ över* overflow; bildl. boil over
svallning, *hans känslor råkade i ~* he flew into a passion
svallvåg brottsjö surge; efter fartyg el. bildl. [back]wash
svalna, *~ [av]* cool [down], cool off, become (get) cool[er] äv. bildl.
svamla drivel; utan sammanhang ramble
svammel drivel; osammanhängande ~ rambling
svamp 1 bot. fung|us (pl. -i el. -uses) äv. med.; isht ätlig mushroom; *plocka ~* pick (gather) mushrooms; *gå ut och plocka ~* go mushrooming **2** tvättsvamp sponge; *dricka som en ~* drink like a fish
svampgummi sponge rubber
svampig mjuk, porös spongy
svampkännare expert on mushrooms; vetensk. mycologist
svampstuvning creamed mushrooms
svan zool. swan
svanka ha svankrygg be swaybacked; *~ [med ryggen]* curve one's back inwards
svankryggig sway-backed
svans tail äv. bildl.; *sticka ~en mellan benen* put one's tail between one's legs; fly äv. turn tail
svansa, *gå och ~* kråma sig swagger [about]; *~ för ngn* krypa fawn on (cringe to) a p.
svanskota anat. caudal vertebra
svar 1 answer, reply; genmäle rejoinder; skarpt retort; kvickt repartee; gensvar response; *skriftligt ~* written answer (reply); *jag fick inget ~ [på telefon]* nobody answered [the telephone]; *ge [ngn] ~ på tal* give [a p.] tit for tat; *som ~ på* Ert brev in reply (answer) to... **2** *stå till ~s* till ansvar *för ngt* be held responsible (accountable) for a th.
svara 1 answer; reply; genmäla rejoin, högtidl. respond; skarpt el. kvickt retort; ohövligt el. näsvist answer back; reagera respond; med motåtgärd counter; *han ~de ingenting (inte)* he gave (made) no answer (reply), he did not answer (reply); *~ på* en fråga (ett brev, en annons) answer...; *~ på en hälsning* return a greeting **2** *~ för* **a)** ansvara för answer (be responsible) for; garantera vouch for; *jag ~r för att* det blir riktigt gjort I'll guarantee that... **b)** *Sverige ~r för* 6 % av produktionen Sweden accounts for... **3** *~ mot* motsvara correspond to; passa fit, suit, agree with, match
svarande jur. defendant; isht i skilsmässomål respondent
svaromål jur. defence, answer [to a charge]; *ingå i ~* äv. friare reply to a (resp. the) charge, defend oneself
svarslös, *vara (stå) ~* be nonplussed, not know what to reply; vard. be stuck for an answer
svarsporto return (reply) postage
svarston tele. dialling tone
svart I *adj* black äv. bildl.; dyster dark; *~ arbetskraft* bildl. black workers pl.; *[på] ~a börsen* [on] the black market; *familjens ~a får* the black sheep of the family; *Svarta havet* the Black Sea; *~a pengar* äv. dirty money **II** *adv* olagligt illegally; *arbeta ~* work on the side (moonlight) [without paying tax] **III** *s* färg black äv. i schack; *få (begära) ~ på vitt på...* have (demand)...in black and white (on paper, in writing); *måla* skildra...*i ~* paint...in black colours; *se allting i ~* look on the dark (gloomy) side of things, be a pessimist; jfr äv. *blått* samt *blå* o. sms.
svartabörshandel black-marketeering, black-market transactions
svartbygge house (building) constructed without a building permit
svarthårig black-haired; *han är ~* äv. he has black hair
svartklädd ...[dressed] in black
svartkonst magi black art; vard. black magic
svartlista blacklist; av fackförening black
svartmuskig swarthy
svartmåla paint...black (in black colours)
svartna blacken; *det ~de för ögonen på mig* everything went black before my eyes
svartpeppar black pepper
svartsjuk jealous
svartsjuka jealousy
svartsjukedrama crime passionnel fr.
svartskäggig black-bearded
svartvit black and white
svartögd black-eyed, dark-eyed
svarv [turning] lathe
svarva turn; *~ ihop (till)* historia o.d. devise, concoct, invent
svarvare turner
svassa, *~ [omkring]* strut (swagger) about
svavel sulphur, amer. sulfur
svavelhaltig sulphurous, amer. sulfurous, ...containing sulphur (amer. sulfur)
svavelsyra sulphuric (amer. sulfuric) acid
sweater sweater
1 sveda smarting pain, smart; *ersättning för*

~ och värk compensation for pain and suffering
2 sveda allm. el. tekn. singe; förbränna scorch; om frost nip
svek förräderi treachery, perfidy; trolöshet deceit, guile; jur. fraud
svekfull treacherous, perfidious; deceitful, guileful; fraudulent, jfr *svek*
svensexa stag party
svensk I *adj* Swedish **II** *s* Swede
svenska 1 kvinna Swedish woman (dam lady, flicka girl); *hon är ~* vanl. she is Swedish (a Swede) **2** språk Swedish; *på ~* in Swedish; *vad heter...på ~?* what is the Swedish for...?, what is...in Swedish?
svensk-engelsk t.ex. ordbok Swedish-English; t.ex. förening Anglo-Swedish, Swedish-British
svenskfödd Swedish-born; *vara ~* vanl. be Swedish by birth
svenskspråkig 1 Swedish-speaking...; *~ författare* ...writing (who writes) in Swedish **2** avfattad på svenska Swedish; *~ tidning* Swedish-language newspaper **3** där svenska talas, ...where Swedish is spoken
svensktalande Swedish-speaking...; *vara ~* speak Swedish
svep sweep; razzia raid; *i ett ~* at (in) one sweep; friare äv. at one go
svep|a I *tr* wrap [up]; minor: röja sweep, söka sweep for; tömma (glas o.d.), vard. knock back; *~ ett barn i en filt* wrap a baby [up] in a blanket **II** *itr* om t.ex. vind sweep; en våg av harm *-te över landet* ...swept [over] the country
III med beton. part.
~ fram om t.ex. vind sweep along; snöstormen *-te fram över landet* ...swept over the country
~ förbi sweep by (past)
~ i sig tömma, vard. knock back
~ in tr. wrap [up]; *~ in sig* wrap [oneself] up
svepskäl pretext; *komma med ~* make excuses
Sverige Sweden
svets fog weld; apparat welding set (unit); svetsande welding
svetsa weld; *~ fast* weld; *~ ihop (samman)* weld [om två delar ...together] äv. bildl.
svetsare welder
svetslåga welding flame
svett sweat, perspiration; han arbetade *så att ~en lackade (rann)* ...so much that he was dripping with sweat (perspiration)
svettas sweat; *jag ~ om händerna* my hands are sweaty
svettdrivande sudorific; *~ medel* vanl. sudorific
svettdroppe drop (bead) of perspiration
svettdrypande ...dripping with sweat
svettig sweaty, perspiring; *~t arbete* sweaty work; *vara alldeles ~* be all in a sweat
svettkörtel sweatgland
svettlukt [the] smell of perspiration (sweat)
svettning sweating
svida smart; *det svider i halsen [på mig]* av t.ex. peppar my throat is burning; vid förkylning I have a sore throat
svidande eg. smarting etc., jfr *svida; ~ kritik* devastating (blistering) criticism; *ett ~ nederlag* a crushing defeat
svika I *tr* överge fail; vard. rat on; i kärlek jilt; bedra deceive; förråda betray; *~ ngns förtroende* betray a p.'s confidence, let a p. down; *krafterna svek honom* his strength failed him; *modet svek mig* my courage failed (deserted) me **II** *itr* fail; om t.ex. publik, anhängare fall off (away); utebli fail to come (appear)
svikande, *[med] aldrig ~...* [with] never-failing (unfailing, unflagging, umremitting)...
sviklig fraudulent
svikt 1 fjädring springiness; spänst elasticity, resilience; böjlighet flexibility **2** hoppredskap springboard
svikta böja sig bend; ge efter sag, yield; svaja under ngns steg sway up and down; ge svikt be springy (resilient); vackla totter; gunga quake; bildl.: om t.ex. tro waver, om t.ex. krafter give way, yield
svikthopp simhopp springboard diving
svimfärdig ...ready to faint
svimma faint, pass out
svimning faint
svimningsanfall fainting-fit
svin pig; swine (pl. lika); *han är ett ~* he is a swine
svinaktig om t.ex. uppförande swinish, rotten; oanständig filthy; om t.ex. pris outrageous
svinaktigt swinishly; *det var ~ gjort* that was a dirty rotten trick; *uppföra sig ~* behave like a swine (rotter)
svindel 1 yrsel dizziness; isht med. vertigo; *få ~* become (turn, feel) dizzy (giddy) **2** bedrägeri swindle
svindla I *itr* få yrsel *det ~r för ögonen [på mig]* my head is going round (is swimming, is in a whirl), I feel dizzy (giddy) **II** *tr* bedra swindle, cheat; *~ ngn på pengar* swindle money out of a p.
svindlande om t.ex. höjd dizzy, vertiginous; om pris, lycka o.d. enormous, prodigious; *i ~ fart* vanl. at [a] breakneck speed
svindlare swindler, cheat
svineri snuskighet filth[iness]; snuskig vana filthy (dirty) habit (practice)
swing dans o. musik swing
svinga I *tr* t.ex. klubba swing; svärd o.d.

brandish **II** *itr* swing **III** *rfl,* ~ *sig* swing [oneself]; ~ *sig över ett staket* vault [over] a fence
svinkall, *det är ~t* it's freezing
svinläder pigskin
svinn waste, loss
svinstia pigsty
svira rumla be on the spree
sviskon prune
svit 1 följe suite, retinue; av rum suite; rad succession; kortsp. sequence; mus. suite **2** efterverkning aftereffect; följdsjukdom complication; med. sequel|a (pl. -ae)
svordom svärord swearword; förbannelse curse; *~ar* koll. swearing sg.
svullen swollen; genom inflammation o.d. tumid, tumefied
svullna, ~ *[upp]* swell [up], become swollen; genom inflammation o.d. tumefy
svullnad swelling
svulst swelling; med. tumour, tumefaction
svulstig inflated; svassande grandiloquent
svulten mycket hungrig starving; utsvulten starved; famished
svuren sworn
svåger brother-in-law (pl. brothers-in-law, vard. brother-in-laws)
svågerpolitik nepotism
svål fläsk~ [bacon] rind; huvud~ scalp
svångrem belt; *dra åt ~men* tighten one's belt äv. bildl.
svår att förstå difficult, hard; att uthärda o.d. hard; mödosam heavy, vard. tough; påfrestande trying; brydsam awkward; farlig, allvarlig grave; *ett ~t fall* a difficult case; *ett ~t fel* misstag a serious (grave) error (mistake); *en ~ frestelse* a sore temptation; *en ~ förbrytelse* a serious crime; *en ~ förlust* a heavy (severe) loss; *ha ~a plågor* be in great pain; *en ~ sjukdom (skada)* a serious (severe, stark. grave) illness (injury); *ett ~t slag* bildl. a sad blow; *göra det ~t för ngn* make things difficult for a p.; *ha ~t [för] att* inf. find it difficult (hard) to inf.; have [some] difficulty in ing-form; *jag har ~t att höra (se)* på grund av avstånd o.d., äv. I can hardly hear (see)
svårartad om sjukdom malignant
svårbegriplig o. **svårfattlig** ...difficult (hard) to understand
svårflörtad, *vara* ~ bildl. be hard (difficult) to get round (approach); svår att entusiasmera be hard to please
svårframkomlig om väg o.d. almost impassable; om terräng difficult
svårförklarlig ...difficult (hard) to explain
svårförståelig se *svårbegriplig*
svårhanterlig ...difficult (hard) to handle (manage); bångstyrig recalcitrant; om sak äv. (otymplig) unwieldy
svårighet difficulty; möda hardship; besvär trouble; olägenhet inconvenience; hinder obstacle; *stöta på ~er* come up against (meet with) difficulties (hinder obstacles)
svårläst om bok ...difficult (hard) to read
svårlöst om problem m.m. difficult (hard) to solve
svårmod melancholy; dysterhet gloom; sorgsenhet sadness
svårskött ...difficult (hard) to handle (om t.ex. lägenhet to manage, om patient to keep tidy, to keep in order, to nurse)
svårsmält ...difficult (hard) to digest, indigestible
svårstartad ...difficult (hard) to start
svårsåld ...difficult (hard) to sell; varan *är ~* äv.; ...sells slowly
svårt, ~ *sjuk* seriously ill; ~ *skadad (sårad)* badly (seriously) injured (wounded); *ha det ~* m.fl. ex., se under *svår*
svårtillgänglig om plats ...difficult of access (approach); om pers. distant
svårtolkad o. **svårtydd** ...difficult (hard) to interpret
svägerska sister-in-law (pl. sisters-in-law, vard. sister-in-laws)
svälja I *tr* swallow äv. bildl.; ~ *en förolämpning* pocket (stomach) an insult; ~ *gråten* gulp down (choke back) one's sobs **II** *itr* swallow
svälla *itr* swell äv. bildl.; om deg rise; utvidga sig expand äv. bildl.; hans hjärta *svällde av stolthet* ...swelled with pride; ~ *ut* swell [out]; bildl. om t.ex. utgifter äv. grow
svält starvation; hungersnöd famine; *dö av ~* die of starvation (famine)
svälta I *itr* starve; stark. famish; ~ *ihjäl* starve to death **II** *tr* starve
svältfödd underfed; *vara ~ på* t.ex. kärlek be starved of...
svältgräns hunger line; *leva på ~en* live on the hunger line
svältlön starvation wages
svämma, ~ *över* spill over; *floden ~de över sina bräddar* the river overflowed its banks
sväng krök turn; kurva curve; svepande rörelse sweep; vägen *gör en [tvär] ~* ...takes a [sharp] turn, ...turns [sharply]; *göra (ta) en ~* tur *till stationen* till fots take a stroll (med bil go for a drive) to the station; *vara med i ~en* be out and about a great deal
svänga I *tr* sätta i hastig kretsrörelse swing; vifta med wave; vända turn **II** *itr* **1** fram o. tillbaka swing [to and fro]; svaja sway; fys., som en pendel oscillate; vibrera vibrate **2** göra en sväng (vändning) turn; i båge swing; [som] på en tapp swivel; om vind change; ~ *om hörnet* turn (swing round) the corner; ~ *åt höger* turn to the right; *opinionen har svängt* public opinion has shifted (veered, swung round)
III *rfl,* ~ *sig* **1** göra undanflykter shuffle **2** ~

sig med latinska citat lard one's speech with (flaunt)...
IV med beton. part.
~ **av** *åt vänster* turn off to the left; ~ *av från* vägen turn off...
~ **in** *på* en gata turn (swing) into...
~ **om** turn round; om vind veer round äv. bildl.; i dans swing round; ~ *om i* sina åsikter change (shift)...
~ **runt** turn (swing) round; hastigt spin round
~ **ut:** *bilen svängde ut* från trottoaren the car pulled (swung) out...
svängd böjd curved; välvd arched
svängdörr swing[ing] door; roterande revolving door
svänghjul flywheel
svängig, ~ *musik* vard. music that is full of go
svängning svängningsrörelse swing; vibrering vibration; viftning wave; kring~ rotation, revolution; variation fluctuation; friare: i t.ex. politik [sudden] change (swing, shift)
svängom, *ta* [*sig*] *en* ~ dansa shake a leg
svängrum space
svära 1 gå ed swear; ~ *ngn trohet* swear fidelity to a p.; *det kan jag inte ~ på* vanl. I won't swear to it **2** begagna svordomar swear, curse; vard. cuss
svärd sword
svärdfisk zool. swordfish
svärdotter daughter-in-law (pl. daughters-in-law, vard. daughter-in-laws)
svärdslilja iris
svärdsslukare sword-swallower
svärfar father-in-law (pl. fathers-in-law, vard. father-in-laws)
svärföräldrar parents-in-law
svärja se *svära*
svärm t.ex. av bin swarm; av fåglar flight; av frågor host
svärma 1 eg. swarm **2** bildl. *de satt och ~de* i månskenet they sat necking (spooning)...
svärmare 1 drömmare dreamer, visionary; fanatiker zealot **2** svärmarfjäril hawk (sphinx) moth
svärmeri 1 entusiasm enthusiasm; fanatism fanaticism **2** förälskelse infatuation; stark. passion
svärmor mother-in-law (pl. mothers-in-law, vard. mother-in-laws)
svärord vard. swearword
svärson son-in-law (pl. sons-in-law, vard. son-in-laws)
svärta I *s* svarthet blackness; färgämne blacking **II** *tr* black[en]; ~ *ned ngn* bildl. blacken (smear) a p.'s character, run a p. down [*inför* ngn to...]
sväva eg. float, be suspended; om fågel (högt uppe) soar; kretsa hover; hänga fritt hang; gå lätt o. ljudlöst glide; ~ *i fara* be in danger; ~ *i ovisshet om ngt* be in a state of uncertainty as to a th.
svävande floating osv., jfr *sväva;* obestämd vague
svävare o. **svävfarkost** hovercraft (pl. lika)
sy I *tr* o. *itr* sew; t.ex. kläder vanl. make; med. sew (stitch) up; ~ *korsstygn* make cross-stitches
II med beton. part.
~ **fast** (**i**) t.ex. knapp sew on; t.ex. ficka som lossnat i kanten sew up; ~ *fast* (*i*) *en knapp i* rocken sew a button on...
~ **ihop** reva o.d. sew up; t.ex. två tyglappar sew (stitch) together; sår sew (stitch) up
~ **in a)** minska take in **b)** vard., sätta i fängelse put...away
~ **upp** låta sy have...made; korta shorten
syateljé dressmaker's [workshop]
sybehör sewing materials; hand. haberdashery
sybehörsaffär haberdasher's [shop]
sybord worktable
syd south (förk. S)
Sydafrika som enhet South (södra Afrika Southern) Africa
sydafrikan South African
sydafrikansk South African
Sydamerika South America
sydamerikan South American
sydamerikansk South American
Sydkorea South Korea
sydlig southerly; south; southern; jfr *nordlig*
sydländsk southern äv. om utseende o.d.; ...of the South
sydlänning southerner
sydost I *s* väderstreck the south-east (förk. SE); vind south-easter **II** *adv* south-east (förk. SE)
sydpol, *~en* the South Pole
sydstaterna the Southern (under amerikanska inbördeskriget Confederate) States, the South
sydväst I *s* **1** väderstreck the south-west (förk. SW); vind south-wester **2** huvudbonad sou'-wester **II** *adv* south-west (förk. SW)
syfilis med. syphilis
syfta sikta aim; *~r du på mig?* are you referring to me?; *vad ~r* försöken *till?* äv. what is the purpose of...?; ~ *tillbaka på ngt* refer [back] to a th.
syfte ändamål purpose; mål aim; *~t med* hans resa the purpose of...; *i detta* ~ with this in view; *i förebyggande* ~ as a preventive measure
syftning hän~ allusion, hint
syförening o. **syjunta** sewing circle; amer. sewing bee
sykorg work basket
syl skom. awl; allm. pricker; *inte få en ~ i vädret* not get a word in edgeways

syll järnv. sleeper, amer. crosstie, tie; byggn. sill
sylt jam, preserves pl.
sylta I *s* **1** kok. brawn; amer. headcheese **2** vard., sämre krog [third-rate] eating-house **II** *tr* o. *itr* **1** eg. preserve; göra sylt [av] äv. make jam [of] **2** bildl. ~ *in sig* trassla in sig get [oneself] involved (mixed up) [*i* in; *med* with]
syltburk tom jam-jar, jam-pot; med innehåll jar (pot) of jam
syltlök pickling onion; syltad lök pickled onions
syltning preserving
symaskin sewing-machine
symbol symbol
symbolisera symbolize
symbolisk symbolic[al]; om betalning token (end. attr.)
symfoni symphony
symfoniorkester symphony orchestra
symmetri symmetry
symmetrisk symmetric[al]
sympati medkänsla o.d. sympathy; uppskattning appreciation
sympatisera sympathize; ~ *med* friare (tycka om) like
sympatisk trevlig nice; tilltalande attractive; vinnande winning
sympatistrejk sympathy (sympathetic) strike
sympatisör sympathizer
symposium symposi|um (pl. äv. -a)
symtom symptom
symtomatisk symptomatic
syn 1 synsinne [eye]sight; synförmåga vision; ~ *och hörsel* sight and hearing; *få ~ på...* catch (get) sight of... **2** synsätt view; views, outlook; approach **3** anblick sight; *en ståtlig ~* a fine spectacle **4** vision vision; spökbild apparition; *se ~er* have visions **5** vard., ansikte face; *bli lång i ~en* pull a long face **6** utseende *för ~s skull* for the sake of appearances; *till ~es* som det ser ut apparently, to all appearance[s]; skenbart seemingly
syna 1 besiktiga inspect; granska examine; friare look over; ~ ngt *i sömmarna* scrutinize..., examine...closely; affär o.d. look thoroughly into...; ~ *ngn i sömmarna* look thoroughly into a p.'s affairs **2** kortsp. see
synagoga synagogue
synas 1 vara synlig be seen; visa sig appear; *fläcken syns inte* the spot does not show; *det syns* [*tydligt*] *att* de är släkt it is obvious (evident) that..., it is plain to see that...; *ingen människa syntes till* nobody was to (could) be seen (var där had arrived) **2** framgå appear
synbar synlig visible; märkbar apparent; uppenbar obvious, evident
synbarligen uppenbart obviously; av allt att döma apparently
synd 1 försyndelse sin; överträdelse transgression; *ett ~ens näste* a hotbed of sin (vice); *begå en ~* commit a sin; *leva i ~* live in sin **2** skada *så* (*vad*) *~!* what a pity (shame)!
synda sin; transgress; ~ *mot en regel* offend against a rule
syndabekännelse confession [of sin]; friare confession of one's sins
syndabock scapegoat
syndaflod flood; *~en* bibl. the Flood
syndare relig. sinner; friare offender
synderska se *syndare*
syndfri sinless
syndfull sinful
syndig sinful; stark. wicked
syndikalism polit. syndicalism
syndikat syndicate
syndrom med. el. friare syndrome
synfel defect of vision
synfält field of vision, visual field
synförmåga [faculty of] vision
synhåll, *inom* (*utom*) ~ within (in, out of) sight [*för* of]
synintryck visual impression
synkop mus. syncope
synkrets synfält field of vision; horisont horizon äv. bildl.
synkronisera synchronize
synlig som kan ses visible; märkbar perceptible, noticeable; *bli ~* komma i sikte come into sight (view); *hon har inte varit ~* på hela veckan I (resp. we) have not seen her...
synminne visual memory
synnerhet, *i* [*all*] ~ särskilt [more] particularly (especially), in particular; framför allt above all
synnerligen ytterst extremely, exceedingly; mycket very; ovanligt extraordinarily; särskilt particularly, specially
synnerv optic (visual) nerve
synonym I *adj* synonymous **II** *s* synonym
synops o. **synopsis** för t.ex. film synops|is (pl. -es)
synpunkt allm. point of view; ståndpunkt standpoint; åsikt view; *från* (*ur*) *juridisk ~* from a legal point of view
synrubbning visual disorder (disturbance)
synsinne eyesight, sight
synsk second-sighted; *vara ~* äv. have second sight
synskadad visually handicapped; synsvag partially-sighted
synskärpa keenness (acuteness) of vision; med. visual acuity
synt mus. vard. synth

syntax syntax
syntes synthes|is (pl. -es)
syntetfiber synthetic (man-made) fibre
syntetisk synthetic
synthesizer mus. synthesizer
synvidd range of vision äv. bildl.; visual range; siktbarhet visibility
synvilla optical illusion
synvinkel eg. visual (optic) angle; bildl. angle, aspect; synpunkt point of view, viewpoint
synål [sewing] needle
syo skol. (förk. för *studie- o. yrkesorientering*) study and vocational guidance
syokonsulent skol., ung. study and careers adviser (counsellor)
syra 1 kem. acid **2** syrlig smak acidity
syrabeständig o. **syrafast** acid-proof, acid-resisting
syre oxygen
syrebrist lack of oxygen
syrefattig ...deficient in oxygen
syren lilac
syrgas oxygen
Syrien Syria
syrier Syrian
syrisk Syrian
syrlig eg. sourish; bildl.: om t.ex leende, ton acid, om min sour; *~a karameller* acid drops
syrra vard. sister; ibl. sis
syrsa zool. cricket
syskon brother[s pl.] and sister[s pl.]; formellt sibling[s pl.]; han har bara *ett ~* ...a brother (resp. sister); *har du några ~?* have you any brothers and (or) sisters?; *de är ~* bror och syster they are brother and sister
syskonbarn pojke nephew; flicka niece
syskonkärlek love (affection) for one's (resp. between) brother and sister osv., jfr *syskon*
syskrin workbox
sysselsatt upptagen occupied; engaged; strängt upptagen [very] busy; anställd employed
sysselsätta I *tr* ge arbete åt employ; upptaga occupy, keep...busy; fabriken *sysselsätter 100 personer* ...employs 100 people; vi måste *~ dem* ...set them to work **II** *rfl*, *~ sig* occupy oneself [*med* with; *med att* inf. with ing-form]; busy oneself [*med* with (about); *med att* inf. [with] ing-form]
sysselsättning 1 arbete occupation, employment, work; *full ~* ekon. full employment **2** friare something to do; *ha full ~* [*med ngt*] have one's hands full [with a th.]
sysselsättningspolitik employment policy
syssla I *s* **1** göromål business, work båda utan pl.; i hushåll o.d. duty; sysselsättning occupation **2** tjänst: högre office, lägre occupation **II** *itr* vara sysselsatt busy oneself, be busy; occupy oneself; be occupied; *han ~r* pysslar *med att* inf. he is pottering about ing-form; jag har *litet att ~ med* ...a few things to do (to attend to)
syssling second cousin
sysslolös idle
sysslolöshet idleness
system 1 system; friare method, plan; nät (av t.ex. kanaler) network; vid tippning permutation, vard. perm **2** *~et* systembolaget the State liquor shop (amer. store)
systematisera systematize
systematisk systematic; friare methodical
systembolag 1 bolag state-controlled company for the sale of wines and spirits **2** se *systembutik*
systembutik State liquor shop (amer. store)
syster sister äv. om nunna; om sjuksköterska vanl. nurse; *systrarna Brontë* the Brontë sisters
systerbarn sister's child; *mina ~* my sister's (resp. sisters') children, my nephews and nieces
systerdotter niece; ibl. sister's daughter
systerskap sisterhood
systerson nephew; ibl. sister's son
syttråd sewing-thread
1 så sow äv. bildl.
2 så I *adv* **1** uttr. sätt so; *~ där* (*här*) like that (this), in that (this) way el. manner; *~ förhåller det sig* that (this) is how it is; Beethovens sjätte symfoni, *den ~ kallade* (förk. *s.k.*) *Pastoralsymfonin* ...or the Pastoral Symphony, as it is called, ..., known as the Pastoral Symphony; *skrik inte ~!* don't shout like that (shout so)!; *~ att säga* (förk. *s.a.s.*) so to speak (say), as it were; *~ är det* that's how it is, det är rätt that's it, that's right; *~ är* (*var*) *det med det* (*den saken*)! so that's that!; *~ är det med mig också* it's the same with me; *om ~ är* if so, in that case
2 uttr. grad so; framför attr. adj. oftast such; vid jämförelse as; *~ här varmt är det sällan* i mars it is seldom as warm as this (vard. this warm)...; *han är rätt ~ gammal* he is rather (pretty) old; han är klokare *än ~* ...than that; *~* (beton.) *dum är han inte* he is not as stupid as that (vard. that stupid); *hon var ~ arg att* (*så* [*att*]) hon darrade she was so (vard. that) angry that...; han är *inte ~ dum att han flyttar* ...not silly enough to move
3 i utrop ofta how, what; *~ roligt!* how nice!; *~ synd* (*tråkigt*)! what a pity!; *~ du ser ut!* what a sight you are!; *~ ja!* lugnande there! there!, there now!; uppmuntrande come! come!; *~* [*där*] *ja* nu är det klart well, that's that

4 sedan, därpå, då o.d. then; efter sats som uttr. uppmaning o.d. ofta and; i vissa fall utan motsv. i eng. *gå först till höger, ~ till vänster* first turn to the right, then to the left; *...men ~ är han också rik* ...but then he is rich
II *konj* **1** uttr. avsikt ~ [*att*] so that, in order that; so as to inf.; han talade högt, ~ *att de skulle höra honom* ...so that (in order that) they might (should, could) hear him; ta bort kniven, ~ [*att*] *han inte skär sig* ...so that he won't (shan't) cut himself
2 uttr. följd ~ [*att*] so that; och därför [and] so; *det är ~* [*att*] *man kan bli tokig* it is enough to drive one mad (up the wall)
III *pron, i ~ fall* in that case, if so
sådan (vard. *sån*) **1** fören. such; i utrop vanl. what; *en ~ bok* such a book; *en ~* vacker *bok!* what (ibl. such) a...book!; jag går inte ut *i ett ~t väder* ...in such weather; [*ett*] *~t väder!* what (ibl. such) weather! **2** självst. such; *~ är han* that's how he is; jag hälsar inte på *en ~ där* neds. ...a person like that; *någon ~* (*några ~a*) *har jag aldrig haft* I never had one (any) [like that etc.]; *~t händer* these (such) things will happen, it's just one of those things; *det är ~t som händer* varje dag that sort of thing happens...
sådd sående sowing; brodd new (tender) crop
såg 1 verktyg saw **2** se *sågverk*
såga *tr* o. *itr* saw; *~ av* saw off; itu saw...in two; *~ av den gren man själv sitter på* ung. cut off one's nose to spite one's face, make it difficult for oneself
sågbock sawhorse
sågspån koll. sawdust
sågtandad serrated
sågverk sawmill
såld 1 sold osv., jfr *sälja* **2** *han är ~* vard., förlorad he's done for, he's a goner
således följaktligen consequently, accordingly
såll sieve; grövre riddle; för t.ex. grus screen
sålla eg. sift, screen, jfr *såll;* bildl. sift; kandidater o.d. screen
sålunda thus, jfr *således*
sång 1 sjungande singing äv. ss. skolämne, song **2** sångstycke song; dikt poem
sångare 1 singer; diktare poet **2** zool. warbler; jfr *sångfågel*
sångbok songbook
sångerska [female] singer
sångfågel 1 zool. songbird **2** vard., pers. singer
sångkör choir
sånglektion singing lesson
sångröst singing-voice
sångstämma vocal part
såningsmaskin sowing machine
såpa soft soap
såpbubbla soapbubble; *blåsa såpbubblor* blow bubbles
såphal slippery
såpopera neds. soap opera
sår isht hugg~, stick~ wound äv. bildl.; inflammerat sore; bränn~ burn
såra 1 eg. wound; subst. adj.: *en ~d* a wounded person **2** kränka hurt, wound; förorätta injure; stöta offend; stark. outrage
sårbar vulnerable
sårbarhet vulnerability
sårig betäckt med sår ...covered with wounds etc., jfr *sår;* varig ulcered; bildl. wounded
sårsalva ointment [for wounds etc., jfr *sår*]
sås sauce
såsom as; 'på samma sätt som' like; *~ barn* brukade han... as a child...; *~ straff* as (by way of) punishment
såssked gravy spoon
såsskål sauceboat
såt, *~a vänner* intimate (bosom) friends; vard. great pals (buddies)
såtillvida i så måtto so far; *~ som* in so far as; isht amer. insofar as
såvida if; förutsatt att provided [that]; *~...inte* vanl. unless
såvitt så långt as (so) far as; *~ jag vet* as far as I know, to the best of my knowledge
såväl, *~ A som B* A as well as B
säck sack; mindre bag; *en ~* potatis a sack of...
säcka sag; om kläder be baggy; *~ ihop* collapse, break down
säckig baggy
säcklöpning sack race; säcklöpande sack racing
säckpipa mus. bagpipe; ofta bagpipes
säckväv sacking
säd 1 växande el. uttröskad corn, isht amer. grain; utsäde seed, grain; gröda crops; skörd crop **2** fysiol. seed
sädesax ear of corn (pl. ears of corn)
sädesfält med gröda field of corn (pl. fields of corn)
sädeskorn grain of corn
sädesslag kind of corn, cereal
sädesvätska fysiol. seminal fluid
sädesärla zool. wagtail
säg|a I *tr* yttra say; tala 'om tell; betyda mean; kortsp.: bjuda bid: *~ ngt till* (*åt*) *ngn* say a th. to a p., tell a p. a th.; *han sade* (sade 'till mig) *att jag skulle komma* he told me to come; *han sade* (talade om för mig) *att han skulle komma* he told me (said) [that] he would come; *säg ingenting om det här till någon!* don't tell anybody [about this]!; *~ sanningen* tell the truth; *om jag får ~ det själv* though I say it myself; *det kan jag inte ~* I can't (couldn't) tell (say); *det må jag* [*då*] *~!* well, I never!; well, what do

you know!; *det vill ~* (förk. *d.v.s.*) that is [to say] (förk. i.e.); *det vill inte ~ så lite* that is saying a good deal (quite a lot); *~ vad man vill, men hon...* I'll say this for her, she...; say what you like (will), but she...; *gör som jag -er* do as I say (tell you); *säg det!* vem vet? who knows?, search me!; *då -er vi det!* that's settled, then!; all right, then!; OK, then!; *vad -er du om det?* what do you say to that?; *jag har hört ~s att...* I have heard [it said] (have been told) that...; *sagt och gjort* no sooner said than done; *därmed* [*är*] *inte sagt att...* it does not follow that..., that is not to say that... **II** *rfl, hon -er sig vara lycklig* she says she is happy

III med beton. part.

~ efter: *säg efter mig!* say (repeat) this after me!

~ emot contradict; isht i nekande o. frågande satser gainsay

~ ifrån: *säg ifrån* (säg till mig, honom etc.) *när* du blir trött tell me (him etc.) when..., let me etc. know when...

~ om upprepa say...again

~ till befalla tell; *~ till* [*ngn*] ge [ngn] besked tell a p., let a p. know; *~ till om ngt* beställa order (be om ask for) a th.; om ni önskar något *så säg till!* ..., just say so!, ...just say the word!

~ upp anställd vanl. give...notice; hyresgäst vanl. give... notice to quit; avtal cancel; kontrakt äv. give notice of termination of; fordran, inteckning call in

~ åt: *~ åt ngn att* inf. tell a p. to inf.

sägen legend

säker förvissad sure, certain; alldeles ~, vid påstående o.d. positive [*på* about]; full av tillförsikt confident [*på* of]; utom fara, riskfri, fullt pålitlig safe [*för* t.ex. anfall from]; trygg, inte utsatt för (utan känsla av) fara secure [*för* t.ex. anfall from, against]; tillförlitlig safe, reliable, sure; stadig steady; betryggad assured; *en ~ chaufför* (*bilförare*) a safe driver; *med ~ hand* with a sure (steady) hand; *vara på den säkra sidan* be on the safe side, play safe; *ett ~t tecken* a sure sign; *säkra uppgifter* reliable information sg.; *så mycket är ~t att...* so (this) much is certain that...; *det kan du vara ~ på* (*var så ~*) you may be certain (sure); vard. [you] bet your life, you bet, make no mistake; *han är ~ på att få* platsen he is certain (sure) of getting...; *det är bäst* (för mig, dig osv.) *att ta det säkra för det osäkra* I (you osv.) had better be on the safe side (take no chances, play safe)

säkerhet 1 visshet certainty; trygghet safety; i uppträdande assurance, poise; duktighet skill, mastery; *den allmänna ~en* public safety; *för ~s skull* for safety's sake, to be on the safe side; *vara i ~* be safe, be in safety; *med all ~* säkerligen certainly, without doubt **2** hand. security; *lämna ~ för* ett lån give security for...; *låna ut pengar mot ~* lend money on security

säkerhetsanordning safety device

säkerhetsbälte isht i bil seat belt; safety belt äv. ss. säkerhetsanordning

säkerhetskedja på dörr doorchain; på smycke safety chain

säkerhetsman security man (officer)

säkerhetsnål safety pin

säkerhetspolis security police

säkerhetsrisk security risk

säkerhetsråd, *~et* i FN the Security Council

säkerhetsskäl, *av ~* for reasons of security, for security reasons

säkerhetsåtgärd förebyggande precautionary measure; mot spioneri security measure

säkerligen certainly, doubtless

säkerställa guarantee

säkert med visshet certainly, undoubtedly, no doubt; [högst] sannolikt very (most) likely; tryggt safely; stadigt securely; [*ja*] *~!* certainly!, undoubtedly!, no doubt!; isht amer. sure!; *det vet jag* [*alldeles*] *~* I know that for certain (for a certainty, for a fact); *hon är ~* nog *ganska ung* she is probably rather young; *han träffas säkrast* mellan 9 och 10 the surest time to get hold of him is...

säkra 1 säkerställa secure; t.ex. freden safeguard; *en ~d framtid* a secure future **2** skjutvapen put...at safety; låsa fasten

säkring 1 elektr. fuse; *en ~ har gått* a fuse has blown **2** på vapen safety catch, safety bolt

säl zool. seal

sälg bot. sallow; för sms. jfr äv. *björk-*

sälja sell äv. bildl.; marknadsföra market; avyttra dispose of; jur.: salubjuda vend; *~ ngt för* 1000 kr sell a th. for...; *~ ut* sell out

säljare seller; jur. äv. vendor; försäljare salesman

säljbar salable, marketable

säljkurs för värdepapper asked price (quotation); för valutor selling rate

sälla, *~ sig till* join

sällan 1 seldom; *endast ~* vanl. only on rare occasions; *högst ~* very seldom etc.; *inte* [*så*] *~* not infrequently, rather often, more often than not **2** vard., visst inte certainly not!

sällsam strange, peculiar

sällskap umgänge company, companionship; tillfällig samling personer party, company; följeslagare companion; förening society; *han är ett angenämt ~* he is a pleasant companion, he makes

pleasant company; *jag hade ~ med henne* dit she and I walked (reste travelled) together...; *ha (gå i) ~* 'hålla ihop' *med* en flicka be going out with...; *de har ~* 'håller ihop' they are going out together; *komma (råka) i dåligt ~* get into bad company
sällskapa 1 *~ med ngn* hålla ngn sällskap keep a p. company **2** 'hålla ihop' be going out together; *han ~de med henne* några månader he went out with her...
sällskaplig sällskaps- social; road av sällskap sociable; sällskapskär gregarious
sällskapsdam [lady's] companion
sällskapsdjur t.ex. hund pet
sällskapslek party (parlour) game
sällskapsliv umgängesliv social life; societetsliv society [life]
sällskapsmänniska sociable person
sällskapsresa conducted tour
sällskapsrum på hotell o.d. lounge, assembly room; privat drawing-room
sällskapssjuk, *han är ~* he needs (loves, tillfälligt is longing for) company
sällskapsspel party (parlour) game
sällsynt I *adj* rare; *en ~ gäst* an infrequent (a rare) visitor **II** *adv* exceptionally; *i ~ hög grad* to an exceptional degree
sällsynthet egenskap rarity; händelse rare event; sak rarity; *det hör till ~erna [att hon går ut]* it is a rare thing [for her to go out]
sälskinn sealskin
sämja harmony, unity
sämre I *adj* worse; underlägsen inferior; absol.: om varor inferior, om nöjeslokal o.d. disreputable; *bli ~* become (get, grow) worse; om situation el. vädret äv. deteriorate, worsen **II** *adv* worse; *han har det ~ nu* he is worse off now
sämskskinn chamois [leather], shammy [leather], wash leather
sämst I *adj* worst; *i ~a fall* if the worst comes to the worst, at [the] worst; *det ~a [av alltsammans] var* att... the worst [part] of it was... **II** *adv* worst; *de ~ avlönade* grupperna i samhället the most poorly paid...
sänd|a *tr* **1** send; hand. forward; isht med järnväg consign; pengar remit; *~ bud efter* ngn send for... **2** radio. broadcast, tekn. transmit; i TV vanl. televise, ibl. telecast; konserten *-s i radio och TV* ...will be broadcast and televised
sändare allm. sender; radio. el. TV. transmitter
sändebud 1 ambassadör ambassador; envoyé envoy **2** budbärare messenger
sänder, *i ~* i taget at a time; en efter en one by one; *lite i ~* little by little, by instalments
sändning (jfr *sända I*) **1** sändande sending etc. **2** varuparti consignment, shipment; leverans delivery **3** i radio o. TV broadcast; tekn. transmission, i TV ibl. telecast
sändningstid radio. broadcasting time, air time
säng 1 bed; utan sängkläder o.d. bedstead; barn~ cot, isht amer. crib; *hålla sig i ~en* stay in (keep to one's) bed; *gå i ~ med ngn* go to bed with a p.; *ta ngn på ~en* överraska take a p. by surprise; överrumpla catch a p. napping; *gå till ~s* go to bed; vid sjukdom take to one's bed; *stiga ur ~en* get out of bed **2** trädgårds~ bed
sängbotten bottom of a (resp. the) bed[stead]
sängdags, *det är ~* it is time for bed (bedtime)
sängfösare nightcap
sänggavel end of a (resp. the) bed (bedstead)
sänghimmel canopy
sängkammare bedroom
sängkant edge of a (resp. the) bed
sängkläder bedclothes
sänglampa bedside lamp
sängliggande, *vara ~* be confined to [one's] bed, be ill in bed; sedan länge be bedridden
sänglinne bed linen
sängläge, *tvingas inta ~* have to take to one's bed
sängplats säng bed; *~er* på hotell o.d. äv. sleeping accommodation (end. sg.)
sängtäcke quilt
sängvätare bed-wetter
sängöverkast bedspread
sänka I *s* **1** fördjupning depression; dal valley **2** med. sedimentation rate; *ta ~* carry out a sedimentation test *[på ngn* on a p.] **II** *tr* **1** minska, göra (placera) lägre lower; priser reduce; *~ ngns betyg* i ett ämne lower a p.'s mark (amer. grade); *~ farten* reduce speed; *~ huvudet* lower one's head; *~ ned* sink **2** *~ ett fartyg* sink a ship **III** *rfl, ~ sig* descend; om mark äv. sink, slope down [*mot* to]; om mörker, tystnad äv. fall [*över* on]
sänkning 1 abstr.: sänkande lowering osv., jfr *sänka II;* av fartyg sinking **2** konkr.: minskning av pris o.d. reduction; av pris cut
sära, *~ [på]* skilja [från varandra] separate, part
särbehandling special treatment
särbeskattning individual (separate) taxation (assessment)
särdeles synnerligen extremely; i synnerhet particularly; *han är inte ~ försiktig* he is not particularly (none too) careful
särdrag characteristic; egenhet peculiarity
säregen egendomlig strange
särklass, *stå i ~* be in a class by oneself, be outstanding

särprägel distinctive character
särpräglad individual, ...with a character of one's own
särskild speciell special; avskild separate; egen ...of one's own; egenartad peculiar; *för ett särskilt* bestämt *ändamål* for a specific purpose; *jag märkte ingenting särskilt* I did not notice anything particular; *jag har inte något särskilt för mig ikväll* I'm not doing anything special (particular) tonight
särskilja frånskilja separate; åtskilja distinguish [between]; urskilja discern
särskilt speciellt particularly; *jag ber att ~ få fästa er uppmärksamhet på...* I beg to call your special attention to...; *jag brydde mig inte ~ mycket om det* I did not bother too much (overmuch) about it
särskola special school [for mentally retarded children]
särställning, *inta en ~* isht om pers. hold (be in) an exceptional (a unique) position
säsong season; *det är ~ för* jordgubbar *nu* vanl. ...are in season now
säsongarbete seasonal employment (work)
säte 1 seat äv. i fordon; *ha sitt ~ i* residera reside in **2** persons bakdel seat
säteri ung. manor [farm]
sätt 1 vis way, i ngt högre stil manner, isht om sätt utmärkande för viss person e.d. fashion; med avseende på den yttre formen mode; stil style; medel means (pl. lika); *det billigaste ~et att resa* the cheapest way of travelling; *hans ~ att undervisa* är... the way he teaches..., his method of teaching...; *på alla* (*allt*) *~ och vis* in every [possible] way; i alla avseenden in all respects; *på annat ~* in another (in a different) way; med andra metoder by other means; *på bästa* [*möjliga*] *~* in the best [possible] way; om du fortsätter på *det ~et* ...at this rate (like this); *på ett eller annat ~* somehow [or other], [in] one way or (and) another; *på sitt ~* a) in his (her osv.) [own] way b) på ~ och vis in a way; *på så ~* in that way, so; i utrop I see **2** uppträdande manner; umgängessätt manners; *hon har ett trevligt ~* she has nice (agreeable) manners; *vad är det för ett ~?* what do you mean by behaving like that?, that's no way to behave
sätta I *tr* **1** placera put, place, set; i sittande ställning seat; fästa stick; sätta stadigt plant; anbringa fit; *var skall vi ~* placera *det?* where shall we put (place) it?; *~ friheten högt* value freedom highly; *~ märke för* put a mark against, mark; pricka av tick off; *~ ord till en melodi* write the words for a melody **2** satsa stake; investera invest; *~* 100 kr *på en häst* stake (put)...on a horse **3** plantera set; t.ex. potatis plant **4** typogr. compose **II** *itr, ~ i sken* bolt **III** *rfl, ~ sig* **1** sitta ned sit down; ta plats seat oneself; placera sig place oneself; ramla fall; slå sig ned settle; *~ sig* [*bekvämt*] *till rätta* settle oneself [comfortably]; *sätt dig här!* [come and] sit here!; *~ sig i bilen* (*på cykeln*) get into the car (get on the bicycle) **2** bildl., om pers. put oneself; *~ sig i förbindelse med...* get in touch with...; *~ sig på* spela översittare mot *ngn* bully (domineer over) a p. **3** om sak: sjunka settle, om t.ex. hus el. om bottensats settle to the bottom; fastna stick; värken *sätter sig i lederna* ...settles in (gets into) the joints
IV med beton. part.
~ av a) släppa av put down (off); vard. drop **b)** reservera set aside; pengar äv. set apart
~ dit fast *ngn* put a p. away
~ efter ngn run after...; börja jaga äv. start (set out) in pursuit of...
~ sig emot ngn (ngt) opponera sig oppose...; ngt äv. set one's face against...
~ fast a) fästa fix, fasten **b)** komma att fastna get...stuck; *~ sig fast* fastna stick, get stuck **c)** *~ fast ngn* put a p. away
~ fram a) ta fram put out; till beskådande display; duka fram put...on the table; flytta fram, t.ex. stolar draw up **b)** klocka put (set)...forward
~ för en skärm put (place)...in front
~ i allm. put in; fälla in: t.ex. ett tygstycke let in, t.ex. en lapp insert; sy i, t.ex. knapp sew...on; anbringa: t.ex. ett häftstift apply, t.ex. tändstift fit in; installera install; *~ i en kontakt* (*ett strykjärn*) put in a plug (plug in an iron); *~ i ngn* en idé put...into a p.'s head; *~ i sig* mat put away...
~ ihop allm. put...together; skarva ihop join [...together]; kombinera combine; författa, komponera compose; t.ex. ett program draw up; en artikel turn out; dikta ihop fabricate
~ in a) allm. put...in (inomhus inside); införa insert; installera install; bura in lock...up; *~ in ngt i ngt* allm. put a th. in[to] a th.; *~ in* [*i pärm*] file; *~ in* pengar [*på banken*] put in...[in the bank], deposit..., bank... **b)** koppla in put on; t.ex. extra personal put...on **c)** orientera o.d., *~ ngn* (*sig*) *in i* ngt acquaint a p. (oneself) with..., make a p. (oneself) acquainted with...; föreställa sig imagine...; leva sig in i, t.ex. någons känslor enter into...; inse realize... **d)** börja, om t.ex. värk set in
~ iväg set (dash, run) off
~ ned a) eg.: sätta ifrån sig put (set) down **b)** minska reduce; sänka lower; försämra impair; försvaga weaken
~ om a) t.ex. en växel renew **b)** typogr. reset
~ på a) allm. put on; montera på fit on; ~

på ngt på ngt put a th. on...; montera på fit a th. on to...; ~ *på* göra *lite kaffe* make some coffee **b)** sätta i gång: t.ex. motor switch on; t.ex. radio turn on; grammofon[skiva] put on
~ **till a)** tillfoga el. kok. add **b)** satsa, offra devote; förlora lose; ~ *till alla krafter* do one's utmost **c)** börja set in, begin; han kan vara *besvärlig när han sätter den sidan till* ...a nuisance when he is like that
~ **upp a)** placera o.d. put...up; resa, hänga upp hang; placera högre put...higher [up]; ~ *upp* (debitera) ngt *på ngn* (*ngns räkning*) charge a p. with..., put...down to a p. (to a p.'s account) **b)** upprätta, t.ex. kontrakt draw up; göra upp make [out (up)] **c)** teat., iscensätta stage **d)** etablera, starta: t.ex. tidning start; t.ex. affär äv. set up **e)** uppvigla, ~ *upp ngn emot* ngn stir a p. up against...
~ **ut a)** ställa ut put...out (utanför outside, utomhus outdoors); till beskådande display; plantera ut plant (set) [...out] **b)** skriva ut: t.ex. datum put down, t.ex. komma put; ange: t.ex. ort på karta mark, t.ex. namn give
~ **åt** ansätta pester; klämma åt clamp down on; *när hungern sätter åt* when you get (start feeling) hungry
~ **sig över** ignore; inte respektera äv. disregard
sättare typogr. compositor
sätteri typogr. composing room
sättning 1 plantering setting [out]; av t.ex. potatis planting **2** hopsjunkning i hus o.d. settlement **3** typogr. composing, composition; skicka ngt *till* ~ ...to be set up [in type] **4** mus. arrangement
sättpotatis koll. seed potatoes
säv bot. rush
sävlig slow
söder I *s* väderstreck the south; *Södern* the South **II** *adv* [to the] south
Söderhavet the South Pacific, the South Sea[s pl.]
söderifrån from the south
södersol, ett rum med ~ ...sun[shine] from the south
söderut åt söder southward[s]; i söder in the south
södra the south; the southern; jfr *norra*
söka I *tr* o. *itr* **1** eftersträva (t.ex. lyckan) seek; önska få (t.ex. upplysningar) want; försöka få try to get; leta look; ~ [*efter*] leta efter look (ihärdigt search) for; vara på jakt efter be on the look-out for, be in search of; se sig om efter look about for; försöka hitta try to find; försöka komma på cast about for; ~ *en förklaring* cast about for (try to find) an explanation; ~ *lyckan* seek one's fortune; ~ *skydd* seek (ta take) shelter; *han söks av polisen* he is wanted by... **2** vilja träffa want to see; försöka träffa try to get hold of; *vem söks?* el. *vem söker ni?* who[m] do you want to see? **3** ansöka om, t.ex. anställning apply for; stipendium try (compete) for; *han sökte inte* he didn't apply **II** *rfl,* ~ *sig fram* [try to] find (pröva sig feel) one's way; ~ *sig till ngn* seek a p. (ngns sällskap a p.'s company)
III med beton. part.
~ **sig bort från** en stad try to get away from...; söka nytt arbete try to get a job somewhere else than in...
~ **in i** (**vid**) en skola apply for admission in (entrance into)...
~ **upp** leta upp search out; hitta find; ~ *upp* ngn look...up, call on..., go (resp. come) to see...; söka reda på seek out...
~ **ut** utvälja choose; ta reda på åt sig find oneself
sökande aspirant applicant, candidate
sökare foto. view-finder
sökt långsökt far-fetched; tillgjord affected; ansträngt laboured
söla I *itr* gå och masa dawdle; dra ut på tiden waste time; ~ *bort* tiden dawdle away...; ~ *med* sitt arbete dawdle over... **II** *tr,* ~ *ned* smutsa soil, dirty, make...[all] grimy (grubby); kladda make...[all] messy (mucky)
sölig 1 långsam dawdling **2** kladdig messy
sölkorv vard. dawdler, slowcoach
söm 1 sömnad. o.d. seam; med. äv. suture; *gå upp i ~marna* come apart (rip) at the seams; sömnad. äv. come unsewn
2 hästskospik horse[shoe] nail
sömlös seamless, seamfree
sömmerska kläd~ dressmaker; linne~ o.d. seamstress, sempstress; fabriks~ sewer
sömn sleep; *ha god* ~ be a good (sound) sleeper, sleep well; *falla i* ~ fall asleep, go to sleep; gråta sig *till ~s* ...to sleep
sömnad sewing; *en* ~ a piece of needlework
sömndrucken ...heavy (drowsy) with sleep
sömngångare sleepwalker
sömnig sleepy äv. bildl.; dåsig drowsy; slö indolent
sömnlös sleepless; *en ~ natt* a sleepless night; *ligga* ~ en natt lie sleepless (wakeful)...
sömnlöshet sleeplessness; med. insomnia; *lida av* ~ suffer from insomnia
sömnmedel med. hypnotic; vard. sleeping-pill
sömnpiller sleeping-pill
sömnsjuka vanl. i Afrika sleeping sickness
sömntablett sleeping-tablet, sleeping-pill
sömntuta vard. great sleeper
söndag Sunday; *på sön- och helgdagar* on Sundays and holidays; jfr *fredag* o. sms.
söndagsbarn, *han är* [*ett*] ~ he was born on a Sunday, bildl. he was born under a lucky star

söndagsbilaga Sunday supplement
söndagsbilist Sunday driver
söndagsklädd ...[dressed up] in one's Sunday clothes (Sunday best)
söndagsskola Sunday school
sönder 1 sönderslagen, bruten, av o.d. broken; i bitar in pieces; sönderriven torn; söndernött worn through, [all] in holes; *gå ~* brista o.d. break [itu in two]; krossas äv. smash; gå av äv. snap [itu in two]; gå i bitar go (come, bildl. fall) to pieces; spricka burst; rivas sönder (om t.ex. papper) tear; *ha* slå (bryta etc.) ~ break...[i flera delar to pieces (bits), itu in two]; krossa smash; klämma ~ crush; mosa mash; t.ex. skära i bitar cut...up, cut...into pieces; riva ~ tear [...to pieces]; *slå ngn ~ och samman* smash (batter) a p. to pieces **2** i olag out of order; slut (om t.ex. glödlampa) gone; hissen *är ~* äv. ...doesn't work (function); *gå ~* go (get) out of order; stanna, strejka break down
sönderbränd, *vara ~ av solen* be badly burnt by the sun
sönderdela dela i bitar divide...into pieces (parts); stycka cut (break) up; kem. decompose
sönderfall bildl. el. fys. disintegration; kem. decomposition
sönderfalla falla i bitar fall to pieces; bildl. el. fys. disintegrate; kem. decompose
sönderriven torn; *den är ~* äv. it is (has been) torn to pieces (bits)
sönderslagen om sak broken; om person battered
söndertrasad tattered [and torn]
söndra dela divide; splittra disunite, cause disunion in; t.ex. land, parti disrupt, break up
söndring splittring division; oenighet dissension; schism schism
1 sörja modd, slask slush; smuts mud; smörja sludge; oreda mess
2 sörja I *tr, ~ ngn* en avliden mourn [for] (stark. lament [for]) a p.; sakna regret (grieve for, mourn, stark. lament) the loss of a p. **II** *itr* **1** mourn; *~ över* grieve for (over); sakna, beklaga regret; vara ledsen över be sorry about, grieve (be grieved) at; bekymra sig över worry about **2** *~ för* se till see to; sköta om take care of, look after; ta hand om care for; dra försorg om, ordna för provide for, make provision for; ordna med provide; skaffa äv. get, find; göra do; *~ för att* ngt görs see [to it] that...
sörjande, *de* [*närmast*] *~* isht vid begravningen the [chief] mourners
sörpla I *tr, ~ i sig* ngt drink (soppa o.d. guzzle) down...noisily **II** *itr, ~* [*när man dricker* (*äter*)] slurp, drink (eat) noisily
söt sweet; iron. el. rar äv. nice; vacker äv. pretty; amer. äv. cute; intagande charming, attractive; *en ~ flicka* a pretty (charming, lovely) girl; *en ~ klänning* a sweet (pretty, nice, lovely) dress; *~t vatten* i insjö fresh water
söta sweeten
sötma sweetness
sötmandel sweet almond (koll. almonds pl.)
sötningsmedel sweetening agent
sötnos vard. sweetie [pie], poppet; amer. cutie
sötsaker sweets; amer. äv. candy
sötsliskig sickly-sweet, sweet and sickly; inställsam: om pers. oily, om t.ex. leende sugary
sötsur 1 kok. sweet-sour **2** bildl. forced
sött rart o.d. sweetly; *det smakar ~* it tastes sweet, it has a sweet taste
sötvatten fresh water
sötvattensfisk freshwater fish
söva 1 put (send, vagga lull)...to sleep; bildl.: sitt samvete silence; insöva lull; suset *är ~nde* ...makes you sleepy (drowsy) **2** med. ~ [*ned*] ge narkos administer an anaesthetic to

T

t bokstav t [utt. ti:]

ta I *tr* o. *itr* take äv. friare el. bildl.; ta [med sig] hit bring; ta [med sig] bort, gå [dit] med take; fånga, ta fast catch; lägga beslag på seize; ta sig, t.ex. en kopp kaffe, en tupplur have; tillsätta (t.ex. socker på gröten) put, kok. add; ta betalt, debitera charge; träffa hit; göra verkan take (have some) effect, om kniv bite; ~ *[en] taxi* take a taxi; ~ *ett lån* raise a loan; *vem ~r ni mig för?* who (what) do you take me for?, who (what) do you think I am?; *han tog* 50 kronor *för den* he charged [me]...for it; ~ *i (på)* vidröra *ngt* touch a th.; ~ *ngn i armen* take [hold of] a p. by the arm; *det ~r på krafterna* it tells on one's (your) strength, it takes a great deal out of one (you) **II** *rfl*, ~ *sig* **1** skaffa sig, företa, t.ex. en ledig dag take; t.ex. en bit mat have **2** [lyckas] komma get; *kan du ~ dig* hitta *hit?* can you find your way here? **3** förkovra sig improve, make progress; bli bättre get better; om planta [begin to] grow; om eld [begin to] burn up

III med beton. part.

~ **sig an** ngn (ngt) take care of

~ **av a)** tr. take off; ~ *av sig* take off **b)** itr.: vika av turn [off]

~ **bort** avlägsna take away, remove

~ **efter ngn (ngt)** imitate (copy) a p. (a th.)

~ **emot** mottaga receive; lämna tillträde till admit; ta [hand om]: för annans räkning take, yrkesmässigt, t.ex. inackorderingar, tvätt take in; ~ *emot [besök]* receive (see, admit) visitors (callers); hemma äv. be at home [to visitors (callers)]; *ansökningar (anmälningar) ~s emot av...* applications (entries) may be handed in (per telefon be phoned in) to...; *förslaget (skådespelaren) togs emot med* livligt bifall the proposal (the actor) was received (hälsades was greeted) with...

~ **fast** [in]fånga catch; få fast get hold of; ~ *fast tjuven!* stop thief!

~ **fram ngt** take out a th.; ~ *fram* för att visa upp (t.ex. biljett, pass) äv. produce [*ur* out of]; dra fram pull out; ~ *sig fram* bana sig väg make (force) one's way, get through; klara sig [ekonomiskt] get on (along); hitta find one's way, get there (resp. here)

~ **för sig** servera sig help oneself; ~ *sig för* göra do; gripa sig an med set about [*att skriva* writing]

~ **hit** bring...here

~ **i** itr: hugga i put one's back into it; hjälpa till lend (bear) a hand; ~ *i* anstränga sig *ordentligt* äv. fall to properly; ~ *inte i så där!* el. *vad du ~r i!* ta det lugnt, säg inte så don't go on like that!, take it easy!

~ **ifrån ngn** ngt eg. take...away from a p.; beröva deprive (rob) a p. of...

~ **igen** tillbaka take...back [again]; något försummat recover, make good; ~ *igen förlorad tid* make up for lost time

~ **in a)** tr. take (resp. bring) in; station i radio o.d.: ställa in tune in to, få in pick up; låta ingå (t.ex. artikel el. annons i tidning) put in; publicera publish, print; sömnad. take in; ~ *in ngn* ge tillträde admit a p. [*i* t.ex. förening, skola, *på* t.ex. sjukhus [in]to]; ~ *in ngn på* t.ex. en vårdanstalt commit a p. to... **b)** itr.: ~ *in på hotell (hos ngn)* put up at a (an) hotel (at a p.'s house) **c)** rfl.: ~ *sig in* get in

~ **isär** take...to pieces

~ **itu med:** ~ *itu med ngt* set about (set to work at) a th.

~ **med** medföra (äv. ~ *med sig*): föra hit, ha med sig bring...; föra bort take (bära carry)...[along] with one, take...along; inbegripa include; ~ *med ngn på* en lista include a p. in...

~ **ned (ner)** take (från hylla o.d. äv. reach) down; hämta ned (t.ex. från vinden) fetch (bring) down; ~ *ned ett segel* take in (down) a sail

~ **om** upprepa take (säga, läsa resp. sjunga om osv. say, read resp. sing osv.)...[over] again; isht mus. el. teat. äv. repeat; ~ *om av* soppan take another helping of...

~ **på:** ~ *på [sig]* t.ex. byxor, skor, glasögon put on; ~ *på sig* åtaga sig *för mycket* take on too much

~ **sig samman** pull oneself together

~ **till** börja använda take to; begagna sig av use; tillgripa resort to; överdriva exaggerate [things]; *du ~r då till!* brer på you are piling it on (overdoing it), aren't you?; ~ *sig till* göra do; börja med start; gripa sig an med set about

~ **upp a)** take up äv. bildl. (t.ex. en fråga, kampen); hämta upp bring up; från marken, ur vattnet pick up äv. ta upp [tillfälliga] passagerare o.d.; ur ficka take (plocka upp fish) out; samla (plocka) upp gather up; insamla collect; diskutera discuss; föra upp äv. put down, enter [up]; ~ *upp ngt till diskussion* bring a th. up for discussion; ~ *väl (illa) upp* i fråga om ngt take...in good (bad) part; *han tog upp sig* mot slutet av matchen he improved... **b)** öppna (t.ex. ett paket, en konservburk) open; ~ *upp* göra *en dörr i* en vägg have a door made in...

~ **ur** take out; tömma empty; avlägsna (t.ex. kärnor, en fläck) remove; rensa: fågel draw, fisk clean, gut

~ **ut a)** mera eg. take (resp. bring) out; bära (flytta) ut äv. carry (move) out; få ut get out; ~ *sig ut* [manage to] get out, find (make) one's way out [*ur* of] **b)** friare: anskaffa withdraw (draw) **c)** spec. bet.: lösa, problem o.d. solve; lösa rebus make out; ~ *ut kurvan* not cut a (resp. the) corner (curve) [too fine], take a (resp. the) corner (curve) wide; ~ *ut en melodi på* ett instrument pick out a tune on...; *de ~r ut varandra* they cancel each other out; ~ trötta *ut sig* tire oneself out

~ **vid** börja begin; fortsätta follow [on]; om pers. äv. step in; ~ [*illa*] *vid sig* be upset (put out) [*av* (*över*) about]

~ **åt sig a)** känna sig träffad feel guilty **b)** dra till sig attract; fukt absorb, soak up **c)** *vad ~r det åt dig?* what's the matter with you?

~ **över** överta ledningen take over

tabbe vard. blunder

tabell table

tablett 1 farmakol. tablet, pill; pastill pastille **2** liten duk table mat

tablå 1 teat. tableau (pl. -x) **2** översikt schedule

tabu I *s* taboo (pl. -s); *belägga med ~* taboo **II** *adj* taboo

tabulator tabulator

taburett 1 eg. stool; antik tabouret **2** bildl. ministerial post

tack thanks; barnspr. el. vard. ta; *ja ~!* a) som svar på: Vill du ha...? yes, please! b) som svar på: Har du fått...? yes, thanks (thank you)!; *tusen ~!* thanks a lot (awfully)!; ~ *så förfärligt* (*hemskt*) *mycket!* thank you very much indeed!; ~ *för i går* (*senast*)*!* motsvaras ofta av we had a nice (wonderful) time yesterday (the other day, evening etc.); ~ *för maten!* I did enjoy the meal!, what a nice meal!; *med ~ på förhand* thanking you in advance; *till ~ för* hjälpen in acknowledgement for..., by way of thanks for...; ~ *vare* hans hjälp thanks (owing) to...

1 tacka thank; *skriva och ~* write and say 'Thank you'; *jo jag ~r jag!* det var inte dåligt well, I say!; well, well!; ~ *ja* (*nej*) *till ngt* accept (decline) a th. [with many thanks]; ~ *för maten* ung. say 'thank you' after a meal (ej brukligt i eng.); ~ [*ngn*] *för senast* bjudning, ung. thank a p. for his (resp. her) hospitality; *vi kan ~ honom för att...* we are indebted to him for the fact that..., we owe it to him that...; ~ *vet jag...* give me...[any day]

2 tacka fårhona ewe

3 tacka av järn, bly pig; av guld bar; av stål billet

tackkort, *ett ~* a thank-you card

tackla I *tr* **1** sjö. rig **2** sport. el. bildl. tackle **II** *itr,* ~ *av* bli sämre, magra fall away

tackling 1 sjö., rigg rigging **2** sport. tackle; tacklande tackling

tacksam grateful; stark. el. t.ex. mot försynen o.d. thankful; *visa sig ~* show that one is grateful

tacksamhet gratitude

tacksamhetsskuld, *stå i ~ till ngn* owe a debt of gratitude to a p., be under an obligation to a p.

tacksamt gratefully; thankfully; jfr *tacksam*

tacksägelse thanksgiving, thanks

tacktal speech of thanks; *han höll ~et* he returned formal thanks [on behalf of the guests]

1 tafatt lek tag; *leka ~* play tag

2 tafatt awkward

tafatthet awkwardness

tafs fiske. snell, snood

tafsa vard., ~ fingra *på ngt* fiddle [about] (tamper) with a th.; ~ *på* en kvinna paw...about, grope...

taft tyg taffeta

tag 1 grepp grip, grasp; hold äv. bildl.; rörelse: sim~ stroke, ryck pull; *det blev hårda ~* för oss, ung. we had a tough struggle; *släppa ~et* let go; *fatta* (*gripa, hugga, ta*) *~ i* catch (clutch, seize, take) [hold of]; *få ~ i* (*på*) get hold of; hitta find; komma över pick up **2** jag glömmer det inte *i första ~et* ...in a hurry; *två i ~et* two at a time

taga se *ta*

tagel horsehair

tagen medtagen tired out, vard. done up; gripen touched (samtl. end. pred.), stark. thrilled; upprörd excited

tagetes bot. Tagetes, French (större African) marigold

tagg prickle; skarp spets jag; pigg spike; biol., oftast spine; törn~ thorn; *vända ~arna utåt* bildl. show one's claws

taggig prickly; spiny, spinous; thorny; jfr *tagg*

taggtråd barb[ed] wire

tagning foto., exponering exposure; film. filming, shooting, enstaka take; tystnad, *~!* ofta camera!

tajma vard. time äv. sport.

tajt vard. tight

tak ytter~ roof (äv. om dess undersida, då ett särsk. innertak saknas, t.ex. i kyrka, vindsvåning, vagn); inner~ ceiling äv. bildl.; *ha ~ över huvudet* have [got] a roof over one's head; rummet *är högt* (*lågt*) *i ~[et]* ...has a high (low) ceiling; *lägga ~ på...* put (lay) a roof on..., roof...; bo *under samma ~* ...under the same roof

takbjälke beam of a (resp. the) roof

takdropp utomhus eavesdrop,

eavesdroppings; i rum dropping from the ceiling (resp. roof)
takfönster skylight [window]
takkrona chandelier
taklampa ceiling lamp; i bil interior (dome, roof) light
taklucka roof hatch
takmålning konst. ceiling painting (picture)
taknock roofridge
takpanna [roofing] tile
takräcke på bil roofrack
takränna gutter
takt 1 tempo: mus. time; fart pace; *hålla ~en* keep pace (mus. time); *stampa ~en* beat time with one's foot; *öka ~en* increase the pace (speed); *gå i ~* keep (walk) in step **2** rytmisk enhet bar; versfot foot; motor. stroke **3** finkänslighet tact[fulness], discretion
taktegel koll. [roofing] tiles
takterrass roof terrace, flat roof; restaurang roof restaurant
taktfast *adj* om steg measured; rytmisk rhythmic[al]
taktfull tactful, discreet
taktfullhet tactfulness, discretion
taktik tactics
taktisk tactical
taktkänsla 1 taktfullhet sense of tact **2** mus. sense of rhythm
taktlös tactless
taktlöshet tactlessness; *en ~* a piece of tactlessness; t.ex. anmärkning a tactless remark
taktpinne mus. [conductor's] baton
taktstreck mus. bar line
takås [roof]ridge
tal 1 antal, siffertal number; räkneuppgift sum; *räkna ett ~* do (work out) a sum **2** talande speech; samtal conversation; *~ets gåva* the gift of speech; *det har aldrig varit ~ om det* (*om att* inf.) kommit i fråga there has never been any question of that (of ing-form); *hålla [ett] ~* make (give, deliver) a speech [*för ngn* for (in honour of) a p.]; *på ~ om...* speaking (talking) of...; *på ~ om det* apropå äv. by the way; *komma på ~* come up
tala I *tr* o. *itr* speak; prata talk; *~ affärer* (*politik*) talk business (politics); *~ sanning* speak (tell) the truth; *allvarligt* (*bildligt*) *~t* seriously (figuratively) speaking
med prep.: *~ emot* ett förslag speak against...; *det är mycket som ~r för* till förmån för *det* there is a lot to be said for (in favour of) it; *allting ~r för* vittnar om *hans oskuld* everything goes to prove (indicates) his innocence; *det är mycket som ~r för* tyder på *att han har...* there is a lot that points towards his having (that indicates that he has)...; *~ för sig själv* om pers. a) utan åhörare talk to oneself b) å egna vägnar speak for oneself; *~ med ngn* speak (talk) to (i fråga om längre o. viktigare samtal with) a p.; *kan jag få ~ med...* äv. can I see (have a word with)...; *~ om* a) samtala om speak (talk) of (isht mera ingående about) b) dryfta discuss, talk...over c) nämna mention d) hålla föredrag o.d. om (över) speak on (about); det är ingen snö *att ~ om* ...worth mentioning, ...to speak of; *det är ingenting att ~ om!* avböjande don't mention it!, not at all!; *han har låtit ~ mycket om sig* there has been a lot of talk about him
II med beton. part.
~ **igenom** problemet thrash...out
~ **in...** [*på band*] record...
~ **om** tell; berätta utförligare relate; omnämna mention; *~ inte om det* [*för någon*]*!* don't tell anybody!, don't breathe a word about it!
~ **ut** så att det hörs speak up; rent ut speak one's mind; *~ ut* [*med ngn*] *om ngt* have (thrash) a th. out [with a p.]
talan, *föra ngns ~* plead a p.'s cause; bildl. be a p.'s spokesman, represent a p.; *han har ingen ~* he has no say in the matter
talande uttrycksfull expressive; om blick significant; om siffror o.d. telling, striking; *den ~* subst. adj. the speaker
talang talent; *~er* äv.: medfödda endowments; förvärvade accomplishments, acquirements
talangfull talented
talare speaker; väl~ orator; *jag är inte någon ~* I am not much of a speaker
talarstol rostr|um (pl. äv. -a); vid möte o.d. ofta platform
talas, *vi får ~ vid om saken* we must have a talk about it (talk the matter over)
talbok talking (cassette) book
talesman spokesman
talesätt locution, set el. stock (ordspråksliknande proverbial) phrase
talfel speech defect (impediment)
talför talkative, voluble
talförmåga faculty (power) of speech; *har du tappat ~n?* vard. äv. has the cat got your tongue?
talg tallow; njur~ suet
talgoxe zool. great tit, great tit|mouse (pl. -mice)
talk puder talcum [powder]
talka powder...with talcum, talc
tall träd pine [tree]
tallbarr pine needle
tallkotte pine cone
tallrik plate; *en ~ soppa* a plate[ful] of soup
tallskog pinewood[s pl.]; större pine forest
tallös numberless
talman parl. speaker; *Herr ~!* Mr. Speaker!

talong på biljetthäfte o.d. counterfoil, amer. stub
talorgan speech organ, organ of speech
talpedagog speech trainer; logoped speech therapist
talrik numerous; *~a* vänner äv. many..., a great number of...
talrikt numerously; in large (great) numbers
talrubbning speech disturbance (disorder)
talspråk spoken language
talspråksuttryck colloquial expression
talteknik skol. speech training
taltrast zool. song thrush
tam tame äv. bildl.; *~a djur* husdjur domestic animals
tamboskap koll. domestic cattle
tambur förstuga hall, amer. hallway; kapprum cloakroom
tamburin mus. tambourine
tamdjur tame (husdjur domestic[ated]) animal
tamkatt domestic[ated] cat
tamp rope's end; piece of rope
tampas, *~ [med varandra]* tussle
tampong tampon
tand tooth (pl. teeth) äv. på kam, såg m.m.; tekn. cog; *tidens ~* the ravages (pl.) of time; *försedd med tänder* toothed; *borsta tänderna* brush (clean, do) one's teeth
tandad toothed osv.; sågtandad serrated; bot. dentate
tandagnisslan, *gråt och ~* weeping and gnashing of teeth
tandborste toothbrush
tandborstglas toothbrush glass
tandbro o. **tandbrygga** [dental] bridge
tandem tandem
tandemcykel tandem [bicycle]
tandfyllning filling
tandgarnityr tänder set of teeth; protes denture
tandhals neck of a (resp. the) tooth
tandhygien dental hygiene
tandhygienist dental hygienist
tandkräm toothpaste
tandkrämstub med innehåll tube of toothpaste
tandkött gums
tandlossning loosening of the teeth
tandläkare dentist
tandlös toothless äv. bildl.
tandpetare toothpick
tandprotes denture, dental plate
tandreglering correction of irregularities of the teeth; tandläk. orthodontics
tandröta [dental] caries
tandsköterska dental nurse (assistant)
tandsprickning teething; tandläk. dentition
tandsten tartar
tandställning 1 tändernas placering position of the teeth; tandläk. dentition **2** för tandreglering brace[s pl.]
tandtekniker dental technician
tandtråd dental floss
tandvård ss. organisation dental service; personlig dental care (hygiene)
tandvärk, *ha ~* have [a] toothache
tanga o. **tangatrosa** tanga [brief]
tangent 1 mus. el. på skrivmaskin key **2** matem. tangent
tangentbord på skrivmaskin o.d. keyboard
tangera mat. touch; bildl. touch [up]on; *~ världsrekordet* equal (touch) the world record
tango tango (pl. -s); *dansa ~* dance (do) the tango
tanig mager thin
tank 1 behållare tank; *full ~, tack!* fill her up, please! **2** stridsvagn tank
tanka bil fill (vard. tank) up; itr., om fartyg, flygplan refuel; *~* 50 liter bensin put...in [the tank]; *jag måste ~* äv. I must get some petrol (amer. gas)
tankbil tank lorry (isht amer. gasoline truck)
tankbåt tanker
tank|e thought; idé idea; *snabb[t] som ~n* [as] quick as thought; *det är min ~* avsikt *att* inf. I intend to inf.; *ha låga -ar om...* have a poor opinion (idea) of..., think poorly of...; *ha höga -ar om...* think highly of...; *det för (leder) ~n till...* it makes one think of...; påminner om it reminds one of...; *läsa ngns ~ar* read a p.'s thoughts (mind); *utbyta -ar [med varandra]* exchange ideas; *inte ägna en ~ åt...* not give a thought to...
föregånget av prep.: *gå i (vara försjunken i) -ar* be lost (deep, wrapped up) in thought; *ha ngt i -arna* have a th. in mind; *komma (få ngn) på andra -ar* change one's mind (make a p. change his resp. her mind); *hur kunde du komma på den ~n?* förebrående what put that into your head?; *utan ~ på* without a thought of, mindless of
tankearbete brain work; tänkande thought; *låt mig sköta ~t!* let me do the thinking!
tankeexperiment intellectual experiment, supposition
tankefel error in thinking, logical error
tankeförmåga capacity for thinking (thought)
tankegång tankebana train (line) of thought; sätt att tänka way of thinking
tankeläsare thought-reader
tankeställare eye-opener; *vi fick [oss] en ~* äv. that gave us something to think about
tankeutbyte exchange of ideas (thoughts, views)
tankeverksamhet mental activity

tankeväckande thought-provoking, ...providing food for thought
tankeöverföring telepathy
tankfartyg tanker
tankfull thoughtful, meditative; drömmande musing, wistful
tanklös thoughtless, jfr *obetänksam*
tanklöshet thoughtlessness
tankning av bil filling-up [with petrol (amer. gas)], putting petrol (amer. gas) in; sjö. el. flyg. refuelling
tankomat automatic petrol (amer. gasoline) pump
tankspridd absent-minded
tankspriddhet absent-mindedness
tankstreck dash
tant aunt, vard. el. barnspr. auntie; friare [nice] lady; ~ *Klara* Aunt Klara; *vad är det för en ~?* barnspr. who is that (this) lady?
tantig old-maidish; isht om sätt att klä sig frumpish
Tanzania Tanzania
taoism, ~[*en*] Taoism
tapet wallpaper; vävnad tapestry; rummet behöver *nya ~er* ...new wallpaper sg.; *sätta upp ~er i ett rum* hang wallpaper in a room, paper a room; *vara på ~en* bildl. be on the carpet, be under discussion; om t.ex. projekt be in the pipeline
tapetrulle roll of wallpaper
tapetsera paper; med väv o.d. [hang with] tapestry; ~ *om* repaper
tapetserare upholsterer
tapetsering paperhanging
tapisseri vävnad tapestry; stramaljbroderi needlepoint
tapp 1 i tunna o.d. tap; i badkar plug **2** till hopfästning peg; snick. tenon
1 tappa I *tr* tömma, hälla tap off, draw [off]; jfr *II;* ~ vin *på buteljer* draw...off into bottles, bottle...
II med beton. part.
~ **i:** ~ *i vattnet* [*i badkaret*] let (run) the water into the bath; jfr äv. ~ *på*
~ **på:** ~ *på* vatten run... [*i* into]
~ **upp:** ~ *upp ett bad* run a bath
~ **ur** draw (run) off; tömma behållare o.d. äv. empty
2 tappa 1 låta falla drop **2** förlora lose äv. bildl.; ~ *håret* (*en tand*) lose one's hair (a tooth); ~ *huvudet* bildl. lose one's head; ~ *intresset* lose interest
tapper brave; i högre stil valiant; vard. plucky
tapperhet bravery; vard. pluckiness; ~ *i fält* bravery in the field
tapperhetsmedalj medal for valour (bravery)
tappning avtappning tapping; på flaska bottling; årgång vintage; *i ny* ~ bildl. in a new version
tappt, *ge ~* give in
tapto mil. tattoo (pl. -s); *blåsa ~* beat (sound) the tattoo
tariff tariff; över avgifter schedule (list) of rates
tarm anat. intestine; *~arna* äv. the bowels; vard. the guts
tarmkatarr med. intestinal catarrh
tarmludd anat. intestinal villi
tarmvred med. ileus
tarvlig simpel vulgar, common; lumpen shabby; billig poor; enkel homely
tarvligt vulgarly osv.; jfr *tarvlig; bära sig ~ åt* behave shabbily [*mot* to]
tas (*tagas*) strida dispute, wrangle; *han är inte god att ~ med* he is not easy (an easy customer) to deal with
taskig vard. rotten, lousy
taskspelare juggler
tass paw äv. (vard.) om hand; *räcka vacker ~* om hund put out a (its) paw [nicely]; *bort med ~arna!* äv. hands off!
tassa patter; smyga sneak
tassel se *tissel*
tassla se *tissla*
tatar Tatar
tattare vagrant; oeg. gipsy
tatuera tattoo
tatuering tatuerande tattooing; *en ~* a tattoo
tavelgalleri picture gallery
taverna tavern
tavla 1 picture äv. bildl.; målning painting **2** anslags~ el. skol. board; för inskrift tablet; skott~ target; ur~ face **3** vard. *göra en ~* put one's foot in it, make a blunder (bloomer)
tax zool. dachshund ty.
taxa rate, charge; tabell list (table) of rates; avgift, t.ex. för körning fare, t.ex. för telefonering fee; *enhetlig* (*nedsatt*) ~ standard (reduced) rate
taxameter [taxi]meter, fare meter
taxera för beskattning assess...[for taxes]; *vara ~d för...* be assessed at (for)...; *~d förmögenhet* taxed property (assets pl.)
taxering av myndighet för skatt assessing [of taxes]
taxeringsnämnd assessment committee
taxeringsvärde ratable value
taxi taxi[cab]; rörelse taxi service
taxichaufför taxi (cab) driver
taxiflyg flygplan taxiplane; rörelse taxiplane service
taxistation taxi rank; amer. taxistand
T-bana se *tunnelbana*
tbc med. TB
Tchad Chad
TCO förk., se ex. under *tjänsteman*
1 te tea äv. måltid; vard. char; *dricka ~* have tea; vard. have a cuppa; *koka ~* make tea

2 te, ~ *sig* förefalla appear, seem; ta sig (se) ut look [like]
teak virke teak [wood]; möbler *av* ~ äv. teak[-wood]...; för sms. jfr *björk-*
team team
teater theatre; *spela* ~ act; deltaga i ett uppförande take part in a play; *gå på ~n* go to the theatre; sådana scener får man sällan se *på ~n* ...on the stage
teaterbesök, *ett* ~ a visit to the theatre
teaterbesökare theatregoer, playgoer
teaterbiljett theatre ticket; *beställa ~er* äv. book seats
teaterbiten förtjust i att gå på teatern ...mad about the theatre; som vill bli skådespelare stage-struck
teaterchef theatre (theatrical) manager
teaterdirektör theatre (theatrical) manager
teaterföreställning theatrical performance; lättare show
teaterkikare opera glasses; *en* ~ a pair of opera glasses
teaterkritiker dramatic (theatre) critic
teaterpjäs [stage] play
teaterpublik allm. audience; *~en* i salongen the house
teaterrecensent dramatic (theatre) critic
teatersalong auditorium; *en glest besatt* ~ a sparsely-filled house
teaterscen [theatrical] stage
teatersällskap theatrical (theatre) company
teatralisk theatrical
tebjudning tea party
teburk tea caddy, tea canister
tebuske tea plant, tea shrub
tecken sign; känne~ mark, högtidl. token; symtom symptom; sinnebild emblem; symbol äv. matem.; skriv~ character; emblem badge; *djurkretsens* (*zodiakens*) ~ the signs of the zodiac; *det är ett* ~ *på* hälsa it is a sign (mark) of...; *det är ett* ~ förebud *på att...* it is an indication (a sign) that...; *ge* ~ trafik. give a signal, signal; *göra* (*ge*) [*ett*] ~ *till ngn* make a sign to (motion) a p.
teckenspråk sign language
teckna I *tr* o. *itr* **1** avbilda draw; skissera sketch, outline; bildl. (skildra) describe, depict; ~ *efter* modell (naturen) draw from... **2** skriva [under (på)] sign; endossera endorse; ~ *aktier* subscribe [for] (apply for) shares **II** *rfl,* ~ *sig för* ngn på en lista put down one's name (oneself) for...
tecknad om film animated
tecknare 1 artist drawer **2** av aktier o.d. subscriber
teckning 1 avbildning drawing; skiss sketch; skol. art, art education; på djur markings **2** av aktier o.d. subscription
teckningslärare drawing teacher
teckningssal skol. art [class]room
tedags, *vid* ~ at (about) teatime
teddybjörn teddy bear
tefat saucer; *flygande* ~ flying saucer
teflon® Teflon
teg åkerlapp [field] allotment
tegel mur~ brick äv. ss. ämne; koll. vanl. bricks; tak~ tile, koll. tiles; *lägga* ~ *på ett tak* tile a roof
tegelbruk brickworks (pl. lika), brickyard; tileworks (pl. lika), tilery; jfr *tegel*
tegelpanna [roofing] tile
tegelsten brick; koll. vanl. bricks
tegeltak tile[d] (pantile) roof
tehuv tea cosy
teism filos. theism
tejp [adhesive (sticky)] tape
tejpa 1 laga med tejp mend...with tape **2** ~ *fast* (*igen*) tape up
teka ishockey face off
tekaka teacake
tekanna teapot
teknik metod samt konstfärdighet technique; ingenjörskonst engineering; ss. vetenskap äv. technology; *~ens framsteg* technological advances
tekniker technician; ingenjör engineer; radio~ programme engineer
teknisk technical
teknokrat technocrat
teknolog student student of technology
teknologi technology
teknologisk technological
tekopp teacup; kopp te cup of tea; ss. mått teacupful
telefax tele. facsimile transmission
telefon telephone; vard. phone; *det är* ~ *till dig* you are wanted on the [tele]phone; *ha* inneha ~ be on the [tele]phone; *sitta* vara upptagen *i* ~ be engaged on the [tele]phone; *tala* [*med ngn*] *i* ~ talk (speak) [to a p.] on (over) the [tele]phone
telefonabonnemang telephone subscription
telefonabonnent telephone subscriber
telefonautomat payphone; amer. pay station
telefonavgift för abonnemang telephone charge (rental); för samtal call fee
telefonavlyssning telephone (wire) tapping
telefonera telephone; vard. phone; ~ *till ngn* [tele]phone a p., call (ring) a p. up; isht amer. call a p.
telefonförbindelse telephone connection; *~r* telecommunications
telefonhytt telephone cubicle, se äv. *telefonkiosk*
telefonist [telephone] operator
telefonkatalog telephone directory (book)
telefonkiosk payphone; amer. pay station
telefonkö ung. telephone queue [service]
telefonledning telephone line (wire)

telefonlur [telephone] receiver, handset
telefonnummer telephone number
telefonräkning telephone bill (account)
telefonsamtal påringning [tele]phone call; *vi hade ett långt ~* we had a long conversation over the telephone
telefonstation telephone exchange (call office, isht amer. [central] office)
telefonstolpe telephone pole
telefonsvarare answering [recording] machine
telefonterror, *utsättas för ~* be subjected to a series of anonymous (malicious) telephone calls
telefontid telephone hours
telefontråd telephone wire
telefonväckning, *beställa ~* order an alarm call
telefonväxel abonnentväxel private branch exchange; konkr. switchboard; central telephone exchange
telegraf telegraph; ~station telegraph office
telegrafera telegraph; vard. wire
telegrafering o. **telegrafi** telegraphy
telegrafisk telegraphic
telegrafist telegraphist, telegraph (radio~ wireless) operator; sjö. radio officer
telegram telegram; vard. wire; radio~ radio[tele]gram
telegramadress telegraphic address
telegramavgift charge for a (resp. the) telegram
telegrambyrå nyhetsbyrå news agency; *tidningarnas ~* (förk. *TT*) the Swedish Central News Agency
telekommunikation telecommunication
teleobjektiv foto. telephoto lens
telepati telepathy
teleprinter teleprinter, teletypewriter
telesatellit rymd. communication satellite
teleskop telescope
telestation telephone and telegraph office
teleteknik telecommunication[s pl.]
teletekniker telecommunication expert
Televerket the [Swedish] Telecommunications Administration; vard. Swedish Telecom
television television
telex telex
telexa telex
telning 1 skott sapling **2** vard., barn kid
tema 1 ämne theme äv. mus.; subject, topic **2** gram. *säga (ta) ~t på ett verb* give the principal parts of a verb
temanummer av tidskrift special feature issue
temp se *temperatur*
tempel temple
temperament temperament; *ha ~* be temperamental
temperamentsfull temperamental
temperatur temperature äv. bildl.; *ta ~en* take one's temperature
temperaturförändring change of (in) temperature
temperaturkurva temperature curve
temperatursvängning o. **temperaturväxling** fluctuation (variation) of (in) temperature
tempererad tempered; om klimat temperate
tempo 1 fart pace, rate; takt temp|o (pl. -os, mus. vanl. -i) **2** moment moment; stadium stage
tempoarbete ung. serial (på löpande band assembly-line) production
temporär temporary
tempus tense
Temsen the [River] Thames
tendens tendency; isht om priser, idéer trend; ha (visa) ~ *att* inf. ...a tendency (disposition) to inf. (towards ing-form)
tendentiös tendentious; friare (ensidig) bias[s]ed
tendera tend
tenn tin; legering för tennföremål pewter
tennfat pewter dish
tennis tennis
tennisbana tennis court
tennisboll tennis ball
tennishall covered tennis court[s pl.]
tennisracket tennis racket
tennisspelare tennis player
tennsoldat tin soldier
tenor pers. el. röst tenor
tenorstämma tenor [voice]; parti tenor [part]
tenta vard. **I** *s* [preliminary] exam **II** *itr* se *tentera*
tentakel zool. el. bildl. tentacle, feeler
tentamen [preliminary] examination; *muntlig ~* oral examination
tentamensläsa study (vard. cram) for an examination
tentamensperiod examination period
tentera I *tr, ~ ngn* examine a p. [*i* in; *på* on] **II** *itr* prövas be examined
teokrati theocracy
teolog theologian
teologi theology
teologisk theological
teoretiker theorist
teoretisera theorize
teoretisk theoretic[al]
teori theory; *i ~n* in theory
teosofi theosophy
tepåse tea bag
terapeut therapist
terapeutisk therapeutic[al]
terapi therapy
term term äv. mat.
termin 1 univ. el. skol., ung. term, amer. äv.

semester **2** tidpunkt stated (fixed) time; förfallotid due date; period period
terminal terminal äv. data.
terminologi terminology
terminsavgift term fee
terminsbetyg handling end of term (amer. end of semester) report; betygsgrad term mark, amer. semester grade
termisk thermal
termit zool. termite, white ant
termometer thermometer; *~n står på (visar)...* the thermometer stands at (is at, registers)...
termos ®Thermos
termosflaska vacuum (Thermos®) flask
termoskanna vacuum (Thermos®) jug
termostat thermostat
terpentin kem. turpentine
terrakotta terracotta
terrarium vivarium; mindre terrarium
terrass terrace
terrier zool. terrier
terrin tureen
territorialgräns limit of territorial waters
territorialvatten territorial waters
territoriell territorial
territorium territory
terror terror
terrordåd act of terror
terrorisera terrorize [over]
terrorism terrorism
terrorist terrorist
terräng område, mark ground; isht mil. terrain; *kuperad ~* hilly country; *i svår ~* over difficult terrain; *förlora (vinna) ~* lose (gain) ground
terrängcykel mountainbike
terränglöpning cross-country running (tävling run, race)
ters mus. third; *liten (stor) ~* minor (major) third
tertiärperioden o. **tertiärtiden** geol. the Tertiary period
tes thes|is (pl. -es)
teservis tea set
tesil tea-strainer
tesked teaspoon; ss. mått (förk. *tsk*) teaspoonful; *två ~ar salt* two teaspoonfuls of salt
tesort [kind of] tea
1 test hår~ wisp [of hair]
2 test prov test
testa test
testamente will; *Gamla (Nya) Testamentet* the Old (New) Testament; *inbördes ~* joint (conjoint) will
testamentera, *~ ngt till ngn* bequeath a th. to a p., leave a p. a th. (a th. to a p.); *~ bort* will (bequeath) away
testbild TV. test pattern
testcykel exercise bicycle
testikel anat. testicle
testning testing
tevagn tea trolley, tea waggon
tevatten water for the tea; *sätta på ~* put the water on for tea, put the kettle on
teve med. sms., se *TV* med sms.
t.ex. förk., se under *[till] exempel*
text text; bild~ caption; film~ vanl. subtitles; sång~ lyrics; sång*~en* är av... the words...; en fransk film *med svensk ~* ...with Swedish subtitles (captions)
texta 1 med tryckbokstäver write...in block letters; pränta engross **2** uttala tydligt articulate [the words] **3** förse film med (t.ex. svensk) text subtitle
textbehandling study of a text; data. text processing
textförfattare allm. author of the text (the words)
textil textile
textilarbetare textile worker
textilier textiles
textilindustri textile industry
textillärare teacher of textile handicraft
textilslöjd textile handicraft
text-TV teletext
Thailand Thailand
Themsen the [River] Thames
thinner thinner
thriller thriller
tia ten; hist., sedel ten-krona note; mynt ten-krona piece; jfr *femma*
Tibern the Tiber
Tibet Tibet
ticka tick
ticktack I *s* tick-tack; större urs tick-tock **II** *interj* tick-tack; större urs tick-tock
tid time; nuvarande, dåvarande ofta times, day[s pl.]; [bestämd] tidrymd, tidevarv, isht tjänste~ term; kort spell, intervall interval; kontors~ o.d. hours; avtalad ~ appointment; tillfälle opportunity
utan föreg. prep. **1** i obest. form: stanna *en (någon) ~* ...for a (some) time; *långa ~er* kunde han... for long periods...; *~s nog* får du veta det ...soon (early) enough; *beställa ~ hos* läkare o.d., vanl. make an appointment with...; när jag *får ~* ...get (find) time (tillfälle an opportunity) *[med (till)* ngt for...; *[till] att* inf. to inf.]; *har du ~* för mig *ett slag?* can you spare me a moment?; *när du har ~* when you can find time (can spare a moment); *ta ~ på* tävlande time...; *ta ~en* sport. take the time; *ta god ~ på sig* take one's time *[med* ngt *(med att* inf.) over... (over ing-form)]; *det tar sin [lilla] ~* it takes time, you know
2 i best. form: *~en* time; den nu- resp. dåvarande the times pl.; t.ex. är knapp [the] time; t.ex. för ngns vistelse the time *[för* of]; *~en* tidpunkten *för avresan* the time

(moment) of departure; *få ~en att gå* kill time; *~en är ute!* time's up!; jag var sjuk *första ~en* dagarna (veckorna etc.) ...during the first few days (weeks etc.)
med föreg. prep. **a)** *efter en (någon) ~* after some (a) time, after a while; syftande på spec. händelse some time afterwards **b)** *för en (någon) ~* for some (a) time **c)** *vara före sin ~* be ahead of one's time[s] **d)** *i ~* in time [*för, till* for; *att* inf. to inf.; *för att* inf. for ing-form]; *i gamla ~er* in days (times) of old (yore); *i två års ~* for [the space (a period) of] two years **e)** *inom den närmaste ~en* in the immediate (near) future **f)** *med ~en* in [course of] time, as time goes (resp. went) on; det blir nog bra *med ~en* ...in time **g)** springa *på ~* ...against time; *det är på ~en att gå* it is about time to leave; *på (under) Gustav III:s ~* livstid in Gustavus III's time (dagar day[s]); period in (during) the times of Gustavus III; resa bort *på en (någon) ~* ...for a (some) time; vi har inte sett honom *nu på en (någon) ~* ...for some time past [now]; *på senare ~* el. *på senaste (sista) ~en* recently, of late, lately **h)** *under ~en* [in the] meantime, meanwhile **i)** *gå ur ~en* depart this life **j)** *vid ~en för* t.ex. sammanbrottet at the time of; *vid samma ~* i morgon at this time... **k)** några dagar *över ~en* ...beyond (past) the proper time
tideräkning kronologi chronology; kalender calendar; epok era
tidevarv period
tidig early; *för ~* förtidig premature; *~are* föregående äv. previous, former; jfr äv. *tidigare, tidigast* under *tidigt*
tidigarelägga möte o.d. hold...earlier, bring forward
tidigt early; *för ~* eg. äv. too soon; i förtid prematurely; *tidigare* allm. earlier [on]; at an earlier hour (time o.d.); förr äv. sooner; förut äv. previously, formerly; hon kommer *tidigast i morgon* ...tomorrow at the earliest
tidlös timeless
tidning newspaper, vard. paper; vecko~ magazine; *det står i ~en* it is in the paper
tidningsanka canard fr.
tidningsartikel newspaper article
tidningsbilaga supplement to a (resp. the) paper
tidningsbud [news]paper woman (resp. man, boy, girl)
tidningsförsäljare newsvendor; på gatan vanl. newspaper man
tidningskiosk newsstand; större bookstall
tidningsläsare newspaper reader
tidningsnotis news[paper] item
tidningspapper hand. newsprint
tidningsredaktion lokalen newspaper office
tidningsrubrik [newspaper] headline
tidningsurklipp press cutting; amer. clipping
tidpunkt point [of time]; *vid denna ~* at this moment (isht kritisk juncture); *vid ~en för...* at the time of...
tidrymd period; geologisk o.d. epoch
tidsanda, *~n* the spirit of the time[s]
tidsbegränsning time limit
tidsbesparing sparande av tid [the] saving of time; sparad tid time saved; *göra stora ~ar* save a lot of time
tidsbeställning appointment
tidsbrist lack of time
tidsenlig nutida up to date; modern modern
tidsform språkv. tense
tidsfrist se *frist*
tidsfråga, det är bara *en ~* ...a matter of time
tidsföljd chronological order
tidsfördriv, *till ~* as a pastime
tidsförlust loss of time
tidsinställd, *~ bomb* time-bomb, delayed-action bomb
tidsinställning foto. [the] timing of the exposure; tid time of exposure; värde shutter setting
tidskrift periodical; isht teknisk o. vetenskaplig journal; isht litterär review; lättare magazine
tidskrävande time-consuming
tidsnöd shortage of time; *vara i ~* be pressed for (short of) time
tidsplan 1 tidsschema timetable **2** avsnitt av tiden time plane
tidspress, *arbeta under ~* work under pressure (against the clock)
tidsrymd se *tidrymd*
tidssignal i radio time signal
tidsskillnad difference in (of) time
tidstypisk ...characteristic (typical) of the period
tidsvinst, *~[er]* saving sg. of time, gain sg. in time
tidsålder age
tidsödande time-wasting
tidtabell timetable; amer. ofta äv. schedule
tidtagarur stopwatch
tidtagning timekeeping; *elektronisk ~* electronic timing
tidur timer
tidvatten tide
tidvis ibland at times; med mellanrum periodically; långa tider for periods together
tiga be (remain) silent; keep silent; *~ med* ngt äv. keep...to oneself; *tig!* be quiet!, hold your tongue!; vard. shut (dry) up!
tiger tiger
tigerunge tiger cub
tigga beg; *~ [om]* beg for; *~ och be ngn om* ngt beg a p. for..., implore a p. for...; *han tigger stryk* he's asking for a thrashing (svag. for trouble)

tiggare beggar
tiggeri begging; isht yrkesmässigt mendicancy; hans ~*[er]* ...begging [appeals pl.]
tigrinna tigress
tik bitch
till I *prep* **1** om rum el. friare **a)** allm. to; in i into; mot towards; [ned] på on; *en dörr ~* ledande till *köket* a door leading to the kitchen; *falla ~ marken* fall to the ground; *få soppa ~ middag* have soup for dinner; *sitta (sätta sig) ~ bords* sit at table (sit down to dinner resp. lunch etc.); *ta av ~ höger* turn to the right; *det går tåg ~ S.* varje timme there is a train to S... **b)** i förb. med 'ankomma', 'ankomst' o.d. at; betr. land o. större stad el. ö in; *anlända ~* staden arrive at (in)..., get to..., reach... **c)** i förb. med vissa uttr. med bet. 'avresa', 'avgå', 'vara destinerad' med tanke på syftet med rörelsen for; *tåget (båten) ~ S.* the train (boat) for S.
2 om tid: **a)** som svar på frågan 'hur länge' till, until; ända till to; med bibet. av ändamål, avsikt o.d., uttr. att ngt är bestämt (avsett) till en viss tid for; *från 9 ~ 12* from 9 to 12 **b)** som svar på frågan 'när': när tiden ifråga är inne at, senast by; uttr. att ngt är bestämt (avsett) till en viss tid for; före before; vigseln är bestämd *~ den 15:e* ...for the 15th; han kommer hem *~ våren* i vår ...this spring; nästa vår ...next spring; *natten ~* tisdagen the night before (preceding)...; två tabletter *~ natten* ...for the night; *läxorna ~ torsdag* the homework for Thursday, Thursday's homework
3 åt to; avsedd för for; uttr. föremålet för en känsla, strävan to, on; *två biljetter ~* nioföreställningen two tickets for...; här är ett brev *~ dig* ...for you
4 uttr. tillhörighet, förhållande, förbindelse o.d.: vanl. of, ibl. to; *han är son ~* en läkare he is the son of...; *han är bror ~* den åtalade (jur.) he is brother to...; *dörren ~* huset the door of...; en vän *~ mig (min bror)* ...of mine (my brother's); *ägaren ~* huset the owner of...
5 uttr. ändamål, lämplighet el. avsikt for; såsom as; *~ förklaring av...* as an explanation of..., to explain...
6 uttr. verkan el. resultat to; *~ min* fasa (förvåning, skräck) to my...; *vara skyldig ~* ngt be guilty of...
7 uttr. övergång into; *förvandla ~* transform (change, turn) into; *en förändring ~ det sämre* a change for the worse
8 oftast utan motsv. i eng.; ibl. as; *...är döpt ~ N.* ...was christened N.; *detta gjorde honom ~* en berömd man this made him...; *hans utnämning ~* chef his appointment as...
9 i fråga om in; genom by; *~ antalet (namnet)* in number (name); *~ yrket* by profession
10 uttr. gräns m.m. **a)** i samband med beräkning (värdering) av summa o.d. at; *~ billigt (högt) pris* at a low (high) price **b)** betr. mått of; gardiner *~ en längd av 3 meter* ...of the length of 3 meters **c)** à *3 ~ 4 dagar (personer)* 3 or (to) 4 days (people)
11 *~ och med* (förk. *t.o.m.*) up to (om datum äv. until) [and including]
II *adv* **1** ytterligare more; *en dag (vecka) ~* one day (week) more (longer), another day (week) **2** tillhörande to it (resp. them); en regnkappa *med kapuschong ~* ...with a hood to it (attached) **3** i vissa förb. *vi skulle just [~ att] gå* we were just on the point of leaving; *det gör varken ~ eller från (från eller ~)* it makes no difference, it is all the same (all one); *~ och med* even, jfr *I 12 b*
tillaga se *2 laga I 1*
tillagning making osv., se *2 laga I 1;* av t.ex. måltid preparation; *~ av mat* cooking
tillbaka back; bakåt backward[s]; jfr äv. beton. part. under resp. vb; *känna ngn sedan* tre år *~* have known a p. for the last (past)...; *det ligger långt ~ [i tiden]* it is a long way back in time, it is long ago
tillbakablick retrospect; i film o.d. flashback
tillbakadragen bildl.: försynt retiring; reserverad reserved; om liv o.d. retired
tillbakadraget, *leva ~* live in retirement (seclusion)
tillbakagång bildl. retrogression; *~* återgående *till...* return to...; *vara på ~* be on the decline, be on the wane, be declining (falling off)
tillbakavisa avvisa o.d.: t.ex. förslag reject; beskyllning repudiate; angrepp repel
tillbedja isht relig. worship; älska adore
tillbedjare beundrare o.d. admirer, stark. worshipper
tillbehör, *~* pl.: till bil, dammsugare, kamera o.d. accessories; friare appurtenances; kok. accompaniments, garnering trimmings
tillblivelse coming into being (existence)
tillbringa spend; *~ natten på* ett hotell äv. stay the night at...
tillbringare jug; amer. pitcher
tillbud olycks~ near-accident; *det var ett allvarligt ~* there might have been a serious accident
tillbyggnad addition; annex annex[e]; *sjukhusets ~* utvidgning the enlarging (extension) of the hospital
tillbörlig due; lämplig fitting; vederbörlig proper; *på ~t* säkert *avstånd* at a safe distance
tilldela, *~ ngn ngt* allot (assign) a th. to

a p.; utmärkelse confer (bestow) a th. on a p.; pris award a p. a th. (a th. to a p.)
tilldelning ranson allowance; ransonerande allocation, rationing
tilldraga, ~ *sig* **a)** ske happen; utspelas take place; *det tilldrog sig i...* the scene was laid in... **b)** attrahera attract
tilldragande attractive; om sätt, leende engaging
tilldragelse occurrence; viktigare event; obetydligare incident; *lycklig* ~ barnafödsel happy event
tilldöma jur. ~ *ngn ngt* adjudge a th. to a p., award a p. a th.
tillfalla, ~ *ngn* go (ss. ngns rätt accrue) to a p.; oväntat äv. fall to a p.['s lot]
tillfart konkr. o. **tillfartsväg** approach (access) road; *~en till* staden the road leading [in]to...
tillflykt refuge; tillflyktsort haven [of refuge]; fristad retreat; tillfällig resort; medel, utväg resort; *ta sin ~ till* take refuge in, en pers. take refuge with, go to...for refuge
tillflyktsort place (haven) of refuge (tillfällig resort)
tillflöde abstr. inflow båda äv. bildl.; konkr. feeder stream; biflod tributary [river (stream)]
tillfoga 1 tillägga add; bifoga affix **2** vålla ~ *ngn ngt* t.ex. smärta, förlust: allm. inflict a th. [up]on a p.; cause a p. a th. äv. lidande
tillfreds satisfied, contented [*with* med]
tillfredsställa satisfy äv. sexuellt; göra till lags suit; behov meet; nyck indulge; hunger appease; lust gratify
tillfredsställande satisfactory; glädjande gratifying; tillräcklig sufficient
tillfredsställd satisfied osv.; content end. pred., jfr *tillfredsställa*
tillfredsställelse känsla av glädje satisfaction; gratification; uppskattning appreciation
tillfriskna recover; *han har ~t* äv. he has got well (vard. better) again
tillfrisknande recovery [to health]
tillfråga ask; rådfråga consult
tillfångataga se *fånga I*
tillfälle när ngt inträffar occasion; lägligt (gynnsamt) ~ opportunity, slumpartat chance; *det finns ~n då...* there are times (occasions) when...; *få ~ [till] att fiska* find (get) an opportunity of fishing (to fish); *för ~t* för ögonblicket for the time being; för närvarande at present; chefen är ute *för ~t* ...just now, ...[just] at the moment
tillfällig då och då förekommande occasional; händelsevis förekommande, slumpartad accidental; om t.ex. upptäckt chance...; om t.ex. inkomst incidental; kortvarig, provisorisk temporary; temporär, övergående momentary; ~ *adress* temporary address; *~t arbete* casual work; odd jobs pl.
tillfällighet tillfällig händelse (omständighet) accidental occurrence (circumstance); slump chance; slumpartat sammanträffande coincidence; *av en [ren]* ~ by pure chance, by sheer accident, quite accidentally
tillfälligt för kort tid temporarily; för ögonblicket [just] for the time being
tillfälligtvis 1 händelsevis accidentally, by accident; av en slump by chance; apropå casually; oförutsett incidentally **2** se *tillfälligt*
tillföra, ~ skaffa *ngt till...* supply (provide)...with a th.; ~ debatten *nya idéer* bring new ideas into...
tillförlitlig reliable, ...to be relied on
tillförlitlighet reliability
tillförordna appoint...temporarily (provisionally)
tillförordnad, ~ (förk. *t.f.*) professor acting...
tillförsel tillförande supplying; av t.ex. frisk luft supply
tillförsikt confidence
tillförsäkra, ~ *sig* ngt secure (make sure of)...
tillgiven 1 allm. attached; gällande nära släkting affectionate; trogen devoted; om djur faithful **2** i brevunderskrift *Din tillgivne...* vanl. Yours sincerely (till nära släkting el. vän affectionately),...
tillgivenhet attachment; hängivenhet devotion; kärlek affection
tillgjord affected; konstlad artificial
tillgjordhet affectation; affected (resp. artificial) manner
tillgodo se [*till*] *godo*
tillgodogöra, ~ *sig* assimilate äv. bildl.; t.ex. undervisningen profit by
tillgodohavande för sålda varor o.d. outstanding account [owing to one]; i bank o.d. [credit] balance
tillgodokvitto hand. credit note
tillgodoräkna, *för...~r vi oss ett arvode av kr. 20 000:—* the fee for...is 20,000 kr.
tillgodose krav meet, satisfy; behov supply, provide for; ~ *ngns intressen* look after a p.'s interests
tillgripa 1 stjäla take...unlawfully; snatta thieve; försnilla misappropriate **2** bildl.: åtgärd, utväg resort (have recourse) to; ~ *alla medel* för att go to any lengths..., use any means available...
tillgå *tr, det finns att* ~ it is to be had (is obtainable) [*hos* from]
tillgång 1 tillträde access; *ge ngn ~ till* sitt bibliotek allow a p. the use of... **2** förråd supply; ~ *och efterfrågan* supply and demand **3** tillgångspost asset; *~ar*

penningmedel means; resurser resources; *leva över sina ~ar* live beyond one's means

tillgänglig 1 om sak accessible; som finns att tillgå (om t.ex. sittplats, resurser) available; som kan erhållas (t.ex. i butik) obtainable; *med alla ~a medel* by every available means **2** om pers. ...easy to approach, vard. get-at-able

tillhandahåll|a, ~ *ngn ngt* supply a p. with a th.; *tidningen -[e]s* (säljs) i alla kiosker the paper is obtainable (to be had el. bought, on sale)...

tillhands se *till hands* under *hand*

tillhygge eg. weapon

tillhåll haunt; tillflyktsort retreat

tillhöra 1 om ägande el. medlemskap belong to, se vid. *höra II 1* **2** se *tillkomma 2*

tillhörande som hör till det (dem) ...belonging to it (them); låda *med ~ lock* ...with (and) the lid belonging to it

tillhörig, *en bil ~ X* a car belonging to X

tillhörighet ägodel possession; [private] property; mina (dina osv.) *~er* äv. ...belongings; *politisk ~* political affiliation

tillika also, ...too; dessutom besides, moreover; *~ med* together with

tillintetgöra nedgöra defeat...completely; förstöra destroy; förinta annihilate; krossa (äv. bildl.) crush; utrota wipe out; bildl.: planer frustrate

tillintetgörelse defeat; destruction; annihilation; crushing; wiping out; frustration, shattering; jfr *tillintetgöra*

tillit trust; *sätta [sin] ~ till* put [one's] confidence in, place [one's] reliance [up]on (in)

tillitsfull förtröstansfull confident; ~ mot andra confiding, trustful

tillkalla send for; ~ hjälp (en specialist) äv. summon (call in)...

tillknäppt bildl. reserved

tillkomma 1 se *2 komma [till]* **2** ~ tillhöra *ngn:* vara ngns rättighet be a p.'s due; vara ngns plikt be a p.'s duty; åligga ngn devolve [up]on a p.; anstå ngn be fit (fitting, right) for a p.; komma på ngns lott be due to a p.; *det tillkommer inte mig att* döma it is not for me to inf.

tillkommande future; *hennes ~* subst. adj. her husband to-be

tillkomst uppkomst origin; födelse birth; tillblivelse coming into being, creation; om stat rise

tillkrånglad complicated, intricate, entangled; rörig muddled

tillkänna, *ge ~* se *tillkännage*

tillkännage meddela o.d. make...known; t.ex. avsikt signify; mer antydande intimate; mer öppet (bestämt) declare

tillkännagivande kungörelse notification, announcement; anslag notice

tillmäta tillerkänna, tillskriva ~ *ngt stor betydelse* attach great importance to a th.

tillmötesgå pers. oblige; begäran o.d. comply with; ~ *ngns önskan* meet a p.'s wishes

tillmötesgående I *adj* obliging; vard. forthcoming **II** *s* förbindlighet o.d. obligingness; välvilja courtesy

tillnamn surname; binamn byname

tillnärmelsevis approximately; *inte ~* så stor som... nothing (not anything) like...

tillplattad ...squashed flat, flattened; bildl. squashed

tillreda bereda prepare; t.ex. sallad med dressing dress; göra i ordning get...ready

tillrop call; *glada ~* joyous acclamation[s pl.]

tillryggalägga cover

tillråda råda advise; rekommendera recommend; högtidl. counsel; varnande caution

tillrådan, *på min (ngns) ~* on my (a p.'s) advice

tillrådlig advisable

tillräcklig sufficient; nog enough; ~ för ändamålet, om t.ex. kunskaper, ventilation adequate; *~t med* tid, mat sufficient (enough, mycket plenty of)...

tillräckligt sufficiently; ~ stor (tung, ofta osv.) sufficiently..., ...enough; *ha ~ mycket* mod have sufficient (enough)..., have...enough

tillräkna se *tillskriva 2*

tillräknelig om pers. responsible for one's actions end. pred.; sane; *icke ~* äv. non compos mentis lat.

tillrätta se *rätta I 1*

tillrättavisa rebuke; vard. tell...off; stark. reprimand

tillrättavisning reprimand rebuke, reproof; vard. telling-off; stark. reprimand; skrapa scolding

tills I *konj* till dess att till; du måste vara färdig *~ han kommer tillbaka* ...by the time he comes back **II** *prep* till, until; [ända] till up (down) to; *~ vidare* se *vidare 2; ~ i morgon (på torsdag)* until (till, senast by) tomorrow (Thursday); *~ när* kan den vara färdig? by when...?

tillsammans together; inalles altogether; föregånget av sifferuppgift i eng. in all; gemensamt jointly; *alla ~* all together; *~ har vi* 100 kr we have...between (om fler än två among) us

tillsats 1 tillsättande addition **2 a)** ngt inblandat added ingredient; admixture äv. bildl.; liten ~ av sprit o.d. dash; av kryddor seasoning; smak~ flavouring **b)** tillfogat stycke piece added on, addition **c)** apparat o.d. attachment [unit]

tillse se *se [till]*

tillskansa, ~ *sig* [unfairly] appropriate...[to oneself]
tillskott tillskjutet bidrag [additional (extra)] contribution; tillökning addition äv. om pers.
tillskriva 1 eg. ~ *ngn* write to a p. **2** tillerkänna ~ *ngn* en dikt (egenskap) ascribe (attribute)...to a p.; ~ *ngn förtjänsten* [*av* ngt] put the credit [for...] [up]on a p., give a p. the credit [for...]
tillskyndan, *det skedde utan min* ~ it was none of my doing
tillskärare [tailor's] cutter
tillspetsad, *en* ~ *formulering* an incisive wording
tillspillo se *spillo*
tillströmning av vatten inflow; av människor influx; rusning rush
tillstymmelse ansats suggestion; suspicion; *inte en* ~ *till* sanning, bevis not a shred (vestige) of...
tillstyrka support; *tillstyrkes!* ss. påskrift o.d. approved
tillstå bekänna confess; medge admit
1 tillstånd tillåtelse permission; godkännande sanction; bifall consent; bemyndigande authorization; skriftligt permit; tillståndsbevis licence; *ha* ~ *att* inf. have [been granted] permission (have been authorized resp. licensed) to inf.; be permitted (resp. licensed) to inf.
2 tillstånd skick state; läge condition; *i dåligt* (*gott*) ~ in bad (good) condition (illa resp. väl underhållen, isht om hus repair); *i medtaget* ~ in an exhausted state (condition)
tillståndsbevis licence
tillställning sammankomst entertainment; fest party, vard. do
tillstöta tillkomma occur; om sjukdom set in
tillsvidare se *vidare 2*
tillsvidareanställning o. **tillsvidareförordnande** post with conditional tenure
tillsyn supervision; *ha* ~ *över* supervise, superintend; barn look after
tillsynes se *syn 6*
tillsägelse 1 befallning order[s pl.]; kallelse summons; anmälan notice; begäran demand **2** tillrättavisning *få en* ~ be given a rebuke (stark. reprimand)
tillsätta 1 se *sätta* [*till*] **2** förordna appoint; besätta (befattning, plats) fill; platsen *är* (*har blivit*) *tillsatt* ...is (has been) filled
tillta se *tilltaga*
tilltag streck prank; *ett djärvt* ~ a bold venture
tilltaga increase; om t.ex. inflytande grow; utbreda sig spread
tilltagande (jfr *tilltaga*) **I** *adj* increasing osv.; ~ *storm* gathering storm **II** *s* increasing osv.; increase; growth; *vara i* ~ be on the increase, be increasing osv.
tilltagen, siffran *är för högt* (*lågt*) ~ ...is on the high (low) side, ...is too high (low); tiden *är för knappt* ~ ...is too restricted, ...has been cut too fine
tilltal address; *svara på* ~ answer when [one is] spoken to (addressed)
tilltala 1 tala till address, speak to; *den ~de* subst. adj. the person addressed (spoken to); jur. vanl. the defendant **2** behaga: isht om sak appeal to; om pers. o. sak attract, please
tilltalande attractive; om t.ex. förslag acceptable
tilltalsnamn first (given) name; *~et understrykes* please underline the most commonly used first (given) name
tilltalsord form (term) of address
tilltrasslad, *en* ~ *situation* a complicated situation
tilltro I *s* tro credit; förtroende confidence; *vinna* ~ om rykte o.d. be believed (credited) [*hos* by]; gain credence [*hos* with] **II** *tr,* ~ *ngn ngt* (*att* inf.) believe a p. capable of a th. ing-form; give a p. credit for ing-form; credit a p. with a th. ing-form; ~ *sig ngt* (*att* inf.) believe (fancy) oneself capable of a th.
tillträda egendom o.d. take over; arv come into [possession of]; ~ *tjänsten* enter [up]on one's duties
tillträde 1 inträde o.d. entrance, admission; tillåtelse att gå in admittance; ~ *förbjudet* ss. anslag No Admittance **2** tillträdande: av egendom entry; taking possession; ~ (av anställning) *snarast möjligt* duties to begin as soon as possible
tilltugg, ett glas vin *med* ~ ...with something to eat with it (with snacks)
tilltyga, ~... [*illa*] treat (handle)...roughly, knock...about; isht levande varelse äv. manhandle, maul; isht sak äv. batter; *han var så* [*illa*] *~d* att... he had been so badly knocked about (manhandled)...
tilltänkt contemplated; tillämnad intended; planerad projected; blivande future; vanl. neds. el. iron. would be; *hans ~a* his wife to be
tillvalsämne skol. optional (amer. elective) subject
tillvarataga ta hand om take care (charge) of; t.ex. mat[rester] make use of; ngns intressen: bevaka look after, skydda safeguard; utnyttja take advantage of, utilize
tillvaratagande, *~t av...* the taking care (charge) of...; jfr f.ö. *tillvarataga*
tillvaro existence; friare: liv life; *en bekymmerslös* ~ a carefree existence (life), a life of ease

tillverka manufacture; framställa produce; om maskin el. fabrik turn out
tillverkare manufacturer; friare maker; framställare producer
tillverkning fabrikation manufacture, manufacturing; friare making; produktion production; [*den är av*] *svensk ~* [it is] made in Sweden
tillverkningskostnad cost[s pl.] of production (manufacture)
tillväga se *till väga* under *väg*
tillvägagångssätt [mode of] procedure, course (line) of action
tillvänjning accustoming; beroende dependence
tillväxt growth äv. bildl.; ökning increase; skog. increment, accretion
tillväxttakt growth rate
tillåt|a I *tr* allow; uttryckligt permit; ej hindra, finna sig i suffer; gå med på consent to; *tillåt mig att ställa en fråga* let me (allow me to) ask you a question; *om ni -er* if you will allow (permit) me; *om vädret -er* weather permitting **II** *rfl, ~ sig* permit (allow) oneself; unna sig [att njuta av] indulge in [the luxury of]; *~ sig* ta sig friheten *att* inf. take the liberty to inf. (of ing-form) inf.
tillåtelse uttrycklig permission; isht om självtagen leave; *be om ~ att* inf. ask permission (leave) to inf.; ask (beg) to be allowed to inf.
tillåten allowed, permitted; laglig lawful
tillåtlig allowable, permissible
tillägg addition; tillagd (skriftlig) anmärkning addend|um (pl. -a); supplement supplement; pris~ extra (additional) charge, extra; järnv. excess (extra) fare; löne~ (ökning) increase (rise), increment
tillägga tillfoga add
tilläggsavgift surcharge, extra fee
tilläggspension, *allmän ~* (förk. *ATP*) supplementary pension
tilläggsporto surcharge, excess postage
tillägna I *tr, ~ ngn* en bok o.d. dedicate...to a p. **II** *rfl, ~ sig* **a)** förvärva acquire; med lätthet pick up; tillgodogöra sig assimilate, take in **b)** lägga sig till med: med orätt appropriate; med våld seize [upon]
tillägnan dedication
tillämpa apply; t.ex. sin erfarenhet bring...to bear; praktiskt ~ put...into practice; regeln *kan ~s* äv. ...is applicable [*på* to]; *~d matematik* (*kemi* etc.) applied mathematics (chemistry etc.)
tillämplig applicable; *vara ~ på...* om regel o.d. äv. apply to...
tillämpning application; *ha* (*äga*) [*sin*] *~* be applicable [*på* to]
tillökning tillökande increasing; förstorande enlarging; enlargement äv. konkr.; påökning increase; tillskott addition; *vänta ~* [*i familjen*] be expecting an addition to the family
tillönska wish
tillönskan wish; *med ~ om* lycklig resa o.d. best wishes for...
tillövers se [*till*] *övers*
timförtjänst hourly earnings
timglas hourglass
timid timid
timjan bot. el. kok. thyme
timlärare non-permanent teacher [paid on an hourly basis]
timlön hourly wage[s pl.], wages pl. [paid] by the (per) hour
timma o. **timme** hour äv. bildl.; skol. (i undervisningsplan) period; jfr äv. motsv. ex. under *minut 1; ~n T* zero hour, H-hour; vänta *i* [*flera*] *timmar* ...for [several] hours, ...for hours and hours
timmer timber; amer. lumber
timmeravverkning [timber] felling; amer. äv. lumbering
timmerflottning log-driving
timmerhuggare [timber] feller
timmerman pers. carpenter
timmerstock log; *dra ~ar* snarka be driving one's hogs to market
timotej bot. timothy [grass]
timpenning se *timlön*
timplan timetable
timra I *tr, ~* [*ihop* (*upp*)] eg. build (construct) [...of logs (out of timber)]; bildl. construct **II** *itr* carpenter
timslång hour-long, ...lasting an hour
timtals i timmar for hours [together]
timvisare hour (small) hand
tina, *~* [*upp*] thaw [out] äv. om djupfrysta varor el. bildl.; smälta melt
tindra twinkle; gnistra sparkle
1 ting 1 domstolssammanträde [district-court] sessions **2** hist. thing
2 ting sak thing; *en del saker och ~* a number of things
tinga, *~* [*på*] order [...in advance], bespeak; reservera reserve, book; pers. engage
tingest thing; föremål object; manick contraption
tingshus [district] court house
tingsrätt jur. district (i vissa städer city) court
tinne pinnacle; *tinnar och torn* towers and pinnacles
tinning temple
tio ten; jfr *fem; ~ i topp* [the] top ten
tiodubbel tenfold; jfr *femdubbel*
tiokamp sport. decathlon
tiokrona ten-krona piece
tionde I *räkn* tenth; **II** *s* tithes pl.
tiondedel o. **tiondel** tenth [part]; jfr *femtedel*

tiotal ten; ~ *och hundratal* tens and hundreds
tiotusentals, ~ människor tens of thousands of... (subst. i pl.)
tioöring hist. ten-öre piece
1 tipp spets tip
2 tipp 1 avstjälpningsplats dump, refuse (amer. garbage) dump **2** avstjälpningsanordning tipping device
1 tippa I *tr* stjälpa (äv. ~ *ut*) tip **II** *itr* (äv. ~ *över*) tip (tilt) [over]
2 tippa 1 förutsäga tip; *jag ~r att han vinner* I tip him to win (as the winner) **2** med tipskupong do the [football] pools, fill in a [football] pools coupon
1 tippning avstjälpning tipping
2 tippning fotbolls~ doing the [football] pools
tips 1 upplysning tip; förslag suggestion; *ge ngn ett* (*några*) ~ give a p. a tip **2** *vinna på* ~ [*et*] win on the [football] pools
tipsa vard. ~ *ngn om ngt* tip a p. [off] about a th., give a p. a tip (tip-off) about a th.
tipskupong [football] pools coupon
tipsrad line on a (resp. the) [football] pools coupon
tirad tirade
tisdag Tuesday; jfr *fredag* o. sms.
tissel, ~ *och tassel* viskande whispering; hemlighetsmakeri hush-hush; skvaller tittle-tattle
tissla, ~ *och tassla* viska whisper
tistel bot. thistle
titel person~ title; ekon. heading
titelblad title page
titelroll title role
titelsida title page
1 titt, ~ *och tätt* (*ofta*) frequently, repeatedly, time and again
2 titt 1 blick look; hastig glance; i smyg peep; *ta* [*sig*] *en ~ på...* have (take) a look osv. at... **2** kort besök call; *tack för ~en!* ung. it was kind of you to look me up!
titta (för tillämpliga ex. se äv. *se*) **I** *itr* look; ta en titt have a look; kika peep; flyktigt glance; oavvänt gaze; ~ [*själv*]*!* look [for yourself]!
II med beton. part.
~ **efter** se *se* [*efter*] under *se III*
~ **fram** kika fram peep out (forth); synas show
~ **igenom** look (flyktigt glance) through
~ **in** komma in [och hälsa på] look (drop) in, come round and see...; gå in call in
~ **till** se *se* [*efter*] under *se III*
~ **ut:** ~ *ut ngn* närgånget glo på ngn stare a p. up and down
~ **över** *till oss* någon gång come (call) round [and see us]...
tittare TV-tittare viewer
tittarstorm TV. storm of protest[s] from televiewers (TV viewers)
titthål peep hole
tittut, *leka* ~ play peekaboo (peep-bo)
titulera style, call; ~ *ngn* professor äv. address a p. as...
tivoli amusement park, amer. äv. carnival
tja well!
tjafs prat drivel; strunt rubbish; fjant fuss
tjafsa prata talk drivel (tommy rot); fjanta fuss
tjalla skvallra tell tales; om angivare squeal, snitch, shop
tjallare angivare squealer, snitcher
tjat nagging; continual (persistent) asking; harping; jfr *tjata*
tjata gnata nag; ~ *på ngn om ngt* ständigt (envist) be el. tigga om [att få] ngt continually (persistently) ask a p. for a th.; ~ *sig till ngt* get a th. by continually (persistently) asking for it
tjatig 1 gnatig nagging; *hon är så* ~ she is always nagging (going on) **2** långtråkig boring, tedious
tjattra jabber
tjeck Czech
tjeckisk Czech
tjeckiska 1 kvinna Czech woman **2** språk Czech
Tjeckoslovakien hist. Czechoslovakia
tjej vard. girl, mera vard. chick
tjock thick ej om pers.; om pers. samt om sak i bet. 'kraftig' stout, fet fat, knubbig chubby; tät, t.ex. skog, rök dense; ~ *och fet* stout, fat; *hela ~a släkten* all the relations; skämts. the whole clan
tjocka fog
tjockflytande viscous
tjockis fatty
tjocklek thickness; *...av två tums* ~ ...two inches thick (in thickness)
tjockolja heavy (viscous) oil
tjockskalle vard. fathead
tjockskallig vard. thick-headed; friare dense
tjocktarm large intestine
tjog score
tjogtals, ~ [*med*] *ägg* scores of... (subst. i pl.)
tjudra tether; ~ *fast* tether up [*vid* to]
tjugo twenty
tjugohundratalet the twenty-first century; jfr *femtonhundratalet*
tjugokronorssedel twenty-krona note
tjugonde twentieth; jfr *femte*
tjugondedel twentieth [part]; jfr *femtedel*
tjur zool. bull; *ta ~en vid hornen* bildl. take the bull by the horns
tjura sulk, have the sulks
tjurfäktare bullfighter
tjurfäktning tjurfäktande bullfighting; *en* ~ a bullfight
tjurig sulky; *vara* ~ äv. have the sulks, be in a sulk

tjurskalle vard. obstinate (pig-headed) person, mule
tjurskallig pig-headed
tjusa poet. charm; friare fascinate
tjusig charming
tjuskraft charm
tjusning charm; fascination; *fartens* ~ the fascination of speed
tjut tjutande howling; vrålande roaring; *ett* ~ a howl, a roar
tjuta howl; vråla roar; om mistlur hoot; gråta cry; ~ *av skratt* howl (shriek) with laughter
tjuv thie|f (pl. -ves); inbrottstjuv burglar, isht på dagen housebreaker
tjuvaktig thieving...; *han är* ~ he is inclined to thieve (steal)
tjuvfiske fish poaching
tjuvgods koll. stolen property (goods pl.)
tjuvknep bildl. dirty trick
tjuvkoppla bil. jumper; vard. hot-wire
tjuvlarm burglar alarm
tjuvlyssna eavesdrop
tjuvnyp, *ge ngn ett* ~ bildl. have a [sly] dig at a p.
tjuvpojke [young] rogue, [young] rascal, scapegrace
tjuvskytt [game] poacher
tjuvskytte [game] poaching
tjuvstart sport. false start
tjuvtitta, ~ *i* en bok (tidning) take a look into (have a peep at)...on the sly
tjuvåka steal a ride; på t.ex. tunnelbanan dodge paying one's fare
tjäder capercaillie, great (wood) grouse
tjäle frost in the ground
tjällossning [the] breaking up of the frost in the ground; *i ~en* when the ground is thawing
tjälskada trafik. frost damage
tjälskott hål o.d. pot-hole [due to frost]; ~ pl. upphöjningar frost heave sg.
tjäna I *tr* o. *itr* **1** förtjäna earn; mera allm. make; *han ~r bra* he earns (makes) a lot [of money]; *hon ~r 9000 i månaden* she earns 9,000 a month; ~ *pengar på* t.ex. affären make a profit on...; utnyttja, slå mynt av cash in on: *vi ~de en timme på att ta bilen* we gained (saved) an hour by taking the car **2** göra tjänst [åt] serve; ~ *som* (*till*)... t.ex. förebild, ursäkt serve as...; t.ex. bostad, föda äv. do duty as (i stället för for)...; *det ~r ingenting till att du går dit* it's no use (there's no point in) your (vard. you) going there
II med beton. part.
~ **ihop** en summa save up...out of one's earnings
~ **in:** ~ *in sina utlägg* recover (clear) one's expenses
~ **ut:** den här rocken *har ~t ut* ...has seen its best days, ...has done good service
tjänare I *s* allm. servant **II** *interj* hej! hallo!, amer. hi [there]!; hej då! bye-bye!, cheerio!
tjänarinna åld. [maid] servant
tjänlig passande suitable; användbar serviceable; *inte* ~ *som människoföda* äv. not fit for (unfit for) human food; *vid* ~ *väderlek* when (utifall in case) the weather is suitable
tjänst service; plats place; befattning post; isht stats~ appointment; ämbete office; prästerlig charge, ministry; *ta ngn i sin* ~ engage (take on, employ) a p.; *vara i* ~ be on duty; *inte vara i* ~ be off duty; *be ngn om en* ~ ask a p. a favour, ask a favour of a p.
tjänstebil official car, car for official use; bolags company (firm's etc.) car
tjänstebostad våning flat (apartment, hus house) attached to one's post (job); högre ämbetsmans official residence
tjänstebrev post. official matter (mail), amer. äv. penalty mail; mots. privatbrev official letter
tjänstefel breach of duty, [official] misconduct; mil. service irregularity; ämbetsbrott malpractice
tjänsteflicka servant [girl], maid; amer. äv. hired girl
tjänstefolk servants
tjänsteman statlig civil servant; i enskild tjänst [salaried] employee; kontorist clerk; *Tjänstemännens Centralorganisation* (förk. *TCO*) The Swedish Central Organization of Salaried Employees
tjänstepension occupational (service) pension
tjänsteplikt 1 plikt i tjänsten official duty **2** plikt att göra tjänst compulsory [national] service
tjänsteresa i statstjänst official journey; affärsresa business journey (trip)
tjänsterum office
tjänsteutövning, våld mot polisman *i hans* ~ ...during the exercise of his duties
tjänsteår year of service
tjänsteärende official matter (business end. sg.); *vara ute på* ~ be on official business
tjänstgöra serve; isht kyrkl. el. sport. officiate; vara i tjänst be on duty; *han tjänstgjorde* många år som... he worked (isht mil. o.d. served)...
tjänstgörande ...on duty isht mil. o.d.; ...in charge
tjänstgöring duty; arbete work; *~en* omfattar... äv. the duties (pl.)...; *ha* ~ be on duty; *efter 5 års* ~ *som lärare* after five years' service as a teacher
tjänstgöringsbetyg testimonial, se vid. *betyg 1*

tjänstgöringstid 1 [daglig] arbetstid hours pl. of duty **2** anställningstid period of service
tjänstledig, *vara ~* be on leave [of absence]; *ta ~t* take leave
tjänstledighet leave of absence
tjänstvillig obliging, willing to help
tjära tar
tjärn small lake
tjärpapp takpapp [tarred] roofing felt
T-korsning trafik. T-junction
toa vard. *gå på ~* go to the lav (loo, isht amer. john); se äv. *toalett 1*
toalett 1 rum lavatory, amer. ofta bathroom; wc toilet, WC; på restaurang o.d. cloakroom, amer. washroom; isht dam~ rest room; offentlig public convenience, amer. comfort station; *gå på ~en* go to the lavatory etc.; se ovan **2** klädsel dress, toilet
toalettartikel toilet requisite; *toalettartiklar* äv. toiletries
toalettbord dressing (toilet) table; amer. dresser
toalettpapper toilet paper
toalettrum lavatory; jfr *toalett 1*
toalettsaker toilet requisites
toalettstol toilet, water closet
toalettväska toilet (vanity) bag (case); finare nécessaire fr.
tobak tobacco äv. bot.; vard. baccy
tobaksaffär butik tobacconist's [shop]; amer. äv. cigarstore
tobakshandlare detaljist tobacconist
tobaksrök tobacco smoke
tobaksvaror tobacco; koll. tobacco goods
toddy toddy
toffel slipper
toffelhjälte henpecked husband
tofs tuft; på möbler tassel
tofsmes zool. crested tit (titmouse (pl. titmice))
tofsvipa zool. lapwing
toft sjö. thwart
toga toga
tok 1 pers. fool, idiot **2** *gå* (*vara*) *på ~* galet go (be) wrong [*för, med* with]; *det är på ~* alldeles *för många* there are far too many
toka fool of a woman (resp. girl)
tokeri dumhet nonsense, folly
tokig mad osv.; dum foolish; löjlig ridiculous; tokrolig funny, comic[al]; *inte så ~* not [too] bad, pretty good
tokigt 1 madly osv., jfr *tokig* **2** se *galet*
tokrolig funny
tokstolle galenpanna madcap; *din ~!* [you] silly!
tolerans tolerance äv. tekn. el. med.
tolerant tolerant
tolerera tolerate, put up with
tolfte twelfth; jfr *femte*
tolftedel twelfth [part]; jfr *femtedel*
tolk pers. interpreter; *göra sig till ~ för* uttrycka (t.ex. känslor) voice, give voice to; förfäkta (t.ex. en åsikt) advocate
tolka som tolk interpret; tyda construe; återge render; översätta translate; uttrycka express, voice; talet *~des på svenska* ...was rendered (translated) into Swedish
tolkning tolkande interpreting osv., jfr *tolka;* interpretation; version version
tolv twelve; *klockan ~ på dagen* (*natten*) vanl. at noon (midnight); jfr *fem*[*ton*] o. sms.
tolva twelve; jfr f.ö. *femma*
tolvfingertarm anat. duodenum; *sår på ~en* duodenal ulcer
tolvtiden, *vid ~* about twelve etc., jfr *femtiden;* about noon; om natten about midnight
tom empty äv. bildl. (om t.ex. löften, fraser); meningslös idle; *~ma sidor* blank pages; *en ~ stol* a vacant chair
t.o.m. förk., se *till I 11*
tomat tomato
tomatjuice tomato juice
tomatketchup tomato ketchup
tomatpuré tomato paste (purée)
tomatsås tomato sauce
tombola tombola
tombutelj o. **tomflaska** empty bottle
tomglas tombutelj empty bottle (koll. bottles pl.)
tomgång motor. idling; bilen *går på ~* ...is idling (ticking over); arbetet *går på ~* ...is ticking over
tomhet emptiness, vacancy
tomhänt empty-handed
tomrum ej utfylld plats vacant space (mera avgränsat place); tomhet o.d. void, vacuity; mellanrum, lucka gap; t.ex. på en blankett blank space; fys. vacuum
tomt obebyggd building site, site [for building], piece of land (ground), mindre plot [of land], isht amer. lot; kring villa o.d. garden, större grounds
tomte 1 hustomte ung. brownie **2** se *jultomte*
1 ton vikt metric ton; eng. motsv. (1016 kg) ton
2 ton mus. m.m. tone äv. bildl.; om viss ton note; *hålla ~en* keep in tune; *tala i* (*använda*) *en annan ~* el. *ändra ~*[*en*] change one's tune; *slå ner* (*sänk*) *~en!* don't take that tone [of voice] with me!; *det hör till god ~* it is good form (manners)
tona I *itr* ljuda sound, ring; *~ bort* förklinga die away; *~ fram* framträda tydligare emerge, loom båda äv. bildl. **II** *tr* ge färgton åt tone; håret tint; *~ bort* ljud, bild (i radio o. TV) fade out; *~ ner* bildl. tone (play) down, defuse
tonande ljudande sounding; fonet. voiced
tonart mus. key
tonfall intonation, tone [of voice]

tonfisk tunny [fish] (pl. tuna el. tunas), tuna fish
tongivande bildl. *vara ~* set the tone (fashion)
tongång mus. progression, succession of notes (tones); *kända ~ar* familiar strains äv. bildl.
tonhöjd mus. [musical] pitch
toning toning; av hår tinting; preparat för hårtoning rinse
tonläge tonhöjd pitch
tonlös fonet. voiceless
tonnage tonnage i olika bet.
tonsill anat. tonsil
tonsteg tone, step (degree) [of a scale]
tonsäker, *vara ~* have an infallible sense of pitch
tonsätta set...to music
tonsättare composer
tonvikt stress; bildl. vanl. emphasis; *lägga ~[en] på* stress, put [the] stress on, emphasize äv. bildl.
tonåren, en flicka *i ~* ...in her teens
tonåring teenager
topas miner. topaz
topless topless
topografi topography
1 topp done!, it's a bargain!
2 topp 1 top; krön, övre kant crest; spets pinnacle; *~arna inom* politiken, societeten the leading (top-ranking) figures in...; vard. the bigwigs of...; *beväpnad från ~ till tå* armed from head to foot; *hissa flaggan i ~* run up the flag [sjö. to the masthead]; *med flaggan i ~* with the flag aloft (sjö. at the masthead); bildl. with all flags flying; *tio i ~* the top ten; *vara (stå) på ~en av sin kraft* be at the summit of one's power **2** plagg top
toppa 1 ta av toppen på top **2** stå överst på (t.ex. lista) top
toppfart top speed
toppform, *vara i ~* be in top form, be fighting fit
topphastighet top speed
topphemlig, *vara ~* be top secret
toppig spetsig pointed; konisk conical
toppkonferens summit (top-level) conference
toppkraft person person of top calibre (of great ability)
toppluva knitted (woollen) cap
topplån last mortgage loan
toppmodern ultramodern
toppmöte summit (top-level) meeting
toppnotering 1 toppkurs top (peak) rate **2** toppris top price
topprestation top (record) performance, record achievement
topprida bully; svag. come it over
Tor mytol. Thor
tordas se *töras*
torde 1 uttr. uppmaning will, hövligare will please; *ni ~ observera* you will (behagade will please el. will kindly, anmodas are requested to, bör should) observe **2** uttr. förmodan probably; *det ~ finnas* många som... there are probably...
tordyvel zool. dor[-beetle], dung beetle
tordön thunder
torftig enkel plain; fattig poor; t.ex. om omständigheter needy; ynklig threadbare; knapp, skral scanty; luggsliten shabby; *~a kunskaper* scanty knowledge sg.
torg 1 salu~ market place; *gå på (till) ~et* för att handla go to [the] market **2** öppen plats i stad square
torgföra 1 saluföra offer...for sale [in the market] **2** bildl. trot out
torggumma market woman
torghandel market trade, marketing
torgskräck psykol. agoraphobia, dread of open spaces
torgstånd market stall
tork 1 apparat drier, dryer **2** *hänga [ut] på (till) ~* hang...out to dry (to get dry)
torka I *s* [spell of] drought; bildl. drought **II** *tr* **1** göra torr dry; luft~ air[-dry]; sol~ sun-dry; med en sudd o.d. mop; *~ ansiktet* dry (wipe, mop) one's face; *~ disk[en]* dry (wipe) the dishes **2** torka (stryka) bort *~ dammet av (från) bordet* wipe the dust off (damma dust) the table **III** *itr* bli torr dry, get dry (parched) **IV** *rfl, ~ sig* dry oneself; torka av sig wipe oneself [dry]
V med beton. part.
~ **av a)** ~ ren: t.ex. fötterna wipe; glasögon äv. clean; damma av dust **b)** ~ bort: damm wipe off; *~ av dammet på (från) ngt* wipe the dust off a th.
~ **bort** fläck o.d. wipe (gnida rub) off; *~ bort en tår* dry (brush) away a tear
~ **in** itr. a) om färg o.d. dry (get dried) up b) bildl., vard. come to nothing, not come off, be washed out
~ **upp** a) tr. wipe (mop) up b) itr. dry up
~ **ut** om flod etc. dry up
torkarblad bil. wiper blade
torkhuv hood hair drier
torkning drying osv., jfr *torka II*
torkrum drying room (chamber)
torkskåp för tvätt drying (airing) cupboard; kem. desiccator [cabinet]
torkställ för disk plate rack; foto. drying frame
torktumlare tumble-drier
torn tower; spetsigt kyrk~ steeple; klock~ belfry; mil. turret; schack. rook
torna, *~ upp* pile up
tornado tornado (pl. -es el. -s)
tornering o. **tornerspel** hist. tournament
tornspira spire; spetsigt kyrktorn steeple

tornsvala zool. [common] swift
tornur tower clock
torp crofter's holding (torpstuga cottage); sommar~ little summer cottage (house)
torpare crofter
torped torpedo
torpedbåt torpedo boat (förk. TB)
torpedera torpedo äv. bildl.
torr dry äv. bildl. samt om vin; om jord: uttorkad parched, ofruktbar arid; om klimat torrid; om växter, löv o.d. vanl. withered; *~a fakta* äv. plain facts; *~ humor* dry (wry) humour; *på ~a land* on dry land; *han är inte ~ bakom öronen* he is wet behind the ears, he is very green; *vara ~ i halsen* törstig feel like a drink
torrboll vard. dry stick, bore
torrdocka dry dock
torrjäst dry yeast
torrlägga drain; för att utvinna ny mark reclaim; bildl., vard. make...dry
torrläggning drainage; reclamation
torrmjölk powdered (dried) milk
torrskodd dry-shod
torrt drily; *förvaras ~* vanl. to be stored in a dry place; *koka ~* boil dry
torsdag Thursday; jfr *fredag* o. sms.
torsk 1 cod (pl. lika), codfish **2** sl., kund hos prostituerad John
torska vard., åka fast be (get) nailed; sport. lose
torso torso (pl. -s)
tortera torture
tortyr torture äv. friare
tortyrredskap implement (instrument) of torture
torv 1 geol. peat; *ta upp ~* dig [out] peat[s] **2** grästorv sod
torva grästorva [piece (sod) of] turf
torvmosse peat moss (bog)
torvtak turf roof
tota vard. *~ ihop (till)* (knåpa ihop) t.ex. ett brev patch (put) together [some sort of]...
total total
totalförbjuda totally prohibit
totalförbud total prohibition
totalförstöra wreck...completely
totalförsvar total (overall) defence
totalintryck total (allmänt intryck general) impression
totalitär totalitarian
totalvägra att göra militärtjänst refuse unconditionally (strictly) to do military service
totempåle totem [pole]
toto 1 vard., totalisator tote **2** barnspr., häst gee-gee
touche beröring tap; anstrykning, konst. el. fäktn. touch
toupé liten peruk toupee
tova I *s* twisted (tangled) knot **II** *rfl, ~ [ihop] sig* become tangled
tovig tangled
tradig vard., långtråkig boring
tradition tradition; *enligt gammal ~* by (in accordance with) [an] ancient tradition
traditionell traditional
trafik traffic äv. friare ([olaga] hantering); som bedrivs av trafikföretag service; *tung ~* tunga fordon heavy vehicles pl.; *mitt i värsta ~en* in the very thick of the traffic; *sätta i ~* put into service; *ta ur (i) ~* take out of (put into) service
trafikant vägtrafikant road-user; passagerare passenger
trafikdöd, *~en* death on the roads (in road accidents)
trafikera en bana, rutt o.d.: om resande use; om trafikföretag work, operate; om buss o.d. run on, ply; *en livligt (starkt, hårt) ~d gata* a busy street, a street crowded with traffic
trafikfara danger to [other] traffic (on the roads)
trafikfarlig ...that is a danger to traffic
trafikflyg flygväsen civil aviation; flygtrafik air services
trafikflygplan passenger plane; större air liner
trafikförseelse traffic offence
trafikförsäkring third party [liability] insurance
trafikkaos chaos on the roads; stockning snarl-up
trafikkort heavy-vehicle licence
trafikled traffic route
trafikljus traffic lights
trafikmärke road (traffic) sign
trafikolycka traffic accident
trafikpolis avdelning traffic police; polisman traffic policeman
trafikregel traffic regulation
trafiksignal traffic signal (light)
trafikskola se *bilskola*
trafikstockning traffic jam
trafikstopp stoppage (hold-up) in the traffic
trafikvakt traffic warden
trafikvett traffic sense; *ha ~* äv. be road-minded
trafikövervakare traffic warden
trafikövervakning traffic control
tragedi tragedy äv. litt.
traggla vard. **1** tjata go on **2** knoga *~ med ngn* cram a p.
tragik tragisk händelse o.d. tragedy
tragikomisk tragicomic[al]
tragisk tragic
trailer släpvagn el. film. trailer
trakassera ansätta harass, pester; förfölja persecute

trakasseri, ~[*er*] harassment, pestering, badgering, persecution (samtl. sg.)
trakt område district; region region; grannskap neighbourhood; *i ~en av Siljan* (*hjärtat*) in the neighbourhood of Siljan (the region of the heart); *här i ~en* äv. in these parts, round about here, hereabouts
traktamente allowance for expenses, subsistence allowance
traktat fördrag treaty; skrift tract
traktera 1 *inte vara vidare ~d av...* not be particularly pleased by... **2** spela på (instrument o.d.): play; blåsa blow
traktor tractor; bandtraktor caterpillar
1 trall spjälgaller duckboards
2 trall mus. tune; *den gamla* [*vanliga*] *~en* bildl. the same old routine
1 tralla trolley
2 tralla mus. warble, troll; sjunga sing
trampa I *tr* o. *itr* kliva omkring tramp; trycka ned (med foten) tread; ivrigt o. upprepat trample äv. bildl.; stampa stamp; *~ sin cykel* uppför backen pedal one's cycle...; ~ ngt *i smutsen* bildl. trample...in the dirt; *~ gasen i botten* vard. step on the accelerator (vard. the gas)
II med beton. part.
~ **ihjäl** trample...to death
~ **ned** gräs o.d. trample [down]...
~ **sönder** i bitar tread...to pieces
~ **upp** en stig i gräset tread..., wear...
~ **ur** motor. declutch
~ **ut** skor stretch...
III *s* cykel~ o.d. pedal; vävstols~ treadle
trampbil för barn pedal car
trampdyna pad
trampolin fast hoppställning för simhopp highboard; gymn. springboard
trams nonsense, rot
tramsa vard. be silly; prata strunt talk drivel
trana zool. crane
tranbär cranberry
tranchera carve
trans trance; *försätta...i ~* send...into a trance
transaktion transaction
transfer transfer
transformator transformer
transfusion blod~ blood transfusion
transistor transistor; vard., ~radio tranny
transistorradio transistor radio; vard. tranny
transit transit
transithall flyg. transit (departure) hall
transitiv språkv. transitive
transkribera transcribe
translator translator
transmission tekn. el. data. transmission; meteor. äv. transmittance
transparang transparency
transparent transparent
transpiration perspiration; bot. transpiration
transpirera perspire; bot. transpire
transplantation transplantation; enstaka transplant; av hud grafting; enstaka graft
transplantera transplant; hud graft
transponering mus. transposition
transport 1 frakt transport, isht amer. transportation; freight; shipment äv. konkr. (försändelse, last); jfr *transportera 1;* konvoj convoy; *under ~en* äv. in [course of] transit **2** hand., från föreg. (resp. till nästa) sida el. kolumn [amount] brought (resp. [amount] carried) forward
transportarbetare transport worker
transportband conveyor belt
transportera 1 frakta transport, till sjöss el. isht amer. freight, ship; på landsväg el. järnv. äv. haul; sända forward; flytta move **2** hand., belopp (vid bokföring) bring (resp. carry, jfr *transport 2*)...forward
transportföretag firm of haulage
transportmedel means (pl. lika) of transport
transsexuell transsexual
transsibirisk trans-Siberian
transvestit transvestite
trapets 1 gymn. trapeze **2** geom. trapezi|um (pl. -ums el. -a); amer. trapezoid
trappa I *s* stairs; isht utomhus steps; inomhus: bredare el. isht amer. stairway; *en ~* a flight of stairs (resp. steps); bo *en ~ upp* ...on the first (amer. second) floor **II** *itr, ~ ned* de-escalate, phase out; t.ex. konflikt äv. defuse, play down
trappavsats inomhus landing
trapphus stairwell
trappräcke [staircase] banisters
trappsteg step äv. bildl.
trappstege stepladder
trappuppgång staircase, stairs; *i ~en* on the stairs
tras|a I *s* **1** trasigt tygstycke rag äv. vard. om plagg; remsa shred; *i -or* sönderriven, äv. torn to rags; *känna sig som en ~* feel washed out **2** se *dammtrasa* o. *skurtrasa* **II** *itr, ~ sönder* tear...[in]to rags (shreds äv. bildl.)
trasdocka rag doll
trashank ragamuffin
trasig 1 söndertrasad ragged äv. bildl.; tattered; sönderriven torn; fransig frayed **2** sönderbruten broken; *vara ~* i bitar be in pieces (itu in two) **3** i olag ...out of order
traska lunka trot, jog; mödosamt trudge
trasmatta rag-mat; större rag-rug
trassel 1 bomulls~ cotton waste **2** oreda tangle äv. mera konkr., muddle; förvirring confusion; besvär trouble; komplikationer complications; *ställa till ~* make a muddle, cause a confusion (resp. a lot of trouble resp. complications); bråka kick up a fuss

trasselsudd ball of cotton waste
trassera hand. draw
trassla I *itr* se [*ställa till*] *trassel* **II** *rfl,* ~ *sig* om t.ex. tråd get entangled
III med beton. part.
~ **ihop sig:** garnet *har* ~*t ihop sig* ...has got all tangled [up]
~ **in sig** get oneself entangled; bildl. äv. entangle oneself
~ **till** get...into a tangle, entangle; bildl. muddle; ~ *till sina affärer* get one's finances into a mess (muddle); *det bara* ~*r till saken att* inf. it just confuses the issue to inf.
trasslig tangled; friare muddled, confused; *han har* ~*a affärer* his finances are [rather] shaky
trast zool. thrush
tratt funnel; tekn. äv. hopper
tratta, ~ *i ngn ngt* stuff a p. with a th.
trattformig funnel-shaped
trauma psykol. trauma (pl. -ta el. -s)
trav trot; travande el. travsport trotting; rida *i* ~ ...at a trot; *falla i* ~ fall into a trot; *hjälpa ngn på* ~*en* put a p. on the right track
1 trava stapla ~ [*upp*] pile (stack) up
2 trava trot; *komma* ~*nde* vard. come trotting (traipsing) along
travbana trotting track (course)
trave av böcker pile, stack båda med of framför följ. best.
travers overhead [travelling] crane
travestera travesty
travesti travesty
travhäst trotter, trotting horse
travsport trotting
travtävling trotting race
tre three; jfr *fem* o. sms.
tre- i sms. jfr äv. *fem-*
trea 1 three; ~*n*[*s växel*] third, [the] third gear; jfr *femma* **2** vard. *en* ~*a* trerumslägenhet a three-room flat (apartment)
tredimensionell three-dimensional
tredje third (förk. 3rd); *den* ~ *från slutet* the last but two; *för det* ~ in the third place; vid uppräkning thirdly; ~ *man* jur. el. friare [vanl. a] third party; ~ *världen* the Third World; jfr *femte* o. *andra* med sms.
tredjedel third [part]; jfr *femtedel*
tredskas be refractory
tredubbel tre gånger så stor o.d. vanl. treble; i tre skikt o.d. vanl. triple; trefaldig threefold; *betala tredubbla priset* (*det tredubbla*) pay treble (three times) the price (amount)
tredubbla treble; ~*s* treble
treenighet, ~*en* teol. the Trinity
trefaldighet 1 trinity **2** helgdag Trinity Sunday
trefasig three-phase...
trefjärdedelstakt mus. three-four time
trefot tripod
treglasfönster triple-glazed window
trehjuling three-wheeler; cykel tricycle; bil tricar
trekant triangle
trekantig triangular
treklang mus. triad
treklöver three-leaf clover; bildl. trio (pl. -s)
trekvart 1 three quarters; ~[*s timme*] three quarters of an hour **2** *vara på* ~ vard. be half seas over
trema diaeres|is (pl. -es)
trenchcoat trench coat
trend trend; *bryta* ~*en* break the trend
trendig vard. trendy
trepunktsbälte i bil lap-diagonal belt
trerummare o. **trerumslägenhet** three-room[ed] flat (apartment)
trestegshopp sport. triple jump; förr hop
trestegsraket three-stage rocket
trestjärnig three-star...
trestämmig mus. ...for three voices, three-voice
tretakt mus. triple time
trettio thirty
trettionde thirtieth; jfr *femte*
trettioårig, ~*a kriget* the Thirty Years' War; jfr äv. *femårig*
tretton thirteen; *det går* ~ *på dussinet* they are ten (two) a penny; jfr äv. *fem*[*ton*] o. sms.
trettondagen [the] Epiphany
trettondagsafton, ~[*en*] the Eve of Epiphany, Twelfth Night
trettonde thirteenth; jfr *femte*
treva I *itr* grope [about] **II** *rfl,* ~ *sig fram* grope (fumble) one's way [along]
trevande, ~ *försök* fumbling (tentative) effort
trevare feeler; *skicka ut en* ~ throw out a feeler
trevlig nice; glad o. munter jolly; angenäm pleasant; rolig enjoyable; sympatisk attractive; vänlig genial; *en* ~ *flicka* a nice [sort of] girl; *det var just* ~*t* (*en* ~ *historia*)! a nice story (business) [and no mistake]!
trevnad comfort [and well-being]; trivsamhet cosy atmosphere
triangel triangle äv. mus.
triangeldrama bildl. domestic triangle
triangulär triangular, triangulate
tribun estrad o.d. platform
tribunal tribunal
tribut tribute
1 trick kortsp. odd trick
2 trick knep trick; jfr *knep*
trickfilm trick film
trikin zool. trichin|a (pl. -ae)
trikå 1 tyg tricot fr.; stockinet **2** ~*er* plagg tights; hudfärgade äv. fleshings
trikåvaror hosiery, knitted goods, knitwear

triljon trillion; amer. quintillion
trilla rulla roll; ramla tumble; falla fall; ~ *dit* land (get) into trouble
trilling triplet
trilogi litt. trilogy
trilsk enveten, egensinnig wilful; omedgörlig cussed, intractable; motspänstig stubborn; tredsk refractory
trilskas vara trilsk be wilful etc., jfr *trilsk*
trim trim; *vara* (*hålla sig*) *i god* ~ be (keep) in good (proper) trim
trimma sjö. el. om putsning av hund trim; träna get...into trim; ~ *in* den nya organisationen get...into shape; ~ [*upp*] *en motor* tune (vard. soup) up an engine
trimning trim; trimmande trimming etc., jfr *trimma*
trind round[-shaped]; knubbig chubby
trio trio (pl. -s) äv. mus.
tripp 1 kortare resa [short] trip; *ta sig* (*göra*) *en* ~ *till...* go for a trip to... **2** vard., narkotikarus trip
trippa trip (go tripping) along; affekterat walk along with mincing steps
trippelvaccin triple vaccine; vaccine against diphtheria, tetanus and whooping cough
trippmätare bil. o.d. trip [distance] meter (recorder)
trissa I *s* trundle; tekn. pulley; på möbel castor, caster **II** *itr,* ~ *upp priset* force up the price
trist dyster gloomy; om förhållanden o.d. dreary; glädjelös cheerless; sorglig sad
tristess gloominess etc., jfr *trist;* melancholy
triumf triumph
triumfbåge triumphal arch
triumfera triumph; jubla exult
triumferande triumphant; jublande exultant; skadeglad gloating
triumftåg triumphal procession (bildl. march)
triv|as känna sig lycklig be (feel) happy; känna sig som hemma feel at home; ha det bra get on well; frodas thrive; blomstra flourish; *jag -s alldeles utmärkt här* I'm having such a wonderful time here, I feel so very much at home here; *han -s inte i* Sverige he isn't happy (is unhappy) in..., he doesn't like [being (living) in]...
trivial trivial; utsliten, utnött (om uttryck o.d.) commonplace
trivialitet triviality
trivsam pleasant äv. om pers.
trivsel trivsamhet cosy atmosphere
tro I *s* belief; åsikt opinion; tilltro el. relig. faith; ~, *hopp och kärlek* faith, hope, and charity; *i den ~n att* thinking (believing, in the belief) that; *handla i god* ~ act in good faith **II** *tr* o. *itr* allm. believe (äv. ~ *på*); anse, förmoda äv. think, suppose, vard. reckon, isht amer. guess; föreställa sig fancy, imagine, amer. äv. figure **a)** utan prep.-best.: har han kommit? - *Ja, jag ~r det* ...Yes, I think (believe) so,...Yes, I think (believe) he has; *det var det jag ~dde* [that is] just what I thought, I thought as much; *det ~r jag också* (vard. *med*) that's what I think (vard. reckon)!, I think (vard. reckon) so, too!; ~ *sina* [*egna*] *ögon* believe (trust) one's [own] eyes; *jag kan* (*kunde* [*just*]) ~ *det!* I dare say!, I am not surprised!; det var roligt, *må du ~!* ...,I can tell you!; ...you may be sure!; you bet...! **b)** med prep.-best. *det hade jag inte ~tt om dig* det hade jag inte trott dig kapabel till I didn't think you had it in you; det hade jag inte väntat mig av dig I had not (I wouldn't have) expected that from you, I didn't expect it of you; *det skulle jag* (*man*) *kunna* ~ *honom om* I would have expected that of him äv. ss. positivt omdöme, I would not put it past him; ~ *ngn om att kunna göra ngt* believe a p. capable of doing a th.; ~ *på* ngn (ngt) believe in; förlita sig på trust, have faith (confidence) in; *han ~r inte på det* ~r inte det är sant, vard. äv. he won't buy it **III** *rfl,* ~ *sig vara...* think (believe) that one is..., believe (imagine) oneself to be...; ~ *sig om* ngt think (believe) oneself (that one is) capable of...
troende believing; *en* ~ subst. adj. a believer
trofast om kärlek faithful; om vänskap loyal
trofasthet faithfulness
trofé trophy
trogen faithful äv. verklighets~; lojal, pålitlig loyal; *vara ngn* (*ngt*) ~ be faithful (true) to a p. (a th.)
trohet fidelity; trofasthet faithfulness
trohetsed oath of allegiance
trohjärtad true-hearted; naiv, oskuldsfull naive
trojansk Trojan
troké metrik. trochee
trolig sannolik probable; rimlig plausible; trovärdig credible; *det är ~t att han kommer* vanl. he will probably (very likely, most likely) come
troligen o. **troligtvis** very (most) likely; *han kommer* ~ *inte* äv. he is not likely to come
troll troll; elakt hobgoblin, goblin; jätte ogre; kvinnligt ogress; han är *rik som ett* ~ ...rolling in money
trolla eg. practise witchcraft, conjure; göra trollkonster do (perform) conjuring tricks; *jag kan inte* ~ bildl. I am not a magician, I can't work miracles; ~ *fram* om t.ex. illusionist conjure forth, produce...by magic
trollbunden bildl. spellbound
trolldom witchcraft, sorcery
trolldryck magic potion, philtre

trolleri, ~*[er]* magic, enchantment; *som genom [ett]* ~ as if by [a stroke of] magic
trollformel magic formula
trollkarl eg. magician, sorcerer samtl. äv. bildl.; trollkonstnär [professional] conjurer
trollkonst trollkonstnärs o. friare conjuring trick; *~er* magi magic sg.
trollkonstnär [professional] conjurer, magician
trollslag, *som genom ett* ~ as if by [a stroke of] magic
trollslända zool. dragonfly
trollspö o. **trollstav** magic (magician's) wand
trolovad betrothed; *hans* (*hennes*) *~e* subst. adj. his (her) betrothed
trolovning betrothal
trolös svekfull faithless, disloyal; förrädisk treacherous
trolöshet faithlessness; breach of faith
tromb meteor. tornado (pl. -s el. -es)
trombon trombone
tron throne; *avsäga sig ~en* abdicate
trona be enthroned; friare sit in state
tronarvinge heir to the (resp. a) throne
tronföljare successor to the (resp. a) throne
tronföljd [order of] succession to the throne; *kvinnlig* ~ female succession to the throne
trontal speech from the throne
tropikerna the tropics, the tropic (torrid) zone
tropikhjälm sunhelmet
tropisk tropical; isht geogr. tropic
tropp mil., infanteri~ section; gymn. squad; friare troop
troppa *itr*, ~ *av* go (move) off; skingras drift away
trosa, *en* ~ el. *ett par trosor* a pair of briefs
trosbekännelse som avlägges profession (confession) of [one's] faith; lära confession; tro creed
trosfrihet religious liberty (tolerance)
troskyldig se *trohjärtad*
tross rep hawser
trossamfund [religious] community
trossats dogm dogma
trosviss ...full of implicit faith
trosvisshet certainty of belief
trotjänare o. **trotjänarinna,** *[gammal]* ~ faithful old servant (retainer)
trots I *s* motspänstighet obstinacy; motstånd defiance; övermod bravado; spotskhet scorn **II** *prep* in spite of, despite; ~ *allt* (i alla fall) äv. after all [is said and done], all the same, for all that; ~ *att...* though..., in spite of the fact that...
trotsa I *tr* defy, bid defiance to; djärvt möta (t.ex. stormen, döden) brave; föraktfullt negligera (t.ex. någons råd) flout; sätta sig över (t.ex. lagar) set...at defiance; uthärda stand up to; *det ~r all beskrivning* it is beyond (it beggars) description **II** *itr* vara trotsig be defiant (obstinate etc., jfr *trotsig*)
trotsig utmanande defiant; motspänstig obstinate; uppstudsig refractory; spotsk scornful
trotsighet defiance; refractoriness; scornfulness, jfr *trotsig*
trotsålder, *vara i ~n* be at a defiant (rebellious) age
trottoar pavement; amer. sidewalk
trottoarkant kerb; amer. curb
trottoarservering konkr. pavement (amer. sidewalk) restaurant (café)
trovärdig credible; om pers. trustworthy; tillförlitlig (om pers. o. sak) reliable
trovärdighet credibility; trustworthiness; reliability; jfr *trovärdig*
trubadur troubadour; hist. äv. minstrel
trubba, ~ *av* blunt äv. bildl.; eg. äv. make...blunt; t.ex. känslor deaden, dull
trubbel vard. trouble
trubbig oskarp blunt
trubbnos o. **trubbnäsa** snub nose; bred o. platt pug-nose
truck truck
truga, ~ *ngn [att* inf.] press a p. [to inf.]; ~ *ngn att äta* äv. press food [up]on a p., ply a p. with food; ~ *på ngn ngt* press (force, push) a th. [up]on a p., coax a p. into taking a th.; ~ *sig på ngn* force (obtrude) oneself [up]on a p.
trumbroms tekn. drum brake
trumf trump; *ha* (*sitta med*) ~ *på hand* hold trumps (bildl. äv. the winning cards)
trumfa I *itr* kortsp., spela trumf play a trump (resp. trumps); ~ *med...* trump with...
II med beton. part.
~ slå **i ngn ngt** drum (din, pound) a th. into a p.['s head]
~ driva **igenom** force...through
~ **över** kortsp. overtrump
trumfess ace of trumps
trumhinna anat. eardrum; vetensk. tympanic membrane
trumma I *s* **1** mus. drum; afrikansk ~ o.d. tomtom; *spela* ~ (*trummor*) play the drum (drums) **2** tekn.: ledning, rör duct; kulvert (t.ex. under väg) culvert; cylinder drum äv. data, barrel; för hiss shaft; **II** *itr* o. *tr* drum äv. bildl.; om t.ex. regn beat; ~ *ihop* vänner och bekanta drum...together, drum up...
trummis vard. drummer
trumpen sullen, glum
trumpet trumpet; *spela* (*blåsa i*) ~ play (som signal sound) the trumpet
trumpetare trumpeter
trumpetstöt trumpet blast
trumpinne drumstick
trumslagare drummer
trumvirvel drumroll

trupp troop; mil., avdelning contingent, detachment; lag: gymn. el. sport. team, fotb. squad; teat. troupe; *~er* styrkor äv. forces
truppförband enhet military unit
truppslag branch of the army
truppstyrka [military] force
trust ekon. trust
1 trut zool. gull
2 trut vard., mun mouth; *hålla ~en* hold one's jaw; tystna shut up
truta, *~ med munnen* pout one's lips
tryck 1 allm. pressure; tonvikt stress; påfrestning strain **2** typogr. el. på tyg o.d.: konkr. print; tryckning printing; tryckalster publication; koll. (trycksaker) printed matter; *ge ut i ~* print, publish; låta trycka have...printed; *komma ut i ~* appear (come out) in print; *se* ngt *i ~* see...in print **3** vard., hög stämning go, life; *vilket ~ det var* om t.ex. fest there was plenty of go (life), the atmosphere was terrific
trycka I *tr* o. *itr* **1** press; krama squeeze; tynga weigh...down, press [heavily] [up]on; kännas tung be (weigh) heavy; vara trång be too tight, *~ ngns hand* shake (hjärtligare clasp el. press) a p.'s hand; *~ ngn till sitt bröst* press (mera känslobetonat clasp) a p. to one's bosom **2** *~ på ngt* framhäva, betona emphasize a th. **3** jakt. el. friare (dölja sig): om djur squat; *[ligga och] ~* om pers. lie low ([in] hiding) **4** typogr. el. på tyg o.d. print; boken *håller på att ~s* ...is being printed (in the press) **II** *rfl, ~ sig tätt intill ngn* a) kelande cuddle (om barn nestle) up to a p. b) ängsligt press close against a p.; *~ sig mot* en vägg press (tätt intill flatten) oneself against...
III med beton. part.
~ **av** avfyra fire; itr. äv. pull the trigger
~ **fast** press...[securely] on
~ **ihop** flera föremål press (klämma squeeze)...together; packa compress; platta till flatten
~ **in** press (klämma squeeze) in
~ **ned** (**ner**) press down; friare el. bildl. depress
~ **om** bok o.d. reprint
~ **på** utöva tryck exert pressure
~ **sönder ngt** break a th. [i bitar to pieces] by pressing it
tryckalster publication; ~ pl. (trycksaker) printed matter sg.
tryckande bildl. oppressive; om väder sultry
tryckbokstav block letter; skriva *med tryckbokstäver* ...in block letters
tryckeri printing works (pl. lika), printing office; mots. sätteri press-room
tryckfel misprint, printer's error
tryckfrihet freedom (liberty) of the press
tryckfrihetsförordning jur., ung. press law
tryckkabin flyg. pressurized cabin
tryckknapp 1 för knäppning press stud; isht amer. snap [fastener] **2** strömbrytare push-button
tryckkokare pressure-cooker
tryckluft compressed air
tryckning 1 allm. pressure; med fingret o.d. press **2** typogr. printing
tryckpress printing press
trycksak piece of printed matter, printed paper; *~er* äv. printed matter sg.
trycksvärta printer's (printing) ink
tryckt nedstämd depressed
tryckår year of publication
tryffel bot. el. choklad[massa] truffle; kok. truffles
trygg säker secure; utom fara safe; full av självtillit confident
trygga make...secure (safe); *~ sin framtid* (*ålderdom*) provide for one's future (old age)
trygghet security; utom fara safety; lugn självtillit confidence; självmedvetenhet assurance
tryggt safely; utan känsla av fara securely; förtroendefullt confidently
tryne på svin snout; vard., näsa snout, conk, ansikte mug
tryta give out; *börja ~* om förråd äv. begin to get low (om kroppskrafter to ebb); till slut *tröt hans tålamod* ...his patience gave out
tråckla sömnad. tack; *~ fast* tack on [*på* to]
tråd thread äv. bildl.; bomulls~ cotton; sy~ sewing-thread; metall~ wire; i glödlampa filament; fiber fibre; *hans liv hänger på en ~* his life hangs by (on) a [single] thread
trådig thready; om struktur o.d. filamentous; *~t kött* stringy (ropy) meat
trådlös wireless
trådrulle med tråd reel of cotton, amer. spool of thread; tom cotton reel, amer. spool
trådsmal ...[as] thin as a thread
tråg kärl trough, flatare tray; för murbruk hod
tråka 1 *~ ihjäl* (*ut*) *ngn* bore a p. to death, bore a p. stiff **2** trakassera annoy, pester; retas med tease
tråkig långtråkig boring; trist drab; ointressant uninteresting, dull; obehaglig disagreeable; förarglig awkward; beklaglig unfortunate; sorglig sad; *~a följder* obehagliga unpleasant (icke önskvärda undesirable) consequences; *en ~* obehaglig *historia* vanl. a nasty business (affair)
tråkighet långtråkighet boredom; tristhet drabness; *~er* besvär, obehag trouble sg., bother sg., inconvenience sg.; svårigheter difficulties; förtret annoyance sg., vexation sg.; prövningar hardships
tråkigt boringly osv., jfr *tråkig; ~ nog* tyvärr *måste jag* gå unfortunately (I'm sorry to say) I must...; *ha ~* be bored; mera långvarigt have a boring (dull) time

tråkmåns bore; *en riktig* ~ a crashing bore
trål trawl
trålare trawler
tråna yearn, languish
trånande om pers. yearning; om blick languishing
trång narrow äv. bildl.; om t.ex. byxor tight-fitting; om skor tight; begränsad limited; ~*a* lägenheter ...which are too small; klänningen *är* ~ *i halsen* (*över ryggen*) ...is tight round the neck (across the back)
trångbodd, *vara* ~ ha liten bostad be cramped (restricted, limited, confined) for space [in one's home]; vara många live in overcrowded conditions
trångmål isht ekonomiskt embarrassment, nöd[läge] distress; *råka i* ~ get into straits (vard. a tight corner)
trångsynt narrow-minded
trångsynthet trångsyn narrow outlook; trångsinthet narrow-mindedness, intolerance, bigotry
trångt, *bo* ~ se [*vara*] *trångbodd; sitta* ~ eg. be cramped; om flera pers. äv. sit (be sitting) close together; om plagg fit too tight
trånsjuk ...full of yearning
1 trä (*träda*); *trä* på (upp) thread [*på* on]; t.ex. halsband äv. string; sticka: t.ex. armen genom rockärmen pass, slip; t.ex. en nål (ett band) genom ngt run; ~ *in* (t.ex. handen genom hålet) pass...
2 trä 1 ss. ämne wood; virke timber, isht amer. lumber; stolar *av* ~ äv. wooden...; *ta i* ~*!* ss. besvärjelse touch (amer. knock on) wood! **2** vedträ log (billet) [of wood]
träaktig bildl.: torr woody; livlös, stel o.d. wooden
träben wooden leg
träbit piece (bit) of wood
träbock 1 ställning wooden trestle **2** pers. dry stick
träck excrement; djurs dung
träd tree
1 träda 1 mark fallow field **2** *ligga* (*lägga*) *i* ~ lie (lay) fallow äv. bildl.
2 träda se *1 trä*
3 träda I *itr* stiga step; gå go; trampa tread; ~ *i dagen* come to light äv. bildl.; ~ *i kraft* come into force (effect), take effect
II med beton. part.
~ **emellan** step (go) between; ingripa äv. step in
~ **fram** eg. step (go, komma come) forward; plötsligt, oväntat come forth
~ **in** eg. step (go, komma come) in, enter; ~ *in i* ett rum enter...
~ **tillbaka** bildl. withdraw, retire, step down; om regering o.d. resign
~ **ut** step (go, komma come) out; plötsligt emerge
trädgräns, ~*en* the timberline, the tree line (limit)
trädgård garden, amer. äv. yard; större o. isht offentlig (t.ex. botanisk) gardens
trädgårdsland garden plot
trädgårdsmästare gardener
trädgårds|möbel möblemang suite of garden furniture; -*möbler* äv. garden furniture sg.
trädgårdsodling horticulture
trädgårdsredskap garden tool
trädgårdsskötsel gardening
trädgårdstäppa little garden
trädkrona crown (head) of a (resp. the) tree
trädslag variety (type) of tree
trädstam [tree] trunk
trädtopp tree-top
träff 1 hit; slag blow; *skjuta* ~ score a hit **2** vard. date; sammankomst get-together; *stämma* ~ *med* arrange a meeting with; vard. make a date with
träffa 1 möta meet; händelsevis run across; finna find; få tag i get hold of; *jag skall* ~ *honom* i morgon I'll see (be seeing) him...; jag hoppades *att* ~ *honom hemma* ...to find him at home; *han* ~*s på sitt kontor* you can see (i telefon get, reach) him at his office; *han* ~*s mellan 9 och 10* he is available between 9 and 10; ~ *på* möta, råka på meet with, run (come) across **2** ej missa hit; slå till strike; kulan ~*de* [*målet* (*honom*)] ...hit the target (him) **3** göra make; ~ [*ett*] *avtal* komma överens om come to (ingå enter [up]on) an agreement
träffad, *hon kände sig* ~ *av hans antydningar* she took his insinuations personally
träffande välfunnen apposite; passande, adekvat pertinent; talande telling; på kornet to the point
träffas meet; händelsevis chance (happen) to meet
träffpunkt mötesplats rendezvous
träffsäker eg.: om pers. ...good at hitting the mark; om vapen accurate; bildl. (t.ex. i omdömesförmåga) sure
träffsäkerhet eg.: persons sureness (accuracy) of aim; vapens accuracy in firing
träfiberplatta [wood] fibreboard
trägen persevering, sedulous
trägolv wooden floor
trähus wooden house
trähäst wooden horse äv. grek. myt.
träindustri wood industry; virkesindustri timber (isht amer. lumber) industry
träkol charcoal
träl hist. bond[s]man; bildl. slave
träla toil [like a slave (resp. slaves)]; drudge
träldom bondage; isht bildl. slavery
trämassa wood pulp

träna I *tr* o. *itr* train; öva sig [i] vanl. practise; ~ öva *in* train resp. practise; ~ *upp sin förmåga att...* develop (perfect) one's ability to... **II** *rfl,* ~ *sig* se *öva II*
tränare trainer; instruktör coach
tränga I *tr* driva drive; skjuta push, jostle; tvinga force
II med beton. part.
~ bort psykol. repress
~ sig fram push one's way forward
~ sig före *i kön* push oneself forward in (jump) the queue
~ igenom penetrate, permeate
~ ihop t.ex. en massa människor crowd (pack)...together; **~** *ihop sig* om flera pers. crowd together
~ in a) tr.: ~ *in ngn i ett hörn* press (osv., jfr *I*) a p. into a corner **b)** itr. o. rfl.: ~ (~ *sig) in i...* force one's way into...
~ sig på vara påträngande thrust oneself (obtrude, butt in) on a p.
~ tillbaka: *poliserna trängde tillbaka* de nyfikna the policemen pressed (thrust)...back
~ undan: ~ *undan ngn* push a p. aside (out of his resp. her place)
~ ut om t.ex. folkhop crowd out; ~ *ut ngn* i gatan force a p. out...
trängande urgent
trängas samlas crowd; knuffas jostle one another
trängsel crowding; människomassa crowd, throng; *i ~n* in the crowd (crush, throng)
träning training; practice; coaching; jfr *träna; ligga i ~ för...* be training for...
träningsläger training camp
träningsoverall track (training, sweat) suit
träningspass training session
träningsvärk, *ha ~* be stiff (full of aches) [after training (exercise)]
träns 1 ~[*bett*] ridn. snaffle **2** snodd braid, cord
träpanel wood[en] panelling
träsk 1 kärr fen **2** bildl. slough
träskalle vard. blockhead, fathead
träsked wooden spoon
träsko clog
träslag sort (kind) of wood; ~ pl. äv. woods
träslöjd woodwork äv. skol., carpentry; konst. wood handicraft
träsmak ömmande känsla feeling of soreness [from sitting on a hard seat]
träsnitt woodcut
träsprit wood alcohol, methanol
träta I *s* quarrel **II** *itr* quarrel; svag. bicker
trävaruhandlare virkeshandlare timber merchant; detaljist timber dealer
trävirke se *virke*
trävit whitewood...; stolen *är* ~ ...is made of whitewood
trög sluggish; långsam slow, slack; fys. el. om pers. (overksam) inert; flegmatisk phlegmatic; slö dull; senfärdig tardy; *vara ~ i magen* be constipated
trögfattad vard. ...slow on the uptake
trögflytande tjockflytande viscous; om vattendrag sluggish
tröghet sluggishness etc.; inertia; phlegm; tardiness; jfr *trög*
trögtänkt slow-witted
tröja olle sweater; jumper jumper; t.ex. fotbolls~ shirt; kortärmad T-shirt; under~ vest, amer. undershirt
tröska lantbr. **I** *tr* thresh **II** *s* thresher
tröskel threshold äv. bildl.; damm~ el. på bil sill
tröskverk threshing machine
tröst hjälp, lindring comfort; i högre stil solace; *en klen (dålig) ~* a poor consolation
trösta I *tr* comfort, console; i högre stil solace **II** *rfl,* ~ *sig* console oneself [*med* by]
trösterik consoling, ...full of consolation
tröstlös disconsolate, inconsolable; hopplös, förtvivlad hopeless, desperate; trist dreary, drab
tröstnapp comforter; amer. pacifier
tröstpris consolation prize
tröstäta console oneself by eating
trött tired; uttröttad wearied; vard. fagged; i högre stil weary; *ett ~ leende* a weary smile; *jag är ~ på honom* äv. I've had enough of him
trötta tire, fatigue; tråka ut weary; ~ *sina ögon med att läsa* vanl. strain one's eyes reading; *det ~r [en] ganska mycket* it tires you a good deal, it is rather tiring
trötthet tiredness; fatigue; falla ihop *av ~* ...with fatigue
tröttkörd utarbetad overworked
tröttna become (get, grow) tired; ~ *på...* äv. tire (weary) of...
tröttsam tiring
tsar tsar, czar
T-sprit methylated spirit[s pl.]; vard. meth[s pl.]
TT (förk. för *Tidningarnas Telegrambyrå*) the Swedish Central News Agency
T-tröja T-shirt
tu two; *ett ~ tre* plötsligt all of a sudden; *de unga ~* the young couple
tub 1 färg~ o.d. el. tekn. tube **2** kikare telescope
tuba mus. tuba
tuberkulos med. tuberculosis
tudela divide...into two [parts]; *~d* se *tvådelad*
tudelning division (tudelande dividing) into two [parts]
tuff vard. tough; snygg smart; *~a tag* rough stuff sg.
1 tuffa om tåg puff; om bil el. motorbåt chug

2 tuffa I *itr,* ~ *till* t.ex. till sitt yttre smarten up **II** *rfl,* ~ *till sig* become tougher, toughen up

tuffing vard. tough customer (nut, guy); *han är en riktig* ~ äv. he's as tough as they make them

tugg 1 vard., prat talk **2** träavfall wood chippings

tugga I *s* munfull bite; vad som tuggas chew **II** *tr* o. *itr* chew; isht om hästar champ; ~ *på* en kaka chew (mumsa munch)...; ~ *sönder* bite...to bits

tuggbuss quid [of tobacco]

tuggtobak chewing-tobacco

tuggummi chewing-gum, a piece of (paket a packet of) chewing-gum

tukt discipline

tukta 1 hålla i tukt o. lydnad chastise, discipline, castigate; kväsa tame **2** forma (t.ex. träd, häck) prune

tull 1 avgift [customs] duty, vard. customs; ~sats customs tariff; *betala* ~ *på* (*för*) *ngt* pay duty (customs) on (for) a th. **2** tullmyndighet Customs; tullhus custom house; *passera* [*genom*] ~*en* get through (pass [through]) the Customs **3** *bo utanför* ~*arna* ung. live outside the (out of [the]) town

tulla 1 betala tull ~ *för* ngt pay duty on (for)... **2** vard., ta ~ *av* (*på*) cigarrerna take (pinch) some of...

tullavgift [customs] duty

tullbehandla clear [...through the Customs]; resgods examine [...for customs purposes]

tulldeklaration customs declaration

tullfri duty-free, ...free of duty

tullkontroll customs check

tullpliktig dutiable

tullstation customs station, custom house

tulltjänsteman customs officer (official)

tullunion customs (tariff) union

tullvisitation av resgods customs examination; kroppsvisitation personal search [by the Customs]; av fartyg o.d. search [by the Customs]

tulpan tulip

tum inch

tumla I *itr* falla fall, tumble; vältra sig roll **II** *tr* torka tvätt tumble-dry

tumlare 1 zool. [common] porpoise **2** glas tumbler **3** tork~ tumbler

tumma, ~ *på ngt* fingra på ngt finger a th.; nöta på ngt thumb a th.; ~*de sedlar* (*böcker*) well-thumbed [bank-]notes (books); ~ *på ngt* a) komma överens om shake hands (agree) on a th. b) rucka på tamper with a th., make modifications in a th.

tumm|e thumb äv. på handske o.d.; *ha* ~*n i ögat på ngn* hålla i styr keep a tight hand on a p.; *hålla -arna för ngn* keep one's fingers crossed for a p.

tummeliten, *en* ~ a hop-o'-my-thumb

tumregel rule of thumb

tumskruv thumbscrew; *sätta* ~*ar* (*dra åt* ~*arna*) *på ngn* bildl. put the screws on a p.

tumstock folding rule

tumult tumult, vard. hullabaloo; rabalder, villervalla uproar; bråk row, vard. rumpus; upplopp disturbance

tumvante [woollen (resp. leather, fabric)] mitten

tumör med. tumour; *godartad* (*elakartad*) ~ benign (malignant) tumour

tundra geogr. tundra

tung heavy äv. bildl.; klumpig unwieldy; åbäkig cumbersome; svår hard; isht bildl. ponderous; viktig important; ~ *som bly* as heavy as lead, like a lump of lead; *ett* ~*t ansvar* a heavy (grave) responsibility

tunga 1 anat. el. friare tongue; på flagga tail; mus.: i orgel reed; *onda* (*elaka*) *tungor påstår att...* a malicious rumour has it that...; *vara* ~*n på vågen* hold the balance, tip the scale **2** zool., fisk sole

tunghäfta tongue-tiedness; *ha* (*få*) ~ be (get) tongue-tied

tungomål språk language

tungrodd bildl.: trög heavy; osmidig, om t.ex. organisation unwieldy

tungsinne melancholy, gloom

tungsint melancholy, gloomy

tungspets tip (fonet. äv. point) of the tongue

tungt heavily, heavy; ~ *beväpnad* heavily armed; ansvaret *föll* (*vilade*) ~ *på honom* ...fell (weighed) heavy upon him

tungvikt heavyweight

tungviktare sport. el. bildl. heavyweight; motorcykel heavyweight [motorcycle]

tunik o. **tunika** tunic

Tunisien Tunisia

tunisier Tunisian

tunisisk Tunisian

tunn allm. thin; svag weak; utspädd diluted; vard., om pers. skinny; ~*a kinder* thin (infallna pinched) cheeks; ~ *tråd* äv. fine (slender) thread; *tunt tyg* äv. flimsy (skirt sheer) material

1 tunna barrel; mindre cask; *hoppa i galen* ~ do the wrong thing, make a blunder

2 tunna I *tr,* ~ *ut* (*ur*) göra tunnare make...thinner; gallra äv. thin [out (down)]; späda äv. dilute; göra innehållslös bildl. water down **II** *itr,* ~ *av* (*ut*) grow (get) thinner; glesna thin; minska decrease (diminish) in number[s]

tunnbröd ung. thin flat unleavened bread

tunnel tunnel; amer. underpass

tunnelbana underground [railway], vard. tube; amer. subway, vard. sub

tunnelbanestation underground (tube, jfr *tunnelbana*) station
tunnflytande thin
tunnhårig thin-haired
tunnklädd thinly dressed (clad)
tunnland ung. acre
tunnsliten ...worn thin; trådsliten threadbare
tunnsådd thinly sown; framgångarna *var ~a* bildl. ...were few and far between
tunntarm anat. small intestine
tupera hår backcomb
tupp cock, amer. rooster
tuppa, ~ *av* svimma pass out, flake out; kollapsa collapse; slumra till nod off
tuppkam zool. cock's crest (pl. vanl. cocks' crests)
tupplur [little (short)] nap; vard. catnap; *ta sig en ~* take (have) a nap (catnap), have forty winks
1 tur lycka luck; öde fortune; *föra ~ med sig* bring luck; *ha ~ med* vädret be lucky with...; *ha ~ med sig (~en på sin sida)* be lucky, have fortune on one's side, be favoured by fortune; *det är ~ att...* it's lucky (fortunate) that..., it's a good thing (vard. job) that...; *det är ~ för dig att ha (att du har)...* it's lucky for you that you have...; *vilken (en sån) ~!* what [a piece (stroke) of] luck!; *mera ~ än skicklighet* more good luck than skill
2 tur 1 ordning turn; *han i sin ~* å sin sida he on his part **2** resa, utflykt trip, vard. spin; på cykel ride; till fots turn; spatser~ stroll; båten *gör fyra ~er dagligen...* runs four times daily; biljetten kostar 150 kr *~ och retur* ...return (there and back) **3** i dans figure; bildl. *de många ~erna* i kärnkraftsfrågan the many turnabouts (chops and changes)...; *efter många ~er* kunde de återförenas after many vicissitudes (ups and downs)...
turas, ~ *om att* inf. take it in turn[s] to inf.; take turns in (at) ing-form
turban turban
turbin turbine
turbojetmotor turbo-jet [engine]
turbomotor turbo motor
turbulens turbulence
turism tourism
turist tourist
turista vard. tour
turistbuss touring (long-distance) coach
turistbyrå travel (tourist) agency
turistinformation lokal tourist [information] office
turistort tourist resort
turistsäsong tourist season
turk Turk
Turkiet Turkey
turkisk Turkish
turkiska 1 språk Turkish **2** kvinna Turkish woman
turkos turquoise
turlista tidtabell timetable
turné rundresa tour; *göra en ~* go on (make) a tour
turnera tour; *~ i landsorten* tour [in] the provinces
turnering tournament
tur och returbiljett return (amer. round-trip) ticket
turordning priority
tursam lucky, fortunate
turturduva turtle dove
turtäthet frequency of train (bus etc.) services; *vilken ~ har* den här bussen? how often does...run?
turvis by (in) turns
tusan, *för ~!* hang it!
tusch färg Indian ink
tuschpenna filtpenna felt (felt-tip) pen
tusen (jfr äv. ex. under *hundra*) thousand; [*ett*] ~ a (one) thousand; *Tusen och en natt* titel vanl. the Arabian Nights; vara hungrig *till ~* vard. ...like hell; *gilla ngn (ngt) till ~* like a p. (a th.) no end (vard. a hell of a lot)
tusende I *s* thousand **II** *räkn* thousandth; jfr ex. under *femte*
tusendel thousandth [part]; jfr *hundradel*
tusenfoting centipede
tusenkonstnär Jack-of-all-trades (pl. Jacks-of-all-trades)
tusenkronorssedel o. **tusenlapp** one-thousand-krona note
tusensköna [common] daisy
tusental thousand; [*på*] *~et* år 1000-1100 [in] the eleventh century; jfr vid. ex. under *hundratal*
tusentals, ~ böcker thousands of... (subst. i pl.)
tuss av bomull, tråd wad; av damm piece of fluff; hopknycklad boll av t.ex. papper ball
tussa, *~ en hund på ngn* set a dog on to a p.
tussilago bot. coltsfoot (pl. -s)
tut toot!
1 tuta fingerstall; för tumme thumbstall
2 tuta I *tr* o. *itr* mus. toot; med signalhorn på bil, ångvissla o.d. hoot; *~ och köra* bildl. go [straight] ahead; *det ~r upptaget* i telefon there's an engaged (amer. busy) tone; ~ *'i ngn* ngt put...into a p.'s head **II** *s* signalhorn horn
tuva gräs~ tuft (clump) [of grass]; större grassy hillock
TV television, TV (pl. TVs), vard. telly samtl. äv. apparat; *se (titta) på ~* watch television (TV, vard. the telly); *se ngt på ~* see (look at) a th. on television (vard. the box, amer.

the tube); *vad är det på ~* i kväll? what is on television (osv.)...?
TV-antenn television (TV) aerial (amer. äv. antenna)
TV-apparat television (TV) set (receiver); vard. telly
tweed tweed
tveeggad two-edged
tvehågsen doubtful
tveka hesitate; *utan att ~* without hesitating (hesitation)
tvekamp duel äv. bildl.
tvekan hesitation; tvivel doubt; *det råder ingen ~ om det* there is no doubt (question) about it
tveklöst doubtless
tveksam tvekande hesitant; osäker doubtful, uncertain; obeslutsam irresolute, undecided
tveksamhet hesitation, hesitance
tvestjärt zool. earwig
tvetydig eg. ambiguous, equivocal; ekivok, oanständig risky, improper; skum shady
tvilling 1 pers. twin **2** *Tvillingarna* astrol. Gemini
tvillingbror twin brother
tvillingsyster twin sister
tvina, ~ [*bort*] languish [away]
tvinga I *tr* force; stark. el. isht genom maktmedel coerce; vard. twist a p.'s arm; högtidl. constrain; *~ ngn* [*till*] *att göra* ngt force a p. to do (into doing)..., compel a p. to do..., coerce a p. into doing...; svag., förmå make a p. do...; *han hade ~ts* nödgats [*att*] nödlanda he had been forced (obliged) to... **II** *rfl*, *~ sig* force oneself [[*till*] *att* inf. to inf., into ing-form]; högtidl. constrain oneself [[*till*] *att* inf. to inf.]
III med beton. part.
~ **fram:** *~ fram ett avgörande* (*ett leende*) force a decision (a smile)
~ **i:** *~ i ngn ngt* få ngn att äta force a p. to eat (dricka to drink) a th.
~ **på:** *~ på ngn ngt* force (truga push) a th. on a p. (vard. down a p.'s throat); *~ sig på ngn* force (impose) oneself on a p.
~ **till sig** (**sig till**) *ngt* obtain (secure) a th. by force
~ **ur** *ngn ngt* extort a th. from a p.
tvingande oavvislig imperative; trängande urgent; *en ~ nödvändighet* an imperative necessity
tvinna twine; silke throw
tvist kontrovers dispute; gräl quarrel; *avgöra* (*bilägga, slita*) *en ~* decide (settle) a dispute osv.
tvista dispute; gräla quarrel
tvistemål jur. civil case (suit)
tvivel doubt; *det är* (*råder*) *inget ~ om det* there is no doubt [at all] (no question) about it; *utan ~* otvivelaktigt no doubt, without any doubt, undoubtedly
tvivelaktig doubtful; misstänkt suspicious; skum shady; *en ~ figur* a character of doubtful reputation
tvivelsmål doubt; *sväva* (*vara*) *i ~* have doubts [in one's mind] [*om* about]
tvivla doubt; *~ på* betvivla doubt
tvivlande klentrogen incredulous; skeptisk sceptical; *ställa sig ~ till...* take up an attitude of doubt (scepticism) towards..., feel dubious about...
tvivlare doubter; relig. el. filos. o.d. äv. sceptic
TV-kamera television (TV) camera
TV-kanal television (TV) channel
TV-licens television (TV) licence
TV-pjäs television (TV) play
TV-program television (TV) programme
TV-reklam reklam i TV television (TV) advertising (reklaminslag commercial)
TV-ruta [viewing] screen, telescreen
TV-spel video game
TV-tittare televiewer
tvungen 1 nödd forced; *bli* (*vara*) *~ att...* be forced (compelled) to...; stark. be constrained to...; isht av inre tvång be obliged (bound) to...; svag., 'måste' have to; *jag är ~ att göra det* äv. I have got to (I must) do it **2** stel forced; om ställning strained, cramped
1 två, *jag ~r mina händer* bildl. I wash my hands of it
2 två two; *båda ~* both, se vid. under *2 båda;* *~ gånger* twice; jfr *fem* o. sms.
två- för sms. jfr äv. *fem-*
tvåa 1 two; *~n*[*s växel*] the second gear (speed) **2** vard. *en ~* tvårumslägenhet a two-room flat (apartment)
tvådelad, *~ baddräkt* two-piece bathing-suit
tvåfilig two-laned; *den är ~* it has two lanes
tvåhjuling vagn two-wheeler; cykel bicycle
tvål soap; *en ~* a piece (tablet, bar, cake) of soap
tvåla, *~ in* soap, rub...over with soap; haka, skägg äv. lather; *~ till ngn* knock a p. about; tillrättavisa tell a p. off
tvålask att förvara tvål i soap container
tvålfager, *vara ~* vard. be good-looking in a slick way, be pretty-pretty
tvålflingor soapflakes
tvålkopp soapdish
tvållödder soap lather
tvålopera vard. soap opera
tvåmotorig twin-engined
tvång compulsion, stark. coercion; återhållande, 'band' constraint, restraint; våld force; nödvändighet necessity; *göra ngt av ~* ...under compulsion (constraint)
tvångsarbete forced labour

tvångsföreställning psykol. obsession
tvångsförflyttning av t.ex. tjänsteman compulsory transfer [to another post]; av t.ex. folkgrupp compulsory transfer [of population]
tvångsintagen, *vara ~ för* vård be committed to...
tvångsintagning commitment
tvångsläge, befinna sig (vara) *i ~* ...in an emergency situation
tvångsmata force-feed äv. bildl.; feed...forcibly
tvångsmässig compulsory, forced; psykol. compulsive
tvångstanke psykol. obsession
tvångströja straitjacket äv. bildl.
tvångsåtgärd coercive measure
tvåplansvilla two-storeyed house
tvåradig dubbelknäppt double-breasted, jfr f.ö.
tvårummare o. **tvårumslägenhet** two-room[ed] flat (apartment)
tvåsidig two-sided
tvåspråkig bilingual
tvåspråkighet bilingualism
tvåstämmig mus. ...for two voices, two-voice
tvåtaktare o. **tvåtaktsmotor** two-stroke engine
tvåtusentalet the twenty-first century, jfr *femtonhundratalet*
tvåårig om växt biennial; jfr f.ö. *femårig*
tvär I *s,* t.ex. ligga *på ~en* ...crosswise, ...across; *sätta sig på ~en* eg., om föremål get stuck crossways; bildl., om pers. become awkward (cussed) **II** *adj ~t* avskuren square; brant sheer; skarp, oförmodad, om t.ex. krök, övergång, vändning abrupt, sharp; plötslig sudden; kort, ogin blunt, brusque, isht om svar curt; sur surly
tvärbalk o. **tvärbjälke** crossbeam, transverse beam
tvärbrant precipitous
tvärbromsa brake suddenly, jam (slam) on the brakes
tvärbromsning sudden braking
tvärflöjt transverse flute
tvärgata crossroad; *nästa ~ till höger* the next turning on the right
tvärnita vard. jam (slam) on the brakes
tvärs, *~ igenom* (*över*) right (straight) through (across)
tvärslå crossbar; isht sömnad. crosspiece; regel bolt
tvärsnitt cross section äv. bildl.; transverse section
tvärstanna stop dead (short)
tvärstopp dead stop
tvärsäker absolutely sure (certain); vard. dead certain; självsäker cocksure
tvärsöver se under *tvärs*
tvärt squarely; sheer, steeply osv., jfr *tvär II;* plötsligt all at once; t.ex. stanna dead; t.ex. avbryta [sig] abruptly
tvärtemot I *prep* quite contrary to; *handla ~* order o.d. act exactly contrary to... **II** *adv* just the opposite
tvärtom on the contrary; långtifrån quite the reverse; i stället instead [of that]; *~!* on the contrary!, far from it!; *det förhåller sig ~* it is the other way round (about); *...och* (*eller*) *~* ...and (or) vice versa lat. (the reverse); *nej, snarare ~* no, rather (mera troligt more likely) [just] the opposite (contrary, reverse)
tvärvetenskaplig interdisciplinary
tvärvändning, *göra en ~* make a sharp turn
tvätt washing, wash; tvättinrättning laundry, samtl. äv. tvättkläder; *kemisk ~* dry cleaning; tvättinrättning dry-cleaners; fläcken *går bort i ~en* ...will wash off, ...will come (go) out in the wash
tvätta I *tr* o. *itr* wash; kemiskt dry-clean; bildl. launder; *hon ~r i dag* she is washing today; *~ golvet* wash the floor **II** *rfl, ~ sig* wash; have a wash
III med beton. part.
~ **av** t.ex. smutsen wash off; *~ av* bilen wash down..., give...a wash-down
~ **bort** wash off (away); bildl. wipe off
~ **upp** give...a quick wash
~ **ur** wash out
tvättanvisningar washing instructions
tvättbar washable
tvättbjörn zool. raccoon; vard. coon
tvättbräde washboard
tvätterska laundress; 'tvättgumma' washerwoman, amer. vanl. wash woman
tvättfat washbasin; amer. äv. washbowl
tvättinrättning laundry
tvättkläder wash[ing], laundry, clothes to be washed (som just tvättats that have been washed)
tvättkorg clothes basket, laundry basket
tvättlapp face flannel, face cloth; isht amer. washcloth
tvättmaskin washing machine
tvättmedel [washing] detergent; *syntetiskt ~* [synthetic] detergent
tvättning washing; cleaning (äv. kemisk); *en ~* skulle göra susen a wash...
tvättomat launderette®, laundrette®; isht amer. washeteria
tvättprogram washing programme
tvättrum toalettrum lavatory, jfr äv. *toalett 1*
tvättstuga laundry room
tvättställ väggfast washbasin; kommod washstand
tvättsvamp sponge; badsvamp bath sponge
tvättäkta om tyg washproof; bildl.: sann true, genuin genuine, inbiten out-and-out...
1 ty *konj* for; därför att because

2 ty, ~ *sig till ngn* (*ngt*) have recourse to a p. (a th.); stark. cling to a p. (a th.); söka skydd hos turn to...[for protection]

tyck|a I *tr* o. *itr* **1** allm. think; anse äv. be of the opinion; *jag -er* [*att*]... äv. it seems (appears) to me [that]...; *jag -te jag hörde någon* I thought I heard someone; *det -er inte jag* I beton. don't think so; *vad -er du* (*skulle du* ~) *om det?* äv. how do you feel about that?, how's that? **2** gilla, ~ [*bra*] *om* like; vara förtjust i, hålla av äv. be fond of, care for, stark. love; finna nöje i enjoy, appreciate; ~ *mycket om* ngt like osv....very much, be very fond of...; ~ *bättre* (*mer*) *om...än* like...better than, prefer...to **II** *rfl,* ~ *sig höra* (*se*)... think (fancy, imagine) that one hears (sees)..., seem to hear (see)...

tyck|as seem; *han -s vara rik* he seems to be rich

tycke 1 åsikt opinion; *i mitt* ~ in my opinion, to my [way of] thinking (my mind) **2** smak fancy; *om* ~ *och smak ska man inte diskutera* (*disputera*) there is no accounting for tastes **3** böjelse fancy; *fatta* ~ *för* ngn (ngt) take a fancy (liking) to...

tyda I *tr* tolka interpret; dechiffrera decipher; lösa solve; ~ *allt till det bästa* put the best construction on everything **II** *itr,* ~ *på* allm. indicate; friare point to

tydlig lätt att se, inse plain, clear; lätt att urskilja, om t.ex. fotspår, stil, uttal distinct; markerad marked; läslig legible; om abstr. subst.: uppenbar obvious; synbar evident; påtaglig palpable; uttrycklig express; i formulering explicit; *i ~a ordalag* in plain (resp. explicit) terms; *en* ~ *vink* an unmistakable (a broad) hint

tydligen evidently, manifestly; *jag har* ~ *glömt det* I seem (appear) to have forgotten it

tydlighet plainness osv., jfr *tydlig;* clarity; legibility; *för ~ens skull* for the sake of clarity

tydligt t.ex. skriva, avteckna sig plainly; t.ex. synas clearly; *jag minns* ~ I distinctly remember; *synas* ~ appear distinctly; framgå tydligt be evident

tyfon 1 storm typhoon **2** signal siren

tyfus med. typhoid fever

tyg 1 material; stuff; vävnad [textile] fabric; isht ylle~ cloth; *~er* textile fabrics (goods), textiles, cloths **2** *allt vad ~en håller* for all one is worth; t.ex. springa äv. for one's life

tygel rein äv. bildl.; *ge ngn fria tyglar* give a p. a free rein (hand), give a p. plenty of rope; *lösa tyglar* slack reins; *dra* (*strama*) *åt tyglarna* tighten the reins äv. bildl.; *hålla* ngn *i ~n* (*strama tyglar*) keep a tight rein (close check) on..., hold (keep)...in check

tygellös bildl.: otyglad unrestrained, unbridled; friare wild; utsvävande dissolute

tygla eg. rein [in]; bildl.: lidelser o.d. bridle; sin otålighet restrain, keep...in check

tygremsa strip of cloth (material)

tygstycke tygbit piece (längre length, tygrulle roll) of cloth (material)

tyll silkestyll o.d. tulle; isht bomullstyll bobbinet

tyna, ~ *bort* languish [away], waste away; isht om pers. äv. pine (fade) away

tynande, *föra en* ~ *tillvaro* lead a languishing life, linger out one's days

tynga I *itr* vara tung (en börda) weigh, stark. weigh heavy; trycka press; kännas tung be (feel) heavy; *detta tynger* [*hårt*] *på* mitt samvete this lies heavy (weighs, preys) [up]on... **II** *tr* belasta burden, load; frukten *tynger* [*ned*] *grenen* ...weighs the branch down; *tyngd av* skulder weighed down (encumbered) by...

tyngande heavy; tungt vägande weighty; betungande: om t.ex. skatt grinding, oppressive, om uppgift burdensome

tyngd weight, end. abstr. heaviness, weightiness, tungt föremål o.d. load, alla äv. bildl.; isht fys. gravity

tyngdkraft, ~[*en*] fys. [the force of] gravity (gravitation); ~ens verkning gravitational pull

tyngdlagen fys. the law of gravity (gravitation)

tyngdlyftning sport. weightlifting

tyngdlöshet weightlessness

tyngdpunkt fys. centre of gravity; bildl. main focus; tonvikt main emphasis (stress); *~en* i resonemanget the central (main) point (feature)...

typ 1 sort, slag type; *han är inte min* ~ he's not my type (vard. cup of tea) **2** otrevlig figur type; *han är en underlig* ~ vard. he is a queer fish (customer) **3** typogr. type

typexempel typical (standardexempel stock) example; *ett* ~ äv. a case in point

typisk typical [*för* of]; karakteristisk peculiar; ~ *för* äv. proper to

typograf typographer; vard. typo (pl. -s), printer; sättare compositor

typografi typography

typsnitt o. **typsort** typogr. typeface

tyrann tyrant

tyranni tyranny

tyrannisera tyrannize [over]; friare domineer over

tyrannisk tyrannical; friare domineering

Tyrolen [the] Tyrol (Tirol)

tysk I *adj* German **II** *s* German

tyska 1 kvinna German woman **2** språk German

Tyskland Germany

tyst I *adj* silent; ~ och stilla quiet; ljudlös

noiseless; stum mute; stillatigande, om t.ex. samtycke tacit; ~ *förbehåll* mental reservation; plötsligt *blev det ~ i rummet* ...there was silence (it was quiet) in the room, ...a silence came over the room; *bli ~* tystna become (fall) silent; vard. dry up; *få ~ på ngn* get a p. to be silent (vard. to shut up); vard. shut a p. up **II** *adv* allm. silently, quietly osv., jfr *I;* t.ex. åse ngt in silence; t.ex. gå, tala softly; *håll ~!* keep quiet!; *hålla ~ med ngt* keep a th. quiet (to oneself), keep quiet (vard. mum) about a th., not let a th. [come (leak)] out **III** *interj* hush!

tysta silence; ~ *[munnen på] ngn* stop a p.'s mouth, make a p. hold his (resp. her) tongue

tystgående om maskin o.d. silent[-running]

tysthet tystnad silence; tystlåtenhet quietness; *i [all] ~* i hemlighet in secrecy, secretly, privately

tysthetslöfte promise of secrecy

tystlåten fåordig taciturn; tyst av sig quiet; ej meddelsam uncommunicative; förtegen reticent

tystna become (fall) silent; om musikinstrument stop [playing]; upphöra cease; dö bort die away

tystnad silence; *~!* äv. hush!; *förbigå ngt med ~* pass a th. over in silence

tystnadsplikt läkares o.d. professional secrecy

tyvärr unfortunately; *~!* worse luck!, bad luck!; Har han kommit? - *Tyvärr inte* äv. ...- I'm afraid not

tå toe; anat. el. zool. äv. digit; skorna är för trånga *i ~n* ...at the toes; *gå på ~* walk on one's toes (on tiptoe), tiptoe

1 tåg rep rope; grövre cable; tross hawser

2 tåg 1 allm. march; tågande marching; isht mil. äv. expedition; festtåg o.d. procession **2** järnv. train; spårv. tram; *byta ~* change trains; *det går flera ~* bildl. there's always another train

1 tåga, *det är ingen ~ i honom* there's no stamina (go) in him

2 tåga march; vid festlighet o.d. walk (march) in procession; friare walk, i rad file; *~ bort* march away (off)

tågbiljett train ticket; *betala ~en* pay one's railway fare

tågbyte change of trains

tågförbindelse train service

tågförsening train delay

tågluffa interrail

tågluffare interrailer, person who travels on an Interrail card

tågolycka railway accident (stark. disaster)

tågordning bildl. ung. procedure

tågresa journey by train; *tågresor* äv. travelling sg. by train

tågtidtabell railway (train, amer. railroad) timetable (amer. ofta schedule); i bokform railway guide

tågurspårning derailment [of a (resp. the) train]

tåhätta toecap; *[försedd] med ~* äv. toe-capped

tåla I *tr* uthärda, fördraga bear, endure; stå ut med, inte ta skada av stand; finna sig i suffer, put up with; *jag tål* det (honom) *inte* I can't bear (stand, put up with)...; *han tål en hel del [sprit]* he can hold his (has a good head for) liquor; ~ *[en] jämförelse med* bear (stand) comparison with; *han har fått så mycket han tål* a) starka drycker he has had as much as he can stand (carry) b) stryk, ovett o.d. he has had all he can bear **II** *rfl, ~ sig* vard. have patience, be patient

tålamod patience; fördrag forbearance; långmodighet long-suffering; *mitt ~ är slut* my patience is exhausted; *ha ~* äv. be patient; *förlora ~et* lose [one's] patience

tålamodsprövande trying; *vara ~* be trying [to one's patience]

tålig tålmodig patient; långmodig long-suffering; härdig hardy; slitstark durable

tålmodig patient; långmodig long-suffering

tåls, *ge sig till ~* have patience, be patient

tånagel toenail

1 tång verktyg tongs; om spec. tänger nippers; stans punch; *en ~ (två tänger)* a pair (two pairs) of tongs osv.

2 tång bot. seaweed

tår 1 eg. tear; *hon fick ~ar i ögonen* tears came into her eyes, it brought tears to her eyes; han skrattade *så att ~arna rann* äv. ...till the tears came; *brista i ~ar* burst into tears **2** skvätt drop, spot; *en ~ kaffe* a few drops (a mouthful) of coffee

tåras fill with tears

tårdrypande tearful

tårfylld om ögon ...filled with tears; om t.ex. blick, röst tearful

tårgas tear gas; fackspr. lachrymator

tårkanal anat. lachrymal (tear) duct

tårpil bot. weeping willow

tårta cake; isht med grädde el. kräm gâteau (pl. -x) fr.; av mördeg el. smördeg med fruktfyllning vanl. tart; *det är ~ på ~* vard. it's the same thing twice over (saying the same thing twice)

tårtbit piece of cake (gâteau etc., jfr *tårta*)

tårtbotten ung. flan case

tårtspade cake slice

tårögd, *vara ~* have tears in one's eyes, have one's eyes filled (brimming) with tears

tåspets tip of the (one's) toe

tåt, *dra i ~arna* vard. pull the strings

täck, *det ~a könet* the fair sex
täcka cover äv. sport. el. bildl.; i form av [skyddande] lager coat; skydda protect äv. mil.; fylla supply; fylla t.ex. en tidsperiod fill up; isht hand. meet; t.ex. en kostnad cover, meet, defray; ~ *för* ett hål (fönster) o.d. cover [over (up)]; ~ *över* cover [over]; bildl. cover up
täckdikning pipe draining
täcke cover; sängtäcke quilt, amer. äv. comforter; duntäcke down (continental) quilt
täckelse, *låta ~t falla från* en staty unveil...
täckjacka quilted jacket
täckmantel cover; *arbeta under ~* work under cover
täcknamn cover (assumed) name
täckning allm. covering; hand. cover; *ha ~* hand. be covered; *check utan ~* uncovered (vard. dud) cheque; amer. rubber check
täckt covered; överdragen coated [over]; ~ *bil* closed car
tälja skära ~ *[på ngt]* cut [a th.]; t.ex. barkbåt whittle [at...]; snida carve
täljare matem. numerator
täljkniv sheath knife; isht amer. (större) bowie knife
täljsten miner. soapstone
tält tent; större, vid fest o.d. marquee, *slå [upp ett] ~* pitch (put up) one's tent
tälta campa camp [out]
tältare tenter
tältduk canvas
tältpinne tent peg
tältplats camping ground, camp (camping) site
tältstol camp stool; med ryggstöd camp chair
tältsäng camp bed
tämja tame; kontrollera harness
tämligen fairly; ofta känslobet. rather; ~ *gammal* äv. oldish
tänd vard. *vara (bli) ~ på* be (get) sold (hooked) on...
tända I *tr* få att brinna light; elljus turn (switch, put) on; det är dags att ~ *[belysningen (ljuset)]* ...put (turn) on the light[s]; ~ *[eld] på...* set fire to... **II** *itr* **1** fatta eld catch fire; om tändsticka ignite **2** vard., brusa upp flare up; få erotiska känslor be (get) turned on, turn on; vard. *vara (bli) tänd på...* be (get) hooked on...; *hon är tänd på honom* he turns her on
tändare cigarettändare o.d. lighter
tändhatt percussion cap
tändning 1 tändande lighting **2** bil. ignition
tändrör mil. [blasting] fuse
tändsats mil. el. tekn. detonating (exploding) composition; på tändsticka [match]head
tändsticka match
tändsticksask matchbox; ask tändstickor box of matches
tändstift motor. sparking (spark) plug; på eldvapen firing-pin
tändvätska fire-lighting (barbecue) fluid
tänja I *tr* stretch; ~ *på* bestämmelserna, krediten stretch...; ~ *ut* eg. stretch; bildl., t.ex. berättelse draw out, prolong, t.ex. en paus äv. drag out **II** *rfl,* ~ *[ut] sig* stretch
tänjbar eg. stretchable; elastic äv. bildl.
tänk|a I *itr* o. *tr* think; använda sin tankeförmåga reason; förmoda suppose; vänta sig expect; föreställa sig imagine; *tänk, att hon är* så rik*!* to think that she is...!; *tänk själv!* använd hjärnan think for yourself!; *var det inte det jag -te!* just as I thought!; *tänk på...!* a) t.ex. följderna [just] think of...! b) t.ex. vad du gör consider (ge akt på mind)...! c) t.ex. din hälsa äv. bear...in mind; *tänk på saken!* think it over; tills i morgon sleep on it; ~ *på* (låta tankarna dröja vid) ngn (ngt) think about...; *gå och ~* fundera *på ngt* have a th. on one's mind; *det tål att ~ på* that's [a thing] worth considering (thinking about); *när jag -er [rätt] på saken,* så är jag on second thoughts, I...

II *tr,* ~ *[att]* o. inf.: ämna, avse att be going (intend, mean, propose, amer. äv. aim) to inf.; fundera på att be thinking of ing-form; *jag hade -t* att du skulle diska my idea was...
III *rfl,* ~ *sig* **1** föreställa sig imagine; ~ ut t.ex. en annan möjlighet conceive; *[kan man (att)] ~ sig!* just think (imagine, fancy); ~ *sig [väl] för* think carefully (twice) **2** ämna [bege] sig *vart har du -t dig [resa]?* where have you thought (did you think) of going [to]?
IV med beton. part.
~ **efter** think, consider; *tänk efter!* try to remember!
~ **igenom** en sak think...out (isht amer. through)
~ **sig in i** sätta sig in i get into; föreställa sig imagine; leva sig in i enter into; inse realize
~ **om** do a bit of rethinking
~ **tillbaka** *på* let one's thoughts go back to; ~ *tillbaka på gamla tider* think of the old times (days)
~ **ut** fundera ut think (work) out
~ **över** think over, consider
tänkande I *s* thinking osv., jfr *tänka I;* begrundan meditation; filosofi o.d. thought **II** *adj* thinking osv., jfr *tänka I; en ~ människa* vanl. a thoughtful (reflecting) person
tänkare thinker
tänkbar conceivable; möjlig possible; *den enda ~a* lösningen the only conceivable (thinkable)...

tänkvärd ...worth considering; minnesvärd memorable; beaktansvärd remarkable
täppa I *s* patch; trädgårdstäppa garden patch **II** *itr, ~ till* (*igen*) stop (choke) up, obstruct; *jag är täppt i näsan* vanl. my nose is (feels) stopped (bunged) up
tära förtära consume; *~ på* t.ex. ngns krafter tax...; t.ex. ett kapital break (eat) into..., make inroads [up]on...
tärd worn out
1 tärna zool. tern
2 tärna brudtärna bridesmaid
3 tärna kok. dice
tärning speltärning dice, vard. bones; kok. cube; *en* spel*~* one of the dice
tärningsspel game of dice; spelande dice-playing, playing [at] dice, gambling with dice
1 tät head; *gå* (*lägga sig*) *i ~en* take the lead; *ligga i ~en* lead
2 tät 1 eg. close; svårgenomtränglig thick; om skog o. dimma samt fys. dense; ogenomtränglig för t.ex. luft tight; icke porös el. ihålig massive; om snöfall el. trafik heavy **2** ofta förekommande frequent; upprepad repeated **3** vard., förmögen well-to-do
täta täppa till stop up; läcka stop; göra...lufttät (vattentät) make...airtight (watertight); fönster (dörrar) make...draughtproof
täthet closeness osv., jfr *2 tät 1-2;* density; compactness; impenetrability; frequency
tätna become (get, grow) dense[r] ([more] compact, thick[er]); om t.ex. rök thicken
tätningslist sealing jointing; för fönster, dörrar draught excluder
tätort tätbebyggd ort densely built-up (tätbefolkad ort populated) area
tätt closely; thick[ly] osv., jfr *2 tät 1* o. *2; ~ hoppackade* tightly packed; pred. äv. ...packed tightly together; om pers. äv. ...squeezed (crowded) together; *han höll ~* tyst [*med saken*] he kept close [about the whole thing]; *~ liggande* ...lying closely together; *locket sluter ~* the lid fits tight; *stå ~* om träd stand closely together; om t.ex. säd be (stand) thick; *~ efter* close behind
tättbebyggd densely built-up...
tättbefolkad densely populated
tätting zool. passerine; *springa som en ~* bustle (hop) about like mad
tättskriven closely written
tävla compete; *~* [*med varandra*] *i* artighet vie with (emulate) each other in...
tävlan competition; jfr *tävling;* tävlande rivalry
tävlande I *adj* competing; rivaliserande rival **II** *s, en ~* a competitor (resp. a rival)
tävling competition äv. pristävling; contest äv. sport.; t.ex. i löpning race; vanl. mellan två lag match; turnering tournament; programpunkt event
tävlingsbana löparbana racetrack; hästtävlingsbana racecourse
tävlingsbidrag [competition] entry; lösning av tävlingsuppgift solution
tävlingsbil racing car
tävlingsförare racing driver
tö thaw
töa thaw; *~ bort* thaw [away]
töcken dimma mist; dis haze båda äv. bildl.
töja, *~ sig* stretch
töjbar stretchable; elastic äv. bildl.
tölp boor
tölpaktig boorish, clodhopping, loutish
töm rein; jfr *tygel*
töm|ma 1 göra tom empty; låda, brevlåda clear; *brevlådan -mes 4 ggr dagligen* there are four collections daily (a day) **2** *~* tappa *på flaskor* pour into bottles
tömning emptying, clearing; post. collection
tönt vard. drip, wet
töntig vard., om t.ex. skämt, underhållning corny; fånig sloppy; insnöad square
tör|as 1 våga dare [to]; *gör det om du -s* do it if you dare, I dare (defy) you to do it **2** få lov att *-s man sätta sig här?* may I (is it all right to) sit down here?
törn stöt blow äv. bildl.; bump; *ta ~* sjö. bear off, fend [her] off
törna, *~ emot* ngt bump (knock) into (against)...; stark. crash into...
törne tagg thorn; mindre prickle
törnekrona crown of thorns
Törnrosa the Sleeping Beauty
törnrosbuske vild brier [bush]
törntagg thorn; mindre prickle
törst thirst
törsta thirst äv. bildl.; *~ ihjäl* die of thirst
törstig thirsty
tös vard. girl; poet. maid
tövalla ski wax for thawing conditions
töväder thaw äv. bildl.; *det är ~* a thaw has set in

U

u bokstav u [utt. ju:]
ubåt submarine; vard. sub
UD förk., se *utrikesdepartement*
udd point äv. bildl.; på gaffel o.d. prong; *bryta (ta) ~en av* ett angrepp take the sting out of...
udda allm. odd; originell, ovanlig unusual; *~ eller jämnt* odd or even; *~ nummer (tal)* odd (uneven) number; *en ~ sko* an odd shoe
udde hög cape; låg el. smal point [of land]
uddlös pointless
ufo (förk. för *unidentified flying object*) UFO (pl. -s)
Uganda Uganda
ugandier Ugandan
ugandisk Ugandan
uggla owl
ugn oven; stor smältugn furnace
ugnsbaka bake (roast) [...in an (resp. the) oven]; *~d potatis* baked (jacket) potatoes
ugnseldfast ovenproof; *~ glas (gods)* äv. oven glassware, ovenware
ugnssteka roast [...in an (resp. the) oven]; isht potatis bake
Ukraina [the] Ukraine
ukrainare Ukrainian
ukrainsk Ukrainian
ukulele mus. ukulele
u-land developing country
ull wool; ullbeklädnad fleece; *...av ~* ...[made] of wool, woollen...
ullgarn wool[len] yarn, wool
ullig woolly, fleecy
ullsax sheep shears
ulster ulster
ultimatum ultimat|um (pl. -ums el. -a); *ställa ~ till ngn* present a p. with an ultimatum
ultrakonservativ ultraconservative
ultrakortvåg (förk. *UKV*) radio. ultrashort waves, very high frequency (förk. VHF)
ultraljud ultrasound
ultramarin ultramarine
ultraradikal ultraradical
ultrarapid I *s, i ~* in slow motion **II** *adj, ~ film (bild)* slow motion picture
ultraviolett ultraviolet; *~ strålning* ultraviolet radiation
ulv wolf (pl. wolves)
umbärande försakelse privation; strapats, möda hardship
umbärlig dispensable, expendable
umgås 1 med varandra see each other; formellt be on visiting terms; *~ i fina kretsar* move (mix) in good society **2** *~ med* handskas med handle; behandla deal with
umgänge förbindelse relations, dealings; sällskap company; vänkrets friends, circle of friends; *dåligt ~* bad (low) company; *intimt (sexuellt) ~* sexual intercourse
umgängesliv social life
umgängesrätt jur., efter skilsmässa right of access [to one's child (resp. children)]
undan I *adv* **1** bort away; ur vägen out of the way; åt sidan aside; *gå ~* (jfr *2*) väja get out of the way, stand clear [*för* of]; gå åt sidan äv. step aside; *komma ~* get off, escape **2** fort fast, rapidly; *det går ~ med arbetet* the work is getting on fine (is proceeding el. progressing fast) **3** *~ för ~* little by little, bit by bit, by degrees, gradually; en i taget one by one **II** *prep* from; ut ur out of
undanbedja I *rfl, ~ sig* t.ex. återval decline... **II** *tr, besök undanbedes* no visitors, please
undandraga, *~ sig* t.ex. sina plikter shirk, evade; t.ex. analys elude
undanflykt undvikande svar evasive answer; svepskäl subterfuge; *göra (komma med) ~er* be evasive, make excuses, prevaricate, shuffle
undangömd ...hidden (put) away (out of sight); isht om plats secluded, retired, out-of-the-way...
undanhålla dölja *~ ngn ngt* withhold a th. (keep a th. back) from a p.
undanröja 1 jur., t.ex. dom set aside **2** hinder o.d., se *2 röja [undan]*
undanskymd dold hidden away; i skymundan out of the way (jfr *undangömd*)
undanstökad, få en sak *~* ...done (ready) [i förväg beforehand (in advance)]
undantag avvikelse exception; *ett ~ från regeln* an exception to the rule; *ett ~ som bekräftar regeln* an exception that proves the rule; *göra ~ för* make an exception for; *med ~ av (för)* with the exception of, except; *det hör till ~en att han* gör så it is quite exceptional for him to...
undantaga utesluta except; fritaga exempt
undantagsfall exceptional case; *i ~* in exceptional cases
undantagslöst without exception
undantagstillstånd, *proklamera ~* proclaim a state of emergency
undantagsvis in exceptional cases, by way of exception
1 under wonder, marvel
2 under I *prep* **1** i rumsbet. under äv. friare el. bildl.; nedanför below, beneath; gömma sig (ligga) *~ ngt* ...under a th.; *sortera ~ ngt* belong under a th.; *stå ~ ngn* i rang be (rank) below a p.; *~ inköpspriset* below cost price; *simma ~ vattnet* swim under the water **2** i tidsbet. **a)** under loppet av during, ibl. in; svarande på frågan 'hur länge'

for; ~ *dagen* (*sommaren*) during the day ([the] summer); det regnade oavbrutet ~ *fem dagar* ...for five days; ~ *hela* kriget (året) äv. (för att särskilt framhäva hela förloppet) throughout...; *stängt* ~ *reparationen* closed during repairs **b)** ~ *det att detta pågick* while this was going on **3** mindre än under, less than; ~ *50* kronor (kilo, år) under fifty... **II** *adv* underneath; nedanför below; litt. samt i vissa fall beneath; en platta med filt ~ ...under it, ...underneath [it]; *lägga* ~ en platta [*under ngt*] put...underneath [a th.], put...under a th.
underarm forearm
underavdelning subdivision; *dela upp i ~ar* subdivide
underbar wonderful
underbarn infant prodigy (phenomenon), wonder child
underbemannad undermanned; *vara* ~ äv. be below strength
underbetala underpay
underbetyg mark below the pass standard; *det är ett klart* ~ *åt* systemet it is clear evidence of the failure of...
underblåsa öka: misstankar heighten, hat, missnöje foment, kindle
underbygg|a bildl. support, substantiate; *en väl* (*illa*) *-d teori* a well-founded (an ill-founded) theory
underbyggnad eg. el. bildl. foundation; byggn. äv. substructure; utbildning grounding
underbyxor herr~ [under]pants; i trosmodell briefs; dam~ knickers, panties; trosor briefs
underdel lower part; nedersta del bottom; fot foot; bas base
underdånig ödmjuk humble; lydaktig obedient; servil subservient; Ers Majestäts *~e tjänare* ...[humble and] obedient servant
underexponera foto. underexpose
underfund, *komma* ~ *med* ta reda på, lista ut find out; förstå, fatta understand, make out; vard. figure out, get the hang of; inse äv. realize
underfundig illmarig sly, crafty
underförstå, subjektet *är ~tt* ...is understood
undergiven submissive
undergräva undermine
undergå undergo; ~ *förändring* undergo (suffer) a change
undergång 1 fall ruin, fall; förstörelse destruction; utdöende extinction; fartygs wreck; *världens* ~ the end of the world **2** se *gångtunnel*
undergörande om t.ex. medicin miraculous; relig. o.d. wonder-working; ~ *medicin* äv. wonder drug
underhaltig ...below (not up to) standard (friare the mark); bristande deficient
underhandla negotiate
underhuggare underling
underhuset i Engl. the House of Commons
underhåll 1 understöd maintenance äv. frånskilds; jur. äv. alimony; t.ex. årligt allowance **2** skötsel maintenance, upkeep
underhålla 1 försörja support **2** sköta, hålla i stånd maintain; keep up äv. friare, t.ex. kunskaper **3** roa entertain
underhållande roande entertaining
underhållare entertainer
underhållning entertainment
underhållningsmusik light music
underhållningsprogram i radio light (entertainment) programme
underhållsbidrag jur. alimony
underhållsfri ...requiring no maintenance
underhållsplikt o. **underhållsskyldighet** maintenance obligation[s pl.]; ~ *för* barn duty to support...
underifrån from below (underneath)
underjorden mytol. the lower (nether, infernal) regions, the underworld; i grek. mytologi Hades
underjordisk underground...; subterranean; mytol. infernal
underkant, [*tilltagen*] *i* ~ [rather] on the small (resp. short, om t.ex. pris low) side, too small etc. if anything
underkasta I *tr,* ~ *ngn* t.ex. prov, straff, tortyr subject a p. to...; t.ex. förhör äv. put a p. through... **II** *rfl,* ~ *sig* finna sig i submit to; t.ex. sitt öde äv. resign oneself to; ngns beslut o.d. äv. defer to; kapitulera, ge sig surrender
underkastelse submission; t.ex. under ödet resignation; kapitulation surrender
underkjol waist slip
underklass lower class; *~en* the lower classes (orders) pl.
underkläder underclothes, underwear
underklänning slip
underkropp lower part of the body
underkuva subdue; *~d* förtryckt oppressed
underkyl|d, *-t regn* supercooled (freezing) rain
underkäke lower jaw
underkänna avvisa reject; ej godtaga not accept; ogilla not approve of; ~ *ngn* skol. fail a p.
underkänt, *få* ~ fail, be failed [*i* in]
underlag grund[val] foundation; tekn. el. geol. o.d. bed; byggn. äv. bedding; statistik. o.d. basic data; *bilda* ~ *för* bildl. form the basis of
underlakan bottom sheet
underleverantör subcontractor
underlig strange; svag. odd; neds. peculiar; vard. funny
underligt, ~ *nog* stötte jag på honom i London oddly (curiously, strangely) enough,...

underliv [nedre del av] buk [lower] abdomen; könsdelar genitals
underlydande I *adj,* ~ myndigheter lower... **II** *subst adj* underordnad subordinate
underlåta omit
underlåtenhet omission; att rösta, att betala etc. failure
underläge weak (disadvantageous) position; *vara i* ~ äv. be at a disadvantage, labour under a disadvantage
underlägg t.ex. karott~ mat; för glas coaster; för ölglas beer mat; skriv~ [writing] pad
underlägsen inferior
underlägsenhet inferiority; *känsla av* ~ feeling of inferiority
underläkare assistant physician
underläpp lower lip, underlip
underlätta facilitate
undermedveten subconscious; psykol. vanl. unconscious
undermening hidden meaning; antydning implication
underminera undermine
undermålig dålig inferior, poor; otillräcklig deficient
undernärd underfed
undernäring undernourishment; isht gm felaktigt sammansatt kost malnutrition
underordna I *tr* subordinate **II** *rfl,* ~ *sig* subordinate oneself [*ngn* (*ngt*) to a p. (a th.)]
underordnad I *adj* subordinate; det är *av* ~ *betydelse* ...of secondary (minor) importance **II** *subst adj* subordinate
underpris losing price; *sälja* ngt *till* ~ sell...at a loss, sell...below cost [price]
underrede [under]frame; på bil chassis (pl. lika)
underrepresenterad underrepresented
underrubrik subheading
underrätta I *tr,* ~ *ngn om ngt* inform (hand. äv. advise, isht formellt el. officiellt äv. notify) a p. of a th **II** *rfl,* ~ *sig* inform oneself, procure information [*om ngt* of (as to) a th.]
underrättad informed; *vara väl* (*illa*) ~ be well (badly) informed; *hålla ngn* ~ *om* keep a p. informed (hand. äv. advised) about (on)
underrättelse, ~[*r*] information [*om* about, on]; isht mil. o.d. intelligence [*om* of]; nyhet[er] news [*om* of] (samtl. end. sg.)
underrättelsetjänst mil. intelligence [service]; polit. intelligence agency
undersida under side; *från* ~*n av ngt* from under (beneath, below) a th.; *på* ~*n* underneath
underskatta underrate; förringa [värdet av] minimize [the value of]
underskott deficit; förlust loss; brist deficiency; ~ *på arbetskraft* shortage of labour
underskrida be (go, fall) below; ~ *rekordet med* två sekunder go under the record by...
underskrift namnteckning signature; *förse* en skrivelse *med* [*sin*] ~ sign..., put one's signature (name) to...
undersköterska assistant nurse
underst at the bottom; lägst lowest
understa, [*den*] ~ lådan etc. the lowest (av två the lower)..., the bottom...
understiga be below (under, less than); fall (go) below; summa not come up to
understimulerad understimulated
understryka betona emphasize; påpeka point out
understrykning av ord o.d. underlining
underström undercurrent båda äv. bildl.
understå, ~ *sig att* o. inf. dare [to] inf.; have the cheek to inf.
underställa, ~ *ngn* ett förslag o.d. submit...to a p., place (put)...before a p.; *underställd* (underordnad) ngn (ngt) placed under..., subordinate[d] to...
understöd till behövande relief [payment]; bidrag, ersättning benefit; periodiskt (isht av privatpers.) allowance; anslag subsidy; bildl. support; *leva på* ~ socialhjälp live on public (social) assistance; amer. be on welfare
understödja support; med anslag subsidize
undersåte subject
undersätsig stocky, squat
undersöka examine äv. med.; granska go over; genomsöka search; efterforska inquire (look) into; isht systematiskt investigate; analysera analyse; pröva, testa test; ~ *saken närmare* go more closely into the matter
undersökande, ~ *jornalistik* investigative reporting (journalism)
undersökning examination; scrutiny; genomsökning search; efterforskning inquiry; isht systematisk investigation; opinions~ poll; studium study; analys analys|is (pl. -es); prov test[ing]; *medicinsk* ~ medical examination; *rättslig* ~ judicial (legal) inquiry; *vetenskapliga* ~*ar* [scientific] research[es]
undersökningsmetod method of investigation (inquiry)
underteckna sign; ~*d* (resp. ~*de*) intygar härmed I, the undersigned (resp. [we,] the undersigned)...; ~*t* Bo Ek signed...
underton bildl. undertone
undertryck fys. underpressure
undertrycka suppress; slå ned put down, crush; underkuva subdue
undertröja vest; amer. undershirt
underutvecklad underdeveloped
undervattensbåt submarine; vard. sub
undervattenskabel submarine cable
undervegetation undergrowth

underverk miracle; *göra* ~ friare work (do) wonders
undervisa ge undervisning teach; handleda instruct; *han ~r i engelska* he teaches (ger lektioner i gives lessons in) English
undervisning undervisnings-, lärarverksamhet teaching; i visst ämne instruction; isht individuell tuition; utbildning education
undervisningsväsen educational system
undervåning lower floor (storey, amer. vanl. story)
undervärdera se *underskatta*
underårig ...under age; *vara* ~ äv. be a minor
undfalla, *låta* ~ *sig* en anmärkning o.d. let slip...
undfallande eftergiven compliant, yielding
undfly undvika avoid, keep away from, shun; t.ex. faran escape
undfägna treat, entertain
undgå slippa undan escape; undvika avoid; ~ *straff* escape punishment; *ingenting ~r honom* nothing escapes him; *jag kunde inte ~ att* t.ex. höra det I couldn't avoid (help) ing-form
undkomma I *itr* escape **II** *tr* t.ex. sina förföljare escape from
undra wonder; *det ~r jag* I wonder; ~ *på det!* no wonder!
undran wonder
undre lower; ~ t.ex. lådan äv. the bottom...
undslippa escape, jfr *undgå;* ett glädjerop *undslapp honom* el. *han lät* ~ *sig* ett glädjerop ...escaped his lips
undsätta isht mil. relieve; rädda rescue
undsättning relief; rescue; succour; *komma till ngns* ~ come to a p.'s rescue (succour)
undulat budgerigar; vard. budgie
undvara do without; avvara spare; hans hjälp *kan inte ~s* ...cannot be dispensed with, ...is indispensable
undvika avoid; sky shun
undvikande I *s* avoiding **II** *adj* om t.ex. svar evasive **III** *adv* evasively
ung young; *den ~a generationen* vanl. the rising generation; *de ~a* i allmänhet the young, young people; t.ex. i ett sällskap the young people
ungdom 1 abstr. youth; uppväxttid adolescence **2** pers. young people (äv. *~ar*), youth
ungdomlig youthful; *ha ett ~t utseende* look young
ungdomlighet youthfulness
ungdomsbrottslighet, ~[*en*] juvenile delinquency (crime)
ungdomsgård youth centre
ungdomskärlek abstr. early (young) love; pers. sweetheart (love) of one's youth
ungdomsvårdsskola ung. community home; amer. reformatory
ungdomsvän, *en* ~ [*till mig*] a friend of my youth
ungdomsår early years
unge 1 av djur: allm. *ungar* young, little ones; spec.: katt~ kitten; björn~, lejon~, räv~, varg~ m.fl. cub; fågel~ young bird; katten ska *få ungar* ...get (have) kittens **2** vard., barn kid; neds. brat
ungefär I *adv* about; ~ *klockan två* around two [o'clock], twoish **II** *s, på ett* ~ approximately, roughly
ungefärlig approximate
Ungern Hungary
ungersk Hungarian
ungerska 1 kvinna Hungarian woman **2** språk Hungarian
ungkarl bachelor
ungkarlshotell working men's hotel, common lodging house
ungkarlsliv bachelor life
ungkarlslya bachelor's den (lair)
ungmö maid; *gammal* ~ old maid, spinster
ungrare Hungarian
uniform I *s* uniform **II** *adj* uniform
uniformitet uniformity
uniformsmössa military (dress) cap
uniformsrock tunic
unik unique
union union
unison unison äv. friare
unisont in unison äv. friare
unitrium *s* unitite
universalmedel panacea; vard. cure-all båda äv. bildl.
universell universal
universitet university; *ligga vid ~et* be at [the] (amer. at the) university
universitetsstudier university studies
universum universe; världsalltet the Universe
unken musty
unna I *tr,* ~ *ngn ngt* not grudge (begrudge) a p. a th.; *det är dig väl unt!* you certainly deserve it! **II** *rfl,* ~ *sig ngt* allow oneself a th.
uns vikt ounce; friare *inte ett* ~ [*sanning*] not a scrap [of truth]
upp 1 allm. up; uppför trappan upstairs; *denna sida ~!* this side up; ~ *och ned* än högre, än lägre up and down; uppochnedvänd upside-down äv. bildl.; [with] the wrong side up[wards]; *kliva* ~ *på* en stol get on...; *resa* ~ *till* Åre go up to...; *vända* ngt ~ *och ned* turn...upside-down (bildl. äv. ...topsy-turvy); ~ *med dig!* ur sängen o.d. get up!; uppför stegen o.d. up you go!; ~ *med händerna!* hands up!, put them (mera vard. stick'em) up! **2** uttr. mots. till det enkla verbets bet.: konstr. med un-; *knyta* ~ untie; *låsa* ~ unlock; *packa* ~ unpack **3** uttr. eg. öppnande open; *få* (*slå*) ~ t.ex. dörr get

(throw)...open, open...; *få ~* t.ex. lock get...off; kork get...out
upparbetning av använt kärnbränsle reprocessing
uppassare servitör waiter; på båt o. flyg steward
uppasserska servitris waitress; på båt o. flyg stewardess
uppassning vid bordet waiting
uppbjuda, *~ alla [sina] krafter* summon (mobilize) all one's strength
uppbjuden, *bli ~* till dans be asked to dance
uppblandad mixed
uppblomstring prosperity
uppblossande, *med ~ vrede* in a flash of anger, with rising anger
uppblåsbar inflatable
uppblåst 1 luftfylld blown up; *magen känns ~* my stomach feels bloated **2** bildl. conceited; vard. stuck-up
uppblött soaked, sodden
uppbragt indignant; arg angry; förbittrad furious; stark. exasperated; *bli ~* äv. fly into a passion
uppbringa 1 skaffa procure **2** kapa capture
uppbrott allm. breaking up; från bordet rising; avresa departure; mil. decampment
uppbrottsstämning, *det rådde ~* there was a mood (an atmosphere) of leave-taking
uppbränd, *~ [av solen]* scorched
uppburen uppskattad esteemed; firad celebrated; omsvärmad lionized
uppbygglig edifying
uppbåd mängd crowd; skara o.d. troop; *ett stort ~ av poliser* a strong force (posse) of policemen
uppbåda 1 folk, se *1 båda 2* **2** t.ex. hjälp mobilize, se vid. *uppbjuda*
uppbära erhålla, t.ex. lön draw; inkassera collect
uppbörd inkassering collection
uppdaga upptäcka discover; avslöja reveal; bringa i dagen bring...to light
uppdatera update
uppdelning indelning division; fördelning distribution
uppdiktad invented; fiktiv fictitious; *~ historia* äv. fabrication, invention
uppdra, *~ åt ngn att* inf. commission a p. to inf.
uppdrag allm. commission; uppgift task; amer. äv. assignment; åliggande el. hand. order; jur. mandate; isht polit. mission; *få (ha) i ~* be commissioned (instructed) [*att* inf. to inf.]; *på ~ av* styrelsen o.d. by order of...; å...vägnar on behalf of...
uppdragsgivare 1 arbetsgivare employer **2** hand. principal; klient client
uppdämd dammed up; bildl. (om t.ex. vrede) pent-up
uppe allm. up; i övre våningen upstairs; upptill at the top, above; *~ i landet* norrut up [in the] country; han är *~ hos oss* ...up at our place; *han är ~* uppstigen he is up (out of bed); efter sjukdom he is up [and about]; han är *fortfarande ~* ...still up (not in bed yet)
uppehåll 1 avbrott, paus break; järnv., flyg. o.d. stop; *göra ~* allm. stop, halt; järnv. o.d. äv. wait; t.ex. i arbete (förhandlingar) make a break; *tåget gör 10 minuters ~ i* Laxå the train stops (halts, waits) [for] 10 minutes in (at)... **2** meteor., se *uppehållsväder* **3** vistelse sojourn; kortare stay
uppehålla I *tr* **1** hindra hinder; fördröja detain; låta ngn vänta keep...waiting **2** vidmakthålla, t.ex. bekantskap keep up, maintain; *~ livet* support (sustain) life **II** *rfl, ~ sig* vistas: tillfälligt stay; bo live; ha sin hemvist reside; *~ sig* dröja *vid småsaker* dwell [up]on (fästa sig vid take notice of) trifles
uppehållstillstånd residence permit
uppehållsväder, [*mest*] *~* [mainly] dry (fair)
uppehälle living; *fritt ~* free board and lodging; det är svårt att *förtjäna sitt ~* ...make a living
uppenbar obvious; [själv]klar evident
uppenbara I *tr* manifest; röja reveal; yppa disclose **II** *rfl, ~ sig* reveal oneself [*för* to]; äv. relig.; visa sig appear, make one's appearance
uppenbarelse 1 relig. revelation; drömsyn vision **2** varelse creature
Uppenbarelseboken [the] Revelation [of St. John the Divine], the Apocalypse
uppenbarligen obviously
uppfart o. **uppfartsväg** drive
uppfatta apprehend; höra catch; begripa understand, grasp; tolka interpret
uppfattning apprehension; förstående understanding; begrepp conception, notion; tolkning interpretation; åsikt, föreställning opinion; conception; *bilda sig en ~ om ngt* form an opinion (idea) of a th.; *jag delar din ~* I share your opinion
uppfattningsförmåga apprehension; psykol. [ap]perception
uppfinna invent äv. hitta på; t.ex. metod devise
uppfinnare inventor
uppfinning invention; *ny ~* äv. innovation
uppfinningsrik inventive; fyndig ingenious
uppflugen perched
uppflyttad, *bli ~* sport. be promoted, go up; skol. be moved up
uppfostra bring up; amer. äv. raise; utbilda educate
uppfostran upbringing; utbildning o.d. education; *få [en] god ~* get (have) a good

education; *ha fått [en] god ~* äv. be well brought up (well-bred)

uppfriskande refreshing

uppfylla 1 bildl.: genomsyra fill; *~ ngn med fasa* äv. strike horror into a p. **2** fullgöra: allm. fulfil, ngns önskningar comply with; begäran, bön grant, comply with; *~ sina förpliktelser* fulfil one's obligations, meet one's engagements

uppfyllelse uppfyllande filling osv.; fulfilment; performance; compliance; satisfaction; jfr *uppfylla; gå i ~* be fulfilled; om önskan, dröm, spådom äv. come true

uppfånga eg. catch; signaler, [radio]meddelanden pick up; ljus, ljud intercept

uppfällbar om t.ex. säng ...that can be raised; om sits, stol tip-up

uppfödare breeder

uppfödning av djur breeding; amer. raising

uppföljning follow-up

uppför I *prep* up; *~ backen* uphill; *gå ~ trappan* äv. ascend the stairs **II** *adv* uphill

uppföra I *tr* **1** bygga build; hastigt run up; t.ex. monument erect **2** framföra: pjäs, opera, musik perform **II** *rfl, ~ sig* sköta sig behave [oneself] [*mot* towards, to]

uppförande 1 byggande building, erection; huset *är under ~* ...is being built, ...is under construction **2** framförande: teat. el. mus. performance; teat. äv. production **3** beteende behaviour; uppträdande conduct äv. skolbetyg; hållning demeanour; *[ett] dåligt ~* bad behaviour (resp. conduct), misbehaviour resp. misconduct

uppförsbacke uphill slope

uppge 1 ange: allm. state; t.ex. namn och adress give; påstå declare; säga say; tala om tell; nämna mention; rapportera report; *noga ~* specify, detail; *~ [namnet på]* name; *~ ett pris* state (hand. quote) a price **2** se *ge [upp]*

uppgift 1 upplysning information; påstående statement; *närmare ~er* further information sg. (particulars); *~ står mot ~* one statement contradicts the other; *enligt ~* according to reports, from (according to) information received **2** åliggande task, business; amer. assignment; kall mission; skol. o.d. exercise; enstaka fråga (i prov o.d.) question; matematik~ problem; *få i ~ att göra ngt* be given (assigned) the task of doing a th.; *han har till ~ att* inf. it is his task (business, vard. job) to inf.

uppgiva se *uppge*

uppgiven resignerad resigned; modfälld dejected; *~ av* trötthet overcome by (with)..., ready to drop with...; *en ~ gest* a gesture of resignation

uppgjord, *~ i förväg* prearranged, preconcerted

uppgå 1 *~* belöpa sig *till* amount (come, run [up]) to, total **2** *~ i* se *gå [upp i]*

uppgång 1 väg upp way (trappa stairs pl.) up; ingång entrance; trappuppgång staircase **2** himlakroppars rise; prisers o.d. rise äv. kulturs o.d.; ökning increase; stark. boom

uppgörelse 1 avtal agreement; affär transaction; *träffa en ~* come to (make) an agreement **2** avräkning settlement [of accounts] **3** meningsutbyte controversy, dispute; scen scene; *det kom till en häftig ~ mellan dem* matters came to a real head between them

upphetsa mfl., se *hetsa [upp]* m.fl.

upphetsande exciting

upphetsning excitement

upphittad found

upphittare finder

upphov origin; källa source; orsak cause; början beginning; *ge ~ till* ovilja give rise (birth) to...; en diskussion start..., give rise to...

upphovsman originator; anstiftare instigator

upphovsmannarätt copyright

upphällning, ngt *är på ~en* ...is on the decline (wane)

upphäva *tr* **1** låta höra: se *häva [upp]* **2** avskaffa abolish, annul; lag rescind; dom reverse; återkalla revoke; tillfälligt suspend; avbryta raise; kvarstad lift, raise; *~ varandra* naturv. el. friare neutralize each other

upphöja allm. raise; befordra advance; i rang exalt; *~ till lag* give the force of law äv. bildl.

upphöjd ädel: om pers. el. tänkesätt elevated, om t.ex. ideal lofty, om t.ex. känsla el. om t.ex. värdighet exalted; *med upphöjt lugn* with serene calm

upphöjelse advancement; promotion

upphöra allm. cease; *~* att gälla expire; om t.ex. tidning cease to appear; om t.ex. förening be dissolved; firman *har upphört* ...has closed down, ...no longer exists

uppifrån I *prep* [down] from **II** *adv* from above; *~ och ned* from top to bottom, from the top downwards

uppiggande I *adj* stärkande bracing; stimulerande stimulating; uppfriskande refreshing; hans sällskap *är ~ [för mig]* ...cheers me up **II** *adv, verka ~* have a bracing (osv., jfr *I*) effect

uppjagad upprörd upset

uppkalla benämna name

uppkastning, *~ar* konkr. vomit (end. sg.)

uppklarnande, *tidvis ~* i väderleksrapport bright intervals (spells)

uppklädd ...all dressed up

uppknäppt om t.ex. blus unbuttoned; bildl. relaxed

uppkok, *ge* såsen *ett hastigt ~* bring...to a quick boil

uppkomling upstart
uppkomma arise; se vid. *uppstå 1*
uppkomst ursprung origin; vetensk. genesis
uppkrupen ...huddled (curled) up
uppkäftig vard. cheeky, saucy
uppköp inköp purchase; upphandling i stora partier bulk purchase; jfr *inköp*
uppköpare buyer; spekulant buyer-up (pl. buyers-up)
uppkörning driving test
uppladdning elektr. recharging; mil. concentration of forces; sport. el. friare final preparations, final workout
upplag förråd stock; lagerlokal storehouse; magasin warehouse
upplaga edition; tidnings o.d. (spridning) circulation
upplagd, *jag känner mig inte ~ för att* inf. I'm not in the mood for (I don't feel like) ing-form
uppleva erfara experience, know; t.ex. äventyr meet with; delta i take part in; genomleva live (go) through; bevittna witness
upplevelse erfarenhet experience; äventyr adventure; det var *en stor ~* äv. ...really something to remember
uppliva se *återuppliva*
upplopp 1 tumult riot, tumult **2** sport. finish
upplupen, *~ ränta* accrued interest
upplyftande elevating; uppbygglig edifying
upplysa, *~ ngn om* ngt underrätta inform a p. of..., ge besked tell a p..., meddela let a p. know..., isht nyhet o.d. communicate (mer formellt el. officiellt notify)...to a p., ge upplysning give a p. a piece of information on (about)...
upplysande informative; lärorik instructive; förklarande explanatory
upplysning 1 belysning lighting; fest-, fasadbelysning illumination **2** underrättelse information; förklaring explanation; *en ~* a piece of information; *närmare ~ar [fås] hos...* further particulars (information) may be obtained from..., for particulars apply to... **3** bibringande av bildning enlightenment; *~en* filosofisk o. litterär riktning the Enlightenment, se vid. *upplysningstiden*
upplysningstiden the Age of Enlightenment
upplysningsvis by way of information
upplyst 1 eg. *en väl ~ gata* a well-lit street **2** bildl. enlightened
upplåning ekon. borrowing, borrowing transactions
upplåta, *~ ngt åt ngn* ställa till ngns förfogande put a th. at a p.'s disposal, grant a p. the use of a th.
uppläsning reading äv. offentlig; recitation recitation
upplösa I *tr* **1** dissolve **2** skingra: t.ex. familj break up, t.ex. möte disperse, trupp disband **II** *rfl, ~ sig* allm. dissolve; sönderfalla decompose; upphöra be dissolved; skingras: om t.ex. möte, skyar disperse; om trupp, äv. teat. disband
upplösning allm. dissolution; i beståndsdelar disintegration äv. samhällsupplösning; sönderfall decomposition; dramas denouement, unravelling
upplösningstillstånd state of decomposition (dissolution); *vara i ~* bildl. be on the verge of a breakdown (a collapse)
uppmana exhort; hövligt invite; uppmuntrande encourage
uppmaning exhortation; invitation; urgent request; *på ~ av* at the request of; hövlig on the invitation of; inrådan on the recommendation of
uppmjukning softening osv., se *mjuka [upp]*
uppmuntra allm. encourage
uppmuntran encouragement
uppmuntrande encouraging; *föga ~* anything but encouraging, discouraging
uppmärksam attentive äv. artigt tillmötesgående; iakttagande observant; [*spänt*] ~ intent [*på* [up]on]; *göra ngn ~ på* ngt draw (call) a p.'s attention to..., point...out to a p.; varnande warn a p. of...
uppmärksamhet attention äv. visad artighet; artighet ss. egenskap attentiveness; iakttagelseförmåga observation; *bristande ~* want (lack) of attention, inattention; *avleda ngns ~* divert a p.'s attention; *visa ngn stor ~* show (pay) marked attention to a p.
uppmärksamma lägga märke till: allm. notice; ha sin uppmärksamhet riktad på pay attention to, attend to; *en ~d bok* a book that [has (resp. had)] attracted much attention
uppnosig cheeky, saucy
uppnå reach; lyckas nå (åstadkomma) attain; med viss ansträngning achieve; vinna obtain
uppnäsa snub (turned-up) nose
uppochnedvänd eg. el. bildl. ...[turned] upside-down
uppoffra sacrifice; avstå från give up; *~ sig* sacrifice oneself [*för* for]; *~ sig för* sitt barn äv. make sacrifices for...
uppoffrande self-sacrificing; *~ kärlek* äv. devotion
uppoffring sacrifice; *om det inte är för stor ~ för dig* äv. if that is not asking too much of you
upprensning cleaning out; av t.ex. avlopp, hamn clearing out; jfr *upprensningsaktion*
upprensningsaktion polit. o.d. purge; mil. mopping-up operation
upprepa I *tr* repeat **II** *rfl, ~ sig* om sak repeat

itself, happen again; återkomma äv. recur; om pers. repeat oneself
upprepning repetition
uppretad irritated; *en ~ tjur* an enraged bull
uppriktig sincere; öppenhjärtig frank, candid; ärlig honest; rättfram straightforward; om t.ex. vän, vänskap true, genuine; allvarlig earnest
uppriktighet sincerity; öppenhjärtighet frankness; ärlighet honesty
uppriktigt sincerely osv., jfr *uppriktig; ~ sagt* [quite] frankly, honestly, to be [quite] frank (honest)
uppringning [telephone] call
upprinnelse origin; jfr *ursprung*
uppriven om pers. shaken; *~ av* sorg broken down with...; jfr äv. *riva [upp]*
upprop 1 skol., mil. o.d. rollcall, call-over; uppropande calling over [of names]; *förrätta ~* call the roll *[med* of] **2** vädjan appeal
uppror 1 resning o.d. rebellion, insurrection; isht mindre rising, revolt; *anstifta ~* stir up (instigate) a rebellion osv.; friare el. svag. make trouble **2** bildl.: upphetsning excitement; *vara i ~* om t.ex. stad be in a commotion (an uproar); om sinne be in a tumult; om havet be agitated (rough, troubled)
upprorisk rebellious äv. bildl.
upprorsanda rebellious spirit, spirit of revolt
upprusta mil. rearm, increase [one's] armaments; reparera repair; förbättra improve; utrusta re-equip
upprustning mil. rearmament; reparation repair; för ökad kapacitet improvement; utrustande re-equipment
upprymd elated; lätt berusad tipsy
uppräkning i ordning enumeration; av pengar (visst belopp) counting out; ekon., justering uppåt adjustment (adjusting) upwards
upprätt I *adj* upright **II** *adv* upright
upprätta 1 inrätta establish; grunda found; t.ex. fond, befattning create; t.ex. system institute; t.ex. organisation form **2** avfatta, t.ex. kontrakt, protokoll draw up; lista make [up (out)]; karta, plan draw **3** rehabilitera rehabilitate; *~ ngn (ngns rykte)* restore a p.'s reputation
upprättelse gottgörelse redress; rehabilitering rehabilitation; *ge ngn ~* redress a p.'s wrongs; rehabilitera ngn rehabilitate a p.
upprätthålla t.ex. vänskapliga förbindelser maintain, keep up; t.ex. disciplin uphold; t.ex. fred preserve
uppröjning clearing; bildl. clean-up
uppröra bildl.: väcka avsky hos revolt, rouse...to indignation; chockera shock; reta upp irritate
upprörande revolting; shocking osv., jfr *uppröra;* om t.ex. behandling outrageous; *det är ~* äv. it's a crying shame
upprörd harmsen indignant; uppretad irritated; skakad agitated; uppskakad upset
uppsagd ...who has (resp. had) been given notice [to quit] osv., jfr *säga [upp]*
uppsamling uppsamlande gathering, collecting; uppfångande catching
uppsats skol. [written] composition; mer avancerad essay; univ. äv. paper; i tidskrift o.d. article; större essay
uppsatsämne skol. subject [set] for composition (resp. for an essay), essay topic
uppsatt, *högt ~* highly placed; *en högt ~ person* äv. a person of high station
uppseende uppmärksamhet attention; sensation sensation; uppståndelse stir; *väcka ~* vanl. attract attention (notice), create a sensation, make (create) a stir
uppseendeväckande sensational; om t.ex. upptäckt startling; iögonfallande conspicuous
uppsegling, *vara under ~* bildl. be under way, be brewing, be in the offing
uppsikt bevakning supervision, superintendence, control; överblick view
uppsjö, *en ~ av* an abundance of, a wealth of
uppskakad upset; stark. shocked
uppskakande upsetting; stark. shocking
uppskatta 1 beräkna o.d. estimate; utvärdera evaluate **2** sätta värde på appreciate
uppskattning estimate; valuation; appreciation
uppskattningsvis approximately, at a rough estimate
uppskjuta se *skjuta [upp]*
uppskjutning av rymdraket launching
uppskov uppskjutande postponement, delay; anstånd respite; hand. äv. prolongation; *få ~ med [att fullgöra]* värnplikten get a respite from...
uppskrämd rädd frightened osv.
uppskärrad, *vara ~* uppskakad, uppjagad be [all] wrought up, be [all] on edge (uptight)
uppslag 1 idé idea; förslag suggestion **2** på byxa turn-up; amer. cuff; på ärm cuff **3** motstående sidor: i bok opening; i tidning o.d. spread
uppslagsbok reference book; encyklopedi encyclopedia
uppslagsord headword, [main] entry
uppslagsrik ...full of suggestions; friare inventive
uppslitande psykiskt påfrestande trying; hjärtskärande heart-rending
uppsluka bildl. engulf; fängsla absorb; *som ~d av jorden* as if swallowed up by the earth

uppsluppen på glatt humör exhilarated; munter merry
uppslutning anslutning support; *det var god* (resp. *dålig*) ~ *på mötet* many (not very many) people attended the meeting
uppspelt se *uppsluppen*
uppspärrad wide open
uppstigen uppe *han är inte* ~ [*ur sängen*] he has not got (is not) up
uppstigning rise; ur sängen getting up; flyg. el. på berg ascent; ur havet emersion
uppstoppad om djur stuffed
uppsträckning bildl.: stark. reprimand, svag. talking-to, vard. telling-off
uppsträckt finklädd [all] dressed up
uppstudsig refractory, recalcitrant, insubordinate; motspänstig obstinate
uppstyltad stilted, affected; svulstig bombastic, turgid
uppstå 1 uppkomma arise; originate; börja begin; om t.ex. mode appear; plötsligt spring up; som resultat av ngt result; om rykte spread **2** bibl. ~ *från de döda* rise from the dead
uppståndelse 1 oro excitement; vard. fuss; *väcka* [*stor*] ~ make a [great] stir (commotion) **2** bibl. resurrection
uppställa se *ställa* [*upp*]
uppställning 1 uppställande putting up osv., jfr *ställa* [*upp*]; anordning arrangement, disposition **2** mil. formation **3** sport. line-up
uppstötning belch; med. eructation; *få en* ~ (*ha ~ar*) belch
uppsving advance; hand. boom; efter nedgång recovery
uppsvullen o. **uppsvälld** swollen; pussig bloated
uppsyn 1 ansiktsuttryck [facial] expression; min air; utseende look **2** se *uppsikt*
uppsyningsman overseer, supervisor
uppsåt isht jur. intent; avsikt intention; *i* (*med*) ~ *att döda* with intent to kill
uppsåtlig intentional
uppsägning allm. notice; av anställd el. hyresgäst notice to quit; av kontrakt notice of termination
uppsägningstid term (period) of notice; *med en månads* (*tre månaders*) ~ with one month's (three months') notice
uppsättning 1 uppsättande putting up osv., jfr *sätta* [*upp*] **2** teat. production **3** sats, omgång set
uppsöka se *söka* [*upp*]
upptaga 1 antaga: ~ *ngn i* en förening admit a p. into... **2** ta i anspråk take up; ~ *ngns tid* äv. occupy a p.'s time **3** uppfatta take **4** se *ta* [*upp*]
upptagen 1 sysselsatt busy; occupied; *jag är* ~ i kväll: bortbjuden o.d. I am engaged..., av arbete I shall be busy... **2** besatt occupied; reserverad booked; *platsen* stolen *är* ~ the seat is taken; [*det är*] *upptaget!* tele. [number] engaged!; amer. [line] busy!
upptagetton engaged (amer. busy) tone
upptagning film. filming, shooting; på skiva (band) recording
upptakt bildl. beginning; introduction
upptaxera, *bli ~d till 200 000 kronors inkomst* have (get) the assessment of one's income raised (put up) to 200,000 kronor
uppteckna take down, record; om krönikör o.d. chronicle
upptill at the top
upptrappning intensifiering escalation; av t.ex. konflikt intensification
uppträda 1 framträda appear; make one's appearance; om teatertrupp give performances (resp. a performance); ~ *offentligt* appear in public **2** uppföra sig behave [ibl. oneself]; på visst sätt, bestämt act; ~ *bestämt mot...* act firmly against... **3** fungera act
uppträdande framträdande appearance; uppförande behaviour, conduct; sätt manner; hållning bearing; handlande action; förekomst occurrence
uppträde scene; bullersamt disturbance; vard. shindy; *ställa till ett* [*häftigt*] ~ make a [terrible] scene
upptuktelse, *ta ngn i* ~ give a p. a lecture (talking-to)
upptåg trick; spratt practical joke; muntert lark
upptågsmakare practical joker
upptäcka allm. discover; komma på detect; få reda på find out; *man kunde inte* ~ *något spår* there was no trace to be found (seen)
upptäckare discoverer
upptäckt discovery; jfr *upptäcka*
upptäcktsfärd o. **upptäcktsresa** expedition; sjöledes voyage of discovery; *göra en* ~ *i...* explore...
upptäcktsresande explorer
upptänklig imaginable; *på alla ~a sätt* äv. in every possible way
uppvaknande awakening äv. bildl.
uppvakta göra...sin kur court; hylla: gratulera congratulate, hedra honour
uppvaktning 1 visit [gratulations~ congratulatory (hövlighets~ complimentary)] call; *han fick stor* ~ *på sin födelsedag* many people congratulated (came to congratulate) him on his birthday **2** följe attendants; prins C. *med* ~ ...with his suite
uppvigla stir up
uppviglare agitator agitator
uppvind meteor. el. flyg. upwind
uppvisa 1 se *visa* [*upp*] **2** påvisa show; bevisa prove **3** visa prov på present; vara behäftad

med be marred (impaired) by; ståta med boast of
uppvisning 1 exhibition; t.ex. flyg~ show; mannekäng~ parade; t.ex. gymnastik~ display; *en bländande ~* friare a brilliant display **2** framförande av t.ex. hästar presentation
uppvuxen, *han är ~ i staden* (*på landet*) he has grown up in the town (country), he is town-bred (country-bred)
uppväcka bildl.: framkalla awaken osv., se *väcka 2*
uppväg, *på ~en* on the (one's) way (resa journey) up (norrut northwards, up north)
uppväga bildl. counterbalance; neutralisera neutralize; ersätta compensate (make up) for; *det ena uppväger det andra* one makes up for the other
uppvärmning heating; svag. warming; *elektrisk ~* electric heating
uppväxande growing [up]; *det ~ släktet* the rising generation
uppväxttid o. **uppväxtår** persons [childhood and] adolescence
uppåt I *prep* up to[wards]; längs [all] up along; *~ floden* up the river **II** *adv* upwards; brädan är tjockare ~ upptill ...towards the (its) upper end (the top); *det bär ~* uppför *hela vägen* it is uphill all the way; *gå ~* stiga ascend, rise **III** *adj, vara ~* glad be in high spirits
uppåtgående om pris rising; om tendens upward; om tåg north-bound
1 ur klocka: fick~ watch; vägg~ o.d. clock; *Fröken Ur* the speaking clock
2 ur, *i ~ och skur* in all weathers, rain or (and) shine
3 ur I *prep* allm. out of; inifrån from within (inside); *få ngn ~ balans* throw a p. off [his resp. her] balance; *gå ut ~* rummet leave (go el. walk out of)...; se äv. under resp. subst. o. vb **II** *adv* out; *ta ~ ngt ur...* take a th. out of...; se vid. beton. part. under resp. vb
uraktlåtenhet omission, failure
Uralbergen the Ural Mountains
uran kem. uranium
Uranus astron. Uranus
urarta degenerera degenerate
urbanisering urbanization
urbefolkning original population; *~en* äv. the aborigines pl.
urberg primary (primitive) rock[s pl.]
urblekt faded äv. bildl.; discoloured
urblåst 1 eg. blown out; gm bombning gutted; gm eld ...gutted by fire **2** vard., dum stupid
urbota I *adj* ohjälplig hopeless **II** *adv, ~ dum* (*tråkig*) hopelessly stupid (boring)
urdjur protozo protozo|on (pl. -a)
urfånig vard. very silly (stupid), idiotic
urgammal extremely old; forntida ancient
urgröpning hollow
urgröpt hollowed (scooped) out; om kinder hollow
urholka bildl. undermine; göra sämre impair; jfr vid. *holka* [*ur*]
urholkad eg. hollow, concave; jfr vid. *holka* [*ur*] o. *urholka*
urholkning 1 urholkande hollowing [out] osv., jfr *holka* [*ur*]*;* undermining osv., jfr *urholka* **2** fördjupning hollow, excavation
urin urine
urinblåsa anat. [urinary] bladder
urindrivande med. diuretic; *~ medel* diuretic
urinera urinate
urinnevånare aboriginal (original) inhabitant, aboriginal; *urinnevånarna* äv. the aborigines
urinprov specimen of urine
urinvånare se *urinnevånare*
urinvägsinfektion med. infection of the urinary tract, urinary infection
urklipp [press] cutting
urkokt overboiled
urkraft primitive (primordial) force; bildl. immense power
urkund document; jur. äv. deed; officiell roll; *~er* jur. äv. muniments
urladdning eg. discharge båda äv. bildl.
urlakad tekn. leached; urvattnad soaked; utmattad exhausted, washed out
urlastning unloading
urmakare [clock and] watchmaker
urmakeri verkstad watchmaker's [work]shop
urminnes, *sedan ~ tid*[*er*] from time immemorial
urmodig out of date; gammaldags old-fashioned
urna urn
urolog 1 läkare urologist **2** *~en* avdelning på sjukhus the department of urology
urpremiär [very] first performance (films showing)
urringad low-cut, décolleté fr.
urringning décolletage fr.
ursinne raseri fury; förbittring, vrede rage; *driva ngn till ~* drive a p. frantic
ursinnig allm. furious; *göra ngn ~* äv. enrage (infuriate) a p.
urskilja discern, distinguish äv. bildl.; en ny tendens *kan ~s* ...can be seen (perceived)
urskiljbar discernible; distinguishable
urskillning insikt discrimination, discernment; omdömesförmåga judgement
urskillningsförmåga discrimination, discernment; jfr *urskillning; en person med ~* a discerning person
urskillningslös om pers. ...lacking in discrimination (discernment, judgement); jfr *urskillning*
urskog primeval (virgin) forest; amer. äv. backwoods

urskulda I *tr* excuse **II** *rfl, ~ sig* excuse oneself
ursprung origin; uppkomst rise; källa source; *det har sitt ~ i* äv. it springs (originates) from
ursprunglig ursprungs- original; naturlig natural
ursprungligen originally
urspårning derailment
ursäkt allm. excuse äv. i bet. försvar; erkännande av fel el. försumlighet apology; *komma med ~er* urskuldanden offer excuses; *be ngn om ~* ask (beg) a p.'s pardon (forgiveness), apologize to a p.
ursäkta I *tr* excuse; förlåta forgive; *~ [mig]* ss. hövlig inledning excuse me!; förlåt I'm sorry!, pardon me! **II** *rfl, ~ sig* excuse oneself [*för* att-sats for ing-form]
ursäktlig pardonable
urtavla dial; clockface, jfr *1 ur*
urtiden prehistoric (the earliest) times
urtidsmänniska, *~[n]* primitive man
urtima, *~ riksdag* extraordinary session of the Riksdag
urtråkig vard. deadly dull (boring), a real bore
Uruguay Uruguay
uruguayare Uruguayan
uruguaysk Uruguayan
uruppförande first performance
urusel vard. lousy, rotten
urval choice; hand. äv. assortment; *göra ett ~* make a choice (selection), choose
urvattnad eg.: ursaltad soaked, om fisk freshened; bildl. watered down; fadd insipid, wishy-washy; om färg watery
urverk works pl. of a (resp. the) watch (clock, jfr *1 ur*); *som ett ~* like clockwork
urvuxen o. **urväxt,** *min kostym är ~* I have grown out of this suit
uråldrig extremely old
USA [the] US, [the] USA
usch ooh; *~ då!* ugh!
usel allm., mat, väder wretched; tarvlig vile, base, mean
usling wretch; skurk villain
U-sväng trafik. U-turn
ut out; *~ [med dig]!* out [you go]!; *vända ~ och in på ngt* turn a th. inside out; *~ ur* out of; inifrån from within (inside)
utagera, *saken är ~d* the matter is (has been) settled, it is over and done with
utan I *prep* without; helt berövad destitute (deprived) of; *~ arbete* out of work; *~ avgift* vanl. free of charge; *~ något på sig* without anything (with nothing) on; *~ vänner* without [any] friends; mer känslobeton. friendless; *~ värde* without any value, of no value; *vara ~* ngt be (go) without...; sakna have no..., lack...; *~ att* inf. without ing-form; det går inte en dag *~ att han kommer hit* ...without him coming (but he comes) here; *~ att han märker (märkte) det* without him (his) noticing it **II** *adv* outside; *~ och innan* inside and out (outside), outside and in (inside) båda äv. bildl. **III** *konj* but; *hon var inte stött, ~ smickrad* she was not offended, [on the contrary] she was flattered; she was flattered, not offended
utandning exhalation, expiration
utanför I *prep* outside; sjö., angivande position off; jfr äv. *utom 1; det ligger ~ hans område* bildl. ...outside his province (sphere) **II** *adv* outside; *känna sig ~* feel out of it; *lämna (håll) mig ~!* bildl. leave (keep) me out of it!
utannonsera advertise
utanordna ekon. *~ ett belopp* order a sum [of money] to be paid
utanpå I *prep* outside; över on [the] top of, above, over; *gå ~* vard., överträffa surpass **II** *adv* [on the] outside; ovanpå on [the] top
utantill by heart; *lära sig ngt ~* learn a th. [off] by heart; *det där kan jag ~!* äv. I know that backwards!
utanverk bildl. façade; *det är bara ett ~* äv. it is just empty show, it lacks real content
utarbeta t.ex. karta prepare; t.ex. förslag, schema draw up; t.ex. tal compose; i detalj work out; noggrant elaborate
utarbetad 1 överansträngd ...worn out [with hard work], overworked **2** prepared etc., se *utarbeta*
utarbetande preparation osv., jfr *utarbeta;* den är *under ~* ...in [course of] preparation
utarma impoverish äv. jord; reduce...to poverty; uttömma, förbruka deplete; *~d* äv. destitute
utav se *av*
utbetala pay
utbetalning payment, disbursement
utbetalningskort post. postal cheque [paying-out form]
utbilda allm. educate; i visst syfte train; undervisa instruct; utveckla develop; *~ sig till* sekreterare qualify as a...
utbildning education; training; instruction; jfr *utbilda; akademisk ~* university education
utbildningsdepartement ministry of education [i Sverige and cultural affairs]
utbildningsminister minister of education [i Sverige and cultural affairs]
utbjuda offer, jfr *bjuda [ut]*
utblottad destitute; *i utblottat tillstånd* in a state of destitution
utbombad bombed out
utbreda (se äv. *breda [ut]*) **I** *tr* spread; utsträcka extend **II** *rfl, ~ sig* spread
utbredd spread etc., jfr *utbreda* o. *breda [ut];*

[*allmänt* (*vida*)] ~ widely spread, widespread; om t.ex. bruk äv. prevailing

utbredning spreading; extension; idéerna har *vunnit* ~ ...spread (gained ground)

utbrista 1 häftigt yttra exclaim, burst out **2** ~ *i* gråt (skratt) burst into...

utbrott av t.ex. krig outbreak; vulkans eruption; av känslor outburst, burst, fit; häftigt explosion

utbrytare isht polit. secessionist, separatist; oliktänkande dissident

utbränd eg. el. bildl. burnt out; *bli* ~ burn out

utbuad booed

utbud 1 erbjudande offer; *~et av* varor *har ökat* the offering of...for sale has increased **2** tillgång på t.ex. varor supply **3** urval choice

utbuktning bulge, convexity

utbyggnad 1 tillbyggnad (konkr.) extension; hus annex[e] **2** utvidgning enlargement, extension, expansion; ytterligare förbättring development

utbyta exchange; ~ *erfarenheter* compare notes

utbytbar replaceable; delar *~a mot varandra* ...interchangeable with each other

utbyte exchange; bildl., behållning profit; *ha ~ av* bildl. profit (benefit) by, derive benefit (nöje pleasure) from

utbytesstudent exchange student

utböling outsider, stranger

utdelning utdelande distribution etc.; administration; delivery etc.; jfr *dela* [*ut*]; på t.ex. aktie el. tips dividend; *~en bestämdes till* 8% a dividend of...was declared

utdrag direkt ur text extract; referat abstract

utdragbar möjlig att förlänga extensible; *~t bord* extension table

utdragen drawn out; långvarig long [drawn-out]; långrandig lengthy

utdragsskiva [sliding] leaf

utdragssoffa ung. sofa bed

utdunstning exhalation; lukt [unpleasant] odour (smell)

utdöd utslocknad extinct; om t.ex. sed obsolete; folktom deserted; helt övergiven dead

utdöende I *adj* dying **II** *s* dying out; arten *befinner sig i* ~ ...is dying out, ...is on the point of extinction

utdöma 1 straff impose; ~ *böter till ngn* impose a fine on a p. **2** förklara oduglig condemn; förkasta reject

ute I *adv* **1** rumsbet.: allm. out; utomlands abroad; *där* ~ t.ex. på isen out there; utanför outside; *han är mycket* ~ [*i sällskapslivet*] he goes out (about) a great deal; *vara ~ på havet* (*landet*) be [out] at sea (in the country); *vara ~ på en resa* be out travelling, be on a journey; *äta* [*middag* (resp. *lunch*)] ~ tillfälligtvis dine (resp. have lunch) out (i det fria out of doors); se äv. beton. part. under resp. vb samt sms. **2** tidsbet.: slut *allt hopp är* ~ all hope is at an end (is gone); *tiden är* ~ [the] time is up; isht sport. el. parl. time! **3** bildl. *vara illa* ~ i knipa be in trouble (a bad fix); vard. be in a spot (a jam); *vara* ~ komma *i sista minuten* come (göra saker och ting do things) at the last minute; vara sen be late; *vara ~ efter* ngn (ngt) be after...; *vara ~ efter* eftertrakta *ngt* be out for a th.; mer uttänkt have designs on a th.; historien är ~ (~ *i hela stan*) ...out (...all over the town) **II** *adj* vard.: omodern *det är* ~ it's out, its not with-it

utebliva om pers. fail to come (appear, turn up, arrive); jur. default; om sak not be forthcoming; ej bli av not (fail to) come off

utefter [all] along

utegångsförbud under viss tid curfew

uteliggare down-and-out, dosser; amer. hobo

uteliv 1 friluftsliv outdoor life **2** nattliv night life; *leva* ~ go out and about

utelåst, *han är* ~ he has been locked (har låst sig ute has locked himself) out

utelämna leave out, omit; förbigå pass over; för att förkorta cut

utemöbler koll. outdoor furniture sg.

uteservering open-air café (restaurang restaurant); ölservering beer garden

uteslut|a allm. exclude; isht vetensk. äv. eliminate; utelämna äv. leave out; *det -er* hindrar *inte att han gör det* this does not prevent his (him from) doing it; *det ena -er inte det andra* the one does not exclude the other

uteslutande I *adj* exclusive, sole **II** *adv* solely, exclusively; ~ *för din skull* solely for your sake **III** *s* se *uteslutning*

uteslutning exclusion; expulsion; disbarment, jfr *utesluta*

utestående bildl. outstanding; ~ *fordringar* outstanding debts (accounts)

utestänga se *stänga* [*ute*]

utexaminerad trained, certificated; *bli ~ från* handelshögskolan graduate from..., get one's degree at...

utfall 1 fäktn. lunge; mil. sortie (äv. bildl.); bildl. attack; *göra ett* ~ make a lunge etc. **2** slutresultat result; *~et av* löneförhandlingarna the outcome (result) of...

utfalla 1 om vinst go; förfalla till betalning fall (become) due; *lotten utföll med vinst* it was a winning ticket, the ticket gave a prize **2** få en viss utgång turn out, jfr äv. *avlöpa;* jämförelsen *utföll till hans fördel* ...was favourable to him

utfart väg ut exit, way (vattenled passage)

out, ur stad o.d. main road [out of the town]
utfartsväg exit [road (way)]
utfattig miserably poor; utblottad [quite] destitute
utflugen, ungarna *är utflugna* ...have left their nest[s]; om barn ...have left home
utflykt utfärd excursion, trip; med matkorg picnic; ~ *i bil* trip (excursion) by car; *göra en* ~ make (go on) an excursion (a trip), go for an outing; have (go for) a picnic, go picnicking
utflöde utlopp flowing out; bildl. emanation; ~ *av valuta* ekon. drain of foreign exchange
utfodra feed
utforma ge form åt design; utarbeta work out, frame; formulera draw up
utformning design, shaping etc.; formulation; jfr *utforma*
utforska ta reda på find out; undersöka search into; isht land explore
utfrusen, *bli* (*vara*) ~ be frozen out, be sent to Coventry
utfrågning interrogation; korsförhör cross-examination
utfyllnad material filling; tillägg supplement
utfällbar som kan fällas ut (attr.) folding; skivan *är* ~ ...can be pulled out (opened out)
utfällning kem., utfällande precipitation; det som utfällts precipitate; geol. deposit, sediment
utfärda allm. issue; lag promulgate; t.ex. kontrakt draw up, execute; t.ex. revers make out; ~ *en fullmakt* issue a power of attorney
utfästa, ~ *sig att göra ngt* undertake (pledge) to do a th.
utfästelse löfte promise, stark. pledge
utför I *prep* t.ex. berget down; ~ *backen* downhill **II** *adv* down; *det bär* (*sluttar*) ~ it is (slopes) downhill
utföra 1 se *föra* [*ut*] *2* **2** allm. perform, execute; ~ *ett arbete* do (perform) a piece of work; ~ *en beställning* execute (carry out) an order
utförande 1 utförsel av varor exportation **2** (jfr *utföra*) verkställande, framförande o.d. performance, execution isht konst.; arbete workmanship; modell design; framföringssätt delivery
utförbar practicable
utförlig detailed; uttömmande exhaustive
utförlighet fullness (completeness) [of detail]
utförligt in [full] detail; *redogöra* ~ *för ngt* give a full (detailed) account of a th.
utförsel med sms., se *export* med sms.
utförsåkare downhill skier
utförsåkning sport. downhill skiing
utförsäljning sale, clearance (amer. äv. closing-down) sale, closeout
utgallring (se äv. *gallring*) bildl. elimination
utge, ~ *sig* se *ge* [*ut*]; ~ *sig* (*ngn*) *för* [*att vara*]... give oneself (a p.) out as (as being)...
utgift expense; ~[*er*] mera abstr. expenditure sg.
utgivare av bok o.d. publisher; som sammanställer utgåva o.d. editor; han är *ansvarig* ~ [*för tidskriften*] ...legally responsible [for the publication of the periodical]
utgivning publication; av sedlar o.d. issue; boken är *under* ~ ...in course of publication, ...in preparation
utgjuta, ~ *sig* sina känslor pour out (vent) one's feelings; utbreda sig i tal el. skrift dilate
utgjutelse bildl. effusion; ~*r* äv. outpourings
utgjutning med. extravasation
utgrävning excavation äv. arkeol.; digging
utgå 1 om buss, tåg o.d. start out **2** ~ *från* förutsätta assume, presuppose, take...for granted **3** [ut]betalas be paid; *lönen* ~*r med*... the salary payable (to be paid) is [fixed at]... **4** uteslutas be excluded (utelämnas left out, omitted); strykas be cancelled (cut out, struck out); varorna *har* ~*tt ur sortimentet* ...are no longer in stock **5** utlöpa [om tidsfrist] run out
utgående I *adj* **1** om t.ex. post outgoing; sjö. äv. outward-bound; ~ *last* outward cargo **2** 50% lämnas på *dessa* ~ *varor* ...these discontinued lines **II** *s, vara på* ~ om pers. be about to leave, be on one's way out; om fartyg be leaving port, be outward-bound
utgång 1 väg ut exit; huset har flera ~*ar* ...exits (doors) **2** slut [på tidsfrist] end, close; expiration; *vid ansökningstidens* ~ on the expiration (expiry) of the time for applications **3** slut[resultat] result, outcome; sjukdomen *fick dödlig* ~ ...proved fatal
utgångshastighet initial (muzzle) velocity
utgångsläge starting (initial) position
utgångspunkt allm. starting-point, point of departure
utgåva edition
utgöra bilda: allm. constitute; t.ex. miljö provide; tillsammans make up, compose; representera represent; ~ *ett hot mot* pose (present, constitute) a threat to
uthungrad famished, starving
uthus outhouse
uthyrning letting etc., jfr *hyra* [*ut*]; *till* ~ om t.ex. båt for hire; om t.ex. rum to let; amer., i båda fallen for rent
uthållig fysiskt (attr.) ...with (that has resp. had) [good] staying power; ståndaktig persevering; tålig patient; seg wiry

uthållighet staying power, [power of] endurance; perseverance; patience; wiriness
uthärda stand; motstå withstand, sustain; rida ut weather; ~ *smärta (åsynen av...)* stand (bear, endure) pain (the sight of...)
uthärdlig bearable, endurable
utifrån I *prep* from **II** *adv* from outside; från utlandet from abroad; *impulser* ~ outside (external) influence sg.; *sedd* ~ bildl. as seen from without
utjämna 1 skillnad level out, level; göra lika equalize äv. sport. **2** hand., konto balance, square; skuld pay **3** t.ex. meningsskiljaktigheter straighten out; t.ex. stridigheter settle; t.ex. svårigheter smooth out (away, down)
utjämnande o. **utjämning** levelling out etc.; equalization; adjustment; neutralization; compensation; jfr *utjämna*
utkant av t.ex. skog fringe[s pl.]; av t.ex. fält border; av t.ex. stad outskirts; *i ~en av...* on the fringe[s] osv. of...
utkast 1 sport. throw **2** bildl.: koncept [rough] draft; skiss sketch; outline
utkastare chucker-out, bouncer
utkik pers. o. utkiksplats lookout; *hålla* ~ keep a lookout [*efter* for]
utklarera ett fartyg clear...outwards
utklassa outclass
utklassning outclassing; *det var rena ~en* it was a proper walkover
utklädd dressed up; vard. rigged out; förklädd disguised
utkommen, *en nyligen ~ bok* a book that has recently appeared ([that has been] recently published)
utkomst uppehälle living
utkonkurrera drive...out of competition (ekonomiskt business)
utkora choose, elect; ~ *ngn till...* elect a p...; t.ex. bäste fotbollspelare vote a p....
utkristallisera, ~ *sig* crystallize
utkräva, ~ *hämnd* take (wreak) vengeance [*på* [up]on]
utkämpa fight äv. bildl.; kämpa t. slut fight out
utkörd utkastad ...turned out [of doors]; trött ...worn out; vard. ...done up
utkörning av varor delivery
utlandet (jfr äv. *utländsk*) foreign (overseas) countries; *från* ~ from abroad; utländsk äv. foreign...; *i* ~ abroad
utlandskorrespondent journalist foreign correspondent
utlandsskuld foreign (external) debt
utlandssvensk expatriate Swede
utledsen thoroughly tired etc., jfr *3 led 1*
utlevad decrepit; genom utsvävningar debauched
utlokalisera relocate
utlopp utflöde outflow; avlopp el. bildl. outlet; sjön har *inget* ~ ...no outlet
utlottning av vinst raffle; av obligation drawing; för inlösen redemption
utlova promise; offer
utlysa give notice (publish notice[s pl.]) of, advertise; ~ ett möte call (summon)...; ~ en tävling announce...; ~ ledigförklara *en tjänst* advertise a post
utlånad, *boken är* ~ ...has been lent to somebody, från biblioteket ...is out [on loan]
utlåning utlånande lending; konkr. loans
utlåningsränta interest on a loan (resp. the loan, loans); räntefot lending rate
utlåtande [stated] opinion; sakkunnigas [formal] report
utlägg outlay, expenses, disbursement[s pl.]
utläggning tolkning o.d. exposition; tolkande expounding
utlämna (se äv. *lämna [ut]*) överlämna give up, surrender; t. annan stat extradite; *känna sig ~d* ensam feel deserted (blottställd exposed, sårbar vulnerable); *vara ~d åt ngn* be at a p.'s mercy
utlämnande o. **utlämning** handing out etc.; delivery äv. av post; issue; surrender; extradition; jfr *lämna [ut]* o. *utlämna*
utländsk foreign; från andra sidan havet overseas...; främmande exotic
utlänning foreigner; isht jur. alien
utläsa se *läsa [ut]*
utlöpa se *löpa [ut]*
utlöpare allm. offshoot båda äv. bildl.; bot. äv. runner; rotskott sucker
utlösa frigöra: tekn. release äv. bildl.; fjäder trip; sätta igång start äv. bildl.; framkalla provoke; ~ *en kedjereaktion* start (trigger off) a chain reaction
utlösare foto. release
utlösning 1 releasing etc., jfr *utlösa 1* **2** sexuell orgasm
utmana challenge; trotsa defy; ~ *ödet* tempt (court) Fate, stark. court disaster
utmanande challenging...; trotsigt defiant; om uppträdande provocative
utmanare challenger
utmaning challenge
utmanövrera outmanœuvre; amer. outmaneuver
utmatta fatigue äv. tekn.; exhaust; försvaga weaken; *~d* äv. worn out
utmattning fatigue äv. tekn.; exhaustion
utmed [all] along; *segla ~ kusten [av...]* coast [along...]
utmynna se *mynna [ut]*
utmåla paint
utmärglad avtärd emaciated; härjad gaunt
utmärka I *tr* känneteckna characterize, distinguish; märka ut mark [out]; ange,

beteckna denote **II** *rfl, ~ sig* hedra sig distinguish oneself äv. iron. [*genom* by]
utmärkande characteristic; *~ egenskap* characteristic, distinguishing quality
utmärkelse distinction, honour
utmärkt I *adj* allm. excellent; beundransvärd admirable; utomordentlig eminent; ypperlig superb, first-rate; vard. splendid; *i ~ skick* in perfect (excellent) condition **II** *adv* excellently etc., jfr *I; må ~ [bra]* feel fine (first-rate)
utmätning jur. distraint, execution
utnyttja tillgodogöra sig utilize, make the most of; exploatera (äv. orättmätigt) exploit; *~ ngt på bästa sätt* make the best use of a th.
utnyttjande utilization, exploitation etc., jfr *utnyttja*
utnämna appoint; *~ ngn till* bäste fotbollsspelare vote a p....
utnämning appointment
utnött worn out; well-worn båda isht bildl.; jfr äv. *utsliten*
utochinvänd ...turned inside out
utom 1 utanför outside; utöver beyond; jfr äv. ex. under *utanför I; ~ [all] fara* out of danger; *bli ~ sig* be beside oneself; stark. go frantic [*av* with]; *göra ngn ~ sig* drive a p. frantic; av vrede äv. drive a p. mad, madden (exasperate) a p. **2** med undantag av except; litt. save, but; oberäknat not counting; excluding; förutom besides, apart from; *alla ~ han* all except (with the exception of) him..., all but he...; *vara allt ~* tilltalande be anything but...
utombordare motor outboard [motor (engine)]; båt outboard [motorboat]
utombords outboard
utombordsmotor outboard [motor (engine)]
utomeuropeisk non-European
utomhus outdoors, out of doors
utomhusbana för tennis outdoor court; för ishockey outdoor rink
utomhusidrott outdoor sports pl. (friidrott athletics pl.)
utomkvedshavandeskap extrauterine pregnancy
utomlands abroad
utomordentlig allm. extraordinary; förträfflig excellent; ovanlig exceptional; fråga *av ~ vikt* ...of extreme (outstanding) importance
utomordentligt extraordinarily etc., jfr *utomordentlig*
utomstående, *en ~* an outsider
utomäktenskaplig om barn illegitimate; *~a förbindelser* extra-marital relations
utopi utopia; utopisk idé utopian scheme (idea)
utopisk utopian
utpeka, *~ ngn som* gärningsman point a p. out (identify a p.) as...; *den ~de* brottslingen the alleged...
utplåna allm. obliterate; efface; förinta annihilate, extinguish; utrota exterminate; *~ ngt ur minnet* obliterate (blot out) the memory of a th.; hela byn *~des* ...was wiped out
utpost outpost
utpressare blackmailer; utsugare extortioner
utpressning blackmail; utsugning extortion
utprova try out, test
utprovning konkr. try-out; abstr. trying out, testing out
utpräglad bildl. marked; typisk typical
utpumpad eg. pumped out; vard., utmattad fagged out, whacked
utreda undersöka investigate; grundligt analyse
utredare investigator
utredning 1 undersökning investigation, inquiry; betänkande report; ärendet *är under ~* äv. ...is being investigated **2** kommitté o.d. commission [of inquiry]
utrensning utrensande weeding out; bildl. purge
utresa outward journey (sjö. voyage, passage); flyg. outbound flight; ur ett land exit
utresevisum exit visa
utrikes I *adj* foreign **II** *adv* abroad
utrikesdepartement ministry for (of) foreign affairs; *~et* i Engl. the Foreign and Commonwealth Office, ofta the Foreign Office; i USA the Department of State, ofta the State Department
utrikesflyg international aviation; *~et* flygbolagen international airlines pl. (flygningarna flights pl.)
utrikeshandel foreign (external) trade
utrikeshandelsminister minister for foreign trade
utrikeskorrespondent se *utlandskorrespondent*
utrikesminister foreign minister; *~n* i Engl. the Secretary of State for Foreign and Commonwealth Affairs, ofta the Foreign Secretary; i USA the Secretary of State
utrikespolitik foreign (external) politics pl. (politisk linje, tillvägagångssätt policy)
utrikespolitisk, *en ~ debatt* a debate on foreign policy
utrikesterminal flyg. international terminal
utrop 1 rop cry; känsloyttring exclamation; *ge till ett ~ av glädje* äv. give (utter) a cry of delight **2** vid auktion cry
utropa (jfr äv. *ropa [ut]*) **1** ropa högt exclaim **2** offentligt förkunna proclaim
utropstecken exclamation mark
utrota root out; t.ex. brottslighet wipe out;

t.ex. social orättvisa extirpate; t.ex. ett folk exterminate
utrotning rooting out etc., jfr *utrota;* extirpation, extermination
utrotningshotad ...under threat of extermination (extinction)
utrusta equip; isht fartyg fit out
utrustning equipment; grejor kit
utryckning 1 efter alarm turn-out; utmarsch march out, departure **2** mil. discharge (release) from active service
utrymma 1 lämna evacuate; överge abandon; t.ex. hus vanl. vacate **2** röja ur clear out
utrymme plats space; *vi har dåligt [med] ~* (husrum) vanl. we are cramped for room; *i mån av ~* as far as space allows (allowed etc.)
utrymning (jfr *utrymma*) **1** evacuation, abandonment **2** clearing
uträkning working (reckoning etc., jfr *räkna [ut]*) out; beräkning calculation; *vad har han för ~ med det?* what can he hope to gain by that?, what is his idea in doing that?
uträtta allm. do; t.ex. uppdrag perform; åstadkomma accomplish
utröna ascertain
utsaga o. **utsago** statement; jur. äv. evidence; *enligt [egen] utsaga (utsago)* har han according to him..., his version is that...
utsatt 1 blottställd: allm. exposed, sårbar vulnerable; *~ läge (ställning)* exposed position; *vara ~ för...* föremål för be subjected to... **2** bestämd fixed; *~ pris* marked price
utschasad dead-tired
utse välja: t.ex. ledare choose; t.ex. sin efterträdare designate; se ut pick out; utnämna appoint
utseende yttre appearance; persons vanl. looks; uppsyn aspect; yttre sken vanl. appearances; *ändra ~* change [one's appearance]; *av (efter) ~t att döma* är det (han)... to judge by (from) appearances...; *känna ngn till ~t* know a p. by sight (appearance)
utsida outside; fasad façade; yta surface äv. bildl.; exterior isht bildl.; *från ~n* äv. from without
utsikt 1 överblick view; vidsträckt prospect; *fri ~* an unobstructed view; *beundra [den härliga] ~en* admire the [magnificent] view (landskapet äv. scenery end. sg.); rummet *har ~ mot (över) parken* ...looks (opens) on [to] (...overlooks) the park; *~ över* hamnen view over (på t.ex. vykort of)... **2** bildl. prospect; *han har goda ~er att* inf. his prospects of ing-form are good; *det finns alla ~er (föga ~) till...* there is every prospect el. chance (not much chance) of...
utsiktslös ...without any prospect of success; friare hopeless
utsiktstorn outlook tower, belvedere
utsirad ornamented; om t.ex. bokstav ornamental
utsirning ornament; utsmyckande ornamentation
utskick, *göra ett ~ av* ngt send out...
utskjutande om t.ex. burspråk projecting; om t.ex. tak overhanging; om t.ex. käke, udde jutting; utstående protruding, prominent; om t.ex. vinkel salient
utskott arbetsgrupp committee
utskrattad, talaren *blev ~* ...was laughed down
utskrift transcription; data~ print-out; *göra en ~ av ngt* på skrivare print out a th.
utskällning vard. telling-off, scolding; *få en ~* get a telling-off, be blown up
utskänkning [the] serving of wine, spirits and beer on the premises
utslag 1 hud~ rash; *få ~* över hela kroppen break out in a rash..., come (break) out in spots... **2** på våg turn of the scale; av visare o.d. deflection; *ge ~* om visare o.d. be deflected, deviate, turn; om instrument give response (visst värde a reading) **3** avgörande decision; dom judgement etc., jfr *3 dom; avkunna (fälla) [ett] ~* give a decision (verdict); jur. pronounce (pass) judgement **4** yttring manifestation
utslagen 1 om t.ex. blomma full-blown; hon har *utslaget hår* ...her hair [hanging] down **2** sport. eliminated; boxn. knocked out **3** socialt *en ~* subst. adj. a dropout, an outcast
utslagning 1 sport. elimination; boxn. knock-out **2** social missanpassning social maladjustment
utslagsfråga tiebreaker
utslagsgivande decisive
utslagsröst, *ha ~* have the casting vote
utslagstävling sport. elimination (knock-out) competition
utsliten allm. worn out; om t.ex. argument threadbare, stale, trite
utslocknad om vulkan, ätt extinct
utsläpad bildl. worn out
utsläpp 1 avlopp outlet **2** utsläppande letting out; dumpning dumping; *ett ~* av t.ex. olja a discharge (av industriföroreningar an effluent)
utsmyckning adornment; ornament end. konkr.; ornamentation, decoration, embellishment, jfr *smycka*
utspark sport. goalkick
utspel bildl.: åtgärd move, measures; initiativ initiative; förslag proposals; *du har ~et!* kortsp. [it is] your lead!

utspelas take place; be enacted; *scenen ~ på* ett värdshus äv. the scene is laid in...
utspisa feed
utspisning utspisande feeding
utspridd scattered; *soldaterna var ~a* över landet the soldiers were dispersed...
utspädd diluted
utspädning dilution
utspökad ...dressed (dolled) up
utstakad ...that has (resp. had) been staked out etc.; delimited; determined, jfr *staka [ut]*
utstråla I *itr* radiate; utströmma emanate **II** *tr* radiate äv. bildl. m. avs. på hälsa, energi, lycka; send out; t.ex. ljus emit; t.ex. lycka, vänlighet beam forth
utstrålning 1 eg. radiation, emanation **2** persons charisma
utsträckning utsträckande extension; i tid prolongation; vidd extent; *i större eller mindre ~* to a greater or less extent; *i viss ~* to some extent
utsträckt eg. outstretched; friare extended; *i ~ bemärkelse* in a wider (larger) sense
utstuderad raffinerad studied, consummate; listig artful; inpiskad thorough-paced...
utstyrd dressed up etc., jfr *styra [ut]*
utstyrsel utrustning outfit; utsmyckning get-up; klädsel, vard. äv. rig-out
utstå stå ut med endure; genomgå, drabbas av suffer, undergo; genomlida go through
utstående om t.ex. tänder, öron protruding; om t.ex. kindknotor prominent; utskjutande projecting; utbuktande protuberant; *rakt ~* ...standing (sticking) straight out
utställa se *ställa [ut]*
utställare 1 på utställning exhibitor **2** av värdehandling drawer
utställning allm. exhibition; av t.ex. blommor, hundar (vanl.) show; visning display
utställningsföremål exhibit
utställningslokal exhibition room, showroom; konst. gallery
utstöta ljud utter; *~ ett skri* äv. cry [out]; se f.ö. *stöta [ut]*
utstött, *vara ~* ur t.ex. kamratkretsen be kept out (rejected)
utsugare polit. sweater
utsvulten starved
utsvängd ...curved (bent) out[wards]; *~a byxor* äv. bell-bottom[ed] trousers
utsvävande liderlig debauched
utsvävningar 1 levnadssätt debauchery, excesses **2** avvikelser från ämnet digressions
utsål|d sold out; *-t [hus]* i annons o.d. full house, no more seats; *det var -t [hus]* all tickets were sold, all the seats were taken, there was a full house
utsäde frö seed [corn]
utsändning radio. el. TV. transmission; TV. äv. telecast
utsätta I *tr* **1** blottställa expose; underkasta subject; *~ ngn för kritik* subject a p. to criticism **2** bestämma fix, appoint **II** *rfl, ~ sig för* expose oneself to
utsökt I *adj* exquisite; utvald select **II** *adv* exquisitely
utsöndra fysiol. secrete
utsöndring fysiol. secretion äv. konkr.
utsövd thoroughly rested; *jag är inte ~* I haven't had enough sleep
uttag 1 elektr. [wall] socket; amer. outlet, wall socket **2** penning~ withdrawal
uttagning av pengar withdrawal; sport. selection; för specialuppdrag draft[ing]
uttal pronunciation; persons sätt att tala accent; artikulation articulation; *ha bra engelskt ~* äv. have a good English accent
uttala 1 ord o.d. pronounce **2** uttrycka express; t.ex. ogillande give utterance to; *~ sig* express oneself, comment
uttalad tydlig marked; uttrycklig explicit
uttalande yttrande utterance; förklaring statement
uttaxering levying äv. konkr.
utter zool., skinn otter
uttittad, *känna sig ~* feel that everyone is staring at one
uttjatad hackneyed, trite
uttjänad o. **uttjänt** om sak (attr.) ...which has served its time; utsliten worn out
uttorkad dry; om damm dried up; om mark parched; med. dehydrated
uttryck allm. expression äv. matem.; isht idiomatiskt locution; *ge ~ åt...* give expression (i ord äv. utterance) to...; t.ex. häpnad, missnöje give vent to...; *det var ett ~ för* t.ex. missnöje, förakt, nationalism it was a manifestation of...
uttrycka I *tr* ge uttryck åt: allm. express; t.ex. tankar put...into words, give utterance to; t.ex. den allmänna meningen voice; formulera put; *~ en önskan* express (utter) a wish; jag vet inte *hur jag skall ~ det* äv. ...how to put it **II** *rfl, ~ sig* express oneself; speak
uttrycklig om t.ex. order express...; klar, tydlig explicit, definite
uttryckligen expressly; *beordra ngn ~* att... order a p. in so many words (in express terms)...
uttrycksfull expressive, ...full of expression
uttryckslös expressionless; om blick vacant
uttrycksmedel means (pl. lika) of expression
uttryckssätt way of expressing oneself; författarens stil diction, style; fras phrase
uttråkad bored, bored to death
utträda avgå *~ ur* leave, withdraw (retire) from; förening äv. resign one's membership of (in)
utträde avgång withdrawal; *anmäla sitt ~ ur*

föreningen announce one's resignation from...
uttröttad weary; utmattad exhausted
uttåg march out; isht bibl. exodus
uttänjd extended; uttöjd baggy, sagging
uttöm|ma bildl. exhaust; *ha -t alla resurser* be at the end of one's resources
uttömmande I *adj* om t.ex. behandling exhaustive; om t.ex. redogörelse very thorough, comprehensive **II** *adv* utförligt exhaustively; grundligt thoroughly
utvakad ...tired (worn) out through lack of sleep
utvald chosen; select; choice..., ...elect; *slumpvis* ~ randomly selected, randomized; subst. adj.: *den ~e* the one chosen (chosen one)
utvandra ur landet emigrate; flytta migrate
utvandrare emigrant
utvandring emigration; friare migration
utveckla I *tr* friare el. bildl.: allm. develop, framställa evolve; frambringa: t.ex. elektricitet generate, t.ex. rök emit; ~ förbättra *en metod* improve (elaborate) a method; ~ *en plan närmare* enlarge [up]on a plan **II** *rfl*, ~ *sig* develop; växa äv. grow [*till* into; *från* out of, from]; öka äv. increase; bli bättre improve
utveckling framåtskridande development; långsammare förändring evolution; framsteg progress; *följa* bevaka *~en* watch over developments; *vara stadd i* ~ be developing (växande growing)
utvecklingsland developing country
utvecklingslära theory (doctrine) of evolution
utvecklingsstadium stage of development; isht vetensk. evolutionary stage
utvecklingsstörd, [*psykiskt*] ~ [mentally] retarded
utverka få obtain, secure
utvidga göra bredare widen; friare el. bildl.: t.ex. sitt företag extend, t.ex. marknaden expand; t.ex. hål, kunskaper enlarge; öka amplify; tänja ut el. fys. dilate
utvidgning widening; extension; enlargement; amplification; dilation
utvikning avvikelse deviation; från ämne digression
utvikningsbild gatefold pin-up [picture]
utvilad [thoroughly] rested
utvinna extract
utvinning extraction
utvisa 1 ur landet order...to leave (quit) [the country]; deportera deport **2** visa show; utmärka indicate; *det får framtiden* ~ time must (will) show **3** fotb. o.d. send (order)...off
utvisning förvisning expulsion
utvisslad, *bli* ~ get the bird (the raspberry, amer. the Bronx cheer)
utväg 1 bildl. expedient, way; *~ar* äv. ways and means; *jag ser [mig] ingen ~ att* inf. I don't see any way of ing-form **2** väg ut way out
utvändig external
utvändigt externally
utvärdera evaluate
utvärdering evaluation
utvärtes I *adj* external; *för ~ bruk* for external use (application) **II** *adv* externally
utväxla t.ex. fångar exchange
utväxling 1 utbyte exchange **2** tekn. gear; kraftöverföring transmission
utväxt allm. outgrowth
utåt I *prep* uttr. riktn. [out] towards; t.ex. landet out into; ett rum ~ *gatan* ...facing the street **II** *adv* outward[s]; *längre* ~ further out; [*han är*] *partiets ansikte* ~ [he represents] the party image
utåtriktad o. **utåtvänd** eg. out-turned, ...turned (directed) outward[s]; psykol. extrovert
utöka increase; *~d upplaga* enlarged edition
utöva t.ex. funktion exercise; t.ex. välgörenhet, yrke practise; t.ex. hantverk carry on; t.ex. inflytande, press exert; ~ *sitt ämbete* discharge one's official duties
utövare practiser; av konst practician
utöver utom over and above; utanför beyond; mer än in excess of; jag har tre pennor ~ *den här* ...besides (in addition to) this
uv zool. great horned owl, eagle owl

V

v 1 bokstav v [utt. vi:]; *dubbelt ~ (w)* double-u [utt. 'dʌblju(:)] **2** *W* (förk. för *watt*) W
vaccin vaccine
vaccination vaccination; ibl. immunization
vaccinera vaccinate; ibl. immunize
vacker 1 skön o.d. beautiful; förtjusande lovely; stilig handsome; söt, intagande pretty äv. iron.; storslagen, grann fine äv. iron.; trevlig nice äv. iron.; *ett ~t arbete* a beautiful (fine, good) piece of work; *~ som en dag* om kvinna [as] pretty as a picture, really lovely (beautiful); *vackra* tomma *löften* fair promises; *en ~ röst* a beautiful (sångröst äv. fine) voice; *~t [väder]* beautiful (lovely, fine) weather **2** ansenlig, om t.ex. summa considerable; om inkomst respectable
vackert 1 eg. beautifully; prettily; finely; nicely; *be ~ om...* ask nicely (properly) for...; *sitta ~* om hund sit up [and beg]; *sjunga ~* sing well; *~ klädd* handsomely (beautifully) dressed **2** varligt carefully; *ta det ~!* take it easy! **3** vard., i befallningar *du stannar ~ hemma!* just you stay [quietly] at home! **4** *~!* vard., bra gjort well done!; 'fint' fine!
vackla totter äv. om sak; ragla reel; göra en överhalning lurch; isht bildl., t.ex. i sin tro falter; vara obestämd vacillate; skifta, t.ex. om priser fluctuate; hans hälsa *började ~* ...began to give way; *komma ngn att ~* i sitt beslut cause a p. to waver..., shake (unsettle) a p.; *~ hit och dit* äv. sway to and fro
vacklan bildl. tottering; fluctuation; jfr *vackla;* obeslutsamhet irresolution, indecision
vacklande *adj* tottering osv., jfr *vackla;* obeslutsam unsettled; om hälsa uncertain, failing
vacuum vacu|um (vetensk., pl. -a)
1 vad anat. calf (pl. calves)
2 vad vadhållning bet, wager; *hålla (slå) ~* bet, wager, make a bet; *skall vi slå ~ [om det]?* shall we bet on it (that)?
3 vad I *pron* **1** interr. what; *~ (va)?* hur sa what?; artigare [I] beg your pardon?, pardon?; *~ för* + subst.*?* what...?; *~ för en (ett, ena, några)* fören. el. självst. what; avseende urval which; självst. äv. which one (pl. ones); *~ gråter du för?* why are you crying?, what are you crying for (about)?; *~ har du för anledning att* inf.*?* what reason have you (is your reason) for ing-form?; *~ är det för dag i dag?* what day is it today?; *~ heter hon?* what's her name?; *nej, ~ säger du!* really!, you don't say!, well, I never! **2** rel.: det som what; *~ värre är* what is [still] worse; *göra ~ man vill* do what one likes; få sin vilja fram have one's own way; *[efter] ~ jag vet* as (so) far as I know; *~ helst* whatever **II** *adv* how; *~ du är lycklig!* how happy you are!
vada wade; *~ över en flod* wade [across] a river, ford a river
vadarfågel wading bird
vadd allm.: uppluckrade fibrer wadding; bomulls~ vanl. cotton wool; amer. absorbent cotton; t. täcke batting
vaddera pad [out]; täcke quilt; *~de axlar* padded shoulders
vaddering padding
vadhållning betting
vadställe ford, fordable place
vag vague; obestämd undefined; dimmig hazy
vagabond vagabond; landstrykare tramp; lösdrivare vagrant
vagel med. sty
vagga I *s* cradle äv. bildl.; *från ~n till graven* from the cradle to the grave **II** *tr* rock; svänga sway; *~... i sömn* rock...to sleep **III** *itr* rock; gå vaggande waddle
vaggvisa cradle song, lullaby
vagina anat. vagina
vagn allm. carriage; åkdon vehicle; större, äv. coach; last~ o.d. wag[g]on, truck; tvåhjulig kärra cart
vagnskadeförsäkring insurance against damage [to a (resp. the) motor vehicle]
vagnslast carriage load, wa[g]onload osv., jfr *vagn*
vaja om t.ex. flagga fly; om sädesfält wave; om t.ex. träd sway; fladdra flutter
vajer cable; tunnare wire
vajsing vard. *det är ~ på* motorn there's something wrong with...
1 vak is~ hole in the ice
2 vak vakande watching
vaka I *s* natt~ vigil **II** *itr* hålla vaka sit up; ha nattjänst be on night duty; *~ hos* en patient watch by...; *~ över* övervaka *ngn (ngt)* watch (keep watch) over a p. (a th.); *~ in det nya året* see the New Year in
vakans vacancy
vakant vacant
vaken 1 ej sovande awake end. pred.; waking...; *i vaket tillstånd* in the waking state **2** mottaglig för intryck alert; pigg bright; vard. all there end. pred.; uppmärksam wide-awake
vakna, *~ [upp]* wake [up]; isht bildl. awake; bildl. äv. stir; *~ på fel sida* get out of bed on the wrong side
vaksam vigilant, on the alert
vaksamhet vigilance, watchfulness
vakt 1 vakthållning watch äv. sjö.; watching;

isht mil. guard; *ha ~[en]* be on duty (mil. äv. guard); sjö. have the watch **2** pers.: som bevakar guard; som utövar tillsyn attendant; vaktpost sentry; manskap [men pl. on] guard; sjö. watch
vakta allm. watch; bevaka guard; övervaka watch over; t.ex. barn look after; hålla vakt keep guard (watch); *~ på ngn* watch a p.
vaktavlösning relief of the guard (sjö. the watch); utanför palatsbyggnad o.d. changing of the guard
vaktbolag security company
vaktel zool. quail
vakthavande, *~ officer* officer on duty
vakthund watchdog
vakthållning bevakning watch; mil., vakttjänst guard (sjö. watch) duty
vaktmästare på kontor messenger; skol. el. univ. porter, beadle; uppsyningsman caretaker; dörrvakt doorman, commissionaire; isht amer. janitor; i kyrka verger; i museum attendant; på bio o. teater attendant, usher; i rättssal usher
vaktparad mil., parad parade of soldiers mounting the guard; *~en* styrkan the guard
vaktpost sentry
vakuum vacuum
vakuumförpackad vacuum-packed
vakuumförpackning vacuum packaging (konkr. pack, package)
vakuumtorka vacuum-dry
1 val zool. whale
2 val 1 allm. choice; eget ~ option; isht mellan två saker alternative; *det finns inget annat ~* there is no alternative; *ha fritt ~* have liberty of (have a free) choice; *vara i ~et och kvalet* be on the horns of a dilemma, be faced with a difficult choice (decision) **2** gm omröstning election; själva röstandet voting, polling; det blir *allmänna ~* ...a general election
valack zool. gelding
valbar eligible; *icke ~* ineligible
valbarhet eligibility
valberedning election (nominating) committee
valberättigad ...entitled to vote; *de ~e* äv. the electorate sg.
valborg o. **valborgsmässoafton** the eve of May Day
vald chosen
valdag polling (election) day
valdeltagande participation in the (resp. an) election; *~t var stort (litet)* polling was heavy (low, small), there was a large (small) turnout
valdistrikt electoral (voting) area (district, amer. precinct)
walesare Welshman; *walesarna* ss. nation el. lag o.d. the Welsh
walesisk Welsh
walesiska 1 kvinna Welshwoman **2** språk Welsh
valfisk whale
valfläsk vard. election promises, bid for votes
valfri optional; amer. äv. elective
valfrihet persons freedom (liberty) of choice
valfusk electoral (ballot) rigging; *bedriva ~* rig an election
valfångare whaler
valförrättare presider at a (resp. the) poll (an resp. the election)
valhänt klumpig clumsy; om t.ex. ursäkt lame; *han är ~* äv. his fingers are all thumbs
valk i huden callus; av fett roll
valkampanj election (electoral) campaign; electioneering
walkie-talkie walkie-talkie
valkrets constituency
1 vall upphöjning bank; bank embankment; fästnings~ rampart
2 vall betes~ grazing-ground
1 valla låta beta graze
2 valla I *s* skid~ skiwax **II** *tr, ~ skidor* wax skis
vallfart o. **vallfärd** pilgrimage
vallfärda go on (make) a pilgrimage äv. bildl.
vallgrav moat
vallhund shepherd's dog
vallmo poppy
vallmofrö poppy seed äv. koll.
vallokal polling-station; amer. polling place
vallon Walloon
vallonsk Walloon
vallöfte electoral pledge (promise)
valmöte election meeting
valnöt walnut äv. virke; bord *av ~* äv. walnut...
valnötsträd walnut tree
valp pup[py] äv. bildl.; tik *med sina ~ar* äv. ...with her young
valpa whelp
valpaktig puppyish; om pers. callow
valresultat election result
valross walrus
1 vals 1 dans waltz; *dansa ~* dance (do) a waltz **2** vard., lögn yarn; *den ~en går jag inte på* I won't buy that [one]; *dra en ~* tell a fib (stark. whopper)
2 vals tekn.: i kvarn o.d. roller; i valsverk roll
1 valsa waltz
2 valsa tekn. *~ [ut]* roll [out]
valsedel voting paper
valspråk motto (pl. -s el. -es), device
valsverk tekn.: verk rolling-mill; maskin laminating (för papper pressing) rollers
valtalare election speaker
valthorn mus. French horn
valurna ballot box
valuta 1 myntslag currency; utländsk ~

[foreign] exchange **2** värde value; *få [god] ~ för pengarna* get [good] value for one's money
valutabrott violation of currency regulations
valutahandel [foreign] exchange dealings pl. (transactions pl.)
valutakurs rate of exchange
valutamarknad [foreign] exchange market
valutareform currency reform
valutareserv [foreign] exchange (currency) reserve[s pl.]
valutautflöde drain of foreign exchange
valv allm. vault; ~båge arch
valvaka, *de höll ~* ung. they sat up waiting for the election results to come in
valör allm. value; på sedel o.d. denomination
vamp seductive woman
vampyr vampire äv. bildl.
van isht attr.: övad practised; skicklig skilled; förtrogen *vara ~ vid ngt* be used (accustomed) to a th.; *vara ~ vid att* inf. be used (accustomed) to ing-form; *med ~ hand* with a deft (skilled, practised) hand
vana isht omedveten habit; isht medveten practice; sed[vana] custom; vedertaget bruk usage; erfarenhet experience; färdighet practice; förtrogenhet accustomedness; *~ns makt* the force of habit (resp. custom el. long usage); *han har ~n inne* he is used to it; *här har man för ~ att* inf. it is the custom here to inf.
vanartig vicious
vandal hist. Vandal; bildl. vandal
vandalisera vandalize
vandra I *itr (tr)* gå till fots: allm. walk äv. bildl.; go on foot; isht fot~ ramble; vard. hike; om djur migrate äv. kem.; friare el. bildl. go; bildl. travel; *vara ute och ~* be out walking (resp. hiking) **II** med beton. part.
~ **i väg på** långtur set off on...
~ **omkring** walk about; *~ omkring* fram o. tillbaka *i* rummet pace...; *~ omkring på* gatorna wander (roam) about...
vandrande walking
vandrare allm. wanderer; fot~ walker; vard. hiker; resande traveller
vandrarhem youth hostel
vandring allm. wandering; utflykt walking-tour; fot~ ramble; vard. hike; zool. migration äv. folk~; *på vår ~ genom livet* on our way (pilgrimage) through life
vandringspris challenge trophy
vanebildande habit-forming
vaneförbrytare habitual criminal; återfallsförbrytare recidivist
vanemänniska creature of habit
vanemässig habitual; rutinmässig routine...
vanesak matter of habit
vanföreställning fallacy, delusion
vanheder disgrace; skam shame
vanhedra disgrace, dishonour
vanhedrande disgraceful; ovärdig shameful
vanhelga profane
vanhelgande I *s* profanation **II** *adj* profanatory, sacrilegious
vanilj vanilla
vaniljsocker vanilla sugar
vaniljsås custard sauce
vanka, *[gå och] ~* saunter, wander *[omkring* about]
vankas, *det vankades* bullar (för oss) we were treated to...
vankelmod obeslutsamhet irresolution; tvekan hesitation; vacklan vacillation
vankelmodig obeslutsam irresolute; vacklande wavering, vacillating
vanlig a) bruklig usual; 'gammal', sed~ customary b) vanligen förekommande ordinary; gemensam för många, isht mots. sällsynt common; allmän general; ofta förekommande frequent; förhärskande prevalent; genomsnitts-, om t.ex. människa average; *en helt ~ (~ enkel)* affärsman, händelse, växt a common [or garden]...; *i ~a fall* vanligen in ordinary cases, as a rule; *den gamla ~a historien* the [same] old story; *~a människor* ordinary people; *på sin ~a plats* in its (their osv.) usual place; *den ~a åsikten bland...* the usual opinion among..., the opinion generally held by...
vanligen generally; ordinarily; jfr *vanlig;* för det mesta in general; i regel as a rule
vanmakt maktlöshet powerlessness; impotence
vanmäktig powerless; vain
vanpryda disfigure, spoil the look of; *~nde* disfiguring, unsightly
vanrykte disrepute; *bringa (råka) i ~* bring (fall) into disrepute
vansinne insanity; galenskap madness; dårskap folly; *det vore rena ~t att* inf. it would be insane (sheer madness) to inf.
vansinnig allm. mad; tokig crazy; mentalt sjuk insane; utom sig frantic; *~ fart* breakneck (frantic) speed; *bli ~* go mad, become insane (demented)
vansinnigt madly; insanely; vilt frantically; jfr *vansinnig;* vard., end. förstärkande awfully; *vi hade ~ bråttom* we were in an awful (a terrible, a frightful) hurry; *vara ~ förälskad i ngn* be madly in love with a p.
vanskapad o. **vanskapt** deformed; oformlig monstrous
vansklig svår difficult; riskabel hazardous; brydsam awkward
vansklighet difficulty; riskiness; awkwardness; jfr *vansklig*
vansköta *tr* mismanage; försumma neglect; parken *är vansköt*t ...is badly looked after
vanskötsel mismanagement, negligence, neglect

vansläktas degenerate
vanstyre persons misrule; regerings o.d. misgovernment
vanställa allm. disfigure; friare spoil [the look of], mar; förvrida distort; förvränga misrepresent
vant sjö. shroud
vante [bomulls~ cotton] glove; tum~ vanl. mitten; *lägga vantarna på...* vard. lay hands [up]on...
vantrivas be (feel) uncomfortable (ill at ease) [in one's surroundings]; not feel at home; *jag vantrivs med arbetet* I am not at all happy in my job
vantrivsel oförmåga att trivas inability to get on [i sin miljö in one's surroundings]; otrevnad dissatisfaction
vantro vanföreställning false belief, misbelief; misstro disbelief
vanvett insanity; besatthet mania; galenskap madness
vanvettig insane; jfr *vansinnig;* vild raving; om t.ex. påhitt absurd
vanvördig disrespectful; mot heliga ting irreverent
vanvördnad disrespect, lack of respect; irreverence
vanära I *s* disgrace; skam ignominy **II** *tr* disgrace
vapen 1 redskap weapon; i pl. (sammanfattande) vanl. arms; koll. weaponry; *sträcka* ~ lay down [one's] arms, surrender [*för ngn* to a p.] **2** herald. coat of arms, arms
vapenbroder brother-in-arms (pl. brothers-in-arms)
vapendragare armour-bearer; bildl. supporter, partisan
vapenfri, ~ *tjänst* mil. non-combatant service, military service as a conscientious objector
vapenför ...fit for military service, ...capable of bearing arms
vapenhus [church] porch
vapeninnehav, *olaga* ~ illegal possession of a weapon (resp. weapons)
vapenlicens licence to carry a gun
vapensköld herald. coat of arms, escutcheon
vapenslag arm [of the service]
vapenstillestånd armistice; vapenvila truce
vapenvila truce; tillfällig cease-fire
vapenvägrare conscientious objector; förk. CO (pl. CO's); vard. conchy; amer. draft resister (evader)
1 var med. pus
2 var (*vart*) **1** allm. **a)** fören.: varje särskild, var och en för sig each; varenda every; före räkneord every; ~ *dag* every (each) day **b)** självst. ge dem *ett äpple* ~ ...an apple each **2** ~ *och en* a) fören., se *varje 1* b) självst.: var och en för sig each [om flera än två äv. one]; varenda en, alla (om pers.) everyone, everybody, every man (person); ~ *och en av...* each [resp. one] of (alla every one of)...; *vi betalar ~ och en för sig* each [resp. one] of us will pay for himself (om kvinnor herself) **3** ~ *sin: vi fick ~ sina två glas* we got two glasses each
3 var 1 fråg. where; ~ *då (någonstans)?* where? **2** andra fall *här och* ~ here and there
1 vara I *itr* allm. be; existera exist, för ex. se vid. under resp. huvudord; *hans sätt att* ~ his way of behaving; *för att ~ så ung är du...* considering [that] you are (you're) so young you are (you're)...; *vi är fem [stycken]* there are five of us; *det är Eva* sagt i telefon [this is] Eva speaking, Eva here; *det var det som var* fel that's what was...; *hur vore det om vi skulle gå på teater i kväll?* what about going to the theatre tonight?; *om jag vore (var)* rik *ändå!* I wish I were (was)...!; *om det så vore (hade varit)* min bror even if it were (had been)...; *var* försiktig*!* be...!; *var inte* dum*!* don't be...!; *får det* ~ en kopp te*?* would you like (may I offer you)...?; *det får ~ [för mig]* jag vill inte I would rather not; jag gitter inte I can't be bothered; *det får (kan)* ~ tills senare that can wait...; *hon är och handlar* she is out shopping; *han är och förblir* en skurk he always has been...and always will be; ~ *från* England a) om pers. be from... b) om produkter come from...; *jag var hos* hälsade på *honom* I went to see him; *jag var på (var och såg)* Hamlet I saw (gick på went to see)...; *jag var på middag där* i går I had dinner (på bjudning was at a dinner) there...
II *hjälpvb* **1** i förb. med perf. particip av tr. vb: a) isht uttr. varaktighet o. resultat be b) passivbildande (= ha blivit) vanl. have been; *när (var) är han född?* when (where) was he born?; *bilen är gjord* för export the car is made... **2** i förb. med perf. particip av itr. rörelsevb o.d. vanl. have; *han är (var) bortrest* he has (had) gone away
III med beton. part.
~ **av:** ~ *av med* ha förlorat have lost; vara kvitt have got (be) rid of
~ **efter a)** förfölja ~ *efter ngn* be after a p., be on a p.'s tracks **b)** vara på efterkälken ~ *efter i (med)* ngt be behind in (behind[hand] with)...
~ **före:** ~ *före [ngn]* be ahead [of a p.]; bildl. äv. be in advance of a p.; i tid o. ordning be before (in front of) a p.
~ **kvar** stanna remain
~ **med a)** deltaga take part; närvara be present; finnas med be included; *är böckerna med?* har vi fått med have we

got...?; hade du med did you bring...?; *får jag ~ med?* may I join in (göra er sällskap join you)? **b)** ~ *med på* samtycka till agree (consent) to; gilla approve of **c)** ~ *med om* bevittna see, witness; deltaga i take part in; uppleva experience; genomgå go (live) through; råka ut för meet with; han berättade *allt han varit med om* ...all that had happened to him, ...all his experiences **d)** *hur är det med henne?* hur mår hon how is she?, how does she feel?

~ **på a)** allm. be on **b)** bildl.: ~ *på ngn* ligga efter be on at a p.; slå ner på be down on a p.

~ **till** exist, be; *den är till för att* inf. it is there to inf.; *den är till för det* that's what it is there (avsedd meant) for

2 vara räcka last; pågå go on; fortsätta continue; hålla i sig hold; i högre stil endure; hålla wear; ~ hålla *länge* äv. be durable (lasting); ~ *längre än* äv. outlast

3 vara hand.: artikel article; specialartikel line; produkt product; *varor* koll. äv.: vanl. goods

4 vara, *ta ~ på* ta hand om take care of, look after; utnyttja make the most of, make use of, exploit

5 vara, ~ *sig* om sår o.d. fester, suppurate

varaktig långvarig lasting, enduring; om t.ex. popularitet abiding; hållbar durable

varaktighet fortvaro duration; hållbarhet durability; beständighet permanence

varandra (vard. *varann*) each other

varannan (*vartannat*) **I** *räkn* every other (second); en gång ~ *dag* äv. ...every two days **II** *pron, om vartannat* omväxlande by turns; huller om buller all over the place

varav of which (etc.); vi såg tio bilar, ~ *tre skåpbilar* ...three of them (three of which were) vans

varbildning purulence; konkr. abscess

vardag weekday; *~ens* mödor the...of everyday life; *till ~s* vardagsbruk for everyday use (om kläder wear)

vardaglig everyday...; banal commonplace; om utseende plain

vardagskläder everyday (ordinary) clothes

vardagslag, *i* ~ om vardagarna on weekdays; vanligtvis usually; till vardagsbruk for everyday use

vardagsliv everyday (ordinary) life

vardagsmat everyday (ordinary) food (fare); *det är* ~ förekommer ofta it happens every day, there's nothing special about it

vardagsrum living room; amer. äv. parlor

vardagsspråk everyday (colloquial) language

vardera each; *på ~ sidan* [*av* floden] on either side [of...]

varefter after which; rel. i tidsbet. ('varpå') äv. on which

varelse väsen being; person person; *en levande ~* äv. a living creature

varenda every [single]

vare sig 1 either; *jag känner inte ~ honom eller hans bror* I don't know either him or his brother **2** antingen whether; han måste gå ~ *han vill eller inte* ...whether he wants to or not

vareviga vard. every single

varför 1 interr. why; vard. what...for; ~ *det (då)?* why?; ~ *tror du det?* vanl. what makes you believe that? **2** rel. **a)** och fördenskull [and] so; och följaktligen and consequently; av vilken anledning for which reason; och av den anledningen and for that reason; formellare wherefore; jag var förkyld, *~ jag stannade hemma* ...[and] so (and therefore) I stayed at home **b)** för vilk|en (-et -a) for which

varg wolf (pl. wolves) äv. bildl.; *jag är hungrig som en ~* I could eat a horse

varghona o. **varginna** she-wolf

vargunge zool. wolf cub

varhelst, ~ [*än*] wherever

vari in which; varest where

variabel I *s* matem. el. statistik. variable **II** *adj* variable, changeable

variant variant; biol. äv. el. friare variation

variation variation äv. mus.

variera I *itr* vary; vara ostadig fluctuate; *priser som ~r mellan 80 och 100 kr* prices varying (ranging) between 80 and 100 kr (from 80 to 100 kr) **II** *tr* allm. vary

varierande allm. varying; om t.ex. humör variable

varieté 1 föreställning variety; amer. äv. burlesque, vaudeville [show] **2** lokal variety theatre; amer. äv. vaudeville theater

varietet variety

varifrån 1 interr. from where; var...ifrån where...from; ~ *har du* [*fått*] hört *det?* where did you get that from?; vem har sagt det? who says so?; hur vet du det? how do you know? **2** rel.: från vilk|en (-et, -a) from which; från vilken plats from where

varig om t.ex. sår festering, purulent, suppurating

varigenom through which; interr.: på vilket sätt in what way; genom vilka medel by what means; i formell stil whereby

varje 1 fören.: varje särskild, var och en för sig each; varenda every; vardera av endast två vanl. either; vilken som helst any; *i ~ fall* in any case, at all events **2** självst. *lite*[*t*] *av ~* a little of everything; allt möjligt all sorts of things

varjämte in addition to (besides) which (om pers. whom)

varken, ~ *eller* neither...nor

varm eg.: allm. warm; stark. hot; bildl., om t.ex. vänskap, rekommendation warm; hjärtlig

hearty; *tre grader ~t* three degrees above zero (above freezing-point); *~t bifall* hearty (cordial) applause; *mina ~aste lyckönskningar!* heartiest congratulations!; *bli ~ i kläderna* bildl. begin to find one's feet; *tala sig ~* warm to one's subject
varmbad hot bath
varmblod häst thoroughbred
varmed with which; *~ kan jag stå till tjänst?* what can I do for you?
varmfront meteor. warm front
varmhjärtad warm-hearted
varmluft hot air
varmluftsugn circotherm oven
varmrätt huvudrätt main dish (course)
varmvatten hot water
varmvattenberedare geyser
varna warn; på förhand forewarn; förmana admonish; sport. caution; *han ~de [oss] för farorna av att göra det (för det)* he warned us of the dangers of doing it (against it)
varnande allm. warning; på förhand premonitory; *en ~ blick* a warning glance
varning warning; caution äv. varningsord; vink hint; på förhand premonition; förmaning admonition; *~ för hunden (ficktjuvar)!* beware of the dog (of pickpockets)!
varningslampa warning lamp (light)
varningssignal warning signal
varningstriangel bil. warning (reflecting) triangle
varp 1 i väv warp äv. bildl. **2** not~ haul
varpå on which; rel. i tidsbet. ('varefter') after (on) which, whereupon
vars rel. whose; *Agö, ~ fyr* är... Agö, whose lighthouse..., Agö, the lighthouse of which...
varsam aktsam careful; förtänksam cautious, prudent; *med ~ hand* with a cautious hand, cautiously, gingerly
varsamhet care[fulness], wariness
varse, *bli ~* märka notice, observe, see; upptäcka discover; förnimma perceive
varsel 1 förebud premonition **2** förvarning notice; *med kort ~* at short notice
varselljus bil. day-notice (side, day-running) lights
varsko underrätta inform; förvarna warn
varsla 1 förebåda *~ [om]* ngt portend, forebode, presage, augur, be ominous of **2** förvarna *~ om strejk* give (serve) notice of a strike
varstans vard. det ligger papper *lite ~* ...here, there, and everywhere
Warszawa Warsaw
varsågod se *god I 1*
1 vart where; *~ än (helst)* wherever
2 vart, *jag kommer inte någon (ingen) ~* I am getting nowhere; bildl. äv. I am making no headway (progress) [whatever]; *jag kommer inte någon (ingen) ~ med honom* jag kan inte rubba honom I cannot budge him at all; han är så ohanterlig I can do nothing with him
vartefter efter hand som as
varthelst wherever
vartill to which
varubil delivery van
varudeklaration description of goods; intyg om kvalitet informative label; såsom rubrik på varuförpackning: innehåll contents; ingredienser ingredients used
varuhus department store
varuhuskedja multiple (chain) stores group
varulager 1 lager av varor stock[-in-trade] **2** magasin warehouse
varulv werewolf (pl. werewolves)
varumärke trademark; *inregistrerat ~* registered trademark
varunder under which
varuprov sample; påskrift på kuvert by sample-post
varur out of which
varuslag o. **varusort** type of goods (article, commodity)
1 varv skepps~ shipyard, shipbuilding yard
2 varv 1 [om]gång turn; sport., ban~ lap; tekn. el. astron. revolution; vid stickning och virkning row; 1000 *~ i minuten* ...revolutions (vard. revs) per minute; *linda* ett band *två ~ [runt]* wind...twice round (about) **2** lager, skikt layer
varva I *tr* **1** lägga i skikt put...in layers; *~ studier och (med) praktik* bildl. sandwich study and practical work **2** sport. lap **II** *itr, ~ ner* bildl. move into low gear, ease off (up)
varvid at which; om tid, när when
varvsarbetare shipyard worker, dockyard hand
varvsindustri shipbuilding industry
varvtal number of revolutions; *komma upp i högre ~* a) eg. pick up b) bildl. move into high gear, really get going
varöver over which
vas vase
vaselin vaseline, petroleum jelly; amer. äv. petrolatum
vask avlopp sink
vaska tvätta wash; *~ guld* wash (pan) gold
1 vass allm. sharp; spetsig pointed; om verktyg sharp-edged; stickande, om t.ex. blick, ljud piercing; sarkastisk, bitande, om t.ex. ton caustic, mordant; *ha en ~ tunga* have a sharp (biting) tongue
2 vass bot. [common] reed; koll. reeds; *i ~en* among the reeds
vassbevuxen reedy, reeded
vassla whey
Vatikanen the Vatican

watt (förk. *W*) elektr. watt (förk. W)
vatten 1 allm. water; vichy~, soda~ soda [water]; *hårt (mjukt)* ~ hard (soft) water; *ta sig ~ över huvudet* take on more than one can manage, bite off more than one can chew; *vara ute (ge sig ut) på djupt ~* bildl. be in (get into) deep water[s] **2** urin *kasta ~* pass (make) water
vattenavstötande water-repellent
vattenbehållare water tank; större reservoir; f. varmvatten boiler
vattenbrist shortage (scarcity) of water; i jorden deficiency of water
vattenbryn, *i ~et* i strandkanten at the water's edge; vid vattenytan at (on) the surface of the water
vattendelare geogr. watershed
vattendjur i havet marine animal; i insjö lacustrine animal
vattendrag watercourse
vattendrivande med. diuretic; ~ *medel* diuretic
vattendroppe drop of water
vattenfall waterfall; isht mindre cascade; större falls
vattenfast waterproof
vattenfågel waterfowl (pl. lika)
vattenfärg watercolour
vattenförorening water pollution
vattenförsörjning water supply
vattenglas dricksglas [drinking-]glass; glas vatten glass of water
vattengrav sport. water jump; vallgrav moat
vattenhalt water content; procentdel percentage of water
vattenho watering-trough
vattenkanna water jug (amer. water pitcher); för vattning watering-can; amer. sprinkling can
vattenkanon water cannon (pl. lika)
vattenkoppor med. chickenpox
vattenkraft water power
vattenkraftverk hydroelectric power station
vattenkran [water] tap; amer. faucet
vattenkrasse bot. watercress
vattenledning rör waterpipe; huvudledning water main; akvedukt aqueduct
vattenledningsrör waterpipe; huvudrör water main
vattenlinje sjö. waterline
vattenlås tekn. [water] trap
vattenmelon watermelon
vattenmätare water gauge
vattenpistol water pistol, squirt [gun]
vattenplaning trafik. aquaplaning; *råka ut för (få)* ~ aquaplane
vattenpolo water polo
vattenpost brand. hydrant
vattenpump bil. water pump
vattenpuss o. **vattenpöl** puddle
vattenreningsverk water purification plant (works pl. lika)
vattenrutschbana waterchute
vattensjuk vattendränkt waterlogged; sank boggy
vattenskada water damage
vattenskida water-ski; *åka vattenskidor* water-ski
vattenslang [water] hose
vattenspegel mirror (surface) of the water
vattenspridare [water] sprinkler
vattenstånd water level; *högsta ~et* high-water level
vattensäng waterbed
vattentillförsel o. **vattentillgång** water supply
vattentorn water tower
vattentunna waterbutt
vattentäkt 1 anläggning water catchment **2** vattentillgång source of water supply
vattentät waterproof; om kärl el. bildl. watertight; *vara ~* äv. hold water; *ett ~t alibi* a cast-iron (an airtight) alibi; *~t armbandsur* waterproof watch
vattenväg waterway; *komma ~en* come by water
vattenväxt aquatic (water) plant
vattenyta surface of water; *på ~n* on the surface of the water
vattenånga steam
vattenödla newt
vattna water äv. djur; gräsmattor sprinkle; med slang hose
vattnas, *det ~ i munnen på mig* när jag it makes my mouth water...
vattnig watery
vattrad watered
Vattumannen astrol. Aquarius
vax wax; *han är som [ett] ~* i hennes händer he is [like] wax (clay)...
vaxa wax
vaxartad waxlike
vaxduk vävnad oilcloth, American cloth äv. duk
vaxkabinett waxworks (pl. lika)
vaxkaka honeycomb
vaxljus wax candle (smalt taper)
vaxpropp i örat plug of wax
wc WC
VD (förk. för *verkställande direktör*) se under *verkställande*
ve, ~ *och fasa!* litt. damnation!, blast!, God help us!
veck löst fallande fold; i sömnad pleat; invikning tuck; byx~ o.d. samt oavsiktligt crease äv. på papper; i ansiktet wrinkle; *bilda* ~ fold
1 vecka I *tr* ett tyg o.d. pleat; pannan pucker; jfr *veck; ~d* geol. folded **II** *rfl, ~ sig* fold; crease; isht om papper crumple, crinkle; jfr *veck*

2 vecka week; *~n ut* to the end of the week; *på mindre än en ~* in less than (inside of) a week
veckig creased; skrynklig crumpled
veckla vira wind; svepa wrap; *~ ihop* fold...up (together); *~ ut sig* unfurl
veckodag day of the week
veckohelg weekend
veckolön weekly wages
veckopeng, ~[*ar*] weekly pocket money (allowance) sg.
veckoslut weekend
veckotidning weekly publication (magazine), weekly
ved wood
vederbörande I *adj* the...concerned; ifrågavarande the...in question; behörig the proper (competent, appropriate)... **II** *s* the person (jur. party) concerned; pl. those concerned
vederbörlig due, proper; *på ~t* säkert *avstånd* at a safe distance
vederbörligen duly, ...in due form
vedergälla allm. repay; gengälda return, requite; löna reward; hämnas retaliate, avenge
vedergällning retribution äv. teol.; lön requital; gottgörelse recompense; hämnd retaliation; *massiv ~* mil. massive retaliation
vederhäftig 1 tillförlitlig reliable, trustworthy **2** hand., solid solvent; *icke ~* insolvent
vederhäftighet (jfr *vederhäftig*) **1** reliability **2** solvency
vederkvicka I *tr* uppfriska refresh; stärka invigorate **II** *rfl, ~ sig med ngt* refresh (stärka invigorate) oneself with a th.
vederlag ersättning compensation
vederlägga confute; bevisa felaktigheten hos refute; dementera, t.ex. ett påstående contradict, disprove
vederläggning confutation; refutation; disproof; jfr *vederlägga*
vedermöda hardship[s pl.]
vedertagen erkänd accepted; fastställd: om t.ex. sed established; om t.ex. uppfattning conventional
vedervärdig repulsive; avskyvärd disgusting; äcklig nauseous
vedhuggare wood cutter (chopper)
vedkap cirkelsåg circular saw
vedlår firewood bin
vedspis [fire]wood stove
vedtrave woodpile, stack of [fire]wood (logs)
vedträ log (stort billet) of wood
weekend weekend
vegetabilier vegetables
vegetabilisk vegetable
vegetarian vegetarian
vegetarisk vegetarian
vegetation vegetation
vek böjlig pliable alla äv. bildl.; svag weak; mjuk, lättrörd soft; känslig gentle, tender; eftergiven indulgent; *bli ~* soften, grow soft
veke wick
vekhet weakness osv.; pliancy; jfr *vek*
veklig soft; slapp nerveless; svag weak[ly]; klemig coddled, delicate
vekling weakling; vard. milksop
vekna soften; ge vika relent; låta beveka sig be moved to pity
vela, *~ hit och dit* vacillate, shilly-shally
velig obeslutsam vacillating...; vard. shilly-shally
vellpapp o. **wellpapp** corrugated paper (tjockare cardboard)
velours velour[s]
weltervikt sport. welterweight
vem 1 interr. who; ss. obj. who[m]; efter prep. whom; vilkendera which [of them]; *~ där?* who is (mil. goes) there?; *~ av er...?* which of you...?; *~ får jag hälsa [i]från?* anmäla what name, please?; *~s fel är det?* whose fault is it?, who is to blame? **2** i rel. satser o. likn. uttr. *~ det än är* whoever it may be; *ge det till ~ du vill* give it to who[m]ever you like
vemod [tender] sadness
vemodig sad, melancholy
ven åder vein
vendetta vendetta
Venedig Venice
venerisk venereal; *~ sjukdom* venereal disease (förk. VD)
venetiansk Venetian
Venezuela Venezuela
venezuelan Venezuelan
venezuelansk Venezuelan
ventil 1 till luftväxling ventilator; sjö., i hytt porthole **2** i maskin valve; på fartyg scuttle; på blåsinstrument valve
ventilation luftväxling ventilation
ventilera 1 eg. ventilate; vädra air **2** dryfta ventilate, debate
ventilgummi valve rubber
Venus astron. el. mytol. Venus
veranda veranda[h]; amer. äv. porch
verb verb
verbal verbal äv. gram.; *~ inlärning* verbal learning
verbböjning conjugation (inflection) of a verb (resp. of verbs)
verifiera allm. verify; bestyrka attest; bekräfta confirm; intyga certify; gm dokument support...with documents
verifikation verification osv., jfr *verifiera;* kvitto receipt, voucher
veritabel veritable, true
verk 1 arbete: allm. work; abstr. el. i högre stil äv. labour; isht om litterärt o. konstnärligt ~

work; skapelse creation; *allt detta är hans ~* all this is his handiwork (work, isht neds. doing); *sätta...i ~et* carry out **2** ämbetsverk [civil service] department **3** fabrik works (pl. lika); om t.ex. såg~ mill **4** tekn., t.ex. i ur works; mekanism mechanism

verka I *itr* **1** handla work; *~ för...* work for..., devote oneself to..., interest oneself in... **2** göra verkan work, act; *~ befruktande (stimulerande) på...* bildl. act as a stimulus (stimulant) to..., have a stimulating effect on... **3** förefalla seem; *det ~r* äkta äv. it strikes one as [being]..., it looks...; *~ sympatisk* make an agreeable (a pleasing) impression [upon one] **II** *tr, ~ gott* do good

verkan allm.: resultat effect; följd consequence; kem. el. astron. action; verkningskraft effectiveness; inflytande influence; intryck impression; *föra ~ av...* take away (obliterate) the effect[s pl.] of..., render...ineffective; neutralisera neutralize...

verklig allm. real; filos. äv. substantial; sann, äkta true; sannskyldig: riktig regular, förstärkande veritable; egentlig essential; säker positive; faktisk actual; *~ händelse* [actual] fact; *den ~e* ej blott nominelle *ledaren* the virtual leader; *i ~a livet* in real life

verkligen really; faktiskt actually; förvisso certainly; återges i jak. påståendesats ofta gm omskrivn. av huvudverbet med do; *~?* äv. you don't say [so]?; isht amer. is that so?; *nej ~?* really?; *jag hoppas ~* att... äv. I do beton. hope...; *jag kan ~ inte komma* I really (positively) can't come; han lovade komma *och han kom ~* ...and he did beton. come

verklighet allm. reality (äv. *~en); faktum* fact[s pl.]; sanning truth; *bli ~* become a reality, be realized, materialize, come (prove) true; *i ~en* i verkliga livet in real life; i själva verket in reality; faktiskt as a matter of fact

verklighetsflykt escape [from reality]; ss. idé escapism

verklighetsfrämmande ...divorced from reality, unrealistic; vard. airy-fairy

verklighetstrogen realistic; om porträtt lifelike; om beskrivning faithful

verklighetsunderlag, boken *har ~* ...is founded on fact

verkningsfull allm. effective; effektfull telling

verkningsgrad efficiency

verkningslös ineffective

verksam allm. active; driftig energetic; arbetsam industrious, busy; om t.ex. läkemedel effective, efficacious

verksamhet aktivitet: allm. activity; handling, rörelse action äv. vetensk.; fabriks~ o.d. enterprise; affärs~ business; *politisk ~* political activities, politics (båda pl.); firman *började sin ~ i fjol* ...started up (in business) last year; *vara i full ~* om pers. be in full activity (om sak swing, operation)

verksamhetsberättelse årsberättelse annual (chairman's) report

verksamhetsfält sphere (field) of activities (action)

verksamhetsår year of activity; hand. financial year

verkstad workshop; för reparationer repair shop; bil~ garage; friare el. bildl. laboratory

verkstadsarbetare [engine] fitter

verkstadsindustri engineering (manufacturing) industry

verkställa utföra carry out, perform; fullborda accomplish; order execute, effect; dom execute; t.ex. inspektion make

verkställande I *adj* executive; *~ direktör* managing director; amer. president; *vice ~ direktör* deputy (assistant) managing director; amer. vice-president **II** *s* carrying out osv.; performance; accomplishment; execution, enforcement; jfr *verkställa*

verkställighet execution

verktyg tool; instrument instrument; redskap implement samtl. äv. bildl.

verktygslåda toolbox

vernissage öppnande opening of an (resp. the) exhibition; ibl. vernissage

vers verse; dikt poem; *på ~* in verse (poetry); *en...på ~* a versified (verse)...; *sjunga på sista ~en* vard. be on one's last legs; vara på upphällningen be on the way out

versal typogr. capital; vard. cap; mera tekn. upper-case [letter]

versfot [metrical] foot

version version

versmått metre

versrad line of poetry

vertikal I *adj* vertical **II** *s* vertical

vesper kyrkl. vespers

vessla 1 zool. weasel, ferret **2** fordon snowmobile; amer. äv. snowcat

western västernfilm western

vestibul vestibule, entrance hall; i hotell ofta lounge, foyer

veta I *tr* allm. know äv. känna till, ha insikter i; *kom med, vet jag!* do come along!; *nu vet jag!* äv. I have it!; *såvitt (vad) jag vet* as far as I know, to my knowledge; *[det] vete katten (fan)!* [I'm] blessed (damned, buggered) if I know!; *jag vet* har hört *det från...* I have heard it from...; *det vet jag visst [det]!* I certainly do know!; *man vet aldrig* there's no telling; *vet du vad [vi gör]*, *vi* går på bio*!* I tell you what, let's...!; *~* förstå *att* inf. know (understand) how to inf.; *ni vet väl att...* I suppose (isht amer. guess) you know (are aware of the fact) that...; *få ~* få reda på find out, get to know, learn; få höra hear [of (about)], be told [of]; bli upplyst om be informed of; *jag fick inte ~ det* förrän det var för sent I didn't know (höra hear about it)...

II med beton. part.

~ **av** *att...* know that...; ~ *av* ngt know of..., be aware of...; *några dumheter vill jag inte ~ av* I won't have (stark. put up with) any nonsense, I'll stand no nonsense

~ **med sig** be conscious (aware)

~ **till sig:** *inte ~ till sig av* glädje be beside oneself with...

~ **varken ut eller in** be at one's wit's end

vetande I *adj* knowing; *väl ~ att* knowing [quite] well that; högtidl. with (in) the certain knowledge that **II** *s* knowledge; *mot bättre ~* against one's better judgement

vete wheat

vetebröd wheat[en] bread; i Engl. vanl. white bread; kaffebröd buns

vetekli wheat bran

vetekross ss. hälsokost crushed wheat

vetelängd flat long-shaped bun

vetemjöl wheatflour

vetenskap allm. science (äv. *~en); gren:* inom naturvetenskapen [branch of] science, inom humaniora branch of scholarship, i båda fallen äv. discipline

vetenskaplig allm. el. natur~ scientific; humanistisk vanl. scholarly

vetenskapligt scientifically; in a scholarly manner (way); jfr *vetenskaplig*

vetenskapsakademi academy of sciences

vetenskapsman allm. el. isht natur~ scientist; isht humanist scholar

veteran veteran

veteranbil veteran (isht från 1919-1930 vintage) car

veterinär veterinary surgeon; amer. veterinarian; vard. vet

vetgirig ...eager to learn (of an inquiring mind); *vara ~* äv. have an inquiring mind

vetgirighet inquiring mind; kunskapstörst thirst (hunger) for knowledge

veto veto; *inlägga ~ mot* ngt put a veto on..., veto...

vetorätt [right of] veto

vetskap knowledge; *få ~ om* get to know, learn about, get knowledge of

vett 1 förstånd sense fr.; *ha ~ att...* have the [good] sense (t.ex. att tiga have sense enough) to...; *vara från ~et* galen be out of one's senses (wits) **2** levnadsvett good breeding

vetta, *~ mot (åt)* face [on to (on)]; *~ åt* gatan äv. open on to...

vettig sensible; omdömesgill judicious; *varje ~ människa* äv. every sane person

vettlös oförståndig senseless

vettskrämd ...frightened (scared) out of one's senses (wits), scared stiff

vettvilling madman

vev crank

veva I *s, i den ~n* el. *i samma ~* [just] at that (the same) moment (time), in the midst of it all **II** *itr* (ibl. *tr*) dra veven turn the crank (handle)

III med beton. part.

~ **i gång** motor crank up...

~ **på** grind away

~ hissa **upp** wind up

whisky whisky; amer. o. irländsk whiskey; *skotsk ~* äv. Scotch

vi we; *oss* us; rfl. ourselves (i adverbial med beton. rumsprep. vanl. us)

via om resrutt o.d. via; genom, medelst through

viadukt viaduct

vibration vibration

vibrera vibrate, oscillate

vice vice-; *~ ordförande* vice-chairman osv., jfr *ordförande; ~ talman* deputy speaker

vice versa vice versa lat.

vicevärd landlord's agent

vicka I *itr* vara ostadig wobble; gunga rock; *~ med tårna* wiggle one's toes; *~* skaka *på ngt* shake a th., set a th. rocking

II med beton. part.

~ **omkull** a) itr. tip (tilt) over b) tr. tip (tilt)...over, upset

~ **till** itr. tip up; om båt äv. give a lurch

1 vid allm. wide äv. bildl.; bildl. broad; ej åtsittande loosely-fitting; *~ kjol* wide (veckrik o.d. full) skirt; *~a världen* the wide world

2 vid A *prep* **I** i rumsbet. el. friare **1** eg.: allm. at; bredvid by; nära near; utefter, t.ex. vattendrag, väg el. gränslinje on; inom in; mot against; tillsammans med with; i prep.-attr. vanl. of; *sitta ~ ett bord* sit at (bredvid by) a table; *staden ligger ~ en flod* the town stands on a river; *vi bor ~ en flod* we live by (nära near) a river; *huset ligger (jag bor) ~ en gata* nära centrum the house is (I live) in (amer. on) a street...; klimatet *~ kusten* ...at the coast **2** uttr. anställning o.d.: inom in; på at; uttr. ett genitivförhållande of; *vara [anställd] ~* en firma be employed in (at)...; *komma in ~* en skola get into (be admitted to)...; han är professor *~ universitetet i Lund* ...at (in) the university of Lund **3** vid ord som betecknar fastgörande to; *binda [fast] ngt ~...* tie a th. [on] to...

II i tidsbet. el. friare: angivande [samtidig] tidpunkt samt orsak at; angivande tid omedelbart efter samt följd on; i in; omkring about; senast vid by; i samband med in connection with; för for; i händelse av in case of; prep.-uttr. med 'vid' angivande pågående handling resp. omedelbar följd el.

villkor omskrives ofta med when, in resp. on el. if + sats el. satsförkortning; sluta skolan ~ *arton* [*år*] ...at [the age of] eighteen; *redan* ~ *första besöket* at the very first visit; ~ *kaffet* när vi drack kaffe when we were having coffee; ~ *midnatt* at (omkring about, inte senare än by) midnight; ~ *dåligt väder* in bad weather; när (om) vädret är dåligt when (if) the weather is bad

III övriga fall: i edsformler by; på [up]on; uttr. tillstånd in; med påföljd av on (under) pain of; ~ *Gud* by God

B *adv* beton. part. *den klibbar* ~ [*överallt*] it sticks to everything; se vid. beton. part. under resp. vb

vida 1 i vida kretsar widely; ~ *omkring* far and wide, wide around **2** i hög grad: vid komp. far; ...by far äv. vid verb; *det överträffar* ~... it surpasses by far...

vidare 1 ytterligare further; mera more; dessutom further[more], moreover; igen again; längre: i rum farther, further; i tid longer; ~ *meddelas att...* it is further[more] reported that...; ~ *måste vi* betänka att..., vanl. also, we must... **2** *tills* ~ så länge for the present; tills annat besked ges until further notice; du kan inte försvinna *så där utan* ~ ...just like that **3** *ingen* (*inte någon*) ~ + subst. a) ingen nämnvärd no...to speak of b) ingen särskilt bra not (resp. not a) very good...; *inte* ~ särskilt... not very (too, particularly)... **4** beton. part. vid vb on; 'vidare' + vb i bet. 'fortsätta att' + vb återges ofta med go on (continue) + ing-form el. continue to + inf. av verbet; *flyga* ~ fly on [*till* London to...]; ~ [*i texten*]*!* go on!; se f.ö. beton. part. under resp. vb

vidarebefordra forward; föra vidare pass on

vidarebefordran forwarding; *för* ~ [*till*] to be forwarded (sent on) [to]

vidareutbildning further education (training)

vidareutveckla develop (elaborate)...further

vidbränd, gröten *är* ~ ...has got burnt

vidd 1 omfång width; ledighet looseness; isht vetensk. amplitude **2** bildl.: omfattning extent; räckvidd range; *~en av* olyckan the extent of... **3** vidsträckt yta, *~er* vast expanses, wide open spaces

vide av busktyp osier; av trädtyp willow

video apparat el. system video; *spela in på* ~ video-record

videoband video tape

videobandspelare videocasette recorder (förk. VCR)

videoblas *s* videofreen

videokamera video camera, camcorder

videokassett videocassette

videospel video game

videoteknik video technology (engineering)

videovåld video nasties

vidga I *tr* widen äv. bildl.; göra större: allm. enlarge; t.ex. metall expand; spänna ut dilate; ~ *sin horisont* (*sina vyer*) open one's mind **II** *rfl,* ~ *sig* widen äv. bildl.; enlarge, expand, dilate

vidgning widening; enlargement, expansion; dilation

vidgå own; bekänna confess

vidhålla hold (keep, adhere, stick) to; t.ex. krav insist on; ~ *att...* maintain (insist) that...

vidimera attest, certify; *~d avskrift* attested (certified) copy

vidimering attestation

vidja osier

vidkommande, *för mitt* ~ tänker jag... as far as I am concerned..., as (speaking) for myself...

vidkännas bära *få* ~ kostnaderna have to bear...; *få* ~ förluster have to suffer (sustain)...

vidlyftig 1 utförlig circumstantial; mångordig wordy; långrandig lengthy; långvarig protracted **2** tvivelaktig, om t.ex. affär shady, questionable; lättfärdig fast, loose

vidlyftighet 1 i tal o. skrift circumstantiality; wordiness **2** *~er* affärer shady transactions; eskapader escapades

vidmakthålla maintain

vidmakthållande maintenance, upholding

vidrig vedervärdig disgusting; avskyvärd loathsome; otäck nasty, horrid

vidräkning, ~ *med* kritik mot [severe] criticism on; angrepp på attack on

vidröra touch; omnämna touch [up]on

vidskepelse superstition

vidskeplig superstitious

vidsträckt allm. extensive; mycket ~ vast; utbredd, om t.ex. sjö expansive; utsträckt, om t.ex. område extended

vidsynt tolerant liberal

vidsynthet tolerans liberalism

vidtaga *tr* t.ex. åtgärder take; göra make

vidtala, ~ *ngn* underrätta inform a p.; komma överens med make an arrangement with a p. [*om* about; *att* inf. to inf.]; be ask a p. [*att* inf. to inf.]

vidunder monster monster

vidunderlig fantastisk fantastic, marvellous; ohygglig monstrous

vidöppen wide open

Wien Vienna

wienerbröd Danish pastry äv. koll., Danish

wienerkorv frankfurter; isht amer. wienerwurst; vard. wiener

wienervals Viennese waltz

Vietnam Vietnam

vietnames Vietnamese (pl. lika)

vietnamesisk Vietnamese
vietnamesiska 1 kvinna Vietnamese (pl. lika) **2** språk Vietnamese
vift, *vara ute på ~* be out and about, be on the loose
vifta allm. wave; *~ på svansen* om hund wag its tail; *~ av ngn* vid tåget wave goodbye to a p...; *~ bort* flugor whisk away...
viftning wave [of the (one's) hand]; av svans wag [of the tail]
vig smidig lithe; rörlig agile
viga 1 helga consecrate **2** samman~ marry
vigsel marriage; isht ceremonin wedding; *borgerlig ~* civil marriage; eng. motsv. marriage before a registrar
vigselakt marriage (högtidlig wedding) ceremony
vigselbevis marriage certificate, marriage lines
vigselring wedding ring
vigvatten holy water
vigör vigour; *vid full ~* in full vigour; vard. full of life (beans)
vik vid bay; större gulf; mindre creek
vika I *tr* **1** eg. fold, bend äv. tekn.; *~ ett papper i fyra delar* fold a piece of paper into four; *~ en fåll* turn in a hem; *får ej ~s* på brev do not bend **2** reservera o.d. *~ en kväll* för ett sammanträde set aside an evening...; *~ en plats* reserve a seat **II** *itr* ge vika yield, give way (in); isht mil. retreat; hand. recede; *han vek inte från* hennes sida he did not budge from..., he hardly left...; *~ åt sidan* turn (stiga step, stand) aside **III** *rfl, ~ sig* böja sig bend; *~ sig dubbel av skratt* (*smärta*) double up with laughter (pain); *benen vek sig under henne* her legs gave way under her
IV med beton. part.
~ **av** [*från vägen*] turn (branch) off [from the road]; *~ av från* den rätta vägen bildl. diverge from...; jfr *avvika 1*
~ **ihop** fold up; *den går att ~ ihop* it can be folded, it folds
~ **in a)** tr. turn (fold) in **b)** itr. *~ in på* en sidogata turn into (down)...
~ **ned** t.ex. krage turn down
~ **upp** turn up
~ **ut** veckla ut unfold; *~ ut sig* vard. appear in a pin-up magazine (paper)
V *adv, ge ~* give way (in); böja sig äv. yield, submit [*för* i samtl. fall to]; falla ihop collapse
vikande t.ex. priser receding
vikariat anställning deputyship, post (work) as a substitute (a deputy), temporary post (job); som lärare post (job) as a supply teacher
vikarie för t.ex. lärare substitute
vikariera, *~ för ngn* substitute (deputize) for a p., stand in for a p.
vikarierande deputy; om t.ex. rektor acting
viking Viking
vikingatiden the Viking Age
vikt 1 allm. weight; *gå ned* (*upp*) *i ~* lose (put on) weight **2** betydelse importance; *fästa* (*lägga*) *stor ~ vid ngt* attach great importance (weight) to a th., lay stress on a th.
viktig 1 betydelsefull important; stark. momentous; väsentlig essential; angelägen urgent; [tungt] vägande, om t.ex. skäl weighty; *en ytterst ~* fråga äv. a vital... **2** högfärdig self-important; mallig stuck-up; *göra sig ~* give oneself (put on) airs
viktighet högfärdighet self-importance
viktigpetter vard. pompous (conceited) ass (fool)
viktminskning decrease (reduction) in weight
viktökning increase in weight
vila I *s* allm. rest; uppehåll pause **II** *tr* rest; *~ benen* rest one's legs, take the weight off one's feet **III** *itr* allm. rest äv. vara stödd; högtidl. repose; om verksamhet be suspended, be at a standstill; *lägga sig och ~* have a lie-down, lie down and have a rest (for a rest); *här ~r...* here lies...; *avgörandet ~r hos henne* the decision rests with her **IV** *rfl, ~ sig* rest, take a rest; *~ upp sig* take (have) a good rest
vilande resting
vild allm. wild; ociviliserad, om längtan o.d. furious; *~a blommor* (*djur*) wild flowers (animals); *~a rykten* wild rumours; *~ av glädje* (*raseri*) wild (mad, frantic) with joy (rage)
vildbasare madcap
vilddjur wild beast; *rasa som ett ~* rage like a caged animal
vilde savage; polit. independent; amer. äv. maverick
vildhet wildness; vildsinthet ferocity
vildhjärna madcap
vildkatt wild cat äv. bildl.
vildmark wilderness, wild region (country); obygd wilds; ödemark waste
vildsint fierce
vildsvin wild boar
vildvuxen förvildad ...that has (had etc.) run wild
Vilhelm ss. kunganamn William; *~ Erövraren* William the Conqueror
vilj|a I *s* allm. will; önskan wish, desire; avsikt intention; *den fria ~n* free will; *få sin ~ fram* have (get) one's own way; *av* [*egen*] *fri ~* of one's own free will; göra ngt *med ~* med flit ...wilfully; det går nog *med lite god ~* ...with a little good will; *han måste skratta mot sin ~* he had to laugh in spite of himself
II *tr* o. *itr* o. *hjälpvb:* önska: allm. want,

svag. wish, högtidl. desire; ha lust, tycka om like; ha lust, vara benägen care; finna för gott choose; behaga please; mena, ämna mean; vara villig be willing; *vill* (resp. *ville*) isht i fråg., nek. o. villkorliga satser will (resp. would); ~ *ha* ofta want äv. i betyd. åtrå; *vill du vara snäll och* (*skulle du* ~) inf. (hövlig uppmaning) [will you] please inf.; would you mind ing-form; *jag vill att du skall göra* (*gör*) *det* önskar I want (wish, desire, ser gärna would el. should like) you to do it; *jag vill* tillåter *inte att du skall göra* (*gör*) *det* I won't have you doing it; *vill du ha* lite mera te? — *Ja, det vill jag* would you like...? - Yes, I would el. - Yes, please; *om du vill* göra det, måste du... if you want (ämnar mean) to...

Ex.: **a)** med att-sats (för konstr. i allm. se ovan): *jag vill inte att man skall säga att...* I don't want (stark. I won't have) it said that...; *vad vill du* [*att*] *han skall göra?* what do you want (wish) him to do?, what would you like him to do?; han kan ju ändå inte göra något what do you expect him to do? **b)** övriga fall: *att ~ är ett,* att kunna ett annat to be willing is one thing...; *jag både vill och inte vill* I am in two minds about it; *jag vill inte gärna* vill helst slippa I would rather not; *kom när du vill* come when[ever] you like (please, wish); *du kan om du bara vill* you can if only you want to; om du vill kan vi gå dit? - *Vill du det?* ...Would you like to (that)?; *vad vill du mig?* what do you want [from me]?; *jag vill bara ditt bästa* I only want what's best for you, I only wish your good; *jag vill* önskar [*fara*] *till* Stockholm I want to go to...; *jag vill inte* [*fara*] *till S.* I don't want to (har inte lust att I don't care to, är inte villig att I am not willing to, I won't, stark., vägrar I refuse to) go to S.; *jag vill gärna* hjälpa dig, men... I would (should) be glad to..., I would (should) willingly...; *jag vill hellre ha* te än kaffe I would rather have...; *du vill väl inte påstå att...* you surely don't mean (you are not trying) to say that...; *han vill gärna* skylla ifrån sig he is apt (inclined) to..., he tends to...

III *rfl, det ville sig inte riktigt för mig* things just didn't go my way, I just couldn't manage it; *om det vill sig väl* if all goes well

IV med beton. part. o. utelämnat huvudvb (som sätts ut i eng.)

~ **fram:** *jag vill* önskar komma *fram* I want to get through

~ **till:** *det vill till att du skyndar dig* you will have to hurry up

~ **ut:** *jag vill* önskar komma *ut härifrån* I want to get out of here; *jag vill ut och gå* I want to go out for a walk

~ **åt:** ~ *åt* skada *ngn* want to get at a p.; *han vill åt* ha *dina pengar* he wants to get hold of (has designs on) your money

viljelös ...who has no will of his (resp. her) own båda end. attr.; stark. apathetic; *ett ~t redskap* a passive tool

viljelöshet lack of willpower; stark. apathy

viljestark strong-willed

viljestyrka willpower

viljesvag weak-willed

vilk|en (*-et, -a*) **1** rel. a) självst.: med syftning på pers. who (ss. obj. whom, mera vard. who, efter prep. whom); med syftning på djur el. sak which; med syftning på pers., djur el. sak i nödvändig rel.-sats ofta that b) fören. which; *-ens, -ets, -as* whose; *dessa böcker, -a alla* (etc., jfr föreg. ex.) är... these books, all (etc.) of which... **2** interr. a) i obegränsad bet. what; självst. om pers. who (ss. obj. who[m], efter prep. whom) b) avseende urval, med utsatt eller underförstått 'av', which; *-ens, -as* whose; *-a böcker* har du läst? what (av ett begränsat antal which) books...?; ~ vad för slags *tobak* röker du? what tobacco...?; ~ *är* (vad heter) Sveriges största stad? what is...?; ~ av dem *menar du?* which [one] do you mean?; *-a är* de där pojkarna? who are...? **3** specialfall **a)** i rel. satser o. likn. uttr. *kan man säga -et som helst* (vard. *-et som*)? av två saker can you say either?; res ~ *dag du vill* ...any day you like **b)** i utrop ~ *dag!* what a day!

vilkendera (*vilketdera*) which

1 villa I *s* villfarelse illusion **II** *tr,* ~ *bort ngn* confound a p.; ~ *bort sig* gå vilse lose one's way (oneself)

2 villa hus [private] house; amer. äv. home; isht på kontinenten el. ibl. i Engl. villa; enplans~ ofta bungalow; på landet ibl. cottage

villaområde residential district

villaägare house-owner

villebråd game; förföljt el. nedlagt quarry

villervalla confusion

villfarelse error; *sväva i den ~n att...* be under the delusion that...

villig willing; inviterande easily persuaded; bered~ äv. ready

villighet willingness, readiness

villkor betingelse condition; pl. (avtalade ~, köpe~ o.d.) ofta terms; i kontrakt o.d. stipulation; förbehåll provision; *ställa ~* make demands, dictate one's terms; *på ~ att...* on condition that..., provided [that]...

villkorlig conditional; *de fick ~ dom* they were given a conditional (suspended, probational) sentence; eng. motsv. ung. they were placed on probation (were bound over)

villkorslös unconditional

villospår, *leda* (*föra*) *ngn på* ~ throw a p. off the track (scent)
villoväg, *leda* (*föra*) *ngn på* ~*ar* isht bildl. lead a p. astray
villrådig obeslutsam irresolute
villrådighet irresolution
vilodag day of rest
vilohem rest home
vilopaus break, rest
vilsam restful
vilse, *gå* (*köra, flyga* osv.) ~ lose one's way, get lost
vilsegången o. **vilsekommen** lost, stray
vilseleda mislead; lura deceive
vilseledande misleading
vilsen lost, stray
vilstol lounge chair; utomhus deckchair
vilt I *adv* **1** eg. wildly; vildsint fiercely, ferociously; *växa* ~ grow wild **2** 'helt' ~ *främmande* quite (perfectly) strange **II** *s* game
viltvård game preservation
vimla swarm; överflöda abound, teem
vimmel folk~ throng, [swarming] crowd [of people]; gatu~ crowd[s pl.] in the street[s]
vimmelkantig yr giddy; förvirrad dazed, confused
vimpel streamer; banderoll banderole; isht mil. el. sjö. pennant
vimsa vard. ~ [*omkring*] fiddle (muddle, muck) about
vimsig vard. scatterbrained; ombytlig flighty, volatile
vin 1 dryck wine; *en flaska* (*ett glas*) ~ a bottle (glass) of wine; ~ *av årets skörd* this year's vintage **2** växt vine
vina whine; om pil o.d. whiz[z], whistle
vinbär currant; *rött* ~ redcurrant; *svart* ~ blackcurrant
1 vind blåst wind; lätt ~ breeze; ~*en har vänt sig* the wind has shifted (veered) äv. bildl.; *vi måste vart* ~*en blåser* bildl. we'll have to see which way the wind blows; *fara med* ~*ens hastighet* go like the wind
2 vind i byggnad attic; enklare loft; *på* ~*en* in the attic
3 vind warped; skev askew end. pred.
vinda linda wind; ~ *upp* wind up, hoist; t.ex. ankare äv. heave [up], windlass
vindbrygga drawbridge
vinddriven weather-driven; bildl. rootless
vindfläkt breath (puff) of air (wind)
vindflöjel [weather]vane; pers. weathercock
vindil breeze
vindkraft wind power
vindkraftverk wind power station
vindla om flod, väg o.d., slingra [sig] wind, meander
vindling winding; anat. convolution; i snäckskal o.d. whorl
vindpinad windswept
vindpust breath (puff) of air (wind)
vindriktning direction of the wind, wind direction
vindruta på bil windscreen; amer. windshield
vindrutespolare windscreen (amer. windshield) washer
vindrutetorkare windscreen (amer. windshield) wiper
vindruva grape
vindskontor lumberroom (box-room) [in the attic]; vard., förstånd upper storey
vindspel sjö. windlass, winch; stående capstan
vindsröjning removal of lumber from the attic; städning clearing up [of] the attic
vindstilla I *adj* calm, windless **II** *s* stiltje [dead] calm
vindstyrka wind-force
vindstöt gust [of wind]
vindsurfa sport. windsurf
vindsurfare sport. windsurfer
vindsvåning attic [storey]; lägenhet attic flat; ateljévåning penthouse
vindtygsjacka windproof (isht vattenfrånstötande weatherproof) jacket; amer. äv. windbreaker
vindtät windproof
vindögd se *skelögd*
vinflaska tom wine bottle; flaska vin bottle of wine
vingbruten eg. broken-winged; jakt. äv. winged
ving|e wing; på väderkvarn o.d. vane; *pröva -arna* spread (try) one's wings; *ta ngn under sina -ars skugga* take a p. under one's wing
vingklippa, ~ *en fågel* (*ngn*) clip a bird's (a p.'s) wings
vingla gå ostadigt stagger; stå ostadigt sway; om t.ex. möbler wobble; bildl. vacillate, waver, not know one's own mind
vinglas wineglass; glas vin glass of wine
vinglig staggering, reeling; om möbler wobbly; bildl. vacillating
vingslag wing stroke
vingspets wing tip båda äv. flyg.; pinion
vingård vineyard
vinjett vignette
vink eg. med handen wave; tecken [att göra ngt] sign; antydan hint; vard. tip[-off]; *en fin* ~ äv. a gentle reminder; *förstå* ~*en* take the hint; vard. get the message
vinka 1 beckon; motion; vifta wave; ~ *med handen* wave one's hand; ~ *ngn till sig* beckon a p. to come up to one (to approach) **2** *inte ha någon tid att* ~ *på* till förfogande have no time to spare
vinkel matem. angle; hörn corner; vrå nook; *rät* (*spetsig, trubbig*) ~ right (acute, obtuse) angle; *byggd i* ~ built L-shaped
vinkelhake tekn. set square, triangle

vinkeljärn angle iron
vinkelrät perpendicular; ~ *mot...* äv. at right angles to...
vinkla slant båda äv. bildl.
vinklad slanted, angled
vinkling bildl., t.ex. av ett reportage slant
vinkällare förvaringsutrymme wine cellar; vinlager cellar
vinkännare connoisseur (good judge) of wine
vinlista winelist, wine card
vinna i strid win; [lyckas] förskaffa sig, t.ex. erfarenhet, tid, terräng gain; uppnå attain; ha vinst profit; [för]tjäna earn; ha nytta benefit; ~ *med 3-0* t.ex. i fotboll win 3-0 (utläses three 0 el. nil); ~ *ett pris* win (i lotteri äv. draw) a prize; *rummet vann på* ommöbleringen the room gained by...
vinnande winning; stark. captivating; tilltalande appealing; pleasant; ~ *sätt* äv. endearing manner
vinnare winner
vinning gain; profit
vinningslysten greedy, grasping
vinnlägga, ~ *sig om ngt* strive after a th.; ~ *sig om att* inf. take [great] pains to inf.
vinodlare wine-grower
vinodling abstr. wine-growing; konkr. vineyard
vinprovning wine-tasting
vinranka [grape]vine; gren stem of a vine
vinrättigheter, *ha* ~ be licensed to serve wine; *ha vin- och spriträttigheter* be fully licensed
vinröd wine-coloured
vinsch winch
vinscha, ~ [*upp*] hoist, winch
vinskörd vinskördande grape harvesting; konkr. grape (wine) harvest; årgång vintage
vinst allm. gain; hand. profit[s pl.]; avkastning yield, return[s pl.]; behållning proceeds; förtjänst earnings; utdelning dividend; på spel winnings; i lotteri o.d [lottery] prize; fördel advantage; *högsta ~en* the first prize; *det blir en ren ~ på* 1000 kr there will be a net profit of...; *sälja...med ~* sell...at a profit
vinstandel share of (in) the profits; utdelning dividend
vinstgivande profitable, remunerative; stark. lucrative
vinstlott winning ticket
vinstmarginal margin of profit
vinstock [grape]vine
vinsyra tartaric acid
vinter winter; för ex. jfr *höst*
vinterdag winter day
vinterdäck snow (winter) tyre (amer. tire)
vintergata astron. galaxy; *Vintergatan* the Milky Way, the Galaxy
vinterkläder winter clothes (vard. things)
vinterolympiaden o. **vinter-OS** the Winter Olympic Games, the Winter Olympics
vintersolstånd winter solstice
vintersport winter sport
vintertid årstid winter[time]; ~[*en*] (adv.) om vintern in winter[time]
vinthund greyhound
vinyl kem. vinyl
vinäger wine vinegar
vinägrettsås vinaigrette [sauce]
viol violet
viola altfiol viola
violett I *s* violet; för ex. jfr *blått* **II** *adj* violet
violin violin; vard. fiddle
violinist violinist
violoncell [violon]cello (pl. -s)
violoncellist [violon]cellist
VIP VIP (förk. för *very important person*)
vipa zool. lapwing
vipp, *vara på ~en att* inf. be on the point of (be on the verge of) ing-form
vippa I *s* puder~ puff; damm~ feather duster **II** *itr* swing up and down
vips swish!, zip!; ~ *var han borta* he was off like a shot
vira allm. wind
wire cable; tunnare wire
viril virile
virka crochet
virke 1 trä wood, timber; isht amer. lumber; byggnads~ building timber **2** bildl. stuff; *det är gott ~ i honom* he is made of the right stuff
virknål crochet hook
virra, ~ *omkring* (*runt*) meander (gad) about (around) [aimlessly]
virrig om pers. muddle-headed; oredig confused; muddled äv. om t.ex. framställning; osammanhängande disconnected
virrvarr förvirring confusion; villervalla muddle; röra jumble; oreda mess; stark. chaos
virtuos I *s* virtuos|o (pl. -i el. -os) **II** *adj* masterly, brilliant, virtuoso
virulent virulent
virus med. virus
virvel 1 allm. whirl äv. bildl.; swirl; ström~ whirlpool; mindre eddy; vetensk. el. bildl. vort|ex (pl. -ices el. -exes); hår~ crown **2** trum~ roll
virvelvind whirlwind
virvla whirl; ~ *omkring* (*runt*) whirl round; ~ *upp* tr. o. itr. whirl up
1 vis way; *jaså, är det på det ~et?* so that's how it is, is it?
2 vis wise; sage; *de tre ~e männen* the three wise men, the Magi
1 visa allm. song; folk~ ballad
2 visa I *tr* (ibl. *itr*), allm. show; peka point; visa tecken på exhibit; be~ prove; avslöja

disclose; *kyrkklockan ~r rätt tid* (*~de 12.15*) the church clock tells the right time (pointed to 12.15); *~ ngn till rätta* eg. show a p. the way; vägleda show a p. the way about **II** *rfl, ~ sig* show oneself; framträda appear; om pers. äv. make one's appearance; bli tydlig become apparent; synas äv. be seen; om sak äv. manifest itself **III** med beton. part.
~ **fram** förete show; lägga fram [till beskådande] exhibit
~ **ifrån sig:** ~ *ngn* (*ngt*) *ifrån sig* av-dismiss (reject) a p. (a th.)
~ **in:** ~ *in ngn i ett rum* show a p. into a room
~ **omkring:** ~ *ngn i fabriken* show a p. round the factory
~ **upp** fram show; resultat show; t.ex. ett bokslut äv. produce

visare på ur hand; på instrument pointer, needle
visavi I *s* vis-à-vis (pl. lika); man (resp. woman) opposite **II** *prep* mitt emot opposite; beträffande regarding
vischan, *på ~* out in the wilds (sticks, amer. boondocks)
visdom wisdom; lärdom learning
visdomstand wisdom tooth
visera pass visa
visering visaing; visum visa
vishet wisdom
vision vision
visionär I *adj* visionary **II** *s* visionary
visit call; *avlägga ~ hos ngn* pay a p. a visit, call (pay a call) on a p., visit a p.
visitation examination; kropps~ search; [besök för] granskning, besiktning inspection
visitera examine; search; inspect
visitkort [visiting-]card; amer. calling card; i affärssammanhang business card
viska whisper; *~ till ngn* skol., i hjälpande syfte prompt a p.
viskning whisper
viskos textil. viscose
vismut kem. bismuth
visning visande showing; demonstration demonstration; före~ exhibition
visp whisk; elektrisk [hand]mixer
vispa whip, whisk; ägg o.d. beat
vispgrädde whipped (till vispning whipping) cream
viss 1 vanl. pred.: säker certain; sure; förvissad assured **2** särskild certain; bestämd, om summa fixed; *en ~* t.ex. hr Andersson a certain...
visselpipa whistle
vissen faded äv. bildl.; förtorkad withered, wilted; död dead; *känna sig ~* ur form feel out of sorts; 'nere' feel off colour, feel rotten
visserligen [it is] true, indeed; *han är ~ duktig, men...* it is true that he is clever, but...
visshet certainty; tillförsikt assurance; *få ~ om...* find out...[for certain]
vissla I *s* whistle **II** *tr* o. *itr* whistle; *~ på hunden* whistle to the dog
vissling whistle; vinande whiz[z]
vissna fade, wither
visst säkert certainly; utan tvivel no doubt; sannolikt probably; *~ [skall du göra det]!* äv. [you should do it (so)] by all means!; *ja ~!* certainly!, of course!, yes, indeed!; *jo ~, men...* that is (quite) so, but...; *han har ~ rest* he has probably left; he has left, I think
vistas stay; bo längre tid reside; *~ inomhus* äv. keep indoors
vistelse stay; boende residence
visualisera visualize
visuell visual; *~a hjälpmedel* visual aids
visum visa
vit I *adj* white; *~t brus* elektr. white noise; *en ~* a white [man]; neds. a whitey; *de ~a* the whites; jfr äv. *blå* o. sms. **II** *s* schack. white
vita ägg~ white
vitaktig whitish
vital vital
vitalitet vitality
vitamin vitamin
vitaminbrist vitamin deficiency
vitaminfattig ...deficient (poor) in vitamins, vitamin-deficient
vitaminrik ...rich in vitamins
vite jur. fine; *vid ~ av* under penalty of a fine of
vitglödande white-hot
vitguld white gold
vithårig white-haired; *bli ~* turn white
vitkalka whitewash
vitkål [white] cabbage
vitling zool. whiting
vitlök garlic
vitlöksklyfta clove of garlic
vitna whiten, turn (grow, go) white
vitpeppar white pepper
vitrinskåp [glass] showcase (display case)
vitrysk Byelorussian, Belorussian, White Russian
vitryss Byelorussian, White Russian
Vitryssland Byelorussia, Belorussia
vits ordlek pun; kvickhet joke; neds. witticism; *det är det som är ~en med det hela* that's just the point of it
vitsa make puns (resp. a pun); skämta joke
vitsig kvick witty
vitsippa wood anemone
vitsord skriftligt betyg testimonial
vitsorda intyga testify to; *~ att ngn är...* certify that a p. is...; stark. vouch for a p.'s being...
1 vitt white; jfr *blått* o. se ex. under *svart III*

2 vitt widely; ~ *och brett* far and wide
vittberömd renowned, illustrious
vitterhet skönlitteratur belles-lettres fr.
vittförgrenad ...with many ramifications
vittgående far-reaching; ~ *reformer* äv. extensive reforms
vittja, ~ *näten* search (go through) and empty the [fishing-]nets; ~ *ngns fickor* pick a p.'s pockets
vittna witness; intyga testify; ~ *mot (för) ngn* give evidence against (in favour of) a p.
vittne witness; *vara* ~ *till ngt* be a witness of a th., witness a th.; *i ~ns närvaro* before (in the presence of) witnesses; *höra ~n* äv. take evidence; hos polisen take statements; *jag tar dig till* ~ *på att jag...* äv. you are my witness that I...
vittnesbås witness box (amer. stand)
vittnesbörd testimony, evidence
vittnesmål evidence; isht skriftl. deposition; *avlägga* ~ give evidence (testimony)
vittra geol. weather; falla sönder moulder; vetensk. effloresce; ~ *bort* crumble away
vittring jakt. scent
vittsvävande, ~ *planer* ambitious (vast) plans
vittvätt tvättande [the] washing of white laundry (linen); tvättgods white laundry (linen), whites; amer. white goods
vitval zool. white whale, beluga
vitvaror textilier el. hushållsmaskiner white goods
vitöga, [*modigt*] *se döden i ~t* face death [bravely (courageously)]
vodka vodka
wok wok
woka wok
vokabulär ordförråd vocabulary
vokal I *s* vowel **II** *adj* vocal
vokalist mus. vocalist
volang flounce; smalare frill
volfram tungsten; ibl. wolfram
volley sport. volley
volleyboll bollspel volleyball
volontär åld. volunteer äv. mil.
1 volt (förk. *V*) elektr. volt (förk. V)
2 volt 1 gymn. somersault; *göra (slå) en* ~ gymn. turn a somersault, turn head over heels; *slå ~er* äv. tumble **2** ridn. volt[e]
volta slå runt overturn
voluminös voluminous äv. om röst
volym 1 volume äv. om röst **2** bok[band] volume; större tome
volymkontroll volume control
votera vote
votering voting
vov, ~ *~!* bow-wow!
vovve barnspr. bow-wow
voyeur voyeur fr.
vrak wreck äv. bildl.
vraka 1 förkasta reject **2** ~ *bort* sälja till vrakpris sell...at a bargain price
vrakdel av flygplan etc. part of a (resp. the) wrecked plane etc.
vrakgods wreckage; wrecked goods
vrakplundrare wrecker
vrakpris bargain (giveaway, throwaway) price; *till* ~ at a bargain etc. price; at bargain prices
vrakspillra piece of wreckage
1 vred handle
2 vred wrathful; ond angry; stark. furious
vrede wrath; harm anger; ursinne fury; *låta sin* ~ *gå ut över ngn* vent one's anger on a p.
vredesmod, *i* ~ in wrath (anger)
vredesutbrott [out]burst of fury
vredgad angry; stark. furious
vresig om pers. peevish, cross-grained
vresighet peevishness
vricka stuka sprain; rycka ur led dislocate; *jag har ~t foten* I have sprained (twisted, ricked) my ankle
vrickad vard., tokig crazy samtl. end. pred.; *alldeles (helt)* ~ äv. ...off one's rocker (chump)
vrickning stukning sprain; dislocation
vrida I *tr* o. *itr* turn; sno twist; ~ *händerna* wring one's hands; ~ *halsen av ngn* wring a p.'s neck; ~ *på huvudet* turn one's head **II** *rfl*, ~ *sig* turn; ~ *sig av smärta (i plågor)* writhe in pain
III med beton. part.
~ **av** twist (wrench) off; t.ex. kranen turn off
~ **fram** *klockan* put (set) the clock forward
~ **loss** twist (wrench) off (loose); ~ *sig loss* wriggle oneself free
~ **om:** *han vred om armen på mig* he gave my arm a twist, he twisted my arm; ~ *om* nyckeln turn...
~ **på** t.ex. kranen turn on; t.ex. radion äv. switch on
~ **tillbaka:** ~ *tillbaka klockan* put (set) the clock back
~ **upp** *klockan* wind up the clock
~ **ur** t.ex. en trasa wring out
vridbar turnable, ...that can be turned
vriden 1 snodd twisted **2** tokig crazy; *han är en smula* ~ he is not quite all there
vrist instep; ankel ankle
vrå corner; *en lugn* ~ a sheltered spot
vråk zool. buzzard
vrål roar
vråla roar
vrålapa howler [monkey]; bildl. bawler
vrång allm. perverse; ogin disobliging; krånglig: om pers. contrary; om häst restive; orättvis wrong, unjust
vrångbild distorted picture

vrångstrupe, *jag fick det i ~n* it went down the wrong way, I choked on it
väk|a I *tr* **1** eg. heave; kasta toss **2** jur., avhysa evict **II** *itr, regnet -er ned* it's (the rain is) pouring (teeming) down **III** *rfl, sitta och ~ sig* lounge (loll) about; *~ sig i* lyx roll (wallow) in...
IV med beton. part.
~ **bort** throw away; sälja billigt sell at greatly reduced prices
~ **i sig** mat guzzle down
~ **omkull** throw...over; pers. send...sprawling
~ **ur sig** skällsord o.d. let fly...
väkig ostentatious; flott flashy, showy; slösaktig extravagant
väkning avhysning eviction, ejection
vränga vända ut o. in på turn...inside out; framställa el. återge oriktigt distort
vulgär vulgar, common
vulkan vulcano
vulkanisk volcanic
vulkanutbrott volcanic eruption
vulva anat. vulva
vurm passion, fad
vurma, *~ för ngt* have a passion (craze, mania, yen) for a th.
vurpa I *s* somersault; *göra en ~* se *II* **II** *itr* turn a somersault
vuxen adult, grown-up
vuxenutbildning adult education
vy allm. view
vykort [picture] postcard
vyssja lull
våd kjol~ gore; tyg~ width; tapet~ length
våda fara danger; risk risk
vådaskott accidental shot
vådlig farlig dangerous
våffla waffle
1 våg 1 redskap scale[s pl.]; större weighing-machine; med skål[ar] balance; *en ~* a scale, a pair of scales **2** *Vågen* astrol. Libra
2 våg t.ex. i vattnet wave; dyning roller; *~orna går höga* the sea runs high; *diskussionens ~or gick höga* ung. there was a heated discussion
våga I *tr* o. *itr* ha mod att dare; våga sig på o. riskera venture; satsa stake; *~r jag be om...?* dare (får jag may, might) I ask for...?; *~ ta* risken att *göra ngt* risk (take the risk of) doing a th.; *jag ~r påstå att...* I venture to assert (say) that...; tar mig friheten *~ livet* venture (risk, ss. insats stake) one's life **II** *rfl, ~ sig dit* venture el. dare to go there; *~ sig på ngn* angripa dare to tackle (attack) a p.; tilltala o.d. venture to approach a p.
vågad djärv daring; riskfylld risky, hazardous; oanständig risqué fr.; indecent
vågbrytare breakwater
vågdal eg. trough of the sea (the waves)
vågformig, *~ rörelse* wave-like (undulating) movement
våghals daredevil
våghalsig reckless
vågig wavy
våglängd radio. wavelength äv. bildl.
vågmästarroll, *ha ~en* vara tungan på vågen hold the balance [of power]
vågrät horizontal; plan level; *~a [nyckel]ord* i korsord clues across
vågrörelse undulation; fys. wave motion (propagation)
vågsam risky, hazardous; djärv daring
vågspel o. **vågstycke** vågsamt företag bold (daring) venture, risky (daring, hazardous) undertaking; vågsam handling daring act (deed)
vågsvall surging sea
våld makt power; besittning possession; tvång force, compulsion; våldsamhet violence; övervåld outrage; bildl. äv. (kränkning) violation; *yttre ~* violence; *bruka (öva) ~* använda use force el. violence [*mot* against]; ta till resort to violence; *vara i ngns ~* be in a p.'s power, be at a p.'s mercy
våldföra, *~ sig på en kvinna* begå våldtäkt rape a woman
våldgästa, [*komma och*] *~* [*hos*] ngn descend [up]on...; vard. gatecrash on...
våldsam allm. violent; intensiv intense; stark.: om t.ex. applåd tremendous, om hunger ravenous; vild furious; oerhörd terrible; *få en ~ död* die a violent death
våldsamhet violence; intensity; fury, jfr *våldsam; ~er* acts of violence, violence sg.
våldsbrott crime of violence
våldsrotel polis. homicide and crimes of violence department
våldtaga rape
våldtäkt rape
våldtäktsman rapist
vålla förorsaka cause, occasion; vara skuld till be the cause of; ge upphov till give rise to; framkalla provoke; frambringa produce; *~* bereda *ngn...* cause (give) a p...
vållande *s, ~ till annans död* manslaughter
vålnad ghost
vånda agony; ångest anguish; kval torment
våndas suffer agony (agonies); *~* gruva sig *inför ngt* dread a th.
våning 1 lägenhet flat; isht större el. amer. apartment; *en ~ på tre rum* a three-roomed flat **2** etage storey (amer. vanl. story); våningsplan floor; *ett sex ~ar högt hus* a six-storeyed (six-storied) house; *på (i) andra ~en* en trappa upp on the first (amer. second) floor
våningsbyte exchange of flats (apartments)
våningssäng bunk bed
våp goose (pl. geese), silly

1 vår fören. our; självst. ours; *de ~a* our people; våra spelare our players; vårt lag our team sg.
2 vår spring; ibl. springtime; poet. springtide samtl. äv. bildl., för ex. jfr *höst*
våras, *det ~* [the] spring is coming (is on the way)
vård omvårdnad allm. care; jur. custody; förvar keeping; behandling treatment; bevarande preservation; *sluten ~* institutional care; på sjukhus care (behandling treatment) of in-patients, hospital treatment; *öppen ~* non-institutional care; sjukvård care (behandling treatment) of out-patients; *lämna...i ngns ~* leave...in a p.'s care (förvar keeping)
vårda take care of; se till look after; sköta tend; bevara preserve; *han ~s på sjukhus* he is [being treated] in hospital
vårdad välskött well-kept; om pers. o. yttre well-groomed; om t.ex. språk, stil polished
vårdag spring day
vårdagjämning vernal (spring) equinox
vårdare keeper; sjuk~ male nurse
vårdbidrag care allowance
vårdcentral care (welfare) centre
vårdhem sjukhem nursing home
vårdnad custody
vårdnadsbidrag child-care allowance
vårdnadshavare förmyndare guardian; *vara ~* efter skilsmässa have custody [of a child]
vårdpersonal på sjukhus nursing staff
vårdslös careless, negligent; slarvig slovenly; försumlig neglectful; *vara ~ med pengar* squander (fritter away) one's money
vårdslöshet carelessness; slovenliness, slipshodness; neglect; nonchalance; recklessness; *~* ovarsamhet *i trafik* dangerous (reckless) driving
vårdyrke ung. social service (sjukvårdande nursing) occupation
vårflod spring flood
vårgrönska greenness (verdure) of spring
vårkänsla, *få vårkänslor* get the spring feeling
vårlig spring; se äv. *vårlik*
vårlik spring-like, vernal; *det är ~t* i dag it is quite like spring...
vårlök bot. gagea, yellow star-of-Bethlehem
vårrulle kok. spring roll
vårsådd lantbr. spring sowing
vårta 1 wart; vetensk. äv. verruc|a (pl. -ae) **2** bröst~ nipple
vårtbitare zool. green grasshopper
vårtermin i Sverige spring term [which ends early in June]
vårtrötthet spring fatigue (tiredness)
våt wet; fuktig damp; vetensk. äv. humid; flytande fluid; *bli ~ om fötterna* get one's feet wet
våtdräkt wet suit
våtmarker wetlands
våtservett wet wipe
våtvaror liquids äv. starkvaror
våtvärmande, *~ omslag* fomentation
väck vard. *[puts] ~* gone [completely]
väcka 1 göra vaken wake [...up]; på beställning (isht vid visst klockslag) vanl. call; mera häftigt samt bildl. (rycka upp) rouse; ljud som kan *~ de döda* ...raise (wake, awaken) the dead; *~s av* bullret be woken up (roused, awakened) by...; *~ ngn till besinning* call a p. to his (resp. her) senses; *~ ngn till liv* bring (call) a p. back to life; ur svimning revive a p. **2** framkalla: allm. arouse; uppväcka, äv. awaken; vålla: t.ex. förvåning cause; ge upphov till: t.ex. beundran excite; t.ex. missnöje stir up; åstadkomma make; tilldra sig, t.ex. uppmärksamhet attract; *~ avund [hos ngn]* excite (arouse) [a p.'s] envy **3** framställa, t.ex. fråga raise
väckarklocka alarm [clock]
väckelserörelse revivalism
väckning, *beställa ~* book an alarm call; *får jag be om ~ till kl. 7* will you call me at 7, please
väder 1 väderlek weather; *vad är det för ~ i dag?* what's the weather like today?, what sort of day is it?; *trotsa vädrets makter* brave the weather; *i alla ~* in all weathers; *följa ngn i alla ~* bildl. stick to a p. through thick and thin **2** luft air; vind wind; *släppa ~* en fjärt break wind
väderbiten weather-beaten
väderkarta weather chart (map)
väderkorn, *ha gott ~* have a keen scent (om pers. a sharp nose)
väderkvarn windmill
väderlek weather
väderleksutsikter rapport weather forecast
väderrapport weather bulletin (forecast, report)
vädersatellit weather satellite
väderstreck point of the compass; *de fyra ~en* äv. the [four] cardinal points
vädertjänst meteorological (weather forecast) service; byrå meteorological office
vädja appeal äv. jur.
vädjan appeal äv. jur.; entreaty
vädra 1 lufta (t.ex. kläder) air; *~ [i] ett rum* air a room **2** få väderkorn på scent äv. bildl.
vädring luftning airing; *hänga ut* kläder *till ~* hang...out to air
vädur, *Väduren* astrol. Aries
väg eg. (anlagd) road; isht mera abstr. o. bildl. way; sträcka distance; stig, bana path; lopp course äv. bildl.; färd~ journey; gång~ walk; åk~ drive; *gå den långa ~en* come up (do it) the hard way; *bana ~ för* clear (bildl. pave) the way *[för* for]; *gå din ~!* go

away!, clear (push) off!, make yourself scarce!; *gå sin egen ~* go one's own way, take one's own line; *ta ~en förbi* affären pass by...; *vart har hon tagit ~en?* where has she gone (got to)?, what's become of her?; *visa ngn ~en* show a p. the way med föreg. prep.: *i ~* adv. off; *stå (vara) i ~en för ngn* stand (be) in a p.'s way äv. bildl.; skymma stand in a p.'s light; *på* under *~en såg vi...* on the (our) way we saw...; *på den ~en är det* vard., så förhåller det sig that's how (the way) it is; *stanna (mötas* äv. bildl.) *på halva ~en* stop (meet) halfway; *han är på god ~ att bli ruinerad* vanl. he is well on the road to (is heading straight for) ruin; *jag var [just] på ~ att säga det* I was about (was just going) to say it; var nära att I was on the point of saying it; *inte på långa ~ar* not by a long way (vard. chalk); hur ska man *gå till ~a?* ...set (go) about it?; *gå ur ~en för ngn* go (get) out of a p.'s way, keep clear of a p.

väg|a I *tr* weigh äv. bildl.; *~ in* bildl., ta med i beräkningen take into account; *~ sina ord* weigh one's words, choose one's words carefully **II** *itr* weigh; hans ord *-er tungt* ...carry [great] weight; *sitta och ~ på stolen* sit balancing on one's chair; *det står och -er [mellan...]* bildl. it's in the balance between

vägande, *[tungt] ~ skäl* [very] weighty (important) reasons

vägarbetare roadworker

vägarbete, ~*[n]* roadworks pl., road repairs pl.

vägbana roadway

vägbeläggning konkr. road surface

vägegenskaper motor. roadholding qualities, roadability

vägg wall äv. anat.; tunn mellan~ partition; *bo ~ i ~ med ngn* i rummet intill occupy the room next to a p.; i lägenheten intill live next door to a p.

väggfast ...fixed to the wall; *~a inventarier* fixtures

väggkontakt se *vägguttag;* strömbrytare wall switch

vägglampa wall lamp

väggmålning mural (wall) painting, mural

väggrepp hos bil el. bildäck grip

vägguttag elektr. [wall] socket; amer. outlet, wall socket

vägkant allm. roadside, wayside; mera konkr. (vägren) verge; isht amer. shoulder; dikeskant edge [of a (resp. the) ditch]

vägkorsning crossroads (pl. lika), crossing, intersection

väglag state of the road[s]; *det är dåligt (torrt) ~* the roads are in a bad state (are dry)

vägleda guide; t.ex. i studier supervise; t.ex. i forskningsarbete direct

vägledning abstr. guidance, direction; *till ~ för ngn* for the guidance of a p.

vägmärke road (traffic) sign; vägvisare signpost; enklare fingerpost

vägnar, *[på] ngns ~* on behalf of a p., on a p.'s behalf; i ngns namn in the name of a p.; för ngns räkning for a p.

vägning weighing

vägnät road network (system)

vägra refuse; avböja decline; neka deny; *han ~des att* inf. he was refused permission to inf.

vägran refusal, declining; jfr *vägra*

vägren vägkant verge

vägskylt road sign; enklare signpost

vägskäl fork [in the road]; *vid ~et* vanl. at the crossroads

vägspärr road block

vägsträcka distance

vägtrafikant road-user

vägvisare 1 pers. guide **2** vägskylt signpost; enklare fingerpost **3** bok, vägledning o.d. guide[book]

vägöverfart o. **vägövergång** över annan led viaduct, flyover; amer. overpass

väja, *~ [undan]* make way *[för* for]; give way *[för* to]; *~ undan för* t.ex. slag dodge; *~ åt höger* move to the right

väjningsplikt trafik. el. sjö. *det råder ~* one has (has a duty) to give way

väktare allm. watchman; nattvakt security officer; *lagens ~* pl. the guardians of the law (of law and order)

väl I *s*, *~ [och ve]* welfare, well-being **II** *adv* **1** beton. **a)** bra well; omsorgsfullt carefully; *allt ~!* everything is all right!; *så ~ [då]!* what a good thing (sån tur, vard. good job)!; platsen är *~ betald* ...well paid; *om allt går (vill sig) ~* if everything goes (if things go) well (according to plan); *veta mycket ~ att...* know very well that..., be quite (perfectly) aware that... **b)** uttr. grad. *[gott och] ~* drygt *en timme* well over one hour **c)** andra bet. *när han ~* en gång *somnat* var han... once he had fallen asleep...; jag mötte inte henne *men ~* däremot *hennes bror* ...but her brother **2** obeton. **a)** uttr. den talandes förmodan el. förhoppning: förmodligen probably osv.; *du är ~ inte* sjuk? you are not..., are you?; *han tänker ~ inte* göra det! surely he is not going to...?; *det är ~ det bästa* that is the best thing[, I suppose]; *det hade ~ varit* bättre att...? wouldn't it have been...?; *du vet ~* att... I suppose (högtidl. trust) you know..., you must know... **b)** ss. fyllnadsord i frågor *vem skulle ~ ha trott...?* who would have believed...?

välanpassad om pers. well-adjusted; om företeelse well-adapted

välartad väluppfostrad well-behaved; lovande promising
välbefinnande well-being; känsla av ~ sense of well-being
välbehag pleasure, delight; tillfredsställelse satisfaction
välbehållen om pers. ...safe and sound; om sak ...in good condition; *komma ~ fram* om pers. äv. arrive safely
välbehövlig badly needed
välbekant well-known, well known
välbeställd välbemedlad well-to-do
välbesökt well-attended; om t.ex. badort much frequented
välbetald well-paid
välbetänkt well-advised, judicious; välövervägd deliberate
välbyggd well-built
välbärgad well-to-do; om pers. äv. (pred.) well off
välde rike empire; makt domination
väldig mäktig mighty; enorm enormous; stark. tremendous; vard. awful; kraftig powerful; vidsträckt vast
väldigt enormously etc., jfr *väldig*
välfärd welfare
välfärdssamhälle o. **välfärdsstat** welfare state
välfödd well-fed; korpulent plump
välförsedd well-stocked; well-supplied äv. om pers.
välförtjänt om t.ex. vila well-earned; om belöning (beröm) well-merited; om t.ex. popularitet well-deserved; om t.ex. kritik (straff) rightly-deserved
välgjord well-made
välgång framgång prosperity
välgärning kind (charitable) deed (action)
välgödd om djur [well-]fattened; om pers. well-nourished, well-fed
välgörande barmhärtig charitable; om sak beneficial; hälsosam salutary; om t.ex. klimat salubrious; uppfriskande refreshing
välgörenhet charity
välinformerad well-informed
välja 1 allm. choose; noga select; ~ ut pick out [*bland* from]; bestämma sig för a) sak fix [up]on b) yrke adopt, take up; *välj!* take your choice!; *~ och vraka* pick and choose; *~ ut* select, pick out **2** gm röstning utse elect; till riksdag o.d. (om valkrets) return; *~ ngn till* president elect a p...
väljare vid allm. val vanl. voter; ibl. elector
väljarkår polit. electorate
välkammad well-groomed äv. bildl.
välklädd well-dressed; prydlig spruce
välkommen welcome; *hälsa ngn ~* welcome a p., wish (bid) a p. welcome
välkomna welcome
välkänd 1 well-known **2** ansedd (attr.) ...of good repute

välla I *itr*, ~ [*fram*] well (strömma stream, pour, flow, våldsamt gush, rush) forth **II** *tr* svetsa weld
vällagrad om ost ripe
vällevnad luxurious (gracious, high) living
välling på mjöl gruel
välljudande euphonious; melodisk harmonious äv. om röst
vällukt fragrance, perfume
välluktande sweet-scented
vällust sensual pleasure
vällustig sensual
välmatad om skaldjur meaty
välmenande 1 om pers. well-meaning **2** om råd well-meant
välmening good intention; *i all* (*bästa*) ~ with the best of intentions
välment well-meant
välmående 1 vid god hälsa healthy; blomstrande flourishing; frodig well-fed **2** välbärgad prosperous; förmögen wealthy; *vara ~* äv. be well off
välmåga hälsa good health; *leva i högönsklig ~* be in the best of health
välrenommerad well-reputed
välsedd welcome; omtyckt popular
välsigna bless
välsignad blessed; *i välsignat tillstånd* in the family way
välsignelse blessing; uttalad benediction
välsituerad well-to-do; amer. äv. well-fixed; well off end. pred.
välskapad well-made; *~e ben* osv. shapely legs osv.
välskött well-managed; om t.ex. hushåll well-run; om t.ex. händer well-kept, well-tended; om t.ex. naglar (tänder) well-cared-for; om t.ex. yttre (hår) well-groomed; om barn (attr. o. pred.) well-looked-after
välsmakande ...pleasant to the taste; om rätt savoury; läcker tasty; stark. delicious
välsorterad well-assorted, well-stocked
välstekt well-done
välstånd prosperity; rikedom wealth
vält roller
vält|a, *jag -e med cykeln* my bike overturned
vältalig eloquent
vältalighet eloquence
vältra I *tr* roll; ~ [*över*] *skulden på ngn* lay the blame [up]on a p. **II** *itr* välla pour; om rök billow **III** *rfl*, *~ sig i* smutsen (synd) wallow in...
vältränad well-trained
välunderrätta|d well-informed; *från -t håll* from well-informed sources
väluppfostrad well-bred, well-mannered
välutbildad well-educated; i visst syfte well-trained, very qualified
välvd arched; sedd utifrån dome-shaped; om panna domed; om hålfot arched

välvilja benevolence; förslaget *mottogs med ~* ...was favourably received
välvillig benevolent; överseende indulgent; *ha en ~ syn på* (*inställning till*) take a benevolent view of (have a benevolent attitude to); *han visade sig ~ mot* mina planer he was well disposed towards...
välvårdad well-kept osv., jfr *välskött*
välväxt shapely; *vara ~* have a fine figure
vämjas, *~ vid ngt* be disgusted (nauseated) by a th.
vämjelig disgusting
vämjelse disgust, loathing
1 vän fager fair
2 vän friend; vard. pal, mate; isht amer. buddy; *~nen* (*din ~*) Bo (brevunderskrift) Yours...; *en* [*god*] *~ till min bror* a friend of my brother's; *bli* [*god*] *~ med...* make friends with...; *bli goda ~ner igen* be (make) friends again, make (vard. patch) it up; *jag är mycket god ~ med honom* he is one of my closest friends
vänd|a I *tr* o. *itr* turn; hö turn over, toss; ~ om (tillbaka) turn back; åter~ return; [*var god*] *vänd !* (förk. *v.g.v.*) please turn over (förk. PTO); *~ genom vinden* go about, tack; *~ på steken* bildl. turn (take) it the other way round **II** *rfl*, *~ sig* turn; kring en axel äv. revolve; om vind shift, veer; *lyckan -e sig* the (his etc.) luck changed (turned); *~ sig ifrån* turn away from; överge desert; *inte veta vart man skall ~ sig* not know where to turn
III med beton. part.
~ **bort:** *~ bort ansiktet från ngt* turn away one's face from a th.
~ **om a)** itr. ~ tillbaka turn back; åter~ return **b)** tr. turn [over]...; *~ sig om* turn [about], turn (plötsligt swing) round
~ **upp och ned på** ngt turn...upside-down; bringa i oordning turn...topsy-turvy; t.ex. ngns planer mess up...
~ **ut och in på** vränga turn...inside out; fickor turn out...
IV *s* **1** sväng *gå en* [*liten*] *~* take a [little] turn **2** omgång *i två -or* in two goes (shifts)
vändbar om t.ex. plagg reversible; vridbar turnable, ...that can be turned
vändkrets tropic; *Kräftans* (*Stenbockens*) *~* the Tropic of Cancer (Capricorn)
vändning turn; förändring change; uttryckssätt: fras phrase; uttryck expression; vändande turning
vändpunkt turning-point äv. bildl.; kris cris|is (pl. -es)
vändstekt ...fried on both sides
väninna girlfriend; *en* (*min*) *~* vanl. a (my) friend
vänja I *tr* accustom, habituate; härda harden; öva train a p. to inf.; *~ ngn vid* förhållandena acclimatize a p. to...; *~ in* ett barn *på dagis* settle...in at the day nursery **II** *rfl*, *~ sig* accustom (habituate) oneself; bli van grow (get) accustomed, get used; *~ sig vid* ta för vana *att* inf. get into the habit of ing-form; *~ sig av med att* inf. break oneself (get out) of the habit of ing-form
vänkrets circle of friends
vänlig kind; vänskaplig, leende friendly; älskvärd amiable; tjänstvillig obliging; ss. efterled i sms. ibl. pro-; *ett ~t mottagande* a kind (av t.ex. bok a favourable) reception, a friendly welcome
vänlighet kindness osv., jfr *vänlig;* amiability; *visa ngn en ~* do a p. a kindness (a friendly turn)
vänligt kindly; amicably; amiably; obligingly, jfr *vänlig; ~ sinnad* kindly disposed
vänskap friendship; *för gammal ~s skull* for old friendship's sake, for the sake of old times
vänskaplig friendly; om sätt amicable; *stå på ~ fot med ngn* be on friendly terms with a p.
vänskapsmatch sport. friendly [match]
vänskapspris, *för ~* at a special price
vänslas smekas [o. kyssas] cuddle [and kiss]
vänster I *adj* o. *subst adj* o. *adv* left, left-hand; *~ hand* el. *vänstra handen* the (one's) left hand; *till* (*åt*) ~ to the left **II** *s* **a)** polit. *~n* allm. the Left **b)** boxn. *en* [*rak*] ~ a [straight] left
vänsterback sport. left back
vänsterhänt left-handed
vänsterorienterad left-wing
vänsterparti left-wing party
vänsterprassel vard. *ett ~* an affair on the side
vänsterradikal I *adj* left-wing radical **II** *s* left-wing radical; vard. el. neds. leftie
vänstersväng left[-hand] turn; *förbjuden ~* no left turn
vänstertrafik left-hand traffic; *det är ~ i...* vanl. in...you keep to (drive on) the right
vänstervriden polit. vard. left-wing
vänta sitta (gå osv.) o. vänta wait; invänta, emotse ankomsten av el. (om sak) förestå await; förvänta sig expect; förutse anticipate; *~ bara!* a) hotande just you wait [and see]! b) tills jag hinner... wait a minute...!; inte veta *vad som ~r en* ...what may be in store for one; *jag ~r dem* i morgon I am expecting them...; *den som ~r på något gott ~r aldrig för länge* everything comes to those who wait; *~ ut ngn* tills ngn kommer wait for a p. to come (tills ngn går to go)
väntan väntande waiting; förväntan expectation; orolig ~ suspense; *en lång ~* a long wait
väntelista waiting list

väntetid wait; *under ~en kan du...* while [you are] waiting (you wait) you may...
väntjänst friendly turn, act of friendship; *göra ngn en ~* do a p. a good turn
väntrum på läkarmottagning waiting room
väntsal på station waiting room
väpna arm; *~t rån* armed robbery; vard. hold-up
1 värd host äv. bildl.; hyres~ o.d. landlord; restaurang~ proprietor
2 vär|d worth; värdig (förtjänt av) worthy of; *han är ~ allt beröm* he deserves the highest praise; *det är inte -t att* inf. it is not worth [your etc.] while ing-form
värde value; isht inre (personligt) ~ worth; förtjänst merit; *det har stort ~* it is of great value; *falla (minska, sjunka) i ~* drop el. fall (decrease) in value; ekon. äv. depreciate; uppskattas *till sitt fulla ~* ...at its (his osv.) full value (worth)
värdebeständig stable; inflationsfri inflation-proof
värdebrev post.: rek. registered (ass. insured) letter
värdefull valuable; dyrbar precious
värdeförsändelse post., assurerat paket insured parcel
värdehandling valuable document
värdelös worthless
värdeminskning decrease (fall) in value, depreciation
värdepapper ekon. security; obligation bond; aktie share; amer. stock; friare valuable paper
värdera 1 beräkna, taxera value; på uppdrag appraise; om myndighet assess; *~ för högt (lågt)* overestimate (underestimate) **2** uppskatta value; sätta värde på appreciate; högakta esteem; *...kan inte ~s högt nog* ...cannot be too highly praised
värdering 1 valuation; estimation; appraisement, appraisal; assessment; jfr *värdera 1* **2** *~ar* normer values; han har *andra ~ar* ...a different set of values
värdesak article (object) of value; *~er* äv. valuables
värdestegring increase (rise) in value, appreciation
värdfamilj host family
värdfolk vid bjudning host and hostess
värdig 1 jämbördig worthy; förtjänt av o.d. worthy of; *visa sig ~ förtroendet* prove to be trustworthy **2** korrekt [till det yttre] dignified
värdighet egenskap dignity; värdigt sätt dignified manner; *han ansåg det vara under sin ~ att* inf. he considered it [to be] beneath (below) him (his dignity) to inf.
värdigt with dignity, in a dignified manner
värdinna hostess
värdland host country
värdshus gästgivargård inn; restaurang restaurant
värdshusvärd innkeeper
värdskap, *sköta (utöva) ~et* act as host (om dam hostess), do the honours; vid bordet äv. preside at table
värja I *tr* försvara defend **II** *rfl, ~ sig* defend oneself [*mot* against] **III** *s* rapier; fäktn. épée fr.
värk ache, pain; *~ar* födslovärkar [labour] pains, labour sg.
värka ache
värktablett painkiller
värld world; jorden earth; *gamla (nya) ~en* geogr. the Old (New) World; *tredje ~en* polit. the Third World; *[vad] ~en är liten!* it's a small world!; maten *är inte av denna ~en* vard. ...is out of this world; *vad i all ~en* har hänt? what on earth...?; *bringa...ur ~en* put an end to..., get rid of...for good; *vi måste få saken ur ~en* let's have done with it
världsatlas atlas of the world
världsbekant ...known all over the world
världsberömd world-famous
världsbäst, *vara ~* be the best in the world
världsdel part of the world, continent
världsetta first (number one) in the world
världsfred world (universal) peace
världsfrånvarande ...who is (are etc.) living in a world of his etc. own; försjunken i drömmerier absorbed, far away
världsfrånvänd detached, ...who is aloof from the world; världsföraktande misanthropic
världsfrämmande ...ignorant of the world, unworldly; om t.ex. attityd unrealistic
världshandel world (international) trade (commerce)
världshav ocean; *de sju ~en* the Seven Seas; *herraväldet över ~en* the command of the seas
världsherravälde world dominion (hegemony); *eftersträva ~t* seek to dominate the world
världshistoria world (universal) history; *världshistorien* äv. the history of the world
världshändelse historic event
världskrig world war; *första (andra) ~et* World War I (World War II), the First (Second) World War
världslig timlig o. ss. mots. till andlig worldly; världsligt sinnad worldly-minded; av denna världen, om t.ex. nöjen mundane; icke kyrklig secular
världslighet worldliness etc., jfr *världslig;* secularity
världslitteratur, *~[en]* world literature
världsläge, *~t* the world situation, the situation in the world
världsmakt stormakt world power

världsman med världsvana man of the world; elegant klädd man of fashion
världsmarknad world market
världsmästare o. **världsmästarinna** world champion äv. friare
världsmästerskap world championship
världsomsegling circumnavigation of the earth (world); seglats sailing trip round the world
världsrekord world record
världsrykte world (world-wide) fame
världsrymden outer space
världsutställning world exhibition (fair)
världsvan urbane; sällskapsvan familiar with the ways of society
världsvana urbanity
världsåskådning outlook on (view of) life, world view
värm|a I *tr* göra varm warm; ljumma take the chill off...; göra het heat; ~ *på* el. *upp maten* warm (heat) up the food **II** *itr* ge värme give off heat; kaminen *-er bra* ...gives off good heat **III** *rfl*, ~ *sig* warm oneself, get warm, have (get) a warm
värme allm. warmth; fys. el. hög heat; eldning heating; *~n i* hans hälsning the warmth (cordiality) of...
värmealstrande heat-producing, calorific
värmebeständig heatproof, heat resistant
värmebölja heatwave
värmeelement radiator; elektriskt electric heater
värmeflaska hot-water bottle
värmekraftverk thermal power station
värmeledande heat-conducting
värmeledning 1 fys. conduction of heat; heat (thermal) conduction **2** anläggning [central] heating
värmepanna boiler
värmeplatta hotplate
värmepump heat pump
värmeslag med. heat stroke
värmestuga warm shelter
värn försvar defence; beskydd protection; skydd safeguard; försvarsanläggning bulwark
värna, ~ [*om*] defend, protect, safeguard [*mot* against]; shield [*mot* from]; jfr *värn*
värnlös defenceless
värnplikt national service; *allmän ~* compulsory military service; *göra ~en* (*sin* ~) do one's military service
värnpliktig ...liable for military service; *en* ~ subst. adj. a military (national) serviceman, a conscript; amer. a draftee
värnpliktsarmé conscript army
värnpliktsvägrare conscientious objector (förk. CO, pl. CO's); vard. conchy; amer. draft resister (evader)
värp|a I *tr* lay **II** *itr* lay [eggs]; hönan *-er bra* vanl. ...is a good layer
värphöna laying hen
värre worse; *det blir bara ~ och ~* things are (it's) going from bad to worse; *hotellet har blivit fint ~* the hotel has become really fine; *det var ~ det* det var tråkigt what a nuisance, that's [too] bad; det går [nog] inte that's not so easy; *var det inte ~!* var det allt? is that all?
värst I *adj* worst; *i ~a fall* if the worst (if it) comes to the worst; *den ~a lögn jag* [*någonsin*] *har hört* the biggest lie I (I've) ever heard; *som den ~a* tjuv just like a...; *han skall alltid vara ~* he's always trying to be one up [on you]; *det var det ~a!* that's the limit! **II** *adv* [the] worst; *han blev ~ skadad* he got injured [the] worst; filmen var *inte så ~* [*bra*] ...not very (not all that) good
värv uppdrag task; commission; yrke profession
värva rekrytera recruit; mil. äv. enlist båda äv. friare; sport. sign [on (up)]
värvning recruiting; signing; mil. recruitment; *ta ~* enlist [*vid* in]; join up, join the army (the Forces), sign on
väsa hiss; ~ *fram* orden hiss [out]...
väsen 1 väsende **a)** [någots innersta] natur essence; beskaffenhet nature; läggning character; sätt manner[s pl.]; person[lighet] being; *han är till hela sitt ~ en fredlig man* he is an essentially peaceful man **b)** varelse being; filos. äv. entity; ande~ genius, spirit **c)** ss. efterled i sms. vanl. system **2** oväsen noise, row; *göra* [*stort*] *~ av ngt* make a [great] fuss (song and dance) about a th.
väsensskild essentially (completely) different
väsentlig essential; *en ~ del av* ngt a considerable (an essential) part of...
väsentlighet något väsentligt essential (important) thing (matter); *~er* essentials
väska bag; hand~ handbag; res~ case
väskryckare [hand]bag snatcher
väsnas make a noise (fuss)
väsning väsande hissing; *en ~* a hiss, a hissing sound
vässa sharpen äv. bildl.; bryna whet
1 väst plagg waistcoat; amer. vest
2 väst west (förk. W); inflationen (korrespondenter) *i ~* ...in the West, Western...
västanvind west wind
väster I *s* väderstreck the west; *Västern* the West; ibl. the Occident **II** *adv* [to the] west
västerifrån from the west
västerländsk western, occidental
västerlänning Westerner, Occidental
västerut åt väster westward[s]; i väster in the west
Västeuropa Western Europe
Västindien the West Indies

västkust west coast
västlig westerly; west; western; jfr *nordlig*
västligare m.fl., jfr *nordligare* m.fl.
västra the west; the western, jfr *norra*
västtysk hist. West-German
Västtyskland hist. West Germany
västvärlden the Western World
väta I *s* wet, moisture **II** *tr* o. *itr* wet; fukta moisten; ~ *i sängen* wet the bed
väte kem. hydrogen
väteklorid kem. hydrogen chloride
vätsk|a I *s* liquid; kropps~ body fluid; sår~ discharge, serum; *vara vid sunda -or* be in good form **II** *itr* o. *rfl*, såret ~*r* [*sig*] ...is running (discharging)
väv t.ex. i en vävstol el. spindel~ el. bildl. web; ss. material [woven] fabric; vävnadssätt weave
väva weave äv. bildl.
väveri weaving (textile) mill; fabrik textile factory
vävnad 1 vävning weaving **2** konkr. woven fabric; tissue äv. biol. el. bildl.
vävnadsindustri textile industry
vävning weaving
vävplast [plastic-]coated fabric
vävstol loom
väx|a I *itr* grow; om t.ex. befolkning, ha sin växtplats occur; *vad du har vuxit!* how you have grown!
II med beton. part.
~ **bort:** *det -er bort* med tiden it (this) will disappear (om ovana he etc. will grow out of it)
~ **fast** take [firm] root; bildl. äv. get firmly rooted; ~ *fast vid ngt* grow on to a th.
~ **fatt** ngn catch...up in height (size, growth)
~ **fram** grow (come) up; bildl. äv. develop
~ **i** ngt grow into...
~ **ifrån** ngt grow out of..., outgrow...
~ **igen** om sår heal [up]; om stig become overgrown with weeds; om t.ex. dike o.d. fill up [with weeds]
~ **ihop** grow together
~ **om** ngn outgrow...; eg. äv. shoot ahead of...[in height]
~ **till:** ~ *till sig* bli vackrare improve in looks
~ **upp** grow up; *han har växt upp i staden* (*på landet*) he is town-bred (country-bred)
~ **ur** sina kläder grow out of..., outgrow...
~ **ut** fram, om t.ex. gren grow out
~ **över** overgrow; gräset *har växt över stigen* ...has grown over the path, the path is overgrown with...
växande I *adj* growing; ökande increasing **II** *s* growing; ökning increase; utveckling development
väx|el 1 bank~ bill [of exchange] (förk. B/E); dragen ~ draft **2** växelpengar [small] change; *kan du ge ~ tillbaka* (*har du* ~) *på* en hundralapp? can you change...?; *jag har ingen ~ på mig* I have no [small] change on (about) me **3** på bil gear, gearshift; *köra på tvåans ~* drive in second gear **4** spår~ points, switches **5** tele. exchange; ~bord switchboard; ~*n!* operator!
växelkontor exchange office (bureau)
växelkurs exchange rate
växellåda gear box
växelpengar [small] change
växelström alternating current (förk. AC)
växeltelefonist switchboard operator
växelverkan interaction, reciprocal action; samspel interplay
växelvis alternately; i tur och ordning in turn, in rotation
växla I *tr* **1** t.ex. pengar change; utbyta exchange; ~ *ett par ord med ngn* exchange a few remarks (ha ett samtal med have a word) with a p., pass the time of day with a p. **2** järnv. shunt, switch, jfr ~ *in a)* **II** *itr* **1** skifta vary; ändra sig change; i stafett change over; priserna ~*r* a) för samma vara på olika orter ...vary b) höjs el. sänks oregelbundet ...fluctuate **2** bil. change (isht amer. shift) gear[s]; ~ *till lägre växel* change to a lower gear **3** om tåg shunt
III med beton. part.
~ **in:** ~ *in pengar* change (cash) [some] money
~ **ner** bil. change (gear) down
~ **till sig** *enkronor* change one's money into one-krona pieces
~ **upp** bil. change (gear) up
växlande varying; om t.ex. vindar variable; om t.ex. natur, program varied; *med ~ framgång* with varying success
växling växlande changing; ombyte change; förändring variation; utväxling exchange; regelbunden succession; järnv. shunting; i stafettlopp changeover; *marknadens ~ar* the fluctuations of the market
växt 1 tillväxt growth; utveckling development; ökning increase; kroppsbyggnad build, shape; längd height; *hämmad i ~en* stunted **2 a)** planta plant; mots. djur vegetable **b)** svulst growth; tumör tumour; ut~ äv. excrescence
växtfärg vegetable dye
växtförädling plant breeding (improvement)
växthus greenhouse, glasshouse; uppvärmt hothouse
växthuseffekt greenhouse effect
växtlighet vegetation
växtliv plant (vegetable) life; vegetation vegetation
växtriket the vegetable kingdom

växtvärk growing pains
växtätande zool. herbivorous
växtätare zool. herbivore
vörda revere; stark. venerate; högakta respect; hedra, ära honour
vördnad reverence; aktning respect; hänsyn deference; *betyga ngn sin* ~ pay reverence (one's respects) to a p.
vördnadsbetygelse token (mark) of respect (reverence)
vördnadsfull reverent; aktningsfull respectful; stark. awestruck
vördsam respectful
vördsamt respectfully; brevslut Yours respectfully
vört [brewer's] wort

x bokstav x [utt. eks] äv. matem.
x-a vard. ~ *[över] ett ord* cross a word out, cancel a word
x-axel matem. x-axis
X-krok X-hook, [angle pin] picture hook
X-kromosom biol. X-chromosome
xylofon mus. xylophone
xylograf xylographer
xylografi xylography

y bokstav y [utt. waɪ] äv. matem.
yacht yacht
yankee Yankee; vard. Yank
y-axel matem. y-axis
Yemen Yemen
Y-kromosom biol. Y-chromosome
yla howl
ylande howling; *ett ~* a howl
ylle wool; filt *av ~* äv. woollen...
yllestrumpa woollen stocking (socka sock)
ylletröja jersey
ylletyg woollen cloth (fabric)
yllevaror woollens
ymnig riklig abundant; om regn, om tårar copious; överflödande profuse
ymnighet abundance, plentifulness etc., jfr *ymnig;* profusion
ymnigt abundantly etc., jfr *ymnig; blöda ~* bleed profusely; *förekomma ~* abound, be abundant (plentiful)
ymp trädg. grafting-shoot
ympa 1 trädg. *~ [in]* graft, engraft *[på* [up]on, into] **2** med. inoculate; *~ in ngt på ngn* inoculate a p. with a th.
ympning 1 trädg. grafting, graft **2** med. inoculation
yngel 1 koll. fry **2** neds., om barn brat; avföda brood
yngla om t.ex. groda spawn; *~ av sig* breed
yngling youth, adolescent
yngre younger; senare later; nyare more recent; i tjänsten junior; *av ~ datum* of a later (a more recent) date; *en ~* rätt ung *herre* a youngish (fairly young) gentleman; Sten Sture *den ~* ...the Younger; *hon ser ~ ut än hon är* äv. she does not look her age
yngst youngest; senast latest; nyast most recent; *den ~e (~a)* i familjen the youngest [member] of...; ett program för *de allra ~a* ...the very young; *den ~e i tjänsten* the last (most recently) appointed member [of the staff]; *vem är ~?* who is the youngest (av två äv. the younger)?
ynka insignificant; *en ~ liten kopp kaffe* a miserable (pitiful) little cup of coffee
ynkedom pitiableness etc., jfr *ynklig; det är en ~* om ngns uppträdande o.d. it is a miserable (pitiable) performance
ynklig ömklig pitiable; eländig poor; jämmerlig piteous; futtig paltry, footling; liten puny; *med ~ röst* in a piteous voice
ynkrygg feg pers. coward; mes milksop
ynnest litt. favour
ynnestbevis [mark of] favour
yoga filos. yoga
yoghurt yoghurt, yogurt
yppa I *tr* röja reveal **II** *rfl, ~ sig* erbjuda sig present itself; om tillfälle o.d. äv. arise, turn up
yppas se *yppa II*
ypperlig utmärkt excellent; präktig splendid; utsökt choice; förstklassig first-rate..., prime
ypperst förnämst finest; om t.ex. vin choicest; *av ~a kvalitet* äv. of the very best quality; *räknas bland de ~a* rank among the best
yppig om växtlighet o.d. luxuriant; stark. rank; fyllig buxom; om figur, kroppsdel full, ample; vard., om kvinna busty
yppighet luxuriance, exuberance, lushness etc., jfr *yppig*
yr 1 i huvudet dizzy, giddy; *bli (vara) ~ [i huvudet]* get (feel, be) dizzy (giddy) **2** yster romping; vild wild
yra I *s* **1** vild framfart frenzy; glädje~ delirium [of joy]; *i segerns ~* in the flush of victory **2** snö~ snowstorm **3** feber~ delirium **II** *itr* **1** om febersjuk be delirious; svamla rave **2** om snö whirl (drift) about; om damm fly; *dammet yr på* vägarna the dust is rising from...
yrhätta tomboy, madcap
yrka, *~ [på]* begära, fordra demand; resa krav på call for; ss. rättighet claim; kräva insist [up]on, stand out for; ihärdigt urge, press for; parl. o.d., t.ex. avslag move; *~ på att ngn skall* inf. äv. insist [up]on a p.'s ing-form; urge a p. to inf.
yrkande begäran demand; claim äv. jur.; parl. motion
yrke lärt, konstnärligt profession; isht inom hantverk o. handel trade; i högre stil craft; sysselsättning occupation; arbete job; *han kan sitt ~* he knows his job; *utöva ett ~* practise a profession, resp. carry on a trade; *han är advokat (skräddare) till ~t* he is a lawyer by profession (a tailor by trade)
yrkeserfarenhet professional experience
yrkesfiskare professional fisherman
yrkeshemlighet trade secret
yrkesinriktad vocational, vocationally-oriented
yrkeskunnig skilled
yrkeskvinna career (professional) woman
yrkesliv working (professional) life
yrkesman fackman professional; sakkunnig expert; hantverkare craftsman
yrkesmässig t.ex. om förfarande professional; t.ex. om försäljning commercial
yrkessjukdom occupational disease
yrkesskada occupational (inom industrin industrial) injury
yrkesskicklig skilled, ...skilled in one's trade (craft)
yrkesskicklighet professional skill, skill in one's trade (craft)

yrkesskola vocational school
yrkestrafik commercial traffic
yrkesutbildad skilled, trained
yrkesutbildning vocational training (education)
yrkesval choice of a vocation, choice of a profession (resp. trade, jfr *yrke*)
yrkesvan professionally experienced
yrkesvana professional experience
yrkesvägledare vocational guidance officer, careers officer
yrkesvägledning vocational (careers) guidance (amer. counseling)
yrsel 1 svindel dizziness, giddiness; *jag greps av ~* I suddenly felt dizzy (giddy) **2** feberyra delirium
yrsnö drift snow, whirls pl. of snow
yrvaken ...dazed (drowsy) [with sleep]
yrväder snowstorm, blizzard; *som ett ~* like a whirlwind
ysta I *tr* mjölk curdle; ost make **II** *itr* make cheese **III** *rfl, ~ sig* curdle
yster livlig frisky; stojande romping; uppsluppen rollicking
yta ngts yttre surface äv. bildl.; areal area; utrymme space; *ha en ~ av 15 kvadratmeter* äv. be 15 square metres in area; *under ~n* below the surface äv. bildl.
ytbehandla tekn. finish
ytlig allm. superficial; om t.ex. bekantskap passing
ytlighet superficiality
ytmått square measure
ytter sport. winger
ytterbana outside track
ytterdörr outer door; mot gata front (street) door
ytterkant outer (outside) edge; på väg edge
ytterkläder outdoor clothes
ytterlig extrem extreme; överdriven excessive; fullständig utter
ytterligare I *adj* vidare further; därtill kommande additional; mera more; *ett ~* tillägg äv. another... **II** *adv* vidare further; i ännu högre grad additionally; ännu mera still more; *~ två månader* another (a further) two months; *~ 100 kr* an additional 100 kronor
ytterlighet extreme; ytterlighetsåtgärd extremity
ytterlighetsparti extremist party
ytterlighetsåtgärd extreme measure; *tillgripa ~er* äv. resort to extremities
ytterligt se *ytterst*
ytterområde fringe area; förort suburban area
ytterrock overcoat
yttersida outer side; utsida outside
ytterst 1 längst ut farthest out (off, away); på den yttre sittplatsen on the outside; i bortre ändan at the farthest end; *~ i raden* at the [very] end of the row **2** i högsta grad extremely, exceedingly, most; *~ framgångsrik* äv. highly successful; *~ sällan* very seldom indeed; *~ viktig* äv. vitally (highly) important **3** i sista hand ultimately
yttersta 1 eg.: längst ut belägen outermost, längst bort belägen farthest; friare utmost; *den ~ gränsen* the utmost (extreme) limit **2** sist last; om t.ex. orsak ultimate; *~ domen* the last judgement **3** störst utmost; *med ~ försiktighet* with extreme (the utmost) care; *i ~ nöd* in utter destitution; *av ~ vikt* of vital (the utmost) importance; *göra sitt ~* do one's utmost
yttertak roof
yttertrappa front door steps, flight of steps; farstutrappa doorstep[s pl.]; amer. äv. stoop
yttervägg outer (exterior, external) wall
yttervärld, *~en* the outer (outside) world
ytteröra anat. external ear; vetensk. auricle
yttra I *tr* uttala utter; säga say; t.ex. en önskan express; *inte ~ ett ord* äv. not breathe a word **II** *rfl, ~ sig* **1** uttala sig express (deliver, give) an (one's) opinion; ta till orda speak; jag vill inte *~ mig i denna fråga* vanl. ...comment on this matter; *~ sig över* ett förslag express one's opinion on... **2** visa sig show (manifest) itself; *hur ~r sig* sjukdomen? vanl. what are the symptoms of...?
yttrande uttalande remark, utterance; anmärkning observation; anförande statement; utlåtande av myndighet [expert] opinion
yttrandefrihet freedom of speech (expression)
yttranderätt right of free speech
yttre I *adj* **1** längre ut belägen outer; *~ diameter* exterior diameter; *~ företräden* outward (extrinsic) advantages; *bevara det ~ skenet* keep up appearances **2** utifrån kommande o.d., orsak, tvång external; *~ våld* physical violence **II** *subst adj* exterior; hon har *ett tilldragande ~* ...an attractive appearance; *till det ~* in external appearance, outwardly, externally; *vad det ~ beträffar* as far as externals go
yttring manifestation
ytvidd area
yuppie yuppie
yvas, *~ över ngt* pride oneself on a th., be proud of a th.
yvig om hår bushy; om gest sweeping; om stil turgid
yxa I *s* axe; isht amer. ax; med kort skaft hatchet; *kasta ~n i sjön* bildl. throw up the sponge, throw in the towel **II** *tr, ~ till* rough[-hew], adze
yxskaft axe handle, axehelve

Z

z bokstav z [utt. zed; amer. zi:]
Zaire Zaire
zairier Zairian
zairisk Zairian, Zairean
Zambia Zambia
zambier Zambian
zambisk Zambian
zebra zebra
zenbuddism relig. Zen Buddhism
zenit astron. zenith; *stå i ~* be at the zenith äv. bildl.
zigenare gipsy; ungersk zigane
zigenarliv gipsy life
zigenerska gipsy [woman]
zigensk gipsy
Zimbabwe Zimbabwe
zimbabwier Zimbabwean
zimbabwisk Zimbabwean
zink zinc
zinkhaltig zinciferous
zodiaken astrol. the zodiac
zon zone; friare area
zontariff o. **zontaxa** som system zone fare system; avgift zone tariff
zonterapi zone therapy
zoo zoologisk affär pet shop; zoologisk trädgård zoo
zoolog zoologist
zoologi zoology
zoologisk zoological; ~ *affär* pet shop
zooma, ~ *in* (*ut*) zoom in (out)
zucchini bot. el. kok. courgette; isht amer. zucchini (pl. lika el. -s)

1 å bokstav the letter å
2 å [small] river; amer. äv. creek; *gå över ~n efter vatten* ung. give oneself (take) a lot of unnecessary trouble
3 å se på samtl. ex. under resp. subst.
4 å oh!; amer. gee!; ~ *tusan* (*fan*)*!* well, I'll be damned!
åberopa, ~ [*sig på*] *ngn* (*ngt*) hänvisa till refer to (cite, quote) a p. (a th.)
åberopande, *under ~ av* with reference to
åbäke vard., om sak great big [lumping] thing, monstrosity
åder blod~ vein; puls~ artery
åderbråck med. varicose vein[s pl.]
åderförkalkad, *han börjar bli ~* he is getting senile
åderförkalkning med. hardening of the arteries; vetensk. arteriosclerosis; friare senile decay
ådra I *s* vein äv. bildl.; *ha en poetisk ~* have a poetic vein **II** *tr* vein; tekn. (sten, trä) äv. grain
ådraga I *tr* cause **II** *rfl,* ~ *sig* sjukdom contract; förkylning catch; skada suffer; utsätta sig för: t.ex. kritik, straff, ngns misshag incur, bring down...on oneself (one's head); uppmärksamhet attract; utgifter run into; ~ *sig skulder* incur (contract) debts
ådrig allm. veined
ådring veining, graining; konkr. venation äv. bot.; grain
åh se *4 å*
åhå aha! oh!
åhöra listen to, hear; föreläsning attend
åhörare listener; ~ pl. äv. audience sg.
åhörarläktare t.ex. i parlament public (strangers') gallery
åja 1 tämligen bra not too bad **2** upprört el. varnande now, now!, now then!; ~, så märkvärdigt är det väl inte well,...
åjo 1 se *åja 1* **2** uppmuntrande come on!; jo då oh yes!
åk 1 vard., om åkdon vehicle; om bil car **2** sport. run
åk|a I *itr* o. *tr* **1** allm.: fara go; köra drive; färdas på [motor]cykel o.d. ride; vara på resa travel; bil go by car (bus etc.); *vi skall ~ nu* ge oss i väg we are leaving (going) now; ~ *en annan väg* take (go el. travel by) a different route; ~ *hiss* go by lift (amer. elevator); ~ *motorcykel* ride a motor cycle; *vi -te* [*längs*] Nygatan we went (drove resp. rode) along...; ~ *i fängelse* go to (be sent to) prison (jail); *jag fick ~ med honom till stationen* he gave me a lift to...; *han -er till England i morgon* he will leave for...; se vid.

under resp. subst. **2** glida, halka slip, slide, glide; ~ *i golvet* fall on the floor
II med beton. part.
~ **av** halka av slip etc. off
~ **bort** resa go away
~ **dit** vard., bli fast be (get) caught; sport., förlora lose
~ **efter:** ~ *efter* hämta *ngn* go (köra drive, som passagerare ride) and (to) fetch a p.
~ **fast** be (get) caught
~ **förbi** go etc. past (by); passera pass
~ **hit och dit** halka slide (glide) about
~ **ifrån ngn** bort från go etc. away from a p., leave a p. [behind]; genom överlägsen hastighet drive ahead of a p.
~ **med:** *låta ngn [få]* ~ *med* give a p. a lift; *ska du* ~ *med?* are you coming (resp. going) with us (me etc.)?
~ **ned** glida ned slip (come, glide) down; hissen *-te ned* ...went down; ~ *ned till* Skåne go etc. down to...
~ **om** ngn overtake...
~ **på** vard., råka ut för: ~ *på en smäll (snyting)* catch (cop) a packet
~ **ut a)** eg. go (köra drive) out; ~ *ut på (till) landet* go into the country **b)** bildl., bli avlägsnad: om pers. be turned (kicked, thrown) out; om sak be got rid of
åkalla invoke
åkallan invocation
åkarbrasa, *ta sig en* ~ buffet (slap) one's arms against one's sides [to keep warm]
åkare åkeriägare haulage contractor
åker åkerjord arable (tilled) land; åkerfält field; *ute på ~n* out in the field[s pl.]
åkerbruk agriculture
åkeri [firm of] haulage contractors
åkerlapp patch [of arable land]
åkersenap bot. field (wild) mustard, charlock
åklagare prosecutor; *allmän* ~ public prosecutor; amer. prosecuting (district) attorney
åklagarmyndighet ämbete office of the public prosecutor
åkomma complaint, affection
åkpåse i barnvagn toes muff
åksjuk travel-sick
åksjuka travel (motion) sickness
åktur drive, ride
ål fisk eel; havs~ conger [eel]
åla, ~ *sig* crawl [on one's knees and elbows]
ålder age äv. epok; *ha ~n inne* be old enough [*för att* to]; vara myndig be of age; *uppnå en hög* ~ live to (reach) a great age, live to be very old; *i en* ~ *av 70 år* at the age of 70, at 70 years of age; barn *i ~n 10-15 år* ...between 10 and 15 years of age, ...aged between 10 and 15
ålderdom old age; *på ~en* in one's old age
ålderdomlig gammal old; gammaldags old-fashioned, old-world...; om språk o.d. archaic
ålderdomshem old people's home
ålderdomssvag infirm
ålderdomssvaghet infirmity
åldersgrupp age group (range)
åldersgräns age limit
ålderskrämpa infirmity of (ailment due to) old age
ålderspension retirement (vard. old-age) pension
åldersskillnad difference in (of) age
åldersskäl, *av* ~ for age reasons, for reasons of age
ålderstecken mark (sign) of old age
ålderstigen old äv. om sak; åldrad aged
ålderstillägg ung. seniority (age) allowance (bonus, increment)
åldrad aged; ~ *i förtid* old before one's time
åldrande I *adj* aging **II** *s* aging
åldras age
åldring pers. old man (resp. lady el. woman); geriatric; *~ar* äv. old people
åldringsvård care of the aged (of old people), geriatric care (nursing); amer. äv. eldercare
åligga om t.ex. plikt, kostnader fall on
åliggande *s* plikt duty; skyldighet obligation; uppgift task; ämbets~ function
ålägga anbefalla enjoin; pålägga impose; ~ *ngn* ett ansvar lay...on a p.
åläggande injunction
åminnelse commemoration; minne memory; hågkomst remembrance
ånej nej då oh no!; uttr. förvåning well, I never!
ånga I *s* allm. steam; dunst vapour; utdunstning exhalation; *ångor* dunster fumes; *ha ~n uppe* have steam up; bildl. be in full swing **II** *itr* o. *tr* steam; itr. smoke; ~ *av* svett steam with...
ångare steamer
ångbåt steamboat; större steamer
ångbåtstrafik steamship traffic
ånger repentance; samvetskval remorse; botfärdighet penitence; ledsnad regret
ångerfull o. **ångerköpt** repentant; remorseful; penitent; regretful; jfr *ånger*
ångervecka week [after date of purchase] in which one has the right to cancel a hire-purchase agreement
ångest [state of] anxiety; vånda anguish; fasa dread, terror; fruktan fear; *i dödlig* ~ in deadly fear
ångestfylld anxiety-ridden, agonized, anguished
ångfartyg steamship (förk. S/S, SS)
ångkraft steam power
ångkraftverk steam power station
ånglok steam engine

ångmaskin steam engine
ångpanna [steam-]boiler
ångra I *tr* regret, repent; *jag ~r att jag gjorde det* I regret (repent) doing it; *det skall du inte behöva ~* you will have no cause to regret it **II** *rfl, ~ sig* känna ånger regret it, be sorry, repent it; komma på andra tankar change one's mind
ångstrykjärn steam iron
ånyo åter afresh; än en gång [once] again
år year; i ex.: **a)** utan föreg. prep.: *~[et] 1987* ss. t.ex. subj. el. obj. the year 1987; *ett halvt ~* vanl. six months; *ett och ett halvt ~* vanl. eighteen months; *~et om (runt)* all the year round; hon skall stanna här *~et ut* ...till the end of the year; *ett två ~s (två ~ gammalt) barn* a two-year-old child, a child of two; *1870 ~s krig* the war of 1870; *~ets skörd* this year's harvest **b)** med föreg. prep.: *~ efter ~* year after year; hon blir dövare *för varje ~* ...every year, ...with every year that passes; *i alla ~* through all the years; *i två ~* [for] two (nu gångna äv. the last two, nu kommande äv. the next two) years; *i många ~* for many years [om framtid to come]; *en man i sina bästa ~* a man in the prime of life (in his prime, in his best years); två gånger *om ~et* ...a year; hyra ut *per ~* ...by the year; jag har inte sett henne *på ~ och dag* ...for years [and years]
åra oar; mindre scull; paddel~ paddle
åratal, *i (på) ~* for years [and years]
årgång 1 av tidskrift [annual] volume; *1991 års ~ av* tidningen the 1991 issue of... **2** av vin vintage
årgångsvin vintage wine
århundrade century
årlig annual; *10% ~ ränta* äv. 10% per annum interest
årligen annually, yearly; *två gånger ~* twice a year; *det inträffar ~* it happens every year
årsavgift allm. annual charge; i förening o.d. annual subscription
årsberättelse annual report
årsbok yearbook, annual; ekon. annual accounts book
årsdag anniversary
årsinkomst annual (yearly) income (förtjänst profit)
årskontrakt contract by the year
årskort annual (yearly) season ticket; medlemskort annual membership card
årskull age group; t.ex. studenter batch
årskurs skol. form; amer. grade; läroplan curricul|um (pl. äv. -a)
årslång, *~a* fleråriga *förberedelser* [many] years of preparations; *en ~* ettårig *kamp* a year-long struggle
årslön annual (yearly) salary; *ha* 140 000 kr *i ~* have an annual income of...
årsmodell, *en bil av senaste ~* a car of the latest model
årsmöte annual meeting
årsring bot. annual ring
årsskifte turn of the year
årstid season, time of the year
årtag stroke [of an (resp. the) oar (the oars)]
årtal date
årtionde decade
årtusende millenni|um (pl. äv. -a); *ett ~* vanl. a thousand years; *årtusenden* vanl. thousands of years
ås geol. el. byggn. ridge
åsamka cause
åse betrakta watch; bevittna witness
åsido on one side; *skämt ~!* joking apart!
åsidosatt, *känna sig ~* feel slighted
åsidosätta inte beakta disregard, set aside; försumma neglect, ignore
åsikt view; *han har inga egna ~er* he has no views of his own; *~erna är delade* opinions differ, opinions are divided
åsiktsfrihet freedom of opinion
åsiktsförföljelse o. **åsiktsförtryck** [the] suppression of [free] opinion
åsiktsregistrering polit. registration of political opinions (affiliations)
åsiktsutbyte exchange of views (opinions); *ett häftigt ~* gräl äv. a violent altercation
åska thunder äv. bildl.; åskväder thunderstorm; *~n går* it is thundering, there is a thunderstorm, there is thunder [and lightning]; *~n har slagit ned i* trädet the lightning has struck...; *det är ~ i luften* there is thunder in the air äv. bildl.
åskknall thunderclap
åskledare lightning conductor
åskmoln thundercloud; *han var som ett ~* he had a face like (as black as) thunder
åsknedslag stroke of lightning
åskrädd ...afraid of thunderstorms
åskvigg thunderbolt
åskväder thunderstorm
åskådare spectator; mera passiv onlooker (pl. lookers-on); mera tillfällig bystander; *åskådarna* publiken: på teater o.d. the audience; vid idrottstävling vanl. the crowd (båda sg.)
åskådarläktare på idrottsplats o.d. [grand]stand
åskådlig klar clear; målande, om t.ex. skildring graphic; tydlig perspicuous
åskådliggöra make...clear; belysa illustrate
åskådlighet clarity; jfr *åskådlig*
åskådning sätt att se outlook; uppfattning opinions, views; ståndpunkt attitude; friare way of thinking
åsna donkey, ass (båda äv. neds. om pers.)
åstad iväg off; *bege sig ~* go away (off), set out (off), leave

åstadkomma få till stånd bring about; förorsaka cause, make; frambringa produce; prestera achieve; uppnå attain, effect; skaffa procure; ~ *underverk* work wonders
åsyfta allm. aim at; avse intend
åsyftad, *ha ~ verkan* have (produce) the desired effect
åsyn sight; *i allas ~* in full view of all (everybody); *han försvann ur deras ~* he was lost to (he passed out of) their sight (view)
åt I *prep* **1** om rumsförh. **a)** eg.: till to; [i riktning] mot towards, in the direction of; rummet *ligger ~ norr* ...faces north; segla ~ *norr* ...north (northward[s]) **b)** friare, angivande [före]målet för en åtbörd, [sinnes]rörelse o.d. at, to; *nicka ~ ngn* nod at (to) a p.; *ropa ~ ngn* call out to a p. **2** uttr. dativförh. vanl. to; för ngn[s räkning] vanl. for; *ge ngt ~ ngn* give a th. to a p., give a p. a th.; *ägna sig ~ ngt* (~ *att* inf.) devote oneself to a th. (to ing-form) **3** han jämrade sig *så det var hemskt ~ det* it was terrible the way... **4** *två ~ gången* two at a time **II** *adv* hårt tight; *skruva* etc. ~ screw etc....tight
åtaga, ~ *sig* ta på sig undertake, take [up]on oneself [*att* inf. to inf.]; ansvar o.d. äv. take on, assume
åtagande undertaking
åtal av åklagare prosecution; av målsägare [legal] action
åtala om åklagare prosecute, indict; om målsägare bring an action against
åtanke, *ha ngn* (*ngt*) *i ~* remember a p. (a th.), bear a p. (a th.) in mind
åtbörd gesture, motion
åter 1 tillbaka back [again] **2** ånyo again; uttrycks vid många vb med prefixet re-; jfr ex. nedan; *nej och ~ nej* no, and no again!; no, a thousand times, no!; *skolan öppnas ~* vanl. school reopens (will be reopened) **3** däremot again; å andra sidan on the other hand
återanpassa I *tr* rehabilitera rehabilitate **II** *rfl*, ~ *sig* readjust oneself [*till* to]
återanpassning rehabilitation
återanvända use...again, re-use; tekn., t.ex. skrot recycle
återanvändning re-use, re-utilization; tekn., t.ex. av skrot recycling
återberätta retell; i ord återge relate
återbesök nästa besök (hos läkare) next visit (appointment); *göra ett ~* make another visit
återbetala repay, pay back; pengar refund; gottgöra [ngn] reimburse; *lånet skall ~s* efter fem år vanl. the loan is repayable...
återbetalning repayment; jfr *återbetala*
återblick retrospect; i bok flashback
återbud till inbjudan excuse; avbeställning cancellation; *vi fick flera ~* till t.ex. middag several people [sent word that they] could not come; *ge* (*skicka*) ~ om inbjuden send word (ringa ~ phone) to say that one cannot come
återbäring allm. refund; hand. rebate; försäkr. dividend
återbörda restore
återerövra recapture, win back
återfall allm. relapse; i t.ex. sjukdom recurrence
återfalla 1 i synd relapse **2** falla tillbaka, skulden *återfaller på honom* ...recoils [up]on him
återfinna find...again; återfå recover; isht ngt förlorat retrieve; citatet *återfinns på sid. 27* ...is to be found on page 27
återfå allm. get...back; t.ex. hälsa recover; ~ *krafterna* regain one's strength, recuperate
återfärd journey back; *på ~en* on one's (the) way back
återföra eg. bring...back
återförena reunite; ~ *sig med...* rejoin...
återförening reunion; *Tysklands ~* the reunification of Germany
återförsäljare detaljist retailer
återge o. **återgiva 1** tolka render; äv. om ljud o.d. represent; skildra depict **2** ge tillbaka ~ *ngn friheten* restore a p. to liberty
återgivande o. **återgivning** (jfr *återge 1*) rendering, reproduction, representation, depiction; ljud~ o.d. reproduction
återgå 1 återvända go back **2** upphävas be cancelled
återgång 1 återvändande return **2** av köp cancellation
återgälda återbetala repay; ~ *ont med gott* return good for evil
återhållen, *med ~ rörelse* (*vrede*) with suppressed emotion (anger)
återhållsam behärskad restrained; måttfull moderate, temperate
återhållsamhet restraint; moderation; jfr *återhållsam*
återhämta I *tr* hand. recover **II** *rfl*, ~ *sig* recover [*efter, från* from]
återhämtning recovery
återigen again
återinföra allm. reintroduce; varor reimport
återinsätta reinstate
återinträde re-entry; resumption; return
återkalla 1 kalla tillbaka call...back; t.ex. ett sändebud recall; ~ *ngn till livet* (*verkligheten*) bring a p. back to life (reality) **2** ställa in cancel; t.ex. befallning, erbjudande withdraw
återklang bildl. echo
återknyta förbindelser re-establish; vänskap renew; umgänge resume; ~ *till* vad man tidigare sagt refer (go back) to...
återkomma return äv. bildl.; come back

återkommande regelbundet recurrent; *ofta* ~ frequent
återkomst return
återköp repurchase
återlämna se *lämna* [*tillbaka*]
återresa journey back; *på* ~*n* on one's (the) way back
återse see (träffa meet)...again
återseende reunion; *på* ~*!* i brevslut hoping to meet you again [soon]
återsken reflection; *kasta ett* ~ *på* bildl. be reflected in
återspegla reflect båda äv. bildl.
återspegling reflection
återstod rest, remainder; hand. el. amer. äv. balance; lämning remnant; ~*en av* förmögenheten vanl. the residue of...
återstå remain; *det* ~*r att bevisa* it remains to be proved; *det värsta* ~*r ännu* the worst is still to come; att göra the worst still remains to be done (att säga to be said)
återstående remaining
återställa 1 försätta i sitt förra tillstånd restore; återupprätta re-establish; iståndsätta repair; ~ *ngt i dess tidigare* (*forna*) *skick* restore a th. to its former condition **2** återlämna restore
återställare vard. pick-me-up, bracer
återställd, *han är* [*fullt*] ~ *efter* sin sjukdom he is [quite] restored after..., he has [quite] recovered from...
återsända send back
återtaga 1 eg. take back; återerövra recapture; återvinna recover **2** återuppta, återgå till resume; *hon återtog sitt flicknamn* she reassumed her maiden name **3** återkalla withdraw; löfte retract
återtåg mil. retreat
återuppbygga rebuild, reconstruct
återuppleva, ~ *sitt liv* live one's life over again
återuppliva allm. bring...back to life, revive; bekantskap renew
återupprätta på nytt upprätta re-establish, restore; ge upprättelse åt rehabilitate
återupprättelse rehabilitation
återuppstå rise again; friare be revived, emerge again; ~ *från de döda* rise from the dead
återupptaga resume
återupptäcka rediscover
återuppväcka reawaken; ~ *ngn från de döda* raise a p. from the dead
återval re-election
återverka react, have repercussions
återverkan o. **återverkning** repercussion
återvinna eg. win back; återfå recover, regain; avfall, mark reclaim; t.ex. aluminium från ölburkar recycle
återvinning av avfall reclamation; av t.ex. aluminium från ölburkar recycling
återväg way back; *på* ~*en* blev jag... on my (the) way back...
återvända return äv. friare; turn (go, come) back
återvändo, *det finns* (*ges*) *ingen* ~ there is no turning (going) back, we are at the point of no return; *utan* ~ oåterkallelig irrevocable
återvändsgata cul-de-sac fr.; dead end street
återvändsgränd blind alley; bildl. impasse; *råka in i en* ~ bildl. come to (reach) a dead end
återväxt 1 eg. regrowth **2** bildl. coming (young) generation; *sörja för* ~*en inom* teatern provide...with young (fresh) talent
åtfölja [be]ledsaga accompany; följa efter follow; vara bifogad till be enclosed in
åtgång förbrukning consumption; avsättning sale; *ha stor* (*liten*) ~ sell well (badly)
åtgången, *illa* ~ ...that has (had osv.) been roughly treated (handled)
åtgärd measure; [mått o.] steg step, move; *vidta* ~*er* take measures (steps, action)
åtgärda attend to; *det måste vi* ~ göra något åt we must do something about it
åthutning reprimand; *ge ngn en* [*ordentlig*] ~ äv. give a p. a good dressing-down
åthävor behaviour, manners; *utan* ~ without a lot of fuss
åtkomlig som kan nås ...within reach
åtlyda lyda obey; efterleva observe; rätta sig efter conform to; *bli åtlydd* be obeyed
åtlydnad obedience
åtlöje löje ridicule, derision; föremål för löje laughing-stock; *bli till ett* ~ *i* hela staden become the laughing-stock of...
åtminstone allm. at least
åtnjuta allm. enjoy; respekt possess; uppbära receive, be in receipt of; ~ *gott anseende* äv. have a good reputation
åtnjutande enjoyment; *han är* (*har kommit*) *i* ~ *av* särskilda förmåner he receives (has received)...
åtrå I *s* desire **II** *tr* desire; trakta efter covet
åtråvärd desirable
åtsittande tight[-fitting]
åtskild separate
åtskillig 1 ~[*t*] fören. a great (good) deal of, considerable, not a little; självst. a great (good) deal **2** ~*a* fören. el. självst.: flera several; några some; fören. äv.: många quite a number of, a great (good) many; olika various
åtskilligt a good deal
åtskillnad, *göra* ~ *mellan* make a distinction between, distinguish (differentiate) between
åtstramning av kredit o.d. squeeze; av t.ex. ekonomin tightening[-up]; på börsen stiffening

åtstramningspolitik policy of austerity (restraint)
åtta I *räkn* eight; ~ *dagar* vanl. a week; *i dag* [*om*] ~ *dagar* this day week, a week today, this day [next] week; jfr *fem* o. sms. **II** *s* eight äv. roddsport o. skridskofigur; jfr *femma*
åttasidig eight-sided, octagonal
åttatimmarsdag eight-hour [working-]day
åttio eighty
åttionde eightieth
åttkantig octagonal
åttonde eighth; *var ~ dag* every (once a) week; jfr *femte* o. sms.
åttondedel eighth [part]; jfr *femtedel*
åttondelsnot mus. quaver, amer. eighth note
åverkan damage

1 ä bokstav the letter ä
2 ä oh!, ah!
äckel 1 disgust, repugnance; *känna ~ för* (*över*) *ngt* feel sick (nauseated) at a th., loathe a th. **2** äcklig person disgusting creature, creep
äckla 1 nauseate; friare disgust; *det ~r mig* äv. it makes me sick, it turns my stomach **2** vard., göra avundsjuk tantalize
äcklas be disgusted (nauseated)
äcklig eg. nauseating; om t.ex. smak, vard. yucky; motbjudande repulsive; vidrig disgusting
ädel noble
ädelmetall precious metal
ädelmod generosity; storsinthet magnanimity
ädelmodig generous; storsint magnanimous
ädelost blue (blue-veined) cheese
ädelsten precious stone; juvel gem
ädling noble[man], man of noble birth
äg|a I *s, -or* grounds; estate, property (båda sg.); se äv. *ägo* **II** *tr* **1** ha i sin ägo, besitta possess; ha have; rå om own, be the owner (resp. proprietor, jfr *ägare*) of; åtnjuta, t.ex. förtroende enjoy; inneha hold; *~ ngt gemensamt* (*tillsammans*) share a th., own a th. in common **2** friare *~ frihet att* inf. be at liberty (be free) to inf.; *~ rätt att* inf. have a (the) right (be entitled) to inf.
äganderätt ownership; jfr *ägare;* besittningsrätt right of possession; upphovsrätt copyright
ägare owner; isht till restaurang proprietor; innehavare (äv. tillfällig) possessor; *byta ~* äv. change hands
ägg egg; vetensk. ovum (pl. ova); *ruva* (*ligga*) *på ~* sit on eggs, brood
äggcell anat. ovum (pl. ova)
äggklocka [egg] timer
äggkläckningsmaskin hatcher
äggkopp egg cup
äggledare anat. Fallopian tube, oviduct
ägglossning fysiol. ovulation
äggröra scrambled eggs
äggskal eggshell
äggstanning kok. baked egg
äggstock anat. ovary
äggtoddy egg nog, egg flip
äggula [egg] yolk; *en ~* vanl. the yolk of an egg
äggvita 1 vitan i ett ägg egg white; *en ~* vanl. the white of an egg **2** ämne albumin; i ägg albumen
äggviteämne protein; enkelt albumin
ägna I *tr* devote; högtidl. dedicate; skänka

bestow **II** *rfl* **1** ~ *sig åt* devote oneself to [*att göra ngt* doing a th.] **2** ~ lämpa *sig för* be suited (adapted) for (to); om sak äv. lend itself to
ägo, *ha i sin* ~ possess; *komma i ngns* ~ come into a p.'s hands; *vara i privat* ~ be private property (privately-owned); om konstverk be in a private collection
ägodelar property, possessions; *jordiska* ~ worldly goods
ägor se *äga I*
äh se *2 ä*
äkta I *adj* **1** mots. falsk: allm. genuine; autentisk authentic; om t.ex. porslin, silver real; ren pure; uppriktig sincere; sann, om t.ex. poet true; sannskyldig veritable; *det här är* ~ *vara* this is the real thing (vard. the goods) **2** om börd ~ *barn* (*börd*) åld. legitimate child (birth); ~ *maka* (*make*) [högtidl. wedded (lawful)] wife (husband); ~ *makar* husband (man) and wife, married people **II** *adv* genuinely; *så* ~ *svenskt!* how very Swedish!
äktenskap marriage; ~*et* jur. äv. el. högtidl. matrimony
äktenskaplig matrimonial; om t.ex. plikt conjugal; om t.ex. lycka married, connubial; ~*t samliv* married life
äktenskapsbrott adultery
äktenskapsförord jur. premarital (marriage) settlement
äktenskapshinder jur. impediment to marriage
äktenskapslöfte promise of marriage; *brutet* ~ breach of promise
äktenskapsmäklare o. **äktenskapsmäklerska** vard. matchmaker
äktenskapsrådgivning marriage guidance (counselling)
äktenskapsskillnad jur. divorce
äkthet genuineness; jfr *äkta I 1*
äldre older; om familjemedlemmar elder; amer. vanl. older; i tjänst o.d. senior; tidigare earlier; prior, anterior; ursprungligare more primitive; Sten Sture *den* ~ ...the Elder; *på* ~ *dagar* (*dar*) *var han...* as an old man (in his old age) he was...; *av* ~ *datum* of an earlier date; rätt gammalt *en* ~ rätt gammal *herre* an elderly gentleman; ~ [*människor*] ~ än andra older (rätt gamla old, elderly) people; *i* ~ *tider* in older (more ancient, rätt gamla ancient) times; ~ *årgång* av t.ex. tidskrift old (back) volume
äldreomsorg [the] care of old people; isht amer. eldercare
äldst oldest; om familjemedlemmar ofta eldest; amer. vanl. oldest; i tjänst o.d. senior; tidigast earliest; *vem är* ~ *av oss?* which of us is the oldest (resp. eldest, av två äv. older resp. elder)?
älg elk; amer. moose (pl. lika)
älgjakt jagande elk-hunting; amer. moose-hunting; expedition elk-hunt; amer. moose-hunt
älgstek maträtt roast elk (amer. moose)
älska love; tycka om like; dyrka adore; ~ *med ngn* make love to a p., have sex with a p.; *han* ~*r att dansa* he loves (is [very] fond of) dancing
älskad beloved, loved; *hans* ~*e böcker* his beloved (precious) books; *hennes* ~*e* subst. adj. her beloved (darling, älskare lover)
älskande kärleksfull loving
älskare lover; *en* ~ *av* god litteratur a lover of...
älskarinna mistress
älsklig intagande lovable; behaglig charming
älskling darling; isht amer. honey; käresta sweetheart; favorit pet
älsklingsbarn favourite child; *familjens* ~ the pet of the family
älsklingsrätt favourite dish
älskog litt. love-making
älskvärd vänlig kind, amiable; förtjusande charming; förbindlig complaisant
älskvärdhet egenskap kindness; charm; complaisance; jfr *älskvärd*
älta knåda knead; bildl. go over...again and again, dwell on; ~ *samma sak* vanl. be harping on the same string
älv river
älva fairy, elf (pl. elves)
ämbete office; *inneha ett offentligt* ~ hold an official position (an office); *i kraft av sitt* ~ by (in) virtue of [one's] office; i egenskap av ämbetsutövare in one's official capacity
ämbetsman public (Government) official, official
ämbetsrum office
ämbetsverk civil service department
ämna ha för avsikt intend, propose; amer. äv. aim
ämna|d avsedd intended, meant; förutbestämd destined; gåpordet *var -t åt* riktat mot *mig* ...was aimed at me
ämne 1 material material; tekn., metallstycke till mynt, nycklar o.d. blank; *det finns* ~ *till* en stor författare *hos honom* he has the makings of (is cut out to be)... **2** stoff, materia matter; t.ex. organiskt substance, stuff; *flytande* ~*n* liquids **3** tema, samtals~ subject; *frivilligt* ~ skol. optional subject; amer. elective [subject]; *byta* samtals~ change the subject; litteraturen *i* ~*t* ...on this subject; *hålla sig till* ~*t* keep to the subject (point, matter in question); *komma till* ~*t* come to the point
ämneslärare specialist teacher, teacher of a special subject
ämnesområde subject field
ämnesomsättning fysiol. el. kem. metabolism

ämnesval choice of subject
än I *adv* **1** se *ännu* **2** också *om* ~ even if; fastän, ehuru (vanl.) [even] though; ett rum *om* ~ *aldrig så litet* ...however small [it may be], ...no matter how small; *hur mycket jag* ~ *tycker om honom* however much I like him, much as I [may] like him, fond as I am of him **3** ~ *sen då?* vad är det med det då? well, what of it?; vard. so what? **4** ~...~... ibland...ibland... sometimes..., sometimes...; now..., now...; ena minuten...andra minuten... one moment..., the next moment... **II** *prep* o. *konj* **1** efter komp. than; *äldre* ~ older than; se äv. under *mera* o. *mindre* **2** *annan* osv. ~ se under *annan 3*
ända I *s* **1** end; spetsig ~ tip; stump bit, piece; sjö., tåg~ [bit of] rope; *~n på* stången the end of...; resa till *världens ände* ...the ends pl. of the earth; *börja i fel (galen)* ~ begin (start) at the wrong end; *[hela] dagen i* ~ all [the] day long **2** vard., persons bakdel behind; *få ~n ur vagnen* get on with it, pull one's finger out; *ge ngn en spark i ~n* give a p. a kick on the behind (in the pants) **II** *tr* o. *itr* end **III** *adv* längst, helt o.d. right; så långt som as far as; hela vägen all the way; ~ *[bort] till...* fram till right to...; så långt som till as far as...; hela vägen till all the way to...; ~ *fram till* dörren, jul right up to...; ~ *till* jul until (till)...; fram till right up to...; ~ *ut i fingerspetsarna* to the (his osv.) very finger-tips
ändamål purpose; end; avsikt aim; *~et med* resan the purpose (object) of...; *det fyller sitt* ~ it serves its purpose; *för detta* ~ for this purpose, to this end; *för välgörande* ~ for charitable (benevolent) purposes; *ha* ngt *till* ~ have...as an end
ändamålsenlig ...[well] adapted (suited, fitted) to its purpose, suitable; lämplig expedient; praktisk practical; *den är mycket* ~ it is very much to the purpose
ändamålslös purposeless; objectless; aimless; jfr *ändamål;* gagnlös useless; olämplig inappropriate
ände se *ända I*
ändelse språkv. ending, termination
ändhållplats termin|us (pl. äv. -i)
ändlös endless; som aldrig tar slut interminable
ändpunkt terminal (extreme) point; järnv. o.d. termin|us (pl. äv. -i)
ändra I *tr* o. *itr* allm. alter; mera genomgripande change; byta, ställning shift; rätta correct; förbättra amend; delvis ~ modify; ~ *om* ngt *[till]* change (förvandla convert, transform)...[into] **II** *rfl,* ~ *sig* förändras alter, change; besluta sig annorlunda change one's mind; ändra åsikt äv. change one's opinion; komma på bättre tankar think better of it
ändring alteration äv. av kläder; change; shift; correction; jfr *ändra I; en ~ till det bättre* a change for the better
ändringsförslag proposed alteration; betr. lag o.d. amendment
ändstation järnv. termin|us (pl. äv. -i), terminal
ändtarm anat. rectum
ändå 1 likväl yet; icke desto mindre nevertheless; trots allt all the same, for all that; när allt kommer omkring after all; i vilket fall som helst anyway, anyhow; *medan du ~ håller på* while you're about (at) it; *jag har* ~ i alla fall redan *mycket att göra* I have got a lot to do anyway (anyhow el. as it is) **2** vid komp. still; ~ *bättre* still (even) better **3** i önskesats only; *om du ~ vore här!* if only you were here!, [how] I do wish you were here!
äng meadow; poet. mead
ängel angel äv. bildl.; isht konst. cherub (pl. äv. -im); *ha en ~s tålamod* have the patience of Job (of a saint)
änglalik angelic, angelical
ängsblomma meadow flower
ängslan anxiety; stark. apprehension; oro alarm, nervousness
ängslas be (feel) anxious (alarmed) *[för, över* about]; oroa sig worry *[för, över* about]
ängslig 1 rädd anxious; nervös nervous, upset; oroande worrying; *var inte ~!* don't worry!, don't be afraid!; *vara ~ för* följderna fear (stark. dread)... **2** *med ~* pinsam *noggrannhet* with [over-]scrupulousness
ängsmark meadowland; *~er* äv. meadows
änka widow
änkedrottning queen dowager (regents moder mother)
änkeman widower
änkepension widow's pension
änkestånd widowhood
änkling widower
ännu 1 om tid: isht om ngt ej inträffat yet; fortfarande still; hittills [as] yet; så sent som only, as late as; *är han här ~?* har han kommit is he here yet?; är han kvar is he still here?; ~ *så länge* hittills so far, up to now **2** ytterligare more; ~ *en* one more, [yet] another **3** framför komp. still; ibl. (stark.) yet; ~ *bättre* even better, better still
äntligen om tid: till slut at last, finally
äntra sjö. el. allm. **I** *tr* board **II** *itr* climb
äppelkaka apple cake
äppelkart green (unripe) apple (koll. apples pl.)
äppelmos mashed apples, apple sauce
äppelpaj apple pie

äppelskrott o. **äppelskrutt** apple core
äppelträd apple [tree]
äppelvin ung. cider
äpple apple; herald. pomey; *~t faller inte långt från trädet* like father, like son; he (resp. she) is a chip of the old block
ära I *s* honour; beröm credit; berömmelse glory; *det är en [stor] ~ för mig att* inf. it is a great honour for me to inf.; *få ~n för* ngt get the credit for...; *[jag] har den ~n [att gratulera]!* congratulations!; *ta åt sig ~n* take the credit; uppslagsböcker *i all ~* with all due deference to...; *på (vid) min ~!* [up]on my honour (word)!; *dagen till ~* in honour of the day **II** *tr* honour, do (pay) honour to; vörda venerate; *~[s] den som ~s bör* honour where (to whom) honour is due
ärad honoured; aktad el. korrespondent esteemed; *~e kollega!* i brev Dear Colleague, *~e åhörare!* ladies and gentlemen!
ärbar decent, modest
ärbarhet decency, modesty
äregirig ambitious, aspiring
ärekränkande defamatory
ärekränkning defamation
ärelysten ambitious
ärende 1 uträttning errand; uppdrag commission; budskap message; *vad är ert ~?* is there anything I can do for you?, what brings you here?; *ha ett ~ till stan* have business in town; *skicka ngn [i] ett ~* send a p. on an errand; *många är ute i samma ~* many people are after the same thing **2** fråga matter; fall case; *nästa ~ [på föredragningslistan]* the next item [on the agenda]
ärevarv sport. lap of honour (pl. laps of honour)
ärevördig venerable; stark. reverend
ärftlig hereditary; som går i arv inheritable; *det är ~t* vanl. it runs in the family
ärftlighet biol. heredity; om t.ex. sjukdom hereditariness
ärftlighetslära theory of heredity, genetics
ärg verdigris; isht konst. patina
ärgig verdigrised; isht konst. patinated
ärkebiskop archbishop
ärkefiende arch-enemy
ärkehertig archduke
ärkenöt vard. utter fool
ärkeängel archangel
ärla zool. wagtail
ärlig honest; vard. straight; rättfram straightforward; redbar, om t.ex. karaktär upright; hederlig honourable; om t.ex. blick frank; uppriktig sincere; rättvis fair; *om jag skall vara ~* tror jag honestly (to be honest)...; *ett ~t svar* an honest (a straight) answer
ärligen honestly osv., jfr *ärlig*
ärlighet honesty, straightforwardness osv., jfr *ärlig; ~ varar längst* honesty is the best policy
ärligt, *~ talat* to tell the truth, to be honest, honestly; *se till att det går ~ till* see that there is fair play
ärm sleeve
ärmhål armhole
ärmlös sleeveless
ärofull glorious; om t.ex. reträtt honourable
ärorik glorious; om pers. illustrious
ärr scar äv. bot.; isht vetensk. cicatrice; kopp~ pockmark; rispa scratch
ärrig scarred; kopp~ pockmarked
ärt o. **ärta** pea; *ärter och fläsk* soppa [yellow split] pea soup with pork
ärtbalja [pea] pod; utan ärtor [pea] shell
ärtsoppa pea soup
ärtväxt leguminous plant
ärva, *[få] ~* inherit *[av, efter* from*]*; en tron succeed to...; *jag har fått ~ [pengar]* I've come into money, I've been left some money
ärvd inherited; medfödd hereditary
äsch oh!; tusan också bother!; *~,* det spelar ingen roll*!* oh well,...!
äska, *~ tystnad* call for silence
äss kortsp., tennis el. bildl. om pers. ace
ässja forge
ät|a I *tr* o. *itr* eat; inta (t.ex. frukost osv. el. enstaka maträtt) vanl. have; bruka inta sina måltider, vanl. have (take) one's meals; om djur (livnära sig på) feed on; ta (t.ex. piller, medicin) take; *vi -er [frukost (lunch* etc.*)]* kl.... we have (eat) [our] breakfast (lunch etc.)...; *~ lunch* have lunch; *~ middag* have dinner, dine; *~ glupskt* eat greedily, devour one's food, guzzle, gobble; *~ gott* el. *bra (dåligt)* få god (dålig) mat get good (poor) food; *~ litet* el. *dåligt (mycket)* vara liten (stor) i maten be a poor (big, hearty) eater; *ät lite* nu*!* have some food (a bite)!; *duga att ~* vara njutbar be eatable (ej giftig edible) **II** *rfl, ~ sig mätt* have enough to eat, satisfy one's hunger

III med beton. part.

~ **sig igenom** gm nötning wear its way through

~ **ihjäl sig** gorge oneself to death

~ **sig in i...** om djur eat into...; om stickor o. dyl. (i kroppen) bore into...

~ **upp** eat [up]; *jag har -it upp [maten]* I have finished my food; *det skall han få ~ upp!* bildl. he'll have that back [with interest]!, he hasn't heard the last of that yet!

ätbar njutbar eatable; ej giftig, se *ätlig*
ätlig edible; vetensk. esculent
ätt family; kunglig dynasty; den siste *av sin ~* ...of his line

ättika vinegar; kem. acetum; *lägga in i ~* pickle
ättiksgurka sour pickled gherkin
ättiksprit vinegar essence
ättiksyra kem. acetic acid
ättling descendant; offspring (pl. lika)
även också also, ...too; likaledes ...likewise; till och med even; *~ om* even if; fastän even though
ävenledes also
ävensom as well as
ävenså also
äventyr 1 allm. adventure; missöde misadventure; *gå ut på ~* go [out] in search of adventure **2** kärleksaffär love affair, romance **3** vågsamt företag hazardous venture (enterprise) **4** *till ~s* perchance, peradventure
äventyra sätta på spel risk; utsätta för fara endanger, imperil
äventyrare adventurer, soldier of fortune
äventyrerska adventuress
äventyrlig adventurous; riskabel venturesome; lättsinnig loose
äventyrlighet adventurousness etc., jfr *äventyrlig; inlåta sig på ~er* enter [up]on risky (hazardous) undertakings
äventyrslusta love of adventure
äventyrslysten adventure-loving
äventyrsroman story of adventure; klassisk romance

1 ö bokstav the letter ö, o with two dots
2 ö island; poet. el. vissa önamn isle
öbo islander
1 öde fate; bestämmelse destiny; lott lot; *~t* ss. personifikation Fate, Destiny; lyckan Fortune; *förena sitt ~ med...* throw (cast) in one's lot with...; *gå sitt ~ till mötes* [go to] meet one's fate
2 öde desert, waste; enslig solitary; ödslig desolate; obebodd uninhabited, övergiven deserted; tom empty, vacant
ödelägga lägga öde lay...waste; förhärja ravage; förstöra ruin, destroy
ödeläggelse ödeläggande laying waste; ss. resultat waste; härjning devastation; förstörelse ruin
ödemark waste; obygd wilds, amer. backwoods
ödesbestämd fated
ödesdiger ödesmättad fateful; katastrofal fatal; olycksbringande disastrous, ill-fated
ödesmättad fateful
ödla lizard
ödmjuk allm. humble; undergiven submissive, meek; vördnadsfull respectful
ödmjuka, ~ *sig* humble oneself [*inför* before]
ödmjukhet humility; submission
ödsla, ~ *med* (*bort*) waste, squander
ödslig desolate; övergiven deserted; dyster dreary
ödslighet desolateness; övergivenhet desertedness; dysterhet dreariness
ög|a 1 allm. eye äv. nåls~ o.d.; *så långt ~t når* as far as the eye can reach; *ge ngn -on* make eyes at a p., give a p. the glad eye; *ha ~ för...* have an eye for...; *ha* (*hålla*) *ett ~* (*-onen*) *på...* keep an eye on...; *hålla -onen öppna* keep one's eyes open; *i mina* (*folks*) *-on* in my (people's) eyes (opinion, view); *jag har* ljuset (solen) *i -onen* ...is in my eyes; **2** på tärning o. kort pip
ögla loop; *slå* (*göra*) *en ~ på* tråden loop...
ögna, ~ *i ngt* have a glance (look) at a th., glance at a th.
ögonblick moment; *ett ~!* one moment [please]!, just a moment (minute, second)!; *det tror jag inte ett ~* I don't believe that for a (one single) moment; *det avgörande ~et* the critical moment; *i samma ~* [*som*] jag såg honom the moment (instant, minute)...; *i* [*allra*] *sista ~et* at the [very] last moment, in the nick of time; *om ett ~* el. *på ~et* in a moment, in an instant

ögonblicklig instantaneous; omedelbar instant
ögonblickligen instantaneously; omedelbart instantly, immediately; genast at once, right now
ögonblicksbild skildring on-the-spot account
ögonbryn eyebrow; *rynka* (*höja* [*på*]) *~en* knit (raise) one's [eye]brows
ögondroppar eye drops
ögonfrans [eye]lash
ögonglob eyeball
ögonhåla [eye] socket
ögonkast glance; *vid första ~et* at first sight, at the first glance
ögonlock eyelid
ögonläkare eye specialist
ögonmått, *ha gott ~* have a sure eye
ögonmärke aiming (sighting) point; *ta ~* sikte *på...* aim at...
ögonsjukdom eye (ophthalmic) disease
ögonskugga kosmetisk eyeshadow
ögonsten bildl. *ngns ~* the apple of a p.'s eye; om favorit o.d. äv. a p.'s darling (pet)
ögontjänare timeserver
ögonvita white of the eye (pl. whites of the eyes)
ögonvittne eyewitness
ögonvrå corner of the (resp. one's) eye
ögrupp group (cluster) of islands
öka I *tr* allm., t.ex. pris, fodringar increase; förstärka augment; till~ add to; utvidga enlarge; förhöja (med saksubj.), värdet av enhance; *~ farten* (*hastigheten*) speed up, pick up speed; *~ kapitalet med* 5 miljoner add...to the capital **II** *itr* increase; utvidga augment; om sjö el. brottsligheten *~r* ...is on the increase
öken desert
ökenartad desert-like
öknamn nickname; *ge...* [*ett*] *~* nickname...
ökning increase; augmentation, addition; enlargement, enhancement
ökänd notorious
öl beer; [*ljust*] *~* äv. pale ale; *mörkt ~* stout
ölback beer crate
ölburk tom beer can; med innehåll can of beer
ölflaska tom beer bottle; full bottle of beer
ölglas tomt beer glass; glas öl glass of beer
öljäst brewer's yeast
ölsinne, *ha gott* (*dåligt*) *~* be able (unable) to hold one's liquor, carry one's liquor well (badly)
ölunderlägg beer mat
ölöppnare bottle opener
öm 1 ömtålig tender; känslig sensitive; hudlös raw; *en ~ punkt* bildl. a tender (sensitive) spot, a sore point **2** kärleksfull tender; *~ omtanke* solicitude

ömfotad, *vara ~* have tender (sore) feet, be footsore
ömhet 1 smärta o.d. tenderness **2** kärleksfullhet tenderness, [tender] affection
ömhetsbehov need (craving) for affection
ömhetsbetygelse o. **ömhetsbevis** proof (token, mark) of affection, endearment
ömhjärtad vek tender-hearted; deltagande sympathetic
ömka I *tr* commiserate, pity **II** *rfl, ~ sig över* ngn: hysa medkänsla med feel sorry for...; tycka synd om pity...; förbarma sig över take pity on...
ömkan pity
ömkansvärd pitiable; stackars poor
ömklig bedrövlig deplorable; *en ~ syn* a sad (pitiful, sorry) sight
ömma 1 göra ont be (feel) tender (sore) **2** *~ för* hysa medlidande med feel [compassion] for, sympathize with
ömmande behjärtansvärd *ett ~ fall* a distressing (om pers. deserving) case
ömsa change; ormen *~de skinn* ...sloughed (cast, shed) its skin
ömse, *på ~ håll* (*sidor*) on both sides, on each (either) side
ömsesidig mutual; *~t beroende* interdependence
ömsesidighet reciprocity
ömsevis alternately; i tur och ordning by turns
ömsinnad o. **ömsint** ömhjärtad tender[-hearted]; *vara ~* äv. have a tender heart
ömsinthet tenderness of heart
ömsom, *~...~...* sometimes..., sometimes...; ...and...alternately
ömt, *älska ~* love dearly
ömtålig a) mer eg.: som lätt tar skada easily damaged; om t.ex. tyg flimsy; skör fragile; lättförstörd perishable b) friare: klen (om t.ex. mage), kinkig (om t.ex. fråga) delicate; känslig sensitive; mottaglig susceptible; lättretlig irritable; *en ~ blomma* a delicate flower
ömtålighet liability to damage; flimsiness, brittleness; perishableness; susceptibility; irritability; jfr *ömtålig*
önska wish äv. tillönska; *~ sig* vanl. wish for; åstunda desire; livligt ~ be desirous [*ngt* of a th.; *att* inf. to inf.]; behöva, begära require; gärna vilja, vilja ha want; *~ ngn hjärtligt välkommen* give a p. a hearty welcome
önskan wish; desire; begäran request; jfr *önska; efter ~* according to one's wishes; den var *efter ~* ...to his (her osv.) liking; *mot min ~* against (contrary to) my wishes
önskedröm dream; det är *bara en ~* ...just a pipedream
önskelista list of presents one would like

[inför födelsedag (jul) for one's birthday (for Christmas)]
önskemål wish; *var det några andra ~?* is there anything else you would like?; *särskilda ~* special requirements
önskeprogram i radio o. TV request programme
önsketänkande wishful thinking
önskeväder ideal weather
önskning, *nå sina ~ars mål* attain the object of one's desire[s] (wishes)
önskvärd desirable; *icke ~* undesirable
önskvärdhet desirability
öpp|en open äv. språkv.; vid free; tom blank; offentlig public; om t.ex. uppsyn ingenuous; ärlig above-board end. pred.; oförtäckt undisguised, plain; mottaglig susceptible; *~ anstalt* open institution; *~* frimodig *blick* candid (ingenuous) look; *ute på -na sjön* out on the open sea; *-et dygnet runt* open night and day, open all round the clock; *vara ~ för nya idéer* have an open mind
öppenhet openness; uppriktighet frankness; mottaglighet susceptibility
öppenhjärtig open-hearted; *vara ~* äv. wear one's heart on one's sleeve
öppenvård se *vård*
öppettid, *~er* opening hours pl., opening and closing times (hours) pl.
öppna I *tr* open; låsa upp unlock; slå upp broach; veckla ut open out, expand; *~ för ngn* open the door for..., let...in **II** *rfl, ~ sig* open; visa sig äv. open up; slå ut äv. expand; vidga sig open out
öppnande opening
öppning allm. opening äv. schack.; mynning orifice; hål aperture; ingång inlet; i skog glade
ör|a 1 anat. ear äv. bildl.; *man ska höra mycket innan -onen faller av!* well, that beats everything!, I've never heard such a thing!; *ha ~ för musik* have an ear for music; *klia sig bakom ~t* scratch one's head; *det ringer (susar) i -onen på mig* my ears are ringing (buzzing); *höra dåligt (vara döv) på högra ~t* hear badly with (be deaf in) one's right ear; *vara på ~t* vard. be tipsy **2** handtag på kopp, tillbringare handle
öre öre; *vara utan ett ~* not have a penny; *inte värd ett rött ~* not worth a brass farthing (tuppence, amer. [red] cent)
Öresund the Sound
örfil box on the ear[s]; *ge ngn en ~* give a p. a box on the ear[s], se äv. *örfila*
örfila, *~ [upp] ngn* box a p.'s ears, smack a p.'s face, clout a p.
örhänge 1 smycke earring; isht långt eardrop; öronclips earclip **2** schlager hit
örike island (insular) state (country); *det brittiska ~t* Britain, the British Isles pl.
öring zool. salmon trout (pl. lika)
örlogsbas naval base
örlogsfartyg warship (pl. men-of-war)
örlogsflotta navy; samling fartyg battle fleet
örlogskapten lieutenant commander
örn eagle
örngott pillow case (slip)
örnnäsa aquiline (hook) nose
örnnäste aerie
öronbedövande ear-splitting
öronclips earclip
öroninflammation inflammation of the ear (ears); vetensk. otitis
öronlapp på mössa earflap
öronlappsfåtölj wing chair
öronläkare ear specialist; *öron-, näs- och halsläkare* ear, nose, and throat specialist
öronmärka earmark
öronpropp 1 vaxpropp plug of wax **2** skyddspropp earplug **3** radio earphone
öronsjukdom disease of the ear, aural disease
öronskydd, *ett ~* a pair of earmuffs
örring earring
örsnibb anat. [ear] lobe
ört herb; *~er* äv. herbaceous plants
örtagård herb garden; bildl. garden
örtte herb tea
ösa I *tr* scoop; sleva ladle; isht tekn. lade; hälla pour; *~ en båt [läns]* bale (bail) [out] a boat; *~ en stek* baste a joint **II** *itr, det öser ned* nu it's pouring (pelting) down; vard. it's raining cats and dogs
öskar bailer
ösregn pouring rain, downpour
ösregna pour; *det ~r* it's pouring (pelting) down, it's coming down in buckets
öst east (förk. E)
östan o. **östanvind** east wind
Östasien Eastern Asia
östblocket hist. the Eastern bloc
öster I *s* väderstreck the east; *Östern* the East, the Orient **II** *adv* [to the] east
österifrån from the east
Österlandet the East
österländsk oriental
österlänning Oriental
österrikare Austrian
Österrike Austria
österrikisk Austrian
Östersjön the Baltic [Sea]
österut åt öster eastward[s]; i öster in the east
Östeuropa Eastern Europe
östlig easterly; east; eastern; jfr *nordlig*
östligare m.fl., jfr *nordligare* m.fl.
östra the east; the eastern; jfr *norra*
östrogen fysiol. oestrogen
östat i USA *~erna* the eastern (East coast) states
östtysk hist. East-German
Östtyskland hist. East-Germany

öva I *tr* **1** träna train; ~ *skalor* mus. practise scales **2** utöva: t.ex. grymhet commit; rättvisa do; inflytande exercise **II** *rfl,* ~ *sig* practise

över I *prep* **1** i rumsbet. **a)** allm. over; ovanför above; tvärsöver across; ned över [up]on; utöver beyond vanl. bildl.; *bred* ~ *axlarna* broad across the shoulders; ~ *all beskrivning* [*vacker*] [beautiful] beyond description; *bo* ~ *gården* live across the [court]yard; *det går* ~ *min förmåga* (*mitt förstånd, min horisont*) it is beyond me (above my head); *lägg* [*över*] *någonting* ~ maten put something over...; *plötsligt var ovädret* ~ *oss* suddenly the storm was (came) [up]on us; *han är inte* ~ *sig* t.ex. nöjd, lycklig he's none too...; t.ex. rik, begåvad he's not all that... **b)** via via; ibl. by [way of]; tåg till *London* ~ *Ostende* ...London via Ostend **c)** för att beteckna överhöghet o.d. vanl. over; i fråga om rang above; *makt* (*seger*) ~ power (victory) over; *bestämma* ~... avgöra decide...; dominera, leda dominate... **2** i tidsbet. **a)** uttr. tidrymd over; resa bort, bortrest ~ *julen* (*sommaren*) ...over Christmas (the summer) **b)** *klockan är fem* ~ [*fem*] it is five past (amer. äv. after) [five] **3** mer än over, more than, upward[s] of; ~ *50* kronor (kilo, år) over fifty... **4** i prep. attr. uttr. genitivförh. of; *en karta* ~ *Sverige* a map of Sweden **5** om, angående [up]on; *grubbla* ~ ponder over (on) **6** med anledning av o.d. oftast at; ibl. of; *förtjust* (*otålig*) ~ delighted (impatient) at; *stolt* ~ proud of; *svära* ~ swear at; *undra* ~ wonder at

II *adv* **1** over; above; across; en säng *med en filt* ~ ...with a blanket over it; *resa* ~ *till England* go over to England **2** slut over; *faran är* ~ the danger is over (past) **3** kvar left, [left] over; till förfogande to spare; *jag har* 50 kronor ~ I have...left [over]

överallt everywhere; var som helst anywhere; ~ *där* det finns (vanl.) wherever...

överanstränga I *tr* t.ex. hjärtat, ögonen overstrain **II** *rfl,* ~ *sig* fysiskt overstrain (overexert) oneself; psykiskt o.d. overwork [oneself], work too hard

överansträngning t.ex. av hjärtat overstrain; p.g.a. för mycket arbete overwork

överarbeta bearbeta alltför noggrant overelaborate

överarm upper [part of the] arm

överbefolkad overpopulated

överbefolkning abstr. overpopulation

överbefäl abstr. supreme (chief) command

överbefälhavare supreme commander, commander-in-chief

överbelagd om t.ex. hotell overbooked; om t.ex. sjukhus overcrowded

överbelasta overload; elektr. äv. overcharge; bildl. overtax

överbetona over-emphasize

överbett overbite; friare protruding teeth; vet. med. overshot jaw

överbevisa jur. convict; friare convince

överbjuda 1 eg. outbid äv. kortsp. **2** bildl. [try to] outdo, rival; *de överbjöd varandra i* älskvärdhet they tried to outdo one another in...

överblick survey, general view; *ta en* ~ *över läget* äv. survey the situation

överblicka survey; bilda sig en uppfattning om take in; förutse foresee

överbliven remaining

överboka overbook

överbord, *falla* (*lämpa, spolas*) ~ fall (heave, be washed) overboard

överbrygga bridge [over] äv. bildl.; ~ *motsättningar* overcome (reconcile) differences

överbud higher bid

överbyggnad superstructure äv. bildl.

överbädd upper bed (i sovkupé, hytt berth)

överdel top äv. plagg; top (upper) part

överdos overdose; vard. OD

överdrag 1 hölje, skynke o.d. cover[ing]; på möbel loose cover; lager av färg o.d. coat[ing] **2** på konto overdraft

överdragskläder overalls

överdrift exaggeration; ytterlighet excess; *fallen* (*benägen*) *för* ~*er* given to exaggeration; *gå till* ~ go too far, go to extremes; om pers. äv. carry things too far, overdo it

överdriva exaggerate; påstående, uppgift overstate; t.ex. en roll overdo; *nu överdriver du allt!* i berättelse o.d. now you're exaggerating!, you're laying it on thick!

överdriven exaggerated; till ytterlighet gående excessive, exorbitant; *överdrivet påstående* äv. overstatement

överdrivet exaggeratedly; excessively; ~ noga, artig etc. too..., over-...; ~ *kritisk* hypercritical, over-critical; *inte* ~ över sig *vänlig* none too friendly

överdåd 1 slöseri extravagance; lyx luxury **2** dumdristighet foolhardiness

överdådig 1 slösande extravagant; lyxig, dyrbar luxurious, sumptuous **2** dumdristig foolhardy

överdängare, *han är en* ~ *i* t.ex. matematik, tennis he is terrifically good at...

överens, *vara* ~ ense be agreed (in agreement, in accord), agree [*om* on]

överenskom|ma, *de -na villkoren* (*den -na tiden*) the conditions (the time) agreed [up]on (fixed)

överenskommelse agreement; arrangement; *tyst* ~ tacit understanding; *träffa* [*en*] ~ reach (come to, arrive at) an

agreement; *enligt* ~ by (according to, hand. äv. as per) agreement, as agreed (arranged)
överensstämmelse agreement; t.ex. i vittnesmål concordance; t.ex. i känslor conformity; motsvarighet correspondence; ~*r* points of agreement (of correspondence)
överexponering foto. overexposure
överfall angrepp assault
överfalla angripa assault, attack
överfart 1 överresa crossing **2** viadukt overpass
överflygning overflight
överflöd ymnighet abundance; stark. profusion; rikedom affluence; övermått superabundance; på t.ex. arbetskraft redundance; *ha ~ på* mat el. *mat finns i ~* there is food in plenty (in abundance)
överflöda abound; ~*nde* riklig abundant, profuse, affluent; yppig, frodig luxuriant, exuberant; slösande lavish
överflödig superfluous; *känna sig ~* feel unwanted
överflödssamhälle, ~*t* the Affluent Society
överfull overfull, too full; packad crammed; bräddfull brimful; om lokal overcrowded
överföra överflytta, sprida transfer; *i överförd bemärkelse* in a transferred (a figurative) sense
överförfriskad tipsy
överföring överflyttning transfer äv. t.ex. av pengar; transference äv. tekn.; t.ex. av varor, trupper conveyance; t.ex. av elkraft transmission; radio. transmission
överförmyndare chief guardian
överförtjust delighted; overjoyed båda end. pred.
överge o. **övergiva** abandon; *~ sin familj* vanl. leave (desert) one's family
övergiven abandoned, deserted; forsaken; [*ensam och*] ~ forlorn
överglänsa bildl. outshine
övergrepp övervåld outrage; oförrätt wrong, unfair treatment; intrång encroachment [on a person's rights]; ~ pl., grymheter excesses, acts of cruelty
övergripande overall; allomfattande all-embracing
övergå, *det ~r mitt förstånd* it passes (is above) my comprehension, it is beyond me
övergående som [snart] går över passing; *av ~ natur* of a temporary nature
övergång 1 abstr.: eg. crossing; bildl.: omställning, skifte changeover; från ett tillstånd till ett annat transition; mellantillstånd intermediate (transition[al]) stage; förändring change; omvändelse conversion äv. polit. **2** övergångsställe: vid järnväg o.d. crossing; för fotgängare [pedestrian] crossing; amer. äv. crosswalk
övergångsskede o. **övergångsstadium** transition[al] (transitory) stage
övergångsställe vid järnväg o.d. crossing; för fotgängare [pedestrian] crossing; amer. äv. crosswalk
övergångstid transition[al] period
övergångsålder klimakterium menopause; pubertet years pl. of puberty
överhalning 1 fartygs krängning lurch; *göra en ~* lurch äv. om pers.; give a lurch **2** utskällning *ge ngn en ~* give a p. a good rating
överhand, *få* (*ta*) ~[*en*]*:* a) få övertaget get the upper hand [*över* of]; prevail [*över* over]; get out of control, get out of hand b) sprida sig, om t.ex. ogräs, epidemi, idéer be (become) rampant
överhet, ~*en* the powers pl. that be, the authorities pl.
överhetta overheat äv. ekon.; superheat
överhettning overheating äv. ekon.; superheating
överhopa, ~ *ngn med* t.ex. ynnestbevis heap (shower)...[up]on a p.; ~*d med skulder* loaded with debts; vard. over head and ears in debt
överhud anat. epidermis
överhuset i Engl. the House of Lords
överhuvud head; ledare chief
överhuvudtaget i jakande sats on the whole; i nekande, frågande el. villkorlig sats at all; *om det ~ är möjligt* if [it is] at all possible
överhängande 1 nära förestående, hotande impending; *vid ~ fara* in an (in case of) emergency **2** brådskande urgent
överila, ~ *sig* förhasta sig act rashly (precipitately), be hasty (rash); förivra sig be carried away
överilad förhastad rash; *gör inget överilat!* don't do anything rash!, don't be overhasty!
överinseende supervision, superintendence
överjordisk himmelsk unearthly; översinnlig ethereal; gudomlig divine
överkant eg. upper edge (side); [*tilltagen*] *i ~* för stor rather on the large (resp. big, för lång long, för hög, äv. om t.ex. siffra, pris high) side, too large etc. if anything
överkast säng~ bedspread
överklaga beslut appeal against; tävlingsjuryns beslut *kan ej ~s* ...is final
överklagande appeal
överklass upper class; ~*en* the upper classes pl.; vard. the upper crust
överkomlig om hinder surmountable; om pris reasonable
överkropp upper part of the body; *med naken ~* stripped to the waist
överkultiverad over-refined

överkurs 1 hand. premium; *till ~* at a premium **2** skol., ung. extra (supplementary) study
överkvalificerad overqualified, too qualified
överkäke upper jaw
överkänslig hypersensitive; allergisk allergic
överkörd 1 eg. *bli ~* be (get) run over **2** bildl. *han blev ~* i diskussionen he was steamrollered (completely disregarded)...
överlagd uppsåtlig premeditated; *överlagt mord* premeditated (wilful) murder; *noga ~* övertänkt well considered
överlakan top sheet
överlappa overlap
överlastad overloaded; *~ med arbete* overburdened (overwhelmed) with work; *ett överlastat* alltför utsmyckat *rum* a room overburdened with ornaments
överleva survive; *han kommer inte att ~ natten* he won't live through the night
överlevande surviving; *de ~ [från jordbävningen]* the survivors [of the earthquake]
överlevare survivor
överlevnad survival
överlevnadsinstinkt instinct for survival
överlista outwit, dupe; *han ~de mig* äv. he was too sharp for me
överljudsplan supersonic aircraft
överlupen 1 *~ av* besökare overrun (swamped) with... **2** övervuxen *~ av (med)* mossa overgrown (covered) with...
överlycklig extremely happy end. pred.; ...over the moon
överlåta 1 överföra transfer; delegera delegate; jur.: egendom el. rättighet release; *skriftligen ~* sign over **2** hänskjuta leave; *jag överlåter åt dig att* inf. I leave it to you (to your discretion) to inf.
överlåtelse transfer; jur. äv. conveyance
överläge bildl. advantage; *vara i ~* be in a strong (an advantageous) position
överlägga confer; deliberate; *~ om* diskutera äv. discuss, debate
överläggning deliberation; *~ar* samtal talks
överlägsen superior; högdragen supercilious; *han är mig ~* äv. he is my superior; *~ seger* easy (runaway) victory
överlägsenhet superiority; förträfflighet excellence; högdragenhet superciliousness
överläkare avdelningschef chief (senior) physician (kirurg surgeon); sjukhuschef medical superintendent
överlämna I *tr* avlämna deliver [up (over)]; framlämna hand...over; räcka pass[...over]; skänka present; *~ ett brev* deliver a letter [*till ngn* to a p.]; *jag ~r åt dig att* inf. I leave it to you to inf. **II** *rfl*, *~ sig till (åt) fienden* surrender (give oneself up) to the enemy
överläpp upper lip
överlöpare deserter; polit. defector; vard. rat
övermakt i antal superior numbers; i stridskrafter superiority in forces; vreden *fick ~ över honom* ...got the better of him
överman superior; *finna sin ~* meet (find) one's match
övermanna overpower
övermod förmätenhet presumption; våghalsighet recklessness
övermodig förmäten presumptuous, overbearing; våghalsig reckless
övermogen overripe
övermorgon, *i ~* the day after tomorrow
övermått bildl. excess
övermäktig om t.ex. motståndare superior; smärtan *blev henne ~* ...became too much for her
övermänniska superman
övermänsklig superhuman
övernatta stay overnight
övernattning nattlogi [sleeping] accommodation
övernaturlig supernatural; *i ~ storlek* larger than life
överord överdrift exaggeration; skryt boasting; *det är inga ~* that's no exaggeration, that's an understatement
överordnad I *adj* superior; *~e tjänstemän* senior (head) officials **II** *subst adj* superior; *han är min ~e* äv. he is above me, he's my boss
överpris excessive (exorbitant) price; *vi fick betala ~ för* äggen we were overcharged for...
överproduktion overproduction
överraska surprise; obehagligt startle; *~ ngn med att stjäla* surprise (catch) a p. in the act of stealing; *~s av regnet* be caught in the rain
överraskande I *adj* surprising; *~ besök* surprise visit **II** *adv* surprisingly
överraskning surprise; *det kom som en ~ för mig* it came as (was) a surprise to me, it took me by surprise
överreklamerad överskattad overrated
överresa crossing
överrock overcoat
överrumpla surprise äv. mil.
överrumpling surprise; mil. äv. surprise attack
överräcka hand [over]; skänka present
överrösta, oväsendet *~de honom* ...drowned his voice
övers, *ha tid (pengar) till ~* have spare time (money)
överse, *~ med* ngt overlook...; se genom fingrarna med wink (connive) at...
överseende I *adj* indulgent **II** *s* indulgence; *ha ~ med* ngn, ngt be indulgent towards (lenient with)...

översida top side
översikt survey; sammanfattning outline, summary; *en ~ över* svensk historia an outline of...
översiktskarta key map
översinnlig supersensual; andlig spiritual
översittare bully
översitteri bullying; överlägset sätt bullying (overbearing) manner
överskatta overrate, overestimate; ibl. think too much (highly) of; man kan inte ~ *värdet av* ...exaggerate the value of
överskattning overrating, overestimation
överskjutande, ~ *belopp* surplus (excess) amount, surplus, excess
överskott surplus; hand. äv. profit
överskrida eg. cross; bildl.: t.ex. sina befogenheter exceed, overstep, go beyond; konto overdraw
överskrift till artikel o.d. heading, caption; till dikt o.d. title; i brev [form of] address
överskugga overshadow äv. bildl.; *det allt ~nde problemet är...* the overriding problem is...
överskådlig klar och redig clear; väldisponerad well-arranged; *inom ~ framtid* in the foreseeable future
överskådlighet t.ex. framställningens clearness
överslag 1 förhandsberäkning [rough] estimate **2** elektr. flash-over
översnöad ...snowed over, ...covered with snow
överspelad sport. outplayed; *det är överspelat* bildl. it's a thing of the past
överspänd ytterst spänd overstrung
överspändhet spänt tillstånd overstrung state
överst uppermost; on top; ~ *på sidan* at the top of the page; *stå ~ på listan* head (be at the head of) the list
översta, [*den*] ~ hyllan, klassen, våningen the top...; av två the upper...; *den allra ~* grenen, hyllan the topmost (uppermost)...
överste colonel; inom flyget i Engl. group captain; högre (av första graden): inom armén brigadier; inom flyget air commodore; amer. i båda fallen brigadier general
överstelöjtnant lieutenant colonel; inom flygvapnet ung. wing commander
överstepräst high (chief) priest
överstig|a exceed; *det -er mina krafter* it is beyond my powers
överstycke allm. top; dörr~ lintel
överstökad ...over (and done with)
översvallande om t.ex. beröm exuberant; om pers. effusive, gushing; ~ *entusiasm* unbounded (overwhelming) enthusiasm; ~ *glädje* transports pl. of joy, rapturous delight
översvämma flood, inundate båda äv. bildl.; ~ *marknaden* flood (glut) the market
översvämning flood; översvämmande flooding
översyn overhaul; *ge* bilen *en ~* give...an overhaul, overhaul...
översynt long-sighted; vetensk. hypermetropic
översålla strew; *~d* äv. studded; med ngt glittrande äv. spangled
översända sända send; pengar o.d. (per post) remit
översätta translate; återge render
översättare translator
översättning translation; återgivning rendering; *göra en trogen ~* make a close (faithful) translation; *i ~ av* N.N. translated by...
översättningsprov translation test (examensprov examination)
överta take over; t.ex. ansvaret take; ~ efter ngn, t.ex. praktik, affär succeed to
övertag bildl. advantage; *få ~et över ngn* get the better of a p.
övertagande takeover
övertala persuade; ~ *ngn att* inf. äv. persuade (talk) a p. into ing-form
övertalig ...too many in number; överbemannad ...above strength
övertalning persuasion
övertalningsförmåga persuasive powers, powers pl. of persuasion
övertalningsförsök attempt at persuasion
övertid overtime; *arbeta på ~* work overtime
övertidsblockad förbud overtime ban
övertidsersättning overtime pay (compensation)
övertramp bildl. violation, infringement; *göra ~* sport. overstep the takeoff; bildl.: bryta mot reglerna violate the rules
övertrassera bank. overdraw
övertrassering bank. overdraft
övertro vidskepelse superstition; blind tro blind faith; ~ *på* den egna förmågan etc. overconfidence in...
övertrumfa kortsp. overtrump; bildl. go one better than, outdo
överträda transgress; kränka violate
överträdelse transgression; breach; trespass äv. teol.; ~ *beivras* (*åtalas*) offenders (vid förbud att beträda område trespassers) will be prosecuted
överträffa surpass [*ngn i ngt* a p. in a th.]; outdo; vard. beat
övertydlig over-explicit
övertyga convince
övertygad 1 säker *vara ~ om att* sats (*om ngt*) be sure (convinced) that sats (of a th.); *ni kan vara ~ om att...* you may rest assured that... **2** trosviss *en ~ socialist* a convinced (dedicated) socialist; *en ~ katolik* a devout Catholic

övertygande convincing; *verka* ~ äv. carry conviction
övertygelse conviction; *av* ~ by conviction; *handla efter sin* ~ act up to one's convictions
övertäckt allm. covered; om båt decked-in
övervaka ha tillsyn (uppsikt) över supervise; bevaka watch over; ~ se till *att...* see [to it] that...
övervakare supervisor; jur. probation officer
övervakning supervision; jur. probation; *stå (ställas) under* ~ be (be put) on probation
övervikt 1 eg. overweight; *betala* ~ pay [an] excess luggage charge; patienten *har* ~ ...is overweight **2** bildl. predominance, preponderance; *med tio rösters* ~ with (by) a majority of ten
övervinna overcome; ~ *sin fruktan (sig själv)* get the better of one's fear (of oneself)
övervintra winter, pass the winter; ligga i ide hibernate
övervuxen overgrown; ~ *med* t.ex. ogräs äv. overrun with...
övervåld outrage; jur. assault; *bli utsatt för* ~ be assaulted
övervåning upper floor (storey, amer. vanl. story)
1 överväga betänka consider; begrunda reflect [up]on, ponder over ([up]on); överlägga med sig själv om deliberate; ha planer på contemplate; *han överväger att* emigrera he is contemplating (considering) ing-form
2 överväga, ja-röster *överväger* ...are in the majority
1 övervägande consideration; *efter moget* ~ after careful consideration (inre överläggning äv. long deliberation); *vid närmare* ~ on [further] consideration, on second thoughts
2 övervägande I *adj* förhärskande predominant; *den* ~ *delen av* the greater part of; flertalet the [great] majority of; *till* ~ *del* mainly, chiefly **II** *adv* huvudsakligen mainly
överväldiga overwhelm båda äv. bildl.
överväldigande overwhelming
övervärme kok. top heat, heat from above
överväxel bil. overdrive
överårig över pensionsålder superannuated; över en viss maximiålder over age
överösa, ~ *ngn med* t.ex. gåvor, ovett shower (heap)...[up]on a p.
övning 1 utövande o. praktik practice; träning training; ~ *i att* dansa, räkna practice in ing-form **2** enstaka ~ exercise
övningsbil driving-school car; i Engl. motsv. learner['s] car; ss. skylt Learner (förk. L)
övningsbok exercise book
övningsexempel uppgift exercise; matem. o.d. problem
övningsförare bil. learner driver
övningskörning driving practice, driving a learner['s] car; ss. skylt Learner (förk. L)
övningsuppgift exercise
övningsämne skol. practical subject
övre upper end. attr.; *i* ~ *vänstra hörnet* (på boksida o.d.) in the top (upper) left-hand corner
övrig återstående remaining end. attr.; annan other; *allt* ~*t* everything else; *för* ~*t hade vi inga pengar* besides (moreover), we had no money; we had no money, anyway; *han var för* ~*t här i går* he was here yesterday, by the way (incidentally)
övärld arkipelag, skärgård archipelago (pl. -s); poet. island world